Van dezelfde auteur

De jacht op de Red October
Operatie Rode Storm
Ongelijke strijd
Kardinaal van het Kremlin
De Colombia Connectie
Golf van ontzetting
De meedogenlozen
Ereschuld
Uur van de waarheid
SSN
De beer en de draak
Het rode gevaar
De tanden van de tijger
Op leven en dood

Woestijnstorm
Slag om Kuweit
Special Forces

Tom Clancy's Power Plays-serie
Tom Clancy's Op-Center-serie
Tom Clancy's Netforce Explorers-serie
Tom Clancy's Net Force-serie

Uitstel van executie

Tom Clancy

Uitstel van executie

A.W. Bruna Uitgevers B.V., Utrecht

Oorspronkelijke titel
Executive Orders

Vertaling
Hugo en Nienke Kuipers, Peter de Rijk
Omslagontwerp
Studio Jan de Boer
Omslagbeeld
Corbis (boven), Arcangel Images (onder)

ISBN 978 90 229 9939 4
NUR 332

In de oorspronkelijke uitgave van *De meedogenlozen* (*Without Remorse*) staan de woorden van een gedicht dat ik bij toeval ontdekte en waarvan ik de titel en auteur niet wist. Ik vond dat die woorden de volmaakte uiting waren van mijn gevoelens voor mijn 'kleine vriend' Kyle Haydock, die op de leeftijd van acht jaar en zesentwintig dagen aan kanker overleed. Voor mij zal hij nooit helemaal dood zijn.

Later hoorde ik dat de titel van het gedicht *Ascension* is en dat het is geschreven door Colleen Hitchcock, een buitengewoon talentvolle dichteres uit Minnesota. Ik maak gebruik van deze gelegenheid om haar werk bij alle poëzieliefhebbers aan te bevelen. Zoals haar woorden mijn aandacht trokken en tot mijn verbeelding spraken, zo hoop ik dat ze hetzelfde effect op anderen zullen hebben.

Het gedicht luidt als volgt:

And if I go,
while you're still here...
Know that I live on,
vibrating to a different measure
- behind a thin veil you cannot see through.
You will not see me,
so you must have faith.
I wait for the time when we can soar together again,
- both aware of each other.
Until then, live your life to its fullest.
And when you need me,
Just whisper my name in your heart,
I will be there.

Dankbetuiging

Opnieuw had ik veel hulp nodig:
Peggy voor enige zeer gewaardeerde ideeën;
Mike, Dave, John, Janet, Curt en Pat in het Johns Hopkins Hospital;
Fred en zijn vrienden van de USSS;
Pat, Darrell en Bill, allemaal recidivisten van de FBI;
Fred en Sam, mannen die hun uniform eer aandeden;
H. R., Joe, Dan en Doug, die dat nog steeds doen.
Amerika bestaat dankzij mensen als zij.

Ik bid de Hemel de beste zegeningen te doen neerdalen over dit huis en over allen di er zullen verblijven. Mogen slechts eerlijke en wijze mannen dit huis bestieren.

John Adams, tweede president van de Verenigde Staten, brief aan Abigail, 2 november 1800, over de verhuizing naar het Witte Huis.

Nu is het moment om met algehele instemming te pauzeren om ons bewust te worden van on nationale leven en er een bijdrage aan te leveren, om ons te herinneren wat ons land voo ieder van ons gedaan heeft, en om onszelf af te vragen wat we terug kunnen doen voor on land.

Oliver Wendell Holmes jr

Proloog

Hier beginnen

Het zal wel door de schok komen, dacht Ryan. Het was of hij in tweeën gespleten was. Het ene deel keek uit het raam van de kantine van CNN-Washington en zag het vuur oplaaien uit de resten van het Capitool: gele punten die opsprongen uit een oranje gloed; het leek wel een macaber bloemstuk. In dat vuur waren nog geen uur geleden meer dan duizend mensen omgekomen. Ryans verdriet werd vooralsnog weggedrukt door de verdoving van de schrik, maar hij wist dat het zou komen, zoals op een harde klap in je gezicht altijd pijn volgde, maar nooit meteen. Opnieuw had de dood, met al zijn gruwelijke verhevenheid, geprobeerd hem te pakken te krijgen. Hij had het zien aankomen, was gestopt en had zich teruggetrokken, en het beste wat je ervan kon zeggen was dat zijn kinderen niet wisten hoe dicht hun jonge levens bij een voortijdig einde waren geweest. Voor hen was het gewoon een ongeluk geweest, een gebeurtenis die ze niet begrepen. Ze waren nu bij hun moeder. Bij haar zouden ze zich veilig voelen terwijl hun vader ergens anders was. Het was een situatie waaraan zij en hij allang gewend waren geraakt, al vonden ze het niet prettig. Zo keek John Patrick Ryan naar de restanten van de dood, en een deel van hem voelde nog niets.

Een ander deel keek naar hetzelfde en wist dat hij iets moest doen. Hij deed verwoede pogingen om logisch na te denken, maar de logica won het niet, want de logica wist niet wat hij moest doen of waar hij moest beginnen.

'Meneer de president.' Dat was de stem van adjudant Andrea Price.

'Ja?' zei Ryan zonder zich van het raam af te wenden. Achter hem – hij zag hun spiegelbeelden in het vensterglas – stonden zes agenten van de Secret Service met getrokken pistool om andere mensen uit de kantine te houden. Er stonden een stuk of twintig CNN-medewerkers op de gang. Ze waren beroepshalve geïnteresseerd – tenslotte waren ze journalist – maar ze waren natuurlijk vooral nieuwsgierig en wilden dit historische moment van nabij meemaken. Ze vroegen zich af hoe het zou zijn om in de schoenen van de president te staan en begrepen niet dat zulke gebeurtenissen voor iedereen hetzelfde waren. Iedereen die plotseling met een verkeersongeluk of ernstige ziekte wordt geconfronteerd, kan niet meer normaal denken en doet krampachtige pogingen logica te zoeken in iets wat onlogisch is. Hoe zwaarder de beproeving is, des te langer duurt het voor het herstel intreedt. Aan de andere kant hebben mensen die in crisissituaties getraind zijn procedures om op terug te vallen.

'Meneer, we moeten u naar...'

'Waarheen? Een veilige plaats? Waar dan?' vroeg Jack, en meteen nam hij het zichzelf kwalijk dat hij zo fel was uitgevallen. Minstens twintig agenten lagen in de brandstapel op anderhalve kilometer afstand, allemaal vrienden van de

mannen en vrouwen die met hun nieuwe president in de kantine stonden. Hij had niet het recht zijn verdriet en onzekerheid op hen af te reageren. 'Mijn gezin?' vroeg hij even later.
'De marinierskazerne, Eighth en I Street, zoals u hebt opgedragen, meneer.'
Ja, het was goed voor hen om te kunnen melden dat ze bevelen hadden uitgevoerd, dacht Ryan met een langzaam knikje. Het was ook goed voor hem om te weten dat zijn bevelen waren uitgevoerd. Hij had ten minste één ding goed gedaan. Was dat iets om op voort te bouwen?
'Meneer, als dit deel uitmaakt van een georganiseerde...'
'Dat is niet zo. Dat is toch nooit zo, Andrea?' vroeg president Ryan. Het verbaasde hem dat zijn stem zo moe klonk en hij realiseerde zich dat schrik en stress vermoeiender waren dan de zwaarste lichamelijke inspanning. Hij schudde zijn hoofd om er wat helderheid in te krijgen, maar zelfs daar had hij amper de energie voor.
'Het kan wel,' merkte adjudant Price op.
Ja, ze had waarschijnlijk gelijk. 'Wat is de procedure hiervoor?'
'Kneecap,' antwoordde Price. Ze doelde op de National Emergency Airborne Command Post, een omgebouwde 747 op de vliegbasis Andrews. Jack dacht even na en fronste zijn wenkbrauwen.
'Nee, ik mag niet weglopen. Ik vind dat ik daar weer naartoe moet gaan.' President Ryan wees naar de vuurgloed. Ja, daar hoor ik thuis, nietwaar?
'Nee, meneer de president, dat is te gevaarlijk.'
'Daar is mijn plaats, Andrea.'
Hij denkt al als een politicus, dacht Andrea Price teleurgesteld.
Ryan zag de uitdrukking op haar gezicht en wist dat hij het moest uitleggen. Hij had ooit iets geleerd, misschien wel het enige waar hij op dit moment iets aan had. Het idee was als een lichtgevend bord langs de snelweg in hem opgekomen. 'Dat hoort bij goed leiderschap. Dat heb ik op Quantico geleerd. De troepen moeten zien dat je je werk doet. Ze moeten weten dat je voor ze klaarstaat.' En ik moet weten dat het allemaal echt is, dat ik echt de president ben. Was hij dat wel?
De Secret Service dacht van wel. Hij had de eed afgelegd, de woorden uitgesproken, God om de zegen op zijn werk gevraagd, maar het was allemaal te vlug gegaan. Voor de zoveelste keer in zijn leven deed John Patrick Ryan zijn ogen dicht en dwong hij zichzelf om wakker te worden uit een droom die te onwaarschijnlijk was om echt te kunnen zijn. Maar toen hij zijn ogen weer opendeed, waren die oranje gloed en die oplaaiende gele vlammen er nog steeds. Hij wist dat hij de woorden had uitgesproken; had hij niet zelfs een korte toespraak gehouden? Maar hij kon zich daar geen woord van herinneren.
Laten we aan het werk gaan, had hij een minuut geleden gezegd. Dat herinnerde hij zich. Iets wat onder zulke omstandigheden in je opkomt. Betekende het iets?
Jack Ryan schudde zijn hoofd – zelfs dat vergde al veel inspanning – en wendde zich van het raam af om de agenten in de kamer recht aan te kijken.

'Goed. Wie zijn er nog over?'
'De ministers van Handel en Binnenlandse Zaken,' antwoordde adjudant Price, die via haar portofoon op de hoogte was gesteld. 'Handel is in San Francisco, Binnenlandse Zaken in New Mexico. Ze zijn al opgeroepen; de luchtmacht brengt ze hierheen. Alle andere ministers zijn omgekomen, en ook directeur Shaw, alle negen leden van het hooggerechtshof, de gezamenlijke chefs-van-staven. We weten niet hoeveel Congresleden afwezig waren toen het gebeurde.'
'Mevrouw Durling?'
Price schudde haar hoofd. 'Ze is er niet uitgekomen, meneer de president. De kinderen zijn in het Witte Huis.'
Jack knikte somber, drukte zijn lippen op elkaar en deed zijn ogen dicht bij de gedachte aan nóg iets dat hij persoonlijk moest doen. Voor de kinderen van Roger en Anne Durling was het geen publieke gebeurtenis. Voor hen was het iets tragisch eenvoudigs, een persoonlijke ramp: mama en papa waren dood. Ze waren wezen geworden. Jack had ze gezien, had met ze gesproken – eigenlijk niet veel meer dan een glimlach en het 'hallo' dat je tegen andermans kinderen zegt, maar het waren echte kinderen met een gezicht en een naam – al hadden ze nu alleen nog hun achternaam over en zou hun gezicht verwrongen zijn van schrik en ongeloof. Net als Jack zouden ze proberen een nachtmerrie te verdringen die niet weg wilde gaan, maar voor hen zou het des te moeilijker zijn omdat ze zo jong en zo kwetsbaar waren. 'Weten ze het?'
'Ja, meneer de president,' zei Andrea. 'Ze zaten televisie te kijken en de agenten moesten het ze wel vertellen. Ze hebben nog grootouders en andere familieleden. Die halen we ook naar Washington.' Ze voegde er niet aan toe dat daar ook een procedure voor was, dat in een brandkast van het operatiecentrum van de Secret Service, enkele straten ten westen van het Witte Huis, verzegelde enveloppen lagen met daarin de procedures voor allerlei afschuwelijke rampen die zich konden voordoen. Dit was maar één van die rampen.
Ondertussen hadden honderden, nee duizenden kinderen een uur geleden hun ouders verloren, niet alleen die twee. Jack moest de kinderen Durling even uit zijn hoofd zetten. Hoe moeilijk het ook was, hij vond het ook een opluchting om niet aan die vervelende taak te hoeven denken, al was het maar voor een tijdje. Hij keek adjudant Price weer aan.
'Je bedoelt dat ik op dit moment de hele regering ben?'
'Daar lijkt het wel op, meneer. Daarom hebben we...'
'Daarom moet ík de dingen doen die me te doen staan.' Jack liep naar de deur en de agenten kwamen meteen in beweging. Er waren camera's op de gang. Ryan liep erlangs, voorafgegaan door twee agenten van de Secret Service die de weg voor hem vrijmaakten. De journalisten op de gang waren allemaal nog zo geschokt dat ze weinig anders konden doen dan hun camera's bedienen. Er werd niet één vraag gesteld. Dat was uitzonderlijk, dacht Jack zonder glimlach. Hij vroeg zich geen moment af hoe zijn gezicht eruitzag. De lift stond al klaar en dertig seconden later kwam hij in de grote hal. Die was helemaal ont-

ruimd. Er waren alleen nog agenten. Meer dan de helft van hen had een machinepistool dat naar het plafond gericht was. Die moesten ergens anders vandaan zijn gekomen; het waren er meer dan hij zich van twintig minuten eerder herinnerde. Toen zag hij dat er buiten mariniers stonden, voor het merendeel incorrect gekleed. Sommigen stonden te huiveren in hun rode T-shirt en 'werkbroek' met camouflagepatroon.
'We wilden extra beveiliging,' legde Price uit. 'Ik heb om assistentie uit de kazerne gevraagd.'
'Ja.' Ryan knikte. Niemand zou het vreemd vinden dat de president van de Verenigde Staten in een tijd als deze door mariniers werd omringd. De meesten waren nog tieners en hun gladde jonge gezichten vertoonden geen enkele emotie; een gevaarlijke gemoedstoestand voor mensen die met een wapen rondlopen. Ze tuurden als waakhonden over het parkeerterrein en hielden hun geweer stevig vast. Bij de deur stond een kapitein met een agent te praten. Toen Ryan naar buiten kwam, sprong de mariniersofficier in de houding en salueerde. Dus hij denkt ook dat het echt is. Ryan knikte hem toe en wees naar de dichtstbijzijnde HMMWV.
'De Hill,' beval president John Patrick Ryan kortaf.
De rit duurde niet zo lang als hij had verwacht. De politie had alle belangrijke straten afgezet en de brandweerauto's waren er al. Waarschijnlijk was er groot alarm geslagen, voorzover dat iets uithaalde. De Suburban van de Secret Service, een kruising tussen een stationcar en een lichte vrachtwagen, ging met sirene en zwaailicht voorop. De leden van het escorte zweetten en vloekten waarschijnlijk binnensmonds op het idiote gedrag van hun nieuwe 'Baas', zoals ze de president noemden.
De staart van de 747 was opvallend intact; tenminste, het kielvlak was intact en herkenbaar, als de veren van een pijl in de flank van een dood dier. Het verbaasde Ryan dat het vuur nog steeds brandde. Het Capitool was een stenen gebouw geweest, maar binnen waren er houten bureaus en enorme hoeveelheden papier en allerlei andere stoffen die hun substantie prijsgaven aan hitte en zuurstof. Militaire helikopters cirkelden als motten door de lucht. Hun rotorbladen weerkaatsten het oranje licht van het vuur. Overal zag je rood-met-witte brandweerauto's. Hun lichten flikkerden ook rood en wit en gaven extra kleur aan de opstijgende rook en damp. Brandweerlieden waren druk in de weer en de grond was bedekt met slangen die naar alle beschikbare brandkranen kronkelden om water naar de spuiters te brengen. Heel wat koppelingen lekten. Het water kwam eruit in een dun straaltje dat vlug bevroor in de koude avondlucht.
De zuidkant van het Capitool was verwoest. Je kon de trappen nog zien, maar de zuilen en het dak waren weg, en de vergaderzaal van het Huis van Afgevaardigden vormde achter een rechthoekige rand van stenen een krater, waarvan het witte oppervlak geschroeid en zwartgeblakerd was. Aan de noordkant was de koepel ingezakt, al waren delen ervan nog herkenbaar, want hij was in de Amerikaanse Burgeroorlog van smeedijzer gebouwd en een aantal taart

puntvormige secties hadden hun vorm min of meer behouden. De meeste blusactiviteiten voltrokken zich hier, waar het midden van het gebouw was geweest. Talloze brandslangen, sommige op de grond, sommige vanaf de toppen van ladders en hoogwerkers, spoten water om te voorkomen dat het vuur zich uitbreidde, al kon Ryan vanaf de plaats waar hij stond niet zien in hoeverre dat lukte.
Maar het echte verhaal werd verteld door de ambulances die her en der bij elkaar stonden. De ambulanciers stonden somber bij hun lege brancards af te wachten. De ervaren bemanningen van de ambulances konden niets anders doen dan naar het witte kielvlak met de rode kraanvogel te kijken, die ook zwartgeblakerd maar nog akelig herkenbaar was. Japan Air Lines. De oorlog met Japan was voorbij, dacht iedereen. Maar was dat wel zo? Was dit een laatste daad van provocatie of wraak? Of was het gewoon een afschuwelijk ironisch ongeluk? Jack realiseerde zich dat het allemaal wel wat op een verkeersongeluk leek, zij het natuurlijk op veel grotere schaal. Voor de getrainde mannen en vrouwen die te hulp waren gekomen was het niet anders dan bij zoveel andere ongelukken: ze kwamen te laat. Te laat om het vuur tijdig uit te maken. Te laat om de levens te redden van de mensen die ze hadden gezworen te zullen redden. Te laat om nog iets te doen.
De HMMWV stopte dicht bij de zuidoostelijke hoek van het gebouw, net buiten de groep vrachtauto's, en voordat Ryan kon uitstappen, werd hij weer omringd door een eenheid mariniers. Een van hen, de kapitein, maakte het portier voor de nieuwe president open.
'Nou, wie heeft de leiding?' vroeg Jack aan adjudant Price. Hij merkte nu voor het eerst hoe venijnig koud het was.
'Iemand van de brandweer, denk ik.'
'Laten we hem gaan zoeken.' Jack begon naar een stel brandweerlieden toe te lopen, huiverend in zijn lichte wollen pak. De commandanten zouden die kerels met die witte helmen zijn, nietwaar? En ze reden in gewone auto's, herinnerde hij zich van zijn jeugd in Baltimore. Commandanten reden niet in ladderwagens. Hij zag drie rode personenauto's en ging die kant op.
'Verdomme, meneer de president!' schreeuwde Andrea Price bijna naar hem. Andere agenten renden om vóór de president te komen, en de mariniers wisten niet of ze voor of achter het groepje moesten lopen. Deze situatie stond in geen enkel handboek en voorzover de Secret Service regels had, waren die zojuist door de Baas buiten werking gesteld. Toen kwam een van hen op een idee. Hij rende naar de dichtstbijzijnde ladderwagen en toen hij terugkwam, had hij een met rubber geïmpregneerde brandweerjas in zijn armen.
'Dit houdt u warm, meneer,' verzekerde agent Raman hem. Hij hielp Ryan in de jas, en nu zag de president er precies zo uit als de honderden brandweerlieden die daar rondliepen. Adjudant Price keek hem met een goedkeurende hoofdknik en knipoog aan, het eerste bijna luchtige moment sinds de 747 op Capitol Hill was neergestort. Gelukkig besefte president Ryan niet waarom hij die jas had gekregen, dacht ze. Achteraf zouden ze zich dit moment herinneren als

het begin van de strijd om de leiding: de Secret Service tegen de president van de Verenigde Staten. Meestal was dat een krachtmeting tussen ego en vleierij.
De eerste brandweercommandant die Ryan vond, sprak in een portofoon die hij in zijn hand had. Hij probeerde zijn mannen dichter bij de vlammen te krijgen. Iemand in burgerkleding stond dichtbij en hield een grote rol papier plat op de motorkap van een auto. Dat zal wel een plattegrond van het gebouw zijn, dacht Jack. Hij bleef een meter of zo van hen vandaan staan wachten. De twee mannen bewogen hun handen links en rechts over de plattegrond en de commandant snauwde bevelen in zijn portofoon.
'En in godsnaam, kijk een beetje uit met al die losse stenen,' was de laatste instructie van commandant Paul Magill. Toen draaide hij zich om en wreef over zijn ogen. 'En wie ben jij?'
'Dit is de president,' vertelde Price hem.
Magill knipperde met zijn ogen. Hij wierp een snelle blik op de mensen met pistolen en keek toen Ryan weer aan. 'Dit ziet er niet best uit,' zei de commandant.
'Is er iemand uitgekomen?'
Magill schudde zijn hoofd. 'Niet aan deze kant. Drie mensen aan de andere kant, zwaar gehavend. We denken dat ze in de wachtkamer van de Speaker zaten, of daar in de buurt. Waarschijnlijk zijn ze door de ramen naar buiten geslingerd. Twee bodes en een vent van de Secret Service, onder de brandwonden en half kapot. We zijn aan het zoeken, of beter gezegd, dat proberen we, maar tot nu toe hebben we geen overlevenden gevonden. Zelfs de mensen die niet geroosterd zijn... alle zuurstof was uit ze weggezogen, verstikking, dan ben je net zo goed dood.' Paul Magill was net zo lang als Ryan, maar hij was zwart en had een kogelronde buik. Op zijn handen zaten grote bleke vlekken, de sporen van de vele gevechten die hij in de loop van de jaren tegen het vuur had geleverd. Op zijn ruige gezicht was nu alleen droefheid te zien, want het vuur was geen menselijke vijand. Het was iets zonder ziel, iets wat de fortuinlijken verminkte en de rest doodde. 'Misschien hebben we geluk. Mensen in een klein kamertje, met de deur dicht, dat soort dingen, meneer de president. We hebben hier de plattegrond en er zijn goddomme wel een miljoen kamers in dat gebouw. Misschien krijgen we er een paar mensen levend uit. Dat heb ik wel vaker meegemaakt. Maar de meesten...' Magill schudde alleen met zijn hoofd.
'Niemand uit de vergaderzaal?' vroeg agent Raman. Eigenlijk wilde hij weten welke agent van de Secret Service naar buiten had kunnen komen, maar het zou niet professioneel zijn om dat te vragen. Magill schudde trouwens alleen maar met zijn hoofd.
'Nee.' Hij keek in de gloed, die al minder fel was, en zei: 'Het moet heel vlug zijn gegaan.' Magill schudde weer met zijn hoofd.
'Ik wil het zien,' zei Jack impulsief.
'Nee,' zei Magill meteen. 'Te gevaarlijk, meneer de president. Het is mijn brand en het zijn mijn regels. Goed?'

k móét het zien,' zei Ryan rustiger. Ze keken elkaar in de ogen. Magill voelde r nog steeds weinig voor. Hij keek weer naar de mensen met pistolen en ging r ten onrechte van uit dat ze deze nieuwe president zouden steunen, tenmin:e: als hij de nieuwe president was. Magill had niet naar de televisie gekeken)en de oproep kwam.

Het zal geen mooi gezicht zijn, meneer.'

1 Hawaii was het kort na zonsondergang. Schout-bij-nacht Robert Jackson andde op de marinevliegbasis Barber's Point. Aan de rand van zijn gezichtseld zag hij de goed verlichte hotels aan de zuidkust van Oahu, en een ogenlik vroeg hij zich af wat het tegenwoordig zou kosten om daar te logeren. Hij ad dat niet meer gedaan sinds hij begin twintig was. Met twee of drie marineliegers hadden ze toen een kamer gedeeld om geld uit te sparen dat ze liever ebruikten om naar de bars te gaan en de plaatselijke vrouwen met hun supe.eure optreden te imponeren. Zijn Tomcat kwam ondanks de langdurige lucht en drie keer tanken in de lucht erg soepel neer, want Robby zag zichzelf og steeds als een gevechtsvlieger en dus als een soort artiest. De jager ging oepel over de baan en sloeg rechtsaf, de taxibaan op.

Tomcat vijf-nul-nul, ga door tot het eind...'

'k kom hier niet voor het eerst, mevrouw,' zei Jackson glimlachend, in strijd net de regels. Maar hij was schout-bij-nacht, nietwaar? Gevechtsvlieger én chout-bij-nacht. Wat had hij met regels te maken?

Vijf-nul-nul, er staat een auto te wachten.'

Dank u.' Robby kon hem zien staan, bij de achterste hangar. Er stond een natroos bij die met de gebruikelijke lichtgevende stokjes zwaaide.

Niet gek voor een ouwe kerel,' zei de man achter hem, terwijl hij zijn kaarten n andere overbodige maar gewichtige papieren opvouwde.

'e motie van goedkeuring is ter kennis genomen.' Zo stijf ben ik nog nooit geveest, gaf Jackson zichzelf toe. Hij verschoof op zijn zitplaats. Zijn achterste oelde aan als geplet lood. Hoe kon het dat alle gevoel weg was en hij toch pijn ad? vroeg hij zich met een wrang glimlachje af. Te oud, luidde het antwoord 1 zijn hoofd. Toen liet zijn been zich voelen. Artritis, verdomme. Alleen door en regelrecht bevel te geven had hij Sanchez zover gekregen dat hij de jager nocht nemen. Het was te ver voor een COD geweest om hem van de USS *John tennis* naar Pearl Harbor terug te brengen, en de orders waren duidelijk genoeg geweest: KEER MET SPOED TERUG. Daarom had hij een Tomcat geleend ie een defect brandbestrijdingssysteem had en dus niet voor missies kon woren ingezet. De luchtmacht had de tankvliegtuigen geleverd. In zeven uren van ezegende stilte was hij met de jager de halve Stille Oceaan overgevlogen – vast n zeker voor het laatst. Jackson bewoog weer toen hij het toestel naar de pareerplaats stuurde, en werd beloond met een pijnscheut in zijn rug.

'
s dat CINCPAC?' vroeg Jackson. Hij keek naar een in het wit geklede man aast een blauwe marinewagen.

Het was inderdaad admiraal David Seaton, de opperbevelhebber van de Ame-

rikaanse strijdkrachten in de Stille Oceaan. Hij stond niet rechtop, maar leu de tegen de auto en keek in wat papieren, terwijl Robby de motoren uitzet en het cockpitdak opende. Een matroos reed een ladder naar hem toe, zo ladder als door vliegtuigmonteurs wordt gebruikt, om Robby het afdale gemakkelijker te maken. Een andere matroos – een vrouw – haalde de tas va de schout-bij-nacht uit de bagageruimte aan de onderkant. Blijkbaar ha iemand haast.
'Grote problemen,' zei Seaton, zodra Robby met beide voeten op de gror stond.
'Ik dacht dat we hadden gewonnen,' antwoordde Jackson. Hij bleef op h hete beton staan. Zijn hersenen waren ook moe. Het zou een paar minute duren voor hij weer met zijn gebruikelijke snelheid kon denken, hoewel zi instincten hem ingaven dat er iets buitengewoons aan de hand was.
'De president is dood... en we hebben een nieuwe.' Seaton gaf hem zijn klen bord. 'Een vriend van je. We gaan voorlopig terug naar DefCon 3.'
'Wat...' zei schout-bij-nacht Jackson, toen hij de eerste bladzijde met bericl ten las. Toen keek hij op. 'Jack is de nieuwe...?'
'Wist je niet dat hij vice-president was geworden?'
Jackson schudde zijn hoofd. 'Voordat ik vanmorgen van de boot opsteeg, ha ik het druk met andere dingen. Allemachtig.' Robby schudde zijn hoofd.
Seaton knikte. Nadat Ed Kealty ontslag had genomen vanwege een seksscha daal, was Ryan door de president overgehaald om tot de verkiezingen van het vo gend jaar het vice-presidentschap te bekleden. Het Congres had zijn benoemi bekrachtigd, maar voordat hij in de vergaderzaal kon verschijnen om te worde beëdigd, gebeurde het. Een vliegtuig stortte neer op het Capitool. 'De gezame lijke chefs-van-staven zijn allemaal dood. De plaatsvervangers nemen het ove Mickey Moore...' Hij had het over landmachtgeneraal Michael Moore, de plaat vervangend voorzitter van de gezamenlijke chefs-van-staven. 'Moore heeft al opperbevelhebbers opgeroepen om zo vlug mogelijk naar Washington te kome Er staat een KC-10 op ons te wachten in Hickem.'
'Landsgevaarcommissie?' vroeg Jackson. Zijn permanente functie – voorzov de functie van een geüniformeerde officier ooit permanent was – was Plaat vervanger J-3, planningofficier nummer twee voor de gezamenlijke chefs-va staven.
Seaton haalde zijn schouders op. 'In theorie niet. Die tijd is voorbij. De Japa ners doen niet meer aan oorlogvoeren...'
Jackson maakte de zin voor hem af: 'Maar Amerika is nog nooit op de manier getroffen.'
'Het vliegtuig staat klaar. Je kunt je aan boord verkleden. Het doet er nu ni toe of je er netjes uitziet, Robby.'

Zoals altijd werd de wereld verdeeld door tijd en ruimte, vooral tijd, zou z hebben gedacht als ze de tijd had gehad om na te denken, maar dat had ze ze den. Ze was boven de zestig. Haar tengere lichaam was krom van jaren va

onbaatzuchtig werk en ze had het des te moeilijker omdat er zo weinig jongeren waren om het van haar over te nemen. Dat was eigenlijk niet eerlijk. In haar tijd had ze ouderen werk uit handen genomen, en de generaties die haar waren voorgegaan hadden dat in hun tijd ook gedaan, maar zijzelf moest op haar oude dag gewoon doorwerken. Ze deed haar best om die gedachte uit haar hoofd te zetten. Die gedachte was haar onwaardig, was haar plaats in de wereld onwaardig en was in elk geval de geloften onwaardig die ze meer dan veertig jaar geleden had afgelegd. Ze twijfelde daar nu aan, aan die geloften, maar dat zou ze aan niemand toegeven, zelfs niet aan haar biechtvader. Dat ze er niet over kon spreken, bracht haar nog meer in gewetensnood dan de twijfels zelf, al had ze het vage gevoel dat haar biechtvader in milde termen over haar zonde zou spreken. Was het wel een zonde? vroeg ze zich af. Ook als het dat was, ja, dan nog zou hij er in milde termen over spreken. Dat deed hij altijd, waarschijnlijk omdat hij zelf ook zulke twijfels had. Ze waren allebei op een leeftijd waarop je terugkijkt en je afvraagt hoe het ook had kunnen zijn, ondanks alles wat je in een productief en nuttig leven had bereikt.
Haar zuster, even vroom als zij, had voor de meest voorkomende van alle roepingen gekozen en was nu grootmoeder. Zuster M. Jean Baptiste vroeg zich af hoe dat was. Ze had haar keuze lang geleden gemaakt, in een jeugd die ze zich nog kon herinneren, en zoals bij al haar beslissingen had ze er nauwelijks over nagedacht, hoe juist de keuze op zichzelf ook was geweest. Het had indertijd zo eenvoudig geleken. Ze genoten veel respect, de dames in het zwart. Uit haar lang vervlogen jeugd herinnerde ze zich dat de Duitse bezettingstroepen beleefd naar hen knikten, want hoewel iedereen vermoedde dat de nonnen geallieerde piloten hielpen, en misschien zelfs joden hielpen die probeerden te ontsnappen, was ook bekend dat de barmhartige zusters iedereen gelijk behandelden, omdat God dat verlangde. Zelfs de Duitsers wilden in hun ziekenhuis worden opgenomen als ze gewond raakten, want daar had je een grotere overlevingskans dan in alle andere ziekenhuizen. Het was een trotse traditie, en hoewel trots een zonde was, hadden de dames in het zwart die zonde min of meer bewust begaan. Ze hadden tegen zichzelf gezegd dat God het misschien niet zo erg zou vinden, omdat het een traditie in Zijn heilige naam was. En dus had ze, toen de tijd er rijp voor was, het besluit genomen, en dat was dat. Sommigen hadden de orde verlaten, maar de tijd waarin zuster Jean Baptiste die keuze had kunnen maken was moeilijk geweest. Het land had na de oorlog in een erbarmelijke toestand verkeerd en er was dringend behoefte geweest aan mensen als zij. Bovendien was de wereld nog niet zoveel veranderd dat ze een juist beeld kon krijgen van de mogelijkheden die ze had. Ze had er wel over gedacht om uit te treden, maar dat was van korte duur geweest. Ze had het idee uit haar hoofd gezet en was doorgegaan met haar werk.
Zuster Jean Baptiste was een bekwame, ervaren verpleegster. Ze was naar dit land gekomen toen het nog een kolonie van haar moederland was en was er gebleven toen daar een eind aan kwam. In al die tijd had ze haar werk op dezelfde manier gedaan, met dezelfde vakbekwaamheid, ondanks de radicale

politieke veranderingen die zich om haar heen hadden voltrokken. Het had haar nooit iets uitgemaakt of haar patiënten Afrikanen of Europeanen waren. Maar die veertig jaren, waarvan meer dan dertig op deze zelfde plaats, hadden hun tol geëist.

Niet dat het haar nu allemaal onverschillig liet. Echt niet. Het was alleen zo dat ze bijna vijfenzestig was, en dat was gewoon te oud voor een verpleegster met zo weinig hulp. Vaak werkte ze veertien uur op een dag, met nog een paar uur voor gebeden, goed voor haar ziel maar vermoeiend voor de rest van haar. In jongere jaren was haar lichaam stevig – om niet te zeggen: robuust – en gezond geweest. De artsen hadden haar zuster Rots genoemd, maar de artsen waren weggegaan en zij was gebleven en gebleven en gebleven, en zelfs rotsen kunnen slijten. En met de vermoeidheid kwamen de fouten.

Ze wist waar ze op bedacht moest zijn. Je kon in Afrika niet in de gezondheidszorg werken zonder voorzichtig te zijn, tenminste niet als je in leven wilde blijven. Het christendom had eeuwenlang geprobeerd zich hier te vestigen, maar hoewel het hier en daar kleine veroveringen had gemaakt, zou het nooit overal doordringen. Een van de problemen was de seksuele promiscuïteit, een facet van het leven in deze contreien waarvan ze had gegruwd toen ze hier bijna twee generaties geleden aankwam en dat ze nu normaal vond. Toch was de dood maar al te vaak het gevolg. Minstens een derde van de patiënten in het ziekenhuis had wat plaatselijk 'de dunne ziekte' en elders aids werd genoemd. De voorzorgsmaatregelen tegen de ziekte waren in steen gehouwen en zuster Jean Baptiste had er cursussen over gegeven. De trieste waarheid was dat het niet anders was dan bij de plagen die de mensheid in vroeger eeuwen teisterden: het enige wat artsen en verplegers tegen deze vloek konden uitrichten was zichzelf beschermen.

Gelukkig speelde dat bij deze patiënt geen rol. De jongen was nog maar acht, te jong om seksueel actief te zijn. Een mooie jongen, goed gebouwd en intelligent, een erg goede leerling op de nabijgelegen katholieke school, en misdienaar. Misschien zou hij zich op een dag geroepen voelen priester te worden. Dat was voor Afrikanen gemakkelijker dan voor Europeanen, aangezien de Kerk, rekening houdend met de Afrikaanse gewoonten, de inheemse priesters toestond om te trouwen, een geheim dat in de rest van de wereld nauwelijks bekend was. Maar de jongen was ziek. Een paar uur geleden, rond middernacht, was hij binnengebracht door zijn vader, een fatsoenlijke man die een hoge functie in de plaatselijke overheid bekleedde en een eigen auto had. De dienstdoende arts had vastgesteld dat de jongen cerebrale malaria had, maar die notitie op zijn kaart was niet bevestigd door de gebruikelijke laboratoriumtests. Misschien was het bloedmonster kwijtgeraakt. Hevige hoofdpijn, braken, schuddende ledematen, desoriëntatie, hoog oplopende koortsen. Cerebrale malaria. Ze hoopte dat dat niet weer zou uitbreken. Het was behandelbaar, maar het probleem was dat je de mensen naar de behandeling moest zien te krijgen.

De rest van de afdeling was stil op dit late uur – of nee, het was eigenlijk al vroeg in de ochtend – een aangename tijd van de dag in dit deel van de wereld. Op geen enkel uur van de dag was de lucht zo koel als nu, er stond geen zuchtje wind, en het was stil, en dus waren de patiënten ook stil. Het grootste probleem van de jongen was de koorts. Daarom trok ze het laken weg en sponsde hem af. Blijkbaar kalmeerde dat zijn rusteloze jonge lichaam. Ze nam de tijd om te kijken of er nog andere symptomen waren. De artsen waren artsen, en zij was maar verpleegster, maar zíj was hier al erg lang en zij wist waarop ze moest letten. Eigenlijk was er niet veel te zien, behalve een oud verband op zijn linkerhand. Hoe had de dokter dat over het hoofd kunnen zien? Zuster Jean Baptiste liep naar het afdelingskantoortje terug, waar haar twee helpers waren ingedommeld. Wat ze nu ging doen, was eigenlijk hun werk, maar het was niet nodig dat ze hen wakker maakte. Ze ging met schoon verband en een desinfecterend middel naar de patiënt terug. In dit deel van de wereld moest je uitkijken met infecties. Voorzichtig, langzaam, haalde ze het verband weg, knipperend met haar ogen van vermoeidheid. Een beet, zag ze, misschien van een kleine hond... of een aap. Nu knipperde ze nog meer. Die beten konden gevaarlijk zijn. Eigenlijk zou ze naar het kantoortje terug moeten gaan om rubberen handschoenen te halen, maar dat was veertig meter lopen en haar benen waren zo moe. Bovendien sliep de patiënt en bewoog hij zijn hand niet. Ze maakte de dop van het flesje met desinfecterend middel los en draaide de hand voorzichtig naar zich toe om bij de verwonding te kunnen. Toen ze met haar andere hand het flesje schudde, ontsnapte er een beetje onder haar duim vandaan. Het sprenkelde over het gezicht van de patiënt. Zijn hoofd kwam omhoog en hij nieste in zijn slaap. De normale wolk van druppeltjes vloog door de lucht. Zuster Jean Baptiste schrok, maar ging door met haar werk. Ze goot het desinfecterend middel op een watje en veegde de wond zorgvuldig af. Vervolgens deed ze de dop op het flesje en zette het neer, bracht een nieuw verband aan en veegde toen met de rug van haar hand over haar gezicht, zonder te beseffen dat toen de patiënt had geniest, zijn gewonde hand in de hare had bewogen, zodat daar bloed op was gekomen, bloed dat er nog steeds op zat toen ze over haar ogen streek. Die rubberen handschoenen zouden dus helemaal geen verschil hebben gemaakt, iets wat een schrale troost zou zijn, gesteld al dat ze het zich drie dagen later zou herinneren.

Ik had daar moeten blijven, zei Jack tegen zichzelf. Twee ambulanciers hadden hem door een vrije gang aan de oostkant geleid, samen met de mariniers en de agenten. Het was een grimmig tafereel waar een zekere macabere humor van uitging: al die mensen die met getrokken wapens de trap opgingen en niet wisten wat ze moesten doen. Vervolgens waren ze op een bijna ononderbroken rij brandweerlieden gestuit, die met hun slangen aan het spuiten waren. Veel van het water woei in hun gezicht terug, zodat iedereen verkleumd was tot op het bot. Het vuur was hier door de waternevel gesmoord en hoewel ze de boel nat bleven houden, was de situatie nu zo veilig dat reddingspersoneel van de ladderwagens de restanten van de vergaderzaal kon binnenkruipen. Je hoefde geen expert te zijn om te weten wat ze vonden. Geen opgeheven hoofden, geen verwoede gebaren, geen kreten. De mannen – en vrouwen, al kon je dat op deze afstand niet zien – zochten zorgvuldig hun weg. Ze waren in de eerste plaats bedacht op hun eigen veiligheid, want het had natuurlijk geen zin om je leven te riskeren voor mensen die toch al dood waren.

Lieve god, dacht Ryan. Er waren hier mensen die hij kende. Niet alleen Amerikanen. Hij zag dat een heel stuk van de tribune midden in de vergaderzaal was gevallen. De diplomatieke loge, als hij het zich goed herinnerde. Allerlei hoogwaardigheidsbekleders, van wie hij er velen had gekend, waren met hun gezin naar de Hill gekomen om zijn beëdiging tot vice-president te zien. Was het daardoor zijn schuld dat ze waren omgekomen?

Hij had het CNN-gebouw verlaten omdat hij de behoefte had gehad iets te doen, tenminste, dat had hij tegen zichzelf gezegd. Nu was hij daar niet meer zo zeker van. Misschien had hij gewoon behoefte aan verandering gehad. Of misschien had hij zich gewoon tot de plaats van de ramp aangetrokken gevoeld, zoals al die mensen die langs de rand van het vrijgemaakte terrein stonden. Ze stonden daar even zwijgzaam als hij, keken alleen maar, net als hij, en deden niets, zoals ook hij niets deed. De verdoving was niet weggegaan. Hij had verwacht dat hij hier iets zou vinden dat hij kon zien of voelen en dat hij dan iets zou doen, maar ook hier ontdekte hij alleen maar dingen waarvoor hij terugdeinsde.

'Het is hier koud, meneer. Laten we tenminste uit die verrekte nevelregen gaan,' drong Price aan.

'Goed.' Ryan knikte en ging de trap weer af. De jas, merkte hij, was helemaal niet zo warm. Ryan huiverde weer en hoopte dat het alleen van de kou was.

Het had even geduurd voor de camera's waren opgesteld, maar nu stonden ze klaar, zag Ryan. Die kleine draagbare dingen – Japans fabrikaat, constateerde hij tot zijn ergernis – met hun kleine, krachtige lampen. Op de een of andere manier hadden ze kans gezien langs de politieafzetting en de brandweercommandanten te komen. Voor elk van die camera's stond een verslaggever – de drie die hij kon zien, waren allemaal mannen – met een microfoon, die probeerde te doen voorkomen alsof hij meer wist dan alle anderen. Jack zag dat een aantal lampen op hem was gericht. Mensen uit het hele land en de hele wereld keken naar hem, verwachtten van hem dat hij wist wat er moest gebeuren. Waar haalden die mensen de illusie vandaan dat hoge regeringsfunctionarissen intelligenter waren dan hun huisarts of advocaat of accountant? In gedachten ging hij terug naar zijn eerste week als tweede luitenant in het korps mariniers, toen het instituut dat hij diende er ook van uitging dat hij wist hoe hij een peloton moest leiden, en toen een sergeant die tien jaar ouder was dan hij met een gezinsprobleem naar hem toe kwam en verwachtte dat de 'luit' die zelf geen vrouw en kinderen had, iets verstandigs te zeggen zou hebben tegen een man die problemen met beiden had. Tegenwoordig, zei Jack tegen zichzelf, noemden ze zo'n situatie een 'leiderschapsuitdaging'. Daarmee bedoelden ze dat je geen flauw idee had wat je moest doen. Maar daar waren de camera's, en hij moest iets doen.

Alleen had hij nog steeds geen flauw idee. Hij was hierheen gekomen in de hoop dat iets hem tot daden zou kunnen brengen, maar nu hij hier was, voelde hij zich alleen maar hulpelozer. En er kwam ook een vraag in hem op.
'Arnie van Damm?' Hij had Arnie dringend nodig.
'In het Huis, meneer,' antwoordde Price. Ze bedoelde het Witte Huis.
'Goed, dan gaan we daarheen,' beval Ryan.
'Meneer de president,' zei Price na een korte aarzeling. 'Dat is waarschijnlijk niet veilig. Als er...'
'Ik kan niet weglopen, verdomme. Ik kan niet wegvliegen met Kneecap. Ik kan niet naar Camp David vluchten. Ik kan niet in een gat wegkruipen. Snappen jullie dat dan niet?' Hij voelde zich eerder gefrustreerd dan kwaad. Met zijn rechterarm wees hij naar de resten van het Capitool. 'Die mensen zijn dood, en ik ben op dit moment de regering, God helpe me, en de regering loopt niet weg.'

'Dat lijkt president Ryan wel,' zei een journaalpresentator in zijn warme, droge studio. 'Die probeert natuurlijk leiding te geven aan de reddingsacties. Je weet dat Ryan ervaring met crisissituaties heeft.'
'Ik heb Ryan zes jaar gekend,' merkte een commentator op. Hij keek opzettelijk niet in de camera, omdat hij de indruk wilde wekken dat hij uitleg verschafte aan de beter betaalde presentator, die verslag van de gebeurtenissen probeerde te doen. Ze waren allebei in de studio geweest om commentaar te geven op de toespraak van president Durling en hadden alle informatie over Ryan gelezen, die de commentator niet echt kende, al waren ze elkaar de afgelopen jaren een paar keer tegen het lijf gelopen op diners en andere gelegenheden. 'Hij is opvallend bescheiden, maar het lijdt geen enkele twijfel dat hij een van de intelligentste mensen in overheidsdienst is.' Daar zou niemand iets tegenin kunnen brengen. Tom, de presentator, boog zich naar voren. Hij keek half naar zijn collega en half naar de camera's.
'Maar John, hij is geen politicus. Hij heeft geen politieke achtergrond of ervaring. Hij is specialist op het gebied van de nationale veiligheid in een tijd waarin de nationale veiligheid niet meer zo op het spel staat als vroeger,' merkte hij gewichtig op.
Het lukte John, de commentator, het antwoord dat die woorden verdienden in te houden. Iemand anders kon dat niet.
'Ja,' bromde Chavez. 'En dat vliegtuig dat het gebouw verwoestte, was een Delta-vlucht die van de koers af raakte. Jezus!' riep hij uit.
'Wij dienen een geweldig land, Ding, mijn jongen. In welk ander land krijgen mensen vijf miljoen per jaar om stommiteiten uit te kramen?' John Clark besloot zijn bier op te drinken. Het had geen zin om naar Washington terug te rijden voordat Mary Pat belde. Per slot van rekening was hij een werkbij, en alleen de CIA-types van de hoogste verdieping zouden nu van hot naar her rijden. Reken maar dat ze dat deden. Niet dat ze veel zouden bereiken, want in situaties als deze bereikte je nooit iets, behalve dat je druk bezet en belangrijk leek... en in de ogen van de werkbijen volstrekt incapabel.

Bij gebrek aan voldoende interessante directe televisiebeelden herhaalde het netwerk de toespraak van president Durling. De C-SPAN-camera's in de vergaderzaal waren op afstand bediend en de technici in de controlekamer hadden een aantal beelden stilgezet om de voorste rij van hoge regeringsfunctionarissen te laten zien. Opnieuw werden de doden opgenoemd: op twee na alle ministers, de gezamenlijke chefs-van-staven, directeuren van belangrijke federale diensten, de voorzitter van de Federal Reserve Board, directeur Bill Shaw van de FBI, de directeur van het Office of Management and Budget, de directeur van de NASA, alle negen leden van het hooggerechtshof. De presentator noemde de namen en de functies die ze hadden bekleed, en de videoband ging van beeld naar beeld, tot aan het moment waarop de agenten de vergaderzaal kwamen binnenrennen. President Durling keek geschrokken op en er ontstond enige verwarring. Mensen keken om, bedacht op gevaar, en misschien hadden sommigen zich al afgevraagd wat die man met dat geweer op de tribune deed, maar toen kwamen er drie beelden van een wide-shot-camera: je zag een wazige beweging in de achtermuur en daarna was het helemaal donker. Toen kwamen de presentator en commentator weer in beeld. Ze keken naar hun monitoren en keken toen naar elkaar, en misschien drong de volledige omvang van de ramp nu eindelijk tot hen door, zoals die ook tot de nieuwe president doordrong.
'President Ryan ziet zich in de eerste plaats voor de taak gesteld de regering opnieuw op te bouwen, als hij dat kan,' zei John de commentator na een lange stilte. 'Allemachtig, zoveel goede mannen en vrouwen... dood...' Het was ook tot hem doorgedrongen dat hij een paar jaar eerder, voordat hij hoofdcommentator van het netwerk werd, zelf ook in die vergaderzaal zou zijn geweest, samen met veel van de vrienden die hij onder collega's had. Hij was nu eindelijk over de verdoving van de schok heen en zijn handen begonnen te beven onder het blad van het bureau. Hoewel hij een ervaren professional was wiens stem nooit trilde, had hij zijn gezicht toch niet helemaal onder controle: het werd asgrauw onder de make-up en het betrok van het plotselinge, afschuwelijke verdriet.
'Gods oordeel,' mompelde Mahmoud Haji Daryaei op meer dan tienduizend kilometer afstand. Hij pakte de afstandsbediening en dempte het geluid om het gewauwel te elimineren.
Gods oordeel. Dat zou heel goed kunnen, nietwaar? Amerika. De kolos die zovelen had tegengewerkt, een goddeloos land van goddeloze mensen, op het hoogtepunt van zijn macht, winnaar van de zoveelste wedstrijd... en nu diep getroffen. Hoe anders dan door Gods wil had zoiets kunnen gebeuren? En wat kon het anders betekenen dan Gods eigen oordeel en Gods eigen zegen? Een zegen op wat? vroeg hij zich af. Nou, misschien zou dat bij nadere overdenking wel duidelijk worden.
Hij had Ryan één keer ontmoet en hem rancuneus en arrogant gevonden – een typische Amerikaan – maar nu gedroeg hij zich anders. De camera's zoemden even in op een man die zich aan zijn jas vastgreep en zijn hoofd naar links en rechts draaide, zijn mond een beetje open. Nee, nu niet arrogant. Ver-

bijsterd, nog niet eens genoeg bij zijn positieven om bang te zijn. Het was een uitdrukking die Mahmoud wel vaker op het gezicht van mensen had gezien. Interessant.

Dezelfde woorden en dezelfde beelden gingen nu over de hele wereld. Ze werden door satellieten overgebracht naar een miljard mensen die toch al naar het journaal zaten te kijken of die naar een ochtend-, middag- of avondprogramma keken, al naargelang het deel van de wereld waar ze woonden, en op de ramp attent werden gemaakt. Er werd geschiedenis geschreven. Dat mocht niemand missen.

Dat gold vooral voor de machtigen, voor wie informatie de grondstof van de macht was. Een andere man in een andere plaats keek naar de elektronische klok naast de televisie op zijn bureau en maakte een eenvoudige rekensom. In Amerika eindigde een verschrikkelijke dag, terwijl bij hem de ochtend net was begonnen. Het raam achter zijn bureau bood uitzicht op een grote vlakte van straatstenen, een kolossaal plein waar mensen kriskras op fietsen overheen reden, al was het aantal auto's dat hij zag nu ook tamelijk groot; het was de afgelopen paar jaar met een factor tien toegenomen. Toch waren fietsen nog het meest gebruikte vervoermiddel, en dat was toch niet eerlijk?

Als liefhebber van de geschiedenis was hij van plan geweest daarin een historische verandering teweeg te brengen, snel en beslissend, maar zijn zorgvuldig uitgewerkte plan was door de Amerikanen in de kiem gesmoord. Hij geloofde niet in God, had daar nooit in geloofd en zou er ook nooit in geloven, maar hij geloofde wel in het Lot, en het Lot was wat hij nu voor zich zag op het fosforscherm van een televisietoestel dat in Japan was gemaakt. Het Lot was een wispelturige vrouw, zei hij tegen zichzelf terwijl hij zijn hand uitstak naar een kopje zonder oor, gevuld met groene thee. Nog maar enkele dagen geleden was het de Amerikanen gunstig gezind geweest, en nu dit... Wel, wat waren de bedoelingen van het Lot? Zijn eigen bedoelingen en behoeften en wensen waren belangrijker, vond de man. Hij pakte zijn telefoon, maar belde niet. Ze zouden hem gauw genoeg bellen en naar zijn mening vragen, en dan zou hij een antwoord klaar moeten hebben. Daar moest hij nu over nadenken. Hij nam een slokje thee. Het hete vocht prikte zijn mond, en dat was goed. Hij zou alert moeten zijn en door de pijn keerden zijn gedachten zich naar binnen, waar belangrijke gedachten altijd begonnen.

Verijdeld of niet, het was een goed plan geweest. Het was slecht uitgevoerd door zijn van niets wetende helpers, vooral omdat het Lot op dat moment Amerika zo gunstig gezind was; maar het was een geweldig plan geweest, zei hij weer tegen zichzelf. Hij zou nog een kans krijgen om dat te bewijzen. Door toedoen van het Lot. Bij die gedachte glimlachte hij vaag en staarde in de verte. Zijn geest tastte de toekomst af en hij was tevreden over wat hij daar zag. Hij hoopte dat de telefoon voorlopig niet zou gaan, want hij moest nog verder kijken, en dat kon hij het best als hij niet gestoord werd. Na enkele ogenblikken realiseerde hij zich dat het echte doel van zijn plan al was verwezenlijkt.

Hij had gewild dat Amerika lamgelegd werd, en dat was precies wat er nu me
Amerika was gebeurd. Niet op de manier die hij had gekozen, maar het resul
taat was hetzelfde. Of nog beter? vroeg hij zich af.
Ja.
En dus kon het spel verdergaan, nietwaar?
Het was inderdaad het werk van het Lot geweest, dat een spel speelde met de
eb- en vloedbeweging van de geschiedenis. Het lot dat geen vriend of vijand
van welk mens ook was, of wel? De man snoof. Misschien had het Lot vee
gevoel voor humor.

Iemand anders voelde vooral woede. Dagen eerder was er de vernedering
geweest, de vernedering om van een buitenlander – niets meer dan een voor
malige provinciegouverneur! – te horen te krijgen wat haar soevereine nati
moest doen. Ze was natuurlijk erg voorzichtig geweest. Alles was met grote
deskundigheid gedaan. Het enige waarmee de overheid zelf in verband kon
worden gebracht, was een aantal uitgebreide marine-oefeningen in volle zee
waar iedereen mocht varen. Er waren geen dreigende nota's verstuurd, geen
diplomatieke stappen ondernomen, geen standpunten ingenomen, en de
Amerikanen van hun kant hadden alleen – wat was hun arrogante term ook
weer, 'aan hun kooi gerammeld'? – en om een bijeenkomst van de Veiligheids
raad gevraagd, waarop in feite niets te zeggen viel, omdat er niets officieels had
plaatsgevonden en haar land geen enkele bekendmaking had gedaan. Ze had
den toch alleen maar oefeningen gehouden? Vreedzame oefeningen. Natuur
lijk hadden die oefeningen ertoe bijgedragen dat de Amerikanen minde
strijdkrachten tegen Japan konden inzetten dan ze wilden, maar dat had haar
land toch niet van tevoren kunnen weten? Natuurlijk niet.
Ze had het document nu op haar bureau liggen: de tijd die nodig was om d
vloot weer op volle sterkte te krijgen. Maar nee, ze schudde haar hoofd, he
zou niet genoeg zijn. Noch zij noch haar land kon individueel iets beginnen
Ze zouden tijd nodig hebben, en vrienden, en plannen, maar haar land ha
dringende behoeften en het was haar taak om daar iets aan te doen. Het wa
toch niet haar taak om bevelen van anderen op te volgen?
Nee.
Ze dronk ook thee, uit een fraai porseleinen kopje, thee met suiker en ee
beetje melk, zoals de Engelsen drinken, een product dat paste bij haar afkom
en stand en opleiding, alle factoren die haar, samen met veel geduld, tot d
hoge ambt hadden gebracht. Van alle mensen op de wereld die naar dezelfd
beelden van hetzelfde satellietnetwerk keken, begreep zij waarschijnlijk he
best welke kansen dit bood, hoe enorm en hoe aanlokkelijk die kansen waren
des te meer omdat ze kort tevoren bevelen had gekregen in ditzelfde kantoo
Bevelen van een man die nu dood was. Zo'n kans greep je toch aan?
Jazeker.

'Dit is angstaanjagend, meneer C.' Domingo Chavez wreef over zijn ogen – hij was meer uren wakker dan zijn door jetlag geteisterde hersenen konden uitrekenen – en probeerde zijn gedachten op een rijtje te zetten. Hij lag languit op de bank in de huiskamer, met zijn kousenvoeten op de salontafel. De vrouwen in het huis waren naar bed, de een omdat ze de volgende morgen naar haar werk moest, de ander omdat ze een tentamen moest doen. Die laatste besefte niet dat er de volgende dag geen school zou zijn.

'Waarom, Ding?' vroeg John Clark. De tijd dat hij zich druk maakte om de relatieve bekwaamheid van de diverse tv-persoonlijkheden was voorbij. En per slot van rekening volgde zijn jonge collega een studie internationale betrekkingen.

Chavez sprak zonder zijn ogen open te doen. 'Ik geloof niet dat er ooit eerder zoiets in vredestijd is gebeurd. De wereld is niet zoveel anders dan vorige week, John. Vorige week was het erg ingewikkeld. We voerden een oorlogje en dat hebben we min of meer gewonnen, maar de wereld is niet veel veranderd en we zijn niet sterker dan toen.'

'De natuur wil geen vacuüm?' vroeg John rustig.

'Zoiets,' zei Chavez met een geeuw. 'En verdomd als we er nu niet één krijgen.'

'Ik bereik niet veel, hè?' vroeg Jack met een zachte, sombere stem. Het drong nu met volle kracht tot hem door. Hier en daar was nog een gloed te zien, al steeg er nu vooral damp naar de hemel op, in plaats van rook. Nog veel deprimerender was het om te zien wat in het gebouw naar binnen ging. Lijkenzakken, met rubber geïmpregneerd en met lussen aan de uiteinden en een ritssluiting in het midden. Een heleboel van die zakken, en sommige kwamen alweer naar buiten, gedragen door twee brandweerlieden die zigzaggend de brede trap afgingen, om de brokstukken van het gebouw heen. Het was nog maar net begonnen en er zou voorlopig nog geen eind aan komen. In de paar minuten dat hij boven was geweest, had hij geen lijk gezien. Op de een of andere manier was het nog erger om die eerste lijkenzakken te zien.

'Nee, meneer,' zei adjudant Price, die dezelfde uitdrukking op haar gezicht had als hij. 'Dit is niet goed voor u.'

'Dat weet ik.' Ryan knikte en wendde zich af.

Ik weet niet wat ik moet doen, zei hij tegen zichzelf. Waar is het handboek, de opleiding voor deze baan? Wie moet ik om raad vragen? Waar moet ik heen?

Ik wil deze baan niet! ging het door zijn hoofd. Ryan nam zichzelf die gedachte meteen kwalijk, maar hij was naar de plaats van de ramp gegaan om te laten zien dat hij een echte leider was. Hij had voor de televisiecamera's lopen paraderen alsof hij precies wist wat er moest gebeuren, en dat was een leugen. Misschien niet een kwaadaardige leugen. Gewoon dom. Naar de brandweercommandant gaan en hem vragen hoe het gaat, alsof iedereen met lagere school en ogen in zijn hoofd dat niet zelf zou kunnen zien!

'Ik sta open voor ideeën,' zei Ryan ten slotte.

Adjudant Andrea Price haalde diep adem en maakte toen de fantasie van elke agent van de Amerikaanse Secret Service tot werkelijkheid: 'Meneer de president, u moet zich vermannen. Er zijn dingen die u kunt doen en er zijn dingen die u niet kunt doen. Er zijn mensen die voor u werken. Om te beginnen kunt u uitzoeken wie dat zijn en hen dan hun werk laten doen. En dan kunt u misschien beginnen uw werk te doen.'
'Terug naar het Witte Huis?'
'Daar zijn de telefoons, meneer de president.'
'Wie heeft de leiding van dit escorte van de Secret Service?'
'Dat was Andy Walker.' Price hoefde niet te zeggen waar Walker nu was. Ryan keek haar aan en nam zijn eerste presidentiële besluit.
'Je hebt zojuist promotie gekregen.'
Price knikte. 'Volgt u me maar.' Het deed de adjudant goed dat deze president net als alle anderen kon leren bevelen op te volgen. Tenminste zo nu en dan. Ze hadden zo'n drie meter afgelegd toen Ryan over een bevroren waterplas uitgleed en tegen de vlakte ging. Hij werd door twee agenten overeind getrokken. Daardoor leek hij des te kwetsbaarder. Een fotograaf legde dat moment vast. Zo kwam *Newsweek* aan zijn omslagfoto van de volgende week.

'Zoals je ziet, verlaat president Ryan op dit moment de Hill in wat blijkbaar een militair voertuig is, dus niet in een auto van de Secret Service. Wat denk je dat hij gaat doen?' vroeg de presentator.
'Met alle respect voor de man,' zei John de commentator, 'acht ik het onwaarschijnlijk dat hij dat op dit moment zelf weet.'
Die opinie ging in een derde van een seconde de wereld rond, en iedereen, zowel vriend als vijand, was het ermee eens.

Sommige dingen moeten snel gebeuren. Hij wist niet of het de juiste dingen waren – nou ja, eigenlijk wist hij dat wel, en ze waren het niet – maar op een bepaald niveau werden de regels een beetje vaag, nietwaar? Ongeveer vanaf het moment dat hij zijn rechtenstudie afsloot, had hij openbare functies bekleed, wat er in feite op neerkwam dat hij in zijn hele leven geen echte baan had gehad. Hij was dan ook een telg uit een familie die al enkele generaties in de politiek had gezeten. Misschien had hij weinig praktische ervaring met economie, behalve als begunstigde: de financiële beheerders van zijn familie sprongen zo bekwaam met het kapitaal om dat hij het bijna nooit nodig vond contact met hen te hebben, behalve in de tijd van de belastingaangifte. Misschien had hij nooit in de praktijk met recht en wet gewerkt, al had hij meegewerkt aan de invoering van letterlijk duizenden nieuwe wetten. Misschien had hij zijn land nooit in uniform gediend, al beschouwde hij zich als een expert op het gebied van nationale veiligheid. Misschien waren er veel redenen waarom hij beter niets kon doen. Maar hij kende het staatsbestuur, want dat was altijd zijn beroep – om niet te zeggen 'werk' – geweest, en in een tijd als deze had het land iemand nodig die het staatsbestuur van binnen en van buiten kende. Het land had behoefte aan genezing, vond Ed Kealty, en daar wist hij alles van. Daarom nam hij zijn telefoon en toetste een nummer in. 'Cliff, met Ed...'

1

Nu te beginnen

De FBI had op de vijfde verdieping van het Hoover-gebouw haar commandocentrum voor noodsituaties. Het was een kamer met een eigenaardige vorm, ongeveer driehoekig en verrassend klein, met ruimte voor niet meer dan zo'n vijftien mensen als ze tegen elkaar aan stonden. De zestiende die arriveerde, zonder das en in vrijetijdskleding, was speciale medewerker Daniel E. Murray. De officier van dienst was zijn oude vriend, inspecteur Pat O'Day. O'Day, een fors gebouwde, ruig uitziende man die bij zijn huis in het noorden van Virginia als hobby rundvee fokte – deze 'cowboy' was geboren en getogen in New Hampshire, maar zijn laarzen waren speciaal voor hem gemaakt – had een telefoon aan zijn oor. Voor een crisiskamer ten tijde van een echte crisis was het verrassend stil. Murray werd begroet met een kort hoofdknikje en een opgestoken hand. Hij wachtte tot O'Day klaar was met zijn telefoontje.

'Iets nieuws, Pat?'

'Ik belde net met Andrews. Ze hebben bandjes van de radar en zo. Ik stuur er agenten van ons kantoor in Washington heen om de mensen van de verkeersleiding te ondervragen. De National Transportation Safety Board zal daar ook mensen hebben om te assisteren. Als je het zo hoort, lijkt het erop dat een 747 van Japan Air Lines kamikaze heeft gepleegd. Volgens de mensen van Andrews zei de piloot dat hij een KLM-vlucht was, waarover niets bij de verkeersleiding bekend was. Hij reed recht over hun landingsbanen, zwenkte een beetje naar links, en... nou...' O'Day haalde zijn schouders op. 'Kantoor Washington heeft momenteel mensen op de Hill om met het onderzoek te beginnen. Ik neem aan dat dit voorlopig als een terroristisch incident wordt beschouwd, en dat betekent dat wij bevoegd zijn.'

'Waar is het hoofd Washington?' vroeg Murray. Hij bedoelde het hoofd van het FBI-kantoor in Washington, gevestigd in Buzzard's Point aan de Potomac.

'Met Angie op St. Lucia, op vakantie. Pech voor Tony.' De inspecteur gromde. Tony Caruso was nog maar drie dagen weg. 'Pech voor een hoop mensen. Het aantal doden zal enorm zijn, Dan. Het zijn er veel meer dan in Oklahoma. Ik heb een algehele oproep gedaan voor forensische experts. Met zo'n puinhoop moeten we een hoop DNA-onderzoek doen. O ja, de jongens van de televisie vragen hoe het mogelijk is dat de luchtmacht dit heeft laten gebeuren.' Hij schudde met zijn hoofd. O'Day had iemand nodig om zich kwaad op te maken, en de tv-commentatoren waren het meest voor de hand liggende doelwit. Er zouden natuurlijk nog anderen volgen; ze hoopten allebei dat de FBI zelf daar niet bij zou horen.

'Weten we verder nog iets?'

Pat schudde zijn hoofd. 'Nee. Dit gaat tijd kosten, Dan.'

'Ryan?'
'Hij was op de Hill en zal nu op weg naar het Witte Huis zijn. Hij was op de televisie. Hij maakte een nogal onzekere indruk. Onze broeders en zusters van de Secret Service hebben het ook niet makkelijk. De vent die ik tien minuten geleden sprak, had bijna een zenuwinzinking. Grote kans dat we een competentiestrijd krijgen over wie de leiding van het onderzoek moet hebben.'
'Schitterend.' Murray snoof. 'Dat laten we door de minister van Justitie uitzoeken...' Maar er was geen minister van Justitie, en er was ook geen minister van Financiën die hij kon bellen.
Inspecteur O'Day hoefde het niet allemaal op te sommen. Een federale wet bepaalde dat de Secret Service de leiding van een onderzoek naar een aanslag op de president had. Maar een andere federale wet gaf de FBI de leiding wanneer het om terrorisme ging. Een plaatselijke wet inzake moord haalde de politie van Washington er natuurlijk ook bij. De National Transportation Safety Board – totdat het tegendeel was bewezen, kon het gewoon een afschuwelijk vliegtuigongeluk zijn geweest – had ook de nodige bevoegdheden. En dat was nog maar het begin. Elke dienst had zijn eigen competenties. De Secret Service, kleiner dan de FBI en met minder middelen, had een aantal steengoede onderzoekers en ook sommigen van de beste technische experts in het land. De NTSB wist meer van vliegtuigongelukken dan wie ook ter wereld. Maar de FBI moest toch de algehele leiding van het onderzoek krijgen? dacht Murray. Alleen was directeur Shaw dood, en als hij er niet was om met de knuppel van zijn persoonlijke macht te zwaaien...
Jezus, dacht Murray. Hij en Bill hadden nog samen op de academie gezeten. Ze hadden als jonge straatagenten in dezelfde eenheid gezeten, samen achter bankrovers aan in de binnenstad van Philadelphia...
Pat las zijn gedachten en knikte. 'Ja, Dan, het is niet makkelijk te verwerken. We zijn er zoveel kwijt.' Hij gaf hem een met de hand geschreven lijst van degenen van wie bekend was dat ze waren omgekomen.
Een atoombom had ons niet zwaarder kunnen treffen, realiseerde Murray zich terwijl hij de namenlijst doorkeek. In het geval van een crisis die zich geleidelijk ontwikkelde zouden ze tijd genoeg hebben gehad om in alle rust en erg discreet belangrijke mensen uit Washington naar verschillende veilige plaatsen te brengen. Velen van hen zouden het hebben overleefd – tenminste, dat was de verwachting – en na de aanval zouden ze een redelijk goed functionerende regering hebben gehad die de scherven kon oprapen. Maar nu niet.

Ryan was al wel duizend keer in het Witte Huis geweest: om op bezoek te gaan, om briefings te geven, voor belangrijke besprekingen en de laatste tijd ook als nationale-veiligheidsadviseur. Dit was de eerste keer dat hij geen legitimatiebewijs hoefde te tonen en niet door de metaaldetectors hoefde te lopen, of beter gezegd, hij liep uit gewoonte door zo'n poortje heen, maar toen de zoemer afging, liep hij gewoon door zonder zelfs maar naar zijn sleutels te grijpen. Het was frappant om te zien dat de agenten zich ineens heel anders gedroegen. Zoals iedereen voelden ze zich het meest op hun gemak in hun vertrouwde omgeving, en hoewel het hele land zojuist weer eens had geleerd dat 'veiligheid' een illusie was, was die illusie zo sterk dat zelfs deze ervaren professionals zich er beter door voelden. Pistolen werden in holsters teruggeschoven, knopen van jassen werden dichtgemaakt en menigeen slaakte een zucht van verlichting bij het betreden van het gebouw via de oostelijke ingang. Een stemmetje in Jacks hoofd zei tegen hem dat dit nu zijn huis was, maar hij wilde dat liever niet geloven. Presidenten, sprekend met de politieke stem van de valse bescheidenheid, noemden het graag het Huis van het Volk. Hoewel velen van hen zonder scrupules over de lichamen van hun eigen kinderen zouden hebben gereden om in het Witte Huis te komen, mochten ze er graag over praten alsof het allemaal niet zoveel voorstelde. Als leugens vlekken op muren konden maken, dacht Jack, zou dit gebouw een heel andere naam hebben. Maar belangrijker dan die kleingeestige politiek was de historische grootsheid waarvan dit huis de stille getuige was. Hier had Monroe de Monroe-doctrine verkondigd en zijn land voor het eerst deel laten uitmaken van de strategische wereld. Hier had Lincoln zijn land met pure wilskracht bijeengehouden. Hier had Teddy Roosevelt een echte wereldmacht van Amerika gemaakt en zijn vloot de wereld rondgestuurd om te laten zien hoe machtig Amerika was. Hier had Teddy's verre neef zijn land voor interne chaos en wanhoop behoed, met weinig meer dan een nasale stem en een schuin omhoog gestoken sigarettenpijpje. Hier had Eisenhower zo behendig zijn macht uitgeoefend dat bijna niemand er iets van merkte. Hier had Kennedy de confrontatie met Chroesjtsjov aangedurfd, en toen had het niemand iets kunnen schelen dat hij daarmee ook een heleboel blunders camoufleerde. Hier had Reagan plannen gemaakt voor de vernietiging van Amerika's gevaarlijkste vijand, om er achteraf van te worden beschuldigd dat hij het grootste deel van de tijd had zitten slapen. Wat telde uiteindelijk zwaarder, die grootse daden of de kleine tekortkomingen van onvolmaakte mannen die hun zwakheden niet altijd konden overwinnen? Die kortstondige, aarzelende stappen vormden samen het soort geschiedenis dat leefde, terwijl de rest grotendeels vergeten was, behalve door revisionistische historici die maar niet konden begrijpen dat mensen nu eenmaal niet volmaakt zijn.

Maar toch was het nog niet zijn huis.

De ingang was een soort tunnel, die onder de oostelijke vleugel door leidde, waar de vrouw van de president – tot voor anderhalf uur Anne Durling – haar kantoor had. De wet bepaalde dat de first lady een gewone burger was – een vreemde constructie voor iemand die betaald personeel had – maar in werkelijkheid waren haar functies vaak van groot belang, hoe onofficieel ze ook mochten zijn. De muren hier waren die van een museum, niet van een huis. Ze liepen langs de kleine bioscoopzaal van het Witte Huis, waar de president met een stuk of honderd goede vrienden naar films kon kijken. Er stond een aantal beeldhouwwerken, waaronder vele van Frederick Remington; het algeheel motief moest voor 'puur' Amerikaans doorgaan. De schilderijen aan de muren waren portretten van vroegere presidenten. Ryan keek ernaar en had het gevoel dat hun levenloze ogen met argwaan en twijfel naar hem terugkeken. Al die mannen die hem waren voorgegaan, of ze nu goed of slecht waren, of ze nu gunstig of ongunstig door de historici werden beoordeeld, keken naar hem...

Ik ben historicus, zei Ryan tegen zichzelf. Ik heb een paar boeken geschreven. Op veilige afstand, in tijd en ruimte ver van de gebeurtenissen verwijderd, heb ik de daden van anderen beoordeeld. Waarom zag hij dit niet? Waarom deed hij dat niet? Nu, te laat, wist hij wel beter. Nu was hij er zelf bij, en van de binnenkant zag het er heel anders uit. Vanaf de buitenkant kon je naar binnen kijken. Eerst pikte je alle informatie op en vervolgens analyseerde je die. Je bleef staan als het moest, ging soms zelfs even achteruit om het allemaal beter te begrijpen. Je nam de tijd om het precies goed te krijgen.

Maar aan de binnenkant was het heel anders. Hier kwam alles recht op je af, als denderende treinen, van alle kanten tegelijk. Alles bewoog volgens eigen tijdschema's en je had maar weinig ruimte om te manoeuvreren of na te denken. Ryan kon dat nu al voelen. En de meeste mensen op de schilderijen waren dit huis binnengekomen met de luxe van voldoende tijd om over hun hoge functie na te denken, met de luxe van vertrouwde raadgevers, en van goodwill bij het volk. Dat waren voordelen die hij niet had. Voor historici zouden die factoren niet meer dan een alinea waard zijn, of misschien een hele pagina, voordat ze aan hun meedogenloze analyse begonnen.

Alles wat hij zei of deed, wist Jack, zou achteraf onder de loep worden genomen, en niet alleen alles wat hierna gebeurde. Ze zouden nu ook in zijn verleden gaan spitten om meer aan de weet te komen over zijn karakter, zijn overtuigingen, zijn goede en slechte daden. Vanaf het moment dat het vliegtuig zich in het Capitool had geboord, was hij president, en alles wat hij sindsdien had gedaan, zou nog generaties lang tegen een nieuw en onverbiddelijk licht worden gehouden. Zijn dagelijks leven zou geen privacy hebben, en zelfs als hij dood was, zou hij niet veilig zijn voor de kritische analyses van mensen die niet wisten wat het was om door dit kolossale kantoor annex museum te lopen en te weten dat het tot in de eeuwigheid je gevangenis zou blijven. De tralies mochten dan onzichtbaar zijn, ze waren er niet minder echt om.

Zoveel mannen hadden naar deze baan gehunkerd om vervolgens te ontdekken hoe afschuwelijk en frustrerend het allemaal was. Dat wist Jack op grond van het onderzoek dat hij als historicus had gedaan, en ook omdat hij van nabij drie mannen had meegemaakt die in het Oval Office hadden gezeten. Van hen mocht je tenminste aannemen dat ze hier met open ogen waren binnengekomen, en misschien kon je het hen kwalijk nemen dat hun geest kleiner was dan hun ego. Hoeveel te erger was het voor iemand die deze baan nooit had willen hebben? En zou de geschiedenis Ryan daarom milder beoordelen? Hij snoof. Nee, hij was naar dit Huis gekomen op een moment dat zijn land behoefte had aan een leider, en als hij niet aan die behoefte voldeed, zou hij tot in de eeuwigheid als mislukkeling worden vervloekt, al was hij alleen bij toeval

op deze positie terechtgekomen, veroordeeld door een man die nu dood wa
om het werk te doen waarnaar een andere man had gehunkerd.
Voor de Secret Service was dit een tijd om een beetje te ontspannen. D
geluksvogels, dacht Ryan, en onwillekeurig kwamen er bittere gedachten i
hem op, terecht of niet. Het was hun taak om hem en zijn gezin te bescher
men. Nu was het zijn taak om hen en hun gezinnen te beschermen, en die va
miljoenen anderen.
'Deze kant op, meneer de president.' Price sloeg linksaf de gang op de began
grond in. Nu zag Ryan voor het eerst zijn Witte Huis-staf. Ze stonden naa
hun nieuwe president te kijken, de man die ze zo goed mogelijk zouden die
nen. Net als alle anderen stonden ze alleen maar te kijken. Ze wisten niet wa
ze moesten zeggen en hun ogen namen de man onderzoekend op. Ze vertel
den niet wat ze dachten, al zouden ze vast en zeker hun meningen uitwissele
zodra ze daar in de privacy van hun kleedkamers of kantines de kans voor kre
gen. Jacks das zat nog scheef in zijn boord en hij had de brandweerjas nog aan
De bevroren waterdruppeltjes in zijn haar, die hem grijzer hadden doen lijke
dan hij was, begonnen nu te smelten. Een van de stafleden rende weg terwi
de president en zijn gevolg in westelijke richting bleven lopen. Even late
kwam hij terug, rende door het escorte heen en gaf Ryan een handdoek.
'Dank u,' zei Jack verrast. Hij bleef een ogenblik staan en begon zijn haar af t
drogen. Toen zag hij een fotograaf hard achteruit lopen; zijn camera klikte aa
een stuk door. De Secret Service legde de man geen strobreed in de weg. Dat
dacht Ryan, betekende dat de man ook tot de staf behoorde: de officiële Witt
Huis-fotograaf wiens taak het was om alles vast te leggen. Fantastisch, mij
eigen mensen bespioneren me! Maar dit was niet bepaald het moment om da
soort dingen te veranderen.
'Waar gaan we heen, Andrea?' vroeg Jack, terwijl ze langs nog meer portrette
van presidenten en first lady's liepen, die allemaal naar hem staarden...
'Het Oval Office. Ik dacht...'
'We gaan naar de Situation Room.' Ryan bleef abrupt staan, nog steeds bezi
zich af te drogen. 'Ik ben nog niet klaar voor het Oval Office. Goed?'
'Natuurlijk, meneer de president.' Aan het eind van de brede gang sloegen z
linksaf. Ze kwamen in een kleine hal met goedkoop uitziend houten raster
werk, en toen waren ze meteen weer buiten, want er liep geen gang van he
Witte Huis naar de westelijke vleugel. Daarom had niemand zijn jas overgeno
men, realiseerde Jack zich.
'Koffie,' beval Jack. In elk geval zou hij hier goed te eten krijgen. Het restau
rant van het Witte Huis was in handen van marinestewards, en zijn eerste pre
sidentiële koffie werd uit een zilveren pot in een sierlijk kopje geschonken doo
een matroos met een professionele en tegelijk oprechte glimlach. Die matroo
was natuurlijk ook nieuwsgierig naar de nieuwe Baas. Ryan voelde zich ne
een dier in een dierentuin. Interessant, zelfs fascinerend: en hoe zou hij zic
aan de nieuwe kooi aanpassen?
Dezelfde kamer, een andere stoel. De president zat aan het midden van d

tafel, zodat zijn medewerkers aan weerskanten konden zitten. Ryan liep naar zijn plaats en ging daar zitten alsof het vanzelf sprak. Per slot van rekening was het maar een stoel. Die zogeheten attributen van de macht waren maar dingen, en de macht zelf was een illusie, want zulke macht ging altijd gepaard met verplichtingen die nog veel groter waren. De macht kon je zien en uitoefenen. De verplichtingen kon je alleen maar voelen; ze hoorden bij de atmosfeer, die in deze kamer zonder ramen opeens erg benauwd leek. Jack nam een slokje koffie en keek om zich heen. De klok aan de muur gaf aan dat het 23.14 uur was. Hij was nu... hoe lang president? Anderhalf uur? Ongeveer zo lang als het duurde om van zijn huis naar... zijn nieuwe huis te rijden... afhankelijk van de verkeersdrukte.
'Waar is Arnie?'
'Hier, meneer de president,' zei Arnold van Damm, die op dat moment binnenkwam. Hij was onder twee presidenten stafchef van het Witte Huis geweest en zou nu een record vestigen als stafchef van nummer drie. Zijn eerste president had met schande beladen het ambt moeten neerleggen. Zijn tweede was dood. Driemaal was scheepsrecht, of kwam het ongeluk altijd in drieën? Twee gezegden die even vaak geciteerd werden en elkaar wederzijds uitsloten. Ryan keek hem indringend aan, stelde met zijn ogen de vraag die hij niet kon uitspreken: wat moet ik nu doen?
'Goede verklaring op de televisie. Ongeveer zoals het moest.' De stafchef ging aan de andere kant van de tafel zitten. Zoals altijd maakte hij een rustige, bekwame indruk. Ryan stond er maar niet bij stil hoeveel moeite het Van Damm moest kosten om kalm te blijven. Hij had meer vrienden verloren dan Ryan.
'Ik weet zelf amper nog wat ik heb gezegd,' antwoordde Jack, en hij groef in zijn geheugen naar dingen die alweer verdwenen waren.
'Dat is normaal voor een geïmproviseerde verklaring,' zei Van Damm. 'Het was toch nog tamelijk goed. Ik heb altijd al het gevoel gehad dat je de goede instincten hebt. Je zult ze nodig hebben.'
'Allereerst?' vroeg Jack.
'Banken, effectenbeurzen en alle federale diensten zijn gesloten, laten we zeggen tot het eind van de week, misschien nog langer. We moeten een staatsbegrafenis organiseren voor Roger en Anne. Een week van nationale rouw, misschien een maand lang de vlaggen halfstok. Er waren ook nogal wat ambassadeurs in de vergaderzaal. Dat betekent dat we ook nog met een hoop diplomatieke activiteit te maken krijgen. We noemen dat huishoudwerk... ik weet het,' zei Van Damm met opgestoken hand. 'Sorry. Je moet het een naam geven.'
'Wie...'
'We hebben hier een afdeling Protocol, Jack,' zei Van Damm. 'Ze zitten al in hun kamertjes en werken dit voor je uit. We hebben een team van tekstschrijvers; die zullen je toespraken en officiële verklaringen opstellen. De mediamensen zullen je willen zien; ik bedoel dat je in het openbaar moet verschij-

nen. Je moet het volk geruststellen. Je moet vertrouwen wekken...'
'Wanneer?'
'Op z'n laatst in de ontbijtshows op de televisie, op CNN en alle netwerken. Ik zou liever zien dat we binnen een uur voor de camera gaan, maar noodzakelijk is dat niet. We kunnen zeggen dat je het druk hebt. En druk zul je het hebben,' verzekerde Arnie hem. 'Voordat je op de televisie gaat, krijg je een briefing over wat je kunt zeggen en wat je niet kunt zeggen. We peperen de persmuskieten van tevoren in wat ze mogen vragen en wat niet, en onder omstandigheden als deze houden ze zich daar wel aan. Ga er maar van uit dat ze je ongeveer een week lang goed behandelen. Wat de pers betreft, zijn dat je wittebroodsweken. Langer duurt dat niet.'
'En dan?'
'En dan ben je president bij de gratie Gods en moet je je daarnaar gedragen, Jack,' zei Van Damm zonder omhaal. 'Je hebt de eed vrijwillig afgelegd, weet je nog wel?'
Die woorden brachten Ryan weer bij zijn positieven. Aan de rand van zijn gezichtsveld zag hij de onbewogen gezichten van de anderen in de kamer, op dit moment alleen agenten van de Secret Service. Hij was de nieuwe Baas en ze keken niet zoveel anders naar hem dan naar de mensen op de portretten die hij op zijn weg hierheen was gepasseerd. Ze verwachtten van hem dat hij de juiste beslissingen nam. Ze zouden hem steunen, zouden hem tegen anderen en tegen hemzelf beschermen, maar hij moest het werk doen. Ze zouden hem ook niet laten weglopen. De Secret Service had de bevoegdheid hem tegen fysiek gevaar te beschermen. Arnie van Damm zou proberen hem tegen politiek gevaar te beschermen. Andere stafleden zouden hem ook dienen en beschermen. Het huishoudelijk personeel zou hem te eten geven, zijn overhemden strijken en koffie voor hem halen. Maar niemand zou toestaan dat Ryan wegliep, niet van zijn plaats en niet van zijn verplichtingen.
Het was inderdaad een gevangenis.
Maar wat Arnie zojuist had gezegd, was waar. Hij had kunnen weigeren de eed af te leggen. Nee, dacht Ryan, neerkijkend op het glimmende eikenhouten tafelblad. Dan zou hij tot in de eeuwigheid voor een lafaard zijn doorgegaan; erger nog, hij zou daar in zijn eigen gedachten ook voor zijn doorgegaan, want hij had een geweten dat een ergere vijand was dan ieder ander mens. Het lag in zijn aard om in de spiegel te kijken en daar dan iets te zien wat niet goed genoeg was. Hij wist dat hij kwaliteiten had, maar het waren er nooit genoeg. Waardoor liet hij zich leiden? Door de waarden die hij van zijn ouders had geleerd, en van zijn leraren, het korps mariniers, de vele mensen die hij had ontmoet, de gevaren die hij had getrotseerd? Gebruikte hij al die abstracte waarden of gebruikten ze hèm? Wat had hem hier gebracht? Wat had hem gemaakt tot wat hij was, en wat was John Patrick Ryan nu werkelijk? Hij keek op, de kamer rond, en vroeg zich af wat zij dachten dat hij was, maar zij wisten het ook niet. Hij was nu de president, degene die de bevelen gaf, en zij zouden die bevelen uitvoeren. Hij was de man die toespraken zou houden die door

anderen op nuances en correctheid zouden worden geanalyseerd. Hij was de man die besliste wat de Verenigde Staten van Amerika zouden doen, om vervolgens beoordeeld en bekritiseerd te worden door anderen die het zelf ook niet beter zouden kunnen. Maar dat was niet een persoon; dat was een functieomschrijving. Daarbinnen moest een man zitten – of in de nabije toekomst een vrouw – die over alles nadacht en probeerde het juiste te doen. En voor hem, Ryan, had dat ingehouden dat hij anderhalf uur geleden de eed had afgelegd. En dat hij nu zijn best moest doen. Het oordeel van latere historici was uiteindelijk minder belangrijk dan zijn eigen oordeel, dan wat hij dacht als hij 's morgens in de spiegel keek. De echte gevangenis zou hij altijd zelf zijn.
Hij vloekte.

Het vuur was nu uit, zag brandweercommandant Magill. Zijn mensen moesten voorzichtig zijn. Er waren altijd hete plekken, plaatsen waar het vuur niet door het water was geblust maar door gebrek aan zuurstof was uitgegaan, waar het wachtte op de kans om weer op te laaien en onoplettende mensen te verrassen en te doden. Hij had al het materieel uit de stad naar deze brand laten komen, en hij had veel ervan teruggestuurd. Het was niet de bedoeling dat er geen wagen meer was om naar een nieuwe brand te gaan en dat er daardoor nog meer mensen onnodig zouden omkomen.
Hij was nu omringd door anderen. Ze droegen allemaal vinyl jassen waarop met grote gele letters stond aangeduid wie ze waren. Er waren mensen van de FBI, van de Secret Service, van de politie van Washington, de NTSB, het Bureau of Alcohol, Tobacco and Firearms van het ministerie van Financiën, en verder waren er zijn eigen brandinspecteurs, allemaal op zoek naar iemand die de leiding had, iemand aan wie ze hun eigen gezag konden afmeten. In plaats van informele besprekingen te houden en hun eigen gezagsverhoudingen te creëren, stonden ze meestal in homogene groepjes bijeen, waarschijnlijk in afwachting van iemand die hun zou vertellen wie het voor het zeggen had. Magill schudde zijn hoofd. Hij had dit al vaker meegemaakt.
De lichamen kwamen nu in een hoger tempo naar buiten. Voorlopig werden ze naar de D.C. Armory gebracht, het arsenaal, ongeveer anderhalve kilometer ten noorden van de Hill, dicht bij het spoor. Magill benijdde de identificatieteams niet, hoewel hij zelf nog niet in de krater was afgedaald om te kijken hoe erg de verwoesting was.
'Commandant?' vroeg een stem achter hem. Magill draaide zich om.
'Ja?'
'Wij zijn van de NTSB. Kunnen we op zoek gaan naar de vluchtrecorder?' De man wees naar het kielvlak. Hoewel de staart van het vliegtuig allesbehalve intact was, was hij nog herkenbaar, en de zogeheten zwarte doos – die in werkelijkheid met oranje Day-glo-verf was bespoten – zou daar ergens in moeten zitten. Er lag niet veel omheen. De brokstukken waren voor het merendeel in westelijke richting gekatapulteerd. Misschien zouden ze de doos vlug kunnen vinden.

'Goed.' Magill knikte en wees twee brandweerlieden aan om met het NTSB-team mee te gaan.
'Wilt u ook uw mensen vragen zo min mogelijk vliegtuigonderdelen te verplaatsen? We moeten reconstrueren wat er gebeurd is en dat gaat beter als de dingen nog min of meer op hun plaats liggen.'
'De mensen... de doden komen op de eerste plaats,' merkte Magill op. De man van de NTSB knikte met een grimas. Dit was voor niemand leuk.
'Dat begrijp ik.' Hij zweeg even. 'Als u de bemanningsleden vindt, wilt u ze dan niet verplaatsen? Als u ons erbij haalt, regelen wij het wel. Goed?'
'Hoe kunnen we ze herkennen?'
'Wit overhemd, epauletten met strepen, en waarschijnlijk zijn het Japanners.'
Dat had idioot moeten klinken, maar dat klonk het niet. Magill wist dat lichamen in een neergestort vliegtuig er vaak ongelooflijk goed uitzagen, zo intact dat alleen een getraind oog de tekenen van een dodelijke verwonding meteen kon zien. Dat was nogal schokkend voor de burgers die meestal als eersten op de plaats van een ramp arriveerden. Het was zo vreemd dat het menselijk lichaam sterker leek dan het leven dat erin had gezeten. Zo bleef de nabestaanden de afschuwelijke beproeving bespaard dat ze een stuk verbrand en verscheurd vlees moesten identificeren, al stond daar tegenover dat ze nu iemand moesten herkennen die niet terug kon praten. Magill schudde zijn hoofd en liet de speciale instructie door een van zijn naaste medewerkers doorgeven.
De brandweerlieden beneden hadden al meer van die speciale instructies gehad. Al in het begin hadden ze natuurlijk instructie gekregen het lichaam van president Roger Durling te vinden en weg te halen. Alles moest daarvoor wijken en er stond een speciale ambulance klaar om zijn lichaam weg te brengen. Zelfs de vrouw van de president, Anne Durling, zou even op haar man moeten wachten, één laatste keer. Een mobiele kraan van een aannemer manoeuvreerde zich naar de verste zijkant van het gebouw om de stenen blokken weg te halen die op het podium en de omgeving daarvan lagen, als een ingestorte toren van kinderblokken. In het felle licht ontbraken alleen nog de letters en cijfers op de blokken om de illusie compleet te maken.

Mensen begaven zich in groten getale naar alle overheidskantoren, vooral de hogere functionarissen. Het was hoogst ongebruikelijk dat de VIP-parkeerplaatsen om middernacht volstonden, maar deze nacht stonden ze vol, en het ministerie van Buitenlandse Zaken was geen uitzondering. Er werd ook beveiligingspersoneel opgeroepen, want een aanslag op de ene overheidsdienst was een aanslag op alle overheidsdiensten, en dan deed het er niet toe of het een soort aanslag was waartegen mensen met handvuurwapens niets konden uitrichten. Als A gebeurde, volgde B daaruit, want ergens stond geschreven dat je B moest doen. De mensen met de handvuurwapens keken elkaar aan en schudden het hoofd. Ze wisten dat ze overuren betaald kregen. Wat dat betrof, waren ze in het voordeel ten opzichte van de hoge pieten die uit Chevy

Chase en de dure forensenplaatsen in Virginia kwamen aanracen en nu naar boven renden om daar alleen maar met elkaar te praten.
Een van hen parkeerde in het souterrain en gebruikte zijn sleutelkaart om de VIP-lift naar de zesde verdieping te nemen. Wat hem anders dan de anderen maakte, was dat hij een echte missie had, al was het een missie waarover hij gedurende de hele rit vanaf zijn huis in Great Falls had nagedacht. Hij vroeg zich af of het een test was om na te gaan hoeveel lef hij had. Maar wat kon hij anders doen? Hij had alles aan Ed Kealty te danken, zijn positie in Washington, zijn carrière bij Buitenlandse Zaken, zoveel andere dingen. Het land had nu iemand als Ed nodig. Dat had Ed hem gezegd, en hij had veel argumenten aangevoerd, en wat hijzelf nu deed was... was wát? Een klein stemmetje in de auto had het verraad genoemd, maar nee, dat was het niet, want 'verraad' was het enige misdrijf dat in de grondwet werd omschreven. Het werd daar gedefinieerd als 'hulp en steun' verlenen aan de vijanden van het land, en wat Ed Kealty ook deed, dát deed hij toch niet?
Het was allemaal een kwestie van loyaliteit. Hij was Ed Kealty's man, zoals veel anderen dat ook waren. Het was begonnen in Harvard, veel bier en avondjes uit met meisjes, en weekends in het huis van Eds familie aan het water, de mooie dagen van een uitbundige jeugd. Hij was als arbeiderszoon te gast geweest bij een van de grote families van Amerika... waarom? Omdat hij de jeugdige Ed was opgevallen. Maar waarom dan? Hij wist het niet, had het nooit gevraagd, en alleen in Amerika kon een arbeiderskind dat kans had gezien om met een beurs in Harvard te studeren bevriend raken met een voorname telg uit een voorname familie. Waarschijnlijk zou hij het op eigen kracht ook wel ver hebben gebracht. Niemand dan God had hem zijn aangeboren intelligentie gegeven. Niemand dan zijn ouders had hem aangemoedigd die gave tot ontwikkeling te brengen en hem manieren en... waarden geleerd. Die gedachte maakte dat hij zijn ogen dichtdeed op het moment dat de liftdeuren opengingen. Waarden. Nou ja, loyaliteit was toch ook een van die waarden? Zonder Eds protectie zou hij misschien niet verder zijn gekomen dan plaatsvervangend onderminister van Buitenlandse zaken. Dat eerste woord was al lang geleden verwijderd uit de titel die in gouden letters op de deur van zijn kantoor was aangebracht. In een rechtvaardige wereld zou hij hard op weg zijn geweest om de volgende vijf letters van zijn titel ook te verwijderen, want was hij niet even goed in buitenlands beleid als ieder ander op de zesde verdieping? Jazeker, dat was hij, en dat zou hem nooit zijn gelukt als hij niet Ed Kealty's man was geweest. Zonder de feestjes waar hij de andere machtige figuren had ontmoet en waar hij zich een weg naar de top had gepraat. En het geld. Hij had nooit smeergeld aangenomen, maar zijn vriend had hem goede beleggingstips gegeven (tips die van zijn eigen adviseurs waren gekomen, maar dat deed er niet toe). Zo had hij zijn vermogen kunnen opbouwen tot hij financieel onafhankelijk was en had hij een huis van vierhonderdvijftig vierkante meter kunnen kopen in Great Falls, en had hij zijn eigen zoon naar Harvard kunnen sturen, níet met een beurs, want Clifton Rutledge III was nu de zoon

van iemand, niet alleen maar het voortbrengsel van arbeiderslendenen. Al het werk dat hij geheel op eigen kracht had kunnen doen, zou hem niet op deze positie hebben gebracht. Kealty had hem geholpen, en dat schiep verplichtingen, nietwaar?
Dat maakte het een beetje gemakkelijker voor Clifton Rutledge II (eigenlijk stond er in zijn geboorteakte dat hij Clifton Rutledge junior heette, maar 'jr' was geen achtervoegsel voor een man met zijn maatschappelijke positie), onderminister van Buitenlandse Zaken, belast met beleidszaken.
De rest was alleen een kwestie van timing. De zesde verdieping werd altijd bewaakt, nu des te meer. Maar de bewakers kenden hem allemaal en het kwam er alleen op aan dat hij zich gedroeg alsof hij wist wat hij deed. Ach, zei Rutledge tegen zichzelf, hij zou misschien falen en misschien was dat ook wel het beste: 'Sorry, Ed, het was er niet...' Hij vroeg zich af of dat een onwaardige gedachte was. Inmiddels stond hij bij zijn kantoordeur en luisterde of hij voetstappen hoorde. Intussen hoorde hij het bonken van zijn hart. Er zouden nu twee bewakers op de verdieping zijn die ieder afzonderlijk rondliepen. De beveiliging hoefde hier niet zo streng te zijn. Niemand kwam Buitenlandse Zaken zonder reden binnen. Zelfs overdag werden bezoekers overal geëscorteerd. Op dit uur van de nacht zou het nog moeilijker zijn om binnen te komen. Er waren minder liften in gebruik. Je moest een sleutelkaart hebben om op de bovenste verdieping te komen, en er stond altijd een derde bewaker bij de liftdeuren. Het was dus alleen een kwestie van timing. Rutledge luisterde naar de voetstappen en keek daarbij op zijn horloge. Hij merkte dat de tussentijden tot op tien seconden regelmatig waren. Goed. Hij hoefde alleen maar op de volgende te wachten.
'Dag, Wally.'
'Dag, meneer,' antwoordde de bewaker. 'Dit is een verschrikkelijke avond.'
'Wil je iets voor ons doen?'
'Wat dan, meneer?'
'Koffie. We hebben geen secretaresses om de koffiezetapparaten aan de gang te krijgen. Wil je even naar de kantine gaan en een van hun mensen een pot naar boven laten brengen? Ze kunnen hem in de vergaderkamer aan de gang zetten. Daar hebben we straks een bespreking.'
'Goed. Nu meteen?'
'Als het kan, Wally.'
'Ik ben over vijf minuten terug, meneer Rutledge.' De bewaker liep doelbewust weg. Na twintig meter sloeg hij rechtsaf en verdween uit het zicht.
Rutledge telde tot tien en ging de andere kant op. De twee deuren naar het kantoor van de minister van Buitenlandse Zaken zaten niet op slot. Rutledge passeerde de eerste deur, en toen de tweede, en deed telkens de lichten aan. Hij had drie minuten tijd. In zekere zin hoopte hij dat het document in Brett Hansons kantoorkluis zou liggen. In dat geval zou hij niets bereiken, want alleen Brett, twee van zijn medewerkers en het hoofd van de beveiliging kenden de cijfercombinatie, en als je een verkeerde combinatie intoetste, ging er

een alarm af. Maar Brett was een gentleman geweest, en nog een slordige ook. Aan de ene kant was hij altijd goed van vertrouwen geweest, aan de andere kant vergeetachtig. Hij was zo iemand geweest die nooit zijn auto of zelfs zijn huis op slot deed, tenzij zijn vrouw het hem liet doen. Als het niet in de kluis lag, kon het op maar twee plaatsen liggen. Rutledge trok de middelste lade van het bureau open en vond de gebruikelijke verzameling potloden en goedkope pennen (hij raakte ze altijd kwijt) en paperclips. Er was nu één minuut verstreken. Rutledge zocht zorgvuldig in het bureau. Niets. Het was bijna een opluchting, tot hij keek wat er op het bureaublad lag, en toen scheelde het niet veel of hij barstte in lachen uit. In de leren hoek van het vloeiblad zat een witte envelop gestoken die geadresseerd was aan de minister van Buitenlandse Zaken. Er zat geen postzegel op. Rutledge pakte de envelop en hield hem aan de randen vast. Niet dichtgeplakt. Hij trok de flap los en haalde de inhoud eruit. Een enkel vel papier, twee getypte alinea's. Op dat moment ging er een huivering door Cliff Rutledge heen. Tot nu toe was het een theoretische actie geweest. Hij kon de brief terugleggen, vergeten dat hij hier was geweest, vergeten dat hij was opgebeld, alles vergeten. Twee minuten.

Zou Brett de brief hebben geregistreerd? Waarschijnlijk niet. Nogmaals, hij was in bijna alle opzichten een gentleman geweest. Hij zou Ed niet op die manier hebben vernederd. Het was een eerzaam besluit van Ed geweest om zijn ontslag in te dienen, en Brett zou op even eerzame wijze hebben gereageerd. Ongetwijfeld had hij met een triest gezicht Eds hand geschud, en daarmee was de zaak afgedaan. Twee minuten vijftien.

De beslissing. Rutledge stak de brief in de zak van zijn jasje, liep naar de deur, deed de lichten uit en ging naar de gang terug om uiteindelijk voor zijn eigen kantoordeur te blijven staan. Daar wachtte hij een halve minuut.

'Hallo, George.'

'Dag, meneer Rutledge.'

'Ik heb Wally net naar beneden gestuurd om koffie te halen voor de verdieping.'

'Goed idee, meneer. Wat een ellendige nacht. Is het waar dat...'

'Ja, ik ben bang van wel. Brett is waarschijnlijk met de anderen omgekomen.'

'Verdomme.'

'Misschien is het wel een goed idee om zijn kantoor af te sluiten. Ik heb net de deur gecontroleerd en...'

'Ja, meneer.' George Armitage nam zijn ring met sleutels en vond de juiste. 'Hij is altijd zo...'

'Ik weet het.' Rutledge knikte.

'Weet u, veertien dagen geleden merkte ik dat zijn kluis niet op slot zat. Hij had de deur wel dichtgedrukt maar was vergeten de schijf een eind rond te draaien.' Hij schudde zijn hoofd. 'Hij zal wel nooit beroofd zijn.'

'Dat is het probleem met beveiliging,' beaamde de onderminister van Buitenlandse Zaken, belast met beleidszaken. 'De hoge pieten zijn altijd zo slordig, nietwaar?'

Wat was het mooi. Wie had het gedaan? Het deed er eigenlijk niet toe. De tv-verslaggevers, die weinig anders te doen hadden, gaven hun cameramensen steeds weer opdracht de staartvin in beeld te brengen. Hij kon zich het logo nog goed herinneren. Lang geleden had hij deelgenomen aan een operatie om een vliegtuig op te blazen dat een afbeelding van een rode kraanvogel had. Hij had daar nu bijna spijt van, maar in de allereerste plaats was hij jaloers. Het was een kwestie van gepastheid. Als een van 's werelds meest vooraanstaande terroristen – hij gebruikte dat woord in zijn eigen gedachten en genoot dan van die term, al kon hij hem niet ergens anders gebruiken – had hij degene moeten zijn die dit deed, niet een of andere amateur. Want dat was het geweest. Een amateur wiens naam hij na verloop van tijd zou horen, tegelijk met alle andere mensen op aarde: van de televisie. Het was trouwens ironisch genoeg. Sinds zijn puberteit had hij zich gewijd aan de theorie en praktijk van politiek geweld: bestuderen, overwegen, plannen, en ook uitvoeren, eerst als deelnemer, later als leider/commandant. En nu? Nu was een amateur hem voorbijgestreefd, hem en de hele clandestiene wereld waartoe hij behoorde. Het zou gênant zijn geweest, als het niet allemaal zo mooi was.
Zijn getrainde geest nam de mogelijkheden door en de analyse kwam snel. Eén dader. Misschien twee. Waarschijnlijk één. Zoals altijd drukte hij bij het nadenken zijn lippen op elkaar en bewoog hij zijn hoofd op en neer. Eén dader die bereid was te sterven, zich voor de Zaak op te offeren – welke Zaak het ook was die hij diende – kon meer uitrichten dan een heel leger. In dit geval had de dader over bijzondere vaardigheden en toegang tot bijzondere middelen beschikt en had hij daar een goed gebruik van gemaakt.
Dat was geluk, zoals ook het feit dat één dader genoeg was geweest. Voor één persoon was het gemakkelijk iets geheim te houden. Hij gromde. Dat was het probleem waar hij altijd mee te maken had. Het was altijd het moeilijkst om de juiste mensen te vinden, mensen die hij kon vertrouwen, die niet gingen opscheppen, die niet anderen in vertrouwen namen, die zijn doelbewustheid ook bezaten, zijn zelfdiscipline, en die werkelijk bereid waren hun leven op het spel te zetten. Dat laatste criterium was een absolute voorwaarde en vroeger was het gemakkelijk vast te stellen geweest, maar in de snel veranderende wereld werd dat steeds moeilijker. De bron waaruit hij putte begon op te drogen; dat viel niet te ontkennen. Het kostte hem steeds meer moeite mensen te vinden die echt toegewijd waren.
Hoewel hij altijd intelligenter dan anderen was geweest en verder vooruit kon kijken, had hij zich gedwongen gezien daadwerkelijk aan drie operaties deel te nemen. Hij zou dat niet graag nog een keer doen. Niet dat hij er de moed niet voor had, maar het was uiteindelijk toch te gevaarlijk. Op zichzelf boezemden de gevolgen van zijn daden hem niet zoveel angst in, maar wat hem dwarszat was dat een dode terrorist net zo dood was als zijn slachtoffers. Doden konden geen missies meer uitvoeren. Het martelaarschap wilde hij wel riskeren, maar hij streefde er niet naar. Uiteindelijk wilde hij winnen, wilde hij de vruchten van zijn daden plukken, wilde hij erkend worden als winnaar, bevrijder, vero-

veraar, wilde hij met meer dan een enkele voetnoot in de boeken staan die door toekomstige generaties zouden worden gelezen. De geslaagde missie op de televisie in zijn slaapkamer zou op zijn hoogst als een afschuwelijke gebeurtenis in de herinnering voortleven. Niet als de daad van een man, maar als iets wat met een natuurramp te vergelijken was. Hoe elegant het ook was, het diende geen politiek doel. Dat was het probleem met de krankzinnige daad van één toegewijde martelaar. Met geluk alleen kwam je er niet. Er moest een reden zijn, een resultaat. Een actie was alleen geslaagd als er iets anders uit voortkwam. Dat was hier duidelijk niet het geval. Dat was jammer, maar zo ging het vaak...

Nee. De man pakte zijn sinaasappelsap en nam er een slokje van voordat hij zijn gedachten een stapje verder liet gaan. Ging het vááak zo? Dit was toch nog nooit gebeurd? Dat was een grotendeels filosofische vraag. Hij kon in de geschiedenis teruggaan en zeggen dat de assassijnen kans hadden gezien regeringen ten val te brengen of op zijn minst te onthoofden, maar in die tijd had dat betekend dat je één man elimineerde, en ondanks alle bravoure van de afgezanten van die vesting op een heuveltop hadden ze in de moderne wereld niet veel kunnen uitrichten. Als je een president of premier doodde – of zelfs een van de koningen aan wie sommige landen bleven vastklampen – kwam er meteen een ander voor in de plaats. Zoals in dit geval blijkbaar ook was gebeurd. Toch lag het hier anders. Er was geen kabinet dat achter de nieuwe president stond, geen ministers met woedende gezichten aan wie je kon zien dat ze solidair en vastbesloten waren en naar continuïteit streefden. Als er alleen maar iets anders, iets groters en belangrijkers tot stand was gebracht toen het vliegtuig neerstortte, had deze mooie actie nog veel mooier kunnen zijn. Die ontbrekende factor was nu niet meer toe te voegen, maar zoals bij al dit soort gebeurtenissen kon je veel leren van de geslaagde en mislukte aspecten. In elk geval was de nasleep, gepland of niet gepland, erg, erg reëel.

In dat opzicht was het tragisch. Er was een gelegenheid verspild. Had hij er maar van geweten! Had de man die dat vliegtuig naar zijn uiteindelijke bestemming had gevlogen maar aan iemand laten weten wat hij van plan was! Maar zo ging het altijd met martelaren, nietwaar? Die dwazen moesten alles alleen doen: denken, handelen en sterven. In hun persoonlijk succes lag ook hun uiteindelijke mislukking besloten. Of misschien ook niet. De nasleep was nog niet voorbij...

'Meneer de president?' Een agent van de Secret Service had de telefoon opgenomen. Normaal gesproken zou dat door een marineman zijn gedaan, maar de agenten waren nog niet helemaal van de schok bekomen en wilden niet zomaar iedereen in de Situation Room toelaten. 'De FBI, meneer de president.'

Ryan pakte de telefoon van de houder onder het bureaublad. 'Ja?'

'Met Dan Murray.' Jack glimlachte bijna bij het horen van die vertrouwde stem, de stem van een vriend. Hij en Murray kenden elkaar al erg lang. Mur-

ray van zijn kant had waarschijnlijk liever 'Hallo, Jack' gezegd, maar dat zou hij niet doen – zo familiaar mocht hij zich niet gedragen zonder dat hij daartoe werd uitgenodigd – en zelfs als Jack het hem had gevraagd, zou hij het risico hebben gelopen binnen zijn eigen organisatie voor een reetlikker te worden aangezien. Ook dat maakte het moeilijker om een normaal leven te leiden, dacht Jack. Zelfs zijn vrienden schiepen afstand.
'Wat is er, Dan?'
'Sorry voor het storen, maar we willen graag weten wie de leiding van het onderzoek heeft. Er lopen op dit moment allerlei mensen op de Hill rond en...'
'Eenheid in de bevelsstructuur,' merkte Jack op. Hij hoefde niet te vragen waarom Murray hem belde. Al degenen die deze beslissing hadden kunnen nemen, waren dood. 'Wat zegt de wet ervan?'
'Eigenlijk niets,' antwoordde Murray. Het was aan zijn stem te horen dat hij het er moeilijk mee had. Hij wilde de man die vroeger zijn vriend was geweest – en dat misschien nog steeds was als ze elkaar onder minder officiële omstandigheden tegenkwamen – niet lastigvallen. Maar dit was een dringende aangelegenheid.
'De competenties overlappen elkaar?'
'Overal,' bevestigde Murray met een niet zichtbaar hoofdknikje.
'Ik denk dat we dit een terroristisch incident kunnen noemen. Daar hebben we vaker mee te maken gehad, jij en ik, nietwaar?' vroeg Jack.
'Jazeker, meneer de president.'
Meneer de president, dacht Ryan. Verdomme. Maar hij moest weer een beslissing nemen. Jack keek de kamer door voordat hij antwoord gaf.
'De FBI heeft het hoogste gezag in deze zaak. Iedereen rapporteert aan jullie. Kies een capabel persoon uit om leiding aan de zaak te geven.'
'Ja, meneer de president.'
'Dan?'
'Ja, meneer de president?'
'Wie is het hoogst in rang bij de FBI?'
'De plaatsvervangend directeur is Chuck Floyd. Die is in Atlanta om een toespraak te houden en...' En dan waren er nog de adjunct-directeuren, allemaal hoger in rang dan Murray...
'Ik ken hem niet. Ik ken jou wel. Tot nader order ben jij waarnemend directeur van de FBI.' Dat kwam aan de andere kant van de lijn als een schok aan. Ryan voelde het meteen.
'Eh, Jack, ik...'
'Ik was ook erg op Shaw gesteld, Dan. Jij hebt de baan.'
'Ja, meneer.'
Ryan legde de hoorn op de haak en legde uit wat hij zojuist had gedaan.
Price was de eerste die bezwaar maakte: 'Meneer, elke aanslag op de president valt onder de competentie van...' Ryan liet haar niet uitspreken.
'De FBI heeft meer middelen, en iemand moet de leiding hebben. Ik wil dit zo snel mogelijk regelen.'

'We hebben een speciale commissie nodig.' Dat was Arnie van Damm.
'Geleid door wie?' vroeg president Ryan. 'Een lid van het hooggerechtshof? Een paar senatoren en afgevaardigden? Murray is een professional, een oude rot in het vak. Neem een goede: de hoogste openbaar aanklager van het ministerie van Justitie zal toezicht houden op het onderzoek. Andrea, zoek de beste onderzoeker van de Secret Service; die wordt Murrays eerste assistent. We hoeven toch geen buitenstaanders te gebruiken? We doen dit van binnenuit. Laten we de beste mensen kiezen en het aan hen overlaten. We moeten vertrouwen hebben in de diensten die geacht worden het werk te doen.' Hij zweeg even. 'Ik wil dat er vaart achter het onderzoek wordt gezet, ja?'
'Ja, meneer de president.' Adjudant Price liet haar hoofd op en neer gaan, en Ryan kreeg een instemmend knikje van Arnie van Damm. Misschien deed hij iets goeds, durfde Jack te denken. De voldoening was van korte duur. In de verste hoek stond een aantal televisietoestellen tegen de muur. Die vertoonden allemaal nagenoeg dezelfde beelden, en de flits van een fotocamera op alle vier de toestellen trok de aandacht van de president. Hij draaide zich om en zag op vier schermen de beelden van een lijkenzak die de trap af werd gedragen in de westelijke vleugel van het Capitool-gebouw. Het was een van de vele lijken die geïdentificeerd moesten worden: groot of klein, man of vrouw, belangrijk of niet, dat was aan het met rubber geïmpregneerde weefsel van de zak niet te zien. Je zag alleen de gespannen, koude, sombere gezichten van de brandweerlieden die dat vervloekte ding droegen, en dat had de aandacht getrokken van een naamloze krantenfotograaf, die met zijn flitslicht in actie was gekomen en zo hun president had teruggebracht tot een realiteit waarvoor hij meteen weer terugdeinsde. De tv-camera's volgden het trio, twee levenden, een dode, de trap af naar een ambulance waarin achter de open deuren nog meer van zulke zakken lagen. De zak die ze droegen, werd er voorzichtig overheen gelegd. De brandweerlieden omringden het lichaam dat de levende wereld had verlaten met zorg en erbarmen. Toen gingen ze de trap weer op om de volgende zak te halen. In de Situation Room werd het stil. Alle ogen namen hetzelfde beeld in zich op. Enkelen haalden diep adem, en met ogen die te hard of te diep geschokt waren om tranen te kunnen voortbrengen wendden ze zich een voor een af om naar het glimmende eikenhout van het tafelblad te kijken. Een koffiekopje schraapte over een schotel. Dat zachte geluid maakte de stilte alleen maar erger, want niemand had woorden om de leegte op te vullen.
'Wat moet er nog meer gebeuren?' vroeg Jack. De vermoeidheid van dat moment trof hem als een mokerslag. Toen hij eerder op de avond met de dood en met de angst om zijn gezin was geconfronteerd, had zijn hart aan een stuk door gebonkt, en dat eiste nu zijn tol. Zijn borst voelde leeg aan en het was of zijn armen verzwaard werden, of zijn mouwen van lood waren, en plotseling kostte het hem al grote moeite om zijn hoofd omhoog te houden. Het was vijf over half twaalf op een dag die om tien over vier in de morgen was begonnen, een dag vol interviews over een baan die hij acht minuten had gehad voordat

hij abrupt promotie maakte. De extra adrenaline die hem op de been had gehouden, was in die twee uren opgebruikt en daardoor was zijn vermoeidheid nu des te groter. Hij keek om zich heen alsof hij een belangrijke vraag ging stellen.

'Waar slaap ik vannacht?' Niet hier, besloot Ryan meteen. Niet in het bed van een dode, onder de lakens van een dode, een paar meter van de kinderen van een dode vandaan. Hij had er behoefte aan om bij zijn eigen gezin te zijn. Hij had er behoefte aan om zijn eigen kinderen te zien, die nu waarschijnlijk sliepen, want kinderen sliepen door alles heen, en om de armen van zijn vrouw om zich heen te voelen, want dat was het enige constante in Ryans wereld, het enige wat hij nooit zou laten veranderen, ondanks de ontzaglijke gebeurtenissen die op een leven afkwamen dat hij nooit had gewild of verwacht.

De agenten van de Secret Service keken elkaar verbaasd aan, en toen sprak Andrea Price. Ze nam de leiding, zoals bij haar aard en nu ook bij haar baan paste.

'De marinierskazerne? Eighth en First?'

Ryan knikte. 'Dat kan voor vannacht wel.'

Price sprak in haar portofoon, die aan de kraag van haar jasje zat vastgespeld. 'SWORDSMAN in beweging. Breng de auto's naar de westelijke ingang.'

De agenten van de escorte-eenheid stonden op. Als één man maakten ze de knopen van hun jassen los, en toen ze de deur uitgingen, grepen ze allemaal naar hun pistool.

'We schudden je om vijf uur wakker,' beloofde Van Damm, en hij voegde eraan toe: 'Zorg dat je de slaap krijgt die je nodig hebt.' Het antwoord dat hij kreeg, was een korte, doffe blik toen Ryan de kamer verliet. Een bediende van het Witte Huis hielp hem in een jas. Jack dacht er niet aan te vragen van wie die jas was of waar hij vandaan kwam. Hij stapte op de achterbank van de Chevrolet Suburban, en die reed meteen weg, met een identieke auto ervoor en nog drie erachter. Jack had de beelden kunnen vermijden, maar niet de geluiden, want achter het pantserglas loeiden nog sirenes en trouwens, het zou laf zijn geweest om een andere kant op te kijken. De vuurgloed was weg, had plaatsgemaakt voor de flikkerende lichten van tientallen voertuigen van nooddiensten op of bij de Hill. Sommige van die auto's reden, de meeste stonden stil. De politie hield de straten in het centrum vrij en de presidentiële colonne reed met grote snelheid naar het oosten om na tien minuten bij de marinierskazerne aan te komen. Daar was iedereen nu klaarwakker en correct gekleed. Alle mariniers hadden een geweer of pistool. Er werd kwiek gesalueerd.

Het huis van de bevelhebber van het korps mariniers dateerde uit het begin van de negentiende eeuw. Het was een van de weinige officiële gebouwen die niet tijdens de bezetting van Washington door de Engelsen in 1814 waren verwoest. Maar de bevelhebber was dood. Hij was een weduwnaar met volwassen kinderen geweest en had tot deze avond alleen in dit huis gewoond. Nu stond er een kolonel in een geperst werktenue en met een pistoolgordel om zijn middel op de veranda. Verspreid om het huis stond een volledig peloton.

'Meneer de president, uw gezin is hier binnen en alles is veilig,' meldde kolonel Mark Porter meteen. 'We hebben een volledige compagnie langs de grens van het terrein staan en een tweede compagnie is op weg.'
'Media?' vroeg Price.
'Daar heb ik geen orders over gekregen. Ik heb orders onze gasten te beschermen. De enige mensen binnen tweehonderd meter zijn degenen die hier thuishoren.'
'Dank u, kolonel,' zei Ryan, die blij was van de media verlost te zijn. Hij liep naar de deur. Een sergeant hield hem open en salueerde zoals mariniers doen, en Ryan beantwoordde de militaire groet zonder erbij na te denken. Binnen wees een hogere onderofficier hem de trap; die salueerde ook, alsof hij onder de wapenen was. Het was Ryan duidelijk dat hij nergens in zijn eentje naartoe kon gaan. Price, een andere agent en twee mariniers volgden hem de trap op. Op de gang van de eerste verdieping stonden twee agenten en vijf mariniers. Eindelijk, om zes minuten voor twaalf, liep hij een slaapkamer in en daar zag hij zijn vrouw zitten.
'Hallo.'
'Jack.' Ze keek hem aan. 'Is het allemaal waar?'
Hij knikte en ging na een korte aarzeling naast Cathy zitten. 'De kinderen?'
'Die slapen.' Een korte stilte. 'Ze weten niet precies wat er aan de hand is. Ik trouwens ook niet.'
'En ik ook niet.'
'De president is dood?' Cathy zag haar man knikken. 'Ik heb hem nauwelijks leren kennen.'
'Een beste kerel. Hun kinderen zijn in het Witte Huis. Ze slapen. Ik wist niet of ik iets moest doen. Daarom ben ik hierheen gekomen.' Ryan greep naar zijn boord en trok zijn das los. Zo te zien kostte hem dat veel moeite. Het was beter de kinderen niet te storen, besloot hij. Het zou toch al een hele inspanning zijn om naar ze toe te lopen.
'En nu?'
'Ik moet slapen. Ze komen me om vijf uur wakker maken.'
'Wat gaan we doen?'
'Ik weet het niet.' Jack zag kans om zijn kleren uit te trekken. Hij hoopte dat de nieuwe dag hem enkele antwoorden zou brengen die de afgelopen avond onvindbaar waren gebleven.

2

Voor de dageraad

Hij had kunnen verwachten dat ze precies zo punctueel waren als met hun elektronische horloges mogelijk was. Ryan had het gevoel dat hij zijn ogen nog maar amper dicht had gehad toen er alweer zachtjes op de deur werd geklopt. Zijn hoofd kwam met een ruk van het kussen. Zoals normaal is wanneer iemand wakker wordt op een andere plaats dan in zijn eigen bed, raakte hij enigszins in paniek: waar ben ik? Zijn eerste samenhangende gedachte was dat hij veel had gedroomd, en misschien... Maar meteen daarop besefte hij dat het ergste van de droom echt was. Hij bevond zich op een vreemde plaats en er was geen andere verklaring mogelijk. Hij was meegevoerd in een wervelende massa van angst en verwarring en was vervolgens hier neergegooid, en dat 'hier' was noch Kansas noch Oz. Het beste wat hij na vijf of tien seconden kon zeggen was dat hij geen hoofdpijn door slaapgebrek had, zoals hij had verwacht, en dat hij niet erg moe was. Hij kwam onder de lakens vandaan, zette zijn voeten op de vloer en liep naar de deur.

'Ja, ik ben op,' zei hij tegen de houten deur. Toen realiseerde hij zich dat hij vanuit deze slaapkamer niet in een badkamer kon komen en dat hij de deur dus moest openmaken. Dat deed hij.

'Goedemorgen, meneer de president.' Een jonge en nogal serieus kijkende agent overhandigde hem een ochtendjas. Eigenlijk was dat de taak van een oppasser, maar de enige marinier die op de gang stond, droeg een pistoolgordel. Jack vroeg zich af of de mariniers en de Secret Service er de vorige avond weer om hadden gevochten wie de leiding had van de bewaking van de nieuwe president. Toen realiseerde hij zich met een schok dat het zijn eigen ochtendjas was.

'We hebben vannacht een paar dingen voor u opgehaald,' legde de agent fluisterend uit. Een tweede agent gaf hem Cathy's nogal gehavende roodbruine ochtendjas. Er had de afgelopen nacht dus iemand bij hen ingebroken – dat moest wel, besefte Jack, want hij had niemand zijn sleutels gegeven. Degene die het had gedaan, had dus ook het inbraakalarm omzeild dat hij een paar jaar eerder had laten installeren. Hij liep naar het bed terug, legde de ochtendjas daar neer en ging toen de kamer uit. Een derde agent leidde hem naar een niet-gebruikte slaapkamer aan dezelfde gang. Aan een hemelbed hingen daar vier pakken, vier overhemden, zo te zien allemaal pas gestreken, een stuk of tien dassen en alles wat hij verder nodig had. Het was pathetisch, maar het ging nog verder dan dat, besefte Jack. Het personeel wist of vermoedde wat hij moest doormaken en zette alles op alles om de dingen gemakkelijker voor hem te maken. Iemand had zelfs zijn drie paar zwarte schoenen gepoetst; ze glommen zo erg dat ze een mariniersinspectie konden doorstaan. Nooit eerder

hadden ze er zo goed uitgezien, vond Ryan. Hij ging naar de badkamer, waar hij natuurlijk al zijn eigen spullen aantrof, zelfs zijn gebruikelijke stuk Zest-zeep. Daarnaast lag het huidvriendelijke spul dat Cathy gebruikte. Niemand had de illusie dat het gemakkelijk was om president te zijn, maar hij werd nu omringd door mensen die geobsedeerd werden door het streven hem zoveel mogelijk uit handen te nemen.
Een warme douche maakte zijn spieren wat losser en liet de spiegel beslaan en hij voelde zich al wat beter toen hij zich schoor. Om twintig over vijf had hij het ochtendritueel afgewerkt en ging hij de trap af. Buiten, zag hij door een raam, hield een slagorde van in camouflagekleding gehulde mariniers de wacht op het binnenplein. Hun adem vormde witte wolkjes in de lucht. De mariniers die binnen waren, sprongen voor hem in de houding. Misschien hadden hij en zijn gezin een paar uur slaap gekregen, maar verder niemand. Dat was iets wat hij niet moest vergeten, zei Jack tegen zichzelf, terwijl geuren hem naar de keuken lokten.
'Attentie aan dek!' Omdat er boven kinderen lagen te slapen, klonk de stem van de sergeant-majoor van het korps mariniers gedempt, en voor het eerst sinds het avondeten van de vorige dag kon Ryan glimlachen.
'Op de plaats rust, mariniers.' President Ryan liep naar de koffiepot, maar een korporaal was hem voor. Ze deed de juiste hoeveelheden melk en suiker in de kop – opnieuw had iemand het nodige huiswerk gedaan – voordat ze hem aan Ryan gaf.
'De stafleden zijn in de eetkamer, meneer de president,' zei de sergeant-majoor.
'Dank u.' President Ryan ging die kant op.
Ze zagen er zo belabberd uit dat Jack zich voor zijn schoongewassen gezicht schaamde. Toen zag hij de stapel papieren die ze voor hem hadden klaargelegd.
'Goedemorgen, meneer,' zei Andrea Price. Ze begonnen uit hun stoelen te komen. Ryan gaf een teken dat ze konden blijven zitten en wees naar Murray.
'Dan,' begon de president. 'Wat weten we?'
'Ongeveer twee uur geleden hebben we het lichaam van de piloot gevonden. De identificatie leverde geen problemen op. Hij heette Sato, zoals we hadden verwacht. Een zeer ervaren piloot. De tweede piloot hebben we nog niet gevonden.' Murray zweeg even. 'Het lichaam van de piloot wordt onderzocht op drugs en andere stoffen, maar dat levert waarschijnlijk niets op. De NTSB heeft de vluchtrecorder. Die vonden ze om een uur of vier en hij wordt nu onderzocht. We hebben meer dan tweehonderd lichamen geborgen...'
'President Durling?'
Price schudde haar hoofd. 'Nog niet. Dat deel van het gebouw... Nou ja, het is een grote ravage en ze hebben besloten om pas met de moeilijke gedeelten te beginnen als het licht wordt.'
'Overlevenden?'
'Alleen de drie mensen van wie we weten dat ze in dat ene deel van het

gebouw waren toen het vliegtuig neerstortte.'
'Goed.' Ryan schudde ook met zijn hoofd. Die informatie was belangrijk maar irrelevant. 'Zijn we nog iets belangrijks aan de weet gekomen?'
Murray keek in zijn aantekeningen. 'Het vliegtuig was vertrokken van Diefenbaker International, Vancouver, Canada. Ze dienden een vals vluchtplan in voor Heathrow bij Londen, zetten koers naar het oosten en verlieten om tien voor acht plaatselijke tijd het Canadese luchtruim. Alles zoals gebruikelijk. We nemen aan dat het een tijdje is doorgevlogen en toen koers naar het zuidoosten zette, naar Washington. Daarna blufte de piloot zich door de controles van de verkeersleiding heen.'
'Hoe?'
Murray knikte naar iemand die Ryan niet kende. 'Meneer de president, ik ben Ed Hutchins, NTSB. Het is niet moeilijk. Hij beweerde dat hij een chartervlucht van de KLM was, op weg naar Orlando. Toen meldde hij een noodsituatie. Als er zich tijdens een vlucht een noodsituatie voordoet, hebben onze mensen opdracht het toestel zo vlug mogelijk te laten landen. We hadden te maken met iemand die precies wist wat hij moest doen. Niemand had dit kunnen voorkomen,' zei hij verdedigend.
'Niet meer dan één stem op de bandopnamen,' merkte Murray op.
'En we hebben bandjes van de radar,' ging Hutchins verder. 'Hij simuleerde dat hij besturingsmoeilijkheden had, vroeg om een noodkoers naar Andrews en kreeg wat hij wilde. Van Andrews naar de Hill is het amper een minuut vliegen.'
'Een van onze mensen heeft nog een Stinger afgevuurd,' merkte Price somber op.
Hutchins schudde alleen maar met zijn hoofd. Dat deden die ochtend in Washington veel mensen. 'Tegen zoiets groots had hij net zo goed een propje papier kunnen afschieten.'
'Iets uit Japan?'
'Daar verkeren ze in een nationale shocktoestand.' Dat zei Scott Adler, de hoogste ambtenaar van het ministerie van Buitenlandse Zaken en een van Ryans vrienden. 'Kort nadat je naar bed ging, kwam er een telefoontje van de Japanse premier. Die heeft zelf trouwens ook een beroerde week achter de rug, al was hij zo te horen blij dat hij weer in het zadel zat. Hij wil zich persoonlijk bij ons komen verontschuldigen. Ik heb tegen hem gezegd dat we terug zouden bellen.'
'Zeg ja tegen hem.'
'Weet je dat zeker, Jack?' zei Arnie van Damm.
'Denkt iemand dat het opzet was?' vroeg Ryan.
'We weten het niet,' antwoordde Price als eerste.
'Geen explosieven aan boord van het vliegtuig,' merkte Dan Murray op. 'Als die er waren geweest...'
'Zou ik hier niet zitten.' Ryan dronk zijn kopje leeg. De korporaal schonk meteen weer in. 'Het lijkt erop dat we met een of twee gekken te maken hebben, zoals gewoonlijk.'

Hutchins knikte aarzelend. 'Explosieven zijn tamelijk licht. Gezien het laadvermogen van de 747-400 zouden zelfs een paar ton de missie helemaal niet in gevaar hebben gebracht, en het resultaat zou enorm zijn geweest. Het was een tamelijk ongecompliceerde vliegramp. De overige schade is aangericht door ongeveer een halve lading vliegtuigbrandstof: meer dan tachtig ton. Dat was veel,' besloot hij. Hutchins deed al bijna dertig jaar onderzoek naar vliegtuigongelukken.

'Het is nog veel te vroeg om conclusies te trekken,' waarschuwde Price.

'Scott?'

'Als dit... tja.' Adler schudde zijn hoofd. 'De Japanse regering zat er niet achter. Ze zijn daar in alle staten. De kranten schreeuwen om de koppen van de mensen die de regering in eerste instantie hebben omgekocht, en toen we premier Koga aan de telefoon hadden, zat hij bijna te huilen. Laat ik het anders stellen: als dit door iemand in Japan is voorbereid, krijgen de Japanners dat zelf boven water.'

'Hun ideeën over gerechtigheid zijn anders dan de onze,' merkte Murray op. 'Andrea heeft gelijk. Het is te vroeg om conclusies te trekken, maar tot nu toe wijst alles op een willekeurige daad, geen zorgvuldig voorbereide actie.' Murray zweeg een ogenblik. 'Trouwens, we weten dat Japan kernwapens heeft ontwikkeld, nietwaar?' Zelfs de koffie werd koud van die opmerking.

Hij vond het lichaam onder een struik, toen hij bezig was een ladder van het ene deel van de westkant naar het andere te versjouwen. De brandweerman was al zeven uur in touw en voelde zich niet meer emotioneel betrokken bij wat hij zag. Na een bepaalde dosis gruwelen ga je lichamen en lichaamsdelen gewoon als dingen zien. Het lijk van een kind zou hem hebben geschokt, of dat van een erg aantrekkelijke vrouw, want deze brandweerman was nog jong en vrijgezel, maar het lichaam waar hij per ongeluk met zijn voet tegenaan kwam, behoorde niet tot een van die categorieën. Het was een lichaam zonder hoofd en er ontbraken delen van beide benen, maar het was duidelijk het lichaam van een man en het droeg de aan flarden gescheurde resten van een wit overhemd met epauletten op de schouders. Drie strepen op elk daarvan, zag hij. Hij vroeg zich af wat dat betekende, maar hij was te moe om erover na te denken. Hij draaide zich om en zwaaide naar zijn chef, die op zijn beurt op de arm van een vrouw in een vinyl FBI-jack tikte.

Die FBI-agente kwam aanlopen. Ze dronk uit een plastic beker en wou dat ze een sigaret kon opsteken, maar daarvoor hingen er nog te veel dampen.

'Deze heb ik net gevonden. Een gekke plaats, maar...'

'Ja, gek.' De agente nam haar camera en maakte een paar foto's. Het tijdstip waarop ze dat deed zou automatisch op de afdruk worden aangegeven. Vervolgens haalde ze een blocnote uit haar zak en noteerde de positie van lichaam nummer vier op haar persoonlijke lijst. In het haar toegewezen deel van het terrein had ze er niet veel gezien. De plaats zou worden gemarkeerd met plastic paaltjes en geel lint; ze begon daar al een label voor uit te schrijven.

'Draai hem maar om.'
Onder het lichaam bleek een onregelmatig gevormd stuk glas, of glasachtig plastic, te liggen. De agente maakte nog een foto; door de zoeker leken dingen soms interessanter dan wanneer ze met het blote oog werden waargenomen. Ze keek omhoog en zag een gat in de marmeren balustrade. Ze zag ook weer een heleboel kleine metaalachtige voorwerpen. Een uur eerder was ze tot de conclusie gekomen dat het deeltjes van het vliegtuig waren. De fragmenten hadden de aandacht getrokken van een NTSB-onderzoeker, die met dezelfde brandweerchef had gesproken als met wie zij een minuut geleden sprak. De agente moest drie keer zwaaien om zijn aandacht te trekken.
'Wat is er?' De NTSB-onderzoeker veegde zijn bril schoon met een zakdoek.
De agente wees. 'Kijk eens naar dat overhemd.'
'Bemanning,' zei de man, nadat hij zijn bril weer had opgezet. 'Misschien een piloot. Wat is dat?' Nu was het zijn beurt om te wijzen.
Het witte uniformoverhemd had een gat rechts van het borstzakje. Dat gat was omringd door een roestbruine vlek. De FBI-agente hield haar zaklantaarn erbij. De vlek was opgedroogd. Het was vier graden onder nul. Het lichaam was de kou in geslingerd op het moment dat het vliegtuig neerstortte en het bloed in de halsopening was bevroren en had de purperrode kleur van een macabere pruimensorbet aangenomen. Het bloed op het overhemd, zag ze, was opgedroogd voordat het de kans had gekregen te bevriezen.
'Niet meer aan het lichaam komen,' zei ze tegen de brandweerman. Zoals de meeste FBI-agenten had ze bij de politie gewerkt voordat ze bij de federale dienst solliciteerde. Ze was wel bleek, maar dat kwam van de kou.
'Je eerste vliegramp?' vroeg de NTSB-man, die haar gezicht zag en haar bleekheid verkeerd interpreteerde.
Ze knikte. 'Ja, maar niet mijn eerste moord.' Ze zette haar portofoon aan om haar chef op te roepen. Voor dit lichaam moesten ze een speciaal team van forensisch deskundigen oproepen.

Er kwamen telegrammen van alle regeringen op de wereld. De meeste waren lang en Ryan moest ze allemaal lezen, nou ja, in elk geval die uit belangrijke landen. Opper-Volta kon wachten.
'De ministers van Binnenlandse Zaken en Handel zijn nu ook hier in de stad. Ze zijn beschikbaar voor een kabinetsbespreking met alle plaatsvervangers,' zei Van Damm, terwijl Ryan de informatie doorbladerde en zijn best deed om tegelijk te lezen en te luisteren. 'De gezamenlijke chefs-van-staven, of beter gezegd, alle plaatsvervangers, zijn bijeen, samen met alle regionale opperbevelhebbers. Ze hebben zich belast met de nationale veiligheid...'
'Landsgevaarcommissie?' vroeg Jack zonder op te kijken. Tot aan de vorige dag was hij de nationale-veiligheidsadviseur van president Durling geweest. Hij achtte het niet waarschijnlijk dat de wereld in vierentwintig uur tijd zo erg veranderd was.
Scott Adler gaf het antwoord: 'Ja.'

'De hele stad Washington is min of meer gesloten,' zei Murray. 'De radio en televisie raden de mensen aan om als het enigszins kan niet naar buiten te gaan. De National Guard is uitgerukt. We hebben verse troepen nodig op de Hill, en de Guard is militaire politie. Ze kunnen van nut zijn. Trouwens, de brandweerlieden moeten zo langzamerhand wel uitgeput zijn.'
'Hoe lang duurt het voor het onderzoek ons harde informatie oplevert?' vroeg de president.
'Dat valt niet te zeggen, Jack... meneer de president...'
Ryan keek op van het officiële Belgische telegram. 'Hoe lang kennen we elkaar al, Dan? Ik ben God niet. Als je me zo nu en dan bij de voornaam aanspreekt, zal niemand je daarvoor fusilleren.'
Nu was het Murrays beurt om te glimlachen. 'Goed. Met zo'n groot onderzoek weet je het nooit. Je kunt opeens iets ontdekken en het kan ook een hele tijd duren, maar op een gegeven moment komt het,' beloofde Dan. 'We hebben een goed stel onderzoekers.'
'Wat moet ik tegen de media zeggen?' Jack wreef over zijn ogen, nu al moe van het lezen. Misschien had Cathy gelijk en had hij toch een bril nodig. Voor hem lag een geprinte lijst van zijn televisieoptredens van die ochtend. De volgorde was door het lot bepaald. Om 7.08 uur CNN, om 7.20 uur CBS, om 7.37 uur NBC, om 7.50 uur ABC en om 8.08 uur Fox. Dat zou allemaal gebeuren in de Roosevelt Room in het Witte Huis, waar de camera's al stonden opgesteld. Iemand had besloten dat hij beter geen formele toespraak kon houden zolang hij niets concreets te vertellen had. Hij zou zich beperken tot een rustige, waardige en vooral persoonlijke presentatie van zichzelf aan mensen die hun krant lazen en hun ochtendkoffie dronken.
'Er komen geen vragen over lastige onderwerpen. Daar wordt voor gezorgd,' verzekerde Van Damm hem. 'Je geeft antwoord. Je spreekt langzaam en duidelijk. Je ziet er zo ontspannen mogelijk uit. Niets dramatisch. Dat verwachten de mensen niet. Ze willen het gevoel hebben dat iemand de leiding heeft, dat iemand de telefoon opneemt, wat dan ook. Ze weten dat je in dit stadium nog niets beslissends kunt zeggen of doen.'
'Rogers kinderen?'
'Die slapen nog, denk ik. Hun familie is inmiddels hier in Washington. Ze zijn nu in het Witte Huis.'
President Ryan knikte zonder op te kijken. Het kostte hem moeite om in de ogen te kijken van de mensen die aan de ontbijttafel zaten, vooral wanneer het om zulke dingen ging. Natuurlijk bestond er een gedetailleerd plan voor deze situatie. De verhuizers waren waarschijnlijk al op weg. De familie Durling – wat daar nog van over was – zou vriendelijk maar snel uit het Witte Huis worden verwijderd, want het was nu hun huis niet meer. Het land had daar iemand anders nodig en die iemand moest het zo comfortabel mogelijk hebben. Dat betekende dat alle zichtbare herinneringen aan de vorige bewoner moesten worden verwijderd. Dat was niet wreed, besefte Jack. Het was een kwestie van staatsbestuur. Ze hadden vast wel een psycholoog om de familie-

leden bij te staan in deze dagen van verdriet, om hen er zo goed doorheen te helpen als de medische wetenschap toestond. Maar het land kwam op de eerste plaats. In de onverbiddelijke rekensom van het leven kon zelfs zo'n sentimentele natie als de Verenigde Staten van Amerika niet stil blijven staan. Als het Ryans tijd werd om het Witte Huis te verlaten, onder welke omstandigheden dan ook, zou hetzelfde gebeuren. Er was een tijd geweest dat een ex-president na de inauguratie van zijn opvolger Capitol Hill afliep om op Union Station een treinkaartje naar huis te kopen. Tegenwoordig maakten ze gebruik van verhuizers, en de familie zou ongetwijfeld met een toestel van de luchtmacht naar huis worden gebracht, maar de kinderen zouden in elk geval vertrekken. Ze moesten hun school en hun vrienden achterlaten en de lange reis maken naar Californië en het leven dat hun familieleden voor hen konden opbouwen. Noodzakelijk of niet, het was een kille gang van zaken, vond Ryan, die nog naar het telegram uit België staarde. Het zou voor iedereen veel beter zijn geweest als dat vliegtuig niet op het Capitool-gebouw was gevallen...
Daar kwam nog bij dat Jack zich zelden genoodzaakt had gezien de kinderen te troosten van iemand die hij had gekend, laat staan dat hij ze hun huis afpakte. Hij schudde zijn hoofd. Het was niet zijn schuld, maar het was zijn plicht.
Het telegram uit België, zag hij nu, vermeldde dat Amerika in dertig jaar tijd twee keer voor dat kleine land in de bres was gesprongen en het daarna via het NAVO-bondgenootschap had beschermd, en dat er banden van bloed en vriendschap bestonden tussen Amerika en een land dat de meeste Amerikaanse staatsburgers niet gemakkelijk op een globe zouden kunnen aanwijzen. En dat was waar. Welke tekortkomingen zijn land ook had, welke gebreken het ook had, hoe gevoelloos de daden van de Verenigde Staten soms ook overkwamen, ze hadden vaak het goede gedaan. De wereld was daar veel beter door geworden, en daarom moesten ze nu doen wat hun te doen stond.

Inspecteur Patrick O'Day was blij dat het zo koud was. Zijn rechercheloopbaan strekte zich uit over bijna dertig jaar en dit was niet de eerste keer dat hij een groot aantal lijken en losse lichaamsdelen te zien kreeg. Hij had dat voor het eerst op een dag in mei meegemaakt in Mississippi, een bomaanslag van de Ku Klux Klan op een zondagsschool, elf slachtoffers. Als het zo koud was, had je tenminste niet de afschuwelijke stank van dode menselijke lichamen. Hij had nooit echt een hoge rang in de FBI willen hebben: 'inspecteur' was een titel die zowel bij een hoge als een lage functie kon horen. Zoals Dan Murray ook vaak deed, werkte O'Day vooral als troubleshooter. Hij werd vaak vanuit Washington het land in gestuurd om bij lastige zaken te assisteren. Omdat hij een goede reputatie genoot als werker in het veld, werd hij met de ene na de andere zaak belast, grote en kleine zaken. Hij had geen zin om een leidinggevende functie te bekleden en hoefde dat dan ook niet.
Tony Caruso had een andere weg gevolgd. Hij had de leiding gehad van twee districtskantoren, was gepromoveerd tot hoofd Opleidingen van de FBI en had vervolgens de leiding gekregen van het kantoor Washington. Dat kantoor was

zo groot dat de chef ervan automatisch de rang van adjunct-directeur van de FBI kreeg. Tegelijk was Washington een van de moeilijkste steden van Noord-Amerika. Caruso genoot van de macht, het prestige, het hogere salaris en de gereserveerde parkeerplaats die aan zijn positie verbonden waren, maar aan de andere kant was hij ook een beetje jaloers op zijn oude vriend Pat, omdat die vaak nog vuile handen kreeg.
'Wat denk je?' vroeg Caruso, kijkend naar het lijk. Ze moesten nog met kunstlicht werken. De zon kwam op, maar dat was aan de andere kant van het gebouw.
'Het is nog niet waterdicht te bewijzen, maar deze kerel was al uren dood toen die kist neerstortte.'
Beide mannen keken naar een grijsharige expert van het FBI-lab die bij het lichaam gehurkt zat. Er moesten allerlei onderzoeken worden gedaan. Zo moest de inwendige lichaamstemperatuur worden gemeten. Aan de hand daarvan berekende een computerprogramma het tijdstip van overlijden, rekening houdend met de externe omstandigheden. Hoewel de gegevens veel minder betrouwbaar zouden zijn dan de twee FBI-mannen graag zouden willen, hoefden ze eigenlijk alleen maar te weten dat de dood vóór 21.46 uur de vorige avond was ingetreden.
'Met een mes in het hart gestoken,' zei Caruso, huiverend bij de gedachte. Je wende nooit helemaal aan het brute geweld van moord. Of het nu om één slachtoffer ging of om duizend slachtoffers, een moord was een moord, en ook een heleboel moorden was alleen maar een verzameling individuele gevallen.
'We hebben de piloot.'
O'Day knikte. 'Dat heb ik gehoord. Drie strepen, dus is hij de tweede piloot, en hij is vermoord. Misschien was er maar één dader.'
'Wat voor bemanning zit er in zo'n toestel?' vroeg Caruso aan de man van de NTSB.
'Twee. Vroeger ging er ook een boordwerktuigkundige mee, maar dat vonden ze later niet meer nodig. Op erg lange vluchten hebben ze misschien een reservepiloot, maar die kisten zijn tegenwoordig erg geautomatiseerd en de motoren laten het bijna nooit afweten.'
De man van het lab stond op, gaf een teken aan de mensen met de lijkenzak en ging naar de anderen toe. 'Jullie willen mijn voorlopige conclusies?'
'Reken maar,' antwoordde Caruso.
'Vast en zeker dood voordat het vliegtuig neerstortte. Geen kneuzingen door de klap van het neerstorten. De borstwond is relatief oud. Er zouden blauwe plekken moeten zijn door de ruk tegen de gordels, maar die zijn er niet, alleen schaaf- en snijwonden waar erg weinig bloed uit is gekomen. Niet genoeg bloed uit de opening waar het hoofd heeft gezeten. Er is trouwens nergens genoeg bloed op het deel van het lichaam dat we hier hebben. Ik veronderstel dat hij op zijn stoel in het vliegtuig is gedood. De riemen hielden hem in zittende positie. Na de dood zakt al het bloed naar beneden, en zijn benen zijn weggerukt toen de kist neerstortte, daarom is er zo weinig bloed. Ik heb nog

veel huiswerk te doen, maar je kunt er gerust van uitgaan dat hij minstens drie uur dood was toen het vliegtuig neerstortte.' Will Gettys reikte de portefeuille aan. 'Dit zijn de papieren van die vent. Arme kerel. Ik denk dat hij er helemaal niets mee te maken had.'

'Hoe groot is de kans dat je je in deze dingen vergist?' moest O'Day vragen.

'Dat zou me erg verbazen, Pat. Een uur of twee wat het tijdstip van overlijden betreft – eerder vroeger dan later – ja, dat kan. Maar er is zo weinig bloed dat die vent onmogelijk nog in leven kan zijn geweest toen het vliegtuig neerstortte. Hij was toen al dood. Neem dat maar van me aan,' zei Gettys tegen de agenten. Hij wist dat hij hiermee zijn carrière op het spel zette, maar durfde dat gerust aan.

'Goddank,' verzuchtte Caruso. Dit gegeven maakte het onderzoek veel gemakkelijker. De komende twintig jaar zouden er complottheorieën de ronde blijven doen, en de FBI zou doorgaan met het werk, zou alle mogelijkheden onderzoeken, ongetwijfeld gesteund door de Japanse politie, maar hieruit bleek dat één persoon dit vliegtuig had laten neerstorten. Dit maakte het uiterst waarschijnlijk dat deze grootscheepse moordaanslag, zoals de meeste andere, het werk was van één enkele man, krankzinnig of niet, deskundig of niet, maar in elk geval alléén. Niet dat ze iedereen daar ooit van konden overtuigen.

'Breng deze informatie naar Murray,' beval Caruso. 'Hij is bij de president.'

'Komt voor elkaar.' O'Day liep naar zijn wagen, een pickup op diesel. Waarschijnlijk, dacht hij zelf, had hij de enige pickup in de stad met een zwaailicht dat op de sigarettenaansteker was aangesloten. Zoiets als dit gaf je niet over de radio door, ook niet in code.

Op ongeveer anderhalf uur afstand van de vliegbasis Andrews trok schout-bij-nacht Jackson zijn blauwe jasje aan. Hij had ongeveer zes uur kunnen slapen, nadat hij eerst op de hoogte was gesteld van dingen die er eigenlijk niet veel toe deden. Het uniform had in een tas gezeten en was er niet beter op geworden, maar dat was nu niet zo belangrijk. Trouwens, de marineblauwe wol camoufleerde de kreukels vrij goed. Bovendien leidden zijn vijf rijen linten en zijn gouden wings de aandacht af. Er moest die ochtend een oostenwind hebben gestaan, want de KC-10 kwam aanvliegen uit Virginia. Toen er achterin werd uitgeroepen: 'Jezus, moet je dat eens zien!', verdrongen alle inzittenden zich als toeristen bij de ramen. In de ochtendschemering en in het licht van de enorme verzameling schijnwerpers op de grond was duidelijk te zien dat het Capitool-gebouw, het middelpunt van de hoofdstad van het land, niet meer was wat het geweest was. Op de een of andere manier kwam die aanblik harder aan dan de beelden die velen van hen op de televisie hadden gezien voordat ze in Hawaii aan boord van het vliegtuig waren gegaan. Vijf minuten later landde de KC-10 op de vliegbasis Andrews. Een toestel van het eerste helisquadron van de luchtmacht stond op de twee hoge officieren te wachten om hen naar het heliplatform van het Pentagon te brengen. Deze vlucht, lager en

angzamer, bood hun een nog beter zicht op het verwoeste gebouw.
Jezus,' zei Dave Seaton door de intercom. 'Is daar iemand levend uitgekonen?'
Robby wachtte even met zijn antwoord. 'Ik vraag me af waar Jack was toen het gebeurde...' Hij herinnerde zich een toost uit het Britse leger: 'Op bloederige oorlogen en gure winters!' – verwijzend naar twee manieren waarop posities vrijkwamen waarnaar officieren konden promoveren. Nogal wat mensen zouden promotie maken door dit incident, maar niemand wilde echt op die manier vooruitkomen, zeker niet zijn beste vriend, die daar ergens beneden in de getroffen stad was.

De mariniers maakten een nerveuze indruk, vond inspecteur O'Day. Hij parkeerde zijn pickup in Eighth Street, S.E. De marinierskazerne was grondig gebarricadeerd. Overal langs de weg stonden auto's geparkeerd en dat gold ook voor de ruimten tussen de gebouwen. Hij stapte uit en liep naar een onderofficier. Hij droeg zijn FBI-jack en had zijn legitimatiebewijs in zijn rechterhand.
Ik heb binnen iets te bespreken, sergeant.'
Met wie, meneer?' vroeg de marinier, terwijl hij de foto met het gezicht vergeleek.
Meneer Murray.'
Wilt u uw vuurwapen bij ons achterlaten, meneer? Orders,' legde de sergeant uit.
Goed.' O'Day gaf hem zijn achterholster, waarin zijn Smith & Wesson 1076 en twee extra magazijnen zaten. Als hij dienst op het hoofdkantoor had, nam hij nooit een tweede wapen mee. 'Hoeveel mensen hebben jullie hier?'
Twee compagnieën, bijna genoeg. Er gaat er ook een naar het Witte Huis.'
Natuurlijk, je deed de staldeur pas op slot als het paard eruit was, dacht Pat. Het was allemaal des te grimmiger omdat hij nu kwam vertellen dat het allemaal overbodig was, al zou niemand zich daar veel van aantrekken. De sergeant zwaaide naar een luitenant die niets beters te doen had – alles draaide op zo'n kazerne om onderofficieren – dan bezoekers over het binnenplein te begeleiden. De luitenant salueerde om geen enkele andere reden dan dat hij een marinier was.
Ik kom voor Daniel Murray. Hij verwacht me.'
Volgt u mij maar, meneer.'
In elk van de twee binnenhoeken van het plein stond een rij mariniers opgesteld, met een derde rij op het plein zelf, compleet met zwaar machinegeweer. Twee compagnieën: dat betekende meer dan driehonderd geweren. Ja, president Ryan was hier tamelijk veilig, dacht inspecteur O'Day, tenzij er nog een maniak in een vliegtuig op komst was.
Onderweg wilde een kapitein de foto op zijn legitimatiebewijs weer met zijn gezicht vergelijken. Ze overdreven. Daar moest iemand hen op wijzen, voordat ze tanks op straat parkeerden.

Murray kwam naar buiten om hem te begroeten. 'Wat vind je van de beveiliging?'

'Niet slecht,' antwoordde de inspecteur.

'Kom.' Murray leidde zijn vriend naar binnen. Ze liepen naar de ontbijtkamer. 'Dit is inspecteur O'Day. Pat, ik denk dat je wel weet wie deze menser zijn.'

'Goedemorgen. Ik ben op de Hill geweest, en we hebben iets ontdekt wat on: van groot belang lijkt,' begon hij, en daarna ging hij een paar minuten door.

'Hoe hard is die informatie?' vroeg Andrea Price.

'Je weet hoe dat gaat,' antwoordde O'Day. 'Het is voorlopig, maar het lijkt mi vrij hard en in het begin van de middag hebben we goede testgegevens. Er wordt al aan de identificatie gewerkt. Dat wordt misschien een beetje lastig omdat we geen hoofd hebben en de handen helemaal kapot zijn. We zegger niet dat we de zaak hebben opgelost. We zeggen dat we een voorlopige indicatie hebben die ook met andere gegevens strookt.'

'Mag ik dit op de televisie vertellen?' vroeg Ryan aan alle aanwezigen.

'Absoluut niet,' zei Van Damm. 'Ten eerste is het niet bevestigd. Ten tweede zal niemand het in dit vroege stadium geloven.'

Murray en O'Day wisselden een blik. Ze waren geen van beiden politicus Arnie van Damm was dat wel. In hun ogen moest je voorzichtig met informatie omspringen omdat je bewijsmateriaal veilig moest stellen: je moest zorger dat eventuele juryleden er onbevangen tegenover stonden. In Arnies oger moest je voorzichtig met gegevens omspringen omdat je het publiek moes afschermen tegen dingen die het volgens hem pas kon bevatten als ze gepureerd waren en met een lepel konden worden toegediend, één hapje tegelijk Ze vroegen zich allebei af of Arnie ooit een vader had gehad, en of zijn kind in afwachting van geschraapte wortelen was verhongerd. Ze zagen allebei ook dat Ryan een hele tijd naar zijn stafchef keek.

De bekende 'zwarte doos' was in werkelijkheid niet veel meer dan een bandrecorder waarvan de draden naar de cockpit leidden. Daar verzamelden ze gegevens van de motor en andere vluchtfuncties, plus in dit geval het geluid da door de microfoons van de bemanning werd opgepikt. Japan Air Lines wa een staatsbedrijf en haar toestellen hadden het nieuwste van het nieuwste. De vluchtrecorder was volledig gedigitaliseerd, zodat ze in korte tijd een duidelijke transcriptie van de gegevens konden krijgen. Eerst maakte een laborant eer kopie van de originele metaalband, die vervolgens werd verwijderd en in eer kluis werd gelegd terwijl hij met de kopie werkte. Ze hadden eraan gedach iemand op te roepen die Japans sprak.

'Die vluchtgegevens zien er op het eerste gezicht brandschoon uit. Er is niet defect geraakt aan het vliegtuig,' meldde een analist, turend op een computerscherm. 'Mooie vloeiende lijnen, de motoren ook helemaal in orde. Een vluchtprofiel volgens het boekje... tot hier...' Hij tikte op het scherm. 'Hie maakte hij een radicale bocht van nul-zes-zeven naar een-negen-zes... en hi

bleef die koers volgen tot hij neerstortte.'
'In de cockpit werd geen woord gezegd.' Een andere laborant nam het stemmensegment van de band door en vond alleen routine-uitwisselingen tussen het vliegtuig en een aantal vluchtleidingen. 'Ik ga terug naar het begin.' Eigenlijk had de band geen begin. Hij ging in een lus rond, want de 747 maakte lange vluchten over water, veertig uur achter elkaar. Het duurde enkele minuten voordat de laborant het eind van de onmiddellijk voorafgaande vlucht had gevonden, en daar vond hij de normale uitwisseling van informatie en opdrachten tussen twee bemanningsleden, en ook tussen het vliegtuig en de grond, in respectievelijk Japans en Engels, de taal van de internationale luchtvaart.
Kort nadat het vliegtuig op de landingsbaan tot stilstand was gekomen, kwam er een eind aan de gesprekken. Op het bandje volgden twee minuten van stilte en toen begon de cyclus opnieuw: de procedures die aan de vlucht voorafgingen, de instrumenten die werden ingeschakeld. De man die Japans sprak – een landmachtofficier in burger – kwam van de National Security Agency.
De geluidskwaliteit was uitstekend. Ze hoorden het klikken van schakelaars die werden overgehaald en het gezoem van instrumenten op de achtergrond, maar het hardste geluid was de ademhaling van de tweede piloot, wiens identiteit op de band werd genoemd.
'Stop,' zei de landmachtofficier. 'Een stukje terug. Er is nog een stem, ik kan niet goed... Ja, hier. "Alles in orde, vraagteken." Dat moet de piloot zijn. Ja, dat was een deur die dichtging, de piloot die binnenkwam. "Checklist voor vlucht afgewerkt... Wachten op checklist voor start..." O... o, God. Hij heeft hem gedood. Weer even terug.' De officier, een majoor, zag niet dat de FBI-agent een tweede koptelefoon opzette.
Het was voor hen beiden iets nieuws. De FBI-agent had een moord op een videoband van een bank gezien, maar noch hij noch de inlichtingenofficier had er ooit een gehoord, het geluid van de messteek, een zucht van verrassing en pijn, gegorgel, misschien een poging iets te zeggen, gevolgd door een andere stem.
'Wat zegt hij?' vroeg de agent.
'Spoel het even terug.' De officier keek strak naar de muur. '"Het spijt me dat ik dit moet doen."' Dat werd gevolgd door nog meer moeizaam ademhalen, en toen was er een diepe zucht. 'Jezus.' De tweede stem kwam nog geen minuut later op een ander VOX-kanaal en vertelde de verkeersleiding dat de 747 de motoren startte.
'Dat is de piloot: Sato,' zei de NTSB-analist. 'Die andere stem moet de tweede piloot zijn.'
'Niet meer.' Op het kanaal van de tweede piloot waren alleen nog achtergrondgeluiden te horen.
'Hij heeft hem gedood,' beaamde de FBI-agent. Ze zouden het bandje nog honderd keer moeten afspelen, voor zichzelf en voor anderen, maar de conclusie zou dezelfde blijven. Hoewel het formele onderzoek nog maanden zou duren, was de zaak in feite al binnen negen uren opgelost.

De straten van Washington waren griezelig leeg. Ryan wist uit eigen ervaring maar al te goed dat de hoofdstad op dit uur van de dag gewoonlijk verstopt raakte door de auto's van ambtenaren, lobbyisten, afgevaardigden en hun personeelsleden, vijftigduizend juristen en hun secretaresses en alle personeelsleden van dienstverlenende bedrijven die voor hen werkten. Maar niet vandaag. Elk kruispunt werd bemand door een politiewagen of een wagen van de National Guard met camouflagebeschildering. Het was zo stil op straat dat het net een weekend in de zomervakantie leek. Er ging zelfs meer verkeer van de Hill vandaan dan erheen: de nieuwsgierigen werden al teruggestuurd als ze hun bestemming tot op tien blokken genaderd waren.

De presidentiële colonne sloeg Pennsylvania Avenue in. Jack zat achter in de Chevrolet Suburban. Zijn auto werd geëscorteerd door auto's van de Secret Service en daarvoor en daarachter reden mariniers. De zon was nu op. Het was een heldere lucht en het duurde even voor hij besefte dat er iets met het stadssilhouet aan de hand was.

De 747 had niet eens de bomen beschadigd, zag Ryan. Het toestel had zijn energie niet verspild aan iets anders dan het doelwit. Hij zag een stuk of zes hijskranen. Ze tilden blokken steen uit de krater die de vergaderzaal van het Huis van Afgevaardigden was geweest en legden ze op vrachtwagens die ermee wegreden. Er waren nog maar een paar brandweerwagens. De dramatische fase was achter de rug. Nu was de grimmige fase aangebroken.

De rest van de stad leek om twintig minuten voor zeven volkomen intact. Toen ze door Constitution Avenue heuvelafwaarts reden, wierp Ryan een laatste blik op de Hill. Auto's werden teruggestuurd, maar de gebruikelijke joggers van die ochtend mochten gewoon doorgaan. Misschien waren ze gewend om door te rennen naar de Mall, maar nu bleven ze staan. Ryan keek naar hun gezichten. Sommigen draaiden zich even naar zijn auto om alvorens hun blik weer naar het oosten te richten. Ze stonden in groepjes te praten, wezen naar de ravage en schudden hun hoofd. Jack zag dat de agenten die bij hem in de Suburban zaten zich ook naar hen omdraaiden. Misschien verwachtten ze dat een van die joggers een bazooka onder zijn trainingspak vandaan zou trekken.

Het was iets nieuws voor hem om zo snel door Washington te rijden. Ze reden hard omdat een snel rijdend doelwit moeilijker te raken was en ook omdat Ryans tijd nu veel kostbaarder was en niet verspild mocht worden. Maar het betekende vooral dat hij met grote snelheid op weg was naar iets dat hij graag zou hebben vermeden. Nog maar een paar dagen geleden was hij akkoord gegaan met Roger Durlings voorstel om vice-president te worden, maar dat had hij vooral gedaan om zijn carrière in overheidsdienst definitief af te sluiten. Hij fronste zijn wenkbrauwen bij die gedachte. Waarom was het hem nooit gelukt om voor iets weg te lopen? Het was geen kwestie van moed. Eerder het tegendeel. Hij was zo vaak bang geweest, bang om nee te zeggen, bang dat mensen hem een lafaard zouden vinden. Bang om iets anders te doen dan wat zijn geweten hem ingaf, en het had hem zo vaak ingegeven iets te doen waar hij een hekel aan had of waar hij bang voor was, maar dan was er

nooit een eerzaam alternatief geweest.
'Het komt wel goed,' zei Van Damm, die hem zag kijken en die wist wat de nieuwe president dacht.
Nee, dat komt het niet, kon Jack niet antwoorden.

3

Waarneming

De Roosevelt Room was genoemd naar Teddy Roosevelt. Aan de muur hing de Nobelprijs voor de Vrede die hij voor zijn 'geslaagde' bemiddeling in de Russisch-Japanse Oorlog had gekregen. Historici konden vertellen dat zijn bemoeienis de imperialistische ambities van Japan alleen maar had vergroot en de Russische ziel zo diep had gekwetst dat Stalin – niet bepaald een vriend van de Romanov-dynastie! – de vernedering van zijn land had willen wreken, maar Alfred Nobels vredesprijs was altijd meer een kwestie van politiek dan van realiteit geweest. De kamer werd voor niet al te uitgebreide lunches en besprekingen gebruikt en het kwam ook goed uit dat hij dicht bij het Oval Office was. Het was moeilijker om er te komen dan Jack had verwacht. De gangen van het Witte Huis waren nogal smal voor zo'n groot gebouw, en het wemelde van de agenten, al hielden ze hun vuurwapens uit het zicht. Dat was een hele opluchting. Naast het escorte van de vorige dag zag SWORDSMAN tien nieuwe agenten. Hij slaakte een zucht van ergernis. Alles was nu nieuw en anders en het escorte, dat in vroeger tijden een professionele en soms zelfs enigszins lachwekkende indruk op hem had gemaakt, herinnerde hem er nu vooral aan dat zijn leven drastisch veranderd was.
'Wat nu?' vroeg Jack.
'Deze kant op.' Een agent opende een deur en Ryan zag de presidentiële grimeuse zitten. Het maakte allemaal een nogal informele indruk en de grimeuse, een vrouw van in de vijftig, had alles in een imitatieleren koffertje. Hoe vaak hij ook op de televisie was geweest – vooral als nationale-veiligheidsadviseur – hij had zijn afkeer van schmink nooit kunnen overwinnen. Hij had al zijn zelfbeheersing nodig om stil te blijven zitten terwijl de vloeibare onderlaag met een spons werd aangebracht, gevolgd door poeder en haarspray en noem maar op. Dat alles werd zwijgend gedaan door een vrouw die eruitzag alsof ze elk moment in tranen kon uitbarsten.
'Ik mocht hem ook graag,' zei Jack tegen haar. Ze onderbrak haar werk even en ze keken elkaar aan.

'Hij was altijd zo aardig. Hij had hier een hekel aan, net als u, maar hij klaagde nooit, en meestal had hij wel een grap te vertellen. Soms deed ik de kinderen, gewoon voor de lol. Ze vonden het prachtig, zelfs de jongen. Ze speelden voor de televisie en de cameraploegen gaven ze videobanden en...'
'Het is al goed.' Ryan pakte haar hand vast. Eindelijk had hij hier in het Witte Huis iemand ontmoet die niet een en al zakelijkheid was, iemand die hem niet het gevoel gaf dat hij een dier in een dierentuin was. 'Hoe heet u?'
'Mary Abbot.' Haar ogen traanden en ze wilde zich verontschuldigen.
'Hoe lang werkt u hier al?'
'Sinds kort voor het vertrek van meneer Carter.' Mevrouw Abbot veegde haar ogen af en kwam tot rust.
'Nou, misschien moet ik u dan om advies vragen,' zei hij vriendelijk.
'O nee, daar weet ik niets van.' Ze zag kans voorzichtig te glimlachen.
'Ik ook niet. Ik moet er zelf maar achter komen, denk ik.' Ryan keek in de spiegel. 'Klaar?'
'Ja, meneer de president.'
'Dank u, mevrouw Abbot.'
Ze lieten hem plaatsnemen in een houten stoel met armleuningen. De lampen waren al opgesteld en er heerste een temperatuur van een graad of dertig. Tenminste, dat leek zo. Een technicus maakte een tweekoppig microfoontje aan zijn das vast en deed dat met even delicate bewegingen als mevrouw Abbot haar werk had gedaan. De leden van de cameraploeg werden ieder afzonderlijk in de gaten gehouden door een agent, en Andrea Price stond in de deuropening en hield toezicht op het geheel. Ze keek scherp en argwanend de kamer in, hoewel elk stukje apparatuur grondig geïnspecteerd was en iedere bezoeker voortdurend werd gadegeslagen met een blik die even intens en indringend was als die van een chirurg. Je kon inderdaad een pistool zonder metalen onderdelen maken – daar had die film gelijk in – maar evengoed waren pistolen grote dingen. De tastbare spanning van de agenten sloeg over op de cameramensen, die hun handen voortdurend in het zicht hielden en er alleen langzame bewegingen mee maakten. De onderzoekende blikken van de Secret Service zouden bijna iedereen op de zenuwen werken.
'Twee minuten,' zei de producent, die iets in zijn oortelefoon had gehoord. 'De reclame is net begonnen.'
'Hebt u vannacht nog geslapen?' vroeg de Witte Huis-correspondent van CNN. Net als alle anderen wilde hij snel een indruk opdoen van de nieuwe president.
'Niet genoeg,' antwoordde Jack, plotseling gespannen. Er waren twee camera's. Hij sloeg zijn benen over elkaar en legde zijn handen gevouwen op zijn schoot om geen nerveuze bewegingen te maken. Hoe moest hij nu overkomen? Ernstig? Door verdriet overmand? Kalm en zelfverzekerd? Hevig geschokt? Daar was het een beetje te laat voor. Waarom had hij dat Arnie niet gevraagd?
'Dertig seconden,' zei de producent.
Jack probeerde zich te beheersen. Hij had de juiste houding gevonden.

Gewoon antwoord geven op de vragen. Dat heb je al lang genoeg gedaan.
'Acht minuten over het uur,' zei de correspondent recht in de camera achter Jack. 'We zijn hier in het Witte Huis bij president John Patrick Ryan.'
'Meneer de president, het is een lange nacht geweest, nietwaar?'
'Dat kunt u wel zeggen,' beaamde Ryan.
'Wat kunt u ons vertellen?'
'Zoals u weet is de bergingsoperatie in volle gang. Het lichaam van president Durling is nog niet geborgen. De FBI coördineert het onderzoek.'
'Hebben ze iets ontdekt?'
'We hebben later vandaag waarschijnlijk enkele dingen te zeggen, maar nu is het nog te vroeg.' Ondanks het feit dat de correspondent dit van tevoren al te horen had gekregen, zag Ryan de teleurstelling in zijn ogen.
'Waarom de FBI? Is de Secret Service niet bevoegd om...'
'Dit is geen tijd voor een competentiestrijd. Een onderzoek als dit moet meteen van start gaan. Daarom heb ik besloten dat de FBI de leiding krijgt: onder het ministerie van Justitie en met assistentie van andere federale diensten. We willen antwoorden, we willen ze snel en dit lijkt de beste manier om dat te bereiken.'
'We hoorden dat u een nieuwe FBI-directeur hebt benoemd.'
Jack knikte. 'Ja, Walter, dat heb ik. Voorlopig heb ik Daniel E. Murray gevraagd als directeur te fungeren. Daniel was tot gisteren de speciale medewerker van FBI-directeur Shaw. We kennen elkaar al vele jaren. Hij is een van de beste politiefunctionarissen in overheidsdienst.'

'Murray?'
'Een politieman. Hij schijnt expert te zijn op het gebied van terrorisme en spionage,' antwoordde de inlichtingenofficier.
'Hmm.' Hij nam weer een slokje van zijn bitterzoete koffie.

'Wat kunt u ons vertellen over de voorbereidingen voor... ik bedoel, voor de komende dagen?' vroeg de correspondent nu.
'Walter, daar wordt nog aan gewerkt. In de allereerste plaats moeten we de FBI en de andere diensten hun werk laten doen. Later vandaag komt er meer informatie beschikbaar, maar voor veel mensen was het een lange, moeilijke nacht.' De correspondent knikte en besloot dat het tijd werd voor een vraag in de persoonlijke sfeer.
'Waar hebben u en uw gezin geslapen? Ik weet dat het niet hier was.'
'De marinekazerne op Eighth en First,' antwoordde Ryan.
'O, verdomme, Baas,' mompelde Andrea Price, net buiten de kamer. Sommige journalisten waren erachter gekomen, maar de Secret Service had het nog niet bevestigd en de meeste media hadden gemeld dat de familie Ryan zich op 'een niet bekendgemaakte locatie' bevond. Nou, de komende nacht zouden ze ergens anders slapen. En de locatie zou ditmaal niet bekend worden gemaakt. Verdomme.

'Waarom daar?'
'Nou, we moesten toch ergens slapen en het kwam wel goed uit. Ik ben zelf marinier geweest, Walter,' zei Jack rustig.

'Weet je nog dat we ze de lucht in lieten vliegen?'
'Een mooie nacht was dat.' De inlichtingenofficier herinnerde zich dat hij vanaf het dak van de Holiday Inn in Beiroet door een verrekijker had getuurd. Hij had zelf aan die missie meegewerkt. Het enige probleem was eigenlijk de keuze van de chauffeur geweest. De Amerikaanse mariniers bezaten een bijzondere allure, iets mystieks, en de natie van die Ryan klampte zich daaraan vast. Maar ze stierven net als alle andere ongelovigen. Hij vroeg zich glimlachend af of een van zijn mensen misschien een grote vrachtwagen in Washington kon kopen of huren... Hij zette die amusante gedachte uit zijn hoofd. Er was werk aan de winkel. Trouwens, het was niet eens uitvoerbaar. Hij was meer dan eens in Washington geweest en de marinierskazerne was een van de plaatsen die hij had bestudeerd. Die was te goed verdedigbaar. Eigenlijk jammer. De politieke betekenis van het doelwit maakte het erg aantrekkelijk.

'Niet slim,' merkte Ding bij zijn ochtendkoffie op.
'Wou je dat hij zich verstopte?' vroeg Clark.
'Ken je hem, papa?' vroeg Patricia.
'Ja, inderdaad. Ding en ik hebben vroeger een tijdje op hem gepast. Ik heb zijn vader ook gekend...' voegde John er zonder na te denken aan toe, iets wat hij bijna nooit deed.
'Wat is hij voor iemand, Ding?' vroeg Patsy aan haar verloofde, wiens ring ze nog maar kort droeg.
'Tamelijk slim,' gaf Chavez toe. 'Nogal rustig. Aardige man, altijd een vriendelijk woord. Nou ja, meestal.'
'Hij was hard als hij dat moest zijn,' zei John met een blik op zijn collega en toekomstige schoonzoon, en bij die gedachte moest hij bijna huiveren. Toen zag hij de blik in de ogen van zijn dochter en werd de huivering echt. Verdomme.
'Dat is zo,' beaamde de jongere man.

De hete lampen lieten Ryan zweten onder zijn schmink, en het kostte hem grote moeite om niet vanwege de jeuk op zijn gezicht te krabben. Het lukte hem zijn handen stil te houden, maar de spieren van zijn gezicht maakten kleine nerveuze bewegingen. Hij hoopte dat de camera het niet zou zien.
'Ik ben bang dat ik dat niet kan zeggen, Walter,' ging hij verder, zijn handen strak tegen elkaar. 'Het is gewoon nog te vroeg. Op een heleboel vragen kan ik nu nog geen duidelijk antwoord geven. Als we harde antwoorden hebben, zullen we die vragen beantwoorden. Niet eerder.'
'U hebt een belangrijke dag voor de boeg,' zei de CNN-verslaggever meelevend.
'Dat hebben we allemaal, Walter.'

Dank u, meneer de president.' Hij wachtte tot de lampen uitgingen en hij de voice-over van het hoofdkantoor in Atlanta hoorde, en sprak toen pas weer: 'Dat ging erg goed. Dank u.'

Van Damm kwam binnen en duwde Andrea Price daarbij opzij. Weinig mensen konden een agent van de Secret Service aanraken zonder daar de ernstige consequenties van te ondervinden, laat staan hen opzij duwen, maar Arnie was een van die weinigen.

'Erg goed. Houden zo. Geef antwoord op de vragen. Korte antwoorden.'

Mevrouw Abbot kwam binnen om Ryans schmink bij te werken. Met haar ene hand streek ze zacht over zijn voorhoofd en met haar andere hand bracht ze zijn haar weer in model. Zelfs voor zijn eindexamenfeest – hoe héétte ze? vroeg Ryan zich af, al deed het er niet toe – had hij noch iemand anders zich zo druk gemaakt om zijn stugge zwarte haar. Onder andere omstandigheden zou het komisch zijn geweest.

De CBS-presentatrice was een vrouw van midden dertig. Ze was er het levende bewijs van dat schoonheid en intelligentie elkaar niet uitsluiten.

'Meneer de president, wat is er over van de regering?' vroeg ze na enkele inleidende vragen.

'Maria...' Ryan had opdracht gekregen elke interviewer bij de voornaam aan te spreken; hij wist niet waarom, maar het kon geen kwaad. 'Hoe afschuwelijk de afgelopen twaalf uren voor ons allen ook zijn geweest, ik wil je herinneren aan een toespraak die president Durling enkele weken geleden heeft gehouden: Amerika is nog steeds Amerika. Alle federale diensten zullen vandaag onder leiding van de onderministers functioneren, en...'

'Maar Washington...'

'Om redenen van openbare veiligheid is Washington nog grotendeels gesloten. Dat is waar...'

Ze onderbrak hem opnieuw, niet omdat ze slechte manieren had maar omdat ze maar vier minuten de tijd had en daar optimaal gebruik van wilde maken.

'De troepen op straat...?'

'Maria, de politie en brandweer van Washington hebben het erg zwaar gehad. Het was voor die mensen een lange, koude nacht. De National Guard van Washington is opgeroepen om de civiele diensten te assisteren. Dat gebeurt ook na wervelstormen. De FBI werkt met de burgemeester samen om het werk gedaan te krijgen.' Het was Ryans langste uiteenzetting van die ochtend, en hij was nu bijna buiten adem, zo gespannen was hij. Op dat moment realiseerde hij zich dat hij zo erg in zijn eigen handen kneep dat zijn vingers wit werden. Het kostte hem moeite ze te ontspannen.

'Moet je zijn armen zien,' merkte de premier op. 'Wat weten we van die Ryan?'

Het hoofd van de inlichtingendienst van haar land had op zijn schoot een dossier liggen dat hij al van buiten kende, want hij had een hele werkdag de tijd gehad om zoveel mogelijk over de nieuwe Amerikaanse president aan de weet te komen.

'Hij heeft een carrière als inlichtingenman achter de rug. U weet van dat incident in Londen, en later in de States, een paar jaar geleden...'
'O ja.' Ze nam een slokje thee en deed dat stukje geschiedenis met een handgebaar af. 'Dus een spion...'
'Een spion met een goede reputatie. Onze Russische vrienden hebben een hoge dunk van hem. En Century House ook,' zei de landmachtgeneraal, die zijn opleiding in Engeland had gehad. Net als zijn premier had hij in Oxford gestudeerd, waarna voor hem nog de militaire academie van Sandhurst was gevolgd. 'Hij is erg intelligent. We hebben reden om aan te nemen dat hij als nationale-veiligheidsadviseur van Durling leiding heeft gegeven aan de Amerikaanse operaties tegen Japan...'
'En tegen ons?' vroeg ze, haar blik strak op het scherm gericht. Wat was het toch handig om communicatiesatellieten te hebben, en de Amerikaanse netwerken waren tegenwoordig op de hele wereld te ontvangen. Je hoefde niet meer een hele dag in een vliegtuig te zitten om een rivaliserend staatshoofd te zien – en dan nog onder omstandigheden die hij in de hand had. Ze kon nu op het scherm zien hoe de man zich onder druk gedroeg. Inlichtingenman of niet, hij voelde zich zo te zien niet erg op zijn gemak. Ieder mens had zijn beperkingen.
'Ongetwijfeld, mevrouw.'
'Hij is minder ontzagwekkend dan uw informatie suggereert,' zei ze tegen haar raadgever. Aarzelend, niet op zijn gemak, van streek... Hij weet zich geen raad.

'Wanneer denkt u ons meer te kunnen vertellen over wat er gebeurd is?' vroeg Maria.
'Dat kan ik nu echt niet zeggen. Het is gewoon nog te vroeg. Sommige dingen kun je niet overhaasten,' zei Ryan. Hij had het vage besef dat hij dit interview niet meer onder controle had, hoe kort het ook was, en wist niet waarom. Van tevoren had hij er niet bij stilgestaan dat de tv-verslaggevers buiten de Roosevelt Room in de rij stonden, als mensen voor een kassa, en dat ze allemaal iets nieuws, iets anders wilden vragen – na de eerste vraag of twee – en dat ze allemaal indruk wilden maken, niet op de nieuwe president maar op de kijkers, de onzichtbare mensen achter de camera's die naar een bepaalde ontbijtshow keken omdat ze daar een voorkeur voor hadden, een loyaliteit die de verslaggevers zoveel mogelijk moesten versterken. Hoe diep getroffen het land ook was, voor de journalisten was het nieuws vooral broodwinning. Daarom was Arnies eerdere mededeling dat ze instructie hadden gekregen over de vragen die ze mochten stellen overdreven optimistisch geweest, zeker voor zo'n ervaren politieke professional. Het enige goede was dat de interviews allemaal aan een bepaalde tijd gebonden waren – in dit geval aan het plaatselijke nieuws dat door de regionale stations die aan het netwerk deelnamen om vijfentwintig minuten over het uur werd uitgezonden. Welke ramp er ook in Washington was gebeurd, de mensen hadden voor hun dagelijks leven informatie

over het weer en verkeer nodig, iets wat ze in Washington niet beseften maar in het land wel. Het was niet aan Maria te zien dat ze zich ergerde toen de regisseur het interview beëindigde. Ze glimlachte naar de camera...
'We komen terug.'
... en Ryan had twaalf minuten de tijd voordat NBC op hem losgelaten werd. De koffie die hij bij zijn ontbijt had gehad, werkte op hem in en hij moest naar het toilet, maar toen hij opstond, struikelde hij bijna over de microfoondraad.
'Deze kant op, meneer.' Price wees naar links, de gang door en toen rechts naar het Oval Office, realiseerde Jack zich te laat. Hij bleef abrupt staan toen hij de kamer binnenging. Voor zijn gevoel was die kamer nog steeds van iemand anders, maar een wc was een wc en in dit geval hoorde die wc bij een zitkamer naast het kantoor zelf. Hier had hij tenminste privacy. Hij was zelfs even verlost van de pretoriaanse garde, die hem volgde als een stel collies dat een buitengewoon waardevol schaap bewaakte. Jack wist niet dat als deze wc bezet was, een lichtje in het deurkozijn ging branden en een kijkgaatje in de kantoordeur de Secret Service in staat stelde om zelfs dat aspect van het dagelijks leven van hun president in het oog te houden.
Ryan waste zijn handen en keek in de spiegel, wat op zulke momenten altijd fout is. De schmink liet hem jeugdiger lijken dan hij was, en dat was goed, maar het was ook onecht. Zijn huid had nu een gezonde kleur die hij in werkelijkheid nooit had gehad. Hij kwam bijna in de verleiding om het allemaal weg te vegen voordat hij de confrontatie met NBC aanging. Deze verslaggever was een zwarte man, en toen Ryan hem in de Roosevelt Room de hand schudde, troostte het hem enigszins dat de schmink van de man nog onechter leek dan die van hemzelf. Jack wist niet dat de menselijke huid er in het licht van de cameralampen heel anders uitzag: wilde je op de televisie normaal overkomen, dan moest je er voor niet-elektronische ogen uitzien als een clown.
'Wat gaat u vandaag doen, meneer de president?' was Nathans vierde vraag.
'Ik heb weer een bespreking met waarnemend FBI-directeur Murray: voorlopig ontmoeten we elkaar twee keer per dag. Ik heb ook een bespreking met de nationale-veiligheidsstaf op het programma staan, en met enkelen van de Congresleden die niet zijn omgekomen. Vanmiddag hebben we een kabinetsbespreking.'
'Het regelen van de begrafenis?' De verslaggever streepte weer een vraag weg van de lijst die hij op zijn schoot had liggen.
Ryan schudde zijn hoofd. 'Daar is het nog te vroeg voor. Ik weet dat het frustrerend is voor ons allemaal, maar die dingen kosten tijd.' Hij vertelde niet dat de afdeling Protocol van het Witte Huis 's middags vijftien minuten van zijn tijd kreeg om hem te vertellen wat er was geregeld.
'Het was een Japans lijntoestel, zelfs een toestel dat eigendom was van een Japans staatsbedrijf. Hebben we reden om aan te nemen...'
Ryan boog zich naar voren: 'Nee, Nathan, dat hebben we niet. We hebben contact gehad met de Japanse regering. Premier Koga heeft zijn volledige medewerking toegezegd en we houden hem aan zijn woord. Ik wil nadrukke-

lijk verklaren dat de vijandelijkheden met Japan helemaal voorbij zijn. Wat gebeurd is, was een vreselijke vergissing. Japan zal zorgen dat de mensen die het conflict hebben veroorzaakt hun straf niet ontlopen. We weten nog niet hoe het gebeurd is... gisteravond, bedoel ik... maar we komen er nog wel achter. Tot het zover is, wil ik niet speculeren. Daar schieten we niets mee op, maar het kan mensen kwetsen, en voorlopig is er al genoeg gekwetst. We moeten nu nadenken over het genezingsproces.'

'*Domo arigato*,' mompelde de Japanse premier. Het was de eerste keer dat hij Ryans gezicht zag of diens stem hoorde. Ryan maakte een jongere indruk dan hij had verwacht, al had hij eerder die dag de nodige informatie over de nieuwe Amerikaanse president gelezen. Koga zag dat de man gespannen was en zich niet op zijn gemak voelde, maar als hij iets anders moest zeggen dan een voor de hand liggend antwoord op een onbeduidende vraag – waarom tolereerden Amerikanen de onbeschaamdheid van hun media? – veranderde zijn stem enigszins, en de blik in zijn ogen ook. Het was een subtiel verschil, maar Koga had geleerd om op de kleinste nuances te letten. Dat voordeel had je als je in Japan was opgegroeid, en helemaal als je jaren in de Japanse politiek had doorgebracht.
'Hij is een geduchte vijand,' merkte een functionaris van het ministerie van Buitenlandse Zaken kalm op. 'En hij heeft in het verleden laten zien dat hij een moedig man is.'
Koga dacht aan de informatie die hij twee uur eerder had doorgenomen. Die Ryan had geweld gebruikt, iets wat de Japanse premier verafschuwde. Maar van twee schimmige Amerikanen die waarschijnlijk hadden voorkomen dat hij door zijn eigen landgenoten was gedood, had Koga geleerd dat geweld soms de aangewezen weg was, net als een chirurgische ingreep, en Ryan had geweld gebruikt om anderen te beschermen. Hij had daar schade van ondervonden en had het daarna opnieuw gedaan voordat hij weer een vreedzame gedragslijn volgde. Later had hij nog een keer diezelfde dubbele houding aangenomen, nu tegenover Koga's land: hij had bekwaam en meedogenloos gevochten en daarna genade en consideratie getoond. Een moedig man...
'En een eerzaam man, denk ik.' Koga zweeg een ogenblik. Het was vreemd dat er al vriendschap bestond tussen twee mannen die elkaar nooit hadden ontmoet en die nog maar een week geleden met elkaar in oorlog waren geweest. 'Hij is een samoerai.'

De blonde ABC-correspondente heette Joy en om de een of andere reden vond Ryan dat een ongepaste naam voor deze omstandigheden, maar het was waarschijnlijk gewoon de naam die ze van haar ouders had gekregen. Maria van CBS mocht dan aantrekkelijk zijn geweest, Joy was adembenemend, en dat was misschien wel een van de redenen waarom ABC de ontbijtshow met de hoogste kijkcijfers had. Haar handdruk was warm en innemend, en nog iets anders dat Jacks hart bijna deed stilstaan.

Goedemorgen, meneer de president,' zei ze zachtjes, met een stem die meer ›p zijn plaats zou zijn op een gezellig diner dan in een ontbijtshow op de tele-isie.

Gaat u zitten.' Ryan wees haar de stoel tegenover de zijne.

Tien minuten voor het uur. We bevinden ons hier in de Roosevelt Room van .et Witte Huis voor een gesprek met president John Patrick Ryan,' zei ze met en zwoele stem. 'Meneer de president, het was een lange en moeilijke nacht oor ons land. Wat kunt u ons vertellen?'

Ryan had het antwoord al in zijn hoofd zitten. Het kwam eruit zonder dat hij oefde na te denken. Zijn stem was kalm en enigszins mechanisch, en hij bleef aar recht in de ogen kijken, zoals hem was opgedragen. In dit geval kostte het em geen moeite zich op haar glanzende bruine ogen te concentreren, al was et verontrustend om daar zo vroeg op de morgen diep in te kijken. Hij hoop-: dat het niet te zien was.

Meneer de president, de laatste paar maanden zijn erg traumatisch geweest oor ons allemaal, en de afgelopen nacht was dat des te meer. U hebt over nkele minuten een gesprek met uw nationale-veiligheidsstaf. Wat zijn uw rootste problemen?'

'oy, lang geleden zei een Amerikaanse president dat er maar één ding was 'aar we bang voor moesten zijn, en dat was de angst zelf. Ons land is vandaag og even sterk als gisteren...'

'a, dat is waar.' Daryaei had Ryan eens ontmoet. Toen was hij arrogant en rovocerend geweest, zoals een hond die zich voor zijn baas posteert, grom-nend en moedig: tenminste, zo leek het. Maar nu was de baas weg en zat daar e hond, zijn ogen strak op een mooie maar hoerige vrouw gericht, en het ver-aasde Daryaei dat hij niet kwijlde en dat zijn tong niet uit zijn bek hing. Het ou wel een kwestie van vermoeidheid zijn. Ryan was moe; dat was duidelijk : zien. Wat was hij nog meer? Hij was als zijn land, vond de ayatollah. Aan de uitenkant sterk... misschien. Ryan was nog een jonge man met brede schou-ers en een kaarsrechte houding. Zijn ogen waren helder, zijn stem was krach-g. Maar toen hem naar de kracht van zijn land werd gevraagd, sprak hij over ngst en de angst voor de angst. Interessant.

Daryaei wist dat kracht en macht eerder aangelegenheden van de geest dan an het lichaam waren, iets wat net zo goed voor naties gold als voor mensen. .merika was een mysterie voor hem, en de leiders van Amerika waren dat ok. Maar hoeveel moest hij weten? Amerika was een goddeloos land. Daar-m sprak die jonge Ryan over angst. Zonder God ontbrak het zowel het land ls de man aan een duidelijke koers. Sommigen hadden gezegd dat hetzelfde oor Daryaei's land gold, maar als daar enige waarheid in school, was dat om en andere reden, zei hij tegen zichzelf.

oals mensen op de hele wereld concentreerde Daryaei zich op Ryans gezicht n stem. Het antwoord op de eerste vraag werd duidelijk gegeven zonder erbij a te denken. Als Amerika iets over dat glorieuze incident wist, werd dat verzwegen. Waarschijnlijk wisten ze niet erg veel, maar dat was te begrijpen Daryaei had een lange dag achter de rug en hij had daar een goed gebruik var gemaakt. Hij had zijn ministerie van Buitenlandse Zaken gebeld en het hoofc van de Amerika-desk (in feite een compleet departement in Teheran, gevraagd hoe de Amerikaanse regering onder deze omstandigheden kon func- tioneren. De situatie bleek nog gunstiger te zijn dan Daryaei had gehoopt. Z konden geen nieuwe wetten maken, geen nieuwe belastingen heffen, geen nieuw geld uitgeven totdat hun Congres opnieuw was samengesteld, en da zou tijd kosten. Bijna al hun ministeries zaten zonder minister. Die jonge Ryan – Daryaei was tweeënzeventig – wás de Amerikaanse regering, en Daryaei wa niet onder de indruk van wat hij zag.

De Verenigde Staten van Amerika hadden hem jarenlang tegengewerkt Zoveel macht. Ook toen hun macht na de instorting van de Sovjet-Unie – de 'kleinere satan' – was afgenomen, konden de Amerikanen nog dingen doen waartoe geen enkele andere natie in staat was. Het enige wat ze nodig hadden was politieke besluitvaardigheid, en hoewel die vaak ver te zoeken was, blee de dreiging altijd aanwezig. Van tijd tot tijd schaarde het hele land zich achte één doel, zoals nog niet zo lang geleden tegen Irak was gebeurd, met grot gevolgen, zeker in vergelijking met het weinige dat zijn eigen land met een bij na tien jaar durende oorlog had bereikt. Dat was het gevaar van Amerika Maar Amerika was nu een dunner riet, of beter gezegd, Amerika was mis schien niet onthoofd, maar het scheelde niet veel. Het sterkste lichaam wer verlamd door een verwonding aan de nek, en des te meer door een verwon ding aan het hoofd...

Het was maar één man, dacht Daryaei, die de woorden van de televisie nie meer hoorde. De woorden deden er niet toe. Ryan zei niets van belang, maa de man die een halve wereld van hem vandaan zat kon veel van de uitdrukkin op zijn gezicht afleiden. Het nieuwe hoofd van dat land had een nek die he middelpunt van Daryaei's aandacht was. De symboliek was duidelijk. Waa het op aankwam, was dat het hoofd van het lichaam werd gescheiden, en he enige dat ertussenin zat, was de nek.

'Tien minuten tot de volgende,' zei Arnie, nadat Joy was weggegaan om naa het vliegveld te rijden. De verslaggever van Fox werd geschminkt.

'Doe ik het een beetje goed?' Ditmaal maakte Jack de microfoondraad lo voordat hij opstond. Hij moest zijn benen strekken.

'Niet slecht,' oordeelde Van Damm mild. Tegen een beroepspoliticus had h misschien iets anders gezegd, maar een echte politicus zou met veel lastige vragen te maken hebben gekregen. Het was of een golfer tegen zijn handica speelde, in plaats van tegen een professionele speler, en dat ging voorlopi redelijk goed. Wilde Ryan goed gaan functioneren, dan moest hij in de eerst plaats zelfvertrouwen krijgen. Het presidentschap was onder de gunstigst omstandigheden al moeilijk genoeg, en hoewel iedere president meer dan een had gewenst dat hij van het Congres en de diensten en ministeries verlost zo

zijn, was Ryan degene die moest leren hoe onmisbaar het hele overheidssysteem was, en dat zou een kwestie van vallen en opstaan zijn.
'Ik moet nog wat wennen, hè?' Jack leunde buiten de Roosevelt Room tegen de muur en keek naar weerskanten de gang door.
'Je leert het nog wel,' verzekerde zijn stafchef hem.
'Misschien.' Jack glimlachte. Hij besefte niet dat de activiteit van deze ochtend – van het afgelopen uur – hem van de andere omstandigheden had afgeleid. Toen gaf een agent van de Secret Service hem een stukje papier.

Hoe oneerlijk het ook ten opzichte van de andere nabestaanden was, het lichaam van president Durling kreeg de hoogste prioriteit. Niet minder dan vier hijskranen werden aan de westkant van het gebouw ingezet. Ze kregen hun aanwijzingen van gehelmde voorlieden die met een team ervaren werkers op de vloer van de vergaderzaal stonden, veel te dichtbij, maar de arbeidsinspectie was die ochtend niet aanwezig. De enige andere officiële toezichthouders die er iets toe deden, waren agenten van de Secret Service; de FBI mocht dan de algehele leiding hebben, niemand zou de agenten iets in de weg willen leggen. Er stonden ook een arts en een team verpleegkundigen klaar, voor het onwaarschijnlijke geval dat iemand toch nog in leven zou zijn. Alles draaide om een goede coördinatie van de hijskranen, die in de krater reikten als vier giraffen die uit dezelfde waterpoel dronken, behendig van elkaar vandaan gehouden door de bekwame kraandrijvers.
'Kijk!' De voorman wees. In een zwart uitgeslagen dode hand lag een pistool. Dat moest Andy Walker zijn, de leider van Roger Durlings escorte. Op de laatste televisiebeelden was te zien geweest dat hij dicht bij de president was en hem van het podium weg probeerde te trekken. Hij had niet meer kunnen bereiken dan dat hij zelf bij de uitoefening van zijn functie om het leven kwam. De volgende duik van de volgende kraan. Er zat een kabel om een blok zandsteen, dat langzaam omhoogkwam en enigszins draaide door de torsie van de stalen kabel. De rest van Walkers lichaam was nu zichtbaar, samen met de benen van iemand anders. Overal om hen beiden heen lagen de versplinterde en verkleurde resten van het eikenhouten podium en zelfs een paar stukken geschroeid papier. Het vuur was niet helemaal door de berg stenen in dit deel van het verwoeste gebouw heen gedrongen. Daarvoor had het te snel gebrand.
'Wacht even!' De voorman greep de arm van de agent vast. 'Die lopen niet weg. Daar hoef je je leven niet voor op het spel te zetten. Nog een paar minuten.' Hij wachtte tot de ene kraan de weg had vrijgemaakt voor de volgende en gaf tekens aan de kraandrijver: waar hij moest zakken en wanneer hij moest ophouden. Twee bouwvakkers schoven kabels om het volgende stenen blok en de voorman draaide met zijn hand in de lucht. De steen kwam omhoog.
'We hebben JUMPER,' zei de agent in zijn microfoon. Ondanks de waarschuwende kreten van de bouwvakkers kwam het medisch team meteen aanlopen, maar het was op zes meter afstand al duidelijk dat ze zich de moeite konden besparen. In zijn linkerhand had hij de map met zijn laatste toespraak. Waar-

schijnlijk hadden de vallende stenen hem gedood voordat het vuur dichtbij genoeg was gekomen om zijn haar te schroeien. Zijn lichaam was grotendeels verminkt door de verpletterende stenen, maar aan zijn pak en de presidentiële dasspeld en het gouden horloge om zijn pols was duidelijk te zien dat het president Roger Durling was. Alles werd onderbroken. De kranen stonden stil. Hun dieselmotoren draaiden stationair, terwijl de kraandrijvers een slokje koffie namen of een sigaret opstaken. Forensisch fotografen kwam aanlopen om vanuit alle mogelijke hoeken hun filmrolletjes vol te schieten.
Ze namen de tijd. Op de rest van de vloer van de vergaderzaal stopten nationale gardisten lijken in zakken en droegen ze weg – ze hadden deze taak twee uur geleden van de brandweer overgenomen – maar binnen een cirkel met een middellijn van vijftien meter bevonden zich alleen agenten van de Secret Service. Ze bewezen hun laatste officiële dienst aan JUMPER, zoals ze de president hadden genoemd omdat hij luitenant bij de luchtlandingstroepen was geweest. Het had al te lang geduurd voor tranen, hoewel alle aanwezige agenten ze nog meermalen in de ogen zouden krijgen. Toen de verpleegkundigen zich terugtrokken en de fotografen klaar waren, zochten vier agenten in Secret Service-jacks zich een weg omlaag over de resterende blokken steen. Eerst pakten ze het lichaam van Andy Walker op, wiens laatste bewuste daad de bescherming van de president was geweest, en legden het voorzichtig in de lijkenzak. De agenten hielden de zak omhoog, zodat twee van hun collega's hem konden overnemen. Nu was president Durling aan de beurt. Dat bleek moeilijk te zijn. Het lichaam lag in een scheve stand en het was bevroren. Een van de armen stak met een hoek van negentig graden opzij en wilde niet in de zak. De agenten keken elkaar aan, wisten niet wat ze daaraan moesten doen. Het lichaam was bewijsmateriaal; daar mocht niet aan worden geknoeid. Misschien was het nog belangrijker dat ze ervoor terugdeinsden een lichaam te forceren dat al dood was. Hoe dan ook, president Durling ging met uitgestoken arm in de zak, als kapitein Ahab. De vier agenten droegen hem weg, verlieten de vergaderzaal, om de gevallen blokken steen heen, en begaven zich naar een ambulance die speciaal hiervoor stond te wachten. Dat was een duidelijk teken voor de persfotografen, die meteen begonnen te klikken. Televisiecamera's zoomden in om het vast te leggen.
Voor deze beelden moest Ryans interview door Fox wijken. Hij keek ernaar op de monitor die op de tafel stond en had het gevoel dat hij nu pas officieel president was. Durling was echt dood, en hij was nu echt de president, en dat was dat. De camera in de kamer registreerde de verandering op Ryans gezicht. Ryan dacht aan Durling, die hem had binnengehaald, hem had vertrouwd, op hem had gesteund, hem had begeleid...
Dat was het, realiseerde Jack zich. Hij had vroeger altijd iemand gehad om op te steunen. Zeker, anderen hadden op hem gesteund, hadden hem om raad gevraagd, hadden hem ter zijde gestaan in crisissituaties, maar er was altijd iemand geweest op wie hij kon terugvallen, iemand die hem vertelde dat hij juist had gehandeld. Hij kon zich nu ook tot anderen wenden, maar dan kreeg

ıij alleen opinies, geen oordelen. De oordelen moesten van hemzelf komen. Hij zou allerlei dingen te horen krijgen. Zijn adviseurs zouden net advocaten ;ijn, argumenten zus, argumenten zo, en ze zouden hem in een adem vertellen lat hij gelijk en ongelijk had, maar uiteindelijk was de beslissing aan hem lleen.

'resident Ryan wreef over zijn gezicht zonder zich iets van de schmink aan te rekken, die dan ook versmeerd werd. Hij wist niet dat Fox en de andere net-verken nu een uit twee helften bestaand beeld uitzonden, omdat ze allemaal oegang hadden tot wat er in de Roosevelt Room gebeurde. Zijn hoofd ging acht heen en weer, als dat van een man die iets moest accepteren dat hem ıiet beviel, en de uitdrukking op zijn gezicht was nu niet somber meer maar lof. Achter de trappen van het Capitool gingen de kranen weer aan het werk. 'Wat gaat er nu gebeuren?' vroeg de verslaggever van Fox. Die vraag stond ıiet op zijn lijst. Het was gewoon een menselijke reactie op een menselijke scè-ıe. De beelden van de Hill hadden nogal wat van de interviewtijd afgenomen n voor een volgende onderwerp zouden ze extra tijd moeten hebben, maar de egels in het Witte Huis waren onverbiddelijk.

Er is veel werk te doen,' antwoordde Ryan.

Dank u, meneer de president. Veertien minuten over het uur.'

ack zag het lichtje op de televisiecamera uitgaan. De producent wachtte enke-e seconden voordat hij een teken gaf, en de president maakte zijn microfoon os. Zijn eerste persmarathon was achter de rug. Voordat hij de kamer verliet, eek hij nog eens goed naar de camera's. In een eerdere fase van zijn leven had ıij geschiedenis gedoceerd, en de laatste tijd had hij briefings gegeven, maar oen had hij altijd tegenover mensen gestaan wier ogen hij kon zien. Hij had ijn betoog enigszins kunnen aanpassen aan hun reacties, sneller of langza-ner, en als de omstandigheden het toestonden, had hij er wat humor tussen-oor kunnen gooien en soms had hij iets herhaald om duidelijker te maken vat hij bedoelde. Voortaan zou hij het woord moeten richten tot een ding.)ok iets wat hem niet aanstond. Ryan verliet de kamer, terwijl in de hele vereld mensen zich een oordeel vormden over wat ze van de nieuwe Ameri-aanse president hadden gezien. Terwijl hij naar de wc terugging, zouden in ninstens vijftig landen televisiecommentatoren hun licht over hem laten schij-ıen.

Dit is het beste dat ons land sinds Jefferson is overkomen.' De oudere man ag zich als een kenner van de geschiedenis. Hij bewonderde Thomas Jeffer-on om diens uitspraak dat een land dat het minst geregeerd werd het best eregeerd werd. Dat was trouwens ook de enige uitspraak van Jefferson die hij ende.

En blijkbaar moest er eerst een Jap aan te pas komen.' Die woorden werden evolgd door een ironisch grinniklachje. Zo'n gebeurtenis zou zelfs afbreuk unnen doen aan zijn dierbare racisme. En dat was toch niet de bedoeling? e waren de hele nacht op geweest – het was twintig over vijf, plaatselijke tijd –

om naar de televisiebeelden te kijken, waar maar geen einde aan wilde komen. De verslaggevers, constateerden ze, zagen er nog vermoeider uit dan die Ryan. Tijdzones brachten voordelen met zich mee. Beide mannen waren rond middernacht opgehouden met het drinken van bier. Twee uur later, toen ze slaperig begonnen te worden, waren ze op koffie overgestapt. Ze mochten beslist niet in slaap vallen. Wat ze in al die uren zagen, schakelend tussen kanalen die ze met een grote schotelantenne ontvingen, leek net een grotesk soort televisiemarathon, alleen werd er geen geld ingezameld voor verlamde kinderen of aids-slachtoffers of nikkerscholen. Dit was leuk. Al die klootzakken uit Washington verbrand tot as, nou ja, de meesten.

'Bureaucratenbarbecue,' zei Peter Holbrook voor de zeventiende keer sinds half twaalf, toen hij voor het eerst met zijn visie op de gebeurtenissen was gekomen. Hij was altijd de creatieveling van de beweging geweest.

'Hou nou eens op, Pete!' riep Ernest Brown uit, en hij morste wat koffie op zijn schoot. Het was nog steeds grappig, zo grappig dat hij, hoewel hij van de hete koffie schrok, niet meteen opsprong.

'Het is een lange nacht geweest,' gaf Holbrook toe, zelf lachend. Ze hadden verscheidene redenen gehad om naar president Durlings toespraak te kijken. Ten eerste hadden alle netwerken de normale programmering onderbroken, zoals meestal het geval was wanneer zich een belangrijke gebeurtenis voordeed – maar hun satellietschijf gaf hun toegang tot honderdzeventien kanalen en ze hoefden dus niet eens het toestel af te zetten om niets te hoeven zien of horen van de regering die zij en hun vrienden zo haatten. De diepere reden was dat ze hun woede op hun regering wilden cultiveren. Meestal keken ze naar zulke toespraken – beide mannen keken minstens een uur per dag naar C-SPAN-1 en -2 – om die woede te voeden, waarbij ze, kijkend naar een presidentiële toespraak, telkens stekelige opmerkingen uitwisselden.

'Wie is die Ryan eigenlijk?' vroeg Brown geeuwend.

'Weer een bureaucraat, zo te zien. De zoveelste bureaucraat met hetzelfde gewauwel.'

'Ja,' vond Brown. 'En hij heeft niks achter zich staan, Pete.'

Holbrook draaide zich om en keek zijn vriend aan. 'Hoe is het mogelijk, hè?' Na die woorden stond hij op en liep naar de boekenplanken in zijn studeerkamer. Zijn exemplaar van de grondwet was een beduimelde pocketeditie waarin hij zo vaak las als hij kon, vooral om de intentie van de opstellers beter te leren kennen. 'Weet je, Pete, er staat hier niets over een situatie als deze.'

'O nee?'

Holbrook knikte. 'Nee.'

'Allemachtig.' Dat vergde enig denkwerk, nietwaar?

'Vermoord?' vroeg president Ryan, die nog bezig was de schmink van zijn gezicht te vegen. Dat gebeurde met hetzelfde soort vochtige doekjes als hij indertijd had gebruikt om babybillen af te vegen. In elk geval voelde zijn gezicht na afloop schoon aan.

Dat is de voorlopige conclusie, op grond van een eerste onderzoek van het ichaam en een eerste analyse van de cockpitbandjes.' Murray bladerde de nformatie door die nog maar twintig minuten daarvoor naar hem gefaxt was.
Ryan leunde in zijn stoel achterover. Zoals veel andere dingen in het Oval)ffice was die stoel nieuw. Van het dressoir achter hem waren alle persoonijke foto's van Durling verwijderd. De papieren op het bureau waren wegehaald om door het secretariaat van de president te worden bestudeerd. Wat overbleef, of wat ervoor in de plaats was gekomen, bestond uit materiaal uit het magazijn van het Witte Huis. De stoel zat tenminste goed. Het vas een dure stoel, ontworpen om de rug van de gebruiker te beschermen, n hij zou binnenkort worden vervangen door een op maat gemaakte stoel, peciaal voor hem vervaardigd door een fabrikant die dit gratis en – opmerelijk genoeg – ook zonder ophef en publiciteit deed. Vroeg of laat zou hij ier moeten werken, had Jack een paar minuten eerder besloten. De secrearesses waren hier, en het was niet eerlijk om hen steeds weer door het hele ebouw te laten lopen, trap op, trap af. Hij voelde er voorlopig nog niets oor om in het Witte Huis te gaan slapen, maar ook dat zou moeten veranleren, nietwaar? Wel, dacht hij terwijl hij Murray over het bureau aankeek, noord.

Doodgeschoten?'

)an schudde zijn hoofd. 'Een mes recht in het hart, één keer maar. Onze gent had de indruk dat het een mes met een smal lemmet was. Op grond van le cockpitbandjes is aan te nemen dat het gebeurd is voordat het toestel psteeg. Het ziet ernaar uit dat we het moment vrij nauwkeurig kunnen vaststellen. Van kort voor het opstarten van de motor tot aan het moment van het eerstorten is op de bandjes niemand anders dan de piloot te horen. Hij heete Sato en hij was een erg ervaren gezagvoerder. De Japanse politie heeft ons en heleboel gegevens gestuurd. Blijkbaar heeft hij in de oorlog een broer en en zoon verloren. Die broer voerde het bevel over een torpedobootjager die net de hele bemanning gezonken is. De zoon was gevechtsvlieger en stortte eer bij een landing na een missie. Allebei op dezelfde dag, of bijna. Het was us iets persoonlijks. Motief en gelegenheid, Jack,' permitteerde Murray zich e zeggen, want ze waren bijna alleen in de kamer. Andrea Price was er ook. Ze eurde het af; haar was nog niet verteld hoe lang de twee mannen elkaar al enden.

Dat is een snelle identificatie,' merkte Price op.

Het is nog niet definitief,' beaamde Murray. 'Voor alle zekerheid laten we NA-onderzoek doen. Ze hebben tegen onze agent gezegd dat het cockpitandje goed genoeg is voor een stemanalyse. De Canadezen hebben radarandjes waarop het vliegtuig te volgen is vanuit hun luchtruim, dus het is niet noeilijk het tijdstip van de moord vast te stellen. We weten precies hoe het oestel van Guam naar Japan en naar Vancouver en vandaar naar het Capiool-gebouw is gevlogen. Zoals ze dan zeggen, het is op een haar na gevild. Al eemt die laatste haar nog wel wat tijd in beslag. Meneer de president...' Andrea Price vond het prettiger dat te horen. 'Meneer de president, het duurt minstens twee maanden voordat we alle gegevens bevestigd hebben, en in theorie is het mogelijk dat we ons vergissen, maar volgens mij en volgens al onze ervaren agenten die daar ter plaatse zijn is deze zaak nagenoeg opgelost.'

'Waarin zouden jullie je kunnen vergissen?' vroeg Ryan.

'In theorie in nogal veel dingen, maar er zijn praktische overwegingen. Wil dit iets anders zijn dan de daad van een enkele fanaat – nee, dat is niet eerlijk, hè? Eén woedende man. Hoe dan ook, wil dit een complot zijn, dan moet er een gedetailleerde planning aan vooraf zijn gegaan, en dat is onwaarschijnlijk. Hoe konden ze weten dat ze de oorlog zouden verliezen, hoe konden ze weten van de gezamenlijke vergadering? En wanneer het als een oorlogsoperatie gepland was, zou het, zoals die man van de NTSB zei, geen probleem zijn geweest om tien ton explosieven aan boord te brengen.'

'Of een kernbom,' merkte Jack op.

'Of een kernbom.' Murray knikte. 'Dat doet me aan iets denken: onze luchtmachtattaché gaat vandaag de installatie bekijken waar ze hun kernwapens maken. De Japanners hadden er een paar dagen voor nodig om uit te zoeken waar dat was. We laten daar nu meteen iemand heen vliegen die er alles van weet.' Murray keek in zijn aantekeningen. 'Woodrow Lowell – o, die ken ik. Hij heeft de leiding van het Lawrence-Livermore. Premier Koga heeft onze ambassadeur verteld dat hij die vervloekte dingen zo snel mogelijk wil overdragen. Hij wil ze het land uit hebben.'

Ryan maakte een halve draai met zijn stoel. De ramen achter hem keken uit op het Washington Monument. Die marmeren obelisk werd omringd door een kring van vlaggenmasten. Alle vlaggen hingen halfstok. Maar hij kon zien dat mensen in de rij stonden voor de lift naar de top. Toeristen die naar Washington waren gekomen om de bezienswaardigheden af te lopen. Nou, ze kregen nu veel extra's te zien, nietwaar? De ramen van het Oval Office, zag hij, waren ongelooflijk dik, voor het geval dat een van die toeristen een geweer onder zijn jas had verborgen...

'Hoeveel hiervan kunnen we vrijgeven?' vroeg president Ryan.

'Er mag wel iets van in de openbaarheid komen,' antwoordde Murray.

'Weet je dat zeker?' vroeg Price.

'Het is niet zo dat we bewijsmateriaal moeten beschermen met het oog op een strafproces. In dit geval is de dader dood. We zullen alle mogelijkheden van mededaders nagaan, maar als we nu gegevens vrijgeven, staat dat een eventueel toekomstig proces niet in de weg. Ik ben over het algemeen geen voorstander van het vrijgeven van dit soort gegevens, maar de mensen in het land willen iets weten en in zo'n geval als dit moet je het ze geven.'

Bovendien, dacht Price, komt de FBI hieruit goed naar voren. Met die stilzwijgende opmerking begon minstens één overheidsdienst weer op de normale manier te functioneren.

'Wie heeft hier op Justitie de leiding over?' vroeg ze in plaats daarvan.

'Pat Martin.'

'O? Wie heeft hem uitgekozen?' vroeg ze. Ryan draaide zich om. Hij wilde dit volgen.
Murray kreeg bijna een kleur. 'Ik, in feite. De president zei dat ik de aanklager moest kiezen die het hoogst in rang was, en dat is Pat. Hij is al negen maanden hoofd van de afdeling Strafrecht. Daarvoor deed hij spionage. Ex-FBI. Hij is een erg goede jurist en hij heeft bijna dertig jaar ervaring. Bill Shaw wilde dat hij rechter werd. Hij had het daar vorige week nog met de minister van Justitie over.'
'Weet je zeker dat hij goed genoeg is?' vroeg Jack.
Price besloot die vraag te beantwoorden. 'Wij hebben ook met hem samengewerkt. Hij is een echte professional, en Dan heeft gelijk, hij zou een goede rechter zijn. Hij is keihard, maar ook erg eerlijk. Hij heeft een valsemunterszaak met maffiaconnecties gedaan die mijn vroegere partner had opgelost in New Orleans.'
'Goed, laat hem beslissen wat we vrijgeven. Hij kan meteen na de lunchpauze met de pers gaan praten.' Ryan keek op zijn horloge. Hij was nu precies twaalf uur president.

Kolonel Pierre Alexandre van de Amerikaanse landmacht zag er nog uit als een soldaat, lang en slank en fit, maar dat vond de decaan geen enkel bezwaar. Dave James vatte meteen sympathie op voor zijn bezoeker, vooral omdat hij ook veel goeds in het c.v. van de man had gelezen en nog meer goeds door de telefoon had gehoord. Kolonel Alexandre – 'Alex' voor zijn vrienden, die talrijk waren – was een expert op het gebied van besmettelijke ziekten. Hij had twintig productieve jaren in overheidsdienst doorgebracht, voornamelijk verdeeld over het Walter Reed Army Hospital in Washington en Fort Detrick in Maryland, met veel tijdelijke projecten tussendoor. Hij had aan West Point en de universiteit van Chicago gestudeerd, zag dokter James, en hij liet zijn blik weer over het c.v. gaan. De lijst van gepubliceerde artikelen beliep acht A4'tjes met enkele regelafstand. Alexandre was genomineerd voor een aantal belangrijke prijzen, maar had nog geen geluk gehad. Nou, misschien zou het Johns Hopkins daar verandering in brengen. Zijn donkere ogen waren op dat moment niet hooghartig. Beslist geen arrogante man. Alexandre wist wie en wat hij was, beter nog, hij wist dat decaan James het wist.
'Ik ken Gus Lorenz,' zei decaan James glimlachend. 'We zijn samen co-assistent geweest in het Peter Bent Brigham.' Dat sindsdien door Harvard was opgenomen in Brigham & Women's.
'Briljante kerel,' beaamde Alexandre met zijn beste creoolse accent. Algemeen werd aangenomen dat Gus' onderzoek naar het lassavirus en de q-koorts hem in de running voor een Nobelprijs had gebracht. 'Een geweldige arts.'
'Waarom wilt u dan niet in Atlanta met hem samenwerken? Gus heeft me verteld dat hij u erg graag wil hebben.'
'Decaan James...'
'Dave,' zei de decaan.

'Alex,' zei de kolonel. Er viel toch wel iets voor het burgerleven te zeggen. Alexandre zag de decaan als het equivalent van een driesterrengeneraal. Misschien vier sterren. Het Johns Hopkins had veel prestige. 'Dave, ik heb bijna mijn hele leven in een lab gewerkt. Ik wil weer patiënten behandelen. In Atlanta zou het weer meer van hetzelfde zijn. Hoe ik ook op Gus gesteld ben, we hebben in 1987 veel samengewerkt in Brazilië en dat ging erg goed,' verzekerde hij de decaan, 'ik ben het zat om de hele tijd naar dia's en uitdraaien te kijken.' En om dezelfde reden had hij een fantastisch aanbod van Pfizer Pharmaceuticals om hoofd van een van hun nieuwe labs te worden van de hand gewezen. In de wereld van de geneeskunde waren besmettelijke ziekten sterk in opkomst, en beide mannen hoopten dat het niet te laat was. Waarom had die man het eigenlijk nooit tot generaal gebracht? vroeg James zich af. Misschien was het een kwestie van politiek, dacht hij. Het leger had dat probleem ook, net als het Johns Hopkins. Maar wat ze daarmee verloren...
'Ik heb gisteravond met Gus over je gepraat.'
'O?' Niet dat het verrassend was. Op dit niveau van de geneeskunde kende iedereen iedereen.
'Hij zegt dat ik je meteen moet aannemen...'
'Blij dat te horen.' Alexandre grinnikte.
'... voordat Harry Tuttle in Yale je naar zijn lab haalt.'
'Je kent Harry?' Ja, en iedereen wist ook wat alle anderen deden.
'Jaargenoten geweest,' legde de decaan uit. 'Hadden allebei verkering met Wendy. Hij won. Weet je, Alex, ik heb je niet veel te vragen.'
'Ik hoop dat het goed is.'
'Dat is het. Wanneer je hier hoogleraar wordt, kun je in het begin onder Ralph Forster werken. Je krijgt veel laboratoriumwerk te doen en een goed team om mee te werken. Ralph heeft de laatste tien jaar een prima toko opgezet. Maar we krijgen ook veel verwijzingen. Ralph wordt een beetje te oud om zoveel te reizen, dus je kunt verwachten dat je iets van de wereld te zien krijgt. Over, laten we zeggen, zes maanden krijg je ook de leiding van de klinische afdeling, dan kun je je daarin vastbijten...'
De ex-kolonel knikte peinzend. 'Daar kan ik wel mee akkoord gaan. Ik moet een paar dingen opnieuw leren. Ach, wanneer komt er ooit een eind aan het leren?'
'Als je niet uitkijkt en bestuurder wordt.'
'Ja, nou, nu weet je waarom ik het groene uniform heb uitgetrokken. Ze wilden dat ik de leiding kreeg over een hospitaal, je weet wel, om daar ook ervaring mee op te doen. Verdomme nog aan toe, ik weet dat ik goed ben in een lab, ja? Ik ben èrg goed in een lab. Maar ik ben in het leger gegaan om zo nu en dan mensen te behandelen... en natuurlijk ook om wat les te geven, maar ik mag graag zieke mensen behandelen en ze gezond naar huis sturen. Vroeger heeft iemand in Chicago me eens verteld dat het daarom draait.'
Als dit een kwestie van verkopen was, dacht decaan James, hoefde hij weinig te doen. Yale had Alexandre ongeveer dezelfde functie te bieden, maar met

deze baan zou hij dicht bij Fort Detrick blijven, en verder was het maar anderhalf uur vliegen naar Atlanta en was het dicht bij de Chesapeake Bay; in het c.v. stond dat Alexandre graag mocht vissen. Nou, dat was begrijpelijk: hij was opgegroeid in de moerassen van Louisiana. Al met al was het gewoon pech voor Yale. Professor Harold Tuttle was een van de allerbesten, misschien zelfs een beetje beter dan Ralph Forster, maar over een jaar of vijf zou Ralph met pensioen gaan en Alexandre had het in zich om het erg ver te brengen. In de allereerste plaats zag decaan James het als zijn taak om toekomstige sterren in dienst te nemen. Eigenlijk had hij ook manager van een succesvol honkbalteam kunnen zijn. Zo, dat was geregeld. James sloot de map op zijn bureau.
'Alex, welkom op de medische faculteit van de Johns Hopkins Universiteit.'
'Dank je.'

4

Verkenning

De rest van de dag trok als een waas aan hem voorbij. Hoewel hij alles zelf meemaakte, wist Ryan dat hij zich er nooit meer dan flarden van zou herinneren. Zijn eerste ervaring met computers had hij opgedaan als leerling van het Boston College. In die tijd, dus voor de komst van de personal computer, had hij de domste terminal gebruikt die er was – een telex – om te communiceren met een mainframe die ergens anders stond, samen met andere leerlingen van het Boston College en leerlingen van andere scholen. Dat werd 'time-sharing' genoemd, een van de termen uit een vervlogen tijd waarin computers meer dan een miljoen dollar kostten en niet meer presteerden dan de technologie die nu in één horloge paste. Maar de term was nog steeds van toepassing op het Amerikaanse presidentschap, merkte Jack. Voor een president was het een zeldzame luxe om iets van het begin tot het eind te overdenken. Het werk bestond uit het volgen van diverse lijnen van de ene bespreking naar de volgende, alsof je een heel stel televisieseries van aflevering tot aflevering probeerde te volgen en je best deed ze niet met elkaar te verwarren, al wist je dat vergissingen onvermijdelijk waren.
Nadat hij Murray en Price had weggestuurd, was het pas goed begonnen.
Ryan kreeg eerst een briefing over nationale veiligheid, gegeven door een van de nationale-inlichtingenadviseurs die bij de staf van het Witte Huis waren gestationeerd. In zesentwintig minuten hoorde hij dingen die hij al wist omdat hij tot de vorige dag nationale-veiligheidsadviseur was geweest. Maar hij moest

het toch uitzitten, al was het alleen maar om een indruk op te doen van de man die tot zijn dagelijks briefingteam zou behoren. Ze waren allemaal verschillend. Allemaal hadden ze hun individuele kijk op de dingen en Ryan moest de nuances leren onderscheiden die bij de verschillende stemmen hoorden.
'Dus er ligt nu niets in het verschiet?' vroeg hij.
'Niet voorzover wij bij de Nationale Veiligheidsraad zien, meneer de president. U kent de potentiële brandhaarden natuurlijk net zo goed als ik, en die veranderen van dag tot dag.' De man hield een slag om de arm met de behendigheid van iemand die al jaren met dezelfde problematiek te maken heeft. Ryans gezicht veranderde niet, want hij had het al vaker meegemaakt. Een echte inlichtingenman was niet bang voor de dood, was niet bang dat hij zijn vrouw met zijn beste vriend in bed zou aantreffen, was niet bang voor de normale wisselvalligheden van het leven. Een inlichtingenman was wél bang dat iets wat hij in zijn officiële hoedanigheid had gezegd onjuist zou blijken te zijn. Maar dat was gemakkelijk te omzeilen: je nam gewoon nooit een duidelijk standpunt in. Per slot van rekening was dat een ziekte waaraan niet alleen gekozen politici leden. Alleen de president móést een standpunt innemen, en was het niet zijn grote geluk dat hij over ervaren experts beschikte die hem aan de noodzakelijke informatie konden helpen?
'Laat me je iets vertellen,' zei Ryan nadat hij enkele ogenblikken had nagedacht.
'Zegt u het maar, meneer,' zei de inlichtingenman voorzichtig.
'Ik wil niet alleen horen wat jullie weten. Ik wil ook horen wat jij en je mensen dénken. Jullie zijn verantwoordelijk voor wat jullie weten, maar ik krijg het op mijn brood als ik iets doe op grond van wat jullie denken. Je weet toch dat ik het zelf ook allemaal heb meegemaakt?'
'Natuurlijk, meneer de president.' De man permitteerde zich een glimlach om te camoufleren hoe verschrikkelijk hij dat vooruitzicht vond. 'Ik zal het aan mijn mensen doorgeven.'
'Dank je.' Ryan stuurde hem weg. Hij wist dat hij dringend behoefte had aan een nationale-veiligheidsadviseur die hij kon vertrouwen en vroeg zich af waar hij zo iemand vandaan kon halen.
De deur ging als bij toverslag open om de inlichtingenman uit te laten: dat had een agent van de Secret Service gedaan, die het grootste deel van de briefing via een kijkgaatje had gadegeslagen. Er kwam nu een briefingteam van het ministerie van Defensie binnen.
De hoogste in rang was een tweesterrengeneraal, die een plastic kaartje overhandigde.
'Meneer de president, dit moet u in uw portefeuille doen.'
Jack knikte. Al voordat zijn handen het oranje plastic aanraakten, wist hij wat het was. Het leek op een creditcard, maar er stond een aantal cijferreeksen op...
'Welke?' vroeg Ryan.
'U mag kiezen, meneer de president.'

Ryan deed het. Hij las de derde reeks twee keer op. De twee officieren die de generaal bij zich had, een kolonel en een majoor, noteerden de cijferreeks die hij had uitgekozen en lazen hem twee keer op. President Ryan was nu in staat strategische kernwapens af te vuren.

'Waarom is dit nodig?' vroeg hij. 'We hebben vorig jaar de laatste ballistische wapens toch afgedankt?'

'Meneer de president, we hebben nog steeds kruisraketten die voorzien kunnen worden van W-80 kernknoppen, plus de B-61 bommen van onze bommenwerpervloot. We hebben uw toestemming nodig om de Permissible Action Links – de PAL's – in werking te stellen, en we stellen voor dat zo spoedig mogelijk te doen, voor het geval dat...'

Ryan maakte de zin voor hem af: 'Voor het geval dat ik vroegtijdig word geëlimineerd.'

Je bent nu echt belangrijk, Jack, zei een onaangenaam stemmetje in zijn hoofd. Je kunt nu een nucleaire aanval in gang zetten. 'Ik heb de pest aan die vervloekte dingen. Dat heb ik altijd al gehad.'

'Het is ook niet de bedoeling dat u ze mooi vindt, meneer,' zei de generaal. 'Nou, zoals u weet, hebben de mariniers het VMH-1 helikoptersquadron altijd klaarstaan om u hier weg te halen en naar een veilige plaats te brengen, en...'

Ryan luisterde naar de rest en vroeg zich intussen af of hij moest doen wat Jimmy Carter op dit punt had gedaan: goed, laat maar eens zien. Zeg maar tegen ze dat ik nu opgepikt wil worden. NU! Dat presidentiële bevel had de mariniers in grote verlegenheid gebracht. Maar dat kon hij nu toch niet doen? Dan dacht iedereen dat Ryan een paranoïde idioot was, niet iemand die wilde zien of het systeem echt zo goed werkte als ze zeiden. Trouwens, juist vandaag zou VMH-1 vast en zeker paraat zijn, nietwaar?

Het vierde lid van het briefingteam was een onderofficier van de landmacht in burgerkleding. Hij had een onopvallend koffertje bij zich dat 'de voetbal' werd genoemd. Er zat een ringband in met het aanvalsplan, of beter gezegd een hele reeks aanvalsplannen...

'Laat eens kijken.' Ryan wees. De onderofficier aarzelde, maakte toen het koffertje open en gaf de marineblauwe ringband aan, die door Ryan werd opengeslagen.

'Meneer de president, we hebben nog niets veranderd sinds...'

De eerste sectie, zag Jack, had het opschrift 'Grote Aanvalsoptie'. Hij zag een kaart van Japan; een groot aantal steden was gemarkeerd met veelkleurige stippen. Uit de verklaring onderaan bleek wat die stippen betekenden in termen van megatonnen: waarschijnlijk zouden op een andere bladzijde de voorspelde aantallen doden zijn aangegeven. Ryan opende de ringen en verwijderde de hele sectie. 'Ik wil dat deze bladzijden worden verbrand. Ik wil dat deze optie onmiddellijk wordt geëlimineerd.' Dat betekende alleen maar dat de papieren in een la op de afdeling Oorlogsplannen van het Pentagon terechtkwamen, en ook in Omaha. Zulke dingen verdwenen nooit.

'Meneer de president, we hebben nog niet bevestigd gekregen dat de Japan-

ners al hun lanceerinrichtingen hebben vernietigd, en evenmin dat ze hun wapens hebben ontmanteld. U begrijpt...'
'Generaal, dit is een order,' zei Ryan rustig. 'Die mag ik geven, weet u.'
De man sprong in de houding. 'Ja, meneer de president.'
Ryan bladerde de rest van de ringband door. Ondanks zijn vorige baan werd hij verrast door wat hij zag. Hij had nooit te veel van die vervloekte dingen willen weten. Hij had ook nooit verwacht dat ze gebruikt zouden worden. Na de terreuraanslag in Denver en alle verschrikkingen die daarna over de wereld waren gegaan, hadden staatslieden van alle continenten en van alle politieke overtuigingen zich intens beziggehouden met de wapens waarover ze beschikten. Ook tijdens de korte oorlog met Japan had een team van experts een plan voor een nucleaire vergeldingsaanval uitgedacht, maar hij had zijn best gedaan om dat plan overbodig te maken. De nieuwe president was er trots op dat hij er nooit zelfs maar over gedacht had het plan uit te voeren waarvan hij de samenvatting nu in zijn linkerhand had. De codenaam was LONG RIFLE, zag hij. Waarom moesten die namen altijd zo viriel en opwindend zijn, alsof ze voor iets stonden waar je trots op kon zijn?
'Wat is dit? LIGHT SWITCH...?'
'Meneer de president,' antwoordde de generaal, 'dat is een methode om een EMP-aanval te gebruiken. Elektromagnetische pulsen. Als je op erg grote hoogte iets tot ontploffing brengt, is er niets – geen lucht – om de energie van de explosie te absorberen en in mechanische energie om te zetten. Er is dus geen schokgolf. Als gevolg daarvan gaat alle energie er in de oorspronkelijke elektromagnetische vorm uit. De resulterende energiegolf heeft een verwoestende uitwerking op elektriciteits- en telefoonlijnen. We hadden altijd een stel van die wapens, dus voor explosie op grote hoogte, klaarliggen voor de Sovjetunie. Hun telefoonsysteem was zo primitief dat het gemakkelijk uit te schakelen zou zijn. Het is een efficiënte operatie. Niemand op de grond wordt een haar gekrenkt.'
'Ik begrijp het.' Ryan sloot de ringband en gaf hem terug aan de onderofficier, die het lichter geworden document meteen weer in het koffertje stopte. 'Ik neem aan dat er momenteel niets aan de hand is dat tot een nucleaire aanval kan leiden?'
'Zo is het, meneer de president.'
'Wat heeft het dan voor zin dat deze man de hele tijd buiten mijn kantoor zit?
'Kunnen we ooit precies voorspellen wat er gaat gebeuren, meneer de president?' vroeg de generaal. Het moest moeilijk voor hem zijn geweest die woorden met een neutraal gezicht uit te spreken, realiseerde Ryan zich, zodra hij over de schok heen was.
'Nee, ik denk van niet,' gaf de president toe.

De afdeling Protocol van het Witte Huis werd geleid door Judy Simmons, die vier maanden geleden door het ministerie van Buitenlandse Zaken aan de staf van het Witte Huis was uitgeleend. Haar kantoor in het souterrain van het

gebouw was sinds kort na middernacht, toen ze uit haar woonplaats Burke in Virginia was aangekomen, druk bezet geweest. Het was haar ondankbare taak om voorbereidingen te treffen voor wat de grootste staatsbegrafenis uit de Amerikaanse geschiedenis zou worden, een taak waarmee al meer dan honderd stafleden bezig waren, en het was nog niet eens lunchpauze.
De lijst van alle doden moest nog worden opgesteld, maar ze hadden de videobanden zorgvuldig bestudeerd en wisten wel zo ongeveer wie er in de vergaderzaal waren geweest. Van al die mensen waren gegevens beschikbaar - gehuwd of ongehuwd, religie, enzovoorts – op grond waarvan de noodzakelijke, zij het voorlopige, plannen konden worden gemaakt. In elk geval zou Jack de ceremoniemeester van het grimmige evenement zijn, en daarom moest hij al tijdens de planning op de hoogte worden gehouden. Een begrafenis voor duizenden, dacht Ryan, van wie hij de meesten niet had gekend. Veel lichamen waren overigens nog niet geborgen.
'De National Cathedral,' zei hij, toen hij de bladzijde omsloeg. Ze wisten inmiddels ongeveer tot welke kerkgenootschappen de overledenen hadden behoord en zouden aan de hand daarvan vaststellen welke geestelijken de verschillende functies in de oecumenische dienst zouden vervullen.
'Daar worden zulke ceremonies meestal gehouden, meneer de president,' bevestigde Simmons nogal nerveus. 'Er zal geen ruimte zijn voor alle stoffelijke overschotten.' Ze zei er maar niet bij dat een staflid van het Witte Huis had voorgesteld een openluchtdienst in het RFK Stadium te houden, omdat dat wel groot genoeg was. 'Maar er is ruimte voor de president en mevrouw Durling en een representatief aantal slachtoffers uit het Congres. We hebben met elf buitenlandse overheden over de aanwezige diplomaten gesproken. We hebben een voorlopige lijst van vertegenwoordigers van buitenlandse overheden die bij de ceremonie aanwezig zullen zijn.' Ze gaf hem die lijst ook.
Ryan keek hem vlug door. Na de herdenkingsdienst zou hij 'informeel' met een groot aantal staatshoofden over 'informele' aangelegenheden spreken. Hij zou voor elk contact een bladzijde met informatie moeten hebben. Ze zouden hem van alles kunnen vragen, maar natuurlijk wilden ze in de allereerste plaats kijken wat voor iemand hij was. Jack wist hoe dat ging. Op de hele wereld zouden presidenten, premiers en een paar nog aan de macht zijnde dictators nu hun eigen informatie lezen: wie was die John Patrick Ryan en wat kunnen we van hem verwachten? Hij vroeg zich af of ze die vragen beter konden beantwoorden dan hijzelf. Waarschijnlijk niet. Hun inlichtingendiensten zouden niet veel anders zijn dan de zijne. En daarom kwam een aantal van hen met staatsvliegtuigen naar Washington, deels om respect te betuigen aan president Durling en de Amerikaanse overheid, deels om de nieuwe Amerikaanse president te observeren, deels voor binnenlandse politieke consumptie en deels omdat het nu eenmaal van hen werd verwacht. De begrafenis, hoe gruwelijk ook omdat er duizenden doden te betreuren waren, was in feite gewoon een van de vele automatismen in de wereld van de politiek. Jack zou het willen uitschreeuwen van woede, maar wat konden ze anders doen? De doden waren

dood, en al zijn verdriet kon hen niet terugbrengen, en de wereldpolitiek ging door.

'Wil je Scott Adler dit laten doornemen?' Iemand zou moeten bepalen hoeveel tijd hij aan de officiële bezoekers zou besteden, en Ryan kon dat zelf niet.

'Ja, meneer de president.'

'Wat voor toespraken moet ik houden?' vroeg Jack.

'Daar wordt door onze mensen nog aan gewerkt. U kunt morgenmiddag voorlopige versies verwachten,' antwoordde Judy Simmons.

President Ryan knikte en legde de papieren op zijn stapel met uitgaande stukken. Toen het hoofd van de afdeling Protocol weg was, kwam er een secretaresse binnen – hij wist haar naam niet – met een stapel telegrammen waar hij in de marinekazerne niet meer aan toe gekomen was. Ze had ook een lijst met zijn activiteiten van die dag, opgesteld zonder zijn medewerking. Voordat hij daarover kon mopperen, begon ze te spreken:

'We hebben meer dan tienduizend telegrammen en e-mails van... nou ja, van burgers.'

'Wat zeggen ze?' vroeg Ryan.

'Vooral dat ze voor u bidden.'

'O.' Op de een of andere manier kwam dat als een verrassing. Het bracht hem tot nederigheid. Maar zou God luisteren?

Jack boog zich weer over de officiële telegrammen, en de eerste dag ging verder.

Het land was in feite tot stilstand gekomen, al deed de nieuwe president verwoede pogingen om zich in te werken. Banken en effectenbeurzen waren gesloten, evenals scholen en veel ondernemingen. Alle televisienetwerken hadden hun hoofdkantoor naar hun kantoor in Washington verplaatst. Dat ging nogal chaotisch en tot op zekere hoogte werkten ze nu allemaal samen. Een regiment camera's rondom Capitol Hill leverde een voortdurende stroom beelden van de bergingsoperaties, terwijl verslaggevers moesten blijven praten, want het mocht geen moment stil zijn in de ether. Om een uur of elf die ochtend verwijderde een kraan de resten van de staart van de 747, die op een grote dieplader werd gelegd om naar een hangar op de vliegbasis Andrews te worden gebracht. Daar zou het 'ramponderzoek' worden verricht, zo genoemd omdat niemand een betere term kon bedenken. De camera's volgden de dieplader door de straten. Twee van de vliegtuigmotoren gingen en kort daarna op ongeveer dezelfde manier achteraan.

Verscheidene 'deskundigen' hielpen de stilte opvullen, speculerend over wat er gebeurd kon zijn. Dit was een moeilijke fase voor alle betrokkenen, omdat er nog maar weinig informatie was uitgelekt. De mensen die probeerden uit te zoeken wat er gebeurd was, hadden het te druk om met de pers te praten, zelfs *off the record*, en hoewel de journalisten het niet konden zeggen, lag hun vruchtbaarste bron van uitgelekte informatie voor het oog van vierendertig camera's in puin. En dus hadden de deskundigen weinig te zeggen. Getuigen werd gevraagd wat ze zich herinnerden; tot grote verbazing van iedereen waren er geen beelden van het aankomende vliegtuig. Het registratienummer van het vliegtuig was bekend; dat stond duidelijk aangegeven op het wrak van het vliegtuig, en het was even gemakkelijk na te trekken door journalisten als door federale autoriteiten. Ze wisten onmiddellijk dat het toestel eigendom was van Japan Air Lines, en ze wisten ook de dag waarop het toestel uit de Boeing-fabriek bij Seattle was gekomen. Functionarissen van die onderneming gaven interviews en geleidelijk werd vastgesteld dat de 747-400 (PIP) leeg iets meer dan tweehonderd ton woog, terwijl het laadvermogen ongeveer even groot was. Een piloot van United Air Lines die het toestel kende, legde aan twee netwerken uit hoe een piloot op Washington af kon vliegen om vervolgens een duikvlucht naar zijn dood te maken, terwijl een collega van Delta aan de andere netwerken hetzelfde uitlegde. Beide piloten vergisten zich in sommige details, maar in grote lijnen hadden ze het goed.

'Maar de Secret Service beschikt toch over luchtdoelprojectielen?' vroeg een verslaggever.

'Als een achttienwieler met honderd kilometer per uur op je afkomt, en je schiet een van de banden van die truck kapot, dan hou je hem daar toch niet mee tegen?' antwoordde de piloot. Hij keek in het peinzende gezicht van de uiterst goed betaalde journalist, die weinig meer begreep dan wat er op zijn teleprompter verscheen. 'Driehonderd ton vliegtuig breng je niet tot stilstand.'

'Dus het was niet mogelijk hem tegen te houden?' vroeg de journalist met gefronste wenkbrauwen.

'Absoluut niet.' De piloot kon zien dat de verslaggever het niet begreep, maar hij kon niets bedenken om het beter uit te leggen.

De regisseur, in zijn controlekamer in een zijstraat van Nebraska Avenue, veranderde van camera om een paar nationale gardisten te volgen die weer een lichaam de trappen afdroegen. Een assistent-regisseur volgde die camera's en probeerde het aantal geborgen lichamen bij te houden. Inmiddels was bekend dat de lichamen van president en mevrouw Durling geborgen waren en voor sectie – wettelijk vereist in geval van een onnatuurlijke dood – naar het Walter Reed Army Medical Center waren overgebracht. Op het hoofdkantoor van het netwerk in New York werden alle beschikbare videobeelden met of over Durling gesorteerd en werd er een overzicht samengesteld dat in de loop van de dag zou worden uitgezonden. Politieke collega's werden opgezocht en geïnterviewd. Psychologen werden voor de camera gehaald om uit te leggen hoe de kinderen Durling het trauma konden verwerken, en in één moeite door ook welke invloed deze gebeurtenis op het land als geheel zou hebben, en hoe de mensen ermee konden leven. Zo ongeveer het enige dat niet op de televisie aan de orde kwam was het spirituele aspect: het feit dat veel van de slachtoffers in God hadden geloofd en van tijd tot tijd naar de kerk waren gegaan, was geen zendtijd waardig, hoewel de grote opkomst bij kerkdiensten belangrijk genoeg werd gevonden om er op één netwerk drie minuten aan te besteden; en vervolgens, omdat ze allemaal de hele tijd naar elkaars programma's keken en elkaars ideeën overnamen, kwamen de andere netwerken in de uren daarna met ongeveer dezelfde beelden.

In feite kwam het allemaal hierop neer, wist Jack. De cijfers gaven alleen maar aan dat er nog veel meer identieke gevallen waren, even gruwelijk als dit individuele geval. Hij had het zo lang mogelijk vermeden, maar nu kon hij er niet meer onderuit.
De kinderen Durling waren in het stadium van verdoving en ontkenning, en angst voor een wereld die ze hadden zien instorten toen ze naar hun vader op de televisie keken. Ze hadden hun ouders niet meer gezien. De lichamen waren zo ernstig beschadigd dat de kisten niet meer werden geopend. Geen afscheid, geen woorden, alleen het traumatisch wegvallen van het fundament onder hun jonge leven. En hoe konden kinderen begrijpen dat mama en papa niet gewoon mama en papa waren, maar iets anders voor iemand anders, en dat om die reden hun dood noodzakelijk was geweest voor iemand die de kinderen niet had gekend of zich niets van hen aantrok?
Er waren familieleden naar Washington gekomen. De meesten waren door de luchtmacht uit Californië overgevlogen. Zelf ook nog geschokt, moesten ze in het bijzijn van de kinderen de kracht vinden om de dingen een beetje gemakkelijker voor hen te maken. En het gaf hun iets te doen. De agenten van de Secret Service die bij JUNIPER en JUNIOR waren gedetacheerd, hadden het er waarschijnlijk het moeilijkst mee. Deze agenten waren getraind om de president en zijn familieleden tot het uiterste te bewaken en degenen die op de kinderen Durling pasten – de meesten van hen waren vrouwen – gingen ook nog gebukt onder de normale bezorgdheid van volwassenen ten opzichte van kinderen, in de wetenschap dat de rest van het escorte de vuurwapens paraat had. De mannen en vrouwen van dit escorte hadden met de kinderen gespeeld, hadden kerst- en verjaardagscadeaus voor hen gekocht en hadden hen met hun huiswerk geholpen. En nu namen ze afscheid van de kinderen, van de ouders, van collega's. Ryan zag de uitdrukking op hun gezicht en nam zich voor Andrea te vragen of de Secret Service een psycholoog voor hen beschikbaar had.
'Nee, het deed geen pijn.' Jack ging zo zitten dat de kinderen hem recht in de ogen konden kijken. 'Het deed helemaal geen pijn.'
'Oké,' zei Mark Durling. De kinderen waren onberispelijk gekleed. Een van de familieleden had het belangrijk gevonden dat ze goed voor de dag kwamen als ze de opvolger van hun vader ontmoetten. Jack hoorde een zucht en zag een agent – een man – die op het punt stond in te storten. Price pakte zijn arm vast en leidde hem naar de deur voordat de kinderen er iets van zagen.
'Blijven we hier?'
'Ja,' verzekerde Jack hem. Dat was een leugen, maar het kon geen kwaad. 'En als jullie iets nodig hebben, wat dan ook, kunnen jullie altijd naar me toe komen. Goed?'
De jongen knikte. Hij deed zijn best om moedig te zijn. Het werd tijd dat Jack

hem aan zijn familie overliet. Hij gaf een kneepje in de hand van het kind. Hij behandelde de jongen, op wiens schouders al zoveel verantwoordelijkheid rustte, als de man die hij pas over vele jaren had moeten worden. De jongen moest huilen en Ryan vond dat hij dat voorlopig beter kon doen als hij alleen was.

Jack liep de deur uit naar de grote hal van de slaapkamerverdieping. De agent die was weggegaan, een grote, ruig uitziende zwarte man, stond op drie meter afstand te snikken. Ryan ging naar hem toe.

'Alles goed?'

'Verdomme... sorry... ik bedoel... shit!' De agent schudde zijn hoofd. Blijkbaar schaamde hij zich voor de emoties die hij toonde. Toen agent Tony Wills twaalf jaar oud was, was zijn vader bij een ongeluk tijdens een militaire oefening bij Fort Rucker omgekomen, wist Price. Wills, die professioneel football had gespeeld voordat hij bij de Secret Service kwam, kon erg goed met kinderen omgaan. Op zulke ogenblikken werden sterke punten vaak zwakheden.

'Je hoeft je er niet voor te verontschuldigen dat je menselijk bent. Ik ben mijn vader en moeder ook kwijtgeraakt. Tegelijk,' ging Ryan verder, zijn stem dromerig en onregelmatig van vermoeidheid. 'Vliegveld Midway, een 737 die in de sneeuw terechtkwam. Maar toen dat gebeurde, was ik al volwassen.'

'Dat weet ik, meneer.' De agent veegde zijn ogen af en ging huiverend rechtop staan. 'Ik red me wel.'

Ryan klopte hem op de schouder en ging naar de lift. Tegen Andrea Price zei hij: 'Haal me hier zo gauw mogelijk weg.'

De Suburban reed naar het noorden en sloeg linksaf Massachusetts Avenue in, die naar het Naval Observatory leidde, en ook naar de negentiende-eeuwse, opzichtige kolos die de ambtswoning van de zittende vice-president was. Ook dit huis werd bewaakt door mariniers, die het konvooi doorlieten. Jack ging naar binnen. Cathy stond in de hal te wachten. Ze had aan één blik genoeg.

'Lastig?'

Ryan kon alleen maar knikken. Hij hield haar stevig vast en wist dat hij straks zou gaan huilen. Zijn blik viel op de agenten die zich in de hal hadden opgesteld, en hij realiseerde zich dat hij aan hen zou moeten wennen. Ze stonden daar als onbeweeglijke standbeelden en waren zelfs bij de meest persoonlijke ogenblikken aanwezig.

Ik haat deze baan.

Maar brigadegeneraal Marion Diggs hield van de zijne. Niet iedereen was naar huis gegaan. Zoals in de marinierskazerne in Washington nog een koortsachtige activiteit heerste, en ook in het enorme FBI-complex in Quantico, Virginia, zo bleven ook andere organisaties druk bezig of voerden ze zelfs hun activiteiten op, want de mensen daar mochten toch al niet slapen, tenminste niet allemaal tegelijk. Een van die organisaties bevond zich in Fort Irwin, Californië. Deze basis in de hoge Mojave-woestijn besloeg een terrein dat groter was dan de hele staat Rhode Island. Het landschap was zo troosteloos dat zelfs milieuactivisten grote moeite hadden een leefmilieu tussen de dorre creosootstruiken te vinden, en in de kroeg wilden zelfs de meest ferventen onder hen wel toegeven dat ze het oppervlak van de maan veel interessanter vonden. Niet dat ze hem het leven niet zuur hadden gemaakt, dacht Diggs, met zijn verrekijker in zijn hand. Er bestond een woestijnschildpad die op de een of andere manier anders was dan andere schildpadden (de generaal had er geen flauw idee van) en die schildpad moest door de soldaten worden beschermd. Om zich van die taak te kwijten hadden zijn soldaten alle schildpadden verzameld die ze konden vinden en ze weer uitgezet in een omheind gebied dat zo groot was dat de reptielen waarschijnlijk niet eens merkten dat er een hek was. Dat terrein stond plaatselijk bekend als 's werelds grootste schildpaddenbordeel. Nu dat geregeld was, kon eventueel ander wild dat in Fort Irwin leefde zichzelf wel redden. Een enkele coyote kwam en ging, en dat was dat. Trouwens, coyotes waren geen bedreigde soort.

Bezoekers waren dat wel. In Fort Irwin bevond zich het nationale trainingscentrum van de landmacht. De permanente bewoners daarvan waren de OpFor, de 'opposing forces', de oefenvijanden. Begonnen als een pantserbataljon en een gemotoriseerd infanteriebataljon, had OpFor zich ooit de naam '32ste gemotoriseerde garderegiment' aangemeten, een sovjetbenaming, want toen het NTC in de jaren tachtig in het leven werd geroepen, kreeg het opdracht het Amerikaanse leger te leren vechten, overleven en triomferen in een slag tegen het Rode Leger op de vlakten van Europa. De soldaten van het '32ste' droegen uniformen in Russische stijl, reden in sovjetachtige voertuigen (de echte Russische voertuigen bleken te lastig in het onderhoud en daarom hadden ze Amerikaans materieel een Russische vorm gegeven) en gebruikten Russische tactieken. Ze deden niets liever dan het de eenheden die op hun terrein kwamen oefenen zo moeilijk mogelijk te maken. Eigenlijk was het niet helemaal eerlijk. De OpFor bleven hier en oefenden hier en kregen zo'n veertien keer per jaar eenheden op bezoek, terwijl het bezoekende team blij mocht zijn als het hier eens in de vier jaar kwam. Maar niemand had ooit gezegd dat oorlog eerlijk was.

Door de ondergang van de Sovjet-Unie waren de tijden veranderd, maar de missie van het NTC was dat niet. De OpFor waren kort geleden uitgebreid tot drie bataljons – die nu 'eskadrons' werden genoemd, omdat de eenheid de identiteit van het 11de gepantserde cavalerieregiment, het Black Horse Cav, had aangenomen – en simuleerde brigadeformaties of nog grotere vijandelijke formaties. Eigenlijk hadden ze maar één concessie aan de nieuwe politieke wereld gedaan en dat was dat ze zich geen Russen meer noemden. Tegenwoordig waren ze 'krasnovianen', al was dat woord afgeleid van *krasny*, het Russische woord voor 'rood'.

Luitenant-generaal Gennadi Josifovitsj Bondarenko wist het meeste daarvan – het schildpaddenbordeel was iets waarover niemand hem had verteld, maar na zijn eerste rondleiding over de basis wist hij daar ook van – en was erg opgewonden.

'Je bent bij het seinkorps begonnen?' vroeg Diggs. De commandant van de basis was een kleine en nogal lelijke zwarte man van weinig woorden en weinig gebaren. Hij droeg een werkpak met een woestijncamouflage die op grond van het patroon 'chocoladevlokken' werd genoemd. Ook hij was volledig over de ander ingelicht, al moest hij net als zijn bezoeker doèn alsof hij niets wist.

'Jazeker.' Bondarenko knikte. 'Maar ik raakte steeds weer in moeilijkheden. Eerst Afghanistan, toen in de tijd dat de moedjahedien invallen in de Sovjet-Unie deden. Ze vielen een militaire researchbasis in Tadzjikistan aan toen ik daar op bezoek was. Dappere strijders, maar rommelig geleid. We konden ze op een afstand houden,' vertelde de Rus op ingestudeerd neutrale toon. Diggs kon zien hoeveel onderscheidingen dat had opgeleverd. Hijzelf had tijdens Desert Storm het bevel gevoerd over een cavalerie-eskadron dat tijdens een wilde rit aan de Amerikaanse linkerflank voorop ging in Barry McCaffreys 24ste gemotoriseerde infanteriedivisie. Daarna had hij het bevel gekregen over het 10de 'Buffalo' cavalerieregiment, nog steeds in de Negev-woestijn, in het kader van de Amerikaanse waarborg van de veiligheid van Israël. Beide mannen waren negenenveertig. Beiden hadden de kruitdamp geroken. Beiden waren op weg naar de top.

'Hebben jullie ook zulk terrein?' vroeg Diggs.

'Wij hebben alle soorten terrein die je je kunt voorstellen. Dat maakt oefeningen tot een grote uitdaging, vooral in deze tijd. Zo,' zei hij, 'het is begonnen.'

De eerste groep tanks had zich in beweging gezet. Ze reden door een brede, U-vormige pas die de Vallei des Doods werd genoemd. De zon ging onder achter de vaalbruine bergen, en de duisternis viel hier snel. Hier en daar reden de jeeps van de waarnemers-controleurs, de goden van het NTC, die alles gadesloegen en met de koelbloedigheid van de dood cijfers gaven aan wat ze zagen. Het NTC was de opwindendste opleiding ter wereld. De twee generaals hadden de slag ook op het hoofdkwartier van de basis kunnen volgen, in een kamer die de Star Wars Room werd genoemd. Alle voertuigen hadden een zendertje dat hun positie en de richting van hun beweging doorgaf, en eventueel ook waar het op schoot en of het een treffer had gescoord of niet. Op grond van die gegevens zonden de computers in Star Wars signalen uit; ze vertelden mensen wanneer ze gestorven waren, al zeiden ze er bijna nooit bij waarom. Dat hoorden ze later van de waarnemers-controleurs. Maar de generaals hadden geen zin om naar computerschermen te kijken; dat deden Bondarenko's stafofficieren, maar de plaats van hun generaal was hier. Elk slagveld had een bepaalde geur en generaals moesten daar een fijne neus voor krijgen.

'Jullie instrumenten lijken wel iets uit een sciencefictionroman.'

Diggs haalde zijn schouders op. 'Er is de afgelopen vijftien jaar niet veel veranderd. Al hebben we nu meer televisiecamera's op de heuveltoppen.' Amerika zou veel van die technologie aan de Russen verkopen. Het kostte Diggs wat moeite om dat te accepteren. Hij was te jong geweest voor Vietnam. Zijn generatie hoge officieren was de eerste die dat niet had meegemaakt. Maar Diggs was opgegroeid met één realiteit in zijn leven: vechten tegen de Russen in Duitsland. Zijn hele loopbaan was hij cavalerieofficier geweest en hij was opgeleid om deel uit te maken van een van de voorste regimenten – die in feite vergrote brigades waren – en het eerste contact met de vijand te leggen. Diggs kon zich herinneren dat het hem vroeger uiterst waarschijnlijk leek dat hij in het ravijn van de Fulda zou sneuvelen, tegenover iemand als de man die nu naast hem stond en met wie hij de vorige avond onder het vertellen van verhalen over de voortplantingstechnieken van schildpadden een sixpack soldaat had gemaakt.

'In,' zei Bondarenko met een grijns. Om de een of andere reden dachten Amerikanen dat Russen geen gevoel voor humor hadden. Voordat hij wegging, moest hij die misvatting rechtzetten.

Diggs telde tot tien en zei toen met een stalen gezicht: 'Uit.'

Weer tien seconden: 'In.' Toen begonnen ze allebei te lachen. Toen Bondarenko voor het eerst de favoriete grap van de basis te horen had gekregen, had het een halve minuut geduurd voor hij hem begreep. Maar toen hij eenmaal in lachen was uitgebarsten, had hij er buikpijn aan overgehouden. Hij kreeg zich weer onder controle en wees. 'Zo zou oorlog moeten zijn.'

'Het wordt nog spannender. Wacht maar af.'

'Jullie gebruiken ónze tactieken!' Dat was duidelijk te zien aan de manier waarop de verkennende voorposten in de vallei werden ingezet.

Diggs keek hem aan. 'Waarom niet? In Irak heb ik er succes mee gehad.'

Het scenario voor deze nacht – de eerste confrontatie van de oefeningencyclus – was niet eenvoudig. De Rode Troepen gingen in de aanval om de voorposten van de Blauwe Troepen te elimineren. De Blauwe Troepen waren in dit geval een brigade van de 5de gemotoriseerde divisie die in korte tijd een verdediging opzette. Het was de bedoeling dat dit een erg veranderlijke tactische situatie werd. Het 11de gepantserde cavalerieregiment simuleerde een divisieaanval op een pas gearriveerde strijdmacht die een derde van zijn theoretische omvang had. Dat was de beste manier om mensen in de woestijn te verwelkomen. Laat ze maar in het zand bijten.

'Laten we verdergaan.' Diggs sprong weer in zijn jeep en de chauffeur reed naar een hoger gelegen terrein dat de Iron Triangle werd genoemd. De Amerikaanse generaal trok een kwaad gezicht toen er over de radio een kort bericht van zijn bevelvoerend officier binnenkwam. 'Verdomme!' snauwde hij.

'Een probleem?'

Generaal Diggs hield een kaart omhoog. 'Die heuvel is het belangrijkste punt in de vallei, maar ze hebben hem niet gezien. Nou, voor die kleine beoordelingsfout zullen ze boeten. Dat gebeurt steeds weer.' Mensen van OpFor waren al met grote snelheid op weg naar de onbezette heuveltop.

'Is het wel verstandig van Blauw om zo snel op te rukken?'

'Generaal, het is in elk geval erg onverstandig om dat niet te doen, zoals u zult zien.'

'Waarom heeft hij niet meer gezegd en waarom is hij niet meer in het openbaar verschenen?'

De inlichtingenchef zou allerlei veronderstellingen kunnen doen. President Ryan had het ongetwijfeld druk. De regering van zijn land lag in puin en voordat hij openbare uitspraken kon doen, moest hij orde op zaken stellen. Hij moest een staatsbegrafenis regelen. Hij moest met talloze buitenlandse regeringen spreken en ze op de gebruikelijke manier geruststellen. Hij moest over van alles waken, niet in de laatste plaats over zijn eigen persoonlijke veiligheid. De ministers en de voornaamste raadgevers van de president waren weg en moesten worden vervangen... maar dat wilde hij nu niet horen.

'We hebben onderzoek gedaan naar die Ryan,' was het antwoord dat hij kreeg. De informatie kwam vooral uit krantenberichten – een heleboel – die door de VN-missie van zijn land waren overgefaxt. 'Hij heeft nooit veel openbare toespraken gehouden, en dan nog alleen om de ideeën van zijn bazen uiteen te zetten. Hij was een inlichtingenman, en dan niet iemand die in het veld werkte, maar een analist. Blijkbaar een goede, maar een analist op kantoor.'

'Waarom heeft Durling hem dan zulke hoge functies gegeven?'

'Dat stond gisteren in de Amerikaanse kranten. In hun regering hebben ze een vice-president nodig. Durling wilde ook iemand die zijn team voor het buitenlands beleid kon versterken, en daar had Ryan ervaring mee. Vergeet niet: hij deed het goed in hun conflict met Japan.'

'Een assistent dus, geen leider.'

'Inderdaad. Hij heeft nooit president of vice-president willen worden. Volgens onze informatie wilde hij alleen vice-president worden omdat het maar tijdelijk was, voor nog geen jaar.'

'Dat verbaast me niet.' Daryaei keek in de informatie: *assistent* van vice-admiraal James Greer, de directeur van de CIA; korte tijd *waarnemend* directeur van de CIA; toen *plaatsvervangend* directeur van de CIA; toen nationale-veiligheids-*adviseur* van president Durling; en ten slotte had hij de *tijdelijke* functie van *vice*-president geaccepteerd. Zijn indruk van die Ryan was al vanaf het allereerste begin correct geweest: een helper. Waarschijnlijk een bekwame helper, zoals hij zelf ook bekwame assistenten had, al zouden die nooit zijn eigen positie kunnen overnemen. Hij had niet te maken met een gelijke. Goed. 'Wat nog meer?'

'Als inlichtingenspecialist zal hij erg goed op de hoogte zijn van buitenlandse zaken. Waarschijnlijk weet hij daar meer van dan alle Amerikaanse presidenten van de laatste tijd, maar daar staat tegenover dat hij bijna niets van binnenlandse aangelegenheden weet,' ging de inlichtingenchef verder. Dat stukje informatie was uit de *New York Times* gekomen.

'Ah.' En met dat stukje informatie begon de planning. In dit stadium was het alleen maar een theoretische oefening, maar daar zou gauw genoeg verandering in komen.

'Nou, hoe staan de zaken in jouw leger?' vroeg Diggs. De twee generaals stonden op het hoger gelegen terrein en tuurden door kijkers naar de slag die

beneden hen werd geleverd. Zoals voorspeld had het 32ste – Bondarenko moest het in die termen zien – de voorposten van de Blauwe Troepen overrompeld en naar links gemanoeuvreerd en het schakelde nu de 'vijandelijke' brigade uit. Omdat er geen echte slachtoffers vielen, was het een prachtig gezicht om de gele lichtjes van de 'doden' telkens te zien knipperen. Toen moest hij antwoord geven op de vraag.
'Beroerd. We moeten alles van de grond af weer opbouwen.'
Diggs keek hem aan. 'Nou, daar kan ik dan bij helpen.' In elk geval hebben jullie niet met drugs te kampen, dacht de Amerikaan. Hij kon zich herinneren dat hij, toen hij pas tot tweede luitenant was bevorderd, de kazerne niet zonder pistool durfde binnen te gaan. Als de Russen in het begin van de jaren zeventig in actie waren gekomen... 'Willen jullie ons model echt gebruiken?'
'Misschien.' Het enige wat de Amerikanen verkeerd – en goed – hadden, was dat de Rode Troepen de commandanten van hun eenheden tactische initiatieven toestonden, iets wat het sovjetleger nooit zou hebben gedaan. Maar de resultaten waren duidelijk te zien, zeker in combinatie met de doctrine die op de Vorosjilov-academie was ontwikkeld. Dat was iets om te onthouden, en Bondarenko had zich in zijn eigen tactische confrontaties ook niet altijd aan de regels gehouden. Dat was een van de redenen waarom hij een levende generaal in plaats van een dode kolonel was. Hij was ook de pas benoemde chef Operaties van het Russische leger. 'Het probleem is natuurlijk het geld.'
'Dat liedje heb ik al eerder horen zingen, generaal.' Diggs permitteerde zich een meewarig lachje.
Bondarenko had daar een plan voor. Hij wilde de omvang van zijn leger met vijftig procent beperken. Het geld dat daarmee werd bespaard, zou worden besteed aan het trainen van de andere helft. De resultaten van zo'n plan kon hij al voor zich zien. Het sovjetleger had het altijd van zijn enorme aantal manschappen moeten hebben, maar de Amerikanen hadden zowel hier als in Irak bewezen dat training beslissend was op het slagveld. Hoe goed hun materieel ook was – hij zou morgen zijn briefing over het materieel krijgen – hij benijdde Diggs meer dan ooit om diens manschappen. Het bewijs daarvan kwam op datzelfde moment.
'Generaal?' De nieuwkomer salueerde. 'Black Horse! We hebben ze in de pan gehakt.'
'Dit is kolonel Al Hamm. Hij is commandant van het 11de. Dit is zijn tweede keer hier. Hij was vroeger operationeel officier van OpFor. Ga niet met hem kaarten,' waarschuwde Diggs.
'De generaal is te lovend. Welkom in de woestijn, generaal Bondarenko.' Hamm stak zijn grote hand uit.
'Dat was een goede aanval van u, kolonel.' De Rus keek hem onderzoekend aan.
'Dank u, generaal. Ik heb geweldige jongens in mijn regiment. De Blauwe Troepen waren te aarzelend. We kregen ze te pakken toen ze nog niet wisten wat ze moesten doen,' legde Hamm uit. Hij leek net een Rus, vond Bondaren-

ko: groot en vlezig en met een lichtrode gelaatskleur en twinkelende blauwe ogen. Voor deze gelegenheid was Hamm gekleed in zijn oude uniform in 'Russische' stijl, compleet met een rode ster op zijn baret en een pistoolgordel over zijn lange overhemd. De Rus vond het niet zo prettig om dat te zien, maar hij stelde het op prijs dat de Amerikanen hem met zoveel respect bejegenden.
'Diggs, je had gelijk. Blauw had alles op alles moeten zetten om hier als eerste te zijn. Maar je hebt ze zo ver naar achteren laten beginnen dat die mogelijkheid niet erg aantrekkelijk meer leek.'
'Dat is het probleem met slagvelden,' antwoordde Hamm namens zijn baas. 'Het gebeurt te vaak dat ze jou uitkiezen in plaats van andersom. Dat is les nummer één voor de jongens van het 5de gemotoriseerde. Als je iemand anders de condities van de slag laat bepalen, nou ja, dan is het niet leuk meer.'

5
Regelingen

Sato en zijn tweede piloot bleken bloed te hebben afgestaan voor gewonden in de kortstondige oorlog met Amerika, en omdat er zo weinig gewonden waren gevallen, was het bloed nooit gebruikt. Nadat de computers van het Japanse Rode Kruis op zoek waren gegaan, had de politie bloedmonsters gevonden en per koerier naar Washington gestuurd, via Vancouver in Canada; Japanse lijntoestellen mochten uiteraard nog niet in het luchtruim van de Verenigde Staten komen, zelfs niet boven Alaska. Een VC-20 van de luchtmacht bracht de koerier met de monsters van Vancouver naar Washington. De koerier was een hoge politiefunctionaris en hij had een aluminium koffertje dat met handboeien aan zijn linkerpols was bevestigd. Drie FBI-agenten reden hem van de vliegbasis naar het Hoover-gebouw. Het DNA-lab van de FBI nam de monsters over en ging ermee aan het werk om ze met bloedmonsters en andere monsters van de lichamen te vergelijken. Ze hadden al geconstateerd dat de bloedgroepen overeenkwamen. Het resultaat van de tests leek bij voorbaat al duidelijk, maar zou toch behandeld worden als het enige kleine spoor in een hopeloze zaak. Dan Murray, waarnemend directeur van de FBI, was niet bepaald iemand die zich bij rechercheonderzoek slaafs aan 'het boekje' hield, maar in dit geval was het boekje het evangelie. Hij werd geholpen door Tony Caruso, terug van vakantie en vierentwintig uur per dag in touw om de bijdrage van de FBI aan het onderzoek te leiden, Pat O'Day in diens hoedanigheid van overal inzetbare inspecteur, en honderden, zo niet duizenden agenten. Murray sprak de Japanse

politiefunctionaris in de vergaderkamer van de directeur. Ook hij had er moeite mee om meteen in het kantoor van zijn overleden voorganger te gaan zitten.
'We doen ook ons eigen bloedonderzoek,' zei hoofdinspecteur Jisaburo Tanaka met een blik op zijn horloges: hij droeg er twee, een voor Tokio-tijd en een voor Washington-tijd. 'De resultaten worden hierheen gefaxt zodra ze er zijn.' Toen maakte hij zijn koffertje weer open. 'Dit is onze reconstructie van gezagvoerder Sato's activiteiten in de afgelopen week, en verder heb ik hier interviews met familieleden en collega's, en achtergrondinformatie over zijn leven.'
'Snel werk. Dank u.' Murray nam de papieren van hem over en wist niet goed wat hij nu moest doen. Het was duidelijk dat zijn bezoeker meer wilde zeggen. Murray en Tanaka hadden elkaar nooit eerder ontmoet, maar zijn gast had een indrukwekkende reputatie. Tanaka was een bekwame, ervaren rechercheur, gespecialiseerd in politieke corruptie en als zodanig nooit om werk verlegen. Hij zag eruit zoals je van zo'n politieman zou verwachten. In vroeger tijden zou hij een Spaanse priester zijn geweest die ketters op de brandstapel ter dood bracht. Dat maakte hem uiterst geschikt voor deze zaak.
'U krijgt onze volledige medewerking. Als u iemand wilt sturen om toezicht te houden op ons onderzoek, is dat voor ons geen enkel probleem. Ik ben gemachtigd om u dat te vertellen.' Hij zweeg enkele ogenblikken en sloeg zijn ogen neer voordat hij verderging. 'Dit is een schande voor mijn land. Zoals die mensen ons allemaal hebben gebruikt...' Voor een vertegenwoordiger van een land dat ten onrechte bekendstond om zijn gebrek aan emotionele uitingen was Tanaka een verrassing. Zijn handen waren tot vuisten gebald en zijn donkere ogen brandden van woede. Vanuit de vergaderkamer konden beide mannen door Pennsylvania Avenue tot aan Capitol Hill kijken, waar de verwoesting duidelijk te zien was en waar honderden bouwlampen hun schijnsel wierpen in de schemering die aan het eerste ochtendlicht voorafging.
'De tweede piloot is vermoord,' zei Murray. Misschien hielp dat een beetje.
'O?'
Murray knikte. 'Doodgestoken, en dat is kennelijk gebeurd voordat het vliegtuig in Vancouver opsteeg. Het lijkt er momenteel op dat Sato in zijn eentje heeft gehandeld – tenminste wat het besturen van het vliegtuig betreft.' Het lab had al vastgesteld dat het moordwapen een vleesmes met een smal lemmet en een kartelrand was geweest, zoals ze in passagiersvliegtuigen gebruikten. Ondanks alle jaren dat hij recherchewerk deed vond Murray het nog steeds verbazingwekkend hoeveel ze op het lab konden ontdekken.
'Aha. Dat is op zichzelf begrijpelijk,' zei Tanaka. 'De vrouw van de tweede piloot is zwanger, nog wel van een tweeling. Ze ligt nu in het ziekenhuis. Voorzover we tot nu toe hebben ontdekt, was hij een toegewijde echtgenoot en had hij geen bijzondere politieke belangstelling. Het leek mijn mensen onwaarschijnlijk dat hij op die manier een eind aan zijn leven zou maken.'
'En de eerste piloot, Sato? Stond hij in contact met...'
Tanaka schudde zijn hoofd. 'Niet voorzover wij weten. Hij vloog een van de samenzweerders naar Saipan en ze hebben kort met elkaar gesproken. Afge-

zien daarvan was Sato een piloot op internationale vluchten. Zijn vrienden waren zijn collega's. Hij leidde een rustig leven in een bescheiden huis in de buurt van het vliegveld Narita. Maar zijn broer was een hogere officier in onze marine en zijn zoon was gevechtsvlieger. Ze zijn allebei in de vijandelijkheden om het leven gekomen.'

Dat wist Murray al. Motief en gelegenheid. Hij maakte een notitie: de juridisch attaché in Tokio moest ingaan op de uitnodiging om aan het Japanse rechercheonderzoek deel te nemen, maar daarvoor zou hij toestemming van Justitie en/of Buitenlandse Zaken moeten hebben. Want het aanbod leek serieus genoeg. Dat was gunstig.

'Lekker rustig, hè?' merkte Chavez op. Ze reden over de Interstate 95 langs de Springfield Mall. Op dit uur van de dag – het was nog donker – stond de autoweg anders altijd propvol bureaucraten en lobbyisten. Maar niet vandaag, al waren John en Ding wel opgeroepen, iets wat hun 'essentiële' status nog eens bevestigde, voorzover iemand daar nog aan twijfelde. Clark zei niets en de jongere FBI-agent ging verder: 'Hoe vind je dat Ryan het doet?'

John bromde iets en haalde zijn schouders op. 'Hij moet proberen zich een beetje staande te houden. Hij liever dan ik.'

'Zeg dat wel. Al mijn studiegenoten krijgen de tijd van hun leven.'

'Denk je?'

'John, hij moet de hele regering opnieuw opbouwen. Het is een voorbeeld uit een leerboek, maar dan in het echt. Niemand heeft dat ooit eerder gedaan, *mano*. Weet je wat we nu te weten zullen komen?'

John Clark knikte. 'Ja, of ons systeem iets voorstelt of niet.' Liever hij dan ik, dacht John. Ze waren opgeroepen voor een debriefing over wat ze in Japan hadden gedaan. Dat was al lastig genoeg. Clark zat al een hele tijd in het vak, maar niet lang genoeg om het prettig te vinden anderen te vertellen wat hij had gedaan. Hij en Ding hadden gedood – niet voor het eerst – en zouden dat nu tot in details moeten beschrijven aan mensen die voor het merendeel nog nooit een pistool in hun hand hadden gehad, laat staan dat ze er in woede mee geschoten hadden. Eed van geheimhouding of niet, sommigen van hen zouden op een dag gaan praten en het minste wat dan zou gebeuren, was dat er pijnlijke onthullingen in de pers kwamen. Intussen moesten er beëdigde verklaringen voor een Congrescommissie worden afgelegd – nou, dat zou nog wel even duren, verbeterde John zichzelf. Dan zou hij antwoord moeten geven op vragen van mensen die er niets meer van wisten dan die lullen van CIA-agenten die aan een bureau zaten en hun brood verdienden met het beoordelen van mensen die in het veld opereerden. In het ergste geval zou hij strafrechtelijk worden vervolgd, want hoewel de dingen die hij had gedaan niet echt illegaal waren, waren ze ook niet precies legaal. De grondwet was nooit helemaal in overeenstemming gebracht met veel activiteiten die de overheid verrichtte maar niet in de openbaarheid wilde brengen. Hoewel zijn geweten daarmee en met veel andere dingen in het reine was, zou niet iedereen zijn opvattingen over tactische moraliteit volkomen redelijk vinden. Al zou Ryan er waarschijnlijk wel begrip voor hebben. Dat was al iets.

'Nog nieuws vanmorgen?' vroeg Jack.
'We denken dat de bergingsoperaties vanavond klaar zijn, meneer de president.' Pat O'Day deed de FBI-briefing. Hij had verteld dat Murray het druk had. De inspecteur gaf een map met de aantallen geborgen lichamen aan. Ryan keek de gegevens vlug door. Hoe kon hij zijn ontbijt door zijn keel krijgen als ze hem zulke dingen voorlegden? Gelukkig had hij op dat moment alleen koffie.
'Wat nog meer?'
'Het plaatje begint wat duidelijker te worden. We hebben een lichaam geborgen waarvan we denken dat het de tweede piloot was. Hij is uren voor de ramp vermoord. Op grond daarvan geloven we dat de piloot in zijn eentje handelde. We doen DNA-onderzoek om de identiteiten te bevestigen.' De inspecteur bladerde in zijn aantekeningen. Hij wilde niet alleen op zijn geheugen vertrouwen. 'In geen van beide lichamen hebben we drugs of alcohol aangetroffen. De analyse van de vluchtrecorder, de bandjes van het radioverkeer, de bandjes van de radar: alles wat we hebben leidt tot dezelfde conclusie: één man die alleen handelde. Murray heeft op dit moment een bespreking met een hoge Japanse politiefunctionaris.'
'Volgende stap?'
'Dit wordt een rechercheonderzoek uit het boekje. We reconstrueren alles wat Sato – dat is de piloot – in de afgelopen maand heeft gedaan. Telefoongegevens, waar hij heen ging, wie hij ontmoette, vrienden en kennissen, eventueel een dagboek, alles wat we te pakken kunnen krijgen. We willen een compleet beeld van die man krijgen en dan vaststellen of hij deel uitmaakte van een complot. Dat kost tijd. Het is een nogal moeizaam proces.'
'Wat is jullie inschatting op dit moment?' vroeg Jack.
'Eén man die alleen handelde,' zei O'Day opnieuw, ditmaal met meer zelfvertrouwen.
'Het is nog veel te vroeg voor een conclusie,' wierp Andrea Price tegen. O'Day draaide zich om.
'Het is geen conclusie,' zei hij. 'De president vroeg om een inschatting. Ik zit al een hele tijd in het recherchewerk. Dit lijkt me een impulsmisdrijf. Neem bijvoorbeeld de manier waarop hij de tweede piloot heeft vermoord. Hij liet het lichaam gewoon in de cockpit zitten. Volgens de bandjes verontschuldigde hij zich zelfs bij de man toen hij hem een mes in zijn hart had gestoken!'
'Een impulsmisdrijf?' zei Andrea sceptisch.
'Piloten van zulke grote vliegtuigen zijn erg systematisch ingesteld,' zei O'Day. 'Dingen die voor de leek uitermate ingewikkeld zouden zijn, zijn voor hen even vanzelfsprekend als voor een ander het dichttrekken van een ritssluiting. De meeste moorden worden gepleegd door gestoorde individuen die geluk hebben. Hoe dan ook, dit zijn de gegevens waarover we nu beschikken.'

'Hoe gaan jullie onderzoeken of het een complot was?' vroeg Jack.
'Meneer de president, ook onder de gunstigste omstandigheden is het moeilijk om een crimineel complot te laten slagen,' stoof Price weer op, maar inspecteur O'Day ging verder: 'Het probleem is de menselijke aard. De meeste mensen mogen graag opscheppen; we vertellen anderen graag geheimen om te laten zien hoe slim we zijn. De meeste criminelen praten zichzelf op de een of andere manier de gevangenis in. Goed, in een geval als dit hebben we niet met de gemiddelde bankrover te maken, maar dat doet niets af aan het principe. Als je zo'n complot wilt smeden, kost dat tijd en moet er veel gepraat worden, en daardoor lekken er dingen uit. En dan moet je nog een... "schutter" uitkiezen, bij gebrek aan een betere term. Die tijd was er niet. Daarvoor was de oorlog te snel afgelopen. Uit de manier waarop de tweede piloot is vermoord, kun je afleiden dat het iets impulsiefs was. Een mes is minder trefzeker dan een pistool en een vleesmes is geen goed wapen. Het buigt te makkelijk of knapt af op een rib.'
'Hoeveel moorden heb je gehad?' vroeg Price.
'Genoeg. Ik heb aan veel plaatselijke politiezaken meegewerkt, vooral hier in Washington. Het kantoor Washington verleent al jaren assistentie aan de politie hier. Hoe dan ook, als Sato de "schutter" van een complot was, had hij met mensen moeten overleggen. We kunnen nagaan wat hij in zijn vrije tijd heeft gedaan. Dat doen we samen met de Japanners. Maar op dit moment is er niets dat in die richting wijst. Integendeel, alle omstandigheden wijzen op iemand die een unieke gelegenheid zag en daar impulsief gebruik van maakte.'
'En als de piloot nu eens niet...'
'Mevrouw Price, de cockpitbandjes gaan terug tot voordat het toestel in Vancouver opsteeg. We hebben de stemmen in ons eigen lab onderzocht. Het is een digitaal bandje en de geluidskwaliteit is schitterend. Dezelfde man die opsteeg van Narita, vloog hier het Capitool binnen. En als het Sato niet was, waarom merkte de tweede piloot daar dan niets van? Ze vlogen als team. En andersom, als de piloot en de tweede piloot allebei in het complot zaten, waarom werd de tweede piloot dan vermoord voordat ze in Vancouver opstegen? De Canadezen ondervragen de rest van de bemanning voor ons, en al het onderhoudspersoneel zegt dat de piloten degenen waren die ze geacht werden te zijn. Het DNA-onderzoek zal dat onweerlegbaar aantonen.'
'Inspecteur, u bent erg overtuigend,' merkte Ryan op.
'Meneer de president, dit zal nog een uitgebreid onderzoek worden, want er zijn veel gegevens die we moeten natrekken. Maar de kern van de zaak is eenvoudig. Het is bijzonder moeilijk een misdrijf anders te doen voorkomen dan het is. Daarvoor kunnen wij gewoon te veel dingen doen. Is het in theorie mogelijk de dingen zo op te zetten dat onze mensen erin trappen?' vroeg O'Day retorisch. 'Ja, misschien is dat mogelijk, maar dan zijn daar wel maanden van voorbereiding voor nodig, en zoveel tijd hadden ze niet. Het komt op één ding neer: de beslissing om de gezamenlijke zitting van Senaat en Huis van Afgevaardigden te houden werd genomen toen dat vliegtuig al

boven de Stille Oceaan vloog.'
Daar kon Price niets tegen inbrengen, hoe graag ze dat ook zou willen. Ze had zelf een snel onderzoek naar Patrick O'Day gedaan. Emil Jacobs had jaren geleden besloten inspecteurs aan te stellen die overal inzetbaar waren. Hij had daar mensen voor genomen die liever onderzoek deden dan dat ze leiding gaven. O'Day was een agent die er weinig voor voelde een regionaal kantoor te leiden. Hij maakte deel uit van een klein team van ervaren rechercheurs die vanuit het hoofdkantoor opereerden, een officieuze inspectie die het veld in ging om een oogje in het zeil te houden en die zich vooral met delicate zaken bezighield. Hij was een goede politieman die een hekel aan administratie had, en Price moest toegeven dat hij wist hoe hij een onderzoek moest opzetten. Bovendien stond O'Day buiten de hiërarchie en zou hij de zaak niet forceren om promotie te krijgen. De inspecteur was in een pickup naar het Witte Huis gereden – hij droeg cowboylaarzen! – en had waarschijnlijk net zo weinig behoefte aan publiciteit als aan de pokken. Adjunct-directeur Tony Caruso, die officieel de leiding van het onderzoek had, zou verantwoording afleggen aan het ministerie van Justitie, maar Patrick O'Day zou rechtstreeks verslag uitbrengen aan Murray, die op zijn beurt O'Day naar de president zou sturen om persoonlijk bij hem in de gunst te komen. Ze beschouwde Murray als iemand die het handig kon spelen. Per slot van rekening had Bill Shaw hem als zijn eigen troubleshooter gebruikt. En Murray zou vooral loyaal zijn ten opzichte van de FBI. Een man kon slechtere doeleinden hebben, gaf ze zichzelf toe. In het geval van O'Day lag het nog eenvoudiger. Hij deed niets anders dan misdrijven onderzoeken, en hoewel hij blijkbaar geneigd was voorbarige conclusies te trekken, deed die cowboy alles volgens het boekje. Met die oude rotten was het uitkijken geblazen. Ze konden goed camoufleren hoe slim ze waren. Maar hij zou het nooit tot de Secret Service hebben gebracht, troostte ze zichzelf.

'Geniet je van je vakantie?' Mary Pat Foley was erg vroeg of erg laat, zag Clark. Hij realiseerde zich dat van alle hoge overheidsfunctionarissen president Ryan waarschijnlijk de meeste slaap kreeg, hoe weinig dat ook zou zijn. Het was een ellendige manier van werken. Mensen presteerden gewoon niet goed als ze een hele tijd geen rust kregen. Dat had hij met vallen en opstaan in het veld geleerd, maar als iemand opeens een hoge functie kreeg, was hij dat meteen vergeten. Onbeduidende dingen als menselijke factoren verdwenen in de mist. Een maand later zouden ze zich afvragen hoe het toch mogelijk was dat ze de boel zo in de soep hadden laten lopen. Maar dat gebeurde meestal pas nadat ergens in het veld een eenvoudige ondergeschikte het leven had gelaten.
'Mary Pat, wanneer heb jij voor het laatst geslapen?' Niet veel mensen zouden op die manier tegen haar kunnen praten, maar John was ooit haar opleidingsfunctionaris geweest.
Een vaag glimlachje. 'John, je bent niet joods en je bent niet mijn moeder.'

Clark keek om zich heen. 'Waar is Ed?'
'Op de terugweg van de Golf. Overleg met de Saoedi's,' legde ze uit. Hoewel mevrouw Foley een hogere rang had dan meneer Foley, was de Saoedische cultuur nog niet helemaal klaar voor beraadslagingen met een vrouwelijke spion. Bovendien was Ed waarschijnlijk ook beter in dat soort besprekingen.
'Nog iets wat ik moet weten?'
Ze schudde haar hoofd. 'Routinezaken. Nou, Domingo, heb je de grote vraag gesteld?'
'Je speelt het vanmorgen wel keihard,' merkte Clark op voordat zijn collega iets kon zeggen.
Chavez grijnsde alleen maar. Het land mocht dan in rep en roer verkeren, sommige dingen waren belangrijker. 'Het zou erger kunnen, John. Per slot van rekening ben ik geen advocaat.'
'Daar gaat de buurt,' bromde John. Toen was het tijd om weer ter zake te komen. 'Hoe gaat het met Jack?'
'Ik heb vanmiddag een afspraak met hem, maar het zou me niet verbazen als hij die afzegt. Die arme stumper moet wel bedolven zijn onder het werk.'
'Nou, als je nagaat hoe hij hierin verzeild is geraakt... Is het waar wat de kranten zeggen?'
'Ja, dat is het. En we gaan een algehele gevarenbeoordeling doen. Ik wil dat jullie tweeën daaraan meewerken.'
'Waarom wij?' vroeg Chavez.
'Omdat ik er genoeg van heb dat alles door het directoraat Inlichtingen wordt gedaan. Ik zal je één ding vertellen dat gaat gebeuren: we hebben een president die begrijpt wat wij hier aan het doen zijn. We gaan Operaties zo versterken dat als ik de telefoon neem en een vraag stel, ik een antwoord krijg dat ik kan begrijpen.'
'Plan Blauw?' vroeg Clark, en ze knikte meteen. 'Blauw' was zijn laatste project geweest toen hij nog op het opleidingsinstituut van de CIA, 'The Farm', werkte, dicht bij het kernwapenarsenaal van de marine in Yorktown, Virginia. Hij had voorgesteld dat de CIA geen afgestudeerden van gerenommeerde universiteiten meer in dienst zou nemen – het was al mooi dat ze geen pijp meer rookten – maar gewone politiemensen zou rekruteren. Politiemensen, redeneerde hij, wisten hoe je met informanten moest werken, hoefden niet meer te leren hoe het op straat toeging en wisten hoe je je op gevaarlijk terrein moest gedragen. Op die manier zouden ze veel opleidingsgeld besparen en waarschijnlijk betere agenten in het veld krijgen. Het voorstel was door twee achtereenvolgende hoofden Operaties in de la gelegd, maar Mary Pat was er van het begin af aan bij betrokken geweest en was het eens met de uitgangspunten.
'Kun je het verkopen?'
'John, je moet me helpen het te verkopen. Kijk maar eens hoe goed Domingo zich heeft ontwikkeld.'
'Je bedoelt dat het in mijn geval geen positieve discriminatie was?' vroeg Chavez.

'Nee, Ding, dat is alleen zo bij zijn dochter,' zei mevrouw Foley. 'Ryan ziet er vast wel iets in. Hij moet niet veel van de directeur hebben. Trouwens, ik wil dat jullie twee de debriefing over SANDALWOOD doen.'
'En onze dekking?' vroeg Clark. Hij hoefde niet uit te leggen wat hij bedoelde. Mary Pat had nooit vuile handen gekregen in het veld – ze kwam van spionage, niet van de paramilitaire kant van het directoraat Operaties – maar ze begreep precies wat hij bedoelde.
'John, je handelde in opdracht van de president. Dat staat zwart op wit. Niemand zal kritiek hebben op wat jullie hebben gedaan, zeker niet toen jullie Koga redden. Daar kunnen jullie allebei de Intelligence Star voor verwachten. President Durling wilde jullie in Camp David ontvangen om jullie de medailles zelf uit te reiken. Ik denk dat Jack dat ook zal doen.'
Wow, dacht Chavez achter zijn onbewogen gezicht, maar hoe prettig die gedachte ook was, tijdens de drie uur durende rit vanuit Yorktown had hij aan iets anders gedacht. 'Wanneer begint de gevarenbeoordeling?'
'Morgen, wat ons betreft. Hoezo?' vroeg Mary Pat.
'Ik denk dat we het druk gaan krijgen.'
'Ik hoop dat je je vergist,' zei ze, nadat ze had geknikt.

'Ik heb voor vandaag twee operaties op het programma staan,' zei Cathy, terwijl ze naar het ontbijtbuffet keek. Omdat ze in de keuken niet wisten wat de Ryans 's morgens graag willen hebben, hadden ze een beetje – of eigenlijk nogal veel – van alles klaargemaakt. Sally en Jack junior vonden het prachtig, en dat terwijl de scholen ook gesloten waren! Katie, die kort geleden aan volwassen voedsel was begonnen, knabbelde op een stukje bacon terwijl ze naar een beboterd toastje keek. Voor kinderen heeft alles wat onmiddellijk aan de orde is de hoogste prioriteit. Sally, vijftien jaar oud (ze liep tegen de dertig, klaagde haar vader soms) had de meest vooruitziende blik van de drie, al bleef die blik op dit moment nog beperkt tot de invloed die de nieuwe ontwikkelingen op haar sociale leven zouden hebben. Voor de kinderen was papa nog steeds papa, welke baan hij ook had. Die illusie zou niet lang standhouden, wist Jack, maar dat zagen ze dan wel weer.
'Daar hebben we nog niet over nagedacht,' antwoordde haar man, die roerei en bacon op zijn bord legde. Hij zou vandaag zijn energie nodig hebben.
'Jack, we hadden toch afgesproken dat ik mijn werk kon blijven doen?'
'Mevrouw Ryan?' Dat was Andrea Price, die nog als een beschermengel, maar dan wel met een pistool, bij hen stond. 'We werken nog aan de beveiliging en...'
'Mijn patiënten hebben me nodig. Jack, Bernie Katz en Fred Sloan kunnen een hoop dingen van me overnemen, maar een van mijn patiënten heeft mij vandaag nodig. En verder heb ik colleges te geven.' Ze keek op haar horloge. 'Over vier uur.' Dat was waar. Ryan hoefde er niet verder naar te vragen. Professor Caroline Ryan kon als weinig anderen met een laserstraal aan een netvlies werken. Mensen kwamen uit de hele wereld om haar aan het werk te zien.

'Maar de universiteiten zijn...' Price zweeg, want ze wist wel beter.
'Niet de medische faculteiten met academische ziekenhuizen. We kunnen de patiënten niet naar huis sturen. Sorry. Ik weet dat het voor iedereen al ingewikkeld genoeg is, maar er zijn mensen van mij afhankelijk en die kan ik niet in de steek laten.' Cathy keek de volwassenen in de keuken afwachtend aan, hopend op een positieve beslissing. De leden van het keukenpersoneel – allemaal matrozen van de marine – liepen als mobiele standbeelden in en uit en deden of ze niets hoorden. De mensen van de Secret Service trokken ook een onbewogen gezicht, al was te zien dat ze het hier helemaal niet mee eens waren.
Het was de bedoeling dat de presidentsvrouw als onbetaald medewerkster van haar man fungeerde. Dat was een regel die nu veranderd moest worden. Tenslotte zou er vroeg of laat een vrouwelijke president komen en dan had je de poppen aan het dansen: een vraagstuk dat algemeen bekend was maar waar iedereen volkomen aan voorbijging. De gebruikelijke politieke echtgenote was een vrouw die met een bewonderende glimlach en enkele zorgvuldig gekozen woorden aan de zijde van haar man stond en die slopende verkiezingscampagnes en verrassend harde handdrukken doorstond – reken maar niet dat Cathy Ryan haar chirurgenhanden daaraan blootstelt, dacht Price opeens. Maar déze first lady had een baan. Sterker nog: ze was arts en zou binnenkort een Lasker Memorial Public Service Award op de schoorsteenmantel hebben staan (het uitreikingsdiner moest nog worden gehouden), en als Andrea iets over Cathy Ryan had geleerd, dan was het dat ze niet alleen toegewijd was aan haar man, maar ook aan haar werk. En hoe bewonderenswaardig dat ook was, voor de Secret Service was het een levensgroot probleem. Erger nog, de agent die mevrouw Ryan was toegewezen, Roy Altman, was een kolos van een ex-para die ze nog niet had ontmoet. Dat besluit was genomen omdat Roy niet alleen groot maar ook scherpzinnig was. Het kon nooit kwaad om een opvallende lijfwacht in de buurt te hebben, vooral omdat de first lady in de ogen van veel mensen een gemakkelijk doelwit was. De onverlaat die Roy zag, zou zich misschien wel twee keer bedenken. Haar andere lijfwachten zouden nagenoeg onzichtbaar zijn. Altman had ook de taak om kogels tegen te houden met zijn lichaamsmassa, iets waarop agenten getraind werden maar waar ze niet veel bij stilstonden.
De kinderen Ryan zouden ook worden bewaakt. Hun lijfwachten vormden samen een eenheid, die in drie kleinere groepen werd opgesplitst. Het was het moeilijkst geweest om agenten voor Katie te kiezen, want daar hadden ze allemaal om gevochten. De leider van die eenheid zou het oudste lid van het team zijn, een grootvader die Don Russell heette. Jack junior zou een tamelijk jonge mannelijke bewaker krijgen die veel van sport hield, terwijl Sally Ryan een bewaakster van ruim dertig kreeg, vrijgezel en hip (Price's woord, niet dat van de agente), een vrouw die alles van jongens en van winkelen wist. Het was de bedoeling dat de gezinsleden het zo prettig mogelijk hadden, al bleef het noodzakelijk dat ze overal, behalve naar het toilet, gevolgd werden door mensen met radioverbinding en geladen vuurwapens. Uiteindelijk was dat natuurlijk een hopeloze taak. President Ryan kwam uit de wereld van de veiligheids-

diensten en zou de noodzaak van dit alles wel inzien. Zijn gezin zou moeten leren het te verdragen.
'Mevrouw Ryan, wanneer moet u vertrekken?' vroeg Price.
'Over een minuut of veertig, afhankelijk van het verkee...'
'Niet meer,' verbeterde Price de first lady. De dag zou al erg genoeg zijn. Ze waren van plan geweest de vorige dag te gebruiken om het gezin van de vice-president klaar te stomen voor alle dingen die gedaan moesten worden, maar van dat plan was niets terechtgekomen, zoals van zoveel andere dingen. Altman zat nu in een andere kamer en nam wegenkaarten door. Er waren drie mogelijke routes naar Baltimore: de Interstate 95, de Baltimore-Washington Parkway en U.S. Route 1. Die wegen stroomden 's morgens altijd vol met spitsverkeer, en als daar dan ook nog een konvooi van de Secret Service tussendoor zou rijden, was de chaos compleet. Erger nog: voor iemand die een aanslag wilde plegen waren die routes veel te voorspelbaar, want een eindje voor Baltimore kwamen ze alle drie samen. Het Johns Hopkins-ziekenhuis had een helikopterplatform op het dak van het gebouw van de afdeling kindergeneeskunde, maar welke indruk zou het maken als de presidentsvrouw elke dag in een VH-60 van het korps mariniers naar haar werk ging? Misschien was dat toch een reële optie, dacht Price. Ze verliet de kamer om met Altman te overleggen, en plotseling was de familie Ryan alleen en zaten ze met elkaar te ontbijten alsof ze nog een normaal gezin waren.
'Allemachtig, Jack,' fluisterde Cathy.
'Ik weet het.' In plaats van te praten genoten ze een volle minuut van de stilte. Ze keken allebei naar hun ontbijt en verschoven dingen met hun vork in plaats van te eten.
'De kinderen moeten kleren hebben voor de begrafenis,' zei Cathy ten slotte.
'Tegen Andrea zeggen?'
'Goed.'
'Weet je wanneer het is?'
'Dat zal ik vandaag wel horen.'
'Ik kan toch wel blijven werken?' Nu Price weg was, kon ze laten blijken dat het haar dwarszat.
Jack keek op. 'Ja. Zeg, ik zal mijn best doen om te zorgen dat we een zo normaal mogelijk leven kunnen leiden en ik weet hoe belangrijk je werk is. Nu we het er toch over hebben: ik heb nog niet veel kans gehad je te vertellen hoe ik denk over die prijs die je hebt gekregen.' Hij glimlachte. 'Ik ben verrekte trots op je, schat.'
Price kwam weer binnen. 'Professor Ryan?' zei ze. En natuurlijk keken ze allebei om, want Jack was ooit ook hoogleraar geweest. De meest elementaire dingen waren nog niet besproken. Moesten ze haar professor Ryan noemen, of mevrouw Ryan, of...
'Zeg maar Cathy. Dat is voor iedereen gemakkelijker.'
Dat kon Price niet doen, maar ze ging er nu niet op in. 'Zolang we geen andere regeling hebben gevonden, brengen we u met een helikopter. Er is een heli-

kopter van de mariniers onderweg hierheen.'
'Is dat niet duur?' vroeg Cathy.
'Ja, dat is het, maar we moeten de procedures en zo nog uitwerken, en voorlopig is dit de gemakkelijkste oplossing. En...' Een erg grote man kwam de keuken in. 'En dit is Roy Altman. Hij is voorlopig degene die met uw veiligheid is belast.'
'O,' was het enige wat Cathy op dat moment kon uitbrengen toen ze Altman, een meter negentig groot en honderd kilo zwaar, de keuken zag binnenkomen. Hij had dun blond haar, een lichte huid en een schaapachtige uitdrukking waardoor het leek of hij zich schaamde voor zijn lichaamsmassa. Zoals alle agenten van de Secret Service was het jasje van zijn pak een beetje ruim, opdat zijn dienstpistool niet te zien zou zijn. In zijn geval zou het helemaal geen probleem zijn geweest om een machinegeweer weg te werken. Altman kwam naar haar toe om haar de hand te schudden en deed dat opvallend zacht.
'Mevrouw, u weet wat mijn werk is. Ik zal proberen u zo min mogelijk in de weg te lopen.' Er kwamen nog twee mensen de keuken in. Altman stelde hen voor als haar andere lijfwachten van die dag. Ze waren allemaal tijdelijk aan haar toegewezen. Ze moesten goed kunnen opschieten met degenen die hen bewaakten, en dat was altijd een beetje onvoorspelbaar, zelfs als het om vriendelijke mensen ging, zoals de Ryans tot nu toe leken.
Cathy kwam in de verleiding om te vragen of dit alles echt nodig was, maar ze wist wel beter. Aan de andere kant: hoe kon ze al die mensen door het Maumenee-gebouw loodsen? Ze wisselde een blik met haar man en herinnerde zichzelf eraan dat ze niet in dit lastige parket terecht zouden zijn gekomen als ze niet akkoord was gegaan met Jacks benoeming tot vice-president, een ambt dat hij – hoe lang? – vijf minuten had vervuld. Misschien nog niet eens zo lang.
Op dat moment was het gebulder van een Sikorski Black Hawk-helikopter te horen die bij het huis landde en een mini-wervelstorm liet razen over wat eens de plaats van een klein astronomisch observatorium was geweest. Jack keek op zijn horloge en realiseerde zich dat de mariniers van VMH-1 inderdaad bliksemsnel aanwezig konden zijn. Hoe lang zou het duren, vroeg hij zich af, voordat die verstikkende aandacht hen allemaal gek maakte?

'Deze beelden komen live van het terrein van het Naval Observatory aan Massachusetts Avenue,' zei de NBC-verslaggever op aanwijzing van de regisseur. 'Zo te zien is dat een helikopter van de mariniers. Ik denk dat de president ergens heen gaat.' De camera zoomde in. Het sneeuwde niet zo hard meer.
'Een Amerikaanse Black Hawk met veel aanpassingen,' zei de inlichtingenman, die naar de televisie keek. 'Zie je dat daar? Dat is een "Black Hole" infrarood-suppressiesysteem om het toestel te beschermen tegen luchtdoelprojectielen die op de motorwarmte afkomen.'
'Hoe goed werkt dat?'
'Erg goed, maar niet tegen lasergeleide wapens,' voegde hij eraan toe. 'En het kan ook niet veel uitrichten tegen gewoon geschut.' Zodra de rotor van de heli

ophield met draaien, werd het toestel omringd door een eenheid mariniers. 'Ik moet een kaart van de omgeving hebben. Waar die camera staat zou een mortier ook effectief zijn. Hetzelfde geldt natuurlijk voor het terrein van het Witte Huis.' En iedereen, wisten ze, kon een mortier gebruiken, vooral met die nieuwe lasergeleide patronen die voor het eerst door de Engelsen waren ontwikkeld en kort daarna door de rest van de wereld waren nagemaakt. In zekere zin waren het de Amerikanen zelf die de weg wezen. Per slot van rekening was dat een gezegde van hen: als je het kunt zien, kun je het raken. Als je het kunt raken, kun je het uitschakelen. En iedereen erin, wat dat 'het' ook mocht zijn. Met die gedachte begon er een plan in hem op te komen. Hij keek op zijn horloge, hield zijn vinger op de stopwatchknop en wachtte af. De televisieregisseur, tienduizend kilometer van hem vandaan, had niets beters te doen dan die camera met lange lens op de helikopter gericht te houden. Even later kwam er een grote auto naar de heli toe. Er stapten vier mensen uit. Ze liepen recht naar het toestel, waarvan de bemanningsleden de schuifdeur openhielden.
'Dat is mevrouw Ryan,' zei de commentator. 'Ze is arts in het Johns Hopkinsziekenhuis in Baltimore.'
'Zou ze met de helikopter naar haar werk gaan?' vroeg de verslaggever.
'We zullen het gauw weten.'
En dat was zo. De inlichtingenman drukte op de stopwatchknop van zijn horloge op het moment dat de deur van de helikopter dichtging. Enkele seconden later begon de rotor te draaien. De twee turbinemotoren bouwden kracht op en de helikopter kwam van de grond. Met de neus omlaag, zoals alle helikopters deden, steeg het toestel op en zette waarschijnlijk koers naar het noorden. Hij keek op het horloge om te zien hoeveel tijd er was verstreken tussen het sluiten van de deur en het opstijgen. Het toestel had een militaire bemanning en ze zouden ernaar streven alles elke keer op dezelfde manier te doen. Een mortierpatroon zou meer dan genoeg tijd hebben om de noodzakelijke afstand drie keer af te leggen, constateerde hij.

Cathy zat voor het eerst in een helikopter. Ze lieten haar op het klapstoeltje midden achter de twee piloten zitten. Ze vertelden haar niet waarom. Het stevige casco van de Black Hawk was erop berekend om maar liefst veertien g te weerstaan wanneer het toestel neerstortte, en deze zitplaats was statistisch gezien de veiligste in de heli. De rotor met vier bladen zorgde voor een soepele vlucht, en het enige bezwaar dat ze tegen deze manier van vervoer had was de kou. Niemand had ooit een militaire helikopter ontworpen met een goed verwarmingssysteem. De vlucht zou een plezierige ervaring zijn geweest als ze zich niet nog steeds een beetje had gegeneerd en als die agenten niet de hele tijd naar buiten hadden getuurd, kennelijk bedacht op elk gevaar. Het begon haar duidelijk te worden dat de agenten al haar plezier konden bederven.

'Ik denk dat ze naar haar werk pendelt,' zei de verslaggever. De camera had de VH-60 gevolgd tot hij achter de bomen was verdwenen. Het was een van de heel weinige luchtige opmerkingen. Alle netwerken deden wat ze ook na de moord op John Kennedy hadden gedaan. Alle normale programma's waren uit de lucht gehaald en alle zenduren – en dat waren er nu vierentwintig per etmaal, meer dan het er in 1963 waren geweest – waren gewijd aan de ramp en de nasleep daarvan. In feite was het een goudmijn voor de kabelkanalen, die met hun gewone programma's veel meer kijkers trokken, maar de netwerken moesten zich verantwoordelijk gedragen, en dít was verantwoordelijke journalistiek.
'Nou, ze is toch arts? Je zou gemakkelijk vergeten dat er ondanks de ramp die onze regering heeft getroffen, buiten Washington nog mensen zijn die echt werk doen. Er worden baby's geboren. Het leven gaat door,' merkte de commentator pontificaal op, zoals van hem verwacht werd.
'En het land ook.' De verslaggever keek recht in de camera omdat het tijd was voor reclame. Hij hoorde een stem op tienduizend kilometer afstand niet.
'Voorlopig.'

De kinderen werden weggeleid door hun lijfwachten en het echte werk van die dag begon. Arnie van Damm zag er belabberd uit. Hij kon elk moment instorten, dacht Jack. De combinatie van verdriet en gruwelijk hard werken werd de man te veel. Het was een goede zaak dat de president zoveel mogelijk gespaard werd, wist Ryan, maar het ging te ver als daardoor de mensen van wie hij afhankelijk was het loodje legden.
'Zeg wat je te zeggen hebt, Arnie, en ga dan een tijdje weg om wat rust te nemen.'
'Je weet dat ik dat niet kan doen...'
'Andrea?'
'Ja, meneer de president?'
'Als we hier klaar zijn, laat je iemand Arnie naar huis rijden. Jullie laten hem niet voor vier uur vanmiddag in het Witte Huis toe.' Ryan keek zijn stafchef weer aan. 'Arnie, ik wil niet dat je opbrandt. Ik kan je niet missen.'
Van Damm was te moe om dankbaarheid te tonen. Hij gaf Jack een map. 'Dit zijn de plannen voor de begrafenis. Het is overmorgen.'
Ryan sloeg de map open. Enkele ogenblikken had hij zijn presidentiële gezag laten gelden, maar nu zakte die ferme houding weer in.
Degene die het plan had opgesteld, was met veel zorgvuldigheid en consideratie te werk gegaan. Misschien had er ergens in een kast al een plan voor deze situatie klaargelegen. Ryan zou het nooit kunnen opbrengen om daarnaar te vragen, maar hoe het ook was, iemand had goed werk geleverd. Roger en Anne Durling zouden worden opgebaard in het Witte Huis, omdat de Capitol Rotunda niet beschikbaar was, en gedurende vierentwintig uur zouden mensen de laatste eer mogen bewijzen. Deze bezoekers zouden door de voordeur naar binnen gaan en het gebouw via de oostelijke vleugel verlaten. Het ver-

driet van de rouwenden zou enigszins worden verzacht doordat ze de Americana en de presidentiële portretten te zien kregen. De Durlings zouden de volgende morgen in lijkwagens naar de National Cathedral worden gereden, samen met drie Congresleden, een jood, een protestant en een katholiek, voor de oecumenische herdenkingsdienst. Ryan zou twee toespraken houden. De tekst van beide toespraken zat achter in de map.

'Waar is dat voor?' Cathy's valhelm was op de intercom van de helikopter aangesloten. Ze wees naar een andere helikopter, die op vijftig meter afstand rechts achter hen vloog.
'We vliegen altijd met een reservetoestel, mevrouw. Voor het geval dat er iets defect raakt en we moeten landen,' legde de piloot uit, die op de plaats rechts voor haar zat. 'We willen niet dat u onnodige vertraging oploopt.' Hij zei niet dat er in de tweede helikopter nog eens vier agenten, met zwaardere wapens, zaten.
'Hoe vaak gebeurt dat, kolonel?'
'Niet sinds ik hier meedraai, mevrouw.' Hij vertelde haar ook niet dat een van de Black Hawks van de mariniers in 1993 in de Potomac was gestort en dat toen alle inzittenden waren omgekomen. Nou ja, dat was ook lang geleden. De piloot tuurde voortdurend het luchtruim af. Iedereen van VHM-1 herinnerde zich de dag waarop het had geleken dat een heli zich op het Californische huis van president Reagan wilde storten. In werkelijkheid was het een vergissing van een nonchalante particuliere piloot geweest. Na zijn ondervraging door de Secret Service was die arme stumper waarschijnlijk voorgoed gestopt met vliegen. Die agenten waren mensen zonder een greintje humor, wist kolonel Hank Goodman uit jarenlange ervaring. De lucht was helder en koud. Er stond weinig wind en hij bewoog de stuurknuppel met zijn vingertoppen. Ze volgden de Interstate 95 naar het noordoosten. Baltimore was al in zicht en hij kende de aanvliegroute naar het Hopkins nog van zijn vroegere stationering op het marineluchtvaartstation Patuxent River, waarvan de marine- en mariniershelikopters soms slachtoffers van vliegtuigongelukken hielpen. Het Hopkins, herinnerde hij zich, kreeg de pediatrische traumagevallen.
Diezelfde ontnuchterende gedachte kwam in Cathy op toen ze langs het Shock/Trauma-gebouw van de universiteit van Maryland vlogen. Dit was toch niet haar eerste vlucht met een helikopter, maar de vorige keer was ze bewusteloos geweest. Mensen hadden geprobeerd haar en Sally te vermoorden, en alle mensen uit haar omgeving werden toen bewaakt voor het geval dat iemand nog een poging deed – waarom? Omdat ze getrouwd was met haar man.
'Meneer Altman?' hoorde Cathy over de intercom.
'Ja, kolonel?'
'U hebt vooruit gebeld, neem ik aan?'
'Ja, ze weten dat we komen, kolonel,' verzekerde Altman hem.
'Nee, ik bedoel, is het dak berekend op een -60?'

'Wat bedoelt u?'
'Ik bedoel dat deze kist zwaarder is dan die van de politie. Is het platform geschikt voor ons?' Het antwoord was stilte. Kolonel Goodman keek zijn tweede piloot aan en trok een grimas. 'Goed, deze ene keer redden we het wel.'
'Links vrij.'
'Rechts vrij,' antwoordde Goodman. Hij cirkelde een keer rond, keek naar de windzak op het dak beneden hen. Alleen maar zwakke windvlagen uit het noordwesten. Ze gingen voorzichtig naar beneden en de kolonel lette daarbij goed op de sprietantennes rechts van hem. Hij kwam zachtjes neer en liet zijn rotor draaien om de helikopter niet met zijn volle gewicht op het gewapend betonnen dak te laten rusten. Waarschijnlijk was dat niet nodig. Architecten maakten gebouwen altijd sterker dan echt nodig was. Maar Goodman had het niet tot kolonel gebracht door links en rechts risico's te nemen. Een van zijn bemanningsleden trok de deur open. De agenten van de Secret Service gingen eerst naar buiten. Ze tuurden het gebouw af terwijl Goodman met zijn hand op de stuurknuppel bleef zitten, klaar om elk moment bliksemsnel weer op te stijgen. Toen hielpen ze mevrouw Ryan uit het toestel en kon hij verder gaan met zijn taken van die dag.
'Als we terugkomen, belt u zelf naar het ziekenhuis en vraagt u om de rating voor het dak. En ook om plattegronden voor ons archief.'
'Jazeker, kolonel. Het ging gewoon te snel, kolonel.'
'Vertel mij wat.' Hij zette de radio aan. 'Mariniers Drie, Mariniers Twee.'
'Twee,' antwoordde de rondcirkelende tweede helikopter meteen.
'We gaan.' Goodman trok aan de stuurknuppel en steeg in zuidelijke richting op. 'Ze leek me wel aardig.'
'Kort voordat we landden, werd ze nerveus,' merkte een van zijn bemanningsleden op.
'Ik ook,' zei Goodman. 'Als we terug zijn, bel ík zelf.'

De Secret Service had inderdaad vooruitgebeld naar dokter Katz, die samen met drie beveiligingsfunctionarissen van het Hopkins stond te wachten. Ze werden aan elkaar voorgesteld en er werden naamplaatjes uitgereikt. Volgens die plaatjes waren de drie agenten personeelsleden van de medische faculteit. De werkdag van professor Caroline M. Ryan kon beginnen.
'Hoe gaat het met mevrouw Hart?'
'Ik ben twintig minuten geleden bij haar geweest, Cathy. Ze vindt het prachtig dat de presidentsvrouw haar gaat opereren.' Professor Katz verbaasde zich over professor Ryans reactie.

6
Evaluatie

Het was niet gauw druk op de vliegbasis Andrews, waarvan de onmetelijke betonnen banen zo groot als de staat Nebraska leken, maar nu patrouilleerden de bewakers langs een verzameling vliegtuigen zo groot en zo gevarieerd als op dat terrein in Arizona waar buiten gebruik gestelde lijntoestellen worden opgeslagen. Bovendien had elke kist zijn eigen beveiligingsteam en moesten al die teams in een sfeer van hartgrondig wantrouwen worden gecoördineerd, want die beveiligingsmensen waren er allemaal op getraind om iedereen die in hun gezichtsveld kwam te wantrouwen. Er waren twee Concordes, een Britse en een Franse, voor het sex-appeal. De rest bestond grotendeels uit *widebody's* van allerlei typen, de meesten in de kleuren van de nationale luchtvaartmaatschappij van hun land. Sabena, KLM en Lufthansa voerden de NAVO-rij aan. De drie Scandinavische landen hadden ieder een 747 van SAS gestuurd. Staatshoofden reisden in stijl. Niet een van de vliegtuigen, groot of klein, was voor meer dan een derde bezet geweest. Het begroeten van al die hoge bezoekers was een taak die de talenten en het geduld van de afdelingen Protocol van het Witte Huis en het ministerie van Buitenlandse Zaken op de proef stelde. Via de ambassades was al te kennen gegeven dat president Ryan gewoon niet de tijd had om iedereen die aandacht te geven die hij of zij verdiende. Daarentegen stond de erewacht van de luchtmacht voor hen allen klaar. Meer dan eens per uur stelden de militairen zich op, gingen ze weg en stelden ze zich opnieuw op. De rode loper bleef op zijn plaats liggen en de ene wereldleider volgde op de andere – soms zo vlug als het ene vliegtuig maar van het aankomstpunt met orkest en podium weg kon taxiën om plaats te maken voor het volgende. Voor het oog van de camera's werden korte, ernstige toespraken gehouden en vervolgens werden de hoge gasten vlug naar de wachtende rijen auto's geleid.

Het was ook nog een heel probleem om ze naar Washington te brengen. Elke auto van de diplomatieke beveiligingsdienst was ingezet. Vier escortes reden de stad in en uit om de limousines van de ambassades te begeleiden. Voor het gewone verkeer was er op de Suitland Parkway en de Interstate 395 geen doorkomen meer aan. Misschien was het nog het meest verbazingwekkend dat iedere president en premier en zelfs de koningen en doorluchtige vorsten allemaal op de juiste ambassade werden afgeleverd, gelukkig bijna allemaal aan Massachusetts Avenue. Uiteindelijk werd het toch nog een schoolvoorbeeld van geïmproviseerde organisatie.

De ambassades zelf regelden de discrete privé-ontvangsten. Omdat de staatslieden allemaal in één stad waren, moesten ze elkaar natuurlijk ook ontmoeten, hetzij voor zaken hetzij voor een gezellig praatje. De Britse ambassadeur, de hoogste in rang van zowel de NAVO- als de Gemenebestlanden, zou die

avond een 'informeel' diner geven voor tweeëntwintig staatshoofden.
'Goed, deze keer heeft hij zijn landingsgestel tenminste omlaag,' zei de kapitein van de luchtmacht. Het begon al een beetje donker te worden op de basis. Op Andrews hadden toevallig dezelfde mensen dienst als op *De Avond*, zoals ze het waren gaan noemen. Ze zagen een JAL 747 naar baan Nul-Een Rechts komen. De bemanning daarvan had misschien de resten van een zustertoestel in een grote hangar aan de oostkant van de basis zien staan – er kwam net een vrachtwagen aanrijden met de verwrongen resten van een straalmotor die kort daarvoor uit de ravage van het Capitool-gebouw waren verwijderd – maar het straalvliegtuig voltooide zijn uitlooptraject en volgde de instructies op om linksaf te gaan en achter een auto aan naar de aankomstplaats te taxiën. De piloot zag de camera's wel, en hij zag ook de cameraploegen die uit de relatieve warmte van een gebouw naar hun apparatuur liepen om de laatste en interessantste aankomst vast te leggen. Hij dacht erover om iets tegen zijn tweede piloot te zeggen, maar zag daarvan af. Gezagvoerder Torajiro Sato was, nou ja, misschien niet een goede vriend maar wel een collega geweest, en ook nog een hartelijke collega, en zijn land, zijn luchtvaartmaatschappij en alle piloten die daar werkten zouden er nog jaren over doen om de schande te boven te komen. Het had nog erger kunnen zijn als Sato passagiers aan boord had gehad, want het beschermen van de passagiers had de hoogste prioriteit in hun leven. Maar hoewel de Japanse cultuur respect had voor zelfmoord als eerzame keuze en in het algemeen waardering had voor een dramatische beëindiging van het stoffelijk bestaan, had dit voorbeeld daarvan zijn land diep geschokt. De piloot had zijn uniform altijd met trots gedragen. Sinds de ramp trok hij het uit zodra het kon, zowel in het buitenland als in Japan. Hij zette die gedachte nu uit zijn hoofd, drukte soepel op de rem en bracht de Boeing precies op de juiste plaats tot stilstand. De ouderwetse verrijdbare trap bevond zich ter hoogte van de voorste deur. Op dat moment keken hij en zijn tweede piloot elkaar een beetje ironisch en beschaamd aan: ze hadden goed werk geleverd. Die nacht zouden ze niet in het gebruikelijke middenklassehotel slapen, maar in de officiersverblijven op de basis. Waarschijnlijk zou iemand de wacht bij hen houden. Gewapend.
De stewardess die het hoogst in rang was liet de deur van het toestel zachtjes opengaan. Premier Mogataru Koga had de knopen van zijn jas dichtgemaakt en zijn das werd gauw nog even rechtgetrokken door een nerveuze secretaris. De premier bleef korte tijd in de deuropening staan, belaagd door een vlaag koude februarilucht, en ging de trap af. De kapel van de luchtmacht zette *Ruffles and Flourishes* in.
Scott Adler, waarnemend minister van Buitenlandse Zaken, stond beneden te wachten. De twee mannen hadden elkaar nooit ontmoet, maar ze waren goed over elkaar ingelicht, Adler in iets minder tijd, omdat dit zijn vierde en belangrijkste bezoeker van die dag was. Koga leek precies op zijn foto's. Hij was erg onopvallend. Hij was van middelbare leeftijd, een meter vijfenzestig lang, en had al zijn zwarte haar nog. Zijn donkere ogen waren neutraal – of probeerden

dat te zijn, dacht Adler toen hij nog eens wat beter keek. Er lag triestheid in besloten. Nauwelijks een verrassing, dacht de diplomaat terwijl hij zijn hand uitstak.
'Welkom, premier.'
'Dank u, meneer Adler.' De twee mannen liepen naar het podium. Adler sprak op gedempte toon enkele woorden om Koga welkom te heten. Het opstellen van dat toespraakje, in Foggy Bottom, had een uur in beslag genomen, en toen hij het uitsprak, was het in een minuut voorbij. Toen kwam Koga naar de microfoon.
'Allereerst moet ik u, meneer Adler, en uw land bedanken omdat ik hier vandaag mag komen. Hoe verrassend dat gebaar ook is, ik heb leren begrijpen dat zulke dingen een traditie zijn in uw grote en grootmoedige land. Vandaag vertegenwoordig ik mijn land op een droevige maar noodzakelijke missie. Ik hoop dat deze missie uw land en het mijne ten goede zal komen. Ik hoop dat uw burgers en de onze na deze tragedie een brug naar een vreedzame toekomst kunnen zien.' Koga ging een stap terug en Adler leidde hem over de rode loper. De luchtmachtkapel speelde *Kimagayo*, het korte volkslied van Japan dat honderd jaar eerder door een Engelse componist was geschreven. De premier inspecteerde de erewacht en probeerde iets van de jonge gezichten af te lezen. Hij zocht naar tekenen van haat of walging, maar zag alleen volstrekt onbewogen gezichten. Hij en Adler kwamen bij de wachtende auto aan en de waarnemend minister van Buitenlandse Zaken stapte achter hem in.
'Hoe voelt u zich?' vroeg deze minister van Buitenlandse Zaken.
'Goed, dank u. Ik heb in het vliegtuig geslapen.' Koga nam aan dat het alleen maar een beleefdheidsvraag was, maar dat bleek het niet te zijn. Vreemd genoeg was het Ryans idee geweest dat Adler die vraag zou stellen. En op de een of andere manier was het er de tijd van de dag ook voor. De zon stond al laag aan de hemel en het zou gauw donker zijn, want uit het noordwesten kwamen wolken opzetten.
'Als u wilt, kunnen we, voordat we naar uw ambassade rijden, eerst naar president Ryan gaan. De president heeft me opgedragen te zeggen dat als u dat liever niet wilt, vanwege de langdurige vlucht of om een andere reden, hij zich niet gekwetst zal voelen.' Het verbaasde Scott dat Koga geen moment aarzelde.
'Ik zal die eer graag accepteren.'
De waarnemend minister van Buitenlandse Zaken haalde een kleine portofoon te voorschijn. 'EAGLE aan SWORDBASE. Positief.' Toen Adler een paar dagen eerder zijn codenaam van de Secret Service hoorde, had hij gegrinnikt. 'EAGLE' was het Engelse woord voor zijn Duits-joodse achternaam.
'SWORDBASE bevestigt positief,' knetterde de portofoon terug.
'EAGLE, sluiten.'
De colonne reed met grote snelheid over de Suitland Parkway. Onder andere omstandigheden zou een nieuwshelikopter hen met een camera zijn gevolgd, maar het luchtruim van Washington was tijdelijk gesloten. Zelfs National Air-

port was gesloten; alle vluchten werden omgeleid naar Dulles of Baltimore-Washington International. Koga had niet op de chauffeur gelet, die een Amerikaan was. De auto sloeg rechtsaf de Parkway in, reed door naar de oprit van de Interstate 295, die bijna meteen overging in de Interstate 395, een verkeersader met slecht wegdek die over de rivier Anacosta naar het centrum van Washington leidde. Toen ze weer op de grote weg kwamen, zwenkte de langgerekte Lexus naar rechts. Een tweede, identieke auto nam zijn plaats in de colonne van Secret Service-auto's in, een manoeuvre die maar vijf seconden in beslag nam. De lege straten maakten de rest van de rit gemakkelijk. Na enkele minuten reden ze West Executive Drive in.

'Daar komen ze, president,' zei Price, die was ingelicht door de geüniformeerde bewaker bij de poort.

Jack kwam naar buiten op het moment dat de auto tot stilstand kwam. Hij wist niet goed wat het protocol nu voorschreef, ook een van de dingen die hij moest leren nu hij president was. Hij had bijna zelf het portier opengemaakt, maar een korporaal van de mariniers was hem voor. De man trok de deur open en salueerde als een robot.

'Meneer de president,' zei Koga, terwijl hij rechtop ging staan.

'Meneer de premier. Wilt u mij volgen?' Ryan wees met zijn hand.

Koga was nooit eerder in het Witte Huis geweest. Hij herinnerde zich dat hij – wanneer? drie maanden eerder – naar Washington was gevlogen om de handelsproblemen te bespreken die tot de korte oorlog hadden geleid... een van zijn vele beschamende mislukkingen. Toen dacht hij aan Ryans houding. Hij had eens gelezen dat een volledige ceremonie bij aankomst van een staatshoofd hier niet de hoogste eer was. Nou, dat zou toch al niet mogelijk of passend zijn, zei Koga tegen zichzelf. Maar Ryan was in de deuropening komen staan, en dat moest iets betekenen, zei de Japanse premier tegen zichzelf toen hij de trap opging. Een minuut later waren hij en Ryan door de westelijke vleugel geleid en bevonden ze zich met zijn tweeën in het Oval Office, alleen nog door een laag tafeltje en een dienblad met koffie van elkaar gescheiden.

'Dank u hiervoor,' zei Koga simpelweg.

'We moesten elkaar spreken,' zei president Ryan. 'Op ieder ander tijdstip hadden we mensen om ons heen gehad die naar ons keken en de tijd opnamen en iets van onze lippen probeerden af te lezen.' Hij schonk koffie in voor zijn gast en voor zichzelf.

'*Hai*, de pers in Tokio is de laatste paar dagen veel brutaler geworden.' Koga maakte aanstalten om zijn kopje omhoog te brengen, maar deed dat niet. 'Ik zou graag degenen willen bedanken die mij van Yamata hebben gered.'

Jack keek op. 'Het besluit is hier in deze kamer genomen. De twee functionarissen zijn hier in Washington, als u hen nog een keer persoonlijk wilt ontmoeten.'

'Als dat mogelijk is.' Koga nam een slokje koffie. Hij had liever thee gehad, maar Ryan deed zijn best om een goede gastheer te zijn en dat gebaar maakte

indruk op zijn gast. 'Ik stel het op prijs dat u me hebt laten komen, meneer de president.'
'Ik heb geprobeerd om met Roger over het handelsprobleem te praten, maar... maar ik was niet overtuigend genoeg. Toen was ik bang dat er iets met Goto zou gebeuren, maar ik kwam niet snel genoeg in actie, ook al vanwege die Russische reis en zo. Het was allemaal een groot misverstand, maar ja, dat is oorlog meestal. Hoe dan ook, wij tweeën moeten die wond nu laten genezen. Ik wil dat zo snel mogelijk doen.'
'De samenzweerders staan allemaal onder arrest. Ze zullen terechtstaan wegens hoogverraad,' beloofde Koga.
'Dat zijn uw zaken,' zei de president. Dat was niet helemaal waar. Japan hield er een merkwaardig rechtsstelsel op na. Rechtbanken schonden vaak de grondwet van het land ten gunste van ruimere maar ongeschreven zeden en gewoonten, iets wat voor Amerikanen ondenkbaar was. Ryan en Amerika verwachtten dat de processen volgens het boekje zouden verlopen. Koga begreep dat volkomen. Een verzoening tussen Amerika en Japan stond of viel met deugdelijke processen, en ook met een heleboel andere dingen die niet uitgesproken konden worden, in elk geval niet op dit niveau. Koga van zijn kant had er al voor gezorgd dat de rechters die voor de processen waren uitgekozen heel goed beseften aan welke regels ze zich moesten houden.
'Ik heb nooit voor mogelijk gehouden dat zoiets kon gebeuren, en toen was er opeens die krankzinnige Sato... Mijn land en mijn volk schamen zich. Er staat mij nog zoveel te doen, meneer Ryan.'
Jack knikte. 'Mij ook. Maar het komt wel goed.' Hij zweeg even. 'De technische aangelegenheden kunnen op ministerieel niveau worden afgehandeld. Onder ons gezegd: ik wilde alleen maar zorgen dat we elkaar goed begrijpen. Ik heb vertrouwen in uw goede wil.'
'Dank u, meneer de president.' Koga zette zijn kopje neer om de man op de bank tegenover hem onderzoekend aan te kijken. Hij was jong voor zo'n hoog ambt, al waren er nog wel jongere Amerikaanse presidenten geweest. Theodore Roosevelt zou waarschijnlijk tot in de eeuwigheid het record houden. Gedurende de lange vlucht van Tokio naar Washington had hij veel over John Patrick Ryan gelezen. De man had meer dan eens gedood, was met zijn eigen dood en met de dood van zijn gezin bedreigd en had andere dingen gedaan waarover zijn inlichtingenadviseurs alleen maar konden speculeren. Hij keek even naar Ryans gezicht en probeerde te begrijpen hoe zo iemand een man van de vrede kon zijn, maar het gezicht hielp hem niet verder en hij vroeg zich af of de Amerikaan iets in zijn karakter had dat hij nooit helemaal zou kunnen begrijpen. Hij zag intelligentie en nieuwsgierigheid, vermoeidheid en droefheid. De afgelopen dagen moesten een hel voor hem zijn geweest, daar twijfelde Koga niet aan. Waarschijnlijk waren de kinderen van Roger en Anne Durling nog ergens in dit gebouw, en hun aanwezigheid zou als een last op Ryans schouders drukken. Het viel de premier op dat Ryan, zoals de meeste westerlingen, niet erg goed was in het verbergen van zijn gedachten, maar was dat

wel zo? Er moesten nog meer dingen gebeuren achter die blauwe ogen, en die dingen kwamen niet naar buiten. Er ging geen dreiging van die dingen uit, maar ze waren er wel. Deze Ryan was inderdaad een samoerai, zoals Koga een paar dagen eerder in zijn kantoor had gezegd, maar er was nog veel meer met hem aan de hand. Koga zette het uit zijn hoofd. Het was niet zo belangrijk, en er was iets wat hij moest vragen, een persoonlijke beslissing die hij boven het midden van de Stille Oceaan had genomen.

'Ik heb een verzoek, als dat is toegestaan.'

'Welk verzoek, meneer de premier?'

'Meneer de president, dat is geen goed idee,' zei Price een paar minuten later.

'Goed of niet, we gaan het doen. Regel het,' zei Ryan tegen haar.

'Ja, meneer.' Andrea Price trok zich uit de kamer terug.

Koga sloeg dit gade en leerde nog iets. Ryan was een man die zonder theatraal gedoe beslissingen kon nemen en bevelen kon geven.

De auto's stonden nog bij de westelijke ingang. Ze hoefden alleen maar hun jas aan te trekken en in te stappen. Vier Suburbans maakten rechtsomkeert op het parkeerterrein en zetten eerst koers naar het zuiden en toen naar het oosten, naar Capitol Hill. De colonne maakte ditmaal geen gebruik van sirenes en zwaailichten en hield zich in plaats daarvan bijna aan de verkeersregels... bijna, maar niet helemaal. Omdat de straten zo leeg waren, konden ze gemakkelijk door rood licht rijden. Al gauw sloegen ze linksaf Capitol Street in, en daarna weer links, in de richting van het gebouw. Er brandden daar nu minder lampen. De trappen waren vrijgemaakt, zodat ze, toen de auto's waren geparkeerd en de agenten hun posities hadden ingenomen, gemakkelijk naar boven konden klimmen. Ryan nam Koga met zich mee en al gauw keken ze samen in de lege kuil die eens de vergaderzaal van het Huis van Afgevaardigden was geweest.

De Japanse premier rechtte zijn rug. Hij klapte een keer hard in zijn handen om de aandacht te trekken van de geesten die hier volgens zijn religieuze overtuigingen nog aanwezig waren. Toen maakte hij een formele buiging en sprak zijn gebeden tot die geesten. Ryan kwam in de verleiding hetzelfde te doen. Er waren geen camera's om dit moment vast te leggen, eigenlijk waren er nog wel een paar televisiecamera's aanwezig, maar er waren geen nieuwsuitzendingen meer. De cameraploegen zaten koffie te drinken in hun wagens en wisten niet wat zich honderd meter van hen vandaan afspeelde. Het duurde trouwens maar een minuut of twee. Toen het voorbij was, stak de Amerikaan zijn hand uit en pakte de Japanner die hand vast, en twee paar ogen kwamen tot een wederzijds begrip dat ministers en verdragen nooit tot stand hadden kunnen brengen. In de gure februariwind werd eindelijk vrede gesloten tussen de twee landen. De Witte Huis-fotograaf maakte een foto. Andrea Price stond toe te kijken en de tranen die ze wegpinkte, werden niet veroorzaakt door de wind. Even later leidde ze de twee mannen de trap af en liet hen in afzonderlijke auto's plaatsnemen.

'Waarom reageerden ze zo overdreven?' vroeg de premier voordat ze een slokje van haar sherry nam.
'Nou, zoals u weet, ben ik niet volledig op de hoogte gesteld,' antwoordde de prins van Wales, die dit voorbehoud moest maken omdat hij niet namens de Britse regering kon spreken. 'Maar uw marine-oefeningen kwamen nogal dreigend over.'
'Sri Lanka moet tot een vergelijk komen met de Tamils. Het is jammer dat ze geen serieuze onderhandelingen willen voeren. Wij proberen hen te beïnvloeden. Per slot van rekening hebben we onze eigen troepen als vredesmacht ingezet. We willen niet dat zij het kind van de rekening worden.'
'Zeker, maar aan de andere kant: waarom trekt u uw vredesmacht niet terug, zoals de Sri Lankaanse regering heeft gevraagd?'
De premier van India slaakte een vermoeide zucht: het was voor haar ook een lange vlucht geweest en onder deze omstandigheden mocht ze zich best een beetje laten gaan. 'Koninklijke hoogheid, als we onze troepen terugtrekken en het gaat weer mis, dan krijgen we moeilijkheden met onze eigen Tamil-burgers. Dit is echt een bijzonder ongelukkige situatie. We hebben geprobeerd een moeilijke politieke impasse te helpen wegnemen, geheel op onze eigen kosten. Het probleem is dat de Sri Lankaanse regering niet krachtdadig tegen de voortdurende onlusten kan optreden. Daardoor wordt mijn land in verlegenheid gebracht. En dan bemoeien de Amerikanen zich ermee zonder dat het nodig is. Daardoor wordt de onverzettelijkheid van de Sri Lankanen alleen maar groter.'
'Wanneer arriveert hun premier?' vroeg de prins. Het antwoord was een schouderophalen, gevolgd door: 'Ik heb aangeboden hier samen heen te vliegen, dan konden we de situatie onderweg bespreken. Jammer genoeg wilde hij niet. Morgen, denk ik. Als zijn vliegtuig niet defect is,' voegde ze eraan toe. De desbetreffende nationale luchtvaartmaatschappij kampte met veel technische problemen, om van veiligheidsproblemen nog maar te zwijgen.
'Als u wilt, kan de ambassadeur een discrete ontmoeting regelen.'
'Misschien zou dat niet geheel zinloos zijn,' gaf de premier toe. 'Ik wou dat de Amerikanen eindelijk eens begrepen wat er aan de hand is. In ons deel van de wereld gedragen ze zich altijd zo hopeloos.'
En daar was het allemaal om begonnen, begreep de prins. Hij en president Ryan waren al jaren bevriend en India wilde dat hij als bemiddelaar optrad. Het was niet de eerste keer dat hij zoiets deed, maar in zulke gevallen moest de kroonprins altijd overleggen met de Britse regering, of in dit geval met de ambassadeur. Iemand in Whitehall had besloten dat de vriendschap van Zijne Koninklijke Hoogheid met de nieuwe Amerikaanse president belangrijker was dan een contact tussen de beide regeringen, en trouwens, de monarchie kon wel wat gunstige publiciteit gebruiken. Het gaf de prins ook een excuus om wat grond in Wyoming te bezoeken die heimelijk eigendom was van de koninklijke familie, of 'de Firma', zoals de familie soms door insiders werd genoemd.

'Ik begrijp het,' was het enige antwoord dat hij kon geven, maar toch moest Groot-Brittannië een verzoek van India serieus nemen. Dat land, eens de grootste edelsteen op een wereldomvattende kroon, was nog steeds een belangrijke handelspartner, hoe irritant dat vaak ook was. Een direct contact tussen de beide regeringsleiders kon beide staten in verlegenheid brengen. Het was nauwelijks in de publiciteit gekomen dat de Amerikanen de vloot van India hadden verjaagd, omdat het tegen het eind van de vijandelijkheden tussen Amerika en Japan was gebeurd, en het was in ieders belang dat het stil werd gehouden. President Ryan had al genoeg aan zijn hoofd, wist zijn oude vriend. De prins hoopte dat Jack wat rust zou krijgen. Voor de mensen in de ontvangstzaal was slaap alleen maar een verweermiddel tegen de jetlag. Voor Ryan was slaap een noodzakelijke energiebron, en de komende twee dagen zou hij enorm veel energie nodig hebben.

De rij was eindeloos lang, zoals dan werd gezegd. Langzaam schuifelden de mensen in de koude lucht vooruit. De rij strekte zich uit tot voorbij het Treasury Building en het uiteinde was als het rafelig eind van een touw, met telkens nieuwe mensen die zich aansloten, zodat het leek of de rij uit de lucht zelf voortkwam. De mensen gingen het gebouw in groepen van ongeveer vijftig binnen. Het openen en sluiten van de deuren werd geregeld door iemand met een horloge, of misschien stond hij gewoon langzaam te tellen. Er was een erewacht van dienstplichtige militairen uit ieder krijgsmachtonderdeel. Het escorte stond op dat moment onder bevel van een luchtmachtkapitein. Ze bleven roerloos staan, terwijl de mensen voorbijschuifelden.
Ryan bekeek hun gezichten op de televisie in zijn kantoor, kort nadat hij daar was aangekomen. Hij vroeg zich af wat ze dachten en waarom ze waren gekomen. Er waren maar weinig mensen die op Roger Durling hadden gestemd. Per slot van rekening was hij de nummer twee op het stembiljet geweest. Hij was pas president geworden toen Bob Fowler ontslag had genomen. Maar Amerika was gek op haar presidenten en nu hij dood was, kreeg Roger de liefde en het respect waarvan hij bij zijn leven niet veel had gemerkt. Sommigen van de rouwenden wendden zich van de kisten af en keken om zich heen in de hal van het Witte Huis, waar velen van hen waarschijnlijk nooit eerder waren geweest. Vreemd genoeg gebruikten ze hun weinige seconden om juist niet naar de reden van hun komst te kijken. Vervolgens gingen ze de trap af en verlieten het gebouw via de oostelijke ingang, niet meer als rij, maar als groepjes vrienden of familieleden, of zelfs alleen, om daarna de stad te verlaten en verder te gaan met hun dagelijks leven. Toen werd het tijd voor hem om hetzelfde te doen, of beter gezegd, om terug te gaan naar zijn gezin en zich voor te bereiden op de taken van de volgende dag.

Waarom niet? hadden ze besloten toen ze op Dulles landden. Nadat ze het geluk hadden gehad een goedkoop motel aan het eind van de metrolijn te vinden, hadden ze de metro naar de stad genomen en waren uitgestapt op Farra-

gut Station, een paar blokken van het Witte Huis, waar ze een kijkje wilden nemen. Het zou voor beide mannen de eerste keer zijn, zoals wel meer dingen hier voor hen de eerste keer waren, want ze waren geen van beiden ooit in Washington geweest, die vervloekte stad aan een klein riviertje dat het hele land vergiftigde na daaraan eerst alle bloed en rijkdom te hebben onttrokken: dat waren favoriete woorden van de Mountain Men. Het had even geduurd voor ze het eind van de rij vonden, en daarna waren ze een paar uur voortgeschuifeld. De enige meevaller was dat ze gekleed waren op de kou, wat niet gezegd kon worden van de Oostkust-idioten die blootshoofds en in dunne jassen met hen in de rij stonden. In het algemeen viel het publiek hen tegen. Misschien zaten er veel federale ambtenaren bij, dachten beide mannen. Er werd wat gejengeld over hoe erg het was, en dat Roger Durling zo'n aardige man was geweest, en dat zijn vrouw zo aantrekkelijk was geweest, en wat hadden ze toch een leuke kinderen, en hoe erg moest het voor hen zijn!
Nou, de twee leden van de Mountain Men waren het er onder elkaar wel over eens dat het inderdaad hard was voor de kinderen – wie hield niet van kinderen? – maar ja, welke moederkip keek nu graag naar een pan met roerei? En hoeveel leed had hun vader toegebracht aan eerlijke burgers die alleen maar gebruik wilden maken van hun grondwettelijk recht om met rust te worden gelaten door al die nutteloze opvreters in Washington? Maar dat zeiden ze niet. Terwijl de rij door de straat kronkelde, hielden ze hun mond bijna de hele tijd dicht. Allebei kenden ze het verhaal van het Treasury Building, dat hen een tijdje uit de wind hield. Ze wisten dat Andy Jackson het had verplaatst opdat hij vanuit het Witte Huis niet tegen het Capitool-gebouw hoefde aan te kijken (het was nog zo donker dat ze niet ver konden kijken), en dat zo de beroemde en ergerlijke inkeping in Pennsylvania Avenue was ontstaan; niet dat het er nu veel toe deed, want de straat voor het Witte Huis was afgesloten. En waarom? Natuurlijk om de president te beschermen tegen de burgers! Stel je voor dat de burgers te dicht bij de grote leider zouden komen! Dat konden ze natuurlijk niet zeggen. Het was iets waarover ze in het vliegtuig hadden gesproken. Je wist nooit hoeveel regeringsspionnen er rondliepen, zeker in de rij voor het Witte Huis, een naam die ze alleen hadden geaccepteerd omdat Davy Crockett hem bedacht scheen te hebben. Holbrook herinnerde zich dat van een film die hij op de televisie had gezien, al wist hij niet meer welke film, en die goeie ouwe Davy was helemaal hun favoriete soort Amerikaan, een man die zijn favoriete geweer een naam had gegeven. Jazeker.
Het gebouw was zeker niet lelijk en er hadden ook goede mannen in gewoond. Andrew Jackson, die tegen het hooggerechtshof had gezegd dat het kon doodvallen. Lincoln, een taaie lastige kerel. Wat jammer dat hij was vermoord voordat hij werk kon maken van zijn plan om de nikkers naar Afrika of Latijns-Amerika terug te verschepen... (Beiden hielden ook veel van James Monroe, omdat hij op het idee kwam Liberia op te richten als land waar je slaven heen kon sturen; alleen jammer dat niemand zijn plan had uitgevoerd.) Teddy Roosevelt, die veel goeds had gedaan, een jager en buitenman en soldaat die

een beetje te ver was gegaan met het 'hervormen' van de overheid. Daarna waren de presidenten niet veel zaaks geweest, vonden beide mannen, maar het was niet de schuld van het gebouw dat het de laatste tijd bewoond was geweest door mensen van wie zij niets moesten hebben. Dat was het probleem met gebouwen in Washington. Per slot van rekening was het Capitool ooit het huis van Henry Clay en Daniel Webster geweest. Patriotten, heel wat anders dan het stel dat door die Jappenpiloot aan het spit was geregen.
Ze raakten wat gespannen toen ze op het terrein van het Witte Huis kwamen, alsof ze vijandelijk territorium betraden. Bij het poorthuis stonden bewakers van de geüniformeerde afdeling van de Secret Service, en binnen waren mariniers. Was dat geen schande? Mariniers. Echte Amerikanen, waarschijnlijk zelfs de gekleurden, want die kregen dezelfde training als de blanken en sommigen van hen waren waarschijnlijk ook patriotten. Jammer dat het nikkers waren, maar daar was niks aan te doen. En die mariniers deden alles wat hun door de bureaucraten werd gezegd. Dat maakte het een beetje moeilijker om naar ze te kijken. Het waren natuurlijk nog maar jongelui; misschien leerden ze het nog wel. Per slot van rekening hadden ze bij de Mountain Men ook nogal wat ex-militairen. De mariniers stonden te huiveren in hun lange jassen en spierwitte handschoenen, en ten slotte maakte een van hen, aan zijn strepen te zien een sergeant, de deur open.
Wat een huis, dachten Holbrook en Brown toen ze in de torenhoge hal naar boven en om zich heen keken. Je zag meteen dat iemand die hier woonde zichzelf een hele pief vond. Je moest uitkijken voor dat soort dingen. Lincoln was opgegroeid in een blokhut en Teddy had het leven in een tent gekend, jagend in de bergen, maar tegenwoordig was degene die hier kwam te wonen steevast zo'n verrekte bureaucraat. Binnen waren nog meer mariniers, en de erewacht bij de twee kisten. Het meest verontrustend waren nog al die mensen in burgerkleren met kronkelende plastic dingetjes die van hun kraag naar hun oren leidden. Secret Service. Federale smerissen. Het gezicht van de vijand: ze behoorden tot hetzelfde overheidsdepartement waartoe ook het Bureau of Alcohol, Tobacco, and Firearms behoorde. Natuurlijk. Toen burgers voor het eerst in protest kwamen tegen de regering, was het om alcohol geweest, de Whiskey Rebellion: daarom hadden de Mountain Men allemaal zo'n bewondering voor George Washington. De meer vooruitstrevenden onder hen zeiden dat zelfs een goede man een slechte dag kon hebben, en George was niet iemand die zich in de zeik liet nemen. Brown en Holbrook keken die klootzakken van de Secret Service niet recht in de ogen. Die lieten zich ook niet in de zeik nemen.

Op dat moment betrad adjudant Andrea Price de hal. De president zat veilig in zijn kantoor en Andrea's verantwoordelijkheden als leider van het escorte strekten zich over het hele gebouw uit. De optocht langs de kisten vormde geen bedreiging voor de veiligheid. In termen van beveiliging was het alleen maar een lastig gedoe. Zelfs wanneer zich een bende gewapende bandieten in de rij verschool, stonden er hier achter gesloten deuren twintig gewapende agenten klaar, velen met Uzi's in hun fast-action-geweerfoedralen, die de onvriendelijke benaming FAG-bags hadden gekregen. Een metaaldetector die in de deuropening was verborgen, vertelde een team van de Technical Security Division op wie ze moesten letten, en andere agenten hielden foto's als speelkaarten in hun hand verborgen. Die foto's keken ze onophoudelijk door, totdat ze ieder gezicht dat binnenkwam hadden vergeleken met de portretten van bekende of vermoedelijke onruststokers. Verder gingen ze af op hun instinct en training: ze letten op mensen die er 'raar' uitzagen. Het probleem daarmee was het koude weer buiten. Er kwamen zoveel mensen binnen die er raar uitzagen of zich raar gedroegen. Sommigen stampten een beetje met hun voeten. Anderen staken hun handen in hun zakken, of trokken hun jas recht, of huiverden, of keken een beetje verwonderd om zich heen – allemaal dingen die de aandacht van de agenten trokken. Kwamen die gebaren van iemand die de metaaldetector had laten uitslaan, dan bracht een agent zijn hand omhoog alsof hij over zijn neus krabde en sprak hij in een microfoontje. 'Blauwe jas, man, een negentig,' bijvoorbeeld, en dan keken vier of vijf andere agenten nog eens wat beter naar, in dit geval, een tandarts uit Richmond die zojuist zijn handwarmer van zijn ene naar zijn andere zak had overgebracht. Zijn fysieke kenmerken werden vergeleken met op hem lijkende gevaarlijke personen en het bleek dat ze niet overeenkwamen, maar ze hielden hem toch in de gaten, en een onzichtbare televisiecamera zoomde op hem in om zijn gezicht vast te leggen. In enkele meer extreme gevallen zou een agent zich bij de vertrekkende bezoekers aansluiten en de desbetreffende persoon naar zijn auto volgen om het nummer te noteren. Het Strategic Air Command, dat al lang ter ziele was, had als officieel motto gehad: vrede is ons vak. Het vak van de Secret Service was paranoia. De noodzaak daarvan werd nog eens goed duidelijk gemaakt door de twee kisten in de hal van het Witte Huis.

Ook Brown en Holbrook kregen vijf seconden om naar de kisten te kijken. Twee dure kisten, ongetwijfeld aangekocht op kosten van de regering. Schunnig genoeg, vonden ze, was de Amerikaanse vlag over de kisten gedrapeerd. Nou, misschien had de vrouw er wel recht op. Per slot van rekening moesten vrouwen trouw zijn aan hun man. Zij had het niet kunnen helpen. De mensenstroom voerde hen mee naar links en fluwelen touwen leidden hen de trap af. Ze konden voelen dat de andere mensen veranderd waren. Ze haalden allemaal diep adem en sommigen snotterden en veegden tranen weg, vooral het vrouwvolk. De twee Mountain Men bleven onbewogen, zoals de meeste mannen. Ze bleven even bewonderend staan kijken naar de Remington-beelden die ze op weg naar buiten passeerden, en toen waren ze het gebouw weer uit. De frisse lucht voelde zuiverend aan na die paar minuten van federale warmte en benauwdheid. Ze spraken niet tot ze het terrein hadden verlaten en van de anderen vandaan waren.
'Mooie kisten hebben we voor ze gekocht,' zei Holbrook als eerste.

'Jammer dat ze niet open waren.' Brown keek om zich heen. Hij kon dat zeggen, want er was niemand meer in de buurt. 'Ze hebben kinderen,' merkte Pete op. Hij liep naar het zuiden, want ze wilden door Pennsylvania Avenue kijken.
'Ja, ja, ja. En dat worden later ook bureaucraten.' Ze liepen een paar meter. 'Verdomme!'
Er viel niets anders te zeggen, dacht Holbrook, behalve misschien: 'Shit!', en hij hield er niet van om dingen te herhalen die Ernie zei.
De zon kwam op, en omdat er ten oosten van Capitol Hill geen hoge gebouwen stonden, vormde het Witte Huis een prachtig silhouet. Hoewel ze beiden voor het eerst in Washington waren, hadden ze de contouren van dat gebouw vrij goed in hun geheugen zitten, en ze beseften dan ook meteen dat de horizon verkeerd was. Peter was blij dat Ernie hem had overgehaald mee te gaan. Alleen al deze aanblik was alle ongemakken van de reis waard. Ditmaal was hij degene die hun gedachten als eerste verwoordde:
'Ernie,' zei Holbrook vol ontzag, 'dit is inspirerend.'
'Ja.'

Een probleem met de ziekte was dat de waarschuwingstekenen nogal onduidelijk waren. Ze maakte zich de meeste zorgen om een van haar patiënten. Hij was zo'n aardige jongen, maar... maar hij was ernstig ziek. Zuster Jean Baptiste zag nu dat zijn koorts was opgelopen tot 40.4, en dat was al erg genoeg, maar de andere tekenen waren nog zorgwekkender. Zijn verwardheid was erger geworden. Hij gaf meer over en er zat bloed in zijn braaksel. Er waren indicaties van inwendige bloedingen. Dat alles, wist ze, kon verschillende dingen betekenen, maar ze was vooral bang voor een ziekte die ebola zaire werd genoemd. Er heersten veel ziekten in de jungle van dit land – ze zag het soms nog steeds als Belgisch Kongo – en hoewel moeilijk te zeggen was wat de ergste waren, scoorde ebola erg hoog. Ze moest bloed afnemen voor nader onderzoek, en dat deed ze erg zorgvuldig. Het eerste bloedmonster was op de een of andere manier verloren gegaan. De jongere personeelsleden werkten hier niet zo grondig als zou moeten... Zijn ouders hielden zijn arm vast terwijl ze het bloed afnam. Haar handen werden volledig beschermd door rubberen handschoenen. Het verliep zonder problemen, de jongen was op dat moment niet eens half bij bewustzijn. Ze trok de naald terug en legde hem meteen in een plastic doosje om hem te laten weggooien. Het bloedbuisje was veilig, maar dat ging in een ander bakje. De meeste zorgen maakte ze zich om de naald. Te veel personeelsleden probeerden geld voor het ziekenhuis te besparen door instrumenten opnieuw te gebruiken, ondanks het feit dat aids en andere ziekten via bloed werden overgedragen. Voor alle zekerheid zou ze deze keer alles zelf doen.
Ze had geen tijd om langer bij de patiënt te blijven. Ze verliet de afdeling en liep door de overdekte passage naar het volgende gebouw. Het ziekenhuis had een lange en eervolle geschiedenis en was gebouwd met het oog op plaatselijke

omstandigheden. De vele lage paviljoens in houtskeletbouw waren door overdekte paden met elkaar verbonden. Het was maar vijftien meter lopen naar het laboratoriumgebouw. Het ziekenhuis had het grote geluk dat de Wereldgezondheidsorganisatie er kort geleden een kantoor had gevestigd, en tegelijk daarmee hadden ze moderne apparatuur en zes jonge artsen gekregen, maar helaas geen verpleegsters. Alle artsen waren in Engeland of Amerika opgeleid. Dokter Mohammed Moudi was in het lab aan het werk. Hij was lang, mager, donker en kwam nogal kil over, maar hij was bekwaam. Toen hij haar zag aankomen, draaide hij zich om en zag dat ze de naald weggooide.

'Wat is dat, zuster?'

'Patiënt Mkusa. Benedict Mkusa, Afrikaanse jongen, acht jaar.' Ze gaf hem de papieren. Moudi vouwde de map open en bekeek de inhoud. De zuster – christelijk of niet, ze was een heilige vrouw en een uitstekend verpleegkundige – had de symptomen een voor een zien opkomen. In de papieren stonden ze allemaal op een rijtje. Hoofdpijn, huiveringen, koorts, desoriëntatie, opwinding en nu tekenen van inwendige bloeding. Toen hij opkeek, fronste hij zijn wenkbrauwen. Als er nu petechiae op zijn huid bij kwamen...

'Hij ligt op de algemene zaal?'

'Ja, dokter.'

'Breng hem meteen naar het quarantainegebouw. Ik ben daar over een half uur.'

'Ja, dokter.' Op weg naar buiten wreef ze over haar voorhoofd. Het zou wel door de hitte komen. Je raakte er nooit helemaal aan gewend, niet als je uit Noord-Europa kwam. Misschien zou ze een aspirientje nemen als ze bij haar patiënt was geweest.

7
Imago

Het begon al vroeg, toen twee E-3B Sentry-vliegtuigen die van de vliegbasis Tinker in Oklahoma naar de vliegbasis Pope in North Carolina waren gestuurd, om 8.00 uur plaatselijke tijd van laatstgenoemde basis vertrokken en koers naar het noorden zetten. De autoriteiten hadden besloten dat ze niet alle plaatselijke vliegvelden gesloten konden houden. Washington National bleef gesloten – en omdat er geen Congresleden waren die daar in volle vaart naartoe reden om een vliegtuig naar hun kiesdistrict te halen (hun speciale parkeerterrein was alom bekend), leek het er zelfs op dat het ook niet meer open hoefde te gaan – en op de andere twee grote luchthavens van Washington, Dulles en Baltimore-Washington International, had de verkeersleiding strikte instructies gekregen. Binnenkomende en vertrekkende vliegtuigen moesten een 'bel' van meer dan dertig kilometer in doorsnee vermijden, met het Witte Huis in het midden. Mocht een vliegtuig in de richting van de 'bel' gaan, dan werd het meteen tot de orde geroepen. Werd de waarschuwing genegeerd, dan kreeg het een gevechtsvliegtuig naast zich. Had dat geen resultaat, dan werden er spectaculaire maatregelen genomen. Twee eenheden, elk bestaande uit vier F-16 jagers, cirkelden op een hoogte van respectievelijk zesduizend en zevenduizend meter boven de stad. Omdat ze zo hoog vlogen, bleef de geluidshinder beperkt (die hoogte stelde hen ook in staat om bijna meteen een supersonische snelheid te bereiken), maar de witte condensstrepen vormden bijna even duidelijke patronen in de blauwe lucht als ooit die van de achtste luchtmachtdivisie boven Duitsland.

Ongeveer tegelijkertijd werd de XYZ militaire-politiebrigade van de National Guard in Washington ingezet om 'het verkeer te regelen'. In zijstraten stonden meer dan honderd HMMWV's, elk met een auto van de politie of de FBI dichtbij, het verkeer te regelen door de straten te blokkeren. Langs de straten die zouden worden gebruikt stond een erewacht, samengesteld uit alle krijgsmachtonderdelen. Het was niet te zien welke geweren een vol magazijn hadden.

Sommige mensen hadden zelfs verwacht dat de veiligheidsmaatregelen geheim zouden blijven, omdat er geen pantservoertuigen werden ingezet.

In totaal waren er eenenzestig staatshoofden in de stad. Dat leverde bijna onoverkomelijke veiligheidsproblemen op en tot overmaat van ramp zouden de media zorgen dat er niemand iets hoefde te ontgaan.

De vorige keer dat een president werd begraven, had Jacqueline Kennedy voor rouwkleding gekozen, maar inmiddels waren er vijfendertig jaren verstreken. Iedereen mocht in een donker pak verschijnen, behalve de buitenlandse hoogwaardigheidsbekleders die een of ander uniform droegen (de prins van Wales was echt officier), en bezoekers uit tropische landen. Sommigen van die laatsten zouden hun nationale kleding dragen en daarin omwille van hun nationale waardigheid de winterse kou trotseren. Het was al een nachtmerrie om al die mensen dwars door de stad naar het Witte Huis te krijgen, en dan was er nog het probleem van de volgorde. Alfabetisch op land? Alfabetisch op naam? Als het aantal jaren dat ze staatshoofd waren het criterium was, zou dat te veel in het voordeel zijn van een paar dictators die vooral waren gekomen om legitimiteit in de diplomatieke wereld te verwerven, en om de status te vergroten van landen en regeringen waarmee Amerika vriendschappelijke betrekkingen onderhield maar waarvoor ze weinig liefde kon opbrengen. Ze kwamen allemaal naar het Witte Huis, liepen langs de kisten nadat de rij van Amerikaanse burgers was onderbroken, bleven staan om hun persoonlijke respect te tonen en gingen vervolgens naar de East Room, waar ambtenaren van Buitenlandse Zaken met grote moeite een koffietafel organiseerden.

Ryan en zijn gezin waren boven. Ze legden de laatste hand aan hun donkere

kleren, daarbij geholpen door personeelsleden van het Witte Huis. De kinderen konden er het best tegen; ze waren het wel gewend dat mama en papa hun haar kamden voor ze de deur uitgingen en vonden het grappig dat mama en papa nu op dezelfde manier werden behandeld. Jack had de tekst van zijn eerste toespraak in zijn hand. Eerst had hij zijn ogen dicht willen doen, hopend dat alles dan weg zou gaan. Nu voelde hij zich net een bokser die niet tegen zijn tegenstander was opgewassen en ook niet kon wegduiken: hij incasseerde de stoten zo goed mogelijk en deed zijn best om zich niet te schande te maken. Mary Abbot legde de laatste hand aan zijn haar en verstevigde alles met haarspray, iets wat Ryan in zijn hele leven nooit uit vrije wil had gebruikt.
'Ze wachten, president,' zei Arnie.
'Ja.' Jack gaf de tekst van zijn toespraak aan een van de agenten. Hij ging de kamer uit, gevolgd door Cathy, die Katie op de arm had. Sally nam Jack junior bij de hand om hem door de gang en naar beneden te leiden. President Ryan liep langzaam de trappen af en sloeg linksaf, naar de East Room. Toen hij de kamer binnenkwam, keek iedereen om. Alle ogen waren op hem gericht, bepaald niet onverschillig en ook lang niet allemaal welwillend. Bijna al die ogen behoorden toe aan staatshoofden, en in de andere gevallen waren ze van ambassadeurs, en die ambassadeurs zouden allemaal diezelfde avond nog een rapport over de nieuwe Amerikaanse president schrijven. Het was Ryans geluk dat de eerste die naar hem toe kwam iemand was die zoiets niet zou hoeven doen.
'Meneer de president,' zei een man in het uniform van de Britse marine. Zijn ambassadeur had alles netjes ingedeeld. Over het geheel genomen was Londen nogal verguld over de nieuwe regeling. De 'bijzondere relatie' zou extra bijzonder worden, want president Ryan was (ere-) Knight Commander van de Royal Victorian Order.
'Hoogheid.' Jack zweeg even en permitteerde zich een glimlach terwijl hij de uitgestoken hand schudde. 'Die dag in Londen is alweer lang geleden, makker.'
'Inderdaad.'

De zon scheen wel, maar het was niet zo warm als het had moeten zijn – daar zorgde de wind voor – en door de harde schaduwen leek alles alleen nog maar kouder. De politie van Washington ging met motoren voorop, gevolgd door drie trommelslagers en marcherende soldaten: het waren een eenheid van het 3de peloton, de Bravo Company, het First Battalion, het 501ste regiment infanterie, het 82ste regiment luchtlandingstroepen, ooit Roger Durlings eigen regiment. Daarop volgden het ruiterloze paard, de laarzen ondersteboven aan de stijgbeugels, en de affuiten, op deze begrafenis twee naast elkaar, man en vrouw. En dan de rijen auto's. De koude lucht had nog een andere uitwerking. De harde donderslagen van de trommels knalden met scherpe echo's door de ravijnen van de stad. De stoet trok naar het noordoosten en de soldaten, matrozen en mariniers presenteerden hun geweer, eerst voor de oude en

toen voor de nieuwe president. Vooral mannen deden voor de oude president hun hoofddeksel af, al waren er ook die dat vergaten.
Brown en Holbrook vergaten het niet. Durling mocht dan een bureaucraat zijn geweest, de vlag was de vlag en die kon er niets aan doen dat hij over die kist lag. De soldaten marcheerden door de straten en zagen er een beetje eigenaardig uit: battle-dress met rode baret en parachutistenlaarzen. Ze waren zo gekleed, zei de radiocommentator, omdat Roger Durling een van hen was geweest. Voor de affuit liepen nog twee soldaten. De eerste droeg de presidentiële vlag en de tweede droeg een ingelijste plaquette met Durlings militaire decoraties. De overleden president had een medaille gekregen omdat hij een soldaat had gered terwijl ze onder vuur lagen. Die soldaat liep ergens in de optocht mee en had al tien keer op een nuchtere manier aan journalisten verteld hoe een latere president zijn leven had gered. Eeuwig zonde dat het verkeerd met Durling was gegaan, vonden de Mountain Men, maar waarschijnlijk was hij altijd al een politicus geweest.
De affuit werd gevolgd door de nieuwe president. Zijn auto was te herkennen aan de vier agenten die meeliepen. Deze nieuwe president was voor de twee Mountain Men nog een raadsel. Ze wisten wat ze op de televisie hadden gezien en in de kranten hadden gelezen. Een schutter. Hij had persoonlijk twee mensen gedood, een met een pistool en een met een Uzi. Hij was zelfs een ex-marinier. Daar hadden ze toch wel een beetje bewondering voor. Op andere televisiebeelden, die keer op keer werden herhaald, zag je hem in talkshows en op persconferenties. In die shows maakte hij een competente indruk, maar op de persconferenties kon je zien dat hij zich niet op zijn gemak voelde.
De meeste autoramen in de optocht hadden de donkere plastic coating waardoor onzichtbaar bleef wie erin zaten, maar de auto van de president natuurlijk niet. Zijn drie kinderen zaten voor hem en keken vanaf de klapstoeltjes achteruit en zijn vrouw zat naast hem. President John Ryan was vanaf het trottoir heel goed te zien.

'Wat weten we nu eigenlijk van meneer Ryan?'
'Niet veel,' gaf de commentator toe. 'Hij is in overheidsdienst geweest, maar dan wel bijna de hele tijd bij de CIA. Hij geniet het respect van het Congres, aan weerskanten van het gangpad. Hij heeft jarenlang met Alan Trent en Sam Fellows samengewerkt, dat is een van de redenen waarom die twee Congresleden nog leven. We hebben allemaal het verhaal gehoord van de terroristen die hem aanvielen...'
'Net iets uit het wilde westen,' onderbrak de presentator hem. 'Wat vind je ervan dat we een president hebben die...'
'Die mensen heeft gedood?' De commentator onderbrak hem op zijn beurt. Hij had de afgelopen dagen lange uren gemaakt. Hij was moe en hij had ook een beetje genoeg van dat leeghoofd met zijn dure kapsel. 'Hij is de enige niet. George Washington was generaal. Andrew Jackson ook. William Henry Har-

rison was militair. En Grant, en de meeste presidenten uit de tijd na de Burgeroorlog. Teddy Roosevelt natuurlijk. Truman was militair. Eisenhower. John F. Kennedy had bij de marine gezeten, net als Nixon, en Jimmy Carter, en George Bush...' Dit geïmproviseerde geschiedenislesje had het visuele effect van zo'n stroomstokje waarmee ze vee in beweging krijgen.
'Maar hij is toch als een soort zaakwaarnemer tot vice-president benoemd, nietwaar, en ook om hem te belonen voor de manier waarop hij een eind heeft gemaakt aan het conflict met wat achteraf Japanse zakelijke belangen bleken te zijn.' (Bijna niemand wilde het een oorlog noemen.) Zo, dacht de presentator, nu heb ik die overjarige buitenlandse correspondent op zijn nummer gezet. Wie heeft trouwens ooit beweerd dat je niet meteen kritiek mag hebben op een nieuwe president?

Ryan wilde zijn toespraak nog even doornemen, maar dat kon hij niet doen. Het was koud buiten. In de auto was het niet bepaald warm, maar duizenden mensen stonden bij twee graden onder nul langs de kant, vijf tot tien rijen diep, en ze tuurden allemaal in zijn auto. Ze waren zo dichtbij dat hij de uitdrukking op de gezichten kon zien. Velen wezen en zeiden dingen tegen de mensen die naast hen stonden – daar heb je hem, dat is de nieuwe. Sommigen wuifden, kleine aarzelende gebaren van mensen die niet wisten of dat gepast was maar toch wilden laten zien dat ze iets om hem gaven. Meer mensen knikten eerbiedig, met het strakke glimlachje dat je in een begrafenisaula zag – ik hoop dat je je kunt redden. Jack vroeg zich af of het gepast was om terug te wuiven. Hij realiseerde zich dat het in strijd was met een ongeschreven regel voor begrafenissen. En daarom keek hij hen alleen maar neutraal aan, zonder iets te zeggen, want hij wist ook niet wat hij moest zeggen. Nou, voor dat laatste had hij een toespraak, dacht Ryan, en hij ergerde zich aan zichzelf.

'Geen blije vakantieganger,' fluisterde Brown tegen Holbrook. Ze wachtten een paar minuten tot de menigte zich begon te verspreiden. Niet alle toeschouwers waren geïnteresseerd in de stoet van buitenlandse hoogwaardigheidsbekleders. Je kon toch niet in de auto's kijken, en als je op al die vlaggetjes ging letten die ze op hun voorbumper hadden, kreeg je allerlei versies van: 'Welke is dat nou?' – waarop dan vaak het verkeerde antwoord werd gegeven. Daarom baanden de twee Mountain Men zich net als veel anderen een weg van de straatkant naar een plantsoen.
'Hij heeft het niet,' zei Holbrook ten slotte.
'Hij is maar een bureaucraat. Weet je nog, het Peter-principe?' Dat was een boek dat, dachten ze allebei, geschreven was om uit te leggen hoe ambtenaren werkten. In elke hiërarchie bleven mensen promotie maken tot ze op een niveau kwamen dat ze niet aankonden. 'Volgens mij gaat dat hier op.'
Zijn vriend keek achterom naar de straat en de auto's en de wapperende vlaggetjes. 'Ik denk dat je gelijk hebt.'

De beveiliging van de National Cathedral was waterdicht. In hun hart wisten de agenten van de Secret Service dat. Ze wisten dat geen enkele huurmoordenaar – het idee van professionele huurmoordenaars was trouwens grotendeels een verzinsel van Hollywood – onder deze omstandigheden zijn leven zou wagen. Ieder gebouw dat uitkeek op de kerk in gotische stijl, had politiemannen of soldaten of agenten op het dak, de meesten gewapend met geweren. Hun eigen anti-sluipschuttersteam was uitgerust met de beste geweren die er waren, met de hand gemaakte instrumenten die tienduizend dollar per stuk hadden gekost en waarmee je iemand op bijna een kilometer afstand in het hoofd kon raken. Het team, dat steevast de schietwedstrijden won, was waarschijnlijk de beste verzameling scherpschutters die ooit op de wereld bijeen was geweest en oefende elke dag om dat te blijven. Iemand die kwaad in de zin had, zou al die dingen weten en daarom wegblijven, of zou, als het een krankzinnige amateur was, die grootscheepse beveiliging zien en tot de conclusie komen dat hij nog wat langer wilde leven.
Evengoed was de sfeer erg gespannen. Al toen de optocht nog maar heel in de verte zichtbaar was, waren agenten druk in de weer. Een van hen, doodmoe van dertig uur ononderbroken dienst, liep koffie te drinken en struikelde op de stenen trap. De koffie vloog over de rand. Mopperend drukte hij de piepschuimen beker plat, stopte hem in zijn zak en zei in de microfoon die op zijn revers gespeld was dat op zijn post alles veilig was. De koffie bevroor bijna meteen op het graniet, dat in de schaduw lag.
In de kathedraal keek het zoveelste team agenten nog eens in alle hoeken en gaten voordat ze hun posities innamen. Ze lieten de protocolfunctionarissen de laatste regelingen treffen. Dat gebeurde aan de hand van zitplaatsinstructies die nog maar enkele minuten geleden naar hen toe gefaxt waren. Ze vroegen zich af wat er nu nog mis zou kunnen gaan.
De affuiten kwamen voor het gebouw tot stilstand, en de auto's kwamen een voor een aanrijden om hun passagiers uit te laten. Ryan en zijn gezin stapten uit en sloten zich bij de Durlings aan. De kinderen waren nog half verdoofd, en misschien was dat goed, of misschien ook niet. Jack wist het niet. Wat kon je onder zulke omstandigheden doen? Hij legde zijn hand op de schouder van zijn zoon, terwijl de auto's kwamen, hun passagiers afzetten en snel weer wegreden. De andere officiële rouwenden – de hoogste gasten – zouden achter hem lopen. Minder hoge gasten zouden de kerk door zij-ingangen betreden, via draagbare metaaldetectors, terwijl de geestelijken en het koor, die hetzelfde al hadden gedaan, hun plaatsen innamen.
Roger moet met trots aan zijn dienst in het 82ste hebben teruggedacht, veronderstelde Jack. De soldaten die in de stoet voorop hadden gelopen, zetten hun geweren aan rotten en namen hun posities in onder toezicht van een jonge kapitein, geassisteerd door twee ernstig kijkende sergeants. Ze leken allemaal zo jong, zelfs de sergeants, met hun gemillimeterde haar onder hun baret. Toen herinnerde hij zich dat zijn vader meer dan vijftig jaar geleden in het rivaliserende 101ste regiment luchtlandingstroepen had gediend en er toen

precies zo had uitgezien als deze jongens, al had hij waarschijnlijk een beetje meer haar gehad, want die bijna kale hoofden waren pas in de jaren veertig in de mode gekomen. Maar hij had diezelfde hardheid gehad, diezelfde felle trots, diezelfde vastbeslotenheid om zijn taak te volbrengen, wat die taak dan ook mocht zijn. Het leek een eeuwigheid te duren. Ryan kon net zo min zijn hoofd opzijdraaien als de soldaten. Hij moest in de houding staan, zoals hij gestaan had toen hij zelf nog bij de mariniers was, al kon hij zijn blik enigszins rond laten gaan. Zijn kinderen keken alle kanten op en schuifelden met hun voeten van de kou, terwijl Cathy naar hen keek en net als haar man bang was dat ze kou zouden vatten. Ze besefte dat dit een situatie was waarin zelfs ouderlijke zorgen op de tweede plaats kwamen. Wat was het toch, vroeg ze zich af: dat zogeheten plichtsbesef waardoor zelfs kinderen die hun ouders hadden verloren wisten dat ze het allemaal lijdzaam moesten ondergaan?
Eindelijk stapten de laatste officiële bezoekers uit hun auto's en namen ze hun plaatsen in. Iemand wachtte vijf tellen en toen liepen de soldaten naar de affuiten, zeven naar elke affuit. De officier die de leiding over hen had, schroefde eerst de ene klem los en toen de andere, en de kisten werden van de affuiten getild en met robotachtige zijstappen verplaatst. De soldaat met de presidentiële vlag ging als eerste de trap op, gevolgd door de kisten, eerst die van de president, met de kapitein voorop en gevolgd door een van de sergeants.
Het was niemands schuld. Er liepen drie soldaten aan weerskanten. Ze stapten in een langzame cadans, die werd aangegeven door de sergeant. Ze waren stijf omdat ze na een stevige ochtendwandeling door Massachusetts Avenue een kwartier in de houding hadden moeten staan. Net toen ze allemaal tegelijk een stap deden, gleed de middelste aan de rechterkant over de bevroren koffie uit. Hij gleed naar binnen, niet naar buiten, en daarbij sloeg hij de benen onder de soldaat achter hem weg. De totale lading bestond uit meer bijna tweehonderd kilo hout, metaal en lichaam, en dat kwam allemaal neer op de soldaat die als eerste was uitgegleden. Hij brak terstond zijn beide benen op de granieten treden.
Er ging een zucht door de duizenden mensen die toekeken. Agenten van de Secret Service kwamen aangesneld, bang als ze waren dat iemand op de soldaten had geschoten. Andrea Price ging voor Ryan staan, met haar hand in haar jas, waar ze haar dienstpistool had, klaar om het te voorschijn te halen, terwijl andere agenten klaarstonden om de Ryans en de Durlings weg te trekken. De soldaten waren al bezig de kist van hun gevallen kameraad te tillen, wiens gezicht plotseling krijtwit was van pijn.
'IJs,' zei hij met opeengeklemde tanden tegen de sergeant. 'Ik gleed uit.' De soldaat had nog genoeg zelfbeheersing om de vloek in te houden die door zijn hoofd ging, een vloek van schaamte en verlegenheid. Een agent keek naar de trap en zag het daar liggen, een bruinwit bergje dat het licht weerkaatste. Hij liet Price met een gebaar weten dat alles veilig was, en dat werd meteen via de radioverbinding doorgegeven aan alle andere agenten.

'Uitgegleden, gewoon uitgegleden.'
Ryan huiverde. Roger Durling had het niet gevoeld, dacht hij, maar het was kwetsend voor zijn kinderen, die ineenkrompen en met een ruk hun hoofd afwendden toen hun vader over de stenen traptreden stuiterde. De zoon was de eerste die weer keek. Hij nam het allemaal in zich op en het kind in hem vroeg zich af waarom zijn vader niet wakker was geworden van het vallen. Enkele uren geleden was hij 's nachts opgestaan en naar de deur van zijn kamer gelopen. Hij had die deur willen openmaken om door de gang te lopen en op de deur van zijn ouders te kloppen en te kijken of ze terug waren.

'O, God,' kreunde de commentator.
De camera's zoomden in op twee soldaten van het derde regiment die de gewonde parachutist wegtrokken. De sergeant nam zijn plaats in. Binnen enkele seconden werd de kist opgetild. Het glanzende eikenhout was zichtbaar geblutst en geschaafd door de val.

'Goed, mannen,' zei de sergeant vanaf zijn nieuwe positie. 'Links.'
'Papa,' jammerde Mark Durling, negen jaar oud. 'Papa.' Iedereen dicht bij hem hoorde dit in de stilte die op het ongelukje volgde. De soldaten beten op hun lip. De agenten van de Secret Service, die toch al diep getroffen waren door het verlies van hun president, keken elkaar aan. Jack sloeg instinctief zijn armen om de jongen heen, maar hij wist nog steeds niet wat hij moest zeggen. Wat zou er nog meer mis kunnen gaan? vroeg de nieuwe president zich af, terwijl mevrouw Durling haar man de trap op en naar binnen volgde.
'Goed, Mark.' Ryan legde zijn arm om de schouder van de jongen en leidde hem naar de deur. Zonder erbij na te denken nam hij tijdelijk de plaats van favoriete oom in. Was er maar een manier om hun verdriet weg te nemen, desnoods een paar seconden. Dat was onmogelijk en het maakte Jack alleen maar bedroefder dan hij al was. Wat er bij hem aan verdriet bijkwam, ging niet van het verdriet van de kinderen af.
Binnen was het warmer, zoals degenen die minder emotioneel bij de gang van zaken betrokken waren meteen merkten. Bedrijvige protocolfunctionarissen namen hun plaatsen in. Ryan en zijn familie kwamen op de voorste rij aan de rechterkant te zitten. Het Durling-gezelschap zat aan de andere kant van het middenpad. De kisten stonden naast elkaar op katafalken in de sacristie, en daarachter stonden er nog drie, die van een senator en twee afgevaardigden: voor het laatst traden ze als 'vertegenwoordiger' op. Het orgel speelde iets wat Ryan al eerder had gehoord maar niet kon thuisbrengen. In ieder geval was het niet Mozarts grimmige treurmuziek met die harde dreunen, muziek die ongeveer even opbeurend was als een film over de holocaust. De geestelijken stonden voorin, hun gezichten professioneel in de plooi. Ryan had, op de plek waar anders gezangboeken lagen, een ander exemplaar van zijn toespraak liggen.

De televisiebeelden waren zodanig dat eenieder die zijn vak had gekozen hetzij ziek werd hetzij zo opgewonden dat het nog veel verder ging dan seks. Als alleen... maar zulke gelegenheden deden zich altijd bij toeval voor en je had nooit de tijd om iets voor te bereiden. Een missie als deze stond of viel bij de juiste voorbereiding. Niet dat het in technisch opzicht moeilijk zou zijn geweest. Hij liet zijn gedachten erover gaan. Een mortier, misschien. Die kon je achter in een gewone bestelwagen zetten zoals je ze in iedere stad tegenkwam. Je liet de projectielen op het dak van het gebouw ontploffen, zodat het op de doelwitten stortte. Je kreeg er minstens tien en misschien wel vijftig of twintig te pakken, en al was het een willekeurige groep slachtoffers: een doelwit was een doelwit, en terreur was terreur, en dat was zijn vak.
'Moet je ze toch eens zien,' fluisterde hij. De camera's bewogen zich langs de kerkbanken. Vooral mannen, een paar vrouwen. Voorzover hij kon zien, zaten ze niet in een bepaalde volgorde. Sommigen fluisterden tegen elkaar, maar de meesten zwegen en keken met een onbewogen gezicht naar het interieur van de kerk. Toen kwamen de kinderen van de omgekomen president in beeld, een zoon en een dochter met het verslagen gezicht van mensen die door de harde realiteit van het leven waren getroffen. Kinderen konden de last verrassend goed dragen, nietwaar? Ze zouden het overleven, vooral omdat ze niet langer van politieke betekenis waren en zijn belangstelling voor hen dus volstrekt ongevoelig en zuiver theoretisch was. Toen richtte de camera zich weer op Ryan, zoomde in op zijn gezicht en stelde de kijker in de gelegenheid de man van dichtbij te bestuderen.

Jack had nog geen afscheid genomen van Roger Durling. Hij had geen tijd gehad om zijn gedachten te ordenen en zich op dingen te concentreren, daarvoor had hij het te druk gehad, maar nu merkte hij dat hij onwillekeurig naar die ene doodkist keek. Hij had Anne nauwelijks gekend en de drie anderen in de sacristie waren vreemden voor hem die min of meer willekeurig op grond van hun religieuze overtuiging waren gekozen. Maar Roger was een vriend geweest. Roger had hem naar de overheid teruggehaald, had hem een belangrijke baan gegeven en had erop vertrouwd dat hij zijn werk goed zou doen. Vaak had hij Jacks raad opgevolgd en hem in vertrouwen genomen, en soms had hij hem berispt en de les gelezen, maar altijd als vriend. Het was een lastige baan geweest, vooral vanwege het conflict met Japan: zelfs voor Jack was het na afloop geen 'oorlog' meer, want oorlog was iets van vroeger. Het maakte geen deel meer uit van de echte wereld, die dat barbarisme te boven was gekomen. Durling en Ryan hadden dat doorstaan, en hoewel de eerste verder had willen gaan om het karwei op een andere manier af te maken, had hij ook ingezien dat voor Ryan de strijd gestreden was. En daarom had hij, als vriend, Jack een geweldige kans gegeven om zich uiterst eervol uit het openbare leven terug te trekken: als tijdelijk vice-president mocht hij de kroon zetten op een openbare carrière die hem was gaan tegenstaan.
Maar als hij die baan aan iemand anders had aangeboden, waar zou ik op die

avond dan zijn geweest? vroeg Jack zich af. Het antwoord was eenvoudig. Dan zou hij op de voorste rij in de vergaderzaal van het Huis van Afgevaardigden hebben gezeten en dan zou hij nu ook dood zijn geweest. President Ryan knipperde met zijn ogen bij dat besef. Roger had zijn leven gered. Waarschijnlijk niet alleen het zijne. Cathy en misschien ook de kinderen zouden op de galerij hebben gezeten, samen met Anne Durling... Was het leven werkelijk zo kwetsbaar dat het van zulke kleine toevalligheden afhankelijk was? Op dit moment lagen op vele plaatsen in de stad andere lichamen in andere kisten. De meeste herdenkingsdiensten werden gehouden voor volwassenen, maar sommige voor de kinderen van andere slachtoffers, die hun gezin hadden meegebracht naar de gezamenlijke vergadering in het Capitoolgebouw.

Mark Durling snikte nu. Zijn oudere zuster Amy trok zijn hoofd naar haar toe. Jack draaide zijn hoofd een klein beetje opzij om hen beter in zijn gezichtsveld te krijgen. Het zijn maar kinderen, lieve God, waarom moeten kinderen dit doormaken? Die gedachte trof hem als een mokerslag. Hij beet op zijn lip en sloeg zijn ogen neer. Er was niemand tegen wie hij zijn woede kon richten. De dader van dit misdrijf was zelf dood. Zijn lichaam lag ook in een kist, in het lijkenhuis van de stad Washington, en duizenden kilometers van hem vandaan droegen de nabestaanden van de man, als die er waren, de extra zware last van de schaamte en het schuldgevoel. Daarom noemden mensen alle geweld zinloos. Je kon er niets van leren, alleen hoe erg het was dat levens werden verwoest, en dat andere levens gespaard bleven om geen andere reden dan het zuivere toeval. Als kanker of andere ernstige ziekten sloeg dit soort geweld zonder duidelijk plan toe, en in feite kon je je er ook niet tegen verweren. Dit was het werk van één dode man die had besloten om niet in zijn eentje het hiernamaals te betreden waarin hij geloofde. Wat viel hier nu uit te leren? Ryan, die bijna zijn hele leven het menselijk gedrag had bestudeerd, trok een grimas en bleef met neergeslagen ogen staan, zijn oren gespitst op de geluiden van een wees geworden kind, holle geluiden in een stenen kerk.

Hij is zwak. Dat was duidelijk aan zijn gezicht te zien. Die zogenaamde man, die president, had grote moeite zijn tranen in te houden. Wist hij dan niet dat de dood een deel van het leven was? Hij had zelf toch ook mensen gedood? Wist hij niet wat de dood was? Leerde hij dat nu pas? De andere mensen wisten het. Dat kon je zien. Ze waren somber, omdat het op een begrafenis van je werd verwacht dat je somber was, maar aan alle leven kwam een eind. Ryan zou dat moeten weten. Hij had gevaar gekend, maar dat was lang geleden en in de loop van de jaren vergeten mensen dingen. In het beschermde leven dat Ryan als overheidsfunctionaris had geleid, was hij blijkbaar vergeten hoe kwetsbaar het leven was. Het verbaasde de man dat je zoveel kon leren door enkele seconden naar een gezicht te kijken.

Dat maakte de dingen veel gemakkelijker, nietwaar?

De premier van India zat op de zesde rij, maar wel aan het gangpad, en hoewel ze van president Ryan alleen het achterhoofd kon zien, was ook zij iemand die het menselijk gedrag bestudeerde. Een staatshoofd kon zich niet zo gedragen. Per slot van rekening was een staatshoofd een speler op het belangrijkste toneel van de wereld. Je moest leren wat je deed en hoe je je gedroeg. Ze was haar hele leven naar allerlei begrafenissen geweest, want politieke leiders hadden relaties – niet altijd vrienden – jong en oud, en je moest respect tonen door naar hun uitvaart te gaan, zelfs als het mensen waren aan wie je een hekel had gehad. In het laatste geval kon het wel amusant zijn. In haar land werden de doden vaak verbrand, en dan kon ze tegen zichzelf zeggen dat het lichaam misschien nog leefde als het brandde. Haar wenkbrauwen gingen vlug op en neer van pret bij die gedachte. Vooral degenen aan wie je een hekel hebt gehad. Het was een goede oefening; je leerde hoe je een bedroefde indruk moest maken. Ja, we hadden onze meningsverschillen, maar hij was altijd iemand om respect voor te hebben, iemand met wie je kon samenwerken, iemand wiens ideeën serieuze aandacht verdienden. Als je jarenlang oefende, werd je zo goed dat de nabestaanden de leugens geloofden, vooral omdat ze ze graag wilden geloven. Je leerde op een bepaalde manier te glimlachen, te spreken, je verdriet te tonen. Je moest wel. Een politieke leider mocht bijna nooit laten zien wat zijn echte gevoelens waren. Echte gevoelens vertelden anderen wat je zwakheden waren en er waren altijd wel mensen die je zwakheden tegen je gebruikten. Daarom stopte je ze in de loop van de jaren steeds dieper weg, tot je uiteindelijk weinig of geen echte gevoelens meer over had. En dat was goed, want in de politiek hoorden gevoelens niet thuis.
Het was duidelijk dat die Ryan dat niet wist, zei de premier van 'de grootste democratie ter wereld' tegen zichzelf. Als gevolg daarvan liet hij zien wat hij werkelijk was, en erger nog, tenminste voor hem: hij deed dat in het bijzijn van een derde van de hoogste politieke leiders ter wereld, mensen die konden zien en leren en die dingen konden onthouden om er later op terug te komen. Zoals zij ook deed. Geweldig, dacht ze, terwijl ze haar gezicht somber en bedroefd hield ter ere van iemand aan wie ze een hartgrondige hekel had gehad. Toen de organist de eerste psalm inzette, bracht ze haar boek omhoog, sloeg de juiste bladzijde op en zong met iedereen mee.

De rabbijn sprak als eerste. Elke geestelijke kreeg tien minuten en ze waren alle drie erg goed in hun vak, beter gezegd, ze waren niet alleen geestelijk leidsman maar ook geleerde. Rabbijn Benjamin Fleischman las voor uit de talmoed en de torah. Hij sprak over plicht en eer en geloof, over een genadige God. Toen kwam dominee Frederick Ralston, de aalmoezenier van de Senaat. Omdat hij op de bewuste avond de stad uit was geweest, bleef hem een meer passieve deelname aan deze bijeenkomst bespaard. Ralston, baptist uit het Zuiden en vooraanstaand kenner van het Nieuwe Testament, sprak over de passie van Christus in de hof en over zijn vriend, senator Richard Eastman uit Oregon, die in de sacristie lag en die algemeen gerespecteerd was als eerzaam

lid van het Congres, en vervolgens prees hij de omgekomen president, een toegewijd huisvader, zoals iedereen wist...
Er was geen 'juiste' manier om zulke dingen te doen, dacht Ryan. Misschien was het gemakkelijker geweest als de predikant, de priester en de rabbijn tijd hadden gehad om met de nabestaanden te praten, maar dat was in dit geval niet gebeurd, en hij vroeg zich af... Nee, dit is niet goed, zei Jack tegen zichzelf. Dit was theater. Zo zou het niet moeten zijn. Aan de andere kant van het gangpad, links van hem, zaten kinderen, en voor hen was dit helemaal geen theater. Voor hen was dit veel eenvoudiger. Voor hen ging het om mama en papa, weggerukt uit hun leven door een zinloze daad. De kinderen waren beroofd van de toekomst die het leven hun had moeten bieden, liefde en begeleiding, een kans om op een normale manier op te groeien en normale mensen te worden. Mark en Amy waren hier de belangrijkste aanwezigen, maar deze dienst, die hen verder zou moeten helpen, was gericht op anderen. Dit alles was een politieke gebeurtenis, iets om het land gerust te stellen, om de mensen weer in God en de wereld en hun land te laten geloven. Misschien hadden de mensen in het land, de mensen achter de drieëntwintig camera's in de kerk, daar behoefte aan, maar er waren mensen die in nog grotere nood verkeerden, de kinderen van Roger en Anne Durling, de volwassen zoons van Dick Eastman, de weduwe van David Kohn uit Rhode Island en de nabestaanden van Marisa Henrik uit Texas. Dat waren echte mensen, en hun persoonlijk verdriet werd ondergeschikt gemaakt aan de behoeften van het land. Dat verrekte land! dacht Jack, die zich plotseling kwaad maakte op wat er gebeurde, en ook op zichzelf omdat hij dit niet vroeg genoeg had begrepen om verandering in de dingen te brengen. Het land had behoeften, maar die behoeften konden niet zo groot zijn dat ze het noodlot dat kinderen had getroffen mochten overschaduwen. Wie sprak namens hen? Wie sprak tot hen?
Wat voor Ryan nog het ergste was, was dat een katholiek, kardinaal Michael O'Leary, aartsbisschop van Washington, geen haar beter was. 'Gezegend zijn de vredestichters, want zij zullen geroepen worden...' Voor Mark en Amy, dacht Jack woedend, was hun vader geen vredestichter. Hij was papa, en papa was dood, en dat was geen abstractie. Drie vooraanstaande, geleerde en erg fatsoenlijke geestelijken preekten tot een natie, maar voor hun ogen zaten kinderen die een paar woorden lippendienst kregen, en dat was alles. Iemand moest tot hen spreken, voor hen, over hun ouders. Iemand moest proberen het gemakkelijker voor hen te maken. Dat was niet mogelijk, maar iemand moest het proberen, verdomme nog aan toe! Misschien was hij president van de Verenigde Staten. Misschien had hij verplichtingen tegenover de miljoenen achter de camera's, maar Jack herinnerde zich de tijd dat zijn vrouw en dochter in het Shock/Trauma-centrum in Baltimore hadden gelegen, balancerend tussen leven en dood, en dat was helemaal geen abstractie geweest. Dát was het probleem. Dáárom was zijn gezin aangevallen. Dáárom waren al deze mensen gestorven: omdat een fanaat hen als abstracties had gezien en niet als menselijke wezens met levens en verwachtingen en dromen... en kinderen.

Het was niet Jacks taak om een natie te beschermen. Hij had gezworen dat hij de grondwet van de Verenigde Staten zou handhaven, beschermen en verdedigen, en dat zou hij zo goed mogelijk doen. Maar het doel van de grondwet was tamelijk eenvoudig: de zegeningen van de vrijheid behouden voor mensen, en dus ook voor kinderen. Het land dat hij diende en de regering die hij probeerde te leiden waren niets meer of minder dan een mechanisme om individuele mensen te beschermen. Díe plicht was geen abstractie. De realiteit van die plicht zat drie meter links van hem en hield zo goed mogelijk de tranen in, en waarschijnlijk lukte dat niet, want niets was troostelozer en eenzamer dan wat die kinderen nu ondergingen, terwijl Mike O'Leary tot een land sprak en niet tot een gezin. Dit theater had lang genoeg geduurd. Er werd weer een psalm ingezet, en toen was het Ryans beurt om op te staan en naar de preekstoel te lopen.
Agenten van de Secret Service draaiden zich om, keken weer door het middenschip, want op dit moment was SWORDSMAN een ideaal doelwit. Toen hij bij de preekstoel was aangekomen, zag hij dat kardinaal O'Leary zich aan de instructies had gehouden en de presidentiële map op de lessenaar had laten liggen. Nee, besloot Jack. Nee. Hij pakte de zijkanten van de lessenaar vast om zich tot rust te brengen. Hij keek even de kerk door en richtte zijn blik toen op de kinderen van Roger en Anne Durling. Het verdriet in hun ogen brak zijn hart. Ze droegen lasten die kinderen niet zouden moeten dragen. Ze hadden van onbekende 'vrienden' te horen gekregen dat ze moedig moesten zijn, moediger dan op zo'n moment van een marinier werd verlangd, waarschijnlijk omdat 'mama en papa dat zouden willen'. Maar het was niets voor kinderen om hun verdriet in stille waardigheid te dragen. Dat moesten volwassenen doen, zo goed mogelijk. Genoeg, zei Jack tegen zichzelf, mijn plicht begint hier. De eerste plicht van de sterken was het beschermen van de zwakken. Zijn handen klemden het glanzende eikenhout vast en de pijn die hij zichzelf toebracht hielp hem zijn gedachten te ordenen.
'Mark, Amy, jullie vader was mijn vriend,' zei hij op milde toon. 'Het was een eer voor mij om voor hem te werken en hem zo goed mogelijk te helpen, maar weet je, hij heeft mij waarschijnlijk nog meer geholpen. Ik weet dat jullie altijd moesten begrijpen dat papa en mama een belangrijke baan hadden en niet altijd de tijd hadden voor de dingen die echt belangrijk waren. Maar ik kan jullie zeggen dat jullie vader alles in het werk stelde om bij jullie te kunnen zijn, want hij hield meer van jullie dan van wat ook ter wereld, meer dan van het presidentschap, meer dan van alle dingen die daarmee samenhingen, meer dan van wat dan ook, behalve misschien jullie moeder. Hij hield ook veel van haar...'

Wat een onzin! Ja, je gaf iets om kinderen. Daryaei ook, maar kinderen werden toch wel volwassen, wat er ook gebeurde. Het was hun taak om te leren en te dienen en op een dag de daden van een volwassene te verrichten. Tot dan toe waren het kinderen en vertelde de wereld hun wat er moest gebeuren. Het lot vertelde hun dat. Allah. Allah was genadig, al was het leven hard. Daryaei moest toegeven dat de jood goed had gesproken. De rabbijn had teksten aangehaald die zowel in hun torah als in zijn heilige koran voorkwamen. Hij zou zelf een andere passage hebben gekozen, maar dat was een kwestie van smaak, nietwaar? De theologie stond die vrijheid toe. Het was allemaal tijdverspilling, maar dat waren zulke formele gebeurtenissen meestal. Die idioot van een Ryan verspilde zijn kans om zijn natie moed in te spreken, om een sterke en zelfverzekerde indruk te maken en zo zijn greep op zijn regering te consolideren. Dat hij op zo'n moment tegen kinderen praatte!

Zijn politieke raadgevers moesten op dit moment wel een hartaanval krijgen, dacht de premier. Alle zelfbeheersing die ze in haar lange politieke leven had geleerd, had ze nu nodig om met onbewogen gezicht te blijven toekijken. Toen schakelde ze over op een uitdrukking van medeleven, want misschien keek hij naar haar. Per slot van rekening was ze een vrouw en een moeder, en ze zou hem later die dag nog ontmoeten. Ze hield haar hoofd enigszins naar rechts om een beter zicht te krijgen op de man en wat er voor in de kerk gebeurde. Dat zou hij misschien ook wel waarderen. Over een minuut of zo zou ze een zakdoek uit haar tasje halen om haar ogen af te vegen.
'Ik wou dat ik de kans had gehad om jullie moeder beter te leren kennen. Cathy en ik verheugden ons daarop. Ik wilde dat Sally en Jack en Katie jullie vrienden werden. Jullie vader en ik hebben daar wel eens over gesproken. Het zal niet meer gebeuren zoals wij het wilden.' Die gedachte, die plotseling in hem opgekomen was, bracht Jacks maag in beroering. Ze huilden nu, want hij had hun zonder woorden gezegd dat ze nu mochten huilen. Jack kon dat zelf niet doen. Niet in het bijzijn van de anderen. Voor hen moest hij nu sterk zijn, en daarom klemde hij de lessenaar nog steviger vast, tot zijn handen echt pijn deden. Hij was blij met die pijn, want hij kreeg er meer zelfdiscipline door.
'Jullie zullen wel willen weten waarom dit moest gebeuren. Ik weet het niet, kinderen. Ik wou dat ik het wist. Ik wou dat iemand het wist, dan kon ik naar die persoon toe gaan om de antwoorden te horen. Maar ik heb die persoon nooit gevonden,' ging Jack verder.

'Jezus,' kon Clark uitbrengen met die norse stem die mannen gebruikten om te voorkomen dat ze snikten. In zijn CIA-kantoor stond, zoals in de kantoren van alle hogere functionarissen, een televisietoestel, en de herdenkingsdienst werd op alle kanalen uitgezonden. 'Ja, ik heb daar zelf ook wel eens naar gezocht, man.'
'Weet je wat, John?' Chavez had zich beter onder controle. Het was de plicht van een man om op zulke momenten kalm te blijven, opdat de vrouwen en kinderen zich aan hem konden vastklampen. Dat was hem altijd zo geleerd. Clark daarentegen zat vol verrassingen. Zoals gewoonlijk.
'Wat dan, Domingo?'
'Hij snapt het. We werken voor iemand die het snapt.'

John keek op. Wie had dat ooit kunnen denken? Twee paramilitaire CIA-agenten die hetzelfde dachten als de president. Het was een prettig gevoel dat hij Ryan meteen goed had ingeschat. Verdraaid nog aan toe, net zijn vader. Jammer dat het lot hem niet de kans had gegeven die Ryan te leren kennen. Meteen daarop vroeg hij zich af of Jack een goede president zou worden. Hij gedroeg zich niet als de andere presidenten. Hij gedroeg zich als een echt mens. Maar waarom was dat zo erg? vroeg Clark zich af.

'Ik wil jullie laten weten dat jullie altijd naar Cathy en mij toe kunnen komen, wanneer jullie maar willen. Jullie zijn niet alleen. Jullie zullen nooit alleen zijn. Jullie hebben jullie familie en nu hebben jullie mijn familie ook,' verzekerde hij hun vanaf de preekstoel. Het werd alleen maar moeilijker. Hij moest deze dingen zeggen. Roger was een vriend geweest en als het moest, keek je naar de kinderen van je vrienden om. Dat had hij voor Buck Zimmers gezin gedaan en nu zou hij het voor dat van Roger doen.

'Ik wil dat jullie trots zijn op mama en papa. Jullie vader was een goed mens, een goede vriend. Hij werkte erg hard om de dingen beter te maken voor de mensen. Dat was een enorm werk en hij had daardoor niet veel tijd voor jullie, maar jullie vader was een groot man en grote mannen doen grote dingen. Jullie moeder was er ook altijd en zij deed ook grote dingen. Kinderen, jullie zullen hen nooit vergeten. Onthoud alle dingen die ze tegen jullie hebben gezegd, alle kleine dingen, en de spelletjes, en de trucjes, en de grappen, alle manieren waarop mama's en papa's aan hun kinderen laten zien dat ze van ze houden. Dat zullen jullie nooit verliezen. Nooit,' verzekerde Jack hun. Hij zocht naar iets dat de slag die het lot hun had toegebracht kon verzachten, maar hij kon niets meer vinden. Het was tijd om af te sluiten.

'Mark, Amy, God heeft besloten dat hij jullie mama en papa terug wilde hebben. Hij legt dat niet aan ons uit op een manier die we kunnen begrijpen, en we kunnen niet... we kunnen ons er niet tegen verzetten als het gebeurt. We kunnen niet...' Ryans stem sloeg eindelijk over.

Wat is het moedig van die man dat hij zijn emoties toont, dacht Koga. Iedereen had daar kunnen staan en het normale politieke gezever kunnen uitspreken, en de meesten zouden dat hebben gedaan – in ieder land – maar deze Ryan was anders. Het was briljant dat hij op die manier het woord tot de kinderen richtte – tenminste, dat dacht Koga in het begin. Maar dat was het helemaal niet. In de president zat een mens. Hij was geen acteur. Hij hoefde niet zo nodig kracht en besluitvaardigheid te tonen. En Koga wist waarom. Hij wist dat beter dan ieder ander in de kathedraal. Koga wist wat Ryan voor een man was. Een paar dagen geleden had hij dat in zijn eigen kantoor meteen gezien. Ryan was een samoerai, en nog meer dan dat. Hij deed wat hij deed zonder zich iets aan te trekken van wat anderen dachten. De Japanse premier hoopte dat het geen fout was. Hij zag de president van de Verenigde Staten nu de trap afkomen en naar de kinderen Durling gaan. Hij omhelsde hen, en de aanwezigen zagen de tranen op zijn gezicht. Om hen heen, op de plaatsen van de staatshoofden, werd hier en daar gesnikt, maar Koga wist dat het voor een groot deel komedie was, of anders waren het hooguit vluchtige momenten van het beetje menselijkheid dat die politici nog bezaten. Het speet hem dat hij niet ook een traan kon laten, maar de regels van zijn cultuur waren streng, des te meer omdat hij gebukt ging onder schaamte doordat een van zijn eigen staatsburgers deze monsterlijke tragedie had veroorzaakt. Hij moest het politieke spel spelen, al zou hij het liever anders willen, en in het geval van Ryan was het niet eens zo dat hij het spel niet hoefde te spelen: hij trok zich er gewoon niets van aan. Hij vroeg zich af of Amerika wel besefte wat een geluk haar ten deel was gevallen.

'Hij heeft zijn voorbereide toespraak helemaal niet gebruikt,' mopperde de presentator. De tekst was aan alle media verstrekt en op alle exemplaren waren al passages aangestreept. Aan die passages konden de journalisten extra aandacht besteden, zodat de belangrijke dingen die de president het kijkerspubliek te zeggen had des te duidelijker zouden overkomen. In plaats daarvan had de presentator zich gedwongen gezien aantekeningen te maken, wat hij niet goed kon, want het was lang geleden dat hij als echte verslaggever op pad was geweest.

'Je hebt gelijk,' gaf de commentator met tegenzin toe. Zo deed je dat niet. Op zijn monitor zag hij dat Ryan zijn armen nog om de kinderen Durling heen had, en dat duurde ook veel te lang. 'Ik denk dat de president vindt dat dit een belangrijk persoonlijk moment voor hen is...'

'En dat is het ook,' merkte de presentator op.

'Maar het is president Ryans taak om een land te regeren.' De commentator schudde zijn hoofd. Het was duidelijk dat hij iets dacht wat hij nog niet kon uitspreken: niet presidentieel.

Jack moest hen uiteindelijk loslaten. In hun ogen zag hij nu alleen nog verdriet. Waarschijnlijk was dat wel goed, wist hij – ze moesten er uiting aan geven – maar dat maakte het niet gemakkelijker om ernaar te kijken, want kinderen van die leeftijd zouden helemaal niet zo'n verdriet moeten hebben. Hij keek naar de ooms en tantes die hen vergezelden. Die huilden ook, maar tegelijk met hun tranen zag hij ook dat ze dankbaar waren, en hij wist dat hij iets goeds had gedaan. Hij knikte hen toe en keerde naar zijn plaats terug. Cathy keek hem aan en ook zij had tranen in haar ogen, en hoewel ze niets kon zeggen, pakte ze zijn hand vast. Zo merkte Jack weer eens hoe intelligent zijn vrouw was. Ze had geen make-up die door haar tranen kon uitlopen. Dat deed hem goed. Hij hield niet van make-up en zijn vrouw had het niet echt nodig.

'Wat weten we van haar?'

'Ze is arts, oogchirurg om precies te zijn. Ze schijnt een goede te zijn.' Hij keek in zijn aantekeningen. 'De Amerikaanse media zeggen dat ze ondanks haar officiële verplichtingen haar werk wil blijven doen.'

'En hun kinderen?'
'Daar weten we niets over, hoewel... Ik kan er vast wel achter komen naar welke scholen ze gaan.' Hij zag de vragende blik en ging verder. 'Als de vrouw haar werk als arts blijft doen, denk ik dat de kinderen naar dezelfde scholen blijven gaan.'
'Hoe kom je daarachter?'
'Gemakkelijk. Alle artikelen uit Amerikaanse kranten en tijdschriften zijn per computer op te vragen. Over Ryan zijn erg veel stukken geschreven. Ik kan alles te weten komen wat ik wil.' In feite had hij dat al gedaan, alleen had hij nog niet naar het gezin van de president geïnformeerd. De moderne tijd had het leven van een inlichtingenofficier veel gemakkelijker gemaakt. Hij wist al Ryans leeftijd, zijn lengte, gewicht, de kleur van zijn haar en zijn ogen, en ook veel over zijn persoonlijke gewoonten, zijn favoriete eten en drinken, de golfclubs waar hij lid van was, allerlei alledaagse dingen die niet alledaags meer waren omdat Ryan president was geworden. De inlichtingenman hoefde niet te vragen wat zijn baas dacht. De kans die ze hadden gemist toen al die staatshoofden in de National Cathedral bij elkaar zaten, was voorgoed voorbij, maar er zouden nog meer kansen komen.

Nog een laatste psalm en het was voorbij. De soldaten liepen terug om de kisten op te halen en de optocht zette zich weer in beweging, nu in tegenovergestelde richting. Mark en Amy hielden zich goed, geholpen door hun familieleden, en volgden hun ouders. Jack kwam met zijn gezin achter hen aan. Katie verveelde zich en was blij dat ze weer in beweging waren. Jack junior had medelijden met de kinderen Durling. Sally keek bezorgd. Daarover zou hij met haar moeten praten. Hij keek door het gangpad, bestudeerde een aantal gezichten en verbaasde zich er enigszins over dat de eerste vier of vijf rijen niet naar de kisten keken, maar naar hem. Ze konden het nooit afzetten, hè? Zijn medestaatshoofden, dacht Jack, en hij vroeg zich af van wat voor club hij lid was geworden. Enkele gezichten keken vriendelijk. De prins van Wales, die geen staatshoofd was en dus achter de anderen moest zitten – van wie sommigen regelrechte gangsters waren, maar daar was niets aan te doen – knikte hem vriendelijk toe. Ja, die zou het begrijpen, dacht Jack. De nieuwe president wilde op zijn horloge kijken, zo moe was hij na de gebeurtenissen van een dag die nog zo jong was, maar er was hem streng te verstaan gegeven dat je nooit op je horloge mocht kijken: desnoods deed je het maar af. Een president had geen horloge nodig. Er waren altijd mensen die hem vertelden wat er ging gebeuren, zoals er nu ook mensen waren die in de jassenrekken zochten en klaarstonden om Ryan en zijn gezin alles te geven wat ze nodig hadden voordat ze weer naar buiten gingen. Andrea Price was er, evenals de andere leden van het escorte. Buiten stond alles ook klaar, een legertje van mensen met pistolen en angsten, een auto om hem naar zijn volgende bestemming te brengen, waar hij nog meer officiële plichten kon vervullen, om vervolgens naar de volgende locatie te worden afgevoerd, enzovoort, enzovoort.

Hij mocht zijn leven niet door dat alles laten beheersen. Ryan fronste zijn wenkbrauwen bij die gedachte. Hij zou het werk doen, maar hij mocht niet de fout maken die Roger en Anne hadden gemaakt. Hij dacht aan de gezichten die hij bij het verlaten van de kerk had gezien en wist dat het een club was waarvan hij gedwongen lid moest worden maar waar hij zich nooit echt bij zou aansluiten. Tenminste, dat zei hij tegen zichzelf.

8

Overdracht van commando

De procedure op de vliegbasis Andrews was gelukkig van korte duur. De kisten waren in lijkwagens vanuit de kathedraal overgebracht en het grote officiële gezelschap was achtergebleven en verspreidde zich over Embassy Row. Air Force One, het presidentiële vliegtuig, stond klaar om de Durlings voor het laatst naar Californië terug te brengen. De sfeer was hier nog troostelozer. Ook hier groette een erewacht de kisten, die nog steeds met de vlag waren bedekt, maar nu was het anders. De menigte was kleiner en bestond vooral uit mensen van de luchtmacht en ander militair personeel dat op de een of andere manier met de president en zijn gezin te maken had gehad. Op verzoek van de familie zou de eigenlijke begrafenisceremonie in kleinere kring worden voltrokken, met alleen de familie, en dat was waarschijnlijk voor iedereen het beste. En zo werden hier op Andrews voor het laatst *Ruffles and Flourishes* en *Hail to the Chief* ten gehore gebracht. Mark stond in de houding en hield zijn hand over zijn hartstreek, een gebaar dat vast en zeker op het omslag van alle tijdschriften zou komen. Hij was een goede jongen. Hij deed zijn best en hij was mannelijker dan hij zelf ooit zou beseffen. Een schaarlift bracht de kisten naar de deur van het laadruim, want vanaf nu waren de lichamen lading; gelukkig bleef dat deel van het transport aan het oog onttrokken. Toen was het tijd. De familie ging de trap op om de laatste vlucht met de VC-25 te maken. Het toestel zou niet eens meer de oproepnaam van Air Force One gebruiken, want die naam hoorde bij de president en de president was niet aan boord. Ryan keek het vliegtuig na toen het over de baan taxiede en aan zijn aanloop over de startbaan begon. Televisiecamera's volgden het toestel tot het nog maar een stipje aan de hemel was. Ryans ogen deden hetzelfde. Inmiddels landden een voor een de F-16's die boven Washington hadden gevlogen. Toen dat gebeurd was, gingen Ryan en zijn gezin aan boord van een mariniershelikopter om naar het Witte Huis terug te keren. De bemanning van de heli glim-

lachte en was aardig voor zijn kinderen. Jack junior kreeg, toen hij zijn veiligheidsriemen om had, een insigne van de eenheid. De stemming was omgeslagen. De mariniers van VMH-1 hadden een nieuw gezin om voor te zorgen, en voor hen ging het leven door.
Het personeel van het Witte Huis was al hard aan het werk om hun bezittingen naar binnen te brengen (ze waren de hele ochtend in de weer geweest om de spullen van de Durlings eruit te dragen) en hier en daar meubelstukken te vervangen. Die avond zou zijn gezin in het huis slapen waarvan Thomas Jefferson de eerste bewoner was geweest. De kinderen, die nu eenmaal kinderen waren, keken uit het raam toen de helikopter begon te dalen. De ouders, die nu eenmaal ouders waren, keken elkaar aan.
Op dat moment veranderden de dingen. Als dit een normale begrafenis in familiekring was geweest, zouden de nabestaanden nu bij elkaar gaan zitten. Dan was het nu tijd geweest om hun verdriet af te leggen en herinneringen op te halen aan de geweldige kerel die Roger was geweest. Ze zouden nu ook weer beginnen te praten over de nieuwe dingen in hun leven, hoe de kinderen het op school deden, hoe het honkbalseizoen verliep. Dat was een manier om na een trieste, gespannen dag weer tot het normale leven terug te keren. En zo ging het in dit geval ook, zij het op veel grotere schaal. Toen de helikopter op het gazon landde, stond de fotograaf van het Witte Huis al te wachten. De trap werd neergelaten en aan de voet daarvan posteerde zich een korporaal van de mariniers. President Ryan kwam als eerste naar buiten. De korporaal salueerde en Ryan beantwoordde de groet automatisch, want dat was er op zijn opleiding in Quantico bij hem ingeheid, meer dan twintig jaar geleden. Cathy volgde hem en daarna kwamen de kinderen. De agenten vormden een corridor, en zo wisten ze meteen waar ze heen moesten lopen. Links van hen stonden televisiecamera's, maar er werden deze keer geen vragen geschreeuwd; dat zou ook gauw genoeg veranderen. Eenmaal in het Witte Huis, werden de Ryans naar de liften gebracht om snel naar de eerste verdieping te gaan. Daar stond Van Damm op hen te wachten.
'Meneer de president.'
'Moet ik me verkleden, Arnie?' vroeg Jack, die zijn jas aan een huisknecht gaf. Hij schrok er zelf van hoe vanzelfsprekend zoiets al voor hem werd. Hij was nu president en in veel opzichten begon hij zich al automatisch als zodanig te gedragen. Op de een of andere manier vond hij dat nog opmerkelijker dan de plichten die hij al had vervuld.
'Nee. Hier.' De stafchef gaf hem een lijst van gasten die al in de East Room op de benedenverdieping waren. Jack keek ernaar terwijl hij daar midden in de hal stond. Het waren niet zozeer namen van mensen als wel van landen. Veel van die landen waren bevriend met de Verenigde Staten, met andere onderhielden ze alleen betrekkingen. Van sommige landen wist hij weinig af en sommige andere... Zelfs als voormalig nationale-veiligheidsadviseur wist hij niet alles van die landen. Terwijl hij las, dirigeerde Cathy de kinderen naar de badkamer, althans, daar begon ze aan. Een agent moest haar helpen de kamer te

vinden. Ryan liep naar zijn eigen badkamer en bekeek zijn haar in de spiegel. Hij zag kans het zelf te kammen, zonder de hulp van mevrouw Abbot maar wel onder het wakend oog van Van Damm. Zelfs hier ben ik niet veilig, zei de president tegen zichzelf.

'Hoe lang gaat dit zo door, Arnie?'

'Dat weet ik niet, meneer.'

Ryan draaide zich om. 'Als we onder elkaar zijn, heet ik nog steeds Jack, goed? Ik ben benoemd, niet gezalfd.'

'Goed, Jack.'

'Moeten de kinderen ook mee?'

'Dat zou goed overkomen... Jack, tot nu toe doe je het niet slecht.'

'Is mijn toesprakenschrijver kwaad op me?' vroeg hij. Hij trok zijn das recht en verliet de badkamer.

'Je instincten waren niet zo slecht, maar de volgende keer kunnen we daar een tekst voor laten schrijven.'

Ryan dacht daarover na en gaf de lijst toen aan Van Damm terug. 'Weet je, dat ik president ben wil nog niet zeggen dat ik niet menselijk meer ben.'

'Jack, probeer er nou aan te wennen. Je mag niet langer "een gewoon mens" zijn. Je hebt nu een paar dagen gehad om aan het idee te wennen. Als je straks die trap afgaat, ben je de Verenigde Staten van Amerika, en niet gewoon een mens. Dat geldt voor jou, dat geldt voor je vrouw en tot op zekere hoogte geldt het ook voor je kinderen.' Dat leverde de stafchef een giftige blik op die een seconde of twee duurde. Arnie trok zich er niets van aan. Het was een persoonlijke blik die niets met het werk te maken had. 'Klaar, meneer de president?'

Jack knikte. Hij vroeg zich af of Arnie gelijk had en waarom die woorden hem zo kwaad hadden gemaakt. En toen vroeg hij zich weer af of het waar was. Bij Arnie wist je het nooit. Hij was leraar geweest en zou dat altijd blijven, en zoals de meeste goede leraren vertelde hij soms een leugen om een diepere waarheid duidelijk te maken.

Don Russell verscheen op de gang. Hij leidde Katie aan haar hand mee. Ze had een rood lint in haar haar en maakte zich nu van Don los om naar haar moeder te rennen. 'Kijk eens wat oom Don heeft gedaan!' Minstens één lid van het escorte hoorde al bij de familie.

'Misschien is het verstandig om ze nu allemaal naar het toilet te laten gaan, mevrouw Ryan. Er zijn geen toiletten op de begane grond.'

'Helemaal niet?'

Russell schudde zijn hoofd. 'Nee, mevrouw, die zijn ze vergeten toen ze het huis bouwden.'

Caroline Ryan pakte de twee jongsten bij de hand en leidde ze weg om haar moederlijke plicht te doen. Een paar minuten later was ze terug.

'Wilt u dat ik haar voor u naar beneden draag, mevrouw?' vroeg Russell met de glimlach van een grootvader. 'De trappen zijn een beetje lastig met hoge hakken. Ik geef haar beneden wel aan u over.'

'Goed.' Mensen begonnen naar de trap te lopen en Andrea Price schakelde haar microfoon in.
'SWORDSMAN en gezelschap gaan van woonvertrekken naar begane grond.'
'Begrepen,' antwoordde een agent beneden.
Ze konden het geroezemoes al horen voordat ze de laatste bocht van de marmeren trap omgingen. Russell zette Katie Ryan naast haar moeder op de vloer. De agenten trokken zich terug, werden in zekere zin onzichtbaar. De Ryans, de presidentiële familie, betraden de East Room.
'Dames en heren,' maakte een personeelslid bekend. 'De president van de Verenigde Staten, professor Ryan, en zijn gezin.' Mensen keken om. Er ging een applaus op dat vlug weer wegzakte, maar de mensen bleven kijken. De meeste blikken waren vriendelijk, vond Jack, al wist hij dat lang niet iedereen hem gunstig gezind was. Hij en Cathy gingen een beetje naar links om de ontvangstrij te vormen.
De meesten kwamen een voor een, al hadden sommigen van de bezoekende staatshoofden hun vrouw meegebracht. Een protocolfunctionaris aan Ryans linkerkant fluisterde de naam van ieder van hen in zijn oor. Jack vroeg zich af hoe ze al die mensen kende. De rij naar hem toe was niet zo willekeurig samengesteld als het leek. De ambassadeurs uit landen waarvan de staatshoofden de reis niet hadden gemaakt, bleven achter, stonden in groepjes bij elkaar en dronken Perrier met een tic – maar zelfs zij verborgen hun nieuwsgierigheid niet. Ze keken aandachtig naar de nieuwe president en naar de manier waarop hij de mannen en vrouwen die naar hem toe kwamen begroette.
'De premier van België, monsieur Arnaud,' fluisterde de protocolfunctionaris. De officiële fotograaf legde met veel geklik iedere officiële begroeting vast, en twee televisiecamera's deden hetzelfde, al maakten ze minder geluid.
'Uw telegram was erg hoffelijk, premier, en het kwam op een moeilijk moment,' zei Ryan, die zich afvroeg of de waarheid goed genoeg klonk en of Arnaud het zelfs had gelezen – nou, natuurlijk had hij dat, al had hij het waarschijnlijk niet opgesteld.
'Uw woorden voor de kinderen waren erg ontroerend. Iedereen hier denkt daar ongetwijfeld hetzelfde over,' antwoordde de premier. Hij pakte Ryans hand vast om te voelen hoe stevig die was, keek diep en intens in zijn ogen en was nogal tevreden over zichzelf omdat hij zo goed kon liegen. Evengoed had hij het telegram gelezen en goedgekeurd en deed het hem goed Ryans reactie te horen. België was een bondgenoot en Arnaud was goed op de hoogte gesteld door de chef van zijn militaire inlichtingendienst, die op verscheidene NAVO-conferenties met Ryan had samengewerkt en die altijd veel waarde had gehecht aan Ryans beoordeling van de sovjets... nu dus de Russen. Het is nog onduidelijk hoe hij het als staatshoofd gaat doen, had de inlichtingenchef gezegd, maar in ieder geval is hij een scherpzinnig en bekwaam analist. Arnaud, die grotendeels bij toeval vooraan in de rij stond, kon de man nu zelf bestuderen. Hij had een jarenlange ervaring met dat soort dingen. Toen liep hij door.
'Mevrouw Ryan, ik heb zoveel over u gehoord.' Hij kuste haar op een erg gra-

cieuze, Europese manier. Niemand had hem verteld hoe aantrekkelijk de nieuwe first lady was, en hoe delicaat haar handen waren. Nou ja, ze was immers chirurg? Ze was nieuw in het politieke spel en voelde zich blijkbaar nog niet op haar gemak, maar ze speelde het zo goed mogelijk mee.
'Dank u, premier Arnaud,' antwoordde Cathy, die van haar eigen protocolfunctionaris (die vlak achter haar stond) had gehoord wie die meneer was. Die handkus, vond ze, was erg theatraal... maar aangenaam.
'Uw kinderen zijn engelen.'
'Wat aardig van u om dat te zeggen.' En hij liep door om plaats te maken voor de president van Mexico.
Camera's bewogen zich door de kamer, samen met vijftien verslaggevers. Op de piano in de noordoostelijke hoek van de kamer werd iets licht klassieks gespeeld, niet helemaal wat ze op de radio 'easy listening' noemen, maar het kwam dicht in de buurt.
'En hoe lang kent u de president al?' Die vraag kwam van de premier van Kenia, die blij was een zwarte admiraal in de kamer aan te treffen.
'Al een hele tijd, meneer,' antwoordde Robby Jackson.
'Robby! Neem me niet kwalijk, admiraal Jackson,' verbeterde de prins van Wales zichzelf.
'Kolonel.' Jackson schudde hem hartelijk de hand. 'Dat is alweer een tijdje geleden.'
'U tweeën kent... ah! Ja!' De Keniaan herinnerde het zich. Toen zag hij zijn collega uit Tanzania en ging naar hem toe om zaken te doen. De twee mannen bleven alleen achter.
'Hoe doet hij het... serieus, bedoel ik?' vroeg de prins, en daarmee stelde hij Jackson een beetje teleur. Maar natuurlijk had de prins hier werk te doen. Robby wist dat het een politieke beslissing was geweest om de prins te sturen, en als hij op de Britse ambassade terugkwam, zou hij een rapport over zijn contacten moeten dicteren. Het was werk. Aan de andere kant verdiende de vraag een antwoord. Zij drieën hadden korte tijd met elkaar 'gediend', een warme, veelbewogen zomernacht.
'Een paar dagen geleden hebben we een korte bijeenkomst met de waarnemend chefs-van-staven gehad. Morgen is er een werkbespreking. Jack redt het wel,' besloot de schout-bij-nacht te zeggen. Hij zei het zo overtuigend mogelijk. Dat moest hij wel. Jack was nu president en Jacksons loyaliteit ten opzichte van hem was een kwestie van recht en eer, niet alleen een kwestie van menselijkheid.
'En je vrouw?' Hij keek naar Sissy Jackson, die met Sally Ryan stond te praten.
'Nog steeds piano nummer twee bij het National Symphony.'
'Wie is nummer één?'
'Miklos Dimitri. Grotere handen,' legde Jackson uit. Hij vond het onbeleefd om vragen over het gezin van de ander te stellen.
'In de Stille Oceaan heb je het goed gedaan.'
'Ja, nou, we hoefden gelukkig niet zoveel mensen te doden.' Jackson keek de

man die bijna zijn vriend was recht in de ogen. 'Dat was echt niet leuk meer, begrijp je?'
'Kan hij deze baan aan, Robby? Jij kent hem beter dan ik.'
'Kolonel, hij móét deze baan aankunnen,' antwoordde Jackson. Hij keek naar zijn vriend die president was geworden en realiseerde zich dat Jack een grote hekel aan formele gelegenheden had. Nu hij zijn nieuwe president al die handen zag schudden, gingen zijn gedachten onwillekeurig in de tijd terug. 'Het is heel iets anders dan geschiedenis doceren, koninklijke hoogheid,' merkte hij fluisterend op.
Voor Cathy Ryan ging het er vooral om dat ze haar hand beschermde. Vreemd genoeg kende ze de gang van zaken bij dit soort formele gelegenheden beter dan haar man. Als vooraanstaand arts van het Wilmer Ophthalmological Institute van het Johns Hopkins had ze in de loop van de jaren veel formele geldinzamelingsdiners bezocht, die in feite een chique vorm van bedelen waren. Jack was bijna nooit meegegaan en daar had ze zich vaak aan geërgerd. En hier stond ze dan weer. Ze ontmoette mensen die ze niet kende, die ze nooit goed genoeg zou leren kennen om ze aardig te vinden, en niet één van hen zou steun geven aan haar researchprojecten.
'De premier van India,' zei haar protocolfunctionaris zachtjes.
'Hallo.' De presidentsvrouw glimlachte hartelijk en schudde de hand, die gelukkig erg licht was.
'U moet wel trots zijn op uw man.'
'Ik ben altijd trots op Jack geweest.' Ze waren ongeveer even groot. De premier had een donkere huid en tuurde door haar brillenglazen, zag Cathy. Waarschijnlijk had ze sterkere glazen nodig en had ze hoofdpijn van deze verouderde glazen. Vreemd. In India hadden ze goede artsen. Ze gingen niet allemaal naar Amerika.
'En wat een leuke kinderen,' voegde ze eraan toe.
'Wat aardig van u om dat te zeggen.' Cathy glimlachte weer, min of meer automatisch. Die opmerking was even plichtmatig geweest als een opmerking over de wolken aan de hemel. Nu ze wat beter naar de premier keek, zag ze iets wat haar niet beviel. Ze denkt dat ze beter is dan ik. Maar waarom? Omdat zij politica en Caroline alleen maar arts was? Zou het anders zijn geweest als ze voor het beroep van advocaat had gekozen? Nee, waarschijnlijk niet, dacht ze verder, zo snel als ze soms ook moest doen wanneer ze tijdens een operatie plotseling met iets werd geconfronteerd dat ze niet had verwacht. Nee, dat was het niet. Cathy herinnerde zich een avond hier in de East Room, toen ze tegenover Elizabeth Elliot had gestaan. Die had dezelfde hooghartige houding gehad: ik ben beter dan jij door wat ik ben en wat ik doe. SURGEON – die codenaam had de Secret Service haar gegeven en dat had ze eigenlijk helemaal niet erg gevonden – keek nog wat dieper in de donkere ogen van de andere vrouw. Er zat zelfs nog meer achter. Cathy liet haar hand los. De volgende hoogwaardigheidsbekleder stond al klaar.
De premier verliet de rij en liep naar een kelner, van wie ze een glas sinaasap-

pelsap aannam. Ze kon nu niet doen wat ze wilde doen. Dat zou de volgende dag gebeuren, in New York. Voorlopig keek ze een van haar collega-premiers aan, die van de volksrepubliek China. Ze hief haar glas een centimeter omhoog en knikte zonder te glimlachen. Een glimlach was niet nodig. Haar ogen brachten de boodschap over.

'Is het waar dat ze je SWORDSMAN noemen?' vroeg prins Ali bin Sheik met een twinkeling in zijn ogen.

'Ja, en ja, dat doen ze om wat jij me hebt gegeven,' zei Jack tegen hem. 'Bedankt voor je komst.'

'Mijn vriend, er is een band tussen ons.' Zijne koninklijke hoogheid was officieel geen staatshoofd, maar vanwege de ziekte van de koning nam Ali steeds meer van diens verplichtingen over. Hij was momenteel belast met de buitenlandse betrekkingen én de inlichtingendiensten. Wat het eerste betrof, was Engeland zijn grote voorbeeld, en wat het tweede betrof, spiegelde hij zich aan de Israëlische Mossad, een van de meest ironische en minst bekende tegenstrijdigheden in een deel van de wereld dat niet bekend stond om zijn logica. Over het geheel genomen was Ryan daar wel blij mee. Ali had veel aan zijn hoofd, maar hij was capabel.

'Je hebt Cathy nooit ontmoet, hè?'

De prins keek haar aan. 'Nee, maar ik heb uw collega, dokter Katz, ontmoet. Hij heeft mijn eigen oogarts opgeleid. Uw echtgenoot mag zich waarlijk gelukkig prijzen, dokter Ryan.'

En dan zeiden ze dat Arabieren koud en humorloos waren en geen respect voor vrouwen hadden? dacht Cathy. Deze man was anders. Prins Ali pakte haar hand zachtjes vast.

'O, u zult Bernie hebben ontmoet toen hij in 1994 in uw land was.' Wilmer had geholpen bij het opzetten van het ooginstituut in Riad, en Bernie was vijf maanden gebleven om klinisch onderricht te geven.

'Hij heeft een neef van mij geopereerd die gewond raakte bij een vliegtuigongeluk. Tegenwoordig vliegt hij weer. En dat zijn uw kinderen?'

'Ja, hoogheid.' Deze man ging als een beste kerel de kaartenbak in.

'Zou ik even met ze mogen praten?'

'Gaat uw gang.' De prins knikte en liep door.

Caroline Ryan, dacht hij, aantekeningen makend in zijn hoofd. Erg intelligent, erg scherpzinnig. Trots. Haar man zal veel aan haar hebben als hij zo verstandig is gebruik van haar te maken. Wat jammer, dacht hij, dat zijn eigen cultuur zo'n slecht gebruik van vrouwen maakte – maar hij was nog geen koning, zou dat misschien ook nooit worden, en zelfs als hij het werd, waren er grenzen aan de veranderingen die hij zelfs onder gunstige omstandigheden teweeg kon brengen. Zijn land had nog een lange weg te gaan, al vergaten velen hoe adembenemend veel het koninkrijk in twee generaties al had bereikt. Evengoed bestond er inderdaad een band tussen hem en Ryan, en dus ook tussen Amerika en het koninkrijk. Hij liep naar de kinderen Ryan, maar voordat hij daar aankwam, zag hij wat hij wilde weten. De kinderen waren een

beetje beduusd van alles. De jongste dochter had er de minste moeite mee. Ze dronk limonade onder het waakzame oog van een agent van de Secret Service, terwijl enkele diplomatieke echtgenotes met haar probeerden te praten. Ze was gewend dat er veel aandacht aan haar werd besteed, zoals ook goed was voor een klein kind. De zoon, die ouder was, voelde zich het minst op zijn gemak, maar dat was normaal voor een knaap van zijn leeftijd, geen kind meer maar ook nog geen man. De oudste, die volgens het dossier Olivia heette maar door haar vader Sally werd genoemd, sloeg zich zo te zien goed door de allermoeilijkste leeftijd heen. Het viel prins Ali op dat de kinderen helemaal niet gewend waren aan dit alles. Hun ouders hadden hen tegen Jacks officiële leven beschermd. Hoe verwend ze in sommige opzichten ongetwijfeld ook waren, ze hadden niet de verveelde, arrogante houding die zulke kinderen meestal hadden. Even later boog hij zich naar Katie toe. Eerst schrok ze van zijn ongewone kleding – twee uur geleden was Ali bang geweest dat hij bevriezingsverschijnselen zou krijgen – maar het duurde niet lang of ze was helemaal gecharmeerd van zijn warme glimlach. Ze streek over zijn baard, terwijl Don Russell een meter van haar vandaan bleef staan, als een waakzame beer. Hij nam de tijd om de agent aan te kijken en de twee mannen wisselden een snelle blik. Hij wist dat Cathy Ryan ook zou kijken. Hoe kon je gemakkelijker met mensen bevriend raken dan door aandacht aan hun kinderen te besteden? Maar het was meer dan dat. In zijn rapport voor zijn ministers zou hij hen ervoor waarschuwen dat ze Ryan niet op zijn nogal stuntelige begrafenistoespraak moesten beoordelen. Dat hij een beetje anders was dan andere staatshoofden, wilde nog niet zeggen dat hij onbekwaam was.
Maar sommigen waren dat wel.
En velen van hen bevonden zich in deze kamer.

Zuster Jean Baptiste had haar best gedaan het te negeren. Ze had op die snikhete dag gewerkt tot aan zonsondergang en had geprobeerd zich niets aan te trekken van het malaisegevoel dat al gauw overging in pijn. Ze hoopte dat het weg zou trekken, zoals kleinere kwalen deden, altijd deden. Toen ze nog maar een week in dit land was geweest, had ze al malaria gekregen, en die ziekte was nooit helemaal weggegaan. Eerst had ze gedacht dat het opnieuw malaria was, maar dat was niet zo. De koorts, die ze had toegeschreven aan een typische hete Congo-dag, was ook geen malaria. Het verbaasde haar dat ze bang was, want hoe vaak ze anderen ook had behandeld en getroost, ze had nooit goed begrepen waarom ze zo bang waren. Ze wist dat ze bang waren, begreep dat er zoiets als angst bestond, maar ze had daar altijd op gereageerd met steun en vriendelijkheid, en gebeden. Nu begon ze het voor het eerst te begrijpen, want nu meende ze te weten wat het was. Ze had het al eerder gezien. Niet vaak. De meesten kwamen niet zo ver. Maar Benedict Mkusa was zo ver gekomen, al hoefde hij daar niet blij om te zijn. Aan het eind van de dag zou hij vast en zeker dood zijn, had zuster Maria Magdalena haar na de ochtendmis verteld. Nog maar drie dagen geleden zou ze hebben gezucht, maar zich hebben

getroost met de gedachte dat er in de hemel een engel bij zou komen. Deze keer niet. Nu was ze bang dat het er twee zouden zijn. Zuster Jean Baptiste leunde tegen het deurkozijn. Wat had ze verkeerd gedaan? Ze was een zorgvuldige verpleegster. Ze maakte geen fouten. Nou ja...
Ze moest de afdeling verlaten. Ze deed dat en liep door de overdekte passage naar het volgende gebouw, naar het lab. Dokter Moudi was zoals gewoonlijk hard aan het werk en hoorde haar niet binnenkomen. Toen hij zich omdraaide, over zijn ogen wrijvend na twintig minuten in de microscoop te hebben getuurd, verbaasde het hem dat die heilige vrouw haar linkermouw had opgestroopt, een rubberen band om haar bovenarm had getrokken en een naald in haar ader had gestoken. Ze was aan haar derde buisje van 5 cc bezig, en nam even later een vierde.
'Wat is er, zuster?'
'Dokter, ik geloof dat dit bloed meteen getest moet worden. Het lijkt me verstandig dat u een paar schone handschoenen aantrekt.'
Moudi liep naar haar toe en bleef een meter bij haar vandaan toen ze de naald uit haar arm trok. Hij keek naar haar gezicht en ogen: net als de vrouwen in zijn geboortestad Qum kleedde ze zich erg kuis en gepast. Er was veel te bewonderen aan die nonnen. Ze waren opgewekt, werkten hard en waren erg vroom in de aanbidding van hun valse god, al was dat niet helemaal waar. Ze waren mensen van het boek, gerespecteerd door de profeet, maar de sjiitische tak van de islam had iets minder respect voor zulke mensen dan... nee, die gedachten moest hij voor een andere keer bewaren. Hij zag het in haar ogen. Hij zag het nog duidelijker dan de openlijke symptomen die zijn getrainde blik ook al begon te zien. Hij zag wat zij al wist.
'Ga zitten, zuster.'
'Nee... Ik moet...'
'Zuster,' zei de arts met meer aandrang. 'Je bent nu een patiënt. Wil je doen wat ik zeg?'
'Dokter, ik...'
Zijn stem werd zachter. Het had geen zin dat hij nors tegen haar deed, en trouwens, deze vrouwen verdienden zo'n behandeling ook niet. 'Zuster, na al je zorg en toewijding voor anderen in dit ziekenhuis moet je deze nederige bezoeker nu iets voor jou laten doen.'
Jean Baptiste deed wat haar gezegd werd. Dokter Moudi trok een paar rubberen handschoenen aan. Toen nam hij haar pols op, 88, haar bloeddruk, 138/90, en haar temperatuur, 39: alle getallen waren hoog, de eerste twee vanwege het derde en vanwege wat ze dacht dat het was. Het hadden allerlei ziekten kunnen zijn, van onbeduidend tot fataal, maar ze had de jongen Mkusa behandeld en dat arme kind was stervende. De dokter liet haar daar zitten. Hij pakte voorzichtig de buisjes met bloed op en bracht ze naar zijn laboratoriumtafel.
Moudi had chirurg willen worden. Als jongste van vier zoons en oomzegger van de leider van zijn land, had hij ongeduldig gewacht tot hij volwassen werd.

Hij had zijn oudere broers ten strijde zien trekken tegen Irak. Twee van hen waren gesneuveld en de derde was verminkt teruggekomen om later door eigen hand te sterven. Hijzelf wilde chirurg worden om de levens van Allah's strijders beter te kunnen redden, opdat ze nogmaals voor Zijn Heilige Zaak konden vechten. Die ambitie had hij niet meer. In plaats daarvan had hij zich in besmettelijke ziekten verdiept, want er was meer dan één manier om voor de Zaak te strijden, en na jaren van geduld was hij eindelijk zover dat hij iets kon betekenen.

Een paar minuten later liep hij naar de quarantaine-afdeling. Er hangt een aura om de dood, wist Moudi. Misschien was wat hij voor zich zag een kwestie van verbeelding, maar het feit bleef bestaan. Zodra de zuster hem het bloedmonster had gebracht, had hij het in tweeën verdeeld. Eén zorgvuldig verpakt buisje had hij per luchtpost naar de Centers for Disease Control in Atlanta, Verenigde Staten, gestuurd, het wereldvermaarde centrum voor de analyse van exotische en gevaarlijke virussen. Het andere buisje had hij ingevroren in afwachting van de ontwikkelingen. Zoals altijd waren ze in Atlanta erg efficiënt. De telex was al uren geleden aangekomen: de diagnose was ebola zaire, gevolgd door een lange reeks waarschuwingen en instructies die geheel en al overbodig was. Zoals de diagnose zelf in feite ook overbodig was. Weinig ziekten waren zo dodelijk, en geen enkele ziekte doodde zo snel.

Het was of Benedict Mkusa vervloekt was door Allah zelf, iets waarvan Moudi wist dat het niet waar was, want Allah was een God van Genade, die niet de opzet had jonge en onschuldige mensen te treffen. Het was correcter om te zeggen dat het 'geschreven' stond, maar daar hadden de patiënt en zijn ouders niet veel aan. Die ouders zaten in beschermende kleding aan zijn bed en zagen hun wereld sterven voor hun ogen. De jongen leed pijn, vreselijke pijn. Delen van zijn lichaam waren al dood en rotten al weg, terwijl zijn hart nog probeerde te pompen en zijn hersenen nog probeerden te denken. Het enige andere wat een menselijk lichaam zoiets kon aandoen, was blootstelling aan sterk radioactieve straling. De gevolgen waren ongeveer hetzelfde. Eerst een voor een, en dan met meer tegelijk, en dan allemaal tegelijk, stierven de inwendige organen af. De jongen was nu te zwak om over te geven, maar er kwam bloed uit het andere eind van zijn spijsverteringskanaal. Alleen zijn ogen waren nog enigszins normaal, al zat daar ook bloed. Donkere, jonge ogen, verdrietig en vol onbegrip. De jongen begreep niet dat een leven dat nog maar zo kort geleden was begonnen nu werd beëindigd. Hij verwachtte van zijn ouders dat die alles in orde zouden maken, zoals ze in de acht jaar van zijn leven altijd hadden gedaan. De kamer stonk naar bloed en zweet en andere lichaamsvloeistoffen, en de blik in de ogen van de jongen werd steeds waziger. Ook nu hij stillag, leek het of hij zich terugtrok, en dokter Moudi sloot zijn ogen en fluisterde een gebed voor de jongen, die per slot van rekening nog maar een jongen was, en weliswaar geen moslim maar wel een gelovige jongen, iemand uit het volk van het boek die ten onrechte geen toegang had gekregen tot de woorden van de profeet. Allah was bovenal genadig, en Hij zou vast en zeker barmhartig

zijn voor de jongen en hem veilig naar het paradijs brengen. En dat moest maar gauw gebeuren.
Als een aura zwart kon zijn, was deze het. De dood omhulde de jonge patiënt centimeter voor centimeter. Zijn pijnlijke ademtochten werden ondieper en zijn ogen, gericht op zijn ouders, hielden op met bewegen. De pijnlijke krampen in zijn ledematen trokken naar de extremiteiten, tot alleen de vingers nog bewogen, nauwelijks zichtbaar, en toen hield ook dat op.
Zuster Maria Magdalena, die achter de ouders stond, legde haar hand op een schouder van elk van hen, en dokter Moudi kwam dichterbij en hield zijn stethoscoop tegen de borst van de patiënt. Er was nog iets te horen, gegorgel en het vage geluid waarmee de necrose het weefsel verscheurde, een afschuwelijk en toch dynamisch proces, maar het hart liet niets meer van zich horen. Voor alle zekerheid drukte hij het oude instrument op een paar andere plaatsen, en toen keek hij op.
'Hij is er niet meer. Ik vind het heel erg.' Hij had eraan toe kunnen voegen dat dit voor ebola nog een barmhartige dood was geweest, tenminste, als je op de boeken en artikelen moest afgaan. Dit was zijn eerste directe ervaring met het virus en het was al vreselijk genoeg geweest.
De ouders hielden zich goed. Ze hadden het al meer dan een dag geweten, lang genoeg om het te accepteren, kort genoeg om nog verdoofd te zijn. Ze zouden weggaan en bidden, en dat was goed.
Het lichaam van Benedict Mkusa zou worden verbrand, tegelijk met het virus. De telex uit Atlanta was duidelijk genoeg geweest. Jammer.

Toen er eindelijk een eind aan de rij kwam, ontspande Ryan zijn hand. Hij keek zijn vrouw aan, die haar eigen hand aan het masseren was en diep ademhaalde. 'Zal ik iets voor je halen?' vroeg Jack.
'Iets zonder alcohol. Ik heb morgen twee operaties.' En ze hadden nog steeds niet definitief geregeld hoe Cathy naar haar werk zou gaan. 'Hoeveel van dit soort dingen moeten we doen?' vroeg zijn vrouw.
'Ik weet het niet,' gaf de president toe, al wist hij dat het schema maanden van tevoren werd vastgesteld en dat hij zich aan het grootste deel van het programma moest houden, of hij dat nu leuk vond of niet. Elke dag verbaasde hij zich er meer en meer over dat mensen ernaar streefden president te worden; aan die baan zaten zoveel extra verplichtingen vast dat het bijna ondoenlijk was. In zekere zin wáren die extra verplichtingen de baan. Het ging altijd maar door.
Er kwam een personeelslid met limonade voor de president en de first lady, opgeroepen door iemand die had gehoord wat Cathy had gezegd. Op de papieren servetjes was een afbeelding van het Witte Huis met daaronder de woorden 'Het Huis van de President' geperst, of hoe je dat ook noemde. Man en vrouw zagen dat tegelijk en keken elkaar aan.
'Weet je nog dat we voor het eerst met Sally naar Disney World gingen?' vroeg Cathy.
Jack wist wat zijn vrouw bedoelde. Kort nadat hun dochter drie was gewor-

den, niet lang voor hun reis naar Engeland... en het begin van een reis waaraan, zo leek het, nooit een eind zou komen. Sally had zich vergaapt aan het kasteel in het midden van het Magic Kingdom. Ze had er steeds naar gekeken, waar ze ook waren. Ze had het Mickey's Huis genoemd. Wel, ze hadden nu hun eigen kasteel. Tenminste voor een tijdje. Maar de huur was erg hoog. Cathy liep naar Robby en Sissy Jackson, die met de prins van Wales spraken. Jack vond zijn stafchef.

'Hoe gaat het met je hand?' vroeg Arnie.

'Geen klachten.'

'Wees blij dat je geen campagne hoeft te voeren. Veel mensen denken dat een vriendelijke handdruk een knokkelkraker moet zijn, van man tot man, je kent dat wel. Deze mensen weten tenminste beter.' Van Damm nam een slokje Perrier en keek de kamer door. De receptie verliep goed. Allerlei staatshoofden en ambassadeurs en anderen stonden vriendelijk met elkaar te praten. Hier en daar werd discreet gelachen om grappen en geestigheden. De stemming was omgeslagen.

'Nou, voor hoeveel examens ben ik geslaagd en gezakt?' vroeg Ryan rustig.

'Wil je een eerlijk antwoord? Ik weet het niet. Ze letten allemaal op iets anders. Vergeet dat niet.' En sommigen kon het geen moer schelen: die waren gekomen voor hun eigen binnenlandse politieke doeleinden, maar zelfs onder deze omstandigheden was het onbeleefd om dat te zeggen.

'Dat had ik zelf ook al in de gaten, Arnie. Nu moet ik me onder de gasten mengen, nietwaar?'

'Eerst op India af,' raadde Van Damm hem aan. 'Adler vindt dat belangrijk.'

'Goed.' Hij wist tenminste nog hoe ze eruitzag. Veel van de gezichten uit de rij waren als een waas aan hem voorbijgetrokken, zoals je altijd hebt op een groot feest. Ryan voelde zich daardoor een bedrieger. Politici werden geacht een fotografisch geheugen voor namen en gezichten te hebben. Hij had dat niet en hij vroeg zich af of er een trainingsmethode was om zo'n geheugen te verwerven. Jack gaf zijn glas aan een personeelslid, veegde zijn handen af aan een van de speciale servetjes en wilde naar de premier van India lopen. Maar de Russische ambassadeur hield hem tegen.

'Meneer de ambassadeur,' zei Jack. Valeri Bogdonavitsj Lermonsov had hem de hand gedrukt, maar toen was er geen tijd geweest voor wat hij wilde zeggen. Ze schudden elkaar nog maar een keer de hand. Lermonsov was een carrièrediplomaat, populair onder zijn collega's. Er was al jaren sprake van dat hij tot de KGB had behoord, maar Ryan zou hem dat moeilijk kwalijk kunnen nemen.

'Mijn regering wenst te vragen of u een uitnodiging om naar Moskou te komen in overweging zou willen nemen.'

'Ik heb daar geen bezwaar tegen, ambassadeur, maar we zijn er een paar maanden geleden nog geweest en er wordt momenteel veel beslag op mijn tijd gelegd.'

'Daar twijfel ik niet aan, maar mijn regering zou graag een aantal vraagstukken

van wederzijds belang aan de orde willen stellen.' Toen Ryan die term hoorde, keek hij de Rus recht in de ogen.
'O?'
'Ik was al bang dat uw tijdschema een probleem zou zijn, meneer de president. Wilt u dan misschien een persoonlijke afgevaardigde ontvangen om enige zaken in alle rust te bespreken?'
Dat kon maar één persoon zijn, wist Jack. 'Sergej Nikolajevitsj?'
'Wilt u hem ontvangen?' drong de ambassadeur aan.
Ryan raakte niet in paniek, maar voelde zich toch even niet op zijn gemak. Sergej Golovko was de voorzitter van de RVS: de herboren, verkleinde maar nog altijd ontzagwekkende KGB. Hij was ook een van de weinige mensen in de Russische regering die zowel hersens hadden als het vertrouwen genoten van de huidige Russische president, Edoeard Petravitsj Groesjavoj, die zelf een van de weinige mensen ter wereld was die meer problemen hadden dan Ryan. Bovendien werd Golovko door Groesjavoj zo dicht in de buurt gehouden als Beria door Stalin. De Russische president had behoefte aan een raadgever met hersens, ervaring en macht. De vergelijking was niet helemaal eerlijk, maar Golovko zou niet naar Amerika komen om Ryan een borsjtsj-recept te brengen. 'Vraagstukken van wederzijds belang': dat betekende meestal dat het om ernstige zaken ging. Ook het feit dat de Russen zich rechtstreeks tot de president wendden en het niet via het ministerie van Buitenlandse Zaken speelden, was daar een indicatie van. Bovendien zou Lermonsov niet zo aandringen als het om iets van minder belang ging.
'Sergej is een oude vriend,' zei Jack met een vriendelijke glimlach. Nog uit de tijd dat hij een pistool in mijn gezicht drukte. 'Hij is altijd welkom in mijn huis. Wilt u een afspraak met Arnie maken?'
'Dat zal ik doen, meneer de president.'
Ryan knikte en liep door. De prins van Wales had beslag gelegd op de premier van India, in afwachting van Ryan.
'Mevouw de premier, uwe hoogheid,' zei Ryan met een hoofdknikje.
'Het leek ons belangrijk enige zaken op te helderen.'
'Welke zaken dan?' vroeg de president. Er ging een elektrisch schokje door zijn huid, want hij wist wat er nu zou komen.
'Dat onfortuinlijke incident in de Indische Oceaan,' zei de premier. 'Een groot misverstand.'
'Ik ben... blij dat te horen.'

Zelfs het leger heeft weleens een vrije dag, en de begrafenis van de president was zo'n dag. De Blauwe Troepen en OpFor kwamen die dag niet in actie. De bevelhebbers waren ook vrij. Generaal Diggs' huis stond op een heuveltop die uitkeek over een erg somber dal, maar desondanks was het een schitterend uitzicht. Omdat Mexicaanse winden die dag warme wind aanvoerden, konden ze een barbecue houden in zijn met muren en heggen omheinde tuin.
'Heb je president Ryan ontmoet?' vroeg Bondarenko, terwijl hij vroeg in de

middag aan een glas bier zat.
Diggs schudde zijn hoofd. Hij keerde de hamburgers om en pakte zijn speciale saus. 'Nooit. Het schijnt dat hij iets te maken had met de inzet van het 10de gepantserde cavalerieregiment in Israël, maar nee. Robby Jackson ken ik wel. Hij is nu schout-bij-nacht. Robby heeft een hoge dunk van Ryan.'
'Dit is een Amerikaanse gewoonte. Wat doe je nu?' De Rus wees naar de houtskoolbrander.
Diggs keek op. 'Van mijn vader geleerd. Wil je mijn bier even aangeven, Gennadi?' De Rus gaf het glas aan zijn gastheer. 'Ik heb er altijd een hekel aan als oefendagen niet doorgaan, maar...' Maar hij had net zo graag een vrije dag als ieder ander.
'Je hebt hier een fantastisch huis, Marion.' Bondarenko draaide zich om en keek uit over het dal. De basis zelf zag er typisch Amerikaans uit, met zijn rasterwerk van wegen en gebouwen, maar daarachter begon heel iets anders. Er groeide bijna niets, alleen wat de Amerikanen creosootstruiken noemden, en die leken tot de flora van een andere planeet te behoren. Het land was hier bruin en zelfs de bergen leken levenloos. Toch was de woestijn erg indrukwekkend. Het landschap deed hem denken aan een bergtop in Tadzjikistan. Misschien kwam het daardoor.
'Hoe ben je precies aan die lintjes gekomen, generaal?' Diggs kende niet het hele verhaal. Zijn gast haalde zijn schouders op.
'De moedjahedien besloot een bezoek aan mijn land te brengen. Het was een geheim researchcomplex en het is later gesloten, het is tegenwoordig een afzonderlijk land, weet je.'
Diggs knikte. 'Ik ben een cavalerieman, geen atoomgeleerde. Laat die geheime dingen maar zitten.'
'Ik verdedigde een flatgebouw, daar woonden de onderzoekers en hun gezinnen. Ik had een peloton KGB-grenswachten. Onder dekking van de nacht en een sneeuwstorm vielen de moedjahedien ons op compagniesterkte aan. Een uur of zo was het nogal opwindend,' gaf Gennadi toe.
Diggs had een paar van zijn littekens gezien: hij had zijn bezoeker de vorige dag onder de douche zien staan. 'Hoe goed waren ze?'
'De Afghanen?' bromde Bondarenko. 'Je kon beter niet levend in hun handen vallen. Ze kenden geen angst, maar soms werkte dat in hun nadeel. Je kon merken welke groepen bekwame leiders hadden en welke niet. Deze groep wel. Ze schakelden de andere helft van het complex uit, en aan mijn kant hadden we verdomd veel geluk.' Hij haalde zijn schouders op. 'Op het eind vochten we op de begane grond van het gebouw. De vijandelijke commandant gaf dapper leiding aan zijn mensen, maar ik bleek beter te kunnen schieten.'
'Held van de Sovjet-Unie,' zei Diggs met een blik op zijn hamburgers. Kolonel Hamm luisterde zwijgend. Zo namen leden van die gemeenschap de maat van elkaar: niet zozeer door wat ze hadden gedaan als wel door de manier waarop ze het verhaal vertelden.
De Rus glimlachte. 'Marion, ik had geen keus. We konden nergens heen

vluchten en ik wist wat ze met gevangengenomen Russische officieren deden. Nou, ze gaven me een medaille en promotie, en toen... ja, hoe zeggen ze dat? Toen verdween mijn land in het niets?' Dat was natuurlijk niet alles. Bondarenko was ten tijde van de coup in Moskou geweest en had voor het eerst in zijn leven een morele beslissing moeten nemen. Hij nam de juiste beslissing en trok daarmee de aandacht van mensen die nu hoge posities in de regering van het nieuwe en kleinere Rusland bekleedden.

'Je kunt ook zeggen dat het land herboren is,' merkte kolonel Hamm op. 'En dat we nu vrienden kunnen zijn.'

'*Da*. Je spreekt goed, kolonel. En je bent een goede commandant.'

'Dank u, generaal. Meestal leun ik gewoon achterover en laat ik het regiment zichzelf leiden.' Dat was een leugen waarvan iedere goede officier begreep dat het een bijzonder soort waarheid was.

'Dus je gebruikt de Sov... Russische tactische doctrine!' Het leek de Rus een absurd idee.

'Het werkt toch?' Hamm dronk zijn bier op.

Het zou werken, beloofde Bondarenko zichzelf. Het zou voor zijn leger werken zoals het voor het Amerikaanse had gewerkt, als hij terug was en de politieke steun kreeg die hij nodig had om het Russische leger op te bouwen tot iets wat het nooit eerder was geweest. Zelfs toen het Rode Leger op zijn sterkst was en de Duitsers naar Berlijn terugjoeg, was het een logge kolos geweest die het vooral moest hebben van de schok die zijn enorme massa teweegbracht. Hij wist ook dat het Rode Leger toen veel geluk had gehad. Zijn voormalige land had de beste tank ter wereld ingezet, de T-34, uitgerust met een dieselmotor die in Frankrijk was ontworpen om luchtschepen aan te drijven, en met een ophangingssysteem dat ontworpen was door de Amerikaan J. Walter Christie en een handvol briljante moderniseringen van jonge Russische ingenieurs. Dat was een van de weinige keren in de geschiedenis van de Unie van Socialistische Sovjet-Republieken dat zijn landgenoten kans hadden gezien een product van wereldklasse te maken, en in dit geval ook nog het juiste product op het juiste moment. Zonder die tanks zou het zijn land erg slecht zijn vergaan. Maar de tijd dat zijn land op geluk en massa kon vertrouwen, was voorbij. In het begin van de jaren tachtig waren de Amerikanen met de juiste formule gekomen: een klein beroepsleger, zorgvuldig geselecteerd, grondig getraind en voorzien van het beste materieel. Kolonel Hamms OpFor, dat 11de regiment cavalerie, was beter dan alles wat hij ooit had gezien. Voordat hij naar Amerika ging, was hem verteld wat hij kon verwachten, maar toen had hij het ongeloofwaardig gevonden. Je moest het zien om het te geloven. Op het juiste terrein kon dat ene regiment binnen een uur een hele divisie vernietigen. De Blauwe Troepen waren zeker niet incompetent, al wilde hun commandant vandaag niet hier komen eten omdat hij een bespreking met zijn ondercommandanten wilde hebben, zo erg waren ze in de pan gehakt.

Er was hier zoveel te leren, maar de belangrijkste les was de manier waarop de Amerikanen hun lessen leerden. Hogere officieren werden regelmatig vernederd, zowel in de nagespeelde slagen als in de besprekingen na afloop, waarin de waarnemers-controleurs alles analyseerden wat had plaatsgevonden. Als specialisten in het ziekenhuis lazen ze voor uit de aantekeningen die ze op gekleurde archiefkaarten hadden gemaakt.

'Weet je,' zei Bondarenko nadat hij enkele ogenblikken had nagedacht, 'in mijn leger zouden mensen op de vuist zijn gegaan als ze...'

'O, in het begin scheelde het niet veel,' verzekerde Diggs hem. 'Toen ze hier begonnen, werden commandanten vervangen omdat ze een slag hadden verloren, totdat iedereen diep ademhaalde en besefte dat het hier nu eenmaal lastig was: dat was ook de bedoeling. Pete Taylor is degene die het NTC goed op gang kreeg. De mensen van OpFor moesten leren zich diplomatiek te gedragen en de mensen van de Blauwe Troepen moesten leren dat ze hier waren om te leren, maar ik verzeker je, Gennadi: nergens ter wereld is er een leger dat zijn commandanten zo erg vernedert als wij.'

'Nou en of. Ik sprak laatst met Sean Magruder, dat is de commandant van het 10de gepantserde cavalerieregiment in de Negev-woestijn,' legde Hamm aan de Rus uit. 'De Israëli's weten nog steeds niet precies wat er is gebeurd. Ze zeuren nog steeds over wat ze van de OpFor te horen hebben gekregen.'

'We installeren daar steeds meer camera's.' Diggs lachte en begon hamburgers op het bord te scheppen. 'En soms geloven de Israëli's nog steeds niet wat er gebeurd is als we ze de video-opnamen laten zien.'

'Ze snappen het nog steeds niet,' beaamde Hamm. 'Ik kwam hier zelf als eskadronscommandant, en toen kreeg ik er meer dan eens flink van langs.'

'Gennadi, na de Golfoorlog kwam het 3de regiment gepantserde cavalerie hierheen toen het hun beurt was. Nou, je weet nog wel, ze gingen voorop toen Barry McCaffreys 24ste gemotoriseerde...'

'In vier dagen tijd over een afstand van vierhonderd kilometer de vijand onder de voet liep...' bevestigde Hamm. Bondarenko knikte. Hij had die veldtocht tot in details bestudeerd.

'Een paar maanden later kwamen ze hierheen en toen kregen ze genadeloos op hun donder. Dat bedoel ik nou, generaal. De training hier is zwaarder dan echte oorlog. Geen enkele eenheid op de wereld is zo slim en snel en hard als Al z'n Black Horse Cav...'

'Behalve uw oude Buffalo Soldiers, generaal,' onderbrak Hamm hem.

Diggs glimlachte om deze verwijzing naar het 10de. Hij was trouwens wel gewend aan Hamms onderbrekingen. 'Zo is het, Al. Als je zo'n beetje quitte kunt spelen tegen OpFor, ben je er klaar voor om het tegen iedereen op de wereld op te nemen, al is het in een minderheid van een tegen drie. Dan schop je ze zo naar de volgende tijdzone.'

Bondarenko knikte en glimlachte. Hij leerde snel. De kleine staf die hij had meegenomen, zwierf nog rond over de basis, praatte met officieren en leerde, leerde, leerde. Voor Russische legers was het geen traditie om in een minderheid van een tegen drie te vechten, maar daar zou gauw verandering in komen. De grote bedreiging voor zijn land was China, en als die strijd ooit gestreden werd, zou het aan het eind van een lange bevoorradingslijn zijn, tegen een kolossaal leger van dienstplichtigen. Geconfronteerd met zo'n dreiging, konden ze alleen maar doen wat de Amerikanen gedaan hadden. Bondarenko's missie was een renovatie van het gehele militaire beleid van zijn land. Nou, zei hij tegen zichzelf, hij was naar de juiste plaats gekomen om te leren hoe dat moest.

Gelul, dacht de president achter een begrijpende glimlach. Het was moeilijk om de premier van India sympathiek te vinden. Ze noemden zich de grootste democratie ter wereld, maar dat was niet helemaal waar. Ze spraken over de meest verheven principes, maar hadden, als dat zo uitkwam, buurstaten geïntimideerd en kernwapens ontwikkeld. En toen ze Amerika vroegen uit de Indische Oceaan te vertrekken – 'Per slot van rekening heet het de Indische Oceaan,' had een vroegere premier tegen een vroegere Amerikaanse ambassadeur gezegd – verklaarden ze daarmee in feite dat de vrijheid van de zee niet voor iedereen in dezelfde mate gold. En natuurlijk hadden ze ook klaargestaan om tegen Sri Lanka in actie te komen. Alleen nu die manoeuvre was verijdeld, zeiden ze dat ze nooit zoiets van plan waren geweest. Maar je kon niet glimlachend in de ogen van een staatshoofd kijken en zeggen: 'Gelul.'
Dat deed je gewoon niet.
Jack luisterde geduldig en nam slokjes uit een volgend glas Perrier dat een anoniem personeelslid voor hem had gehaald. De situatie in Sri Lanka was ingewikkeld en was jammer genoeg ook een bron van misverstanden, en India betreurde dat en koesterde absoluut geen rancune, maar zou het niet beter zijn als beide partijen zich terugtrokken? De Indische vloot keerde naar zijn bases terug, want de oefening was voltooid en een paar schepen waren beschadigd door de Amerikaanse demonstratie, die, zo maakte de premier duidelijk zonder het uit te spreken, niet bepaald sportief was geweest. De bullebakken!
En hoe denkt Sri Lanka over jou? had Ryan kunnen vragen, maar dat kon hij niet doen.
'Als u en ambassadeur Williams nu maar meer overleg hadden gepleegd,' merkte Ryan spijtig op.
'Zulke dingen gebeuren,' antwoordde de premier. 'David... Echt, het is een sympathieke man, maar ik ben bang dat ons klimaat te warm is voor iemand van zijn leeftijd.' En daarmee zei ze in feite tegen Ryan dat hij de man moest ontslaan. Ze ging natuurlijk niet zo ver dat ze ambassadeur Williams openlijk tot persona non grata verklaarde. Ryan probeerde geen spier van zijn gezicht te vertrekken, maar dat lukte hem niet. Hij had Scott Adler nu nodig, maar de waarnemend minister van Buitenlandse Zaken was op dat moment ergens anders.
'Ik hoop dat u er begrip voor hebt dat ik momenteel niet in de positie verkeer om grote veranderingen in de overheid aan te brengen.' Val dood.
'Maar dat suggereerde ik ook niet. Ik heb een groot begrip voor uw situatie. Ik hoopte dat ik minstens één zogenaamd probleem kon wegnemen en zo uw taak gemakkelijker kon maken.' Of anders maak ik die taak nog moeilijker.

'Dank u, mevrouw de premier. Misschien kan uw ambassadeur hier deze aangelegenheden met Scott bespreken?'
'Ik zal het daar vast en zeker met hem over hebben.' Ze pakte Ryans hand weer vast en liep weg. Jack wachtte nog even voordat hij de prins aankeek.
'Uwe hoogheid, hoe noem je het als een hooggeplaatst persoon tegen je liegt dat ze barst?' vroeg de president met een zuur glimlachje.
'Diplomatie.'

9

Gehuil in de verte

Golovko las ambassadeur Lermonsovs rapport, waarin niet veel sympathie voor het onderwerp doorklonk. Ryan leek 'gejaagd en niet op zijn gemak', 'enigszins overdonderd' en 'fysiek vermoeid'. Nou, dat was te verwachten geweest. Zijn toespraak op president Durlings begrafenis was niet wat je van een staatshoofd mocht verwachten. Daar was de hele diplomatieke wereld het over eens geweest, evenals de Amerikaanse media, die grote moeite moesten doen om beleefd te blijven. Nou, iedereen die Ryan kende wist dat hij sentimenteel was, vooral wanneer het op kinderen aankwam. Golovko kon hem dat gemakkelijk vergeven. Russen waren ongeveer hetzelfde. Ryan had anders moeten handelen – Golovko had de officiële, niet gehouden toespraak gelezen; die was goed geweest, vol geruststellingen voor alle toehoorders – maar Ryan was altijd een 'maverick' geweest, zoals Amerikanen dat noemden (hij had het woord moeten opzoeken; het was een wild, ongetemd paard, en dat was misschien wel een juiste omschrijving voor Ryan). Daardoor was het voor de Rus tegelijk moeilijk en gemakkelijk om Ryan te analyseren. Ryan was een Amerikaan, en Amerikanen waren in Golovko's ogen altijd erg onvoorspelbaar. Gedurende zijn hele carrière, eerst als inlichtingenagent in het veld en daarna als snel opklimmend staffunctionaris in Moskou, had Golovko geprobeerd te voorspellen wat Amerika in allerlei situaties zou doen, en hij had alleen fiasco's kunnen vermijden door in de rapporten die hij bij zijn superieuren indiende altijd drie mogelijke handelwijzen op te nemen.
Maar Ivan Emmetovitsj Ryan was tenminste voorspelbaar onvoorspelbaar, en Golovko vleide zich met de gedachte dat Ryan een vriend was. Misschien ging dat laatste een beetje ver, maar de twee mannen hadden hetzelfde spel gespeeld, meestal aan weerskanten van het speelveld, en in de regel hadden ze het allebei behendig en goed gespeeld: Golovko de ervaren professional en

Ryan de begaafde amateur, gezegend met een systeem dat toleranter was ten opzichte van 'mavericks'. Ze hadden respect voor elkaar.
'Wat denk je nu, Jack?' fluisterde Sergej in zichzelf. Op dat moment sliep de Amerikaanse president natuurlijk. Hij lag acht uur achter op Moskou, waar de zon nog maar net begon op te komen om aan een korte winterdag te beginnen.
Ambassadeur Lermonsov was niet erg onder de indruk geweest, en Golovko zou zijn eigen opmerkingen aan het rapport moeten toevoegen om te voorkomen dat zijn regering te veel geloof hechtte aan Lermonsovs beoordeling. Het probleem was dat Lermonsov had verwacht dat Ryan aan een bepaald patroon zou voldoen, en Ivan Emmetovitsj liet zich nu eenmaal niet zo gemakkelijk in een hokje stoppen. Het was niet een kwestie van grote complexiteit, maar een ander soort complexiteit. Rusland had geen Ryan: die had zich waarschijnlijk niet lang kunnen handhaven in de sovjet-atmosfeer die nog over de Russische republiek hing, vooral in de officiële bureaucratieën. Ryan ergerde zich gauw en hoewel hij zichzelf meestal strikt onder controle hield, bestond altijd het gevaar dat hij zijn zelfbeheersing verloor. Golovko had Ryans drift meer dan eens bijna aan de oppervlakte zien komen, nooit helemaal, maar van horen zeggen wist hij dat Ryan wel eens uit zijn vel was gesprongen. Die verhalen hadden via de CIA zekere bronnen van de Russische inlichtingendienst bereikt. Hij zou het daar als president nog moeilijk mee krijgen.
Maar dat was niet Golovko's probleem.
Hij had zelf al genoeg aan zijn hoofd. Hij had zijn greep op de Buitenlandse Inlichtingendienst niet helemaal losgelaten: president Groesjavoj had weinig reden om de dienst te vertrouwen die het 'zwaard en schild van de Partij' was geweest en wilde dat zijn vertrouweling Golovko een oogje op het aan de lijn gelegde roofdier hield. Tegelijk was hij Groesjavojs voornaamste adviseur voor het buitenlands beleid. Ruslands binnenlandse problemen waren zo groot dat de president niet aan de beoordeling van buitenlandse vraagstukken toe kwam, en dat betekende dat de president nagenoeg alle adviezen van de voormalige spion opvolgde. De eerste minister – want dat was hij, met of zonder de titel – nam die taak erg serieus. In het binnenland had Groesjavoj te kampen met een veelkoppig monster, als de hydra uit de mythologie: sloeg je er een kop af, dan kwam er meteen een nieuwe voor in de plaats. Golovko had minder problemen, al waren ze wel groter. Soms verlangde hij terug naar de oude KGB. Nog maar een paar jaar geleden zou het kinderspel zijn geweest. Je pakte een telefoon, zei een paar woorden, de misdadigers werden opgepakt, en dat was dat – nou ja, niet helemaal, maar de dingen verliepen toen veel... vreedzamer. Voorspelbaarder. Ordelijker. En zijn land had behoefte aan orde. Maar het Tweede Hoofddirectoraat, de afdeling 'geheime politie' van de KGB, was weg. Er was een onafhankelijke dienst van gemaakt, met veel minder macht, en het respect van het volk – beter gezegd: een ontzag dat nog niet zo lang geleden aan doodsangst grensde – was verdwenen. Zijn land was nooit zo

strak geregeerd als het westen dacht, maar nu was het veel erger. De Russische republiek balanceerde op de rand van de anarchie, terwijl de burgers blindelings op zoek waren naar iets dat democratie heette. De anarchie had Lenin aan de macht gebracht, want de Russen hielden van strenge heersers en hadden ook bijna nooit iets anders meegemaakt. En hoewel Golovko dat niet wilde – als hoge KGB-officier wist hij maar al te goed welke schade het marxisme-leninisme aan zijn land had toegebracht – had hij grote behoefte aan een goed georganiseerd land, want de binnenlandse problemen trokken buitenlandse problemen aan. En zo kwam het dat hij in zijn officieuze hoedanigheid van eerste minister voor nationale veiligheid met allerlei grote moeilijkheden te kampen had. Met de armen van een gewond lichaam probeerde hij wolven af te weren, terwijl hij tegelijk moest proberen die armen te laten genezen.
Daarom had hij weinig medelijden met Ryan, wiens land ernstig aan het hoofd was getroffen maar verder gezond was. Anderen mochten dan denken dat Amerika in grote problemen verkeerde, Golovko wist wel beter, en daarom zou hij Ryan om hulp vragen.
China. De Amerikanen hadden Japan verslagen, maar de echte vijand was niet Japan geweest. Zijn bureau lag vol met foto's die kortgeleden door een verkenningssatelliet waren gemaakt. Te veel divisies van het Volksbevrijdingsleger hielden oefeningen in het veld. Chinese kernraketregimenten verkeerden nog steeds in een verhoogde staat van paraatheid. Ondanks de dreiging van China had Golovko's eigen land alle ballistische kernwapens afgedankt, want anders had het de uiterst aantrekkelijke ontwikkelingsleningen van Amerikaanse en Europese banken niet kunnen krijgen. Nog maar een maand geleden had dat een goede gok geleken. Trouwens, zijn land had, net als Amerika, nog steeds bommenwerpers en kruisraketten die van kernkoppen konden worden voorzien, zodat het nadeel eerder theoretisch dan reëel was. Dat wil zeggen, als je ervan uitging dat de Chinezen dezelfde theorieën hadden. In elk geval hielden de Chinezen hun strijdkrachten in een hoge staat van paraatheid en bevond de Russische militaire aanwezigheid in het Verre Oosten zich op een historisch dieptepunt. Golovko troostte zich met de gedachte dat de Chinezen niets zouden ondernemen omdat Japan nu toch al uitgeschakeld was. Of beter gezegd: waarschijnlijk zouden ze niets ondernemen. De Amerikanen mochten dan moeilijk te begrijpen zijn, vergeleken met hen waren de Chinezen wezens van een andere planeet. Je moest nooit vergeten dat de Chinezen al eens tot aan de Oostzee waren geweest. Zoals de meeste Russen had Golovko een groot respect voor de geschiedenis. Daar lag hij dan, dacht hij, in de sneeuw en met een stok in zijn hand om een wolf af te weren, terwijl hij probeerde zijn gewonde arm te laten genezen. Zijn arm was nog sterk genoeg en de stok was nog lang genoeg om de scherpe tanden op een afstand te houden. Maar als er nu eens nóg een wolf kwam? Een document links van de satellietfoto's was daar de eerste voorbode van, als gehuil ver aan de horizon, zo'n gehuil dat een rilling door je heen joeg. Golovko ging in zijn gedachten niet ver genoeg. Als je op de grond lag, kon de horizon verrassend dichtbij zijn.

Het verbazingwekkende was dat het zo lang had geduurd. Het is altijd al een heel probleem om een belangrijk personage tegen een moordaanslag te beschermen, en het is nog veel moeilijker als de persoon in kwestie zijn best doet om vijanden te maken. Met meedogenloosheid kom je dan een heel eind. Je moet in staat zijn mensen van de straat te plukken, hen te laten verdwijnen: daar ging een enorme afschrikkende werking van uit. Eigenlijk moest je bereid zijn niet zomaar één persoon uit te schakelen, maar een heel gezin, soms zelfs een hele familie. Je selecteerde de mensen die moesten 'verdwijnen', een ongelukkig eufemisme dat in Argentinië was bedacht, door middel van mensen die inlichtingen verstrekten. Dat was een beleefde term voor verklikkers, die betaald werden met geld, of beter nog, met macht. Ze rapporteerden gesprekken met een opstandige inhoud en het kon zo ver gaan dat alleen al een grap over iemands snor tot een doodvonnis kon leiden. Die activiteiten van verklikkers werden samen een soort instituut. Binnen de kortste keren moesten verklikkers een minimaal aantal aangiften doen, en omdat de verklikkers nu eenmaal mensen waren en sympathieën en antipathieën hadden, gaven ze vaak iemand aan omdat ze zich persoonlijk gekwetst voelden of omdat ze jaloers waren. De gedelegeerde macht over leven en dood was even corrumperend voor klein als voor groot. Uiteindelijk werd een corrupt systeem zelf ook gecorrumpeerd en bereikte de logica van de terreur haar logische conclusie: een konijn, belaagd door een vos, heeft niets te verliezen als hij in de aanval gaat, en konijnen hebben tanden en soms heeft het konijn geluk.
Terreur was namelijk niet genoeg; je moest ook passieve maatregelen nemen. De eenvoudigste procedures konden het al moeilijk maken een belangrijk man te vermoorden, zelfs in een despotisch land. Enkele linies van bewakers om mensen tegen te houden. Een groot aantal identieke auto's waarin het doelwit kon worden vervoerd – in dit geval vaak wel twintig – zodat een terrorist niet wist welke auto hij moest hebben. Omdat zo'n belangrijk persoon een druk leven leidde, was het handig en veilig om een paar dubbelgangers te hebben die in het openbaar konden verschijnen om bijvoorbeeld een toespraak te houden. In ruil voor een comfortabel leven nam zo'n dubbelganger het risico dat er een aanslag op hem werd gepleegd.
Daarna kwam de keuze van de beschermers: hoe koos je de weinige betrouwbare vissen uit een zee van haat? Het voor de hand liggende antwoord was dat je mensen uit je eigen familie koos en hun dan een levensstijl gaf die volkomen afhankelijk was van het leven van hun leider. Uiteindelijk was hun lot zo nauw verbonden met zijn veiligheid en alles wat daarmee samenhing, dat zijn dood veel meer voor hen zou betekenen dan dat ze een goed betaalde overheidsbaan verloren. Als het leven van de bewakers afhankelijk was van het leven van de bewaakte, kon je er vrij zeker van zijn dat ze hun werk goed zouden doen.
Maar in feite kwam het allemaal op één ding neer. Iemand was alleen onoverwinnelijk omdat de mensen dachten dat hij dat was. Daarom was iemands veiligheid, zoals alle belangrijke aspecten van het leven, vooral een aangelegenheid van de geest.

Maar menselijke motivatie was ook een aangelegenheid van de geest, en angst was nooit de sterkste emotie geweest. In de loop van de geschiedenis hadden mensen veel vaker hun leven op het spel gezet voor liefde, voor hun vaderland, voor principes, en voor God dan dat ze uit angst waren weggelopen. Op dat gegeven was de vooruitgang gebaseerd.

De kolonel had zijn leven op zoveel manieren geriskeerd dat hij ze niet eens allemaal had onthouden. Hij had dat gedaan om opgemerkt te worden, om een kleine rol in een groot apparaat te mogen spelen en daarbinnen steeds belangrijker te worden. Hij had er lang over gedaan om zo dicht bij de Snor te komen. Acht jaar, om precies te zijn. In die tijd had hij met kille, genadeloze ogen mannen, vrouwen en kinderen gefolterd en gedood. Hij had dochters voor de ogen van hun vader verkracht, moeders voor de ogen van hun zoon. Hij had genoeg misdaden begaan om de zielen van honderd mensen te verdoemen, want hij had niet anders gekund. Ondanks de wetten van zijn godsdienst had hij zoveel alcohol gedronken dat een ongelovige onder de indruk zou zijn. Dat alles had hij gedaan in naam van God, biddend om vergeving. Wanhopig had hij tegen zichzelf gezegd dat het geschreven stond dat zijn leven zo moest zijn, dat hij er niet van genoot, dat de levens die hij nam offers waren die hij moest brengen om een groter plan te verwezenlijken, dat die mensen anders ook wel zouden zijn gestorven. Op een gegeven moment was hij het stadium van de 'obsessie' ver gepasseerd: hij wás wat hij deed, op alle mogelijke manieren en met één doel: het vertrouwen van de Snor winnen en dicht genoeg bij hem komen om in één seconde zijn werk te doen en daarna onmiddellijk zelf te sterven.

Hij wist dat hij nu was geworden waarvoor hij en iedereen om hem heen zo bang waren. Alle instructiebijeenkomsten en alle drinksessies met zijn collega's kwamen altijd op hetzelfde neer. Ze spraken over hun missie en over de gevaren van die missie. En dat kwam ook altijd op één ding neer. De alleen opererende, toegewijde moordenaar, de man die bereid was zijn eigen leven op het spel te zetten, de geduldige man die zijn kans afwachtte: dát was de vijand die elke bewaker op de wereld vreesde, dronken of nuchter, in of buiten dienst, zelfs in zijn dromen. En dat was de reden voor alle tests die je moest afleggen voordat je de Snor mocht beschermen. Om bij hem te komen moest je verdoemd zijn voor God en de mensen, want als je hier kwam, zag je hoe het was.

De Snor, zo noemde hij zijn doelwit. Geen mens, maar een afvallige van Allah die de islam ontheiligde alsof het niets was, een misdadiger met zo'n grote verdorvenheid dat hij een nieuwe kamer in de hel verdiende. Van verre leek de Snor machtig en onoverwinnelijk, maar van dichtbij niet. Zijn lijfwachten wisten beter, want ze wisten alles. Ze zagen de twijfels en de angsten, de kleine wreedheden tegenover mensen die dat niet verdienden. Hij had de Snor zien doden voor zijn plezier, misschien alleen om te zien of zijn Browning-pistool die dag goed werkte. Hij had meegemaakt dat de Snor uit het raam van zijn witte Mercedes keek, een jonge vrouw zag, naar haar wees, een bevel gaf en

het onfortuinlijke meisje één nacht gebruikte. De gelukkigen keerden naar huis terug, met geld, maar met schande beladen. De ongelukkigen dreven met doorgesneden keel in de Eufraat, in veel gevallen gedood door de Snor zelf, als ze hun deugd een beetje te goed verdedigden. Maar hij mocht dan machtig zijn, en intelligent en geslepen, en harteloos wreed, hij was niet onoverwinnelijk. En het werd nu zijn tijd om Allah te zien.
De Snor kwam het gebouw uit en betrad het imposante bordes, met zijn lijfwachten achter zich. Zijn rechterarm had hij naar voren gestrekt om de menigte te groeten. De mensen op het plein, in de gauwigheid bij elkaar gehaald, brulden van bewondering, en daarop gedijde de Snor zoals een bloem op zonlicht gedijt. En toen trok de kolonel, op drie meter afstand, zijn pistool uit de leren holster, bracht hem met één hand omhoog en schoot een enkele kogel in het achterhoofd van zijn doelwit. De mensen die vooraan stonden, zagen de kogel via het linkeroog van de dictator naar buiten komen, en toen volgde er een van die momenten in de geschiedenis waarop het leek of de hele aarde ophield met draaien. Harten sloegen een slag over en zelfs de mensen die hun bijval hadden geschreeuwd zouden zich later alleen die stilte herinneren.
De kolonel nam niet eens de moeite nog een keer te schieten. Hij was een scherpschutter en oefende bijna elke dag met zijn kameraden, en bovendien hadden zijn open, nietszeggende ogen gezien dat het raak was geweest. Hij draaide zich niet om, wilde geen tijd verspillen aan nutteloze pogingen zichzelf te verdedigen. Het had geen zin de kameraden te doden met wie hij alcohol had gedronken en kinderen had verkracht. Anderen zouden dat gauw genoeg doen. Hij glimlachte niet eens, al was het eigenlijk wel grappig, nietwaar: het ene moment had de Snor naar het plein gekeken, het plein vol mensen die hij verachtte omdat ze hem aanbaden, en het volgende moment keek hij Allah in de ogen zonder precies te weten wat er gebeurd was. Die gedachte had misschien twee seconden de tijd om in hem op te komen, en toen voelde hij dat zijn lichaam schokte onder de inslag van de eerste kogel. Hij voelde geen pijn. Daarvoor werd hij te veel in beslag genomen door zijn doelwit, dat nu op de gladde tegels van het bordes lag, zijn verwoeste hoofd in een snel groeiende plas bloed. Nog meer kogels troffen de kolonel en een ogenblik vond hij het vreemd dat hij ze wel voelde maar dat ze hem geen pijn deden. In zijn laatste seconden bad hij tot Allah om vergeving en begrip. Hij zei tot Allah dat al zijn misdaden begaan waren in de naam van God en Zijn Gerechtigheid. Tot het laatst toe registreerden zijn oren het geluid van de schoten niet, alleen de kreten van de menigte, die nog niet begreep dat hun leider dood was.

'Wie is daar?' Ryan keek op zijn wekker. Verdomme, nog eens veertig minuten slaap zou niet gek zijn geweest.
'Meneer de president, ik ben majoor Canon, korps mariniers,' zei de onbekende stem.
'Aangenaam, majoor. Wie bent u?' Jack knipperde met zijn ogen en vergat beleefd te zijn, maar waarschijnlijk begreep de officier dat wel.

'Meneer de president, ik ben officier van dienst op de inlichtingencentrale. We hebben redenen om aan te nemen dat de president van Irak tien minuten geleden is vermoord.'
'Wie is de bron?' vroeg Jack meteen.
'Koeweit en ook Saoedi-Arabië, meneer. Het was live op de Iraakse televisie, een of andere bijeenkomst, en we hebben daar mensen die naar hun televisie kijken. We laten op dit moment de beelden naar ons doorseinen. Volgens de eerste berichten is hij van dichtbij met een pistool recht in het hoofd geschoten.' De officier klonk niet bepaald alsof hij het jammer vond. Zo, nou hebben ze die schoft eindelijk overhoop geknald! Natuurlijk kon je dat niet tegen de president zeggen.
En je moest weten wie 'ze' waren.
'Goed, majoor, wat is de procedure?' Het antwoord kwam snel genoeg. Ryan legde de hoorn op de haak.
'Wat is er nou weer?' vroeg Cathy. Jack zwaaide zijn voeten uit het bed voordat hij antwoord gaf.
'Zojuist is de president van Irak vermoord.'
Zijn vrouw zei bijna 'goed' maar hield zich in. De dood van zo iemand lag niet zo ver meer buiten haar eigen levenssfeer als vroeger. Wat vreemd om zo te denken over iemand die met zijn dood de wereld een grote dienst bewees.
'Is dat belangrijk?'
'Dat krijg ik over een minuut of twintig te horen.' Ryan kuchte voordat hij verderging. 'Ach, ik was vroeger zelf deskundig op dat terrein. Ja, het kan erg belangrijk zijn.' Daarna deed hij wat iedere man in Amerika 's morgens deed. Hij ging eerder naar de wc dan zijn vrouw. Cathy van haar kant pakte de afstandsbediening en verrichtte de andere mannendaad: het aanklikken van de tv in de slaapkamer. Tot haar verbazing had CNN niets anders te melden dan de lijst van vertragingen op luchthavens. Jack had haar al een paar keer verteld hoe goed de inlichtingencentrale van het Witte Huis was.
'Iets op tv?' vroeg haar man toen hij de kamer weer inkwam.
'Nog niet.' Toen was het haar beurt.
Jack moest erover nadenken waar zijn kleren waren. Hij vroeg zich af hoe een president zich moest kleden. Hij vond zijn ochtendjas, overgebracht uit het Naval Observatory, nadat hij van de marinierskazerne daarheen was gebracht, nadat hij uit hun huis was weggehaald – verdomme – en maakte de slaapkamerdeur open. Een agent op de gang gaf hem drie ochtendkranten. 'Bedankt.' Cathy zag dat en bleef abrupt staan. Te laat besefte ze dat er de hele nacht mensen voor haar slaapkamerdeur hadden gestaan. Ze wendde haar gezicht af en glimlachte zoals iemand doet die een onverwachte rotzooi in de keuken aantreft.
'Jack?'
'Ja, schat?'
'Als ik je op een nacht in bed vermoord, komen die mensen met pistolen me dan meteen halen of pas de volgende ochtend?'

Het echte werk werd in Fort Meade gedaan. De videobeelden waren afkomstig van monitoring-stations aan de grens tussen Koeweit en Irak en in Saoedi-Arabië, respectievelijk bekend onder de namen PALM BOWL en STORM TRACK. Het laatste station was opgezet om alle radio- en televisiesignalen uit Bagdad op te vangen en het eerste richtte zich op het zuidoostelijke deel van het land, Basra en omgeving. Vanuit beide plaatsen ging de informatie per vezeloptiekkabel naar het bedrieglijk kleine gebouw van de National Security Agency in King Khalid Military City (KKMC). Vervolgens werd alles per communicatiesatelliet doorgezonden naar het hoofdkantoor van de NSA. Daar zaten tien mensen, die door een van de officieren van dienst waren opgeroepen, voor een televisiemonitor om de beelden op te vangen, terwijl de hogere functionarissen in een afzonderlijk kantoor met glazen wanden rustig hun koffie zaten te drinken.
'Ja!' zei een luchtmachtsergeant toen hij de eerste beelden zag. 'Uit de kunst!'
Er ging een gejuich op. De officier van dienst, die al naar het Witte Huis had gebeld, knikte instemmend en gaf de oorspronkelijke beelden door. Hij gaf ook opdracht de beelden digitaal te versterken. Dat zou maar enkele minuten duren, want maar een paar beelden waren daarvoor belangrijk genoeg en ze hadden een enorme Cray-supercomputer om het te doen.

Terwijl Cathy zorgde dat de kinderen op tijd naar school gingen en zijzelf naar het ziekenhuis kon gaan om mensen aan hun ogen te opereren, zat Ryan op de inlichtingencentrale naar de beelden van de aanslag te kijken. De door hem benoemde nationale-inlichtingenadviseur was nog bij de CIA om zijn ochtenddosis informatie tot zich te nemen, informatie waarvan hij straks de hoofdpunten aan de president zou doorvertellen. De post van nationale-veiligheidsadviseur was nog vacant: ook iets waaraan hij die dag moest werken.
'Wow!' riep majoor Canon uit.
De president knikte en viel toen terug in zijn vroegere leven als inlichtingenman. 'Goed, vertel me wat we weten.'
'Meneer de president, we weten dat er iemand gedood is, waarschijnlijk de Iraakse president.'
'Of een dubbelganger?'
Canon knikte. 'Zou kunnen, maar STORM TRACK maakt melding van een heleboel VHF-signalen die plotseling zijn opgekomen, politie en leger, en al die activiteit in de ether komt uit Bagdad.' De mariniersofficier wees naar zijn computermonitor, die onmiddellijk liet zien wat de vele buitenposten van de NSA opvingen. 'De vertalingen vergen wat tijd, maar analyse van radioverkeer is mijn vak. Het ziet er echt uit, meneer. In theorie kan het nep zijn, maar ik zou niet... Kijk!'
Er kwam een vertaling in beeld van een bericht dat van een militair commandonet was opgepikt. Hij is dood, hij is dood, breng je regiment in gereedheid om onmiddellijk naar de stad te gaan – ontvanger is regiment Speciale Operaties van Republikeinse Garde in XYZ – antwoord is: Ja, dat doe ik, ja, wie geeft de orders, wat zijn mijn orders...

'Inclusief typefouten,' merkte Ryan op.
'Meneer de president, het is moeilijk voor ons mensen om tegelijk te vertalen en te typen. Meestal corrigeren we het voordat...'
'Rustig maar, majoor. Ik gebruik zelf ook maar drie vingers. Vertel me wat je ervan denkt.'
'Meneer de president, ik ben maar een lagere officier hier, daarom krijg ik de hondenwacht en...'
'Als je dom was, zou je hier niet zijn.'
Canon knikte. 'Hij is morsdood, president. Irak heeft een nieuwe dictator nodig. We hebben de beelden, we hebben ongewoon radioverkeer dat in het patroon van een ongewone gebeurtenis past. Dat is mijn inschatting.' Hij wachtte even en dekte zich toen in, zoals het een goede spion betaamde. 'Tenzij het een opzettelijke poging is om dissidente figuren binnen de regering uit hun tent te lokken. Dat is mogelijk maar onwaarschijnlijk. Niet in het openbaar, niet op deze manier.'
'Een kamikazespel?'
'Ja, meneer de president. Iets wat je maar één keer kunt doen, en die eerste keer is het ook al gevaarlijk.'
'Akkoord.'
Ryan liep naar de koffiepot – de inlichtingencentrale van het Witte Huis was voornamelijk een militaire eenheid, en ze zetten hun eigen koffie. Jack nam twee kopjes, kwam terug, en gaf een van de kopjes tot schrik van bijna iedereen in de centrale aan majoor Canon. 'Snel werk. Wil je een bedankje sturen aan iedereen die hieraan heeft meegewerkt?'
'Jazeker, meneer.'
'Met wie moet ik praten om de zaak hier in beweging te krijgen?'
'We hebben hier de telefoons, president.'
'Ik wil Adler hier zo snel mogelijk hebben, en het hoofd inlichtingen... en wie nog meer? De Irak-desks van Buitenlandse Zaken en de CIA. Hoe denken ze over de militaire sterkte van Irak? Probeer erachter te komen of prins Ali nog in de stad is. Als hij er is, vraag hem dan of hij even wil wachten. Ik wil hem vanmorgen graag zo gauw mogelijk spreken. Eh, wat nog meer...?' Ryans stem stierf weg.
'CENTCOM, president. Die heeft de beste militaire inlichtingenmensen in Tampa, ik bedoel de mensen die de regio het beste kennen.'
'Laat hem hier komen... nee, we doen het wel op afstand, en we geven hem tijd om zich te laten inlichten.'
'Komt voor elkaar, meneer de president.'
Ryan klopte de officier op zijn schouder en ging de kamer uit. De zware deur ging achter hem dicht voordat majoor Charles Canon weer iets zei. 'Hé, die neem je niet in de zeik.'
'Hoorde ik dat goed?' vroeg Price, die de gang door kwam.
'Hoef jij nooit te slapen?' Toen dacht hij even na. 'Ik wil jou hier bij hebben.'
'Waarom ik, meneer de president, ik ben niet...'

'Je weet toch iets van moordaanslagen?'
'Ja, meneer.'
'Dan heb ik nu meer aan jou dan aan een spion.'

Het moment waarop het gebeurde was niet zo gunstig. Daryaei was verrast door de informatie die net binnenkwam. Niet dat hij het slecht nieuws vond, alleen het moment was niet helemaal goed. Hij dacht even na, fluisterde eerst een dankgebed tot Allah en toen voor de ziel van de onbekende moordenaar. Moordenaar? vroeg hij zich af. Misschien was 'rechter' een betere term voor die man, een van de velen die een eeuwigheid geleden in Irak waren geïnfiltreerd, toen de oorlog nog aan de gang was. De meesten waren gewoon verdwenen, waarschijnlijk op de een of andere manier uit de weg geruimd. De missie als geheel was zijn idee geweest. Het was lang niet dramatisch genoeg voor de 'professionals' die bij zijn inlichtingendienst werkten. Dat waren voornamelijk overblijvers uit de Savak van de sjah en ze waren in de jaren zestig en zeventig getraind door de Israëli's. Ze waren bekwaam genoeg, maar in hun hart waren het huurlingen, hoezeer ze ook blijk gaven van hun religieuze elan en hun trouw aan het nieuwe regime. Ze hadden 'conventionele' wegen bewandeld voor deze onconventionele missie: mensen omkopen en op zoek gaan naar dissidenten. Alles wat ze deden, had gefaald, en Daryaei had zich jarenlang afgevraagd of hun doelwit misschien Allah's perverse zegen had of zoiets. Maar dat was de stem van de wanhoop geweest, niet die van het verstand en het geloof, en zelfs Daryaei was niet immuun voor menselijke zwakheid. Natuurlijk hadden de Amerikanen hetzelfde geprobeerd. Ook zij hadden geprobeerd militaire bevelhebbers te vinden die misschien graag aan de macht wilden komen, of een staatsgreep op touw te zetten zoals ze zo vaak in andere delen van de wereld hadden gedaan. Maar nee, dit doelwit was daar te sluw voor, en hij werd ook steeds sluwer, en de Amerikanen hadden dus gefaald, evenals de Israëli's en alle anderen. Behalve ik.
In feite was het een traditie die tot de oudheid terugging. Eén man die alleen handelde, één trouwe man die al het noodzakelijke in het werk stelde om zijn missie te volbrengen. Elf van zulke mannen waren voor dit specifieke doel naar Irak gestuurd. Ze hadden opdracht gekregen zich helemaal in te leven, waren getraind om alles te vergeten wat ze ooit hadden meegemaakt. Ze opereerden zonder contactpersonen of begeleiders en alle gegevens van hun bestaan waren vernietigd, opdat zelfs een Iraakse spion in zijn eigen diensten niets over deze naamloze missie kon ontdekken. Binnen een uur kwamen sommigen van zijn makkers naar zijn kantoor; ze prezen God en bejubelden hun leider om zijn wijsheid. Misschien, maar zelfs zij wisten niet alles wat hij had gedaan, of alle namen van de mensen die hij had gestuurd.

De digitalisering maakte de beelden niet veel duidelijker, al had de nationale-inlichtingenadviseur nu een meer professionele opinie over de mogelijkheden: 'Meneer de president, iemand met een Silicon Graphics-workstation zou dit

kunnen vervalsen,' zei hij. 'U hebt films gezien, en bioscoopfilms hebben een hogere resolutie dan televisie. Je kunt tegenwoordig bijna alles vervalsen.'
'Goed, maar het is jullie taak om me te vertellen wat er gebeurd is,' merkte Ryan op. Hij had dezelfde beelden nu acht keer gezien en begon genoeg te krijgen van al die herhalingen.
'We kunnen het niet met absolute zekerheid zeggen.'
Misschien kwam het door het slaapgebrek van die week. Misschien kwam het door de stress van het presidentschap. Misschien kwam het door de stress van deze twééde crisis. Misschien kwam het doordat Ryan zelf nog steeds een inlichtingenman was. 'Luister, ik zeg dit maar één keer: het is jullie taak niet om jullie zelf in te dekken. Jullie moeten míj indekken!'
'Dat weet ik, meneer de president. Daarom geef ik u alle informatie die ik heb...' Ryan hoefde niet naar de rest van het toespraakje te luisteren. Hij had het allemaal al een paar honderd keer gehoord. Vroeger had hij zulke dingen ook weleens gezegd, al had hij dan wel altijd een voorkeur voor een van de opties uitgesproken.
'Scott?' vroeg Jack aan de waarnemend minister van Buitenlandse Zaken.
'Die schoft is zo dood als een pier,' antwoordde Adler.
'Iemand niet mee eens?' vroeg president Ryan aan de anderen in de kamer. Niemand sprak Adler tegen en daarmee werden zijn woorden min of meer bevestigd. Zelfs de nationale-inlichtingenadviseur wilde het niet óneens zijn met de heersende mening. Per slot van rekening had hij zijn beoordeling gegeven. Als er nu een vergissing werd gemaakt, was dat het probleem van de minister van Buitenlandse Zaken. Perfect.
'Wie was de schutter?' vroeg Andrea Price. Het antwoord kwam van de man van de Irak-desk van de CIA.
'Onbekend. Ik laat mensen bandjes van vorige openbare verschijningen bekijken om te zien of hij daarop voorkomt. Het lijkt er sterk op dat het een hogere officier van zijn persoonlijke escorte was, met de rang van legerkolonel, en...'
'En ik ken iedereen van mijn eigen escorte verdomd goed,' onderbrak Price hem. 'Dus wie het ook was, hij hoorde daar thuis, en dat betekent dat degene die hierachter zit, kans heeft gezien iemand helemaal naar binnen te smokkelen, zo dichtbij dat hij de aanslag kon plegen, iemand die toegewijd genoeg was om daar de prijs voor te betalen. Dat moet jaren hebben geduurd.' Op de voortzetting van de videobeelden – ze hadden die nog maar vijf keer bekeken – zakte de man in elkaar nadat van dichtbij een groot aantal pistoolschoten op hem was afgevuurd. Dat vond adjudant Price vreemd. Je wilde zulke mensen toch wel erg graag levend in handen krijgen. Doden konden niets meer vertellen, en een executie kon altijd nog worden geregeld. Tenzij hij door andere leden van het complot was gedood. Maar hoe waarschijnlijk was het dat meer dan één belager het zo ver had gebracht? Price realiseerde zich dat ze dat op een dag aan Indira Gandhi zou kunnen vragen. Indira's hele lijfwacht had zich op een middag in een tuin tegen haar gekeerd. In Price's ogen was dat de ergste schanddaad: eerst zweren dat je iemand zult verdedigen en hem of haar

dan doden. Maar ja, ze had ook niet gezworen zulke mensen te verdedigen. Er was nog iets anders aan de beelden dat haar opviel: 'Zagen jullie de lichaamstaal?'
'Wat bedoel je?' vroeg Ryan.
'Zoals dat pistool naar boven kwam, zoals hij het schot loste, zoals hij bleef staan kijken. Als een golfer die een bal heeft weggeslagen. Hij moet lang op deze kans hebben gewacht. Hij heeft er absoluut een hele, hele tijd over nagedacht. Hij moet ervan hebben gedroomd. Hij wilde dat het een perfect moment was. Hij wilde het zien en ervan genieten, voordat hij zelf werd gedood.' Ze schudde langzaam met haar hoofd. 'Het was een doelgerichte, toegewijde moordenaar.' Price genoot hiervan, hoe huiveringwekkend het onderwerp van de bespreking ook was. Menige president had de agenten van de Secret Service behandeld alsof ze meubelstukken waren, of op z'n best sympathieke huisdieren. Het gebeurde niet vaak dat de machtigen in den lande hun mening over iets vroegen, of het moest al iets zijn dat binnen hun beperkte werkterrein viel, bijvoorbeeld waar in een menigte verdachte personages stonden.
'Ga door,' zei de CIA-man.
'Hij moet van buiten zijn gekomen, iemand met een smetteloze staat van dienst, zonder enige connectie met iemand die moeilijk heeft gedaan in Bagdad. Dit was niet iemand die een rekening wilde vereffenen omdat zijn moeder is vermoord of zoiets. Dit was iemand die zich langzaam omhoog heeft gewerkt in het systeem, langzaam en uiterst voorzichtig.'
'Iran,' zei de CIA-man. 'Daar zou ik op gokken. Religieuze motivatie. Hij zou nooit weg kunnen komen, dus het moest iemand zijn die dat niet kon schelen. Dat zou ook op wraak kunnen wijzen, maar mevrouw Price heeft gelijk: in dat opzicht waren zijn mensen brandschoon. Hoe dan ook, het waren niet de Israëli's en het waren niet de Fransen. De Britten doen dit soort dingen niet meer. De Iraakse selectieprocedures zijn zodanig dat dit geen binnenlandse achtergrond kan hebben. Het was niet om geld. Het was niet om persoonlijke motieven of familiemotieven. Ik denk dat we politieke ideologie wel kunnen uitsluiten. Dan blijft religie over, en dat betekent Iran.'
'Ik kan niet zeggen dat ik iets van de inlichtingenkant weet, maar als ik dat bandje zie, denk ik: ja,' beaamde Andrea Price. 'Hij pleegde die moord alsof het een gebed was. Hij wilde dat het moment volmaakt was. Verder kon het hem allemaal niets schelen.'
'Hebben we nog iemand anders die zich daarin kan verdiepen?' vroeg Ryan.
'De FBI. Hun mensen van Gedragswetenschappen zijn vrij goed in het lezen van gedachten. We werken de hele tijd met ze samen,' antwoordde Price.
'Goed idee,' beaamde CIA-man. 'We zetten alles op alles om achter de identiteit van de schutter te komen, maar ook als we goede informatie krijgen, komen we daar misschien niet verder mee.'
'En de tijdsfactor?'
'Als we ervan uit kunnen gaan dat de schutter al een tijdje in zijn naaste omge-

ving was – we hebben genoeg bandjes van openbare verschijningen om dat te kunnen vaststellen – is de tijdsfactor inderdaad iets om over na te denken,' vond de CIA-man.
'O, dat is geweldig,' merkte de president op. 'Scott, wat nu?'
'Bert?' zei de man van Buitenlandse Zaken tegen de man van de Irak-desk. Bert Vasco was de Irak-expert van het ministerie. Het was zijn werk om zoveel mogelijk aan de weet te komen over dat ene land.
'Meneer de president, zoals we allemaal weten, is Irak in meerderheid een sjiitisch moslimland dat via de Ba'ath-partij door een soennitische minderheid wordt geleid. We hebben er altijd rekening mee gehouden dat de eliminatie van onze vriend daar tot de val van...'
'Vertel me iets wat ik nog niet weet,' onderbrak Ryan hem.
'Meneer de president, we weten gewoon niet hoe sterk de eventuele oppositie is, gesteld dat die bestaat. Het huidige regime is er erg goed in om ieder verzet in de kiem te smoren. Een handvol Iraakse politieke figuren is overgelopen naar Iran. Daar zitten geen mensen van topkwaliteit bij. Niemand van hen heeft ooit de kans gehad een stevige politieke basis op te bouwen. Er zijn twee radiostations die vanuit Iran naar Irak uitzenden. We kennen de namen van de overlopers die deze zenders gebruiken om tegen hun landgenoten te praten. Maar we weten niet hoeveel mensen er luisteren. Het regime is niet bepaald populair, dat weten we. We kennen de sterkte van de oppositie niet, en we weten niet wat voor organisaties er bestaan die gebruik kunnen maken van een gelegenheid als deze.'
De man van de CIA knikte. 'Bert heeft gelijk. Onze vriend was er ontzaglijk goed in om potentiële vijanden te identificeren en uit te schakelen. Tijdens en na de Golfoorlog hebben we geprobeerd te helpen, maar het enige wat we daarmee bereikten, was dat er mensen werden gedood. Er is daar niemand die ons vertrouwt.'
Ryan nam een slok koffie en knikte. Hij had zijn eigen aanbevelingen al in 1991 gedaan, en die waren niet uitgevoerd. Nou, toen had hij nog een ondergeschikte functie.
'Kunnen we daar iets inzetten?' vroeg de president nu.
'Eerlijk gezegd niet,' antwoordde Vasco.
De man van de CIA was het daarmee eens. 'We kunnen daar niets beginnen. De weinige mensen die we in dat land hebben, volgen de wapenontwikkeling, nucleair, chemisch, enzovoort. Niemand aan de politieke kant. In Iran hebben we meer mensen die met de politiek bezig zijn. Daar kunnen we wel iets doen, maar niet in Irak.'
Fantastisch, dacht Jack, een land kon al dan niet naar de bliksem gaan in een van de meest gevoelige delen van de wereld, en 's werelds machtigste natie kon niets meer doen dan op de televisie volgen hoe het afliep. Zo ver ging dus de macht van het Amerikaanse presidentschap.
'Arnie?'
'Ja, meneer de president,' antwoordde de stafchef.

'We hebben Mary Pat een paar dagen geleden van de agenda gehaald. Ik wil haar er vandaag weer op hebben.'
'Ik zal zien wat we daaraan kunnen doen, maar...'
'Maar wanneer zoiets als dit gebeurt, wordt van de president van de Verenigde Staten verwacht dat hij meer doet dan met zijn pik in zijn hand staan.' Ryan zweeg even. 'Zal Iran in actie komen?'

10
Politiek

Prins Ali bin Sheik had klaargestaan om met zijn privé-vliegtuig, een oudere maar schitterend ingerichte Lockheed L-1011, naar huis te vliegen, toen het telefoontje van het Witte Huis kwam. De Saoedische ambassade bevond zich dicht bij het Kennedy Center en de rit in zijn officiële limousine was dan ook kort. Hij werd begeleid door een escorte dat bijna even groot was als dat van Ryan en dat bestond uit personeel van de Amerikaanse dienst voor de bescherming van diplomatiek personeel, plus het eigen escorte van de prins, dat uit voormalige leden van de Britse SAS was samengesteld. Zoals altijd besteedden de Saoedi's veel geld en kregen ze daar kwaliteit voor. Ali kwam niet voor het eerst in het Witte Huis, en dit werd ook niet zijn eerste ontmoeting met Scott Adler, die hem bij de deur opwachtte en naar het Oval Office op de eerste verdieping leidde.
'Meneer de president,' zei de prins toen hij uit de kamer van het secretariaat naar binnen kwam.
'Ik stel het op prijs dat je op zo'n korte termijn kon komen.' Jack schudde zijn hand en wees hem een van de twee banken in de kamer. Iemand was zo attent geweest de haard aan te maken. De fotograaf van het Witte Huis maakte een paar foto's en werd weggezonden. 'Ik neem aan dat je het nieuws van vanmorgen hebt gezien.'
Ali keek hem met een zorgelijk glimlachje aan. 'Wat zal ik zeggen? We rouwen niet om zijn dood, maar het koninkrijk maakt zich zorgen.'
'Weten jullie iets wat wij niet weten?' vroeg Ryan.
De prins schudde zijn hoofd. 'Ik was net zo verrast als ieder ander.'
De president trok een grimas. 'Weet je, na al het geld dat we hebben besteed aan...'
Zijn bezoeker stak vermoeid zijn hand op. 'Ja, ik weet het. Zodra ik weer in mijn eigen land ben, zal ik hetzelfde gesprek met mijn eigen ministers hebben.'

'Iran.'
'Ongetwijfeld.'
'Zullen ze in actie komen?'
Het werd stil in het Oval Office. Alleen het knetteren van het eikenhout in de haard was te horen. De drie mannen, Ryan, Ali en Adler, keken elkaar over de salontafel aan. Het dienblad met de kopjes bleef onberoerd. Natuurlijk draaide het om olie. De Perzische Golf – soms Arabische Golf genoemd – was een plasje water dat omringd werd door een zee van olie, die zich daar op veel plaatsen zelfs bovenop bevond. Het grootste deel van de bekende olievoorraad van de wereld zat daar, grotendeels verdeeld over het koninkrijk Saoedi-Arabië, Koeweit, Irak en Iran, samen met de kleinere Verenigde Arabische Emiraten, Bahrein, Qatar en Dubai. Van die landen had Iran verreweg het grootste aantal inwoners. Daarna kwam Irak. De landen op het Arabisch schiereiland waren rijker, maar de grond boven hun vloeibare rijkdom had nooit een grote bevolking kunnen voeden, en zo was het probleem ontstaan dat voor het eerst aan de oppervlakte was gekomen in 1991, toen Irak tot een invasie van Koeweit overging, met alle gratie van een bullebak op het schoolplein die een kleiner kind te lijf gaat. Ryan had meer dan eens gezegd dat agressieve oorlogvoering weinig meer was dan een gewapende roofoverval met hoofdletters, en dat was ook het geval geweest in de Golfoorlog. Met een beroep op een onbeduidend territoriaal dispuut en enkele al even onbeduidende economische kwesties had Saddam Hoessein geprobeerd in één klap de intrinsieke rijkdom van zijn land te verdubbelen, en daarna had hij gedreigd de inzet van zijn gok te verhogen door Saoedi-Arabië aan te vallen; de reden waarom hij bij de grens tussen Koeweit en Saoedi-Arabië was gestopt, zou wel altijd onbekend blijven. In feite draaide het allemaal om olie en de rijkdom die daaruit voortvloeide.
Maar dat was nog niet alles. Saddam Hoessein had, net als een maffialeider, aan weinig anders gedacht dan aan geld en de politieke macht die met geld te koop was. Iran daarentegen had een meer vooruitziende blik.
Alle naties rondom de Golf waren islamitisch, de meeste erg orthodox. De uitzonderingen waren Bahrein en Irak. In het eerste geval was de olievoorraad bijna op en was het land – in feite een stadstaat die door een dam van Saoedi-Arabië werd gescheiden – ongeveer dezelfde functie gaan vervullen als Nevada in de Verenigde Staten: een plaats waar de normale regels niet golden en waar men op veilige afstand van thuis, waar veel strengere regels golden, kon drinken en gokken en zich anderszins vermaken. Irak daarentegen was een seculiere staat die soms lippendienst bewees aan de staatsreligie. Dat laatste verklaarde grotendeels waarom de president na een lange, enerverende loopbaan was vermoord.
Maar de sleutel tot de regio was de religie en zou dat altijd blijven. Het koninkrijk Saoedi-Arabië was het levende hart van de islam. De profeet was daar geboren. De heilige steden Mekka en Medina lagen in dat land en van daaruit was een van de grootste religieuze bewegingen ter wereld ontstaan. In

dat land ging het minder om olie dan om geloof. Saoedi-Arabië behoorde tot de soennitische tak van de islam, en Iran tot de sjiitische. Iemand had Ryan weleens de verschillen uitgelegd, maar die hadden hem zo marginaal geleken dat hij niet de moeite had genomen ze te onthouden. En dat, zei de president nu tegen zichzelf, was dom geweest. De verschillen waren zo groot dat ze twee belangrijke landen tot vijanden maakten, en groter kon een verschil toch moeilijk zijn. Het ging ook niet om de rijkdom op zich. Het ging om een ander soort macht, het soort dat uit de geest en het hart voortkwam, en vervolgens in iets anders overging. Olie en geld maakten de strijd alleen interessanter voor buitenstaanders.

Veel interessanter. De industriële wereld was afhankelijk van olie. Iedere staat aan de Golf was bang voor het grote Iran, voor de massa's van dat land en voor de geloofsijver van de Iraniërs. De soennieten waren bang voor wat zij als een afwijking van de ware islam zagen. Alle anderen waren bang voor wat er zou gebeuren als 'ketters' de hegemonie in de regio verwierven, want de islam was een alomvattend systeem van geloofsovertuigingen dat zich uitstrekte tot het civiele recht en de politiek en elke andere vorm van menselijke activiteit. Voor moslims was het woord van God de wet zelf. Voor het westen was het een verlengstuk van hun economisch beleid. Voor de Arabieren – Iran is geen Arabisch land – was het de meest fundamentele vraag die bestond, de plaats van de mens ten opzichte van zijn God.

'Ja, meneer de president,' antwoordde prins Ali bin Sheik na een ogenblik. 'Ze zullen in actie komen.'

Zijn stem was bewonderenswaardig kalm, al wist Ryan dat hij inwendig allesbehalve kalm zou zijn. De Saoedi's hadden nooit gewild dat de president van Irak ten val zou komen. Hij mocht dan een vijand zijn, en een afvallige, en een agressor, maar voor zijn buren vervulde hij een nuttige strategische functie. Irak had lange tijd als een buffer tussen de Golfstaten en Iran gefungeerd. Daarbij speelde de religie de tweede viool ten opzichte van de politiek, die tegelijk religieuze doeleinden diende. Door het woord van Allah te verwerpen had de sjiitische meerderheid van Irak zich buitenspel gezet. De grens met Koeweit en Saoedi-Arabië was dan alleen een politieke en geen religieuze grens. Maar als de Ba'ath-partij tegelijk met haar leider ten val kwam, bestond de kans dat Irak tot een meerderheidsbewind zou overgaan. Dan zou Saoedi-Arabië aan twee grenzen tegen een sjiitisch land aan liggen, en de sjiitische tak van de islam werd geleid door Iran.

Iran zou in actie komen, want Iran was al jaren in actie. De religie die door Mohammed tot een eenheid was gebracht, had zich tot Marokko in het westen en de Filipijnen in het oosten uitgebreid en was na de evolutie van de moderne wereld in iedere natie op aarde vertegenwoordigd. Iran had haar rijkdom en haar grote bevolking gebruikt om het meest vooraanstaande islamitische land ter wereld te worden. Ze had dat gedaan door de islamitische geestelijkheid in haar eigen heilige stad Qum te laten studeren, door politieke bewegingen in de hele islamitische wereld te financieren en door wapens toe

te spelen aan islamitische volkeren die hulp nodig hadden: de Bosnische moslims waren daar een voorbeeld van, maar lang niet het enige.
'*Anschluss*,' dacht Scott Adler hardop. Prins Ali keek hem alleen maar aan en knikte.
'Hebben we plannen klaarliggen om dat te voorkomen?' vroeg Jack. Hij wist het antwoord al. Nee, niemand had zulke plannen. Dat was de reden waarom ze in de Golfoorlog om beperkte militaire doelstellingen hadden gevochten, en niet om de agressor ten val te brengen. De Saoedi's, die van het begin af aan de strategische doelstellingen van de oorlog hadden bepaald, hadden hun Amerikaanse en andere bondgenoten nooit toegestaan om zelfs maar over een opmars naar Bagdad te peinzen, ondanks het feit dat het Iraakse leger zich in en rond Koeweit bevond en de Iraakse hoofdstad even onbeschermd was als een nudist op een strand. Toen Ryan indertijd de commentatoren op de televisie hoorde praten, was hem iets opgevallen. Niet één van hen had de opmerking gemaakt dat een veldtocht volgens het boekje volkomen aan Koeweit voorbij zou zijn gegaan: de geallieerden zouden Bagdad hebben ingenomen en dan hebben gewacht tot het Iraakse leger zich overgaf. Nou, niet iedereen kon kaartlezen.
'Ali, welke invloed kunnen jullie daar uitoefenen?' vroeg Ryan nu.
'In praktische termen? Erg weinig. We zullen onze vriendschappelijke hand uitsteken, leningen aanbieden, en aan het eind van de week zullen we Amerika en de Verenigde Naties vragen de sancties op te heffen teneinde de economische omstandigheden te verbeteren, maar...'
'Ja, maar,' beaamde Ryan. 'Ali, als jullie nog iets aan de weet komen, laat het ons dan weten. Amerika staat nog steeds garant voor de veiligheid van je land.'
Ali knikte. 'Dat zal ik aan mijn regering doorgeven.'

'Mooi, professioneel werk,' merkte Ding op zodra hij de gedigitaliseerde beelden zag. 'Op één klein ding na.'
'Ja, het is altijd prettig om je maandloon binnen te hebben voordat je testament wordt bekrachtigd.' Clark was ooit jong en fel genoeg geweest om in dezelfde termen te denken als de schutter van wiens dood ze zojuist de beelden hadden gezien, maar met de jaren was de voorzichtigheid gekomen. Hij had gehoord dat Mary Pat hem weer naar het Witte Huis wilde sturen en las daarom wat informatie door. Tenminste, dat probeerde hij.
'John, heb je je ooit in de assassijnen verdiept?' vroeg Chavez, terwijl hij met de afstandsbediening de televisie uitzette.
'Ik heb de film gezien,' antwoordde Clark zonder op te kijken.
'Dat waren nogal serieuze jongens. Dat moesten ze ook wel zijn. Als je met zwaarden en messen werkt, moet je dichtbij komen om het werk te doen. Een beslissende inzet, zeiden wij vroeger in dienst.' Chavez had zijn studie internationale betrekkingen nog niet afgerond, maar hij koesterde alle boeken die professor Alpher hem had gedwongen te lezen. Hij maakte een gebaar in de richting van de televisie. 'Die kerel was er ook zo eentje, een wandelende bom

je vernietigt jezelf, maar je schakelt eerst je doelwit uit. De assassijnen creëerden de eerste terroristische staat. Ik denk dat de wereld daar toen nog niet rijp voor was, maar die ene kleine stadstaat manipuleerde een hele regio, alleen omdat ze een van hun mensen dicht genoeg bij iemand konden krijgen om hem te vermoorden.'

'Hartelijk dank voor de geschiedenisles, Domingo, maar...'

'Denk eens na, John. Als ze dicht bij hem konden komen, kunnen ze dicht bij iedereen komen. Er is geen pensioenregeling voor dictators, hè? Je kunt gerust zeggen dat hij verrekte streng werd bewaakt, maar iemand kreeg een pistool dicht bij hem en knalde hem naar de andere wereld. Dat is angstaanjagend, John.'

John Clark moest zichzelf er de hele tijd aan herinneren dat Domingo Chavez geen stomkop was. Hij mocht dan nog met een accent spreken – niet omdat het moest, maar omdat hij het van nature deed; Chavez had, net als Clark, veel gevoel voor taal – en hij mocht zijn taalgebruik dan nog steeds doorspekken met woorden en frasen uit de tijd dat hij sergeant in het leger was, maar verdomd als hij niet de snelste leerling was die John ooit had gekend. Hij leerde zelfs zich te beheersen. Tenminste, als het hem uitkwam, verbeterde John zichzelf.

'Nou? Andere cultuur, andere motivatie, andere...'

'John, ik heb het over een mogelijkheid. De politieke wil om daar gebruik van te maken, *mano*. En het geduld. Dit moet jaren hebben gekost. Van slapende spionnen heb ik vaak gehoord. Dit is de eerste keer dat ik een slapende schutter zie.'

'Het kan ook een gewone jongen zijn geweest die zich kwaad over iets maakte en...'

'En die bereid was te sterven? Nee, dat denk ik niet, John. Hij had hem toch ook 's nachts op weg naar de latrine overhoop kunnen knallen om er daarna als de gesmeerde bliksem vandoor te gaan? Nee, John. Die knakker wou iets duidelijk maken. En hij niet alleen. Hij gaf ook een boodschap door aan zijn opdrachtgever.'

Clark keek van zijn papieren op en dacht daarover na. Een andere overheidsdienaar zou die opmerking misschien hebben afgedaan als iets wat buiten zijn competentie viel, maar Clark was juist bij de overheid gehaald omdat hij de grenzen niet wilde zien die aan zijn activiteiten gesteld waren. Bovendien herinnerde hij zich dat hij in Iran was en in een menigte stond die 'Dood aan Amerika!' schreeuwde tegen geblinddoekte gijzelaars uit de Amerikaanse ambassade. En dat was nog niet alles. Hij herinnerde zich ook wat mensen in die menigte hadden gezegd toen operatie BLAUW LICHT mislukte, en hoe weinig het had gescheeld of het Khomeini-bewind had zijn woede op de Amerikanen afgereageerd en van een toch al uiterst onaangenaam dispuut een regelrechte oorlog gemaakt. Zelfs toen al zaten er Iraanse vingerafdrukken op allerlei terroristische acties in de hele wereld, en het onvermogen van Amerika om daar iets aan te doen had de zaak er bepaald niet beter op gemaakt.

'Nou, Domingo, daarom hebben we meer mensen in het veld nodig.'

Cathy had nog een reden om het niet leuk te vinden dat haar man president was geworden. Ze kon hem niet groeten voordat ze de deur uitging. Hij was in bespreking met iemand, nou, dat zou wel te maken hebben met wat ze op het ochtendnieuws had gezien, en dat was werk, en het was ook wel eens gebeurd dat ze onverwachts het huis uit moest rennen omdat zich in het Hopkins een spoedgeval voordeed. Toch vond ze dit niet prettig.
Ze keek naar de autocolonne. Zo kon je het wel noemen: zes Chevrolet Suburbans op een rij. Drie hadden opdracht Sally (die nu de codenaam SHADOW had) en kleine Jack (SHORTSTOP) naar school te brengen. De andere drie zouden Katie (SANDBOX) naar haar crèche brengen. Voor een deel, gaf Cathy Ryan toe, was het haar eigen schuld. Ze wilde niet dat het leven van haar kinderen werd verstoord. Ze wilde niet dat ze naar een andere school gingen en hun vrienden uit het oog verloren, alleen omdat ze de pech hadden dat hun vader president was geworden. Dit alles was niet de schuld van de kinderen. Ze was dom genoeg geweest om akkoord te gaan met Jacks benoeming tot vice-president, een ambt dat hij precies vijf minuten had bekleed, en zoals met veel dingen in het leven moest je dan de gevolgen aanvaarden. Een van die gevolgen was dat de kinderen meer tijd kwijt waren aan het reizen van en naar hun school en crèche, alleen om dezelfde vrienden te houden, maar ja... er was eigenlijk geen oplossing.
'Goedemorgen, Katie!' Dat was Don Russell. Hij hurkte bij SANDBOX neer om een knuffel en kus van haar te krijgen. Cathy stond er glimlachend naar te kijken. Die agent was een godsgeschenk. Hij was al grootvader en hield echt van kinderen, vooral van kleintjes. Hij en Katie hadden het meteen met elkaar kunnen vinden. Cathy gaf haar jongste een afscheidskus, en begroette haar lijfwacht – wat een absurd idee, een kind dat een lijfwacht nodig had! Maar Cathy herinnerde zich haar eigen ervaringen met terroristen. Dit moest ze ook accepteren. Russell zette SANDBOX in haar autostoeltje, maakte de riemen vast, en de eerste drie auto's reden weg.
'Dag, mam.' Sally maakte een fase door waarin zij en haar moeder vriendinnen waren. Ze gaven elkaar dus geen kus meer. Cathy accepteerde dat zonder het prettig te vinden. Met Jack junior ging het net zo: 'Tot kijk, mam.' Maar John Patrick junior was jongen genoeg om een plaats op de voorbank te eisen, en deze keer kreeg hij zijn zin. Met het oog op de omstandigheden waaronder de Ryans in het Witte Huis waren gekomen waren beide escorte-eenheden uitgebreid. In totaal werden er twintig extra agenten ingezet om de kinderen te beschermen. Dat aantal zou over een maand of zo worden verminderd, hadden ze haar verteld. De kinderen zouden dan in normale auto's reizen, in plaats van gepantserde Suburbans. Voor Cathy stond de helikopter weer klaar.
Verdomme. Het gebeurde allemaal opnieuw. Ze was zwanger van kleine Jack geweest toen ze hoorde dat terroristen... Waarom was ze hier toch ooit mee akkoord gegaan? Waar ze zich nog het meest aan ergerde, was dat ze zogenaamd met de machtigste man ter wereld getrouwd was maar dat hij en zijn gezin bevelen van andere mensen moesten opvolgen.

'Ik weet het, professor.' Dat was de stem van Roy Altman, haar voornaamste bewaker. 'Een ellendige manier van leven, nietwaar?'
Cathy keek hem aan. 'Je kunt gedachten lezen?'
'Dat hoort bij mijn werk, mevrouw, ik weet...'
'Alsjeblieft, ik heet Cathy. Jack en ik zijn allebei professor.'
Altman kreeg bijna een kleur. Menige presidentsvrouw had zich nogal wat airs aangemeten zodra haar man in het hoogste ambt was benoemd, en kinderen van politici waren ook niet altijd zo prettig om te bewaken, maar de familie Ryan, daar waren de escorteleden het al over eens, was heel anders dan de mensen met wie ze meestal te maken kregen. In sommige opzichten was dat ongunstig, maar het was moeilijk om ze niet aardig te vinden.
'Alstublieft.' Hij gaf haar een bruine map. Het was haar werkschema van die dag.
'Alleen maar nacontroles vandaag,' zei ze tegen hem. Nou, in de helikopter kon ze tenminste administratief werk doen. Dat was handig, nietwaar?
'Dat weet ik. We hebben met professor Katz afgesproken dat hij ons op de hoogte houdt: dan kunnen we uw schema bijhouden,' legde Altman uit.
'Doen jullie ook achtergrondonderzoek naar mijn patiënten?' vroeg Cathy bij wijze van grap. Maar het was geen grap.
'Ja,' zei hij. 'Het ziekenhuis geeft ons namen, geboortedata en sofi-nummers. We halen ze door de NCIC-computer en kijken of ze voorkomen in onze dossiers van... eh, mensen die we in het oog houden.'
Ze keek hem nu niet bepaald vriendelijk aan, maar Altman vatte dat niet persoonlijk op. Ze liepen het huis in en kwamen een paar minuten later weer naar buiten om in de wachtende helikopter te stappen. Er stonden camera's te wachten om deze gebeurtenis vast te leggen, zag Cathy. Kolonel Hank Goodman startte zijn motoren.
In het operatiecentrum van de Secret Service, een paar straten verderop, veranderde het statusbord. Op dat bord met LED-displays was nu te zien dat POTUS ('President of the United States') zich in het Witte Huis bevond. Van FLOTUS ('First Lady of the United States') was te zien dat ze afwezig was. SHADOW, SHORTSTOP en SANDBOX hadden een apart statusbord. Dezelfde informatie werd via een veilige radioverbinding doorgegeven aan Andrea Price, die voor het Oval Office de krant zat te lezen. Andere agenten waren al bij de St. Mary's Catholic School en het Giant Steps Day Care Center, allebei in de buurt van Annapolis, en het Johns Hopkins-ziekenhuis. De politie van de staat Maryland wist dat de kinderen Ryan over U.S. Route 50 reden en had extra auto's langs de route geposteerd om te laten zien dat ze er was. Bovendien volgde een tweede mariniershelikopter die van Cathy en volgde een derde, met een team zwaarbewapende agenten aan boord, de drie kinderen. Als er ergens een serieuze moordenaar rondliep, zou hij zien dat er overal bewaking was. De agenten in de auto's zouden zo alert zijn als ze altijd waren: ze tuurden naar auto's, onthielden ze voor het geval dat dezelfde auto te vaak opdook. Onopvallende wagens van de Secret Service zouden onafhankelijk

rondrijden en ongeveer hetzelfde doen terwijl ze er als gewone forensen uitzagen. De Ryans zouden nooit precies weten hoe goed ze werden beveiligd, tenzij ze ernaar vroegen, en presidenten wilden het bijna nooit weten.
Een normale dag was begonnen.

Het viel niet meer te ontkennen. Ze had dokter Moudi niet nodig om het haar te vertellen. De hoofdpijn was erger geworden, en de vermoeidheid ook. Net als bij de jonge Benedict Mkusa, had ze gedacht, en ze hoopte dat het een terugkeer van haar oude malaria was, de eerste keer dat ze zoiets hoopte. Maar toen was de pijn gekomen, niet in de gewrichten, maar vooral in de buik. Het was of ze een onweersbui had zien naderen, de hoge witte wolken die aan een zware heftige bui voorafgingen, en ze kon niets anders doen dan wachten en bang zijn voor wat er zou komen, want ze wist precies wat ze kon verwachten. Een deel van haar geest ontkende het nog en een ander deel probeerde zich in gebed en geloof te verschuilen, maar zoals bij iemand die een horrorfilm ziet en de handen voor de ogen slaat, gluurde ze er nog langs om te zien wat er kwam. Juist doordat ze zich terug probeerde te trekken, waren de gruwelen des te erger.
De misselijkheid was ook erger geworden, en al gauw was haar wil, hoe sterk die ook was, niet langer sterk genoeg om haar lichaam in bedwang te houden. Ze lag in een van de weinige privé-kamers van het ziekenhuis. Buiten scheen de zon nog en de lucht was helder: een mooie dag in het nooit eindigende Afrikaanse seizoen van lente en zomer. Naast haar bed stond een standaard met een infuus dat een steriele zoutoplossing in haar arm liet lopen, en ook enige lichte pijnstillers en voedingsstoffen om haar lichaam te versterken, maar in feite was het alleen maar een kwestie van wachten. Zuster Jean Baptiste kon weinig anders doen. Haar lichaam was slap van vermoeidheid en ze leed zo'n pijn dat ze zich een minuut lang moest inspannen om haar hoofd opzij te draaien en naar de bloemen buiten het raam te kijken. De eerste grote golf van misselijkheid kwam als een verrassing, en op de een of andere manier zag ze nog kans het spuugbakje te pakken. Ze was nog verpleegster genoeg om het bloed daarin te zien, al nam Maria Magdalena het bakje meteen van haar weg om het in een speciaal vat te legen. Maria Magdalena, ook verpleegster, ook non, droeg steriele kleding en ook rubberen handschoenen en een masker, maar haar ogen konden haar verdriet niet verborgen houden.
'Dag zuster.' Dat was dokter Moudi. Hij droeg ongeveer dezelfde kleding en zijn donkere ogen keken nog zorgelijker boven het groene masker. Hij keek op de kaart die aan het voeteneind van het bed hing. Haar temperatuur was nog maar tien minuten geleden gemeten en ging nog steeds omhoog. Nog korter geleden was de telex uit Atlanta met de uitslag van haar bloedonderzoek binnengekomen. Die telex was aanleiding voor hem geweest om meteen naar het quarantainegebouw te gaan. Haar lichte huid was een paar uur geleden bleek geweest, maar was nu droog en een beetje rood. Moudi dacht erover de patiënt af te koelen met alcohol en later misschien met ijs om de koorts te

bestrijden. Dat zou slecht zijn voor de waardigheid van de zuster. Ze kleedden zich kuis, zoals het vrouwen betaamde, en het ziekenhuishemd dat ze nu droeg was in strijd met haar deugdzaamheid. Erger nog was de blik in haar ogen. Ze wist het. Maar toch moest hij het haar zeggen.
'Zuster,' zei de arts tegen haar. 'Je bloed is onderzocht op ebola-antilichamen. De uitslag is positief.'
Ze knikte. 'O.'
'Je weet,' voegde hij er zacht aan toe, 'dat twintig procent van de patiënten die ziekte overleeft. Je kunt blijven hopen. Ik ben een goede arts. Zuster Magdalena hier is een voortreffelijke verpleegster. We zullen je zo goed mogelijk steunen. Ik sta ook in contact met een aantal collega's. We geven je niet op. Ik wil dat je het zelf ook niet opgeeft. Spreek tot je God, goede dame. Naar iemand met jouw deugdzaamheid zal Hij vast en zeker luisteren.' De woorden kwamen gemakkelijk, want per slot van rekening was Moudi arts, en een goede ook. Hij verraste zichzelf door half te hopen dat ze in leven zou blijven.
'Dank u, dokter.'
Voordat Moudi wegging, wendde hij zich tot de andere non. 'Hou me op de hoogte.'
'Natuurlijk, dokter.'
Moudi liep de kamer uit. Hij ging linksaf, trok onder het lopen zijn beschermende kleding uit en gooide alles in het juiste vat. Hij zou met de directeur van het ziekenhuis gaan praten om te zorgen dat de noodzakelijke voorzorgsmaatregelen werden genomen. Hij wilde dat deze non het laatste ebola-geval in dit ziekenhuis was. Intussen was een deel van het WHO-team al op weg naar de familie Mkusa om met de diepbedroefde ouders en de buren en kennissen te praten. Ze zouden onderzoeken waar en hoe Benedict de infectie kon hebben opgelopen. Vermoedelijk kwam het door de beet van een aap.
Maar dat was niet meer dan een vermoeden. Er was weinig bekend over ebola zaire, vooral niet de aspecten die van belang waren. Ongetwijfeld bestond het al eeuwen of zelfs nog langer. Het was een dodelijke ziekte geweest in een regio waar het krioelde van de ziektes. Tot dertig jaar geleden zagen artsen er niets meer in dan 'junglekoorts'. De haard van het virus was nog steeds een kwestie van speculatie. Iedereen dácht dat een aap drager was, maar niemand wist welke aap. Letterlijk duizenden apen waren gevangen of doodgeschoten om dat vast te stellen, zonder resultaat. Ze wisten niet eens zeker of het wel een tropische ziekte was: de eerste gedocumenteerde uitbarsting van dit soort koorts had plaatsgevonden in Duitsland. Op de Filipijnen heerste een ziekte die er erg veel op leek.
Ebola kwam en ging als een kwaadaardige geest. Er zat een zekere regelmaat in. De uitbarstingen hadden zich met intervallen van acht tot tien jaar voorgedaan, ook dat was onverklaarbaar en een beetje onzeker, want Afrika was nog primitief en er was alle reden om aan te nemen dat slachtoffers de ziekte konden oplopen en er binnen een paar dagen aan konden sterven zonder dat ze de tijd kregen om medische hulp te zoeken. De structuur van het virus was enigs-

zins duidelijk en de symptomen waren bekend, maar het was nog een mysterie hoe het werkte. Dat zat de medische wereld erg dwars, want de ziekte had een mortaliteit van ongeveer tachtig procent. Niet meer dan één op de vijf slachtoffers overleefde de ziekte, en het was volslagen onbekend waarom dat zo was. Om al die redenen was ebola perfect.

Het virus was zo perfect dat het een van de meest gevreesde organismen was die de mens kende. Kleine hoeveelheden van het virus bevonden zich in Atlanta, het Institut Pasteur in Parijs en een handvol andere instituten, waar het werd bestudeerd onder omstandigheden die aan een sciencefictionroman deden denken, met artsen en onderzoekers die een soort ruimtepakken droegen. Er was niet eens genoeg over ebola bekend om aan een vaccin te kunnen werken. De vier bekende typen – het vierde was bij een bizar incident in Amerika ontdekt, maar dat type, dat dodelijk was voor apen, had vreemd genoeg geen ernstige gevolgen voor mensen – waren te verschillend. Op datzelfde moment tuurden onderzoekers in Atlanta, van wie hij sommigen kende, in elektronenmicroscopen om de structuur van deze nieuwe versie in kaart te brengen en later een vergelijking te maken met andere bekende stammen. Dat proces kon weken duren en zou waarschijnlijk, net als alle vorige pogingen, alleen maar onduidelijke resultaten opleveren.

Zolang de werkelijke haard van de ziekte niet was ontdekt, bleef het een onbekend virus, bijna iets van een andere planeet, dodelijk en mysterieus. Perfect.

Patiënt Benedict Mkusa was dood. Zijn lichaam was overgoten met benzine en het virus was tegelijk met hem verbrand. Moudi had een bloedmonster, maar dat was niet echt goed genoeg. Maar zuster Jean Baptiste was een ander geval. Moudi dacht er een ogenblik over na en nam toen de telefoon om de Iraanse ambassade in Kinshasa te bellen. Er was werk te doen. Er moesten voorbereidingen worden getroffen. Zijn hand aarzelde toen hij de hoorn nog niet bij zijn oor had. Als God nu eens naar haar gebeden luisterde. Misschien deed Hij dat, dacht Moudi, misschien deed Hij dat wel. Ze was een vrouw met een grote deugdzaamheid, die een groot deel van de dag in gebed was, zoals iedere gelovige in zijn geboortestad Qum, een vrouw met een groot geloof in haar God, een vrouw die haar leven had gewijd aan mensen die in nood verkeerden. Dat waren drie van de vijf plichten van de islam, waaraan hij een vierde kon toevoegen, want de christelijke vasten verschilde niet zo verschrikkelijk veel van de islamitische ramadan. Dat waren gevaarlijke gedachten, maar als Allah haar gebeden hoorde, stond wat Moudi van plan was niet geschreven, en zou het ook niet gebeuren, en als haar gebeden niet werden verhoord...? Moudi klemde de telefoon tussen zijn oor en schouder en draaide het nummer.

'Meneer de president, we kunnen het niet meer negeren.'

'Ja, dat weet ik, Arnie.'

Vreemd genoeg was het in feite een technische kwestie. De lichamen moesten worden geïdentificeerd, want iemand was niet dood zolang er geen stuk papier was waarop dat stond aangegeven, en zolang die persoon niet dood was verklaard, was zijn functie, als hij senator of afgevaardigde was, niet vacant en kon er geen ander in zijn plaats worden benoemd, en dan was het Congres een lege huls. De overlijdensakten gingen vandaag de deur uit en binnen een uur zouden gouverneurs van een aantal staten Ryan om advies bellen of hem vertellen wat ze uit zichzelf zouden doen. Minstens één gouverneur zou die dag zijn ontslag nemen en door zijn opvolger in het kader van een elegante, zij het nogal openlijke politieke koehandel tot senator worden benoemd, tenminste, zo gingen de geruchten.

De hoeveelheid informatie was verbijsterend, zelfs voor iemand die de bronnen kende. Het ging meer dan veertien jaar in de tijd terug. Toch zou die tijdsfactor nauwelijks gunstiger kunnen zijn, want dat was ook ongeveer de tijd waarin de grote kranten en tijdschriften waren overgestapt op elektronische media, zodat alles gemakkelijk op het World Wide Web kon worden aangeboden. De mediaconcerns konden nu een bescheiden vergoeding vragen voor materiaal dat anders in hun muffe kelders bleef liggen of in het gunstigste geval voor praktisch niets aan universiteitsbibliotheken werd verkocht. Het WWW was een tamelijk nieuwe en onbeproefde bron van inkomsten, maar de media hadden zich er meteen op gestort, want nu was het nieuws voor het eerst minder vluchtig dan het altijd was geweest. Het werd nu een parate informatiebron voor de eigen journalisten, voor studenten, voor gewone nieuwsgierigen en voor mensen wier nieuwsgierigheid strikt professioneel was. Het mooiste was nog dat er zo ontzaglijk veel mensen op zoek gingen dat nooit meer na te gaan was wie dat allemaal waren geweest.
Toch was hij voorzichtig, dat wil zeggen, zijn mensen waren dat. Het contact op het web werd uitsluitend in Europa gelegd, vooral in Londen via gloednieuwe Internet-Access Accounts die niet langer bleven bestaan dan de tijd die nodig was om de gegevens te downloaden of die bij academische accounts hoorden waartoe veel mensen toegang hadden. De zoekwoorden RYAN JOHN PATRICK, RYAN JACK, RYAN CAROLINE, RYAN CATHY, RYAN KINDEREN, RYAN GEZIN en nog talloze andere werden ingevoerd, en daar waren letterlijk duizenden 'treffers' uit voortgekomen. Vele daarvan bleken waardeloos te zijn, want 'Ryan' was een veelvoorkomende naam, maar het selectieproces was niet zo moeilijk.
De oudste interessante knipsels dateerden uit de tijd dat Ryan eenendertig was en in Londen voor het eerst in de publiciteit kwam. Er waren zelfs foto's bij, en hoewel het tijd kostte om ze te downloaden, waren ze het wachten waard. Vooral de eerste. Daarop zag je een jongeman die hevig bloedend op straat zat. Was dat niet inspirerend? De gefotografeerde persoon leek dood, maar hij wist dat gewonde mensen dat vaak leken. Toen volgden er foto's van een autowrak en een kleine helikopter. De tussenliggende jaren leverden niet veel artikelen over Ryan op, voornamelijk stukjes over de getuigenverklaringen die hij achter gesloten deuren voor het Congres aflegde. Er volgden nog

wat berichtjes over het eind van het presidentschap van Fowler; onmiddellijk na de aanvankelijke verwarring was gemeld dat Ryan zelf de lancering van een kernraket had verhinderd en Ryan had daar tegenover Daryaei ook op gezinspeeld. Maar dat verhaal was nooit officieel bevestigd en Ryan zelf had er met niemand over gesproken. Dat was belangrijk. Dat zei iets over de man. Maar ook dat kon nu buiten beschouwing blijven.

Zijn vrouw. Er waren ook veel persberichten over haar en in een van de artikelen stond zelfs het nummer van haar kamer in het ziekenhuis. Een bekwame chirurg. Dat was mooi, in een recent artikel stond dat ze daarmee door zou gaan. Uitstekend. Ze wisten dus waar ze haar konden vinden.

De kinderen. De jongste, ja, de jongste ging naar dezelfde crèche als waar de oudste ook heen was geweest. Er was ook een foto van die crèche. In een lang artikel over Ryans eerste baan in het Witte Huis stond zelfs de naam van de school waar de oudste kinderen heen gingen...

Dat was allemaal verbazingwekkend. Hij was aan deze research begonnen omdat hij wist dat hij uiteindelijk al deze informatie of althans het meeste daarvan zou verzamelen, maar evengoed: in één dag had hij meer informatie verzameld dan tien mensen in het veld in een week tijd bijeen hadden kunnen sprokkelen, en die hadden dan ook nog het gevaar gelopen ontmaskerd te worden. De Amerikanen waren zo dom. Ze nodigden je in feite uit om ze aan te vallen. Ze hadden geen idee van geheimhouding of beveiliging. Het was nog tot daar aan toe dat een leider van tijd tot tijd met zijn gezin in het openbaar verscheen, dat deed iedereen. Maar het ging te ver om iedereen dingen te vertellen die niemand hoefde te weten.

Het pak documenten – meer dan vijfentwintighonderd bladzijden – zou door zijn staf tot een rapport worden verwerkt. Er was momenteel nog geen plan van actie. Er waren alleen gegevens. Maar dat kon veranderen.

'Weet je, ik geloof dat ik het wel leuk vind om met een helikopter te gaan,' zei Cathy Ryan tegen Roy Altman.

'O?'

'Minder zwaar voor de zenuwen dan zelf rijden. Dat zal wel niet zo blijven,' voegde ze eraan toe, terwijl ze in de rij van de kantine ging staan.

'Waarschijnlijk niet.' Altman keek voortdurend om zich heen, maar er waren nog twee andere agenten in de kantine, die vergeefse pogingen deden niet op te vallen. Hoewel het Johns Hopkins een instituut met maar liefst vierentwintighonderd artsen was, was het ook nog een soort dorp waar iedereen iedereen kende, en bovendien liepen artsen niet met pistolen rond. Altman bleef dicht bij haar om haar dagindeling beter te leren kennen, en wat dat betrof was ze een goede lerares. Cathy had hem alles tot in de kleinste details beschreven. Die middag maakte ze met een stuk of zes studenten een ronde langs patiënten. Dat was Altmans eerste kennismaking met het medische werk, en hij zou tenminste iets leren op een ander terrein dan de politiek, waaraan hij in de loop van de tijd een grote hekel had gekregen. Het volgende dat hij opmerkte,

was dat de presidentsvrouw erg weinig at. Ze kwam voor in de rij en betaalde voor haar lunch en die van Altman, al protesteerde hij even.
'Dit is mijn territorium, Roy.' Ze keek om zich heen, zag de man met wie ze wilde lunchen en ging naar hem toe, met Altman op sleeptouw. 'Dag, Dave.'
Decaan James en zijn gast stonden op. 'Dag, Cathy! Laat me je voorstellen aan eèn nieuwe arts die hier komt werken, Pierre Alexandre. Alex, dit is Cathy Ryan...'
'Dezelfde die...'
'Alsjeblieft, ik ben nog arts, en...'
'Je staat op de Lasker-lijst, nietwaar?' Toen Alexandre dat zei, was ze even sprakeloos. Meteen daarop kwam er een stralende glimlach op haar gezicht.
'Ja.'
'Gefeliciteerd.' Hij stak zijn hand uit. Cathy moest haar dienblad neerzetten om hem de hand te drukken. Altman keek zo neutraal mogelijk toe, maar toch straalde hij blijkbaar iets uit. 'Jij bent zeker van de Secret Service,' zei Alexandre.
'Ja. Roy Altman.'
'Prachtig. Zo'n mooie en intelligente dame verdient goede bescherming,' zei Alexandre. 'Ik ben net uit het leger gekomen, meneer Altman. Ik heb jullie in het Walter Reed gezien. Toen president Fowlers dochter met een tropisch virus uit Brazilië was teruggekomen, heb ik haar behandeld.'
'Alex werkt met Ralph Forster samen,' legde de decaan uit, terwijl iedereen ging zitten.
'Besmettelijke ziekten,' zei Cathy tegen haar lijfwacht.
Alexandre knikte. 'Ik ben nog bezig de kneepjes van het vak te leren. Maar ik heb een parkeerpas, dus ja, ik hoor erbij.'
'Ik hoop dat je een even goede docent bent als Ralph.'
'Een geweldige arts,' beaamde Alexandre. Cathy vond de nieuwkomer wel sympathiek. Ze merkte dat hij met een zuidelijk accent sprak en zuidelijke manieren had. 'Ralph is vanmorgen naar Atlanta gevlogen,' zei hij.
'Is er iets bijzonders?'
'Een mogelijk geval van ebola in Zaïre, een Afrikaans jongetje van acht. De e-mail kwam vanmorgen binnen.'
Cathy kneep haar oogleden enigszins samen. Hoewel ze een heel ander specialisme had, kreeg ze zoals alle artsen de mortaliteitsrapporten en hield ze zich zo goed mogelijk op de hoogte. De geneeskunde was een vak waarin je nooit was uitgeleerd. 'Eentje maar?'
'Ja.' Alexandre knikte. 'Het schijnt dat die jongen door een aap in zijn arm is gebeten. Ik ben daar geweest. Ten tijde van de laatste mini-uitbarsting in 1990 ben ik er vanuit Detrick naartoe gestuurd.'
'Met Gus Lorenz?' vroeg decaan James. Alexandre schudde zijn hoofd.
'Nee, Gus deed toen iets anders. De teamleider was George Westphal.'
'O ja, die...'
'... is gestorven,' bevestigde Alex. 'We, eh, hebben het stilgehouden, maar hij

had het ook. Ik heb hem verzorgd. Het was niet fraai om te zien.'
'Wat deed hij verkeerd? Ik heb hem niet goed gekend,' zei James, 'maar Gus heeft me verteld dat hij erg veelbelovend was. Hij werkte voor de UCLA, als ik het me goed herinner.'
'George was briljant, de grootste kenner van structuren die ik ooit heb ontmoet, en hij was net zo voorzichtig als wij allemaal, maar hij kreeg het toch en we zijn er nooit achter gekomen hoe het gebeurd is. Hoe dan ook, bij die mini-uitbarsting zijn zestien mensen omgekomen. We hadden twee overlevenden, twee vrouwen van begin twintig, en we konden niets bijzonders aan hen ontdekken. Misschien hadden ze gewoon geluk,' zei Alexandre zonder dat zelf te geloven. Dat soort dingen hadden altijd een oorzaak. Alleen had hij die oorzaak niet gevonden, hoewel dat zijn taak was. 'Hoe dan ook, in totaal waren er maar achttien slachtoffers, en dat was nog een geluk. We zijn daar zes of zeven weken geweest. Ik ging met een geweer het bos in en knalde zo'n honderd apen neer om een drager te vinden. Zonder resultaat. Die stam heet ebola zaire 90. Ik denk dat ze hem op dit moment vergelijken met wat die jongen heeft opgelopen. Ebola is een geniepig virus.'
'Eentje maar?' vroeg Cathy opnieuw.
'Ja. Zoals gewoonlijk weten ze niet hoe hij het heeft opgelopen.'
'Apenbeet?'
'Ja, maar die aap vinden we niet. Die vinden we nooit.'
'Is het zo dodelijk?' vroeg Altman, die het niet kon laten zich in het gesprek te mengen.
'Meneer Altman, volgens de officiële schattingen sterft tachtig procent van de patiënten. Laat ik het anders zeggen. Als u uw pistool nu trekt en mij in de borst schiet, hier, dan maak ik een betere kans dan wanneer ik dat virus krijg.' Alexandre smeerde boter op zijn broodje en herinnerde zich het bezoek dat hij aan Westphals weduwe had gebracht. Dat was slecht voor zijn eetlust. 'Waarschijnlijk een veel betere kans, met die chirurgen die we in Halstead hebben. Je maakt nog meer kans met leukemie, en veel meer kans met lymfoom. Met aids liggen je kansen weer iets slechter, maar dan heb je vaak nog tien jaar te leven. Ebola geeft je maar een dag of tien. Dodelijker kan een virus nauwelijks zijn.'

11

Apen

Ryan had altijd alles zelf geschreven. Hij had twee boeken over marinegeschiedenis gepubliceerd – het leek nu iets uit een vorig leven dat op de sofa van een hypnotiseur uit de diepten van zijn geheugen naar boven kwam – en talloze rapporten voor de CIA. Dat alles had hij zelf gedaan, eerst met een schrijfmachine en later met een serie pc's. Hij had nooit van schrijven gehouden – het bleef moeilijk werk – maar hij had er wel van genoten om in zijn eentje te zitten werken, alleen in zijn eigen kleine intellectuele wereld, zonder gestoord te worden. In alle rust had hij zijn gedachten kunnen ontwikkelen en aan de formuleringen kunnen schaven tot het niet beter meer kon. Op die manier bleven het altijd zijn eigen gedachten en bleef de integriteit behouden. Nu niet meer.

Zijn belangrijkste toesprakenschrijver was Callie Weston, een klein tenger vrouwtje met vaalblond haar, een tovenares met woorden die zoals veel personeelsleden van het Witte Huis met president Fowler binnen was gekomen en nooit meer was weggegaan.

'U vond de toespraak die ik voor de herdenkingsdienst had geschreven niet goed?' Ze was ook eerbiedig.

'Eerlijk gezegd vond ik gewoon dat ik iets anders moest zeggen.' Toen besefte Jack dat hij zich verdedigde tegen iemand die hij nauwelijks kende.

'Ik heb gehuild.' Ze wachtte even omwille van het dramatisch effect en keek toen, met de strakke blik van een gifslang, in zijn ogen om te zien hoe hij reageerde. 'U bent anders.'

'Wat bedoel je?'

'Ik bedoel, begrijpt u me goed, meneer de president. President Fowler had me in dienst genomen omdat ik ervoor kon zorgen dat hij overkwam als iemand met gevoelens; hij is in veel opzichten nogal koud, de arme kerel. President Durling hield me in dienst omdat hij niemand had die beter was. Ik lig de hele tijd in de clinch met mensen aan de overkant van de straat. Ze willen altijd iets veranderen aan wat ik gemaakt heb. Ik hou er niet van om verbeterd te worden door nietsnutten. Daarom hebben we vaak ruzie. Arnie beschermt me meestal omdat ik op school heb gezeten met zijn lievelingsnichtje, en ook omdat er niemand beschikbaar is die het beter kan, maar uw hele staf heeft waarschijnlijk de pest aan me. Dat moet u weten.' Het was een goede uitleg, maar het deed niet ter zake.

'Waarom ben ik anders?' vroeg Jack.

'U zegt wat u echt denkt, in plaats van te zeggen wat u denkt dat mensen willen horen. Het zal moeilijk zijn om voor u te schrijven. Ik kan niet uit de gebruikelijke bron putten. Ik moet leren schrijven zoals ik vroeger graag

schreef, niet zoals ik betaald werd om te schrijven, en ik moet leren schrijven zoals u spreekt. Dat wordt moeilijk,' zei ze tegen hem om zich bij voorbaat in te dekken.
'Ik begrijp het.' Aangezien mevrouw Weston niet tot de naaste medewerkers behoorde, leunde Andrea Price tegen de muur (anders zou ze in een hoek hebben gestaan, maar het Oval Office had geen hoeken) en sloeg ze alles met een pokergezicht gade, tenminste, dat probeerde ze. Ryan begon steeds meer van haar lichaamstaal te begrijpen. Het was duidelijk dat Price niet veel van Weston moest hebben. Hij vroeg zich af waarom. 'Nou, wat kun je in een paar uur schrijven?'
'Meneer de president, dat hangt ervan af wat u wilt zeggen,' merkte de toesprakenschrijfster op. Ryan vertelde het haar in een paar korte zinnen. Ze maakte geen aantekeningen, maar nam het in zich op, glimlachte en sprak weer.
'Ze maken gehakt van u. Dat weet u. Misschien heeft Arnie het u nog niet verteld, misschien heeft niemand van de staf het u verteld en zal ook niemand het u ooit vertellen, maar het gaat gebeuren.' Na die opmerking kwam Andrea Price met een ruk van de muur vandaan, net genoeg om niet meer te leunen maar rechtop te staan.
'Waarom ga je ervan uit dat ik hier wil blijven zitten?'
Ze knipperde met haar ogen. 'Neemt u me niet kwalijk. Ik ben dit niet gewend.'
'Dit zou een interessant gesprek kunnen worden, maar ik...'
'Ik heb eergisteren een van uw boeken gelezen. U bent niet erg goed met woorden... niet erg elegant, dat is een technische beoordeling... maar u weet de dingen wel duidelijk te zeggen. Daarom moet ik mijn retorische stijl onderdrukken om de dingen te laten klinken zoals u gewend bent te spreken. Korte zinnen. Uw grammatica is goed. Katholieke scholen, denk ik. U draait er niet omheen. U zegt het op de man af.' Ze glimlachte. 'Hoe lang moet die toespraak duren?'
'Een minuut of vijftien.'
'Ik ben over drie uur terug,' beloofde Weston, en ze stond op. Ryan knikte en ze liep de kamer uit. Toen keek de president Andrea Price aan.
'Voor de dag ermee,' beval hij.
'Ze is de ergste lastpak die we hier hebben. Vorig jaar ging ze een staflid letterlijk te lijf om het een of ander. Een bewaker moest haar van hem af trekken.'
'Waar ging het om?'
'Dat staflid had lelijke dingen over een van haar toespraken gezegd en had erop gezinspeeld dat er iets met haar familieachtergronden was. De volgende dag is hij vertrokken. We missen hem niet,' zei Price. 'Maar ze is een arrogante prima donna. Ze had dat daarnet niet moeten zeggen.'
'En als ze nu eens gelijk heeft?'
'Meneer, het zijn mijn zaken niet, maar...'
'Hééft ze gelijk?'
'U bent anders, meneer de president.' Price zei niet of ze dat gunstig of

ongunstig vond en Ryan vroeg daar niet naar.
De president had wel wat anders te doen. Hij pakte zijn telefoon. Een secretaresse nam op.
'Kun je George Winston van de Columbus Group voor me bellen?'
'Ja, meneer de president, ik zal hem voor u bellen.' Ze had dat nummer niet meteen in haar hoofd zitten en gebruikte een andere telefoon om de inlichtingencentrale te bellen. Beneden had een onderofficier van de marine het nummer op een Post-It-briefje staan en hij las het haar voor. Even later gaf hij het Post-It-briefje aan de marinier die tegenover hem zat. De marinier maakte haar portemonnee open, vond vier kwartjes en gaf ze aan de grijnzende marineman.
'Meneer de president, ik heb meneer Winston voor u,' klonk het uit de intercom.
'George?'
'Ja, meneer de president.'
'Hoe vlug kun je hier zijn?'
'Jack... meneer de president, ik probeer mijn onderneming weer op het rechte spoor te krijgen en...'
'Hoe vlug?' vroeg Ryan met meer nadruk.
Winston moest even nadenken. Zijn Gulfstream-bemanning stond die dag niet klaar. Hij moest naar het vliegveld Newark... 'Ik kan de volgende trein nemen.'
'Geef me door in welke trein je zit. Ik stuur iemand om je af te halen.'
'Goed, maar ik kan niet...'
'Ja, dat kun je wel. Tot over een paar uur.' Ryan hing op en keek Price aan.
'Andrea, stuur een agent om hem van het station af te halen.'
'Ja, meneer de president.'
Ryan merkte dat hij het wel prettig vond om bevelen te geven die prompt werden uitgevoerd. Je kon daar gauw aan wennen.

'Ik hou niet van vuurwapens!' Ze zei het zo hard dat sommigen opkeken, al bogen de kinderen zich meteen weer over hun papier en kleurpotloden. Er waren ongewoon veel volwassenen aanwezig. Drie van hen hadden snoertjes die naar hun oor leidden. Die keken nu allemaal naar een 'bezorgde' (dat was het woord dat iedereen in zo'n geval gebruikte) moeder. Don Russell, de leider van de escorte-eenheid, liep naar haar toe.
'Hallo.' Hij hield zijn legitimatiebewijs van de Secret Service omhoog. 'Kan ik u helpen?'
'Moet u hier echt zijn?'
'Ja, mevrouw, dat moet. Mag ik uw naam weten?'
'Waarom?' vroeg Sheila Walker.
'Nou, mevrouw, het is altijd prettig om te weten met wie je spreekt, nietwaar?' vroeg Russell op redelijke toon. Het was ook prettig om onderzoek te doen naar de achtergronden van zulke mensen.
'Dit is mevrouw Walker,' zei Marlene Daggett, eigenares en leidster van het

Giant Steps Day Care Center.
'O, dat is uw zoontje daar, Justin, nietwaar?' Russell glimlachte. Het vierjarige jongetje bouwde een blokkentoren, die hij straks tot hilariteit van zijn aanwezige leeftijdgenoten omver zou gooien.
'Ik hou gewoon niet van vuurwapens en ik wil ze niet bij kinderen in de buurt hebben.'
'Mevrouw Walker, laat ik eerst zeggen dat wij politiemensen zijn. We kunnen veilig met onze vuurwapens omgaan. Ten tweede zijn wij verplicht om altijd gewapend te zijn. Ten derde zou ik graag willen dat u het zo bekijkt: uw zoontje is hier zo veilig als het maar kan. U hoeft bijvoorbeeld nooit bang te zijn dat er iemand naar de speelplaats komt en een kind ontvoert.'
'Waarom moet zij hier zijn?'
Russell glimlachte in alle redelijkheid. 'Mevrouw Walker, Katie is geen president geworden, maar haar vader. Heeft ze geen recht op een normaal kinderleven, net als uw zoon?'
'Maar het is gevaarlijk en...'
'Niet zolang wij erbij zijn,' verzekerde hij haar. Ze draaide zich alleen maar om.
'Justin!' Haar zoon draaide zich om en zag zijn moeder met zijn jasje staan. Hij wachtte even en duwde toen heel zachtjes met één vinger tegen de blokken, in de verwachting dat de een meter twintig hoge toren als een vallende boom tegen de vloer zou gaan.
'Ingenieur in de dop,' hoorde Russell in zijn oor. 'Ik zal onderzoek naar haar doen.' Hij knikte de agente in de deuropening toe. Over twintig minuten zouden ze een nieuw dossier te bekijken hebben. Waarschijnlijk zou daar alleen maar in staan dat mevrouw Walker een lastig alternatief type was, maar als ze een psychiatrisch verleden had (mogelijk) of een strafblad (onwaarschijnlijk), zou dat iets zijn om te onthouden. Hij keek automatisch om zich heen en schudde zijn hoofd. SANDBOX was een normaal kind, omringd door normale kinderen. Op dit moment was ze met veel overgave aan het kleuren. Ze had een normale dag gehad, met een normale lunch, een normaal middagslaapje, en straks zou ze een abnormale reis naar een abnormaal huis maken. Ze had niets gemerkt van het gesprek dat hij zojuist met Justins moeder had gehad. Nou, kinderen waren slim genoeg om kinderen te zijn, en dat kon je van velen van hun ouders niet zeggen.
Mevrouw Walker leidde haar zoon naar de gezinsauto – een Volvo stationcar, zoals niemand verbaasde – en maakte plichtsgetrouw zijn veiligheidsriemen op de achterbank vast. De agente prentte het kenteken in haar geheugen, al wist ze dat het niets zou opleveren maar dat ze het toch allemaal zouden natrekken, want er was altijd een kleine kans dat...
Op dat moment kwam het allemaal bij haar terug: de reden waarom ze voorzichtig moesten zijn. Hier waren ze dan, in Giant Steps, dezelfde crèche die de Ryans hadden gebruikt sinds SHADOW een peutertje was, dicht bij Ritchie Highway boven Annapolis. De boeven hadden de 7-Eleven aan de overkant

gebruikt om de crèche in de gaten te houden en waren met een busje SURGEON, Cathy Ryan dus, gevolgd toen ze daar in haar oude Porsche heen reed, en op Route 50 hadden ze een mooie kleine hinderlaag gelegd, waarna ze op de vlucht een politieagent hadden gedood. Cathy Ryan was toen zwanger geweest van SHORTSTOP. SANDBOX was nog lang niet geboren. Dat alles had een vreemd effect op agente Marcella Hilton. Nu ze weer ongetrouwd was – ze was twee keer gescheiden, zonder kinderen – deed het haar toch wel iets om de hele tijd bij kinderen te zijn, hoe hard en professioneel ze ook was. Ze veronderstelde dat het een kwestie van hormonen was, of van de manier waarop vrouwelijke hersenen functioneerden, of misschien kwam het gewoon doordat ze van kinderen hield en er zelf ook graag een zou willen hebben. Wat het ook was, dat mensen opzettelijk kleine kinderen kwaad zouden doen, joeg een huivering door haar heen.
Deze crèche was te kwetsbaar. En er waren mensen die er hun hand niet voor omdraaiden om kinderen kwaad te doen. En die 7-Eleven was er nog. Het escorte van SANDBOX bestond momenteel uit zes agenten. Over een paar weken zouden dat er nog maar drie zijn. De Secret Service was niet zo machtig als de mensen dachten. O, zeker, de dienst kon meer doen dan de meeste mensen bevroedden, ook als het op onderzoek aankwam. Als enige van de federale politiediensten mocht de Secret Service op een deur kloppen, naar binnen gaan en een 'vriendelijk' gesprek voeren met iemand die een bedreiging zou kunnen vormen, – al was die veronderstelling gebaseerd op aanwijzingen die een rechter niet als bewijs zou accepteren. Zo'n gesprek werd bijvoorbeeld gehouden om de desbetreffende persoon te laten weten dat de dienst hem of haar zorgvuldig in het oog hield, en hoewel dat niet altijd waar was – de dienst beschikte in het hele land over maar twaalfhonderd agenten – was alleen al die gedachte genoeg om mensen die de verkeerde dingen tegen de verkeerde persoon hadden gezegd de stuipen op het lijf te jagen.
Maar die mensen vormden niet de bedreiging. Zolang de agenten hun werk goed deden, hadden zulke nonchalante dreigementen geen dodelijke gevolgen. Dat was bijna altijd overdreven gepraat, en mensen als Marcella wisten dat het gevaar uit een heel andere hoek kwam: het kwam van mensen over wie hun inlichtingenafdeling nooit iets hoorde. Die mensen konden enigszins worden afgeschrikt door een groot machtsvertoon, maar dat zou te duur zijn en ook niet goed op het publiek overkomen. Evengoed herinnerde ze zich een andere gebeurtenis, maanden nadat SURGEON, SHADOW en de nog ongeboren SHORTSTOP bijna om het leven waren gekomen. Een complete eenheid, dacht ze. Het was nu een studievoorbeeld op de academie van de Secret Service in Beltsville. Het huis van de Ryans was gebruikt om de gebeurtenis na te spelen en te verfilmen. Chuck Avery – een goede, ervaren leider – en zijn hele eenheid waren uitgeschakeld. Als nieuweling had ze de beelden gezien van wat mis zou kunnen gaan en zelfs toen had het haar al verbaasd hoe gemakkelijk dat team een kleine fout had kunnen maken, waar dan nog pech en slechte timing bij kwamen...

'Ja, ik weet het.' Ze draaide zich om en zag Don Russell, die even buiten kwam staan en uit een plastic beker koffie dronk. Een andere agent stond binnen op zijn post.
'Heb je Avery gekend?'
'Hij lag twee jaar op me voor op de academie. Hij was intelligent en voorzichtig en hij kon verdraaid goed schieten. Hij heeft een van de schurken neergelegd, op dertig meter afstand in het donker, twee kogels in de borst.' Don schudde zijn hoofd. 'In dit vak mag je geen kleine fouten maken, Marci.'
Toen ging de tweede huivering door haar heen, zo'n gevoel dat je even je wapen moest aanraken om zeker te weten dat het er nog was, om tegen jezelf te zeggen dat je er klaar voor was om je werk te doen. In een geval als dit herinnerde je je hoe lief een klein kind kon zijn, en dat je, zelfs als je werd geraakt, zou willen dat je op het laatst nog al je kogels in die schoft zou kunnen pompen. Daarna knipperde je met je ogen en kwam je weer bij je positieven.
'Het is een erg mooi klein meisje, Don.'
'Ik heb zelden een lelijke gezien,' beaamde Russell. Dit was het moment waarop je geacht werd te zeggen: maak je geen zorgen, we zullen goed op haar passen. Maar dat zeiden ze niet. Ze dachten het niet eens. In plaats daarvan keken ze naar de autoweg en de bomen en de 7-Eleven aan de overkant van Ritchie Highway en vroegen zich af wat hun was ontgaan. Ze vroegen zich ook af hoeveel geld ze aan surveillancecamera's konden besteden.

George Winston was het gewend dat hij werd afgehaald. Dat was in feite nog het mooiste als je zo belangrijk was. Je stapte uit een vliegtuig – in zijn geval bijna altijd een vliegtuig – en er stond iemand klaar om je naar een auto te brengen waarvan de chauffeur de snelste weg wist naar waar je heen wilde. Geen gedoe met een autoverhuurbedrijf en met stadsplattegronden en verdwalen. Het kostte veel geld, maar het was het waard, want uiteindelijk was niets zo kostbaar als tijd. Je kreeg bij je geboorte maar een bepaalde hoeveelheid tijd mee, al stond nergens geschreven hoeveel dat was. De Metroliner kwam op spoor 6 van Union Station binnen. Hij had onderweg wat gelezen en tussen Trenton en Baltimore had hij een dutje gedaan. Jammer dat de spoorwegen niet meer geld met het vervoer van passagiers konden verdienen, maar je hoefde geen lucht te kopen als je vliegtuigen wilde exploiteren, terwijl je wel voor spoorwegen moest zorgen als je treinen wilde laten rijden. Jammer. Hij pakte zijn jas en aktetas en liep naar de deur. Op weg naar buiten gaf hij de steward van de eerste klas een fooi.
'Meneer Winston?' vroeg een man.
'Ja.' De man hield een leren mapje met een legitimatiebewijs omhoog om te laten zien dat hij een agent van de Secret Service was. Winston zag dat hij een collega bij zich had die tien meter van hen vandaan stond, met de knopen van zijn winterjas los.
'Wilt u mij volgen?' Na die woorden waren ze gewoon drie haastige mensen die op weg waren naar een belangrijke bespreking.

Er waren veel van die dossiers, elk zo groot dat de gegevens moesten worden samengevat omdat anders de kasten zouden uitpuilen. Toch was het handiger om met papier te werken dan met een computer, want er waren geen computers die goed in zijn geboortetaal werkten. Het zou niet moeilijk zijn de gegevens na te trekken, al was het alleen maar omdat er nog meer artikelen uit kranten en tijdschriften zouden volgen die zouden bevestigen of wijzigen wat hij al had. Bovendien kon hij veel dingen erg gemakkelijk verifiëren, gewoon door een auto enkele keren langs een paar plaatsen te laten rijden en door wegen te laten observeren. Dat was niet riskant. Hoe grondig en zorgvuldig de Amerikaanse Secret Service ook was, ze was niet almachtig. Die Ryan had een gezin, een vrouw die werkte, kinderen die naar school gingen, en Ryan zelf moest zich ook aan een dagindeling houden. In hun ambtswoning waren ze veilig – tamelijk veilig, verbeterde hij zichzelf, want je was nergens helemaal veilig – maar die veiligheid volgde hen niet overal waar ze gingen.
Het was vooral een kwestie van financiering en planning. Hij had een sponsor nodig.

'Hoeveel hebt u er nodig?' vroeg de handelaar.
'Hoeveel heb je er?' vroeg de potentiële koper.
'Ik kan er zeker tachtig krijgen. Misschien honderd,' dacht de handelaar hardop terwijl hij een slokje van zijn bier nam.
'Wanneer?'
'Is een week snel genoeg?' Ze bevonden zich in Nairobi, hoofdstad van Kenia en een middelpunt van deze specifieke handel. 'Biologisch onderzoek?'
'Ja, de onderzoekers van mijn cliënt zijn met een nogal interessant project bezig.'
'Wat voor project is dat dan?' vroeg de handelaar.
'Dat mag ik niet vertellen,' was het te verwachten antwoord. Hij wilde ook niet zeggen wie zijn cliënt was. De handelaar reageerde daar niet op. Eigenlijk kon het hem niet schelen. Zijn nieuwsgierigheid was menselijk, niet professioneel. 'Als je goede waar levert, willen we er later misschien nog meer.' Het gebruikelijke lokkertje. De handelaar knikte en de langdurige onderhandelingen begonnen.
'Je moet begrijpen dat dit een kostbare onderneming is. Ik moet mijn mensen optrommelen. Ze moeten een kleine populatie vinden van het dier dat jullie zoeken. De gevangenname en het transport leveren de nodige problemen op, en verder zijn er de exportvergunningen en de gebruikelijke bureaucratische moeilijkheden.' Daarmee doelde hij op smeergeld. De vraag naar dit soort apen, groene meerkatten, was de laatste paar jaar toegenomen. Nogal wat ondernemingen gebruikten ze voor allerlei experimenten. Voor de apen liep dat meestal slecht af, maar er waren veel apen. De groene meerkat was geen bedreigde diersoort, en zelfs als hij dat was, zou de handelaar zich daar niet veel van aantrekken. Dieren waren voor zijn land een natuurlijke hulpbron, zoals olie dat voor de Arabieren was. Ze waren iets wat harde valuta oplever-

de. Hij deed daar niet sentimenteel over. Ze beten en spogen en waren in het algemeen gemene kleine rotzakken, hoe 'schattig' de toeristen in Treetops ze ook vonden. Ze vraten ook de oogst op van de vele kleine boeren in het land en werden daarom hartgrondig gehaat, ook al ontkenden de wildbeheerders dat.

'Die problemen zijn onze zorg niet. Snelheid wel. Als je ons levert wat we willen hebben, zullen we je goed belonen.'

'Ah.' De handelaar dronk zijn glas leeg, bracht zijn hand omhoog en knipte met zijn vingers om er nog een te bestellen. Hij noemde zijn prijs. Daar zat alles in: zijn vaste kosten, het loon van de vangers, het geld voor de douaniers, voor een paar politiemannen en een ambtenaar, plus zijn eigen winst, die in termen van de plaatselijke economie helemaal niet onredelijk hoog was, vond hij. Niet iedereen was dat met hem eens.

'Akkoord,' zei de koper zonder zelfs maar een slokje van zijn limonade te nemen.

Het was bijna een teleurstelling. De handelaar mocht graag pingelen; dat hoorde er in Afrika helemaal bij. Hij was nog maar net begonnen uiteen te zetten hoe moeilijk zijn werk was.

'Het is me een genoegen zaken met u te doen. Belt u me over... vijf dagen?'

De koper knikte. Hij dronk zijn glas leeg en nam afscheid. Tien minuten daarna belde hij voor de derde keer die dag naar de ambassade. Hoewel hij het niet wist, werden er nog meer van die telefoongesprekjes gevoerd in Oeganda, Zaïre, Tanzania en Mali.

Jack herinnerde zich de eerste keer dat hij in het Oval Office kwam. Je verliet de kamer van het secretariaat door een gebogen deur in de gebogen wand, zo'n deur als je weleens in achttiende-eeuwse paleizen zag, wat het Witte Huis trouwens ook was, zij het lang niet het meest weelderige. Automatisch keek je eerst naar de ramen, vooral op een zonnige dag. Omdat ze zo dik waren, leken ze groen, ongeveer als de glazen wanden van een aquarium dat voor een heel bijzondere vis bestemd was. Vervolgens zag je het grote houten bureau. Je voelde je altijd geïntimideerd, vooral wanneer de president op je stond te wachten. Dat was goed, dacht de president. Het maakte de taak die hem nu te wachten stond des te gemakkelijker.

'George,' zei Ryan terwijl hij zijn hand uitstak.

'Meneer de president,' antwoordde Winston vriendelijk. Hij negeerde de twee agenten die dicht achter hem stonden om hem bij zijn kladden te kunnen grijpen als hij iets verkeerds deed. Je hoefde hen niet te horen. Een bezoeker voelde hun ogen in zijn nek, als laserstralen. Evengoed schudde hij Ryans hand en lukte het hem te grijnzen. Winston kende Ryan niet erg goed. In de dagen van het conflict met Japan hadden ze samengewerkt. Misschien waren ze elkaar ook nog wel eens op recepties en dergelijke tegen het lijf gelopen, en hij wist van Ryans werk op de effectenmarkt, discreet maar effectief. Je kon aan Ryan merken dat hij jaren in het inlichtingenwerk had gezeten.

'Ga zitten.' Jack wees naar een van de banken. 'Ontspan je. Goede reis gehad?'
'Zoals gewoonlijk.' Een marinesteward dook op uit het niets en schonk twee koppen koffie in, omdat het die tijd van de dag was. De koffie, merkte Winston, was uitstekend, en werd geserveerd in een fijn porseleinen kopje met gouden rand.
'Ik heb je nodig,' zei Ryan nu.
'Meneer de president, luister, er is veel schade aangericht aan mijn...'
'Land.'
'Ik heb nooit een baan bij de overheid willen hebben, Jack,' zei Winston meteen. Hij sprak vlug.
Ryan raakte zijn kopje niet eens aan. 'Waarom denk je dat ik jou wil? George, ik heb het allemaal meegemaakt, ja? Meer dan eens. Ik moet een team samenstellen. Ik ga vanavond een toespraak houden. Misschien bevalt het je wel wat ik ga zeggen. In de eerste plaats wil ik iemand op Financiën hebben. Defensie zit voorlopig wel goed. Buitenlandse Zaken is bij Adler in goede handen. Boven aan mijn verlanglijst staat een nieuwe minister van Financiën. Ik moet iemand hebben die goed is. Dat ben jij. Ben je brandschoon?' vroeg Ryan abrupt.
'Wat... Allicht ben ik dat. Ik heb veel geld verdiend, maar ik heb me altijd aan de regels gehouden. Dat weet iedereen.' Winston stoof op tot hij besefte dat Ryan dat precies van hem verwachtte.
'Goed. Ik heb iemand nodig die het vertrouwen van de financiële wereld geniet. Jij bent zo iemand. Ik heb iemand nodig die weet hoe het systeem in elkaar zit. Jij weet dat. Ik heb iemand nodig die weet wat kapot is en wat gerepareerd moet worden, en wat in orde is. Jij weet dat. Ik heb iemand nodig die niet uit de politiek voortkomt. Jij komt daar niet uit voort. Ik heb een nuchtere professional nodig. En vooral, George, heb ik iemand nodig die net zo'n hekel aan zijn baan zal hebben als ik aan de mijne.'
'Wat bedoel je daar precies mee?'
Ryan leunde achterover en deed zijn ogen even dicht voordat hij verderging. 'Ik ben voor de overheid gaan werken toen ik eenendertig was. Ik ben er een keer uitgestapt, en ik heb het op Wall Street goed gedaan, maar ik wilde toch weer terug, en hier zit ik dan.' Zijn ogen gingen open. 'Vanaf de dag dat ik voor de CIA ging werken, heb ik van binnenuit kunnen zien hoe de dingen gaan, en weet je wat? Het heeft me nooit bevallen. Vergeet niet dat ik in Wall Street ben begonnen, en daar heb ik goed geboerd. Toen ik mijn fortuin had gemaakt, besloot ik wetenschapper te worden. De geschiedenis was mijn eerste liefde en ik wilde gaan doceren en studeren en schrijven, uitzoeken hoe dingen werkten en dan mijn kennis doorgeven. Ik heb het bijna gered. Misschien is het niet precies zo gegaan als ik dacht, maar ik heb veel gestudeerd en geleerd. En nu, George, ga ik een team samenstellen.'
'Om wat te doen?'
'Het is jouw taak om schoon schip te maken op Financiën. Je krijgt het monetaire en fiscale beleid.'

'Je bedoelt...'
'Ja.'
'Geen politiek geouwehoer?' Hij moest dat vragen.
'Hoor eens, George, ik weet niet hoe ik een politicus zou moeten zijn en ik heb geen tijd om het te leren. Ik heb altijd een hekel aan dat spelletje gehad. Ik heb altijd een hekel gehad aan de meeste mensen die het speelden. Ik heb altijd geprobeerd gewoon mijn land zo goed mogelijk te dienen. Soms lukte dat, soms niet. Ik had geen keus. Je weet hoe het is begonnen. Mensen probeerden mij en mijn gezin te vermoorden. Ik wilde me niet laten meeslepen, maar verdomme, ik merkte dat er toch iemand moet zijn die probeert het werk gedaan te krijgen. Ik ga het niet meer alleen doen, George, en ik ga niet alle vacatures opvullen met prikklokgebruikers die weten hoe ze het systeem moeten manipuleren. Ik wil hier mensen met ideeën hebben, geen politici met persoonlijke doelstellingen.'
Winston zette zijn kopje neer en zag kans het daarbij niet tegen het schoteltje te laten kletteren. Eigenlijk verbaasde het hem dat zijn hand niet beefde. Wat Ryan hem voorstelde, ging nogal wat verder dan de baan die hij had willen weigeren. Het was een baan die veel meer inhield dan je op het eerste gezicht zou zeggen. Hij zou zich moeten losmaken van zijn vrienden... nou ja, niet echt, maar het betekende dat hij geen beslissingen zou nemen op grond van bijdragen aan verkiezingskassen, geld dat Wall Street aan de president gaf omdat Financiën zulke leuke dingen voor de effectenhuizen deed. Zo was het spel altijd gespeeld, en hoewel hij er nooit aan had meegedaan, had hij vaak genoeg gepraat met mensen die er wel aan meededen, mensen die het systeem op de oude vertrouwde manier manipuleerden, want zo zat het nu eenmaal in elkaar.
'Verdomme,' fluisterde hij half in zichzelf. 'Je meent dit serieus, hè?'
Hij was een van de oprichters van de Columbus Group en had daarmee een taak op zich genomen die zo elementair was dat maar weinig mensen er ooit aan dachten, afgezien van de mensen die er zelf mee bezig waren, en zelfs die niet allemaal. Letterlijk miljoenen mensen vertrouwden hun geld direct of indirect aan hem toe en dat gaf hem in theorie de mogelijkheid om te stelen zoals nog nooit iemand gestolen had. Maar dat kon je niet doen. Ten eerste was het illegaal en liep je het risico van een langdurig verblijf in een federale strafinrichting, met huisgenoten van erg laag allooi. Maar dat was niet de reden waarom je het niet deed. De reden was dat er mensen waren die erop vertrouwden dat je eerlijk en slim was. Daarom ging je met hun geld om zoals je met je eigen geld omging, en misschien zelfs een beetje beter, want zij konden niet gokken, zoals iemand die rijk was dat wel kon. Soms kreeg je een mooie brief van een weduwe, en dat gaf je een goed gevoel, maar in feite kwam het van binnenuit. Je was een man van eer of je was het niet, en eer, had een scenarioschrijver eens gezegd, was het geschenk dat een mens zichzelf kon geven. Geen slecht gezegde, vond Winston. Het was natuurlijk ook lucratief. Als je je werk op de juiste manier deed, was de kans groot dat mensen je er

goed voor beloonden, maar de echte voldoening beleefde je door het spel goed te spelen. Het geld was alleen maar het resultaat van iets belangrijkers, want geld kon van de een op de ander overgaan, en eer niet.

'Fiscaal beleid?' vroeg Winston.

'We moeten eerst het Congres weer in elkaar zetten, weet je nog wel?' merkte Ryan op. 'Maar inderdaad.'

Winston haalde diep adem. 'Dat is een erg groot karwei, Ryan.'

'Vertel mij wat,' zei de president, en hij begon te grijnzen.

'Het zal me niet populairder maken.'

'De Secret Service valt ook onder Financiën. Ze zullen je beschermen, nietwaar, Andrea?'

Adjudant Price was niet gewend om bij zulke gesprekken betrokken te worden, maar ze zou er blijkbaar aan moeten wennen. 'Eh, ja, meneer de president.'

'Het is allemaal zo verrekte inefficiënt,' merkte Winston op.

'Nou, doe er dan wat aan,' zei Ryan tegen hem.

'Het kan bloederig worden.'

'Koop een dweil. Ik wil dat je grote schoonmaak houdt in je ministerie, dat je de boel stroomlijnt en dat je de zaak runt alsof je op een dag winst wilt maken. Hoe je dat aanpakt, is jouw probleem. Met Defensie wil ik hetzelfde doen. Het grootste probleem is daar het administratieve aspect. Ik moet daar iemand hebben die een onderneming kan leiden en winst kan maken, iemand die de bureaucratie kan wegwerken. Dat is het allergrootste probleem op alle ministeries.'

'Je kent Tony Bretano?'

'De man van TRW? Die had vroeger de leiding van hun satellietdivisie...' Ryan herinnerde zich dat Bretano een tijd geleden voor een hoge post in het Pentagon was gevraagd en dat hij het aanbod meteen van de hand had gewezen. Veel goede mensen wezen zo'n aanbod van de hand. Dat was iets wat hij moest doorbreken.

'Ik heb me laten vertellen dat hij over een paar weken wordt weggekocht door Lockheed-Martin. Daarom gaan de aandelen Lockheed omhoog. Wij adviseren te kopen. Hij hielp TRW aan een winststijging van vijftig procent in twee jaar tijd, en dat is niet slecht voor een ingenieur die volgens de verhalen geen snars van management weet. Ik golf weleens met hem. Je moest hem eens horen tieren over zaken doen met de overheid.'

'Zeg tegen hem dat ik hem wil spreken.'

'Lockheed geeft hem de vrije hand om...'

'Dat is hier ook de bedoeling, George.'

'En mijn baan, ik bedoel wat je mij wilt laten doen? Volgens de regels...'

'Ik weet het. Je bent waarnemend minister tot we orde op zaken hebben gesteld.'

Winston knikte. 'Goed. Ik wil dan wel een paar mensen meenemen.'

'Ik ga je niet vertellen hoe je het moet doen. Ik ga je niet eens alles vertellen

wat je moet doen. Ik wil alleen dat het gedaan wordt, George. En ik wil dat je me alles van tevoren vertelt. Ik wil het niet eerst in de krant lezen.'
'Wanneer begin ik?'
'Het kantoor is nu leeg,' antwoordde Ryan.
Een laatste voorbehoud: 'Ik moet er met mijn gezin over praten.'
'Weet je, George, in al die kantoren op de ministeries staan telefoons.' Jack zweeg even. 'Zeg, ik weet wat jij bent. Ik weet wat jij doet. Ik had misschien net zo kunnen worden, maar ik vond het gewoon nooit... bevredigend, zou je kunnen zeggen, om alleen maar geld te verdienen. Iets nieuws van de grond tillen, dat was iets anders. Goed, het beheren van geld is belangrijk werk. Ik vond er zelf niets aan, maar ik heb ook nooit hoogleraar willen worden. Maar ik wéét dat jij vaak aan de borreltafel hebt zitten vertellen hoe fout het zit in deze stad. Nou, dit is je kans. Die kans komt nooit terug, George. Niemand krijg ooit nog de gelegenheid om minister van Financiën te worden zonder rekening te hoeven houden met politieke overwegingen. Nooit meer. Je kunt dit niet afwijzen, want je zou het jezelf nooit vergeven.'
Winston vroeg zich af hoe Ryan hem zo handig in een hoek kon drukken in een kamer zonder hoeken. 'Je wordt al een echte politicus, Jack.'
'Andrea, je hebt een nieuwe baas,' zei de president tegen de leidster van zijn escorte.
Adjudant Price van haar kant kwam tot de conclusie dat Callie Weston het misschien toch bij het verkeerde eind had.

Het bericht dat de president die avond een toespraak tot de natie zou houden, bracht een zorgvuldig opgesteld tijdschema in de war, maar dat duurde niet meer dan een dag. Een groter probleem was het coördineren van die gebeurtenis met een andere. Zoals op veel terreinen draaide ook in de politiek alles om timing, en ze hadden hier een week aan gewerkt. Ze konden dit niet te lijf gaan met de routine van experts die met bekwame spoed hun werk deden, want ze hadden hier geen enkele ervaring mee. Het waren allemaal gissingen, maar ze hadden al vaker met gissingen gewerkt en meestal was het toen goed gegaan, anders zou Edward J. Kealty nooit zo hoog zijn gestegen. Toch hadden ze, net als dwangmatige gokkers, nooit een volledig vertrouwen in de tafel of in de andere spelers. Telkens wanneer ze een beslissing hadden genomen, bleef er twijfel bestaan.
Ze dachten zelfs na over het goed of kwaad hiervan, en niet het goed en kwaad van een politieke beslissing, het zorgvuldig overwegen bij wie het kwaad bloed zou zetten als je plotseling vasthield aan het principe van de dag. Nee, ze vroegen zich af of de actie die ze overwogen objectief correct was... allemachtig, ethiek! Dat was voor deze oude rotten in het politieke vak een zeldzame ervaring. Het hielp natuurlijk wel dat hun iets was voorgelogen. Ze wisten dat hun iets was voorgelogen. Ze wisten dat hij wist dat zij wisten dat hij tegen hen had gelogen, maar dat hoorde erbij. Als het anders was gegaan, zouden de regels van het spel zijn overtreden. Zolang ze het vertrouwen van hun opdrachtgever

niet schonden, moesten ze worden beschermd, ook tegen dingen die ze beter niet konden weten.
'Dus je hebt eigenlijk nooit ontslag genomen, Ed?' vroeg zijn stafchef. Hij wilde dat de leugen volkomen duidelijk was, want dan kon hij iedereen vertellen dat het, voorzover hij wist, de zuivere waarheid was.
'Ik heb de brief nog,' antwoordde de voormalige senator en voormalige vice-president – en daar zat hem nou juist de kneep – en hij tikte op de zak van zijn jasje. 'Brett en ik hebben de zaak besproken en we kwamen tot de conclusie dat de brief op een andere manier moest worden geformuleerd. Wat ik bij me had, was niet helemaal goed. Ik zou natuurlijk de volgende dag met een nieuwe brief, opnieuw gedateerd, zijn teruggekomen en dan zou het in alle rust zijn geregeld, maar wie had kunnen denken...?'
'Je zou het nu gewoon kunnen vergeten.' Dat hoorde ook bij het spel dat ze speelden.
'Ik wou dat ik dat kon,' zei Kealty na een korte serieuze stilte, gevolgd door een bezorgde, gevoelige stem. Dit was voor hem ook een goede oefening. 'Maar Jezus, als je ziet hoe het land eraan toe is... Ryan is geen slechte kerel, ik ken hem al jaren. Maar hij weet geen bal van het staatsbestuur.'
'Er is hier geen wet voor, Ed. Geen enkele constitutionele richtlijn, en ook als die er was, zou er geen hooggerechtshof zijn om er een uitspraak over te doen.' Degene die dit zei, was Kealty's voornaamste juridisch adviseur. 'Het is puur politiek. Het zal niet goed bij de mensen overkomen,' moest hij nu zeggen. 'Het zal niet goed...'
'Dat is het nu juist,' merkte de stafchef op. 'We doen dit om niet-politieke redenen. We doen dit voor het land. Ed weet dat hij politieke zelfmoord pleegt.' Waarop meteen een glorieuze wederopstanding zou volgen, live op CNN.
Kealty stond op en begon door de kamer te lopen, pratend en gebarend. 'Laat de politiek hier nou buiten! De regering is vernietigd! Wie gaat het allemaal weer op poten zetten? Ryan is een CIA-man, verdomme nog aan toe. Hij weet niets van regeren. We moeten een hooggerechtshof benoemen, een beleid uitvoeren. We moeten zorgen dat er een nieuw Congres komt. Het land heeft leiderschap nodig en hij heeft daar geen flauw idee van. Misschien graaf ik mijn eigen politieke graf, maar iemand moet naar voren komen om het land te beschermen.'
Niemand lachte. Het vreemde was dat ze niet eens op het idee kwamen om dat te doen. De stafmedewerkers, die al minstens twintig jaar voor Kealty werkten, hadden zichzelf al zo stevig aan deze specifieke politieke mast vastgesjord dat ze geen keuze meer hadden. Dit stukje theater was even noodzakelijk als de koorpassages bij Sophocles of het aanroepen van de muze door Homerus. De poëzie van de politiek moest ook aan bod komen. Het ging om het land, om de behoeften van het land. Meer dan anderhalve generatie had Ed zich voor het land ingezet, want zo lang zat hij al in de politiek. Hij wist hoe het systeem werkte, en uiteindelijk kon alleen iemand als hij het land redden.

Per slot van rekening wás de regering het land. Dat was gedurende zijn hele politieke leven zijn uitgangspunt geweest.
Ze geloofden dat alles echt en Kealty was net zo goed aan die mast vastgesjord als de twee medewerkers. Zelfs hij zou niet meer kunnen zeggen in hoeverre hij zich door zijn eigen ambities liet leiden, want als je je hele leven overtuigingen uitdraagt, worden het feiten. Het land vertoonde soms de neiging om van zijn overtuigingen af te dwalen, maar een evangelist kon niets anders doen dan mensen tot het Ware Geloof terugbrengen. Daarom had Kealty nu de plicht het land terug te brengen tot zijn filosofische grondslagen, waaraan hij trouw was gebleven in zijn vijf senaatstermijnen en in de kortere tijd dat hij vice-president was geweest. Meer dan vijftien jaar hadden de media, die van hem hielden vanwege zijn opvattingen en zijn geloof en zijn politieke familie, hem het geweten van de senaat genoemd.
Het zou goed zijn geweest als hij nu contact opnam met de media, zoals hij in het verleden vaak genoeg had gedaan. Hij had ze vaak ingelicht over een wetsvoorstel of amendement en om hun mening gevraagd: de media waren gek op mensen die naar hun mening vroegen. Vaak ook had hij alleen maar gebeld om te zorgen dat ze naar de juiste feestjes kwamen. Maar deze keer belde hij niet. Nee, dat kon hij niet doen. Hij moest dit op de juiste manier spelen. Hij mocht niet de indruk wekken dat hij om gunsten vroeg. Bovendien zou hij, als hij de pers er nog even buiten hield, zijn daden een zekere legitimiteit verlenen. Hoogstaand. Zo moest het project overkomen. Voor het eerst in zijn leven zou hij al het politieke borduurwerk vergeten. Het enige waar het nu nog om ging, was de timing. En dáármee konden zijn mediacontacten hem helpen.

'Hoe laat?' vroeg Ryan.
'Half negen Eastern Time,' antwoordde Van Damm. 'Er zijn vanavond een paar specials, want deze week worden de kijk- en luistercijfers gemeten om de reclametarieven vast te stellen. Ze hebben ons om onze medewerking gevraagd.'
Ryan zou daar anders misschien om gegromd hebben, maar deed dat nu niet. Zijn gedachten stonden trouwens duidelijk op zijn gezicht te lezen.
'Het betekent dat je bij veel mensen aan de Westkust op de autoradio komt,' legde Arnie uit. 'We krijgen alle vijf netwerken, plus CNN en C-SPAN. Dat is geen recht, weet je. Het is een gunst. Ze zijn helemaal niet verplicht je uit te zenden. Die kaart spelen ze uit voor politieke toespraken...'
'Verdomme, Arnie, dit is niet politiek, het is...'
'Meneer de president, wen er nou maar aan. Elke keer dat je naar de wc gaat, is dat politiek. Je kunt er niet aan ontkomen. Zelfs de afwezigheid van politiek is een politiek statement.' Arnie deed erg zijn best om zijn nieuwe baas iets te leren. Ryan luisterde wel, maar het drong niet altijd tot hem door.
'Goed. De FBI zegt dat ik dit alles mag vrijgeven?'
'Ik heb twintig minuten geleden met Murray gesproken. Hij vindt het goed. Callie is op dit moment bezig het in de toespraak te verwerken.'

Ze had een beter kantoor kunnen hebben. Als eerste presidentiële toespraken-schrijfster had ze een vergulde pc op een bureau van Carrera-marmer kunnen hebben. In plaats daarvan gebruikte ze een tien jaar oude Apple Macintosh Classic, want die bracht geluk en ze vond het niet erg om met een klein schermpje te werken. Haar kamer was ooit misschien een kast of opslagruimte geweest, in de tijd dat de Indian Treaty Room inderdaad nog gebruikt werd voor verdragen met indianen. Het bureau was in een federale gevangenis gemaakt, en hoewel de stoel comfortabel was, was hij dertig jaar oud. De kamer had een hoog plafond. Dat maakte het gemakkelijk voor haar om te roken, ondanks het wettelijk verbod en ondanks de voorschriften van het Witte Huis, die in haar geval niet werden afgedwongen. De laatste keer dat iemand had geprobeerd haar te intimideren, had een agent zich gedwongen gezien haar van het desbetreffende mannelijke staflid af te trekken, anders had ze hem de ogen uitgekrabd. Dat ze niet terstond was ontslagen, was een signaal voor de rest van het personeel in het Witte Huis. Sommige stafleden waren onaantastbaar. Callie Weston was daar een van.
Haar kamer had geen ramen. Die wilde ze ook niet. Voor haar bestond de werkelijkheid uit haar computer en de foto's aan de muren. Op een van die foto's stond haar hond, een oudere bobtail die Holmes heette (niet naar Sherlock, maar naar Oliver Wendell, want ze had grote bewondering voor die Amerikaanse schrijver, een lof die ze maar weinigen toezwaaide). Op de rest van de foto's stonden politieke figuren, vrienden en vijanden, en daar keek ze erg vaak naar. Achter haar stonden een kleine tv en videorecorder. De tv was meestal afgestemd op C-SPAN-I en -II of CNN, en de videorecorder werd gebruikt om naar toespraken te kijken die door anderen geschreven waren en op allerlei plaatsen gehouden waren. De politieke toespraak, vond ze, was de hoogste vorm van communicatie. Shakespeare had in zijn stukken twee of drie uur de tijd om zijn ideeën uit te dragen. Hollywood probeerde hetzelfde in ongeveer evenveel tijd. Zij niet. Ze had minimaal vijftien en hooguit vijfenveertig minuten, en haar ideeën moesten absoluut goed overkomen. Haar toespraken moesten invloed uitoefenen op de gemiddelde burger, de ervaren politicus en de meest cynische journalist. Ze bestudeerde haar onderwerp, en op dit moment bestudeerde ze Ryan. Ze keek telkens weer naar beelden van de weinige woorden die hij had uitgesproken op de avond dat hij president was geworden, en daarna keek ze naar de interviews van de volgende morgen. Ze keek naar zijn ogen en zijn gebaren, zijn spanning en intensiteit, zijn houding en lichaamstaal. Tot op zekere hoogte was ze wel blij met wat ze zag. Ryan was een man die ze bijvoorbeeld wel zou vertrouwen als hij beleggingsadviseur was. Maar hij moest nog leren zich als een politicus te gedragen, en iemand moest het hem leren, of misschien niet? vroeg ze zich af. Misschien... als hij zich juist niet als een politicus gedroeg...
Of het nu goed ging of niet, het zou leuk zijn. Voor het eerst zou het voor haar geen werk zijn, maar plezier.
Niemand wilde het toegeven, maar ze was een van de scherpzinnigste mensen

die daar werkten. Fowler had dat geweten, en Durling ook, en daarom hadden ze haar excentrieke gedrag getolereerd. De hogere politieke stafleden haatten haar. Ze behandelden haar als een nuttige maar ondergeschikte functionaris en ze waren woedend als ze haar de straat zagen oversteken om regelrecht naar het Oval Office te gaan, iets wat ze kon doen omdat ze als weinig anderen het vertrouwen van de presidenten genoot. Dat had uiteindelijk iemand tot de opmerking gebracht dat de president een nogal bijzondere reden had om haar te laten komen. Per slot van rekening stonden mensen uit haar deel van het land erom bekend dat ze een beetje lichtzinnig waren als het aankwam op... Ze vroeg zich af of hij de laatste tijd nog kans had gezien hem omhoog te krijgen. De agent had haar handen van het gezicht van dat miezerige ventje af getrokken, maar hij was te langzaam geweest om haar knie tegen te houden. Het had niet eens de kranten gehaald. Arnie had hem uitgelegd dat hij niet hoefde proberen naar het Witte Huis terug te keren, want dat hij dan een aanklacht wegens seksuele intimidatie aan de broek zou krijgen, en daarna had hij hem op de zwarte lijst gezet. Ze mocht Arnie graag.
Ze zag ook wel iets in deze toespraak. Hij had haar vier uur gekost, in plaats van de drie die ze had beloofd: veel moeite voor twaalf minuten en dertig seconden. Ze maakte ze meestal een beetje korter omdat presidenten de neiging hadden langzaam te spreken. Tenminste, dat deden de meesten. Ryan zou het nog moeten leren. Ze toetste Command-P in om de tekst af te drukken, lettertype Helvetica, 14-punts, drie exemplaren. Een paar politieke klootzakken zouden de tekst doornemen en proberen hier en daar iets te veranderen. Dat was niet meer zo'n probleem als vroeger. Toen de printer klaar was, legde ze de pagina's in de juiste volgorde, niette ze aan elkaar en pakte haar telefoon. De sneltoets legde verbinding met het juiste bureau aan de overkant van de straat.
'Weston om de Baas te spreken,' zei ze tegen de afsprakensecretaresse.
'Komt u maar.'
En zo was alles zoals het moest zijn.

God had haar gebeden niet verhoord, zag Moudi. Nou ja, daar was ook weinig kans op geweest. De combinatie van zijn islamitisch geloof en zijn wetenschappelijke kennis was voor de dokter net zo'n groot probleem als voor zijn christelijke en ongodsdienstige collega's. De Kongo was meer dan honderd jaar aan het christendom blootgesteld, maar de oude, animistische denkbeelden waren nog duidelijk aanwezig en dat maakte het gemakkelijk voor Moudi om de inheemse bevolking te verachten. Het was de oude vraag: als God een god van genade was, waarom was er dan onrechtvaardigheid? Dat zou hij eens met zijn imam moeten bespreken, maar voorlopig was het voldoende om te weten dat zulke dingen gebeurden, zelfs met rechtvaardige mensen.
Ze werden petechiae genoemd, een wetenschappelijke naam voor stipvormige, onderhuidse bloedingen die op haar lichte, Noord-Europese huid erg goed zichtbaar waren. Het was maar goed dat die nonnen geen spiegels gebruikten. In hun religieuze wereld werden spiegels als ijdelheden beschouwd, en dat

was ook iets waarvoor Moudi bewondering had, al begreep hij het niet helemaal. In ieder geval was het beter dat ze die rode vlekken op haar gezicht niet zag. Ze waren op zichzelf al lelijk, maar veel erger was het dat ze de voorboden van de dood waren.
Haar koorts was opgelopen tot 40,2 en zou nog hoger zijn geweest als ze geen ijs in haar oksels en achter haar nek had gehad. Haar ogen waren lusteloos, haar lichaam was slap van vermoeidheid. Dat waren symptomen van veel ziekten, maar de petechiae vertelden hem dat ze inwendige bloedingen had. Ebola was een koorts die met bloedingen gepaard ging en behoorde tot een groep ziekten die het weefsel tot op een erg elementair niveau afbraken, zodat het bloed overal in het lichaam kon komen, wat onvermijdelijk tot hartstilstand als gevolg van bloedtekort leidde. Dat was de manier waarop de patiënten stierven, hoewel de medische wereld nog niet wist waardoor dat proces werd veroorzaakt. Er was nu niets meer tegen te doen. Ongeveer twintig procent van de slachtoffers overleefde de ziekte. Soms lukte het hun immuunsysteem het binnengedrongen virus te verslaan en te verdrijven; hoe dat kon, was ook een vraag waarop niemand een antwoord had. Dat het in dit geval niet zou gebeuren, stond vast.
Hij pakte haar pols om haar hartslag op te nemen. Zelfs door zijn handschoenen heen voelde haar huid heet en droog en... slap aan. Het was al begonnen. De technische term was algehele necrose. Het lichaam was al begonnen te sterven. Waarschijnlijk de lever eerst. Om de een of andere reden – die niemand kende – had ebola een dodelijke voorkeur voor dat orgaan. Zelfs degenen die in leven bleven, hielden er een blijvende leverbeschadiging aan over. Maar je leefde niet lang genoeg om eraan te sterven, want alle organen stierven af, sommige vlugger dan andere, maar al gauw allemaal tegelijk.
De pijn was even afschuwelijk als onzichtbaar. Moudi schreef een opdracht uit om de morfinedosis te verhogen. Zo konden ze tenminste de pijn verzachten, en dat was goed voor de patiënt en ook veilig voor het personeel. Een door pijn gekwelde patiënt sloeg weleens om zich heen, wat altijd riskant was voor de mensen in de nabijheid van een koortsslachtoffer met veel bloedingen en met een ziekte die via bloed werd verspreid. Haar linkerarm was trouwens vastgebonden om de infuusnaald te beschermen. Ondanks die voorzorgsmaatregel liep het infuus gevaar verbroken te worden. Het zou gevaarlijk en ook moeilijk uitvoerbaar zijn om een nieuw infuus aan te leggen, zo erg was het al met haar slagaderweefsel gesteld.
Zuster Maria Magdalena verzorgde haar vriendin. Ze hield haar gezicht afgedekt, maar haar ogen waren bedroefd. Moudi keek haar aan en zij hem. Tot haar verbazing zag ze het medelijden op zijn gezicht. Moudi stond bekend om zijn kilte.
'Bid met haar, zuster. Er zijn dingen die ik nu moet doen.' En wel snel. Hij verliet de ziekenkamer, trok onder het lopen zijn beschermende kleding uit en gooide alles in de juiste vaten. Alle naalden die in dit gebouw werden gebruikt, gingen in speciale 'scherpe' vaten om te worden vernietigd; de nonchalante

Afrikaanse houding ten opzichte van die voorzorgsmaatregelen had in 1976 tot de eerste ebola-uitbarsting geleid. Die stam heette ebola mayinga, naar een zuster die het virus had opgelopen, waarschijnlijk door slordigheid. Ze hadden sindsdien veel geleerd, maar Afrika bleef Afrika.
Zodra hij in zijn kamer terug was, voerde hij weer een telefoongesprek. Er zou nu iets gaan gebeuren. Hij wist niet precies wat het was, al zou hij helpen vaststellen wat het was, en dat deed hij door onmiddellijk in de literatuur op zoek te gaan naar iets dat nutteloos was.

'Ik ga u redden,' zei ze. Ryan lachte toen hij dat hoorde en Price huiverde. Arnie keek haar alleen maar aan. De stafchef zag dat ze nog steeds niet gekleed was zoals je van iemand in haar functie zou verwachten. Dat was eigenlijk een pluspunt in de ogen van de agenten, die de stijlvol geklede stafleden 'pauwen' noemden, wat beleefder was dan andere dingen die ze ook hadden kunnen zeggen. Zelfs de secretaresses gaven meer aan kleding uit dan Callie Weston. Arnie stak alleen zijn hand uit. 'Ga je gang.'
President Ryan was blij met het grote lettertype. Nu hoefde hij zijn bril niet op te zetten en hoefde hij ook niet tot zijn schaamte te vragen of de lettertjes wat groter konden. Hoewel hij gewoonlijk een snelle lezer was, nam hij hier de tijd voor.
'Eén verandering,' zei hij even later.
'Welke dan?' vroeg Weston argwanend.
'We hebben een nieuwe minister van Financiën. George Winston.'
'Die multimiljardair?'
Ryan sloeg de eerste bladzijde om. 'Nou, ik had ook een zwerver van een parkbankje kunnen plukken, maar het leek me wel een goed idee om iemand te nemen die verstand heeft van de financiële markten.'
'We noemen ze "daklozen", Jack,' merkte Arnie op.
'Of ik had een hoogleraar kunnen nemen, maar Buzz Fiedler zou de enige zijn geweest die ik vertrouwde,' ging Jack nuchter verder, want er kwam een herinnering in hem op. Een merkwaardige geleerde, Fiedler, een man die wist wat hij niet wist. Verdomme. 'Dit is goed, mevrouw Weston.'
Van Damm was op bladzijde drie. 'Callie...'
'Arnie, lieve jongen, je schrijft geen Lawrence Olivier-tekst voor George C. Scott. Je schrijft Olivier voor Olivier en Scott voor Scott.' In haar hart wist Callie Weston dat ze een vliegtuig van Dulles naar Los Angeles kon nemen om daar een auto te huren en naar Paramount te gaan en dan binnen een half jaar een huis in de Hollywood Hills te hebben, plus een Porsche om naar haar gereserveerde parkeerplaats bij Melrose Boulevard te rijden, plus die vergulde computer. Maar nee. De hele wereld mocht dan een schouwtoneel zijn, de rol waarvoor zij schreef was de allergrootste. Het publiek wist misschien niet wie ze was, maar ze wist dat haar woorden de wereld veranderden.
'Wat ben ik dan precies?' De president keek haar aan.
'U bent anders. Dat heb ik u al verteld.'

12
Presentatie

Weinig aspecten van het leven waren voorspelbaarder, vond Ryan. Hij had een licht diner gebruikt om niet te veel last te hebben van zijn maag. Voor zijn gezin had hij nauwelijks tijd gehad, want hij was druk bezig zijn toespraak telkens door te lezen. Hier en daar had hij met potlood veranderingen aangebracht, bijna allemaal taalkundige kwesties waartegen Callie geen bezwaar had gemaakt en waar ze zelf ook nog weer aan geschaafd had. De toespraak was elektronisch doorgegeven aan de secretariaatskamer naast het Oval Office. Callie was schrijfster, geen typiste, en de presidentiële secretaresses konden typen met een snelheid waar Ryans mond van openviel. Toen de definitieve versie was uitgetypt, werd deze voor de president op papier geprint, terwijl een andere versie langs elektronische weg in de teleprompter werd geladen. Callie Weston zag er persoonlijk op toe dat beide versies exact gelijk waren. Het zou niet de eerste keer zijn dat iemand op het laatste moment nog veranderingen in een van de versies aanbracht, maar Weston wist daarvan en waakte over haar werk als een leeuwin over haar welpen.

Zoals te verwachten was, kwamen de ergerlijkste woorden van Van Damm: Jack, dit is de belangrijkste toespraak die je ooit zult houden. Ontspan je nou maar, het komt wel goed.

Tjee, dank je, Arnie. De stafchef was een coach die het spel zelf nooit had gespeeld, en hoe deskundig hij ook was, hij wist gewoon niet wat het was om met slaghout in de aanslag tegenover de werper te staan.

De camera's werden opgesteld, een gewone en een reserve, hoewel de laatste bijna nooit gebruikt werd. Beide waren voorzien van een teleprompter. De felle televisielampen werden geïnstalleerd. Zolang de toespraak duurde, zou de president tegen de achtergrond van de ramen van zijn kantoor gesilhouetteerd zijn, als een hert op een bergkam, ook iets waarover de Secret Service zich zorgen maakte, al hadden ze vertrouwen in de ramen, die mitrailleurkogels konden tegenhouden. Het escorte kende alle leden van de cameraploeg, maar deed toch nog opnieuw onderzoek naar hen, terwijl ook de apparatuur aan een inspectie werd onderworpen. Nog even en het zou beginnen. De televisienetwerken hadden de noodzakelijke bekendmakingen gedaan en waren daarna overgegaan op andere actualiteiten. Het was allemaal routine, behalve natuurlijk voor de president: voor hem was het allemaal nieuw en ook een beetje angstaanjagend.

Hij had wel verwacht dat de telefoon zou gaan, maar niet op dit uur. Er waren maar weinig mensen die het nummer van zijn zaktelefoon hadden. Het was te gevaarlijk om een gewone telefoon met een echt nummer te hebben. De Mossad had nog steeds de gewoonte mensen te laten verdwijnen. De nieuwe vrede in het Midden-Oosten had dat niet veranderd en ze hadden alle reden om hem naar het leven te staan. Een collega van hem hadden ze op een heel handige manier met behulp van zijn zaktelefoon gedood. Eerst hadden ze zijn toestel met een elektronisch signaal buiten gebruik gesteld en daarna hadden ze gezorgd dat hij een nieuw toestel kreeg... met tien gram krachtige springstof in het plastic. Het laatste wat de man volgens de verhalen door de telefoon te horen had gekregen, was afkomstig geweest van het hoofd van de Mossad: 'Hallo, met Avi ben Jakob. Luister goed, mijn vriend.' Op dat moment had de jood met zijn duim op de #-toets gedrukt. Een slim plan, maar wel voor eenmalig gebruik.

Zodra de telefoon ging, deed hij met een vloek zijn ogen open. Hij was nog maar een uur daarvoor naar bed gegaan.

'Ja.'

'Bel Yousif.' En de verbinding werd verbroken. Bij wijze van extra veiligheidsmaatregel was deze verbinding via een aantal tussenpersonen tot stand gekomen en was de boodschap zelf te kort om getraceerd te kunnen worden door de elektronische deskundigen in dienst van zijn talloze vijanden. De laatste maatregel was nog slimmer. Hij draaide meteen het nummer van een andere zaktelefoon en herhaalde de boodschap die hij zojuist had gehoord. Een slimme vijand die de boodschap via de frequenties volgde, zou waarschijnlijk denken dat hij een van de vele tussenpersonen was. Of misschien ook niet. De veiligheidsspelletjes die je in deze moderne tijd moest spelen, waren soms erg hinderlijk en je wist nooit wat werkte en wat niet... totdat je een natuurlijke dood stierf, iets wat nauwelijks de moeite van het wachten waard was.

Mopperend stond hij op, hij kleedde zich aan en ging naar buiten. Zijn auto stond te wachten. De derde tussenpersoon was zijn chauffeur geweest. Samen met twee bewakers reden ze naar een veilig huis op een veilige plaats. Israël mocht dan in vrede leven en zelfs de PLO mocht dan deel uitmaken van een democratisch gekozen regime – was de wereld helemaal gek geworden? – maar Beiroet was nog steeds een stad waar allerlei mensen konden opereren. Het juiste sein werd gegeven – een patroon van verlichte en niet-verlichte ramen – om te laten weten dat hij veilig uit de auto kon stappen en naar binnen kon gaan. Tenminste, over een seconde of dertig zou hij weten of dat inderdaad zo was. Hij was te slaperig om zich zorgen te maken. Zelfs angst ging vervelen als je er een heel leven mee te maken had gehad.

De gebruikelijke kop koffie, bitterzoet en sterk, stond op de eenvoudige houten tafel. Ze wisselden begroetingen uit, gingen zitten, en het gesprek begon.

'Het is laat.'

'Mijn vlucht had vertraging,' legde zijn gastheer uit. 'We willen gebruikmaken van uw diensten.'

'Waarvoor?'

'We zouden het diplomatie kunnen noemen,' was het verrassende antwoord. De man legde het uit.

'Tien minuten,' hoorde de president.
Nog meer make-up. Het was twintig over acht. Ryan zat op zijn plaats. Mary Abbot werkte zijn haar nog een beetje bij, waardoor Ryan nog meer het gevoel kreeg dat hij een acteur was in plaats van een... politicus? Nee, dat niet. Hij weigerde zich dat etiket op te laten plakken, ongeacht wat Arnie en de anderen zeiden. Door de open deur rechts van hem zag hij Callie Weston bij het bureau van een van de secretaresses staan. Ze glimlachte en knikte naar hem om haar eigen nervositeit te maskeren. Ze had een meesterwerk geschreven – dat gevoel had ze altijd – en dat zou nu ten gehore worden gebracht door een beginneling. Mevrouw Abbot liep naar de voorkant van het bureau, voor enkele televisielampen langs, om haar werk te bekijken zoals de kijkers thuis het zouden zien, en keurde het goed. Ryan zat daar alleen maar en deed zijn best om geen nerveuze bewegingen te maken. Hij wist dat hij straks weer zou gaan zweten onder de make-up. Dat zou verschrikkelijk jeuken en hij mocht absoluut niet krabben, want presidenten hadden geen jeuk en krabden niet. Waarschijnlijk waren er mensen in het land die dachten dat presidenten nooit naar de wc hoefden, zich nooit hoefden te scheren en misschien zelfs hun schoenveters niet hoefden te strikken.
'Vijf minuten, meneer de president. Microfooncontrole.'
'Een, twee, drie, vier, vijf,' zei Ryan plichtsgetrouw.
'Dank u, meneer de president,' riep de regisseur vanuit de andere kamer.
Ryan had zich weleens afgevraagd hoe zoiets ging. Presidenten die zulke officiële verklaringen deden – een traditie die minstens terugging tot Franklin D. Roosevelt en diens 'praatjes bij de haard', waarover hij voor het eerst van zijn moeder had gehoord – maakten altijd een zelfverzekerde, rustige indruk, en hij had zich altijd afgevraagd hoe ze dat klaarspeelden. Hij voelde zich nog gespannener dan hij zich de afgelopen dagen al voelde. De camera's waren nu waarschijnlijk aan, opdat de regisseurs konden controleren of ze werkten, en ergens registreerde een videoapparaat de uitdrukking op zijn gezicht en de manier waarop zijn handen met de papieren speelden. Hij vroeg zich af of de Secret Service zich over dat bandje ontfermde of dat ze erop vertrouwden dat de televisiemensen er op een eerlijke manier mee omgingen... Hun eigen presentatoren zouden ook wel eens hun koffiekopje omgooien of niezen of tegen een assistent snauwen die op het laatste moment nog iets verkeerd deed... O ja, dat soort beelden noemden ze toch bloopers...? Hij zou er op dat moment veel onder willen verwedden dat de Secret Service een lange videoband met presidentiële miskleunen had.
'Twee minuten.'
De camera's hadden allebei een teleprompter. Dat waren vreemde dingen. Voor de camera hing een soort televisietoestel, maar op die kleine toestellen was het beeld van links naar rechts omgedraaid omdat erboven een schuine spiegel was aangebracht. De cameralens bevond zich achter de spiegel en maakte de opnamen erdoorheen, terwijl de president de tekst van zijn toespraak op de spiegel zag staan. Het was een vreemd gevoel om tegen een

camera te praten die je niet echt kon zien, tegen miljoenen mensen die er eigenlijk niet waren. In feite zou hij tegen zijn eigen toespraak praten. Ryan schudde zijn hoofd. De hele tekst van zijn toespraak ging nu in hoog tempo over de spiegel om te controleren of het scrollingsysteem werkte.
'Eén minuut.'
Goed. Ryan verschoof op zijn stoel. Hij maakte zich zorgen over zijn houding. Moest hij zijn armen op het bureau leggen? Moest hij zijn handen in zijn schoot houden? Ze hadden tegen hem gezegd dat hij niet achterover moest leunen in de stoel, want dat kwam te nonchalant en arrogant over, maar Ryan was gewend nogal veel te bewegen en als hij stil moest zitten, kreeg hij pijn in zijn rug, of verbeeldde hij zich dat maar? Daar was het nu een beetje laat voor. Hij voelde de angst, de draaiende warmte in zijn maag. Hij probeerde te boeren, maar hield het toch in.
'Vijftien seconden.'
De angst sloeg bijna om in paniek. Hij kon nu niet meer vluchten. Hij moest het werk doen. Dit was belangrijk. Mensen waren van hem afhankelijk. Achter elke camera stond een cameraman. Er waren drie agenten om hen in de gaten te houden. Er was ook een regieassistent. Ze waren zijn enige publiek, maar hij kon hen nauwelijks zien, want ze verdwenen in de schittering van de lampen en trouwens, ze zouden toch niet reageren. Hoe kon hij weten wat zijn echte publiek dacht?
O, shit.
Een minuut eerder hadden de presentatoren van de netwerken tegen de mensen gezegd wat ze al wisten. De programma's werden onderbroken voor een presidentiële toespraak. In het hele land pakten mensen hun afstandsbediening om over te schakelen op een kabelkanaal zodra ze het grootzegel van de president van de Verenigde Staten van Amerika in beeld kregen. Ryan haalde diep adem, drukte zijn lippen op elkaar en keek in de dichtstbijzijnde van de twee camera's. Het rode lichtje ging aan. Hij telde tot twee en begon.
'Goedenavond.
Landgenoten, ik heb om deze zendtijd verzocht om u te vertellen wat er de afgelopen week in Washington is gebeurd en wat er de komende paar dagen gaat gebeuren.
Ten eerste hebben de FBI en het ministerie van Justitie, geassisteerd door de Secret Service, de NTSB en andere federale diensten, een onderzoek ingesteld naar de omstandigheden van de tragische dood van zovelen van onze vrienden. Zij hebben daarbij veel steun gekregen van de Japanse en Canadese politie. Vanavond zal alle informatie worden vrijgegeven, en morgenvroeg zal het in uw krant staan. Ik geef u de resultaten die tot nu toe in het onderzoek zijn behaald.
Het neerstorten van de Japan Air Lines 747 op het Capitool was de opzettelijke daad van één man. Hij heette Torajiro Sato. Hij was gezagvoerder bij die luchtvaartmaatschappij. We zijn nogal veel over meneer Sato aan de weet gekomen. We weten dat hij in het conflict tussen zijn land en ons land een

broer en een zoon heeft verloren. Blijkbaar was hij daardoor uit zijn evenwicht geraakt en besloot hij op eigen gelegenheid wraak te nemen.
Nadat hij met zijn toestel naar Vancouver, Canada, was gevlogen, deed Sato alsof hij opdracht had gekregen naar Londen te vliegen, zogenaamd om een defect geraakt toestel door zijn eigen toestel te vervangen. Voordat hij opsteeg, vermoordde Sato in koelen bloede zijn tweede piloot, een man met wie hij een aantal jaren had samengewerkt. Vervolgens ging hij alleen door, terwijl de dode man op de stoel naast hem in de gordels zat.' Ryan zweeg even en keek naar de woorden op de spiegel. Zijn mond voelde aan alsof hij van watten was. Een tekentje op de teleprompter gaf aan dat hij de bladzijde moest omslaan.
'Nou, hoe kunnen we zo zeker zijn van dat alles?
Ten eerste is de identiteit van zowel gezagvoerder Sato als zijn tweede piloot met behulp van DNA-onderzoek geverifieerd door de FBI. Afzonderlijke tests van de Japanse politie leverden dezelfde resultaten op. Een onafhankelijk laboratorium heeft deze onderzoeken gecontroleerd, opnieuw met dezelfde resultaten. De kans dat er bij die tests een fout wordt gemaakt, is zo goed als nul.
De andere bemanningsleden, die in Vancouver achterbleven, zijn zowel door de FBI als door de Canadese politie ondervraagd, en ze zijn er zeker van dat gezagvoerder Sato aan boord van het vliegtuig was. We hebben soortgelijke ooggetuigenverslagen van plaatselijke ambtenaren van het Canadese ministerie van Transport en van Amerikaanse passagiers van het vliegtuig. Meer dan vijftig mensen hebben hem positief geïdentificeerd. We hebben gezagvoerder Sato's vingerafdrukken op het vervalste vluchtplan. Bovendien wordt de identiteit van de piloot bevestigd door stemanalyse. Er bestaat dus geen enkele twijfel over de identiteit van de in het vliegtuig aanwezige bemanningsleden.
Ten tweede geven de cockpitbandjes uit de vluchtrecorder ons het exacte tijdstip van de eerste moord. We hebben zelfs de stem van gezagvoerder Sato op de band. Hij verontschuldigt zich bij de man terwijl hij hem vermoordt. Na die tijd horen we op het bandje geen andere stem dan die van Sato. De cockpitbandjes zijn vergeleken met andere opnamen van gezagvoerder Sato's stem, en ook daardoor wordt zijn identiteit bevestigd.
Ten derde is uit forensisch onderzoek gebleken dat de tweede piloot al minstens vier uur dood was toen het vliegtuig neerstortte. Deze onfortuinlijke man is gedood door een mes in zijn hart. Er is geen reden om aan te nemen dat hij iets te maken had met wat er later gebeurde. Hij was alleen maar het eerste onschuldige slachtoffer van een monsterlijke daad. Hij laat een zwangere vrouw na en ik verzoek u allen om aan haar verlies te denken en haar en haar kinderen in uw gebeden te gedenken.
De Japanse politie heeft volledig met de FBI samengewerkt en ons onbeperkte toegang gegeven tot hun onderzoek en ons ook in de gelegenheid gesteld zelf met getuigen en anderen te praten. We hebben nu de volledige gegevens van alles wat gezagvoerder Sato in de laatste twee weken van zijn leven heeft gedaan: waar hij at, wanneer hij sliep, met wie hij sprak. Niets wijst zelfs maar op de mogelijkheid van een crimineel complot. Niets wijst erop dat wat deze

gestoorde man deed deel uitmaakte van een groter plan van de kant van zijn regering of iemand anders. Dat onderzoek zal worden voortgezet tot iedere steen is omgekeerd, tot iedere mogelijkheid, hoe klein ook, volledig is nagegaan, maar de informatie waarover we nu beschikken, zou meer dan voldoende zijn om een jury te overtuigen, en daarom kan ik u dit nu vertellen.' Jack zweeg even en boog zich een paar centimeter naar voren.

'Dames en heren, het conflict tussen ons land en Japan is voorbij. Degenen die het hebben veroorzaakt, zullen hun straf niet ontlopen. Dat heeft premier Koga me persoonlijk verzekerd.

Meneer Koga is een moedig man en een man van eer. Ik kan u nu voor het eerst vertellen dat hij zelf was gekidnapt en bijna vermoord door dezelfde criminelen die het conflict tussen zijn land en het onze hebben ontketend. Hij is uit de handen van zijn kidnappers gered door Amerikanen, geassisteerd door Japanse functionarissen. Dat was een speciale operatie in het hart van Tokio. Na zijn redding heeft hij grote persoonlijke risico's gelopen om een spoedig eind aan het conflict te maken en om zijn land en het onze voor nog meer schade te behoeden. Zonder zijn werk zouden aan beide kanten nog veel meer levens verloren zijn gegaan. Ik ben er trots op Mogataru Koga mijn vriend te kunnen noemen.

Enkele dagen geleden, minuten nadat hij in ons land was aangekomen, hebben de premier en ik elkaar onder vier ogen ontmoet, hier in het Oval Office. Daarna zijn we naar het Capitool-gebouw gereden en daar hebben we samen gebeden. Dat is een moment dat ik nooit zal vergeten.

Ik was daar ook toen het vliegtuig neerstortte. Ik bevond me met mijn vrouw en kinderen in de tunnel naar het Capitool. Ik zag een muur van vlammen op ons afkomen, en tot stilstand komen en zich terugtrekken. Waarschijnlijk zal ik dat nooit vergeten. Ik wou dat ik het kon. Maar ik heb die herinneringen zo goed mogelijk van me afgezet.

De vrede tussen Amerika en Japan is nu volledig hersteld. Wij hebben geen onenigheid met de burgers van dat land en hebben dat ook nooit gehad. Ik roep u allen op om eventuele vijandige gevoelens die u nog tegenover de Japanners hebt, voorgoed van u af te zetten.'

Hij zweeg weer even en zag dat het scrollen van de tekst werd onderbroken. Hij sloeg de bladzijde van zijn geprinte tekst weer om.

'En nu staat ons allen een grote taak te wachten.

Dames en heren, één man, één gestoord en krankzinnig individu, dacht dat hij ons land onherstelbare schade kon toebrengen. Hij vergiste zich. Wij hebben onze doden begraven. Wij zullen nog een hele tijd rouwen om hun verlies. Maar ons land leeft, en de vrienden die we op die verschrikkelijke avond hebben verloren zouden het niet anders willen.

Thomas Jefferson zei dat de vrijheidsboom vaak bloed nodig had om te groeien. Nou, het bloed is vergoten en het is nu tijd dat de boom weer groeit. Amerika is een land dat vooruit kijkt, niet achteruit. Niemand van ons kan de geschiedenis veranderen, maar we kunnen ervan leren, we kunnen voortbouwen op onze successen uit het verleden en we kunnen onze fouten herstellen.

Op dit moment kan ik u vertellen dat ons land veilig is. Onze strijdkrachten doen op de hele wereld hun plicht en onze potentiële vijanden weten dat. Onze economie heeft een zware schok geleden maar is die schok te boven gekomen en is nog steeds de sterkste van de wereld. Dit is nog steeds Amerika. Wij zijn nog steeds Amerikanen en onze toekomst begint met elke nieuwe dag.
Vandaag heb ik George Winston tot waarnemend minister van Financiën benoemd. George staat aan het hoofd van een grote beleggingsmaatschappij in New York, die hij zelf heeft opgericht. Hij heeft geholpen bij het herstellen van de schade die onze financiële markten was toegebracht. Hij is een selfmade man, zoals Amerika een selfmade land is. Binnenkort zal ik nog meer ministers benoemen en ik zal dat telkens aan u bekendmaken.
George kan overigens pas een volwaardig lid van het kabinet worden als we de senaat opnieuw hebben samengesteld. De grondwet bepaalt namelijk dat de leden van de senaat zulke benoemingen moeten goedkeuren. Het kiezen van nieuwe senatoren is de taak van de gouverneurs van een aantal staten. Met ingang van volgende week zullen de gouverneurs mensen uitkiezen die de vacante zetels gaan bezetten.' Nu kwam het moeilijkste deel. Hij boog zich weer naar voren.
'Landgenoten... wacht, dat is een term waar ik nooit veel van heb gehouden.' Jack schudde enigszins met zijn hoofd en hoopte dat het niet te theatraal overkwam.
'Mijn naam is Jack Ryan. Mijn vader was politieman. Ik trad voor het eerst in overheidsdienst toen ik na mijn studie aan het Boston College bij de mariniers kwam. Dat duurde niet erg lang. Ik raakte gewond bij een helikopterongeluk en heb daarna jarenlang problemen met mijn rug gehad. Toen ik eenendertig was, liep ik een paar terroristen voor de voeten. U hebt het verhaal allemaal gehoord, en hoe het is afgelopen, maar wat u niet weet, is dat ik naar aanleiding van dat incident weer in overheidsdienst ben gegaan. Tot op dat moment genoot ik van het leven. Ik had een beetje geld verdiend als effectenhandelaar en was toen uit het zakenleven gestapt om me weer aan de geschiedenis, mijn eerste liefde, te wijden. Ik doceerde geschiedenis... ik mocht erg graag lesgeven... op de marineacademie en ik denk dat ik daar best mijn hele leven had willen blijven, zoals mijn vrouw Cathy niets liever doet dan als arts werken en voor mij en onze kinderen zorgen. We zouden volkomen tevreden met ons leven zijn geweest, met ons werk en met het grootbrengen van onze kinderen. Ik weet dat zeker.
Maar ik kon dat niet doen. Toen die terroristen mijn gezin aanvielen, vond ik dat ik iets moest doen om mijn vrouw en kinderen te beschermen. Ik kwam er al gauw achter dat wij niet de enigen waren die beschermd moesten worden en dat ik een zeker talent voor sommige dingen had. Daarom gaf ik mijn werk als docent op en ging voor de overheid werken.
Ik heb mijn land, u, nu al heel wat jaren gediend, maar ik ben nooit een politicus geweest, zoals ik vandaag nog in mijn kantoor tegen George Winston zei. Ik heb geen tijd gehad om te leren een politicus te worden. Maar ik heb een

groot deel van mijn leven voor de overheid gewerkt en ik weet wel iets van de manier waarop een overheid zou moeten functioneren.
Dames en heren, dit is voor ons niet het moment om de gebruikelijke dingen op de gebruikelijke manier te doen. We moeten het beter doen. We kunnen het beter doen.
John Kennedy heeft eens tegen ons gezegd: "Vraag niet wat je land voor jou kan doen. Vraag wat jij voor je land kunt doen." Dat zijn goede woorden, maar wij zijn ze vergeten. We moeten ze terughalen. Ons land heeft ons allemaal nodig.
Ik heb uw hulp nodig om mijn werk te doen. Als u denkt dat ik het alleen kan doen, vergist u zich. Als u denkt dat de regering zichzelf erbovenop kan helpen, vergist u zich. Als u denkt dat de regering, ook als ze hersteld is, in alle opzichten voor u kan zorgen, vergist u zich. Dat is nooit de bedoeling geweest. U, mannen en vrouwen in het land, u bént de Verenigde Staten van Amerika. Ik werk voor u. Het is mijn taak om de grondwet van de Verenigde Staten te handhaven, beschermen en verdedigen, en ik zal dat naar beste kunnen doen, maar ieder van u zit ook in het team.
Wij hebben onze regering om dingen voor ons te doen die we niet zelf kunnen doen, bijvoorbeeld onze gemeenschappelijke verdediging, de handhaving van de wet, de bestrijding van rampen. Dat zegt de grondwet. Dat document, dat ik heb gezworen te verdedigen, bestaat uit regels die door een kleine groep tamelijk gewone mannen zijn opgesteld. Dat waren niet allemaal juristen, en toch schreven ze het belangrijkste politieke document uit de geschiedenis van de mensheid. Ik wil dat u daarover nadenkt. Het waren tamelijk gewone mensen die iets buitengewoons deden. Het staatsbestuur is geen magische aangelegenheid.
Ik heb een nieuw Congres nodig om mee te werken. De senaat zal er het eerst zijn, want de gouverneurs zullen vervangers benoemen voor de eenennegentig mannen en vrouwen die we vorige week hebben verloren. Het Huis van Afgevaardigden daarentegen is altijd het huis van het volk geweest, en het is úw taak om hen te kiezen, in een stemhokje, gebruikmakend van uw rechten.'
Daar gaan we dan, Jack.
'Daarom heb ik een verzoek aan u en de vijftig gouverneurs. Alstublieft, stuurt u me geen politici. We hebben geen tijd om de dingen te doen die volgens het politieke proces moeten gebeuren. Ik heb mensen nodig die echte dingen doen in de echte wereld. Ik heb mensen nodig die eigenlijk niet in Washington willen wonen. Ik heb mensen nodig die niet proberen het systeem naar hun hand te zetten. Ik heb mensen nodig die grote persoonlijke offers brengen om hier belangrijk werk te doen, en die dan naar huis terugkeren om hun gewone leven te leiden.
Ik wil ingenieurs die dingen kunnen opbouwen. Ik wil artsen die zieke mensen gezond kunnen maken. Ik wil politiemensen die weten wat het is als je burgerrechten worden geschonden door een crimineel. Ik wil boeren die echt voedsel verbouwen op echte boerderijen. Ik wil mensen die weten wat het is om

vuile handen te hebben en om je hypotheek te betalen en je kinderen groot te brengen en je zorgen te maken over de toekomst. Ik wil mensen die weten dat ze voor u en niet voor zichzelf werken. Dat wil ik. Dat heb ik nodig. Ik denk dat velen van u dat ook willen.
Als die mensen hier eenmaal zijn, is het uw taak om op hen te letten en te zorgen dat ze hun woord houden, dat ze u trouw blijven. Dit is úw regering. Dat hebt u al van veel mensen gehoord, maar ik meen het. Zeg tegen uw gouverneurs wat u van hen verwacht als ze hun senatoren benoemen, en kiest ú dan de juiste mensen in het Huis van Afgevaardigden. Dat zijn de mensen die beslissen hoeveel van uw geld de overheid neemt en hoe dat wordt uitgegeven. Het is uw geld, niet het mijne. Het is uw land. Wij werken allemaal voor u.
Ik van mijn kant zal de beste ministers kiezen die ik kan vinden, mensen die hun vak verstaan, mensen die echt werk hebben gedaan en echte resultaten hebben bereikt. En ze krijgen allemaal dezelfde opdracht: neem de leiding van je ministerie, stel prioriteiten vast en zorg dat alle overheidsdiensten efficiënt draaien. Dat is een grote opgave en u hebt het allemaal al eerder gehoord. Maar deze president heeft geen verkiezingscampagne gevoerd om hier te zitten. Ik ben niemand iets verplicht. Ik hoef voor niemand iets terug te doen, hoef geen beloningen uit te delen. Ik heb geen geheime beloften waaraan ik me moet houden. Ik zal mijn uiterste best doen om mijn plichten zo goed mogelijk te vervullen. Ik zal niet altijd gelijk hebben, maar als ik dat niet heb, is het uw taak, en de taak van de mensen die u kiest om u te vertegenwoordigen, om me dat te vertellen, en dan zal ik naar hen en naar u luisteren.
Ik zal regelmatig verslag aan u uitbrengen over wat er gebeurt en wat uw regering doet.
Ik wil u bedanken voor het luisteren. Ik zal mijn werk doen. Doet u het uwe. Dank u, en goedenavond.'
Jack wachtte en telde tot tien om zeker te weten dat de camera's uit waren. Toen pakte hij het waterglas op en probeerde eruit te drinken, maar zijn hand beefde zo erg dat hij bijna morste. Hij keek er met stille woede naar. Waarom beefde hij nu? Hij had het toch achter de rug?
'Hé, u hebt niet gekotst of zo,' zei Callie Weston, die plotseling naast hem stond.
'Is dat goed?'
'Jazeker, president. De kijkers vinden het niet geruststellend als hun president moet overgeven op de tv,' antwoordde de toesprakenschrijfster, en ze schoot in de lach.
Andrea Price fantaseerde dat ze op dat moment haar pistool zou trekken.
Arnie van Damm keek alleen maar zorgelijk. Hij wist dat hij Ryan niet van zijn koers kon afhouden. De gebruikelijke instructies waar presidenten naar luisterden – als je herkozen wilt worden, let nu dan op! – waren nu niet van toepassing. Hoe kon hij iemand beschermen die zich niet interesseerde voor het enige dat telde?

'Weet je nog, *The Gong Show*?' vroeg Ed Kealty.
'Wie heeft deze handleiding voor abortus geschreven?' viel zijn juridisch medewerker hem bij. Toen richtten alle drie de mannen in de kamer hun aandacht weer op het televisietoestel. De buitenkant van het Witte Huis was even in beeld geweest, maar nu werd weer overgeschakeld naar de studio van het netwerk.
'Nou, dat was een bijzonder interessant politiek statement,' zei Tom de presentator met de neutrale stem van een pokerspeler. 'Ik zie dat de president zich deze keer aan zijn opgestelde tekst heeft gehouden.'
'Interessant en dramatisch,' beaamde John de commentator. 'Dit was niet de gebruikelijke presidentiële toespraak.'
'Maar John, waarom wil president Ryan met alle gewend onervaren mensen in de regering? Hebben we niet juist ervaren mensen nodig om het systeem weer op poten te zetten?' vroeg Tom.
'Dat is een vraag die velen zullen stellen, vooral in deze stad...'
'Reken maar,' merkte Kealty's stafchef op.
'... hij moet dat zelf ook weten. En al wist hij het niet, dan moet stafchef Arnie van Damm, een van de slimste politieke manipulatoren in deze stad, het hem heel goed duidelijk hebben gemaakt. Wat vind je van zijn eerste ministeriële benoeming, George Winston?'
'Winston staat aan het hoofd van de Columbus Group, een beleggingsmaatschappij die hij zelf heeft opgericht. Hij is steenrijk en een selfmade man, heeft president Ryan ons verteld. Nou, we hebben behoefte aan een minister van Financiën die verstand heeft van geld en financiële markten, en dat gaat zeker op voor meneer Winston, al zullen velen klagen...'
'Dat hij een insider is,' zei Kealty grijnzend.
'... dat hij te veel contacten in het systeem heeft,' ging John verder.
'Hoe denk je dat het officiële Washington op deze toespraak zal reageren?' vroeg Tom.

'Wélk officieel Washington?' gromde Ryan. Dit was iets nieuws voor hem. De twee boeken die hij had gepubliceerd waren over het algemeen gunstig door de recensenten ontvangen, maar in die tijd moest je een paar weken wachten tot mensen hun commentaar gaven. Waarschijnlijk was het een fout om naar de onmiddellijke analyse te kijken, maar hij kon er ook niet omheen. Het was trouwens knap lastig om naar al die televisies tegelijk te kijken.
'Jack, "officieel Washington" bestaat uit vijftigduizend juristen en lobbyisten,' merkte Arnie op. 'Misschien zijn ze niet gekozen of benoemd, maar evengoed zijn ze zo officieel als het maar kan. Dat geldt ook voor de media.'
'Dat zie ik,' antwoordde Ryan.

'... en we hebben ervaren professionals nodig om het systeem weer op poten te zetten. Dat zullen ze zeggen, en veel mensen in deze stad zullen het daarmee eens zijn.'

'Wat vond je van zijn onthullingen over de oorlog en het ongeluk?'
'Wat me het meest interesseerde, was zijn "onthulling" dat premier Koga eerst door zijn eigen landgenoten is gekidnapt en daarna is gered... door Amerikanen. Daar had ik wel iets meer over willen horen. Het valt in de president te prijzen dat hij de verhouding tussen ons land en Japan in orde wil maken. We hebben tegelijk met de toespraak van de president een foto gekregen.' Het beeld versprong en de kijker zag Ryan en Koga in het Capitool. 'Dit is een ontroerend moment, vastgelegd door de fotograaf van het Witte Huis...'
'Maar het Capitool-gebouw ligt nog in puin, John, en zoals we goede architecten en bekwame bouwvakkers nodig hebben om het te herbouwen, vind ik dat we ook iets ander dan amateurs nodig hebben om de regering te herstellen.'
Tom draaide zich om en keek recht in de camera. 'Nou, dat was dus de eerste officiële toespraak van president Ryan. Is er meer nieuws, dan zullen we dat brengen. En dan keren we nu terug naar de normale programmering.'
'Dat is ons thema, Ed.' De stafchef stond op en rekte zich uit. 'Dat moeten we zeggen, en dáárom heb jij besloten de politieke arena weer in te gaan, hoe schadelijk dat ook voor je reputatie kan zijn.'
'Begin maar met telefoneren,' beval Edward J. Kealty.

'Meneer de president.' Een personeelslid presenteerde een zilveren dienblaadje met een glas erop. Ryan pakte het glas en nam een slokje van zijn sherry.
'Dank je.'
'Meneer de president, eindelijk...'
'Mary Pat, hoe lang kennen wij elkaar al?' Ryan had het gevoel dat hij dat altijd zei.
'Minstens tien jaar,' antwoordde mevrouw Foley.
'Nieuw presidentieel voorschrift, maatregel van bestuur: als we na werktijd iets drinken, heet ik Jack.'
'*Muy bien, jefe*,' merkte Chavez op, glimlachend maar tegelijk een beetje behoedzaam.
'Irak?' vroeg Ryan kortaf.
'Stil, maar erg gespannen,' antwoordde Mary Pat. 'We horen niet veel, maar wat tot ons doordringt, is dat er een soort staat van beleg heerst. Het leger is op straat en de mensen zitten thuis naar de televisie te kijken. Morgen wordt onze vriend begraven. Wat er daarna gebeurt, weten we nog niet. We hebben een agent op een goede positie in Iran, in de politieke hoek. De moordaanslag kwam daar als een volslagen verrassing, en hij hoort niets, afgezien van de te verwachten dank aan Allah omdat die onze vriend heeft opgenomen.'
'Vooropgesteld dat God hem wil hebben. Het was een mooie aanslag,' zei Clark nu, sprekend met kennis van zaken. 'Typisch iets voor dat deel van de wereld. Eén martelaar die zich opoffert. Hij moet er jaren over hebben gedaan om binnen te komen, maar onze vriend Daryaei heeft geduld. Je hebt hem zelf ontmoet. Wat is hij voor iemand, Jack?'

'De felste ogen die ik ooit heb gezien,' zei Ryan, terwijl hij weer een slokje uit zijn glas nam. 'Die man kan haten als geen ander.'
'Reken maar dat hij in actie komt.' Clark had een Wild Turkey met water. 'Dit zal de Saoedi's ook niet helemaal lekker zitten.'
'Dat is nog maar zacht uitgedrukt,' zei Mary Pat. 'Ed is daar een paar dagen en kijk eens wat er gebeurt! Hun leger heeft de staat van paraatheid opgevoerd.'
'En meer weten we niet,' vatte president Ryan samen.
'In feite niet, nee. We krijgen veel radioverkeer uit Irak, de voorspelbare dingen. Ze houden het deksel er stevig op, maar in de pan kookt het. Dat moet ook wel. We hebben de satellietactiviteiten natuurlijk opgevoerd...'
'Goed, Mary Pat, zeg nu maar wat je op je hart hebt,' beval Jack. Hij wilde op dit moment niets over satellietfoto's horen.
'Ik wil mijn directoraat uitbreiden.'
'Hoeveel?' Hij zag dat ze diep ademhaalde. Het gebeurde niet vaak dat Mary Pat Foley gespannen was.
'Drie keer zoveel. We hebben in totaal zeshonderd zevenenvijftig mensen in het veld. Ik wil dat in de komende drie jaar opvoeren tot tweeduizend.' Ze zei het allemaal nogal haastig en keek Ryan gespannen aan.
'Goed, maar dan moet je wel een manier vinden om het budgetneutraal te houden.'
'Dat is niet moeilijk, Jack,' merkte Clark grinnikend op. 'Ontsla tweeduizend kantoorpiepeltjes en je bespaart nog geld ook.'
'Dat zijn mensen met gezinnen, John,' zei de president tegen hem.
'De directoraten Inlichtingen en Administratie worden aan alle kanten in de watten gelegd. Je hebt daar zelf mee te maken gehad. Je weet het net zo goed als ik. Alleen al om meer parkeerruimte te krijgen is het de moeite waard. De meesten kunnen met vervroegd pensioen.'
Ryan dacht daar even over na. 'Ik heb iemand nodig die met de bijl zwaait. Mary Pat, kun je ertegen om weer onder Ed te komen?'
'Dat is de gebruikelijke positie, Jack,' antwoordde mevrouw Foley met een twinkeling in haar lichtblauwe ogen. 'Ed is beter in besturen dan ik, maar ik was altijd beter in het veld.'
'PLAN BLAUW?'
Daar gaf Clark antwoord op: 'Ja, meneer de president. Ik wil dat we politiemensen rekruteren, jonge rechercheurs en ook gewone agenten. Je weet waarom. Ze hebben al veel training gehad. Ze kennen de straat.'
Ryan knikte. 'Goed. Mary Pat, volgende week zal ik tot mijn spijt de ontslagbrief van de directeur accepteren en Ed in zijn plaats benoemen. Zorg dat hij me een plan geeft om het directoraat Operaties uit te breiden en Inlichtingen en Administratie in te krimpen. Ik zal daar na verloop van tijd mijn goedkeuring aan hechten.'
'Geweldig!' Mevrouw Foley toostte met haar wijnglas op de president.
'Nog één ding. John?'
'Ja, meneer de president?'

'Toen Roger me vroeg zijn vice-president te worden, had ik een verzoek aan hem.'
'Wat dan?'
'Ik wil presidentiële gratie verlenen aan een zekere John T. Kelly. Dat zal volgende week gebeuren. Je had me moeten vertellen dat pa aan jouw zaak werkte.'
Voor het eerst in erg lange tijd werd Clark zo bleek als een geest. 'Hoe wist je dat?'
'Het stond in het persoonlijke dossier van Jim Greer. Een paar jaar geleden hebben ze het me laten weten. Mijn vader werkte aan die zaak, dat weet ik nog goed. Al die vrouwen die vermoord werden. Ik weet nog hoeveel moeite hij met die zaak had en hoe blij hij was toen het achter de rug was. Hij heeft er nooit veel over gepraat, maar ik weet hoe hij erover dacht.' Jack keek in zijn glas en liet het ijsblokje erin rondgaan. 'Als je het mij vraagt, denk ik dat hij hier blij mee zou zijn, en ik denk dat hij er ook blij mee zou zijn dat jij niet met het schip naar de haaien bent gegaan.'
'Jezus, Jack... Ik bedoel... Jezus.'
'Je verdient je naam terug. Ik kan de dingen die je hebt gedaan niet goedkeuren. Zo mag ik nu toch niet denken? Misschien wel als privé-persoon – maar je verdient je naam terug, Kelly.'
'Dank je.'
Chavez vroeg zich af waar dit over ging. Hij herinnerde zich die kerel op Saipan, die gepensioneerde commandant van de kustwacht, en een paar woorden over het vermoorden van mensen. Nou, hij wist dat Clark niet flauwviel bij dat idee, maar het moest wel een goed verhaal zijn geweest.
'Verder nog iets?' vroeg Jack. 'Ik wil graag naar mijn gezin terug voordat alle kinderen naar bed zijn.'
'Dus PLAN BLAUW is goedgekeurd?'
'Ja, dat is het, Mary Pat. Zodra Ed een plan opstelt om het uit te voeren.'
'Ik laat hem terugkomen zodra ze zijn vliegtuig in de lucht kunnen krijgen,' beloofde Mary Pat.
'Goed.' Jack stond op en liep naar de deur. Zijn gasten deden dat ook.
'Meneer de president?' Dat was Ding Chavez.
Ryan draaide zich om. 'Ja?'
'Hoe moet het met de voorverkiezingen?'
'Wat bedoel je?'
'Ik was vandaag op de universiteit en professor Adler vertelde me dat alle serieuze kandidaten van beide partijen vorige week zijn omgekomen en dat de uiterste aanmeldingsdatum voor alle voorverkiezingen is verstreken. Niemand kan zich nu nog aanmelden. We hebben een verkiezingsjaar en er doet niemand mee. De pers heeft daar nog niets over gezegd.'
Zelfs adjudant Price knipperde met haar ogen, maar even later wisten ze allemaal dat het waar was.

'Parijs?'
'Professor Rousseau van het Institut Pasteur denkt dat hij een behandelmethode heeft ontwikkeld. Het is experimenteel, maar het is de enige kans die ze heeft.'
Ze spraken op de gang buiten zuster Jean Baptistes kamer. Allebei stonden ze te zweten in hun blauwe plastic 'ruimtepakken', ondanks de luchtbeheersingsapparaten die ze aan hun riem hadden hangen. Hun patiënte was stervende, en terwijl dat al erg genoeg was, zou ze ook nog op een afschuwelijke, langgerekte manier aan haar eind komen. Benedict Mkusa had geluk gehad. Om de een of andere reden had de ebola zijn hart eerder aangevallen dan gewoonlijk; dat was een zeldzame daad van genade geweest, waardoor de jongen vlug kon sterven. Deze patiënte had minder geluk. Uit bloedonderzoek was gebleken dat haar lever werd aangevallen, maar dan wel langzaam. De hartenzymen waren nog normaal. Het ebola rukte snel maar gelijkmatig in haar lichaam op. Haar maag- en darmstelsel viel letterlijk uit elkaar. De daaruit voortkomende bloedingen waren ernstig en de pijn was intens, terwijl ze ook nog braakte en diarree had, maar het lichaam van de vrouw vocht zo goed mogelijk terug, een moedige maar kansloze poging om zich te redden. Die strijd zou alleen maar beloond worden met toenemende pijn. De morfine begon de strijd tegen die pijn al te verliezen.
'Maar hoe kunnen we...' Ze hoefde niet verder te gaan. De enige regelmatige dienst naar Parijs werd verzorgd door Air Afrique, maar om voor de hand liggende redenen zou noch die luchtvaartmaatschappij noch een andere maatschappij een ebolapatiënt willen vervoeren. Dat alles kwam dokter Moudi erg goed uit.
'Ik kan voor transport zorgen. Ik kom uit een rijke familie. Ik kan een privévliegtuig laten komen om ons naar Parijs te vliegen. Dan is het gemakkelijker om alle noodzakelijke voorzorgsmaatregelen te nemen.'
'Ik weet het niet. Ik moet...' Maria Magdalena aarzelde.
'Ik zal niet tegen je liegen, zuster. Ze zal waarschijnlijk toch nog sterven, maar als er een kans is, heeft ze die bij professor Rousseau. Ik heb bij hem gestudeerd, en als hij zegt dat hij iets heeft, is dat ook zo. Laat me bellen om dat vliegtuig te laten komen,' drong hij aan.
'Ik kan daar geen nee op zeggen, maar ik moet...'
'Ik begrijp het.'

Het vliegtuig in kwestie was een Gulfstream G-IV, en het landde op dat moment op het vliegveld Rashid bij Bagdad, ten oosten van een wijde lus in de rivier de Tigris. Volgens de code op de staart van het toestel was het in Zwitserland geregistreerd, waar het eigendom was van een onderneming die in allerlei dingen handelde en op tijd haar belastingen betaalde, zodat de Zwitserse overheid verder geen enkele belangstelling meer voor haar had. De vlucht was zonder incidenten verlopen. Bijzonder waren alleen de tijd van de dag en de route: eerst Beiroet, dan Teheran, dan Bagdad.

Zijn echte naam was Ali Badrayn, en hoewel hij onder verscheidene namen had geleefd en gewerkt, was hij uiteindelijk tot zijn eigen naam teruggekeerd omdat die van oorsprong Iraaks was. Zijn familie had Irak verlaten omdat de economische kansen in Jordanië groter zouden zijn, maar was daar net als ieder ander in de troebelen van de regio verzeild geraakt, een situatie die er niet beter op werd toen hun zoon zich bij een beweging aansloot die een einde aan de staat Israël wilde maken. De Jordaanse koning zag het gevaar daarvan en besloot de gevaarlijkste elementen te verbannen. Dat lot trof ook Badrayns familie, niet dat hij zich daar indertijd erg druk om maakte.

Tegenwoordig zat het hem wel enigszins dwars. Het leven van een terrorist verbleekte met de jaren, en hoewel hij een van de besten in dat vak was, vooral wanneer het op het verzamelen van informatie aankwam, had hij daar weinig meer mee bereikt dan dat hij zich de eeuwige vijandschap van de meest meedogenloze inlichtingendienst ter wereld op de hals had gehaald. Een beetje comfort en veiligheid zouden welkom zijn geweest. Misschien zou hij dat na deze missie krijgen. Door zijn Iraakse identiteit en door wat hij in zijn leven had gedaan, had hij in de hele regio contacten gelegd. Hij had informatie verstrekt aan de Iraakse inlichtingendienst en hij had twee mensen helpen aanwijzen die ze geëlimineerd wilden hebben, beide keren met succes. Dat had hem toegang tot sommige mensen gegeven, en daarom was hij nu naar Bagdad gekomen.

Het vliegtuig kwam tot stilstand en de tweede piloot kwam naar achteren om de trap te laten zakken. Een auto stopte dichtbij. Hij stapte in en ze reden weg.

'Vrede zij met je,' zei hij tegen de andere man op de achterbank van de Mercedes.

'Vrede?' De generaal snoof. 'De hele wereld schreeuwt dat we daar veel te weinig van hebben gehad.' Het was duidelijk dat de man sinds de dood van zijn president niet meer had geslapen. Zijn hand beefde van alle koffie die hij had gedronken, of misschien van de alcohol die hij had gebruikt om de effecten van de koffie te compenseren. Het moest ook wel moeilijk zijn om niet te weten of je aan het eind van de week nog zou leven. Aan de ene kant moest je wakker blijven. Aan de andere kant moest je ontsnappen. Deze generaal had vrouw en kinderen en ook een maîtresse. Nou ja, dat hadden ze waarschijnlijk allemaal. Goed.

'Geen gelukkige situatie, maar de zaken zijn onder controle, ja?' De blik die deze vraag opleverde, sprak boekdelen. Zo ongeveer het enige wat gezegd kon worden, was dat als de president alleen maar gewond was geraakt, deze man nu dood zou zijn omdat hij de dader niet van tevoren had ontmaskerd. Het was een gevaarlijke baan, inlichtingenchef van een dictator, en ook een baan waarin je veel vijanden maakte. Hij had zijn ziel aan de duivel verkocht en tegen zichzelf gezegd dat de schuld nooit zou worden opgevraagd. Hoe kon een intelligente man zo dwaas zijn?

'Waarom ben je hier?' vroeg de generaal.

'Om jou een gouden brug aan te bieden.'

13
Geboorterecht

Er waren tanks in de straten, en tanks waren 'sexy' voor de 'overhead imagery'-mensen die ernaar keken en ze telden. Er waren drie KH-11-satellieten in een baan om de aarde. Een daarvan, elf jaar oud, was langzaam aan het uitdoven. Hij was allang door zijn manoeuvreerbrandstof heen en een van zijn zonnepanelen was zo sterk achteruitgegaan dat hij amper de energie voor een lampje kon leveren. Toch kon de satelliet met drie van zijn camera's nog foto's maken, die hij doorstuurde naar de geosynchrone communicatiesatelliet boven de Indische Oceaan. Nog geen seconde later kwamen ze binnen op allerlei interpretatiecentra, waaronder die van de CIA.

'Reken maar dat er niet veel tasjes meer gestolen worden.' De analist keek op zijn horloge en telde er acht uur bij op. In plaatselijke tijd liep het tegen tien uur 's morgens. Er zouden eigenlijk mensen op straat moeten zijn, aan het werk, op weg van het een naar het ander, pratend op de vele terrassen, met een kop van die afschuwelijke koffie die ze daar dronken. Maar vandaag niet. Niet als er tanks in de straten waren. Er liepen een paar mensen, zo te zien vooral vrouwen, waarschijnlijk om boodschappen te doen. Op de grote doorgaande wegen stond na elke vier kruispunten een zware tank, en ook een op ieder verkeersplein, en daar waren er veel van. In de zijstraten stonden lichtere voertuigen. Op elk kruispunt stonden ook groepjes soldaten. Op de foto's was te zien dat ze allemaal geweren hadden, maar het was niet te zien wat hun rang was of tot welke eenheid ze behoorden.

'Tellen,' zei zijn superieur.

'Ja.' De analist sputterde niet tegen. Ze telden de tanks altijd. Hij onderscheidde zelfs de typen. Dat deed hij door naar het geschut te kijken. Op die manier konden ze vaststellen hoeveel van de tanks die regelmatig op hun basis werden geteld naar een andere plaats waren gegaan. Die informatie was blijkbaar van belang, hoewel ze nu al tien jaar hetzelfde deden. Eigenlijk hadden ze alleen maar geconstateerd dat, welke fouten en gebreken het Iraakse leger ook mocht hebben, het zijn materieel goed genoeg onderhield om de motoren te laten draaien. Met hun geschut sprongen ze minder zorgvuldig om, zoals in de Golfoorlog was gebleken, maar zoals de analist al had opgemerkt: als je een tank ziet, moet je er maar van uitgaan dat hij het doet. Dat was de verstandigste houding. Hij boog zich over de monitor en zag dat een witte auto, aan de vorm te zien waarschijnlijk een Mercedes, Hoofdweg 7 opreed. Als hij nog eens goed naar de foto's had gekeken, zou hij hebben gezien dat die auto op weg was naar de renbaan Sibaq' al Mansur, waar nog meer van zulke auto's kwamen, maar hij had alleen opdracht om de tanks te tellen.

De klimaatverschillen in Irak zijn groter dan op de meeste andere plaatsen van de wereld. Op deze ochtend in februari stond de zon hoog aan de hemel maar kwam de temperatuur toch amper boven het vriespunt, terwijl vijfenveertig graden in de zomer helemaal niets bijzonders was. De bijeengekomen officieren, zag Badrayn, droegen hun wollen winteruniformen met hoge kraag en veel gouden tressen. De meesten rookten en ze keken allemaal zorgelijk. Zijn gastheer stelde hem voor aan degenen die hem niet kenden. Hij nam niet de moeite hun vrede toe te wensen. Ze waren niet in de stemming voor de traditionele islamitische begroeting. Deze mannen waren verrassend westers. Ze maakten een wereldse indruk. Net als hun overleden leider bewezen ze alleen lippendienst aan hun religie, hoewel ze zich op dat moment allemaal afvroegen of de leer van de eeuwige verdoemenis na een zondig leven waar was of niet. Ze wisten dat sommigen van hen daar waarschijnlijk binnen korte tijd achter zouden komen. Daar maakten ze zich zoveel zorgen over dat ze hun kantoor hadden verlaten en naar de renbaan waren gekomen om met hem te praten.
De boodschap die Badrayn te geven had, was eenvoudig. Hij was er gauw mee klaar.
'Hoe kunnen we u geloven?' vroeg de bevelhebber van de landmacht toen hij klaar was.
'Op deze manier is het beter voor iedereen, nietwaar?'
'U verwacht van ons dat we ons moederland overlaten aan... hém?' vroeg een korpscommandant, die zijn frustratie in woede verpakte.
'U moet zelf weten wat u beslist, generaal. U kunt natuurlijk ook vechten voor wat van u is. Er is mij gevraagd hier als een eerlijk bemiddelaar naartoe te komen en een boodschap af te geven. Dat heb ik gedaan,' antwoordde Badrayn rustig. Per slot van rekening had het geen enkele zin om je over dit soort dingen op te winden.
'Met wie moeten we onderhandelen?' Dat was de bevelhebber van de Iraakse luchtmacht.
'U kunt mij uw antwoord geven, maar zoals ik u al heb verteld, valt er eigenlijk niets te onderhandelen. Het aanbod is toch redelijk?' Genereus zou een betere term zijn. Ze zouden niet alleen hun eigen huid redden, en de huid van de mensen uit hun naaste omgeving, maar ook allemaal in rijkdom verder leven. Hun president had kolossale hoeveelheden geld opzij gelegd. Daar was maar weinig van opgespoord en in beslag genomen. Ze hadden allemaal toegang tot reisdocumenten en paspoorten uit ieder land van de wereld. Op dat terrein deed de Iraakse inlichtingendienst, geassisteerd door de grafische afdeling van het ministerie van Financiën, voor niemand onder. 'U hebt zijn woord bij God dat u niets in de weg wordt gelegd, waarheen u ook gaat.' En dat was iets wat ze serieus moesten nemen. Badrayns lastgever was hun vijand. Hij was verbitterd en rancuneus als niemand anders op aarde. Maar hij was ook een man van God, niet iemand die Zijn naam lichtvaardig zou aanroepen.
'Wanneer moet u uw antwoord hebben?' vroeg de landmachtchef, die beleefder was dan de anderen.

‘Daarmee kunt u tot morgen wachten, of zelfs overmorgen. Daarna kan ik niets garanderen. Mijn instructies gaan niet verder,’ zei Badrayn.
‘En de regelingen?’
‘Dat mag u zelf bepalen, binnen het redelijke.’ Badrayn vroeg zich af hoeveel meer ze nog van hem of zijn lastgever konden verwachten.
Maar de beslissing die hij van hen verlangde, was moeilijker dan je op het eerste gezicht zou denken. Het patriottisme van de verzamelde hoge officieren was niet van de gebruikelijke soort. Ze hielden vooral van hun land omdat ze het in hun macht hadden. Ze hadden macht, echte macht over leven en dood, een veel krachtiger narcoticum dan geld, en een van de dingen waarvoor iemand zijn leven en zijn ziel op het spel wilde zetten. Eén van hen, dachten – hoopten – velen van hen, zou het misschien kunnen klaarspelen. Eén van hen zou misschien kans zien het presidentschap naar zich toe te trekken, en dan konden ze samen orde op zaken stellen en doorgaan zoals vroeger. Natuurlijk zouden ze hun land enigszins moeten openstellen. Ze zouden de inspecteurs van de VN en andere organisaties in de gelegenheid moeten stellen alles te bekijken, maar nu hun leider dood was, kregen ze de kans om met een schone lei te beginnen, al zou iedereen weten dat er helemaal niets nieuws gebeurde. Zo ging dat. Een belofte hier en daar, een paar opmerkingen over democratie en verkiezingen, en hun vroegere vijanden zouden zich het vuur uit hun sloffen lopen om hun en hun natie een kans te geven. Een andere stimulans was de kans die hierdoor geboden werd. Ze hadden zich in geen jaren echt veilig gevoeld. Ze wisten allemaal van collega’s die gestorven waren, hetzij gedood door hun nu ook vermoorde leider, hetzij omgekomen onder omstandigheden die eufemistisch ‘mysterieus’ werden genoemd: helikopterongelukken waren een favoriet middel van hun geliefde president geweest. Nu kregen ze een kans om met meer zelfvertrouwen een leven vol macht te leiden, en dat stond in contrast met een leven van nietsdoen in een vreemd land. Elk van hen leidde al een leven met alle luxe die iemand zich maar kon wensen... plus macht. Elk van hen hoefde maar met zijn vingers te knippen en de mensen die dan meteen opsprongen, waren geen bedienden maar soldaten...
Behalve één ding. Als ze bleven, zou dat de grootste en gevaarlijkste gok van hun leven zijn. Hun land stond onder het strengste regime dat ze zich konden herinneren, en daar was een reden voor. De mensen die bulderend blijk hadden gegeven van hun liefde en genegenheid voor de president, wat dachten ze werkelijk? Een week geleden deed dat er niet toe, maar nu wel. De soldaten die onder hun bevel stonden, kwamen uit dezelfde menselijke zee. Wie van hen bezat het charisma om de leiding van het land op zich te nemen? Wie van hen had de sleutels tot de Ba’ath-partij? Wie van hen kon heersen met pure wilskracht? Want alleen dan konden ze weliswaar niet zonder angst de toekomst tegemoet zien, maar wel met zo weinig angst dat hun ervaring en moed daartegen opwogen. Zoals ze daar nu op de renbaan stonden, keken ze elkaar aan en dachten ze allemaal hetzelfde: wie van ons?
Dat was het probleem, want als een van hen het al eerder had geprobeerd, zou

hij al dood zijn, waarschijnlijk door een tragisch helikopterongeluk. En een dictatuur kon niet worden geleid door een commissie. Hoe sterk ze zich allemaal ook voelden, ze keken nu naar de anderen en zagen potentiële zwakheden. Onderlinge jaloezieën zouden hun fataal worden. Ze zouden allemaal proberen elkaar opzij te dringen, met als gevolg waarschijnlijk zoveel binnenlands tumult dat de ijzeren hand die nodig was om het volk onder de duim te houden zou verzwakken. Binnen een paar maanden zou het regime dan uiteenvallen. Ze hadden het allemaal al eerder meegemaakt. Ze hadden het spookbeeld in hun hoofd zitten: met je rug tegen de muur tegenover een rij van je eigen soldaten.
Deze mannen kenden geen andere ethiek dan macht en de uitoefening daarvan. Dat was voldoende voor één man, maar niet voor een groot aantal. Dat grote aantal moest één doel nastreven, en dat hadden ze niet. Hoe machtig elk van hen misschien ook was, ze waren in feite ook zwak, en terwijl de officieren elkaar daar stonden aan te kijken, wisten ze dat allemaal. Uiteindelijk geloofden ze in niets. Wat ze met wapens afdwongen, konden ze niet met hun wilskracht opleggen. Ze konden commanderen vanuit de achterhoede, maar niet leiden vanuit de voorhoede. De meesten van hen waren intelligent genoeg om dat te weten. Daarom was Badrayn naar Bagdad gevlogen.
Hij keek naar hun ogen en wist wat ze dachten, hoe onbewogen hun gezichten ook waren. Een moedig man zou zelfverzekerd het woord hebben genomen en zo het leiderschap van de groep op zich hebben genomen. Maar de moedige mannen waren allang dood, neergemaaid door een man die moediger en meedogenlozer was en die vervolgens ook was neergemaaid door de onzichtbare hand van iemand die geduldiger en nog meedogenlozer was – zozeer zelfs dat hij nu een genereus aanbod kon doen. Badrayn wist wat het antwoord moest zijn, en dat wisten zij ook. De dode Iraakse president had niets gedaan om zijn eigen opvolging te regelen, maar zo ging dat met mannen die in niets anders dan zichzelf geloofden.

De telefoon ging ditmaal om vijf over zes. Ryan vond het niet erg om voor zeven uur wakker te worden. Dat was al jaren zijn gewoonte, maar vroeger had hij naar zijn werk moeten rijden. Nu hoefde hij alleen maar de lift te nemen om op zijn kantoor te komen, en hij had verwacht dat hij de tijd die hij vroeger aan autorijden kwijt was nu in zijn bed kon doorbrengen. Achter in zijn dienstwagen had hij tenminste nog een dutje kunnen doen.
'Ja?'
'Meneer de president?' Het verbaasde Jack dat het Arnie was. Evengoed kwam hij in de verleiding om te vragen wie anders nog de telefoon zou kunnen opnemen.
'Wat is er?'
'Moeilijkheden.'

Vice-president Edward J. Kealty had de hele nacht niet geslapen, maar dat

was niet aan hem te zien. Gladgeschoren, kaarsrecht en met een heldere blik in zijn ogen liep hij met zijn vrouw en zijn medewerkers het CNN-gebouw in om daar te worden opgewacht door een producent die hem meteen met een lift naar boven bracht. Ze wisselden alleen de gebruikelijke beleefdheden uit. De carrièrepoliticus keek strak voor zich uit, alsof hij de roestvrijstalen deuren ervan probeerde te overtuigen dat hij wist wat hij deed. En dat hij daarin zou slagen.
In de afgelopen drie uur waren de voorbereidende telefoongesprekken gevoerd, allereerst met het hoofd van het netwerk. Deze televisiemanager, een oude vriend, was voor het eerst in zijn loopbaan met stomheid geslagen. Je keek niet meer op van vliegrampen, treinongelukken, gewelddadige misdrijven – de gebruikelijke rampen en tragedies waarmee de media hun brood verdienden – maar iets als dit overkwam je maar eens in je leven. Een uur daarna had hij met Arnie van Damm gebeld, ook een oude vriend, omdat je je als journalist altijd moest indekken en ook omdat hij van zijn land hield, al sprak hij daar nooit over. Daar kwam nog bij dat de CNN-directeur geen idee had waartoe dit verhaal zou leiden. Hij had gebeld met de juridisch correspondent van het netwerk, een mislukte advocaat, en die voerde van zijn kant op dit moment een telefoongesprek met een bevriende hoogleraar aan de juridische faculteit van de Georgetown University.
Ondanks dat alles belde de CNN-directeur nu naar de groene kamer.
'Weet je het echt zeker, Ed?' was het enige wat hij had te vragen.
'Ik heb geen keus. Ik wou dat ik het niet hoefde te doen.' En dat was het te verwachten antwoord.
'Zelf weten. Ik ga kijken.' En de verbinding werd verbroken. Aan de andere kant heerste een zekere juichstemming. Het zou een gigantisch verhaal worden en per slot van rekening was het de taak van CNN om het nieuws te brengen.

'Arnie, is dit volslagen krankzinnig of droom ik nog?' Ze zaten in een kamer op de bovenverdieping. Jack had in de gauwigheid wat kleren aangeschoten. Van Damm had zijn das nog niet om en droeg twee verschillende sokken, zag Ryan. Het ergste was nog dat Van Damm er ontdaan uitzag. Dat had hij nooit eerder meegemaakt.
'We moeten maar afwachten.' Op dat moment ging de deur open. Beide mannen draaiden zich om.
'Meneer de president?' Er kwam een man van een jaar of vijftig binnen, keurig in het pak. Hij was lang en maakte een gejaagde indruk. Andrea kwam achter hem aan. Ook zij was ingelicht, voorzover dat mogelijk was.
'Dit is Patrick Martin?' zei Arnie.
'Ministerie van Justitie, afdeling Strafrecht, nietwaar?'
'Ja, meneer de president. Ik heb met Dan Murray aan het onderzoek naar de vliegramp gewerkt.'
'Pat is een van onze beste openbare aanklagers. Hij doceert ook constitutioneel recht aan de George Washington University,' vertelde de stafchef.

'Nou, wat vindt u van dit alles?' vroeg de president. Zijn stem hing nog ergens tussen norsheid en regelrecht ongeloof in.
'Ik vind dat we moeten luisteren naar wat hij te zeggen heeft.' Het typische antwoord van een jurist.
'Hoe lang werkt u op Justitie?' vroeg Jack nu, terwijl hij ging zitten.
'Drieëntwintig jaar. Daarvoor vier jaar bij de FBI.' Martin schonk zich een kopje in en besloot te blijven staan.
'Daar gaan we dan,' zei Van Damm. Hij zette het geluid van de televisie weer aan.
'Dames en heren, op onze redactie in Washington hebben wij momenteel vice-president Edward J. Kealty.' De politieke correspondent van CNN zag er ook uit alsof hij uit zijn bed was gesleurd. Het viel Ryan op dat van alle mensen die hij die ochtend had gezien Kealty de meest normale indruk maakte.
'Meneer Kealty, u hebt iets ongewoons te zeggen.'
'Jazeker, Barry. Laat ik eerst zeggen dat dit het moeilijkste is dat ik ooit heb moeten doen in de dertig jaar dat ik in overheidsdienst ben.' Kealty's stem klonk ernstig en ingetogen. Hij sprak alsof hij een essay van Emerson voorlas, langzaam en duidelijk en pijnlijk oprecht. 'Zoals u weet, heeft president Durling me gevraagd mijn ontslag in te dienen. Dat vroeg hij me omdat gedrag van mij uit de tijd dat ik nog senator was in opspraak was gekomen. Barry, het is geen geheim dat mijn persoonlijk gedrag niet altijd zo voorbeeldig is geweest als het zou moeten zijn. Dat geldt voor veel mensen in het openbare leven, maar dat is geen excuus, en dat wil ik ook niet beweren. Toen Roger en ik de situatie bespraken, werden we het erover eens dat het goed zou zijn als ik mijn ambt neerlegde. Dan kreeg hij de kans een nieuwe kandidaat-vice-president te zoeken voor de verkiezingen later dit jaar. Hij was ook van plan Jack Ryan te vragen tijdelijk als vice-president op te treden.
Barry, daar had ik vrede mee. Ik ben erg lang in overheidsdienst geweest en het idee dat ik me zou terugtrekken en met mijn kleinkinderen zou spelen en misschien nog een beetje zou doceren sprak me erg aan. Daarom ging ik akkoord met Rogers verzoek. Ik deed dat ook in het belang van het land.
Maar ik ben er nooit aan toe gekomen mijn ontslag in te dienen.'
'Goed,' zei de correspondent, en hij hield zijn handen omhoog alsof hij een honkbal wilde vangen. 'Ik vind dat hierover absolute duidelijkheid moet bestaan. Wat is er precies gebeurd?'
'Barry, ik reed naar het ministerie van Buitenlandse Zaken. Je moet namelijk weten: de grondwet bepaalt dat als de president of vice-president aftreedt, hij dat kenbaar moet maken aan de minister van Buitenlandse Zaken. Ik besprak de zaak met minister Hanson persoonlijk. Ik had mijn ontslagbrief opgesteld, maar hij was niet goed geformuleerd en Brett vroeg me het opnieuw te doen. Ik reed terug en dacht dat ik de nieuwe, veranderde ontslagbrief de volgende dag zou kunnen indienen.
Niemand van ons had de gebeurtenissen van die avond voorzien. Zoals zoveel mensen was ik diep geschokt. In mijn geval, ach, je begrijpt het...

Zoveel vrienden met wie ik jarenlang had samengewerkt, werden weggevaagd door die wrede, laffe daad. Maar ik heb nooit officieel mijn ontslag ingediend.' Kealty sloeg zijn ogen neer en beet op zijn lip voordat hij verderging. 'Barry, ik had zelfs daarmee wel vrede kunnen hebben. Ik heb president Durling mijn woord gegeven en ik was van plan me daaraan te houden.
Maar dat kan ik niet. Dat kan ik niet doen,' ging Kealty verder. 'Laat me het uitleggen.
Ik ken Jack Ryan al tien jaar. Hij is een beste kerel, een moedig man en hij heeft ons land goed gediend, maar jammer genoeg is hij niet de man die ons land erbovenop kan helpen. Dat blijkt ook uit wat hij gisteravond tegen het Amerikaanse volk zei. Hoe kunnen we ooit verwachten dat onze regering onder deze omstandigheden kan functioneren als we de vacatures in het kabinet niet opvullen met ervaren, capabele mensen?'
'Maar hij is de president... nietwaar?' vroeg Barry, die nauwelijks kon geloven wat hij deed en wat hij hoorde.
'Barry, hij weet niet eens hoe hij een onderzoek moet instellen. Ga maar na wat hij gisteravond over de vliegramp heeft gezegd. Er is amper een week voorbij en hij zegt al te weten wat er gebeurd is. Dat is toch niet te geloven?' vroeg Kealty op klaaglijke toon. 'Dat is toch werkelijk niet te geloven? Wie heeft de supervisie van dat onderzoek? Wie voeren het uit? Aan wie leggen ze verantwoording af? En dat je binnen een wéék al conclusies kunt trekken... Hoe kan het Amerikaanse volk daar vertrouwen in hebben? Toen president Kennedy was vermoord, duurde het maanden. Dat onderzoek werd geleid door de voorzitter van het hooggerechtshof. Waarom? Omdat we zekerheid moesten hebben, dáárom!'
'Neemt u mij niet kwalijk, meneer de vice-president, maar daarmee hebt u mijn vraag nog niet beantwoord.'
'Barry, Ryan is nooit vice-president geweest, want ik heb nooit ontslag genomen. Die functie is nooit vacant geweest en volgens de grondwet mag er altijd maar één vice-president zijn. Hij heeft zelfs nooit de eed afgelegd om vice-president te worden.'
'Maar...'
'Denk je dat ik het leuk vind om dit te doen? Ik heb geen keus. Hoe kunnen we het Congres en het kabinet opbouwen met amateurs? Gisteravond zei Ryan tegen de gouverneurs van de staten dat ze hem mensen moeten sturen die geen bestuurlijke ervaring hadden. Hoe kunnen wetten worden uitgevaardigd door mensen die niet weten hoe dat moet?
Barry, ik heb nooit eerder publiekelijk zelfmoord gepleegd. Ik voel me nu net een van die senatoren op het impeachment-proces tegen Andrew Johnson. Ik kijk in mijn eigen politieke graf, maar ik moet mijn land op de eerste plaats stellen. Ik kan niet anders.' De camera zoomde in op zijn gezicht en het was duidelijk te zien hoe moeilijk hij het hiermee had. Je kon bijna tranen in zijn ogen zien en in zijn stem galmde het patriottisme door.

'Hij deed het altijd al goed op de tv,' zei Van Damm.
'Ik kan het nog bijna niet geloven,' zei Ryan even later.
'Geloof het nou maar,' zei Arnie. 'Meneer Martin? We kunnen wel wat juridische bijstand gebruiken.'
'Zorgt u allereerst dat er iemand naar Buitenlandse Zaken gaat om in de kamer van de minister te kijken.'
'De FBI?' vroeg Van Damm.
'Ja.' Martin knikte. 'U zult daar niets vinden, maar zo moet het beginnen. Daarna kijken we aantekeningen en telefoonnotities door. Daarna beginnen we mensen te ondervragen. Dat wordt nog een probleem. Minister Hanson is dood, en zijn vrouw ook, en president en mevrouw Durling natuurlijk ook. Dat zijn de mensen die waarschijnlijk hebben geweten hoe de vork in de steel zat. Ik denk dat we erg weinig harde bewijzen vinden en ook niet veel indirecte bewijzen waar we iets aan hebben.'
'Roger heeft me verteld dat...'
Martin onderbrak hem. 'Uit de tweede hand. U vertelt me dat iemand tegen u zei dat hij van iemand had gehoord... Daar hebben we op een rechtbank niet veel aan.'
'Gaat u verder,' zei Arnie.
'Meneer Van Damm, de wet voorziet niet in deze situatie.'
'En er is ook geen hooggerechtshof dat een uitspraak kan doen,' merkte Ryan op. Er volgde een geladen stilte en toen zei hij: 'Als hij nu eens de waarheid spreekt?'
'Meneer de president, het doet er eigenlijk niet toe of hij de waarheid spreekt of niet,' zei Martin. 'Tenzij we kunnen bewijzen dat hij liegt, en dat is onwaarschijnlijk, staat hij sterk. O ja, en wat het hooggerechtshof betreft: als u een nieuwe senaat hebt en uw benoemingen kunt doen, moeten al die nieuwe rechters zich verschonen omdat ze door u gekozen zijn. Zo blijft er waarschijnlijk geen enkele juridische oplossing over.'
'Maar als er geen wetgeving is?' vroeg de president – of was die er wel?
'Precies. Dit is een heel interessant geval,' zei Martin rustig. Hij dacht even na. 'Nou, een president of vice-president bekleedt zijn ambt niet meer zodra hij ontslag neemt. Dat laatste doet hij door het document van zijn ontslagname – een brief is voldoende – aan de juiste functionaris te overhandigen. Maar de man die het document heeft aangenomen, is dood, en we zullen vast en zeker ontdekken dat het document verdwenen is. Waarschijnlijk heeft minister Hanson de president gebeld om hem van de ontslagname op de hoogte te stellen...'
'Ja, dat heeft hij gedaan,' bevestigde Van Damm.
'Maar president Durling is ook dood. Zijn getuigenverklaring zou bewijskracht hebben gehad, maar dat valt nu ook af. We hebben dus geen been om op te staan.' Martin hield er niet van dit te doen, en hij had al moeite genoeg om te praten en tegelijk na te denken over het recht. Dit was net een schaakbord zonder vierkantjes: alle stukken waren willekeurig neergezet.

'Maar...'
'Uit het telefoonlogboek zal blijken dat er een telefoontje was. Zeker. Minister Hanson kan hebben gezegd dat de brief slecht geformuleerd was en dat hij de volgende dag een herziene versie zou krijgen. Dat is een kwestie van politiek, niet van recht. Zolang Durling president was, moest Kealty vertrekken, omdat...'
'Omdat hij in een onderzoek naar seksuele intimidatie verwikkeld was.' Arnie begon het te begrijpen.
'Inderdaad. Dat bracht hij op de tv zelfs ter sprake, en hij heeft die kwestie handig gepareerd, nietwaar?'
'We zijn terug waar we begonnen,' merkte Ryan op.
'Ja, meneer de president.' Hij zei het met een wrang glimlachje.
'Prettig om te weten dat iemand ergens in gelooft.'

Inspecteur O'Day en drie andere FBI-agenten van het hoofdkantoor lieten hun auto voor het gebouw staan. Toen een geüniformeerde bewaker bezwaar kwam maken, liet O'Day zijn legitimatiebewijs zien en liep gewoon door. Hij bleef bij de beveiligingsdesk staan en deed daar hetzelfde.
'Ik wil je baas over één minuut op de zesde verdieping hebben,' zei hij tegen de bewaker. 'Het kan me niet schelen wat hij doet. Zeg dat hij meteen boven moet komen.' Vervolgens liepen hij en zijn team naar de liften.
'Eh, Pat, wat...'
De andere drie had hij min of meer willekeurig op de afdeling Professionele Verantwoordelijkheid opgepikt. Dat was de FBI-afdeling die interne zaken afhandelde. De afdeling werd bemand door ervaren onderzoekers met een hogere rang en het was hun taak de FBI zuiver te houden. Een van hen had zelfs onderzoek gedaan naar een voormalige directeur. De afdeling PV hoefde zich aan niets te houden, behalve aan de wet. Het verrassende was dat deze afdeling, in tegenstelling tot soortgelijke organisaties binnen politiekorpsen, over het geheel genomen veel respect bij de FBI-agenten genoot.
De bewaker in de hal had al naar de bewaker op de bovenste verdieping gebeld. Dat was die ochtend George Armitage. Hij had een andere dienst dan de week daarvoor.
'FBI,' zei O'Day zodra de liftdeur openging. 'Waar is de kamer van de minister?'
'Deze kant op, meneer.' Armitage leidde hen de gang door.
'Wie gebruikt de kamer nu?' vroeg de inspecteur.
'Het is de bedoeling dat meneer Adler hem gaat gebruiken. We hebben de spullen van meneer Hanson er nu zo ongeveer uit en...'
'Dus er hebben mensen in en uit gelopen?'
'Ja.'
O'Day had niet verwacht dat het veel zin zou hebben het forensisch team te laten komen, maar dat zou toch moeten gebeuren. Als er ooit een onderzoek was geweest dat strikt volgens de regels moest gebeuren, dan was het dit.

'Goed, we willen iedereen spreken die in die kamer is geweest sinds minister Hanson is weggegaan. Allemaal, secretaresses, schoonmakers, iedereen.'
'De secretaresses zijn er pas over een half uur of zo.'
'Goed. Wilt u de deur openmaken?'
Armitage deed het. Hij liet hen in de kamer van het secretariaat en vervolgens in de kamer van de minister zelf. Daar bleven de FBI-agenten abrupt staan. Ze keken eerst rond. Toen vatte een van hen post bij de deur naar de gang.
'Dank u, meneer Armitage,' zei O'Day, die het naamplaatje las. 'Voorlopig behandelen we deze kamer als de plaats van een misdrijf. Niemand mag zonder onze toestemming naar binnen. We hebben een kamer nodig waar we mensen kunnen ondervragen. Ik wil graag dat u een lijst maakt van iedereen die, voorzover u weet, hier binnen is geweest, als het kan met datum en tijdstip.'
'De secretaresses hebben die gegevens.'
'Wij willen de uwe ook.' O'Day keek geërgerd de gang door. 'We hebben om de komst van uw chef gevraagd. Waar denkt u dat hij is?'
'Hij is er meestal pas om een uur of acht.'
'Wilt u hem bellen? We moeten hem onmiddellijk spreken.'
'Ik zal het doen, meneer.' Armitage vroeg zich af waar dit allemaal goed voor was. Hij had die ochtend geen televisie gekeken en ook nog niet gehoord wat er was gebeurd. Trouwens, het kon hem allemaal niet veel schelen. Hij was vijfenvijftig. Als hij tweeëndertig dienstjaren had, mocht hij met pensioen. Hij wilde alleen nog maar zijn werk doen en op zijn pensioen wachten.

'Goed zo, Dan,' zei Martin in de telefoon. Ze waren nu in het Oval Office. 'Ik bel je nog.' De jurist hing op en draaide zich om.
'Murray heeft een van zijn inspecteurs gestuurd, Pat O'Day. Een goede troubleshooter. Hij wordt geassisteerd door jongens van PV...' Martin legde in het kort uit wat dat betekende. 'Dat is ook een handige zet. Ze zijn niet politiek. Nu dat gebeurd is, moet Murray zich hieruit terugtrekken.'
'Waarom?' vroeg Jack, die het nog steeds niet helemaal kon volgen.
'U hebt hem tot waarnemend directeur van de FBI benoemd. Ik mag me hier zelf ook niet te veel mee inlaten. U moet iemand aanwijzen die het onderzoek gaat leiden. Hij moet intelligent zijn, brandschoon en absoluut niet politiek. Misschien een rechter.' Martin dacht even na. 'Er lopen genoeg goede rechters rond.'
'Hebt u een voorstel?' vroeg Arnie.
'U moet die naam van iemand anders krijgen. Ik kan niet genoeg benadrukken dat dit in alle opzichten brandschoon moet zijn. Heren, we hebben het hier over de grondwet van de Verenigde Staten.' Martin zweeg even. Hij moest dingen uitleggen. 'Dat is voor mij een soort bijbel. Voor u natuurlijk ook, maar ik ben als FBI-agent begonnen. Ik deed vooral burgerrechtzaken, al die kwesties in het Zuiden. Burgerrechten zijn belangrijk. Dat ontdekte ik toen ik naar de lijst keek van mensen die waren omgekomen toen ze die rechten veilig

wilden stellen voor andere mensen die ze niet eens kenden. Nou, ik ging bij de FBI weg en was een tijdje advocaat, maar ik denk dat ik altijd een politieman ben gebleven en dus kwam ik terug. Op Justitie heb ik wetgeving gedaan, en spionagezaken, en kortgeleden heb ik de leiding over de afdeling Strafrecht gekregen. Dit is voor mij een belangrijke materie. U moet dit op de juiste manier doen.'

'Dat zullen we,' zei Ryan tegen hem. 'Maar het zou prettig zijn om te weten wat dan die juiste manier is.'

Hij snoof. 'Ik heb geen flauw idee. Tenminste, niet inhoudelijk. Wat de vorm betreft: die moet volkomen brandschoon zijn, boven iedere twijfel verheven. Dat is onmogelijk, maar u moet het toch proberen. Dat is de juridische kant. De politieke kant laat ik aan u over.'

'Goed. En het onderzoek naar de vliegramp?' Ryan verbaasde zich enigszins over zichzelf. Hij was zowaar van het onderzoek op iets anders overgestapt. Verdraaid nog aan toe.

Ditmaal glimlachte Martin. 'Daar heb ik me nogal kwaad over gemaakt, meneer de president. Ik hou er niet van als mensen me vertellen hoe ik een zaak moet aanpakken. Als Sato nog leefde, kon ik hem terecht laten staan. Dan zouden er geen verrassingen zijn. Wat Kealty over dat Kennedy-onderzoek zei, vond ik nogal achterbaks. Je pakt zo'n zaak aan door een grondig onderzoek te doen, niet door er een bureaucratisch circus van te maken. Zo heb ik het mijn hele leven gedaan. Deze zaak is tamelijk eenvoudig, groot maar eenvoudig, en in feite is hij al afgesloten. De echte hulp kwam van de Canadese politie. Die heeft goed werk voor ons geleverd, een heleboel bewijsmateriaal, tijden, plaatsen, vingerafdrukken, ondervragingen van mensen die in dat vliegtuig hadden gezeten. En de Japanse politie, Jezus, die vreet zich op van woede om wat er gebeurd is. Ze praten daar met alle samenzweerders die nog in leven zijn. U en wij willen niets over hun verhoormethoden weten, maar de Japanse rechtsgang is ons probleem niet. Ik ben bereid te verdedigen wat u gisteravond hebt gezegd. Ik ben bereid alles uiteen te zetten wat we weten.'

'Doet u dat vanmiddag,' zei Van Damm tegen hem. 'Ik zal zorgen dat u de nodige aandacht van de pers krijgt.'

'Goed.'

'Dus u moet buiten de zaak-Kealty blijven?' vroeg Jack.

'Ja. Die mag op geen enkele manier gecompromitteerd worden.'

'Maar u kunt mij er wel over adviseren?' ging president Ryan verder. 'Ik heb juridisch advies nodig.'

'Ja, dat hebt u, en ja, meneer de president, dat kan ik wel doen.'

'Weet u, meneer Martin, als dit achter de rug is...' begon Van Damm.

Ryan onderbrak zijn stafchef meteen, al voordat de jurist kon reageren. 'Nee, Arnie, dat wil ik niet hebben. Verdomme nog aan toe! Dat spelletje speel ik niet. Meneer Martin, ik heb het gevoel dat u een goede kijk op de zaak hebt. We houden ons volkomen aan de regels. We laten professionals het onderzoek

doen, en we vertrouwen erop dat het inderdaad professionals zijn. Ik ben kotsen kotsmisselijk van speciale aanklagers en speciale dit en speciale dat. Als je geen mensen hebt van wie je kunt verwachten dat ze gewoon hun werk goed doen, wat doen ze daar dan eigenlijk?'
Van Damm verschoof op zijn stoel. 'Doe niet zo naïef, Jack.'
'Goed, Arnie, en deze regering is al in handen van politiek bewuste mensen sinds de tijd voor ik geboren was, en kijk eens wat ze ervan terecht hebben gebracht!' Ryan stond op en begon door de kamer te lopen. Dat was een presidentieel voorrecht. 'Ik ben het zat. Waar is de eerlijkheid gebleven, Arnie? Waarom wil niemand meer gewoon de waarheid spreken? Het enige wat ze hier doen, is spelletjes spelen, en bij dit spelletje gaat het er niet om dat je het goede doet maar dat je kunt blijven zitten waar je zit! Zo zit ik niet in elkaar! En ik vertik het om een spel te spelen dat me niet aanstaat.' Jack keek Pat Martin aan. 'Vertel me over die FBI-zaak.'
Martin knipperde met zijn ogen. Hij wist niet waarom die zaak nu ter sprake kwam, maar hij vertelde het verhaal evengoed. 'Ze hebben er zelfs een slechte film over gemaakt. Een stel burgerrechtenactivisten werd doodgeschoten door de plaatselijke Ku Klux Klan. Twee van hen waren nog politiemannen ook. De zaak kwam geen meter vooruit en de FBI werd erbij gehaald. Dan Murray en ik waren toen nog beginnelingen. Ik zat in die tijd in Buffalo. Hij zat in Philadelphia. Ze stuurden ons daarheen en we moesten samenwerken met Joe Fitzgerald. Dat was een van Hoovers inspecteurs. Ik was erbij toen ze de lijken vonden. Rottig,' zei Martin, die zich de aanblik en de afschuwelijke stank herinnerde. 'Het enige wat ze wilden, was burgers overhalen zich als kiezer te laten registreren, en daar werden ze voor vermoord, en de plaatselijke politie deed er niets aan. Het is gek, maar als je zoiets met je eigen ogen ziet, is het niet abstract meer. Het is geen document of casestudy of een formulier dat je moet invullen. Als je lijken ziet die veertien dagen in de grond hebben gelegen, is het echt genoeg. Die schoften van de Klan vermoordden medeburgers die iets deden waarvan de grondwet niet alleen zegt dat het mag, maar ook dat het goed is! We kregen ze te pakken en ze zijn allemaal veroordeeld.'
'Waarom, meneer Martin?' vroeg Jack. Het antwoord was precies wat hij verwachtte.
'Omdat ik een eed had gezworen, meneer de president. Daarom.'
'Ik ook, meneer Martin.' En het was geen spelletje.

Het afluisteren van het radioverkeer leverde de nodige problemen op. De Iraakse strijdkrachten gebruikten honderden radiofrequenties, vooral FM VHF-banden, en het radioverkeer was weliswaar ongewoon in het licht van de algehele situatie maar had toch een betrekkelijk normale inhoud. Er waren duizenden berichten, altijd minstens vijftig tegelijk, en STORM TRACK had lang niet genoeg taalkundigen om ze allemaal te volgen, al was dat eigenlijk wel de bedoeling. De commandocircuits voor hogere officieren waren bekend, maar ze waren in code en dat betekende dat de computers van KKMC met de signa-

len moesten spelen om iets zinnigs te ontdekken in wat op het eerste gezicht ruis leek. Gelukkig had een aantal overlopers voorbeelden van crypto-apparatuur meegebracht en kwamen anderen over de grens met dagcodes – om daarvoor royaal beloond te worden door de Saoedi's.
Er werd nu meer gebruikgemaakt van de radio. De Iraakse legertop maakte zich blijkbaar minder druk om elektronische onderschepping dan om het afluisteren van telefoonlijnen. Daaruit konden ze in STORM TRACK al veel afleiden, en er werd al een rapport opgesteld dat via de directeur van de CIA naar de president zou gaan.

STORM TRACK leek op de meeste van zulke luisterstations. Een enorme verzameling antennes, die een 'olifantskooi' werd genoemd omdat hij een ronde vorm had, ving signalen op en bepaalde hun herkomst, terwijl andere, torenhoge sprietantennes andere taken verrichtten. Het luisterstation was tijdens de voorbereidingen van DESERT STORM in allerijl gebouwd om tactische inlichtingen voor geallieerde militaire eenheden te verzamelen. Later was het uitgebreid. Het ving radioverkeer op uit de hele regio. Koeweit had het zusterstation PALM BOWL gefinancierd en kreeg in ruil daarvoor een groot deel van de 'opbrengst' daarvan.
'Dat is drie,' zei een technicus op het laatste station, die op zijn scherm zat te turen. 'Drie hoge officieren die naar de renbaan gaan. Een beetje vroeg op de dag om op de paardjes te gokken, nietwaar?'
'Een bijeenkomst?' vroeg zijn luitenant. Dit was een militaire post. De technicus, een sergeant met vijftien jaar ervaring, wist veel meer over het werk dan zijn nieuwe baas. In elk geval was de luitenant verstandig genoeg om vragen te stellen.
'Daar ziet het wel naar uit, mevrouw.'
'Waarom daar?'
'Midden in de stad, niet in een officieel gebouw. Als je je meisje wilt ontmoeten, doe je dat niet thuis, hè?' Het beeld veranderde. 'Aha, we hebben er weer een. De bevelhebber van de luchtmacht is er ook... of wás er. Uit de analyse van het radioverkeer blijkt dat de ontmoeting een uur geleden voorbij was. Ik wou dat we hun code sneller konden breken...'
'Inhoud?'
'Alleen waar ze heen gingen en wanneer, mevrouw, niets inhoudelijks. Ze zeiden niet waar die bespreking over ging.'
'Wanneer is de begrafenis, sergeant?'
'Tegen de avond.'

'Ja?' Ryan nam de telefoon op. Je kon aan de lijn waarvan het lampje brandde vrij goed zien hoe belangrijk het telefoontje was. Dit kwam van de inlichtingencentrale.
'Met majoor Canon, president. We krijgen info van de Saoedi's. De analisten proberen er wijs uit te worden. Ze zeiden dat ik u dat moest vertellen.'

'Dank je.' Ryan legde de hoorn op de haak. 'Het zou niet gek zijn als ze één voor één binnenkwamen. Er gebeurt iets in Irak, maar ze weten nog niet wat,' zei hij tegen zijn gasten. 'Ik moet dat blijven volgen. Verder nog iets wat ik moet doen?'
'U kunt vice-president Kealty door de Secret Service laten beschermen,' stelde Martin voor. 'Als voormalig vice-president heeft hij daar toch al recht op... zes maanden lang?' vroeg de jurist aan Price.
'Ja.'
Martin dacht daarover na. 'Is daarover gesproken?'
'Nee.'
Jammer, dacht Martin.

14

Bloed in het water

Ed Foleys zakenvliegtuig was groot en lelijk, een Lockheed C-141B transportvliegtuig dat in de wereld van gevechtsvliegers een 'vuilnisbak' werd genoemd. In het laadruim stond een grote stacaravan. De voorgeschiedenis van die caravan was interessant. Hij was oorspronkelijk door het bedrijf Airstream gebouwd om er de Apollo-astronauten in onder te brengen, al was deze een reserve en was hij nooit voor dat doel gebruikt. De caravan stelde hogere functionarissen in staat om comfortabel te reizen en werd bijna uitsluitend door hogere inlichtingenfunctionarissen gebruikt. Die reisden dan meteen in alle anonimiteit. Er waren veel Air Force Starlifters, en aan de buitenkant zag die van Foley er precies zo uit als de andere: groot, groen en lelijk.
Hij landde kort voor twaalf uur 's middags op de vliegbasis Andrews. Het was een vermoeiende vlucht geweest: bijna elfduizend kilometer, zeventien uur, twee keer bijtanken in de lucht. Foley had met drie medewerkers gereisd, onder wie twee 'security and protection officers', SPO's. Doordat ze een douche hadden kunnen nemen, voelden ze zich al wat beter. Bovendien was hun nachtrust niet verstoord door de nieuwe berichten, want die waren pas een paar uur eerder binnengekomen. Tegen de tijd dat het transportvliegtuig was uitgetaxied en de deuren opengingen, was Foley weer fit en volledig ingelicht. Dat gebeurde zo weinig dat het adjunct-hoofd Operaties het bijna een wonder vond. Daar kwam nog bij dat zijn vrouw op de basis stond om hem met een kus te begroeten. Het was al genoeg dat het grondpersoneel van de lucht-

macht zich afvroeg wat dat te betekenen had. De bemanning van het vliegtuig was te moe om zich er druk om te maken.
'Dag, schat.'
'We moeten een keer samen op deze manier vliegen,' zei haar man met een twinkeling in zijn ogen. Toen kwam hij meteen ter zake. 'Nog nieuws uit Irak?'
'Er gebeurt iets. Minstens negen en waarschijnlijk zo'n twintig hoge officieren zijn bij elkaar geweest voor een korte bespreking. We weten niet waar het over ging, maar vast niet over het menu bij de dodenwake.' Ze stapten achter in de auto en ze gaf hem een map. 'O ja, je krijgt promotie.'
'Zo?' Ed keek op.
'Directeur van de CIA. We gaan door met PLAN BLAUW en Ryan wil dat jij het verdedigt op Capitol Hill. Ik blijf hoofd Operaties, dus nu kan ik mijn toko runnen zoals ik het wil, hè, schat?' Ze glimlachte poeslief. En toen legde ze hem het andere probleem van die dag uit.

Clark had zijn eigen kantoor in het hoofdkantoor van de CIA in Langley. Dankzij zijn hoge rang had hij uitzicht op het parkeerterrein en de bomen daarachter, wat altijd nog beter was dan een hokje zonder ramen. Hij deelde zelfs een secretaresse met vier andere agenten. In veel opzichten was Langley vreemd terrein voor hem. Zijn officiële functie was die van opleidingsfunctionaris op 'The Farm'. Hij kwam naar het hoofdkantoor om rapporten in te dienen en nieuwe opdrachten te krijgen, maar hij was er niet graag. Er hing een lucht zoals die op alle hoofdkantoren hangt. De kantoormannetjes wilden dat alles volgens het boekje verliep. Ze wilden geen onregelmatigheden. Ze hadden een hekel aan overuren, want dan misten ze hun favoriete televisieprogramma's. Ze hielden niet van verrassingen en van nieuwe gegevens die niet in hun denkpatroon pasten. Ze vormden de bureaucratische staart van een inlichtingendienst, maar in het geval van de CIA was die staart zo groot geworden dat hij de hond heen en weer liet gaan zonder zich zelf nog te bewegen. Nu was dat op zichzelf niet zo ongewoon, maar als het mis ging, riskeerde hij zijn leven in het veld, en als hij ergens werd gedood, veranderde hij in één memo, die vlug werd opgeborgen en vergeten door mensen die hun eigen inlichtingenrapporten vaak baseerden op niets dan krantenberichten.
'Heb je vanmorgen het nieuws gehoord, John?' vroeg Chavez luchtig toen hij de kamer binnenkwam.
'Ik zit hier al vanaf vijf uur.' Hij hield een map met het opschrift PLAN BLAUW omhoog. Omdat hij zo'n hekel aan papierwerk had, werkte hij dat altijd zo snel mogelijk af.
'Zet dan CNN maar eens op.' John deed het en verwachtte een bericht dat voor zijn dienst als een verrassing zou komen. En dat kreeg hij ook, al was het niet precies wat hij had verwacht.

'Dames en heren, de president.'
Hij moest vlug de openbaarheid in. Daar was iedereen het over eens. Ryan liep de perskamer in, ging achter de lessenaar staan en keek in zijn aantekeningen. Dat was gemakkelijker dan de zaal inkijken, die boven op het voormalige zwembad was gebouwd en kleiner en groezeliger was dan de meeste andere delen van het gebouw. Er waren acht rijen met elk zes zitplaatsen. Die stoelen waren allemaal bezet, dat had hij al gezien toen hij binnenkwam.
'Ik stel het op prijs dat u zo vroeg gekomen bent,' zei Jack zo ontspannen mogelijk.
'De recente gebeurtenissen in Irak kunnen de veiligheid aantasten van een regio die van vitaal belang is voor Amerika en haar bondgenoten. We nemen zonder verdriet kennis van de dood van de Iraakse president. Zoals u weet, was hij verantwoordelijk voor het uitbreken van twee agressieoorlogen, de wrede onderdrukking van de Koerdische minderheid in Irak en het met voeten treden van de meest elementaire mensenrechten in zijn land.
Amerika steekt Irak dan ook de hand van de vriendschap toe. We hopen dat er gelegenheid komt de betrekkingen te normaliseren en voorgoed een eind te maken aan alle vijandigheden tussen Irak en haar buurstaten aan de Golf. Ik heb Scott Adler, onze minister van Buitenlandse Zaken, opdracht gegeven contact op te nemen met de Iraakse regering en haar voor te stellen met ons om de tafel te gaan zitten en zaken van wederzijds belang te bespreken. Indien het nieuwe regime bereid is iets aan de mensenrechten te doen en vrije en eerlijke verkiezingen te laten houden, is Amerika bereid de opheffing van de economische sancties en het spoedig herstel van normale diplomatieke betrekkingen te overwegen.
Er is al genoeg vijandschap geweest. Het is ongewenst dat er zoveel tweedracht heerst in een regio met zoveel natuurlijke rijkdom. Amerika is, samen met onze vrienden onder de Golfstaten, bereid om er als bemiddelaar toe bij te dragen dat er weer vrede en stabiliteit in die regio komt. Wij verwachten een positieve reactie uit Bagdad, opdat de eerste contacten tot stand kunnen komen.' President Ryan legde het papier opzij.
'Dat was mijn officiële verklaring. Zijn er nog vragen?' De stilte duurde niet langer dan een microseconde.
'Meneer Ryan,' schreeuwde de *New York Times* als eerste, 'zoals u weet, beweert vice-president Edward Kealty dat hij president is in plaats van u. Wat hebt u daarop te zeggen?'
'Die bewering van meneer Kealty is ongefundeerd en van nul en generlei waarde,' antwoordde Jack koel. 'Volgende vraag.'
Hoewel Ryan het politieke spel had afgezworen, zag hij zich nu gedwongen het mee te spelen. Niemand in de zaal liet zich in de maling nemen. De verklaring die hij zojuist had afgelegd, had hij ook aan zijn perssecretaris of de officiële woordvoerder van het ministerie van Buitenlandse Zaken kunnen overlaten. In plaats daarvan stond hij nu zelf in het volle licht tegenover hen.

Hij voelde zich net een eenzame christen tegenover een colosseum vol leeuwen. Nou, daar had hij de Secret Service voor.
'Een vervolgvraag: als hij nu eens inderdaad geen ontslag heeft genomen?' drong de *Times* aan, boven het geschreeuw van de anderen uit.
'Hij hééft ontslag genomen. Anders zou ik niet zijn benoemd. Daarom heeft uw vraag geen betekenis.'
'Maar meneer Ryan, als hij nu eens de waarheid spreekt?'
'Hij spreekt de waarheid niet.' Ryan haalde even adem, zoals Arnie hem had opgedragen, en ging toen verder met wat hij van Arnie moest zeggen: 'Meneer Kealty heeft op verzoek van president Durling zijn ontslag ingediend. U weet allemaal waarom. De FBI had een onderzoek naar hem ingesteld in verband met seksueel wangedrag in de tijd dat hij nog senator was. Dat onderzoek betrof een geval van aanranding, om niet te zeggen...' Ryan zei het vervolgens toch. '...verkrachting van een senaatmedewerkster. Zijn ontslagname maakte deel uit van een... een afspraak waarbij werd afgezien van gerechtelijke vervolging.' Ryan zweeg even. Het verbaasde hem enigszins dat al die gezichten enigszins verbleekten. Hij had zojuist een handschoen geworpen en die viel met een plof op de vloer. De volgende handschoen plofte erachteraan: 'U weet nu wie de president is. Zullen we nu verdergaan met de internationale ontwikkelingen?'
'Wat gaat u eraan doen?' vroeg ABC.
'Bedoelt u Kealty of Irak?' vroeg Ryan. Aan zijn toon was te horen wat volgens hem het onderwerp zou moeten zijn.
'De kwestie-Kealty.'
'Ik heb de FBI gevraagd het na te gaan. Ik verwacht dat ze later vandaag rapport aan me uitbrengen. Daarnaast hebben we genoeg te doen.'
'Vervolgvraag: hoe zit het met wat u in uw toespraak van gisteravond tegen de gouverneurs zei en wat vice-president Kealty vanmorgen zei? Wilt u echt dat onervaren mensen...'
'Ja, dat wil ik. Ten eerste: over welke mensen beschikken we die ervaring hebben met het Congres? Het antwoord is: niet erg veel. We hebben de weinige overlevenden, mensen die het geluk hadden die avond ergens anders te zijn. Maar wat hebben we verder? Mensen die in de vorige verkiezingen verslagen zijn? Wilt u die terug? Wat ik wil en wat volgens mij het land nodig heeft, zijn mensen die weten hoe ze dingen moeten aanpakken. De simpele waarheid is dat de overheid van nature inefficiënt is. De grondleggers van onze staat dachten aan burgers die tegelijk wetgever waren, niet aan een permanente regerende klasse. In dat opzicht ben ik het eens met de intenties van de opstellers van onze grondwet. De volgende?'
'Maar wie zal over die vraag beslissen?' vroeg de *Los Angeles Times*. Hij hoefde er niet bij te zeggen welke vraag hij bedoelde.
'Er is al over beslist,' zei Ryan tegen hem. 'Bedankt voor uw komst. Als u me wilt excuseren: ik heb vandaag nog veel werk te doen.' Hij pakte de tekst van zijn openingsverklaring op en liep naar rechts.

'Meneer Ryan!' Die kreet kwam uit minstens tien monden tegelijk. Ryan verliet de zaal en ging de hoek om. Arnie stond op hem te wachten.
'Niet slecht, gezien de omstandigheden.'
'Op één ding na. Niet één van hen noemde me "president".'

Moudi nam het telefoontje aan, dat maar enkele seconden duurde. Vervolgens liep hij naar de quarantaine-afdeling. Buiten trok hij beschermende kleding aan en hij keek daarbij goed of er geen lekken in het plastic zaten. Het pak was door een Europees bedrijf gemaakt, naar het model van de Amerikaanse Racal. Het dikke plastic had de merkwaardige kleur zachtblauw en was versterkt met kevlarvezel. Aan de achterkant van de webbingriem hing het ventilatieapparaat. Dat pompte gezuiverde lucht in het pak en deed dat met een lichte overdruk, zodat een scheur niet meteen lucht uit de omgeving naar binnen zou zuigen. Het was niet bekend of ebola door de lucht werd overgedragen, maar niemand wilde de eerste zijn die dat aantoonde. Hij maakte de deur open om naar binnen te gaan. Zuster Maria Magdalena was daar al. Ze droeg dezelfde beschermende kleding en verzorgde haar vriendin. Ze wisten allebei maar al te goed wat het voor een patiënt betekende om verzorgd te worden door mensen die met hun kleding zo duidelijk lieten blijken hoe bang ze waren.
'Goedemiddag, zuster,' zei hij, en hij pakte de kaart van het voeteneind van het bed. De temperatuur was 41,4, ondanks het ijs. De hartslag was 115. De ademhaling was 24 en ondiep. De bloeddruk begon als gevolg van de inwendige bloedingen te dalen. De patiënte had nog eens vier eenheden bloed ontvangen, en waarschijnlijk evenveel verloren, het meeste inwendig. Haar bloedhuishouding was hopeloos ontregeld. De morfinedoses waren zo hoog als hij kon voorschrijven zonder ademhalingsproblemen te riskeren. Zuster Jean Baptiste was half bewusteloos; ze zou onder invloed van al die morfine nagenoeg comateus moeten zijn, maar daar was de pijn te erg voor.
Maria Magdalena keek hem alleen maar even door het plastic van haar masker aan. Haar ogen stonden meer dan verdrietig: ze straalden een wanhoop uit die door haar godsdienst verboden werd. Moudi en zij hadden allerlei manieren van sterven gezien, aan malaria, aan kanker, aan aids. Maar niets was zo gruwelijk als dit. Deze ziekte sloeg zo snel toe dat de patiënt geen tijd had om zich voor te bereiden, om mentale kracht te verzamelen, om de ziel te sterken met geloof en gebed. Het was net een verkeersongeluk: het was schokkend maar het duurde nog wel zo lang dat het slachtoffer leed. Als er een duivel bestond, zou deze ziekte zijn geschenk aan de wereld zijn. Arts of niet, Moudi zette die gedachte uit zijn hoofd. Zelfs de duivel had zijn nut.
'Het vliegtuig is onderweg,' zei hij tegen haar.
'Wat gaat er gebeuren?'
'Professor Rousseau heeft een dramatische behandelmethode voorgesteld. We gaan een complete bloedvervanging doen. Eerst zal de bloedvoorraad volledig worden geëlimineerd en wordt het vaatstelsel schoongespoeld met een geoxi-

deerde zoutoplossing. Daarna wil hij de bloedvoorraad volledig vervangen door gezond bloed met ebola-antistoffen. In theorie zullen de antistoffen het virus dan systematisch en overal tegelijk te lijf gaan.'

De non dacht daarover na. Het was niet helemaal zo radicaal als velen zouden denken. De totale vervanging van de bloedvoorraad in een lichaam was een procedure die al uit het eind van de jaren zestig dateerde en die gebruikt werd bij de behandeling van ver voortgeschreden meningitis. Het was niet iets wat bij wijze van routine kon worden gedaan. Je had er een hart-longmachine voor nodig. Maar dit was haar vriendin en daarom dacht ze niet meer aan andere patiënten en praktische bezwaren.

Op dat moment gingen zuster Jean Baptistes ogen wijd open. Ze staarden in de leegte en juist aan de slapheid van haar gezicht was te zien hoeveel pijn ze leed. Misschien was ze niet eens bij bewustzijn, maar ze leed zo'n pijn dat ze haar ogen niet dicht kon houden. Moudi keek naar het morfine-infuus. Als pijn de enige overweging was geweest, had hij de dosis waarschijnlijk opgevoerd en het risico genomen de patiënt in naam van de genade te doden. Maar hij kon dat niet riskeren. Hij moest haar levend afleveren en hoewel haar lot misschien erg wreed was, had hij het niet voor haar gekozen.

'Ik moet met haar meegaan,' zei Maria Magdalena rustig.

Moudi schudde zijn hoofd. 'Dat kan ik niet toestaan.'

'Het is een regel van onze orde. Ik mag haar niet laten reizen als ze niet door een van ons wordt vergezeld.'

'Er is een gevaar aan verbonden, zuster. Het is riskant om haar te verplaatsen. In het vliegtuig zullen we lucht inademen die is rondgepompt. Het is nergens voor nodig om jou dat risico te laten lopen. Haar deugd staat niet op het spel.' En één sterfgeval was voor zijn doeleinden genoeg.

'Ik heb geen keus.'

Moudi knikte. Hij had haar lot toch ook niet voor haar gekozen? 'Zoals je wilt.'

Het vliegtuig landde op het internationale vliegveld Jomo Kenyatta, vijftien kilometer buiten Nairobi, en taxiede naar de vrachtterminal. Het was een oude 707 die ooit tot de persoonlijke vloot van de sjah had behoord. Het meubilair was er lang geleden uitgehaald, tot er niets dan de metalen binnenwanden over waren. De vrachtwagens stonden te wachten. Een minuut nadat de blokken voor de wielen waren gezet, ging de achterdeur aan de rechterkant open. Inmiddels was de eerste vrachtwagen daar al heen gereden.

Het waren honderdvijftig kooien, en in elk daarvan zat een groene meerkat. De zwarte werkers droegen beschermende handschoenen. De apen waren in een slecht humeur, alsof ze aanvoelden wat ze te wachten stond. Ze gebruikten elke gelegenheid om de mannen te bijten en te krabben. Bovendien krijsten, pisten en poepten ze, maar dat had weinig resultaat.

Binnen zat de bemanning van het vliegtuig op veilige afstand te wachten. Ze wilden niets met het inladen te maken hebben. Het feit dat die luidruchtige,

gemene krengen door de koran niet onrein waren genoemd, wilde niet zeggen dat het geen rotbeesten waren. Als dit achter de rug was, zouden ze hun toestel grondig laten schoonmaken en desinfecteren. Het inladen duurde een half uur. De kooien werden op elkaar gestapeld en vastgezet, en de werkers gingen weg, contant betaald en blij dat de klus erop zat. Hun vrachtwagen maakte plaats voor een lage tankwagen.
'Uitstekend,' zei de koper tegen de handelaar.
'We hadden geluk. Een vriend had een grote voorraad en zijn koper was traag met betalen. Met het oog daarop...'
'Ja. Tien procent extra?'
'Dat zou genoeg zijn,' zei de handelaar.
'Geen probleem. Je krijgt morgen de extra cheque. Of heb je het liever cash?'
Beide mannen draaiden zich om toen de 707 haar motoren startte. Over enkele minuten zou ze aan haar korte vlucht naar Entebbe, Oeganda, beginnen.

'Dit bevalt me helemaal niet,' zei Bert Vasco, en hij gaf de map terug.
'Leg eens uit,' beval Mary Pat.
'Ik ben geboren in Cuba. Mijn vader vertelde me eens over de nacht waarin Batista ertussenuit kneep. De hoogste generaals kwamen even bij elkaar en stapten toen allemaal in vliegtuigen, snel en discreet, om te verdwijnen naar de landen waar ze hun bankrekening hadden. Het land lieten ze in de narigheid zitten.' Vasco was een van de mensen van Buitenlandse Zaken die graag met de CIA samenwerkten. Waarschijnlijk had dat met zijn geboorte op Cuba te maken. Hij begreep dat diplomatie en inlichtingendiensten elk beter functioneerden als ze samenwerkten. Niet iedereen op Buitenlandse Zaken was het daarmee eens. Dat was hun probleem. Zij waren nooit uit hun land verjaagd.
'Denk je dat ze dat in Irak ook gaan doen?' vroeg Mary Pat een halve seconde eerder dan Ed.
'Daar lijkt het volgens ons sterk op.'
'Heb je er genoeg vertrouwen in om het tegen de president te zeggen?' vroeg Ed Foley.
'Welke?' vroeg Vasco. 'Jullie moesten eens horen wat ze bij ons op kantoor zeggen. De FBI heeft net de zesde verdieping overgenomen. Daardoor is alles een beetje uit het lood. Maar... ja, het is een vermoeden, maar wel een sterk vermoeden. Wat we moeten weten, is of iemand met ze heeft gepraat, en zo ja, wie. We hebben niemand ter plaatse, hè?'
De Foleys sloegen hun ogen neer, waarmee de vraag beantwoord was.

'Uit de beschuldigingen van meneer Ryan blijkt dat hij de laagbijdegrondse aspecten van de politiek sneller onder de knie heeft gekregen dan de fatsoenlijke,' zei Kealty met een stem die meer gekwetst dan woedend klonk. 'Eerlijk gezegd had ik iets beters van hem verwacht.'
'Dus u ontkent de beschuldigingen?' vroeg ABC.

'Natuurlijk. Het is geen geheim dat ik ooit een alcoholprobleem heb gehad, maar dat ben ik te boven gekomen. En het is geen geheim dat mijn persoonlijk gedrag soms twijfelachtig was, maar dat heb ik ook veranderd, met de hulp van mijn Kerk en met de liefde van mijn vrouw,' voegde hij eraan toe, en hij gaf een kneepje in haar hand. Ze stond met zacht medegevoel en onvoorwaardelijke steun naar hem te kijken. 'Dat heeft niets te maken met de zaak waar het nu om gaat. We moeten de belangen van ons land op de eerste plaats stellen. Persoonlijke vijandschap is hier niet op zijn plaats, Sam. Daar moeten we boven verheven zijn.'
'Schoft,' fluisterde Ryan.
'Dit gaat onplezierig worden,' zei Van Damm.
'Hoe kan hij winnen, Arnie?'
'Dat hangt ervan af. Ik weet niet hoe hij het gaat spelen.'
'... zou ook dingen over meneer Ryan kunnen vertellen, maar daar hebben we nu geen behoefte aan. Het land heeft behoefte aan stabiliteit, niet aan tweedracht. Het Amerikaanse volk verwacht leiderschap, ervaren, bekwaam leiderschap.'
'Arnie, hoeveel heeft die...'
'Hij zou een slang naaien, als iemand hem voor hem recht hield. Jack, we mogen dat soort dingen niet denken. Vergeet niet wat Allen Drury heeft gezegd: dit is een stad waarin we niet te maken hebben met mensen zoals ze zijn, maar zoals hun reputatie is. De pers is gek op Ed. Dat is altijd al zo geweest. Ze mogen hem graag. Ze mogen zijn gezin. Ze mogen zijn maatschappelijk engagement...'
'Kom nou!' schreeuwde Ryan bijna uit.
'Luister nou even naar mij. Je wilt president zijn? Dan mag je geen driftbuien hebben. Vergeet dat nooit, Jack. Als de president een driftbui krijgt, gaan er mensen dood. Je hebt gezien hoe dat kan gebeuren, en de mensen in het land willen het gevoel hebben dat je altijd kalm en beheerst bent. Ja?'
Ryan slikte en knikte. Soms was het goed om in drift te ontsteken, en presidenten mochten het ook. Maar je moest weten wanneer je het deed en dat was een les die hij nog moest leren. 'Nou, wat wil je me vertellen?'
'Je bént de president. Gedraag je daarnaar. Doe je werk. Maak een presidentiële indruk. Wat je op die persconferentie zei, was goed. Kealty's beweringen zijn ongefundeerd. Je laat het natrekken door de FBI, maar eigenlijk doet het er niet toe wat hij zegt. Je hebt de eed afgelegd, je woont hier, en dat is dat. Maak hem onbelangrijk en hij gaat vanzelf wel weg. Als je je hier helemaal op stort, gaat iedereen denken dat hij misschien toch wel een beetje gelijk heeft.'
'En de media?'
'Geef ze een kans, dan zorgen ze wel dat het in orde komt.'

'Vlieg je vandaag naar huis, Ralph?'
Augustus Lorenz en Ralph Forster waren ongeveer even oud en hadden hetzelfde beroep. Beide mannen waren hun carrière in het Amerikaanse leger

begonnen, de een als algemeen arts, de ander als internist. In de tijd van president Kennedy, lang voordat de Vietnam-oorlog in alle hevigheid woedde, waren ze ingedeeld bij het Military Assistance Command, Vietnam, MAC-V. Allebei hadden ze toen in de praktijk dingen geleerd die ze hadden bestudeerd en waarover ze in *Principles of Internal Medicine* hadden geschreven. In afgelegen delen van de wereld kwamen ziekten voor die mensen doodden. Opgegroeid in Amerikaanse steden, waren ze oud genoeg om zich de overwinning op longontsteking, tuberculose en polio te herinneren. Zoals de meeste mensen van hun generatie hadden ze gedacht dat besmettelijke ziekten een verslagen vijand waren. In de jungle van het toen nog relatief vredige Vietnam hadden ze ontdekt dat het anders was. Ze hadden gezonde, fitte jongemannen, Amerikaanse en Vietnamese soldaten, voor hun ogen aan virussen zien sterven waarvan ze nooit hadden gehoord en waartegen ze niets konden beginnen. Dat mocht zo niet doorgaan, hadden ze allebei op een avond in de Caravelle Bar besloten, en omdat ze nu eenmaal idealisten en wetenschappers waren, gingen ze allebei weer studeren. Ze leerden hun vak helemaal opnieuw en zetten daarmee ook een ander proces in gang dat hun hele leven niet meer zou ophouden. Forster was in het Johns Hopkins terechtgekomen en Lorenz was hoofd van de afdeling Speciale Pathogenen van de Centers for Disease Control in Atlanta. Intussen hadden ze meer kilometers gevlogen dan sommige gezagvoerders van lijntoestellen en waren ze op meer exotische plaatsen geweest dan iedere fotograaf van *National Geographic*. Bijna altijd waren ze dan op zoek geweest naar iets wat te klein was om het te kunnen zien, en te dodelijk om het te kunnen negeren.
'Ja, ik moet wel, voordat die nieuweling mijn afdeling overneemt.'
De Nobelprijskandidaat grinnikte. 'Alex is vrij goed. Ik ben blij dat hij uit het leger is. We hebben samen gevist in Brazilië, toen ze de...' In het snikhete lab stelde een technicus nog iets bij aan de elektronenmicroscoop. 'Kijk,' zei Lorenz. 'Daar hebben we onze vriend.'
Sommigen noemden het de herdersstaf. Lorenz vond dat het meer op een ankh-teken leek, maar dat was het ook niet helemaal. Het was in elk geval niet iets moois. Voor beide mannen was het de verpersoonlijking van het kwaad. De verticale, gebogen sliert werd RNA genoemd, ribonucleïnezuur. Dat bevatte de genetische code van het virus. Bovenaan bevond zich een serie gekrulde proteïnestructuren waarvan ze de functie nog niet begrepen maar die waarschijnlijk, dachten ze allebei, bepaalde hoe de ziekte zich gedroeg. Waarschijnlijk. Ze wisten het niet, ondanks twintig jaar van intensief onderzoek.
Het verrekte ding was zelf niet eens in leven, maar het doodde evengoed. Een echt levend organisme had zowel RNA als DNA, maar een virus had het een of het ander. Op de een of andere manier leefde het in een soort sluimerstaat, tot het in contact kwam met een levende cel. Als het daar eenmaal was, kwam het op een moorddadige manier tot leven, als een buitenaards monster dat op zijn kans wacht. Het kon alleen leven en groeien en zich voortplanten als het de

hulp had van iets anders, dat het vervolgens vernietigde en waaruit het probeerde te ontsnappen, op zoek naar een volgend slachtoffer.
Ebola was prachtig in zijn eenvoud, en het was ook microscopisch klein. Al zijn ze met honderdduizend, kop aan staart, dan is de totale lengte amper twee centimeter. In theorie kunnen ze doden en groeien en zich verplaatsen en opnieuw doden. En opnieuw. En opnieuw.
Het collectieve geheugen van de geneeskunde ging niet zo ver terug als beide artsen graag zouden willen. In 1918 was de 'Spaanse griep', waarschijnlijk een vorm van longontsteking, in negen maanden over de aardbol gegaan. De epidemie had minstens twintig miljoen mensen gedood, waarschijnlijk nog veel meer, en had dat zo snel gedaan dat sommige slachtoffers gezond gingen slapen en de volgende morgen niet meer wakker werden. Maar hoewel de symptomen van de ziekte volledig gedocumenteerd waren, was de medische wetenschap nog niet zo ver gevorderd dat de ziekte zelf werd begrepen. Daarom wist niemand precies wat het voor epidemie was geweest. Dat ging zelfs zo ver dat in de jaren zeventig vermoedelijke slachtoffers die in Alaska in bevroren grond begraven lagen werden opgegraven in de hoop dat er monsters van het organisme aan het licht zouden komen: een goed idee dat mislukt was. De medische wereld was die ziekte grotendeels vergeten. De meeste medici dachten dat als de ziekte zou terugkomen, hij met moderne behandeling verslagen zou worden.
Medici die in besmettelijke ziekten waren gespecialiseerd, waren daar niet zo zeker van. Die ziekte was, net als aids en ebola, waarschijnlijk een virus, en het succes van de geneeskunde bij de bestrijding van virale ziekten was...
... nihil.
Virale ziekten konden worden voorkomen met vaccins, maar als een patiënt eenmaal was besmet, konden er twee dingen gebeuren: zijn immuunsysteem won of verloor. In beide gevallen stonden de beste artsen hulpeloos toe te kijken. Zoals beoefenaren van alle beroepen negeerden artsen het liefst alles wat ze niet zagen en niet begrepen. Dat was de enige verklaring voor het feit dat de medische wereld er zo verbijsterend lang over had gedaan om aids en de dodelijke gevolgen daarvan te erkennen. Aids was ook een exotisch pathogeen dat door Lorenz en Forster was bestudeerd, een van de vele geschenken uit de oerwouden van Afrika.
'Gus, soms vraag ik me af of we ooit te weten komen wat voor rotzakken het zijn.'
'Vroeg of laat, Ralph.' Lorenz deinsde van de microscoop terug – eigenlijk was het een computermonitor – en wou dat hij zijn pijp mocht roken, een zonde die hij eigenlijk niet wilde opgeven, al kreeg hij het er, werkend in een overheidsgebouw, steeds moeilijker mee. Met een pijp kon hij beter nadenken, zei Gus tegen zichzelf. Beide mannen keken naar het scherm, naar de krullende proteïnestructuren. 'Deze is van het kind.'
Ze traden in de voetsporen van giganten. Lorenz had een verhandeling over Walter Reed en William Gorgas gescheven, de twee legerartsen die met syste-

matisch onderzoek en onverbiddelijke toepassing van wat ze hadden geleerd, de gele koorts hadden verslagen. Maar in dit vak waren leerprocessen langzaam en moeizaam.
'Doe dat andere maar, Kenny.'
'Ja, dokter,' antwoordde de intercom. Even later verscheen er een tweede beeld naast het eerste.
'Ja,' zei Forster. 'Het lijkt ongeveer hetzelfde.'
'Dit is van de zuster. Kijk hier.' Lorenz drukte op een toets van de telefoon. 'Goed, Kenny, en nu de computer.' Voor hun ogen verscheen een computerbeeld van beide voorbeelden. De computer liet het ene beeld kantelen om het bij het andere aan te passen en legde ze over elkaar heen. Ze pasten precies.
'Het is tenminste niet gemuteerd.'
'Daar heeft het niet veel kans voor gehad. Twee patiënten. Ze hebben de boel goed geïsoleerd. Misschien hadden we geluk. De ouders van het kind zijn getest. Ze schijnen het niet te hebben, tenminste, dat stond in het telexbericht. Verder niets in de buurt. Het WHO-team is daar aan het zoeken, de gebruikelijke dingen: apen, vleermuizen, insecten. Tot nu toe hebben ze niets gevonden. Het kan gewoon een anomalie zijn.' Hier was de wens de vader van de gedachte.
'Ik ga wat met deze spelen. Ik heb een partijtje apen besteld. Ik wil dit kweken, het in een paar cellen stoppen, en dan, Ralph, ga ik van minuut tot minuut kijken wat het doet. Ik neem de geïnfecteerde cellen en neem er iedere minuut een monster uit, snijd het in plakjes, zet er ultraviolette straling op, bevries het in vloeibare stikstof en leg het onder de microscoop. Ik wil kijken hoe het virus-RNA het doet. Er zit een bepaalde volgorde in... Ik kan niet precies vertellen wat ik denk. Het blijft allemaal net buiten bereik. Verdomme.' Gus trok zijn bureaula open, haalde zijn pijp te voorschijn en stak hem aan met een keukenlucifer. Per slot van rekening wás het zijn eigen kantoor, en hij kón beter denken met een pijp in zijn mond. In het veld zei hij dat de rook de bacillen op een afstand hield, en trouwens, hij inhaleerde niet. Uit beleefdheid zette hij het raam een beetje open.
Het idee waarvoor hij net financiering had ontvangen, was nog wel wat ingewikkelder dan deze korte uiteenzetting, en dat wisten ze allebei heel goed. Je moest dezelfde experimentele procedure duizend keer herhalen om precies te kunnen weten hoe het proces zich voltrok, en zelfs dan had je nog maar de basis. Alle afzonderlijke monsters moesten worden onderzocht en beschreven. Het kon jaren duren, maar als Lorenz gelijk had, zouden ze uiteindelijk, voor het eerst, een blauwdruk hebben van wat een virus deed, hoe zijn RNA-keten een levende cel aantastte.
'In Baltimore spelen we met een soortgelijk idee.'
'O?'
'Het hoort bij het genoomproject. We proberen de complexe interacties in beeld te krijgen. Het proces, hoe dat kleine rotzakje de cellen tot op moleculair niveau te lijf gaat. Hoe ebola zich door celdeling voortplant zonder dat het

genoom daarbij een actieve rol speelt. Daar valt iets uit te leren. Maar het is allemaal zo verrekte gecompliceerd. We moeten eerst de vragen ontdekken voordat we op zoek kunnen gaan naar antwoorden. En dan hebben we een computergenie nodig om een machine te vertellen hoe het geanalyseerd moet worden.'
Lorenz trok zijn wenkbrauwen op. 'Hoe ver zijn jullie?'
Forster haalde zijn schouders op. 'Krijt op een schoolbord.'
'Nou, als ik mijn apen krijg, laat ik je weten wat we hier ontwikkelen. Als iets een beetje licht op de zaak kan werpen, dan zijn het die weefselmonsters.'

De begrafenis was een episch gebeuren, met duizenden figuranten die hun trouw aan de dode uitbrulden en intussen hun ware gedachten verborgen hielden. Je kon bijna voelen dat ze om zich heen keken en zich afvroegen wat er nu ging gebeuren. Het was er allemaal: de affuit, de soldaten met de omgekeerde geweren, het ruiterloze paard, de marcherende soldaten. Het werd allemaal door STORM TRACK van de Iraakse televisie opgepikt en naar Washington doorgeseind.
'Ik wou dat we meer gezichten konden zien,' zei Vasco zachtjes.
'Ja,' beaamde de president. Ryan glimlachte niet, maar zou dat wel willen. Hij zou altijd een inlichtingenman blijven, dat wist hij zelf ook. Hij wilde de gegevens meteen hebben, niet nadat ze bijgewerkt en in een bepaalde vorm gegoten waren door anderen. In dit geval wilde hij het live zien, met zijn commentatoren naast zich.
In Amerika zou het een generatie eerder een happening zijn genoemd. Mensen kwamen erheen en deden wat er van hen verwacht werd. Letterlijk een zee van mensen vulde het plein – dat had een naam, maar niemand scheen die naam te kennen – en zelfs degenen die het niet konden zien... O, een nieuwe camera gaf het antwoord op die vraag. Grootbeeldtelevisies lieten iedereen zien wat er gebeurde. Jack vroeg zich af of ze de hoogtepunten meteen zouden herhalen. Twee rijen generaals marcheerden achter de affuit met de kist. Ze liepen precies in de pas, zag Ryan.
'Hoeveel verder denk je dat ze lopen?'
'Moeilijk te zeggen, meneer de president.'
'Je heet toch Bert?' vroeg de president.
'Ja, meneer de president.'
'Bert, als ik wil horen dat iemand iets niet weet, kan ik ook een van mijn nationale-inlichtingenadviseurs laten komen.'
Vasco knipperde met zijn ogen, zoals Ryan wel had verwacht. Toen dacht hij: waarom ook niet? 'Tachtig procent kans dat ze ertussenuit knijpen.'
'Waarom?'
'Irak heeft niets om op terug te vallen. Je kunt niet met een stel mensen samen een dictatuur leiden, tenminste, niet lang. Niet één van die mensen heeft het in zich om het over te nemen. Als ze op hun post blijven en de regering verandert, is dat voor hen vast geen verandering ten goede. Dan komen ze op

dezelfde manier aan hun eind als de generale staf van de sjah, met hun rug tegen de muur tegenover een vuurpeloton. Misschien proberen ze zich vechtend staande te houden, maar dat betwijfel ik. Ze hebben vast wel ergens wat geld liggen. Daiquiri's drinken op een strand is misschien niet zo leuk als generaal zijn, maar het is leuker dan vanaf de verkeerde kant tegen de bloemen aan te kijken. En ze hebben natuurlijk ook een gezin.'
'Dus we moeten ons voorbereiden op een totaal nieuw regime in Irak?' vroeg Jack.
Vasco knikte. 'Ja, meneer de president.'
'En Iran?'
'Daar kunnen we het een en ander van verwachten,' antwoordde Vasco, 'maar we hebben gewoon niet genoeg goede informatie om een voorspelling te kunnen doen. Ik wou dat ik u meer kon vertellen, meneer de president, maar u betaalt me niet om te speculeren.'
'Voorlopig is het goed genoeg.' Eigenlijk was het dat niet, maar Vasco had Ryan nu zoveel verteld als hij wist. 'We kunnen niets doen, hè?' Dat vroeg hij aan de Foleys.
'Nee, in feite niet,' antwoordde Ed. 'We zouden er iemand heen kunnen sturen, bijvoorbeeld een van onze eigen mensen uit Saoedi-Arabië, maar het probleem is: met wie moet hij contact zoeken? We weten niet wie daar de leiding heeft.'
'Als er al iemand de leiding heeft,' voegde Mary Pat er met een blik op de marcherende mannen aan toe. Niemand van hen nam de leiding.

'Wat bedoel je?' vroeg de koper.
'U betaalde me niet op tijd,' legde de handelaar uit. Hij dronk zijn eerste glas bier leeg en liet een boer. 'Ik had een andere koper.'
'Ik was maar twee dagen te laat,' protesteerde de koper. 'Het was nogal een gedoe om het geld te laten overmaken.'
'U hebt het geld nu?'
'Ja!'
'Dan vind ik nog wel wat apen voor u.' De handelaar bracht zijn hand omhoog, knipte met zijn vingers en trok daarmee de aandacht van de bediende. Een Engelse planter zou het vijftig jaar eerder in deze zelfde bar niet anders hebben gedaan. 'Zo moeilijk is het nu ook weer niet, weet u? Een week? Eerder?'
'Maar Atlanta wil ze meteen hebben. Het vliegtuig is al onderweg.'
'Ik zal mijn best doen. Leg uw cliënt maar uit dat als hij zijn zending op tijd wil hebben, hij zijn rekeningen ook op tijd moet betalen. Dank je,' voegde hij er tegen de bediende aan toe. 'En ook een voor mijn vriend, alsjeblieft.' Dat kon hij zich wel permitteren, na de betaling die hij zojuist had geaccepteerd.
'Hoe lang?'
'Dat heb ik u gezegd. Een week. Misschien eerder.' Waarom maakte die kerel zich zo druk om een paar dagen?

De koper had geen keus, tenminste, niet in Kenia. Hij besloot zijn bier op te drinken en over andere dingen te praten. Daarna zou hij naar Tanzania bellen. Per slot van rekening kwam de groene meerkat 'overvloedig' voor. Het was niet bepaald zo dat er een tekort aan die beesten was, zei hij tegen zichzelf. Twee uur later hoorde hij iets anders. Er was wel degelijk een tekort, al zou dat maar een paar dagen duren, zoveel tijd als de vangers nodig hadden om nog een paar troepen van die rotzakken met hun lange staart te vinden.

Vasco leverde niet alleen commentaar, maar gaf ook de vertaling: 'Onze wijze en geliefde leider die ons land zoveel heeft gegeven...'
'Ja, onvrijwillige euthanasie,' zei Ed Foley snuivend.
De soldaten, allemaal gardisten, legden de kist in de tombe, en daarmee gingen twee decennia Iraakse geschiedenis in de boeken. Of beter gezegd, in een losbladige map, dacht Ryan. De grote vraag was: wie zou het volgende hoofdstuk schrijven?

15
Levering

'Nou?' vroeg president Ryan, nadat hij afscheid had genomen van zijn laatste bezoekers.
'De brief is weg, meneer de president, als er al ooit een brief is geweest,' antwoordde inspecteur O'Day. 'Het belangrijkste stukje informatie dat we momenteel boven water hebben, is dat minister Hanson het niet zo nauw nam met de veiligheidsprocedures voor documenten. Dat heb ik van de chef van de bewakingsdienst op Buitenlandse Zaken gehoord. Hij heeft het er meermalen met de minister over gehad. Mijn collega's ondervragen nu allerlei mensen om vast te stellen wie er in de kamer van de minister zijn geweest. Dat nemen we als uitgangspunt.'
'Wie heeft de leiding?' Ryan herinnerde zich dat Hanson een bekwaam diplomaat was geweest maar nooit goed naar andermans raad had willen luisteren.
'Murray heeft OPR aangewezen om het onderzoek onafhankelijk van zijn dienst uit te voeren. Dat betekent dat ik er ook uit ben, want ik heb rechtstreeks aan u gerapporteerd. Voortaan zal ik niet meer bij de zaak betrokken zijn.'
'Strikt volgens het boekje?'
'Meneer de president, het kan niet anders,' zei de inspecteur met een hoofd-

knikje. 'Ze krijgen hulp van de afdeling Juridisch Advies. Dat zijn FBI-agenten met een juridische graad die als onze huisjuristen fungeren. Het zijn goede agenten.' O'Day dacht even na. 'Wie zijn er in de kamer van de vice-president geweest?'
'Hier, bedoel je?'
'Ja, meneer de president.'
Andrea Price gaf antwoord: 'De laatste tijd niemand. Die kamer is sinds zijn vertrek niet meer gebruikt. Zijn secretaresse is tegelijk met hem vertrokken en...'
'Misschien is het een goed idee om in de schrijfmachine te kijken. Als het er een is met een eenmalig lint...'
'Ja!' Ze liep bijna meteen het Oval Office uit. 'Wacht. Hebben je mensen...'
'Ik bel wel,' verzekerde O'Day haar. 'Sorry, meneer de president, ik had daar eerder aan moeten denken. Andrea, wil je de kamer voor ons verzegelen?'
'Komt voor elkaar,' zei Price.

Het lawaai was ondraaglijk. De apen waren sociale dieren die gewoonlijk in troepen van soms wel tachtig individuen leefden. Ze leefden vooral in het overgangsgebied tussen oerwoud en savanne, waar ze vlug uit de bomen konden komen en op het open terrein naar voedsel konden zoeken. In de afgelopen honderd jaar hadden ze geleerd boerderijen te plunderen, wat gemakkelijker en veiliger was dan wat de natuur in hun gedrag had geprogrammeerd, want de mensen van die boerderijen hadden de pest aan de roofdieren die het op de apen voorzien hadden. Een groene meerkat was een smakelijk hapje voor een luipaard of hyena, maar een kalf was dat ook, en de boeren moesten hun vee beschermen. Het resultaat was een eigenaardig stukje ecologische chaos. Om hun vee te beschermen doodden de boeren de roofdieren, of dat nu mocht of niet. Daardoor kon de apenpopulatie zich snel uitbreiden. De hongerige meerkatten gingen het graan en de andere gewassen te lijf waarmee de boeren zichzelf en hun vee moesten voeden. Maar de apen aten weer de insecten die de oogst aanvraten, zodat plaatselijke ecologen zeiden dat het uitroeien van de apen slecht was voor de ecologie. Voor de boeren lag het veel simpeler. Ze schoten op alles wat hun vee opvrat. En ze schoten ook op alles wat hun oogst opvrat. Insecten waren vaak niet groot genoeg om ze te kunnen zien, maar apen waren dat wel en daarom maakten maar weinig boeren bezwaar als de vangers kwamen.
De groene meerkat, die tot de familie *cercopithecus* behoort, heeft gele snorharen en een goudgroene rug. Hij kan dertig jaar oud worden – eerder in comfortabele gevangenschap dan in de van roofvijanden vergeven wildernis – en heeft een druk sociaal leven. De troepen bestaan uit wijfjes, terwijl mannetjes zich gedurende enkele weken of maanden individueel bij de troepen aansluiten alvorens elders hun geluk te zoeken. In de paartijd kunnen de mannetjes profiteren van een overvloed aan wijfjes, maar in het vliegtuig lag dat totaal anders. De kooien waren op elkaar gestapeld als een lading kippen in kleine

hokjes op weg naar de markt. Sommige wijfjes waren loops maar volslagen onbereikbaar, zodat de frustratie van hun sekspartners-in-spe geen grenzen kende. Mannetjes waarvan de kooi naast de kooien van andere mannetjes was gestapeld, sisten, klauwden en spuwden naar hun vijandige buren. De dieren waren des te ongelukkiger omdat hun vangers geen oog hadden gehad voor het simpele feit dat alle kooien even groot waren terwijl de apen duidelijk van verschillend formaat waren: het mannetje van de groene meerkat is twee keer zo groot als het wijfje. Mannetjes die ruimte tekortkwamen, roken de meest welkome geur die er was, zo dichtbij en toch ook zo ver. In combinatie met de vreemde geuren van het vliegtuig en het feit dat ze niets te eten of te drinken hadden, leidde de overbevolking tot groot apentumult. En omdat de problemen niet konden worden uitgevochten, ontstond er een collectief gekrijs van honderden apen, een gekrijs veel harder dan het geluid van de JT-8-motoren die het vliegtuig in oostelijke richting over de Indische Oceaan stuwden.
De bemanningsleden hadden de deur van de cockpit goed dicht gedaan en hun koptelefoons stevig over hun oren geklemd. Dat beschermde hen enigszins tegen het gekrijs, maar niet tegen de vieze stank die door het luchtcirculatiesysteem van het toestel heen en weer werd geblazen. De stank maakte de bemanningsleden misselijk en de apen nog woedender dan ze al waren.
De piloot, die gewoonlijk niet om krachttermen verlegen zat, was door zijn scheldwoorden heen. Hij had er ook genoeg van om Allah te smeken die rottige kleine etters van de aardbodem weg te vagen. In een dierentuin zou hij misschien op de aapjes met hun lange staart hebben gewezen, en dan zouden zijn tweelingzoons hebben gelachen en pinda's naar die grappige diertjes hebben gegooid. Maar nu niet. Zijn geduld was op en hij pakte het zuurstofmasker voor noodgevallen en zette de toevoer aan. Het liefst zou hij de deuren van het laadruim openzetten, de druk in het vliegtuig verlagen en zo tegelijk verlost raken van de apen en van die afschuwelijke stank. Hij zou zich beter hebben gevoeld als hij had geweten wat de apen wisten. Er stond ze iets verschrikkelijks te wachten.

Badrayn ontmoette hen deze keer in een communicatiebunker. Hij voelde zich daar niet zo veilig als hij zich tussen al dat beton had moeten voelen. De enige reden dat deze bunker nog overeind stond, was dat hij schuilging achter de valse buitenkant van een industrieel gebouw; een boekbinderij waar maar heel weinig boeken uit kwamen. Deze bunker en nog een handvol andere bunkers hadden de oorlog met Amerika overleefd, omdat de Amerikaanse inlichtingendienst fouten had gemaakt. Twee 'slimme bommen' waren op een gebouw aan de overkant van de weg gericht. Je kon de krater nog zien op de plaats waar de Amerikanen hadden gedacht dat de bunker was. Daar was een les uit te leren, dacht Badrayn, die nog wachtte. Je moest het met eigen ogen zien om het te geloven. Het was anders dan wanneer je het op de televisie zag of erover hoorde. Er zat vijf meter gewapend beton boven zijn hoofd. Vijf meter. Het was massief, gebouwd onder toezicht van goedbetaalde Duitse

ingenieurs. Je kon de afdrukken van de planken nog zien die het beton op hun plaats hadden gehouden. Er was geen barst te zien, en toch stond deze bunker alleen nog overeind omdat de Amerikanen de verkeerde kant van de straat hadden gebombardeerd. Zo groot was de kracht van moderne wapens, en hoewel Ali Badrayn zijn hele leven in de wereld van wapens en strijd had geleefd, realiseerde hij zich dat nu voor het eerst.
Ze waren goede gastheren. Hij had een kolonel die zich over hem ontfermde. Twee sergeants haalden hapjes en drankjes. Hij had de begrafenis op de televisie gezien. De gang van zaken was even voorspelbaar geweest als die Amerikaanse politieseries die je overal op de wereld zag. Je wist altijd hoe het afliep. Zoals de meeste mensen in deze regio waren de Irakezen een licht ontvlambaar volk, vooral wanneer ze met een heleboel bij elkaar waren en aangemoedigd werden om de juiste kreten te roepen. Ze lieten zich gemakkelijk leiden en meeslepen en Badrayn wist dat het voor hen niet zoveel uitmaakte achter wie ze aan liepen. Trouwens, hoeveel daarvan was oprecht geweest? Nog steeds waren er verklikkers die keken wie niet juichte of geen verdriet toonde. Het veiligheidsapparaat dat ten opzichte van de dode president tekort was geschoten, werkte nog steeds, en iedereen wist dat. Van al die emotie op de televisie was maar heel weinig echt geweest. Hij grinnikte. Net een vrouw die haar moment van subliem genot simuleerde, zei hij tegen zichzelf. De vraag was: zouden de mannen die zo vaak hun genot namen zonder het te geven er iets van merken?
Ze kwamen een voor een, want als ze met zijn tweeën of in kleine groepjes kwamen, zouden ze onderweg dingen met elkaar kunnen bespreken die de anderen ook hadden moeten horen. Er ging een fraaie houten kast met flessen en glazen open en de wetten van de islam werden geschonden. Badrayn vond dat niet erg. Hij nam een glas wodka, waarvan hij twintig jaar eerder de smaak te pakken had gekregen in Moskou, destijds de hoofdstad van een land dat inmiddels verdwenen was.
Ze waren verrassend stil voor zulke machtige mannen, en zeker voor mensen die van de begrafenis kwamen van een man van wie ze nooit hadden gehouden. Ze namen slokjes uit hun glas – vooral whisky – en deden nog steeds niet veel meer dan elkaar aankijken. Op de televisie, die nog aanstond, herhaalde het plaatselijke station de reportage over de begrafenisstoet. De commentator verheerlijkte de grote deugden van de gevallen leider. De generaals keken en luisterden, maar op hun gezicht stond geen droefheid te lezen, maar angst. Er was een eind aan hun wereld gekomen. De kreten van de burgers of de woorden van de commentator deden hun niets. Ze wisten allemaal wel beter.
De laatste van hen arriveerde. Het was de inlichtingenchef die Badrayn eerder die dag al had ontmoet. Hij was onderweg nog even naar zijn hoofdkwartier geweest. De anderen keken hem aan en hij gaf het antwoord zonder dat ze de vraag hoefden te stellen.
'Alles is rustig, mijn vrienden.'
Voorlopig. Dat woord hoefde ook niet te worden uitgesproken.

Badrayn had kunnen spreken, maar deed het niet. Hij had een welluidende stem. In de loop van de jaren had hij veel mensen moeten motiveren en hij wist hoe dat moest, maar ditmaal was stilte welsprekender dan woorden. Hij keek hen alleen maar aan en wachtte af. Hij wist dat zijn ogen hun veel meer vertelden dan zijn stem ooit zou kunnen.

'Dit staat me niet aan,' zei een van hen ten slotte. Niet één gezicht veranderde. Dat was nauwelijks verrassend. Het stond niemand van hen aan. Toen een van hen sprak, bevestigde hij alleen maar wat ze allemaal dachten. Daarmee liet hij blijken dat hij de zwakste van de groep was.

'Hoe weten we of we uw meester kunnen vertrouwen?' vroeg de commandant van de garde.

'Hij geeft u zijn woord in de naam van God,' antwoordde Badrayn. Hij zette zijn glas neer. 'Als u wilt, kan een delegatie van u naar hem toe vliegen. In dat geval blijf ik hier als uw gijzelaar. Maar dan moet dat wel snel gebeuren.'

Dat wisten ze allemaal ook al. Wat ze vreesden, zou net zo goed voor hun eventuele vertrek kunnen gebeuren als daarna. Er volgde weer stilte. Ze dronken nu nauwelijks nog uit hun glas. Badrayn keek aandachtig naar hun gezichten. Ze wilden dat iemand anders een standpunt innam. Dan konden ze dat standpunt beamen of betwisten en konden ze op die manier met zijn allen tot een gemeenschappelijk besluit komen waaraan ze zich zouden houden, al zouden er misschien twee of drie zijn die iets anders van plan waren. Dat hing er maar van af wie van hen zijn leven in de waagschaal wilden stellen door een ongewisse toekomst tegemoet te gaan. Hij wachtte vergeefs tot iemand dat zou doen. Ten slotte sprak een van hen.

'Ik ben laat getrouwd,' zei de luchtmachtbevelhebber. Tot aan zijn veertigste had hij het leven van een gevechtsvlieger geleid, zowel aan de grond als in de lucht. 'Ik heb jonge kinderen.' Hij zweeg en keek om zich heen. 'We weten allemaal wat er misschien, ja, waarschijnlijk, met onze gezinnen zal gebeuren als de dingen... zich ongunstig ontwikkelen.' Dat was een waardige tactiek, vond Badrayn. Ze mochten zich niet laf gedragen. Per slot van rekening waren het soldaten.

Daryaei's belofte in Gods naam kwam niet erg overtuigend op hen over. Het was lang geleden dat een van hen een moskee had bezocht voor iets anders dan om zich in schijnbare devotie te laten fotograferen, en hoewel het erg moeilijk was voor hun vijand, kan het vertrouwen in andermans religie nergens anders beginnen dan in je eigen hart.

'Ik neem aan dat de financiën geen probleem zijn,' zei Badrayn, niet alleen om zich daarvan te vergewissen maar ook om hen daar zelf over te laten nadenken. Enkelen keken hem bijna met pretlichtjes in hun ogen aan. Daarmee was de vraag beantwoord. Hoewel de officiële Iraakse rekeningen allang geblokkeerd waren, waren er nog andere rekeningen die daar niet onder te lijden hadden. Tenslotte was de nationaliteit van een bankrekening verwisselbaar, vooral wanneer het om een grote rekening ging. Ieder van deze mannen, dacht Badrayn, had persoonlijk toegang tot een bedrag van negen cijfers aan harde

valuta, waarschijnlijk dollars of Britse ponden, en dit was er niet het moment voor om je af te vragen van wie dat geld eigenlijk zou moeten zijn.
De volgende vraag was: waar konden ze heen en hoe konden ze daar veilig komen? Badrayn zag dat op hun gezichten, maar hij kon er nu nog niets aan doen. Hij was de enige die de ironie van de situatie ten volle kon inzien: de vijand voor wie ze bang waren en wiens woord ze wantrouwden, wilde niets liever dan hun angst wegnemen en zich aan zijn woord houden. Maar Badrayn wist dat hij een buitengewoon geduldig man was. Anders zou hij nooit zoveel macht hebben verworven.

'U weet het zeker?'
'De situatie is bijna ideaal,' vertelde Daryaei's bezoeker hem, en hij legde het nader uit.
Zelfs voor een vrome man die in de wil van God geloofde, was de samenloop van gebeurtenissen gewoon te mooi om waar te zijn, en toch was het waar... tenminste, daar leek het sterk op.
'En?'
'En we handelen volgens plan.'
'Uitstekend.' Dat was het niet. Daryaei had de gebeurtenissen liever een voor een afgehandeld, dan had hij zijn formidabele intellect telkens op één ontwikkeling kunnen richten, maar dat was niet altijd mogelijk en misschien was dat een teken. Trouwens, hij had geen keus. Eigenlijk was het vreemd dat hij zich moest laten leiden door gebeurtenissen die hij zelf in gang had gezet.

De grootste moeilijkheid was het contact met zijn collega's van de WHO, de Wereldgezondheidsorganisatie. Dat was alleen mogelijk omdat het nieuws tot nu toe goed was. Benedict Mkusa, de 'Index Patient' of 'Patient Zero', al naar gelang de gehanteerde terminologie, was dood en zijn lichaam was vernietigd. Een team van vijftien mensen had de omgeving van het gezin doorzocht en tot nu toe niets gevonden. De kritieke periode was nog niet verstreken – ebola zaire had een normale incubatietijd van vier tot tien dagen, al kon het in extreme gevallen uiteenlopen van twee tot negentien dagen – maar het enige andere geval had hij hier voor zijn ogen. Het bleek dat Mkusa een natuurvorser in de dop was geweest en in zijn vrije tijd vaak het oerwoud inging. Daarom liep er nu een zoekteam door het tropische regenwoud rond. Ze vingen knaagdieren en vleermuizen en apen. Het was hun zoveelste poging om de 'gastheer' of drager van het dodelijke virus te vinden. Maar bovenal hoopten ze deze ene keer geluk te hebben. De Index Patient was vanwege zijn familieachtergronden meteen naar het ziekenhuis gekomen. Zijn ouders, ontwikkeld en welgesteld, hadden de jongen door medici laten behandelen in plaats van het zelf te doen en hadden daarmee waarschijnlijk hun eigen leven gered, al wachtten ze nu de incubatieperiode af met een angst die het verdriet om de dood van hun zoon misschien nog wel te boven ging. Elke dag lieten ze hun bloed prikken voor de gebruikelijke IFA- en antigeentests, maar die tests konden misleidend zijn, zoals een domme arts hun had verteld. Evengoed bleef het WHO-team hopen dat deze uitbarsting zich tot twee slachtoffers zou beperken. Daarom wilden ze dokter Moudi's voorstel serieus in overweging nemen.

Er waren natuurlijk wel bezwaren. De plaatselijke Zaïrese artsen wilden haar in hun eigen land behandelen. Daar viel iets voor te zeggen. Ze hadden meer ervaring met ebola dan wie ook, al was niemand daar veel mee opgeschoten, en de leden van het WHO-team voelden er om politieke redenen weinig voor om hun collega's te beledigen. Er hadden zich in het verleden al enkele onfortuinlijke incidenten voorgedaan waardoor de plaatselijke artsen een hekel hadden gekregen aan de aangeboren arrogantie van de Europeanen. Beide kanten hadden enigszins gelijk. De kwaliteit van de Afrikaanse artsen liep sterk uiteen. Sommigen waren voortreffelijk, sommigen waren verschrikkelijk en sommigen waren normaal. De Europeanen beschikten over het sterke argument dat Rousseau in Parijs een echte held was in de internationale medische wereld, een begaafd onderzoeker en een uiterst toegewijd arts die zich er niet bij wilde neerleggen dat virale ziekten niet effectief behandeld konden worden. Helemaal in de traditie van zijn voorganger Pasteur was Rousseau vastbesloten die regel te doorbreken. Hij had ribavirin en interferon als middelen tegen ebola geprobeerd, maar dat had geen resultaat gehad. Zijn nieuwste theoretische poging was dramatisch en zou waarschijnlijk niets uithalen, maar bij proeven op apen had het soms geleken of er iets goeds uit voortkwam en daarom wilde hij het nu onder zorgvuldig beheerste omstandigheden op een menselijke patiënt uitproberen. Hoewel zijn voorgestelde behandelmethode allesbehalve geschikt was voor echte klinische toepassing, moest je toch ergens beginnen.

Zoals te voorspellen was, bleek de identiteit van de patiënte de beslissende factor te zijn. Veel leden van het WHO-team kenden haar van de vorige ebolauitbarsting in Kikwit. Zuster Jean Baptiste was naar die stad gevlogen om de plaatselijke verpleegsters te begeleiden, en artsen waren ook maar mensen en gingen anders om met patiënten die ze persoonlijk kenden. Uiteindelijk werd besloten dat dokter Moudi de patiënte mocht vervoeren.

Het transport zelf was nog moeilijk genoeg. Ze gebruikten een vrachtwagen in plaats van een ambulance, omdat een vrachtwagen na afloop gemakkelijker schoon te boenen was. De patiënte werd op een brancard met een stuk plastic gelegd en de gang op gereden. Die was helemaal vrijgemaakt, en toen Moudi en zuster Maria Magdalena de patiënte naar de deur aan het eind reden, besproeide een groep laboranten in plastic 'ruimtepakken' de vloer en de wanden, ja zelfs de lucht, met een desinfecterend middel. In de gang hing een sterk ruikende chemische nevel, die de brancard volgde als uitlaatgas uit een oude auto.

De patiënte was zwaar verdoofd en met riemen vastgesjord. Haar lichaam was helemaal ingepakt om te voorkomen dat er besmet bloed ontsnapte. Het stuk plastic onder haar was besproeid met dezelfde neutraliserende chemicaliën, zodat in geval van lekkage de virusdeeltjes onmiddellijk op een erg vijandige omgeving stuitten. Terwijl Moudi de brancard voortduwde, stond hij versteld van zijn eigen waanzin: hoe kon hij zulke risico's nemen met zoiets dodelijks als dit? Het gezicht van zuster Jean Baptiste zag er ondanks de steeds groter wordende petechiae tenminste tamelijk rustig uit; dat kwam door de gevaarlijk hoge doses narcotica die haar waren toegediend.

Eenmaal buiten gingen ze naar het laadplatform, waar de leveranties voor het ziekenhuis werden afgeleverd. De vrachtwagen stond er al. De chauffeur zat achter het stuur en keek niet eens naar hen achterom, behalve misschien via zijn spiegel. Het interieur van de wagen was ook besproeid, en toen de brancard goed was vastgezet en de deur was gesloten, reed de wagen met politie-escorte weg. Gedurende de korte rit naar het vliegveld werd nergens harder gereden dan dertig kilometer per uur. Dat was maar goed ook. De zon stond nog hoog aan de hemel en de hitte veranderde de vrachtwagen al gauw in een rijdende oven. In de besloten ruimte verdampten de beschermende chemicaliën. De stank van desinfecterende middelen drong door het filtersysteem van het pak heen. Gelukkig was de dokter eraan gewend.

Het vliegtuig stond al te wachten. De G-IV was nog maar twee uur eerder na een rechtstreekse vlucht uit Teheran gearriveerd. Uit het inwendige was alles weggehaald, behalve twee zitplaatsen en een bed. Moudi voelde dat de vrachtwagen tot stilstand kwam, keerde en achteruitreed. Toen ging de achterdeur open en scheen de oogverblindende zon naar binnen. Zuster Maria Magdalena, nog steeds verpleegster, en nog steeds vol mededogen, gebruikte haar hand om de ogen van haar collega af te schermen.

Er waren daar natuurlijk anderen. Twee andere nonnen in beschermende kleding stonden dichtbij, samen met een priester, en anderen stonden op enige afstand. Ze baden allemaal. Enkele anderen tilden het stuk plastic met de patiënte op en droegen haar langzaam aan boord van het witte zakenvliegtuig. In vijf minuten tijd werd ze zorgvuldig met riemen op haar plaats vastgemaakt. Het grondpersoneel trok zich terug. Moudi keek nog eens goed naar zijn patiënte en nam haar hartslag en bloeddruk op. Het hart sloeg snel en de bloeddruk daalde nog. Daar maakte hij zich zorgen over, want hij moest haar zo lang mogelijk in leven houden. Vervolgens zwaaide hij naar het grondpersoneel en maakte hij zijn eigen veiligheidsriem vast.

Toen hij daar zat en uit zijn raam keek, zag Moudi tot zijn schrik dat er een televisiecamera op het vliegtuig gericht was. Gelukkig bleven ze op een afstand, dacht de dokter, terwijl hij hoorde dat de eerste motor op toeren kwam. Door het andere raam zag hij dat de schoonmaakploeg al bezig was de vrachtwagen nog eens te besproeien. Dat was nogal overdreven. Hoe dodelijk ebola ook was, het was een delicaat organisme dat snel door het ultraviolet van direct zonlicht werd gedood en dat ook niet tegen hitte kon. Daarom was het zoeken naar de gastheer ook zo frustrerend. Iets liep met die afschuwelijke 'bacil' rond. Ebola kon niet op zichzelf bestaan, maar wat het ook was dat het virus een comfortabel tehuis verschafte, wat het ook was dat ebola beloonde voor het feit dat het er zelf niet door werd geschaad, wat het ook voor een

levend wezen was dat als een schim over het Afrikaanse continent waarde, het was tot nu toe onontdekt gebleven. De arts kreunde. Ooit had hij gehoopt die gastheer te ontdekken en er gebruik van te maken, maar die hoop was vergeefs geweest. In plaats daarvan had hij iets dat bijna even goed was. Hij had een levende patiënte wier lichaam nu de ziekteverwekker kweekte, en terwijl alle eerdere slachtoffers van ebola waren verbrand, of begraven waren in grond die met chemicaliën was doorweekt, zou er met dit slachtoffer iets heel anders gebeuren. Het vliegtuig zette zich in beweging. Moudi controleerde zijn veiligheidsriem nog eens en wou dat hij iets te drinken had.
In de cockpit droegen de twee piloten pakken van beschermende nomex, die ook besproeid waren. Hun woorden werden gedempt door hun maskers, zodat ze hun verzoek om te mogen opstijgen moesten herhalen, maar uiteindelijk kreeg de verkeersleiding alles voor elkaar en begon de Gulfstream vaart te maken om op te stijgen. Even later draaide het toestel snel de schone Afrikaanse lucht in en zette koers naar het noorden. De eerste etappe van de reis was vierduizend tweeëntachtig kilometer lang en zou iets meer dan zes uur duren.
Een andere, bijna identieke G-IV was al in Benghazi geland, en de bemanning daarvan werd nu op de hoogte gesteld van noodprocedures.

'Kannibalen.' Holbrook schudde van verbazing met zijn hoofd. Hij had uitgeslapen nadat hij tot diep in de nacht naar allerlei leuteraars op C-SPAN had gekeken. In al die programma's was over de verwarrende staatkundige situatie gesproken die na de toespraak van die Ryan was ontstaan. In feite was het niet eens zo'n slechte toespraak geweest. Hij had ergere gezien. Natuurlijk waren het allemaal leugens. Het was net een televisieserie. Zelfs als sommige types je bevielen, wist je dat ze niet echt waren, hoe grappig ze, bedoeld of onbedoeld, soms ook waren. Een man met talent had die toespraak geschreven om de juiste dingen duidelijk te maken. Die mensen waren daar gewoon griezelig goed in. De Mountain Men hadden jarenlang geprobeerd een toespraak op te stellen die ze konden gebruiken om mensen voor hun standpunten te mobiliseren. Ze hadden het geprobeerd en geprobeerd, maar ze konden het gewoon nooit goed krijgen. Natuurlijk was het niet zo dat er iets aan hun overtuigingen mankeerde. Dat wisten ze allemaal. Het probleem was de verpakking, en alleen de regering en haar bondgenoot, Hollywood, konden zich de juiste mensen permitteren om de ideeën te ontwikkelen waarmee ze de geest manipuleerden van de arme stumpers die het niet snapten: dat was de enige mogelijke conclusie.
Maar er heerste tweedracht in het vijandelijke kamp.
Ernie Brown, die naar zijn vriend gereden was om hem wakker te maken, zette het geluid van de tv af. 'Ik geloof dat die stad een beetje te klein wordt voor die twee, Pete.'
'Je denkt dat er tegen zonsondergang eentje tegen de vlakte gaat?' vroeg Holbrook.

'Ik hoop het.' Het juridisch commentaar dat ze zojuist in het politieke uur van CNN hadden gezien, was even chaotisch geweest als een nikkerdemonstratie om de bijstand te verhogen. 'Nou, eh, tja, de grondwet zegt niet wat er in zo'n geval moet gebeuren. Ja, misschien kunnen ze het tegen zonsondergang met .44's op Pennsylvania Avenue regelen,' voegde Ernie er grinnikend aan toe.
Pete keek hem grijnzend aan. 'Dat zou nog eens een mooi gezicht zijn!'
'Te Amerikaans.' Brown had eraan toe kunnen voegen dat Ryan inderdaad eens in zo'n soort situatie had verkeerd, tenminste, dat zeiden de kranten en de tv. Nou, ja, het was waar. Beiden herinnerden zich vaag wat er in Londen was gebeurd, en eerlijk is eerlijk, ze waren er allebei trots op geweest dat een Amerikaan de Europeanen liet zien hoe je met een pistool moest omgaan: buitenlanders wisten toch geen moer van wapens? Ze waren net zo slecht als Hollywood. Jammer dat Ryan de verkeerde weg was ingeslagen. Hij had in zijn toespraak gezegd waarom hij in de regering was gegaan; zo'n verhaal hadden ze allemaal. Die klootzak van een Kealty kon tenminste terugvallen op zijn familie en zo. Dat waren allemaal schurken en dieven en zo was die kerel nu eenmaal grootgebracht. In elk geval deed hij er niet hypocriet over. Een zigeuner op hoog niveau... of een coyote? Ja, dat was het. Kealty was een eeuwige politieke crimineel en hij gedroeg zich gewoon zoals hij was. Je kon het een coyote niet kwalijk nemen dat hij naar de maan huilde; die was ook gewoon zichzelf. Natuurlijk waren coyotes ongedierte. De boeren mochten er zoveel afschieten als ze konden... Brown hield zijn hoofd schuin. 'Pete?'
'Ja, Ernie?' Holbrook pakte de afstandsbediening om het geluid af te zetten.
'We hebben een constitutionele crisis, nietwaar?'
Nu was het Holbrooks beurt om op te kijken. 'Ja, dat zeggen al die leuteraars.'
'En het wordt alleen maar erger, nietwaar?'
'Dat van Kealty? Ja, daar lijkt het wel op.' Pete legde de afstandsbediening neer. Ernie had weer een van zijn ideeën.
'Als nu eens...' Brown begon en hield op, starend naar de zwijgende televisie. Het zou even duren voordat zijn gedachten een concrete vorm aannamen, wist Holbrook, maar meestal was het de moeite waard om daarop te wachten.

Ver na middernacht landde de 707 eindelijk op het internationale vliegveld Teheran-Mehrabad. De bemanningsleden zaten er als zombies bij. Ze hadden de afgelopen zesendertig uur bijna aan één stuk door gevlogen, veel langer dan de veiligheidsvoorschriften van de civiele luchtvaart toestonden. Bovendien hadden ze last gehad van hun krijsende, stinkende lading. Door dat alles verkeerden ze in zo'n slechte stemming, dat er gedurende de lange afdaling woedende woorden waren uitgewisseld. Maar uiteindelijk was het vliegtuig met een harde bons op de landingsbaan neergekomen. Ze zuchtten alle drie van opluchting en schaamte. De piloot schudde zijn hoofd en wreef vermoeid over zijn gezicht. Hij taxiede naar het zuiden en stuurde tussen de blauwe lichten door. Op het vliegveld bevonden zich ook de hoofdkwartieren van de Iraanse strijdkrachten en luchtmacht. Het toestel maakte zijn draai en taxiede naar de

grote vrachtzone van de luchtmacht: hoewel de kentekens civiel waren, behoorde de 707 tot de Iraanse luchtmacht. Daar stonden al vrachtwagens te wachten, zagen de bemanningsleden tot hun opluchting. Het vliegtuig kwam tot stilstand. De boordwerktuigkundige zette de motoren af. De piloot zette het toestel op de parkeerrem. Toen keken de drie mannen elkaar aan.
'Dat was een lange dag, mijn vrienden,' zei de piloot bij wijze van verontschuldiging.
'Met Gods wil volgt nu een lange slaap,' antwoordde de boordwerktuigkundige, die het meest te lijden had gehad van het slechte humeur van zijn gezagvoerder. Ze waren trouwens allemaal te moe om ruzie te maken. Als ze goed waren uitgerust, zouden ze helemaal niet meer weten waarover ze zich zo druk hadden gemaakt.
Toen ze hun zuurstofmaskers afzetten, werden ze meteen belaagd door de benauwende stank van hun lading. Het scheelde niet veel of ze moesten overgeven. Intussen ging de deur van het laadruim aan de achterkant open. Ze konden nog niet weg. Het vliegtuig zat helemaal vol met kooien en als ze niet uit het raam wilden klimmen – wat vernederend was – zouden ze moeten wachten tot ze werden vrijgelaten, ongeveer zoals passagiers op een internationale luchthaven.
Het uitladen gebeurde door soldaten, en die hadden het des te moeilijker doordat niemand hun commandant had gewaarschuwd dat ze handschoenen moesten dragen, zoals de Afrikanen hadden gedaan. Iedere kooi had een handgreep van metaaldraad aan de bovenkant, maar de meerkatten waren minstens zo prikkelbaar als de mannen in de cockpit en ze graaiden en krabden naar de handen die hen probeerden op te tillen. De soldaten reageerden verschillend. Sommigen sloegen tegen de kooien in de hoop de apen daarmee te intimideren. De slimsten trokken hun jasje uit en gebruikten dat als buffer wanneer ze een kooi optilden. Algauw vormden de mannen een keten. De kooien werden een voor een naar een rij vrachtwagens overgebracht.
Dat alles ging gepaard met veel herrie. Het was die avond amper tien graden in Teheran, veel minder dan wat de apen gewend waren, en dat kwam hun stemming net zomin ten goede als wat hun de afgelopen paar dagen was overkomen. Ze reageerden op hun trauma met een gekrijs en gejoel dat over het beton van de laadzone galmde. Zelfs mensen die nooit eerder apen hadden gehoord, zouden meteen weten wat het voor geluid was. Maar er was niets aan te doen. Eindelijk waren ze klaar. De deur tussen cockpit en laadruim ging open en de bemanning kreeg de kans om te zien wat er van hun eens zo smetteloze vliegtuig was geworden. Het zou nog weken duren voor ze de stank eruit hadden, dat wisten ze zeker. Alleen al de gedachte aan al het boenen dat nodig zou zijn was ondraaglijk. Samen liepen ze naar de achterkant, de trap af en naar hun geparkeerde auto's.
De apen reden naar het noorden. Het was hun derde – en laatste – rit per vrachtwagen. Het was een korte rit. Ze gingen over een autoweg, over een klaverblad dat in de tijd van de sjah was aangelegd, en naar Hasanabad in het

westen. Daar stond een boerderij die al lang geleden was gereserveerd voor dit project. De boerderij was eigendom van de staat en werd gebruikt als proefcentrum voor nieuwe gewassen en kunstmeststoffen. Ze hadden gehoopt dat de apen zich konden voeden met de hier gekweekte gewassen, maar het was winter en er groeide momenteel helemaal niets. In plaats daarvan waren net een aantal vrachtwagens met een lading dadels uit het zuidoostelijk deel van het land gearriveerd. De apen roken ze toen hun eigen wagens voor het nieuwe betonnen gebouw met twee bovenverdiepingen stopten dat hun laatste adres zou zijn. Die geur wond hen nog meer op, want ze hadden geen eten of drinken meer gehad sinds ze Afrika hadden verlaten. In elk geval konden ze nu weer op een maaltijd hopen, en nog een smakelijke maaltijd ook, zoals het een galgenmaal betaamt.

De Gulfstream G-IV landde precies volgens het vluchtplan in Benghazi. Naar omstandigheden was de reis eigenlijk wel goed verlopen. Zelfs de anders nogal onrustige lucht boven de Sahara was kalm geweest, zodat de vlucht soepel was verlopen. Zuster Jean Baptiste was het grootste deel van de tijd bewusteloos gebleven. Een paar keer was ze half bijgekomen, maar daarna was ze gauw weer weggezakt. In feite had ze het comfortabeler dan de vier andere mensen aan boord, die vanwege hun beschermende kleding niet eens een slokje water konden nemen.
De deuren van het vliegtuig gingen niet open. In plaats daarvan kwamen er tankwagens aanrijden. De chauffeurs stapten uit om slangen aan de doppen op de lange witte vleugels te bevestigen. Dokter Moudi was nog wakker; hij was te gespannen om te slapen. Zuster Maria Magdalena was ingedommeld. Ze was even oud als de patiënte en had dagenlang bijna niet geslapen, want ze had haar collega met veel toewijding verpleegd. Het was jammer, dacht Moudi terwijl hij met gefronste wenkbrauwen uit het raam keek. Het was onrechtvaardig. Hij had het niet in zich om die mensen nog te haten. Vroeger had hij ze gehaat. Hij had gedacht dat alle westerlingen vijanden van zijn land waren, maar deze twee waren dat niet. Hun geboorteland stond neutraal tegenover het zijne. Ze waren geen animistische heidenen uit Afrika, onwetend en onverschillig tegenover de ware God. Ze hadden hun leven gewijd aan werk in Zijn naam, en beiden hadden hem verrast met hun respect voor zijn persoonlijke gebeden en devoties. Hij had vooral respect voor hun overtuiging dat het geloof eerder een weg naar de vooruitgang was dan de aanvaarding van een voorbestemd lot, een idee dat niet helemaal strookte met zijn islamitische overtuigingen maar daar ook niet helemaal mee in strijd was. Maria Magdalena had een – gedesinfecteerde – rozenkrans in haar handen en die gebruikte ze om haar gebeden te ordenen. Ze bad tot Maria, moeder van Jezus de profeet, die in de koran even grondig werd vereerd als in haar eigen verkorte versie van de Schrift en die een beter voorbeeld voor vrouwen was dan alle vrouwen die ooit hadden geleefd...
Moudi wendde zich vlug van hen af om naar buiten te kijken. Hij mocht zulke

dingen niet denken. Hij had een taak, en de twee nonnen waren de middelen om die taak te volbrengen. Het lot van de een was haar door Allah toegewezen en de ander had zelf voor haar lot gekozen. En dat was dat. De taak was iets dat buiten hem stond, niet iets dat uit hemzelf voortkwam, iets wat nog eens duidelijk werd gemaakt toen de tankwagens wegreden en de vliegtuigmotoren weer werden opgestart. De bemanning had haast, en hij had ook haast. Hij wilde het lastigste deel van zijn missie zo snel mogelijk achter de rug hebben, dan kon het gemakkelijke deel beginnen. Er was reden tot blijdschap. Jarenlang had hij nu in de tropische hitte tussen de heidenen geleefd. Geen moskee tot kilometers in de omtrek. Hij had smerig, vaak onrein voedsel gegeten, en in elk geval had hij nooit zeker geweten of het rein of onrein was. Dat had hij nu achter zich gelaten. Voortaan zou hij zijn God en zijn land dienen.

Twee vliegtuigen, niet één, taxieden naar de noord-zuidstartbaan, hobbelend over betonplaten die verschoven waren door de moordende woestijnhitte in de zomer en de verrassende kou van de winternachten. Het eerste toestel was niet dat van Moudi. Die G-IV, die in alle opzichten hetzelfde was, behalve één cijfer verschil in het kenteken, bulderde over de startbaan en vertrok in pal noordelijke richting. Zijn eigen vliegtuig ging over dezelfde baan, maar zodra de wielen los waren, sloeg deze G-IV rechtsaf om een zuidoostelijke koers in de richting van Soedan te volgen, een eenzaam vliegtuig in de eenzame woestijnnacht.

Het eerste vliegtuig ging enigszins naar het westen en kwam in de normale internationale luchtcorridor naar de Franse kust. Na verloop van tijd zou het langs het eiland Malta komen, waar zich een radarstation bevond om het vliegveld in Valetta te assisteren en om mee te werken aan het begeleiden van vliegtuigen boven de Middellandse Zee. De bemanning van dit vliegtuig bestond uit luchtmachtofficieren die meestal kopstukken uit politiek en zakenleven van het ene punt naar het andere vlogen: veilig, goedbetaald en saai werk. Deze nacht deden ze iets anders. De tweede piloot keek aandachtig naar de kaart op zijn knie en het GPS-navigatiesysteem. Ze vlogen op een hoogte van twaalfduizend meter en het was nog driehonderd kilometer naar Malta. Op een teken van de piloot zette hij de radartransponder op 7711.

'Valetta Toren, Valetta Toren, dit is November-Juliet-Alpha, S.O.S., S.O.S., S.O.S.'

De verkeersleider in Valetta zag hem meteen op zijn scherm. Het was een rustige wacht voor de verkeersleiding, met alleen het gebruikelijke schaarse luchtverkeer op het scherm, niets bijzonders... Hij schakelde meteen zijn microfoon in en woof met zijn andere hand naar zijn chef.

'Juliet-Alpha, hier Valetta, verkeert u in nood?'

'Valetta, hier Juliet-Alpha, positief. We zijn een medische evacuatievlucht van Zaïre naar Parijs. Onze motor nummer twee is net uitgevallen en we hebben problemen met de elektriciteit, houdt u gereed...'

'Juliet-Alpha, hier Valetta, wij zijn gereed.' De verkeersleider zag op zijn

scherm dat het vliegtuig hoogte verloor: twaalfduizend, elfduizend vijfhonderd, elfduizend... 'Juliet-Alpha, hier Valetta. Ik zie dat u hoogte verliest.'
De stem in zijn koptelefoon veranderde. 'S.O.S., S.O.S., S.O.S.! Beide motoren uitgevallen, beide motoren uitgevallen. Proberen herstart. Dit is Juliet-Alpha.'
'Uw directe penetratiekoers Valetta is drie-vier-drie, ik herhaal, directe vector Valetta drie-vier-drie. Wij zijn gereed.'
Een kort, gejaagd 'begrepen' was het enige dat de verkeersleider als antwoord kreeg. De hoogte was gezakt tot tienduizend meter.
'Wat gebeurt er?' vroeg de chef.
'Hij zegt dat zijn beide motoren zijn uitgevallen en hij verliest snel hoogte.'
Een computerscherm gaf aan dat het vliegtuig een Gulfstream was en bevestigde het vluchtplan.
'Hij glijdt goed,' merkte de chef optimistisch op. Drieënnegentighonderd, zagen ze allebei. Maar de G-IV gleed helemaal niet zo goed.
'Juliet-Alpha, hier Valetta.'
'Niets.'
'Juliet-Alpha, hier Valetta Toren.'
'Wat is er nog meer...' De chef keek zelf op het scherm. Er was geen ander vliegtuig in de regio, en trouwens, ze konden alleen maar afwachten.

Om de noodsituatie beter te simuleren, zette de piloot zijn motoren weer in hun vrij. De verleiding om te overdrijven was groot, maar dat zouden ze niet doen. Ze zouden zelfs helemaal niets zeggen. Hij duwde de knuppel verder naar voren om sneller te dalen en zwenkte toen naar bakboord, alsof hij koers zette naar Malta. Dat zou de verkeersleiding daar een goed gevoel geven, dacht hij. Hun hoogte was inmiddels gezakt tot vijfenzeventighonderd meter. Hij vond het een goed gevoel. Hij was vroeger gevechtsvlieger voor zijn land geweest en miste sindsdien het geweldige gevoel dat je krijgt als je een vliegtuig ingewikkelde manoeuvres laat uitvoeren. Als je met deze snelheid naar beneden ging, raakten je passagiers in grote paniek. Voor de piloot was dit pas vliegen.

'Hij moet erg zwaar zijn,' zei de chef.
'Op weg naar Paris De Gaulle.' De verkeersleider haalde zijn schouders op en trok een grimas. 'Net volgegooid in Benghazi.'
'Slechte brandstof?' Het antwoord was een schouderophalen.
Het was of ze naar een sterfscène op de televisie keken, des te gruwelijker doordat de alfanumerieke hoogtecijfers omlaag suisden als de plaatjes van een fruitautomaat.
De chef pakte de telefoon. 'Bel de Libiërs. Vraag of ze een reddingsvliegtuig kunnen sturen. Er gaat een toestel neerstorten in de Golf van Sirte.'
'Valetta Toren, hier USS *Radford*, hoort u mij, over.'
'*Radford*, hier Valetta.'

'We hebben uw contact op de radar. Zo te zien gaat hij hard naar beneden.' De stem behoorde toe aan een jonge luitenant-ter-zee die de CIC-wacht had. CIC stond voor Combat Information Center, centrum voor gevechtsinlichtingen. De *Radford*, een oudere torpedobootjager van de Spruance-klasse, was na een oefening met de Egyptische marine op weg naar Napels. Ze had opdracht om onderweg de Golf van Sirte binnen te varen om de vrijheid van de volle zee af te kondigen, een manoeuvre die al bijna even oud was als het schip zelf. Deze manoeuvre, ooit een bron van veel opwinding en van twee felle lucht-/zeeslagen in de jaren tachtig, was nu slaapverwekkende routine, anders zou de *Radford* ook niet in haar eentje zijn gegaan. Het was zo vervelend dat de CIC-mannen naar de gewone radio luisterden om niet in slaap te vallen. 'Contact is dertien punt nul kilometer ten westen van ons. We hebben hem op het scherm.'
'Kunt u op een verzoek om hulp reageren?'
'Valetta, ik heb net de commandant wakker gemaakt. Geef ons even de tijd om de zaak hier te regelen. Maar we kunnen het proberen. Over.'
'Hij valt als een baksteen,' meldde de onderofficier aan de hoofdtelescoop. 'Spring er maar gauw uit, jongen.'
'Doel is een Gulfstream-zakenvliegtuig. We zien hier dat hij achtenveertighonderd meter hoog is en snel daalt,' zei Valetta.
'Dank u, dat klopt met wat wij zien. We zijn gereed.'
'Wat is er?' vroeg de commandant, gekleed in kakibroek en T-shirt. Het was gauw verteld. 'Goed, zet de rotorkoppen maar aan.' Vervolgens pakte hij de intercom. 'Brug, hier CIC, de commandant. Volle kracht vooruit, op nieuwe koers...'
'Twee-zeven-vijf, commandant,' zei de radarman. 'Doel is twee-zeven-vijf en honderdtweeëndertig kilometer.'
'Nieuwe koers twee-zeven-vijf.'
'Begrepen, commandant. Nieuwe koers twee-zeven-vijf, volle kracht vooruit,' bevestigde de officier van het dek. Op de brug duwde de kwartiermeester van de wacht de hendels voor de motoren omlaag om extra brandstof in de grote General Electric-straalturbines te pompen. De *Radford* huiverde een beetje, kwam weer tot rust en begon haar snelheid vanaf achttien knopen op te voeren. De commandant keek in het ruime inlichtingencentrum om zich heen. De bemanningsleden waren paraat, al schudden sommigen hun hoofd heen en weer om helemaal wakker te worden. De radarmannen stelden hun instrumenten bij. Het beeldscherm van de hoofdtelescoop veranderde om het neerstortende vliegtuig beter te kunnen volgen.
'Laten we iedereen oproepen,' zei de commandant nu. Ze konden er net zo goed een oefening van maken. Binnen dertig seconden was iedereen aan boord wakker. Ze renden naar hun post.

Als je 's nachts naar het zeeoppervlak afdaalt, moet je voorzichtig zijn. De piloot van de G-IV lette goed op zijn hoogte en op het tempo van zijn afdaling.

Omdat je geen herkenningspunten had, liep je gevaar ineens op het wateroppervlak te smakken, en hoewel hun missie dan perfect zou zijn verlopen, moest het ook weer niet zó perfect gebeuren. Nog een paar seconden en ze verdwenen van het radarscherm in Valetta, en dan konden ze proberen uit de duikvlucht te komen. Het enige waarover hij zich op dit moment zorgen maakte, was dat er misschien een schip beneden was, maar in het licht van de halve maan zag hij nergens een kielzog.
'Ik heb hem,' zei hij toen het vliegtuig onder de vijftienhonderd meter kwam. Hij trok de knuppel naar zich toe. Als Valetta nog een signaal van zijn transponder kreeg, zouden ze misschien zien dat hij niet meer zo steil naar beneden viel, maar zouden ze denken dat hij eerst had gedoken om een luchtstroom in zijn motoren te krijgen om daardoor beter te kunnen herstarten, en dat hij nu probeerde zijn neus op te trekken voor een landing op de kalme zee.

'We raken hem kwijt,' zei de verkeersleider. Het signaal op het scherm knipperde een paar keer, kwam terug, viel weg.
De chef knikte en schakelde zijn microfoon in. '*Radford*, hier Valetta. Juliet-Alpha is van ons scherm gevallen. Laatste hoogteaflezing was achttienhonderd en dalend, koers drie-vier-drie.'

'Valetta, begrepen, wij hebben hem nog steeds op de radar, nu op dertienhonderd, snelheid van daling enigszins afgenomen, koers drie-vier-drie,' antwoordde de CIC-officier. Twee meter van hem vandaan sprak de commandant met de leider van het helikopterteam van de *Radford*. Het zou meer dan twintig minuten duren voor ze de enige SH-60B Seahawk-helikopter van de torpedobootjager in de lucht hadden. Het toestel werd vliegklaar gemaakt voordat het op het vliegdek werd getrokken. De helikopterpiloot draaide zich om en keek op het radarscherm.
'Kalme zee. Als hij een beetje verstand heeft, komt er misschien nog iemand levend uit. Als je evenwijdig met de golven neerkomt, maak je een kans. We gaan erop af, commandant.' Na die woorden verliet hij de CIC om naar zijn toestel te gaan.
'We verliezen hem onder de horizon,' meldde de radarman. 'Hij is net onder de vijfhonderd gekomen. Blijkbaar gaat hij het water in.'
'Zeg dat tegen Valetta,' beval de commandant.

De G-IV ging horizontaal vliegen toen de radarhoogtemeter honderdvijftig meter aangaf. Lager durfde de piloot niet te gaan. Toen dat gebeurd was, gaf hij weer gas en ging linksaf, terug naar Libië. Hij concentreerde zich nu volkomen. Laagvliegen was onder de gunstigste omstandigheden al enerverend, en des te meer als je het 's nachts boven zee deed, maar zijn orders waren duidelijk, al waren de achtergronden dat niet. In ieder geval ging het snel. Met een snelheid van iets meer dan driehonderd knopen zou hij over veertig minuten op het militaire vliegveld zijn. Daar zou hij nog eens brandstof innemen en daarna zou hij de regio verlaten.

Vijf minuten later waren ze op de *Radford* zover dat de helikopter kon opstijgen. Het schip veranderde enigszins van koers om de wind in de juiste richting over het dek te laten gaan. Het tactisch navigatiesysteem van de Seahawk nam de benodigde gegevens van het CIC over. Het toestel zou een cirkel met een middellijn van vijfentwintig kilometer beschrijven, een procedure die eentonig, tijdrovend en toch ook opwindend was. Er lagen mensen in het water en het verlenen van hulp aan mensen die in nood verkeerden, was de eerste en oudste wet van de zee. Zodra de helikopter was opgestegen, ging de torpedobootjager weer naar links en ging hij met alle vier de hoofdmachines op volle kracht vooruit. Het schip bereikte nu een snelheid van vierendertig knopen. Inmiddels had de commandant contact opgenomen met Napels. Hij vroeg om assistentie van eventuele vlooteenheden die in de buurt waren. Er waren geen Amerikaanse schepen in de onmiddellijke nabijheid, maar een Italiaans fregat kwam vanuit het noorden naar hen toe en zelfs de Libische luchtmacht vroeg om informatie.

De 'verdwenen' G-IV landde op het moment dat de helikopter van de Amerikaanse marine in het zoekgebied arriveerde. De bemanning verliet het toestel om iets te eten en te drinken terwijl het zakenvliegtuig van nieuwe brandstof werd voorzien. Ze zagen een AN-10 'Cub' viermotorig transportvliegtuig van Russisch fabrikaat zijn motoren starten om aan de zoek- en reddingsactie deel te nemen. De Libiërs deden tegenwoordig aan zulke dingen mee, want ze probeerden weer aansluiting te krijgen bij de wereldgemeenschap. Zelfs hun bevelhebbers wisten niet erg veel – eigenlijk bijna niets – van wat er gebeurd was. Er waren maar een paar telefoongesprekken gevoerd om de regelingen te treffen, en degene die de telefoon had opgenomen en zijn medewerking had verleend, wist alleen dat er twee vliegtuigen zouden komen om brandstof in te nemen en daarna verder te gaan. Een uur later begonnen ze aan de drie uur durende vlucht naar Damascus in Syrië. Oorspronkelijk was het de bedoeling geweest dat ze meteen terug zouden vliegen naar hun thuisbasis in Zwitserland, maar de piloot had opgemerkt dat het wel een beetje vreemd was als twee vliegtuigen van dezelfde maatschappij bijna tegelijkertijd over dezelfde plaats vlogen. Tijdens het opstijgen zette hij koers naar het oosten.
Beneden hem, aan zijn linkerkant, zagen ze in de Golf van Sirte de knipperende lichten van vliegtuigen. Er was ook een helikopter bij, zagen ze tot hun verbazing. Mensen verbruikten brandstof en tijd, en dat allemaal voor niets. Glimlachend om die gedachte bereikte de piloot zijn koershoogte en ontspande zich. Het laatste traject van deze lange dag liet hij aan de automatische piloot over.

'Zijn we er al?'
Moudi keek om. Hij had net de infuusfles van hun patiënte vervangen. In zijn plastic helm jeukte zijn gezicht van de baardstoppels. Hij zag dat zuster Maria Magdalena hetzelfde kriebelige, ongewassen gevoel had als hij. Het eerste wat ze deed toen ze wakker werd, was haar handen naar haar gezicht brengen, maar ze werden tegengehouden door het doorzichtige plastic.
'Nee, zuster, bijna. Ga maar wat rusten. Ik doe dit wel.'
'Nee, nee, u moet erg moe zijn, dokter Moudi.' Ze wilde overeind komen.
'Ik ben jonger en meer uitgerust,' antwoordde de arts terwijl hij zijn hand opstak. Hij verving nu de morfinefles. Zuster Jean Baptiste was gelukkig nog zo zwaar verdoofd dat ze geen probleem vormde.
'Hoe laat is het?'
'Tijd voor jou om te gaan rusten. Als we zijn aangekomen, word ik door andere artsen afgelost maar zul jij voor je vriendin moeten zorgen. Alsjeblieft, spaar je krachten. Je zult ze nodig hebben.' En dat was waar.
De non zei niets. Ze was gewend de bevelen van artsen op te volgen en draaide zich nu om, fluisterde waarschijnlijk een gebed en liet haar ogen dichtgaan. Toen hij er zeker van was dat ze weer sliep, ging hij naar voren.
'Hoe lang nog?'
'Veertig minuten. We landen een beetje eerder. De winden zijn ons goed gezind geweest,' antwoordde de tweede piloot.
'Dus voordat het licht wordt?'
'Ja.'
'Wat is haar probleem?' vroeg de piloot. Hij draaide zich niet om maar verveelde zich zo erg dat hij graag iets nieuws wilde horen.
'Dat wil je niet weten,' verzekerde Moudi hem.
'Gaat ze sterven, die vrouw?'
'Ja, en het vliegtuig moet volkomen gedesinfecteerd worden voordat het opnieuw wordt gebruikt.'
'Dat hebben ze ons gezegd.' De piloot haalde zijn schouders op. Hij wist niet hoe bang hij moest zijn voor wat hij aan boord had. Moudi wist dat wel. Het stuk plastic onder zijn patiënte zou nu een plas besmet bloed bevatten. Als ze haar uitlaadden, zouden ze uiterst voorzichtig moeten zijn.

Badrayn was blij dat hij geen alcohol had gedronken. Hij had het helderste hoofd in de kamer. Tien uur, dacht hij met een blik op zijn horloge. Tien uur hadden ze gepraat en gediscussieerd als een stel oude wijven op de markt.
'Hij gaat hiermee akkoord?' vroeg de commandant van de garde.
'Het is helemaal niet onredelijk,' antwoordde Ali. Vijf hogere mullahs zouden naar Bagdad vliegen om zich als gijzelaar aan te bieden, opdat de Iraakse generaals zouden weten dat de Iraanse leider woord zou houden. Dat kwam zelfs nog beter uit dan de generaals wisten, al zou het hun niet veel kunnen schelen. Nu dit geregeld was, keken de generaals elkaar aan en knikten ze een voor een.

'We gaan akkoord,' zei dezelfde generaal namens de groep. Dat honderden lagere officieren aan hun lot werden overgelaten, was uiteraard van weinig belang. Dat was bepaald niet het voornaamste gespreksonderwerp in al die uren geweest.
'Ik heb een telefoon nodig,' zei Badrayn nu tegen hen. De inlichtingenchef leidde hem naar een zijkamer. Er was altijd een directe lijn met Teheran geweest. Zelfs tijdens vijandelijkheden was er een microgolfverbinding geweest. En nu was er een vezeloptiekkabel die niet kon worden afgetapt. Onder het wakend oog van de Iraakse officier toetste hij de nummers in die hij een aantal dagen geleden uit het hoofd had geleerd.
'Met Yousif. Ik heb nieuws,' zei hij tegen de stem die opnam.
'Een ogenblik,' was het antwoord.

Net zomin als ieder ander hield Daryaei ervan om uit zijn bed te worden gebeld, te meer daar hij de afgelopen paar dagen weinig slaap had gekregen. Toen de telefoon op zijn nachtkastje ging, knipperde hij eerst een tijdje met zijn ogen en nam toen op.
'Ja?'
'Met Yousif. Het is geregeld. Er zijn vijf vrienden nodig.'
Alle lof aan Allah, want Hij is weldadig, dacht Daryaei. Al die jaren van oorlog en vrede bereikten op dat moment een resultaat. Nee, nee, dat mocht hij nog niet denken. Er was nog veel te doen. Maar het moeilijkste werd nu gedaan.
'Wanneer beginnen we?'
'Zo snel mogelijk.'
'Bedankt. Ik zal dit niet vergeten.' Nu was hij klaarwakker. Deze ochtend vergat hij voor het eerst in vele jaren zijn ochtendgebed. God zou begrijpen dat Zijn werk snel moest worden gedaan.

Wat moest ze moe zijn geweest, dacht Moudi. Beide nonnen schrokken wakker toen het vliegtuig de grond raakte. De snelheid van het toestel liep met de gebruikelijke schokken terug en aan een zompig geluid was te horen dat zuster Jean Baptiste inderdaad zoveel had gebloed als hij had verwacht. Nou, in elk geval had hij haar levend hierheen gekregen. Ze had haar ogen open, al staarde ze zo wazig als een baby naar het gebogen plafond van de cabine. Zuster Maria Magdalena keek even uit de ramen, maar ze zag alleen een vliegveld en die waren op de hele wereld gelijk, vooral 's nachts. Even later kwam het vliegtuig tot stilstand en ging de deur open.
Opnieuw zouden ze in een vrachtwagen rijden. Er kwamen vier mensen het vliegtuig in, allemaal gekleed in beschermend plastic. Moudi maakte de riemen van zijn patiënte losser en gaf de andere non een teken dat ze moest blijven zitten. Voorzichtig tilden de vier ziekenbroeders uit het leger het dikke stuk plastic aan de hoeken op. Ze liepen ermee naar de deur. Toen ze dat deden, zag Moudi iets op de uitgeklapte stoel druipen die als bed voor hun patiënte had gediend. Hij zette het van zich af. De bemanningsleden hadden

hun bevelen, en die waren vaak genoeg herhaald. Toen de patiënte veilig in de vrachtwagen lag, gingen Moudi en Maria Magdalena ook de trap af. Ze haalden de kap van hun hoofd om de frisse koele lucht te kunnen inademen. Hij nam een veldfles van een van de soldaten bij het vliegtuig aan en bood hem haar aan, waarna hij een andere veldfles voor zichzelf ging halen. Voordat ze in de vrachtwagen stapten, dronken ze allebei een liter water. Ze waren verward door de lange vlucht, zij des te meer omdat ze niet wist waar ze werkelijk was. Moudi zag de 707 die kort tevoren met de apen was aangekomen, al wist hij niet dat de lading uit apen had bestaan.
'Ik ben nog nooit in Parijs geweest... nou ja, behalve die keer dat ik daar op het vliegtuig moest overstappen, lang geleden,' zei ze, en ze keek om zich heen, maar op dat moment werd de achterflap neergelaten en kon ze niets meer zien.
Jammer dat je er ook nooit zult komen.

16

De Iraakse transporten

'Een heleboel leegte,' merkte de piloot op. De Seahawk cirkelde op driehonderd meter hoogte en tuurde het zeeoppervlak af met een zoekradar die goed genoeg was om wrakstukken te signaleren – hij was ontworpen om de periscoop van een onderzeeboot te vinden – maar ze hadden nog niet eens een Perrier-fles zien drijven. Ze droegen allebei een nachtbril en zouden daarmee zelfs een vlek vliegtuigbrandstof zien glanzen, maar ook die vonden ze niet.
'Er is niks meer over. Dat moet een harde klap zijn geweest,' zei de tweede piloot door de intercom.
'Tenzij we op de verkeerde plaats kijken.' De piloot keek naar zijn tactisch navigatiesysteem. Ze waren op de goede plaats. Ze hadden nog een uur brandstof. Zo langzamerhand werd het tijd om naar de *Radford* terug te keren, die nu zelf ook bezig was het zoekgebied uit te kammen. De zoeklichten schenen theatraal in het eerste grauwe licht van de dageraad, als in een film over de Tweede Wereldoorlog. Een Libische Cub cirkelde ook rond en probeerde behulpzaam te zijn, maar vloog alleen maar in de weg.
'Helemaal niets?' vroeg de centrale van de *Radford*.
'Negatief. Nul komma nul, voorzover we hier kunnen zien. We hebben nog brandstof voor een uur. Over.'
'Begrepen. Brandstof voor een uur,' bevestigde *Radford*.
'Commandant, de laatste koers van het doel was drie-vier-drie, snelheid twee-

negen-nul knopen, daalsnelheid negenhonderd meter per minuut. Als hij daar niet is, snap ik niet waarom,' zei een specialist operationele manoeuvres, tikkend op de kaart. De commandant nam een slok van zijn koffie en haalde zijn schouders op. Aan dek stond het reddingsteam al klaar. Twee zwemmers droegen hun wetsuits en de sloepbemanning was paraat. Er stond een uitkijkpost achter iedere kijker aan boord, op zoek naar lichtflitsen of iets dergelijks. De sonar zocht naar de hoogfrequente *ping* van de noodbakenzender van het vliegtuig. Die instrumenten waren bestand tegen een harde schok, werden automatisch geactiveerd als ze in zeewater kwamen en werkten op batterijen die het dagen uithielden. De sonar van de *Radford* was gevoelig genoeg om dat verrekte ding op vijftig kilometer afstand te signaleren, en ze waren nu precies op de plaats waar het toestel volgens de radar was neergestort. Noch het schip noch de bemanning had ooit zo'n redding gedaan, maar het was iets wat ze regelmatig oefenden en alle procedures waren zo goed uitgevoerd als de commandant maar kon wensen.

'USS *Radford*, USS *Radford*, hier Valetta Toren. Over.'

De commandant pakte zijn microfoon. 'Valetta, hier *Radford*.'

'Hebt u iets gevonden. Over?'

'Negatief, Valetta. Onze heli heeft hier overal gekeken, maar heeft nog niets te melden.' Ze hadden Malta al om gecorrigeerde gegevens van de laatst bekende snelheid en koers van het vliegtuig gevraagd, maar het toestel was al van de civiele radar verdwenen toen de torpedobootjager het nog kon volgen. Aan weerskanten van de radioverbinding werd gezucht. Ze wisten allemaal hoe het verder zou gaan. Het zoeken zou een dag doorgaan, niet langer, niet korter, en er zou niets worden gevonden, en dat was dat. Er was al een telex naar de fabrikanten gegaan om hun te vertellen dat een van hun vliegtuigen op zee vermist werd. Mensen van Gulfstream zouden naar Bern vliegen om onderhoudsgegevens en andere informatie over het vliegtuig door te nemen, in de hoop een aanwijzing te vinden. Waarschijnlijk vonden ze niets en zou dit hele geval in de kolom 'onbekend' van iemands grootboek terechtkomen. Maar het spel moest tot het eind toe worden gespeeld en ach, het was in elk geval een goede oefening voor de bemanning van USS *Radford*. De bemanning zou het met een schouderophalen afdoen. Het was niet iemand die ze kenden, al zou het natuurlijk goed voor het moreel zijn geweest als de reddingsactie succes had gehad.

Waarschijnlijk kwam het door de stank dat ze besefte wat er mis was. De rit vanaf het vliegtuig was kort geweest. Buiten was het nog donker, en toen de vrachtwagen stopte, hadden de arts en de zuster allebei nog last van de lange reis. Na aankomst moesten ze allereerst zorgen dat zuster Jean Baptiste naar binnen werd gebracht. Pas daarna konden ze hun plastic kleding uitdoen. Maria Magdalena streek haar korte haren glad en haalde diep adem. Ze keek nu eindelijk om zich heen en verbaasde zich over wat ze zag. Moudi zag haar verwarring en leidde haar naar binnen voordat ze er iets over kon zeggen.

Toen drong de stank tot hen door, een vertrouwde Afrikaanse geur die was blijven hangen toen de apen hier een paar uur eerder langs waren gekomen. Het was beslist niet een geur die ze met Parijs zou associëren, of met zo'n schone, ordelijke instelling als het Institut Pasteur moest zijn. Maria Magdalena keek weer om zich heen en zag dat de bordjes op de muren niet in het Frans waren. Ze kon onmogelijk weten wat er aan de hand was en zou alleen maar in verwarring verkeren en vragen stellen, en daarom moest er nu worden ingegrepen. Er kwam een soldaat die haar bij haar arm pakte en wegleidde. Ze was nog steeds te verbaasd om iets te zeggen en keek alleen over haar schouder naar een ongeschoren man in een groen chirurgenpak, die haar zo triest aankeek dat haar verwarring nog groter werd.

'Wat is dat? Wie is dat?' vroeg de directeur van het project.

'Het is een voorschrift van hun religie dat ze niet alleen mogen reizen. Om hun kuisheid te beschermen,' legde Moudi uit. 'Anders had ik hier niet met onze patiënte kunnen komen.'

'De patiënte leeft nog?' De directeur was niet bij de aankomst aanwezig geweest.

Moudi knikte. 'Ja, het moet mogelijk zijn haar nog een dag of drie, vier in leven te houden.'

'En de ander?'

Moudi draaide eromheen: 'Dat is niet aan mij.'

'We kunnen altijd weer een...'

'Nee! Dat zou barbaars zijn,' protesteerde Moudi. 'Zulke dingen zijn gruwelijk voor God.'

'En wat wij van plan zijn, is dat niet?' vroeg de directeur. Het was duidelijk dat Moudi te lang in de jungle was geweest. Maar waarom zouden ze er ruzie over maken? Meer dan één volledig geïnfecteerde ebolapatiënt hadden ze niet nodig. 'Ga je maar wassen, dan gaan we daarna een kijkje bij haar nemen.'

Moudi ging naar de artsenruimte op de eerste verdieping. Die ruimte bood meer privacy dan dergelijke ruimten in het westen, omdat mensen in dit deel van de wereld er meer moeite mee hadden hun lichaam aan anderen te laten zien. Het plastic pak, zag hij tot zijn verbazing, had de reis zonder één scheur overleefd. Hij gooide het in een grote plastic bak alvorens onder een douche te gaan staan. Aan het warme water daarvan waren chemicaliën toegevoegd waarvan de geur hem bijna niet meer opviel. Vijf minuten lang genoot hij van de reinigende gelukzaligheid. In het vliegtuig had hij zich afgevraagd of hij ooit weer schoon zou worden. Nu hij onder de douche stond, stelde hij zich ongeveer dezelfde vraag maar hij deed dat nu in alle rust. Na het douchen trok hij een schoon chirurgenpak aan; alles was nu schoon. Hij verzorgde zich even aandachtig als altijd. Een hulpverpleger had een gloednieuw pak voor hem klaargelegd, een blauwe Amerikaanse Racal, nieuw uit de doos, en hij trok dat aan voordat hij de gang opging. De directeur, die dezelfde kleding droeg, stond al op hem te wachten. Samen liepen ze naar de behandelkamers.

Er waren maar vier van die kamers, met afgesloten, bewaakte deuren. Dit was

een instelling van het Iraanse leger. De doktoren waren legerartsen en de verplegers hadden allemaal ervaring op het slagveld opgedaan. Uiteraard was de beveiliging erg streng. Toen Moudi en de directeur bij de behandelkamers waren aangekomen, drukte de bewaker op de toetsen om de deuren van de luchtsluis open te maken. Die deuren gingen met een hydraulisch gesis open en er kwam een tweede stel deuren in zicht. Ze konden zien dat rook van de sigaret die de soldaat rookte naar de veilige ruimte werd gezogen. Goed. Het luchtsysteem werkte tenminste naar behoren. Beide mannen hadden weinig vertrouwen in hun eigen landgenoten. Het liefst hadden ze gezien dat deze hele instelling door buitenlandse ingenieurs was gebouwd – Duitsers waren in het Midden-Oosten erg populair als het op dat soort dingen aankwam – maar Irak had diezelfde fout gemaakt en daar de schade van ondervonden. Omdat de ordelijke Duitsers tekeningen bewaarden van alles wat ze hadden gebouwd, waren veel van hun projecten tot puin gebombardeerd. Daarom was deze instelling door eigen mensen gebouwd, al waren veel materialen in het buitenland aangekocht. Hun leven was afhankelijk van de werking van alle systemen in dit gebouw, maar er was nu niets meer aan te doen. De binnendeuren gingen pas open als de buitendeuren goed dicht waren. Dat werkte. De directeur activeerde de deuren en ze gingen verder.
Zuster Jean Baptiste lag in de laatste kamer aan de rechterkant. Er waren verplegers bij haar. Ze hadden al haar kleren weggeknipt en het was aan haar hele lichaam te zien dat ze stervende was. De soldaten walgden van wat ze zagen. Ze zag er veel gruwelijker uit dan iemand die op het slagveld gewond was geraakt. Vlug maakten ze haar lichaam schoon en dekten het daarna af met het respect voor de zedigheid van een vrouw dat deel uitmaakte van hun cultuur. De directeur keek naar het morfine-infuus en reduceerde het met een derde.
'We willen haar zolang mogelijk in leven houden,' legde hij uit.
'De pijn van die...'
'Niets aan te doen,' zei hij ijskoud. Hij dacht erover Moudi een verwijt te maken, maar hield zich in. Hij was zelf ook arts en wist dat het moeilijk was om gevoelloos met je patiënten om te springen. Een oudere blanke vrouw, zag hij, verdoofd door de morfine, ademhaling langzamer dan hem lief was. De verplegers legden haar aan een elektrocardiograaf en het verbaasde hem dat haar hart nog zo goed werkte. Goed. De bloeddruk was laag, zoals hij had verwacht, en hij gaf opdracht twee eenheden bloed aan de infuusstandaard te hangen. Hoe meer bloed, hoe beter.
De verplegers waren goed getraind. Alles wat tegelijk met de patiënt naar binnen was gekomen, was in zakken gedaan die op hun beurt samen in een andere zak werden gedaan. Een van hen droeg die zak de kamer uit en ging ermee naar de gasoven die niets dan gesteriliseerde as zou overlaten. Het ging nu vooral om de beheersing van het virus. De patiënte was hun kweekbodem. Vroeger werd van zulke slachtoffers een paar cc bloed afgenomen voor analyse. De patiënt ging na verloop van tijd uiteraard dood en dan werd het

lichaam verbrand of besproeid en in chemisch behandelde grond begraven. Deze keer niet. Uiteindelijk zou hij beschikken over de grootste hoeveelheid van het virus die ooit ergens was waargenomen, en daarmee zou hij nog meer van het uiterst krachtige, gevaarlijke virus kweken. Hij draaide zich om.
'Zeg Moudi, hoe heeft ze het opgelopen?'
'Ze behandelde de Index Patient.'
'De negerjongen?' vroeg de directeur, die in de hoek stond.
Moudi knikte. 'Ja.'
'Wat deed ze verkeerd?'
'Daar zijn we nooit achter gekomen. Ik heb het haar gevraagd toen ze nog helder was. Ze heeft de jongen nooit een injectie gegeven en ze was altijd erg voorzichtig met naalden. Ze is een ervaren verpleegster,' antwoordde Moudi mechanisch. Hij was te moe om iets anders te kunnen doen dan rapporteren wat hij wist, en de directeur was daar blij om. 'Ze had al eerder met ebola gewerkt, in Kikwit en andere plaatsen. Ze bracht het personeel de procedures bij.'
'Besmetting door inademing?' vroeg de directeur. Hij durfde daar bijna niet op te hopen.
'In Atlanta denken ze dat dit het subtype ebola mayinga is. Je weet wel, dat is genoemd naar een verpleegster die de ziekte op een onbekende manier opliep.'
De directeur keek Moudi indringend aan. 'Ben je zeker van wat je hebt gezegd?'
'Ik ben momenteel nergens zeker van, maar ik heb ook met personeel van het ziekenhuis gesproken. De Index Patient kreeg al zijn injecties van anderen, niet van de zuster hier. Dus ja, het is mogelijk dat ze door inademing is besmet.'
Het was een klassiek geval van goed nieuws en slecht nieuws. Zo weinig was er bekend over ebola zaire. Het was wel bekend dat de ziekte door bloed en andere lichaamsvloeistoffen kon worden overgedragen, zelfs door seksueel contact; dat laatste was bijna theoretisch, aangezien een ebolaslachtoffer nauwelijks in staat was zich aan zulke activiteiten over te geven. Verder werd aangenomen dat het virus het buiten een levende gastheer moeilijk kreeg en in de openlucht snel afstierf. Daarom werd het onwaarschijnlijk geacht dat de ziekte zich door de lucht verspreidde, zoals longontsteking en andere veelvoorkomende ziekten. Aan de andere kant leverde iedere uitbarsting van het virus gevallen op die onverklaarbaar waren. De onfortuinlijke zuster Mayinga had haar naam gegeven aan een stam van het virus die langs onbekende weg op haar was overgegaan. Had ze over iets gelogen, of was ze iets vergeten, of had ze diep nagedacht en de waarheid gesproken en dus aan een subtype van ebola geleden dat zich inderdaad lang genoeg in de lucht kon handhaven om even gemakkelijk te worden overgedragen als verkoudheid? In dat geval zou de patiënte die hier voor hen lag de drager kunnen zijn van zo'n krachtig biologisch wapen dat de hele wereld op zijn grondvesten zou doen schudden.
Die mogelijkheid betekende ook dat ze letterlijk dobbelden met de dood zelf.

De kleinste nalatigheid kon dodelijk zijn. Onwillekeurig keek de directeur naar de opening van de airconditioning in het plafond. Bij het ontwerp van het gebouw was rekening gehouden met dit soort gevallen. Door middel van een ventiel aan het eind van tweehonderd meter buis werd zuivere buitenlucht opgezogen. De lucht die uit de 'gevaarlijke' ruimten kwam, ging door een kamer met perslucht alvorens het gebouw te verlaten. In die kamer werd er fel ultraviolet licht op losgelaten, aangezien mocht worden aangenomen dat virussen niet bestand waren tegen die stralingsfrequentie. Voor alle zekerheid waren de luchtfilters ook doorweekt met chemische stoffen, waaronder fenol. Pas daarna kwam het in de buitenlucht, waar andere factoren in het spel waren om eventuele laatste resten van het virus te vernietigen. De filters – drie afzonderlijke rijen – werden elke twaalf uur met religieuze precisie vervangen. De ultravioletlampen, vijf keer zoveel als voor de taak noodzakelijk waren, werden voortdurend gecontroleerd. In het laboratorium werd de luchtdruk altijd laag gehouden om lekken te voorkomen. Al die maatregelen maakten dat het gebouw op zich wel veilig was. Wat de rest betrof, dacht hij, nou ja, daarom liepen ze allemaal in die ruimtepakken rond en hadden ze geleerd hoe ze met naalden moesten omgaan.
De directeur was ook arts, opgeleid in Parijs en Londen, maar het was jaren geleden dat hij een patiënt had behandeld. De afgelopen tien jaar had hij zich vooral aan de moleculaire biologie gewijd, met name aan de bestudering van virussen. Hij wist daar meer van af dan wie ook, al was dat nog weinig genoeg. Hij wist bijvoorbeeld hoe hij ze moest kweken, en nu beschikte hij over een perfect medium: een mens was door het lot veranderd in een fabriek voor het dodelijkste organisme dat er bestond. Hij had haar niet gekend toen ze gezond was, had nooit met haar gesproken, had haar nooit aan het werk gezien. Dat was goed. Misschien was ze een goede verpleegster geweest, zoals Moudi zei, maar dat lag allemaal in het verleden en het had weinig zin om gehecht te raken aan iemand die over drie of hooguit vier dagen dood zou zijn. Voor hun doeleinden was het trouwens wel beter als ze zolang mogelijk in leven bleef. De 'fabriek' gebruikte haar lichaam om aan zijn grondstoffen te komen en zo Allah's mooiste schepping te veranderen in Zijn dodelijkste vloek.
Wat dat andere probleem betrof, had hij een bevel gegeven terwijl Moudi zijn douche nam. Zuster Maria Magdalena werd naar een andere wasruimte gebracht, waar ze kleren kreeg en aan zichzelf werd overgelaten. Daar had ze in alle privacy gedoucht en zich intussen afgevraagd wat er aan de hand was: waar was ze? Ze was nog te verward om echt bang te zijn, te gedesoriënteerd om iets te begrijpen. Net als Moudi bleef ze lang onder de douche staan. Daardoor kreeg ze weer wat helderheid in haar hoofd. Ze probeerde de vragen te formuleren die ze zou stellen. Straks zou ze op zoek gaan naar de dokter om hem te vragen wat er gebeurde. Ja, dat zou ze doen, dacht Maria Magdalena terwijl ze zich aankleedde. De medische kleding voelde vertrouwd aan, en ze had nog steeds haar rozenkrans, want die had ze meegenomen onder de douche. Het was een metalen rozenkrans, in plaats van de houten krans die bij haar nonnen-

gewaad hoorde en die ze meer dan veertig jaar geleden had gekregen toen ze haar laatste geloften aflegde. Maar die metalen rozenkrans was gemakkelijk te desinfecteren en ze had hem onder de douche goed schoongemaakt. Toen ze zich had aangekleed, dacht ze dat gebed de beste voorbereiding op het zoeken naar informatie was. Daarom knielde ze neer, bekruiste zich en begon aan haar gebeden. Ze hoorde niet dat de deur achter haar opengging.
De soldaat uit de bewakingsdienst had zijn bevelen. Hij had het een paar minuten eerder kunnen doen, maar het zou verachtelijk zijn geweest als hij de privacy van een vrouw had geschonden terwijl ze naakt onder de douche stond. Ze kon toch nergens heen. Het deed hem goed dat ze aan het bidden was. Ze zat met haar rug naar hem toe en het was duidelijk dat ze zich op haar gemak voelde en het prettig vond om te bidden. Dat was goed. Een ter dood veroordeelde misdadiger kreeg altijd de kans om tot Allah te spreken; het was een zware zonde om hem die kans te misgunnen. Des te beter, dacht hij, terwijl hij zijn 9-mm pistool omhoogbracht. Ze sprak tot haar God... en deed dat nu in meer directe zin. Hij ontspande de hamer, stak zijn wapen weer in de holster en riep twee verplegers die de rommel moesten opruimen. Hij had al eerder mensen gedood, had deelgenomen aan vuurpelotons om vijanden van de staat te executeren, en dat was plicht geweest. Soms had hij er een hekel aan gehad, maar plicht was plicht. Deze keer schudde hij zijn hoofd. Deze keer had hij, daar was hij zeker van, een ziel naar Allah gestuurd. Wat was het vreemd om een goed gevoel te hebben na een executie.

Tony Bretano was in een zakentoestel van TRW naar Washington gekomen. Het bleek dat hij nog geen beslissing over het aanbod van Lockheed-Martin had genomen. Het deed Ryan goed dat George Winstons informatie niet helemaal klopte. Daaruit bleek dat George in elk geval niet over dat stukje inside-informatie beschikte.
'Ik heb al eerder "nee" gezegd, meneer de president.'
'Twee keer.' Ryan knikte. 'Om ARPA te gaan leiden en om onderminister van Technologie te worden. Je naam is ook genoemd toen ze een nieuwe NRP zochten, maar daar hebben ze je nooit over gebeld.'
'Dat hoorde ik,' bevestigde Bretano. Hij was klein en had daar gezien zijn strijdlustige houding moeite mee. Ondanks de vele jaren die hij in Californië had doorgebracht, sprak hij met het accent van iemand uit Little Italy in New York, en daar kon Ryan ook iets uit afleiden. Bretano ging er prat op dat hij uit een eenvoudig milieu kwam. Anders had hij zich op het MIT, waar hij enkele graden had behaald, wel een Cambridge-accent aangemeten.
'En je hebt die banen afgewezen omdat je niet met een log ambtenarenapparaat wilde werken?'
'Te veel ballast en te weinig daadkracht. Als ik mijn bedrijf op die manier runde, zouden de aandeelhouders me lynchen. De bureaucratie op het ministerie van Defensie...'
'Nou, doe er dan wat aan,' stelde Jack voor.

'Er is niks aan te doen.'
'Kom daar niet mee aanzetten, Bretano. Alles wat de mens kan maken, kan hij ook ongedaan maken. Als je denkt dat je niet de capaciteiten hebt om het voor elkaar te krijgen, moet je dat zeggen. Dan kun je meteen naar Californië terug.'
'Wacht even...'
Ryan onderbrak hem opnieuw.
'Nee, wacht jij nou even. Je hebt gehoord wat ik op de televisie heb gezegd en dat ga ik nu niet herhalen. Ik moet grote schoonmaak houden en ik moet daar de juiste mensen voor hebben. Als jij het niet doet, is het mij best. Dan vind ik wel iemand die hard genoeg is om...'
'Hard?' Bretano kwam bijna van zijn stoel. 'Hárd? Ik heb nieuws voor je, menéér de president. Mijn vader stond fruit te verkopen in een kar op de straathoek. Ik heb me nooit op mijn kop laten zitten!' Toen zweeg hij abrupt, want Ryan schoot in de lach. Hij dacht even na voordat hij verderging. 'Niet slecht,' zei hij rustiger, zoals je van een president-directeur zou verwachten.
'George Winston zei al dat je opvliegend bent. We hebben in geen tien jaar een goede minister van Defensie gehad. Goed. Als ik me vergis, moet men me dat vertellen. Maar ik denk niet dat ik me in jou vergis.'
'Wat wil je dat er gebeurt?'
'Als ik de telefoon opneem, wil ik dat er dingen in gang worden gezet. Ik wil weten dat als ik jongens naar een gevaarlijk land stuur, ze goed materieel hebben, en goed getraind zijn, en goed ondersteund worden. Ik wil dat mensen bang zijn voor wat wij kunnen. Dan heeft Buitenlandse Zaken het veel gemakkelijker,' legde de president uit. 'Ik ben opgegroeid in Baltimore-oost. Als ik een politieagent door Monument Street zag lopen, wist ik twee dingen. Ik wist dat het niet verstandig was hem dwars te zitten en ik wist ook dat hij me zou helpen als ik hulp nodig had.'
'Met andere woorden, je wilt een product dat we kunnen leveren zodra het nodig is.'
'Zo is het.'
'We zijn al een hele tijd op ons retour,' zei Bretano voorzichtig.
'Ik wil dat je met een goed team werkt... je mag het zelf samenstellen. Jullie ontwerpen een nieuwe structuur voor de strijdkrachten die aan onze behoeften voldoet. En dan wil ik dat je het Pentagon reorganiseert om die structuur van de grond te krijgen.'
'Hoeveel tijd krijg ik?'
'Voor dat eerste geef ik je veertien dagen.'
'Dat is niet lang genoeg.'
'Niet zeuren. Als je ziet hoeveel rapporten we bestuderen! Het is een wonder dat alle bomen in dit land nog niet zijn omgehakt voor al dat papier. Ik weet donders goed wat de bedreigingen zijn. Dat was vroeger mijn vak. Een maand geleden hebben we een korte oorlog gevoerd en toen kwamen we meteen al materieel tekort. Gelukkig liep het nog goed af. Ik wil niet nog een keer afhankelijk zijn van geluk. Ik wil dat je de bureaucratie uitmest. Als we iets moeten

doen, moet dat onmiddellijk kunnen. Sterker nog, ik wil dat dingen al gebeuren voordat het echt nodig is. Als we het werk goed doen, zal niemand zo gek zijn het tegen ons op te nemen. De vraag is: wil jij dat voor elkaar boksen, Bretano?'
'Er gaat bloed vloeien.'
'Mijn vrouw is arts,' zei Jack.
'We moeten een goed inlichtingennetwerk opzetten. Dat is het halve werk,' merkte Bretano op.
'Dat weet ik ook. We zijn al met de CIA begonnen. George is de juiste man voor Financiën. Ik heb een lijst met rechters om daar een nieuwe voorzitter van het hooggerechtshof uit te kiezen. Ik heb het allemaal al op de televisie gezegd. Ik stel een team samen. Ik wil dat jij daar ook in zit. Ik heb het ook allemaal op eigen kracht gedaan. Denk je dat mensen als wij tweeën het anders zo ver hadden gebracht? Het wordt tijd dat we orde op zaken stellen, Bretano.' Ryan leunde achterover, tevreden over zijn woorden.
Hier viel niets tegen in te brengen, wist de zakenman. 'Wanneer begin ik?'
Ryan keek op zijn horloge. 'Zullen we zeggen, morgenvroeg?'

De onderhoudsploeg kwam kort nadat het licht was geworden. Er stonden militairen om het vliegtuig heen om nieuwsgierigen op een afstand te houden, al was dit vliegveld, omdat de Iraakse luchtmacht er gebruik van maakte, veiliger dan de meeste internationale luchthavens. De voorman van de onderhoudsploeg had op zijn klembord gelezen wat ze moesten doen. De lange lijst van maatregelen had hem een beetje nieuwsgierig gemaakt, maar verder maakte hij zich nergens druk om. Dit soort vliegtuigen kreeg altijd een speciale behandeling, omdat de mensen die erin vlogen zich als de uitverkorenen van God beschouwden, of iets nog hogers. Niet dat het er iets toe deed. Hij had zijn procedures en het advies om extra voorzichtig te zijn was eigenlijk overbodig. Zijn mensen gingen altijd grondig te werk. Op het onderhoudsformulier van het vliegtuig stond dat het tijd was om twee cockpitinstrumenten te vervangen. De twee nieuwe instrumenten lagen al klaar in de doos van de fabrikant. Na de installatie moesten ze gekalibreerd worden. Twee anderen zouden het vliegtuig van nieuwe brandstof voorzien en de motorolie vervangen. De rest zou onder zijn toezicht in de cabine werken.
Ze waren nog maar net begonnen of een kapitein kwam al met nieuwe instructies, die zoals gewoonlijk volkomen in strijd waren met de eerdere instructies. De zitplaatsen moesten snel worden vervangen. De G-IV zou over enkele uren weer opstijgen. De officier zei niet waar het toestel heen ging en de voorman vroeg daar ook niet naar. Hij zei tegen zijn instrumentenmonteur dat hij moest opschieten. Die monteur had het trouwens niet moeilijk, want de G-IV had een modulair instrumentensysteem. Er kwam een vrachtwagen met de zitplaatsen die twee dagen eerder uit het toestel waren gehaald. De schoonmakers hielpen een handje mee om ze weer op hun plaats te zetten. Daarna zouden ze met hun eigenlijke werk beginnen. De voorman vroeg zich af waarom die stoelen

eigenlijk waren weggehaald, maar dat ging hem niet aan en hij zou er toch niet veel van begrepen hebben. Jammer dat iedereen zo'n haast had. Het zou voor hen gemakkelijker zijn geweest als ze eerst de cabine hadden schoongemaakt en daarna pas de stoelen hadden teruggezet. In plaats daarvan was het toestel nu weer een passagiersvliegtuig met veertien zitplaatsen geworden, klein maar erg comfortabel. Zoals altijd waren de stoelen gereinigd en gestoomd in de hangar. De asbakjes waren geleegd en schoongeboend. De cateraar kwam voedingsmiddelen voor het keukentje brengen en al gauw wemelde het in het toestel van de werkers die elkaar voor de voeten liepen. In de verwarring werd het werk niet goed gedaan, maar dat was niet de schuld van de voorman. Het ging allemaal ook zo snel. De nieuwe bemanningsleden arriveerden met hun kaarten en vluchtplannen. Ze troffen een monteur aan die half op de vloer en half op de stoel van de piloot lag en bijna klaar was met de digitale instrumenten. De piloot, die zich altijd al aan monteurs ergerde, stond nors toe te kijken. De monteur kon het niet schelen wat piloten dachten. Hij zette de laatste connector vast, wriemelde zich uit zijn benarde positie en werkte een testprocedure af om te kijken of alles het goed deed, en dat alles zonder zelfs maar een blik te werpen op de piloten, die hem vast en zeker de huid vol zouden schelden als hij de elektronica niet goed had geïnstalleerd. Hij was de cockpit nog maar amper uit of de tweede piloot ging zitten en werkte dezelfde testprocedure nog een keer af. Toen de monteur snel uit het vliegtuig klom, zag hij waarom ze zo'n haast hadden.
Ze stonden met zijn vijven te wachten. Onvriendelijk en gewichtig keken ze naar het witte zakenvliegtuig. Blijkbaar maakten ze zich ergens druk om. De monteur en de rest van de onderhoudsploeg kenden ze allemaal bij naam, want ze kwamen vaak op de televisie. Ze knikten allemaal eerbiedig naar de mullahs en gingen sneller werken. In hun haast sloegen ze dingen over. Even later kreeg de onderhoudsploeg opdracht het vliegtuig te verlaten. Nadat ze alle stoelen hadden teruggezet, hadden ze nog net tijd gehad hier en daar een doek overheen te halen. De belangrijke passagiers gingen meteen aan boord en liepen meteen door naar het achterste gedeelte van de cabine om daar met elkaar te overleggen. De bemanning startte de motoren en de soldaten en de vrachtwagens hadden amper de tijd om weg te komen voordat de G-IV naar het eind van de startbaan taxiede.

In Damascus landde het tweede onderdeel van de kleine zakenvloot. Het kreeg te horen dat het opdracht had meteen naar Teheran terug te keren. De piloten vloekten, maar deden wat hun was opgedragen. Nadat ze nog geen veertig minuten aan de grond waren geweest, stegen ze weer op voor de korte vlucht naar Iran.

Het waren drukke tijden in PALM BOWL. Er was iets gaande. Dat kon je afleiden uit wat er níet gebeurde. Het radioverkeer op de gecodeerde kanalen die door hogere Iraanse generaals werden gebruikt, was intens en daarna weer stil, en daarna opnieuw intens en opnieuw stil. Op dit moment heerste er op die kanalen een diepe stilte. In KKMC in Saoedi-Arabië draaiden de computers op volle toeren om de verfijnde scramblingsystemen van de Iraanse militaire radio te kraken. In elk geval kostte het veel tijd. De technologie van de cryptografie, ooit het domein van rijke landen, was door de opkomst van de personal computer nu ook beschikbaar voor de nederigste ingezetenen van de Verenigde Staten en andere technisch ontwikkelde landen. Als gevolg daarvan waren uiterst geavanceerde cryptosystemen nu ook beschikbaar voor de nederigste naties. Tegenwoordig had Maleisië codes die bijna even moeilijk te kraken waren als die van de Russen; en Irak had ze ook, dankzij Amerikanen die bang waren dat de FBI hun onbenullige e-mail zou lezen. De cryptosystemen op militaire radio's waren uiteraard iets eenvoudiger, en nog ontcijferbaar, maar zelfs daarvoor hadden ze de Cray-computer nodig die enkele jaren geleden naar het Saoedische koninkrijk was overgevlogen. Daar kwam nog bij dat PALM BOWL zich in Koeweit bevond en volledig door de plaatselijke overheid werd gefinancierd, iets wat uiteraard tot wederdiensten verplichtte. De Koeweiti kregen de 'opbrengst' van het NSA-station onder ogen. Dat was niet meer dan redelijk, maar het personeel van de NSA en van de militaire inlichtingendienst had nog niet geleerd wat 'redelijk' was. Evengoed hadden ze hun orders.

'Ze hebben het over hun gezinnen?' vroeg een luchtmachtsergeant zich hardop af. Dat was nieuw. Op dit netwerk had PALM BOWL wel vaker persoonlijke informatie opgepikt. Ze wisten al veel van de persoonlijke gewoonten van hoge Iraakse generaals, inclusief een stuk of wat grove grappen die soms niet goed in het Engels te vertalen waren, maar dit was iets nieuws.

'Evacuatie,' merkte de sergeant-majoor naast hem op. 'Ze knijpen ertussenuit. Luitenant!' riep hij. 'Er gebeurt hier iets.'

De luitenant was met iets anders bezig. De radar op het vliegveld Kuwait International was ongewoon krachtig. De apparatuur was na de oorlog geïnstalleerd en werkte op twee manieren: voor de verkeersleiding en voor de Koeweitse luchtmacht. Die radar had een groot bereik. Voor de tweede keer in evenzoveel dagen was er een zakenvliegtuig op weg van Teheran naar Bagdad. De route was identiek aan de vorige vlucht en de transpondercode was dezelfde. De twee hoofdsteden lagen maar zevenhonderd kilometer uit elkaar, net ver genoeg om het de moeite waard te maken een zakenvliegtuig te nemen en daarmee naar een hoogte te stijgen waarop je een efficiënt gebruik van de brandstof kon maken, en zo aan de grens van hun radardekking te komen. Er cirkelde daar ook ergens een E-3B AWACS rond, maar die rapporteerde rechtstreeks aan KKMC en niet aan PALM BOWL. De geüniformeerde afluisteraars in het grondstation deden altijd hun best om de vliegende mensen in hun eigen spel te verslaan, vooral omdat de meesten zelf tot de luchtmacht behoorden. De luitenant prentte de informatie in zijn geheugen en liep naar de sergeants toe.

'Wat is er?' vroeg ze.

De sergeant-majoor scrolde zijn computerscherm om de vertaalde inhoud van een aantal 'gekraakte' gesprekken te laten zien. Hij tikte met zijn vinger op het scherm om de aandacht op de tijdstippen te vestigen. 'Er zijn daar mensen die ervandoor gaan alsof de duivel ze op de hielen zit, luit.' Even later kwam er een Koeweitse majoor langs. Ismael Sabah was een verre verwant van de koninklijke familie en had aan de marineacademie in Dartmouth gestudeerd. De Amerikanen mochten hem wel. In de oorlog was hij achtergebleven en had hij in een verzetsgroep gezeten; een van de groepen die het goed aanpakten. Hij was ondergedoken en had informatie verzameld over de posities en bewegingen van Iraakse militaire eenheden. Om die informatie het land uit te krijgen had hij vooral gebruikgemaakt van zaktelefoons die aansluiting konden vinden bij het Saoedische civiele netwerk aan de andere kant van de grens. De Irakezen waren daar nooit achter gekomen. Intussen had hij drie naaste familieleden aan de Iraakse terreur verloren. Hij had in die tijd allerlei lessen geleerd, en hij had vooral Irak leren haten. Nu hij een rustige, scherpzinnige man van midden dertig was, leek hij met de dag intelligenter te worden. Hij boog zich naar het computerscherm om de vertalingen te bekijken.

'Hoe zeggen jullie dat: de ratten verlaten het schip?'

'Denkt u dat ook?' vroeg de sergeant-majoor voordat zijn luitenant het kon vragen.

'Naar Iran?' vroeg de Amerikaanse officier. 'Ik weet dat het daarop lijkt, maar dat is toch absurd?'

Majoor Sabah trok een grimas. 'Het was ook absurd dat ze hun luchtmacht naar Iran stuurden, maar de Iraniërs hielden de gevechtsvliegtuigen en lieten de piloten naar huis gaan. Je moet meer over de plaatselijke cultuur leren, luitenant.'

Ik heb hier bijna alleen maar dingen geleerd die absurd zijn, kon ze niet zeggen.

'Wat hebben we nog meer?' vroeg Sabah aan de sergeant.

'Ze praten en worden stil en dan praten ze opnieuw en worden weer stil. Er is nu ook weer radioverkeer, maar KKMC heeft het nog niet gekraakt.'

'De radarpost meldt dat er een vliegtuig onderweg is van Mehrabad naar Bagdad. Officieel is het een zakenvliegtuig.'

'O? Hetzelfde als de vorige keer?' vroeg Sabah aan de Amerikaanse luitenant.

'Ja, majoor.'

'Wat nog meer? Nog iets anders?'

De sergeant-majoor gaf antwoord. 'Majoor, daar zijn de computers waarschijnlijk op dit moment mee bezig. Misschien over een half uur.'

Sabah stak een sigaret op. Omdat PALM BOWL officieel een Koeweitse post was, mocht er worden gerookt, tot opluchting van sommigen en tot verontwaardiging van anderen. Ondanks zijn relatief lage rang had hij een tamelijk belangrijke positie in de inlichtingendienst van zijn land, vooral omdat hij altijd een bescheiden en zakelijke houding innam. Die houding contrasteerde mooi met zijn oorlogsverleden, waarover hij lezingen gaf in Groot-Brittannië en Amerika.

'Opinies?' vroeg hij. Die van hemzelf had hij al gevormd.

'U hebt het al gezegd, majoor. Ze knijpen ertussenuit,' antwoordde de sergeant-majoor.
Majoor Sabah maakte de gedachte af. 'Over enkele uren of dagen heeft Irak geen regering meer. Iran helpt bij de overgang naar anarchie.'
'Dat is niet goed,' zei de sergeant-majoor.
'Het woord "catastrofe" is misschien op zijn plaats,' merkte Sabah op. Hij schudde zijn hoofd en glimlachte op een grimmige manier. Daarmee verwierf hij nog wat extra bewondering van de Amerikanen.

Badrayn keek op zijn horloge. Vijfenzestig minuten nadat de Gulfstream uit Teheran was vertrokken, landde het toestel in kalme lucht in Bagdad. Even punctueel als Swissair, dacht hij. Nou, dat was te verwachten geweest. Zodra het vliegtuig was uitgetaxied, zakte de deur open en stapten de vijf passagiers uit. Ze werden ontvangen met omslachtige valse hoffelijkheid en gedroegen zich zelf ook zo. Een klein konvooi van Mercedessen bracht hen onmiddellijk naar de vorstelijke onderkomens in het centrum van de stad, waar ze uiteraard vermoord zouden worden als de dingen verkeerd gingen. Hun auto's waren nog maar nauwelijks vertrokken of twee generaals, hun vrouwen, hun kinderen en één lijfwacht per generaal kwamen uit de vip-terminal en liepen naar het vliegtuig. Ze gingen vlug aan boord van de G-IV. De tweede piloot trok de deur dicht en de motoren werden gestart. Dat alles gebeurde in nog geen tien minuten, constateerde Badrayn met een blik op zijn Seiko. Het vliegtuig taxiede meteen weer weg om aan de terugreis naar Mehrabad International te beginnen. Dat alles was zo opvallend dat het de verkeersleiding niet kon ontgaan. Dat was het probleem met beveiliging, wist Badrayn. Je kon sommige dingen gewoon niet geheimhouden, in elk geval niet zoiets als dit. Normaal gesproken kon je beter gebruikmaken van een gewone lijnvlucht en de vertrekkende generaals als normale passagiers behandelen, maar er was geen lijndienst tussen de twee landen, en trouwens, de generaals zouden zich nooit zo'n plebejische behandeling laten welgevallen. En dus zouden ze in de verkeerstoren weten dat een vliegtuig onder vreemde omstandigheden was binnengekomen en vertrokken. Het luchthavenpersoneel dat de generaals en hun gevolg in de watten had moeten leggen, zou dat ook weten. Voor één zo'n vlucht deed dat er niet toe. Maar voor de volgende wel.
Misschien was dat ook niet zo erg belangrijk voor het grote plan. De gebeurtenissen die ze in gang hadden gezet, waren nu niet meer te stuiten. Toch ergerde het Ali Badrayn als professional. Je kon beter alles wat je deed geheimhouden. Schouderophalend liep hij naar de vip-terminal terug. Nee, het deed er niet toe, en hiermee had hij zich de dankbaarheid verworven van een erg machtig man die aan het hoofd stond van een erg machtig land. Het enige wat hij had hoeven doen, was praten, en mensen dingen vertellen die ze al wisten, en hen helpen een besluit te nemen dat toch al niet te vermijden was, wat ze ook deden. Wat was het leven toch merkwaardig.

'Hetzelfde vliegtuig. Jezus, dat heeft ook niet lang aan de grond gestaan.' Het was gelukt om het radioverkeer van en naar dat specifieke vliegtuig te isoleren en naar de koptelefoon van een talenexpert van het leger door te sturen. Hoewel Engels de taal van de internationale luchtvaart was, werd nu Farsi gesproken. Waarschijnlijk was dat als veiligheidsmaatregel bedoeld, maar het vliegtuig viel er alleen maar door op. Het kon gevolgd worden door radar en radiopeiling. Afgezien daarvan, en afgezien van het feit dat het vliegtuig niet eens lang genoeg aan de grond had gestaan om brandstof in te nemen, was er niets bijzonders aan het gesproken radioverkeer. Dat betekende dat het allemaal was voorbereid, iets wat gezien de omstandigheden niet bepaald een verrassing was maar wat toch wel iets duidelijk maakte. Hoog in de lucht, boven het noordwestelijke uiteinde van de Perzische Golf, vloog een AWACS die het vliegtuig ook in de gaten hield. De belangstelling voor het toestel was inmiddels zo groot dat de E-3B zijn normale patrouillepositie verliet, geëscorteerd door vier Saoedische F-15 Eagle-jagers. Iraanse en Iraakse volgstations zouden die activiteit opmerken en weten dat iemand belangstelling had voor wat er gebeurde, en zich afvragen hoe dat kon, want ze wisten zelf nergens van. Het spel was altijd fascinerend. Aan geen van beide kanten wisten ze alles wat ze wilden weten. Iedereen veronderstelde dat de andere kant – en op dit moment waren er zelfs drie kanten – te veel wist, terwijl ze in werkelijkheid geen van drieën veel wisten.

Aan boord van de G-IV was Arabisch de voertaal. De twee generaals zaten achterin zachtjes en nerveus te praten. Hun gesprek werd overstemd door motorgeluiden. Hun vrouwen, nog nerveuzer, zaten stil op hun plaats, terwijl de kinderen een boek lazen of een dutje deden. Het was het moeilijkst voor de lijfwachten, die wisten dat als er in Iran iets misging ze niets anders konden doen dan een zinloze dood sterven. Een van hen zat in het midden van de cabine en merkte dat zijn stoel nat was. Hij wist niet wat het voor nattigheid was, maar het was plakkerig en... rood? Waarschijnlijk tomatensap of zoiets. Geërgerd ging hij naar het toilet en waste zijn handen, waarna hij een handdoek mee terugnam om de zitting schoon te vegen. Hij bracht de handdoek naar het toilet terug en ging toen weer zitten, keek door het raampje naar de bergen en vroeg zich af of hij ooit nog een zonsopgang zou zien. Wat hij niet wist, was dat hij zojuist het aantal zonsopgangen dat hij nog zou beleven tot twintig had beperkt.

'Daar gaan we dan,' zei de sergeant-majoor. 'Dat waren de plaatsvervangend bevelhebber van hun luchtmacht en de bevelhebber van het Tweede Iraakse Legerkorps, plus hun gezinnen,' voegde hij eraan toe. De decodering van het opgevangen radioverkeer had iets meer dan twee uur geduurd.
'Geen onmisbare figuren?' vroeg de luchtmachtluitenant. Ze leert snel, dachten de anderen.
'Tot op zekere hoogte,' beaamde majoor Sabah met een knikje. 'We moeten

uitkijken naar een ander vliegtuig dat kort na de landing van dit toestel uit Teheran vertrekt.'
'Waar zou dat dan heen gaan?'
'Ah, luitenant, dat is de vraag, nietwaar?'
'Soedan,' meende de sergeant-majoor. Hij was al twee jaren in dit land en dit was zijn tweede periode in PALM BOWL.
'Daar zou je best eens gelijk in kunnen hebben,' merkte Sabah met een knipoogje op. 'We moeten op de tijdcyclus van de vluchten uit Bagdad letten.' En tot zolang kon hij de hele manoeuvre nog niet beoordelen, al had hij zijn eigen superieuren al verteld dat er iets bijzonders te gebeuren stond. Binnenkort zouden de Amerikanen hetzelfde moeten doen.

Twintig minuten later was er een voorlopig rapport onderweg van KKMC naar Fort Meade in Maryland, waar het door het tijdsverschil kort na middernacht arriveerde. De National Security Agency stuurde het per vezeloptiekkabel naar Langley, Virginia, waar zich het hoofdkantoor van de CIA bevond. Het ging eerst naar de communicatieafdeling en vandaar naar het operatiecentrum van de CIA, kamer 7-F-27 in het oude hoofdkwartier. Op iedere tussenstop werd de informatie integraal doorgegeven, vaak met commentaar maar vaak ook niet. Dat commentaar werd er vaak onder gezet, opdat de nationale-inlichtingenadviseurs van de verschillende diensten de zaak eerst zelf konden beoordelen. Meestal was dit een zinvolle procedure, maar in spoedeisende situaties niet altijd. Het probleem was dat je in een tijd van crisis het verschil vaak niet goed kon zien.
De nationale-inlichtingenadviseur die op dat moment de wacht van de CIA had, was Ben Goodley, een snelle carrièremaker in het directoraat Inlichtingen, die kortgeleden zijn adviseursrang had gekregen, tegelijk met het zwaarste werkschema omdat hij de minste dienstjaren had. Zoals gewoonlijk reageerde hij verstandig. Hij wendde zich tot zijn regiospecialist en gaf hem de uitdraai zo snel als hij de pagina's kon lezen en uit de stapel kon scheuren.
'Het regime stort in,' zei de regiospecialist aan het eind van pagina drie. Dat kwam niet onverwachts, maar erg prettig was het ook niet.
'Twijfels?'
'Mijn jongen...' De regiospecialist had twintig jaar meer ervaring dan zijn baas. 'Ze gaan niet naar Teheran om te winkelen.'
'SNIE?' vroeg Goodley. Hij doelde op een Special National Intelligence Estimate, een belangrijk document dat in ongewone omstandigheden een inschatting gaf van de veiligheidssituatie van het land.
'Ik denk het. De Iraakse regering zakt in elkaar.' Zo'n grote verrassing was dat nu ook weer niet.
'Drie dagen?'
'Op zijn hoogst.'
Goodley stond op. 'Goed, laten we het opstellen.'

17
Wederopleving

Het is te verwachten dat belangrijke dingen nooit op een gunstig tijdstip gebeuren. Of het nu de geboorte van een baby of een nationale noodsituatie is, het schijnt altijd te moeten gebeuren als de meeste mensen slapen of anderszins niet beschikbaar zijn. In dit geval was er niets aan te doen. Ben Goodley stelde vast dat de CIA niemand ter plaatse had om de opgepikte informatie te bevestigen, en hoewel zijn land zich voor die regio interesseerde, hoefde er geen actie te worden ondernomen. De media hadden nog geen lucht van de nieuwste ontwikkelingen gekregen, en zoals zo vaak het geval was, zou de CIA zich van de domme houden. Het grote publiek dacht toch al dat de media even vlug aan informatie kwamen als de overheid. Dat was niet altijd zo, maar het gebeurde vaker dan Goodley lief was.

Het SNIE-rapport hoefde niet lang te zijn. Een lange uiteenzetting was overbodig en de gebeurtenis zelf was gauw genoeg verteld. Goodley en zijn regiospecialist hadden er een halfuur voor nodig. Een computerprinter produceerde de uitdraai voor eigen gebruik en een modem zond het rapport via veilige lijnen naar de desbetreffende overheidsdiensten. Toen dat gebeurd was, keerden de mannen naar het operatiecentrum terug.

Golovko probeerde weer in slaap te komen. Aeroflot had net tien nieuwe Boeing 777-lijntoestellen gekocht voor haar vluchten op New York, Chicago en Washington. Die waren veel comfortabeler en betrouwbaarder dan de sovjettoestellen waarin hij vele jaren had gereisd, maar hij vond het geen prettig idee om zo'n lang eind te reizen met maar twee motoren, Amerikaans fabrikaat of niet, in plaats van de gebruikelijke vier. De stoelen hier in de eerste klas zaten tenminste goed, en de wodka die hij kort na het opstijgen had genomen, was van een voortreffelijk Russisch merk geweest. Door de combinatie van die twee factoren had hij vijfenhalf uur slaap gehad, totdat de gebruikelijke desoriëntatie van het reizen hem boven Groenland wakker liet worden. Zijn lijfwacht naast hem had nergens last van; die verkeerde nog in dromenland, als er voor iemand met zijn beroep zoiets bestond. Ergens achter hen zaten de stewardessen waarschijnlijk ook zo goed als het kon op hun vouwstoelen te slapen.

In vroeger tijden, wist Sergej Nikolajevitsj, zou het heel anders zijn gedaan. Hij zou in een speciaal gecharterd toestel hebben gevlogen, voorzien van alle mogelijke communicatiemiddelen. Als er ergens op de wereld iets had plaatsgevonden, zou hij dat meteen van Moskou te horen hebben gekregen. Het frustrerende was dat er nu inderdaad iets gebeurde. Dat moest wel. Zo ging het altijd, dacht hij in de luidruchtige duisternis. Je reisde naar een belangrijke bespreking omdat je verwachtte dat er iets zou plaatsvinden, en dan gebeurde het terwijl je onderweg was en je, voorzover je niet helemaal onkundig bleef, in ieder geval niet de kans kreeg om met je voornaamste medewerkers te overleggen. Irak én China. Gelukkig zat er een grote afstand tussen die twee brandhaarden. Toen realiseerde Golovko zich dat er een nog grotere afstand lag tussen Washington en Moskou, een afstand zo groot dat je een hele nacht in een tweemotorig vliegtuig moest zitten. Met dat prettige idee draaide hij zich enigszins opzij en zei tegen zichzelf dat hij alle slaap nodig had die hij kon krijgen.

Het grootste probleem was niet ze uit Irak weg te krijgen. Het probleem was: hoe kreeg je ze van Iran naar Soedan? Het Saoedisch luchtruim was al jaren verboden terrein voor Iraanse vliegtuigen, met als enige uitzondering de pelgrimsvluchten naar Mekka ten tijde van de jaarlijkse *hadj*. Nu moest het zakenvliegtuig een grote omweg maken: met een boog om het Arabisch schiereiland heen, over de Rode Zee omhoog en vervolgens linksaf naar Khartoum. Op die manier werd de afstand drie keer zo groot. En de volgende korte vlucht kon pas beginnen als dat eerste lange traject naar Afrika was afgelegd én de vips op hun haastig in gereedheid gebrachte onderkomens waren gearriveerd, én deze in orde hadden bevonden, én een telefoontje hadden gepleegd met het codewoord om te bevestigen dat alles in orde was. Het zou veel gemakkelijker zijn geweest om ze allemaal in één vliegtuig te zetten en ze in één keer vanuit Bagdad via Teheran naar Khartoum te brengen, maar dat kon niet. En ze konden ook niet de veel kortere, rechtstreekse route van Bagdad naar Khartoum volgen over Jordanië. Dat zou namelijk betekenen dat ze dicht langs Israël kwamen, en daar voelden de Iraakse generaals bitter weinig voor. En natuurlijk moest alles ook nog in het geheim gebeuren.
Een man van minder kaliber dan Daryaei zou zich woedend hebben gemaakt. In plaats daarvan stond hij voor het raam van een afgesloten gedeelte van de hoofdterminal. Hij zag de G-IV's naast elkaar stoppen, zag de deuren opengaan, zag de mensen vlug de ene trap af- en de andere opgaan, terwijl luchthavenpersoneel sjouwde met de weinige bezittingen die ze hadden meegebracht: ongetwijfeld juwelen en andere kostbare en gemakkelijk te vervoeren voorwerpen, dacht de vrome man zonder glimlach. Het duurde maar enkele minuten. Toen zette het wachtende vliegtuig zich in beweging.
Het was eigenlijk nergens voor nodig dat hij hierheen was gekomen om getuige te zijn van iets dat zo weinig spectaculair was. Toch was dit de kroon op twintig jaar werk, en hoe vroom Mahmoud Haji Daryaei ook was, hij was ook nog menselijk genoeg om het resultaat van al zijn inspanningen met eigen ogen te willen zien. Er waren hier zoveel jaren in gaan zitten, en toch was de taak nog niet eens half volbracht. En hij had niet veel tijd meer...
Voor iedereen duurde het even lang, zei Daryaei tegen zichzelf: een seconde, een minuut, een uur, een dag. Toch leek het of de tijd vlugger ging als je boven de zeventig was. Hij keek naar zijn handen, waarop hij de lijnen en littekens van een heel mensenleven zag, sommige natuurlijk, sommige niet. Twee van

zijn vingers waren gebroken toen hij te gast was bij de Savak, de in Israël getrainde veiligheidsdienst van de sjah. Hij kon zich de pijn nog herinneren. Nog beter herinnerde hij zich de afrekening met de twee mannen die hem hadden ondervraagd. Daryaei had geen woord gezegd. Hij had hen alleen maar aangekeken, had daar gestaan als een standbeeld, toen ze naar het vuurpeloton werden gebracht. Eigenlijk had hij er niet veel voldoening aan beleefd. Het waren dienaren geweest. Ze hadden werk gedaan dat hun door anderen was opgedragen, zonder zich af te vragen wie hij was of waarom ze hem moesten haten. Een andere mullah had bij hen gezeten om met hen te bidden, want het was een misdaad om iemand de kans te misgunnen om met Allah in het reine te komen, en wat kon het voor kwaad? Ze gingen even vlug dood. Eén kleine stap in de reis van een mensenleven, al was hun reis uiteindelijk veel korter geweest dan de zijne.
Al die jaren had hij maar één doel voor ogen gehad. Khomeini had zijn jaren van ballingschap in Frankrijk doorgebracht, maar Daryaei niet. Hij was op de achtergrond gebleven en had georganiseerd en gecoördineerd voor zijn leider. Toen hij die ene keer was opgepakt, hadden ze hem laten gaan, omdat hij niet had gepraat en omdat de mensen uit zijn omgeving ook niet hadden gepraat. Dat was een fout van de sjah geweest, een van diens vele fouten. De sjah was uiteindelijk ten prooi gevallen aan besluiteloosheid. Hij was te vooruitstrevend geweest om de islamitische geestelijkheid tevreden te stellen en te reactionair om zijn westerse bondgenoten te behagen. Vergeefs had hij geprobeerd een middenweg te zoeken in een deel van de wereld waar een man altijd maar twee keuzen had. Of eigenlijk maar één, verbeterde Daryaei zichzelf terwijl de Gulfstream opsteeg. Irak had de andere weg geprobeerd, de weg die van het woord van God vandaan leidde, en wat had het daarmee bereikt? Saddam Hoessein was zijn oorlog met Iran begonnen. Hij had gedacht dat Iran zwak en stuurloos was, maar hij had niets bereikt. Toen was hij naar het zuiden opgerukt en had nog minder bereikt, en dat alles had hij gedaan in zijn obsessieve streven naar wereldlijke macht.
Voor Daryaei lag het anders. Hij had zijn doel nooit uit het oog verloren, net zomin als Khomeini, en hoewel die dood was, leefde zijn taak voort. Omdat hij nu naar het noorden keek, lag zijn doel achter hem, te ver om het te kunnen zien, maar wel degelijk aanwezig, in de heilige steden Mekka en Medina... en Jeruzalem. In de eerste twee steden was hij geweest, in de derde niet. Als vrome jongen had hij de steen van Abraham willen zien, maar iets, hij wist niet meer wat, had zijn vader ervan weerhouden daar met hem heen te gaan. Misschien later nog. De geboortestad van de profeet had hij wel gezien, en natuurlijk had hij de pelgrimstocht naar Mekka, de *hadj*, meermalen gemaakt, ondanks de politieke en religieuze geschillen tussen Iran en Saoedi-Arabië. Hij wilde dat opnieuw doen, wilde weer bidden voor de gesluierde Ka'aba. Maar zelfs dat was nog niet alles.
Hij was officieel staatshoofd, maar hij wilde meer. Niet zozeer voor zichzelf. Nee, de taak die hij moest volbrengen, ging zijn nederige leven te boven. De

islam strekte zich uit van het uiterste westen van Afrika tot het uiterste oosten van Azië, de kleine enclaves van gelovigen op het westelijk halfrond niet meegerekend. Toch had de religie in meer dan duizend jaar niet één leider en één doel gehad. Dat deed Daryaei verdriet. Er was maar één God en één woord en het moest Allah wel droevig stemmen dat zijn woord zo verschrikkelijk slecht werd begrepen. Alleen dat kon verklaren waarom de mensheid het ware geloof niet kon vinden, en als hij dat kon veranderen, kon hij de wereld veranderen en de hele mensheid tot God brengen. Maar om dat te kunnen doen...
De wereld was de wereld, een onvolmaakt instrument met onvolmaakte regels voor onvolmaakte mensen, maar Allah had hem zo gemaakt, en dat was dat. Erger nog: er waren mensen die zich verzetten tegen alles wat hij deed, zowel gelovigen als ongelovigen, en dat was ook meer een reden tot droefheid dan tot woede. Daryaei haatte de Saoedi's en de anderen aan de overkant van de Perzische Golf niet. Het waren geen slechte mensen. Het waren gelovigen, en ondanks hun geschillen met hem en zijn land hadden ze hun nooit de toegang tot Mekka ontzegd. Maar hun weg was niet dé weg, en daar was niets aan te doen. Ze waren dik en rijk en corrupt geworden en daar moest verandering in komen. Daryaei moest Mekka beheersen om de islam te kunnen hervormen. Daarvoor moest hij wereldlijke macht verwerven. Dat betekende dat hij vijanden zou maken. Maar dat was niets nieuws en hij had zojuist zijn eerste grote slag gewonnen.
Alleen jammer dat het zo lang duurde. Daryaei sprak vaak over geduld, maar dit was het werk van een heel mensenleven. Hij was tweeënzeventig en hij wilde niet sterven zoals zijn mentor was gestorven, met het werk nog niet eens half voltooid. Als het zijn tijd was om voor Allah te verschijnen, wilde hij kunnen spreken over wat hij had bereikt, over het volbrengen van de nobelste taak die een mens maar kon hebben: de hereniging van het ware geloof. En Daryaei had daar alles voor over. Hijzelf wist niet eens hoe ver hij daarvoor zou willen gaan, want nog niet alle vragen waren hem gesteld. En omdat zijn doel zo zuiver en helder was, en omdat de tijd die hem restte zo kort was, had hij zich nooit afgevraagd hoe hij zich in de duisternis zou wagen om zijn doel te bereiken.
Nou ja. Hij wendde zich van het raam af en liep met zijn chauffeur naar de auto. Het was begonnen.

Mensen in de inlichtingenwereld worden niet betaald om in toevalligheden te geloven, en deze lieden hadden kaarten en horloges om gebeurtenissen te kunnen voorspellen. Ze kenden de actieradius van de G-IV, die niet opnieuw van brandstof was voorzien, en het was niet moeilijk om uit te rekenen welke afstand hij zou kunnen afleggen. Het rondcirkelende AWACS-vliegtuig had vastgesteld dat de G-IV vanuit Teheran naar het zuiden vloog. De transponder gaf hun het type vliegtuig door, en ook de snelheid, de vliegrichting en de hoogte. De hoogte was dertienduizend meter, waarschijnlijk om brandstof te sparen. Ze hadden al berekeningen gemaakt en nu de koers bekend was, wisten ze nog meer.

'Soedan,' beaamde majoor Sabah. Het vliegtuig had overal heen kunnen gaan. Hij had bijna gedacht dat Brunei een mogelijkheid was, maar nee, dat was te ver van Zwitserland vandaan, en in Zwitserland was het geld, dat moest wel.
Toen ze tot deze conclusie waren gekomen, stuurden ze een satellietbericht naar Amerika, opnieuw naar de CIA. Ditmaal werd een hogere functionaris van het directoraat Operaties wakker gemaakt, die alleen maar ja hoefde te antwoorden op een korte vraag. Het antwoord werd ten behoeve van de Koeweiti doorgegeven aan PALM BOWL. Daarna was het alleen maar een kwestie van wachten.

De CIA had een kleine vertegenwoordiging in Khartoum, eigenlijk alleen maar een vestigingschef, een paar agenten en een secretaresse die ze met de inlichtingensectie van de NSA-vestiging deelden. Daar stond tegenover dat de vestigingschef bekwaam was en een aantal Soedanezen had gerekruteerd om als informant te fungeren. Het hielp dat de Soedanese regering meestal weinig te verbergen had; het land was te arm om belangrijke geheimen te kunnen hebben. In vroeger tijden had de regering de geografische positie van het land gebruikt om het oosten tegen het westen uit te spelen. Dat had het land geld en wapens en gunsten opgeleverd, maar toen kwam de Sovjet-Unie ten val, en kwam er een eind aan het grote machtsspel dat de Derde Wereld twee generaties lang veel materieel voordeel had opgeleverd. Tegenwoordig waren de Soedanezen aangewezen op hun eigen hulpbronnen, die schaars waren, en op de weinige kruimels die hun werden toegeworpen door het komende en gaande land dat iets van het land nodig had. De leiders van het land waren islamitisch, en door dat zo hard te roepen als ze konden liegen – ze waren niets vromer dan hun westerse collega's – slaagden ze erin hulp van Libië en Iran en andere landen te krijgen. In ruil daarvoor werd van hen verwacht dat ze de heidense animisten in het zuiden van het land het leven zo zuur mogelijk maakten. Bovendien moesten ze het opkomend islamitisch getij in hun hoofdstad riskeren, mensen die wisten hoe diep de vroomheid van de leiders ging en die hen wilden vervangen door echte gelovigen. Over het geheel genomen vonden de politieke leiders van dat verarmde land het gemakkelijker om religieus en rijk te zijn dan religieus en arm.
De gevolgen daarvan voor het Amerikaanse ambassadepersoneel waren erg moeilijk te voorspellen. Soms, als de fundamentalistische onruststokers onder controle waren, was Khartoum veilig. Soms was het dat niet, dan hadden de onruststokers vrij spel. Op dit moment heerste blijkbaar de eerste situatie. Het enige waarover het ambassadepersoneel zich zorgen hoefde te maken, waren de leefomstandigheden in de stad, die zo slecht waren dat deze post, zelfs als de terroristische dreiging buiten beschouwing werd gelaten, tot de tien ongunstigste ambassades ter wereld werd gerekend. Voor de vestigingschef was deze benoeming een snelle promotie geweest, al moesten zijn vrouw en twee kinderen thuis in Virginia blijven, want de meeste Amerikanen vonden Khartoum

niet veilig genoeg voor hun gezin. Daar kwam nog bij dat aids hier zo'n ernstige bedreiging vormde, dat ze niet veel aan het nachtleven hadden, om nog maar te zwijgen van de vraag of je wel veilig bloed kreeg als je een ongeluk had gehad. De ambassade had een militaire arts om zich met die kwesties bezig te houden. De man had veel zorgen.
De vestigingschef zette dat uit zijn hoofd. Door deze functie te accepteren had hij een hele salarisgroep overgeslagen. Hij had zijn werk hier goed gedaan, vooral doordat hij een informant met een erg gunstige positie op het Soedanese ministerie van Buitenlandse Zaken had aangeworven, die Amerika kon inlichten over alles wat zijn land deed. Dat Soedan niet veel bijzonders deed, maakte voor de bureauspionnen op Langley nauwelijks verschil. Je kon beter alles van niets weten dan niets van alles.
Hij zou dit zelf doen. Nadat hij zich over zijn eigen kaarten had gebogen en enkele berekeningen had gemaakt, nam hij een vroege lunch en reed hij vervolgens naar het vliegveld, dat maar een paar kilometer buiten de stad lag. De beveiliging daar was Afrikaans nonchalant en hij vond een plekje in de schaduw. De particuliere terminal was gemakkelijker in het oog te houden dan de openbare, vooral met de 500-mm lens op zijn camera. Hij had zelfs tijd om zijn lensopening goed af te stellen. De NSA-mensen op de ambassade gaven hem via zijn zaktelefoon door dat het vliegtuig eraan kwam. Even later zag hij enkele officieel uitziende auto's op het vliegveld arriveren. Hij had al twee foto's in zijn hoofd geprent die hem vanuit Langley waren overgefaxt. Twee hoge Iraakse generaals, hè? dacht hij. Nou, na de dood van hun baas was dat niet zo verrassend. Het probleem met die dictaturen was dat de mensen die net onder de top stonden in de regel een erg slechte pensioenregeling hadden. Het witte zakenvliegtuig landde met de gebruikelijke wolken van rubberrook. Hij richtte er de camera op en maakte met hoge snelheid enkele zwart-witfoto's. Dat deed hij eigenlijk alleen om er zeker van te zijn dat de camera goed werkte. Het enige waar hij zich nu zorgen over maakte, was of de kist op een zodanige manier zou stoppen dat hij de uitgang niet voor de camera kreeg; die rotzakken konden altijd de verkeerde kant op gaan staan en op die manier alles voor hem verpesten. Hij had daar weinig invloed op. De Gulfstream stopte. De deur zakte open en de vestigingschef begon foto's te maken. Er was een tamelijk hoge Soedanese overheidsfunctionaris naar het vliegveld gekomen voor de semi-officiële begroeting. Degenen die de omhelzingen en kussen kregen, zouden wel het belangrijkst zijn, en dat waren ook degenen die meteen om zich heen keken. *Klik. Klik.* Hij herkende één gezicht met zekerheid en het andere gezicht waarschijnlijk ook. Het duurde allemaal niet meer dan een minuut of twee. De officiële auto's reden weg. Het kon de vestigingschef niet veel schelen waar ze heen gingen. Dat zou zijn informant op het ministerie van Buitenlandse Zaken hem nog wel vertellen. Om zijn rolletje vol te maken schoot hij nog acht foto's van het vliegtuig, dat al van nieuwe brandstof werd voorzien, en daarna besloot hij af te wachten wat het ging doen. Een halfuur later steeg het weer op. Hij ging naar de ambassade terug. Terwijl een

van zijn medewerkers de zaak verder afhandelde, belde hij naar het CIA-hoofdkantoor in Langley.

'De bevestiging,' zei Goodley, wiens wacht er bijna op zat. 'Vijftig minuten geleden zijn twee Iraakse generaals in Khartoum geland. Ze knijpen ertussenuit.'
'Dat maakt ons SNIE-rapport extra goed, Ben,' zei de regiospecialist met opgetrokken wenkbrauwen. 'Ik hoop dat ze op de tijdstempel letten.'
De nationale-inlichtingenadviseur glimlachte. 'Ja, nou, we moeten nu uitleggen wat het betekent.' Dat zou hij overlaten aan de vaste analisten, die straks aan hun werkdag zouden beginnen.
'Niets goeds.' Maar je hoefde geen CIA-man te zijn om dat te weten.
'Er komen foto's binnen,' zei iemand.

Het eerste telefoontje moest naar Teheran gaan. Daryaei had zijn ambassadeur verteld dat hij de dingen zo duidelijk mogelijk moest maken. Iran zou voor alle onkosten tekenen. De generaals moesten het beste onderkomen krijgen dat te vinden was, met al het comfort dat in Soedan mogelijk was. De hele operatie zou niet veel geld kosten, maar de inboorlingen in dat land waren onder de indruk van kleine bedragen en er was al tien miljoen Amerikaanse dollar – een schijntje – elektronisch overgemaakt om te zorgen dat alles goed verliep. Een telefoontje van de Iraanse ambassadeur bevestigde dat de eerste ontvangst goed was verlopen en dat het vliegtuig op de terugweg was.
Goed. Misschien zouden de Irakezen hem nu een beetje vertrouwen. Het zou hem persoonlijk wel goed hebben gedaan om dat uitschot te laten elimineren – en dat zou onder de omstandigheden ook niet moeilijk zijn geweest – maar hij had zijn woord gegeven. Trouwens, het ging hier niet om persoonlijke genoegdoening. Terwijl hij de hoorn op de haak legde, riep zijn minister van Luchtvaart extra vliegtuigen op om het transport te bespoedigen. Dit moest vlug gebeuren.

Badrayn probeerde datzelfde duidelijk te maken. Het zou vast en zeker uitlekken, waarschijnlijk al binnen één dag, of anders wel binnen twee. Ze lieten mensen achter die te hoog geplaatst waren om de komende onlusten te overleven, en te laag om de hulp te verdienen die de Iraniërs aan de generaals gaven. Die officieren, kolonels en brigadegeneraals, zouden niet blij zijn met het vooruitzicht dat ze als zondebokken aan de woede van de massa werden opgeofferd. Dat besef maakte de generaals niet ongeduldiger om het land te verlaten, maar wekte een onbestemde angst bij hen op waardoor al hun angsten voor een ongewisse toekomst nog groter leken. Ze stonden op het dek van een brandend schip voor een vijandige kust en ze konden niet zo goed zwemmen. Maar het schip stond nog in brand. Hij moest dat tot hen laten doordringen.

Inmiddels begon het voor Ryan allemaal routine te worden. Hij was al helemaal gewend aan het discrete kloppen op de deur, dat in zekere zin harder klonk dan de wekkerradio die hem de afgelopen twintig jaar wakker had gemaakt. Zodra er zacht werd geklopt, deed hij zijn ogen open. Hij stond op, trok zijn ochtendjas aan, liep de zes meter van het bed naar de deur en nam zijn krant en de papieren met zijn dagschema in ontvangst. Vervolgens ging hij naar de badkamer en naar de zitkamer naast de presidentiële slaapkamer, terwijl zijn vrouw enkele minuten na hem haar eigen ochtendritueel afwerkte.
Jack vond het jammer dat hij niet gewoon de krant kon lezen. Hoewel de krant meestal niet zo goed was als de inlichtingenrapporten die voor hem op tafel lagen, stonden er in de *Washington Post* ook dingen die buiten het staatsbestuur vielen maar waarvan hij toch wel graag op de hoogte wilde blijven. Maar de hoogste prioriteit had een SNIE-rapport, een spoedeisend, officieel document in een bruine map. Ryan wreef over zijn ogen voordat hij begon te lezen.
Verdomme. Nou ja, het had nog erger kunnen zijn, zei de president tegen zichzelf. In elk geval hadden ze hem deze keer niet uit zijn slaap gehaald om hem iets te laten weten waaraan hij toch niets kon veranderen. Hij keek naar zijn dagschema. Hij zou deze kwestie met Scott Adler kunnen bespreken, en met die Vasco. Goed. Vasco scheen te weten waar hij het over had. Wie nog meer vandaag? Hij keek het papier door. Sergej Golovko? Was dat vandaag? Dat was dan een meevaller. Een korte persconferentie om Tony Bretano's benoeming tot minister van Defensie bekend te maken, met een lijst van mogelijke lastige vragen, en instructies van Arnie: negeer de kwestie-Kealty zoveel mogelijk. Laat Kealty en zijn aantijgingen vervagen in onverschilligheid. Ja, dat was mooi geformuleerd! Jack hoestte terwijl hij koffie inschonk. Om dat laatste te mogen doen had hij een direct bevel moeten geven. Hij hoopte dat de marinestewards het niet als een persoonlijke belediging opvatten, maar hij was het gewend om tenminste sommige dingen nog zelf te doen. De huidige regeling hield in dat de stewards de ontbijttafel dekten en het dan verder aan de Ryans overlieten. Intussen stond ander personeel op de gang te wachten.
'Goedemorgen, Jack.' Cathy boog zich naar hem toe. Hij kuste haar op de lippen en glimlachte.
'Goedemorgen, schat.'
'Is de wereld er nog?' vroeg ze terwijl ze haar eigen koffie inschonk. Daaraan kon de president zien dat zijn vrouw die dag niet hoefde te opereren. Op een operatiedag dronk ze nooit koffie. Cafeïne, zei ze, liet je handen soms een klein beetje trillen, en dat wilde ze niet riskeren als ze in iemands oogbal ging snijden. Hij moest altijd huiveren bij dat idee, al opereerde ze tegenwoordig meestal met laserstralen.
'Het lijkt erop dat de Iraakse regering valt.'
Een vrouwelijk snuifgeluid. 'Is dat vorige week niet gebeurd?'
'Dat was het eerste bedrijf. Dit is het derde bedrijf.' Of misschien het vierde. Hij vroeg zich af wat er in het vijfde zou gebeuren.
'Belangrijk?' Jack hoorde dat ze toost at.

'Zou kunnen. Wat ga jij vandaag doen?'
'Poli en vervolgonderzoeken. Budgetbespreking met Bernie.'
'Hmpf.' Jack keek nu in de *Early Bird*, een verzameling knipsels uit de belangrijkste kranten. Cathy verscheen weer aan de rand van zijn gezichtsveld. Ze keek naar het dagschema.
'Golovko...? Heb ik hem niet in Moskou ontmoet? Dat is die kerel die voor de grap zei dat hij je onder schot had genomen!'
'Dat was geen grap,' zei Ryan tegen zijn vrouw. 'Het is echt gebeurd.'
'Kom nou!'
'Hij zei later dat het pistool niet geladen was.' Jack vroeg zich af of dat waar was. Waarschijnlijk wel, dacht hij.
'Maar hij sprak de waarheid?' vroeg ze ongelovig.
De president keek op en glimlachte. Gek eigenlijk, dacht hij, dat het nu zo grappig leek. 'Hij was toen erg kwaad op me. Ik had de KGB-voorzitter geholpen met overlopen.'
Ze pakte haar ochtendkrant. 'Jack, ik weet nooit of je me in de maling neemt.'
Jack dacht daarover na. De first lady was officieel een gewone burger, zeker Cathy, die geen 'politieke' echtgenote was maar een praktiserend arts met ongeveer evenveel belangstelling voor politiek als voor groepsseks. Ze was dan ook nooit aan een veiligheidsonderzoek onderworpen, maar iedereen nam aan dat de president zijn vrouw in vertrouwen nam, zoals ieder normaal persoon deed. Trouwens, het had ook voordelen. Haar oordeel was net zo goed als het zijne, en hoe ongeschoold ze ook mocht zijn als het op internationale betrekkingen aankwam, ze nam iedere dag beslissingen die van grote invloed waren op het leven van mensen. Als ze een blunder beging, werden ze blind.
'Cathy, ik vind het tijd worden dat ik je iets vertel over de dingen die ik in de loop van de jaren heb gedaan. Laat ik nu dan vertellen dat Golovko inderdaad een keer een pistool tegen mijn hoofd heeft gedrukt, op een startbaan van het vliegveld van Moskou, omdat ik twee erg hoge Russen had geholpen het land uit te komen. Een van hen was zijn baas bij de KGB.'
Nu keek ze op. Ze dacht aan de nachtmerries die haar man een paar jaar geleden maandenlang hadden gekweld. 'Waar is die op dit moment?'
'In de buurt van Washington, ik weet niet meer waar, de paardenstreek van Virginia, denk ik.' Jack kon zich vaag herinneren dat de dochter, Katryn Gerasimov, verloofd was met een telg uit een oud grootgrondbezittersgeslacht bij Winchester. Ze was dus van het ene soort adel in het andere overgegaan. Nou, het maandgeld dat de CIA aan de familie betaalde, was genoeg voor een erg comfortabele levensstijl.
Cathy was gewend aan de grappen van haar man. Zoals de meeste mannen vertelde hij amusante verhaaltjes waarvan de humor in de overdrijving te vinden was – hij kwam nog uit een Ierse familie ook – maar nu viel het haar op dat hij dit alles heel nonchalant vertelde, alsof hij de uitslag van een honkbalwedstrijd gaf. Hij zag haar niet naar zijn achterhoofd kijken. Ja, besloot ze, terwijl de kinderen binnenkwamen, ik zou zijn verhalen graag eens willen horen.

'Papa!' zei Katie, die Jack eerst zag. 'Mama!' Daardoor werd het ochtendritueel onderbroken, of beter gezegd, veranderd in iets dat van meer onmiddellijk belang was dan het wereldnieuws. Katie had haar schoolkleren al aan. Zoals de meeste kleine kinderen was ze meteen na het wakker worden al in een goed humeur.
'Dag,' zei Sally, die met een zorgelijk gezicht dichterbij kwam.
'Wat is er?' vroeg Cathy haar oudste dochter.
'Al die mensen daar! Je kunt hier geen stap verzetten of ze zien je!' mopperde ze, en ze nam een glas sinaasappelsap van het dienblad. En ze had vanmorgen ook geen trek in Frosted Flakes. Ze wilde liever Just Right. Maar die doos stond helemaal op de begane grond, in de ruime keuken van het Witte Huis. 'Het is net of je in een hotel woont, maar dan met minder privacy.'
'Wat voor proefwerk heb je vandaag?' vroeg Cathy, die meteen begreep wat er aan de hand was.
'Wiskunde,' gaf Sally toe.
'Heb je ervoor geleerd?'
'Ja, mam.'
Jack negeerde het probleem en maakte de pap klaar voor Katie, die van Frosted Flakes hield. Jack junior kwam binnen en zette de televisie aan. Hij koos het Cartoon Channel voor zijn ochtendrantsoen Road Runner en Coyote, waar Katie ook van hield.
Buiten begon voor alle andere mensen de nieuwe dag. Ryans persoonlijke nationale-inlichtingenadviseur legde de laatste hand aan zijn gevreesde ochtendbriefing. De president was moeilijk tevreden te stellen. De huisbewaarder van het Witte Huis was vroeg gearriveerd om toezicht te houden op onderhoudswerkzaamheden op de begane grond. In de slaapkamer van de president legde een personeelslid kleren klaar voor de president en zijn vrouw. Auto's stonden klaar om de kinderen naar school te brengen. Politieagenten van de staat Maryland waren al bezig de route naar Annapolis te controleren. De mariniers lieten hun helikopter warmdraaien voor de tocht naar Baltimore; dát probleem was nog niet uitgewerkt. De hele machinerie was al in beweging gezet.

Gus Lorenz was al vroeg naar zijn werk in Atlanta gekomen omdat hij een telefoontje uit Afrika verwachtte. Waar, wilde hij weten, bleven zijn apen? Zijn inkoper legde op acht tijdzones afstand uit dat Atlanta te traag was geweest met het overmaken van het geld en dat daardoor iemand anders de zending had opgekocht. Intussen werd er in het oerwoud een nieuwe partij gevangen. Dat zou ongeveer een week duren, zei hij tegen de Amerikaanse arts.
Lorenz mopperde. Hij had gehoopt deze week met zijn nieuwe onderzoek te kunnen beginnen. Hij maakte een aantekening op zijn blocnote en vroeg zich af wie die andere koper van al die groene meerkatten was geweest. Was Rousseau in Parijs aan iets nieuws begonnen? Hij zou hem later die dag eens bellen, na het ochtendoverleg met zijn medewerkers. Het goede nieuws, zag hij, was dat... o, dat was jammer. De tweede patiënt was omgekomen bij een vliegtuig-

ongeluk, stond in een telex van de WHO. Maar er waren geen nieuwe gevallen gemeld en nummer twee was al weer zo lang geleden dat ze zo langzamerhand mochten veronderstellen dat deze kleine uitbarsting voorbij was... waarschijnlijk, misschien, hopelijk, voegde Lorenz er in gedachten aan toe. Dat was goed nieuws. Onder de elektronenmicroscoop leek het op de stam ebola zaire mayinga, en dat was het ergste subtype van het virus. Het was mogelijk dat de gastheer nog ergens rondliep en nog iemand anders zou besmetten, maar de ebolagastheer was net zo moeilijk te vinden als indertijd die van malaria: 'slechte lucht' in het Italiaans, want de mensen dachten dat het daarvan kwam. Misschien, dacht hij, was de gastheer een of ander knaagdier dat door een vrachtwagen was overreden. Hij haalde zijn schouders op. Per slot van rekening was dat mogelijk.

Nu haar morfinedosis was gereduceerd, lag Patiënte Twee half bij bewustzijn in het instituut in Hasanabad. Ze was voldoende bij haar positieven om de pijn te voelen, maar niet om te begrijpen wat er gebeurde. De pijn zou toch wel zijn opgekomen en was des te erger omdat zuster Jean Baptiste wist wat iedere pijnscheut betekende. De pijn in haar buik was het ergst. De ziekte verwoestte haar darmkanaal over de volle tien meter lengte, vrat letterlijk aan de delicate weefsels die voedsel in bouwstoffen moesten omzetten en dumpte geïnfecteerd bloed tot aan haar endeldarm.

Het was of haar hele lichaam tegelijk werd verwrongen en geplet en verbrand. Ze moest zich bewegen, iets doen om de dingen anders te maken, om te zorgen dat de pijn even uit een andere richting kwam en ze zo enige verlichting zou krijgen van wat haar kwelde. Maar toen ze zich probeerde te bewegen, merkte ze dat al haar ledematen met klittenband waren vastgemaakt. Die vernedering was op de een of andere manier nog erger dan de pijn, maar toen ze wilde protesteren werd ze meteen zo misselijk dat ze moest kokhalzen. Zodra dat gebeurde, kantelde een in een blauw ruimtepak gehulde verzorger het bed – wat voor soort bed was dit? vroeg ze zich af – zodat ze in een emmer kon overgeven, en wat ze daar zag, was zwart, dood bloed. Dat leidde haar even af van de pijn, maar het enige dat nu tot haar doordrong was dat ze dit niet kon overleven, dat de ziekte te ver was voortgeschreden, dat haar lichaam stervende was. Zuster Jean Baptiste begon te bidden om de dood, want dit kon op maar één manier aflopen en de pijn was zo erg dat het einde gauw moest komen, anders zou ze ook nog haar geloof verliezen. Dat vooruitzicht sprong uit haar verdoofde bewustzijn naar voren als een duveltje uit een doosje. Maar dat kinderspeelgoed had hoorns en hoeven. Ze had behoefte aan een priester. Ze had behoefte aan... Waar was Maria Magdalena? Was ze gedoemd om in eenzaamheid te sterven? De stervende zuster keek naar de ruimtepakken en hoopte bekende ogen achter de plastic afschermingen te zien, maar hoewel de ogen medeleven uitdrukten, kwamen ze haar niet bekend voor. En de taal die ze spraken toen ze dichterbij kwamen, was ook onbekend.

De verpleger deed erg voorzichtig toen hij haar bloed afnam. Eerst keek hij

of haar arm goed in bedwang werd gehouden en niet meer dan een centimeter kon bewegen. Toen liet hij haar arm door een sterke collega vasthouden en lette hij er zelf op dat hij met de naald niet in de buurt van de handen van die collega kwam. Na een instemmend knikje van de ander koos hij de juiste ader en stak de naald erin. Deze keer had hij geluk. De naald ging er bij de eerste poging in. Aan de achterkant van de naaldhouder bevestigde hij een 5-cc vacuümbuisje, waar bloed in kwam dat donkerder was dan de gebruikelijke purperkleur. Toen het buisje vol was, haalde hij het van de naald af en zette het zorgvuldig in een plastic houder, waarna nog drie buisjes volgden. Toen trok hij de naald terug en legde verbandgaas op de prikwond, die niet wilde ophouden met bloeden. De collega liet de arm los en zag dat hij met zijn kortstondige greep een lelijke blauwe plek had veroorzaakt. Er werd een deksel op de buisjeshouder gezet en de eerste verpleger liep de kamer uit, terwijl de tweede naar de hoek ging om zijn handschoenen en armen met een jodiumoplossing te besproeien. Ze waren volledig ingelicht over het gevaar van deze opdracht, maar zoals mensen nu eenmaal zijn, hadden ze het niet echt willen geloven, ondanks alle oefeningen en voorlichtingsfilms. Beide mannen geloofden het nu wel, ieder vervloekt woord van het verhaal, en alle verplegers wensten en baden dat de dood deze vrouw spoedig weg zou halen en naar de bestemming zou brengen die Allah haar had toegedacht. Het was al erg genoeg om haar lichaam uiteen te zien vallen, maar het idee haar op die gruwelijke reis te moeten volgen was genoeg om ook de moedigsten onder hen aan het beven te krijgen. Zoiets hadden ze nog nooit meegemaakt. Deze vrouw smolt van binnenuit. Toen de broeder de buitenkant van zijn pak had schoongemaakt, draaide hij zich om, geschrokken van haar kreet van pijn. Het klonk alsof een zuigeling werd gemarteld door de duivel zelf. Ze had haar ogen en mond wijd open en een raspende, spugende kreet ontsnapte in de lucht en kwam op het plastic van zijn pak terecht.
De bloedmonsters werden snel maar uiterst zorgvuldig in het lab aan de gang verwerkt. Moudi en de projectdirecteur waren in hun kantoor. Het was niet strikt noodzakelijk dat ze hiervoor in het lab aanwezig waren en ze konden de tests beter in ogenschouw nemen als ze niet door beschermende kleding werden gehinderd.
'Tot nu toe gaat het opmerkelijk snel.' De directeur schudde vol ontzag met zijn hoofd.
Moudi knikte. 'Ja, het gaat als een vloedgolf over het immuunsysteem heen.'
De beelden op het computerscherm kwamen van een elektronenmicroscoop. Overal zagen ze de virussen met de vorm van een herdersstaf. Een paar antistoffen waren ook nog zichtbaar op het scherm, maar dat konden net zo goed verdwaalde schapen in een troep leeuwen zijn, zo weinig konden ze uitrichten. De bloedcellen werden aangevallen en vernietigd. Als ze weefselmonsters van de belangrijke organen hadden kunnen nemen, zouden ze hebben ontdekt dat de milt in zoiets hards als een rubberen bal veranderde, vol kristallen die als

transportcapsules voor de virusdeeltjes fungeerden. Het zou interessant zijn geweest, en misschien zelfs nuttig in wetenschappelijk opzicht, om de buikholte laparoscopisch te onderzoeken en na zorgvuldig afgemeten tijdsintervallen te zien wat de ziekte met een menselijke patiënt deed. Maar dan bestond het gevaar dat de dood van de patiënte werd bespoedigd, en dat wilden ze niet riskeren.
In monsters van haar braaksel werden weefselfragmenten uit het bovenste deel van het maagdarmkanaal aangetroffen, en die waren interessant, want ze waren niet alleen losgescheurd maar ook dood. Grote delen van het nog levende lichaam van de patiënte waren al afgestorven, losgeraakt van de levende rest van het lichaam en vervolgens uitgestoten door dat lichaam, dat zo nog een vergeefse poging deed om in leven te blijven. Het geïnfecteerde bloed zou worden gecentrifugeerd en ingevroren voor later gebruik. Iedere druppel die eruit kwam was nuttig. Daarom werd via rubberen infuusslangen meer bloed toegediend. Uit een hart-enzymentest bleek dat het hart in tegenstelling tot dat van de Index Patient nog normaal en gezond was.
'Vreemd dat de ziekte op verschillende manieren toeslaat,' zei de directeur toen hij de uitdraai las.
Moudi wendde alleen maar zijn hoofd af. Hij verbeeldde zich dat hij haar kreten van pijn dwars door de betonnen muren van het gebouw kon horen. Het zou een daad van barmhartigheid zijn om de kamer in te lopen en haar 20 cc kalium toe te dienen, of om gewoon het morfine-infuus helemaal open te draaien, zodat ze ophield met ademhalen.
'Zou die Afrikaanse jongen van zichzelf al een hartaandoening hebben gehad?' vroeg zijn baas.
'Misschien, maar die diagnose was niet gesteld.'
'De leverfunctie gaat snel achteruit, zoals te verwachten was.' De directeur keek langzaam de bloedgegevens door. Alle getallen waren abnormaal, behalve de hartindicatoren, en die bevonden zich ook op de grens. 'Dit is een geval voor de leerboeken, Moudi.'
'Jazeker.'
'Deze stam van het virus is zelfs nog sterker dan ik had gedacht.' Hij keek op. 'Je hebt dit goed gedaan.'
Nou en of.

'... Anthony Bretano heeft twee graden aan het MIT behaald, in de wiskunde en de optische fysica. Hij heeft een indrukwekkende staat van dienst in het bedrijfsleven en de technologie en ik verwacht dat hij een uitermate daadkrachtige minister van Defensie zal zijn,' zei Ryan tot slot van zijn verklaring. 'Vragen?'
'Meneer Ryan, vice-president Kealty...'
'De voormalige vice-president,' onderbrak Ryan hem. 'Hij heeft ontslag genomen. Laat dat duidelijk zijn.'
'Maar hij zegt van niet,' merkte de *Chicago Tribune* op.

'Als hij zei dat hij met Elvis had gesproken, zou u hem dan geloven?' vroeg Ryan. Hij hoopte dat hij die voorbereide tekst goed had uitgesproken. Hij keek aandachtig naar de gezichten. Opnieuw waren alle achtenveertig stoelen bezet. Twintig andere verslaggevers hadden een staanplaats. Ze knipperden even met hun ogen toen ze Jacks smalende opmerking hoorden, en sommigen moesten er zelfs een beetje om lachen. 'Gaat uw gang. Stelt u uw vraag maar.'
'Menéér Kealty heeft verzocht om een rechterlijke commissie die de feiten van de zaak zou moeten vaststellen. Wat vindt u daarvan?'
'De kwestie wordt onderzocht door de FBI, de belangrijkste onderzoeksdienst van de overheid. Wat de feiten ook zijn, ze moeten worden vastgesteld voordat iemand een oordeel kan vellen. Maar ik denk dat we allemaal wel weten wat er gaat gebeuren. Ed Kealty heeft zijn ontslag genomen, en u weet allemaal waarom. Uit eerbied voor het constitutionele proces heb ik de FBI opdracht gegeven de kwestie te onderzoeken, maar mijn eigen juridisch advies is volkomen duidelijk. Meneer Kealty mag beweren wat hij wil. Ik heb hier werk te doen. Volgende vraag?' zei Jack vol zelfvertrouwen.
'Meneer de president...' Zodra de *Miami Herald* dat zei, knikte Ryan even. 'In uw toespraak zei u laatst dat u geen politicus bent, maar u bekleedt een politieke functie. Het Amerikaanse volk wil graag weten hoe u over veel dingen denkt.'
'Dat denk ik ook. Wat bijvoorbeeld?' vroeg Jack.
'Abortus,' zei de verslaggeefster van de *Herald*, een erg geëmancipeerde vrouw. 'Wat is precies uw standpunt?'
'Ik hou er niet van,' antwoordde Ryan. Hij vertelde de waarheid voordat hij erover nagedacht had. 'Zoals u waarschijnlijk weet, ben ik katholiek, en ik vind dat mijn kerk wat dat betreft gelijk heeft. Aan de andere kant is *Roe versus Wade* geldend recht totdat het hooggerechtshof iets anders besluit. De president mag de uitspraken van de federale gerechtshoven niet negeren. Dat brengt mij in een nogal moeilijke positie, maar als president moet ik mijn ambt in overeenstemming met de wet bekleden. Ik heb gezworen dat ik dat zou doen.' Niet slecht, Jack, dacht Ryan.
'Dus u staat niet achter het recht van de vrouw om te kiezen?' vroeg de *Herald*, die bloed rook.
'Om wat te kiezen?' vroeg Ryan, die zich nog geen zorgen maakte. 'Weet u, iemand heeft eens geprobeerd mijn vrouw te doden toen ze zwanger was van onze zoon, en kort daarna heb ik mijn oudste kind bijna zien sterven in een ziekenhuis. Ik vind het leven een erg kostbaar goed. Dat heb ik op een harde manier geleerd. Ik hoop dat mensen daarover nadenken voordat ze tot abortus besluiten.'
'Daarmee hebt u mijn vraag niet beantwoord.'
'Ik kan niet verhinderen dat mensen het doen. Of het me nu aanstaat of niet, het is de wet. De president moet zich aan de wet houden.' Dat was toch duidelijk?
'Maar als u leden van het hooggerechtshof benoemt, gebruikt u abortus dan

als lakmoesproef? Zou u graag zien dat *Roe versus Wade* werd teruggedraaid?'
Ryan merkte nauwelijks dat de camera's hun focus veranderden, en de verslaggevers zich op hun schrijfblokken concentreerden.
'Zoals ik al zei, ik houd niet van *Roe versus Wade*. Ik vind dat het een vergissing was. Ik zal u vertellen waarom. Het hooggerechtshof bemoeide zich met iets dat aan de wetgever toekomt. De grondwet gaat niet op de kwestie in en in zulke gevallen hebben we wetgevers om onze wetten te maken.' Het lesje staatsrecht verliep goed. 'Als ik mensen in het hooggerechtshof moet benoemen, zal ik op zoek gaan naar de beste rechters die ik kan vinden. Dat komt binnenkort aan de orde. De grondwet is een soort bijbel voor de Verenigde Staten van Amerika, en de leden van het hooggerechtshof zijn de... theologen, zou je kunnen zeggen, de mensen die zeggen wat het betekent. Het is niet de bedoeling dat ze een nieuwe bijbel schrijven. Het is de bedoeling dat ze de bestaande bijbel interpreteren. Als de grondwet moet worden veranderd, hebben we daar een mechanisme voor. Dat hebben we al meer dan twintig keer gebruikt.'
'Dus u kiest alleen mensen die *Roe* terug willen draaien?'
Het was of ze tegen een muur sloeg. Ryan zweeg nadrukkelijk voordat hij antwoord gaf: 'Ik hoop de beste rechters te kiezen die ik kan vinden. Ik zal ze niet over afzonderlijke kwesties ondervragen.'
De *Boston Globe* sprong overeind. 'Meneer de president, en als nu eens het leven van de moeder in gevaar is? De katholieke kerk...'
'Het antwoord daarop ligt voor de hand. Het leven van de moeder gaat boven alles.'
'Maar de kerk zei altijd...'
'Ik spreek niet namens de katholieke kerk. Zoals ik al eerder zei: ik moet me aan de wet houden.'
'Maar u wilt dat de wet wordt veranderd,' merkte de *Globe* op.
'Ja, het lijkt me voor iedereen beter als de zaak naar de wetgevers van de afzonderlijke staten wordt terugverwezen. Op die manier kunnen de gekozen vertegenwoordigers van het volk wetten uitvaardigen die in overeenstemming zijn met de wil van hun kiezers.'
'Maar dan krijgen we hier in het land een mengelmoes van wetten,' zei de *San Francisco Examiner*. 'En dan zou abortus in sommige staten verboden worden.'
'Alleen wanneer de kiezers dat willen. Zo werkt de democratie.'
'Maar hoe moet het dan met vrouwen zonder geld?'
'Het is niet aan mij om daar iets over te zeggen,' antwoordde Ryan. Hij begon zich een beetje kwaad te maken en vroeg zich af hoe hij in deze narigheid verzeild was geraakt.
'Dus u staat achter een constitutionele bepaling tegen abortus?' wilde de *Atlanta Constitution* weten.
'Nee, ik vind niet dat het een constitutioneel vraagstuk is. Ik vind dat het een vraagstuk voor de wetgevende vergaderingen van de afzonderlijke staten is.'
'Dus,' vatte de *New York Times* samen, 'u bent persoonlijk op morele en religi-

euze gronden tegen abortus, maar u zult zich niet met de rechten van vrouwen bemoeien. U bent van plan conservatieve rechters in het nieuwe hooggerechtshof te benoemen die *Roe* waarschijnlijk terug zullen draaien, maar u staat niet achter een constitutionele bepaling om de vrijheid van keuze onmogelijk te maken.' De verslaggever glimlachte. 'Wat is nu precies uw standpunt in deze aangelegenheid?'
Ryan schudde zijn hoofd, drukte zijn lippen op elkaar en slikte in wat hij eigenlijk op die onbeschaamdheid had willen zeggen. 'Ik dacht dat ik dat zojuist duidelijk had gemaakt. Zullen we het nu over iets anders hebben?'
'Dank u, meneer de president!' riep een vooraanstaand journalist met luide stem, daartoe aangemoedigd door de koortsachtige gebaren van Arnold van Damm. Ryan ging verbouwereerd van het podium af, liep om de hoek en verdween om nog een hoek uit het zicht. De stafchef greep hem bij zijn arm en duwde hem bijna tegen de muur. Ditmaal vertrok de Secret Service geen spier.
'Dat lijkt nergens op, Jack. Je hebt net het hele land tegen je in het harnas gejaagd!'
'Wat bedoel je?' zei de president, die het echt niet begreep.
'Ik bedoel, je rookt geen sigaret als je benzine tankt, verdomme nog aan toe! Jezus! Snap je dan niet wat je zojuist hebt gedaan?' Arnie kon zien dat hij het niet snapte. 'De mensen die voor een vrije keuze zijn, denken nu dat je hun rechten gaat afpakken. De mensen die tegen abortus zijn, denken dat abortus je niet interesseert. Je hebt het mooi voor elkaar, Jack. In vijf minuten tijd heb je het hele land op de staart getrapt!' Van Dam stormde weg. De president bleef buiten de Cabinet Room staan. Hij durfde eerst niets te zeggen, want hij was bang dat hij zich niet zou kunnen beheersen.
'Waar heeft hij het over?' vroeg Ryan. De agenten om hem heen zeiden niets. Het was niet hun werk – politiek – en trouwens, ze waren zelf net zo verdeeld over deze kwestie als het hele land.

Het was zoiets als snoep afpakken van een klein kind. En na de eerste schok zette het kind een keel op.
'Buffalo Zes, hier Guidon Zes, over.' Luitenant-kolonel Herbert Masterman – 'Duke' voor zijn vrienden – stond boven op 'Mad Max II', zijn MIA2 Abrams-commandotank. In zijn ene hand had hij een microfoon en in zijn andere een kijker. Voor hem bevonden zich, verspreid over ongeveer vijfentwintig vierkante kilometer in het oefengebied Negev, de Merkava-tanks en troepentransportwagens van de 7de pantserbrigade van het Israëlische leger. Hun gele lichten knipperden en er kwam donkerrode rook uit hun toren. Die rook was een Israëlische uitvinding. Wanneer tanks in een gevecht werden geraakt, vlogen ze in brand, en wanneer de MILES-receptoren een laser-'treffer' registreerden, gaven ze dat door. Het Israëlische leger had het hiermee tegen OpFor willen opnemen. Niet meer dan vier van Mastermans tanks en zes van zijn M3 Bradley Scout-tanks waren op soortgelijke wijze 'dood'.

'Guidon, hier Buffalo,' was het antwoord van kolonel Sean Magruder, commandant van het 10de 'Buffalo' gepantserde cavalerieregiment.
'Ik denk dat het hiermee wel bekeken is, kolonel, over.'
'Zeg dat wel, Duke. Kom hier maar heen voor de bespreking. Over een paar minuten hebben we hier een woedende Israëli.' Het was maar goed dat de radioverbinding gecodeerd was.
'Ik kom eraan, kolonel.' Masterman stapte van de toren af en zijn HMMWV zette zich in beweging. Zijn tankbemanning zette koers naar de basis van het eskadron.
Veel beter dan dit kon je het niet hebben. Masterman voelde zich net een footballer die elke dag mocht spelen. Hij voerde het bevel over het Eerste 'Guidon'-eskadron van het 10de cavalerieregiment. Eigenlijk zou het een bataljon genoemd moeten worden, maar de cavalerie was anders, tot en met de gele stroken op hun schouders en de rood-met-witte vaandels, en als je geen cavalerist was, was je niks waard.
'Keet getrapt, overste?' vroeg zijn chauffeur toen Masterman een Cubaanse sigaar opstak.
'Als lammeren naar het slachthuis, Perkins.' Masterman dronk wat water uit een plastic fles. Dertig meter boven zijn hoofd bulderden enkele F-16 jagers voorbij. Ze lieten blijken dat ze kwaad waren om wat hun beneden was overkomen. Waarschijnlijk waren er een paar in botsing gekomen met de administratieve SAM-'lanceringen'. Masterman had die dag vooral goed op de posities van zijn Stinger-Avenger-voertuigen gelet, en inderdaad waren die precies zo komen opzetten als hij verwacht had. Keihard.
De plaatselijke 'Star Wars Room' was bijna precies hetzelfde als het origineel in Fort Irwin. Het scherm was iets kleiner, de stoelen waren comfortabeler en je mocht hier roken. Hij ging het gebouw binnen en schudde het stof van zijn chocoladebruine camouflagepak. Hij liep met grote stappen, als Patton die Bastogne betrad. De Israëli's wachtten.
Verstandelijk gezien, moesten ze weten hoe nuttig de oefening voor hen was geweest. In emotioneel opzicht lag het heel anders. Het Israëlische 7de Gepantserde was zo'n trotse eenheid als er maar weinig op de wereld bestonden. Nagenoeg in zijn eentje had het in 1973 op de Golan-hoogten een compleet Syrisch tankkorps tegengehouden, en hun huidige bevelhebber was destijds een luitenant geweest die de leiding van een compagnie had overgenomen nadat de kapitein was uitgevallen en die daarna briljant strijd had geleverd. Hij was geen mislukkingen gewend, maar had zojuist moeten aanzien hoe de brigade waarin hij praktisch was opgegroeid in dertig meedogenloze minuten in de pan was gehakt.
'Generaal,' zei Masterman, en hij stak de vernederde brigadegeneraal zijn hand toe. De Israëli aarzelde voordat hij de hand vastpakte.
'Het is niet persoonlijk bedoeld, generaal, zuiver professioneel,' zei luitenant-kolonel Nick Sarto, die het bevel voerde over het 2de 'Bighorn'-eskadron en die zojuist als een hamer op Mastermans aambeeld had geslagen. Met het

Israëlische 7de in het midden.
'Heren, zullen we beginnen?' riep de hoogste waarnemer-controleur. Als zoenoffer aan het Israëlische leger bestond het OC-team hier voor de helft uit Amerikaanse en voor de helft uit Israëlische officieren. Het was moeilijk vast te stellen welke groep zich het meest schaamde.
Eerst werd de theoretische confrontatie snel op het scherm vertoond. De blauwe Israëlische voertuigen rukten de ondiepe vallei binnen om de confrontatie aan te gaan met Guidons verkenners, die zich snel terugtrokken, maar niet naar de voorbereide defensieve posities van de rest van het eskadron. In plaats daarvan leidden ze hen schuin weg. In de veronderstelling dat het een valstrik was, was het Israëlische 7de naar het westen gegaan om zo hun vijanden te omsingelen. Ze liepen daarbij recht in de armen van een muur van ingegraven tanks, en daarna kwam Bighorn veel sneller uit het oosten opzetten dan verwacht was; zo snel, dat Doug Mills' 3de 'Dakota'-eskadron, de regimentsreserve, niet meer de kans kreeg om aan de achtervolgingsfase deel te nemen. Het was dezelfde oude les. De Israëlische commandant had een inschatting van de posities van zijn vijand gemaakt in plaats van er zijn verkenners heen te sturen.
De Israëlische brigadegeneraal keek naar de beelden. Hij leek net een ballon die leegliep. De Amerikanen lachten niet. Ze hadden het allemaal al vaker meegemaakt, al was het veel prettiger om aan de winnende kant te staan.
'Je verkenners zaten niet ver genoeg naar voren, Benny,' zei de hoogste Israëlische officier aan de kant van de oefentroepen diplomatiek.
'Zo vechten Arabieren niet!' antwoordde Benjamin Eitan.
'Toch zou je dat verwachten,' merkte Masterman op. 'Dit is de gebruikelijke sovjet-doctrine, en vergeet niet dat ze door de Sovjets getraind zijn. Je trekt ze in de vuurzak en gooit de achterdeur dicht. Generaal, dat is precies wat jullie in 1973 met jullie Centurions hebben gedaan. Ik heb uw boek daarover gelezen,' voegde de Amerikaan eraan toe. Dat nam de spanning weg. Een van de andere dingen die de Amerikanen hier moesten beoefenen, was diplomatie. Generaal Eitan keek opzij en slaagde erin een vaag glimlachje op zijn gezicht te krijgen.
'Ja, dat deden we, hè?'
'Nou en of. Als ik het me goed herinner, hebben jullie dat Syrische regiment in veertig minuten in de pan gehakt.'
'En jullie, op 73 Easting?' zei Eitan, blij met het compliment, al wist hij dat Masterman die dingen alleen maar zei om hem te kalmeren.
Het was geen toeval dat Magruder, Masterman, Sarto en Mills hier waren. Alle vier hadden ze hevige gevechtsacties in de Golfoorlog meegemaakt. Drie pelotons van het 2de 'Dragoon'-cavalerie waren onder erg ongunstige weersomstandigheden – zo slecht dat de vliegtuigen van het regiment niet konden meedoen, zelfs niet om voor de aanwezigheid van de vijand te waarschuwen – op een Iraakse elitebrigade gestuit en hadden de vijand in enkele uren uitgeschakeld. De Israëli's wisten dat en konden dus niet klagen dat de Amerikanen boekensoldaten waren die theoretische spelletjes speelden.

En het resultaat van deze 'slag' was ook niet normaal. Eitan was nog maar een maand geleden tot commandant benoemd en moest nog leren, zoals andere Israëlische officieren hadden geleerd, dat het Amerikaanse trainingsmodel nog meedogenlozer was dan een echte slag. Het was een harde les voor de Israëli's, zo hard dat niemand hem leerde tot hij de Negev Training Area, het NTA, had bezocht en daar flink op zijn donder had gekregen. Als de Israëli's een zwak punt hadden, dan was het hun trots, wist kolonel Magruder. Net als in Californië had OpFor hier de taak om die overdreven trots weg te nemen. Als een commandant te trots was, sneuvelden zijn soldaten.
'Goed,' zei de hoogste Amerikaanse officier van de oefentroepen. 'Wat kunnen we hiervan leren?'
Dat de Buffalo soldiers geduchte tegenstanders zijn, dachten alle drie de eskadronscommandanten, maar ze zeiden het niet. Generaal Marion Diggs had, voordat hij het bevel over Fort Irwin kreeg, de reputatie van het regiment fors versterkt. Hoewel het nog bezig was tot de Israëlische strijdkrachten door te dringen, liepen de militairen van het 10de uiterst zelfverzekerd over straat als ze gingen winkelen, en ondanks alle gevoelige slagen die ze de Israëlische militairen op de speelvelden van het NTA toebrachten, waren ze immens populair. Het 10de vormde, samen met twee squadrons F-16 jagers, de Amerikaanse bijdrage aan de Israëlische veiligheid, vooral omdat ze de grondstrijdkrachten van de joodse staat weer op een niveau van paraatheid brachten dat ze niet meer hadden gekend sinds het Israëlische leger bijna zijn ziel had verloren in de heuvels en steden van Libanon. Eitan zou het snel genoeg leren. Aan het eind van de trainingsperiode zouden ze moeite met hem hebben. Misschien, dachten de drie eskadronscommandanten. Ze gaven geen vrijkaartjes.

'Ik weet nog dat je me vertelde hoe geweldig de democratie was, Ivan Emmetovitsj,' zei Golovko opgewekt toen hij binnenkwam.
'Blijkbaar heb je me vanmorgen op de televisie gezien,' antwoordde Ryan.
'Ik kan me de tijd herinneren dat mensen werden gefusilleerd omdat ze zoiets zeiden.' Achter de Rus hoorde Andrea Price die opmerking. Ze vroeg zich af waar die vent het lef vandaan haalde om de president op die manier te jennen.
'Nou, dat doen we hier niet.' Jack ging zitten. 'Je kunt wel gaan, Andrea. Sergej en ik zijn oude vrienden.' Dit moest een persoonlijk gesprek worden. Er was zelfs geen secretaresse om aantekeningen te maken, al zouden verborgen microfoons alles opnemen en zou ieder woord later worden uitgetypt. De Rus wist dat. De Amerikaan wist dat hij dat wist, maar het ging om de symboliek: als er niemand anders bij was, kon de bezoeker dat als een compliment opvatten. Ook daarvoor gold dat de Amerikaan wist dat de Rus het wist. Jack vroeg zich af met hoeveel van die ingewikkelde factoren hij rekening moest houden, alleen al wanneer hij een gesprekje met een vertegenwoordiger van een ander land had.
Toen de deur achter de agent dicht was, ging Golovko verder: 'Dank je.'

'Ach, we zijn toch oude vrienden?'
Golovko glimlachte. 'Je was een grandioze vijand.'
'En nu...?'
'Hoe past je gezin zich aan?'
'Ongeveer net zo goed als ik,' gaf Jack toe, en hij kwam ter zake. 'Je hebt op de ambassade drie uur de tijd gehad om je op de hoogte te stellen.'
Golovko knikte. Zoals gewoonlijk was Ryan goed ingelicht, al was dit een geheime bespreking. De Russische ambassade lag maar een paar blokken verderop aan Sixteenth Street en Golovko was lopend naar het Witte Huis gegaan, een eenvoudige manier om onopgemerkt te blijven in een stad waar officiële mensen zich in officiële auto's verplaatsten. 'Ik had niet verwacht dat de zaak in Irak zo gauw zou instorten.'
'Wij ook niet. Maar daarvoor kom je niet, Sergej Nikolajevitsj. China?'
'Ik neem aan dat jullie satellietfoto's even duidelijk zijn als de onze. Hun strijdkrachten zijn in een ongewoon hoge staat van paraatheid.'
'Onze mensen zijn het daar niet over eens,' zei Ryan. 'Misschien willen ze meer druk op Taiwan uitoefenen. Ze hebben hun marine versterkt.'
'Hun marine is nog niet klaar voor gevechtsoperaties. Hun landmacht is dat nog steeds en hun raketstrijdkrachten zijn dat ook. Daarmee steken ze de Straat van Formosa niet over, president.'
De reden van dit bezoek was nu duidelijk genoeg. Jack keek even uit het raam naar het Washington Monument, dat omringd werd door een kring van vlaggenstokken. Wat had George Washington ook weer gezegd over het vermijden van ingewikkelde buitenlandse allianties? Maar de wereld was toen veel eenvoudiger geweest. Je had toen nog twee maanden nodig om de Atlantische Oceaan over te steken, tegen nu zes of zeven uren...
'Als je me vraagt wat ik denk dat je vraagt, ja... of misschien moet ik zeggen: nee.'
'Kun je wat duidelijker zijn?'
'Amerika zou een Chinese aanval op Rusland bepaald niet toejuichen. Zo'n conflict kan erg ongunstige gevolgen hebben voor de stabiliteit in de wereld. Bovendien zou dat het voor jullie moeilijker maken een volledig democratisch land te worden. Amerika wil dat Rusland een welvarende democratie wordt. We zijn al lang genoeg vijanden geweest. We moeten vrienden zijn en Amerika wil dat haar vrienden veilig en in vrede leven.'
'Ze haten ons. Ze zijn jaloers op wat we hebben,' ging Golovko verder. Hij was niet tevreden over de verklaring van Amerika.
'Sergej, de tijd is voorbij dat landen kunnen stelen wat ze niet zelf met werken kunnen verkrijgen. Dat is verleden tijd en het zal niet meer gebeuren.'
'En als ze ons nu toch aanvallen?'
'Dan kunnen we alsnog zien wat we doen, Sergej,' antwoordde de president. 'In de eerste plaats moeten we het zien te voorkomen. Als blijkt dat ze echt aan een aanval denken, zullen we ze vertellen dat ze het beter niet kunnen doen. We houden onze vinger aan de pols.'

'Volgens mij begrijpen jullie hen niet.' Weer een duwtje, merkte Ryan. Dit zat ze erg hoog.
'Wie begrijpt hen dan wel? Denk je dat ze zelf weten wat ze willen?' De twee inlichtingenmannen – zo zouden beide mannen zichzelf altijd zien – keken elkaar met een deskundig glimlachje aan.
'Dat is het probleem,' gaf Golovko toe. 'Ik probeer mijn president uit te leggen dat het moeilijk is het gedrag van besluiteloze mensen te voorspellen. Ze hebben capaciteiten, maar die hebben wij ook, en de zaak ziet er van beide kanten verschillend uit, en dan zijn er ook nog de persoonlijkheden. Ivan Emmetovitsj, het zijn oude mannen met oude ideeën. Hun individuele persoonlijkheden spelen een grote rol.'
'En hun geschiedenis, hun cultuur, hun economie, hun handel... en ik heb nog niet de kans gehad ze in de ogen te kijken. Ik weet niet veel van dat deel van de wereld,' bracht Jack zijn gast in herinnering. 'Het grootste deel van mijn leven heb ik geprobeerd erachter te komen hoe jullie in elkaar zitten.'
'Dus je staat aan onze kant?'
Ryan schudde zijn hoofd. 'Het zou te vroeg en te speculatief zijn om zo ver te gaan. Maar we zullen alles doen wat in onze macht ligt om een mogelijk conflict tussen China en Rusland te voorkomen. Als het gebeurt, zullen jullie kernwapens gebruiken. Dat weet ik. Dat weet jij. En ik denk dat zij het ook weten.'
'Ze geloven het niet.'
'Sergej, niemand is zo dom.' Ryan nam zich voor dit met Scott Adler te bespreken, die de regio veel beter kende dan hij. Nu werd het tijd om over iets anders te beginnen. 'Irak. Wat zeggen jouw mensen?'
Golovko trok een grimas. 'Drie maanden geleden is daar een netwerk van ons opgerold. Twintig mensen, allemaal gefusilleerd of opgehangen, na ondervraging. Degenen die we daar nog over hebben, hebben ons weinig te vertellen, maar het lijkt erop dat een stel hogere generaals iets van plan is.'
'Er zijn er vanmorgen twee in Soedan opgedoken,' vertelde Ryan hem. Het gebeurde niet vaak dat hij Golovko kon verrassen.
'Zo vlug al?'
Ryan knikte en gaf hem de foto's die op het vliegveld van Khartoum waren gemaakt. 'Ja.'
Golovko bekeek ze. Hij kende de gezichten niet, maar dat was ook niet nodig. Informatie die op dit niveau werd uitgewisseld was nooit vervalst. Zelfs tegenover vijanden en vroegere vijanden moest een land zich in sommige opzichten aan zijn woord houden. Hij gaf de foto's terug. 'Iran, dan. We hebben daar mensen, maar de laatste dagen hebben we niets gehoord. Zoals je weet, is het gevaarlijk om in dat land te opereren. We denken dat Daryaei iets met die moordaanslag te maken had, maar daar hebben we geen bewijzen voor.' Hij zweeg even. 'Dit heeft ernstige implicaties.'
'Je bedoelt dus dat jullie ook niets kunnen beginnen?'
'Zo is het, Ivan Emmetovitsj, we kunnen niets beginnen. Wij hebben daar geen invloed, en jullie ook niet.'

18

Het laatste vliegtuig

De volgende pendelvlucht ging vroeg van start. Het derde en laatste zakenvliegtuig van de Zwitserse vennootschap werd uit Europa teruggeroepen. Nadat de bemanning was afgelost, lagen ze drie uur op het schema voor. Dat betekende dat de eerste van de G-IV's naar Bagdad kon vliegen om daar weer twee generaals op te pikken en daarna terug te keren. Badrayn voelde zich net iemand van een reisbureau, naast de ongebruikelijke rol van diplomaat die hij ook moest spelen. Hij hoopte alleen dat het niet te lang zou duren. Het kon gevaarlijk zijn om passagier van het laatste vliegtuig te zijn, want het laatste... Nou, je wist toch nooit welk vliegtuig het laatste zou zijn? De generaals beseften dat nog niet. Het laatste vliegtuig werd misschien beschoten met lichtkogels. Dan moesten de mensen aan de grond maar zien hoe ze zich redden, en Badrayn wist dat hij bij hen zou zijn... in een regio waar rechters niet geneigd waren naar ieders persoonlijke omstandigheden te kijken. Ach, dacht hij met een schouderophalen, het leven bracht nu eenmaal risico's met zich mee en hij werd goed betaald. In ieder geval hadden ze hem verteld dat er binnen drie uur weer een vliegtuig zou vertrekken, en vijf uur daarna een vierde. Maar in totaal zouden het er tien of elf zijn. In dit tempo zou dat nog een dag of drie in beslag nemen, en drie dagen konden zo lang als een mensenleven zijn.
Buiten de omheining van het vliegveld was het Iraakse leger nog in de straten, maar er zou nu iets veranderen. De dienstplichtigen en zelfs de gardisten zouden straks een paar dagen in touw zijn geweest. Als het voor hen een saaie routinezaak werd, kon dat desastreus zijn voor het moreel. Ze zouden in groepjes gaan rondhangen, sigaretten roken en elkaar vragen stellen: wat is er precies aan de hand? In het begin zou niemand een antwoord hebben. Hun sergeants zouden tegen ze zeggen dat ze gewoon hun plicht moesten doen. Ze zouden dat zeggen in opdracht van de officieren, en die handelden weer in opdracht van de bataljonsstaven, enzovoort, tot helemaal boven in de hiërarchie, totdat diezelfde vraag ergens werd herhaald waar geen superieur meer was om tegen de vragensteller te zeggen dat hij zijn mond moest houden en zijn plicht moest doen. Op dat punt kon de vraag van boven naar beneden terugstuiteren. Het was iets wat een heel leger kon voelen, zoals een doorn in de voet meteen aan de hersenen doorgaf dat er iets mis was. En als de doorn vuil was, kon er een infectie volgen die zich door het hele lichaam verspreidde en het doodde. De generaals werden geacht zulke dingen te weten, maar nee, ze wisten het niet meer. Er gebeurden rare dingen met generaals, vooral in dit deel van de wereld. Ze vergaten. Zo simpel lag het. Ze vergaten gewoon dat hun villa's en bedienden en auto's geen goddelijk recht waren maar iets waarover ze tijdelijk konden beschikken en dat als sneeuw voor de zon kon verdwijnen. Ze waren

nog banger voor Daryaei dan voor hun eigen mensen, en dat was dom. Onder andere omstandigheden zou het voor Badrayn alleen maar ergerlijk zijn geweest, maar zijn leven was nu afhankelijk van dat van hen.

De stoel aan de rechterkant van de cabine was nog vochtig. Ditmaal zat daar de jongste dochter van de generaal die tot voor enkele minuten het bevel had gevoerd over de 4de gemechaniseerde gardedivisie en die nu zat te praten met een collega van de luchtmacht. Het kind voelde de vochtigheid op haar hand, verbaasde zich erover en likte eraan, totdat haar moeder het zag en haar wegstuurde om haar handen te wassen. Toen deed de moeder haar beklag bij de Iraanse steward die achterin zat. Hij liet het kind ergens anders zitten en nam zich voor de stoel te laten schoonmaken of vervangen in Mehrabad. De sfeer was nu niet zo gespannen. De eerste twee generaals hadden vanuit Khartoum gemeld dat alles in orde was. Het huis waarin ze met hun gezinnen waren ondergebracht, werd bewaakt door een Soedanese legereenheid en alles was blijkbaar wel veilig. De generaals hadden al besloten dat ze een aanzienlijke 'bijdrage' zouden leveren aan de schatkist van dat land. Op die manier hoopten ze hun veiligheid te garanderen in de – hopelijk korte – tijd die ze in Soedan zouden doorbrengen voordat ze verdergingen. Hun inlichtingenchef, die nog in Bagdad was, was nu aan het telefoneren met allerlei contactpersonen in allerlei landen om een veilig permanent domicilie voor hen te vinden. Zwitserland? vroegen ze zich af. Een land met een koud klimaat en een koude cultuur, maar ook een veilig land dat bovendien anonimiteit te bieden had aan wie geld had om te investeren.

'Wie is de eigenaar van die drie G-IV's daar?'

'De vliegtuigen zijn in Zwitserland geregistreerd, luitenant,' antwoordde majoor Sabah, die dat zelf net had gehoord. Op de foto's uit Khartoum was het staartnummer te zien geweest. Daarna hadden ze alleen nog maar in een computerdatabase hoeven te kijken. Hij sloeg de bladzijde om en keek wie de eigenaar was. 'Het is van een bedrijf. Ze hebben er drie, en ook een paar kleinere turbopropmachines voor vluchten binnen Europa. We moeten nog wat dieper spitten om meer over die onderneming aan de weet te komen.' Maar daar werd vast al wel aan gewerkt, en ze zouden de gebruikelijke dingen vinden. Waarschijnlijk was het een im- en exportbedrijf, weinig meer dan een brievenbusfirma, misschien met een klein bedrijfspand waarin echte, zij het verwaarloosbare, zaken werden gedaan om de schijn op te houden. Het bedrijf zou een tamelijk grote rekening bij een bank hebben. Het zou een advocatenfirma hebben om er zeker van te zijn dat het zich precies aan alle plaatselijke voorschriften hield. Het zou zijn personeelsleden nauwkeurig inprenten hoe ze zich moesten gedragen – Zwitserland was een land waar de wet hoog in ere werd gehouden – en hoe ze alles op orde moesten houden. Op die manier bleef het bedrijf als het ware onzichtbaar tegen de achtergrond, want de Zwitsers deden niet moeilijk tegen mensen die geld op hun banken

stortten en zich aan hun wetten hielden. Tegen mensen die de voorschriften overtraden, kon het land even streng optreden als het land dat de generaals nu verlieten. Ook dat wisten ze maar al te goed.
Het was jammer, dacht Sabah, dat hij die eerste twee gezichten kende, en waarschijnlijk ook de gezichten van de volgende twee, die nu onderweg waren. Het zou mooi zijn geweest als ze terecht hadden moeten staan, het liefst in Koeweit. De meesten van die generaals waren ten tijde van de Iraakse invasie nog wat lager in rang geweest. Ze hadden vast wel meegedaan aan de plunderingen. Majoor Sabah herinnerde zich dat hij door de straten had gelopen en zijn best had gedaan er zo onopvallend en onschuldig mogelijk uit te zien. Andere Koeweiti hadden actief verzet geboden, en dat was moedig maar ook gevaarlijk geweest. De meesten van hen waren opgepakt en gedood, samen met hun familieleden, en hoewel de overlevenden nu beroemd waren, en ook royaal waren beloond, hadden die weinigen gehandeld op basis van informatie die hij had verzameld. De majoor vond dat niet erg. Zijn familie was rijk genoeg en hij vond het prettig om een spion te zijn. Evengoed zou zijn land nooit meer worden verrast. Daar zou hij persoonlijk voor zorgen.
In elk geval moest hij zich nu minder druk maken over de generaals die weggingen dan over de generaals die hen zouden vervangen. Dat zat de majoor niet lekker.

'Nou, ik vind dat het in alle opzichten een nogal zwak optreden van meneer Ryan was,' zei Ed Kealty in het interviewprogramma tussen de middag. 'Ten eerste is meneer Bretano afkomstig uit het bedrijfsleven en heeft hij de overheidsdienst al lang geleden vaarwel gezegd. Ik was erbij toen zijn naam al eerder ter sprake kwam, en ik was erbij toen hij een hoge overheidsfunctie niet wilde accepteren... om te kunnen blijven waar hij was en veel geld te verdienen, denk ik. Hij is een getalenteerd man en blijkbaar ook een goede ingenieur.' Kealty permitteerde zich een verdraagzaam glimlachje. 'Maar een goede minister van Defensie? Nee.' Hij zette zijn woorden kracht bij door even met zijn hoofd te schudden.
'Wat vond u van president Ryans standpunt over abortus?' vroeg Barry op CNN.
'Barry, dat is het probleem. Hij is niet echt de president,' antwoordde Kealty op milde, zakelijke toon. 'En dat moeten we rechtzetten. Uit zijn tegenstrijdige, ondoordachte verklaringen op die persconferentie bleek duidelijk dat hij het publiek niet begrijpt. *Roe versus Wade* is het geldend recht in dit land. Meer had hij niet hoeven te zeggen. De president hoeft niet van de wetten te houden, maar hij moet ze handhaven. Natuurlijk geldt voor iedere overheidsfunctionaris dat als hij niet begrijpt hoe het Amerikaanse volk over die dingen denkt, hij ten eerste ongevoelig is voor het recht van vrouwen om te kiezen en ten tweede gewoon onbekwaam is. Ryan had alleen maar naar zijn adviseurs hoeven te luisteren, maar zelfs dat deed hij niet. Hij is een ongericht pro-

jectiel,' besloot Kealty. 'Zo iemand kunnen we niet in het Witte Huis gebruiken.'
'Maar uw bewering...' De journalist zweeg abrupt toen Kealty zijn hand opstak.
'Het is geen bewering, Barry. Het is een feit. Ik heb nooit ontslag genomen. Ik ben nooit afgetreden als vice-president. En dus ben ik, toen Roger Durling stierf, president geworden. Wat we nu moeten doen – en meneer Ryan zal het doen als hij iets om zijn land geeft – is een commissie van rechters installeren die de grondwettelijke kwesties onderzoekt en dan beslist wie werkelijk de president is. Als Ryan dat niet doet, nou, dan stelt hij zichzelf boven het landsbelang. Nu moet ik hieraan toevoegen dat ik er volkomen van overtuigd ben dat Jack Ryan te goeder trouw is. Hij is een eerzaam man en heeft in het verleden meermalen laten zien dat hij ook een moedig man is. Jammer genoeg is hij momenteel een beetje in de war, zoals we vanmorgen op de persconferentie hebben gezien.'
'Een klont boter zou in zijn mond niet eens smelten, Jack,' zei Van Damm, terwijl hij het geluid zachter zette. 'Zie je hoe goed hij hierin is?'
Ryan kwam bijna uit zijn stoel. 'Verdomme, Arnie, dat heb ik gezegd! Ik moet het wel drie of vier keer hebben gezegd: het is de wet, ik moet me aan de wet houden. Dat heb ik gezegd!'
'Weet je nog dat ik zei dat je je niet moest opwinden?' De stafchef wachtte tot Ryan weer een enigszins normale kleur had. Toen zette hij het geluid weer harder.
'Maar wat mij het meest dwarszit,' zei Kealty nu, 'is wat Ryan over zijn benoemingen voor het hooggerechtshof zei. Het is duidelijk dat hij de klok in een heleboel opzichten wil terugdraaien. Hij neemt abortus als lakmoesproef en wil alleen mensen benoemen die ertegen zijn. Je gaat je afvragen of hij ook een eind wil maken aan positieve discriminatie van vrouwen, en God weet wat nog meer. Jammer genoeg bevinden we ons in een situatie waarin de zittende president een enorme macht kan uitoefenen, vooral over het hooggerechtshof. En Ryan weet gewoon niet hoe het moet, Barry. Hij weet het niet, en als we moeten afgaan op wat hij ons vandaag over zijn plannen heeft verteld, nou, dan is dat ronduit angstaanjagend, nietwaar?'
'Ben ik op een andere planeet, Arnie?' zei Jack. 'Ik heb het woord "lakmoesproef" niet gebruikt. Die verslaggever gebruikte het.'
'Jack, het gaat er niet om wat je zegt, maar wat de mensen horen.'
'Hoeveel schade denkt u dat president Ryan zou kunnen aanrichten?' vroeg Barry op de televisie. Arnie schudde vol bewondering met zijn hoofd. Kealty had de man volkomen ingepalmd, live op de televisie. Barry had perfect gereageerd. Hij had die vraag zo geformuleerd om te laten zien dat hij Ryan nog de president noemde, maar tegelijk ook zo dat de mensen hun vertrouwen in Ryan zouden verliezen. Geen wonder dat Ed zo'n groot succes bij de dames was. En de subtiliteit waarmee hij Barry inpakte, zou de gemiddelde kijker volkomen ontgaan. Wat een professional.

'In een situatie als deze, met een onthoofde regering? Het kan jaren duren om te herstellen wat hij kapot kan maken,' zei Kealty met de ernst van een vertrouwde huisarts. 'Niet omdat hij een slecht mens is. Dat is hij absoluut niet. Maar omdat hij gewoon niet weet hoe hij het ambt van president van de Verenigde Staten moet vervullen. Hij weet dat gewoon niet, Barry.'
'We komen straks weer bij u terug,' zei Barry tegen de camera. Arnie had genoeg gehoord; hij hoefde de reclame niet te zien. Hij pakte de afstandsbediening en zette de televisie af.
'Meneer de president, ik maakte me nog geen zorgen, maar nu wel.' Hij zweeg even. 'Morgen lezen we in de hoofdcommentaren van een paar grote kranten dat er een rechterlijke commissie moet komen, en dan zit er niets anders voor je op.'
'Wacht eens even. De wet zegt niet dat...'
'De wet zegt helemaal niets, weet je nog wel? En zelfs als de wet wel iets zei: er is geen hooggerechtshof om er een uitspraak over te doen. We leven in een democratie, Jack. Het volk beslist wie president is. Het volk laat zich leiden door wat de media zeggen en jij bent lang niet zo handig met de media als Ed.'
'Hoor eens, Arnie, híj heeft ontslag genomen. Míjn benoeming tot vice-president is bekrachtigd door het Congres. Toen Roger werd gedood, werd ík president. Dat is de wet, verdomme! En ík moet me aan de wet houden. Dat heb ik gezworen en dat zal ik doen. Ik heb deze rotbaan nooit gewild, maar ik ben ook nog nooit in mijn leven voor iets weggelopen en dat verdom ik deze keer ook!' Er kwam nog iets bij. Ryan had de pest aan Edward Kealty. Hij hield niet van zijn politieke opvattingen, van zijn Harvard-arrogantie, van zijn privéleven, zeker niet van de manier waarop hij vrouwen behandelde. 'Weet je wat hij is, Arnie?' snauwde Ryan.
'Ja, dat weet ik. Hij is een pooier, een knoeier, een zwendelaar. Hij heeft helemaal geen overtuigingen. Hij heeft nooit de rechtspraktijk beoefend, maar hij heeft aan het uitvaardigen van duizenden wetten meegewerkt. Hij is geen arts, maar hij heeft een beleid voor de volksgezondheid uitgestippeld. Hij is zijn hele leven een beroepspoliticus geweest, heeft altijd zijn inkomen uit de schatkist gekregen. Hij heeft nooit een product of een dienst in de particuliere sector van de economie voortgebracht, maar hij heeft zijn hele leven meebeslist over de hoogte van de belastingen en over de manier waarop het belastinggeld wordt uitgegeven. De enige zwarte mensen die hij ooit heeft ontmoet, waren de dienstmeisjes die zijn kamer opruimden toen hij nog een kind was, maar hij is een voorvechter van rechten voor minderheden. Hij is een hypocriet. Hij is een charlatan. En hij gaat winnen, tenzij je verdomd goed nadenkt over wat je doet, meneer de president,' zei Arnie om droog ijs over Ryans vurige opvliegendheid te storten. 'Want hij weet hoe je het spel moet spelen, en jij weet dat niet.'

De patiënt, stond in het dossier, had in oktober een reis naar het Verre Oosten gemaakt en had zich in Thailand overgegeven aan de seksuele geneugten waar dat land bekend om stond. Pierre Alexandre had zich daar ook eens aan over-

gegeven toen hij als kapitein-arts in een hospitaal in dat tropische land werkte. Dat bracht hem niet in gewetensnood. Hij was jong en onbezonnen geweest, zoals je van mensen van die leeftijd kon verwachten. Maar toen was er nog geen aids. Hij had tegen de patiënt in kwestie, mannelijk, blank, zesendertig, gezegd dat hij HIV-antistoffen in zijn bloed had en dus geen onbeschermde seks met zijn vrouw mocht hebben, en dat zijn vrouw onmiddellijk haar bloed moest laten onderzoeken. O, ze was zwanger? Onmiddellijk, direct. Morgen nog, als het kon.
Alexandre had zich net een rechter gevoeld. Het was niet de eerste keer dat hij zulk nieuws vertelde en het zou ook niet de laatste keer zijn, maar als een rechter een doodvonnis uitsprak, deed hij dat tenminste vanwege een ernstig misdrijf en kon de veroordeelde in hoger beroep gaan. Deze arme kerel was schuldig aan niets meer dan dat hij twaalf tijdzones van huis vandaan was geweest, en waarschijnlijk dronken ook, en eenzaam. Misschien had hij door de telefoon ruzie met zijn vrouw gehad. Misschien was ze toen al zwanger geweest en wilde ze het niet meer doen. Misschien kwam het alleen door de exotische omgeving. Alexandre herinnerde zich nog goed hoe verleidelijk die kinderlijke Thaise meisjes konden zijn, en ach, wie zou het ooit te weten komen? Een heleboel mensen zouden het nu weten, en er was geen hoger beroep mogelijk. Daar kon verandering in komen, dacht dokter Alexandre. Dat had hij zojuist tegen de patiënt gezegd. Je mocht ze niet alle hoop ontnemen. Hetzelfde zeiden oncologen al twee generaties tegen hun patiënten. Die hoop was toch reëel? Er werkten erg knappe koppen aan – Alexandre was daar zelf een van – en voorzover hij wist, kon er morgen al een doorbraak zijn. Of over honderd jaar. De patiënt in kwestie had er nog tien.
'Je kijkt niet erg blij.'
Hij keek op. 'Cathy.'
'Dokter Pierre Alexandre, en ik denk dat je Roy al kent.' Ze wees met haar dienblad naar de tafel. De kantine zat die dag stampvol. 'Mogen we?'
Hij kwam half overeind. 'Ga je gang.'
'Slechte dag gehad?'
'Een geval van stam E,' was het enige wat hij hoefde te zeggen.
'HIV, Thailand? Nu ook hier?'
'Jij leest inderdáád *M&M*.' Het lukte hem te glimlachen.
'Anders raak ik achter bij mijn assistenten. Stam E? Weet je het zeker?' vroeg Cathy.
'Ik heb de test zelf nog eens overgedaan. Hij heeft het opgelopen in Thailand, op een zakenreis. Zijn vrouw is zwanger,' voegde Alexandre eraan toe. Cathy Ryan trok een lelijk gezicht.
'Niet goed.'
'Aids?' vroeg Roy Altman. De rest van Cathy's team zat verspreid door de kantine. Ze hadden liever gezien dat ze in haar kantoor at, maar Cathy had uitgelegd dat dit een van de manieren was waarop de artsen van het Hopkins elkaar bijpraatten. Eten in de kantine hoorde bij haar werk. Vandaag ging het

over een besmettelijke ziekte. Morgen was bijvoorbeeld kindergeneeskunde aan de beurt.

'Stam E,' legde Alexandre met een hoofdknikje uit. 'In Amerika heb je vooral stam B. In Afrika ook.'

'Wat is het verschil?'

Cathy gaf antwoord. 'Je loopt stam B niet zo gauw op. Daar is direct contact van bloedproducten voor nodig. Dat gebeurt doordat drugsgebruikers elkaars naalden gebruiken, of door seksueel contact. Het zijn vooral homoseksuelen die weefselbeschadiging oplopen door scheurtjes of door meer conventionele geslachtsziekten.'

'Je vergat pech, al is dat maar één procent of zo.' Alexandre pikte de draad op. 'Het begint erop te lijken dat stam E, die in Thailand is opgedoken... nou, dat die gevaarlijker is voor de heteroseksueel dan B. Het is blijkbaar een krachtiger versie van onze oude vriend.'

'Hebben ze dat in Atlanta al gekwantificeerd?' vroeg Cathy.

'Nee, daar hebben ze nog een paar maanden voor nodig. Tenminste, dat hoorde ik een paar weken geleden.'

'Hoe erg is het?' vroeg Altman. Zijn nieuwe taak als bewaker van de presidentsvrouw was een leerzame ervaring.

'Ralph Forster is er vijf jaar geleden heen gegaan om te kijken hoe erg het was. Ken je dat verhaal, Alexandre?'

'Niet helemaal, alleen het resultaat.'

'Ralph ging daar namens de overheid naartoe. Het was een officiële reis. Nou, hij is nog maar amper het vliegtuig uit of de vertegenwoordiger van de Thaise overheid loopt met hem naar de auto en zegt: "Wilt u een paar meisjes voor vanavond?" Op dat moment wist hij dat het een groot probleem was.'

'Dat wil ik wel geloven,' zei Alexandre, die zich de tijd herinnerde dat hij zou hebben geglimlacht en geknikt. Ditmaal lukte het hem nog net om niet te huiveren. 'De cijfers zijn grimmig, meneer Altman. Op dit moment is bijna een derde van de jongens die voor het Thaise leger worden gekeurd, seropositief. Vooral stam E. Het is volkomen duidelijk wat zo'n getal betekent.'

'Een derde? Een dérde van die jongens?'

'Toen Ralph daar was, was het nog vijfentwintig procent. Dat is een hard getal, nietwaar?'

'Maar dat betekent...'

'Het zou kunnen betekenen dat er over vijftig jaar geen Thailand meer is,' zei Cathy op een zakelijke toon die haar afschuw maskeerde. 'Toen ik hier studeerde, dacht ik dat de superslimme types het best voor oncologie konden kiezen...' Ze wees ten behoeve van Altman. 'Marty, Bert, Curt en Louise, die daar in de hoek zitten. Ik dacht dat ik er niet tegen kon, tegen al die stress, en daarom repareer ik nu oogballen. Ik vergiste me. We gaan het van kanker winnen. Maar wat die verrekte virussen betreft, weet ik het niet.'

'De oplossing, Cathy, is dat we precies moeten weten welke interactie er is tussen de genstructuur van het virus en de gastheercel, en zo verschrikkelijk moeilijk zal dat niet zijn. Virussen zijn zulke kleine rotdingetjes. Ze kunnen maar een beperkt aantal dingen, in tegenstelling tot de interactie van het hele menselijke genoom bij de conceptie. Als we daar eenmaal achter zijn, kunnen we die kleine schoffies verslaan.' Zoals de meeste medici die onderzoek deden, was Alexandre een optimist.

'Het gaat dus om onderzoek naar de menselijke cel?' vroeg Altman geïnteresseerd.

Alexandre schudde zijn hoofd. 'Veel kleiner. We zijn nu met het genoom bezig. Het is net of je een vreemde machine uit elkaar haalt. Je probeert er per onderdeel achter te komen waar het voor dient, en vroeg of laat heb je alle onderdelen los en weet je waar ze allemaal thuishoren, en dan kun je er ook achter komen wat ze allemaal doen. Zo gaan we het nu aanpakken.'

'Weet je waar het op neerkomt?' zei Cathy, en ze gaf zelf antwoord: 'Wiskunde.'

'Dat zegt Gus in Atlanta.'

'Wiskunde? Wacht eens even,' protesteerde Altman.

'Op het meest elementaire niveau is de menselijke genetische code samengesteld uit vier aminozuren: A, C, G en T. Alles wordt bepaald door de manier waarop die letters... die zuren, bedoel ik... aan elkaar vastzitten,' legde Alex uit. 'Verschillende lettervolgordes betekenen verschillende dingen en hebben een verschillende interactie, en waarschijnlijk heeft Gus gelijk: die interacties zijn wiskundig bepaald. De genetische code is echt een code. Hij kan gekraakt worden, en hij kan begrepen worden.' Waarschijnlijk zal iemand er een mathematische waarde aan toekennen... complexe polynomialen... dacht hij. Was dat belangrijk?

'Er is gewoon nog niemand geweest die slim genoeg was om dat te doen,' merkte Cathy Ryan op. 'Dat is de homerun-bal, Roy. Op een dag is er iemand aan slag die de bal over de schutting mept, en dan krijgen we de sleutel in handen om alle ziekten te verslaan. Allemaal. Echt allemaal. De pot met goud aan het eind van die regenboog is medische onsterfelijkheid... en wie weet, misschien zelfs menselijke onsterfelijkheid.'

'Dan komen we allemaal op straat te staan, vooral jij, Cathy. Een van de eerste dingen die ze uit het menselijk genoom zullen halen, is bijziendheid, en diabetes en dat...'

'Jij raakt eerder zonder werk dan ik,' zei Cathy met een ondeugend lachje. 'Ik ben chirurg, weet je nog wel? Ik krijg dan nog steeds verwondingen. Maar vroeg of laat zul jij jouw strijd winnen.'

Maar zou die overwinning op tijd komen voor de patiënt met stam E van die ochtend? vroeg Alex zich af. Waarschijnlijk niet. Waarschijnlijk niet.

Ze vloekte nu tegen hen, vooral in het Frans maar ook in het Vlaams. De verplegers kenden geen van beide talen. Moudi sprak de eerste taal goed genoeg om te kunnen horen dat haar krachttermen niet het product van een heldere geest waren. Haar hersenen waren nu aangetast en zuster Jean Baptiste kon

zelfs niet meer met haar God praten. Haar hart werd nu eindelijk ook belaagd. Dat gaf de dokter hoop dat de dood haar zou komen halen en toch nog wat genade zou tonen aan een vrouw die een veel beter lot verdiende dan ze had gekregen. Misschien was het delirium een zegen voor haar. Misschien had haar ziel zich losgemaakt van haar lichaam. Misschien trof de pijn haar niet zo erg meer, omdat ze niet wist waar ze was, wie ze was, wat er verkeerd was. Het was een illusie waaraan de dokter grote behoefte had, maar als wat hij nu zag genade was, was het wel een gruwelijke versie daarvan.
Het gezicht van de patiënte was nu een en al uitslag, alsof ze verschrikkelijk geslagen was. Haar lichte huid lag als een matglazen ruit over de inwendige bloedingen. Hij kon niet zien of haar ogen nog werkten. Ze bloedden zowel aan de oppervlakte als binnenin, en als ze nog kon zien, zou dat niet lang meer duren. Een halfuur eerder waren ze haar bijna kwijtgeraakt. Hij was in allerijl naar de behandelkamer gegaan, waar ze bijna stikte in braaksel dat in haar luchtwegen was gekomen. De verplegers hadden verwoede pogingen gedaan om zowel haar luchtwegen vrij te krijgen als hun handschoenen intact te houden. De riemen hadden haar op haar plaats gehouden, en hoewel ze met soepel plastic waren bedekt, hadden ze haar huid weggeschaafd, met als gevolg nog meer bloedingen en nog meer pijn. De weefsels van haar vaatstelsel begaven het nu ook, en uit het infuus lekte evenveel op het bed als dat er in haar lichaam terechtkwam. Al die vloeistoffen waren zo dodelijk als het ergste vergif. De verplegers durfden de patiënte niet meer aan te raken, handschoenen of niet, ruimtepakken of niet. Moudi zag dat ze een plastic emmer met een jodiumoplossing hadden gevuld. Een van hen stak er nu zijn handschoenen in en schudde ze uit, maar droogde ze niet af. Op die manier was er, als hij haar aanraakte, een chemische barrière tegen de ziekteverwekkers die van haar lichaam op hem afsprongen. Zulke voorzorgsmaatregelen waren niet noodzakelijk – de handschoenen waren dik – maar hij kon de mannen hun angst niet kwalijk nemen. Op het hele uur kwam de nieuwe ploeg en ging de oude weg. Een van hen keek bij het verlaten van de kamer achterom en bad met stilzwijgende lippen dat Allah de vrouw zou opnemen voordat over acht uur zijn volgende dienst begon. Buiten de kamer zou een Iraanse legerarts, die ook beschermende kleding droeg, de mannen naar de desinfecteringsruimte leiden, waar hun pakken zouden worden besproeid voordat ze ze uittrokken, en vervolgens ook hun lichaam. De pakken zouden in de oven beneden worden verbrand. Moudi twijfelde er niet aan dat iedereen zich tot op de letter aan de procedure zou houden, ja, dat ze zelfs nog wat verder zouden gaan. Evengoed zouden de verplegers de komende dagen met grote angst tegemoet zien.
Als hij op dat moment een dodelijk wapen had gehad, zou hij het hebben gebruikt, ongeacht de gevolgen die dat zou hebben. Enkele uren geleden zou een grote injectie met lucht een dodelijke embolie hebben veroorzaakt, maar haar vaatstelsel was er nu zo slecht aan toe dat hij zelfs daar niet op kon rekenen. Juist omdat ze zo sterk was, moest ze zo vreselijk lijden. Hoe klein ze ook was, ze had veertig jaar keihard gewerkt en dat had haar een verrassend goede ge-

zondheid opgeleverd. Het lichaam dat haar moedige ziel zo lang had ondersteund, zou de strijd niet opgeven, hoe vergeefs die strijd ook was.
'Kom, Moudi, je weet wel beter dan dat,' zei de directeur achter hem.
'Wat bedoel je?' vroeg hij zonder zich om te draaien.
'Als ze nog in het ziekenhuis in Afrika was, wat zou er dan anders zijn dan nu? Zouden ze haar niet op dezelfde manier behandelen, met dezelfde doses om haar in leven te houden? Het bloed en de infuusvloeistoffen en al het andere. Het zou allemaal precies hetzelfde zijn. Haar geloof staat geen euthanasie toe. De verzorging is hier beter dan daar,' merkte hij terecht op, al kwam het nogal kil over. Hij draaide zich om en keek op de kaart. 'Vijf liter. Uitstekend.'
'We kunnen beginnen...'
'Nee.' De directeur schudde zijn hoofd. 'Als haar hart blijft stilstaan, onttrekken we al het bloed aan haar lichaam. We verwijderen de lever, de nieren en de milt, en dan begint ons echte werk.'
'Op zijn minst zou iemand moeten bidden voor haar ziel.'
'Doe jij dat, Moudi. Je bent een goede arts. Je geeft zelfs om een ongelovige. Daar kun je trots op zijn. Als het mogelijk was geweest haar te redden, zou jij dat hebben gedaan. Dat weet ik. Dat weet jij. Dat weet zij.'
'Wat wij doen, dat we dit alles doen met...'
'Met ongelovigen,' vulde de directeur aan. 'Met mensen die ons land en ons geloof haten, mensen die spuwen op het woord van de profeet. Ik wil zelfs wel erkennen dat dit een deugdzame vrouw was. Allah zal haar vast wel genadig zijn. Jij hebt haar lot niet gekozen. Ik ook niet.' Hij moest Moudi aan het werk houden. De jongere man was een briljante arts. Bijna te goed. De directeur van zijn kant dankte Allah dat hij de laatste tien jaar in laboratoria had doorgebracht. Anders zou hij nu misschien ook ten prooi zijn aan dezelfde menselijke zwakheden.

Badrayn hield voet bij stuk. Deze keer drie generaals. Alle stoelen bezet, en op een daarvan twee kleine kinderen. Ze begrepen het nu. Dat moest wel. Hij had het hun uitgelegd en naar de toren gewezen. De verkeersleiders hadden alle vluchten gevolgd en moesten inmiddels wel weten wat er aan de hand was. Het had geen zin ze te arresteren, want hun families zouden ze missen, en als hun families ergens lucht van kregen, zouden de buren het toch ook weten? Ja, dat is zo, hadden ze beaamd.
Stuur de volgende keer nou een gewoon lijntoestel, zou hij tegen Teheran willen zeggen, maar nee, dan zou er heus wel iemand zijn geweest die bezwaar maakte, want wat je ook zei, hoe verstandig het ook was, er was altijd wel iemand die bezwaar maakte. En dan deed het er eigenlijk niet toe of het aan de Iraanse of aan de Iraakse kant was. In alle gevallen zouden er mensen gedood worden. Dat zou vast en zeker gebeuren. Hij kon nu niets anders doen dan wachten. Wachten en zich zorgen maken. Hij zou iets kunnen drinken, maar besloot dat niet te doen. Hij had al vaak alcohol gedronken. Al die jaren in Libanon. Zoals Bahrein nu nog was, zo was Libanon geweest en zo zou het

waarschijnlijk opnieuw worden, een plaats waar de hand werd gelicht met de strenge islamitische regels. Hij had zich daar net zo goed aan de westerse zonden overgegeven als ieder ander. Maar niet nu. Hij was misschien dicht bij de dood en of hij nu een zondaar was of niet, hij was moslim en zou de dood op de juiste wijze tegemoet treden. Daarom dronk hij vooral koffie. Hij keek vanaf zijn plaats bij de telefoon uit het raam en zei tegen zichzelf dat zijn handen alleen maar beefden omdat hij zoveel koffie had gedronken.

'Jij bent Jackson?' vroeg Tony Bretano. Hij had de ochtend met de plaatsvervangend bevelhebbers doorgebracht. Nu was het tijd voor de werkbijen.
'Ja, meneer de minister. Ik denk dat ik uw officier voor operaties ben,' zei Robby. Hij ging zitten. Eindelijk eens iemand die niet met een pak papieren heen en weer draaft, dacht Bretano.
'Hoe erg is het?'
'Nou, we zijn nogal verspreid. We hebben nog twee vliegdekeenheden in de Indische Oceaan. Die houden India en Sri Lanka in de gaten. We laten een paar bataljons lichte infanterie naar de Marianen overvliegen om daar ons gezag te herstellen en toezicht te houden op het terugtrekken van de Japanners. Dat is vooral een kwestie van politiek en we verwachten daar geen problemen. Onze naar voren gestuurde vliegtuigen zijn voor onderhoud teruggeroepen naar CONUS. Dat aspect van de operaties tegen Japan is goed verlopen.'
'Zal ik dan de productie van de F-22 versnellen en de productie van de B-2 weer in gang zetten? Dat zei de luchtmacht.'
'We hebben net bewezen dat de Stealth van enorme waarde is, meneer. Dat is een feit. We hebben daar zoveel van nodig als we kunnen krijgen.'
'Dat vind ik ook. En de rest van de strijdkrachten?' vroeg Bretano.
'We zijn te verspreid voor alle taken die we willen vervullen. Als we bijvoorbeeld weer naar Koeweit zouden moeten gaan, zoals we in 1991 hebben gedaan, zouden we dat niet kunnen. We hebben letterlijk niet genoeg mankracht meer. U weet wat mijn taak is, meneer de minister. Ik moet uitzoeken hoe we de dingen aanpakken. Nou, de operaties tegen Japan hebben het uiterste van onze krachten gevergd, en...'
'Ik heb van Mickey Moore veel goeds gehoord over het plan dat je hebt uitgedacht en uitgevoerd,' merkte de minister van Defensie op.
'Generaal Moore is erg vriendelijk. Ja, meneer de minister, het werkte, maar we moesten ons met erg weinig middelen behelpen, en zo zou het Amerikaanse leger eigenlijk niet ten strijde moeten trekken, meneer. Het is de bedoeling dat onze tegenstanders het in hun broek doen van angst zodra onze eerste soldaat uit het vliegtuig stapt. Als het moet, kan ik wel improviseren, maar zo zou het eigenlijk niet moeten zijn. Vroeg of laat maak ik een fout, of maakt iemand anders een fout, en dan hebben we een stel dode mensen in uniform.'
'Daar ben ik het ook mee eens.' Bretano nam een hap van zijn broodje. 'De president heeft me de vrije hand gegeven om dit ministerie uit te mesten en de

dingen op mijn eigen manier te doen. Ik heb twee weken de tijd om hem te vertellen wat onze strijdkrachten nodig hebben.'
'Twee weken?' Als Jackson kon verbleken, zou hem dat nu zijn overkomen.
'Jackson, hoe lang loop je al in uniform?' vroeg de minister van Defensie.
'De tijd op de academie meegerekend? Een jaar of dertig.'
'Als je het morgen niet af hebt, deug je niet voor je post. Maar ik geef je tien dagen,' zei Bretano edelmoedig.
'Minister, ik ben van Operaties, niet van Personeel, en...'
'Precies. Zoals ik het bekijk, voldoet Personeel aan de behoeften die Operaties aangeeft. In een toko als deze moeten de beslissingen worden genomen door de schutters, niet door de boekhouders. Dat was er mis met TRW toen ik daar kwam. De boekhouders vertelden de ingenieurs wat ze konden krijgen om hun werk te doen. Nee.' Bretano schudde zijn hoofd. 'Dat werkte niet. Als je dingen bouwt, beslissen je ingenieurs hoe je onderneming draait. Hier op Defensie moeten de schutters beslissen wat ze nodig hebben en dan moeten de boekhouders uitzoeken hoe ze dat in het budget kunnen krijgen. Dat is altijd een hele strijd, maar aan de productkant van de onderneming worden de beslissingen genomen.'
Wel verdraaid. Het lukte Jackson nog net om niet te glimlachen. 'Parameters?'
'Ga uit van de grootste geloofwaardige bedreiging, de ernstigste crisis die zou kunnen uitbreken, en ontwerp dan een strijdkrachtenstructuur die daartegen bestand is.' Zelfs dat was niet goed genoeg, wisten ze allebei. Vroeger gingen ze er altijd van uit dat Amerika tweeëneenhalve oorlog tegelijk moest kunnen voeren, twee grote conflicten plus een kleine militaire crisis ergens anders. Weinigen hadden ooit toegegeven dat die 'regel' altijd een fantasie was geweest, al sinds de tijd dat Eisenhower president was. Tegenwoordig ontbrak het, zoals Jackson had toegegeven, aan de middelen om één enkel groot militair conflict aan te kunnen. De vloot was teruggebracht tot de helft van wat hij tien jaar geleden was. Het leger was nog meer ingekrompen. De luchtmacht was met al haar technologie nog altijd ontzagwekkend, maar was toch ook tot bijna haar halve kracht teruggebracht. De mariniers waren nog keihard en paraat, maar het korps mariniers was een expeditiemacht en kon eigenlijk alleen worden ingezet als er versterkingen volgden. Het was gevaarlijk licht bewapend. De kast was niet helemaal leeg, maar de bezuinigingen hadden niemand veel goed gedaan.
'Tien dagen?'
'Wat ik wil hebben, heb jij al in een bureaula liggen, nietwaar?' Dat hadden planningofficieren altijd, wist Bretano.
'Ik kan wel een paar dagen gebruiken om het op te poetsen, maar inderdaad, we hebben het al.'
'Jackson?'
'Ja, meneer de minister?'
'Ik heb onze operaties in de Stille Oceaan gevolgd. Een van mijn mensen bij TRW, Skip Tyler, was vrij goed in die dingen, en we keken elke dag op de kaar-

ten. Het was indrukwekkend wat jullie daar deden. Oorlog is niet alleen een kwestie van materie. Het is ook psychologisch, zoals alles in het leven. Je wint omdat je de beste mensen hebt. Geweren en vliegtuigen tellen, maar hersenen tellen nog meer. Ik ben een goede manager en een erg goede ingenieur. Ik ben geen militair. Ik zal luisteren naar wat je zegt, want jij en je collega's weten hoe jullie moeten vechten. Ik zal jullie steunen waar en wanneer het maar nodig is. In ruil daarvoor wil ik weten wat jullie echt nodig hebben, niet wat jullie graag willen hebben. Dat kunnen we ons niet permitteren. We kunnen het mes in de bureaucratie zetten. Dat is de taak van Personeel, civiel en geüniformeerd. Ik snoei hier op het ministerie. Bij TRW heb ik een hoop ballast weggekregen. Dat is een technisch bedrijf en tegenwoordig wordt het weer gerund door technici. Dit is een onderneming die militaire operaties verricht, en dus moeten de mensen van de daad hier de leiding hebben, mensen met kerfjes in de kolf van hun geweer. Slank. Hard. Taai. Scherpzinnig. Begrijp je wat ik bedoel?'
'Ik denk het, meneer de minister.'
'Tien dagen. Sneller, als het kan. Bel me als je klaar bent.'

'Clark,' zei John, en hij nam zijn directe telefoonlijn op.
'Holtzman,' zei de stem. Bij het horen van die naam sperde John zijn ogen een beetje open.
'Nu zou ik je kunnen vragen hoe je aan dit nummer komt, maar je verraadt nooit je bron.'
'Goed geraden,' zei de journalist. 'Kun je je dat diner nog herinneren dat we een tijdje geleden bij Esteban's hadden?'
'Vaag,' loog Clark. 'Het is lang geleden.' Het was eigenlijk geen diner geweest, maar dat wist de bandrecorder die de gesprekken moest opnemen niet.
'Ik sta bij je in het krijt. Wat zou je zeggen van vanavond?'
'Ik bel je terug.' Clark hing op en keek naar zijn bureau. Wat stelde dit voor?

'Kom nou, dat heeft Jack niet gezegd,' zei Van Damm tegen de Witte Huis-correspondent van de *New York Times*.
'Maar hij bedoelde het wel, Arnie,' zei de verslaggever. 'Dat weet jij net zo goed als ik.'
'Ik wou dat jullie het die man niet zo moeilijk maakten. Hij is geen politicus,' merkte de stafchef op.
'Dat kan ik niet helpen, Arnie. Hij heeft de baan. Hij moet zich aan de regels houden.'
Arnie van Damm knikte instemmend. Hij liet niets blijken van de woede die in hem opgekomen was zodra de journalist die terloopse opmerking had gemaakt. In zijn hart wist hij dat de man gelijk had. Zo werd het spel gespeeld. Maar hij wist ook dat de verslaggever zich vergiste. Misschien was hij te veel gehecht geraakt aan president Ryan en had hij daardoor ook een paar van diens geschifte ideeën overgenomen. De media, die uitsluitend uit mensen bestonden die in het bedrijfsleven werkten – de meeste kranten en televisie-

stations waren ondernemingen met aandelen die op de beurs verhandeld werden – hadden zoveel macht verworven dat ze konden beslissen wat mensen zeiden. Dat was al erg genoeg. Nog erger was het dat ze te veel van hun werk genoten. Ze konden iemand maken of breken. Ze maakten de regels. Wie de regels doorbrak, werd zelf gebroken.
Ryan was inderdaad naïef. Dat viel niet te ontkennen. Tot zijn verdediging kon worden aangevoerd dat hij nooit president had willen worden. Hij was het per ongeluk geworden. Het enige wat hij had gewild, was zijn carrière op een waardige manier afsluiten, waarna hij voorgoed uit overheidsdienst had willen treden. Hij was niet gekozen. Maar dat waren de media ook niet en Ryan had tenminste nog de grondwet die bepaalde wat zijn plichten waren. De media gingen over de streep. Ze kozen partij in een constitutionele aangelegenheid, en dan ook nog de verkeerde partij.
'Wie maakt de regels?' vroeg Arnie.
'Die regels zijn er gewoon,' antwoordde de *Times*.
'Nou, de president zal niets tegen *Roe* ondernemen. Hij heeft nooit gezegd dat hij dat zou doen. En hij is ook echt niet van plan mensen die op parkbanken slapen tot lid van het hooggerechtshof te benoemen. Hij kiest geen liberale activisten en hij kiest geen conservatieve activisten. Volgens mij weet jij dat best.'
'Dus Ryan heeft zich versproken?' De nonchalante grijns van de journalist sprak boekdelen. Hij zou schrijven dat een hoge regeringsfunctionaris had geprobeerd te redden wat er nog te redden viel door de woorden van de president 'toe te lichten, of beter gezegd: te corrigeren', zoals het in het artikel zou staan.
'Helemaal niet. Je hebt hem verkeerd begrepen.'
'Het kwam duidelijk genoeg op me over, Arnie.'
'Dat komt doordat je gewend bent naar professionele politici te luisteren. De president die we nu hebben, zegt de dingen zonder omhaal. Eigenlijk bevalt me dat wel,' ging Van Damm verder. Hij loog, want het maakte hem gek. 'En het zou jullie leven ook veel gemakkelijker kunnen maken. Jullie hoeven niet meer in kristallen bollen te kijken. Het enige wat jullie hoeven te doen, is goed aantekeningen maken. Of misschien kunnen jullie hem gewoon beoordelen naar eerlijke maatstaven. We zijn het erover eens dat hij geen politicus is, maar jullie behandelen hem alsof hij dat wel is. Waarom luisteren jullie niet gewoon naar wat hij zegt?' Of kijk anders naar de videobeelden, wilde hij zeggen, maar hij hield zich in. Hij balanceerde toch al op de rand. Met de media praten was net zoiets als een nieuwe kat aaien. Je wist nooit of hij zijn poot zou uitsteken om te krabben.
'Kom op, Arnie. Niemand hier in Washington is zo loyaal als jij. Weet je, je zou een goeie huisarts zijn geweest. Dat weten we allemaal. Maar Ryan heeft geen flauw benul. Die toespraak in de kathedraal, die idiote toespraak vanuit het Oval Office. Hij is ongeveer net zo presidentieel als de voorzitter van de Rotary in Bumfuck, Iowa.'

'Maar wie maakt uit wat presidentieel is en wat niet?'
'In New York maak ik dat uit.' De journalist glimlachte weer. 'Voor Chicago moet je het aan iemand anders vragen.'
'Hij ís de president van de Verenigde Staten.'
'Ed Kealty zegt van niet, en Ed gedráágt zich tenminste presidentieel.'
'Ed telt niet meer mee. Hij heeft ontslag genomen. Roger kreeg dat telefonisch door van minister Hanson en hij heeft mij erover verteld. Verdomme nog aan toe, dat heb je zelf in je krant geschreven.'
'Maar welk motief zou hij toch kunnen hebben om...'
'Welk motief zou hij kunnen hebben om alles te neuken wat een rok aan heeft?' snauwde de stafchef. Prachtig, dacht hij, nu raak ik mijn invloed op de media kwijt!
'Ed is altijd een rokkenjager geweest. Het gaat beter met hem sinds hij van de drank af is. Het heeft zijn werk nooit beïnvloed,' legde de Witte Huis-correspondent uit. Net als zijn krant was hij een groot voorstander van vrouwenrechten. 'We kunnen niet om deze zaak heen.'
'Welk standpunt zal de *Times* innemen?'
'Ik stuur je een kopie van het hoofdcommentaar,' beloofde de journalist.

Hij hield het niet meer uit. Hij nam de telefoon en toetste de zes cijfers in, starend in de duisternis. De zon was nu onder en er kwamen wolken opzetten. Het zou een koude, regenachtige nacht worden, met daarna een ochtend die hij misschien wel en misschien ook niet zou beleven.
'Ja?' zei een stem toen het andere toestel amper één keer was overgegaan.
'Met Badrayn. Het zou beter uitkomen als het volgende vliegtuig groter was.'
'We hebben een 737 klaarstaan, maar daarvoor moet ik officiële toestemming hebben.'
'Ik zal er vanaf deze kant aan werken.'
Het televisienieuws had hem in actie gebracht. Het was nog ingetogener dan anders geweest, zonder één politiek verhaal. Niet één, in een land waar de weervoorspelling vaak werd vervangen door politiek commentaar. Wat hij vooral onheilspellend vond, was een verhaal over een moskee, een oude sjiitische moskee die in verval was geraakt. De televisie betreurde dat en haalde de lange, eerbiedwaardige geschiedenis van het gebouw aan, voorbijgaand aan het feit dat het in verval was geraakt omdat het ooit het ontmoetingspunt was geweest van een groep mensen die, misschien terecht, waren beschuldigd van een complot tegen de gedode, geliefde, grote en duidelijk niet lang in de herinnering voortlevende politieke leider. Tot overmaat van ramp waren beelden vertoond van vijf mullahs die voor de moskee stonden. Ze keken niet eens recht in de camera, maakten alleen gebaren naar de verbleekte blauwe tegels aan de muur en bespraken blijkbaar wat er gebeuren moest. Dit waren dezelfde vijf Iraanse mullahs die als gijzelaars naar Irak waren gestuurd. Er was niet één soldaat te zien en de gezichten van minstens twee van de mullahs waren erg bekend bij het Iraakse publiek. Iemand was

naar het televisiestation gegaan, of beter gezegd, naar de mensen die daar werkten. Als de journalisten en anderen hun baan en hun hoofd wilden houden, dan moesten ze de nieuwe realiteit onder ogen zien. Had het gewone volk in die enkele seconden de gezichten herkend, en had het de boodschap begrepen? Het kon gevaarlijk zijn om te proberen een antwoord op die vraag te vinden.
Maar het gewone volk deed er niet toe. Kolonels en majoors deden er wel toe. En generaals die niet op de lijst stonden. Binnenkort zouden ze het weten. Waarschijnlijk wisten sommigen het al. Ze zouden gaan telefoneren om erachter te komen wat er aan de hand was. Sommigen zouden leugens te horen krijgen. Sommigen zouden niets te horen krijgen. Ze zouden gaan nadenken. Ze zouden verbanden leggen. In de komende twaalf uur zouden ze met elkaar praten en zouden ze moeilijke beslissingen moeten nemen. Ze waren de mannen die met het oude regime werden geïdentificeerd. De mannen die niet konden vluchten, die nergens heen konden en ook geen geld hadden om ergens heen te gaan, de mannen die moesten achterblijven. Het feit dat ze voor het oude regime hadden gewerkt, kon hun doodvonnis betekenen; voor velen zou dat vast en zeker het geval zijn. Anderen hadden misschien nog een kans. Om zich in leven te houden moesten ze doen wat misdadigers op de hele wereld deden. Ze zouden hun eigen leven redden door een grotere boef te verraden. Zo ging het altijd. De kolonels zouden de generaals aan de kant zetten.
Eindelijk begrepen de generaals het.
'Er staat een 737 klaar. Genoeg ruimte voor allemaal. Hij kan hier over anderhalf uur zijn,' zei hij tegen hen.
'En ze zullen ons niet doden op het vliegveld van Teheran?' wilde de plaatsvervangend chef-staf van het Iraakse leger weten.
'Wilt u dan liever hier sterven?' was Badrayns wedervraag.
'En als het nu eens allemaal een val is?'
'Dat risico bestaat. In dat geval zullen de vijf televisiepersoonlijkheden sterven.' Natuurlijk zouden ze dat niet. Dat zou dan gedaan moeten worden door de soldaten die trouw bleven aan generaals die al dood waren. Dat soort loyaliteit bestond hier niet. Dat wisten ze allemaal. Het nemen van gijzelaars was een instinctief gebaar geweest, een gebaar dat al ongedaan gemaakt was door iemand, misschien iemand bij de media, misschien de kolonel die het bevel voerde over de gardisteneenheid die de Iraanse geestelijken bewaakte. Hij werd geacht een betrouwbare inlichtingenspecialist te zijn, herinnerde Badrayn zich, een loyale soennitische officier, zoon van een lid van de Ba'athpartij. Dat kon betekenen dat de Ba'ath-partij al werd ondermijnd. Het ging nu erg snel. De mullahs zouden de aard van hun missie toch niet verborgen hebben gehouden? Maar dat deed er nu niet toe. Met het doden van de gijzelaars zouden ze niets bereiken. Als de generaals hier bleven, gingen ze eraan, en Iraanse geestelijken hadden geen moeite met het martelaarschap. Dat maakte deel uit van de sjiitische traditie.
Nee, de beslissing was al onherroepelijk. Deze bevelhebbers hadden dat niet

begrepen. Ze hadden er niet grondig over nagedacht.
Nou, als ze bekwame officieren waren geweest, zouden ze al jaren geleden door hun geliefde leider zijn gedood.
'Ja,' zei de hoogste in rang.
'Dank u.' Badrayn pakte de telefoon en toetste het nummer weer in.

'Pas gisteren werd duidelijk hoe groot de constitutionele crisis is waarin Amerika is komen te verkeren. Hoewel het onderwerp van technische aard lijkt te zijn, is het dat in wezen toch niet.
John Patrick Ryan is een man met capaciteiten, maar het moet nog blijken of hij het noodzakelijke talent bezit om zijn presidentiële plichten te vervullen. De eerste tekenen zijn niet bepaald veelbelovend. De overheidsdienst is geen werk voor amateurs. Ons land heeft zich vaak genoeg tot zulke mensen gewend, maar in het verleden waren ze altijd in de minderheid en konden ze zich op een ordelijke manier ontwikkelen.
Er is niets ordelijks aan de crisis waarmee ons land wordt geconfronteerd. Tot nu toe heeft Ryan een aantal goede maatregelen genomen om de overheid te stabiliseren. Zijn voorlopige FBI-directeur bijvoorbeeld, Daniel Murray, is een aanvaardbare keus. Zo is ook George Winston waarschijnlijk een goede voorlopige keuze voor het ministerie van Financiën, al is hij politiek ongeschoold. Scott Adler, een erg getalenteerde, ervaren diplomaat is misschien het beste lid van het huidige kabinet...' Ryan sloeg de volgende twee alinea's over.
Vice-president Edward Kealty mag dan zijn persoonlijke tekortkomingen hebben, hij kent het staatsbestuur, en met zijn gematigde houding ten aanzien van veel politieke vraagstukken zou hij het land op een stabiele koers kunnen houden totdat door middel van verkiezingen een nieuwe regering totstandkomt. Maar berusten zijn aanspraken op waarheid?
'Kan jou dat iets schelen?' vroeg Ryan, alsof hij de schrijver van het *Times*-hoofdcommentaar van de volgende dag voor zich had.
'Ze kennen hem. Ze kennen jou niet,' antwoordde Arnie. Toen ging de telefoon.
'Ja?'
'Meneer Foley voor u, president. Hij zegt dat het belangrijk is.'
'Goed... Ed? Ik zet je op de speaker.' Jack drukte op de knop en legde de hoorn op de haak. 'Arnie luistert mee.'
'Het is definitief. Iran komt in actie. Ze zetten fors in. Ik heb televisiebeelden voor u, als u de tijd hebt.'
'Laat maar zien.' Jack wist hoe dat ging. In deze kamer en in andere kamers stonden televisietoestellen die door middel van beveiligde vezeloptiekkabels verbonden waren met het Pentagon en andere instanties. Hij pakte de afstandsbediening uit een la en zette het toestel aan. Het 'programma' duurde maar vijftien seconden en werd toen herhaald en stilgezet.
'Wie zijn dat?' vroeg Jack.
Foley las de namen op. Twee van die namen had Ryan al eerder gehoord.

'Top- en subtopadviseurs van Daryaei. Ze zijn in Bagdad en iemand heeft besloten dat te laten weten. Nou, we weten dat hoge generaals de vlucht nemen. En nu hebben we vijf mullahs die het op de Iraakse televisie over het opknappen van een belangrijke moskee hebben. Morgen praten ze harder,' beloofde de man die tot CIA-directeur was benoemd.
'Nog iets van de mensen ter plaatse?'
'Nee,' gaf Ed toe. 'Ik heb het er met de vestigingschef in Riad over gehad. Hij zou erheen kunnen gaan en met mensen kunnen gaan praten, maar tegen de tijd dat hij daar aankomt, is er niemand meer over om mee te praten.'

'Die is groter,' zei een officier aan boord van de AWACS. Hij las de alfanumerieke getallen op. 'Kolonel,' zei de luitenant door de commandolijn, 'zo te zien heb ik hier een 737-chartertoestel dat onderweg is van Teheran naar Bagdad, koers twee-twee-nul, snelheid vier-vijf-nul knopen, hoogte zesduizend meter. PALM BOWL meldt gecodeerd radioverkeer vanuit dat toestel naar Bagdad.'
Meer naar achteren keek de commandant van het AWACS-vliegtuig op zijn beeldscherm. De luitenant voorin had gelijk. De kolonel zette zijn radio aan om verslag uit te brengen aan KKMC.

De overigen arriveerden tegelijk. Ze hadden langer moeten wachten, vond Badrayn. Het was beter om pas aan te komen als het vliegtuig al klaarstond, dan kon je des te vlugger... Maar nee.
Het was eigenlijk wel grappig om ze zo mee te maken, die machtige mannen. Een week geleden hadden ze met de borst vooruit gelopen, zeker van hun positie en hun macht, hun kaki uniform versierd met allerlei linten ter ere van wat voor heldhaftige daden moest doorgaan. Nee, nu deed hij hen tekort. Sommigen hadden aan het front gevochten, een of twee keer. Misschien hadden er enkelen eigenhandig een vijand gedood. Iraanse vijanden. Dezelfde mensen aan wie ze nu hun veiligheid zouden toevertrouwen, omdat ze nog banger waren voor hun eigen landgenoten. Daarom stonden ze nu zorgelijk bij elkaar. Ze vertrouwden niet eens hun eigen lijfwachten meer. Vooral die niet. Die hadden geweren en waren dichtbij, en ze zouden nooit in deze problemen zijn geraakt als je lijfwachten altijd kon vertrouwen.
Ondanks het gevaar voor zijn eigen leven vond Badrayn het een grappig gezicht. Zijn hele leven had hij naar een moment als dit toe gewerkt. Hoe lang had hij er niet van gedroomd dat hij hoge Israëlische functionarissen onder zulke omstandigheden op een vliegveld zag staan, hun eigen volk aan zijn lot overlatend, verslagen door zijn... Die ironie was komisch, nietwaar? Meer dan dertig jaar, en het enige wat hij had bereikt, was de vernietiging van een Arabisch land? Israël bestond nog. Amerika beschermde dat land nog steeds, en het enige wat hij deed was de machtsverhoudingen rond de Perzische Golf bijstellen.
Hij vluchtte zelf ook, net als zij, gaf Badrayn toe. Nadat hij zijn levensdoel niet had bereikt, had hij zich voor dit ene karwei laten inhuren, en wat nu?

Die generaals hadden tenminste geld. Hun stond een comfortabel leven te wachten. Hem stond niets te wachten, en achter zich had hij alleen mislukking. Bij die gedachte vloekte Ali Badrayn. Hij leunde achterover, nog net op tijd om een donker silhouet over de dichtstbijzijnde startbaan te zien taxiën. Een lijfwacht in de deuropening maakte gebaren naar de mensen in de kamer. Twee minuten later kwam de 737 weer in zicht. Extra brandstof was niet nodig. De vrachtwagen met de trap reed de baan op en kwam pas tot stilstand toen het vliegtuig ook stopte. De trap stond al klaar voordat de deur opengiing, en de generaals en hun gezinnen, en één lijfwacht per persoon, en voor de meesten ook een maîtresse, renden de koude motregen in die was komen opzetten. Badrayn liep als laatste naar buiten. Zelfs toen moest hij nog even wachten. De Irakezen stonden nu allemaal bij de trap, een klein groepje zenuwachtige mensen die hun gewichtigheid en waardigheid vergaten en elkaar opzij probeerden te dringen. Boven aan de trap stond een geüniformeerd bemanningslid. Hij had alle reden om de mensen die beneden stonden, te haten, maar toch glimlachte hij plichtmatig. Ali wachtte tot de trap vrij was en ging toen naar boven, waar hij op een klein platform kwam en zich nog even omdraaide. Er was eigenlijk helemaal niet zoveel reden tot haast geweest. Er kwamen nog geen groene vrachtwagens met soldaten aanrijden. Het bleek dat ze best nog een uur hadden kunnen wachten. Na verloop van tijd zouden de soldaten hier aankomen en niets dan een lege kamer vinden. Hij schudde zijn hoofd en ging het vliegtuig in. Het bemanningslid deed de deur achter hem dicht.
Voorin vroegen de piloten aan de verkeersleiding of ze mochten taxiën, en die toestemming kregen ze automatisch. De verkeersleiders hadden hun telefoongesprekken gevoerd en hun informatie doorgegeven, maar zolang ze geen instructies kregen, deden ze gewoon hun werk. Ze keken het toestel na. Het ging naar het eind van de startbaan, voerde de snelheid op en steeg op in de duisternis die over hun land begon neer te dalen.

19
Remedies

'Dat is een tijd geleden, Clark.'
'Ja, Holtzman, dat is het,' beaamde John. Ze zaten in dezelfde nis als de vorige keer, helemaal achterin, dicht bij de jukebox. Esteban's was nog steeds een gemoedelijk familierestaurant bij Wisconsin Avenue. Het werd ook nog steeds

goed bezocht door mensen van de nabijgelegen Georgetown University. Maar Clark herinnerde zich dat hij nooit aan de verslaggever had verteld hoe hij heette.
'Waar is je vriend?'
'Die heeft vanavond geen tijd,' antwoordde Clark. In werkelijkheid was Ding vroeg van zijn werk vertrokken. Hij was naar Yorktown gereden en ging die avond met Patsy uit eten, maar dat hoefde de journalist niet te weten. Het was aan zijn gezicht te zien dat hij toch al te veel wist. 'Nou, wat kan ik voor je doen?' vroeg de CIA-agent.
'Je weet dat we iets hadden afgesproken.'
Clark knikte. 'Dat ben ik niet vergeten. Dat was voor vijf jaar. De tijd is nog niet om.' Dat antwoord was te verwachten geweest.
'De tijden veranderen.' Holtzman pakte het menu op en keek erin. Hij hield van Mexicaans eten, maar de laatste tijd bekwam het hem niet goed.
'Afgesproken is afgesproken.' Clark keek niet in zijn menu. Hij keek recht voor zich uit. Mensen hadden vaak moeite met die starende blik van hem.
'Het is bekendgemaakt. Katryn heeft zich verloofd met een grootgrondbezitter in Winchester.'
'Dat wist ik niet,' gaf Clark toe. En het kon hem ook niet veel schelen.
'Ik dacht al dat je het niet wist. Je bent geen SPO meer. Bevalt het je om weer in het veld te werken?'
'Als je daarover wilt praten: je weet dat ik niet kan...'
'Dat is dan jammer. Ik heb je nu een paar jaar gevolgd,' zei de journalist tegen zijn gast. 'Je hebt een geweldige staat van dienst en ze zeggen dat je collega ook erg veelbelovend is. Jij was die kerel in Japan,' zei Holtzman met een glimlach. 'Jij hebt Koga gered.'
John schrok daarvan, maar hij trok een smalend gezicht. 'Hoe kom je daar nou weer bij?'
'Ik heb met Koga gesproken toen hij hier was. Een reddingsteam van twee man, zei hij. Grote man, kleine man. Koga beschreef je ogen: blauw, hard, intens, zei hij, maar hij zei ook dat er goed met je te praten was. Hoe slim moet ik zijn om daar achter te komen?' Holtzman glimlachte. 'De vorige keer dat we elkaar spraken, zei je dat ik een goede spion zou zijn geweest.' De ober kwam met twee glazen bier. 'Heb je dit ooit eerder gehad? Pride of Maryland, een nieuw merk aan de oostkust.' Toen ging de ober weg. Clark boog zich over de tafel.
'Zeg, ik heb respect voor je capaciteiten, en de laatste keer dat we elkaar spraken, hield je je aan je woord, daar heb ik ook respect voor, maar ik wil je er wel even op wijzen dat als ik het veld inga, mijn leven afhankelijk is van...'
'Ik zal je identiteit niet bekendmaken. Dat doe ik niet. Om drie redenen: het is verkeerd, het is in strijd met de wet en ik wil iemand als jij niet kwaad maken.' De journalist nam een slokje bier. 'Op een dag zou ik verdomd graag een boek over je willen schrijven. Al is maar de helft van de verhalen waar...'
'Goed, zorg dat Val Kilmer me in de film kan spelen.'
'Die is te knap.' Holtzman schudde grijnzend zijn hoofd. 'Nick Cage heeft

ook van die staarogen. Nou ja, waar ik je over wilde spreken...' Hij zweeg even. 'Ryan was degene die haar vader eruit kreeg, al weet ik nog niet hoe. Jullie gingen naar het strand en haalden Katryn en haar moeder eruit. Jullie brachten ze met een bootje naar een onderzeeër. Ik weet niet welke, maar ik weet dat het een van onze kernonderzeeërs was. Maar dat is niet het verhaal.'
'Wat dan wel?'
'Ryan is net zo'n type als jij, de Stille Held.' Robert Holtzman genoot van de verbazing in Clarks ogen. 'Ik mag hem wel. Ik wil hem helpen.'
'Waarom?' vroeg John, die zich afvroeg of hij zijn gastheer kon geloven.
'Mijn vrouw, Libby, kwam die dingen over Kealty te weten. Ze publiceerde het verhaal te vroeg en nu kunnen we niet terug. Hij is tuig van de richel, nog erger dan de meeste mensen daar. Niet iedereen in de media denkt er zo over, maar Libby heeft met een paar van zijn slachtoffers gepraat. Vroeger kon iemand zoiets nog wel flikken, zeker als hij politiek gezien in de "progressieve" hoek zat. Tegenwoordig niet meer. Tenminste, dat is niet de bedoeling,' verbeterde hij zichzelf. 'Ik ben er ook niet zeker van dat Ryan zo geweldig is. Maar hij is eerlijk. Hij zal proberen de juiste dingen te doen, om de juiste redenen. Zoals Roger Durling altijd zei: hij is goed gezelschap bij slecht weer. Ik moet dat nog aan mijn hoofdredactie verkopen.'
'Hoe wou je dat aanpakken?'
'Door een verhaal te schrijven over iets belangrijks dat hij voor zijn land heeft gedaan. Iets van lang geleden dat niet zo gevoelig meer ligt, en toch ook zo kort geleden dat de mensen het nog weten. Jezus Christus, Clark, hij heeft de Russen gered! Hij heeft een binnenlandse machtsstrijd voorkomen waaruit weer minstens tien jaar Koude Oorlog had kunnen voortkomen. Dat is heel wat, en hij heeft er nooit iemand iets over verteld. We maken duidelijk dat Ryan het niet heeft laten uitlekken. Als we het aan hem voorleggen voordat we het publiceren, weet je wat hij zal zeggen.'
'Hij zal zeggen: niet publiceren,' beaamde Clark. Toen vroeg hij zich af met wie Holtzman had gepraat. Rechter Arthur Moore? Bob Ritter? Zouden die hebben gepraat? Onder normale omstandigheden zou hij die vragen onmiddellijk met een krachtig 'nee!' hebben beantwoord, maar nu? Nu was hij daar niet zo zeker meer van. Vanaf een bepaald niveau dachten mensen dat het schenden van de regels in het landsbelang was, dat het een hogere plicht was. John wist alles van die 'hogere plichten'. Die hadden hem meer dan eens in grote moeilijkheden gebracht.
'Maar het is een te goed verhaal om te laten liggen. Ik heb er jaren over gedaan om erachter te komen. Het publiek heeft het recht om te weten wat voor man er in het Oval Office zit, zeker als het de juiste man is,' ging de journalist verder. Holtzman was duidelijk een man die een non uit de kleren kon praten.
'Bob, je weet nog niet de helft.' Clark hield zich meteen in, kwaad op zichzelf omdat hij zoveel had gezegd. Dit was diep water en hij probeerde te zwemmen met een verzwaarde gordel. Ach, waarom ook niet... 'Goed, vertel eerst maar eens wat je over Jack weet.'

Er was afgesproken dat ze hetzelfde vliegtuig zouden gebruiken en dat ze, tot opluchting van beide kanten, geen minuut langer in Iran zouden blijven dan absoluut noodzakelijk was. Omdat de 737 niet zo'n grote actieradius had als de kleinere G-IV's, kwamen ze overeen dat het toestel een tussenlanding in Jemen zou maken om bij te tanken. Op het vliegveld van Teheran bleven de Irakezen in het toestel zitten, maar net voordat de trap werd weggehaald, stapte Badrayn uit, zonder één woord van dank van de mensen die hij had gered. Er stond een auto klaar. Hij keek niet om. De generaals en hij behoorden nu tot elkaars verleden.
De auto bracht hem naar de stad. Er zat verder alleen een chauffeur in, die in een rustig tempo door de straten reed. Op dit late uur was er niet veel verkeer en ze kwamen goed vooruit. Na veertig minuten stopte de auto voor een gebouw met twee bovenverdiepingen. Daar waren bewakers. Zo, dacht Badrayn, hij woonde nu in Teheran? Hij stapte uit zonder te wachten tot de chauffeur het portier openhield. Een geüniformeerde bewaker vergeleek hem met een foto en wees hem de ingang. Binnen fouilleerde een andere bewaker, aan de drie sterren op zijn schouder te zien een kapitein, hem beleefd. Vervolgens ging hij de trap op naar een vergaderkamer. Inmiddels was het drie uur in de nacht, plaatselijke tijd.
Toen Badrayn binnenkwam, zat Daryaei in een comfortabele stoel wat papieren te lezen die aan elkaar vastgeniet waren. Hij las niet de heilige koran, maar een briefingdocument. Nou ja, Daryaei had de koran al zo lang bestudeerd dat hij hem wel uit zijn hoofd zou kennen.
'Vrede met u,' zei Ali.
'En met u ook vrede,' antwoordde Daryaei niet zo automatisch als Badrayn had verwacht. De oudere man stond op en kwam voor de gebruikelijke omhelzing naar hem toe. Daryaei's gezicht was veel kalmer dan Badrayn had verwacht. Zeker, het was vermoeid, want het waren lange dagen geweest voor de geestelijke, maar oud of niet, de oude man werd gestimuleerd door de gebeurtenissen. 'Alles goed met u?' vroeg hij bezorgd, en hij wees zijn gast een stoel.
Ali haalde diep adem en ging zitten. 'Nu wel. Ik vroeg me wel af hoe lang de situatie in Bagdad stabiel zou blijven.'
'We hadden niets te winnen bij tweedracht. Mijn vrienden hebben me verteld dat de oude moskee in verval is geraakt.'
Badrayn had kunnen zeggen dat hij dat niet wist – hij wist het niet – maar dat kwam doordat hij al in lange tijd geen moskee van binnen had gezien, en dat kon hij beter niet aan Daryaei vertellen. 'Er is veel te doen,' besloot hij te antwoorden.
'Ja, dat is er.' Mahmoud Haji Daryaei ging naar zijn stoel terug en legde de papieren weg. 'Uw diensten zijn van grote waarde. Hebben zich moeilijkheden voorgedaan?'
Badrayn schudde zijn hoofd. 'Eigenlijk niet. Het is verrassend hoe bang zulke mannen kunnen zijn, maar daar was ik op voorbereid. Uw voorstel was gene-

reus. Ze konden niets anders doen dan het accepteren. U zult niet...?' permitteerde Ali zich te vragen.
Hij schudde zijn hoofd. 'Nee, ze zullen in vrede leven.'
En dat was, als het waar was, nogal een verrassing, al liet Ali daar niets van blijken. Daryaei had weinig reden om sympathie voor die mannen te hebben. Ze hadden allemaal een rol in de oorlog tussen Iran en Irak gespeeld en waren verantwoordelijk voor de dood van duizenden Iraniërs, een wond die nog niet was geheeld. Er waren zoveel jonge mannen gestorven. De oorlog was een van de redenen waarom Iran al jarenlang geen grote rol in de wereld speelde. Maar daar zou verandering in komen, nietwaar?
'Mag ik vragen wat u nu gaat doen?'
'Irak is zo lang een ziek land geweest, afgehouden van het ware geloof, dwalend in de duisternis.'
'En gewurgd door het embargo,' zei Badrayn, die zich afvroeg welke informatie die woorden hem zouden opleveren.
'Het is tijd dat daar een eind aan komt,' beaamde Daryaei. Aan zijn ogen was te zien dat hij waardering had voor Ali's opmerking. Ja, zo zouden ze het spelen, nietwaar? Een zoenoffer aan het Westen. Het embargo zou worden opgeheven. Er zou weer voedsel naar Irak gaan en de bevolking zou blij zijn met het nieuwe regime. Hij zou iedereen tegelijk tevredenstellen, terwijl hij al die tijd alleen maar zichzelf tevreden wilde stellen. En Allah natuurlijk. Maar Daryaei was een van die mensen die zeker wisten dat hun beleid door Allah werd geïnspireerd, een idee dat Badrayn al lang geleden overboord had gezet.
'Amerika zal een probleem zijn, evenals andere landen die dichterbij zijn.'
'We zijn dat aan het uitzoeken.' Het kwam hem moeiteloos over de lippen. Ja, daar zat iets in. Hij had natuurlijk al jaren over deze manoeuvre nagedacht en moest zich op een moment als dit wel onoverwinnelijk voelen. Dat was ook te begrijpen. Daryaei dacht altijd dat Allah aan zijn kant stond. En misschien stond Hij dat ook, al kwam hier nog wel wat meer bij kijken. Dat moest wel, als je succes wilde hebben. Wonderen geschiedden vaak pas als mensen de omstandigheden hadden gecreëerd. Ali besloot te proberen aan het volgende wonder mee te werken.
'Ik heb naar de nieuwe Amerikaanse leider gekeken.'
'O?' Daryaei keek hem een beetje strakker aan.
'Het is in deze moderne tijd niet moeilijk informatie te verzamelen. De Amerikaanse media publiceren zoveel en je kunt tegenwoordig overal gemakkelijk bij. Mijn mensen zijn er op dit moment mee bezig.' Badrayn sprak op nonchalante toon. Dat was niet moeilijk. Hij was doodmoe. 'Het is frappant dat ze zo kwetsbaar zijn.'
'O ja? Vertelt u me eens wat meer.'
'De sleutel tot Amerika is die Ryan. Is dat niet duidelijk?'

'De sleutel tot het veranderen van Amerika is een constitutionele conventie,' zei Ernie Brown na dagen van stille overpeinzing. Pete Holbrook had de afstandsbediening van de diaprojector in zijn hand. Hij had drie filmrolletjes volgeschoten van het Capitool en ook nog een met opnamen van andere gebouwen, zoals het Witte Huis, want hij had zich toch ook een beetje toerist gevoeld. Hij bromde iets toen hij zag dat een van de dia's er ondersteboven in zat. Over dat idee van Ernie hadden ze al veel vaker nagedacht en het resultaat was nooit indrukwekkend geweest.

'Daar hebben we het nu al een hele tijd over,' zei Holbrook, terwijl hij het magazijn uit de projector nam. 'Maar hoe kun je dat...'

'Afdwingen? Simpel. Als er geen president is en de grondwet biedt geen mogelijkheid er een te kiezen, moet er toch iets gebeuren?'

'De president doden?' Pete snoof. 'Welke?'

Dat was het probleem. Je hoefde niet briljant te zijn om dat te beseffen. Als je Ryan uitschakelde, kwam Kealty naar voren. Als je Kealty uitschakelde, zat Ryan gebeiteld. En in deze tijd zou het extra moeilijk zijn. Beide mannen herinnerden zich alle bewaking die ze in het Witte Huis hadden gezien. Als je er eentje koud maakte, vormde de Amerikaanse Secret Service een muur rondom de andere, een muur zo dik dat je een kernraket nodig had om erdoorheen te komen. De Mountain Men hadden geen kernraketten. Ze hielden meer van traditionele Amerikaanse wapens, zoals geweren. Zelfs die hadden hun beperkingen. De zuidelijke tuin van het Witte Huis was dicht bebost en werd, zoals ze hadden gezien, afgeschermd door onopvallende maar effectieve aarden wallen. Je kon het Witte Huis maar op één manier in het vizier krijgen, en dat was langs de fontein bij het gebouw zelf. De omringende gebouwen waren allemaal van de overheid en op de daken daarvan zouden altijd mensen met verrekijkers en geweren zitten. De Amerikaanse Secret Service was vastbesloten de mensen weg te houden van 'hun' president, de dienaar van het volk, wiens bewakers het volk voor geen cent vertrouwden. Maar als de man die in dat huis woonde, werkelijk iemand voor het volk was, zou dat toch niet nodig zijn? Teddy Roosevelt had een keer de deuren opengegooid en vier uur lang handen geschud met gewone mensen. Daar kon je nu erg lang op wachten!

'Allebei tegelijk. Volgens mij is Ryan het moeilijkste doelwit,' zei Brown. 'Ik bedoel, hij heeft de meeste bescherming. Kealty moet vaak van de ene naar de andere plaats gaan om met die klojo's van de pers te praten, en hij wordt ook niet zo goed beschermd, hè?'

Holbrook zette het magazijn terug. 'Ja, daar zit iets in.'

'Nou, als we een manier vinden om Ryan koud te maken, krijgen we Kealty in één moeite door te pakken.' Brown haalde zijn zaktelefoon te voorschijn. 'Gemakkelijk te coördineren.'

'Ga door.'

'Het betekent dat we zijn dagindeling moeten weten en een moment moeten uitkiezen.'

'Dat is duur,' merkte Holbrook op, terwijl hij de volgende dia projecteerde.

Het was er een die al zo vaak door zoveel mensen was gemaakt, vanaf de top van het Washington Monument, door het kleine raampje aan de noordkant, met uitzicht op het Witte Huis. Ernie Brown had er ook een gemaakt en had de afdruk tot posterformaat laten vergroten in de plaatselijke fotozaak. Daarna had hij er uren naar gekeken. Toen had hij een plattegrond genomen en was aan het meten en rekenen geslagen.
'De kosten zitten vooral in de betonwagen die we moeten kopen, en verder moeten we onderdak huren in de buurt van Washington.'
'Wat?'
'Ik weet waar het moet gebeuren, Pete. En ik weet hoe we het moeten doen. We moeten alleen nog het juiste moment kiezen.'

Ze zou de volgende ochtend niet halen, dacht Moudi. Haar ogen waren nu open, maar het was niet na te gaan wat ze zag. Eindelijk was ze de pijn voorbij. Dat had hij wel vaker meegemaakt, vooral met kankerpatiënten, en het was altijd de voorbode van de dood. Hij wist te weinig van neurologie om het helemaal te kunnen verklaren. Misschien raakten de elektrochemische wegen overbelast, of misschien zat er een blokkeerfunctie in de hersenen. Het lichaam wist wat er gebeurde, wist dat verzet nu zinloos was. Het zenuwstelsel gaf alleen pijn door om het lichaam te waarschuwen. Nu waarschuwingen geen zin meer hadden, had de pijn ook geen zin meer. Of misschien verbeeldde hij het zich alleen maar. Misschien was haar lichaam gewoon te ernstig beschadigd om nog op iets te kunnen reageren. In ieder geval hadden de intraoculaire bloedingen haar blind gemaakt. De laatste bloedlijn van het infuus was uitgevallen, zo erg waren haar aderen beschadigd, en ze bloedde nu ook uit dat punt. Alleen het morfine-infuus hield stand, op zijn plaats gehouden met tape. Het hart hunkerde naar bloed. Het probeerde het beetje dat nog over was rond te pompen en raakte daardoor oververmoeid.
Zuster Jean Baptiste maakte nog geluiden, al waren die moeilijk te horen door Moudi's Racal-pak. Soms hoorde hij haar kreunen, en dat deed ze dan in een zodanig ritme dat de arts zich afvroeg of het gebeden waren. Waarschijnlijk waren het inderdaad gebeden, dacht hij. Nu was ze niet alleen van haar leven beroofd, maar ook van haar verstand. Het enige wat ze nog in zich had, waren eindeloze uren van gebed, de discipline die haar hele leven had beheerst. In haar waanzin zou ze daarnaar terugkeren, omdat haar geest nergens anders meer heen kon. De patiënte schraapte haar keel, maar toen werd het gemurmel duidelijker. Moudi boog zich naar haar toe om te luisteren.
'... der van God, bid voor ons zondaren...'
O, die. Ja, dat zou haar favoriete gebed zijn geweest.
'Verzet je niet meer, zuster,' zei Moudi tegen haar. 'Het is je tijd. Verzet je niet meer.'
Haar ogen veranderden. Hoewel ze niet kon zien, bewoog ze haar hoofd en keek hem aan. Dat was een reflex, wist de arts. Blind of niet, na jaren van oefening wisten de spieren wat ze moesten doen. Het gezicht bewoog zich instinc-

tief naar een bron van geluid, en de ogen – de spieren werkten nog – stelden zich erop in.
'Dokter Moudi? Bent u daar?' De woorden kwamen langzaam en waren niet erg duidelijk, maar hij kon het verstaan.
'Ja, zuster. Ik ben hier.' Hij streek onwillekeurig over haar hand en was toen met stomheid geslagen. Kon ze nog helder denken?'
'Dank u voor... uw hulp. Ik zal voor u bidden.'
Ze zou dat inderdaad doen. Dat wist hij. Hij gaf een klopje op haar hand en voerde met zijn andere hand de morfinedosis op. Genoeg was genoeg. Ze konden toch al geen bloed meer in haar pompen, bloed dat besmet moest worden door het virus. Hij keek in de kamer om zich heen. Beide verplegers zaten in de hoek en vonden het prima dat de dokter zich om de patiënt bekommerde. Hij liep naar hen toe en wees naar een van hen.
'Zeg tegen de directeur dat het nu gauw gebeurd is.'
'Komt voor elkaar.' De man was erg blij dat hij de kamer uit mocht. Moudi telde tot tien voordat hij tegen de ander sprak.
'Nieuwe handschoenen, alsjeblieft.' Hij hield zijn handen omhoog om te laten zien dat hij het ook niet prettig vond haar aan te raken. Die verpleger ging ook weg. Moudi nam aan dat hij ongeveer een minuut de tijd had.
Op het blad met medicamenten in de hoek stond wat hij nodig had. Hij nam een 20-cc naald uit de houder en stak hem in het flesje morfine. Hij zoog genoeg op om de plastic cilinder helemaal te vullen. Toen keerde hij naar het bed terug, trok het plastic laken weg en zocht naar... daar. De rug van haar linkerhand. Hij pakte haar hand vast, stak de naald erin en drukte de spuit meteen helemaal leeg.
'Om je te helpen in slaap te komen,' zei hij tegen haar, en hij liep weer door de kamer. Hij keek niet of ze op zijn woorden reageerde. De naald ging in de rode plastic bak voor gebruikte naalden en toen de verpleger met nieuwe handschoenen terugkwam, was alles als tevoren.
'Alstublieft.'
Moudi knikte, gooide zijn overhandschoenen in een afvalbak en trok de nieuwe aan. Bij het bed terug, keek hij voor het laatst nog eens goed naar die blauwe ogen. Op het ECG-scherm was te zien dat haar hartslag boven de honderdveertig was gekomen. De puntige lijntjes waren korter dan ze zouden moeten zijn, en ze waren onregelmatig. Het was nu alleen nog een kwestie van tijd. Waarschijnlijk bad ze in haar slaap, dacht hij. Misschien droomde ze gebeden. Nou, hij kon er nu tenminste zeker van zijn dat ze geen pijn leed. De morfine was inmiddels goed tot haar beperkte bloedvoorraad doorgedrongen. De chemische moleculen vonden hun weg naar de hersenen, en naar de receptoren, zodat er dopamine vrijkwam, die aan het zenuwstelsel zou doorgeven... ja.
Haar borst ging op en neer van de moeizame ademhaling. Er volgde een onderbreking, bijna als een hik, en toen begon de ademhaling opnieuw, maar nu onregelmatig. Het bloed kreeg minder zuurstof. De hartslag veranderde, werd sneller. Toen hield de ademhaling op. Het hart stopte niet meteen, zo

sterk was het, zo dapper, dacht de dokter bedroefd. Hij had alle bewondering voor dat hardnekkige orgaan van iemand die al dood was, maar dat kon niet lang duren, en na enkele laatste strepen op het scherm hield ook het hart ermee op. Het ECG-apparaat begon een gestaag alarmgeluid voort te brengen. Moudi zette het af. Hij draaide zich om en zag de verplegers opgelucht kijken.
'Zo gauw al?' vroeg de directeur, die de kamer inkwam en de vlakke, zwijgende lijn op het ECG-scherm zag.
'Het hart. Inwendige bloeding.' Moudi hoefde verder niets te zeggen.
'Ik begrijp het. We zijn dus klaar?'
'Ja.'
De directeur gaf een teken aan de verplegers, die nog één laatste taak hadden. Een van hen pakte het plastic op om te voorkomen dat er vloeistoffen uit lekten. De ander maakte de laatste infuusslang en de ECG-draden los. Dat gebeurde erg snel, en zodra de voormalige patiënte als een stuk vlees was ingepakt, werden de remmen van de wielen losgeschopt en reden de twee soldaten haar de deur uit. Ze zouden terugkomen om de kamer zo grondig schoon te maken dat er niets meer zou kunnen leven op de muren, de vloer of het plafond.
Moudi en de directeur volgden hen naar een kamer in hetzelfde afgesloten gedeelte achter de dubbele deuren. Hier stond een sectietafel van glad en koud roestvrij staal. Ze zetten het behandelbed ernaast, haalden het plastic weg en rolden het lichaam op het staal, zodat het op de buik kwam te liggen. De artsen keken vanuit de hoek toe en trokken een chirurgenpak over hun beschermende kleding aan, meer uit gewoonte dan uit noodzaak; dat had je nu eenmaal met sommige gewoonten. Vervolgens werden de stukken plastic bij de randen omhooggetrokken, zodat zich een geul vormde waardoor het bloed in een bak kon stromen. Ongeveer een halve liter, schatten de artsen. De stukken plastic werden voorzichtig naar een grote bak gedragen. De verplegers stopten ze daarin en verlieten de kamer. Ze reden de bak mee om hem naar de verbrandingsoven te brengen. Hoe nerveus ze ook waren, ze morsten geen druppel.
'Uitstekend.' De directeur drukte op een knop en de tafel kwam aan de ene kant omhoog. Uit gewoonte hield hij zijn vingertoppen op de linker halsslagader om er zeker van te zijn dat er geen hartslag was, en daarna op de rechter, waar hij ook niets voelde. Toen het lichaam met een hoek van twintig graden opzij hing, nam hij een grote scalpel en sneed beide slagaders door, samen met de evenwijdig lopende halsaders. Het bloed werd door de zwaartekracht aan het lichaam onttrokken en stroomde over de tafel. Via geultjes kwam het in een afvoer terecht, en in de volgende minuten verzamelden ze vier liter bloed in een plastic bak. Wat verbleekte het lichaam snel, zag Moudi. Daarstraks nog hadden er allemaal rode en paarse vlekken op de huid gezeten. Die huid werd zienderogen valer, of misschien was het maar verbeelding. Een laborant kwam de bak met bloed halen, die hij op een wagentje zette. Niemand wilde zoiets dragen, zelfs geen klein eindje.
'Ik heb nooit sectie verricht op een ebolaslachtoffer,' zei de directeur. En deze sectie verliep ook niet volgens de regels. Ondanks alle zorg die de directeur zo-

juist voor het stoffelijk overschot van de patiënt had getoond door haar op die manier te laten leegbloeden, had hij net zo goed een schaap kunnen slachten. Evengoed moesten ze voorzichtig zijn. In dit soort gevallen werkte maar één paar handen in het chirurgisch gebied. Moudi liet dat aan de directeur over, terwijl hij zelf ruwe, brede incisies maakte. Roestvrijstalen haken trokken de flappen huid en spierweefsel terug. Terwijl Moudi daarmee bezig was, keek hij naar de scalpel die de directeur gebruikte. Binnen een minuut was de linkernier helemaal blootgelegd. Ze wachtten tot de verplegers terug waren. Een van hen legde een bakje naast het lijk op de tafel. Moudi walgde van wat hij nu te zien kreeg. Het ebolavirus en het daardoor veroorzaakte ziekteproces braken weefsel af. De blootgelegde nier was half vloeibaar geworden, en toen de directeur het orgaan wilde verwijderen, brak het; het viel in twee stukken, als een gruwelijke roodbruine pudding. De directeur klakte van ergernis met zijn tong. Hij had geweten wat hij kon verwachten, maar was het vergeten.
'Vreemd wat er met de organen gebeurt, hè?'
'Ik verwacht hetzelfde van de lever, maar de milt...'
'Ja, dat weet ik. De milt zal net een baksteen zijn. Let op je handen, Moudi,' waarschuwde de directeur. Hij nam een nieuwe haak – het instrument leek trouwens meer op een lepel – om het achtergebleven nierfragment te verwijderen. Dat ging in het bakje. Hij knikte en de verpleger ging ermee naar het lab. De rechternier ging er gemakkelijker uit. Nadat alle spieren en bloedvaten waren doorgesneden, gebruikten beide artsen op aandrang van de directeur hun handen om hem weg te halen, en deze bleef redelijk intact... totdat hij in het bakje belandde. Daar verloor het orgaan zijn vorm en spleet open. Het enige goede daaraan was dat het zachte weefsel geen bedreiging vormde voor hun dubbele handschoenen. Toch deinsden beide artsen terug.
'Hier!' De directeur maakte een snelle handbeweging om de verplegers dichterbij te laten komen. 'Draai het om.'
De verplegers deden het. De een greep de schouders vast, de ander de knieën, en ze draaiden het lichaam zo snel mogelijk om. Bloed en andere weefselfragmenten spetterden op hun katoenen kleding. De verplegers trokken zich terug en bleven zo ver mogelijk van het lijk vandaan.
'Ik wil de lever en de milt, meer niet,' zei de directeur tegen Moudi, terwijl hij opkeek. Hij wendde zich tot de verplegers. 'Daarna pakken jullie het lichaam in en brengen het naar de verbrandingsoven. En dan wordt deze kamer grondig gedesinfecteerd.'
De ogen van zuster Jean Baptiste waren open, maar zagen uiteraard net zomin iets als een halfuur eerder. De dokter legde een doek over het gezicht heen en mompelde een gebed voor haar ziel. De directeur hoorde dat.
'Ja, Moudi, ze is ongetwijfeld in het paradijs. Nou, zullen we verdergaan?' vroeg hij nogal bruusk. Hij maakte de gebruikelijke Y-vormige incisie om de borstkas te openen, diep en grof als de vorige, en haalde de lagen vlug weg,

meer als een slager dan als een arts. Wat ze zagen, was zelfs een schok voor de directeur. 'Hoe heeft ze zo lang kunnen leven...?' fluisterde de man.
Moudi dacht terug aan zijn medicijnenstudie. Hij herinnerde zich een levensgroot plastic model van het menselijk lichaam op zijn eerste anatomieles. Het was of iemand een emmer met een krachtig oplosmiddel over dat model had leeggegoten. Alle organen die ze zagen, waren misvormd. De weefsellaag aan de buitenkant van de meeste organen was... opgelost. De buikholte was een zee van zwart bloed. Alles wat ze erin hadden gestopt, dacht Moudi... Nog niet de helft was weggelekt. Verbijsterend.
'Afzuigen!' beval de directeur. Een verpleger kwam met een plastic slang die naar een vacuümfles leidde, en het maakte een walgelijk geluid. Het duurde maar liefst tien minuten. De artsen stonden op een afstandje, terwijl de broeder de zuigslang rondbewoog, als een werkster die een huis stofzuigt. Nog eens drie liter besmet, virusrijk bloed voor het lab.
Het lichaam was een tempel van het leven, leerde de heilige koran. Moudi keek naar dit lichaam, dat veranderd was in... wat? Een fabriek des doods, zoals het gebouw waarin hij stond dat ook was. De directeur ging weer naar het lichaam toe en Moudi keek naar zijn handen, die de lever blootlegden, nog zorgvuldiger dan bij de nieren. Misschien was hij geschrokken van het bloed in de buikholte. Opnieuw werden de bloedvaten doorgesneden en werd het bindweefsel verwijderd. De directeur legde zijn instrumenten neer en zonder dat het hem werd gevraagd pakte Moudi het orgaan op en legde het in het bakje, dat weer onmiddellijk door een verpleger werd weggehaald.
'Ik vraag me af waarom de milt zich zo anders gedraagt.'

Beneden waren andere broeders aan het werk. Een voor een werden de apenkooien van de ordelijke stapels in het magazijn getild. De groene meerkatten hadden te eten gekregen en herstelden nog van de reis. Daardoor waren ze niet meer zo goed in staat om te krabben en te bijten en zich te verzetten tegen de in dikke handschoenen gestoken handen die de kooien verplaatsten. Het ging nu met tien tegelijk. Toen ze in de sterfkamer waren, met de deuren allemaal stevig dicht, wisten de apen het. De apen die pech hadden kregen te zien dat de kooien een voor een op een tafel werden gezet. Het deurtje werd geopend en er ging een stok met een metalen lus in de kooi. De lus ging over de kop van de aap en werd strak aangetrokken, en meestal was er dan het krakende geluid van een gebroken nek te horen. In ieder geval werd het dier eerst strak en dan slap, meestal met zijn ogen wijd open van verontwaardiging over de moord. Met hetzelfde instrument werd het dode dier uit de kooi getrokken. En als de lus was losgemaakt, werd het lichaam naar een soldaat gegooid, die het naar de volgende kamer droeg. De andere apen zagen dat en krijsten woedend naar de soldaten, maar de kooien waren zo klein dat ze de lus niet konden ontwijken. Het enige wat ze konden doen was een arm in de lus steken, maar dat had alleen tot gevolg dat die ook gebroken werd. De groene meerkatten, die intelligent genoeg waren om te zien en te weten en te begrijpen wat ze overkwam, vonden dat het net zoiets was als in een boom op de savanne zitten en een luipaard naar boven zien klimmen, hoger, en hoger... en ze konden niets anders doen dan krijsen. Dat gekrijs was hinderlijk voor de soldaten, maar niet zo heel erg hinderlijk.

In de volgende kamer werkten vijf teams van verplegers aan vijf verschillende tafels. Klemmen rond de nek en het begin van de staart hielden de kadavers op hun plaats. Een soldaat sneed met een gebogen mes de rug open langs de ruggengraat, waarna een ander omlaag sneed en de huid lostrok om de rug bloot te leggen. De eerste verwijderde de nieren en gaf ze aan de tweede, en terwijl de kleine organen in een speciale bak gingen, haalde hij het lichaam weg en gooide het in een plastic vuilnisvat, waarna het verbrand zou worden. Tegen de tijd dat hij terugkwam om zijn mes weer op te pakken, had het andere teamlid het volgende apenkadaver op de tafel vastgemaakt. Het duurde ongeveer vier minuten per aap. In anderhalf uur waren alle groene meerkatten dood. Er was enige haast bij. Al het materiaal voor hun taak was biologisch en dus onderworpen aan biologische processen. De slachters gaven hun producten via een dubbele opening in de wand aan het laboratorium door.

Daar ging het anders toe. Iedere man in de grote ruimte droeg een blauw plastic pak. Iedere beweging was langzaam en zorgvuldig. Ze waren goed getraind en goed ingelicht, en voorzover er tijdens hun opleiding iets over het hoofd was gezien, was hun dat nog eens tot in alle gruwelijke details verteld door de verplegers die door het lot waren aangewezen om de westerse vrouw te behandelen. Wanneer iets van de ene naar de andere plaats werd gebracht, werd dat aangekondigd en dan gingen de mensen opzij.

Het bloed zat in een verwarmde tank en er borrelde lucht doorheen. De apennieren, twee grote emmers vol, werden naar een maalmachine gebracht die niet veel verschilde van het soort foodprocessor dat je in gourmetkeukens aantrof. De nieren werden tot een moes vermalen, die naar een andere tafel werd gebracht en samen met vloeibare voedingsstoffen in bakjes werd gedaan. Het viel menigeen in het laboratorium op dat wat ze deden wel wat leek op het bakken van een taart of zoiets. Het bloed werd royaal in de bakjes gegoten. Ongeveer de helft werd op die manier gebruikt. De rest, die in andere plastic bakjes was gedaan, ging in een diepvrieskast die op vloeibare stikstof werkte. Het lab werd warm en vochtig gehouden, ongeveer als de jungle. De lichten waren niet al te fel en werden afgeschermd om de ultraviolette straling tegen te houden die de tl-buizen misschien afgaven. Virussen hielden niet van ultraviolet. Om te kunnen groeien hadden ze een gunstige omgeving nodig, en de nieren van de groene meerkat waren dat in combinatie met voedingsstoffen, de juiste temperatuur, de juiste vochtigheid en een snufje haat.

'U bent zoveel aan de weet gekomen?' vroeg Daryaei.

'Het zijn hun eigen media, hun eigen journalisten.'

'Het zijn allemaal spionnen!' wierp de mullah tegen.

'Veel mensen denken dat,' zei Ali met een glimlach. 'Maar in werkelijkheid

zijn ze dat niet. Ze zijn... hoe kan ik het uitleggen? Ze zijn te vergelijken met de middeleeuwse herauten. Ze zien wat ze zien en ze vertellen wat ze zien. Ze zijn trouw aan niemand behalve zichzelf en hun beroep. Ja, het is waar dat ze spioneren, maar ze bespioneren iedereen, hun eigen mensen nog het meest. Het is absurd, dat geef ik toe, maar toch is het waar.'
'Geloven ze ergens in?' Zijn gastheer kon dit moeilijk bevatten.
Weer een glimlach. 'Daar heb ik nooit iets van gemerkt. Ja, de Amerikaanse journalisten houden veel van Israel, maar zelfs dat wordt vaak overdreven. Het duurde jaren voor ik dat begreep. Net als honden gaan ze iedereen te lijf, bijten ze in ieders hand, ook als die in vriendschap wordt uitgestoken. Ze zoeken en ze zien en ze vertellen. En zo komt het dat ik alles over die Ryan aan de weet ben gekomen: zijn huis, zijn gezin, de scholen van zijn kinderen, het nummer van de kamer waar zijn vrouw werkt, alles.'
'En als daar nu eens leugens bij zijn?' vroeg Daryaei argwanend. Hij had al heel lang met het westen te maken, maar hij begreep nog steeds niet veel van het werk van westerse journalisten.
'Het is allemaal gemakkelijk te verifiëren. De plaats waar zijn vrouw werkt, bijvoorbeeld. Er werken vast wel gelovigen in dat ziekenhuis. We hoeven er alleen maar een te benaderen en hem een paar onschuldige vragen stellen. Hun huis, nou, dat zal worden bewaakt. Datzelfde geldt voor de kinderen. Het is een dilemma voor zulke mensen. Ze moeten bewaking hebben om ergens heen te kunnen gaan, maar die bewaking is te zien, en zo weet iedereen waar ze zijn en wie ze zijn. Dankzij de informatie die ik heb gevonden weten we zelfs waar we moeten beginnen te zoeken.' Badrayn hield zijn opmerkingen kort en eenvoudig. Niet dat Daryaei dom was – dat was hij absoluut niet – maar hij was wel kortzichtig. Dat was een voordeel van al die jaren die Ali in Libanon had doorgebracht: hij had veel gezien en veel geleerd. Het belangrijkste wat hij had geleerd, was dat hij iemand nodig had die hem ondersteunde, en in de persoon van Mahmoud Haji Daryaei had hij misschien zo iemand gevonden. Deze man had plannen. Hij had mensen nodig. En om de een of andere reden vertrouwde hij zijn eigen mensen niet helemaal. Badrayn vroeg zich niet af waarom dat zo was. Wat er ook achter zat, het was zijn geluk en dat hoefde hij niet in twijfel te trekken.
'Hoe goed worden zulke mensen bewaakt?' vroeg de mullah, die nu door zijn baard streek. De man had zich in bijna vierentwintig uur niet geschoren.
'Erg goed,' antwoordde Badrayn. Hij vond dat er iets vreemds aan die vraag was en sloeg dat op in zijn geheugen. 'De Amerikaanse politiediensten zijn erg goed. Het misdaadprobleem in Amerika heeft niets te maken met de politie daar. Ze weten gewoon niet wat ze moeten doen als de misdadigers opgepakt zijn. En als die diensten voor de bewaking van hun president worden ingezet...?' Ali leunde een tijdje achterover. 'Hij wordt omringd door een uiterst goed getrainde groep scherpschutters, goed gemotiveerd en buitengewoon loyaal.' Badrayn voegde die woorden aan zijn uiteenzetting toe om te zien of de ogen van zijn gesprekspartner veranderden. Daryaei was moe en zijn ogen

veranderden inderdaad. 'En bewaking is bewaking. De procedures zijn duidelijk. Daar hoef ik u niets over uit te leggen.'
'En Amerika's kwetsbaarheid?'
'Die is groot. De regering is een chaos. Maar dat weet u al.'
'Ze zijn moeilijk te doorgronden, die Amerikanen...' dacht Daryaei hardop. 'Hun militaire kracht is ontzagwekkend. Hun politieke wil is onvoorspelbaar, zoals iemand die wij beiden hebben gekend tot zijn schade heeft ontdekt. We mogen ze niet onderschatten. Amerika is als een slapende leeuw en moet met voorzichtigheid en respect worden behandeld.'
'Hoe versla je een leeuw?'
Daar had Badrayn niet meteen een antwoord op. Toen hij een keer een reis naar Tanzania maakte – hij had de regering daar verteld hoe je opstandelingen onder de duim kreeg – was hij een dag de wildernis ingegaan, samen met een kolonel van de Tanzaniaanse inlichtingendienst. Daar had hij een leeuw gezien, een oude die toch nog kans had gezien in zijn eentje een prooi te doden. Misschien was de gnoe kreupel geweest. Toen kwam er een troep hyena's in zicht. Toen de Tanzaniaanse kolonel dat zag, bracht hij de in de Sovjet-Unie gemaakte Zil-jeep tot stilstand en gaf een kijker aan Badrayn. Hij zei dat hij goed moest kijken, dan kon hij iets leren over opstandelingen en hun tactieken. Badrayn zou het nooit meer vergeten. De leeuw, herinnerde hij zich, was groot geweest. Misschien was hij wat trager omdat hij oud was, maar hij was nog steeds sterk en ontzagwekkend, zelfs op tweehonderd meter afstand. Het was een prachtig dier. De hyena's waren kleinere, hondachtige wezens, met een kromme rug en een raar loopje waarmee ze erg snel vooruitkwamen. Ze gingen eerst in een groepje bij elkaar staan, op twintig meter afstand van de leeuw, die bezig was zijn prooi op te vreten. En toen waren de hyena's in actie gekomen. Ze vormden een kring om de leeuw, en de hyena die recht achter de grote kat stond, beet in zijn achterste. De leeuw draaide zich om en brulde en sprong een paar meter, en die hyena trok zich snel terug, maar op datzelfde moment rende een andere hyena naar de leeuw toe om in zijn achterste te happen. Ieder voor zich zouden de hyena's even weinig kans tegen deze koning van de savanne hebben als een man met een mes tegen een soldaat met een machinegeweer, maar hoe hij zijn best ook deed, de leeuw kon zijn prooi niet beschermen – en zichzelf ook niet – en binnen vijf minuten was hij in het defensief gedrongen. Hij kon niet eens goed vluchten, want hij had altijd een hyena achter zich die naar zijn ballen hapte. De leeuw kon zich alleen nog op een aandoenlijk komische manier voortbewegen. Bij iedere manoeuvre sleepte hij met zijn achterste door het gras. En ten slotte ging de leeuw gewoon weg, zonder te brullen, zonder een blik achterom te werpen, en de hyena's namen de prooi in bezit, kakelend met hun vreemd, lachend geblaf, alsof ze er grote pret aan beleefden dat ze van het werk van dat veel grotere dier profiteerden. En zo was het machtige dier overwonnen door de kleinere dieren. De leeuw zou ouder en zwakker worden, en op een dag zou hij zich niet meer kunnen verdedigen tegen hyena's die hem aanvielen om zijn eigen vlees. Vroeg of laat,

had zijn Tanzaniaanse vriend hem verteld, kregen de hyena's ze allemaal te pakken. Badrayn keek weer in de ogen van zijn gastheer.
'Het is te doen.'

20
Nieuwe gezagsdragers

Ze stonden met zijn dertigen in de East Room – allemaal mannen, tot zijn grote verbazing – samen met hun echtgenotes. Toen Jack op de receptie verscheen, keek hij aandachtig naar ze. Sommigen kwamen sympathiek op hem over, anderen niet. Degenen die sympathiek overkwamen, waren even bang als hij. Die andere, zelfverzekerde, glimlachende gezichten... daar maakte de president zich zorgen over.
Wat moest hij met ze doen? Zelfs Arnie wist het niet, al had hij verschillende mogelijkheden besproken. Moest hij krachtig optreden en ze intimideren? Zeker, dacht Ryan, en dan zouden de kranten schrijven dat hij voor koning Jack I probeerde te spelen. Moest hij mild zijn? Dan zouden ze hem een watje noemen, iemand die geen leiding kon geven. Ryan leerde ontzag te hebben voor de media. Vroeger was het allemaal niet zo erg geweest. Als werkbij had hij weinig aandacht gekregen. Zelfs toen hij Durlings nationale-veiligheidsadviseur was, hadden ze hem voor de pop van een buikspreker aangezien. Maar nu lag het volkomen anders. Alles wat hij zou kunnen zeggen, zou verwrongen worden tot wat de toehoorder in kwestie zelf zou willen zeggen. In Washington was alle objectiviteit al lang geleden verloren gegaan. Alles was politiek, en politiek was ideologie, en ideologie was meer een kwestie van persoonlijke vooroordelen dan van het zoeken naar waarheid. Hoe kwam het dat de waarheid voor al die mensen van geen enkel belang was? Waar waren ze grootgebracht?
Ryans probleem was dat hij eigenlijk geen politieke filosofie had. Hij geloofde in dingen die werkten, die de verwachte resultaten opleverden en die herstelden wat in het ongerede was geraakt. De gevolgen die dingen hadden, waren belangrijker dan de politieke richting waarin ze thuishoorden. Goede ideeën werkten, al leken ze soms absurd. Slechte ideeën werkten niet, al konden ze erg verstandig lijken. Maar dat was niet de denktrant van Washington. Ideologieën waren feiten in deze stad. Als de ideologieën niet werkten, ontkenden de mensen dat. En als de ideologieën waar ze het niet mee eens waren wél werkten, wilden ze dat nooit toegeven, want het toegeven van fouten was voor hen erger dan welk persoonlijk wangedrag ook. Ze zouden nog liever God looche-

nen dan hun eigen ideeën. Alleen in de politiek verrichtten mensen handelingen zonder zich veel aan te trekken van de reële gevolgen. In de politiek was de echte wereld veel minder belangrijk dan de fantasieën, rechts, links of midden, die ze naar deze stad van marmer en juristen hadden meegebracht.
Jack keek naar de gezichten en vroeg zich af welke politieke bagage deze mensen hadden meegebracht. Misschien was het een zwakheid van hem dat hij niet begreep hoe de politiek in elkaar zat, maar hij had nu eenmaal een leven geleid waarin een fout tot de dood van echte mensen kon leiden, en in Cathy's geval iemand blind kon maken. Voor Jack waren de slachtoffers mensen met echte namen en gezichten. Voor Cathy waren het de mensen wier gezichten ze in een operatiekamer had aangeraakt. Voor politici waren het abstracties die veel verder van hen af stonden dan hun dierbare ideeën.
'Alsof je in een dierentuin bent,' zei Caroline Ryan tegen haar man, achter een innemende glimlach. Ze was in allerijl naar huis gegaan – die helikopter was toch wel handig – en was nog net op tijd aangekomen om een nieuwe witte nauwsluitende jurk aan te trekken en een gouden halssnoer om te doen dat Jack met de kerst voor haar had gekocht... een paar weken, herinnerde ze zich, voordat die terroristen hadden geprobeerd haar op de brug van Route 50 in Annapolis te doden.
'Met gouden tralies,' antwoordde haar man, de president, met een glimlach die even vals was als een biljet van drie dollar.
'En wat zijn we dan?' vroeg ze terwijl de mensen die tot senator waren benoemd voor hen applaudisseerden. 'Leeuw en leeuwin? Stier en koe? Pauw en pauwin? Of twee proefkonijntjes die wachten tot ze shampoo in hun ogen gegoten krijgen?'
'Dat hangt ervan af wie er naar ons kijken, schat.' Ryan hield de hand van zijn vrouw vast en ze liepen samen naar de microfoon.
'Dames en heren, welkom in Washington.' Ryan moest even wachten, want er volgde weer een rondje applaus. Dat was ook iets wat hij zou moeten leren. Mensen applaudisseerden voor de president bij zo ongeveer alles wat hij zei. Het was maar goed dat zijn badkamer een deur had. Hij greep in zijn zak en haalde er een paar systeemkaartjes uit, spiekbriefjes met hoofdpunten van toespraken, zoals presidenten ze altijd bij zich hadden. Die kaartjes waren geschreven door Callie Weston en het handschrift was zo groot dat hij geen leesbril nodig had. Evengoed verwachtte hij hoofdpijn. Die kreeg hij elke dag van al dat lezen.
'Ons land heeft behoeften, en die zijn niet gering. U bent hier om dezelfde reden als ik. U bent benoemd om plaatsen in te nemen. U hebt een baan die velen van u nooit hadden verwacht en die sommigen van u niet hebben gewild.' Dat was loze vleierij, maar het was wat ze wilden horen, of beter gezegd, het was wat ze geregistreerd wilden zien door de camera's van C-SPAN in de hoeken van de kamer. Er waren hooguit drie mensen in de kamer die geen carrièrepoliticus waren, en een van hen was een gouverneur die het op een akkoordje had gegooid met zijn plaatsvervanger en naar Washington was

gekomen om de termijn vol te maken van een senator van een andere partij. Dat was een manoeuvre waarover de kranten nog maar net waren begonnen te schrijven. Als gevolg van de ramp met de 747 zouden de verhoudingen in de senaat veranderen, want de machtsverhoudingen in de wetgevende vergaderingen van tweeëndertig staten waren niet in overeenstemming geweest met de samenstelling van het Congres.
'Dat is goed,' zei Ryan tegen hen. 'Er is een lange, eerbiedwaardige traditie van mensen die zich in dienst van hun land stelden. Dat gaat terug tot Cincinnatus, de Romeinse burger die gehoor gaf aan de oproep van zijn land en daarna weer naar zijn boerderij en zijn gezin en zijn werk terugkeerde. Een van onze grote steden is naar hem genoemd,' voegde Jack eraan toe, knikkend naar een nieuwe senator uit Ohio; die woonde in Dayton en dat lag dicht genoeg bij Cincinnati.
'U zou hier niet zijn als u niet wist waar ons land behoefte aan heeft. Maar mijn echte boodschap voor u is dat we moeten samenwerken. Ons land heeft niet de tijd voor ruzie en tweedracht.' Hij moest weer even wachten tot het applaus was opgehouden. Hoewel hij zich daaraan ergerde, lukte het hem hen met een hoofdknikje en een waarderende glimlach aan te kijken.
'Senatoren, u zult merken dat het met mij goed samenwerken is. Mijn deur staat altijd open, ik kan een telefoon opnemen en het is tweerichtingsverkeer. Ik ben bereid alles te bespreken. Ik zal naar ieder standpunt luisteren. Er zijn geen andere regels dan de grondwet, die ik, zoals ik heb gezworen, zal handhaven, beschermen en verdedigen.
De mensen in de staten waar u vandaan komt, de mensen voorbij de Interstate 495, verwachten dat wij allemaal ons werk goed doen. Ze verwachten niet dat we ons laten herverkiezen. Ze verwachten van ons dat we naar beste kunnen ons werk doen. Wij werken voor hen. Zij werken niet voor ons. Wij hebben de plicht prestaties te leveren voor hen. Robert E. Lee heeft eens gezegd dat "plicht" het belangrijkste woord in onze taal is. Het is nu nog belangrijker, want wij zijn geen van allen gekozen. Wij vertegenwoordigen de mensen van een democratie, maar wij zijn hier allemaal gekomen op een manier zoals het eigenlijk niet moet. Hoeveel groter is dan ook onze persoonlijke plicht om onze taak zo goed mogelijk te vervullen!' Nog meer applaus.
'Geen enkel vertrouwen gaat boven het vertrouwen dat het lot in ons stelt. Wij zijn geen middeleeuwse edelen, gezegend door een hoge geboorte en begiftigd met een grote macht. Wij zijn de dienaren, niet de meesters, de dienaren van degenen aan wie wij het beetje macht ontlenen dat we hebben. Wij leven in de traditie van reuzen. Henry Clay, Daniel Webster, John Calhoun en zoveel andere leden van uw huis van het Congres moeten uw voorbeelden zijn. "Hoe staat het met de Unie?" zal Webster vanuit zijn graf willen weten. Dat is aan ons. De Unie is in onze handen. Lincoln noemde Amerika de laatste en beste hoop van de mensheid en in het verleden heeft Amerika bewezen dat onze zestiende president het bij het rechte eind had. Amerika is nog steeds een experiment, een collectief idee, een stel regels dat de grondwet wordt genoemd en

waaraan wij allen, binnen en buiten Washington, gebonden zijn. Wat ons bijzonder maakt, is dat korte document. Amerika is geen stuk zand en rots tussen twee oceanen. Amerika is een idee en een stel regels waaraan wij ons allemaal houden. Dat maakt ons anders en daarom kunnen wij hier in deze kamer zorgen dat het land dat we aan onze opvolgers doorgeven hetzelfde is als wat ons is toevertrouwd, misschien zelfs een beetje beter. En nu...' Ryan wendde zich tot de voorzitter van het Hof van Appèl voor het Vierde Circuit, de hoogste beroepsrechter van het land, afkomstig uit Richmond. 'Nu is het tijd dat u zich bij het team aansluit.'
Rechter William Staunton kwam naar de microfoon. De echtgenotes van de nieuwe senatoren hielden de bijbel vast, waarna hun man er zijn linkerhand op legde en zijn rechterhand opstak.
'Ik... noem uw naam...'
Onder Ryans toezicht werden de nieuwe senatoren ingezworen. Het leek in ieder geval plechtig genoeg. De eden werden afgelegd. Enkelen van de nieuwe wetgevers kusten de bijbel, hetzij uit persoonlijke religieuze overtuiging hetzij omdat ze dicht bij de camera's stonden. Toen kusten ze hun vrouw. Bijna alle vrouwen straalden. Er ging een zucht door de verzamelde groep mensen en toen keken ze elkaar allemaal aan. Meteen nadat de camera's waren afgezet, kwamen personeelsleden van het Witte Huis met drankjes binnen, want nu begon het echte werk. Ryan nam zelf een glas Perrier en liep naar het midden van de kamer. Hoewel hij moe was en moeite had met het vervullen van politieke verplichtingen, glimlachte hij.

Er kwamen nog een keer foto's binnen. De beveiliging op het vliegveld van Khartoum was er niet beter op geworden, en ditmaal maakten drie Amerikaanse inlichtingenagenten foto's van de mensen die de trap afkwamen. Iedereen vond het vreemd dat de pers er nog geen lucht van had gekregen. Een stoet van officiële auto's – waarschijnlijk het hele wagenpark van deze arme overheid – bracht de bezoekers weg. Toen alles voorbij was, vertrok de 737 weer naar het oosten en reden de agenten naar de ambassade terug. Twee collega's van hen hadden postgevat bij het onderkomen dat de Iraakse generaals was toegewezen; die informatie was afkomstig van hun man op Buitenlandse Zaken. Toen die foto's waren gemaakt, reden die andere agenten ook terug. In de donkere kamer van de ambassade werden de foto's ontwikkeld en vergroot en vervolgens via de satelliet naar de Verenigde Staten gefaxt. In Langley identificeerde Bert Vasco alle gezichten, geholpen door twee CIA-agenten van de Irak-desk en met behulp van een stel foto's uit de CIA-archieven.
'Dat is het,' zei de man van Buitenlandse Zaken. 'Dat is het hele militaire opperbevel. Maar er zit niet één burger van de Ba'ath-partij bij.'
'Nu weten we dus wie de offerlammeren zijn.' Die opmerking kwam van Ed Foley.
'Ja,' antwoordde Mary Pat met een hoofdknikje. 'En het geeft de hoogste overgebleven officieren de kans ze te arresteren en te "verwerken" en dan

trouw te zweren aan het nieuwe regime. Verdomme,' concludeerde ze. 'Het gaat te snel.' Haar vestigingschef in Riad kon niets beginnen. Datzelfde gold voor enkele Saoedische diplomaten die in allerijl een programma van fiscale stimulansen hadden opgesteld voor het nog aan te treden nieuwe Iraakse regime. Dat zou nu overbodig zijn.

Ed Foley, de man die tot CIA-directeur was benoemd, schudde bewonderend het hoofd. 'Ik had niet gedacht dat ze het in zich hadden. Dat ze onze vriend zouden doden, ja, dat wel, maar dat ze de militaire leiders zo snel en zo gemakkelijk het land uit zouden krijgen, wie had dat ooit kunnen denken?'

'Ik in ieder geval niet,' beaamde Vasco. 'Iemand moet hebben bemiddeld... maar wie?'

'Aan het werk, werkbijen,' zei Ed Foley met een zuur glimlachje tegen de desk-agenten. 'Alles wat jullie kunnen ontdekken. Zo spoedig mogelijk.'

Het leek op een afschuwelijk soort stoofpot, het donkere mensenbloed en de roodbruine brij van apennieren, die lagen te marineren in platte, ondiepe glazen bakken. Er brandden zwakke lampen boven om te voorkomen dat de virussen schade opliepen door ultraviolet licht. In dit stadium konden ze niet veel doen. Ze moesten alleen zorgen dat de omstandigheden gunstig bleven, en dat was met eenvoudige analoge instrumenten te regelen. Moudi en de directeur kwamen in hun beschermende kleding binnen om de geïsoleerde kweekkamers te inspecteren. Twee derde van zuster Jean Baptistes bloed was ingevroren voor het geval dat er iets mis ging met hun eerste poging om het ebola mayinga-virus te kweken. Ze controleerden ook het uitgebreide ventilatiesysteem van de kamer, want het gebouw was nu een ware fabriek des doods. De voorzorgsmaatregelen waren tweezijdig. Terwijl ze er in deze kamer naar streefden om het virus alle kans te geven zich te vermenigvuldigen, besproeiden buiten de deur de verplegers juist iedere vierkante millimeter om te zorgen dat het buiten deze kamer geen schijn van kans maakte. Dit betekende dat het virus moest worden geïsoleerd en ook tegen het desinfecterende middel moest worden beschermd. De lucht die in de kweekkamers werd gezogen, werd zorgvuldig gezuiverd, om te voorkomen dat de mensen in het gebouw, om zelf in leven te blijven, datgene doodden wat hen zou doden als ze een ander soort fout maakten.

'Dus je gelooft echt dat deze versie door de lucht kan worden overgedragen?'

'Zoals je weet is de stam ebola zaire mayinga genoemd naar een zuster die besmet raakte hoewel ze alle gebruikelijke voorzorgsmaatregelen nam. Patiënt Twee...' Hij had gemerkt dat het gemakkelijker was haar naam niet uit te spreken. 'Patiënt Twee was een bekwame verpleegster met ebola-ervaring. Ze gaf geen injecties en ze wist niet hoe ze het virus kon hebben opgelopen. Daarom: ja, ik acht het mogelijk.'

'Dat zou erg nuttig zijn, Moudi,' fluisterde de directeur zo zachtjes dat de jongere arts het bijna niet kon verstaan. Hij hoorde het evengoed. De gedachte al-

leen was luid genoeg. 'We kunnen tests doen,' voegde de oudere man eraan toe.
Voor hem zou het gemakkelijker zijn, dacht Moudi. Hij zou tenminste niet weten hoe die mensen heetten. Hij vroeg zich af of hij gelijk had wat het virus betrof. Had Jean Baptiste misschien een fout gemaakt en was ze dat vergeten? Maar nee, hij had haar lichaam zelf onderzocht om te kijken of er prikwonden waren, en zuster Maria Magdalena had dat ook gedaan, en het was toch ook niet aannemelijk dat ze afscheidingen van de jonge Benedict Mkusa had opgelikt? Wat had dat te betekenen? Het betekende dat de mayinga-stam zich korte tijd in de lucht kon handhaven, en dat betekende weer dat ze een potentieel wapen hadden zoals de mens nog nooit eerder had gehad, erger dan kernwapens, erger dan chemische wapens. Ze hadden een wapen dat zichzelf kon vermenigvuldigen en door zijn eigen slachtoffers werd verspreid, van de een op de ander en op weer een ander, totdat de epidemie na verloop van tijd was uitgewoed. En hij zou uitwoeden. Alle epidemieën woedden uit. Hij moest toch uitwoeden?
Dat moest toch?
Moudi's hand kwam omhoog om over zijn kin te wrijven, een peinzend gebaar, maar het plastic masker zat in de weg. Hij wist het antwoord op die vraag niet. In Zaïre en andere Afrikaanse landen die door deze gruwelijke ziekte werden getroffen, waren de uitbarstingen, hoe angstaanjagend ze ook waren, na verloop van tijd allemaal uitgewoed, ondanks de ideale omgeving die het virus beschermde en voedde. Maar dat zou te maken kunnen hebben met het primitieve karakter van Zaïre, de erbarmelijk slechte wegen en het ontbreken van efficiënt transport. De ziekte doodde mensen voordat ze ver konden komen. Ebola vaagde dorpen weg, maar daar bleef het bij. Maar niemand wist wat er in een ontwikkeld land zou gebeuren. In theorie kon je een vliegtuig besmetten, bijvoorbeeld een internationaal lijntoestel dat naar het vliegveld Kennedy vloog. De reizigers zouden het ene vliegtuig verlaten en in het andere overstappen. Misschien zouden ze de ziekte onmiddellijk verspreiden door te kuchen of te niezen, maar misschien ook niet. Het deed er eigenlijk niet toe. Velen van hen zouden over een paar dagen opnieuw vliegen, en zich dan afvragen of ze griep hadden, en dan zouden ze het virus overdragen en nog meer mensen besmetten.
De verspreiding van een epidemie was vooral een kwestie van tijd en gelegenheid. Hoe sneller een virus uit de brandhaard kwam en hoe sneller de transportmiddelen waren, des te verder kon het zich door een populatie verspreiden. Er bestonden wiskundige modellen, maar die waren allemaal theoretisch en afhankelijk van een heleboel individuele variabelen, die elk het totale risico in termen van minstens één orde van grootte beïnvloedden. Na verloop van tijd zou de epidemie uitwoeden; dat was juist. De vraag was: hoe snel? Dat zou bepalen hoeveel mensen er werden besmet voordat er beschermende maatregelen waren genomen. Werd één procent van een samenleving besmet, of tien procent, of vijftig procent? Amerika was geen provinciale

samenleving. Iedereen had contact met iedereen. Een virus dat zich door de lucht kon verspreiden en dat een incubatietijd van drie dagen had... Voorzover Moudi wist, bestond daar geen model van. De dodelijkste recente Zaïrese uitbarsting in Kikwit had nog geen driehonderd mensenlevens geëist, maar het was begonnen met één onfortuinlijke houthakker, en toen zijn gezin, en toen hun buren. Als je een veel grotere uitbarsting wilde, was het dus de truc dat je het aantal indexgevallen vergrootte. Als je dat voor elkaar had, kon de eerste generatie van ebola zaire mayinga america zo groot zijn, dat conventionele beheersmaatregelen niets meer uithaalden. De ziekte zou zich niet vanuit één mens en één gezin verspreiden, maar vanuit honderden mensen en gezinnen... of duizenden? En de volgende generatie kon honderdduizenden treffen. In die tijd zouden de Amerikanen beseffen dat er iets gruwelijks aan de hand was, maar er zou tijd zijn voor nog een generatie, in een nog grotere orde van grootte: misschien zou het aantal slachtoffers in de miljoenen lopen. In dat stadium zouden de artsen en de ziekenhuizen het niet meer aankunnen...
... en dan was er misschien geen houden meer aan. Niemand kende de mogelijke gevolgen van een opzettelijke massabesmetting in een erg mobiele samenleving. De epidemie kon zich over de hele wereld uitbreiden. Maar waarschijnlijk zou dat niet gebeuren, dacht Moudi, terwijl hij door het plastic van zijn masker naar de glazen kweekbakjes achter de dikke draadglazen ruiten keek. De eerste generatie van deze ziekte was afkomstig geweest van een onbekende gastheer en had een kind gedood. De tweede generatie had maar één slachtoffer geëist, ten gevolge van het lot en het toeval en zijn eigen bekwaamheid als arts. De derde generatie zou voor zijn eigen ogen groeien. Hoever die generatie zich zou verspreiden, was nog niet vastgesteld, maar de vierde, vijfde, zesde en misschien zelfs zevende generatie zouden beslissend zijn voor het lot van een heel land, en dat was toevallig de vijand van zijn eigen land.
Het was nu gemakkelijker. Zuster Jean Baptiste had een gezicht en een stem gehad. Ze had een leven geleid dat raakvlakken met zijn eigen leven had. Hij kon die fout niet nog een keer maken. Ze was een ongelovige geweest, maar ook een rechtschapene, en ze was nu bij Allah, want Allah was waarlijk genadig. Hij had voor haar ziel gebeden en Allah zou zijn gebeden horen. In Amerika of andere landen zouden niet veel mensen zijn die zo rechtschapen waren als zij was geweest, en hij wist heel goed dat Amerikanen zijn land haatten en zijn religie wantrouwden. Misschien hadden ze namen en gezichten, maar hij zag hen hier niet en zou hen ook nooit zien. Ze waren tienduizend kilometer van hem vandaan en het was gemakkelijk om de televisie af te zetten.
'Ja,' beaamde Moudi. 'Dat is gemakkelijk uit te testen.'

'Luister,' zei George Winston tegen drie nieuwe senatoren, 'als de federale overheid auto's maakte, zou een Chevrolet-pickup tachtigduizend dollar kosten en iedere tien huizenblokken moeten stoppen om de tank vol te gooien. Jullie verstaan jullie vak. Ik versta het mijne. Wij kunnen het beter.'

'Is het echt zo erg?' vroeg de (in alfabetisch opzicht) eerste senator uit Connecticut.
'Ik kan jullie de vergelijkende productiviteitscijfers laten zien. Als het in onze auto-industrie net zo toeging als hier, zouden we allemaal in een Japanse wagen rijden,' antwoordde Winston. Hij porde met zijn vinger tegen de borst van de man en nam zich voor zijn Mercedes 500SEL te verkopen of hem op zijn minst een tijdje in een garage te zetten.
'Het is net alsof je één politieagent hebt voor heel East Los Angeles,' zei Tony Bretano tegen vijf anderen, onder wie twee uit Californië. 'Ik heb nog niet de strijdkrachten die ik nodig heb voor één GRC. Dat is een groot regionaal conflict,' legde hij de nieuwe senatoren en hun echtgenotes uit. 'En het is de bedoeling – op papier, bedoel ik – het is de bedoeling dat we er twee tegelijk aankunnen, plus een vredesmissie ergens anders. Ja? Nou, wat ik op Defensie nodig heb, is een kans om onze strijdkrachten een nieuwe structuur te geven. De mensen met de geweren moeten het belangrijkst worden en de rest moet hen ondersteunen, niet andersom. Boekhouders en juristen zijn erg nuttig, maar daar lopen er genoeg van rond op Financiën en Justitie. In mijn deel van de overheid zijn we politieagenten, en ik heb niet genoeg agenten op straat.'
'Maar hoe kunnen we dat betalen?' vroeg de tweede senator uit Colorado. De eerste senator uit díe staat in de Rocky Mountains moest die avond naar een geldinzamelingsdiner in Golden.
'Het Pentagon is geen banenplan. Dat moeten we onthouden. Nou, volgende week heb ik een volledig overzicht van wat we nodig hebben, en dan ga ik daarmee naar het Capitool en dan kunnen we samen uitzoeken hoe we het voor zo min mogelijk kosten voor elkaar krijgen.'
'Zie je wel?' zei Arnie van Damm, die achter Ryan langs liep. 'Laat hen het voor je doen. Jij blijft gewoon glimlachen.'
'U had gelijk, meneer de president,' zei de nieuwe senator uit Ohio. Nu de camera's uit waren, dronk hij een bourbon met water. 'Weet u, op school heb ik eens een geschiedenisopstel over Cincinnatus geschreven, en...'
'Nou, als we maar niet vergeten dat het land op de eerste plaats komt,' zei Jack tegen hem.
'Hoe lukt het u om uw werk te doen... Ik bedoel,' legde de vrouw van de eerste senator van Wisconsin uit, 'u opereert ook nog?'
'En ik geef les, wat nog belangrijker is,' zei Cathy met een hoofdknikje. Ze wou dat ze boven was en aan haar patiëntendossiers werkte. Nou, dat kon ze morgenvroeg ook nog in de helikopter doen. 'Ik geef mijn werk nooit op. Ik geef blinde mensen hun zicht terug. Soms haal ik het verband er zelf af en dan is de uitdrukking op hun gezicht het mooiste op de hele wereld. Het beste,' herhaalde ze.
'Nog beter dan ik, schat?' vroeg Jack, die zijn arm om haar schouders legde. Dit zou misschien zelfs werken, dacht hij. Je moet ze charmeren, hadden Arnie en Callie hem gezegd.

Het proces was al begonnen. De kolonel die de vijf mullahs bewaakte, was met hen de moskee binnengegaan, waar hij het niet kon laten met hen te bidden. Toen ze hun religieuze plicht hadden gedaan, had de oudste van hen tegen hem gesproken, zacht en beleefd. Hij had een favoriete passage uit de heilige koran aangehaald om de kolonel te laten zien dat ze hetzelfde geloof hadden. Die passage riep bij de kolonel herinneringen op aan zijn jeugd en zijn vader, een vroom en eerbiedwaardig man. Het was de gebruikelijke manier om met mensen om te gaan, op alle plaatsen en in alle culturen. Je zorgt dat ze gaan praten, let op hun woorden en kiest de juiste weg om het gesprek voort te zetten. De mullah, die al meer dan veertig jaar tot de Iraanse geestelijkheid behoorde, had al die tijd mensen geadviseerd over hun geloof en hun problemen. Het kostte hem dan ook weinig moeite om contact te leggen met zijn bewaker, een man die had gezworen hem en zijn vier collega's te doden als hij daartoe bevel zou krijgen van zijn superieuren. Maar door een man te kiezen die trouw was, hadden de vertrekkende generaals een beetje te verstandig gehandeld, want mensen die echt trouw waren, waren mensen met gedachten en principes. Zulke mensen waren vooral kwetsbaar voor ideeën die aantoonbaar beter waren dan hun eigen ideeën. Eigenlijk waren ze niet tegen zo'n taak opgewassen. De islam was een religie met een lange en eerbiedwaardige geschiedenis, en dat kon niet gezegd worden van het stervende regime dat de kolonel trouw had gezworen.
'Het moet zwaar zijn geweest, dat vechten in de moerassen,' zei de mullah enkele minuten later tegen hem, toen het gesprek op de betrekkingen tussen de twee islamitische landen was gekomen.
'De oorlog is een slechte zaak. Ik heb het nooit prettig gevonden om te doden,' gaf de kolonel toe. Hij voelde zich net een katholiek in een biechthokje, en opeens kwamen er tranen in zijn ogen. Hij vertelde een paar van de dingen die hij in de loop van de jaren had gedaan. Hij zag nu in dat hij er weliswaar nooit plezier aan had beleefd, maar dat het hem wel hard had gemaakt, zo hard dat hij uiteindelijk geen verschil meer kon zien tussen schuldigen en onschuldigen, rechtvaardigen en onrechtvaardigen. Hij had gedaan wat hem was opgedragen... omdat het hem was opgedragen, niet omdat het in enig opzicht de juiste handelwijze was. Dat zag hij nu in.
'Mensen bezwijken vaak, maar door de woorden van de profeet kunnen we altijd onze weg terugvinden naar een genadige God. Mensen vergeten hun plichten, maar Allah vergeet de Zijne nooit.' De mullah legde zijn hand even op de arm van de kolonel. 'Ik denk dat we vandaag nog niet klaar zijn met onze gebeden. We zullen samen tot Allah bidden, en we zullen samen vrede vinden voor uw ziel.'
Daarna was het erg gemakkelijk geweest. Toen hij hoorde dat de generaals op dat moment het land verlieten, had de kolonel twee goede redenen om mee te werken. Hij wilde niet sterven. Hij was bereid de wil van zijn God te volgen om in leven te blijven en te dienen. Om zijn toewijding te demonstreren liet hij twee compagnieën soldaten tegenover de mullahs aantreden en gaf hun de

nodige bevelen. Voor de soldaten was het erg gemakkelijk. Het enige wat ze moesten doen, was de bevelen van hun officieren opvolgen. Geen van hen zou ooit op het idee komen dat hij ook iets anders zou kunnen doen.
In Bagdad begon het nu ochtend te worden, en in een stuk of twintig grote huizen werden deuren ingetrapt. Hier en daar werden de bewoners wakker aangetroffen. Anderen lagen hun roes uit te slapen. Sommigen hadden hun bagage klaarstaan om weg te gaan en vroegen zich nog af waar ze heen moesten gaan en hoe ze daar konden komen. Ze begrepen allemaal een beetje te laat wat er om hen heen gebeurde, in een land waar een kleine vergissing het verschil kon uitmaken tussen een welvarend leven en een gewelddadige dood. Weinigen boden verzet, en degene die dat met het meeste succes probeerde, werd bijna in tweeën gemaaid door eenentwintig patronen uit een AK-47, samen met zijn vrouw. De meesten werden op blote voeten uit hun huis naar wachtende vrachtwagens gebracht. Met gebogen hoofd liepen ze over het trottoir. Ze wisten hoe voor hen dit drama zou eindigen.

De tactische radionetten waren niet gecodeerd en de zwakke VHF-signalen werden gevolgd, ditmaal in STORM TRACK, dat dichter bij Bagdad was. Wanneer de arrestatieteams in contact stonden met hun centrale, werden er namen genoemd. Dat maakte het allemaal erg gemakkelijk voor de ELINT-teams bij de grens en in King Khalid Military City. De officieren van dienst riepen hun superieuren op en via satellieten werden berichten met hoge prioriteit uitgezonden.

Ryan had net de laatste van de nieuwe senatoren naar de deur begeleid toen Andrea Price naar hem toe kwam lopen.
'Mijn schoenen knellen, en ik heb een operatie om...' Cathy zweeg abrupt.
'Er komt FLASH-radioverkeer binnen, meneer de president.'
'Irak?' vroeg Jack.
'Ja, meneer de president.'
De president kuste zijn vrouw. 'Ik kom zo.'
Er zat voor Cathy niets anders op dan te knikken en naar de lift te lopen, waar een van de huisbedienden klaarstond om het presidentiële echtpaar naar boven te brengen. De kinderen zouden al in bed liggen. Hun huiswerk was klaar, waarschijnlijk met hulp van hun lijfwachten. Jack sloeg rechtsaf, ging een trap af en liep weer naar rechts, en daarna naar links om naar buiten te gaan, en ten slotte de westelijke vleugel weer in, naar de Situation Room.
'Vertel maar,' beval de president.
'Het is begonnen,' zei Ed Foley op de televisie aan de muur. En toen konden ze alleen maar toekijken.

De Iraakse nationale televisie begroette een nieuwe dag en een nieuwe realiteit. Dat werd duidelijk toen de nieuwslezers hun dagelijks overzicht begonnen met het aanroepen van Allah's naam. Dat hadden ze altijd al gedaan,

maar nooit zo vurig als nu. 'Geef mij maar die goeie ouwe godsdienst van vroeger. Dat is mij goed genoeg,' merkte de sergeant-majoor in PALM BOWL op, want de uitzending was nationaal en werd doorgegeven via zenders in het nabijgelegen Basra. Hij draaide zich om en woof. 'Majoor Sabah?'
'Ja, sergeant, ja,' zei de Koeweitse officier met een hoofdknikje. Hij had er nauwelijks aan getwijfeld dat dit zou gebeuren. Zijn superieuren hadden wel twijfels gehad. Die hadden ze altijd, maar ze zaten dan ook nooit zo dicht op de huid van hun vijand als de majoor, die niet in termen van ideeën dacht maar in termen van politiek. Hij keek op zijn horloge. Over twee uur, na het gebruikelijke ochtendritueel, zouden ze in hun kantoor zijn, maar dat deed er nu niet toe. Het had geen zin om haast te maken. De dam was gebroken en het water zou erdoorheen gaan. Het was niet meer tegen te houden, gesteld al dat die mogelijkheid er ooit was geweest.
De Iraakse strijdkrachten hadden het bewind overgenomen, zei het televisiejournaal. Dat werd bekendgemaakt alsof het iets unieks was. Er was een raad van revolutionaire gerechtigheid geïnstalleerd. De mensen die schuldig waren aan misdrijven tegen het volk (een mooie, veelomvattende term die erg weinig betekende maar door iedereen begrepen werd) werden gearresteerd en zouden terechtstaan voor hun landgenoten. Het land had vooral rust nodig, kregen de mensen van de televisie te horen. Die dag zou een nationale vrije dag zijn. Alleen de essentiële openbare diensten zouden doorwerken. De rest van de burgers van het land deed er goed aan dit als een dag van gebed en verzoening te beschouwen. Aan de rest van de wereld beloofde het nieuwe regime veel vrede. De rest van de wereld zou de hele dag de tijd krijgen om daarover na te denken.

Daryaei had er al veel over nagedacht. Hij had drie uur slaap kunnen krijgen voordat hij wakker werd voor het ochtendgebed. Hij merkte dat hij minder slaap nodig had naarmate de jaren vorderden. Misschien begreep het lichaam dat de tijd drong en dat er minder tijd was om uit te rusten, al was er nog wel tijd geweest voor dromen. In de vroege uren van de dag had hij van leeuwen gedroomd. Dode leeuwen. De leeuw was ook het symbool van het regime van de sjah geweest. Badrayn had gelijk gehad. Leeuwen konden worden gedood. In Iran – of Perzië, zoals het vroeger was genoemd – hadden echte leeuwen geleefd, maar die waren al in de Oudheid allemaal uitgeroeid. De symbolische leeuwen, de Pahlavi-dynastie, waren ook uitgeroeid, ditmaal door een combinatie van geduld en meedogenloosheid. Hij had daar een rol bij gespeeld. Het was niet altijd aangenaam geweest. Hij had opdracht gegeven tot een gruweldaad en daar persoonlijk toezicht op gehouden: een aanslag met brandbommen op een bioscoop vol mensen die meer geïnteresseerd waren in westerse decadentie dan in hun islamitisch geloof. Honderden mensen waren op een afschuwelijke manier aan hun eind gekomen, maar... maar het was noodzakelijk geweest, een onontbeerlijk onderdeel van de campagne om zijn land en zijn volk naar de ware weg terug te

brengen. Hoewel hij dat incident betreurde en regelmatig om vergeving bad, had hij in het algemeen geen spijt. Hij was een instrument van het geloof. De heilige koran zelf sprak van de noodzaak van oorlog, de heilige oorlog ter verdediging van het geloof.
Een ander geschenk van Perzië (sommigen zeiden: India) aan de wereld was het schaakspel, dat hij als kind had geleerd. Het woord voor de beëindiging van het spel, schaakmat, kwam van het Perzische *shah mat* – 'de koning is dood' – iets waaraan hij zelf in het echte leven had meegewerkt. Hoewel Daryaei allang geen spelletjes meer speelde, herinnerde hij zich dat een goede speler niet zet voor zet dacht, maar minstens vier zetten vooruit. Een probleem met het schaakspel, en met het leven, was dat je soms wel de volgende zet kon zien, vooral wanneer de andere speler bekwaam was, en het was gevaarlijk om aan te nemen dat hij dat niet was. Maar het was veel moeilijker om verder vooruit te kijken, tot aan het eind toe, als de tegenstander duidelijk kon zien wat er aan de hand was maar bij gebrek aan stukken, macht en mogelijkheden niets anders kon doen dan het op te geven. Dat was tot aan vanochtend het geval geweest in Irak. De andere speler – en eigenlijk waren dat er een heleboel – had het opgegeven en was weggelopen, en Daryaei had dat graag laten gebeuren. Het was nog mooier als de andere speler niet kon weglopen, maar het ging om de overwinning, niet om de voldoening, en winnen deed je als je verder en sneller dacht dan de andere speler. De volgende zet was dan inderdaad een verrassing. De andere speler schrok en raakte in de war en moest tijd uittrekken voor zijn reactie, en net als in het leven was in een schaakspel de tijd beperkt. Het was allemaal iets van de geest, niet van het lichaam.
Zo was het blijkbaar ook met leeuwen. Zelfs een dier dat zo machtig was, moest het afleggen tegen kleinere wezens, als de tijd en de omstandigheden maar juist waren. Dat was zowel de les als de taak van die dag. Toen Daryaei klaar was met zijn gebeden, riep hij om Badrayn. De jongere man was een bekwaam tacticus en verzamelaar van informatie. Badrayn had leiding nodig van iemand die geschoold was in strategie, maar als hij die leiding kreeg, kon hij buitengewoon nuttig zijn.

Na een gesprek van een uur met de voornaamste deskundigen van zijn land was duidelijk dat de president helemaal niets kon doen. Hij moest gewoon afwachten. Iedere burger kon dat, maar de voornaamste deskundigen van Amerika konden beter afwachten dan ieder ander, tenminste, dat zeiden ze tegen zichzelf. De president kon dat natuurlijk allemaal aan anderen overlaten. Ryan verliet de Situation Room, ging de trap op en liep naar buiten, waar voorbij de overkapping van het looppad de koude regen op het zuidelijk gazon viel. Het beloofde een stormachtige dag te worden. Zoals zo vaak diende maart zich als een leeuw aan om vervolgens in een lam te veranderen. Tenminste, dat zeiden ze. Op dit moment was het buiten alleen maar somber, hoe goed de regen misschien ook was voor de grond, die zich van een koude, strenge winter moest herstellen.

'Dit spoelt de laatste sneeuw wel weg,' zei Andrea Price, die zichzelf verraste door uit eigen beweging iets tegen de president te zeggen.
Ryan draaide zich om en glimlachte. 'Jij werkt harder dan ik, adjudant Price, en je bent een...'
'Vrouw?' vroeg ze met een vermoeid lachje.
'Blijkbaar kan ik mijn seksisme niet goed verbergen. Neem me niet kwalijk. Sorry, ik had alleen trek in een sigaret. Ik ben er jaren geleden mee gestopt. Cathy had me gedwongen. Meermalen,' gaf Jack glimlachend toe. 'Soms is het lastig om met een arts getrouwd te zijn.'
'Soms is het lastig om getrouwd te zijn.' Price was getrouwd met haar baan en had twee mislukte relaties achter de rug om dat te bewijzen. Haar probleem, als je het zo kon noemen, was dat ze zoveel plichtsbesef had als alleen mannen geacht werden te hebben. Het was eigenlijk heel eenvoudig, maar achtereenvolgens een advocaat en een directeur van een reclamebureau hadden het niet begrepen.
'Waarom doen we het, Andrea?' vroeg Ryan.
Adjudant Price wist het ook niet. Ze zag de president automatisch als een soort vaderfiguur. Hij was de man die de antwoorden zou moeten hebben, maar na al die jaren dat ze een president bewaakte, wist ze wel beter. Haar vader had altijd de antwoorden gehad, tenminste dat had ze gedacht toen ze nog een kind was. Daarna was ze opgegroeid. Ze had haar opleiding afgemaakt, was bij de Secret Service gekomen, had zich snel omhooggewerkt langs een steile en glibberige ladder en had daarbij op de een of andere manier verleerd hoe ze door het leven moest gaan. Ze stond nu op het hoogtepunt van haar carrière, zij aan zij met de 'vader' van de natie, en kwam erachter dat het leven de mensen niet toestond dat ze te weten kwamen wat ze wilden en moesten weten. Haar taak was moeilijk genoeg. De zijne was oneindig veel moeilijker, en misschien was het beter voor de president dat hij iets anders was dan de fatsoenlijke en eerzame man die John Patrick Ryan was. Misschien kon een schoft zich hier beter handhaven...
'Geen antwoord?' Ryan keek glimlachend de regen in. 'Je wordt nu, geloof ik, geacht te zeggen dat iemand het moet doen. Jezus, ik heb net geprobeerd dertig nieuwe senatoren te verleiden. Ken je dat? Verleiden,' herhaalde Jack. 'Alsof het vrouwen waren of zoiets, en alsof ik zo'n type was... en ik heb goddomme geen flauw idee.' Hij zweeg abrupt en schudde zijn hoofd, verbaasd over zijn eigen woorden. 'Sorry. Neem me niet kwalijk.'
'Het geeft niet, meneer de president. Ik heb dat woord al vaker gehoord, zelfs van andere presidenten.'
'Met wie praat jij?' vroeg Jack. 'Vroeger praatte ik met mijn vader, mijn priester, met James Greer toen ik voor hem werkte, of met Roger, tot een paar weken geleden. Tegenwoordig komen ze allemaal met hun vragen bij míj. Weet je, toen ik in Quantico op de opleiding zat, hebben ze me verteld dat het aan de top erg eenzaam kan zijn. Nou, ze hebben niet overdreven. Ze hebben echt niet overdreven.'

'U hebt een erg goede vrouw, meneer de president,' zei Price, die daarom jaloers was op hen beiden.
'Je zou altijd iemand moeten hebben die slimmer is dan jijzelf. Iemand die je om raad kunt vragen als je het niet meer weet. Tegenwoordig komen ze bij mij. Daar ben ik niet slim genoeg voor.' Ryan zweeg even. Het drong nu pas tot hem door wat Price hem had verteld. 'Je hebt gelijk, maar ze heeft het al druk genoeg. Ik mag haar niet met mijn problemen belasten.'
Price besloot te lachen. 'U bent inderdaad seksistisch, meneer.'
Hij keek haar met een ruk aan. 'Neem me niet kwalijk, mevrouw Price!' Hij zei dat met een stem die een beetje nors klonk, maar liet er meteen een presidentiële lach op volgen. 'Alsjeblieft, vertel niet aan de media dat ik dat heb gezegd.'
'Meneer de president, ik vertel journalisten nog niet eens waar de wc is.'
De president geeuwde. 'Wat staat er voor morgen op het programma?'
'Nou, u bent de hele dag in het Oval Office. Die kwestie met Irak zal uw ochtendprogramma wel in de war gooien. Ik ga morgenvroeg weg en kom 's middags terug. Ik hou morgen een inspectieronde om de beveiliging van de kinderen te controleren. We gaan ook bespreken of er een andere manier is om uw vrouw naar haar werk te krijgen zonder helikopter...'
'Dat is grappig, nietwaar?'
'Het systeem heeft nooit rekening gehouden met een presidentsvrouw die een echte baan heeft.'
'Een echte baan, zeg dat wel! Ze verdient meer dan ik, al tien jaar, behalve toen ik op de beurs werkte. Dat hebben de kranten ook nog niet in de gaten gekregen. Ze is een geweldige arts.'
Hij dwaalde af, merkte Price. Hij was te moe om helder te kunnen denken. Nou, dat overkwam presidenten ook. Daarom was zij er.
'Haar patiënten zijn gek op haar, zegt Roy. Nou ja, morgen ga ik dus de beveiliging van uw kinderen inspecteren. Dat is routine. Ik ben verantwoordelijk voor de beveiliging van uw hele gezin. Agent Raman zal het grootste deel van de dag bij u zijn. We halen hem omhoog. Hij doet het erg goed,' zei adjudant Price.
'De agent die op de eerste avond die brandweerjas haalde om me te vermommen?' vroeg Jack.
'U had dat door?' vroeg Price op haar beurt. De president draaide zich om en ging het eigenlijke Witte Huis in. Hij grijnsde vooral van vermoeidheid, maar toch keken zijn blauwe ogen haar nog twinkelend aan.
'Zo dom ben ik nu ook weer niet, Andrea.'
Nee, besloot ze, je kon beter een schoft als president hebben.

21

Relaties

Patrick O'Day was weduwnaar en zijn leven was op een erg wrede en abrupte manier veranderd. Hij was op latere leeftijd getrouwd en zijn vrouw Deborah had ook voor de FBI gewerkt. Ze deed forensisch onderzoek op een laboratorium en moest daarvoor nogal vaak op reis. Op een middag was ze op weg geweest naar Colorado Springs en was haar vliegtuig door nog steeds onopgehelderde oorzaak neergestort. Het was haar eerste opdracht in het veld geweest sinds ze van zwangerschapsverlof terug was, en ze liet een dochtertje van veertien weken na, Megan.

Megan was nu tweeënhalf en inspecteur O'Day wist nog steeds niet hoe hij haar over haar moeder moest vertellen. Hij had videobanden en foto's, maar moest hij dan op gekleurd papier of een beeldscherm wijzen en tegen zijn dochter zeggen: dat is je moeder? Zou ze dan niet denken dat het hele leven kunstmatig is? Welk effect zou het op haar ontwikkeling hebben? Dat was ook een van de vragen waarop hij een antwoord zou moeten weten. Het éénouderschap was hem door het lot opgedrongen. Daardoor was hij een meer toegewijde vader geworden, en dat kwam dan boven op een baan waarin hij maar liefst zes ontvoeringen had afgehandeld. Hij was een meter tweeënnegentig en woog negentig kilo. Zijn Zapata-snor had hij afgeschoren omdat ze daar op het hoofdkantoor niet van hielden, maar verder was hij een keiharde jongen gebleven. Toch zouden zijn collega's grinniken als ze hem met zijn dochter zagen. Zijn haar was donkerblond en lang en iedere morgen borstelde hij het helemaal glad, nadat hij eerst zijn dochter haar kleurrijke peuterkleren had aangetrokken en haar met haar kleine gymschoentjes had geholpen. Voor Megan was papa een grote beschermende beer die zich hoog in de blauwe hemel verhief, iemand die haar van de grond tilde alsof ze een raket was, opdat ze haar armen om zijn nek kon slaan.

'Oef!' zei papa. 'Je knijpt me fijn!'

'Deed ik je pijn?' vroeg Megan alsof ze echt geschrokken was. Dit hoorde bij hun ochtendritueel.

Een glimlach. 'Nee, deze keer niet.' Daarna liep hij het huis uit en maakte de deur van zijn modderige pickup-truck open. Hij zette haar zorgvuldig in haar stoeltje, met haar lunchtrommeltje en dekentje tussen hen in. Het was half zeven en ze waren op weg naar een nieuwe crèche. O'Day kon zijn wagen niet starten zonder even naar Megan te kijken. Ze leek sprekend op haar moeder. Telkens wanneer hij dat besefte, beet hij op zijn lip en deed hij hoofdschuddend zijn ogen dicht. Hij vroeg zich dan ook weer af waarom de 737 was neergestort met zijn vrouw, met wie hij nog maar zestien maanden getrouwd was, op stoel 18-F.

De nieuwe crèche lag aan de route naar zijn werk en was hem aangeraden door zijn buren, die hun tweelingzoons erheen stuurden. Hij reed linksaf Ritchie Highway op en vond de crèche meteen. Het was tegenover een 7-Eleven, waar hij een kop koffie kon nemen voordat hij de U.S. 50 opreed. Giant Steps, reuzenstappen, een mooie naam.

Niet de makkelijkste manier om de kost te verdienen, dacht Pat terwijl hij zijn wagen parkeerde. Marlene Daggett was er altijd al om zes uur om de kinderen op te vangen van de ambtenaren die elke morgen naar Washington pendelden. Omdat het voor hen de eerste keer was, kwam ze naar buiten om hen te begroeten.

'Meneer O'Day! En dit is Megan!' zei de leidster met een voor dit vroege uur verbijsterend enthousiasme. Megan had haar twijfels en keek haar vader aarzelend aan. Toen keek ze verrast, want ze zag iets heel bijzonders. 'Zij heet ook Megan. Ze is jóuw beer en ze heeft de hele dag op je gewacht.'

'O.' Het meisje pakte de bruine pluchen beer en drukte hem met naamplaatje en al tegen zich aan. 'Hallo.'

Mevrouw Daggett keek de FBI-agent aan met een blik van: dit is altijd een succes. 'Je hebt je dekentje?' vroeg ze Megan.

'Jazeker,' antwoordde O'Day, en hij gaf haar ook de formulieren die hij de vorige avond had ingevuld. Megan had geen medische problemen, was niet allergisch voor medicijnen, melk of bepaalde voedingsstoffen. In spoedgevallen mocht ze naar het plaatselijke ziekenhuis worden gebracht. Hij had zijn telefoonnummer op het werk en zijn semafoonnummer ingevuld, en het nummer van zijn ouders, en het nummer van Deborahs ouders, die erg goede grootouders waren. Giant Steps was goed georganiseerd. O'Day wist niet precies hoe goed, want er was iets waarover mevrouw Daggett niet mocht praten. Zijn gegevens zouden worden nagetrokken door de Secret Service.

'Nou, Megan, zullen we nu dan maar met je nieuwe vriendjes gaan spelen?' Ze keek op. 'We zullen goed voor haar zorgen.'

O'Day stapte weer in zijn auto. Zoals altijd zat het hem niet lekker dat hij zijn dochter moest achterlaten, nergens, op welk tijdstip of op welke plaats ook. Hij reed de straat over voor een kop koffie in de 7-Eleven. Om negen uur zou hij een bespreking over de ontwikkelingen in het onderzoek naar de vliegramp hebben; ze hadden dat al bijna afgerond. De rest van de dag had hij alleen veel administratieve rompslomp, vervelend werk, maar in elk geval zou hij zijn dochter op tijd kunnen afhalen. Veertig minuten later reed hij het terrein van het FBI-hoofdkantoor aan Tenth en Pennsylvania Avenue op. Op grond van zijn functie had hij een gereserveerde parkeerplaats. Vervolgens liep hij deze ochtend naar de schietbaan in het gebouw.

Pat O'Day, een goede schutter sinds zijn padvinderstijd, was ook schietinstructeur op een aantal plaatselijke FBI-vestigingen geweest. Dat betekende dat hij toezicht mocht houden op de wapentraining van de andere agenten, altijd een belangrijk aspect van het politiebestaan, al hoefden de meeste agenten hun wapen nooit te gebruiken.

Op dit uur van de dag – hij kwam binnen om vijf voor half acht – was het bijna nooit druk op de schietbaan. De inspecteur koos twee dozen Federal 10-mm kogels met holle punt voor zijn grote roestvrijstalen Smith & Wesson 1076, samen met een paar standaard 'Q'-doelen en oorbeschermers. Het doel was een eenvoudig wit kartonnen scherm met de contouren van de vitale delen van een mensenlichaam. Die figuur had ongeveer de grootte en vorm van een melkbus, met de letter 'Q' in het midden, ongeveer op de plaats waar het hart zou zitten. Hij maakte het doel aan de klem van de bewegende houder vast, stelde de afstand in op tien meter en drukte op de knop. Terwijl het doel zich van hem af bewoog, liet hij zijn gedachten de vrije loop. Hij dacht aan de sportpagina van de krant en de nieuwe slagvolgorde van de Baltimore Orioles in het trainingskamp van dat voorjaar. De apparatuur van de schietbaan was programmeerbaar. Zodra het doel op zijn bestemming was aangekomen, draaide het opzij en werd bijna onzichtbaar. Zonder te kijken draaide O'Day de timer in een willekeurige stand en bleef over de baan kijken, met zijn handen aan zijn zijden. Nu dwaalden zijn gedachten niet meer af. Aan het eind van de baan stond de Schurk. Een gevaarlijke Schurk. Een zware crimineel die in het nauw gedreven was. Een Schurk die tegen informanten had gezegd dat hij nooit meer de bak inging, dat hij zich nooit meer levend liet oppakken. In zijn lange carrière had inspecteur O'Day dat verhaal vele malen gehoord, en als het mogelijk was, had hij de desbetreffende persoon de kans gegeven om zich aan zijn woord te houden, maar ze deden het nooit. Zodra ze met een echt gevaar werden geconfronteerd, in plaats van het soort gevaar dat bij een biertje of een joint ter sprake kwam, lieten ze hun pistool vallen, pisten in hun broek of barstten zelfs in tranen uit. Maar niet deze keer. Het was deze Schurk menens. Hij had een gijzelaar. Bijvoorbeeld een kind. Misschien zelfs zijn eigen kleine Megan. Bij die gedachte kneep hij zijn oogleden enigszins samen. Een pistool tegen haar hoofd. Op de film zei de Schurk tegen je dat je je wapen moest laten vallen, maar als je dat deed, kon je erop rekenen dat jij én de gijzelaar eraan gingen, en daarom praatte je tegen de Schurk. Je probeerde kalm en redelijk en verzoenend over te komen. Je wachtte tot hij ontspande, een beetje maar, net genoeg om zijn pistool van het hoofd van de gijzelaar weg te halen. Het kon uren duren, maar vroeg of laat...

... klikte de timer en draaide het kartonnen doel zich om. O'Day trok bliksemsnel het pistool uit de holster. Tegelijk ging zijn rechtervoet achteruit, draaide hij met zijn lichaam en dook hij enigszins ineen. De linkerhand greep samen met de rechter de met rubber beklede kolf vast toen het pistool halverwege omhoog was. Zijn ogen zagen de vizieren aan de onderkant van zijn gezichtsveld, en zodra ze op één lijn waren met het hoofd van het 'Q'-doelwit, drukte zijn vinger twee keer de trekker in. Hij schoot zo snel dat beide uitgeworpen patroonhulzen tegelijk in de lucht waren. Dat noemden ze een dubbelschot en O'Day had er zoveel jaren op geoefend dat de geluiden bijna tegelijk klonken. Toen de lege hulzen met een ping-geluid op de betonnen vloer vielen, kwam de echo van de twee schoten net terug van de stalen wand aan het eind van de

schietbaan. Inmiddels zaten er twee gaten in het hoofd van het doelwit, nog geen drie centimeter van elkaar vandaan, tussen en net boven de plaats waar de ogen zouden hebben gezeten. Het doelwit klapte binnen een seconde nadat het zich had omgedraaid weer opzij en simuleerde daarmee dat de Schurk op de grond was gevallen.
Ja.
'Die heb je te pakken, Tex.'
O'Day draaide zich om, uit zijn fantasie opgeschrikt door een bekende stem.
'Goedemorgen, directeur.'
'Hallo, Pat.' Murray geeuwde. Aan zijn linkerhand bungelde een stel oorbeschermers. 'Je bent snel. Gijzelaarsscenario?'
'Ik probeer me te trainen op de ergst mogelijke situatie.'
'Je dochtertje.' Murray knikte. Dat deden ze allemaal, want de gijzelaar in je fantasie moest belangrijk genoeg zijn. 'Nou, je hebt hem te pakken. Laat het me nog eens zien,' beval de directeur. Hij wilde O'Days techniek zien. Je kon altijd iets leren. Na de tweede keer zat er één groot gat in het voorhoofd van het doelwit. Op Murray kwam het nogal intimiderend over, al was hij zelf ook een goede schutter. 'Ik moet meer oefenen.'
O'Day ontspande nu enigszins. Als je het redde met je eerste schot van de dag – en hij had het met alle vier gedaan – had je het nog in je vingers. Twee minuten en twintig schoten later was het hoofd van het doelwit een kring. Murray, in de baan naast hem, werkte aan de Jeff Cooper-techniek: twee snelle schoten in de borst, gevolgd door een regen van kogels die op het hoofd waren gericht. Toen ze er allebei van overtuigd waren dat hun doelwit dood was, werd het tijd om over hun werk te praten.
'Nog nieuws?' vroeg de directeur.
'Nee. Er komen nog meer vervolgondervragingen over de JAL-zaak binnen, maar daar is niets schokkends bij.'
'En Kealty?'
O'Day haalde zijn schouders op. Hij mocht zich niet met het OPR-onderzoek bemoeien, maar kreeg wel dagelijks een overzicht. Als het om zo'n belangrijke zaak ging, moest er aan iemand worden gerapporteerd, en hoewel het toezicht op de gang van zaken geheel aan OPR was toegevallen, ging de verzamelde informatie ook via de hoogste inspecteur, O'Day dus, naar het kantoor van de directeur. 'Dan, er zijn zoveel mensen in de kamer van minister Hanson geweest. Iedereen kan er met die brief vandoor zijn gegaan, vooropgesteld dat zo'n brief bestond, wat volgens onze mensen waarschijnlijk inderdaad het geval was. In ieder geval heeft Hanson er met genoeg mensen over gepraat, tenminste, dat vertellen die mensen ons.'
'Ik denk dat het gewoon overwaait,' zei Murray.

'Goedemorgen, meneer de president.'
Weer een gewone werkdag. De kinderen waren weg. Cathy was weg. Ryan kwam keurig in het pak te voorschijn. Zijn jasje had hij dichtgeknoopt, wat

nogal ongewoon was voor hem, tenminste wel voordat hij president werd. Zijn schoenen waren gepoetst door een van de huisbedienden. Alleen had Jack nog steeds niet het gevoel dat hij in dit huis woonde. Het leek meer op een hotel, of de vip-verblijven waar hij was geweest toen hij voor de CIA op reis was, al was de inrichting hier stijlvoller en was de dienstverlening stukken beter.
'Jij bent Raman?' vroeg de president.
'Ja, meneer de president,' antwoordde agent Aref Raman. Hij was een meter tachtig groot en zwaargebouwd. Jack vond dat hij meer op een gewichtheffer dan een hardloper leek, al kon dat ook door het kogelvrije vest komen dat veel agenten van de Service droegen. Ryan schatte hem midden dertig. Hij was knap op een mediterrane manier, met een verlegen glimlachje en ogen zo blauw als die van Cathy. 'SWORDSMAN in beweging,' zei hij in zijn microfoon. 'Naar het kantoor.'
'Raman. Waar komt die naam vandaan?' vroeg Jack op weg naar de lift.
'Moeder Libanees, vader Iraans. Hij kwam hierheen in 1979, toen de sjah in de problemen kwam. Mijn vader onderhield nauwe banden met het regime.'
'Wat vind je van de situatie in Irak?' vroeg de president.
'Meneer de president, ik spreek amper nog de taal.' De agent glimlachte. 'Als u me nu zou vragen wie de meeste kansen maken in de NCAA-finale, ben ik uw man.'
'Kentucky,' zei Ryan op besliste toon. De lift van het Witte Huis dateerde nog van voor de art deco-periode, met versleten zwarte knoppen waarop de president niet mocht drukken. Raman deed dat voor hem.
'Het wordt Oregon. Ik vergis me nooit, meneer de president. Vraagt u het maar aan de jongens. Ik heb de laatste drie pools gewonnen. Niemand wil nog tegen me wedden. De finale wordt Oregon tegen Duke – mijn school – en Oregon wint met zes of acht punten. Nu, misschien minder, als Maceo Rawlings een goede avond heeft,' voegde Raman eraan toe.
'Wat heb je op Duke gestudeerd?'
'Voorbereiding op de rechtenstudie, maar ik wilde geen jurist worden. Ik kwam tot de conclusie dat criminelen geen rechten moeten hebben. Daarom besloot ik politiewerk te gaan doen en zo kwam ik bij de Secret Service.'
'Getrouwd?' Ryan wilde de mensen om hem heen leren kennen. Dat was niet alleen een kwestie van goede manieren. Deze mensen hadden gezworen zijn leven te verdedigen en hij kon ze niet als personeelsleden behandelen.
'Nooit het juiste meisje gevonden, tenminste, nog niet.'
'Moslim?'
'Mijn ouders waren dat wel, maar toen ik zag hoeveel problemen er door die religie in de wereld kwamen, nou...' Hij grijnsde. 'Als u het de jongens vraagt, zullen ze zeggen dat mijn godsdienst ACC-basketbal is. Ik heb nog nooit een wedstrijd van Duke op de televisie gemist. Verrekte jammer dat Oregon dit jaar zo lastig is. Maar daar is nu eenmaal niets aan te veranderen.'
De president grinnikte. 'Aref, zei je, is dat je voornaam?'
'Ze noemen me Jeff. Dat is gemakkelijker uit te spreken,' legde Raman uit ter-

wijl de deur openging. De agent ging in het midden van de deuropening staan om de president uit het schootsveld te houden. Voor de lift stond iemand van de geüniformeerde afdeling, samen met twee agenten van het escorte. Raman kende ze alle drie van gezicht. Na een hoofdknikje liep hij de lift uit, gevolgd door Ryan. Ze liepen met zijn allen in westelijke richting, langs de zijgang die naar de kegelbaan en de timmerwerkplaatsen leidde.
'Vandaag een makkelijke dag, Jeff,' zei Ryan ten overvloede tegen hem. De Secret Service kreeg zijn dagschema eerder te horen dan hijzelf.
'Gemakkelijk voor ons, misschien.'
Ze wachtten op hem in het Oval Office. De Foleys, Bert Vasco, Scott Adler en nog iemand stonden op toen de president binnenkwam. Ze waren al gescand op wapens en nucleair materiaal.
'Ben!' zei Jack. Hij legde zijn papieren op het bureau en ging naar zijn gasten toe.
'Meneer de president,' antwoordde Ben Goodley glimlachend.
'Ben heeft de briefing van vanmorgen voorbereid,' legde Ed Foley uit.
Omdat niet alle ochtendbezoekers tot de naaste omgeving van de president behoorden, bleef Raman in de kamer. In theorie was het namelijk altijd mogelijk dat iemand over de salontafel sprong om de president te wurgen. Ook zonder vuurwapen kon je iemand doden. Iedereen die redelijk fit was, kon in enkele weken genoeg over vechtsporten leren om een argeloos slachtoffer te doden. Daarom droegen de agenten van het escorte niet alleen pistolen, maar ook wapenstokken van telescopisch in elkaar geschoven staalsegmenten. Raman keek nu toe terwijl die Goodley – een nationale-inlichtingenadviseur – de briefingpapieren uitdeelde. Zoals veel leden van de Secret Service kreeg hij bijna alles te horen. Een sticker met ALLEEN BESTEMD VOOR DE PRESIDENT op een dossiermap met geheime gegevens was niet letterlijk zo bedoeld. Er was bijna altijd iemand anders in de kamer, en hoewel de agenten onder elkaar zeiden dat ze niet op zulke dingen letten, betekende dat eigenlijk alleen maar dat ze er niet erg veel over praatten. Het ging niet zo ver dat ze niets hoorden en zich niets herinnerden. Ze werden niet getraind of betaald om dingen te vergeten, laat staan ze te negeren.
In dat opzicht, dacht Raman, was hij de perfecte spion. Hij was door de Verenigde Staten van Amerika tot politieman opgeleid en had briljant werk geleverd, vooral in vervalsingszaken. Hij was een voortreffelijk schutter en een erg gedisciplineerd denker, een eigenschap die al naar voren was gekomen tijdens zijn studie. Hij was *summa cum laude* afgestudeerd aan Duke, met de hoogste cijfers, en daarnaast was hij een eersteklas worstelaar geweest. Voor een onderzoeker was het nuttig om een goed geheugen te hebben, en hij had het. Een fotografisch geheugen zelfs, iets wat al in een vroeg stadium de aandacht had getrokken van degenen die de leiding van het escorte hadden. Wanneer de president zich onder het volk mengde om handen te schudden, moesten zijn bewakers onmiddellijk een gezicht kunnen herkennen van de tientallen foto's die ze op zak hadden. Toen Fowler president was, had hij als jong agent van

het regiokantoor St. Louis, tijdelijk gedetacheerd bij het escorte om bij een geldinzamelingsdiner aanwezig te zijn, een vermoedelijke aanslagpleger geïdentificeerd en aangehouden. De man bleek een pistool in zijn zak te hebben. Raman had hem zo discreet en behendig uit de menigte gehaald dat de opname van de verdachte in een psychiatrische inrichting nooit in de kranten was gekomen, en dat was precies wat ze wilden bereiken. Die jonge agent had het helemaal in zich om bij het escorte te komen, had de toenmalige directeur van de Secret Service gedacht toen hij het rapport over de zaak las. Toen Roger Durling president was geworden, was Raman overgeplaatst. Als ondergeschikt lid van het escorte had hij vaak urenlang op een saaie post gestaan of was hij met de presidentiële limousine meegereden, en meer van dat soort dingen. Geleidelijk had hij zich opgewerkt, vrij snel voor zo'n nog jonge man. Hij had lange uren gemaakt zonder te klagen. Van tijd tot tijd had hij opgemerkt dat hij als immigrant wist hoe belangrijk Amerika was, en zoals zijn verre voorvaderen misschien Darius de Grote als 'onsterfelijken' hadden gediend, zo wilde hij dat nu voor zijn nieuwe land doen. Het was eigenlijk zo gemakkelijk, veel gemakkelijker dan de taak die zijn broeder – etnisch, niet biologisch – kort geleden in Bagdad had vervuld. Met hun grote en dwaze hart hielden Amerikanen echt van immigranten, ook al zeiden ze in opiniepeilingen iets anders. Ze wisten veel, en ze leerden er steeds weer iets bij, maar één ding moesten ze nog leren: je kon nooit in het hart van een ander kijken.
'Geen middelen die we op de grond kunnen gebruiken,' zei Mary Pat nu.
'Maar hun radioverkeer kunnen we goed onderscheppen,' zei Goodley. 'De NSA levert erg goed werk. Alle Ba'ath-leiders zitten in de bak en ik denk niet dat ze er nog uitkomen, tenminste niet verticaal.'
'Dus Irak is volkomen onthoofd?'
'De leiding is overgenomen door een militaire raad. Die bestaat uit kolonels en lagere generaals. Op de middagtelevisie waren ze met een Iraanse mullah te zien. Dat is geen toeval,' zei Bert Vasco. 'Het minste dat we hiervan kunnen verwachten, is toenadering tot Iran. Dat kan zelfs zo ver gaan dat de twee landen fuseren. Dat weten we over een paar dagen... twee weken op zijn hoogst.'
'De Saoedi's?' vroeg Ryan.
'Die zijn in alle staten, Jack,' antwoordde Ed Foley meteen. 'Nog geen uur geleden sprak ik met prins Ali. Ze hebben een hulppakket bij elkaar gekregen dat groot genoeg zou zijn om er ónze nationale schuld mee af te betalen. Ze wilden daarmee het nieuwe Iraakse regime kopen – deden dat van de ene dag op de andere, de grootste kredietbrief die ooit is opgesteld – maar niemand neemt de telefoon op. In Riad zitten ze met hun handen in het haar. Irak was altijd bereid om over zaken te praten. Maar nu niet.'
En dat had alle staten van het Arabisch schiereiland natuurlijk erg bang gemaakt, wist Ryan. In het westen begreep niet iedereen dat de Arabieren zakenlieden waren. Geen ideologen, geen fanaten, geen krankzinnigen, maar zakenlieden. Al voordat de islam ontstond, waren ze zeevaarders en kooplieden, iets wat Amerikanen zich alleen herinnerden als ze weer eens een film

over Sinbad de Zeeman maakten. In dat opzicht waren het net Amerikanen, ondanks het verschil in taal, kleding en religie. Net als Amerikanen hadden ze er moeite mee om mensen te begrijpen die geen zaken wilden doen, niet tot overeenstemming wilden komen, niet tot een uitwisseling bereid waren. Iran was zo'n land. De vroegere stand van zaken, onder de sjah, was door ayatollah Khomeini veranderd in een theocratie. Ze zijn niet zoals wij zijn, was de universele bezorgdheid van alle culturen. Ze zijn niet langer meer zoals wij zijn, zou een erg angstaanjagende ontwikkeling zijn voor die Golfstaten die altijd hadden geweten dat er ondanks politieke verschillen ook altijd veel overeenkomsten en mogelijkheden tot contact waren geweest.

'Teheran?' vroeg Jack nu. Ben Goodley nam de beantwoording van die vraag op zich.

'In officiële nieuwsuitzendingen wordt de ontwikkeling verwelkomd: de gebruikelijke aanbiedingen van vrede en hernieuwde vriendschap, maar daar blijft het bij,' zei Goodley. 'Dat wil zeggen, officieel. Aan de andere kant krijgen we allerlei onderschepte radioberichten binnen. Mensen in Bagdad vragen om instructies, en die krijgen ze van mensen in Teheran. Voorlopig moeten ze zorgen dat de situatie zich snel ontwikkelt. Daarna komen de revolutionaire rechtbanken. We zien veel islamitische geestelijken op de televisie. Ze preken liefde en vrijheid en meer van dat fraais. Als de processen beginnen en de eerste mensen met hun rug tegen de muur staan om voor geweervuur te poseren, ontstaat er een volledig vacuüm.'

'Dan neemt Iran het waarschijnlijk over, of misschien maakt het van Irak een marionetstaat,' zei Vasco, terwijl hij in de nieuwste verzameling onderschepte radioberichten bladerde. 'Goodley zou best eens gelijk kunnen hebben. Ik lees dit soort radioberichten voor het eerst. U moet het me niet kwalijk nemen, meneer de president, maar ik heb me op de politieke kant van de zaak geconcentreerd. Dit materiaal is onthullender dan ik had verwacht.'

'Je bedoelt dat het meer betekent dan ik denk dat het betekent?' vroeg de nationale-inlichtingenadviseur.

Vasco knikte zonder op te kijken. 'Ik denk van wel. Dit is niet goed,' merkte de Irak-expert van het ministerie van Buitenlandse Zaken somber op.

'Later vandaag zullen de Saoedi's ons vragen hen te steunen,' merkte minister Adler op. 'Wat moet ik tegen ze zeggen?'

Ryans antwoord kwam zo vlug dat hij er zelf van schrok. 'Onze verbondenheid met het koninkrijk is niet veranderd. Als ze ons nodig hebben, zijn we er, nu en altijd.' En met die twee zinnen, dacht Jack een seconde later, had hij de volledige macht en geloofwaardigheid van de Verenigde Staten van Amerika ter beschikking gesteld van een niet-democratisch land dat op tienduizend kilometer afstand lag. Gelukkig maakte Adler het gemakkelijker voor hem.

'Ik ben het daar volkomen mee eens, meneer de president. We kunnen niet anders.' Alle anderen knikten instemmend, zelfs Ben Goodley. 'We kunnen dat discreet doen. Prins Ali begrijpt dat en hij kan de koning duidelijk maken dat we het menen.'

'Volgende punt,' zei Ed Foley. 'We moeten Tony Bretano op de hoogte brengen. Hij is trouwens erg goed. Kan goed luisteren,' zei de pas benoemde CIA-directeur tegen de president. 'Je wilt het kabinet hiervoor bijeenroepen?'
Ryan schudde zijn hoofd. 'Nee. Ik vind dat we dit heel rustig moeten spelen. Amerika volgt de regionale ontwikkelingen met belangstelling, maar we hoeven ons er niet over op te winden. Scott, laat jij je mensen de pers inlichten.'
'Goed,' zei de minister van Buitenlandse Zaken.
'Ben, wat laten ze je tegenwoordig op Langley doen?'
'Meneer de president, ze hebben me officier van dienst op het operatiecentrum gemaakt.'
'Goede briefing,' zei Ryan tegen de jongere man, en hij wendde zich tot de CIA-directeur. 'Ed, hij werkt voortaan voor mij. Ik heb een nationale-inlichtingenadviseur nodig die mijn taal spreekt.'
'Allemachtig, krijg ik dan tenminste een goede vervanger terug?' antwoordde Foley met een lachje. 'Deze jongen is erg veelbelovend. Ik kan hem bijna niet missen.'
'Leuk geprobeerd, Ed. Ben, je werkweek is zojuist langer geworden. Voorlopig kun je mijn oude kantoor om de hoek krijgen. Het eten is hier veel beter,' beloofde de president.
Al die tijd verroerde Aref Raman zich niet. Hij leunde tegen de witte lambrizering. Alleen zijn ogen bewogen: ze gingen van de ene bezoeker naar de andere. Hij was getraind om niemand te vertrouwen, misschien met uitzondering van de vrouw en kinderen van de president. Verder niemand. Natuurlijk vertrouwden ze hem allemaal, ook degenen die hem hadden geleerd niemand te vertrouwen, want iedereen moest iemand vertrouwen.
Eigenlijk was het alleen zaak dat je het juiste moment koos. Een van de dingen die hij aan het Amerikaanse onderwijs en zijn opleiding had overgehouden, was het geduld om te wachten tot je de juiste actie kon ondernemen. Maar andere gebeurtenissen aan de andere kant van de wereld brachten dat moment dichterbij. Achter zijn nietszeggende ogen dacht Raman dat hij misschien leiding nodig had. Twintig jaar geleden had hij gezworen dat hij iets zou doen, maar zijn missie ging nu veel verder. Die daad kon hij bijna altijd verrichten, maar hij was nu hier, en terwijl iedereen kon doden en terwijl iemand die toegewijd was bijna iedereen kon doden, kon alleen een waarlijk bekwame doder de juiste persoon op het juiste moment doden om zo een hoger doel na te streven. Wat was het toch ironisch, dacht hij: terwijl zijn missie afkomstig was van God, was iedere factor bij het volbrengen van die missie rechtstreeks afkomstig van de Grote Satan zelf, belichaamd door een man die Allah het best kon dienen door het leven op het juiste moment te verlaten. De grote moeilijkheid was het kiezen van dat moment. Daarom besloot Raman na twintig jaar dat hij misschien toch zijn camouflage zou moeten afwerpen. Dat was niet helemaal ongevaarlijk, maar het was een risico dat hij kon nemen, vond hij.

'Uw streven is stoutmoedig,' zei Badrayn kalm. Inwendig was hij allesbehalve kalm. Het was adembenemend.
'De deemoedigen zullen de aarde niet beërven,' antwoordde Daryaei, die voor het eerst zijn levensmissie had uitgelegd aan iemand buiten zijn eigen kleine kring van geestelijken.
Het kostte hun beiden grote moeite om met pokergezichten tegenover elkaar te zitten en intussen een plan te bespreken dat de hele wereld zou veranderen. Voor Daryaei was het iets waar hij gedurende meer dan een generatie naartoe had gewerkt, de culminatie van alles wat hij in zijn leven had gedaan, de verwezenlijking van een droom, iets waardoor zijn naam naast die van de profeet zelf zou komen te staan... als het hem lukte. De eenwording van de islam. Zo noemde hij het in zijn eigen kring.
Badrayn zag alleen de macht. De schepping van een nieuwe supermogendheid rond de Perzische Golf, een staat met een immense economische macht, een enorme bevolking, een staat die niets van andere staten nodig had en die zich over Azië en Afrika kon uitbreiden. Misschien zouden zelfs de wensen van de profeet Mohammed in vervulling gaan, al pretendeerde hij niet te weten wat de stichter van zijn religie had gewenst. Dat liet hij aan mannen als Daryaei over. Voor Badrayn draaide het allemaal om macht. Religie en ideologie waren alleen handig om de teams van elkaar te onderscheiden. Hij behoorde tot dit team omdat hij in dit deel van de wereld was geboren en omdat hij ooit het marxisme had bestudeerd en tot de conclusie was gekomen dat het niet tegen de taak was opgewassen.
'Het is mogelijk,' zei Badrayn even later.
'Dit is een uniek historisch moment. De Grote Satan...' Eigenlijk hield hij er niet van om bij het bespreken van staatszaken in ideologisch jargon te vervallen, maar soms was het niet te vermijden. 'De Grote Satan is zwak. De Kleinere Satan is vernietigd en zijn islamitische republieken vallen ons al bijna vanzelf in de schoot. Ze zijn op zoek naar een identiteit en welke identiteit zou beter kunnen zijn dan het heilige geloof?'
Dat was volkomen waar. Badrayn beaamde het met een zwijgend hoofdknikje. De instorting van de Sovjet-Unie en haar vervanging door het zogeheten Gemenebest van Onafhankelijke Staten had alleen maar een vacuüm voortgebracht dat nog niet was opgevuld. De zuidelijke rij 'republieken' was in economisch opzicht nog aan Moskou gebonden, ongeveer zoals een rij karren achter een stervend paard. Het zouden altijd opstandige, onrustige ministaatjes blijven die met hun godsdienst nooit aansluiting zouden vinden bij het atheïstische imperium. Ze waren trouwens allemaal al op weg om hun eigen economische identiteit op te bouwen. Hadden ze dat eenmaal voor elkaar, dan konden ze zich voorgoed losmaken van een dood land waartoe ze nooit echt hadden behoord. Aan de andere kant konden ze zich niet economisch handhaven, niet in de moderne tijd. Ze hadden een andere beschermer nodig, een ander die hen naar de volgende eeuw kon leiden. Dat nieuwe leiderschap moest geld hebben, veel geld, en het moest allemaal gebeuren onder het

banier van een religie en een cultuur die hun zo lang door het marxisme-leninisme waren ontzegd. In ruil daarvoor zouden de republieken land en mensen leveren. En hulpbronnen.
'Het obstakel is Amerika, maar dat hoef ik u niet te vertellen,' merkte Badrayn ten overvloede op. 'En Amerika is te groot en te machtig om het te kunnen vernietigen.'
'Ik heb die Ryan ontmoet. Maar vertelt u me eerst wat u van hem denkt.'
'Hij is niet dom, en hij is niet laf,' zei Badrayn voorzichtig. 'Hij heeft fysieke moed getoond en hij is bedreven in het inlichtingenwerk. Hij is goed opgeleid. De Saoedi's vertrouwen hem, en de Israëli's ook.' Die twee landen waren op dit moment van belang. En een derde land: 'De Russen kennen hem en hebben respect voor hem.'
'Wat nog meer?'
'U moet hem niet onderschatten. U moet Amerika niet onderschatten. We hebben allebei gezien wat er gebeurt als iemand dat toch doet,' zei Badrayn.
'Maar de huidige stand van zaken in Amerika?'
'Voorzover ik kan zien, is president Ryan hard aan het werk om de regering van zijn land te herstellen. Dat is een enorme taak, maar Amerika is in wezen een stabiel land.'
'En het probleem van de opvolging?'
'Dat begrijp ik niet,' gaf Badrayn toe. 'Ik heb er niet genoeg over gehoord of gelezen om het te kunnen begrijpen.'
'Ik heb Ryan ontmoet,' zei Daryaei, en hij sprak nu eindelijk zijn eigen gedachten uit. 'Hij is een "assistent", niets meer dan dat. Hij lijkt sterk, maar hij is het niet. Als hij een krachtig man was geweest, had hij meteen met die Kealty afgerekend. Die man begaat toch hoogverraad? Maar dat is niet belangrijk. Ryan is één man. Amerika is één land. Beide kunnen worden aangevallen, tegelijk, uit meer dan een richting.'
'Leeuw en hyena's,' zei Badrayn, en hij legde uit wat hij bedoelde. Daryaei was zo ingenomen met het idee dat hij geen bezwaar maakte tegen de rol die hij zelf in die metafoor speelde.
'Niet één grote aanval, maar een heleboel kleine?' vroeg de geestelijke.
'Dat heeft al eerder gewerkt.'
'Waarom niet een heleboel grote? Tegen Amerika, en tegen Ryan. En als Ryan nu eens ten val zou komen? Wat zou er dan gebeuren, jonge vriend?'
'Binnen hun regeringssysteem zou er chaos uitbreken. Maar ik moet u aanraden voorzichtig te zijn. Ik raad u ook aan bondgenoten te zoeken. Hoe meer hyena's en hoe meer richtingen, des te beter kan de leeuw worden aangevallen. En wat een persoonlijke aanval op Ryan betreft,' ging Badrayn verder, en hij vroeg zich af waarom zijn gastheer dat had gezegd en of het misschien een vergissing was, 'de president van de Verenigde Staten is een moeilijk doelwit, goed beschermd en goed geïnformeerd.'
'Dat zeggen ze,' zei Daryaei, en in zijn donkere ogen stond helemaal niets te lezen. 'Welke andere landen zou u als bondgenoten aanbevelen?'

'Hebt u het conflict tussen Japan en Amerika gevolgd?' vroeg Badrayn. 'Hebt u zich ooit afgevraagd waarom sommige grote honden helemaal niet blaffen?' Dat was het bijzondere van grote honden. Ze hadden altijd honger. Maar Daryaei had nu meer dan eens over Ryan en diens bescherming gesproken. Eén hond was het hongerigst van allemaal. Het zou een interessante troep honden kunnen worden.

'Misschien is er gewoon een defect opgetreden.'
De vertegenwoordigers van Gulfstream zaten om de tafel met functionarissen van de Zwitserse civiele luchtvaartdienst, samen met degene die met de vliegoperaties was belast bij de onderneming die eigenaar van de vliegtuigen was. Uit zijn schriftelijke gegevens bleek dat het vliegtuig goed was onderhouden door een Zwitserse firma. Alle onderdelen waren van erkende leveranciers gekomen. Het Zwitserse bedrijf dat het onderhoud deed, had een staat van dienst van tien jaar zonder ongelukken en stond onder toezicht van dezelfde overheidsdienst die ook toezicht hield op het onderzoek.
'Het zou niet de eerste keer zijn,' beaamde de vertegenwoordiger van Gulfstream. De zwarte doos was een robuust stuk werk, maar toch kon hij niet alle vliegrampen overleven, want iedere ramp was weer anders. De USS *Radford* had nauwgezet gezocht maar geen signalen van de peilzender opgevangen. De zee was te diep om naar een vliegtuig te zoeken waarvan je niet wist waar het lag. Daar kwam nog bij dat de Libiërs niet wilden dat er schepen in de buurt van hun territoriale wateren rondsnuffelden. Als het vermiste vliegtuig een lijntoestel was geweest, hadden ze hun zin kunnen doordrijven, maar een zakenvliegtuig met twee bemanningsleden en drie passagiers – van wie één een dodelijke ziekte met zich mee droeg – was niet belangrijk genoeg. 'Zonder de gegevens valt er niet veel te zeggen. Er werd melding gemaakt van motorstoring, en dat zou kunnen wijzen op slechte brandstof, slecht onderhoud...'
'Alstublieft!' protesteerde de man van het onderhoudsbedrijf.
'Ik spreek in theorie,' merkte de man van Gulfstream op. 'Of zelfs een of andere fout van de piloot. Zonder harde gegevens kunnen we niet veel beginnen.'
'De piloot had vierduizend vlieguren. De tweede piloot meer dan tweeduizend,' zei de vertegenwoordiger van de eigenaar voor de vijfde keer die middag.
Ze dachten allemaal hetzelfde. De vliegtuigfabrikant had op het punt van de veiligheid een uitmuntende staat van dienst te verdedigen. Er waren relatief weinig vliegtuigfabrikanten waaruit de grote luchtvaartmaatschappijen konden kiezen, en hoe belangrijk het veiligheidsaspect voor hen ook was, het was nog belangrijker voor de bouwers van zakenvliegtuigen, die nog meer van concurrentie te duchten hadden. De kopers van zulk directiespeelgoed hadden een goed geheugen, en zolang er geen harde informatie was over de weinige vliegrampen die plaatsvonden, herinnerden ze zich alleen een vermist vliegtuig met vermiste passagiers.

Ook de man van het onderhoudsbedrijf wilde niet in verband worden gebracht met een dodelijk ongeluk. In Zwitserland waren veel vliegvelden en veel zakenvliegtuigen. Een slecht onderhoudsbedrijf kon ook klanten verliezen, om nog maar te zwijgen van de moeilijkheden die het van de kant van de Zwitserse overheid zou ondervinden omdat het de strenge voorschriften had overtreden.

De onderneming die eigenaar van het vliegtuig was geweest, had in termen van reputatie het minst te verliezen, maar voelde er natuurlijk toch niet veel voor om zonder goede reden de verantwoordelijkheid op zich te nemen.

Niemand van hen had een goede reden om de schuld op zich te nemen, niet zonder zwarte doos. De mannen keken elkaar aan en dachten allemaal hetzelfde: ook goede mensen maakten fouten, maar ze gaven ze bijna nooit toe, zeker niet als het niet hoefde. De overheidsfunctionaris had de schriftelijke gegevens doorgenomen en had geconstateerd dat op papier alles in orde was. Afgezien daarvan konden ze niets doen, behalve met de fabrikant van de motor gaan praten en proberen een monster van de brandstof te krijgen. Het eerste was gemakkelijk. Het laatste niet. Op het eind zouden ze nauwelijks meer weten dan ze nu wisten. Gulfstream zou de verkoop van een paar vliegtuigen mislopen. Het onderhoudsbedrijf zou voortaan nog strenger door de overheid worden gecontroleerd. De onderneming zou een nieuw vliegtuig moeten kopen. Uit loyaliteit zou dat weer een Gulfstream worden en zouden ze voor hetzelfde onderhoudsbedrijf kiezen. Dat zou iedereen tevredenstellen, zelfs de Zwitserse overheid.

Als inspecteur verdiende Pat O'Day meer dan een gewone FBI-agent, en het was veel leuker werk dan de hele tijd achter een bureau zitten. Toch zat het hem dwars dat hij een groot deel van zijn tijd rapporten zat te lezen die door de agenten of hun secretaresses waren geschreven. Lager geplaatste agenten zochten naar tegenstrijdigheden in de gegevens, al deed hij dat zelf ook nog en maakte hij nauwgezette aantekeningen op zijn eigen schrijfblok, die dan weer door zijn secretaresse tot een rapport werden verwerkt dat naar directeur Murray ging. Echte agenten, geloofde O'Day impliciet, typten niet. Nou ja, dat zouden zijn instructeurs in Quantico waarschijnlijk hebben gezegd. Hij was al vroeg klaar met zijn besprekingen in Buzzard's Point en dacht dat ze hem op zijn kantoor niet meer nodig hadden. Het onderzoek leverde steeds minder op. De 'nieuwe' informatie bestond alleen uit ondervragingen, en dat waren in feite niets dan bevestigingen van bestaande informatie die ze in feite allang hadden bevestigd.

'Ik heb altijd de pest gehad aan dit deel van het werk,' zei Tony Caruso, hoofd FBI-Washington. In dit stadium beschikte het Openbaar Ministerie al over alles wat het nodig had om een veroordeling te krijgen, maar omdat het daar nu eenmaal juristen waren, vonden ze dat je nooit te veel bewijsmateriaal kon hebben, alsof je de meeste kans maakte een schurk veroordeeld te krijgen als de jury zich suf verveelde.

'Nog geen zweem van tegenstrijdige gegevens. Deze zaak is rond, Tony.' De twee mannen waren al jaren vrienden. 'Het wordt tijd dat ik aan iets nieuws en opwindends begin.'
'Geluksvogel. Hoe gaat het met Megan?'
'Nieuwe crèche, vandaag begonnen. Giant Steps, aan Ritchie Highway.'
'Dezelfde,' merkte Caruso op. 'Ja, dat dacht ik al.'
'Huh?'
'De kinderen Ryan... O, jij was hier nog niet toen dat ULA-geteisem toesloeg.'
'Ze heeft niet... De leidster van die crèche heeft niets gezegd over... Nou ja, dat kun je ook niet van haar verwachten, hè?'
'Onze vrienden van de Secret Service zijn nogal gesloten. Ik denk dat ze haar precies hebben verteld wat ze wel mag zeggen en wat niet.'
'En nu helpen daar een paar agenten bij het vingerverven.' O'Day dacht even na. Er was een nieuw personeelslid in de 7-Eleven aan de overkant. Toen hij zijn koffie had gehaald, was het hem opgevallen dat die vent er een beetje te fris uitzag voor dat vroege uur van de morgen. Hm. Morgen zou hij kijken of die vent misschien een wapen had, zoals het personeelslid vast en zeker al bij hem had gedaan. En uit professionele beleefdheid zou hij hem zijn legitimatiebewijs laten zien, samen met een knipoog en een hoofdknikje.
'Een beetje onder hun niveau,' beaamde Caruso. 'Evengoed is het een veilig idee om te weten dat je kind bewaakt wordt.'
'Reken maar, Tony.' O'Day stond op. 'Het wordt trouwens tijd dat ik haar ga ophalen.'
'Typisch zo'n lul van het hoofdkantoor. De achturige werkdag,' mopperde het hoofd van FBI-Washington.
'Jij bent hier degene die naar de top wil, don Antonio.'
Het was altijd een bevrijdend gevoel om je werk achter je te laten. Op de terugweg rook de lucht frisser dan op de heenweg. Hij liep naar zijn wagen en zag dat die niet was opengebroken of gestolen. Dat was het voordeel van zand en modder. Hij trok het jasje van zijn pak uit – O'Day droeg bijna nooit een overjas – en schoot zijn tien jaar oude leren jasje aan, een soort pilotenjasje dat net genoeg versleten was om lekker te zitten. De das ging ook af. Tien minuten later reed hij over Route 50 in de richting van Annapolis, net voor de stroom pendelende ambtenaren uit, met country & western op de radio. Het was die dag erg rustig op de weg. Kort voor het nieuws van het hele uur reed hij het parkeerterrein van Giant Steps op. Ditmaal keek hij uit naar dienstauto's. Bij de Secret Service waren ze er tamelijk handig in om niet op te vallen. Ze hadden zelfs geleerd om niet de voor de hand liggende kleine middenklassers met neutrale kleur te nemen waaraan je zoveel burgerwagens van de politie kon herkennen. Toch zag hij twee van die auto's. Hij parkeerde zelf naast een daarvan, keek naar binnen en zag de radio. Daarna vroeg hij zich af of hij zelf wel goed vermomd was. Hij besloot na te gaan hoe goed zíj waren en realiseerde zich toen meteen dat als ze hun vak ook maar een beetje verstonden, ze zijn gegevens al hadden nagetrokken op grond van de formulieren die hij 's morgens bij

mevrouw Daggett had ingeleverd, en waarschijnlijk al veel eerder. Er heerste nogal wat rivaliteit tussen de FBI en de Secret Service. De eerste organisatie was begonnen met een handvol agenten van de Secret Service, maar was veel groter geworden en had in de loop van de tijd veel meer ervaring in het recherchewerk gekregen. Dat betekende overigens niet dat de Secret Service slecht werk leverde, al waren ze, zoals Tony Caruso naar waarheid had opgemerkt, nogal gesloten. Nou, waarschijnlijk waren ze de beste kinderoppassers ter wereld.

Met de rits van zijn jas dicht liep hij over het parkeerterrein en zag een grote man net binnen de deur staan. Hij besloot zich niet bekend te maken. O'Day liep de man voorbij alsof hij gewoon een van de vaders was die hun hummeltje kwamen ophalen. Eenmaal binnen, hoefde hij alleen maar naar de kleren en de oordopjes te kijken. Ja, twee vrouwelijke agenten in lange jurken, waaronder ze hun SigSauer 9-mm's hadden.

'Papa!' riep Megan uit, en ze sprong meteen overeind. Naast haar zat een ander kind dat op haar leek en ongeveer even oud was. De inspecteur ging naar haar toe en bukte zich om de tekening van de dag te bekijken.

'Pardon.' En hij voelde dat iemand een hand op zijn jasje en op het dienstpistool daaronder legde.

'Je weet wie ik ben,' zei hij zonder zich om te draaien.

'O! Nu wel.' En toen herkende O'Day de stem. Hij draaide zich om naar Andrea Price.

'Gedegradeerd?' Hij keek haar aan. De twee vrouwelijke agenten tussen de kinderen keken ook aandachtig naar hem, want ze hadden de bult van zijn pistool onder zijn leren jasje gezien. Niet slecht, dacht O'Day. Ze hadden goed moeten kijken; het dikke leer vormde een prima camouflage. Allebei hadden ze hun rechterhand vrijgemaakt en de blik in hun ogen zou alleen nonchalant lijken voor wie niet in dat soort dingen getraind was.

'Inspectie. Ik controleer de regelingen voor alle kinderen,' legde ze uit.

'Dit is Katie,' zei Megan om haar nieuwe vriendinnetje voor te stellen. 'En dat is mijn papa.'

'Dag, Katie.' Hij bukte zich weer om haar hand te schudden en richtte zich toen weer op. 'Is ze...?'

'SANDBOX, Amerika's presidentiële kleuter,' bevestigde Price.

'En een aan de overkant?' Eerst het werk.

'Twee. Ze lossen elkaar af.'

'Ze lijkt op haar moeder,' zei Pat over Katie Ryan. En uit beleefdheid haalde hij zijn officiële legitimatiebewijs tevoorschijn en gooide het naar de dichtstbijzijnde agente, Marcella Hilton.

'Zul je een beetje voorzichtig zijn, als je ons op de proef stelt?' vroeg Price.

'Jullie man bij de deur wist dat ik binnenkwam. Hij ziet ernaar uit dat hij al wat langer meeloopt.'

'Don Russell, en dat is zo, maar...'

'Maar "te voorzichtig" bestaat niet,' beaamde inspecteur O'Day. 'Ja, ik geef het toe, ik wilde kijken hoe voorzichtig jullie waren. Hé, mijn dochtertje is hier

ook. Ik denk dat deze crèche nu een doelwit is. Verdomme,' zei hij hardop.
'En zijn we geslaagd?'
'Eén aan de overkant, drie die ik hier kan zien. Ik wed dat er binnen honderd meter afstand nog drie zitten. Moet ik uitkijken naar een Suburban met lange geweren?'
'Kijk maar goed. We hebben ze goed verborgen.' Ze zweeg over de agent in het gebouw die hij niet had gezien.
'Daar twijfel ik niet aan, adjudant Price,' zei O'Day. Hij begreep wat ze bedoelde en keek nog wat om zich heen. Er waren twee verborgen televisiecamera's die kortgeleden moesten zijn geïnstalleerd. Dat verklaarde ook de vage verflucht, die weer verklaarde waarom er geen afdrukken van kleine handjes op de muren te zien waren. Door het gebouw liepen waarschijnlijk net zoveel draden als in een flipperkast. 'Ik moet toegeven dat jullie vrij goed zijn,' zei hij.
'Nog nieuws over de vliegramp?'
Pat schudde zijn hoofd. 'Eigenlijk niet. We hebben vandaag nog wat extra ondervragingen doorgenomen. Er zitten geen noemenswaardige tegenstrijdigheden in. De Canadese politie doet trouwens fantastisch goed werk voor ons. En de Jappen ook. Ik denk dat ze met iedereen hebben gepraat, te beginnen met Sato's kleuterjuf. Ze hebben zelfs twee stewardessen gevonden waar hij iets mee had. Deze zaak is rond, Price.'
'Andrea,' verbeterde ze.
'Pat.' En ze glimlachten allebei.
'Wat heb je op zak?'
'Een Smith 1076. Beter dan dat 9-mm muizendodertje waar jullie mee lopen.' Dat zei hij op een nogal arrogante manier. O'Day geloofde in grote kogelgaten, vandaag alleen in oefendoelen, maar zo nodig in mensen. De Secret Service had zijn eigen wapenbeleid en hij was er zeker van dat de FBI op dat gebied betere ideeën had. Ze hapte niet toe.
'Doe ons een lol en laat de volgende keer je legitimatiebewijs aan de agent bij de deur zien. Het zal niet altijd dezelfde zijn.' Ze vroeg hem niet eens zijn pistool in de auto achter te laten. Verrek, er bestond dus toch nog zoiets als professionele beleefdheid.
'Nou, hoe doet hij het?'
'SWORDSMAN?'
'Dan, directeur Murray, vindt hem geweldig. Ze kennen elkaar al heel lang. Dan en ik ook.'
'Het is een zware baan, maar weet je... Murray heeft gelijk. Ik heb mensen gekend die minder in hun mars hadden. Hij is ook slimmer dan hij laat blijken.'
'Toen ik bij hem was, kon hij goed luisteren.'
'Beter nog, hij stelt vragen.' Ze draaiden zich allebei om, want er begon een kind te krijsen. Ze keken tegelijk en op dezelfde manier de kamer door en richtten hun blik toen weer op de twee kleine meisjes, die kleurpotloden deelden voor hun kunstwerken. 'Zo te zien kunnen die van jou en die van ons goed met elkaar overweg.'

Die van ons, dacht Pat. Dat sprak boekdelen. Die oude kolos bij de deur heette Russell, had ze gezegd. Dat zou de leider van dit escorte zijn en je kon zo zien dat hij een ervaren agent was. Ze zouden wel jongere agenten, twee vrouwen, voor in de crèche hebben gekozen, die vielen minder op. Ze zouden goed zijn, maar niet zo goed als hij. Toch was dat 'ons' het sleutelwoord. Als leeuwinnen rond hun welpen, in dit geval één welp. O'Day vroeg zich af hoe hij dit zou hebben aangepakt. Het zou saai zijn geweest om op die manier de wacht te houden, maar je moest toch op je qui-vive blijven. Dat zou moeilijk zijn. Hij had zelf ook zijn portie 'discrete surveillance' gedaan, wat niet meeviel voor iemand van zijn postuur, maar dit zou veel erger zijn. Toch zag hij met zijn kennersoog meteen het verschil tussen hen en de leidsters van de crèche.
'Andrea, zo te zien zijn jouw mensen goed in hun werk. Waarom zoveel?'
'Ik weet dat we hier overbemand zijn.' Price hield haar hoofd schuin. 'We weten nog niet precies hoe we dit gaan doen. Het was niet mis wat er op het Capitool is gebeurd, weet je. Dat zal ons niet nog eens gebeuren, niet onder mijn wacht, niet zolang ik verantwoordelijk ben voor de escortes, en als de pers daar moeilijk over doet, kan me dat niks verdommen.' Ze praatte zelfs als iemand van de politie.
'Andrea, ik vind het prima. Nou, als je het goedvind, ga ik nu naar huis om macaroni met kaas te maken.' Hij keek omlaag. Megan was zo ongeveer klaar met haar meesterwerk. De twee kleine meisjes waren moeilijk uit elkaar te houden, in elk geval voor iemand die niet goed keek. Dat was een beetje zorgwekkend, maar het was ook de reden waarom de Secret Service hier was.
'Waar oefenen jullie?' Hij hoefde niet te zeggen wat voor oefeningen hij bedoelde.
'Er is een schietbaan in het oude postkantoor, goed bereikbaar vanuit het Witte Huis. Elke week,' zei ze. 'Er is geen agent die geen scherpschutter is en Don kan het tegen iedereen opnemen.'
'O ja?' O'Days ogen twinkelden. 'Dat zullen we nog eens zien.'
'Bij jou of bij mij?' vroeg Price met zelf ook een twinkeling in haar ogen.

'Meneer de president, meneer Golovko op drie.' Dat was de directe lijn. Sergej Nikolajevitsj mocht graag dik doen.
Jack drukte op de knop. 'Ja, Sergej?'
'Iran.'
'Ik weet het,' zei de president.
'Hoeveel?' vroeg de Rus, die zijn koffers al had gepakt om naar huis te gaan.
'Over een dag of tien weten we het zeker.'
'Goed. Ik bied jullie onze samenwerking aan.'
Dit begint een slechte gewoonte te worden, dacht Jack, maar het was iets waarover je altijd eerst even moest nadenken. 'Ik zal het met Ed Foley bespreken. Wanneer ga je weer naar huis?'
'Morgen.'
'Bel me dan.' Het verbaasde hem dat hij zo efficiënt met een vroegere vijand

kon spreken. Zo zou hij het Congres moeten africhten, dacht hij glimlachend. Hij stond van zijn bureau op en ging naar het secretariaat. 'Ik wil wel een hapje eten voor mijn volgende afspraak...'
'Dag, meneer de president,' zei Price. 'Hebt u een minuutje?'
Ryan liet haar binnenkomen, terwijl zijn tweede secretaresse de keuken belde.
'Ja?'
'Ik wilde u alleen vertellen dat ik de beveiliging van uw kinderen heb gecontroleerd. Alles is in orde.' Als de president daar blij mee was, liet hij dat niet blijken, dacht Andrea. Maar dat was begrijpelijk. Hé, we hebben genoeg lijfwachten op uw kinderen gezet. Wat een wereld was het. Twee minuten later sprak ze met Raman, die naar huis zou gaan nadat hij sinds vijf uur 's morgens dienst had gehad in het Witte Huis. Zoals gewoonlijk was er niets te melden. Het was een rustige dag geweest in het Witte Huis.
De jongere agent liep naar zijn auto en reed naar de poort, waar hij zijn pasje aan de bewakers liet zien en wachtte tot het hek openging. Dat hek werd op zijn plaats gehouden door een dertig centimeter dikke paal en leek sterk genoeg om een vuilniswagen tegen te houden. Vervolgens manoeuvreerde hij langs de betonnen barrières op Pennsylvania Avenue, die tot voor kort een openbare weg was geweest. Hij sloeg af in de richting van Georgetown, waar hij een appartement had, maar ditmaal ging hij niet helemaal naar huis. In plaats daarvan reed hij Wisconsin Avenue op en daarna ging hij weer rechtsaf om te parkeren.
Het was eigenlijk wel grappig dat de man een tapijthandelaar was. Veel Amerikanen dachten dat de Iraniërs allemaal terroristen, tapijthandelaren of onbeleefde artsen waren. Deze Iraniër had Perzië – maar de meeste Amerikanen brachten Perzische kleedjes niet met Iran in verband, alsof het twee afzonderlijke naties waren – meer dan vijftien jaar geleden verlaten. Aan zijn muur had hij een foto van zijn zoon, die in de Iraaks-Iraanse oorlog was omgekomen, zoals hij iedereen vertelde die ernaar vroeg. Dat was waar. Aan mensen die belangstelling toonden, vertelde hij ook dat hij de regering van zijn vroegere land haatte. Dat was niet waar. Hij was een 'slapende' agent van Iran. Hij had nooit in contact gestaan met iemand die zelfs maar indirect met Teheran in verband stond. Misschien waren zijn antecedenten nagetrokken. Waarschijnlijk niet. Hij was nergens lid van, liep niet mee in demonstraties, protesteerde nooit tegen iets en bemoeide zich met niets anders dan zijn welvarende onderneming. Net als Raman ging hij niet eens naar een moskee. Hij had Raman trouwens nooit eerder ontmoet. Toen de man door de voordeur binnenkwam, vroeg hij zich alleen af in welke van zijn vele handgeknoopte tapijten de man geïnteresseerd zou zijn. In plaats daarvan keek zijn bezoeker eerst of er verder niemand in de winkel was en toen liep hij rechtstreeks naar de toonbank.
'Die foto aan de muur. Hij lijkt op u. Uw zoon?'
'Ja,' antwoordde de man met een droefheid die hem nooit verliet, ondanks alle beloften van het paradijs. 'Hij is in de oorlog omgekomen.'
'In dat conflict zijn veel zoons omgekomen. Was hij een vrome jongen?'

'Doet dat er nu nog iets toe?' vroeg de koopman, die met zijn ogen knipperde.
'Het doet er altijd toe,' zei Raman met een volkomen nonchalante stem.
Na die woorden liepen de beide mannen naar de dichtstbijzijnde van twee stapels tapijten. De handelaar sloeg een paar hoeken op.
'Ik ben op de positie. Ik vraag om instructies over het tijdstip.' Raman had geen codenaam. Er waren maar drie mensen die de codewoorden kenden die hij zojuist had uitgesproken. De koopman wist verder niets, behalve dat hij de twaalf woorden die hij zojuist had gehoord, voor iemand anders moest herhalen. Vervolgens moest hij op een antwoord wachten en dat doorgeven.
'Wilt u een kaartje invullen voor mijn klantenlijst?'
Raman deed het. Hij noteerde de naam en het adres van een echt bestaande persoon. Hij had de naam uit het telefoonboek gehaald, of beter gezegd, uit een gids op nummervolgorde in het Witte Huis, zodat hij gemakkelijk een nummer kon kiezen dat maar één cijfer van het zijne verschilde. Met een streepje boven het zesde cijfer vertelde hij de handelaar waar hij één bij drie moest optellen om vier te krijgen en zo het nummer compleet te krijgen. Het was een erg goede truc, die zijn Savak-instructeur meer dan twintig jaar geleden van een Israëli had geleerd en nooit had vergeten, zoals geen van beide mannen uit de heilige stad Qum ooit veel had vergeten.

22

Tijdzones

De omvang van de aarde en de geografische posities van de brandhaarden leidden tot grote problemen. Amerika ging slapen als andere delen van de wereld aan een nieuwe dag begonnen. Daar kwam nog bij dat de mensen die acht of negen uur voor de boeg hadden, ook degenen waren die beslissingen namen waarop de rest van de wereld moest reageren. Bovendien had de CIA, de geduchte Amerikaanse inlichtingendienst, weinig mensen die konden voorspellen wat er gebeurde. Dat betekende dat STORM TRACK en PALM BOWL weinig meer konden melden dan wat de plaatselijke pers en televisiestations te vertellen hadden. Terwijl de Amerikaanse president sliep, deden andere mensen hun best om informatie te verzamelen en te analyseren, die hem pas een werkdag later onder ogen kwam, terwijl het nog maar de vraag was of de analyse accuraat was. En verder waren de beste spionnen in Washington meestal te hoog geplaatst om nachtdienst te hoeven doen – per slot van rekening hadden ze ook een gezin – en moesten ze ook op de hoogte worden gebracht voordat ze hun eigen uitspraken konden doen. Met dat alles waren veel besprekingen en discussies gemoeid, waardoor het nog langer duurde voordat belangrijke veiligheidsinformatie aan de president werd voorgelegd. In militaire termen heette dat 'het initiatief hebben': de eerste stap zetten, in fysiek, politiek en psychologisch opzicht. Het was altijd gunstig als de andere kant acht uur later aan de dag begon.

Dat probleem was minder groot in Moskou, dat maar een uur op Teheran achter lag en dezelfde tijd had als Bagdad, maar bij wijze van uitzondering verkeerde de RVS, de opvolger van de KGB, in dezelfde ongelukkige positie als de CIA: haar netwerken in beide landen waren nagenoeg weggevaagd. Voor Moskou lagen de problemen ook een beetje dichter bij huis, zoals Sergej Golovko zou ontdekken toen zijn vliegtuig op Sjeremetyevo landde.

Het grootste probleem van dit moment zou de verzoening zijn. De ochtendtelevisie in Irak maakte bekend dat de nieuwe regering in Bagdad aan de Verenigde Naties had laten weten dat alle internationale inspectieteams de volledige vrijheid kregen om alle installaties in het land te bezoeken. Ze zouden daarbij niet worden gehinderd. Sterker nog: Irak wilde graag dat de inspecties zo spoedig mogelijk werden uitgevoerd. Mochten ze nog speciale verzoeken hebben, dan zou de Iraakse overheid alle medewerking verlenen. De nieuwe regering in Bagdad wilde alle obstakels voor een volledig herstel van de internationale handel met haar land zo snel mogelijk wegnemen. De naburige staat Iran, zo luidde de bekendmaking op de televisie, zou beginnen levensmiddelen aan te voeren, in overeenstemming met eeuwenoude islamitische voorschriften voor hulp aan mensen in nood. Daarmee, werd gezegd, liep Iran vooruit op de bereidheid van Irak om weer deel uit te maken van de wereldgemeenschap. Op videobeelden, in PALM BOWL van Basra-TV overgenomen, was het eerste konvooi vrachtwagens te zien dat graan aanvoerde over de bochtige Shahabad-weg en dat aan de voet van de bergen die de twee landen scheidden, op Iraaks grondgebied kwam. Op andere beelden waren Iraakse grenswachten te zien die hun versperringen weghaalden en de vrachtwagens lieten doorrijden, terwijl hun Iraanse collega's rustig langs de weg stonden aan hun kant van de grens. Er waren nergens wapens te zien.

Op Langley maakte men berekeningen van het aantal vrachtwagens, het volume van de lading en het aantal broden dat daarvan gebakken kon worden. Ze kwamen tot de conclusie dat er scheepsladingen graan moesten worden aangevoerd om een meer dan symbolisch effect te hebben. Maar symbolen waren nu eenmaal belangrijk en de schepen werden op datzelfde moment beladen, zoals de satellietcamera's registreerden. VN-functionarissen in Genève, dat maar drie tijdzones achter lag, reageerden verheugd op de Iraakse verzoeken en gaven meteen opdrachten aan hun inspectieteams. De teams zagen tot hun verbazing dat er Mercedessen voor hen klaarstonden. Ze werden door politiewagens met sirene naar de eerste installatie van hun inspectielijst gebracht. Daar troffen ze vriendelijke cameraploegen aan die met hen mee gingen, en vriendelijk installatiepersoneel, dat blij was nu eindelijk alles te kunnen vertellen. De personeelsleden kwamen zelf met suggesties over de manier waarop de fabriek van chemische wapens, vermomd als insecticidenfabriek, kon worden ontmanteld. Ten slotte vroeg Iran om een speciale bijeenkomst van de Veiligheidsraad over een eventuele opheffing van de resterende handelssancties, iets wat even zeker was als het opkomen van de zon boven de Amerikaanse oostkust, hoe laat dat ook zou gebeuren. Binnen veertien dagen zou de gemiddelde Irakees minstens vijfhonderd calorieën per dag meer te eten hebben. De psychologische betekenis was volkomen duidelijk. Het land dat het voortouw nam bij het herstel van het olierijke maar geïsoleerde land was de voormalige vijand Iran, dat zoals altijd de religie aanhaalde als motief om hulp te bieden.

'Morgen krijgen we beelden van brood dat gratis wordt uitgedeeld in moskeeën,' voorspelde majoor Sabah. Hij zou ook kunnen vertellen welke passages uit de koran tijdens die beelden zouden worden opgelezen, maar zijn Amerikaanse collega's waren geen islamgeleerden en de ironie zou niet aan hen besteed zijn.

'Wat is uw schatting?' vroeg een Amerikaanse officier.

'De twee landen zullen samengaan,' antwoordde Sabah nuchter. 'Binnen korte tijd.'

Niemand hoefde nog te vragen waarom de resterende Iraakse wapenfabrieken aan de inspecteurs werden getoond. Iran had al alles wat het nodig had.

Er bestond niet zoiets als magie. Dat was maar een woord waarmee mensen dingen verklaarden die zo handig gedaan waren dat er geen uitleg voor mogelijk was. De simpelste techniek die de beoefenaren van de magie gebruikten, was dat ze het publiek met een bewegende en duidelijk zichtbare hand (meestal in een witte handschoen) afleidden, terwijl de andere hand iets anders deed. Zo ging het ook met landen. Terwijl de vrachtwagens reden, de schepen werden beladen en de diplomaten werden opgeroepen en Amerika zich bij het wakker worden afvroeg wat er aan de hand was, werd het avond in Teheran.

Badrayns contacten waren nog even nuttig als altijd, en wat hij niet kon, kon Daryaei. Het zakenvliegtuig steeg op van Teheran en zette koers in oostelijke richting. Het vloog eerst over Afghanistan, toen over Pakistan. Het was een twee uur durende vlucht die eindigde in de onbekende stad Rutog bij de grens tussen China, India en Kashmir. De stad lag in het Kunlun-gebergte van het eerstgenoemde land en was de woonplaats van een deel van de Chinese moslimbevolking. Het grensstadje had een luchtmachtbasis met een aantal MIG-jagers van binnenlands fabrikaat en één landingsbaan. Dat alles was afgescheiden van het kleine civiele vliegveld van de stad. Het was een ideale locatie voor alle doeleinden. Het lag duizend kilometer van New Delhi vandaan, al kwam de langste vlucht vreemd genoeg uit Beijing op meer dan drieduizend kilometer afstand, terwijl Rutog toch in China lag. De drie toestellen landden kort na zonsondergang enkele minuten na elkaar, taxieden naar het eind van de baan en stopten daar. Militaire voertuigen brachten drie inzittenden naar het

wachtlokaal voor het plaatselijke MIG-contingent. Ayatollah Mahmoud Haji Daryaei was een schonere omgeving gewend en rook bovendien de lucht van varkensvlees, dat altijd al door de Chinezen gegeten was maar hem misselijk maakte. Hij zette dat uit zijn hoofd. Hij was niet de eerste gelovige die met heidenen en ongelovigen te maken kreeg.
De Indiase premier was hartelijk. Ze had Daryaei al eens op een regionale handelsconferentie ontmoet en had toen gevonden dat hij terughoudend en misantropisch was. Wat dat betrof, was hij niet veel veranderd, constateerde ze.
De laatste die arriveerde, was Zhang Han San, die de Indiase premier ook al eerder had ontmoet. Hij was een dikke en naar het leek ook opgewekte man, tot je goed naar zijn ogen keek. Zelfs zijn grappen vertelde hij alleen om iets over zijn metgezellen aan de weet te komen. Van de drie was hij de enige van wie de anderen niet precies wisten wat voor functie hij bekleedde. Toch was duidelijk dat hij met gezag sprak, en aangezien zijn land het machtigste van de drie was, vond niemand het beledigend dat een eenvoudige minister zonder portefeuille met staatshoofden beraadslaagde. Nadat Zhang de officier had weggestuurd die de begroetingen had geregeld, werd er Engels gesproken.
'Neemt u mij niet kwalijk dat ik hier niet was toen u aankwam. Deze... onregelmatigheid in het protocol is erg betreurenswaardig.' De thee werd opgediend, samen met enkele hapjes. Er was ook geen tijd geweest om een echte maaltijd klaar te maken.
'Geenszins,' zei Daryaei. 'Snelheid brengt nu eenmaal ongemak met zich mee. Ik voor mij ben u erg dankbaar omdat u bereid bent mij onder zulke bijzondere omstandigheden te ontmoeten.' Hij keek de premier aan. 'En ik ben u ook dankbaar, mevrouw de premier, omdat u wilde komen. Gods zegen rust op deze bespreking,' besloot hij.
'Mijn gelukwensen met de ontwikkelingen in Irak,' zei Zhang, die zich afvroeg of het initiatief nu helemaal bij Daryaei lag, omdat die zo behendig de indruk had gewekt dat hij deze bijeenkomst had georganiseerd. 'U moet wel erg tevreden zijn, na zoveel jaren van tweedracht tussen uw twee naties.'
Ja, dacht India, terwijl ze een slokje van haar thee nam. Wat handig van jou om de man op zo'n gunstig moment te doden. 'Wat kunnen we voor u doen?' vroeg ze. Met die woorden liet ze het initiatief helemaal aan Daryaei en Iran. Zhang liet niets van zijn ergernis blijken.
'U hebt die Ryan kortgeleden ontmoet. Ik ben benieuwd naar uw indruk.'
'Een kleine man met een grote baan,' antwoordde ze meteen. 'Neem bijvoorbeeld de toespraak die hij op de begrafenis hield. Die zou meer op zijn plaats zijn geweest bij een kleine familieplechtigheid. Van een president wordt iets meer verwacht. En later, op de receptie, maakte hij een nerveuze indruk, en zijn vrouw is arrogant... ze is arts, weet u. Die zijn dat vaak.'
'Ik vond dat hij niet veranderd was sinds ik hem enkele jaren geleden ontmoette,' beaamde Daryaei.
'En toch regeert hij over een groot land,' merkte Zhang op.

'O ja?' vroeg Daryaei. 'Is Amerika nog groot? Want waar komt de grootheid van een land anders uit voort dan uit de kracht van zijn leiders?' En dat, wisten de andere twee meteen, stond nu op de agenda.

'Jezus,' fluisterde Ryan in zichzelf, 'het is hier eenzaam.' Die gedachte kwam steeds weer in hem op, vooral wanneer hij alleen in dit kantoor met zijn gebogen wanden en zeven centimeter dikke deuren zat. Hij had zijn leesbril nu de hele tijd op – een advies van Cathy – maar dat maakte zijn hoofdpijn nauwelijks minder erg. Niet dat hij vroeger niet veel had gelezen. Alle functies die hij de afgelopen vijftien jaar had gehad, hadden veel leeswerk met zich meegebracht. Maar die aanhoudende hoofdpijn was iets nieuws. Zou hij er met Cathy of een andere arts over moeten praten? Nee. Ryan schudde zijn hoofd. Het was maar stress en hij moest ermee leren leven.

Ja, het is maar stress. En kanker is maar een ziekte.

Momenteel hield hij zich bezig met politiek. Hij las een rapport dat was opgesteld door politieke medewerkers aan de overkant van de straat. Het was grappig, zij het niet echt geruststellend, dat ze niet wisten wat ze hem moesten adviseren. Ryan had nooit tot een politieke partij behoord. Hij had zich altijd als onafhankelijke in het kiezersregister ingeschreven. Dat had hem veel verzoekbrieven van de georganiseerde partijen bespaard, al hadden hij en Cathy op hun belastingaangifte altijd het vakje aangestreept om één dollar aan de politieke partijen bij te dragen. Maar de president werd niet alleen geacht lid van een partij te zijn: hij moest ook de leider van die partij zijn. De partijen waren nog erger onthoofd dan de regering. Ze hadden elk nog een voorzitter, maar die wisten geen van beiden wat ze moesten doen. Een paar dagen lang was aangenomen dat Ryan lid was van dezelfde partij als Roger Durling. De werkelijkheid was pas enkele dagen eerder door de pers ontdekt en toen had het hele establishment in Washington 'oh' en 'ah' geroepen. Voor de ideologische kenners van de hoofdstad was het net zoiets als wanneer iemand wilde weten wat twee plus twee was en uiteindelijk op het antwoord 'Chartreuse' kwam. Het rapport dat hij nu in handen had, was voorspelbaar chaotisch, het product van een stuk of vier professionele analisten. Je kon zien wie de verschillende alinea's hadden geschreven. Het resultaat was een touwtrekwedstrijd die alle kanten op kon. Zelfs zijn eigen inlichtingenmensen konden het beter, zei Jack tegen zichzelf. Hij gooide het papier in het UIT-bakje en verlangde voor de zoveelste keer naar een sigaret. Dat kwam ook door de stress, wist hij.

Maar hij moest nog campagne voeren, al wist hij zelf niet precies wat daarmee werd bedoeld, of op zijn minst toespraken houden. Of zoiets. Daar was het rapport ook niet helemaal duidelijk over geweest. Nadat hij zichzelf al in de vingers had gesneden met zijn uitspraken over abortus – meer naar boven en in het midden, had Arnie van Damm de vorige dag gezegd om zijn eerdere les kracht bij te zetten – zou Ryan nu zijn politieke mening over een heleboel kwesties moeten geven: van abortus aan het ene eind van het alfabet tot werk-

gelegenheid aan het andere eind, met belastingen, positieve discriminatie, het milieu en God wist wat nog meer daartussenin. Als hij eenmaal had besloten welk standpunt hij in die aangelegenheden innam, zou Callie Weston een serie toespraken voor hem schrijven en die moest hij dan in het hele land gaan houden, van Seattle tot Miami en alles daartussenin. Hawaii en Alaska hoefden niet, want dat waren kleine staten met weinig politiek belang, en ze lagen in ideologisch opzicht ook mijlen ver uiteen. Ze zouden de zaken alleen maar verwarrend maken, stond in het rapport.
'Waarom kan ik niet gewoon hier in dit kantoor mijn werk doen, Arnie?' vroeg Ryan toen zijn stafchef binnenkwam.
'Omdat daar buiten het werk is, president.' Van Damm ging zitten om aan de volgende les in presidentschap te beginnen. 'Zoals jij het stelt: "Het is een leiderschapsfunctie"... heb ik dat goed begrepen?' vroeg Arnie met een cynisch lachje. 'En leiderschap betekent dat je je onder de troepen mengt, of in dit geval de burgers. Is dat duidelijk, meneer de president?'
'Geniet jij hiervan?' Jack deed zijn ogen dicht en wreef erover onder zijn brillenglazen. Hij had ook de pest aan die rotbril.
'Ongeveer net zoveel als jij.' En dat was erg redelijk.
'Sorry.'
'De meeste presidenten zijn blij dat ze even aan dit museum kunnen ontsnappen en onder echte mensen komen. Natuurlijk maakt het mensen als Andrea nerveus. Die vinden waarschijnlijk ook dat je het beste hier kunt blijven. Maar het voelt al aan als een gevangenis, nietwaar?' vroeg Arnie.
'Alleen wanneer ik wakker ben.'
'Ga er dan uit. Ontmoet mensen. Zeg tegen ze wat je denkt, zeg tegen ze wat je wilt. Ach, misschien luisteren ze ook nog. Misschien vertellen ze je wat zíj denken en misschien kun jij daar iets van leren. Hoe dan ook: je kunt geen president zijn zonder het te doen.'
Jack pakte het rapport op dat hij net had uitgelezen. 'Heb jij dit gelezen?'
Arnie knikte. 'Ja.'
'Het is verwarrend gewauwel,' zei Ryan verrast.
'Het is een politiek document. Sinds wanneer is politiek consistent of helder?' Hij zweeg even. 'De mensen met wie ik de afgelopen twintig jaar heb gewerkt, kregen dit soort dingen met de moedermelk ingegoten... of nee, het waren waarschijnlijk allemaal flessenbaby's.'
'Wat?'
'Vraag het maar aan Cathy. Dat is een van die gedragstheorieën, dat New Age-gedoe dat pretendeert alles over alles voor iedereen te kunnen verklaren. Politici zijn allemaal flessenbaby's. Mammie heeft ze nooit de borst gegeven en ze hebben nooit een echte band met hun moeder gehad. Ze voelen zich afgewezen en om compensatie te zoeken gaan ze toespraken houden en vertellen ze mensen op verschillende plaatsen de verschillende dingen die ze willen horen, opdat ze van vreemden de liefde en toewijding krijgen die ze niet van hun moeder hebben gekregen, om nog maar te zwijgen van de types als Keal-

ty, die de hele tijd van bil gaan. Baby's die de borst hebben gekregen daarentegen groeien op en worden... eh, artsen, bijvoorbeeld, of misschien rabbijnen...'

'Hou op!' schreeuwde de president bijna uit. Zijn stafchef grijnsde alleen maar.

'Je trapte er echt even in, hè? Zeg,' ging Van Damm verder, 'ik weet nu ook wat we zijn vergeten toen we dit land opbouwden.'

'Goed, vertel maar,' zei Jack, zijn ogen nog dicht, genietend van de humor. Die Arnie wist het mooi te vertellen.

'Een hofnar. Dat zou een kabinetspost moeten zijn. Je weet wel, een dwerg – sorry, een mannelijk persoon met een ongewoon lage verticaliteit – in bont tricot en met een gekke muts met bellen eraan. Je geeft hem een krukje in de hoek – o, hier heb je geen hoeken, maar dat doet er niet toe – en ieder kwartier of zo rent hij naar je bureau en schudt met zijn bellen om je eraan te herinneren dat jij net zo goed van tijd tot tijd moet pissen als wij allemaal. Snap je het nu, Jack?'

'Nee,' gaf de president toe.

'Stomkop! Dit werk kan leuk zijn! Naar buiten gaan en met de mensen praten kan leuk zijn! Het is belangrijk dat je hoort wat ze belangrijk vinden, maar het is ook ontspannend. Ze willen erg graag van je houden, Jack. Ze willen je steunen. Ze willen weten wat je denkt. Ze willen vooral het gevoel hebben dat jij een van hen bent... en weet je wat? Jij bent de eerste president in een hele lange tijd die dat inderdaad is! Dus kom achter dat bureau vandaan, zeg tegen de luchtverkenners dat ze de Grote Blauwe Vogel moeten opstarten en speel het spelletje mee.' Hij hoefde er niet bij te vertellen dat het schema al helemaal vaststond en dat Ryan er toch niet meer onderuit kon.

'Niet iedereen zal blij zijn met wat ik zeg en geloof, Arnie, en ik verdom het om tegen mensen te liegen voor extra stemmen of weet ik veel waarvoor.'

'Je verwacht dat ze allemaal van je houden?' vroeg Van Damm, weer met een cynisch gezicht. 'De meeste presidenten nemen genoegen met eenenvijftig procent. Menig president haalde dat lang niet. Ik heb je de huid volgescholden toen je die verklaring over abortus had afgelegd, waarom? Omdat je verklaring verward was.'

'Nee, dat was niet zo. Ik...'

'Ga je nog luisteren naar je leraar of niet?'

'Ga verder,' zei de president.

'Om te beginnen stemt zo'n veertig procent van de mensen Democratisch. Ongeveer veertig procent stemt Republikeins. Van die tachtig procent zouden de meesten nog niet op de andere partij overstappen als Adolf Hitler het opnam tegen Abraham Lincoln, of tegen Franklin Delano Roosevelt, als ze van de andere partij zijn.'

'Maar waarom...'

Ergernis: 'Waarom is de lucht blauw, Jack? Dat ís gewoon zo, nietwaar? Ook als je kunt uitleggen waarom, en een astronoom zal heus wel een reden kun-

nen noemen: de lucht is blauw, en dat moeten we gewoon maar accepteren. Zo blijft twintig procent van de mensen over. Dat zijn de zwevende kiezers. Misschien zijn het echte onafhankelijken, zoals jij. Die twintig procent beslist over het lot van het land, en als je wilt dat de dingen gaan zoals jij wilt, zijn dat de mensen tot wie je moet doordringen. En nu komt het grappige. Het kan die twintig procent niet zoveel schelen wat je denkt.' Die woorden werden met een wrang glimlachje uitgesproken.
'Wacht eens even...'
Arnie stak zijn hand op. 'Je moet de leraar niet steeds in de rede vallen. De harde tachtig procent die altijd op dezelfde partij stemt, interesseert zich niet veel voor je persoon. Ze stemmen op een partij omdat ze in de filosofie van die partij geloven... of omdat hun ouders al op die partij stemden; de reden doet er eigenlijk niet toe. Het is nu eenmaal zo. Het is een feit. Daar moet je mee leven. Nou, om terug te komen op de twintig procent die er wél toe doet. Die interesseren zich minder voor wat je gelooft dan voor jouzelf. Dat is je voordeel, meneer de president. Politiek gezien hoor je net zomin in dit kantoor thuis als een kleuter in een wapenwinkel, maar je hebt een sterke persoonlijkheid. Daar gaan we op inspelen.'
Ryan fronste zijn wenkbrauwen bij dat 'inspelen', maar hield ditmaal zijn mond. Hij knikte en de stafchef ging verder.
'Je vertelt de mensen gewoon wat je gelooft. Maak het eenvoudig. Voor goede ideeën heb je nooit veel woorden nodig. Maak het consistent. Die twintig procent wil geloven dat jij echt gelooft in wat je zegt. Jack, heb jij respect voor iemand die zegt wat hij gelooft, zelfs als je het niet met hem eens bent?'
'Natuurlijk, dat is wat...'
'... wat een man geacht wordt te doen,' maakte Arnie voor hem af. 'Die twintig procent heeft daar ook respect voor. Ze zullen respect voor jou hebben en je steunen, al zijn ze het in sommige gevallen niet met je eens. Waarom? Omdat ze weten dat je een man van je woord bent. En ze willen dat degene die in dit kantoor zit een man met karakter en integriteit is. Want als er stront aan de knikker komt, kun je ervan op aan dat zo iemand op zijn minst zal proberen iets goeds te doen.'
'O.'
'De rest is een kwestie van verpakking. En doe nou maar denigrerend over verpakking. Het kan echt geen kwaad om je ideeën goed uit te dragen. In het boek dat je over admiraal Halsey hebt geschreven, *Fighting Sailor*, koos je je woorden toch ook met zorg om je ideeën naar voren te brengen?' De president knikte. 'Zo is het ook met deze ideeën... ach, deze ideeën zijn zelfs nog belangrijker en daarom moet je ze extra goed verpakken, nietwaar?' Het leerplan verliep goed, vond de stafchef.
'Arnie, met hoeveel van die ideeën zul jij het eens zijn?'
'Niet met allemaal. Ik ben het niet met je eens over abortus, want ik vind dat een vrouw het recht moet hebben om te kiezen. Ik wed dat jij en ik het ook oneens zijn over positieve discriminatie en een heleboel andere dingen, maar

weet je, meneer de president, ik heb nooit aan je integriteit getwijfeld. Ik kan je niet vertellen wat je moet geloven, maar je kunt goed luisteren. Ik hou van dit land, Jack. Mijn familie is uit Nederland ontsnapt en met een boot het Kanaal overgestoken toen ik drie jaar oud was. Ik kan me nog herinneren dat ik op die boot stond te kotsen.'
'Je bent joods?' vroeg Jack verrast. Hij had geen idee of Arnie tot een kerkgenootschap behoorde.
'Nee, mijn vader zat in het verzet en werd verraden door een verklikker. We konden nog net wegkomen, anders zou hij zijn gefusilleerd en dan zouden mijn moeder en ik in een concentratiekamp terecht zijn gekomen. Het heeft de rest van de familie ook geen goed gedaan. Hij heette Willem en na de oorlog besloot hij naar Amerika te gaan. In mijn jeugd hoorde ik steeds weer over Nederland, en over de verschillen tussen Europa en Amerika. Ik ben dit werk gaan doen omdat ik het Amerikaanse systeem wil beschermen. Wat maakt Amerika anders? De grondwet, denk ik. Mensen veranderen, regeringen veranderen, ideologieën veranderen, maar de grondwet blijft ongeveer hetzelfde. Jij en Pat Martin hebben allebei een eed afgelegd. Ik ook,' ging Van Damm verder. 'Ik hoef het niet over alles met je eens te zijn, Jack. Ik weet dat je zult proberen het juiste te doen. Dan is het mijn baan om je te beschermen, opdat je dat kunt doen. Dat betekent dat je moet luisteren en dat je soms dingen moet doen die je niet aanstaan, maar de baan die je hebt, meneer de president, heeft zijn eigen regels. Daar moet je je aan houden,' besloot de stafchef.
'Hoe doe ik het tot nu toe, Arnie?' vroeg Ryan, die nu de grootste les van de hele week te verstouwen kreeg.
'Niet slecht, maar het moet nog beter. Kealty vormt geen echte bedreiging voor ons, maar hij is wel irritant. Als je naar buiten gaat en je presidentieel gedraagt, dring je hem nog meer op de achtergrond. En nu iets anders. Zodra je naar buiten komt, zullen mensen je naar je herverkiezing gaan vragen. Wat ga je dan zeggen?'
Ryan schudde nadrukkelijk met zijn hoofd. 'Ik wil deze baan niet, Arnie. Laat iemand anders het maar overnemen wanneer...'
'In dat geval heb je het verknald. Dan neemt niemand je nog serieus. Dan krijg je niet de mensen in het Congres die je daar wilt hebben. Dan lukt het je nooit om de dingen te doen waar je aan denkt. Dan ben je politiek machteloos. Amerika kan zich dat niet veroorloven. Buitenlandse regeringen... en daar zitten politici in, vergeet dat niet... zullen je niet serieus nemen, en dát heeft gevolgen voor onze nationale veiligheid, zowel onmiddellijk als op de lange termijn. Nou, wat zeg je dus als journalisten je die vraag stellen?'
De president voelde zich net een schooljongen die zijn vinger opstak. 'Ik heb nog geen besluit genomen?'
'Juist. Je bent nu bezig de regering weer op poten te zetten, en je eventuele herverkiezing komt later aan de orde. Ik zal laten uitlekken dat je erover denkt president te blijven, dat je dat als je eerste plicht ten opzichte van het land ziet, en als verslaggevers ernaar vragen, herhaal je alleen je oorspronkelijke stand-

punt. Op die manier zend je een signaal uit dat buitenlandse regeringen begrijpen en serieus nemen. En het Amerikaanse volk zal het ook begrijpen en respecteren. In de presidentiële voorverkiezingen zullen beide partijen trouwens niet de marginale kandidaten kiezen die niet in het Capitool zijn omgekomen. Ze zullen op nieuwe mensen stemmen. Misschien is het zelfs goed als je daar verklaringen over aflegt. Ik zal dat met Callie bespreken.' Hij vertelde er niet bij dat de media het prachtig zouden vinden. Twéé politieke conventies waarbij de uitslag niet van tevoren vaststond: daarvan hadden de meesten nooit durven dromen. Arnie hield het zo eenvoudig mogelijk. Welke standpunten Ryan ook innam, minstens veertig procent van de bevolking zou er altijd meteen bezwaar tegen hebben, en waarschijnlijk nog wel meer. Het gekke aan die twintig procent waar hij het steeds over had, was dat ze het hele politieke spectrum bestreken, en net als hij gaven ze minder om ideologie dan om persoonlijkheid. Sommigen van hen zouden luidkeels protesteren en zouden daardoor niet te onderscheiden zijn van de veertig procent die hetzelfde ideologische standpunt innam, maar uiteindelijk zouden ze toch op hem stemmen. Dat deden ze altijd. Het waren eerlijke mensen, die hun land boven hun vooroordelen stelden, maar ze namen nu eenmaal deel aan een proces waarbij in alle eerlijkheid mensen werden gekozen die minder eerzaam waren dan hun kiezers. Ryan greep de kans die zich voordeed nog niet aan, en waarschijnlijk was het ook beter van niet, want als hij er te veel over nadacht, zou hij proberen het proces te beheersen, en dat zou hem nooit goed lukken. Zelfs eerzame mensen konden fouten maken; Ryan was daar geen uitzondering op. Daarom waren er mensen als Arnold van Damm, mensen die hen de ins en outs van het systeem bijbrachten. Hij keek naar zijn president en zag dat die door al deze nieuwe gedachten enigszins in verwarring was gebracht. Jack probeerde er iets van te begrijpen en waarschijnlijk zou hem dat ook wel lukken, want hij kon goed luisteren en ook goed informatie verwerken. Toch zou hij niet alle consequenties overzien. Alleen Arnie en misschien Callie Weston konden zo ver in de toekomst kijken. In de afgelopen weken was Van Damm tot de conclusie gekomen dat Ryan het in zich had om een echte president te worden. Het was zijn taak als stafchef om te zorgen dat Ryan president bleef.

'Dat kunnen we niet doen,' protesteerde de Indiase premier, en ze gaf toe: 'De Amerikaanse marine heeft ons kortgeleden nog een lesje geleerd.'
'Dat was een harde les,' beaamde Zhang. 'Maar er is geen blijvende schade aangericht. Ik denk dat de schade aan uw schepen over veertien dagen hersteld is.' De premier keek op toen ze dat hoorde. Ze had dat zelf nog maar een paar dagen eerder gehoord. De reparaties zouden een aanzienlijk beslag op het jaarlijkse operationele budget van de Indiase marine leggen, iets waarover ze zich zorgen maakte. Het gebeurde niet elke dag dat een buitenlandse mogendheid, vooral een land waartegen haar land ooit oorlog had gevoerd, liet weten dat het tot de regering van een ander land was doorgedrongen.
'Amerika is een façade, een reus met een ziek hart en beschadigde hersenen,'

zei Daryaei. 'Dat hebt u ons zelf verteld, mevrouw de premier. President Ryan is een kleine man met een grote baan. Als we zijn werk moeilijker en moeilijker maken, is Amerika niet meer in staat ons in de wielen te rijden. Die situatie kan voortduren tot we onze doelstellingen hebben verwezenlijkt. De Amerikaanse regering is verlamd en zal dat nog wel een paar weken blijven. Het enige wat we moeten doen, is de mate van verlamming vergroten.'
'En hoe kunnen we dat doen?' vroeg de premier.
'Heel eenvoudig: door de Amerikanen bezig te houden en tegelijkertijd hun binnenlandse stabiliteit te verstoren. Voor het eerste volstaan enkele demonstraties van uw kant. Het tweede is mijn zorg. Het lijkt me beter dat u daar niets van weet.'
Als het had gekund, zou Zhang op dat moment niet eens adem hebben gehaald, want dan had hij zijn gevoelens beter kunnen verbergen. Het gebeurde niet elke dag dat hij iemand ontmoette die nog meedogenlozer was dan hijzelf, en nee, hij wilde niet weten wat Daryaei van plan was. Als er toch een oorlogsdaad moest worden gesteld, liet hij dat liever aan een ander land over. 'Ga verder,' zei hij, en hij greep in zijn jasje om een sigaret te pakken.
'Ieder van ons vertegenwoordigt een land met grote capaciteiten en nog grotere behoeften. China en India hebben omvangrijke bevolkingen en hebben behoefte aan ruimte en hulpbronnen. Binnenkort zal ik hulpbronnen hebben, en de hoofdstad die daarbij hoort, en beheers ik ook de distributie van die hulpbronnen. De Verenigde Islamitische Republiek wordt een grote mogendheid, zoals u al grote mogendheden bent. Het Westen heeft het Oosten te lang gedomineerd.' Daryaei keek Zhang aan. 'Ten noorden van ons hebben we een rottend lijk. Er zijn daar vele miljoenen gelovigen die bevrijd willen worden. Er zijn ook hulpbronnen en ruimte, waar uw land behoefte aan heeft. Die bied ik u aan, als u mij in ruil daarvoor de landen van de gelovigen aanbiedt.' Toen keek hij de Indiase premier aan. 'Ten zuiden van u ligt een leeg continent met de ruimte en hulpbronnen die u nodig hebt. Ik denk dat de Verenigde Islamitische Republiek en de Volksrepubliek bereid zijn u in ruil voor uw medewerking hun bescherming aan te bieden. Van elk van u vraag ik alleen stille medewerking zonder direct risico.'
De premier realiseerde zich dat ze dat al eerder had gehoord, maar ze had ook nog steeds dezelfde behoeften. China kwam meteen met een manier om de aandacht af te leiden die weinig gevaar met zich meebracht. Dat was al eerder gebeurd. Iran... wat wás die Verenigde Islamitische Republiek... O, natuurlijk, dacht Zhang. Natuurlijk. Die VIR zou alle echte risico's nemen, al leek het erop dat die ongewoon goed berekend waren. Als hij in Beijing terug was, zou hij zelf nog eens kijken hoe de krachtenverhoudingen waren.
'Ik vraag in dit stadium uiteraard geen toezeggingen. U zult er zelf van overtuigd moeten raken dat ik serieus ben wat mijn capaciteiten en intenties betreft. Ik vraag wel of u mijn voorgestelde, informele, bondgenootschap in serieuze overweging neemt.'

'Pakistan,' zei de premier. Het was dom van haar om zich in de kaart te laten kijken, dacht Zhang.
'Islamabad is te lang een Amerikaanse marionet geweest. Dat land is niet te vertrouwen,' antwoordde Daryaei meteen. Hij had daar al over nagedacht, al had hij niet verwacht dat India zo snel zou toehappen. Die vrouw haatte Amerika net zo erg als hij. Nou, de 'les', zoals ze het noemde, had haar blijkbaar dieper gekwetst dan zijn diplomaten hem hadden verteld. Wat typisch voor een vrouw om zoveel waarde aan haar eergevoel te hechten! En wat zwak. Uitstekend. Hij keek Zhang aan.
'Onze contacten met Pakistan zijn van puur commerciële aard en kunnen worden aangepast,' merkte China op, die al even blij was met India's zwakheid. Het was helemaal haar eigen schuld. Ze had troepen het veld in gestuurd – nou ja, de zee – om Japans ontoereikende aanval op Amerika te steunen... terwijl China niets had gedaan en niets had geriskeerd en dus onbeschadigd en neutraal uit deze 'oorlog' te voorschijn was gekomen. Zelfs Zhangs voorzichtigste superieuren hadden geen bezwaar gemaakt tegen deze tactiek, hoeveel lacunes die ook vertoonde. En nu zou opnieuw iemand anders de risico's nemen en zou India op de achtergrond steun verlenen. China hoefde niets anders te doen dan een eerder beleid te herhalen dat ogenschijnlijk niets te maken had met die nieuwe VIR maar dat eerder een proef was waaraan een nieuwe president werd onderworpen: en dat soort dingen gebeurden de hele tijd. Trouwens, Taiwan was nog steeds een bron van ergernis. Het was zo eigenaardig. Iran, nota bene gemotiveerd door religie. India, gemotiveerd door hebzucht en woede. China daarentegen dacht aan de lange termijn, koel en rationeel, op zoek naar de dingen die werkelijk van belang waren, maar zoals altijd ook met grote behoedzaamheid. Irans doel was duidelijk, en als Daryaei bereid was daar een oorlog voor te riskeren, kon China dan iets beters doen dan veilig toekijken en hopen dat hij succes had? Hij zou zijn land nu niet op het spel zetten. Hij wilde geen gretige indruk maken. India was gretig, zo gretig dat ze blind was voor wat evident was: als Daryaei succes had, zou Pakistan vrede sluiten met die nieuwe VIR en zich daar misschien bij aansluiten, en dan zou India geïsoleerd en kwetsbaar zijn. Het was gevaarlijk om een vazal te zijn, vooral wanneer je aspiraties had om naar het volgende niveau te stijgen maar niet de middelen had om dat te laten gebeuren. Je moest uiterst zorgvuldig te werk gaan bij het kiezen van je bondgenoten. Dankbaarheid onder naties was als een kasplantje, dat verwelkte wanneer het aan de echte wereld werd blootgesteld.
De premier knikte in het besef dat ze van Pakistan had gewonnen, en zei niets meer.
'In dat geval, mijn vrienden, dank ik u hartelijk voor uw bereidheid dit gesprek met mij te hebben en neem ik met uw permissie nu afscheid.' Ze stonden alle drie op, schudden elkaar de hand en liepen naar de deur. Enkele minuten daarna reed Daryaei's vliegtuig over de hobbelige startbaan. De mullah keek

naar de koffiepot, maar zag ervan af. Hij wilde een paar uur slapen voor het ochtendgebed. Maar eerst...
'Uw voorspellingen waren volkomen correct.'
'De Russen noemden die zaken "objectieve condities". Ze zijn en blijven ongelovigen, maar hun formules om problemen te analyseren zijn erg nauwkeurig,' legde Badrayn uit. 'Daarom heb ik geleerd mijn informatie zo zorgvuldig mogelijk te verzamelen.'
'Dat heb ik gezien. Dan wordt het nu uw taak plannen te maken voor een aantal operaties.' Na deze woorden liet Daryaei de rugleuning van zijn stoel achteroverkantelen en sloot zijn ogen. Hij vroeg zich af of hij weer van dode leeuwen zou dromen.

Hoe graag hij ook naar de klinische geneeskunde wilde terugkeren, Pierre Alexandre hield er niet veel van, tenminste niet als hij mensen moest behandelen die niet in leven zouden blijven. De voormalige legerofficier in hem veronderstelde dat de verdediging van Bataan ook zoiets was geweest. Je deed wat je kon, je schoot je beste patronen af, maar je wist dat je nooit kon winnen. Op dit moment waren er drie aidspatiënten, homoseksuele mannen van in de dertig. Geen van drieën had nog een jaar te leven. Alexandre was tamelijk godsdienstig en hij keurde de homoseksuele levensstijl af, maar niemand verdiende het om op zo'n manier te sterven. En zelfs wanneer ze het verdienden, was hij arts, en niet God die een oordeel velde. Vloekend in zichzelf liep hij de lift uit en dicteerde zijn aantekeningen over patiënten in een minirecorder.
Het hoorde bij het werk van een arts dat hij de dingen strikt gescheiden hield. De drie patiënten in zijn eenheid zouden er de volgende dag ook nog zijn en niemand van hen zou die nacht spoedeisende aandacht nodig hebben. Het was niet wreed dat hij hun problemen uit zijn hoofd zette. Het was gewoon zijn werk. Voorzover ze nog enige hoop konden koesteren, hing hun leven ervan af of hij hun zwaar getroffen lichamen uit zijn hoofd kon zetten en terug kon keren naar zijn onderzoek naar de micro-organismen die hen te lijf gingen. Hij gaf het bandje aan zijn secretaresse, die de aantekeningen zou uittypen.
'Dokter Lorenz in Atlanta beantwoordde uw telefoontje om zijn telefoontje te beantwoorden om uw eerste telefoontje te beantwoorden,' zei ze toen hij voorbijliep. Zodra hij was gaan zitten, draaide hij het doorkiesnummer uit zijn geheugen.
'Ja?'
'Gus? Met Alex in het Hopkins. Tikkie,' zei hij grinnikend. 'Jij bent hem.' Hij hoorde een hartelijke lach aan de andere kant van de lijn. Telefoontikkertje kon een grote ergernis zijn.
'Willen de vissen een beetje bijten, kolonel?'
'Wil je wel geloven dat ik helemaal nog geen tijd heb gehad om te vissen? Ralph laat me erg hard werken.'
'Wat wilde je van mij, jij belde mij toch eerst?' Lorenz wist het niet zeker meer, ook al een teken dat hij te hard werkte.

'Ja, dat is zo, Gus. Ralph zegt dat je weer eens naar de ebolastructuur gaat kijken, naar aanleiding van die mini-uitbarsting in Zaïre, nietwaar?'
'Nou, dat was ik van plan, maar iemand heeft mijn apen gestolen,' antwoordde de directeur van de CDC geërgerd. 'Ik heb me laten vertellen dat we de nieuwe zending over een dag of twee kunnen verwachten.'
'Is er bij je ingebroken?' vroeg Alexandre. Laboratoria die met proefdieren werkten, hadden nogal eens het probleem dat dierenrechtfanaten probeerden in te breken om de dieren te 'bevrijden'. Als iedereen niet goed uitkeek, kwam er nog eens een dag dat de een of andere oetlul met een aap onder zijn arm naar buiten liep en later merkte dat het beest lassakoorts had, of erger. Hoe konden medici die verrekte bacillen nou bestuderen zonder proefdieren, en wie had ooit gezegd dat een aap belangrijker was dan een mens? Het antwoord op die vraag was simpel: in Amerika waren mensen die in bijna alles geloofden en je had het grondwettelijk recht om een klojo te zijn. Daarom hadden de CDC, het Hopkins en andere onderzoekslaboratoria gewapende bewakers in dienst om de apenkooien te beschermen. En zelfs de rattenkooien... Bij die gedachte rolde Alexandre met zijn ogen.
'Nee, ze zijn gekaapt in Afrika. Iemand anders is nu met ze aan het spelen. Hoe dan ook, het levert me een week vertraging op. Maar goed, ik zoek al vijftien jaar naar dat kleine stuk verdriet.'
'Hoe vers is het bloedmonster?'
'Het is van de Index Patient. Positieve identificatie, ebola zaire, de mayingastam. We hebben ook een monster van de enige andere patiënt. Die is trouwens verdwenen...'
'Wat?' vroeg Alexandre geschrokken.
'Vermist op zee na een vliegtuigongeluk. Blijkbaar brachten ze haar naar Rousseau in Parijs. Verder zijn er geen gevallen, Alex. Deze keer zijn we de dans ontsprongen,' verzekerde Lorenz zijn jongere collega.
Liever met een vliegtuig neerstorten, dacht Alexandre, dan leegbloeden door dat godverdomde virus. Hij dacht nog steeds als een soldaat, vloekend en al.
'Goed.'
'Nou, waarom belde je?'
'Polynomen.'
'Wat bedoel je?' vroeg de medicus in Atlanta.
'Als je dit in kaart hebt gebracht, zouden we een wiskundige analyse van de structuur kunnen doen.'
'Ik speel ook al een tijdje met dat idee. Maar eerst wil ik de voortplantingscyclus bestuderen en...'
'Precies, Gus, het wiskundige karakter van de interactie. Ik sprak met een collega hier... een oogarts, wil je dat wel geloven? Ze zei iets interessants. Als de aminozuren een kwantificeerbare mathematische waarde hebben, en dat mogen we aannemen, zouden we iets kunnen afleiden uit hun interactie met andere codonreeksen.' Alexandre zweeg even en hoorde een lucifer die werd afgestreken. Gus zat weer pijp te roken in zijn kantoor.

'Ga door.'
'Gus, als het nu eens zo is als jij denkt, als het nu eens allemaal een wiskundige vergelijking is? Dan moeten we de oplossing vinden, nietwaar? Hoe doen we dat? Ralph heeft me over jullie onderzoek naar tijdcycli verteld. Ik denk dat jullie op een goed spoor zijn. Als we het virus-RNA in kaart hebben gebracht, en ook het DNA van de gastheer, dan...'
'Ik snap het! Die interacties vertellen ons iets over de waarden van de elementen in de polynoom...'
'En dat vertelt ons weer veel over de manier waarop dat kleine klootzakje zich voortplant, en heel misschien...'
'... heel misschien ook hoe we het te lijf kunnen gaan.' Een korte stilte en toen ademde hij hoorbaar uit. 'Alex, dat is niet gek.'
'Jij bent de beste voor dit werk, Gus, en jij bent toch al degene die het experiment opzet.'
'Toch ontbreekt er nog iets.'
'Er ontbreekt altijd iets.'
'Laat me daar nog een dag of wat over nadenken, en dan bel ik je terug. Niet slecht, Alex.'
'Dank je, prof.' Pierre Alexandre legde de hoorn op de haak. Hij vond dat hij deze dag weer zijn goede daad voor de medische wetenschap had verricht. Het was niet veel, en er ontbrak inderdaad iets aan zijn redenering.

23
Experimenten

Het kostte enkele dagen om alles in orde te krijgen. President Ryan moest nog een groep nieuwe senatoren ontmoeten; sommige staten waren een beetje traag, vooral omdat sommige gouverneurs benoemingscommissies in het leven hadden geroepen om een lijst van kandidaten te beoordelen. Dat was nogal een verrassing voor veel insiders in Washington, die hadden verwacht dat de staten zouden doen wat ze altijd deden: een opvolger naar de senaat sturen zodra het lijk van zijn voorganger koud was. Het bleek dat Ryans toespraak toch wel een beetje verschil had gemaakt. Acht gouverneurs hadden beseft dat deze situatie uniek was en hadden zich daarom anders gedragen. Daarmee hadden ze zich de lof van hun plaatselijke kranten verworven, zij het niet de volledige instemming van de pers die aan de kant van het establishment stond.
Jacks eerste politieke reis was een experiment. Hij stond vroeg op, kuste zijn

vrouw en kinderen op weg naar buiten en stapte kort voor zeven uur op het zuidelijk gazon in de helikopter. Tien minuten later verliet hij dat toestel om de trap op te gaan van Air Force One, die bij het Pentagon officieel als een VC-25A te boek stond, een 747 die tegen enorme kosten was verbouwd tot presidentieel vliegtuig. Toen hij aan boord ging, was de piloot, een kolonel, net bezig de laatste voorbereidingen voor de vlucht te treffen. Ryan keek naar achteren en zag een stuk of tachtig verslaggevers in de gordels van hun meer-daneersteklas stoelen zitten. Sommigen hadden niet eens hun gordels om, want Air Force One bewoog zich meestal soepeler dan een oceaanstomer op kalme zee. En toen hij zich omdraaide om naar voren te gaan, hoorde hij: 'En er wordt onderweg niet gerookt!'
'Wie zei dat?' vroeg de president.
'Een van die televisielullen,' antwoordde Andrea. 'Hij denkt dat het vliegtuig van hem is.'
'In zekere zin is het dat ook,' merkte Arnie op. 'Vergeet dat niet.'
'Dat is Tom Donner,' zei Callie Weston. 'Presentator van NBC. Zijn poep is reukloos en hij gebruikt meer hairspray dan ik. Maar zijn haar zit voor een deel vastgelijmd.'
'Deze kant op, meneer de president.' Andrea wees naar voren. De presidentiële cabine in Air Force One bevindt zich helemaal voorin op het hoofddek. Er zijn daar erg comfortabele pluchen stoelen en ook een paar banken waar op lange reizen een bed van te maken is. Onder Andrea's toezicht deed de president zijn gordel om. Passagiers mochten wat haar betrof de regels overtreden – de Secret Service maakt zich niet zo druk om journalisten – maar de president niet. Toen dat was gebeurd, wuifde ze naar een bemanningslid van de luchtmacht, die een telefoon nam en tegen de piloot zei dat hij kon vertrekken. Meteen daarna werden de motoren gestart. Jack had zijn vliegangst grotendeels overwonnen, maar in dit stadium van de vlucht deed hij zijn ogen dicht en zei hij in gedachten (eerder in zijn leven fluisterde hij) een gebed voor de veiligheid van iedereen die aan boord was, want als je alleen voor jezelf bad, vond God dat misschien egoïstisch. Ongeveer toen hij klaar was met bidden, zette het vliegtuig zich in beweging, nogal wat sneller dan normaal was voor een 747. Omdat het licht beladen was, voelde het aan als een vliegtuig, en niet als een trein die uit een station vertrok.
'Goed,' zei Arnie, toen de neus omhoogging. De president lette erop dat hij zich niet aan de armleuningen vastgreep, zoals hij anders altijd deed. 'Dit wordt een makkie. Indianapolis, Oklahoma City en dan weer thuis voor het avondeten. De mensen zullen je vriendelijk ontvangen en ze zijn daar zowat net zo reactionair als jij,' voegde hij er met een knipoog aan toe. 'Dus je hoeft je nergens zorgen over te maken.'
Adjudant Price, die bij het opstijgen in dezelfde cabine zat, ergerde zich altijd als iemand zoiets zei. Stafchef Van Damm – CARPENTER voor de Secret Service; Callie Weston was CALLIOPE – was een van de presidentiële medewerkers die niet begrepen met wat voor problemen de Secret Service te kam-

pen had. Hij zag gevaar als een politiek risico, zelfs na de ramp met de 747. Vreemd, vond ze. Een meter achter haar zat agent Raman met zijn rug naar haar toe en keek naar de voorste ingang, voor het geval dat een verslaggever met een pistool in plaats van een pen naar voren kwam. Er waren verder nog zes agenten aan boord om iedereen in het oog te houden, zelfs de geüniformeerde bemanningsleden, en verder stond er in elk van de twee steden die ze zouden bezoeken nog een eenheid klaar, samen met een groot aantal plaatselijke politiemensen. Op de vliegbasis Tinker in Oklahoma City stond de tankwagen al onder bewaking van de Secret Service, om te voorkomen dat iemand met de brandstof knoeide die in het presidentiële vliegtuig ging; dat zou zo blijven totdat de 747 weer op weg naar Andrews was. Een C-5B Galaxy-transportvliegtuig had de presidentiële auto's naar Indianapolis gebracht en stond daar nog te wachten. Een president op reis was zoiets als een tournee van een compleet circus, met dit verschil dat je in de regel niet bang hoefde te zijn dat iemand een moordaanslag op de man aan de vliegende trapeze zou plegen.

Ryan, zag adjudant Price, nam zijn toespraak door. Dat was een van de weinige normale dingen die hij deed. Presidenten maakten zich bijna altijd druk om toespraken. Meestal was het niet zozeer podiumvrees als wel angst dat de inhoud niet goed was. Price glimlachte bij die gedachte. Ryan maakte zich niet druk om de inhoud, maar was wel bang dat hij het niet goed zou weten te brengen. Nou, hij zou het nog wel leren, en hij had het grote geluk dat Callie Weston, hoe irritant die trut ook kon zijn, verdomd goede toespraken schreef.

'Ontbijt?' vroeg een steward, nu het toestel horizontaal vloog. De president schudde zijn hoofd.

'Nee, dank u, ik heb geen honger.'

'Breng hem ham en eieren, toost en cafeïnevrije koffie,' beval Van Damm.

'Probeer nooit een toespraak te houden op een lege maag,' adviseerde Callie. 'Gelooft u me.'

'En niet te veel echte koffie. Van cafeïne word je nerveus. Als een president een toespraak houdt,' legde Arnie uit, de les van die ochtend, 'dan is hij... Callie, help me eens even.'

'Niets dramatisch voor deze twee steden vandaag. Je bent de schrandere buurman die even langskomt omdat de man die naast je woont goede raad wil hebben over iets dat hem bezighoudt. Vriendelijk. Redelijk. Rustig. "Tja, Fred, ik geloof echt dat je het op deze manier zou kunnen doen,"' legde Weston met opgetrokken wenkbrauwen uit.

'De sympathieke huisarts die iemand vertelt dat hij niet zo vet moet eten en misschien een extra potje golf moet spelen; het is leuk om aan lichaamsbeweging te doen, dat soort dingen,' ging de stafchef verder. 'In het echte leven doe je het de hele tijd.'

'Alleen vanmorgen moet ik dat doen voor vierduizend mensen, nietwaar?' vroeg Ryan.

'En voor de camera's van C-SPAN, en het komt in alle avondjournaals van de netwerken...'
'En CNN brengt het ook live, want dit is je eerste speech buiten Washington,' voegde Callie eraan toe. Het had geen zin om hem iets voor te liegen.
Jezus. Jack keek weer naar de tekst van zijn toespraak. 'Je hebt gelijk, Arnie. Doe maar cafeïnevrije.' Plotseling keek hij op. 'Zijn er rokers aan boord?'
Meteen draaide de luchtmachtsteward zich om. 'Wilt u er een, meneer de president?'
Het antwoord klonk een beetje beschaamd, maar... 'Ja.'
Ze gaf hem een Virginia Slim en stak de sigaret met een warme glimlach erbij aan. Het gebeurde niet elke dag dat je de kans kreeg zo'n persoonlijke dienst te verlenen aan de president van de Verenigde Staten. Ryan nam een trekje en keek op.
'Als u het mijn vrouw vertelt, sergeant...'
'Ons geheimpje, meneer de president.' Ze ging naar achteren om het ontbijt klaar te maken. Haar dag was al goed.

De vloeistof had een verrassend walgelijke kleur: donkerrood met een vleugje bruin. Ze hadden de gang van zaken gevolgd door kleine monsters onder een elektronenmicroscoop te leggen. De apennieren die aan het besmette bloed werden blootgesteld, bestonden uit afzonderlijke, uiterst gespecialiseerde cellen, en om de een of andere reden was ebola gek op die cellen, zoals een smulpaap gek is op zijn chocolademousse. Het was tegelijk fascinerend en gruwelijk geweest om ernaar te kijken. De virusslierten, enkele microns groot, kwamen tegen de cellen aan, drongen in ze binnen en begonnen zich in die warme, rijke biosfeer te vermenigvuldigen. Het was als iets uit een sciencefictionroman, maar dan echt. Zoals bij alle virussen was niet helemaal duidelijk of ebola leefde. Het virus kon alleen iets uitrichten als het hulp kreeg, en die hulp moest van zijn gastheer komen, die het virus de middelen verschafte om in actie te komen en zo aan zijn eigen dood meewerkte. Het ebolavirus bevatte alleen RNA, en voor kerndeling was zowel DNA als RNA vereist. De niercellen hadden beide. Het virus zocht ze op en als ze waren samengegaan, begon het ebola zich te vermenigvuldigen. Daar was energie voor nodig, en die energie werd geleverd door de niercellen, die daardoor werden vernietigd. Het vermenigvuldigingsproces was een microkosmos van het ziekteproces in een menselijke gemeenschap. Het begon langzaam maar versnelde dan exponentieel – hoe sneller het ging, des te meer werd de snelheid vergroot: 2 – 4 – 16 – 256 – 65.536 – totdat alle voedingsstoffen waren opgegeten en er alleen nog virus overbleef, waarna dat inactief werd en op de volgende gelegenheid wachtte. Als mensen het over ziekte hadden, gebruikten ze vaak verkeerde beelden. Ze zeiden bijvoorbeeld dat een ziekte op de loer lag, of genadeloos doodde, of zijn slachtoffers uitzocht. Dat alles was antropomorfe onzin, wisten Moudi en zijn collega's. Het virus dacht niet. Het deed niets uit kwade wil. Het enige wat ebola deed, was eten en zich

voortplanten en dan weer inactief worden. Maar zoals een computer niet meer is dan een verzameling elektrische schakelaars die alleen maar onderscheid kunnen maken tussen 1 en 0 – maar dat zoveel sneller en efficiënter doet dan zijn menselijke gebruikers – zo was ebola er buitengewoon goed op ingesteld om zich zo snel te vermenigvuldigen dat het immuunsysteem van het menselijk lichaam, meestal een bijzonder krachtdadig verdedigingsmechanisme, gewoonweg overrompeld werd, alsof het door een leger van vleesetende mieren was overvallen. Daarin was ook ebola's zwakheid gelegen. Het was té efficiënt. Het doodde té snel. Zijn overlevingsmechanisme binnen de menselijke gastheer doodde die gastheer voordat die de ziekte kon doorgeven. Daar kwam nog bij dat het helemaal ingesteld was op een specifiek ecosysteem. Buiten een gastheer kon ebola zich niet lang handhaven, en dan nog alleen in een jungle-omgeving. Om die reden, en omdat het niet in een menselijke gastheer kon blijven bestaan zonder die gastheer in hooguit tien dagen te doden, had het zich ook langzaam ontwikkeld, zonder de volgende evolutionaire stap te zetten: verplaatsing door de lucht.
Tenminste, dat dacht iedereen. Misschien was 'hoopte' een beter woord, dacht Moudi. Een ebolavariant die zich door de lucht kon verspreiden, zou catastrofaal dodelijk zijn. En misschien was dat precies wat ze nu hadden gevonden. Dit was de mayinga-stam, dat was uit herhaald microscopisch onderzoek gebleken, en die stam was misschien in staat zich door de lucht te verplaatsen. Dat moesten ze nu bewijzen.
Wanneer je menselijke cellen invroor en daarbij vloeibare stikstof als vriesmiddel gebruikte, gingen de meeste dood. De cellen bestonden voor het grootste deel uit water, en dat zette uit wanneer het bevroor: de celwanden barstten en er bleven niets dan flarden over. Ebola daarentegen was daar te primitief voor. Te veel warmte kon wel dodelijk zijn voor het virus. Ultraviolet licht kon het ook doden. Microveranderingen in de chemische omgeving konden het doden. Maar als het een koude, donkere plaats kreeg waar het in inactieve staat kon blijven rusten, sluimerde het in vrede.
Ze werkten in een kast met handschoenen eraan. Het was een streng beheerste en dodelijk besmette omgeving, omgeven met doorzichtig lexan dat sterk genoeg was om een pistoolkogel tegen te houden. Aan twee kanten waren gaten in het harde plastic aangebracht, en aan iedere werkplek was een paar dikke rubberen handschoenen bevestigd. Moudi zoog 10 cc van de virusrijke vloeistof op en bracht het over naar een bakje, dat hij hermetisch afsloot. Dat dit nogal traag gebeurde, had minder te maken met het fysieke gevaar dan met de dikke handschoenen, die hem onhandig maakten. Toen het bakje was afgesloten, bracht hij het van zijn ene hand over naar zijn andere en gaf het aan de directeur, die het ook naar zijn andere hand overbracht en het ten slotte naar een kleine luchtsluis bracht. Toen die deur was gesloten, zoals aangegeven werd door een lichtje dat op een druksensor reageerde, werd het kleine compartiment besproeid met een desinfecterende spray – een fenoloplossing – en wachtten ze drie minuten af, tot ze er zeker van waren dat de lucht en het bak-

je veilig waren. Zelfs toen raakte niemand het bakje met blote handen aan, en ondanks de veiligheid van de handschoenenkast droegen beide artsen ook beschermende kleding. De directeur pakte het bakje en hield het in beide handen toen hij de drie meter naar de werktafel aflegde.
De spuitbus die ze voor experimentele doeleinden gebruikten, was van het type dat ook wordt gebruikt voor insectenverdelger: je zet hem op de vloer, maakt hem open en er komt een dichte nevel in de hele kamer. Hij was helemaal uit elkaar gehaald, drie keer met stoom gereinigd en weer in elkaar gezet. De plastic onderdelen waren een probleem geweest, maar daar hadden ze een paar maanden eerder al een oplossing voor gevonden. Het was een primitief ding. De productieversies zouden veel eleganter zijn. Het enige gevaar kwam van de vloeibare stikstof, een waterige vloeistof die, als het op de handschoenen kwam, ze meteen zou laten bevriezen en uit elkaar zou doen vallen als zwart kristal. De directeur ging een stap opzij toen Moudi de cryogene vloeistof om de spuitbus heen goot. Er was voor dit experiment maar een paar cc nodig. Vervolgens werd de ebola-rijke vloeistof in het roestvrij stalen binnenste van de spuitbus gegoten en werd het deksel dichtgeschroefd. Toen het deksel hermetisch dicht was, werd de spuitbus besproeid met een desinfecterend middel en vervolgens schoongespoeld met een steriele zoutoplossing.
'Zo,' zei de directeur. 'We zijn klaar.'
In de spuitbus was de ebola al bevroren, maar niet voor lang. De stikstof zou relatief snel zijn uitgewerkt en dan zou het virus ontdooien. In die tijd zou de rest van het experiment worden voorbereid. En in diezelfde tijd zouden de twee medici hun beschermende kleding uittrekken en gaan eten.

De kolonel die het vliegtuig bestuurde, zette het met buitengewone bekwaamheid aan de grond. Het was voor hem de eerste keer dat hij de president vloog, dus hij had iets te bewijzen. Het uitlopen was routine. De achteruit-thrusters vertraagden de Jumbo tot autosnelheid voordat de neus naar links draaide. Door de ramen zag Ryan honderden – nee, realiseerde hij zich, duizenden – mensen. Komen die allemaal voor mij? vroeg hij zich af. Verdomme nog aan toe. In hun handen, die ze over het lage hek heen staken, zag hij het rood, wit en blauw van de Amerikaanse vlag, en toen het vliegtuig eindelijk stopte, kwamen die vlaggen allemaal tegelijk omhoog, als een wave. De verrijdbare trap kwam naar de deur, die werd geopend door de steward – het zou niet juist zijn geweest haar een stewardess te noemen – die hem een sigaret had gegeven.
'Wilt u er nog een?' fluisterde ze.
Ryan grijnsde. 'Misschien later. En dank je, sergeant.'
'Zet hem op, meneer de president.'
'Alles klaar voor de baas,' hoorde Price in haar radio van de leider van het team dat al ter plaatse was. Ze knikte president Ryan toe.
'De show gaat beginnen, meneer de president.'
Ryan haalde diep adem en posteerde zich in de deuropening. Hij keek in het heldere zonlicht van de Midwest.

Het protocol bepaalde dat hij als eerste en alleen naar beneden ging. Hij was nog maar amper in de opening verschenen of er ging een gejuich op; en dat van mensen die bijna niets van hem wisten. Jack Ryan liep de trap af. Alle knopen van zijn jasje waren dicht en zijn haar was gekamd en werd, ondanks zijn bezwaren, met spray in model gehouden. Hij voelde zich eerder een idioot dan een president. Beneden salueerde een sergeant-majoor van de luchtmacht voor hem en hoewel Ryan maar enkele maanden bij de mariniers had gediend, salueerde hij automatisch terug, en meteen ging er weer een gejuich op. Hij keek om zich heen naar de agenten van de Secret Service en andere diensten, en zag dat ze bijna allemaal om zich heen keken. De eerste die dichterbij kwam, was de gouverneur van de staat.
'Welkom in Indiana, meneer de president!' Hij pakte Ryans hand en schudde hem krachtig. 'We vinden het een eer dat u uw eerste officiële bezoek aan onze staat brengt.'
Ze hadden alles laten opdraven. Er stond een compagnie van de plaatselijke National Guard opgesteld. De kapel liet *Ruffles and Flourishes* door de lucht schetteren, onmiddellijk gevolgd door *Hail to the Chief*. Ryan voelde zich een bedrieger. Met de gouverneur links achter hem volgde hij de rode – wat anders? – loper. De soldaten presenteerden hun geweer en hun oude regimentsvlag ging omlaag. De Amerikaanse vlag ging natuurlijk niet omlaag. Zoals een Amerikaanse sportman eens had gezegd: die vlag gaat niet omlaag voor een wereldse koning of potentaat (hij was een Ierse-Amerikaan geweest die op de Olympische Spelen van 1908 niet bereid was de koning van Engeland die eer te bewijzen). Jack hield in het voorbijgaan zijn rechterhand over zijn hart, een gebaar dat hij zich uit zijn jeugd herinnerde, en keek naar de gardisten. Hij was nu hun opperbevelhebber, zei hij tegen zichzelf. Hij kon hen bevelen naar het slagveld te gaan, en hij moest nu naar hun gezichten kijken. Daar stonden ze dan, gladgeschoren en trots, zoals hij zelf daar meer dan twintig jaar geleden ook gestaan zou hebben. Ze waren hier voor hem. En hij moest er altijd voor hen zijn. Ja, zei Jack tegen zichzelf, dat moet ik nooit vergeten.
'Mag ik u aan enkele burgers voorstellen, meneer de president?' vroeg de gouverneur, en hij wees naar het hek. Ryan knikte en volgde hem.
'Koppen op, handen pompen,' zei Andrea in de microfoon van haar radio. Hoe vaak ze het ook al hadden meegemaakt, de agenten van het presidentiële escorte hadden nog steeds een grote hekel aan dat gedoe. Price zou de hele tijd bij de president zijn. Raman en drie anderen stonden aan weerskanten van hem en tuurden door hun donkere brillenglazen naar de menigte, op zoek naar pistolen, verkeerde blikken, gezichten die ze van foto's kenden, alles wat afweek.
Het waren er zoveel, vond Jack. Niemand van hen had op hem gestemd en tot voor kort hadden maar weinigen zijn naam gekend. Toch waren ze hier. Sommigen waren misschien ambtenaren die een halve dag vrij kregen, maar niet de mensen met kinderen in hun armen, niet allemaal, en de blikken in hun

ogen verbaasden de president, die nooit in zijn leven iets had meegemaakt wat hier maar zelfs bij in de buurt kwam. Handen werden opgewonden naar hem uitgestrekt, en hij schudde er zoveel mogelijk. Intussen bewoog hij zich naar links langs de rij en probeerde hij individuele stemmen te onderscheiden in de kakofonie van geschreeuw.

'Welkom in Indiana!' – 'Hoe gaat het?' – 'MISTER PRESIDENT!' – 'Wij vertrouwen u!' – 'U doet het goed!' – 'Wij staan achter u!'

Ryan probeerde iets terug te zeggen maar kwam niet verder dan een herhaald 'dank u'. Zijn mond kwam nauwelijks open, zo versteld stond hij van de overstelpende hartelijkheid van al die mensen, en het was allemaal bestemd voor hem alleen. Het was zo overweldigend dat hij niet eens meer op de pijn in zijn hand lette, maar uiteindelijk moest hij een stap van het hek vandaan gaan en wuiven, iets wat opnieuw tot een bulderend gejuich voor de nieuwe president leidde.

Verdomme, dacht hij, als ze wisten wat voor een bedrieger ik ben, wat zouden ze dan doen? Wat doe ik hier eigenlijk? vroeg hij zich toen af. Intussen was hij bij de open deur van de presidentiële limousine aangekomen.

Het waren er tien, in de kelder van het gebouw. Het waren allemaal mannen. Er zat maar één politieke gevangene bij, en zijn misdaad was ketterij. De anderen waren buitengewoon ongewenste individuen: vier moordenaars, een verkrachter, twee kinderlokkers en twee dieven die al eerder veroordeeld waren en bij wie nu, zoals de islamitische wet van hun land vereiste, de rechterhand moest worden afgehakt. Ze bevonden zich in een ruimte met luchtbeheersing en waren met voetboeien aan het voeteneind van het bed vastgemaakt. Ze waren allemaal ter dood veroordeeld, behalve de dieven, die alleen verminkt zouden worden en die dat wisten en zich daarom afvroegen waarom ze daar bij de rest waren. Het was hun een raadsel waarom de anderen nog leefden, een raadsel waar ze niet veel voldoening aan beleefden. In de afgelopen paar weken hadden ze erg slecht te eten gekregen, en zo weinig, dat hun fysieke energie was afgenomen en ze al wat sloom waren. Een van hen stak een vinger in zijn mond om zijn pijnlijke, bloedende tandvlees te betasten. Toen de deur openging, nam hij zijn vinger uit de mond.

Het was iemand in een blauw plastic pak, zoals niemand van hen ooit eerder had gezien. De persoon – een man, meenden ze nog net aan het gezicht achter het plastic masker te kunnen zien – zette een spuitbus op de betonnen vloer, nam de blauwe plastic dop eraf en drukte op een knop. Toen trok hij zich haastig terug. De deur was nog maar nauwelijks dicht of er kwam een gesis uit de spuitbus. Een nevel als stoom spoot de kamer in.

Een van hen schreeuwde, want hij dacht dat het gifgas was. Hij greep het dunne beddenlaken vast en trok het over zijn gezicht. De man die het dichtst bij de spuitbus lag, was trager van begrip en keek er alleen maar naar. Toen de wolk over hem heen kwam, bleef hij er schaapachtig naar kijken. De anderen verwachtten dat hij zou sterven, en toen dat niet gebeurde, waren ze eerder

nieuwsgierig dan bang. Na een paar minuten was het incident alweer geschiedenis. De lichten werden uitgedraaid en ze gingen slapen.
'Drie dagen om erachter te komen,' zei de directeur, en hij zette de televisie uit die beelden uit de cel liet zien. 'Die spuitbus schijnt goed te werken. Ze hadden een probleem met het vertragingsmechanisme. In de productieversie moet dat goed zijn voor... hoe lang? Vijf minuten, denk ik.'
Drie dagen, dacht Moudi. Tweeënzeventig uren om te zien wat voor kwaad ze hadden aangericht.

Ondanks alle geld en publiciteit, ondanks alle gedetailleerde planning, zat Ryan op een eenvoudige metalen klapstoel, het soort stoel waar je een zere rug van kreeg. Voor hem bevond zich een houten leuning met rode, witte en blauwe vaantjes. Onder die vaantjes zat plaatstaal dat een kogel zou moeten tegenhouden. Het podium was op een soortgelijke manier bepantserd – in dat geval met staal én kevlar; kevlar is sterker en lichter – en zou bijna zijn hele lichaam onder de schouders beschermen. De sporthal van de universiteit – een erg groot gebouw, al was het niet de hal die voor het basketbalteam werd gebruikt, dat trouwens al uitgeschakeld was in het NCAA-toernooi – zat 'tot de nok toe' vol, zoals journalisten waarschijnlijk zouden zeggen. Het publiek zou wel voor het grootste deel uit studenten bestaan, maar dat was moeilijk te zien. Ryan werd beschenen door talloze felle lampen en kon daardoor niet veel van de menigte zien. Ze waren door de achterdeur naar binnen gegaan, via een muf ruikende kleedkamer, want de president nam altijd de kortste weg naar binnen en naar buiten. De colonne had het grootste deel van de route over een snelweg afgelegd, maar langs de gewone straten van de stad, ongeveer een kwart van de afstand, hadden overal mensen op de trottoirs gestaan. Ze hadden naar hem gezwaaid, terwijl hun gouverneur hem had verteld hoe geweldig de stad Indianapolis en de staat Indiana waren.
De gouverneur was nu weer aan het woord, na drie anderen. Een student, gevolgd door de rector-magnificus van de universiteit, gevolgd door de burgemeester van de stad. De president deed zijn best om naar de toespraken te luisteren, maar hoewel ze aan de ene kant allemaal min of meer hetzelfde zeiden, was er aan de andere kant niet veel van waar. Het was of ze het over iemand anders hadden, een 'theoretische' president met precies de juiste eigenschappen om de door hen verkeerd begrepen taken te vervullen. Misschien kwam het gewoon doordat de plaatselijke toesprakenschrijvers zich onder normale omstandigheden alleen met plaatselijke kwesties bezighielden, dacht Jack. Daar deden ze waarschijnlijk heel verstandig aan.
'... mij een grote eer om de president van de Verenigde Staten het woord te geven.' De gouverneur draaide zich om en maakte een gebaar. Ryan stond op, liep naar het spreekgestoelte en schudde de gouverneur de hand. Toen hij de tekst van zijn toespraak op de lessenaar legde, knikte hij bescheiden naar de menigte die hij amper kon zien. Op de eerste paar rijen, op het hardhout van het basketbalveld, zaten de plaatselijke autoriteiten. In andere tijden, onder

andere omstandigheden, zouden het mensen zijn die grote financiële bijdragen leverden. In dit geval wist Ryan het niet. Misschien behoorden ze zelfs tot beide partijen. Toen herinnerde hij zich dat veel van die mensen geld aan beide partijen gaven om op die manier altijd toegang tot de macht te krijgen. Waarschijnlijk vroegen ze zich al af hoe ze aan zíjn campagne konden bijdragen.
'Dank u voor uw introductie, meneer de gouverneur.' Ryan maakte een gebaar in de richting van de mensen die bij hem op het podium stonden en noemde hun namen, die op de eerste bladzijde van zijn toespraaktekst stonden: goede vrienden die hij na deze eerste keer nooit zou terugzien en wier gezichten begonnen te stralen vanwege het simpele feit dat hij hun namen in de juiste volgorde uitsprak.
'Dames en heren, ik ben nooit eerder in Indiana geweest. Dit is mijn eerste bezoek aan uw staat, maar nu ik op deze manier door u ben verwelkomd, hoop ik dat het niet de laatste keer zal zijn...'
Het was of iemand een applausbordje omhooghield voor het publiek bij een televisieshow. Hij had gewoon de waarheid gesproken, gevolgd door iets wat misschien een leugen was en misschien ook niet, en hoewel ze dat toch konden weten, kon het ze geen zier schelen. En toen ontdekte Jack Ryan iets belangrijks.
God, het is net een narcose, dacht Jack, die op dat moment begreep waarom mensen in de politiek gingen. Iedereen die hier zou staan en al dat gejuich hoorde en al die gezichten zag, zou van dit moment houden. Dat gevoel was sterker dan de podiumangst, groter dan het gevoel dat hij hier niet thuishoorde. Hier stond hij dan, voor vierduizend mensen. Het waren medeburgers van hem, gelijken voor de wet, maar in hun gedachten was hij heel iets anders. Hij wás de Verenigde Staten van Amerika. Hij was hun president, maar meer dan dat: hij was de belichaming van hun verwachtingen, hun verlangens, de verpersoonlijking van hun land. Daarom wilden ze zo graag van iemand houden die ze niet kenden, wilden ze juichen voor ieder woord dat hij uitsprak, wilden ze zo graag een kort moment geloven dat hij hen recht aankeek, een moment dat altijd bijzonder zou blijven, dat nooit zou worden vergeten. Het was een macht zoals hij nog nooit had meegemaakt. Deze menigte zou alles doen wat hij zei. Dit was de reden waarom mensen hun hele leven naar het presidentschap streefden: om te baden in deze ogenblikken, die als een warme oceaangolf waren, momenten van volslagen perfectie.
Maar waarom dachten ze dat hij zo anders was? Wat maakte hem anders in hun gedachten? vroeg Ryan zich af. In dit geval was het een kwestie van toeval dat hij president was, en in alle andere gevallen hadden ze zelf hun keuze gemaakt, hadden ze deze man zelf op het podium gehesen, hadden ze met hun stem iets gewoons in iets anders veranderd, en misschien zelfs dat niet. Het was maar schijn. Ryan was dezelfde die hij een maand of een jaar geleden was. Hij had weinig nieuwe kennis en nog minder nieuwe wijsheid opgedaan. Hij was dezelfde man met een andere baan, en hoewel hij door alles om hem heen aan zijn

nieuwe baan werd herinnerd, was de man binnen de beschermende kring van lijfwachten, de man die omringd werd door een overweldigende liefde die hij nooit had nagestreefd, toch ook maar het product van ouders, kindertijd, opvoeding en ervaringen, net als al die mensen. Ze dachten dat hij anders en bijzonder en misschien zelfs groots was, maar dat waren hun gedáchten, níet de realiteit. De realiteit van dat moment bestond uit bezwete handen op een bepantserde lessenaar, een toespraak die door iemand anders was geschreven en een man die wist dat hij hier niet op zijn plaats was, hoe prettig dit moment ook was.
Wat moet ik nu doen? vroeg de president van de Verenigde Staten zich af. Het applaus begon af te nemen en hij dacht koortsachtig na. Hij zou nooit worden wat zij dachten dat hij was. Hij was een goed mens, dacht hij, maar geen bijzonder mens, en het presidentschap was een baan, een functie, een ambt met verplichtingen die door James Madison waren vastgesteld. Verder was het, zoals alle dingen in het leven, een stadium waarin je van de ene realiteit naar de andere overging. Het verleden was iets wat je niet kon veranderen. De toekomst was iets waarin je probeerde te kijken. Het heden was waar je was, en dáár moest je je best doen, en als je geluk had, zou je het misschien waard zijn dat je daar was. Het was niet genoeg om de liefde te voelen. Hij moest die liefde verdienen. Hij moest de uitdrukkingen op al die gezichten tot iets anders dan een leugen maken, want door hem macht te geven legden ze hem ook verantwoordelijkheid op, en door hem hun liefde te schenken verlangden ze zijn toewijding. Deemoedig keek Jack naar zijn tekst. Hij haalde diep adem en begon te praten zoals hij als geschiedenisdocent op de marineacademie in Annapolis had gedaan.
'Ik ben hier vandaag gekomen om met u te spreken over Amerika...'
Onder de president stonden vijf agenten van de Secret Service op een rij. Donkere glazen schermden hun ogen af, opdat mensen in het publiek niet altijd konden zien waarnaar ze keken, en ook omdat mensen zonder ogen altijd intimiderend overkwamen. Ze hadden hun handen voor zich gevouwen. Radioluidsprekertjes in hun oren hielden hen in contact met elkaar. Intussen tuurden ze naar de menigte. Achter in de sporthal stonden collega's van hen door verrekijkers te turen. Ze wisten dat de liefde in dit gebouw niet alomtegenwoordig was, en dat er ook mensen waren die wilden doden waar ze van hielden. Om die reden waren er draagbare metaaldetectors bij alle ingangen neergezet. Om diezelfde reden hadden Mechelse herders in het hele gebouw gesnuffeld, op zoek naar explosieven. Om diezelfde reden hadden ze alles in het oog gehouden, zoals een infanterist in een gevechtszone goed op elke schaduw let.
'... en de kracht van Amerika ligt niet in Washington, maar in Indiana, en New Mexico, en overal waar Amerikanen leven en werken, waar dat ook mag zijn. Wij in Washington zijn niet Amerika. U bent dat wel.' De stem van de president bulderde door het luidsprekersysteem. Het was geen goed systeem, vonden de agenten, maar er was weinig tijd geweest om dit evenement op poten te zetten. 'En wij werken voor u.' Het publiek begon toch maar weer te juichen. De televisiecamera's waren allemaal verbonden met busjes buiten het

gebouw, en die hadden weer schotels om het geluid en de beelden aan satellieten door te geven. De verslaggevers zaten vandaag bijna allemaal achterin. Ze maakten aantekeningen, al hadden ze de volledige tekst en al was hun beloofd dat de president zich daar deze keer aan zou houden. 'De toespraak van de president van vandaag,' zouden ze vanavond allemaal zeggen, maar eigenlijk was het helemaal niet de toespraak van de president. Ze wisten wie hem had geschreven. Callie Weston had er al met een aantal van hen over gepraat. Ze keken vooral naar de menigte, wat voor hen gemakkelijker was omdat er geen felle lampen in hun ogen schenen.

'... is geen gelegenheid, maar een verantwoordelijkheid die wij allemaal delen, want als Amerika van ons allen is, begint de plicht om ons land te leiden hier, en niet in Washington.' Weer applaus.

'Goede speech,' zei Tom Donner tegen zijn commentator-analist, John Plumber.

'Hij doet het ook goed. Ik heb met iemand van de marineacademie gesproken. Ze zeggen dat hij vroeger een kei van een docent was,' zei Plumber.

'Hij treft het ook met dit publiek. Het zijn vooral jongeren. En hij heeft het niet over de grote politieke kwesties.'

'Hij begint voorzichtig,' beaamde John. 'Je hebt toch een team dat de andere kant doet?'

Donner keek op zijn horloge en knikte. 'Dat kan er nu ieder moment zijn.'

'Nou, dokter Ryan, hoe bevalt het u om first lady te zijn?' vroeg Krystin Matthews met een warme glimlach.

'Ik weet nog niet helemaal wat het inhoudt.' Ze zaten te praten in Cathy's kleine kantoor met uitzicht op het centrum van Baltimore. Er was amper genoeg ruimte voor een bureau en drie stoelen (een goede voor de dokter, een voor de patiënt en een voor de partner of moeder van de patiënt) en omdat al die camera's en lampen daar ook nog bij gekomen waren, voelde ze zich ingesloten. 'Weet u, ik mis het dat ik niet meer voor mijn gezin kan koken.'

'U bent arts, en uw man verwacht ook nog van u dat u gaat koken?' vroeg de NBC-presentatrice. Haar verbazing grensde aan verontwaardiging.

'Ik heb altijd graag mogen koken. Daar kan ik me bij ontspannen, als ik thuiskom.' In plaats van naar de televisie te kijken, voegde professor Caroline Ryan er niet aan toe. Ze droeg een nieuwe gesteven witte jas. Ze had vijftien minuten aan haar haar en haar make-up moeten besteden, en er zaten patiënten op haar te wachten. 'Trouwens, ik ben er vrij goed in.'

Ach, dat was iets anders. Een suikerzoete glimlach: 'Wat is het favoriete gerecht van de president?'

Cathy glimlachte ook. 'Dat is gemakkelijk. Biefstuk, gebakken aardappelen, verse maïs aan de kolf en mijn spinaziesalade, en ik weet het: de arts in mij zegt tegen hem dat het niet goed is voor zijn cholesterolgehalte. Jack is vrij goed met een grill. In het algemeen is hij wel handig in huis. Hij vindt het niet eens erg om het gras te maaien.'

'Laten we eens teruggaan naar de nacht waarin uw zoon is geboren, die afschuwelijke nacht toen de terroristen...'
'Dat ben ik niet vergeten,' zei Cathy met een zachtere stem.
'Uw man heeft mensen gedood. U bent arts. Hoe denkt u daarover?'
'Jack en Robby... dat is nu admiraal Jackson... Robby en Sissy zijn onze beste vrienden,' legde Cathy uit. 'Hoe dan ook, ze deden wat ze moesten doen, anders hadden we die nacht niet overleefd. Ik hou niet van geweld. Ik ben arts. Vorige week had ik een patiënt die zijn oog had verloren door een vuistgevecht in een bar, een paar straten hiervandaan. Maar wat Jack deed, is iets anders dan wat zij deden. Mijn man vocht om mij en Sally te beschermen, en ook Jack junior, die toen nog niet eens geboren was.'
'Vindt u het prettig om arts te zijn?'
'Ik hou van mijn werk. Ik zou het nergens voor opgeven.'
'Maar een first lady heeft meestal...'
'Ik weet wat u wilt zeggen. Ik ben geen politiek echtgenote. Ik ben praktiserend arts. Verder doe ik wetenschappelijk onderzoek. Ik werk op het beste ooginstituut van de wereld. Op dit moment zitten er patiënten op me te wachten. Ze hebben me nodig, en weet u, ik heb hen ook nodig. Ik voel me nauw verbonden met mijn baan. Ik ben ook echtgenote en moeder en ik ben blij met bijna alles in mijn leven.'
'Behalve dit?' vroeg Krystin met een glimlachje.
Cathy's blauwe ogen twinkelden. 'Daar hoef ik toch geen antwoord op te geven?' En Matthews wist dat ze het motto voor het interview had.
'Wat voor man is uw echtgenoot?'
'Nou, dat kan ik niet objectief beoordelen, hè? Ik hou van hem. Hij heeft zijn leven voor mij en mijn kinderen op het spel gezet. Als ik hem nodig had, was hij er. En ik doe hetzelfde voor hem. Dat is de betekenis van liefde en huwelijk. Jack is intelligent. Hij is eerlijk. Je zou kunnen zeggen dat hij nogal een piekeraar is. Soms wordt hij midden in de nacht wakker, thuis, bedoel ik, en kijkt hij een half uur uit het raam naar het water. Ik denk niet dat hij weet dat ik dat weet.'
'Doet hij dat nog steeds?'
'De laatste tijd niet. Als hij naar bed gaat, is hij erg moe. Hij heeft nog nooit zulke lange uren gemaakt.'
'Zijn andere overheidsfuncties, bij de CIA bijvoorbeeld... er gaan verhalen dat hij...'
Cathy stak haar hand op om haar te onderbreken. 'Ik mag daar niets over zeggen. Ik weet het niet en wil het ook niet weten. Dat gaat ook op voor mijn eigen werk. Ik mag geen vertrouwelijke informatie over patiënten met Jack bespreken, of met iemand anders buiten het instituut.'
'We zouden u graag bij uw patiënten willen zien, en...' Cathy kapte de vraag af door met haar hoofd te schudden.
'Nee, dit is een ziekenhuis, geen televisiestudio. Het gaat niet eens zozeer om mijn eigen privacy, maar om die van mijn patiënten. Voor hen ben ik niet de

presidentsvrouw. Voor hen ben ik dokter Ryan. Ik ben geen beroemdheid. Ik ben arts. Voor mijn studenten ben ik hoogleraar en docente.'
'En het schijnt dat u een van de beste ter wereld bent,' voegde Matthews eraan toe om een reactie uit te lokken.
Weer een glimlach. 'Ja, ik heb de Lasker-prijs gekregen, en het respect van mijn collega's is mij meer waard dan geld... Maar weet u, dat is het ook niet. Soms – niet erg vaak – maar soms ben ik na een grote ingreep degene die in een donkere kamer het verband afdoet, en dan doen we langzaam het licht aan en dan zie ik het. Ik zie het aan het gezicht van de patiënt. Ik heb de ogen weer goed gemaakt, ze doen het weer, en de blik die je dan op zijn of haar gezicht ziet... nou, niemand bedrijft de geneeskunde voor het geld, tenminste niet hier in het Hopkins. We zijn hier om zieke mensen gezond te maken. Het is mijn taak om het gezichtsvermogen van mensen te behouden of te herstellen, en als je hun gezicht dan ziet wanneer het gelukt is, is het net of God op je schouder tikt en zegt: "Goed werk." Daarom zal ik mijn werk nooit, nooit opgeven,' zei Cathy Ryan bijna lyrisch. Ze wist dat ze dit die avond op de televisie zouden gebruiken en hoopte dat een intelligente scholier haar gezicht zou zien en woorden zou horen en serieus over de medicijnenstudie ging nadenken. Als ze deze tijdverspilling dan toch moest doorstaan, moest ze er zo goed mogelijk gebruik van maken.
Het was interessant wat ze over haar werk als arts vertelde, vond Krystin Matthews, maar omdat ze maar tweeënhalve minuut uitzendtijd hadden, zouden ze het laatste gedeelte niet kunnen gebruiken. Het gedeelte waarin ze vertelde dat ze er een hekel aan had om first lady te zijn was veel geschikter. De mensen hadden wel vaker dokters horen praten.

24

Vol vaart

De terugkeer naar het vliegtuig verliep snel en efficiënt. De gouverneur ging weg. De mensen die langs de straten hadden gestaan, gingen voor het grootste deel terug naar hun werk, en degenen die zich omdraaiden en keken, waren mensen die aan het winkelen waren en zich nu waarschijnlijk afvroegen wat die sirenes te betekenen hadden, of als ze het wisten, ergerden ze zich aan het lawaai. Ryan kon in de pluchen stoel achteroverleunen, vermoeid na al die gespannen ogenblikken.
'Hoe deed ik het?' vroeg hij. Hij keek uit het raam. Indiana trok met een snel-

heid van meer dan honderd kilometer aan hem voorbij. Hij vond het een grappig idee dat hij zo snel door de bebouwde kom reed zonder een bekeuring te krijgen.
'Erg goed, kan ik wel zeggen,' zei Callie Weston als eerste. 'U sprak als een docent.'
'Ik ben ooit docent geweest,' zei de president. En met een beetje geluk word ik het later opnieuw.
'Dat is goed voor een toespraak als deze, maar in andere gevallen moet er een beetje vuur bij komen,' merkte Arnie op.
'Eén ding tegelijk,' zei Callie tegen de stafchef. 'Jij gaat te snel.'
'In Oklahoma dezelfde toespraak?' vroeg de president.
'Een paar veranderingen, maar dat stelt niet veel voor. Alleen onthouden dat u niet meer in Indiana bent. Dezelfde tekst over wervelstormen, maar football in plaats van basketbal.'
'Oklahoma heeft ook beide senatoren verloren, maar heeft nog een afgevaardigde over, en die staat met je op het podium,' zei Van Damm.
'Hoe heeft hij het overleefd?' vroeg Jack.
'Hij zal die avond wel een nummertje hebben gemaakt,' was het antwoord. 'Je maakt een nieuw contract voor de vliegbasis Tinker bekend. Dat betekent zo'n vijfhonderd nieuwe banen en de consolidatie van een paar activiteiten op de nieuwe locatie. Daar zullen de plaatselijke kranten blij mee zijn.'

Ben Goodley wist niet of hij de nieuwe nationale-veiligheidsadviseur was of niet. Eigenlijk was hij nogal jong voor die functie, maar de president die hij diende was tenminste goed thuis in buitenlandse aangelegenheden. Dat maakte hem eerder een hooggeplaatste secretaris dan een adviseur. Hij vond dat niet erg. In zijn korte tijd op Langley had hij veel geleerd en was hij snel vooruitgekomen. Hij was een van de jongste mannen geweest die ooit de felbegeerde rang van nationale-inlichtingenadviseur bereikten, omdat hij wist hoe je informatie moest organiseren en omdat hij de politieke handigheid had om de belangrijke dingen eruit te pikken. Hij vond het erg prettig om rechtstreeks onder president Ryan te werken. Goodley wist dat hij de Baas altijd kon vertellen wat hij op zijn hart had, en dat Jack – hij dacht nog steeds aan hem met die naam, al kon hij hem niet meer gebruiken – hem altijd zou laten weten wat hij dacht. Het zou de zoveelste leerzame ervaring voor Goodley worden, een erg waardevolle les voor iemand wiens nieuwe ambitie het was om ooit op grond van eigen verdienste, en dus niet op grond van politieke machinaties, directeur van de CIA te worden.
Aan de muur tegenover zijn bureau hing het soort klok dat de zonnestand voor de hele wereld aangaf. Hij had hem besteld op de dag dat hij hier kwam werken, en tot zijn verbazing had die klok er de volgende dag al gehangen, zonder dat zijn verzoek eerst door vijf bureaucratische echelons van de afdeling Inkoop was verwerkt. Hij had gehoord dat het Witte Huis een deel van de overheid was dat echt werkte, en had dat nooit willen geloven. Na zijn

studie aan Harvard had hij nu ongeveer vier jaar voor de overheid gewerkt, en daarom meende hij te weten wat werkte en wat niet. Het was een welkome verrasing geweest, en de klok, wist hij op grond van zijn werk in het operatiecentrum van de CIA, vertelde je onmiddellijk wat je weten wilde. Je had er meer aan dan aan de rij klokken die in andere kantoren hing. Nog belangrijker was het dat je meteen kon zien dat iets op een ongewoon uur gebeurde, en daaruit kon je vaak evenveel afleiden als uit een bulletin van SIGINT, Signals Intelligence. Zoals het bericht dat net was binnengekomen op zijn persoonlijke fax, die op zijn STU-4 beveiligde telefoon was aangesloten.

De National Security Agency had de gewoonte om periodieke overzichten van haar activiteiten op de wereld te verspreiden. Haar eigen hoofdkwartier werd bemand door hoge militairen, en terwijl hun kijk op de dingen technischer en politieker was dan die van hemzelf, waren ze niet achterlijk. Ben kende de naam en reputatie en persoonlijke eigenschappen van velen van hen. De luchtmachtkolonel die op doordeweekse middagen de leiding van het wachtcentrum van de NSA had, viel mensen niet lastig met onbenulligheden. Dat liet hij over aan mensen die lager in rang waren. Als de kolonel zijn naam onder iets zette, was het meestal de moeite van het lezen waard. En dat was het ook nu, kort na de middag, Washington-tijd.

Goodley zag dat het FLASH-bericht over Irak ging. Dat was ook iets van de kolonel. Hij gebruikte geen prioriteitsaanduidingen als het nergens voor nodig was, zoals sommigen deden. Ben keek naar de klok aan de muur. Na zonsondergang, plaatselijke tijd, een tijd van ontspanning voor sommigen en van actie voor anderen. De actie zou van het soort zijn dat de hele nacht duurde. Dat laatste had zijn voordelen, want 's nachts kon je ongestoord dingen doen en dan had je, als het 's morgens licht werd, heel wat bereikt.

'Allemachtig,' fluisterde Goodley. Hij las de bladzijde nog eens door, zwaaide zich toen op zijn draaistoel opzij, pakte de telefoon en drukte op een sneltoets.

'Kantoor van de directeur,' antwoordde een vrouw, aan haar stem te horen, van een jaar of vijftig.

'Goodley voor Foley.'

'Een ogenblik, meneer Goodley.' En toen: 'Dag, Ben.'

'Dag, directeur.' Hij vond het ongepast om de directeur bij de voornaam aan te spreken. Waarschijnlijk zou hij binnen een jaar weer op Langley werken, en dan niet als topfiguur op de zesde verdieping. 'U hebt wat ik heb?' De faxpagina was nog warm in zijn hand.

'Irak?'

'Ja.'

'Je zult het wel twee keer hebben gelezen, Ben. Ik heb net tegen Bert Vasco gezegd dat hij hier als de gesmeerde bliksem naartoe moet komen.' De eigen Irak-desk van de CIA was zwak, vonden ze allebei, terwijl die Vasco van Buitenlandse Zaken erg goed was.

'Het lijkt me nogal sensationeel.'

'Mij ook,' zei Ed Foley met een onzichtbaar hoofdknikje. 'Jezus, wat komen ze daar snel in actie! Geef me een uur, anderhalf uur.'
'Ik denk dat de president het moet weten,' zei Goodley. Het was niet aan zijn stem te horen hoe opgewonden hij was. Tenminste, dat dacht hij.
'Hij moet eigenlijk meer weten dan wij hem op dit moment kunnen vertellen. Ben?' vroeg de directeur van de CIA.
'Ja, directeur?'
'Jack zal je niet wurgen omdat je geduld hebt gehad, en we kunnen toch niet meer doen dan kijken hoe het verdergaat. We mogen hem niet overladen met informatie. Hij heeft geen tijd meer om het allemaal door te nemen. Wat hij ziet, moet bondig zijn. Dat is jouw taak,' legde Ed Foley uit. 'Je zult er een paar weken over doen om het te leren. Ik zal je helpen,' ging de directeur verder, om Goodley nog eens duidelijk te maken dat die nog geen toppositie bekleedde.
'Goed. Ik wacht af.' De verbinding werd met een klik verbroken.
Goodley had ongeveer een minuut de tijd om het NSA-bulletin nog eens door te lezen. Toen ging de telefoon weer.
'Goodley.'
'Meneer Goodley, met het kantoor van de president,' zei een van de hogere secretaresses. 'Ik heb een meneer Golovko op de privé-lijn van de president. Kunt u het aannemen?'
'Ja,' antwoordde hij, en hij dacht: Jezus nog aan toe.
'Met Ben Goodley.'
'Met Golovko. Wie bent u?'
'Ik ben de waarnemend nationale-veiligheidsadviseur van de president.' En ik weet wie jij bent.
'Goodley?' Ben kon aan Golovko's stem horen dat hij in zijn geheugen groef. 'O ja, u bent de nationale-inlichtingenadviseur die zich net heeft leren scheren. Mijn gelukwensen met uw promotie.'
Dat was indrukwekkend, al nam Goodley aan dat de Rus een dossier op zijn bureau had met al zijn gegevens, tot en met zijn schoenmaat. Zelfs Golovko's geheugen kon niet zo goed zijn, en Goodley werkte al een tijdje in het Witte Huis. De RVS/KGB zou zijn huiswerk hebben gedaan.
'Nou, iemand moet toch de telefoon opnemen, meneer de minister.' Zulke opmerkingen konden van twee kanten komen. Golovko was eigenlijk geen minister, al fungeerde hij als zodanig, en dat laatste was officieel een geheim. Het was een zwak antwoord, maar het was iets. 'Wat kan ik voor u doen?'
'U kent de regeling die ik met Ivan Emmetovitsj heb getroffen?'
'Ja, die ken ik.'
'Goed. Zegt u tegen hem dat er binnenkort een nieuw land ontstaat. Het zal de Verenigde Islamitische Republiek worden genoemd. Voorlopig zal het bestaan uit Iran en Irak. Ik heb het sterke vermoeden dat het nog groter wil worden.'
'Hoe betrouwbaar is die informatie, meneer?' Hij kon maar beter beleefd blijven. Dan voelde de Rus zich gewichtiger.

'Jongeman, ik zou uw president niets vertellen als ik niet het gevoel had dat het betrouwbare informatie was, maar,' voegde hij er genereus aan toe, 'ik begrijp dat u die vraag moet stellen. De bron van het bericht gaat u niet aan. De bron is zo betrouwbaar dat ik persoonlijk garant sta. Er komt nog meer informatie. Hebt u soortgelijke indicaties?'
Goodley zat even met wijdopen ogen naar een lege plek op zijn bureau te staren. Hij had hier geen richtlijnen voor. Ja, hij had gehoord dat president Ryan met Golovko over samenwerking had gesproken, dat hij de zaak ook met Ed Foley had besproken en dat beiden hadden besloten op Golovko's voorstel in te gaan. Maar niemand had hem verteld in hoeverre hij informatie aan Moskou mocht doorgeven. Hij had ook niet de tijd om instructies aan de CIA te vragen, want dan zou hij zwak lijken in de ogen van de Rus, en de Russen wilden niet dat Amerika nu een zwakke indruk maakte. Hij was de man ter plaatse en hij moest een beslissing nemen. Dat hele gedachtenproces nam ongeveer een derde van een seconde in beslag.
'Ja, meneer de minister, die hebben we. Toevallig dat u belt. Directeur Foley en ik hadden het net over deze ontwikkeling.'
'Ach ja, meneer Goodley. Ik zie dat uw mensen nog even efficiënt zijn als altijd. Alleen jammer dat uw menselijke bronnen niet op hetzelfde niveau staan als hun prestaties.'
Ben durfde daar niets op te zeggen, al wist hij dat Golovko gelijk had. Zijn maag trok zich samen bij die gedachte. Goodley had meer respect voor Jack Ryan dan voor wie ook en herinnerde zich nu dat Jack grote bewondering had voor de man aan de andere kant van de lijn. Welkom bij de grote mannen, jongen. Hij had moeten zeggen dat Foley hém had gebeld.
'Meneer de minister, ik spreek binnen een uur met president Ryan, en dan zal ik uw informatie doorgeven. Dank u voor uw tijdige inlichting.'
'Goedendag, meneer Goodley.'
De *Verenigde Islamitische Republiek*, las Ben op zijn blocnote. Er had vroeger een Verenigde Arabische Republiek bestaan, een onwaarschijnlijk bondgenootschap tussen Syrië en Egypte dat om twee redenen tot mislukken gedoemd was geweest. Ten eerste waren die twee landen fundamenteel onverenigbaar, en ten tweede was het bondgenootschap alleen gesloten om Israël te vernietigen en had dat land zich daar met succes tegen verzet. Nog belangrijker: de Verenigde *Islamitische* Republiek was net zo goed een religieuze eenheid als een politieke, want Iran was geen Arabische natie – terwijl Irak dat wel was – maar eerder een Arisch, een Indo-Iraans land met andere etnische en linguïstische wortels. De islam was de enige godsdienst ter wereld die in zijn heilige schrift alle vormen van racisme veroordeelde en die de gelijkheid van alle mensen voor God verkondigde, ongeacht de huidskleur, een gegeven dat door het Westen vaak over het hoofd werd gezien. De islam kon dus heel goed als een verenigende kracht fungeren. Dat was natuurlijk de reden waarom dat nieuwe land die naam had gekregen. Dat zei veel, zoveel dat Golovko het niet eens hoefde uit te leggen, en wat je er ook uit kon afleiden, was dat Golovko

vond dat hij en Ryan op dezelfde golflengte zaten. Goodley keek weer op de klok aan de muur. In Moskou was het ook nacht. Golovko werkte laat, nou ja, niet zo heel erg laat voor zo'n hoge functionaris. Ben nam de telefoon en drukte weer op de 3. Hij had nog geen minuut nodig om het telefoontje uit Moskou samen te vatten.
'We kunnen alles geloven wat hij zegt, tenminste, als het hierover gaat. Sergej Nikolajevitsj is een oude rot in het vak. Hij zal je wel een beetje op je nummer hebben gezet, hè?' vroeg de directeur van de CIA.
'Hij was wat aan het jennen,' gaf Goodley toe.
'Dat is nog iets van vroeger. Ze zijn gek op die statusspelletjes. Maak je er niet druk om, en schiet niet terug. Je kunt het maar beter negeren,' legde Foley uit.
'Nou, waar maakt hij zich zorgen over?'
'Een hoop republieken die eindigen op -stan,' gooide Goodley er onwillekeurig uit.
'Inderdaad.' Dat was een andere stem.
'Vasco?'
'Ja, ik kom net binnen.' En toen moest Goodley herhalen wat hij al aan Ed Foley had verteld. Waarschijnlijk was Mary Pat er ook. Ieder voor zich waren ze goed in wat ze deden. Samen in één kamer, samen nadenkend, waren ze een dodelijk wapen. Het was iets wat je moest meemaken om het te kunnen begrijpen, wist Ben.
'Dit lijkt me heel wat,' merkte Goodley op.
'Mij ook,' zei Vasco door de telefoon. 'Laten we eens een paar dingen doornemen. We bellen je over een kwartier of twintig minuten terug.'
'Wil je wel geloven dat Avi ben Jakob contact met ons heeft opgenomen?' zei Ed, nadat er een achtergrondgeluid op de lijn te horen was geweest. 'Daar in Israël hebben ze het nu ook niet makkelijk.'
Voorlopig was het ironisch dat de Russen niet alleen de eersten waren die contact opnamen met Amerika (alleen al het feit dat ze dat deden!), maar dat ze ook de enigen waren die rechtstreeks naar het Witte Huis belden. In twee opzichten hadden ze het dus van de Israëli's gewonnen. Maar de pret zou van korte duur zijn, wisten alle betrokkenen. Israël had waarschijnlijk inderdaad een verschrikkelijke dag. Rusland had gewoon een erg slechte dag. En Amerika kreeg daar nu ook zijn deel van.

Het zou onbeschaafd zijn geweest hun niet de kans te geven om te bidden. Hoe wreed ze ook waren – en ze waren wrede misdadigers geweest – ze moesten de gelegenheid krijgen om te bidden, al was het maar even. Elk van hen had een geleerde mullah bij zich die hen met een ferme maar niet onvriendelijke stem van hun lot op de hoogte stelde, en de Schrift citeerde, en hun vertelde over de kans om je met Allah te verzoenen voordat je Hem onder ogen kwam. Ze deden het allemaal – het was de vraag of ze geloofden in wat ze deden, een vraag waarover Allah zou moeten oordelen, maar de mullahs hadden hun plicht gedaan – en toen werden ze allemaal naar de binnenplaats van de gevangenis gebracht.

Het was lopendebandwerk. De timing was uiterst zorgvuldig: de drie geestelijken besteedden aan elke veroordeelde misdadiger precies drie keer de tijd die nodig was om elk van hen op zijn beurt naar voren te halen, aan de paal te binden en te doden en daarna het lijk weg te halen en met de volgende te beginnen. Het kwam neer op vijf minuten per executie en een kwartier tijd om te bidden.

De generaal die het bevel had gevoerd over de 41ste pantserdivisie stond min of meer model voor de hele groep, al was hij misschien iets godsdienstiger dan de meesten. In het bijzijn van de imam – de generaal prefereerde de Arabische term boven de Perzische – werden zijn handen gebonden. Hij werd de cel uit geleid door soldaten die een week geleden nog voor hem zouden hebben gesalueerd, ja zouden hebben gebeefd zodra ze hem zagen. Hij had zich met zijn lot verzoend en hij zou de Perzische schoften tegen wie hij in de moerassen langs de grens had gevochten geen enkele voldoening geven, al vloekte hij bij zichzelf op de laffe opperbevelhebbers die het land waren uitgeglipt en hem hadden achtergelaten. Misschien had hij de president zelf moeten doden om de macht over te nemen, dacht hij terwijl zijn handboeien aan de paal werden vastgemaakt. De generaal nam even de tijd om naar de muur te kijken om te zien hoe goed het vuurpeloton kon schieten. In zekere zin vond hij het wel komisch dat hij er een paar seconden extra over zou doen om te sterven, en hij snoof van minachting. Hij was een bekwaam militair, in Rusland opgeleid. Het was altijd zijn streven geweest een eerlijk soldaat te zijn, die geen politiek bedreef maar alle bevelen onvoorwaardelijk opvolgde. Daarom hadden de politieke leiders van het land hem nooit helemaal vertrouwd. En dit was nu zijn beloning. Een kapitein kwam met een blinddoek naar hem toe.

'Een sigaret, alstublieft. Die doek mag je houden voor als je later vanavond gaat slapen.'

De kapitein knikte met een onbewogen gezicht. Zijn emoties waren al verdoofd door de tien executies die hij in het afgelopen uur had geleid. Hij schudde een sigaret uit zijn pakje, stopte hem tussen de lippen van de man en stak hem met een lucifer aan. Toen dat gebeurd was, sprak de kapitein de woorden uit die hij geacht werd te zeggen.

'*Salaam alaykum.*' Vrede zij met u.

'Ik zal meer vrede hebben dan jij, jongeman. Doe je plicht. Wil je zorgen dat je pistool geladen is?' De generaal sloot zijn ogen om van een diepe trek van de sigaret te genieten. Zijn arts had hem nog maar een paar dagen geleden gezegd dat het slecht voor zijn gezondheid was. Was dat geen goede grap? Hij keek terug op zijn carrière en verbaasde zich er weer over dat hij, na wat de Amerikanen in 1991 met zijn divisie hadden gedaan, nog leefde. Nou ja, hij had de dood meer dan eens ontweken, en dat was een wedloop die je kon rekken maar nooit echt kon winnen. En zo stond het ook geschreven. Hij nam weer een diepe trek. Een Amerikaanse Winston. Hij herkende de smaak. Hoe kwam een simpele kapitein aan een pakje? De soldaten brachten hun geweren omhoog om te richten. Ze hadden geen enkele uitdrukking op hun gezicht.

Nou, dat kreeg je wanneer mensen andere mensen doodden. Wat eigenlijk wreed en verschrikkelijk was, werd een karwei dat...
De kapitein ging naar het lichaam toe dat vooroverhing aan het nylon koord dat om de handboeien heen was geslagen. Opnieuw, dacht hij, en hij trok zijn 9-mm browning en richtte hem op een meter afstand. Een laatste knal maakte een eind aan het gekreun. Twee soldaten sneden het koord door en sleepten het lichaam weg. Een andere soldaat verving het koord aan de paal. Een vierde harkte door het zand, niet om het bloed te verbergen maar om het door het zand te mengen, want bloed was glibberig om op te lopen. De volgende zou een politicus zijn, geen militair. De meeste militairen stierven tenminste op een waardige manier, zoals deze laatste. De burgers niet. Die jammerden en huilden en riepen naar Allah. En ze wilden altijd de blinddoek. Dat was een leerzame ervaring voor de kapitein, die nooit eerder zoiets had gedaan.

Het had een paar dagen geduurd voordat ze alles in orde hadden, maar ze zaten nu allemaal in afzonderlijke huizen in verschillende delen van de stad, en zodra dat voor elkaar was, begonnen de generaals en hun entourages zich daar zorgen over te maken. Nu ze allemaal in een apart huis woonden, dachten ze, konden ze een voor een worden opgepikt en gevangengezet, om vervolgens naar Bagdad te worden teruggestuurd. Welbeschouwd maakte het niet veel uit. Geen van de gezinnen had meer dan twee lijfwachten, en wat konden die nu meer uitrichten dan bedelaars op een afstand houden als ze naar buiten gingen? Ze ontmoetten elkaar vaak – elke generaal beschikte over een auto – vooral om plannen te maken voor de toekomst. Ze waren het er niet over eens of ze samen naar hun volgende bestemming moesten reizen of dat ze ieder hun weg moesten gaan. Sommigen zeiden dat het veiliger en voordeliger was om bijvoorbeeld een groot stuk land te kopen en daar huizen op te bouwen. Anderen maakten duidelijk dat ze, nu ze voorgoed uit Irak weg waren (twee van hen hadden de illusie dat ze nog eens in triomf konden terugkeren om de macht over te nemen, maar dat was fantasie, zoals de anderen heel goed wisten), niets meer met de anderen te maken wilden hebben. Er had altijd al veel kleinzielige rivaliteit tussen hen bestaan, maar hun diepe afkeer van elkaar kwam nu pas goed aan de oppervlakte. De armste van hen had een persoonlijk vermogen van veertig miljoen dollar – en een van hen had bijna driehonderd miljoen dollar op verschillende Zwitserse banken staan – meer dan genoeg om een comfortabel leven in ieder land van de wereld te leiden. De meesten kozen voor Zwitserland, dat altijd al een toevluchtsoord was voor rijke mensen die een rustig leven wilden leiden, al waren er ook een paar die verder naar het oosten keken. De sultan van Brunei zocht mensen om zijn leger te reorganiseren, en drie van de Iraakse generaals dachten erover om bij hem te solliciteren. De plaatselijke Soedanese regering had hen ook benaderd. De Soedanezen konden wel wat militaire adviseurs gebruiken voor hun operaties tegen de animistische minderheden in het zuidelijk deel van het land; de Irakezen hadden veel ervaring met Koerden.

De generaals maakten zich trouwens niet alleen zorgen over zichzelf. Ze hadden allemaal hun gezin meegebracht. Velen van hen hadden een maîtresse meegenomen, die nu bij hen in huis woonde, hetgeen een nogal ongelukkige situatie was. De maîtresses werden genegeerd, zoals ze ook in Bagdad genegeerd waren. Daar zou verandering in komen.

Soedan is voor het grootste deel een woestijnland dat bekendstaat om zijn verzengende, droge hitte. Het was een Brits protectoraat geweest en de hoofdstad had een ziekenhuis voor buitenlanders met grotendeels Engels personeel. Het was niet het beste ziekenhuis ter wereld, maar wel beter dan de meeste ziekenhuizen in de Saharalanden. Er werkten vooral jonge en enigszins idealistische artsen die naar het land waren gekomen met romantische ideeën over zowel Afrika als hun carrière (zo was het al meer dan honderd jaar). Al gauw wisten ze wel beter, maar ze bleven hun best doen en leverden over het geheel genomen goed werk.

De twee patiënten kwamen nauwelijks een uur na elkaar. Het jonge meisje kwam als eerste, vergezeld door haar bezorgde moeder. Ze was vier jaar oud, hoorde dokter Ian MacGregor, en ze was een gezond kind geweest, afgezien van een beetje astma, dat, zoals haar moeder terecht opmerkte, in Khartoum met zijn droge lucht geen probleem zou moeten zijn. Waar kwamen ze vandaan? Irak? De dokter wist niets van politiek en interesseerde zich er ook niet voor. Hij was achtentwintig en had zijn opleiding tot internist net achter de rug, een kleine man met rossig haar dat al uitgedund was. Waar het om ging, was dat hij geen berichten had gezien over epidemieën in dat land. Hij en zijn mensen waren gewaarschuwd voor de ebolagevallen in Zaïre, maar dat waren maar enkele gevallen geweest.

De temperatuur van de patiënte was 38.0, niet bepaald hoge koorts voor een kind, zeker niet in een land waar de middagtemperatuur altijd minstens zo hoog was. De bloeddruk, hartslag en ademhaling waren normaal. Ze maakte een lusteloze indruk. Hoe lang zei u dat u in Khartoum was? Nog maar een paar dagen. Nou, het zou gewoon jetlag kunnen zijn. Sommige mensen zijn daar gevoeliger voor dan anderen, legde MacGregor uit. Bovendien kon een nieuwe omgeving een kind van streek maken. Misschien was het verkoudheid of een griepje, niets ernstigs. Soedan heeft een warm klimaat, maar de atmosfeer was tamelijk gezond, weet u, heel anders dan in andere delen van Afrika. Hij trok rubberen handschoenen aan, niet omdat het echt nodig was maar omdat hij aan de universiteit van Edinburgh had geleerd dat je dat altijd moest doen, want die ene keer dat je het vergat, liep het net zo met je af als met dokter Sinclair... o, heb je nog niet gehoord dat die aids kreeg van de patiënt? Eén zo'n verhaal was meestal wel genoeg. De patiënte verkeerde niet in grote nood. Haar ogen waren een beetje gezwollen. Haar keel was enigszins ontstoken, maar niet ernstig. Waarschijnlijk zou het genoeg zijn als ze een paar nachten goed sliep. Hij hoefde niets voor te schrijven. Aspirine tegen de koorts en de pijntjes, en als het probleem aanhield, moest ze nog maar eens terugkomen. Ze kwam er vanzelf wel weer bovenop. Moeder ging weg met het kind. De dokter

vond dat het tijd was voor een kop thee. Op weg naar de kantine trok hij de rubberen handschoenen uit die zijn leven hadden gered. Hij gooide ze in de daarvoor bestemde bak.
De volgende kwam een halfuur later, een man, drieëndertig, met een nogal schurkachtig uiterlijk. Hij gedroeg zich argwanend en nors tegen het Afrikaanse personeel, maar was beleefd tegen de Europeanen. Blijkbaar een man die Afrika kende, dacht MacGregor. Waarschijnlijk een Arabische zakenman. Reist u veel? De laatste tijd? O nou, dat zou het kunnen zijn. Het plaatselijke drinkwater kunt u beter niet gebruiken; dat zou de oorzaak van uw maagklachten kunnen zijn. En ook deze man ging naar huis met een buisje aspirines, plus een middeltje voor zijn maag- en darmklachten, en even later zat MacGregors dienst erop. Het was een rustige dag geweest.

'Meneer de president? Ben Goodley op de STU,' zei een sergeant tegen hem. Toen liet hij hem zien hoe de telefoons werkten.
'Ja, Ben?' zei Jack.
'We hebben berichten over een heleboel Iraakse hoge pieten die tegen de muur worden gezet. Ik fax het rapport nu naar u toe. Het wordt bevestigd door de Russen en de Israëli's.' En op datzelfde moment verscheen er een luchtmachtsergeant die Ryan drie vellen papier gaf. Op het eerste stond alleen TOPGEHEIM – ALLEEN VOOR DE PRESIDENT, al hadden drie of vier verbindingsmensen het al onder ogen gehad, en dat was alleen nog maar in het vliegtuig, dat nu begon af te dalen naar de vliegbasis Tinker.
'Ik heb het hier. Laat het me even lezen.' Hij nam de tijd. Eerst keek hij het rapport vlug door en toen ging hij naar het begin terug om het langzamer te lezen. 'Goed, wie blijven er over?'
'Niemand die de moeite waard is, zegt Vasco. Dit zijn het hele leiderschap van de Ba'ath-partij en alle overgebleven hogere militaire bevelhebbers. Er is niemand van belang overgebleven. Nou, het angstaanjagende nieuws komt van PALM BOWL, en...'
'Wie is die majoor Sabah?'
'Ik ben dat zelf nagegaan, president,' antwoordde Goodley. 'Het is iemand van de Koeweitse inlichtingendienst. Onze mensen zeggen dat hij nogal snel is. Vasco is het daarmee eens. Het gaat allemaal zoals we vreesden, en het gaat erg snel.'
'De reactie van Saoedi-Arabië?' Ryan voelde een schok doordat de VC-25A door een paar wolken ging. Zo te zien regende het buiten.
'Nog niet. Ze zijn de dingen nog aan het bespreken.'
'Goed, bedankt voor de informatie, Ben. Hou me op de hoogte.'
'Komt voor elkaar, meneer de president.'
Ryan legde de hoorn weer op de haak en fronste zijn wenkbrauwen.
'Problemen?' vroeg Arnie.
'Irak. Het gaat snel. Ze executeren mensen in een hoog tempo.' De president gaf de papieren aan zijn stafchef.

Het had altijd iets irreëels. Het NSA-rapport, verbeterd en aangevuld door de CIA en anderen, gaf een lijst van mannen. Als hij in zijn kantoor was geweest, zou Ryan ook foto's hebben gezien van mannen die hij nooit had ontmoet, en nu dus ook nooit meer zou ontmoeten, want terwijl hij naar Oklahoma ging om een niet-politieke toespraak te houden, werden de levens van de mannen op die lijst beëindigd; of waarschijnlijk was dat al eerder gebeurd. Het was net of hij naar een reportage van een sportwedstrijd op de radio luisterde, met dit verschil dat in dit spel echte mensen werden doodgeschoten. Voor mensen op een afstand van meer dan tienduizend kilometer kwam er een eind aan de werkelijkheid. Ryan hoorde daarover via radioberichten die op nog grotere afstand waren gemaakt en aan hem waren doorgeseind, en het was echt en tegelijk niet echt. Dat laatste had te maken met de afstand en met zijn omgeving. Een stuk of honderd hogere Iraakse functionarissen doodgeschoten – wilt u nog een broodje voordat we landen? Die tweeslachtigheid zou amusant zijn geweest als er niet zoveel implicaties voor het buitenlands beleid waren. Nee, dat was ook niet waar. Er was helemaal niets grappigs aan.
'Waar denk je aan?' vroeg Van Damm.
'Ik zou op kantoor terug moeten zijn,' antwoordde Ryan. 'Dit is belangrijk en ik moet het volgen.'
'Mis!' zei Arnie. Hij schudde zijn hoofd en wees met zijn vinger. 'Je bent geen nationale-veiligheidsadviseur meer. Je hebt mensen die dat voor je doen. Je bent de president en je hebt veel dingen te doen, allemaal dingen die belangrijk zijn. De president laat zich nooit meeslepen door één gebeurtenis en hij laat zich nooit opsluiten in het Oval Office. Dat willen de mensen niet. Het zou betekenen dat je de zaken niet beheerst. Het zou betekenen dat de zaken jóu beheersen. Vraag Jimmy Carter maar hoe geweldig zijn tweede ambtstermijn was. Dit is helemaal niet zo erg belangrijk.'
'Dat zou het kunnen zijn,' protesteerde Jack, terwijl het vliegtuig de grond raakte.
'Op dit moment is je toespraak in Oklahoma belangrijk.' Hij zweeg even voordat hij verderging. 'Niet alleen liefdadigheid begint bij de mensen thuis. Politieke macht ook. Het begint daarbuiten.' Hij wees naar de ramen. Buiten kwam Oklahoma langzaam tot stilstand.
Ryan keek, maar wat hij zag was de Verenigde Islamitische Republiek.

Vroeger was het moeilijk om de Sovjet-Unie binnen te komen. Er was toen een grote organisatie geweest die het Hoofddirectoraat Grensbewaking van de Commissie voor Staatsveiligheid had geheten. Die grenswachten patrouilleerden langs de hekken – in sommige gevallen ook langs mijnenvelden en echte fortificaties – om mensen binnen en buiten te houden. Inmiddels waren al die bewakingssystemen in verval geraakt. Tegenwoordig had de nieuwe lichting grenswachten bij de controleposten maar één hoofddoel: smeergeld aannemen van smokkelaars die tegenwoordig grote vrachtwagens gebruikten om hun waren naar een land te brengen dat ooit met ijzeren hand door Moskou

was geregeerd. Dat land was nu een verzameling semi-onafhankelijke republieken die in economisch en dus ook in politiek opzicht min of meer onafhankelijk waren. Dat was niet de bedoeling geweest. Toen Stalin de centraal geleide economie opzette, had hij de productieplaatsen op een zodanige manier gespreid dat ieder deel van zijn immense imperium voor belangrijke producten afhankelijk was van ieder ander deel. Wat hij over het hoofd had gezien, was het dissonante feit dat als de hele economie naar de bliksem ging, je de dingen die je nodig had ergens anders vandaan moest halen. Na het uiteenvallen van de Sovjet-Unie was het smokkelen, dat onder het communistisch bewind niet veel kans had gekregen, een volwaardige bedrijfstak geworden. En met goederen kwamen ook ideeën binnen. Je hield ze bijna niet tegen en je kon er geen belasting op heffen.
Het enige wat ontbrak, was een ontvangstcomité, maar dat zou ook moeilijk kunnen. De corruptie van de grenswachten had twee kanten. Ze waren ertoe in staat hun superieuren in te lichten nadat ze eerst het vereiste percentage van de buit hadden gekregen. Daarom bleef de afgezant rustig op de rechterkant van de voorbank zitten, terwijl de chauffeur de zaken afhandelde. In dit geval bood hij de grenswachten een keuze uit zijn lading aan. Ze gedroegen zich niet eens zo erg hebzuchtig, namen genoegen met weinig meer dan wat ze gemakkelijk in hun auto's konden verbergen. (De enige concessie aan de illegaliteit van het hele gebeuren was dat het 's nachts plaatsvond.) Vervolgens werden de juiste stempels op de juiste documenten aangebracht en reed de vrachtwagen door over de snelweg, die waarschijnlijk de enige goed begaanbare weg tot ver in de omtrek was. De rest van de rit nam niet veel meer dan een uur in beslag. Ze kwamen in een stad die ooit een centrum van de karavaanhandel was geweest, en stopten daar even. De afgezant stapte uit en liep naar een personenauto om zijn reis voort te zetten. Hij had alleen een tas met wat schone kleren bij zich.
De president van deze semi-autonome republiek beweerde dat hij een moslim was, maar hij was vooral een opportunist, een voormalige partijfunctionaris die zijn eigen carrière vaak boven God had laten prevaleren en die, toen de politieke wind uit een andere hoek ging waaien, met veel misbaar de islam had omhelsd, al liet die religie hem in werkelijkheid volkomen koud. Zijn geloof, als je het zo kon noemen, richtte zich alleen op een zo aangenaam mogelijk leven in deze wereld. Er stonden verscheidene passages in de koran over dat soort mensen, en die waren geen van alle erg vleiend. Hij leidde een comfortabel leven in een comfortabel paleis waar vroeger de partijbaas van deze voormalige sovjetrepubliek had gewoond. In die officiële residentie dronk hij, neukte hij en regeerde hij zijn republiek met een hand die soms te hard en soms te zacht was. Te strak beheerste hij de regionale economie (met zijn communistische achtergronden was hij daar hopeloos onbekwaam in). Daarentegen liet hij de islam rustig tot bloei komen, want op die manier, dacht hij, kregen zijn mensen de illusie van persoonlijke vrijheid (en daaruit bleek dat hij weinig begreep van het islamitisch geloof dat hij zelf beweerde te hebben,

want de islamitische wet is niet alleen van toepassing op het spirituele maar ook op het wereldse). Zoals alle presidenten voor hem dacht hij dat hij geliefd was bij zijn volk. Dat was, wist de afgezant, een illusie die alle dwazen met elkaar gemeen hadden. Na een tijdje arriveerde de afgezant bij het bescheiden huis van een vriend van de plaatselijke religieuze leider. Dat was een man met een eenvoudig geloof en een kalme eerzaamheid, geliefd bij allen die hem kenden en gehaat door niemand, want hij nam bijna altijd een mild standpunt in en als hij zich eens kwaad maakte, was dat gebaseerd op principes die zelfs een ongelovige kon respecteren. Deze man van midden vijftig had erg onder het vorige regime geleden, maar dat had nooit afbreuk gedaan aan de kracht van zijn geloof. Hij was de ideale man voor de taak die vervuld moest worden, en hij werd omringd door zijn naaste medewerkers.

Er volgden de gebruikelijke begroetingen in Gods heilige naam, en daarna werd de thee geserveerd en was het tijd om ter zake te komen.

'Het is een droevige zaak,' begon de afgezant, 'om de gelovigen in zo'n armoede te zien leven.'

'Dat is het altijd, maar nu kunnen we onze godsdienst in vrijheid uitoefenen. Mijn volk komt tot het geloof terug. Onze moskeeën zijn hersteld en trekken iedere dag meer gelovigen. Wat zijn materiële bezittingen in vergelijking met het geloof?' zei de plaatselijke leider met de redelijke stem van een leraar.

'Een waar woord,' beaamde de afgezant. 'En toch wenst Allah dat zijn gelovigen welvarend zijn, nietwaar?' Daar waren ze het allemaal mee eens. Alle mannen in de kamer waren islamitische geleerden, en het zijn maar weinigen die armoede boven comfort verkiezen.

'Wat mijn mensen vooral nodig hebben, zijn scholen, goede scholen,' was het antwoord. 'We hebben medische voorzieningen nodig. Ik krijg er genoeg van om de ouders te troosten van een dood kind dat niet had hoeven sterven. We hebben veel dingen nodig. Dat ontken ik niet.'

'Al die dingen kunnen er gemakkelijk komen, als er maar geld is,' merkte de afgezant op.

'Maar dit is altijd een arm land geweest. Zeker, wij hebben natuurlijke hulpbronnen, maar die zijn nooit goed geëxploiteerd, en nu zijn we ook de steun van de centrale overheid kwijtgeraakt. Nu we eindelijk de vrijheid hebben om over ons eigen lot te beslissen, hebben we een idioot van een president die meestal dronken is en vrouwen misbruikt in zijn paleis. Was hij maar een rechtvaardig man, een gelovig man, dan konden we dit land welvarend maken,' zei hij, meer bedroefd dan woedend.

'Dat, en ook een beetje buitenlands kapitaal,' merkte een van de meer economisch geschoolden uit zijn gevolg in alle bescheidenheid op. De islam had nooit iets tegen handelsactiviteiten gehad. Hoewel deze godsdienst zich in de ogen van het westen vooral met het zwaard heeft verbreid, waren het de koopvaardijschepen die haar naar het oosten brachten, ongeveer zoals het christendom zich door het verspreiden van het woord en door het voorbeeld van zijn aanhangers had verbreid.

'In Teheran vindt men het tijd worden dat de gelovigen zich naar de geboden van de profeet gedragen. Wij hebben de fout gemaakt die ongelovigen ook maken. We lieten ons leiden door nationale hebzucht en hadden te weinig oog voor de behoeften van alle volkeren. Mijn eigen leraar, Mahmoud Haji Daryaei, predikt de noodzaak om terug te keren tot de grondslagen van ons geloof,' zei de afgezant, en hij nam een slokje thee. Hij sprak zelf ook met de kalme stem van een leraar. Zijn hartstocht bewaarde hij voor de gelegenheden dat hij een groot publiek toesprak. In een besloten kamer, zittend op de vloer met mannen die even geleerd waren als hijzelf, sprak ook hij met de stem van de rede. 'Wij hebben rijkdom, zoveel rijkdom als alleen Allah kan geven. En nu hebben we ook de mogelijkheid. U in deze kamer, u hebt het geloof behouden, u hebt het woord geëerd ondanks vervolging, terwijl anderen rijk werden. Het is nu onze plicht u te belonen, u weer tot ons te brengen, onze rijkdom met u te delen. Dat stelt mijn leraar voor.'
'Het is goed om zulke woorden te horen,' was het voorzichtige antwoord. Dat de man in de eerste plaats een man van God was, wilde nog niet zeggen dat hij naïef was. Hij waakte met de grootste zorgvuldigheid over zijn gedachten – dat had hij onder het communistisch regime geleerd – maar het was duidelijk wat hij dacht.
'Het is ons streven de hele islam onder één dak te verenigen, de gelovigen samen te brengen zoals de profeet Mohammed, God zegene hem en geve hem vrede, heeft gewild. Wij wonen op verschillende plaatsen, spreken verschillende talen, hebben vaak verschillende huidskleuren, maar in ons geloof zijn wij één. Wij zijn waarlijk de uitverkorenen van Allah.'
'En dus?'
'En dus wensen wij dat uw republiek zich bij de onze aansluit, opdat wij één zijn. Wij zullen zorgen dat u scholen krijgt, en medische voorzieningen voor uw volk. Wij zullen u helpen het bestuur over uw eigen land te krijgen, opdat alles wat wij u geven in veelvoud tot allen wordt teruggegeven, en wij zullen de broeders zijn die Allah wil dat we zijn.'
Een oppervlakkige westerse toeschouwer zou hebben gezegd dat deze mannen niet bepaald een verfijnde indruk maakten. Ze waren niet stijlvol gekleed, spraken op een eenvoudige manier, en bovendien zaten ze op de vloer. Toch zou zo iemand zich vergissen, en wat de bezoeker uit Iran voorstelde, was nauwelijks minder schokkend dan wanneer zich een afgezant van een andere planeet had aangediend. Er waren verschillen tussen zijn land en dit land, tussen zijn volk en hun volk. Om te beginnen de taal en de cultuur. Zij hadden door de eeuwen heen oorlog gevoerd en zich schuldig gemaakt aan roof en banditisme, ondanks het strenge verbod in de heilige koran op gewapende conflicten tussen islamitische naties. Eigenlijk hadden ze niets met elkaar gemeen, op één ding na. Dat ene ding kon bijna een kwestie van toeval worden genoemd, maar de ware gelovigen erkenden het toeval niet. Toen Rusland, eerst onder de tsaren en toen onder het marxisme-leninisme, hun land had veroverd (niet in één keer maar in een langdurig proces), hadden ze afstand moeten doen

van zoveel: cultuur, geschiedenis, erfgoed. Alleen de taal hadden ze behouden, een zoenoffer aan wat de sovjets altijd 'het nationaliteitenvraagstuk' hadden genoemd. De Russen hadden geprobeerd het land opnieuw te scholen. Alles moest worden vernietigd en vervolgens op een nieuwe en goddeloze manier worden opgebouwd. Uiteindelijk was er nog maar één kracht overgebleven die het volk verenigde, en dat was het geloof, hoewel de sovjets dat juist hadden willen onderdrukken. En zelfs dat laatste was goed, dachten ze nu allemaal, want het geloof liet zich niet onderdrukken en pogingen in die richting maakten de ware gelovigen alleen maar standvastiger. Misschien was het... nee, zéker was het een plan van Allah zelf. Hij wilde de mensen laten zien dat het geloof hun enige behoud was. Nu keerden ze terug tot het geloof, tot de leiders die de vlam brandende hadden gehouden. En nu wist de bezoeker wat allen in deze kamer dachten: Allah zelf had hun kleine geschillen weggenomen, opdat ze één konden worden, zoals hun God wenste. Dat was des te gemakkelijker doordat hun ook nog materiële welvaart werd beloofd. Liefdadigheid was een van de zuilen van de islam en was hun zo lang ontzegd door mensen die beweerden dat ze het heilige woord trouw waren gebleven. En nu was de Sovjet-Unie dood. Haar opvolgers waren verlamd en de verre en onbeminde kinderen van Moskou waren grotendeels aan hun lot overgelaten, geregeerd door een echo van wat verdwenen was. Als het geen teken van Allah was dat deze gelegenheid zich voordeed, wat zou dan wél een teken van Hem kunnen zijn? vroegen ze zich allemaal af.
Ze hoefden maar één ding te doen om het allemaal voor elkaar te krijgen. En hij was een ongelovige. En Allah zou over hem oordelen... met hun handen.

'En al ben ik niet zo goed te spreken over de manier waarop jullie in oktober mijn Boston College Eagles hebben behandeld,' zei Ryan met een glimlach tegen de NCAA-footballkampioenen van de universiteit van Oklahoma in Norman, 'jullie ontzagwekkende traditie maakt deel uit van de Amerikaanse ziel.' Dat was trouwens niet zo'n pretje geweest voor de universiteit van Florida, die in de laatste Orange Bowl met 35-10 was verslagen.
En de mensen applaudisseerden weer. In zijn blijdschap daarover vergat Jack dat de toespraak eigenlijk niet van hem was. Zijn glimlach, met scheve tanden en al, straalde door het hele stadion, en hij woof met zijn rechterhand, ditmaal niet aarzelend. Op C-SPAN kon je het verschil zien.
'Hij leert snel,' zei Ed Kealty. Hij was objectief in zulke dingen. Naar het publiek toe had hij een bepaald gezicht, maar politici zijn realisten, in elk geval in tactisch opzicht.
'Vergeet niet dat hij erg goed wordt gecoacht,' zei de stafchef van de voormalige vice-president tegen zijn baas. 'Een betere dan Arnie zul je niet gauw vinden. Met onze eerste manoeuvres hebben we hun aandacht getrokken, Ed. Reken maar dat Van Damm het er bij Ryan heeft ingehamerd.'
Hij hoefde er niet aan toe te voegen dat hun 'manoeuvres' weinig of niets hadden opgeleverd. De kranten hadden hun eerste hoofdartikelen gebracht, maar

hadden daarna gas teruggenomen, niet in journalistiek opzicht, want de media geven zelden hun fouten toe, maar in de artikelen die uit de perskamer van het Witte Huis kwamen, was Ryan weliswaar niet geprezen, maar er hadden ook niet de gebruikelijke fatale woorden in gestaan: *onzeker*, *verward*, *chaotisch*, en dergelijke. Geen Witte Huis met Arnie Van Damm erin zou ooit chaotisch kunnen zijn, daar was het hele establishment in Washington zich goed van bewust.

Ryans benoemingen op belangrijke kabinetsposten waren nogal hard aangekomen, maar daarna waren die ministers allemaal goed van start gegaan. Adler was een insider die zich had opgewerkt. Als ambtenaar van Buitenlandse Zaken had hij in de loop van de jaren al zo vaak met journalisten gepraat dat ze zich nu niet tegen hem zouden keren, en híj miste nooit een kans om Ryans ervaring met het buitenlands beleid te prijzen. George Winston was weliswaar een buitenstaander en een plutocraat, maar hij had opdracht gegeven zijn hele ministerie 'discreet' door te lichten, en hij had op zijn Rolodex het nummer van alle financieel redacteuren van Berlijn tot Tokio en vroeg hun bij zijn reorganisatie van het ministerie om hun mening en advies. De meest verrassende benoeming was die van Tony Bretano op Defensie geweest. Deze man, die al tien jaar een spraakmakende buitenstaander was geweest, had de pers beloofd dat hij de tempel zou uitmesten al ging hij eraan ten onder. Hij had gezegd dat het Pentagon inderdaad geld verspilde, zoals de journalisten die zich in defensiezaken specialiseerden altijd al hadden gezegd, maar dat hij, met instemming van de president, zijn uiterste best zou doen om het aankoopbeleid voor eens en voor altijd te zuiveren. Eigenlijk zouden die ministers erg slecht moeten overkomen, want ze kwamen allemaal van buiten de politieke wereld. Toch zagen ze kans de media op de beste manier, rustig, in de achterkamers van de macht, voor zich in te nemen. En wat Kealty nog het meest verontrustend vond: de *Washington Post*, zo had een spion aldaar hem eerder die dag verteld, wilde een verhaal in vele afleveringen brengen over Ryans activiteiten bij de CIA. Het zou een loflied worden, geschreven door niemand minder dan Bob Holtzman. Holtzman was iemand die altijd erg goed op de hoogte was, en om duistere redenen had hij een persoonlijke sympathie voor Ryan opgevat. Bovendien moest hij een erg goede bron hebben. Dat was het paard van Troje. Als het verhaal liep en als het in het hele land werd gepubliceerd – dat was allebei waarschijnlijk, want het zou het prestige van zowel Holtzman als de *Washington Post* ten goede komen – zouden Kealty's eigen mediacontacten zich snel terugtrekken. In de hoofdartikelen zou hij worden aangespoord om het in het landsbelang op te geven. Dan had hij helemaal geen machtsmiddelen meer en zou zijn politieke carrière dieper zijn gezonken dan hij nog maar kort geleden had geaccepteerd. Historici die zijn persoonlijke uitglijders misschien over het hoofd hadden gezien, zouden zich in plaats daarvan op zijn veel te grote ambitie storten. In plaats van dit als een onregelmatigheid af te doen, zouden ze zijn hele carrière erbij betrekken. Alles wat hij ooit had gedaan, zou kritisch bekeken worden. Ze zouden hem in een ander, ongunstig

licht zien bij iedere stap die hij zette, en ze zouden zeggen dat de goede dingen die hij had gedaan de onregelmatigheden waren. Er stond Kealty niet alleen zijn politieke graf te wachten, maar ook eeuwige verdoemenis.
'Je vergeet Callie,' mompelde Ed, die nog naar de toespraak keek. Hij luisterde naar de inhoud en lette goed op de voordracht. Academisch, dacht hij, geschikt voor een publiek dat grotendeels uit studenten bestond, die Ryan toejuichten alsof hij een footballcoach of zo iemand was.
'Met haar toespraken zou zelfs Donald Duck presidentieel overkomen,' beaamde de stafchef. En dat was het grootste gevaar van alles. Om te winnen hoefde Ryan alleen maar presidentieel te lijken, of hij het nu echt was of niet, en hij was het natuurlijk niet, zoals Kealty steeds weer tegen zichzelf zei. Hoe zou hij presidentieel kunnen zijn?
'Ik heb nooit gezegd dat hij dom was,' gaf Kealty toe. Hij moest objectief zijn. Dit was geen spelletje meer. Het was meer dan levensecht.
'Het moet nu gauw gebeuren, Ed.'
'Ik weet het.' Maar hij had nog een grotere pijl op zijn boog, zei Kealty tegen zichzelf. Dat was een vreemde metafoor voor iemand die zijn hele politieke leven op het verminderen van wapenbezit had aangedrongen.

25
Bloesems

De boerderij had een schuur. Die fungeerde momenteel vooral als garage. Ernie Brown had in de bouw gewerkt en in de jaren tachtig zijn eigen bedrijf opgericht. In Californië waren dat gouden jaren voor de bouw geweest, en hoewel een paar echtscheidingen een bres in zijn kapitaal hadden geslagen, had hij zijn onderneming op het juiste moment verkocht. Van de opbrengst had hij een groot stuk land gekocht in een omgeving die nog niet genoeg in de mode was gekomen om de huizenprijzen op te jagen naar Hollywood-niveau. Het resultaat was een bijna volledige 'sectie' – een vierkante mijl – waar hij volledige privacy had. Eigenlijk was het nog meer, want de naburige ranches waren in deze tijd van het jaar zo goed als ingeslapen. De weiden waren bevroren en het vee stond op stal en at kuilvoer. Soms zag je dagenlang geen auto rijden, tenminste, dat zeiden de mensen daar. Schoolbussen telden niet mee, zeiden ze.
Bij de aankoop van de ranch was ook een dieplader van vijf ton inbegrepen – een dieselvrachtwagen – samen met een ingegraven brandstoftank van

achtduizend liter naast de schuur. Het gezin dat de ranch en de schuur en het huis aan de nieuwkomer uit Californië had verkocht, had niet geweten dat het een bommenfabriek in eigendom overdroeg. Het eerste wat Ernie en Pete deden, was de oude vrachtwagen weer aan de praat krijgen. Dat bleek veertig minuten te duren, want er was meer aan de hand dan dat de accu leeg was. Maar Pete Holbrook was een bekwame monteur en uiteindelijk bulderde de motor het uit, niet gehinderd door een geluiddemper. Hij maakte een levenskrachtige indruk. Er zat geen kentekenbewijs bij de vrachtwagen, maar dat was in dit gebied van enorme percelen niet zo verschrikkelijk ongewoon en hun zestig kilometer lange rit naar een leverancier van agrarische producten verliep zonder problemen.
Voor die winkel waren ze de ideale voorbode van het komend voorjaar. Het plantseizoen naderde (er waren daar veel tarweboeren) en daar had je de eerste klanten voor de gigantische berg kunstmest die uit het pakhuis van de distributeur in Helena was aangevoerd. De mannen kochten vier ton, geen ongewone hoeveelheid. Een vorkheftruck, die op propaangas liep, zette het op de dieplader. Ze betaalden contant en na een handdruk en een glimlach reden ze weg.
'Dit wordt hard werken,' zei Holbrook op de terugweg.
'Dat klopt, en we gaan het allemaal zelf doen.' Brown keek hem aan. 'Of wou je er iemand bij halen die ons zou kunnen verraden?'
'Ik begrijp wat je bedoelt, Ernie,' antwoordde Pete. Op dat moment kwamen ze een politiewagen tegen, maar de agent keek niet eens om, hoe huiveringwekkend deze ontmoeting voor de twee Mountain Men ook was. 'Hoeveel nog?'
Brown had het al tien keer uitgerekend. 'Nog één vrachtwagenlading. Het is jammer dat het zo'n enorme massa is.' De volgende dag zouden ze de tweede aankoop doen, bij een winkel vijftig kilometer ten zuidwesten van de ranch. Die avond zouden ze het al druk genoeg hebben met het uitladen van al die troep. Prima training. Waarom had die vervloekte boerderij geen vorkheftruck? vroeg Holbrook zich af. De brandstoftank konden ze tenminste laten volgooien door de plaatselijke oliemaatschappij. Dat was een kleine troost.

Het was koud aan de Chinese kust, en dat maakte het voor de satellieten gemakkelijker om een serie thermale bloesems op twee marinebases te zien. Eigenlijk was de 'Chinese marine' de marineafdeling van het Volksbevrijdingsleger, maar dat was zo'n grove schending van de traditie dat westerse marines de correcte naam niet wilden gebruiken. De beelden werden opgenomen en naar het National Military Command Center in het Pentagon doorgeseind, waar de officier van dienst zich tot zijn inlichtingenspecialist wendde.
'Hebben de Chinezen een oefening op het programma staan?'
'Niet dat wij weten.' Op de foto's was te zien dat twaalf schepen, allemaal naast elkaar, hun machines lieten draaien, in plaats van elektrische energie uit de haven te krijgen, zoals gebruikelijk was. Toen ze nog eens goed keken, zagen ze ook zes sleepboten door de haven varen. De inlichtingenspecialist

van deze wacht was een landmachtman. Hij liet een marineofficier bij zich komen.
'Er varen een paar schepen uit,' was de voor de hand liggende analyse.
'Het is niet gewoon een examen voor machinisten of zoiets?'
'Daar zouden ze geen sleepboten voor nodig hebben. Wanneer komt hij weer over?' vroeg de kapitein-luitenant-ter-zee. Hij had het over de satelliet. Hij keek naar de tijdweergave op de foto en zag dat die een halfuur eerder was genomen.
'Over vijftig minuten.'
'Dan moeten er van beide bases drie of misschien vier schepen op zee zijn. Dat zou ons zekerheid geven. Voorlopig is het drie tegen een dat het een grote oefening is.' Hij zweeg even. 'Nog politiek geschreeuw?'
De officier van dienst schudde zijn hoofd. 'Niets.'
'Dan is het een vlootoefening. Misschien wilde iemand eens kijken hoe paraat ze zijn.' Ze zouden meer te weten komen van een persbericht uit Beijing, maar dat lag een halfuur verder in een toekomst waarin ze niet konden kijken, al werden ze betaald om dat te doen.

De directeur was een vrome man, zoals te verwachten was van iemand die zijn functie bekleedde. Hij was een bekwaam arts geweest en was nog steeds een bekwaam viroloog, maar in zijn land werd iemand pas politiek betrouwbaar geacht als hij de sjiitische tak van de islam was toegewijd, en daarover bestond bij hem geen enkele twijfel. Hij sprak zijn gebeden altijd op de voorgeschreven uren en stelde de tijdschema's van zijn laboratoriumwerk daarop in. Hij verlangde hetzelfde van zijn mensen, want zijn toewijding was zo groot dat hij zonder het zelf te weten veel verder ging dan de leer van de islam. Voorschriften die hem in de weg stonden, kneedde hij in het gewenste model alsof ze van stopverf waren, en al die tijd zei hij tegen zichzelf dat hij nooit het heilige woord van de profeet of Allah's wil had geschonden. Hoe zou hij dat ook kunnen? Hij werkte eraan mee dat de wereld tot het ware geloof werd teruggebracht.
De gedetineerden, de proefpersonen, waren mannen die allemaal waren veroordeeld. Zelfs de dieven, de minder erge misdadigers, hadden de heilige koran vier keer geschonden en hadden waarschijnlijk nog wel meer op hun kerfstok, misschien zelfs misdaden waarop de doodstraf stond, tenminste, dat zei hij tegen zichzelf. Iedere dag werd hun verteld wanneer het tijd was om te bidden, en hoewel ze knielden en bogen en gebeden prevelden, kon je op de televisiemonitor zien dat ze alleen maar het ritueel afwerkten en niet op de voorgeschreven wijze tot Allah baden. Dat maakte hen allen tot afvalligen – en afvalligheid was een halsmisdrijf in hun land – al was maar één van hen voor dat misdrijf veroordeeld.
Die ene behoorde tot de Baha'i-religie, een minderheid die bijna was uitgeroeid, een geloofsstructuur die zich had ontwikkeld ná de islam. Christenen en joden waren tenminste nog mensen van het heilige boek. Hoe misleid ze in

hun overtuigingen ook waren, ze erkenden tenminste dezelfde God van het universum, van wie Mohammed de laatste boodschapper was. De Baha'i waren later gekomen. Ze hadden iets nieuws en verkeerds verzonnen en waren daardoor niets beters dan heidenen. Ze wezen het ware geloof af en haalden zich daarmee de woede van hun regering op de hals. Het was goed dat juist deze man de eerste was die liet zien dat het experiment geslaagd was.

Het was tekenend dat de gedetineerden al zo versuft waren door hun levensomstandigheden dat ze nauwelijks iets van de eerste griepsymptomen merkten. De verplegers gingen, zoals altijd gehuld in beschermende kleding, hun cel binnen om bloed af te nemen. Het was een extra voordeel van de conditie waarin de gedetineerden zich bevonden dat ze veel te geïntimideerd waren om moeilijkheden te veroorzaken. Ze zaten allemaal al een tijd in de gevangenis, waar ze te weinig te eten hadden gekregen om hun energie op peil te houden, en waar het regime zo streng was dat ze zich nergens tegen durfden te verzetten. Zelfs de terdoodveroordeelden hadden er geen behoefte aan om de gang van zaken te bespoedigen. Allen onderwierpen zich gedwee toen de uiterst voorzichtige verplegers bloed kwamen afnemen. De buisjes bloed werden zorgvuldig geëtiketteerd met het nummer dat ook op hun bed stond, en ten slotte gingen de verplegers weer weg.

In het lab ging het bloed van de afvallige het eerst onder de microscoop. De antistoffentest gaf nogal eens een valse positieve uitslag, en ze wilden beslist niet het risico van vergissingen lopen. Er werden objectglaasjes klaargemaakt en onder de elektronenmicroscopen gelegd, eerst met een vergroting van twintigduizend. De instrumenten werden met uiterst verfijnde apparatuur bijgesteld, en het glaasje ging naar links en rechts, naar boven en beneden, totdat...

'Aha,' zei de directeur. Hij bracht het doelwit in het midden van het veld en zette de vergroting op honderdtwaalfduizend... en daar was het: in zwart-wit op de computermonitor. Zijn cultuur wist veel van herders en de omschrijving 'herdersstaf' leek hem een perfecte beschrijving. In het midden bevond zich de RNA-sliert, dun en gekromd aan de onderkant, met de proteïnelussen aan de bovenkant. Die lussen vormden de sleutel tot de actie van het virus, tenminste, dat dacht iedereen. Hun precieze functie was nog niet ontdekt, en ook daar was de directeur als man van de biologische oorlogvoering blij mee. 'Moudi,' riep hij.

'Ja, ik zie het,' zei de jonge arts met een langzaam hoofdknikje, nadat hij naar die kant van de kamer was gelopen. De afvallige had ebola zaire mayinga in zijn bloed. Hij had net ook de antistoffentest gedaan en had het kleine bloedmonster zien verkleuren. Dit was geen valse positieve uitslag.

'Hiermee is bevestigd dat het virus door de lucht wordt overgedragen.'

'Akkoord.' Moudi's gezicht veranderde niet. Hij was niet verrast.

'We wachten nog een dag, nee, twee dagen, met de tweede fase. Dan weten we het.' Hij moest nu eerst een rapport schrijven.

De bekendmaking in Peking kwam voor de Amerikaanse ambassade als een verrassing. De bewoordingen waren op zichzelf niet bijzonder. De Chinese marine zou een grote oefening houden in de Straat van Formosa. Op nog niet nader genoemde data (de weersomstandigheden waren nog onbekend, aldus het bericht) zouden grond-lucht-projectielen en grond-grond-projectielen worden afgevuurd. De regering van de Volksrepubliek China waarschuwde luchtvaartmaatschappijen en rederijen dat ze hun routes dienovereenkomstig moesten aanpassen. Afgezien daarvan hield de bekendmaking helemaal niets in, en dat vond de waarnemend missiechef in Beijing nogal verontrustend. Hij overlegde meteen met zijn militaire attachés en de vestigingschef van de CIA, die geen van allen iets zinnigs te zeggen hadden, behalve dat er in het bericht met geen woord over de regering van de Republiek China op Taiwan werd gesproken. Aan de ene kant was dat goed nieuws; er werd niet geklaagd over de voortdurende politieke onafhankelijkheid van wat in de ogen van Beijing een opstandige provincie was. Aan de andere kant was het slecht nieuws: in het bericht werd níet gezegd dat het een routineoefening was en dat men niemand wilde hinderen. Het bericht bevatte alleen een mededeling, zonder enige verklaring. De informatie werd doorgestuurd naar het Pentagon, het ministerie van Buitenlandse Zaken en het CIA-hoofdkantoor in Langley.

Daryaei moest diep in zijn geheugen graven om het gezicht te vinden dat bij de naam paste, en het gezicht dat hij zich herinnerde, was eigenlijk verkeerd, want het was het gezicht van een jongen uit Qum, terwijl de boodschap afkomstig was van een volwassen man die een halve wereld van hem vandaan was. Raman... O ja, Aref Raman, wat een pientere jongen was dat geweest. Zijn vader, een man wiens geloof aan het wankelen was geraakt, had in auto's gehandeld, Mercedessen. Hij had ze in Teheran aan de machtigen verkocht. Het geloof van zijn zoon was overeind gebleven. Zijn zoon had niet eens met zijn ogen geknipperd toen hij van de dood van zijn ouders hoorde. Ze waren bij een ongeluk om het leven gekomen, door toedoen van het leger van de sjah, omdat ze op het verkeerde moment in de verkeerde straat waren en terechtkwamen in onlusten waarmee ze helemaal niets te maken hadden. Samen hadden hij en zijn leraar voor hen gebeden. Gedood door toedoen van de mensen die ze vertrouwden: dat was de les die uit die gebeurtenis te leren was, maar die les was niet nodig geweest. Raman was al een jongen met een diep geloof geweest. Het had hem gekrenkt dat zijn zuster het had aangelegd met een Amerikaanse officier en daarmee haar familie en zijn eigen naam te schande had gemaakt. Ook zij was in de revolutie verdwenen: een islamitische rechtbank had haar wegens losbandigheid veroordeeld. Zo was alleen de zoon overgebleven. Ze hadden hem op veel manieren kunnen gebruiken, maar Daryaei had zelf de keuze gemaakt. Hij had Raman samengebracht met twee oudere mensen. Het nieuwe 'gezin' was met het familiekapitaal van de Ramans het land uit gevlucht, eerst naar Europa en bijna meteen daarna naar Amerika. Daar hadden de twee 'ouders' niets anders gedaan dan een rustig

leven leiden; Daryaei nam aan dat ze inmiddels dood waren. De zoon, die vanwege zijn goede beheersing van de Engelse taal voor deze missie was uitgekozen, had zijn opleiding afgemaakt en was in overheidsdienst gegaan. Hij had zijn plicht gedaan met alle bekwaamheid waarvan hij blijk had gegeven in de eerste fasen van de revolutie, toen hij twee hoge luchtmachtofficieren van de sjah had gedood omdat ze in een hotelbar whisky dronken.
Sindsdien had hij gedaan wat hem was opgedragen: niets. Hij had zich geassimileerd. Was in de Amerikaanse massa verdwenen. Hij moest zich zijn missie blijven herinneren, maar hij mocht niets doen. Het deed de ayatollah goed dat hij de jongen juist had beoordeeld, want uit deze korte boodschap kon hij afleiden dat de missie bijna volbracht was.
Het Engelse woord *assassin*, moordenaar, kwam voort uit *hashshash*, het Arabische woord voor hasjiesj, het verdovend middel dat door leden van de Nizarisekte van de islam werd gebruikt om met visioenen van het paradijs in hun hoofd op moordexpedities uit te gaan. In Daryaei's ogen waren de assassijnen ketters, en het gebruik van drugs was uit den boze. Het waren wilszwakke maar effectieve dienaren van een serie meesterlijke terroristen als Hasan en Rashid ad-Din geweest. Twee eeuwen lang hadden ze het politieke machtsevenwicht gediend in een regio die zich uitstrekte van Syrië tot Perzië. Maar van het hele idee ging iets briljants uit dat de geestelijke had gefascineerd sinds hij als kind dat verhaal voor het eerst had gehoord: het idee dat je één trouwe agent in het vijandelijk kamp moest krijgen. Omdat zo'n taak jaren in beslag nam, was er veel geloof voor nodig. De Nizari's hadden uiteindelijk gefaald omdat ze ketters waren en los stonden van het ware geloof. Ze hadden enkele extremisten kunnen rekruteren, maar niet de massa, en daarom hadden ze één man gediend en niet Allah en daarom hadden ze drugs nodig gehad om zich sterk te voelen, zoals ongelovigen met alcohol deden. Een briljant idee met een gebrek. Maar toch een briljant idee. Daryaei had het alleen maar geperfectioneerd, en daarom had hij nu een man dichtbij, iets waarop hij had gehoopt maar wat hij niet had geweten. Beter nog: hij had een man dichtbij die op instructies wachtte, aan het eind van een onbekend boodschappenpad dat nooit was gebruikt en dat was samengesteld uit mensen die minstens vijftien jaar geleden naar het buitenland waren gegaan. Al met al was het een veel gunstiger situatie dan wat hij in Irak had georganiseerd, want in Amerika werden verdachte personen hetzij gearresteerd hetzij van blaam gezuiverd, of ze werden in het oog gehouden, een tijdje maar, totdat de volgers er genoeg van kregen en iets anders gingen doen. In sommige landen werden in dat geval degenen die werden gevolgd voor alle zekerheid opgepakt en vaak ook gedood.
Voor Raman hoefde alleen nog maar het juiste moment te worden uitgekozen. Na al die jaren gebruikte hij nog steeds zijn hoofd, getraind door de Grote Satan zelf en niet beneveld door drugs. Het nieuws was bijna te mooi om waar te zijn.
Toen ging de telefoon. Het privé-toestel. 'Ja?'
'Ik heb goed nieuws,' zei de directeur, 'van de apenboerderij.'

'Weet je, Arnie, je had gelijk,' zei Jack op het looppad naar de westelijke vleugel. 'Het was geweldig om er eens uit te zijn.'
De stafchef zag zijn veerkrachtige tred, maar bleef er kalm onder. De Air Force One had de president op tijd voor een rustig diner met zijn gezin teruggebracht. Normaal gesproken zouden er nog drie of vier van zulke toespraken zijn gevolgd, eindeloze uren van gesmoes met mensen die bijdragen aan verkiezingscampagnes leverden, gevolgd door de gebruikelijke nacht van vier uur slaap – vaak in het vliegtuig – met de volgende morgen een snelle douche, waarna een nieuwe enerverende campagnedag volgde. Het was eigenlijk vreemd, vond hij, dat een president ooit nog aan gewoon werk toekwam. De echte taken van het ambt waren moeilijk genoeg, maar werden bijna altijd ondergeschikt gemaakt aan wat in feite public-relationswerk was. In een democratie was dat laatste uiteraard ook noodzakelijk, want de mensen moesten de president ook eens iets anders zien doen dan aan zijn bureau zitten en... werken. Het presidentschap was een baan waarvan je kon houden zonder erop gesteld te zijn, een frase die schijnbaar tegenstrijdig was totdat je in het Witte Huis kwam en het zelf meemaakte.
'Je hebt het goed gedaan,' zei Van Damm. 'Het televisiemateriaal was perfect, en het NBC-interview met je vrouw was ook goed.'
'Ze was er zelf slecht over te spreken. Ze vond dat ze niet haar beste teksten hadden gebruikt,' merkte Ryan luchtig op.
'Het had veel erger kunnen zijn.' Ze vroegen haar niet naar abortus, dacht Arnie. Om dat te voorkomen had hij enkele grote wederdiensten gevraagd van mensen van NBC. Hij had ook gezorgd dat Tom Donner de vorige dag in het vliegtuig minstens even goed als een senator en misschien zelfs zo goed als een minister was behandeld. Hij had hem zelfs een zeldzaam interview in het vliegtuig toegestaan. De volgende week zou Donner de eerste netwerkpresentator zijn die een president in de zitkamer op de eerste verdieping interviewde. Omdat er geen afspraken waren gemaakt over de vragen die dan mochten worden gesteld, zou Ryan van tevoren urenlang geïnstrueerd moeten worden om te zorgen dat hij niets verkeerds zei. Maar voorlopig liet de stafchef zijn president nagenieten van wat een tamelijk goede dag in de Midwest was geweest. Ze hadden deze trip niet alleen gemaakt om Ryan uit Washington te krijgen en hem te laten voelen wat het presidentschap werkelijk inhield, maar ook en vooral om hem een presidentiële uitstraling te geven en zo die schoft van een Kealty de wind uit de zeilen te nemen.
Zoals vaak namen de agenten van de Secret Service de stemming van hun president over. Opgewekt glimlachend beantwoordden ze zijn begroeting. 'Goedemorgen, meneer de president!' klonk het uit vier monden toen Ryan voorbijkwam op weg naar het Oval Office.
'Goedemorgen, Ben,' zei Ryan opgewekt. Hij liep naar het bureau en liet zich in de comfortabele draaistoel zakken. 'Vertel me eens hoe het met de wereld gaat.'
'We hebben een probleem. De Chinese marine vaart uit,' zei de waarnemend

nationale-veiligheidsadviseur. De Secret Service had hem inmiddels de codenaam CARDSHARP gegeven.
'En?' vroeg Ryan, geërgerd omdat zijn ochtend meteen al een beetje bedorven was.
'En het lijkt op een grote vlootoefening, en ze zeggen dat ze met projectielen gaan schieten. Er is nog geen reactie van Taiwan.'
'Er zijn daar toch geen verkiezingen of zoiets op komst?' vroeg Jack.
Goodley schudde zijn hoofd. 'Nee, dat duurt nog meer dan een jaar. Taiwan besteedt nog steeds geld aan de VN. Ze lobbyen in alle stilte bij een hoop landen om steun voor een eigen vertegenwoordiging, maar dat is niets nieuws. Taiwan pakt het allemaal erg discreet aan. Ze willen het vasteland niet beledigen. Hun handelsbetrekkingen zijn stabiel. Kortom, we hebben geen verklaring voor de oefening.'
'Wat hebben wij daar in de buurt?'
'Eén onderzeeër in de Straat van Formosa. Die houdt een Chinese eenheid in de gaten.'
'Vliegdekschepen?'
'Niets dichterbij dan de Indische Oceaan. De *Stennis* is in Pearl Harbor terug voor machineonderhoud, samen met de *Enterprise*, en die blijven daar nog wel een tijdje. De kast is tamelijk leeg.' Goodley herinnerde de president aan wat die nog maar enkele maanden geleden tegen zíjn president had gezegd.
'En hun landmacht?' vroeg de president.
'Ook daarover niets nieuws. Er zijn wat meer activiteiten dan gewoonlijk, zoals de Russen zeiden, maar dat is al een tijdje aan de gang.'
Ryan leunde in zijn stoel achterover en nam peinzend een slok cafeïnevrije koffie. De vorige dag had hij gemerkt dat zijn maag dan inderdaad beter aanvoelde. Hij had daarover iets gezegd tegen Cathy, en die had alleen maar geglimlacht en iets in de trant van *zei ik het niet?* gezegd. 'Nou, Ben, denk maar eens hardop.'
'Ik heb het besproken met een paar China-specialisten van Buitenlandse Zaken en de CIA,' antwoordde Goodley. 'Misschien doet hun leger een politieke zet. Binnenlandse politiek. Misschien voeren ze hun paraatheid op om andere mensen in het Politburo van Beijing te laten weten dat ze er nog zijn en dat ze wel degelijk meetellen. Afgezien daarvan kunnen we alleen maar speculeren, en daarvoor ben ik toch niet ingehuurd, baas?'
'En "ik weet het niet" betekent *ik weet het niet*, nietwaar?' Het was een retorische vraag en een van Ryans favoriete aforismen.
'Dat hebt u me aan de andere kant van de rivier geleerd, president,' beaamde Goodley, maar zonder de verwachte glimlach. 'U hebt me ook geleerd niet van dingen te houden die ik niet kan verklaren.' Hij zweeg even. 'Ze weten dat wij het weten, en ze weten dat we geïnteresseerd zijn, en ze weten dat u hier nieuw bent, en ze weten dat u geen gedonder wilt. Dus waarom zouden ze het doen?' vroeg Goodley. Dat was ook een retorische vraag.

'Ja,' beaamde de president zachtjes. 'Andrea?' zei hij. Price bevond zich zoals gewoonlijk in de kamer en deed alsof ze niet oplette.
'Ja, meneer de president?'
'Waar is de dichtstbijzijnde roker?' Ryan zei het zonder enige schaamte.
'Meneer de president, ik weet niet of...'
'Nou en of je dat weet. Ik wil er een.'
Price knikte en ging naar de kamer van het secretariaat. Ze kende de tekenen net zo goed als ieder ander. Hij was van gewone koffie op cafeïnevrije overgeschakeld, en nu wilde hij roken. Eigenlijk was het verrassend dat het zo lang had geduurd. Dat vertelde haar meer over de inlichtingenbriefing dan de woorden van Benjamin Goodley.
Het moest een vrouwelijke roker zijn, zag de president een minuut later. Weer zo'n dunne sigaret. Price bracht zelfs een doosje lucifers en een asbak mee, al deed ze dat met een afkeurende blik. Hij vroeg zich af of de agenten zich ook zo tegen Roosevelt en Eisenhower hadden gedragen.
Ryan nam de eerste trek en dacht diep na. China was de stille deelnemer aan het conflict – hij kon het woord *oorlog* nog steeds niet gebruiken, zelfs niet in zijn gedachten – met Japan geweest. Tenminste, daar gingen ze van uit. Het was allemaal erg logisch, maar er waren niet genoeg bewijzen, zeker niet genoeg om ze voor te leggen aan de media, die in de regel niet zulke waterdichte bewijzen verlangden als een rechter. En dus... Ryan pakte de telefoon. 'Ik wil directeur Murray spreken.'
Een van de voordelen van het presidentschap was dat je iedereen meteen aan de telefoon had. 'Wilt u onderbreken voor de president?' Een eenvoudige frase van een secretaresse in het Witte Huis, uitgesproken met de stem waarmee ze ook een pizza zou bestellen, had altijd onmiddellijk effect. Degene die werd gebeld reageerde meteen, bijna in paniek. Het duurde zelden langer dan tien minuten om iemand te pakken te krijgen. Deze keer duurde het zes seconden.
'Goedemorgen, meneer de president.'
'Goedemorgen, Dan. Ik heb iets nodig. Hoe heet die Japanse politie-inspecteur die hierheen is gekomen?'
'Jisaburo Tanaka,' antwoordde Murray meteen.
'Is hij goed?' vroeg Jack nu.
'Ja. Zo goed als iedereen die hier werkt. Wat wil je van hem?'
'Ik neem aan dat ze veel met die Yamata praten.'
'Je kunt er ook gerust van uitgaan dat een wilde beer gek wordt in de bossen, meneer de president,' zei de waarnemend directeur van de FBI zonder erbij te lachen.
'Ik wil meer weten over zijn gesprekken met China. Ik wil vooral weten wie zijn contactpersoon was.'
'Dat kunnen we doen. Ik zal meteen proberen hem te pakken te krijgen. Zal ik je terugbellen?'
'Nee, geef het door aan Ben Goodley. Hij coördineert het met de mensen op de gang,' zei Ryan. Dat was een uitdrukking van hen tweeën. 'Ben is hier nu in mijn oude kantoor.'

'Ja, meneer de president. Ik doe het nu meteen. In Tokio loopt het tegen middernacht.'
'Dank je, Dan.' Jack legde de hoorn op de haak. 'Laten we proberen uit te zoeken wat dit betekent.'
'Komt voor elkaar, baas,' beloofde Goodley.
'Gebeurt er verder nog iets in de wereld? Irak?'
'Hetzelfde nieuws als gisteren. Veel mensen geëxecuteerd. De Russen vertelden ons over die Verenigde Islamitische Republiek, en het lijkt ons allemaal waarschijnlijk, maar er zijn nog geen openlijke stappen gezet. Daar had ik vandaag achteraan willen gaan, en...'
'Goed, doe het dan.'

'Zeg, waar is de procedure hiervoor?' vroeg Tony Bretano.
Robby Jackson hield er niet van om dingen in allerijl te doen, maar dat was nu eenmaal de taak van de pas benoemde directeur Operaties van de gezamenlijke chefs van staven. Bretano maakte een keiharde indruk, maar dat was vooral de buitenkant. Achter die façade ging een snelle denker schuil die in erg weinig tijd beslissingen kon nemen. En de man was ingenieur; hij wist wat hij niet wist en stelde meteen vragen.
'We hebben de onderzeeboot *Pasadena* in de Straat van Formosa. Die voert daar al routinepatrouilles uit. Ze volgde een eenheid van de Chinezen, maar daar halen we haar nu af. We sturen haar naar het noordwesten. Daarna brengen we nog twee of drie extra boten naar die omgeving. We wijzen operationele zones voor ze aan en laten ze de boel in de gaten houden. We openen een verbindingslijn met Taipei in Taiwan en laten ze alles aan ons doorgeven wat ze zien en weten. Die spelen wel mee. Dat doen ze altijd. Onder normale omstandigheden zouden we een vliegdekschip wat dichter in de buurt laten komen, maar deze keer hebben we er niet eentje in de buurt en omdat Taiwan niet politiek bedreigd wordt, zou het ook een beetje overdreven lijken. We sturen vanuit de vliegbasis Anderson op Guam een vliegtuig met elektronische surveillanceapparatuur op de regio af. Het is jammer dat we geen basis in de buurt hebben.'
'Het komt er dus op neer dat we inlichtingen verzamelen en niets concreets doen?' vroeg de minister van Defensie.
'Het verzamelen van inlichtingen is iets concreets, meneer de minister, maar... Ja.'
Bretano glimlachte. 'Ik weet het. Die satellieten die jullie gebruiken, zijn door mij gebouwd. Wat zullen ze ons vertellen?'
'We krijgen waarschijnlijk zoveel radioverkeer in klare taal dat alle Chineessprekenden in Fort Meade constant bezet zijn. Over hun algehele bedoelingen zullen we niet veel te horen krijgen. De operationele info zal wel van nut zijn. We komen veel te weten over hun capaciteiten. Als ik admiraal Mancuso – ComSubPac, bevelhebber van de onderzeeboten in de Stille Oceaan – een beetje ken, laat hij een of twee van zijn boten krijgertje spelen om te zien of de

Chinezen hem op het spoor kunnen blijven, maar verder zal hij niets openlijk ondernemen. Dat is een van onze opties, als we vinden dat het met die oefening de verkeerde kant op gaat.'
'Wat bedoel je?'
'Ik bedoel, als je een marineofficier echt de stuipen op het lijf wilt jagen, laat je hem weten dat er een onderzeeër in de buurt is – dat wil zeggen, meneer de minister, je duikt onverwachts midden in zijn formatie op en verdwijnt dan meteen weer. Dat is een gevaarlijk spelletje. Onze mensen zijn er goed in en Bart Mancuso weet precies wat hij met zijn boten kan doen. Zonder hem zouden we de Japanners nooit hebben verslagen,' zei Jackson met overtuiging.
'Is hij zo goed?' Mancuso was voor de nieuwe minister van Defensie alleen maar een naam.
'De beste. Hij is een van de mensen naar wie u moet luisteren. Dat geldt ook voor uw CINCPAC, Dave Seaton.'
'Admiraal DeMarco heeft me verteld...'
'Meneer de minister, mag ik vrijuit spreken?' vroeg Jackson.
'Jackson, hier in dit kantoor is dat zelfs verplicht.'
'Bruno DeMarco is niet voor niets tot plaatsvervangend hoofd Marineoperaties benoemd.'
Bretano begreep het meteen. 'O, om toespraken te houden en niets te doen waar de marine schade van ondervindt?' Robby knikte. 'Begrepen, admiraal Jackson.'
'Minister, ik weet niet hoe het in het bedrijfsleven is, maar er is iets dat u over dit gebouw moet weten. Er zijn twee soorten officieren in het Pentagon, doeners en bureaucraten. Admiraal DeMarco heeft meer dan de helft van zijn carrière in dit gebouw gezeten. Mancuso en Seaton zijn doeners. Ze doen hun uiterste best om buiten dit gebouw te blijven.'
'Jij ook,' merkte Bretano op.
'Ik denk dat ik gewoon van zeelucht hou, meneer de minister. Ik wil mezelf niet op een voetstuk plaatsen. U moet zelf maar zien of u me sympathiek vindt of niet. Ach, ik mag toch al niet meer vliegen, en daarvoor was ik eigenlijk bij de marine gegaan. Maar verdraaid nog aan toe, als Seaton en Mancuso praten, dan hoop ik dat u luistert.'
'Wat heb je, Robby?' vroeg de minister van Defensie plotseling bezorgd. Hij had al snel gemerkt dat hij aan Jackson een goede medewerker had.
Jackson haalde zijn schouders op. 'Artritis. Het zit in de familie. Het zou nog erger kunnen zijn. Ik kan er nog rustig mee golfen en als vlagofficier mag je toch al niet veel meer vliegen...'
'Je vindt het zeker niet erg om promotie te krijgen?' Bretano dacht erover om Jackson nog een ster te geven.
'Minister, ik ben de zoon van een dominee uit Mississippi. Ik ging naar de marineacademie, vloog twintig jaar in jagers, en ik kan het allemaal navertellen.' Veel van zijn vrienden konden dat niet, daar was hij zich altijd van bewust. 'Ik kan uit de marine gaan wanneer ik maar wil, en dan kan ik heus

wel ergens een goede baan krijgen. Ik denk dat ik altijd goed zit. Maar Amerika is altijd goed voor me geweest en ik wil iets terugdoen. Wat ik aan Amerika verplicht ben, meneer de minister, is dat ik de waarheid vertel en mijn best doe, en dan kan het me niet schelen wat de gevolgen zijn.'
'Dus jij bent ook geen bureaucraat.' Bretano vroeg zich af wat Jackson had gestudeerd. Hij sprak als een bekwame ingenieur. Hij glimlachte zelfs als een ingenieur.
'Ik werd nog liever pianist in een hoerenkast, meneer. Dat is eerlijker werk.'
'Wij kunnen het vast wel goed vinden met elkaar, Robby. Zet een plan in elkaar. Laten we die Chinezen goed in de gaten houden.'
'Eigenlijk mag ik alleen adviseren en...'
'Coördineer het dan met Seaton. Die zal ook wel goed naar je luisteren.'

De VN-inspectieteams waren zo gewend geraakt aan tegenwerking dat ze bijna niet wisten wat ze met medewerking aan moesten. De Iraakse faciliteiten hadden stapels papieren en foto's en videobanden overgedragen. Ze sleurden de inspecteurs bijna door de installaties, wezen hun de belangrijkste aspecten aan en lieten vaak zien hoe je bepaalde systemen het gemakkelijkst kon uitschakelen. Er deed zich het kleine probleem voor dat het verschil tussen een fabriek van chemische wapens en een fabriek van insecticiden nagenoeg nihil was. Zenuwgas was toevallig uitgevonden door mensen die onderzoek deden naar mogelijkheden om insecten te doden (de meeste insecticiden zijn zenuwvergiften). Het draaide allemaal om de chemische bestanddelen, de 'precursors'. Daar kwam nog bij dat ieder land met oliebronnen en een petrochemische industrie allerlei gespecialiseerde producten maakte, waarvan de meeste giftig voor mensen waren.
Maar het spel had regels, en een van die regels hield in dat je van eerlijke mensen mocht verwachten dat ze geen geheime wapens produceerden. En van de ene op de andere dag was Irak een eerlijk lid van de wereldgemeenschap geworden.
Dat bleek duidelijk op de bijeenkomst van de Veiligheidsraad van de Verenigde Naties. De Iraakse ambassadeur sprak vanaf zijn plaats aan de ringvormige tafel. Hij gebruikte kaarten en grafieken om te laten zien welke installaties al waren opengesteld voor de inspectieteams en zei het te betreuren dat hij nooit eerder de waarheid had kunnen spreken. De andere diplomaten begrepen het. Velen van hen logen zoveel dat ze nauwelijks nog wisten wat de waarheid was. Zo kwam het dat ze nu de waarheid zagen en dat hun de leugen die erachter zat volkomen ontging.
'Omdat mijn land nu volledige medewerking verleent aan alle resoluties van de Verenigde Naties, verzoeken wij met alle respect dat met het oog op de behoeften van de burgers van mijn land het embargo op levensmiddelen zo spoedig mogelijk wordt opgeheven,' besloot de ambassadeur. Zelfs zijn manier van spreken was nu redelijk, constateerden de andere diplomaten tevreden.

'De ambassadeur van de islamitische republiek Iran heeft het woord,' zei de Chinese ambassadeur, die momenteel het voorzitterschap van de Veiligheidsraad bekleedde.

'Geen enkele natie heeft meer reden om Irak te verafschuwen. De fabriek van chemische wapens die vandaag is geïnspecteerd, maakte massavernietigingswapens die indertijd tegen de bevolking van mijn land zijn gebruikt. Desondanks erkennen wij dat er een nieuwe dageraad is begonnen in onze buurstaat. De burgers van Irak hebben veel geleden onder hun voormalige heerser. Die heerser is er niet meer en de nieuwe regering geeft er blijk van zich weer bij de gemeenschap van naties te willen aansluiten. In dat licht zal de islamitische republiek Iran een onmiddellijke opheffing van het embargo ondersteunen. Bovendien zullen wij met spoed levensmiddelen naar Irak brengen om de nood van de Iraakse burgers te lenigen. Iran stelt voor het embargo op te heffen zolang Irak blijk geeft van goede trouw. Daarom dienen wij concept-resolutie 3659 in...'

Scott Adler was naar New York gevlogen om de Amerikaanse zetel in de Veiligheidsraad te bezetten. De Amerikaanse ambassadeur bij de VN was een ervaren diplomaat, maar in sommige situaties was het erg handig dat Washington zo dichtbij was, en dit was daar een van. Voorzover ze er iets mee opschoten, dacht Adler. De minister van Buitenlandse Zaken had helemaal geen kaarten die hij kon uitspelen. Vaak was het in de diplomatie het slimst om precies te doen wat je tegenstander verwachtte. Dat was de grootste angst in 1991 geweest: dat Irak zich gewoon uit Koeweit zou terugtrekken, zodat Amerika en haar bondgenoten niets te doen hadden en het Iraakse leger op volle kracht bleef voor een volgend conflict. Gelukkig was Irak daar niet slim genoeg voor geweest. Maar er had vast wel iemand van geleerd. Als je wilde dat iemand iets deed en je zei erbij dat die iemand anders niet kreeg wat hij nodig had, en als hij het dan deed, nou, dan kon je hem toch niet meer ontzeggen wat hij wilde?

Adler was volledig van de situatie op de hoogte gesteld, voorzover hij daar iets mee opschoot. Het was net of hij zat te pokeren met drie azen en dan opeens merkte dat zijn tegenstander een *straight flush* had. Goede informatie hielp niet altijd. Het enige dat de gang van zaken kon vertragen, was de logheid van de Verenigde Naties, en zelfs daar kon je niet altijd op rekenen, want soms kregen de diplomaten een aanval van enthousiasme. Adler had voor een uitstel van de stemming kunnen vragen tot er zekerheid over bestond dat de Irakezen zich volledig aan de VN-resoluties hielden, maar Iran had dat al ondervangen door in een resolutie te specificeren onder welke voorwaarden het embargo werd opgeheven. Ze hadden ook heel goed duidelijk gemaakt dat ze in ieder geval voedsel zouden sturen. In feite hadden ze dat al gedaan, met vrachtwagens, in de verwachting dat iets illegaals toelaatbaar werd als het in het openbaar gebeurde. De minister van Buitenlandse Zaken keek zijn ambassadeur aan – ze waren al jaren vrienden – en zag hem ironisch knipogen. De Britse ambassadeur keek naar de poppetjes die hij op zijn schrijfblok had getekend. De Russische ambassadeur was berichten aan het verzenden. Eigenlijk was er niemand die goed luisterde. Dat hoefden ze ook niet te doen. Over twee uur zou de Iraanse resolutie worden aangenomen. Ach, het had erger kunnen zijn. Nu kreeg hij tenminste de kans om de Chinese ambassadeur onder vier ogen te spreken en hem naar hun vlootmanoeuvres te vragen. Hij wist al welk antwoord hij zou krijgen, maar hij zou niet weten of het de waarheid was of niet. Natuurlijk. Ik ben de minister van Buitenlandse Zaken van de machtigste natie ter wereld, dacht Adler, en toch ben ik vandaag maar een toeschouwer.

26
Onkruid

Weinig dingen waren triester dan een ziek kind. Ze heette Sohaila, herinnerde dokter MacGregor zich. Een mooie naam voor een mooi, elfachtig klein meisje. Haar vader droeg haar in zijn armen. Hij leek een nogal brute man – dat was MacGregors eerste indruk en hij had geleerd daarop te vertrouwen – maar toch ging hij erg zorgzaam met zijn kind om. Zijn vrouw liep achter hem aan, samen met een andere Arabisch uitziende man die een jasje droeg, en achter hem kwam een officieel uitziende Soedanees. De arts zag al die mensen wel, maar negeerde hen. Zij waren niet ziek. Sohaila was dat wel.
'Nogmaals hallo, jongedame,' zei hij met een geruststellend glimlachje. 'Je voelt je niet goed, hè? Daar moeten we iets aan doen. Komt u mee,' zei hij tegen de vader.
Het was duidelijk dat deze mensen belangrijk voor iemand waren. Ze zouden dienovereenkomstig worden behandeld. MacGregor leidde hen naar een onderzoekskamer. De vader zette het meisje op de tafel en ging van haar vandaan. Zijn vrouw hield Sohaila's hand vast. De lijfwachten – dat zouden ze wel zijn – bleven buiten de kamer. De arts legde zijn hand op het voorhoofd van het meisje. Ze voelde erg warm aan, minstens negenendertig graden. Hij waste zijn handen grondig en trok handschoenen aan, opnieuw omdat hij in Afrika was. In Afrika nam je alle voorzorgsmaatregelen. Het eerste dat hij toen deed, was haar temperatuur opnemen via haar oor: 39.4. Haar hartslag was snel, maar niet zorgwekkend voor een kind. Een snel onderzoek met een stethoscoop bevestigde dat het hart zich normaal gedroeg en dat er geen specifieke problemen met de longen waren, al was haar ademhaling ook snel. Tot nu toe had ze alleen koorts, iets wat veel voorkwam bij jonge kinderen, vooral bij kinderen die net in een nieuwe omgeving waren aangekomen. Hij keek op.

'Wat zijn de problemen met uw dochter?'
Ditmaal gaf de vader antwoord. 'Ze kan niet eten, en haar andere eind...'
'Braken en diarree?' vroeg MacGregor, en hij keek nu naar haar ogen. Daar was ook niets bijzonders aan te zien.
'Ja, dokter.'
'U bent hier kortgeleden aangekomen?' Hij keek op toen de man aarzelde. 'Ik moet dat weten.'
'Ja. Uit Irak. Een paar dagen geleden.'
'En uw dochter heeft een beetje astma en verder geen problemen met haar gezondheid?'
'Dat klopt, ja. Ze heeft al haar vaccinaties gehad en zo. Ze is nog nooit zo ziek geweest.' De moeder knikte alleen maar. De vader had het duidelijk overgenomen, waarschijnlijk om zijn gezag te laten gelden, om dingen te laten gebeuren, nam de arts aan. Hij had daar geen bezwaar tegen.
'Heeft ze sinds haar aankomst hier iets bijzonders te eten gehad?' MacGregor legde het uit: 'Weet u, sommige mensen raken ontregeld als ze een reis maken, vooral kinderen. Het kan gewoon door het plaatselijke drinkwater komen.'
'Ik heb haar het medicijn gegeven, maar het werd erger,' zei de moeder.
'Het komt niet door het water,' zei de vader. 'Het huis heeft een eigen bron. Het water is goed.'
Op dat moment kreunde Sohaila en draaide zich om. Ze braakte op de tegelvloer. Het braaksel had niet de goede kleur. Er zaten sporen van rood en zwart in. Rood was nieuw bloed, zwart was oud bloed. Het was geen jetlag of slecht drinkwater. Een maagzweer? Voedselvergiftiging? MacGregor knipperde met zijn ogen en keek instinctief of hij zijn handschoenen wel aan had. De moeder wilde een papieren handdoek nemen om...
'Raakt u dat niet aan,' zei hij op milde toon. Vervolgens mat hij de bloeddruk van het kind. Die was laag; ook dat wees op een inwendige bloeding. 'Sohaila, ik ben bang dat je vannacht bij ons moet blijven. Dan kunnen we je weer beter maken.'
Het zou van alles kunnen zijn, maar de dokter was lang genoeg in Afrika om te weten dat je altijd van het ergste moest uitgaan. De jonge arts troostte zich met de gedachte dat het niet zó erg kon zijn.

Het was niet helemaal als vroeger – wat was dat wel? – maar Mancuso genoot van het werk. Hij had een goede oorlog gehad – hij zag het als een oorlog; zijn onderzeeërs hadden precies gedaan wat van ze was verwacht. Nadat hij de *Asheville* en de *Charlotte* had verloren – al voordat bekend was dat de vijandelijkheden waren begonnen – had hij geen verliezen meer geleden. Zijn boten hadden al hun missies volbracht. Ze hadden een zorgvuldige hinderlaag voor de vijandelijke onderzeebootmacht gelegd en daarna veel vijandelijke boten uitgeschakeld, hadden een briljante speciale operatie ondersteund, hadden succesvolle raketaanvallen uitgevoerd en hadden, zoals altijd, uiterst belangrijke tactische inlichtingen verzameld. Het beste dat hij had gedaan, vond

ComSubPac, was dat hij oude boten had laten terugkomen. Die waren te groot en te log geweest om snelle aanvallen te kunnen uitvoeren, maar evengoed hadden ze geweldig goed werk geleverd, zo goed, dat toen ze allemaal naast elkaar lagen bij zijn hoofdkwartier en hun bemanningen trots door de stad stapten, ze de bezems nog in top hadden. Goed, hij was geen Charlie Lockwood, gaf zijn bescheidenheid hem in. Hij had het werk gedaan waarvoor hij werd betaald. En nu had hij weer iets te doen.
'Wat denk je dat ze in hun schild voeren?' vroeg hij zijn directe superieur, admiraal Dave Seaton.
'Niemand schijnt het te weten.' Seaton was bij hem komen kijken. Zoals iedere goede officier probeerde hij zo min mogelijk tijd op kantoor door te brengen, zelfs niet op het kantoor van een ander. 'Misschien gewoon een vlootoefening, maar omdat er een nieuwe president is, kan het zijn dat ze hun spierballen willen laten zien om te kijken wat er gebeurt.' Mensen in uniform hielden niet van zulke internationale spelletjes, want meestal waren zij degenen die hun leven op het spel moesten zetten.
'Ik ken hem, baas,' merkte Bart op.
'O ja?'
'Niet zo erg goed, maar je weet van de *Red October*.'
Seaton grinnikte. 'Bart, als je me dat verhaal ooit vertelt, moet een van ons de ander doden, en ik ben groter.' Het verhaal, een van de best bewaarde geheimen in de geschiedenis van de marine, was nog steeds niet alom bekend, al deden natuurlijk tal van geruchten de ronde.
'Je moet het weten, admiraal. Je moet weten wat de president tussen zijn benen heeft hangen. Ik heb met hem op één schip gezeten.'
Dat leverde Mancuso een verraste blik van CINCPAC op. 'Je meent het.'
'Ryan was bij mij aan boord. Hij was zelfs al eerder aan boord dan ik.' Mancuso sloot zijn ogen, blij dat hij eindelijk dit zeeverhaal mocht vertellen. Dave Seaton was bevelhebber van de marine in de Stille Oceaan. Hij had het recht om te weten wat voor soort man de orders in Washington gaf.
'Ik heb gehoord dat hij bij die operatie betrokken was, zelfs dat hij aan boord kwam, maar voorzover ik wist, was dat in Norfolk, waar ze in de haven lagen. Ik bedoel, hij is toch een inlichtingenman, zo'n watje van de CIA...'
'Niet bepaald. Hij heeft iemand gedood – schoot hem dood, midden in de raketruimte – voordat ik aan boord kwam. Hij stond aan het roer toen we de Alfa in de pan hakten. Hij was doodsbang, maar hij bezweek niet. Onze president was er zelf bij en deed wat hem te doen stond. Hoe dan ook, als ze onze president op de proef stellen, zet ik mijn geld op hem. Twee grote koperen ballen, Dave, dat heeft hij hangen. Hij mag op de televisie dan niet zo goed overkomen, maar ik zou die rotzak overal volgen.' Mancuso stond zelf versteld van zijn woorden. Het was de eerste keer dat hij de redenering tot het eind toe had doorgetrokken.
'Goed om dat te weten,' vond Seaton.
'Nou, wat is de missie?' vroeg ComSubPac.

‘Admiraal Jackson wil dat we gaan schaduwen.’
‘Jij kent Jackson beter dan ik. Wat zijn de parameters?’
‘Als dit een vlootoefening is, en niets anders, observeren we in het geheim. Als de dingen veranderen, laten we ze weten dat we ze in de smiezen hebben. Je hebt gelijk, Bart. Mijn kast is bijna leeg.’
Ze hoefden alleen maar uit de ramen te kijken om dat te zien. De *Enterprise* en de *John Stennis* lagen allebei in het droogdok. CINCPAC had geen enkel vliegdekschip dat hij kon inzetten en het zou nog wel twee maanden duren voor hij er een had. Ze hadden de *Johnnie Reb* op halve kracht laten opstomen om de Marianen te heroveren, maar nu lag ze naast haar oudere zuster, met grote gaten die met snijbranders in haar vliegdek tot aan het eerste platform waren gemaakt, terwijl de nieuwe turbines en reductiedrijfwerken nog in de maak waren. Als de Verenigde Staten wilden laten zien hoe machtig ze waren, was een vliegdekschip het geijkte middel. Waarschijnlijk maakte dat deel uit van het Chinese plan en wilden de Chinezen zien hoe Amerika zou reageren als een grootscheepse reactie niet mogelijk was, tenminste, dat zouden sommigen denken.
‘Wil jij me dekken bij DeMarco?’ vroeg Mancuso.
‘Wat bedoel je?’
‘Ik bedoel dat Bruno van de oude school is. Hij denkt dat het verkeerd is om gesignaleerd te worden. Ik voor mij vind het soms wel gunstig. Als je wilt dat ik aan de kooi van de Chinezen ga rammelen, moeten ze de tralies horen kletteren, nietwaar?’
‘Ik zal dienovereenkomstige orders schrijven. Hoe je het doet, moet je zelf weten. En als intussen een onderofficier zijn commandant vertelt over een nummertje dat hij op het strand heeft gemaakt, wil ik dat op de band hebben voor mijn verzameling.’
‘Dave, dat is een order die een man kan begrijpen. Ik geef je zelfs het telefoonnummer.’

‘En we kunnen niks doen,’ zei Cliff Rutledge tot slot van zijn uiteenzetting.
‘Tjee, Cliff,’ zei Scott Adler. ‘Daar was ik zelf eigenlijk ook al achter gekomen.’ Het was de bedoeling dat ondergeschikten je attent maakten op alternatieven in plaats van ze te elimineren, of, zoals in dit geval, je dingen te vertellen die je al wist.
Ze hadden tot dan toe vrij veel geluk gehad. Er was niet veel naar de media uitgelekt. Washington was nog niet hersteld van de ramp. De mensen die naar hogere functies waren gepromoveerd hadden nog niet genoeg zelfvertrouwen om op eigen houtje informatie te laten uitlekken. De mensen die door president Ryan zelf in hoge ambten waren benoemd, waren hem opmerkelijk trouw, een onverwacht voordeel van zijn besluit om buitenstaanders te kiezen die niets van politiek wisten. Maar dat zou heus niet zo blijven, zeker niet in de sensationele situatie dat er een nieuw land ontstond uit twee vijanden, die allebei Amerikaans bloed hadden vergoten.

'We kunnen natuurlijk altijd gewoon niets doen,' merkte Rutledge luchtig op. Hij vroeg zich af wat de reactie zou zijn. Het was iets anders dan niets kúnnen doen, een subtiel verschil dat officieel Washington niet zou ontgaan.
'Dat zou alleen maar stimulerend werken op ontwikkelingen die tegen onze belangen ingaan,' merkte een hoge functionaris op.
'Het is toch beter dan dat we roepen dat we niets kunnen beginnen?' antwoordde Rutledge. 'Als we protesteren en dan niets doen om het tegen te houden, is dat erger dan wanneer we helemaal geen standpunt innemen.'
Adler besefte dat je van een Harvard-man altijd kon verwachten dat hij de zaak correct en subtiel kon formuleren, en in het geval van Rutledge was dat wel zo ongeveer alles wat hij kon. Deze carrièrediplomaat had het tot de zesde verdieping gebracht door nooit een verkeerde stap te doen. Je zou ook kunnen zeggen dat hij in zijn hele leven nog nooit een danspartner had geleid. Aan de andere kant had hij voortreffelijke connecties, tenminste, die had hij gehad. In ieder geval leed Cliff aan de ergste ziekte die een diplomaat kon treffen: voor hem was alles onderhandelbaar. Adler dacht niet zo. Soms moest je een standpunt innemen en daarvoor vechten, want deed je dat niet, dan koos de tegenpartij het slagveld uit en had hij het initiatief. Diplomaten hadden de taak om oorlogen te voorkomen, een belangrijk streven, vond Adler, en je bereikte je doel door te weten wanneer je een duidelijk standpunt moest innemen en wat de grenzen van de onderhandelingen waren. Voor de onderminister van Buitenlandse Zaken, belast met beleidszaken, was het een dans waar nooit een eind aan kwam. Een dans waarbij iemand anders leidde. Jammer genoeg had Adler niet de politieke macht om de man te ontslaan of hem bijvoorbeeld ambassadeur te maken in een land waar hij geen kwaad kon doen. Zijn eigen benoeming was bijvoorbeeld nog niet eens door de nieuwe senaat bekrachtigd.
'Dus we noemen het gewoon een regionale kwestie?' vroeg een andere hoge diplomaat. Adler keek hem aan. Probeerde Rutledge de anderen mee te krijgen?
'Nee, dat is het niet,' zei de minister van Buitenlandse Zaken om zijn standpunt duidelijk te maken. 'Het is van vitaal belang voor de veiligheid van de Verenigde Staten. We hebben de Saoedi's onze steun toegezegd.'
'Een streep in het zand trekken?' vroeg Cliff. 'Er is nog geen reden om dat te doen. Zeg, laten we wel wezen. Iran en Irak fuseren en vormen die nieuwe Verenigde Islamitische Republiek. Goed. En wat dan? Het kost ze jaren om het nieuwe land georganiseerd te krijgen. In die tijd gaan er in Irak allerlei tegenkrachten aan het werk. Die verzwakken het theocratisch regime waar wij al zoveel last van hebben gehad. Het is in dat nieuwe land niet overal pais en vree, weet je. We kunnen het nodige verwachten van de wereldse elementen in de Iraakse samenleving. Die leggen zich vast niet zo gemakkelijk bij een Iraans bewind neer. Als we in paniek raken en ons opdringen, maken we het Daryaei en zijn fanaten veel gemakkelijker. Als we daarentegen rustig blijven, hebben ze minder aanleiding om de mensen tegen ons op te hitsen. We kunnen de fusie niet tegenhouden, of wel soms?' ging Rutledge verder. 'Nou, wat kunnen

we dan wél doen? We zien die fusie als een gelegenheid om een dialoog met een nieuw land te beginnen.'
Er zat een zekere logica in die redenering, vond Adler, die de anderen aarzelend zag knikken. Rutledge kende de juiste trefwoorden. Gelegenheid. Dialoog.
'Dat zal de Saoedi's als muziek in de oren klinken,' wierp een stem aan het eind van de tafel tegen. Het was Bert Vasco, de man met de laagste rang van alle aanwezigen. 'Meneer Rutledge, ik denk dat u de situatie onderschat. Iran zat achter de moordaanslag...'
'Daar hebben we toch geen bewijzen voor?'
'En Al Capone is nooit wegens moord veroordeeld, maar ik heb de film gezien.' Het feit dat hij naar het Oval Office was ontboden, had de chef van de Irak-desk welsprekender gemaakt. Adler trok geamuseerd zijn wenkbrauwen op. 'Iemand orkestreert dit: eerst die moordaanslag, toen de verwijdering van de hoogste militairen en toen het afslachten van de leiders van de Ba'ath-partij. En nu krijgen we die religieuze wederopleving. Ik zie daarin een versterking van de nationale en religieuze identiteit. Dat zal de matigende invloeden verzwakken waarover u het had. De binnenlandse oppositie in Iran loopt door deze ontwikkelingen minstens een jaar vertraging op, en we weten niet wat er nog meer aan de hand is. Daryaei is een intrigant, en een hele goede ook. Hij is geduldig, toegewijd, en een meedogenloze rotzak...'
'Die op zijn laatste benen loopt,' zei een van Rutledges bondgenoten in de kamer.
'Wie zegt dat?' wierp Vasco tegen. 'Dit heeft hij erg goed georganiseerd.'
'Hij is in de zeventig.'
'Hij rookt niet, drinkt niet. Op alle videobeelden die we van hem hebben, ziet hij er fit uit. We moeten hem niet onderschatten. Die fout hebben we al eerder gemaakt.'
'Hij heeft geen contact meer met zijn eigen mensen.'
'Misschien weet hij dat niet. Hij heeft tot nu toe een goed jaar gehad, en mensen zijn altijd gek op een winnaar,' zei Vasco.
'Bert, ben je soms bang dat je je desk verliest als ze die VIR oprichten?' grapte iemand. Het was een slag onder de gordel, afkomstig van een hogere en gericht tegen een lagere, en er werd alom gegrinnikt om hem daaraan te herinneren. Uit de stilte die nu intrad, kon de minister afleiden dat er een soort consensus was ontstaan, en dan niet een consensus waar hij blij mee was. Het werd tijd dat hij weer de leiding nam.
'Goed, we gaan verder,' zei Adler. 'De FBI komt morgen weer met ons praten over die brief die is verdwenen. Driemaal raden wat ze meebrengen.'
'Niet weer die leugendetector,' kreunde iemand. Niemand merkte dat Rutledge zijn hoofd afwendde.
'Zie het nou maar als een routinetest voor onze veiligheidsverklaringen,' zei de minister tegen zijn hoogste ondergeschikten. Ze hadden al veel vaker met leugendetectors te maken gehad.

'Weet je, ze hebben Nixons ontslagbrief ook nooit gevonden,' zei iemand.
'Misschien heeft Kissinger hem gehouden,' grapte een derde.
'Morgen. Het begint om tien uur. Ikzelf ook,' zei Adler tegen hen. Hij vond het ook tijdverspilling.

Zijn huid was erg licht, zijn ogen waren grijs en zijn haar had iets rossigs. Dat zou wel door een Engelse in zijn voorgeslacht komen, dacht hij, tenminste, die grap werd in zijn familie verteld. In ieder geval gaf het hem de kans om voor een westerling door te gaan. Dat hij dat nog kon doen, dankte hij aan zijn behoedzaamheid. Tijdens een van zijn weinige 'openbare' operaties had hij zijn haar geverfd, een donkere bril opgezet en zijn baard – die zwart was – laten groeien. In zijn eigen wereld hadden ze gezegd dat hij nu net een filmster was. Maar veel van die grappenmakers waren dood, en hij leefde nog. Misschien hadden de Israëli's foto's van hem: dat wist je nooit, maar je wist wel dat ze bijna nooit informatie met anderen deelden, zelfs niet met hun Amerikaanse lastgevers, en dat was dom. En je kon je niet druk maken om alles, zelfs niet om foto's in een Mossad-dossier.
Na een vlucht uit Frankfurt kwam hij op het vliegveld Dulles aan. Hij had de gebruikelijke twee tassen van de serieuze zakenman die hij was, met niets meer aan te geven dan een liter whisky die hij in een Duitse taxfreeshop had gekocht. Het doel van zijn bezoek aan Amerika? Zaken en genoegen. Is het weer veilig om in Washington te zijn? Wat was dat verschrikkelijk, ik zag de herhalingen op de televisie, misschien wel duizend keer, afschuwelijk. O ja? Echt? Is alles weer normaal? Goed. Zijn huurauto stond te wachten. Moe van de lange vlucht, reed hij naar een hotel. Daar kocht hij een krant, liet het diner naar zijn kamer brengen en zette de televisie aan. Vervolgens sloot hij zijn draagbare computer op de telefoon van de kamer aan – die hadden tegenwoordig allemaal faciliteiten voor dataverkeer – en liet Badrayn via Internet weten dat hij veilig was aangekomen voor zijn verkenningsmissie. Een commercieel cryptoprogramma veranderde die onopvallende codefrase in volslagen gebrabbel.

'Welkom aan boord. Mijn naam is Clark,' zei John tegen de eerste klas van vijftien nieuwelingen. Hij zag er veel verzorgder uit dan zijn gewoonte was: keurig pak, button-down overhemd, gestreepte das. Voorlopig moest hij een bepaalde indruk maken, en later een andere. Het binnenhalen van de eerste groep was gemakkelijker geweest dan ze hadden verwacht. Ondanks Hollywood is de CIA populair bij de Amerikaanse burgers. Op iedere vacature waren minstens tien sollicitaties gekomen en daarna hadden ze alleen maar de computer aan het werk hoeven te zetten om vijftien personen te vinden die aan de vereisten voor Clarks PLAN BLAUW voldeden. Ze kwamen allemaal van de politie en hadden een goede opleiding, minstens vier jaar werkervaring en een onberispelijke staat van dienst die nog zou worden onderzocht door de FBI. Voorlopig waren het allemaal mannen, en dat was waarschijnlijk een fout, dacht John, maar er was nu niets meer aan te doen. Het waren tien blanken,

vier zwarten en één Aziaat. Ze kwamen bijna allemaal uit politiekorpsen in grote steden. Ze spraken minstens twee talen.
'Ik ben een inlichtingenfunctionaris in het veld. Geen "agent", geen "spion",' legde hij uit. 'Ik doe dit werk al een hele tijd. Ik ben getrouwd en ik heb twee kinderen. Als iemand van jullie denkt dat hij slanke blondjes zal ontmoeten en mensen overhoop kan schieten, kan hij beter meteen vertrekken. Dit werk is grotendeels saai, vooral wanneer je slim genoeg bent om het goed te doen. Jullie zijn allemaal politieman, en daardoor weten jullie al hoe belangrijk dit werk is. We hebben te maken met criminaliteit op hoog niveau en het is ons werk informatie te verzamelen, opdat er een stokje voor die grote misdaden wordt gestoken voordat er mensen worden gedood. We doen dat door gegevens te verzamelen en door te geven aan de mensen die ze nodig hebben. Anderen kijken naar satellietfoto's of proberen iemands post te lezen. Wij doen het moeilijke werk. Wij krijgen onze informatie van ménsen. Daar zijn mensen met goede motieven bij. Daar zijn ook minder sympathieke mensen bij, die geld willen, die wraak willen nemen, of die zich belangrijk willen voelen. Het doet er niet toe wat het voor mensen zijn. Jullie hebben allemaal met informanten gewerkt, en die zijn niet allemaal als moeder Theresa, hè? Zo is het hier ook. Jullie informanten zullen vaak beter opgeleid zijn en een hogere positie bekleden, maar ze zijn niet veel anders dan de informanten met wie jullie hebben gewerkt. En ook in hun geval moeten jullie loyaal zijn. Jullie moeten ze beschermen, ook al is de verleiding soms groot om hun schriele strot dicht te knijpen. Als jullie fouten maken, gaan die mensen dood, en in sommige landen waar jullie komen te werken, gaan hun vrouwen en kinderen ook dood. Als jullie denken dat ik overdrijf, hebben jullie het mis. Jullie komen te werken in landen waar het recht is zoals iemand wil dat het is. Dat hebben jullie de laatste dagen toch op de televisie gezien?' vroeg hij. Sommige van de Ba'athleiders die in Bagdad waren gefusilleerd, hadden het wereldnieuws gehaald, met de gebruikelijke waarschuwingen voor jeugdige kijkers, die altijd evengoed bleven kijken. De nieuwkomers knikten ernstig.
'Jullie zullen meestal níet gewapend zijn. Jullie zijn afhankelijk van jullie eigen scherpe verstand. Soms zullen jullie in levensgevaar verkeren. Ik heb vrienden verloren, sommigen op plaatsen waar jullie van weten, sommigen op plaatsen waar jullie niet van weten. De wereld mag tegenwoordig vriendelijker en verdraagzamer zijn, maar dat is niet overal zo. Jullie gaan niet naar de prettige landen, jongens,' verzekerde John hun. Achter in de kamer had Ding Chavez grote moeite om niet te grijnzen. Dat vettige kleine kereltje is mijn collega en hij is verloofd met mijn dochter. Het was nergens voor nodig om ze allemaal af te schrikken, wist Domingo.
'Wat is er goed aan dit werk? Nou, wat is er goed aan het politiewerk? Antwoord: telkens wanneer jullie een schurk achter de tralies zetten, redden jullie mensenlevens. In dit werk kunnen we levens redden door te zorgen dat de juiste mensen de juiste informatie krijgen. Veel levens,' benadrukte Clark. 'Als we ons werk goed doen, breken er geen oorlogen uit.

Hoe dan ook, welkom aan boord. Ik ben jullie docent en supervisor. Jullie zullen merken dat de opleiding hier stimulerend en moeilijk is. Het begint morgenvroeg om half negen.' Na die woorden verliet John het podium. Hij liep naar het achterste deel van de kamer. Chavez maakte de deur voor hem open en ze liepen de frisse lucht in.
'Allemachtig, meneer Clark, waar moet ik tekenen?'
'Verdomme, Ding. Ik moest toch íets zeggen?' Het was Johns langste betoog in jaren geweest.
'Wat moest Foley doen om die groentjes aan boord te krijgen?'
'De eerste ontslagen zijn al gevallen, mijn jongen. Zeg Ding, we moesten toch snel beginnen?'
'Jullie hadden best een paar weken kunnen wachten. Foleys benoeming is nog niet bevestigd door de senaat,' herhaalde Chavez. 'Maar ik ben maar een ondergeschikt agentje.'
'Ik vergeet steeds weer hoe pienter jij bent geworden.'

'Wie is nou die Zhang Han San?' vroeg Ryan.
'Ergens in de vijftig, maar hij lijkt jong voor zijn leeftijd. Tien kilo te zwaar, een meter zestig of zoiets, geen bijzondere kentekenen, zegt onze vriend,' antwoordde Dan Murray, kijkend in zijn aantekeningen. 'Rustig en bedachtzaam, en hij heeft Yamata laten barsten.'
'O?' zei Mary Pat Foley. 'Hoe dan?'
'Yamata was op Saipan toen wij de zaak onder controle kregen. Hij belde naar Beijing omdat hij daarheen wilde vluchten. Zhang reageerde alsof het onaangekondigde colportage was. "Welke afspraak? Wij hebben geen afspraak,"' imiteerde de FBI-directeur. 'En daarna werd hij gewoon niet meer doorverbonden. Onze Japanse vriend beschouwt dat als persoonlijk verraad.'
'Blijkbaar zingt hij als een kanarie,' merkte Ed Foley op. 'Vindt niemand dat verdacht?'
'Nee,' zei Ryan. 'In de Tweede Wereldoorlog praatten de Japanse krijgsgevangenen ook honderduit.'
'De president heeft gelijk,' beaamde Murray. 'Ik heb Tanaka daar zelf naar gevraagd. Hij zegt dat het hun cultuur is. Yamata wil zelfmoord plegen – in hun cultuur is dat een eerzame uitweg – maar ze houden hem constant in de gaten en hij heeft niet eens veters in zijn schoenen. Die kerel schaamt zich zo erg dat hij geen reden meer heeft om dingen geheim te houden. Zo krijg je heel bijzondere ondervragingen. Hoe dan ook, Zhang moet voor diplomaat doorgaan – Yamata zei dat hij officieel deel uitmaakte van een handelsdelegatie – maar op Buitenlandse Zaken hebben ze nooit van hem gehoord. De Japanners hebben de naam nergens op een diplomatieke lijst. Daar leid ik uit af dat hij voor een inlichtingendienst werkt, en dus...' Hij keek de Foleys aan.
'Ik heb de naam door de computer gehaald,' zei Mary Pat. 'Nul komma nul. Maar wie zegt dat het zijn echte naam is?'
'En al was het zijn echte naam,' zei haar man. 'We weten niet veel van hun

inlichtingendiensten. Als ik moest raden...' En dat deed hij. '... zou ik zeggen dat hij een politicus is. Waarom? Hij maakte een deal, een discrete maar grote deal. Hun strijdkrachten zijn nog in verhoogde staat van paraatheid vanwege die deal, met intensieve trainingen. Daarom zijn de Russen nog zo nerveus. Wie die kerel ook is, we moeten hem serieus nemen.' Dat was nu niet bepaald een wereldschokkende openbaring.

'Kunnen jullie meer aan de weet komen?' vroeg Murray voorzichtig.

Mevrouw Foley schudde haar hoofd. 'We hebben daar bijna niemand, in elk geval niemand die we hiervoor kunnen gebruiken. We hebben een goed team in Hongkong, een echtpaar. Ze zijn daar een mooi klein netwerk aan het opzetten. We hebben ook een paar mensen in Shanghai. In Beijing hebben we een paar agenten die een lage functie hebben op het ministerie van Defensie, maar die hebben we met het oog op de lange termijn. Als we ze hiervoor gebruiken, brengen we ze alleen maar in gevaar. Dan, het probleem met China is dat we niet weten hoe hun regering werkt. Alles zit daar zo ingewikkeld in elkaar dat we het niet kunnen doorgronden. We weten wie de leden van het Politburo zijn, denken we. Een van de grote jongens is misschien dood, maar we zijn al een maand bezig daar zekerheid over te krijgen. Zelfs de Russen laten het ons weten als ze mensen begraven,' zei het hoofd Operaties van de CIA, terwijl ze een slokje van haar wijn nam. Ryan vond het tegenwoordig prettig om na afloop van de normale kantooruren nog een glas met zijn naaste adviseurs te drinken. Hij was nog niet op het idee gekomen dat hij op die manier hun werkdag langer maakte. Bovendien passeerde hij zijn eigen nationale-veiligheidsadviseur, maar hoe loyaal en bekwaam Ben Goodley ook was, Jack Ryan wilde de dingen toch zoveel mogelijk uit de eerste hand horen.

Ed ging verder met de uitleg: 'Weet je, we denken inderdaad dat we het politieke team daar kennen, maar we hebben nooit veel zicht gehad op de tweede garnituur. Als je erover nadenkt, is het eigenlijk erg simpel, maar toch duurde het lang voor we er iets van begrepen. We hebben het over bejaarden. Ze kunnen zich niet goed meer verplaatsen. Daarom hebben ze jongere ogen en oren nodig, en in de loop van de jaren hebben die helpers veel macht verworven. Wie heeft het nu echt voor het zeggen? We weten het niet zeker, en zolang we niet precies weten wie er meespelen, komen we er ook niet achter.'

'Ik begrijp het, jongens,' bromde Murray, en hij pakte zijn glas bier. 'Toen ik bij de politie zat en we achter de georganiseerde misdaad aan zaten, identificeerden we de mafia-*capi* soms door te kijken wie hun autodeur voor ze openhield. Dat was verdomd lastig.' Het was het vriendelijkste dat de Foleys ooit van de FBI over de CIA hadden gehoord. 'Operationele beveiliging is eigenlijk helemaal niet zo moeilijk, als je er een beetje over nadenkt.'

'Een goed argument voor PLAN BLAUW,' zei Jack nu.

'Nou, dan zal het je goeddoen om te horen dat de eerste vijftien al begonnen zijn. John zal een paar uur geleden een toespraakje hebben gehouden om ze te verwelkomen,' zei de directeur van de CIA.

Ryan had Foleys reorganisatieplan voor de CIA doorgenomen. Ed was van

plan flink met de bijl te zwaaien. Uiteindelijk wilde hij het budget van de dienst in vijf jaar tijd met vijfhonderd miljoen dollar verkleinen, terwijl het aantal mensen in het veld zou toenemen. Het was iets waar ze op het Capitool blij mee zouden zijn, al zouden weinigen het ooit weten, want het echte budget van de CIA bleef grotendeels buiten de begrotingspapieren. Of misschien wisten ze het ook wel, dacht Jack. Er kon best een lek zijn.
Lekken. Hij had daar zijn hele carrière de pest aan gehad, maar ze hoorden bij het staatsbestuur, nietwaar? Maar wat moest hij er dan van denken? Dat lekken goed waren, nu hij er zelf gebruik van maakte? Verdomme. Zo zouden wetten en principes toch niet moeten werken? Aan welk idee of ideaal of principe moest hij nu vasthouden?

De lijfwacht heette Saleh. Hij was fors gebouwd, zoals voor zijn werk vereist was, en maakte zich nooit druk om ziekte of ander ongemak. Een man met zijn beroep gaf niet toe dat hij het moeilijk had. Maar toen het ongemak niet wegging, zoals hij had verwacht en zoals de dokter hem had verteld – Saleh wist dat iedereen last van zijn maag kon krijgen – en toen hij bloed in het toilet zag... Het was vooral dat laatste. Het lichaam mag eigenlijk geen bloed afgeven, behalve als je je snijdt bij het scheren of als je een kogelwond oploopt. In ieder geval mocht er geen bloed vrijkomen bij de stofwisseling. Iedereen zou daarvan schrikken, en zeker een man die zo sterk en doorgaans zo zelfverzekerd was. Zoals veel mensen treuzelde hij nog even. Hij vroeg zich af of het niet door het klimaat kwam. Misschien ging het vanzelf weer over. Je had er even last van en dan ging het weer weg, zoals je ook altijd met griepsymptomen had. Maar dit werd erger, en ten slotte kreeg zijn angst de overhand. Voor zonsopgang verliet hij de villa en reed hij naar het ziekenhuis. Onderweg moest hij stoppen om te braken. Hij keek opzettelijk niet naar wat hij op straat had achtergelaten en reed stug door. Zijn lichaam werd met de minuut zwakker en uiteindelijk kostten de paar stappen van de auto naar de deur hem alle energie die hij had. In wat hier voor een spoedgevallenafdeling moest doorgaan, zat hij te wachten terwijl mensen op zoek gingen naar zijn gegevens. De lucht in het ziekenhuis maakte hem bang. Als een hond die stank rook bleef hij meteen staan en trok hij aan zijn riem en probeerde jengelend weg te lopen, want hij associeerde die lucht met pijn. Ten slotte riep een zwarte verpleegster zijn naam. Hij stond op, mat zich een waardige houding aan en liep naar dezelfde spreekkamer waar hij al eerder was geweest.

De tweede groep van tien criminelen was een beetje anders dan de eerste groep, al zat hier geen afvallige bij. Het was gemakkelijk om een hekel aan hen te hebben, dacht Moudi, kijkend naar de mannen met vaalgele gezichten en schichtige gebaren. Het kwam vooral door de uitdrukking op hun gezicht. Ze zagen er echt als misdadigers uit, keken hem nooit recht aan, lieten hun blik nerveus heen en weer gaan. Het leek wel of ze altijd op zoek waren naar een uitweg, een truc, een kans, iets achterbaks. Op hun gezicht zag je angst en

tegelijk ook nog een beetje brutaliteit. Het waren niet zomaar mensen, en hoewel de dokter dat een kinderlijke constatering vond, maakte het hen wel anders dan hemzelf en de mensen die hij kende. Daarom waren hun levens niet belangrijk.
'We hebben hier wat zieke mensen,' zei hij tegen hen. 'Jullie zijn aangewezen om ze te verzorgen. Als jullie dat goed doen, worden jullie opgeleid tot ziekenverzorger in jullie gevangenis. Zo niet, dan gaan jullie terug naar jullie cel en jullie vonnis. Als iemand van jullie zich misdraagt, wordt hij onmiddellijk streng gestraft.' Ze knikten allemaal. Ze wisten wat een strenge behandeling was. Iraanse gevangenissen stonden niet bekend om hun comfort. En ook niet om goed voedsel. Ze hadden allemaal een vale huid en vochtige ogen. Nou, waarom zou je zulke mensen ook in de watten leggen? vroeg de arts zich af. Ze hadden zich stuk voor stuk schuldig gemaakt aan ernstige misdaden, en alleen de criminelen zelf en Allah wisten hoeveel onbekende misdaden ze hadden gepleegd. Het medelijden dat Moudi voor hen kon opbrengen, was een vaag gevolg van zijn medische opleiding, die hem dwong om hen als mensen te beschouwen, ongeacht wat ze gedaan hadden. Dat kon hij gemakkelijk verdringen. Ze waren rovers, dieven en kinderlokkers en hadden de wet overtreden in een land waar de wet iets van God was. De wet was streng, maar rechtvaardig. Als ze volgens westerse normen streng werden behandeld – Europeanen en Amerikanen hadden de vreemdste ideeën over mensenrechten; welke rechten hadden de slachtoffers van zulke mensen? – deed dat niet ter zake, zei Moudi tegen zichzelf. Hij distantieerde zich van de mensen tegenover hem. Amnesty International klaagde allang niet meer over de gevangenissen van zijn land. Misschien konden ze hun aandacht op andere dingen richten, zoals de behandeling van islamieten in andere landen. Er was geen zuster Jean Baptiste onder hen, en zij was dood, en dat stond geschreven, en nu zouden ze zien of hun lot met dezelfde hand in het boek van leven en dood was geschreven. Hij knikte naar de hoofdcipier, die tegen de nieuwe 'ziekenverzorgers' schreeuwde. Ze stonden er nog steeds brutaal bij, zag Moudi. Nou, dat zou veranderen.
Ze waren allemaal grondig voorbereid: van hun kleren ontdaan, gedoucht, geschoren, gedesinfecteerd en voorzien van groene chirurgenpakken met een getal van één cijfer op hun rug. Ze droegen vilten pantoffels. De bewapende cipiers leidden hen naar de deuren van de luchtsluis, waar zich de verplegers van het leger bevonden, aangevuld met één cipier, die met getrokken pistool op een afstand bleef. Moudi ging naar de bewakingskamer terug om naar de beeldschermen te kijken. Op de zwart-witmonitoren zag hij ze door de gang lopen. Ze keken nieuwsgierig naar links en rechts, ongetwijfeld nog steeds op zoek naar een uitweg. Toen keken ze allemaal naar de cipier, die altijd op minstens vier meter afstand bleef. Onderweg kreeg elk van de nieuwkomers een plastic emmer met allerlei eenvoudige instrumenten. Die emmers waren ook genummerd.
Ze schrokken allemaal een beetje toen ze de verplegers in hun beschermende

pakken zagen, maar schuifelden toch door. Bij de ingang van de behandelkamer bleven ze staan. Misschien was het de lucht, of misschien de aanblik. Hoewel ze allemaal traag van begrip waren, besefte een van hen nu eindelijk wat dit was...
Op de monitor wees een verpleger naar de gevangene die onbeweeglijk in de deuropening bleef staan. De man aarzelde en begon iets terug te zeggen. Even later gooide hij zijn emmer op de vloer en begon met zijn vuist te schudden, terwijl de anderen afwachtend bleven staan. De cipier dook op uit de hoek van het beeld, de arm met het pistool voor zich uit gestrekt. Op twee meter afstand schoot hij – wat vreemd om het schot wel te zien maar niet te horen – recht in het gezicht van de crimineel. Het lichaam viel op de tegelvloer en liet een patroon van zwarte vlekken op de grijze muur achter. De dichtstbijzijnde verpleger wees naar een van de gevangenen, die meteen de gevallen emmer oppakte en de kamer in ging. Deze groep zou zich voortaan aan de regels houden. Moudi richtte zijn blik op de volgende monitor.
Dit was een kleurencamera. Dat moest wel. Hij kon pannen en inzoomen. Moudi keek naar het bed in de hoek, Patiënt 1. De nieuwkomer met '1' op zijn rug en op zijn emmer bleef eerst even met de emmer in zijn hand bij het voeteneind staan. Hij wist blijkbaar niet goed wat hij zag. Er werden wel geluiden opgepikt in die kamer, maar dat werkte niet goed, want er was maar één ongerichte microfoon, en de bewakers hadden hem al veel eerder afgezet, omdat het geluid zo erbarmelijk was dat niemand er lang naar kon luisteren: gekreun, gejammer, kreten van stervende mannen die in de staat waarin ze nu verkeerden helemaal niet meer zo misdadig leken. Zoals te verwachten was geweest, was de afvallige er het ergst aan toe. Hij zei gebeden en probeerde anderen te troosten. Hij had zelfs geprobeerd met enkelen te bidden, maar het waren de verkeerde gebeden geweest en zijn kamergenoten zouden ook onder de gunstigste omstandigheden niet gauw tot God spreken.
Assistent 1 bleef een minuut of zo staan, kijkend naar Patiënt 1, een veroordeelde moordenaar die met een enkelketting aan zijn bed vast lag. Moudi liet de camera inzoomen en zag dat de ketenen de huid hadden geschaafd. Er zat daar een rode vlek op de matras. De man – de *veroordeelde patiënt*, verbeterde Moudi zichzelf – lag langzaam te kronkelen. Toen herinnerde Assistent 1 zich wat hem gezegd was. Hij trok zijn plastic handschoenen aan, maakte zijn spons nat en wreef daarmee over het voorhoofd van de patiënt. Moudi trok de camera terug. Een voor een deden de anderen hetzelfde. De verplegers van het leger trokken zich terug.
Het behandelingsregime voor de patiënten stelde niet veel voor. Het had geen zin, want ze hadden hun nut voor het project al gehad. Dat maakte het leven veel gemakkelijker voor iedereen. Er hoefden geen infuuslijnen te worden aangelegd, geen naalden te worden gebruikt, en er waren dus ook geen naalden om je zorgen over te maken. Door ebola te krijgen hadden ze bevestigd dat de mayinga-stam zich inderdaad door de lucht kon bewegen. Nu hoefden ze alleen nog te bewijzen dat het virus door die manier van overdracht niet was

verzwakt... en dat het op dezelfde manier kon worden doorgegeven aan de tweede groep misdadigers. De meeste nieuwkomers, zag hij, deden wat hun was opgedragen, maar ze deden het slecht, ruw, met snelle, gevoelloze halen van de spons. Een paar hadden zo te zien echt medelijden. Misschien zou Allah dat zien en zou hij genadig zijn als ze voor hem stonden, iets wat binnen tien dagen zou gebeuren.

'Schoolrapporten,' zei Cathy toen Jack de slaapkamer binnenkwam.
'Goed of slecht?' vroeg haar man.
'Kijk zelf maar,' stelde zijn vrouw voor.
O nee, dacht de president, en nam ze van haar over. Gelukkig viel de schade nog mee. In de bijgevoegde commentaarvellen – iedere leerkracht schreef iets ter aanvulling van de cijfers – stond dat de kwaliteit van het huiswerk de afgelopen weken was verbeterd... Dus de agenten hielpen inderdaad met het huiswerk, realiseerde Jack zich. In zekere zin was het wel grappig. Aan de andere kant... Vreemden deden het werk van de vader, en dat zat hem niet lekker. De loyaliteit van de agenten demonstreerde dat hij niet genoeg voor zijn kinderen deed.
'Als Sally naar het Hopkins wil, zal ze meer aan haar exacte vakken moeten werken,' merkte Cathy op.
'Ze is nog maar een kind.' Voor haar vader zou ze altijd het kleine meisje blijven dat...
'Ze wordt groter, en weet je wat? Ze ziet iets in een jonge voetballer. Hij heet Kenny en hij is cool,' zei Cathy. 'Hij moet ook nodig naar de kapper. Zijn haar is langer dan het mijne.'
'Verdomme,' antwoordde de president.
'Het verbaast me nog dat het zo lang duurde. Ik ging al met jongens uit toen ik...'
'Ik wil daar niet over horen...'
'Ik ben toch met jóu getrouwd?' Stilte. 'Meneer de president...'
Jack draaide zich om. 'Dat is een tijdje geleden.'
'Zullen we naar de Lincoln Bedroom gaan?' vroeg Cathy. Jack keek in die richting en zag een glas op haar nachtkastje. Ze had een paar glazen gedronken. Morgen hoefde ze niet te opereren.
'Hij heeft daar nooit geslapen, schat. Ze noemen die kamer zo omdat...'
'Dat schilderij. Ik weet het. Ik heb ernaar gevraagd. Ik vind het een mooi bed,' legde ze met een glimlach uit. Cathy legde haar medische dossiers neer en zette haar leesbril af. Toen hield ze haar armen omhoog, bijna als een peuter die op de arm wil. 'Weet je, ik heb het nog nooit gedaan met de machtigste man ter wereld, tenminste, niet deze week.'
'Kan het wel?' Cathy had nooit de pil gebruikt.
'Hoe bedoel je?' antwoordde ze. En ze was altijd zo regelmatig als een metronoom geweest.
'Je wilt niet nog een...'

'Misschien kan het me niet zoveel schelen.'
'Je bent veertig,' protesteerde Jack.
'Hartelijk dank! Dat is nog lang geen record. Waar maak je je druk om?'
Jack dacht daar even over na. 'Niets, denk ik. Ik heb nooit die vasectomie laten doen, hè?'
'Nee, je hebt er zelfs nooit met Pat over gesproken, zoals je zei dat je zou doen. En als je het nu doet,' ging de presidentsvrouw met een ondeugende grijnslach verder, 'komt het in alle kranten. Misschien zelfs live op de tv. Arnie zal je misschien vertellen dat je het goede voorbeeld zou geven in de strijd tegen de overbevolking, en dan laat je je wel overtuigen. Alleen zijn er wel overwegingen van nationale veiligheid...'
'Wát?'
'Als de president van de Verenigde Staten in zijn ballen laat snijden, hebben ze geen respect meer voor Amerika.'
Jack schoot bijna in de lach, maar hield zich in. De agenten op de gang zouden het horen en...
'Wat is er toch in je gevaren?'
'Misschien ben ik eindelijk gewend geraakt aan dit alles, of misschien wil ik gewoon met je naar bed,' voegde ze eraan toe.
Op dat moment ging de telefoon naast het bed. Met een kwaad gezicht nam Cathy op. 'Hallo? Ja, dokter Sabo. Mevrouw Emory? Goed... Nee, ik denk van niet... Nee, echt niet. Het kan me niet schelen of ze opgewonden is of niet. Morgenvroeg weer. Geef haar iets om haar in slaap te brengen... Maakt niet uit. Het verband blijft erop tot ik zeg dat het eraf moet, en zet dat ook op haar kaart, ze jengelt veel te overtuigend. Ja. Goedenavond, dokter.' Ze legde de hoorn op de haak en mopperde: 'Die ooglens die ik laatst heb vervangen. Ze kan er niet tegen dat ze geblinddoekt is, maar als we de doek er te vroeg afhalen...'
'Wacht eens even. Hij belde...'
'Ze hebben ons nummer.'
De directe lijn? Dat ging zelfs buiten de inlichtingencentrale om, al werd hij natuurlijk wel afgeluisterd, zoals alle lijnen in het Witte Huis. Tenminste, waarschijnlijk wel. Ryan had er niet naar gevraagd en wilde het eigenlijk ook niet weten.
'Ze hadden het nummer van ons huis toch ook?' vroeg Cathy. 'Ik ben arts, ik behandel patiënten, ik ben hoogleraar, ik moet altijd bereikbaar zijn, vooral wanneer het om lastige patiënten gaat.'
'Onderbrekingen.' Jack ging naast zijn vrouw liggen. 'Jij wilt niet echt nog een baby, hè?'
'Wat ik wil, is vrijen met mijn man. Ik kan niet kieskeurig meer zijn over de dagen waarop we dat doen.'
'Was het zo erg?' Hij kuste haar teder.
'Ja, maar ik ben er niet kwaad om. Je hebt erg je best gedaan. Je doet me denken aan mijn nieuwe assistenten, al ben je wel ouder.' Ze streek over zijn

gezicht en glimlachte. 'Als er iets gebeurt, dan moet dat maar. Ik vind het prettig dat ik een vrouw ben.'
'Ik vind dat eigenlijk ook wel prettig.'

27

Resultaten

Sommigen van hen hadden psychologie gestudeerd. Dat was een veel voorkomende studierichting bij politiediensten. Sommigen waren zelfs erg ver met die studie gekomen en één lid van het escorte had een academische graad. Zijn scriptie had hij aan daderprofilering gewijd. Allemaal waren ze minstens begaafde amateurs in de kunst van het gedachtenlezen; Andrea Price was een van hen. De presidentsvrouw liep met veerkrachtige passen naar haar helikopter. De president liep met haar mee tot de buitendeur en gaf haar een afscheidskus; die kus was routine, maar die veerkrachtige pas was dat niet, en ze hielden anders ook nooit elkaars hand vast, tenminste niet de laatste tijd. Price wisselde een blik met twee van haar agenten en ze lazen elkaars gedachten, zoals politiemensen kunnen. Ze vonden het een gunstig teken, behalve Raman, die net zo scherpzinnig was als de anderen, maar veel preutser. Zijn grote hartstocht was sport. Price stelde zich voor dat hij elke avond naar de televisie zat te kijken. Waarschijnlijk wist hij zelfs hoe je een videorecorder moet programmeren. Nou, in de Secret Service had je veel verschillende persoonlijkheden.
'Wat gaat er vandaag gebeuren?' vroeg de president, die zich afwendde toen de Black Hawk opsteeg.
'SURGEON is opgestegen,' hoorde Andrea in haar oorluidsprekertje. 'Alles veilig,' meldden de mensen die de wacht hielden op de daken van overheidsgebouwen rond het Witte Huis. Het afgelopen uur hadden ze de omgeving afgetuurd, zoals ze elke ochtend deden. De gebruikelijke mensen waren er, de 'vaste klanten'; de agenten kenden ze van gezicht. Het waren mensen die steeds weer opdoken. Sommigen werden gewoon gefascineerd door de presidentiële familie, of het nu de ene of de andere president was. Voor hen was het Witte Huis de enige echte soap van Amerika, *Dallas* met hoofdletters. Alles wat de beroemde bewoners van dat beroemde huis deden, trok hen aan. De psychologen van de Secret Service hadden grote moeite die mensen te begrijpen, want voor de gewapende agenten van het escorte waren 'vaste klanten' per definitie gevaarlijk. En daarom kenden de scherpschutters op het Old Exe-

cutive Office Building – OEOB – en het ministerie van Financiën hen stuk voor stuk, zo vaak hadden ze hen door hun krachtige kijkers gadegeslagen. Ze kenden ze ook allemaal van naam, want er liepen daar ook escorteleden rond, vermomd als zwerver of voorbijganger. Al die 'vaste klanten' waren een keer naar hun huis gevolgd en geïdentificeerd, waarna discreet onderzoek naar hen was gedaan. Degenen die onregelmatigheden vertoonden, werden nader bestudeerd: ze hadden allemaal wel een klap van de molen gehad. Agenten die buiten werkten waren nagegaan of ze wapens droegen: daarvoor botste er bijvoorbeeld een 'jogger' tegen hen op, die hen behendig fouilleerde terwijl hij hen onder het stamelen van verontschuldigingen overeind hielp. Maar dat gevaar was voorlopig geweken.
'Hebt u gisteravond niet naar uw dagschema gekeken?' vroeg Price, die haar plichten even moest laten varen om een domme vraag te stellen.
'Nee, ik besloot wat tv te kijken,' loog de president zonder te weten dat ze hem wel doorhadden. Hij kreeg niet eens een kleur, zag Price. Zij van haar kant stond niet toe dat er iets op haar gezicht te lezen stond. Zelfs de president van de Verenigde Staten mocht een paar geheimen hebben, of tenminste de illusie dat hij ze had.
'Hier hebt u mijn exemplaar.' Ze gaf het hem. Ryan keek naar de eerste bladzijde, die tot de lunch ging. 'Meteen na CARDSHARP komt de minister van Financiën ontbijten.'
'Hoe noemen jullie George?' vroeg Jack, terwijl ze naar binnen gingen.
'TRADER. Die naam bevalt hem wel,' antwoordde Andrea.
'Als jullie het maar goed uitspreken.' En dat was erg spits voor tien voor acht in de morgen, vond Jack. Maar het was moeilijk na te gaan. De agenten vonden bijna al zijn grappen goed. Zou dat soms alleen maar beleefdheid zijn?
'Goedemorgen, meneer de president.' Zoals gewoonlijk stond Goodley op zodra Jack het Oval Office betrad.
'Dag, Ben.' Ryan legde het schema op zijn bureau, keek even of er belangrijke papieren lagen en ging zitten. 'Steek maar van wal.'
'Door met het team te praten hebt u me gisteravond het gras voor de voeten weggemaaid. We weten niets van meneer Zhang. Ik kan u de lange versie geven, maar die hebt u waarschijnlijk al gehoord.' De president knikte en hij ging verder.
'Goed, ontwikkelingen in de Straat van Formosa. China heeft vijftien oppervlakteschepen op zee, twee formaties, een van zes en een van negen. Ik heb de exacte samenstellingen, als u ze wilt hebben, maar het zijn allemaal destroyers en fregatten. Het Pentagon zegt dat het normale formaties zijn. We hebben een EC-135 die meeluistert. We hebben een onderzeeboot, de *Pasadena*, tussen de twee formaties in, en uit de Stille Oceaan zijn nog twee boten onderweg. Die verwachten we over respectievelijk zesendertig en vijftig uur. Admiraal Seaton, CINCPAC, is op de hoogte en heeft opdracht gegeven tot volledige surveillance. Zijn rapport ligt nu op het bureau van minister Bretano. Ik heb het door de telefoon besproken. Zo te horen weet Seaton waar hij mee bezig is.

Dan de politieke kant. De regering van Taiwan heeft officieel geen nota van de oefening genomen. Ze hebben een dienovereenkomstig persbericht doen uitgaan, maar hun strijdkrachten staan in verbinding met de onze... via CINCPAC. We hebben mensen naar hun luisterstations gestuurd...' Goodley keek op zijn horloge. 'Die kunnen er al zijn. Buitenlandse Zaken gelooft niet dat dit erg veel voorstelt, maar ze houden de vinger aan de pols.'
'Het algehele beeld?' vroeg Ryan.
'Het kan een routineoefening zijn, maar voor ons komt het wel op een ongelukkig tijdstip. Ze oefenen geen openlijke druk uit.'
'En zolang ze dat niet doen, ondernemen wij geen tegenacties. Goed, we nemen officieel geen nota van die oefening. We sturen eenheden, maar doen dat in alle stilte. Geen persberichten, geen briefings voor de media. Als er vragen komen, trekken we ons daar niets van aan.'
Goodley knikte. 'Dat is de tactiek, meneer de president.' Hij ging verder. 'Nu dan weer Irak. We beschikken over weinig directe informatie. De plaatselijke televisie is op de religieuze toer. Sji'a voor en sji'a na. De Iraanse geestelijken die we al hadden gezien, krijgen veel zendtijd. De nieuwsberichten zijn voor bijna honderd procent op religie gebaseerd. De presentatoren worden lyrisch. De executies zijn achter de rug. We hebben ze niet precies kunnen tellen, maar het waren er meer dan honderd. Dat hebben we nu, geloof ik, wel gehad. De Ba'ath-leiding is voorgoed verdwenen. De kleinere vissen zitten in de bak. Ze hadden het over de genade die de voorlopige regering aan de "kleinere misdadigers" toonde... Dat is een citaat. Die genade is gebaseerd op religieuze overwegingen, en het schijnt dat sommige van die "kleinere misdadigers" plotseling Jezus – sorry, Allah – hebben gevonden. Op de tv zie je ze bij een imam zitten en hun misdaden bespreken.
Verder zien we meer georganiseerde activiteit binnen het Iraanse leger. Troepen krijgen extra training. We vangen tactisch radioverkeer op. Het zijn routinegesprekken, maar het is wel erg veel. Op Buitenlandse Zaken hebben ze de hele nacht doorgewerkt om al dat radioverkeer door te nemen. De onderminister voor beleidszaken, Rutledge, heeft dat geregeld. Hij heeft I & R blijkbaar nogal op de huid gezeten.' De afdeling Inlichtingen en Research van het ministerie van Buitenlandse Zaken was het kleinere en veel armere neefje van de inlichtingendiensten, maar er zaten wel een stuk of wat erg bekwame analisten die vanuit hun diplomatieke invalshoek soms dingen opmerkten die de andere inlichtingendiensten over het hoofd zagen.
'Conclusies?' vroeg Jack. 'Van I & R, bedoel ik.'
'Nee.' Natuurlijk niet, had Goodley kunnen zeggen, maar dat deed hij niet. 'Ik spreek ze over een uur of zo.'
'Let goed op wat I & R zegt. Luister vooral goed naar...'
'Bert Vasco. Ja,' beaamde Goodley. 'Hij is goed, maar ik wed dat de zesde verdieping hem het leven zuur maakt. Ik heb twintig minuten geleden met hem gesproken. Hij zegt – en nu komt het – achtenveertig uur. Niemand is het daarmee eens. Niemand,' benadrukte CARDSHARP.

‘Maar...’ Ryan schommelde in zijn stoel achterover.
‘Maar ik zou niet tegen hem wedden, baas. Ik heb niets dat zijn beoordeling kan ondersteunen. Onze desk-mensen van de CIA zijn het niet met hem eens. Buitenlandse Zaken ook niet, die vertelden het niet eens aan mij; ik kreeg het van Vasco zelf te horen. Maar weet u, ik zal níet zeggen dat hij zich vergist.’ Goodley zweeg even. Hij realiseerde zich dat hij een beetje uit zijn rol viel. ‘We moeten dit serieus nemen, baas. Vasco heeft goede instincten, en hij heeft ook lef.’
‘We zullen het gauw genoeg weten. Hoe dan ook, ik vind ook dat hij daar de beste is. Zorg dat Adler met hem praat en zeg tegen Scott dat hij niet de grond in geboord mag worden, of hij nu gelijk krijgt of niet.’
Ben knikte nadrukkelijk en maakte een aantekening. ‘Vasco krijgt bescherming op hoog niveau. Dat bevalt me wel, meneer de president. Het zou zelfs andere mensen kunnen aanmoedigen om eens op hun instincten af te gaan.’
‘De Saoedi’s?’
‘Niets van hen. Het lijkt wel of ze verlamd zijn. Ik denk dat ze pas om hulp durven vragen als ze een erg goede reden hebben.’
‘Bel Ali over een uur,’ beval de president. ‘Ik wil zijn mening horen.’
‘Ja, meneer de president.’
‘En als hij me wil spreken, op welk uur ook, dag of nacht, zeg je tegen hem dat hij mijn vriend is en dat ik altijd tijd voor hem heb.’
‘En dat is het ochtendnieuws, meneer de president.’ Hij stond op en bleef staan. ‘Wie heeft trouwens voor die codenaam CARDSHARP gekozen?’
‘Wij,’ zei Price aan de andere kant van de kamer. Haar linkerhand ging naar haar oorluidsprekertje. ‘Het staat in je dossier. Het schijnt dat je in je studententijd erg goed kon pokeren.’
‘Ik zal maar niet vragen wat mijn vriendinnetjes over me hebben verteld,’ zei de waarnemend nationale-veiligheidsadviseur op weg naar de deur.
‘Dat wist ik niet, Andrea.’
‘Hij heeft zelfs wat geld gewonnen in Atlantic City. Iedereen onderschat hem omdat hij zo jong is. TRADER is net gearriveerd.’
Ryan keek in zijn agenda. Ja, hij had nu een gesprek met George over diens ondervraging door de senaat. De president nam even de tijd om zijn agenda door te nemen, terwijl een marinesteward een licht ontbijt binnenbracht.
‘Meneer de president, de minister van Financiën,’ zei adjudant Price bij de zijdeur naar de gang.
‘Dank je, we kunnen dit alleen wel af,’ zei Ryan. Hij stond op toen George Winston binnenkwam.
‘Goedemorgen, meneer de president,’ zei de minister van Financiën, terwijl de deur zachtjes dichtging. Hij droeg een van zijn maatkostuums en had een bruine map bij zich. In tegenstelling tot zijn president was de minister van Financiën het gewend om het grootste deel van de tijd een pak te dragen. Ryan trok zijn jasje uit en liet het op het bureau vallen. Ze gingen op de banken zitten, met de salontafel tussen hen in.

'Nou, hoe staan de zaken aan de overkant?' vroeg Ryan. Hij schonk zich wat koffie in, deze keer met cafeïne.
'Als ik mijn effectenhuis zo leidde, zou de commissie van toezicht me levend villen. Ik ga... Ik ben al begonnen een paar van mijn administratieve mensen uit New York te laten overkomen. Er zijn op het ministerie gewoon te veel mensen die niets anders te doen hebben dan elkaar aankijken en tegen elkaar zeggen hoe belangrijk ze allemaal zijn. Niemand is ergens verantwoordelijk voor. Verdomme nog aan toe, bij de Columbus Group hadden we ook vaak commissies die besluiten namen, maar daar hakten we tenminste knopen door. Er zijn te veel mensen op Financiën, meneer de presi...'
'Noem me maar Jack, in elk geval hierbinnen, George. Ik...' De deur van het secretariaat ging open en de fotograaf kwam binnen met zijn Nikon. Hij zei niets. Hij zei bijna nooit iets. Hij maakte gewoon de ene na de andere foto. Het was de bedoeling dat iedereen deed alsof hij er niet was. Het zou een geweldige baan zijn voor een spion, dacht Ryan.
'Goed. Jack, hoever kan ik gaan?' vroeg Winston.
'Dat heb ik je al verteld. Jij hebt de volledige leiding van je ministerie. Het enige wat je moet doen is mij van tevoren inlichten.'
'Dan doe ik dat bij deze. Ik ga inkrimpen. Ik wil dat ministerie opzetten alsof het een bedrijf is.' Hij zweeg even. 'En ik ga de belastingwetgeving veranderen. God, twee dagen geleden ontdekte ik pas hoe hopeloos ingewikkeld het is. Ik heb een paar deskundigen laten komen en...'
'De opbrengst moet even groot blijven. We kunnen niet aan het budget sleutelen. Niemand van ons heeft daar de deskundigheid voor, en zolang het Huis van Afgevaardigden nog niet opnieuw is samengesteld...' De fotograaf ging weg. Hij had de president in een schitterende pose te pakken gekregen, met beide handen op het koffiedienblad.
'Playmate van de Maand,' zei Winston lachend. Hij pakte een croissant en smeerde er boter op. 'We hebben de modellen door de computer gehaald. Op basis van de ruwe cijfers is het effect op de inkomsten neutraal, Jack, maar waarschijnlijk gaan de beschikbare middelen toch omhoog.'
'Weet je dat zeker? Moet je niet eerst onderzoek doen naar alle...'
'Nee, Jack. Ik hoef nergens onderzoek naar te doen. Ik heb Mark Gant binnengehaald als mijn eerste assistent. Hij weet meer van computermodellen dan iedereen die ik ooit heb ontmoet. De afgelopen week heeft hij zich door... Heeft niemand je dat ooit verteld? Ze doen daar de hele tijd niks anders dan het belastingsysteem onderzoeken. Onderzoek? Ik hoef de telefoon maar te nemen en ik heb binnen een half uur een document van duizend bladzijden op mijn bureau liggen. Daar staat dan in hoe de situatie was in 1952, hoe de belastingwetgeving in die tijd in elk segment van de economie functioneerde, of hoe die volgens de huidige deskundigen toen functioneerde, of hoe hij volgens de mensen uit die tijd toen functioneerde, in tegenstelling tot hoe hij volgens de deskundigen in de jaren zestig destijds functioneerde.' De minister zweeg even. 'Waar het op neerkomt? Wall Street is veel ingewikkelder, maar

gebruikt eenvoudiger modellen, en die modellen wérken. Waarom? Omdat ze eenvoudiger zijn. En dat ga ik over anderhalf uur tegen de senaat zeggen, als je het goedvindt.'
'Je weet zeker dat je hier gelijk in hebt, George?' vroeg de president. Dat was een van de problemen, misschien wel het allergrootste. De president kon niet alles controleren wat in zijn naam gebeurde – zelfs één procent daarvan zou al te veel zijn – maar hij was wel verantwoordelijk voor alles. Dat besef had al veel presidenten tot de fout gebracht dat ze alles zelf wilden doen. 'Jack, ik weet het zo zeker dat ik het geld van mijn beleggers eronder zou verwedden.'
Ze keken elkaar over de tafel aan. Ze wisten allebei wat ze aan de ander hadden. De president had kunnen zeggen dat het welzijn van de natie belangrijker was dan de paar miljard dollar die Winston bij de Columbus Group had beheerd, maar hij zei het niet. Winston had zijn beleggingsmaatschappij uit het niets opgebouwd. Net als Ryan kwam hij uit een eenvoudig milieu. In een wereld met een buitengewoon felle concurrentie had hij met zijn intelligentie en integriteit een grote onderneming opgebouwd. Geld dat door zijn cliënten aan hem werd toevertrouwd, was hem nog dierbaarder dan zijn eigen geld, en daardoor was hij rijk en machtig geworden, al was hij nooit vergeten hoe dat was gekomen. De eerste belangrijke beleidsverklaring van de regering-Ryan stond of viel met Winstons behendigheid en eergevoel. De president dacht daar even over na en knikte.
'Doe het maar, TRADER.' Maar het zat Winston niet helemaal lekker. Het was leerzaam voor de president dat zelfs zo'n machtige man als de minister van Financiën zijn ogen even neersloeg en dan iets rustigers zei, iets wat minder krachtig was dan zijn zelfverzekerde beweringen van vijf seconden eerder.
'Weet je, in politiek opzicht is dit...'
'Wat je tegen de senaat gaat zeggen, George... is dat goed voor het land als geheel?'
'Jazeker!' Winston knikte nadrukkelijk.
'Mekker er dan niet over tegen mij.'
De minister veegde met het gemonogrammeerde servet over zijn mond en sloeg zijn ogen weer neer. 'Weet je, als dit allemaal voorbij is en we weer een normaal leven leiden, moeten we toch eens nagaan of we samen iets kunnen opzetten. Er zijn niet veel mensen als wij, Ryan.'
'Er zijn er wel meer,' zei de president nadat hij even had nagedacht. 'Het probleem is alleen dat ze hier nooit komen werken. Weet je van wie ik dat heb geleerd? Van Cathy,' zei Jack. 'Als zij een fout maakt, wordt er iemand blind, maar evengoed kan ze er niet voor weglopen, hè? Stel je voor, je maakt een fout en iemand kan nooit meer zien, of gaat dood. De mensen die op Spoedgevallen werken, balanceren allemaal op de rand, zoals toen Cathy en Sally na de aanslag binnenkwamen. Als je het verknoeit, is iemand voor altijd weg. Dat is heel wat, George. Dat is nog veel belangrijker dan effecten verhandelen, zoals wij deden. Hetzelfde heb je met politiemensen. En met militairen. Je moet in actie komen, onmiddellijk, anders gebeurt er iets heel ergs. Maar dat

soort mensen komt toch niet naar Washington? Meestal gaat zo iemand naar de plaats waar hij of zij moet zijn, de plaats waar het echt allemaal gebeurt,' zei Ryan bijna verlangend. 'De echt goede mensen gaan naar de plaatsen waar ze nodig zijn, en blijkbaar weten ze altijd waar dat is.'

'Maar de echt goede mensen hebben een hekel aan geouwehoer. Dus daarom komen ze hier niet heen?' vroeg Winston. Hij kreeg nu op zijn beurt een les in overheidsbestuur en merkte dat Ryan een goede leraar was.

'Sommigen komen evengoed. Adler op Buitenlandse Zaken. Een ander die ik daar heb ontdekt, een zekere Vasco. Maar dat zijn degenen die zich tegen het systeem verzetten. Het systeem werkt in hun nadeel. Het zijn degenen die we moeten signaleren en beschermen. Ze hebben vaak een onbelangrijke functie, maar wat ze doen, is niet onbelangrijk. Ze zorgen dat het systeem blijft draaien, en ze blijven vaak onopgemerkt omdat ze het niet belangrijk vinden om opgemerkt te worden. Ze willen dat het werk wordt gedaan, dat de overheid iets goeds voor de mensen doet. Weet je wat ik graag zou willen doen?' vroeg Ryan, die nu voor het eerst iets van zijn ziel blootlegde. Hij had nog niet eens het lef gehad om dit tegen Arnie te zeggen.

'Ja, een systeem opzetten dat echt werkt, een systeem dat de goede mensen er uitpikt en ze geeft wat ze verdienen. Weet je hoe moeilijk dat is in elke organisatie? Het was in mijn bedrijf al een hele toer, en Financiën heeft meer portiers dan ik handelaren had. Ik zou niet eens weten hoe je aan zoiets moest beginnen,' zei Winston. Uiteindelijk zou hij het wel inzien, dacht de president.

'Het is nog moeilijker dan je denkt. De kerels die het echte werk doen, willen geen baas zijn. Ze willen werken. Cathy zou in de directie van het ziekenhuis kunnen komen. Ze hebben haar een leerstoel aan de universiteit van Virginia aangeboden, en dat is niet niks. Maar dan zou de tijd die ze aan patiënten besteedt, gehalveerd worden, en ze houdt van het werk dat ze doet. Op een dag gaat Bernie Katz van het Hopkins met pensioen, en dan bieden ze haar zijn functie aan, en dan zal ze dat ook van de hand wijzen. Waarschijnlijk,' zei Jack. 'Tenzij ik haar kan overhalen.'

'Dat zal je niet lukken, Jack.' Winston schudde zijn hoofd. 'Toch is het een geweldig idee.'

'Grover Cleveland heeft meer dan honderd jaar geleden het ambtenarenapparaat gereorganiseerd,' zei de president tegen zijn ontbijtgast. 'Ik weet dat we het niet perfect kunnen maken, maar we kunnen het wel beter maken. Jij bent daar al mee bezig, dat heb je me net verteld. Denk er nog eens over na.'

'Dat zal ik doen.' De minister van Financiën stond op. 'Maar nu heb ik een andere revolutie op het programma staan. Hoeveel vijanden kunnen we ons permitteren?'

'Er zijn altijd vijanden, George. Jezus had ook vijanden.'

Hij hield van de bijnaam 'Filmster'. Vijftien jaar geleden had hij gehoord dat hij die bijnaam had en hij had geleerd er gebruik van te maken. Het was zijn taak om verkenningen uit te voeren, en het wapen dat hij daarbij gebruikte, was zijn charme. Hij had een heel repertoire van accenten. Omdat hij Duitse reisdocumenten had, sprak hij als iemand uit Frankfurt. Hij droeg ook Duitse kleren, tot en met zijn schoenen en portefeuille, allemaal gekocht met het geld dat afkomstig was van wie het ook maar was die als financier door Ali Badrayn was aangetrokken. Het autoverhuurbedrijf had hem erg goede kaarten gegeven, en die lagen allemaal uitgespreid op de kuipstoel naast hem. Nu hoefde hij al zijn routes niet uit zijn hoofd te leren: dat was vermoeiend en bovendien een verspilling van zijn tijd en zijn fotografisch geheugen.

Eerst ging hij naar de St. Mary's Catholic School, een paar kilometer buiten Annapolis. Het was een religieuze school, rooms-katholiek, van kleuterschool tot en met middelbaar onderwijs. Er waren bijna zeshonderd leerlingen. Dat maakte het een grensgeval. De Filmster zou twee of misschien drie pasjes moeten bemachtigen. Dat laatste werd iets gemakkelijker gemaakt door het feit dat de school zich op een langwerpig stuk land bevond dat de katholieke kerk ooit had losgepraat van een rijke familie. Er was maar één toegangsweg. Het terrein van de school eindigde bij het water en aan de andere kant, voorbij de sportvelden, stroomde een rivier. Aan weerskanten van de weg stonden huizen, een woonwijk van zo'n dertig jaar oud. De school had elf gebouwen, sommige dicht op elkaar, andere wat verder van de rest vandaan. Filmster wist de leeftijd van de doelwitten, en aan de hand daarvan was het niet moeilijk te raden in welke gebouwen ze een groot deel van hun tijd zouden doorbrengen. Hij vond de tactische omgeving niet gunstig, zeker niet toen hij de bewaking zag. De school had veel land – minstens tweehonderd hectare – en dus ook een uitgebreid grensgebied. Wie daar binnendrong, liep onmiddellijk risico's. Hij zag drie grote, donkere wagens, Chevrolets Suburban, die natuurlijk voor het vervoer van de doelwitten en hun bewakers werden gebruikt. Hoeveel? Hij zag twee mensen buiten staan, maar in elk van die wagens zouden minstens vier bewakers zitten. De wagens zouden gepantserd zijn, en uitgerust met zware wapens. Eén weg naar binnen, één weg naar buiten. Bijna een kilometer tot de grote weg. En het water? dacht Filmster, toen hij tot het eind was gereden. Ah. Daar lag een boot van de kustwacht, een kleintje, maar hij zou een radio aan boord hebben en dat maakte hem groot genoeg.

Hij stopte op de doodlopende weg en stapte uit om naar een huis met een TE KOOP-bord te kijken. Hij haalde een krant uit de auto en deed alsof hij het huisnummer met een advertentie vergeleek. Daarna keek hij nog wat om zich heen. Hij moest snel zijn. De bewakers zouden op hun hoede zijn, en hoewel ze niet alles konden controleren – zelfs de Secret Service beschikte niet over onbeperkt veel tijd en middelen – moest hij opschieten. Zijn eerste indrukken waren bepaald niet gunstig. De toegang was beperkt. Zoveel leerlingen, het zou niet meevallen er de juiste twee uit te pikken. Er waren veel bewakers en ze stonden goed verspreid. Dat laatste was het ergst. Aantallen waren van minder belang dan fysieke ruimte. Een verdediging in de diepte was het moeilijkst te doorbreken, want diepte betekende ruimte én tijd. Je kon in enkele seconden een groot aantal mensen uitschakelen, als je over de juiste wapens beschikte en als ze

dicht opeen stonden. Maar als ze meer dan vijf seconden de tijd kregen, liet hun training zich gelden. De bewakers zouden goed opgeleid zijn. Ze zouden plannen hebben waarvan sommige voorspelbaar waren en andere niet. Die boot van de kustwacht kon bijvoorbeeld naar de wal komen om de doelwitten in veiligheid te brengen. Of de bewakers konden zich met hun beschermelingen op een geïsoleerde plek terugtrekken en het daar uitvechten, en Filmster twijfelde niet aan hun training en toewijding. Als je ze vijf minuten de tijd gaf, zouden ze winnen. Ze zouden de plaatselijke politie te hulp roepen – die hadden zelfs helikopters, had hij ontdekt – en dan zou het aanvalsteam zijn afgesneden. Nee, dit was geen gunstige plaats. Hij gooide de krant weer in de auto en reed weg. Op de terugweg keek hij of hij nog een andere auto met bewakers zag. Op garagepaden stonden auto's die van de Secret Service konden zijn, maar die hadden geen van alle het donkere plastic voor de ruiten waardoor je iemand met een camera niet kon zien. Wat hij om zich heen zag, bevestigde zijn eerste indruk. Dit was geen goede locatie. Om deze doelwitten te treffen kon hij beter een andere plaats kiezen. Als ze onderweg waren, bijvoorbeeld. Al was dat niet veel beter. Ze zouden daar waarschijnlijk ook goed bewaakt worden. Kevlar-panelen. Lexan-ramen. Speciale banden. En ongetwijfeld bescherming met helikopters. Daar kwamen dan nog de gewone personenauto's bij, en het feit dat de politie kon worden opgeroepen.
Oké, dacht Filmster, die in zijn gedachten een amerikanisme gebruikte dat de hele wereld had veroverd. Giant Steps Day Care Center, Ritchie Highway boven Joyce Lane. Er was daar maar één doelwit, maar dan wel een beter doelwit, en waarschijnlijk, hoopte Filmster, was de tactische omgeving ook gunstiger.

Al twintig jaar was het Winstons werk om zichzelf en zijn ideeën te verkopen. In die jaren had hij een zeker gevoel voor theater opgedaan. Beter nog, hij was niet de enige die plankenkoorts kon hebben. Niet meer dan één van de senatoren in de commissie had ervaring met dit soort dingen, en hij behoorde tot de minderheidspartij: de verhoudingen in de senaat waren door de ramp met de 747 in zijn voordeel veranderd. Daarom waren de mannen en vrouwen die achter de zware eikenhouten tafel gingen zitten net zo nerveus als hij. Terwijl hij ging zitten en zijn papieren neerlegde, legden zes mensen dikke boekdelen op de volgende tafel neer. Winston negeerde ze. De camera's van C-SPAN negeerden hen niet.
Het werd al gauw beter. Terwijl de kandidaat-minister met Mark Gant sprak, die zijn laptop voor zich had staan, bezweek de tafel naast hen en viel de stapel dikke boeken op de vloer. Er ging meteen een diepe zucht door de hele kamer. Winston draaide zich om, geschrokken en blij. Zijn helpers hadden precies gedaan wat hij hun had opgedragen. Ze hadden de verzamelde boekdelen van de Amerikaanse belastingwetgeving midden op de tafel gestapeld, in plaats van de last gelijkmatig te verdelen.
'Verdomme, George,' fluisterde Gant, die zijn best deed om niet te lachen.

'Misschien staat God inderdaad aan onze kant.' Hij sprong op en zag dat er niemand gewond was geraakt. Na de eerste eikenhouten kreet van protest waren de mensen een stap teruggegaan. De bewakers sprongen naar voren, maar zagen dat er eigenlijk niets was gebeurd. Winston boog zich naar de microfoon. 'Meneer de voorzitter, dit spijt me, maar er is niemand iets overkomen. Kunnen we nu meteen beginnen?'
De voorzitter sloeg met zijn hamer om de aanwezigen tot de orde te roepen, maar bleef al die tijd naar de ravage kijken. Een minuut later legde George Winston de eed af.
'Hebt u een eerste verklaring, meneer Winston?'
'Ja, die had ik.' De minister van Financiën schudde zijn hoofd en hield zijn lachen in, al lukte dat niet helemaal. 'Ik wilde me bij de leden van de commissie verontschuldigen voor ons ongelukje. Ik had die stapel boeken als argument willen gebruiken, maar... nou...' Hij schoof zijn papieren recht en ging rechtop in zijn stoel zitten.
'Meneer de voorzitter, leden van de commissie, mijn naam is George Winston, en president Ryan heeft me gevraagd mijn onderneming te verlaten om mijn land te dienen als minister van Financiën. Laat me u iets over mezelf vertellen...'

'Wat weten we over hem?' vroeg Kealty.
'Veel. Hij is intelligent. Hij is een doordouwer. Hij is tamelijk eerlijk. En hij is rijker dan God.' Zelfs rijker dan jij, zei de medewerker niet.
'Is er ooit onderzoek naar hem gedaan?'
'Nooit.' Zijn stafchef schudde zijn hoofd. 'Misschien heeft hij wel eens een scheve schaats gereden, maar... Nee, Ed, zelfs dat kan ik niet zeggen. Voorzover iedereen weet, houdt Winston zich aan de regels. Zijn beleggingsmaatschappij heeft een uitstekende reputatie. Acht jaar geleden heeft er een handelaar voor hem gewerkt die niet deugde, maar George heeft toen persoonlijk op de rechtbank tegen hem getuigd. Hij heeft het geld dat door toedoen van die kerel was verdwenen, uit eigen zak bijgepast. Uit zijn eigen persóónlijke zak. Veertig miljoen dollar. Die oplichter heeft vijf jaar gezeten. Winston is een goede keuze van Ryan. Hij is geen politicus, maar hij geniet een groot respect op Wall Street.
'Verdomme,' zei Kealty.

'Meneer de voorzitter, er moet veel gebeuren.' Winston legde zijn tekst opzij en ging voor de vuist weg verder. Tenminste, zo leek het. Hij wees met zijn linkerhand naar de stapel boeken. 'Die kapotte tafel daar. Dat zijn de Amerikaanse belastingwetten. Niemand die van iets wordt beschuldigd, mag in dit land tot zijn verdediging aanvoeren dat hij de wet niet kent. Maar dat is een onzinnige regel geworden. Het ministerie van Financiën en de belastingdienst vaardigen de belastingwetten van ons land uit. Of nee, die wetten worden uitgevaardigd door het Congres, zoals we allemaal weten, maar vooral omdat

mijn ministerie de voorstellen indient, waarna het Congres ze wijzigt en aanneemt. Daarna zijn wij degenen die met de wetten werken. In veel gevallen wordt de interpretatie van de wetten die u aanneemt, overgelaten aan mensen die voor mij werken, en zoals we allemaal weten, is de interpretatie vaak even belangrijk als de wetten zelf. We hebben speciale belastingrechtbanken om nadere voorschriften te maken, maar het uiteindelijk resultaat is die stapel gedrukt papier daar, en ik wil beweren dat niemand, zelfs niet een ervaren belastingconsulent, alles kan begrijpen.
We zitten zelfs met de absurde situatie dat als een burger met zijn belastingformulier naar een belastingkantoor gaat en de mensen die de wet handhaven om hulp vraagt, en als die belastingambtenaren dan een fout maken, de burger, die dus zijn overheid te hulp had gevraagd, verantwoordelijk is voor de fouten die de overheid maakt. Nou, als ik in de tijd dat ik in de effectenhandel zat mijn cliënt een slecht advies gaf, moest ik de verantwoordelijkheid daar zelf voor dragen.
We heffen belastingen om de overheid aan geld te helpen, opdat de overheid het volk kan dienen. Maar intussen hebben we een hele bedrijfstak gecreëerd die miljarden dollars van het publiek opeist. Waarom? Om een belastingwetgeving uit te leggen die met het jaar ingewikkelder wordt, een wetgeving die de belastingmensen zelf onvoldoende begrijpen om de verantwoordelijkheid voor de juiste interpretatie te kunnen dragen. U weet, althans, u zou moeten weten...' (ze wisten het niet) '... hoeveel geld wij uitgeven aan de handhaving van de belastingwetgeving, en dat is ook niet erg productief. Het is de bedoeling dat we voor de mensen werken, niet dat we ze in verwarring brengen.
En dus, meneer de voorzitter, zijn er dingen die ik tijdens mijn ambtstermijn op Financiën hoop te realiseren, als de commissie besluit mijn benoeming te bevestigen. Ten eerste wil ik dat de belastingwetgeving volledig wordt herschreven, en wel op een zodanige manier dat een normaal mens het kan begrijpen. Ik wil dat die wetgeving logisch is. Ik wil een wetgeving zonder ontsnappingsclausules. Ik wil dat voor iedereen dezelfde regels gelden. Ik ben bereid een voorstel in te dienen om dat te bereiken. Ik wil met de commissie samenwerken om die voorstellen tot wet te maken. U bent degenen met wie ik wil samenwerken. Ik zal geen lobbyisten van bedrijven of belangengroeperingen in mijn kantoor toelaten om hierover te praten, en ik verzoek u dringend hetzelfde te doen. Meneer de voorzitter, als we iedere Jan, Piet en Klaas te woord staan die een voorstel heeft om de lasten voor een bepaalde groep te verlichten, krijgen we uiteindelijk dát!' Winston wees weer naar de kapotte tafel. 'Wij zijn allemaal Amerikanen. Het is de bedoeling dat we samenwerken. Als we de belastingwetten van ons land aanpassen voor iedere lobbyist met een kantoor en een clientèle, kost dat iedereen uiteindelijk juist meer geld. De wetten van ons land zijn niet bedoeld als banenprogramma voor boekhouders en belastingconsulenten in de privé-sector en bureaucraten in de publieke sector. De wetten die u aanneemt en die door mensen als ik worden

gehandhaafd, hebben tot doel de behoeften van de burgers te bevredigen, niet de behoeften van de overheid.
Ten tweede wil ik mijn departement efficiënt leiden. "Efficiënt" is niet een woord dat de overheid kan spellen, laat staan toepassen. Dat moet veranderen. Nou, ik kan niet deze hele stad veranderen, maar wel het departement dat de president mij heeft toevertrouwd en dat u mij, hoop ik, zult geven. Ik kan een onderneming leiden. De Columbus Group dient letterlijk miljoenen mensen, direct en indirect, en ik heb die last met veel trots gedragen. De komende maanden zal ik een budget indienen voor een ministerie van Financiën dat nog niet één overtollige functie heeft.' Dat was nogal een overdrijving, maar het maakte indruk. 'Er zijn hier wel vaker zulke beweringen gedaan, en ik zal het u niet kwalijk nemen als u mijn woorden met een korreltje zout neemt, maar ik ben iemand die gewend is zijn woorden met daden te ondersteunen, en dat gaat hier ook gebeuren.
President Ryan moest tegen me schreeuwen om me naar Washington te krijgen. Ik vind het niet prettig om hier te zijn, meneer de voorzitter,' zei Winston tegen de commissie. Hij had nu hun aandacht. 'Ik wil mijn werk doen en dan weer weggaan. Maar het werk moet worden gedaan, als u mij de kans geeft. Hiermee besluit ik mijn eerste verklaring.'
De meest ervaren mensen in de kamer waren de journalisten op de tweede rij; op de eerste rij zaten Winstons vrouw en familie. Ze wisten hoe dingen werden gedaan en hoe dingen werden gezegd. Van een minister verwachtten ze dat hij of zij lyrisch werd over de eer om het land te mogen dienen, over de vreugde om deze belangrijke functie te vervullen, over de verantwoordelijkheid die op zijn of haar schouders zou drukken.
Ik vind het niet prettig om hier te zijn? De journalisten hielden op met schrijven en keken op, eerst naar Winston en toen naar elkaar.

Filmster vond deze situatie veel gunstiger. Hoewel hij meer gevaar zou lopen, was het een uitgebalanceerd risico. Hier had hij een grote vierbaansweg op enkele meters afstand van het doelwit, en die weg leidde naar een oneindig netwerk van zijwegen. Het mooiste was nog dat je bijna alles kon zien. Recht achter het doelwit bevond zich een bosje dat te dicht was om een extra bewakingsauto te kunnen verbergen. Toch moest er zo'n auto zijn, dus waar zou hij staan...? Hmm, dáár, dacht hij. Er was één huis dat dichtbij genoeg stond en dat een garage had die uitkeek op de crèche en die... ja. Er stonden twee auto's voor dat huis... waarom stonden ze niet binnen? Waarschijnlijk had de Secret Service een regeling getroffen met de eigenaar. Het was ideaal, vijftig meter van de crèche vandaan, met de voorkant in de juiste richting. Als zich iets onregelmatigs voordeed, zou er alarm worden geslagen en dan zou die extra auto onmiddellijk bemand zijn. De garagedeur zou opengaan en de wagen zou als een tank de straat op denderen, alleen was het geen tank.
Het probleem met de beveiliging was in zulke gevallen dat je procedures

nauwkeurig omschreven moesten zijn. Hoe intelligent de mensen van de Secret Service ongetwijfeld ook waren, hun regelingen moesten aan bekende, voorspelbare voorwaarden voldoen. Hij keek op zijn horloge. Hoe kon hij zijn vermoedens bevestigen? Om te beginnen had hij een paar minuten rust nodig. Recht tegenover Giant Steps was een cafetaria, en daar zou hij gaan kijken, want de vijand zou daar iemand hebben, waarschijnlijk zelfs meer dan één persoon. Hij reed erheen, parkeerde de auto en ging naar binnen. Ongeveer een minuut schuifelde hij wat rond.
'Kan ik u helpen?' vroeg een stem. Een vrouw, vijfentwintig, niet ouder, maar ze probeerde jong te lijken. Dat deed je met het kapsel en een beetje make-up, wist Filmster. Hij had zelf met vrouwelijke agenten gewerkt, en dat had hij tegen hen gezegd. Jongere mensen kwamen altijd minder bedreigend over, vooral vrouwen. Met een glimlach van verwarring en verlegenheid liep hij naar de toonbank.
'Ik zoek uw wegenkaarten,' zei hij.
'Hier, onder de toonbank.' Ze wees er glimlachend naar. Ze was van de Secret Service. Haar ogen waren te helder voor iemand met zo'n eenvoudig baantje.
'Ach,' zei hij geërgerd. Hij koos een groot stratenboek met alle wegen in het district, 'county' noemden ze dat in Amerika. Hij pakte het op en bladerde het door, één oog gericht op de straat. De kinderen werden naar buiten geleid, naar het speelterrein. Vier volwassenen erbij. Twee zou het normale aantal zijn. Dus minstens twee, drie, realiseerde hij zich toen hij een man die nauwelijks bewoog in de schaduw zag staan. Grote man, een meter tachtig of zoiets, vrijetijdskleding. Ja, het huis met de garage keek uit op het speelterrein. De extra auto van de Secret Service moest daar staan. Nog twee, misschien drie agenten in het huis, voortdurend kijkend. Dit zou niet bepaald gemakkelijk worden, maar hij zou tenminste weten waar de tegenstanders zaten. 'Hoeveel kost die kaart?'
'Dat staat op het omslag.'
'Ach ja, neemt u me niet kwalijk.' Hij greep in zijn zak. 'Vijf dollar, vijfennegentig,' zei hij in zichzelf, zoekend tussen het muntgeld.
'Plus BTW.' Ze sloeg het bedrag aan. 'Bent u hier nieuw?'
'Ja. Ik ben leraar.'
'O, waar geeft u les in?'
'Engels,' antwoordde hij. Hij pakte zijn wisselgeld en telde het. 'Ik wil zien hoe de huizen hier zijn. Dank u voor de kaart. Ik heb veel te doen.' Een kort Europees hoofdknikje besloot de ontmoeting en hij ging weg zonder nog naar de overkant van de straat te kijken. Er ging plotseling een huivering door Filmster heen. Die verkoopster was duidelijk een politietype geweest. Ze zou hem op dit moment gadeslaan en waarschijnlijk ook het nummer van zijn auto noteren, maar als ze dat deed, en als de Secret Service het nummer natrok, zouden ze ontdekken dat hij Dieter Kolb heette, een Duitser uit Frankfurt, leraar Engels, momenteel in het buitenland, en als ze dan niet lang doorzochten, zou die dekmantel goed genoeg zijn. Hij reed Ritchie Highway in noorde-

lijke richting op en sloeg rechtsaf bij de eerste gelegenheid. Er was daar een volksuniversiteit, en die had natuurlijk een parkeerterrein.
Nu moest hij alleen nog een goede plek vinden. Ja, hier. Als het straks voorjaar werd, zou het bos tussen deze plaats en de crèche groen worden en dan zou Giant Steps niet meer te zien zijn. De achterkant van het huis waar waarschijnlijk een Chevrolet Suburban in de garage stond had maar een paar ramen aan die kant, en daar hingen gordijnen voor. Datzelfde gold voor de crèche zelf. Filmster/Kolb nam een compactkijker en tuurde erdoor. Hij had last van al die boomstammen tussen hem en het doel, maar hoe grondig de Secret Service ook was, die agenten waren niet volmaakt. Niemand was volmaakt. Giant Steps was ook geen gunstige locatie voor zo'n belangrijk kind, maar dat was niet verrassend. De familie Ryan had alle kinderen hierheen gestuurd. De leidsters zouden wel erg goed zijn, en waarschijnlijk kenden Ryan en zijn vrouw hen en stonden ze met hen op goede voet. Verder kwam uit de artikelen die hij via Internet had gekopieerd steeds weer naar voren dat de Ryans hun gezinsleven intact wilden houden. Erg menselijk. En erg dom.
Hij zag de kinderen op het speelterrein ravotten. Zo te zien was dat bedekt met houtsnippers. Wat was het allemaal toch gewoontjes, die kleintjes die in hun dikke winterkleren – het was een graad of vijf, schatte hij – rondrenden en aan de rekstokken hingen of op de schommels zaten of met zand speelden. Aan hun kleren kon hij zien dat er goed voor deze kinderen werd gezorgd, en per slot van rekening waren het kinderen. Behalve één. Welke dat was, kon hij op deze afstand niet zien – daar zouden ze foto's voor moeten hebben, als het zover was – maar die ene was helemaal geen kind. Die ene was een politiek statement dat iemand kon maken. Het ging Filmster niet aan wie het statement zou maken, en waarom dat statement precies gemaakt moest worden. Hij zou een aantal uren op zijn plaats blijven zitten en niet aan de gevolgen van zijn activiteiten denken. Of misschien waren er helemaal geen gevolgen. Het kon hem niet schelen. Hij zou de gegevens achteraf allemaal noteren, en gedetailleerde kaarten en tekeningen maken, en er niet meer aan denken. 'Kolb' maakte zich al jaren nergens meer druk om. Wat begonnen was als religieus vuur, als een groot streven om de bevrijdende heilige oorlog voor zijn volk te voeren, was in de loop van de tijd gewoon werk geworden waarvoor hij werd betaald. Als er uiteindelijk iets gebeurde dat hij in politiek opzicht gunstig vond, was dat des te beter, maar om de een of andere reden was dat nooit gebeurd, ondanks alle hoop en dromen en retoriek. Hij was goed in zijn werk en kon ervan leven. Wat vreemd, dacht Filmster, dat het zo geworden was. Aan de andere kant waren de vurigsten bijna allemaal dood: ten prooi gevallen aan hun eigen toewijding. Hij trok een grimas bij de ironie daarvan. De ware gelovigen waren bezweken aan hun eigen hartstocht, en degenen die de hoop van zijn volk levend hielden waren ook degenen die... het niet meer kon schelen? Was dat waar?

·

'Veel mensen zullen bezwaar maken tegen de aard van uw belastingvoorstellen. Een echt eerlijk plan is progressief,' ging de senator verder. Uiteraard was

hij een van de overlevenden, niet een van de nieuwkomers. Hij kende zijn tekst. 'Legt dit de werkende Amerikanen niet een hoge last op?'
'Senator, ik begrijp wat u bedoelt,' antwoordde Winston nadat hij een slokje uit zijn waterglas had genomen. 'Maar wat bedoelt u als u over "werkende" Amerikanen spreekt? Ik werk. Ik heb mijn onderneming van de grond af opgebouwd en gelooft u me: dat is werken. De presidentsvrouw, Cathy Ryan, verdient ongeveer vierhonderdduizend dollar per jaar, veel meer dan haar man. Wil dat zeggen dat ze niet werkt? Ik denk dat ze wel degelijk werkt. Ze is arts. Ik heb een broer die ook arts is en ik weet hoeveel uren hij maakt. Zeker, die twee mensen verdienen meer dan de gemiddelde Amerikaan, maar de markt heeft lang geleden besloten dat hun werk waardevoller is dan wat sommige andere mensen doen. Als u blind wordt, kan een automonteur u niet helpen; en een advocaat ook niet. Een arts wel. Dat wil niet zeggen dat een arts niet wérkt, senator. Het betekent dat het werk hogere kwalificaties en een veel langere opleiding vereist, en dat het als gevolg daarvan beter beloond wordt. En een honkbalspeler? Dat is ook een categorie van geschoold werk, en niemand in deze zaal maakt bezwaar tegen het salaris dat bijvoorbeeld aan Ken Griffey jr. wordt betaald. Waarom? Omdat hij erg goed is in wat hij doet, een van de – hoeveel – vier of vijf besten op de hele wereld. Daar wordt hij rijkelijk voor beloond. Ook dat is de werking van de markt.
In bredere zin maak ik, nu even niet als kandidaat-minister maar als gewone burger, grote bezwaren tegen het kunstmatige en grotendeels fictieve onderscheid dat sommige mensen in de politiek tussen blauweboorden- en witteboordenwerkers maken. Je kunt in dit land alleen op een eerlijke manier de kost verdienen als je een product of een dienst aan het publiek levert. In het algemeen geldt: hoe harder en beter je werkt, des te meer verdien je. Het is nu eenmaal zo dat sommige mensen meer capaciteiten hebben dan anderen. Als er in Amerika rijke nietsnutten zijn, vindt u die alleen op de film. Wie in deze zaal zou, als u de keuze had, niet onmiddellijk van plaats ruilen met Ken Griffey of Jack Niklaus? Dromen we er niet allemaal van dat we zo goed in iets zijn? Ik wel,' gaf Winston toe. 'Maar ik ben niet zo'n goede slagman.
Nou, en hoe zit het dan met een erg getalenteerde software-ingenieur? Dat kan ik ook niet. En een uitvinder? En een manager die een verlieslijdende onderneming weer tot bloei brengt? Weet u nog wat Samuel Gompers zei? De ergste mislukking van een *captain of industry* is dat hij geen winst maakt. Waarom? Omdat een winstgevend bedrijf zijn werk goed doet, en alleen die bedrijven kunnen hun werknemers goed belonen en tegelijk een goed rendement geven aan de aandeelhouders, en dat zijn de mensen die hun geld investeren in de onderneming die de banen voor de werknemers heeft gegenereerd.
Senator, wij vergeten vaak waarom wij hier zijn en wat we proberen te doen. De overheid biedt geen productieve banen. Dat ligt niet op onze weg. General Motors en Boeing en Microsoft zijn de organisaties die mensen in dienst nemen om producten te maken waaraan de mensen behoefte hebben. Het is de taak van de overheid om de mensen te beschermen, om de wet te handha-

ven en om te zorgen dat mensen zich aan de regels houden, als de scheidsrechter op een sportveld. Het lijkt me niet de taak van de overheid om mensen te straffen die het spel goed spelen.
Wij innen belastingen opdat de overheid haar taken kan uitvoeren. Maar we zijn veel verder gegaan. We zouden die belastingen op een zodanige manier moeten innen dat we zo min mogelijk schade toebrengen aan de economie als geheel. Belastingen hebben van nature een negatieve invloed, en we kunnen ze niet missen, maar wat we wel kunnen doen, is het belastingsysteem zo inrichten dat het zo min mogelijk schade toebrengt en misschien zelfs de mensen aanmoedigt om hun geld op een zodanige manier te gebruiken dat het aan het systeem als geheel ten goede komt.'
'Ik weet waar u heen wilt. U gaat het nu hebben over verlaging van de kapitaalwinstbelasting, maar dat is in het voordeel van maar heel weinig mensen, ten koste van...'
'Senator, neemt u me niet kwalijk dat ik u onderbreek, maar dat is gewoon niet waar, en u weet dat het niet waar is,' berispte Winston hem. 'Als we het tarief van de kapitaalwinstbelasting verlagen, moedigen we de mensen aan hun geld te investeren... nee, laat me dat even uitleggen.
Laten we zeggen dat ik duizend dollar verdien. Ik betaal belastingen over dat geld, betaal mijn hypotheek, betaal voor eten, betaal voor de auto, en wat ik over heb, beleg ik in, eh, XYZ Computer Company. XYZ gebruikt mijn geld om iemand in dienst te nemen. Die persoon doet zijn werk zoals ik mijn werk doe, en door het werk dat hij doet... Hij maakt een product dat het publiek graag wil hebben en kopen, nietwaar? ...genereert de onderneming winst, die de onderneming met mij deelt. Dát geld valt onder de inkomstenbelastingen. Dan verkoop ik de aandelen en koop aandelen in een ander bedrijf, en dan kan dat weer iemand in dienst nemen. Het geld dat vrijkomt bij de verkoop van de aandelen, is kapitaalwinst. Mensen stoppen hun geld niet meer in een oude sok,' bracht hij in herinnering, 'en we willen ook niet dat ze dat doen. We willen dat ze investeren in Amerika, in hun medeburgers.
Nou, ik heb al belasting betaald over het geld dat ik belegde, nietwaar? Goed, dan help ik een ander aan een baan. In die baan maakt hij iets voor het publiek. En omdat ik iemand aan een baan help en omdat ik hem help iets voor het publiek te maken, krijg ik een bescheiden opbrengst. Dat is goed voor de werker die ik aan een baan hielp, en voor het publiek. Dan verkoop ik mijn aandelen om hetzelfde bij een andere onderneming te doen. Waarom moet ik daarvoor worden gestraft? Zou het niet logischer zijn om mensen juist aan te moedigen dat te doen? En vergeet niet: we hebben het belegde geld in eerste instantie al belast, in de praktijk nog meer dan één keer.
Dat is niet goed voor het land. Het is al erg genoeg dat we zoveel geld nodig hebben, maar de manier waarop we het nemen is verschrikkelijk contraproductief. Waarom zijn wij hier, senator? Het is de bedoeling dat we de dingen voorthelpen, niet tegenwerken. En vergeet niet: het nettoresultaat is een belastingsysteem dat zo ingewikkeld is dat we miljarden moeten uitgeven om dat

systeem te administreren, en dát geld is pure verspilling. Voeg daar de accountants en belastingconsulenten aan toe die de kost verdienen met iets wat het publiek niet kan begrijpen,' besloot Winston.

'Amerika is geen land van jaloezie. Amerika is geen land van klassentegenstellingen. Wij hebben in Amerika geen klassenstelsel. Niemand vertelt een Amerikaanse burger wat hij moet doen. Het maakt ook niet veel verschil uit welke ouders iemand geboren is. Kijk maar naar de leden van uw commissie. Zoon van een boer, zoon van een leraar, zoon van een vrachtwagenchauffeur, zoon van een advocaat, en u, senator Nikolides, zoon van een immigrant. Als Amerika een samenleving met een echt klassenstelsel was, hoe bent u hier dan allemaal terechtgekomen?' vroeg hij. Zijn vragensteller van dat moment was een beroepspoliticus, zoon van een andere beroepspoliticus, om niet te zeggen een arrogante klootzak, dacht Winston, en hij noemde hem niet. Iedereen die hij zojuist had genoemd zwol een beetje op omdat hij voor het oog van de camera's was uitgekozen. 'Heren, laten we proberen het de mensen gemakkelijker te maken om te doen wat wij allemaal hebben gedaan. Als we het systeem moeten bijstellen, laten we dat dan op een zodanige manier doen dat onze medeburgers worden gestimuleerd elkaar te helpen. Als Amerika een structureel economisch probleem heeft, dan is het dat we niet zoveel kansen scheppen als we zouden moeten en kunnen. Het systeem is niet volmaakt. Goed, laten we dan proberen het beter te maken. Daarom zijn wij hier.'

'Maar het systeem moet verlangen dat iedereen een eerlijke bijdrage levert,' zei de senator, in een poging terrein terug te winnen.

'Wat betekent "eerlijk"? In het woordenboek betekent het dat iedereen ongeveer hetzelfde moet doen. Tien procent van een miljoen dollar is altijd nog tien keer zoveel als tien procent van honderdduizend dollar, en twintig keer zoveel als tien procent van vijftigduizend. Maar "eerlijkheid" in de belastingwetgeving betekent tegenwoordig dat we zoveel mogelijk geld afpakken van succesvolle mensen en dat weer uitdelen aan anderen – en o ja, die rijke mensen nemen consulenten en lobbyisten in dienst, die met mensen uit de politiek praten en op die manier gedaan krijgen dat er een miljoen speciale uitzonderingen in de wetgeving worden opgenomen, opdat ze niet helemaal uitgekleed worden – en dat worden ze niet, dat weten we allemaal – en wat is het resultaat van dat alles?' Winston woof met zijn hand naar de stapel boeken op de vloer van de commissiekamer. 'Op het eind hebben we een banenplan voor bureaucraten en belastingconsulenten en juristen en lobbyisten, en op de een of andere manier zijn we de belastingbetalende burgers helemaal vergeten. Het kan ons niet schelen dat ze niets begrijpen van het systeem dat hen eigenlijk zou moeten dienen. Zo zou het niet moeten zijn.' Winston boog zich naar de microfoon. 'Ik zal u vertellen wat ik onder "eerlijk" versta. Ik versta daaronder dat we allemaal dezelfde last in dezelfde proportie dragen. Ik versta daaronder dat het systeem ons niet alleen toestaat maar ook aanmoedigt om deel te nemen aan de economie. Ik versta daaronder dat we eenvoudige en begrijpelijke wetten uitvaardigen, opdat de mensen weten waar ze aan toe zijn. Ik ver-

sta onder "eerlijkheid" dat er een vlak speelveld is, en dat iedereen dezelfde kansen krijgt, en dat we Ken Griffey niet straffen omdat hij homeruns slaat. We bewonderen hem. We proberen hem na te streven. We proberen meer op hem te lijken. En we lopen hem niet voor de voeten.'
'Maken ze gehakt van hem?' zei de stafchef.
'Bloedworst,' zei Kealty. Hij grijnsde. 'Eindelijk.'
'Eindelijk,' beaamde een andere medewerker.

De resultaten waren allemaal gelijkluidend. De man die de leugendetector van de FBI bediende, was de hele morgen aan het werk geweest en alle registraties op het papier dat uit het apparaat kwam, waren twijfelachtig. Er was niets aan te doen. Ze hadden de hele nacht vergaderd, hadden ze allemaal tegen hem gezegd. Het ging om iets belangrijks waar hij niets van mocht weten. Dat betekende natuurlijk dat het de Iran/Irak-situatie was. Hij kon net zo goed naar CNN kijken als ieder ander. De mannen die hij op het apparaat had aangesloten, waren allemaal moe en prikkelbaar, en sommigen hadden veel tekenen van nervositeit vertoond toen ze hem hun naam en functie noemden. De hele test was nutteloos. Waarschijnlijk.
'Ben ik er doorgekomen?' vroeg Rutledge, toen hij de manchet van zijn arm haalde met de houding van iemand die dit allemaal al eerder had gedaan.
'Nou, ik weet niet of het u al eerder is verteld.'
'Het is geen examen waarvoor je kunt slagen of zakken,' zei de onderminister van Buitenlandse Zaken vermoeid. 'Ja, zeg dat maar eens tegen iemand die zijn veiligheidsverklaring is kwijtgeraakt vanwege een sessie met dat ding. Ik heb de pest aan die rotdingen, dat heb ik altijd al gehad.'
Het was te vergelijken met een bezoek aan de tandarts, dacht de FBI-agent, en hoewel hij een van de besten in deze specifieke tak van de zwarte kunst was, was hij die dag niets nuttigs aan de weet gekomen.
'Die vergadering van afgelopen nacht...'
Rutledge onderbrak hem meteen. 'Sorry, daar mag ik niet over spreken.'
'Nee, ik bedoel, is zoiets hier normaal?'
'Voorlopig waarschijnlijk nog wel. U zult wel weten waar het over gaat.' De agent knikte, en de onderminister knikte ook. 'Goed. Dan weet u ook dat het erg belangrijk is en dat we nog vaak tot in de late uurtjes zullen doorwerken, vooral mijn mensen. Dat betekent veel koffie en lange uren en slechte humeuren.' Hij keek op zijn horloge. 'Mijn werkgroep komt over tien minuten bijeen. Verder nog iets?'
'Nee.'
'Bedankt voor deze leuke negentig minuten,' zei Rutledge op weg naar de deur. Het was zo gemakkelijk. Je moest alleen weten hoe de dingen werkten. Om de juiste resultaten te krijgen hadden ze ontspannen en rustige proefpersonen nodig: de detector mat in feite spanning die door lastige vragen werd veroorzaakt. Dus je zorgde gewoon dat iedereen gespannen was. Dat was niet moeilijk. En eigenlijk deden de Iraniërs het werk. Het enige dat hij moest

doen, was het vuur een beetje oppoken. Glimlachend liep hij het ministerieel toilet binnen.

Filmster keek op zijn horloge en prentte weer iets in zijn hoofd. Twee mannen liepen het huis uit. Een van hen draaide zich om en zei iets toen hij de deur sloot. Ze liepen naar het parkeerterrein van Giant Steps en keken om zich heen zoals alleen politiemensen doen. De Chevrolet Suburban kwam uit de garage van het huis. Een goede schuilplaats, maar een beetje te gemakkelijk voor een ervaren waarnemer. Twee kinderen kwamen samen naar buiten, begeleid door een vrouw en een man... Ja, de man die in de schaduw van de deuropening had gestaan toen de kinderen 's middags buiten speelden. Grote man, ontzagwekkend postuur. Twee vrouwen, een voor en een achter. Allemaal tuurden ze de omgeving af. Ze brachten de kinderen naar een gewone auto. De Suburban stopte voor de oprijlaan en de andere auto's volgden hem over de snelweg, met een politiewagen vijftien seconden achter hen, zag hij.
Het zou moeilijk worden, maar niet onmogelijk, en de missie had een aantal verschillende resultaten die allemaal aanvaardbaar waren voor zijn opdrachtgevers. Het was maar goed dat hij niet sentimenteel deed over kinderen. Hij was al vaker bij zulke missies betrokken geweest, en je moest ze gewoon niet als kinderen zien. Het meisje dat zich nu door de grote hand van haar lijfwacht liet leiden, was niets dan een politiek statement dat door iemand anders was gemaakt. Allah zou het niet hebben goedgekeurd. Dat wist Filmster. Er was geen godsdienst op de wereld die goedvond dat een kind kwaad werd gedaan, maar religies waren geen instrumenten van staatkunde, al dacht Badrayns huidige opdrachtgever van wel. Religies waren iets voor een ideale wereld, en de wereld was niet ideaal. Daarom mocht je ongewone middelen gebruiken om religieuze doelstellingen te bereiken, en dat betekende... iets waar hij gewoon niet aan dacht. Het was werk, zijn werk, om te kijken wat gedaan kon worden, regels of niet, en Filmster deed daar helemaal niet schijnheilig over. Dat was, dacht hij, waarschijnlijk de reden dat hij nog leefde en anderen niet, en waarom, als hij dit goed inschatte, nog weer anderen niet in leven zouden blijven.

28

... maar gejammer

Politici houden bijna nooit van verrassingen. Hoe ze er ook van genieten om anderen voor het blok te zetten – vooral andere politici, meestal in het openbaar en altijd met de zorgvuldige planning van een hinderlaag in de jungle – ze hebben er een grote hekel aan als ze zelf verrast worden. En dan gaat het nog alleen om de politieke verrassingen, in landen waar de politiek een tamelijk beschaafde aangelegenheid is.
In Turkmenistan was het nog niet zover. De premier – hij kon kiezen uit allerlei titels en hij vond deze beter dan 'president' – genoot van alles aan zijn leven en zijn functie. Als hoofd van de kwijnende Communistische Partij zou hij met meer persoonlijke beperkingen te maken hebben gehad dan nu het geval was, en zou hij bovendien altijd telefonisch met Moskou in verbinding moeten staan, als een vis aan het eind van een lange lijn. Maar niet nu. Moskou had niet meer zo'n groot bereik, en hij was te belangrijk geworden. Hij was een fitte man van achter in de vijftig en hij was ook, zoals hij zelf graag voor de grap zei, een man van het volk. Het 'volk' was in dit geval een aantrekkelijke secretaresse van twintig, die hem na een uitstekend diner en een beetje etnisch dansen (waarin hij uitblonk) had behaagd zoals alleen een jonge vrouw kon. Hij reed nu onder een heldere sterrenhemel naar zijn officiële residentie terug. Met de verzadigde glimlach van een man die zojuist had bewezen dat hij een man was, zat hij rechts op de voorbank van zijn zwarte Mercedes. Misschien zou hij zorgen dat het meisje promotie maakte... over een paar weken. Hij oefende een nagenoeg absolute macht uit en dat stemde hem buitengewoon tevreden. Zijn populariteit als primitieve volksleider was groot. Hij wist hoe hij moest handelen, hoe hij bij de mensen moest gaan zitten, hoe hij in het bijzijn van de televisiecamera's een hand of schouder moest vastpakken om te laten zien dat hij een van hen was. Een 'persoonlijkheidscultus' had het vorige regime dat genoemd, en dat was het ook, maar hij was ervan overtuigd dat politiek nooit iets anders zou kunnen zijn. Hij had een grote verantwoordelijkheid, en hij deed zijn plicht. In ruil daarvoor diende hij bepaalde voorrechten te hebben. Een daarvan was deze mooie Duitse auto – het was eerder een behendigheidsproef dan corruptie geweest om hem het land in te smokkelen – en het andere voorrecht keerde nu met een glimlach en een zucht naar haar bed terug. En het leven was goed. Hij wist niet dat er voor hem nog maar zestig seconden van over waren.
Hij had nooit politie-escorte. Zijn mensen hielden van hem. Daar was hij ook zeker van, en bovendien was het laat. Maar op een kruispunt zag hij een politieauto met zwaailicht staan die de weg versperde, net voorbij de dwarsstraat. Een politieman was uitgestapt en hield zijn hand omhoog terwijl hij in zijn

radio sprak. Hij keek nauwelijks in hun richting. De premier vroeg zich af wat het probleem was. Zijn chauffeur-lijfwacht snoof geërgerd en liet de Mercedes langzamer rijden. Hij stopte midden op het kruispunt en zorgde dat hij zijn pistool binnen handbereik had. De officiële auto was nog maar nauwelijks gestopt of ze hoorden allebei een denderend geluid rechts van hen. De premier keek die kant op en had nog net de tijd om zijn ogen wijd open te sperren voordat de Zil-157 truck zijn Mercedes ramde. De hoge bumper van de truck kwam tegen de onderkant van de deurruit en de officiële auto werd tien meter naar links gegooid en kwam tot stilstand tegen de stenen muur van een kantoorgebouw. Toen was het tijd voor de politieman om erheen te lopen, geassisteerd door twee anderen die uit de schaduw waren opgedoken. De chauffeur was dood; hij had zijn nek gebroken. De politiemannen konden dat zien aan de stand van zijn hoofd, en een van hen stak zijn hand door de verbrijzelde voorruit om de man voor alle zekerheid heen en weer te schudden. Maar tot ieders verbazing kreunde de premier nog, ondanks zijn verwondingen. Door alle drank, veronderstelden ze, was zijn lichaam slap en soepel geweest. Nou, dat was gemakkelijk te verhelpen. De eerste politieman liep naar de truck, trok de gereedschapskast open, nam een bandenlichter, kwam terug en sloeg ermee tegen de zijkant van het hoofd van de premier, vlak voor zijn oor. Toen dat gebeurd was, gooide hij de bandenlichter naar de chauffeur van de truck terug en was de premier van Turkmenistan bij een auto-ongeval om het leven gekomen. Nou, in dat geval moesten er verkiezingen worden gehouden, nietwaar? Dat zou nogal een primeur zijn, en er moest dan een leider naar voren komen die het respect van het volk genoot.

'Senator, het is een lange dag geweest,' beaamde Tony Bretano. 'En het zijn voor mij nogal lange weken geweest. Ik moest me vertrouwd maken met mijn portefeuille en het departement, maar weet u, management is management en het ministerie van Defensie heeft het een hele tijd zonder moeten stellen. Ik heb vooral bezwaren tegen het inkoopsysteem. Het duurt allemaal te lang en het kost te veel. Het probleem is niet zozeer corruptie als wel de extreem hoge eisen die worden gesteld. Om het te verduidelijken: als u levensmiddelen kocht zoals Defensie wapens moet kopen, zou u verhongeren in de supermarkt terwijl u zich afvroeg of het nu Libby- of DelMonte-peren moesten worden. TRW is een machinebedrijf, en volgens mij is het een erg goede onderneming. Op deze manier zou ik mijn bedrijf nooit kunnen runnen. Mijn aandeelhouders zouden me lynchen. We kunnen het beter doen en ik ben van plan daarvoor te zorgen.'
'Meneer Bretano,' vroeg de senator, 'hoeveel langer moet dit nog doorgaan? We hebben net een oorlog gewonnen en...'
'Senator, Amerika heeft de beste medische voorzieningen ter wereld, maar evengoed sterven er mensen aan kanker en hartziekten. Het beste is niet altijd goed genoeg, hè? Maar wat nog belangrijker is: we kunnen het beter doen voor minder geld. Ik vraag u niet om een hoger defensiebudget. Zeker, er

moet meer geld voor de aankoop van materieel komen. De kosten van opleidingen en paraatheid gaan ook omhoog. Maar de grootste onkostenpost van Defensie is het personeel, en daar kunnen we iets aan doen. Het hele departement is op de verkeerde plaatsen overbemand. Daarmee verspillen we het geld van de belastingbetalers. Ik kan het weten. Ik betaal veel belastingen. We maken geen effectief gebruik van onze mensen, en niets, senator, is een grotere verspilling dan dat. Ik denk dat ik u een nettobeperking met twee of drie procent kan beloven. Misschien nog meer, als ik iets aan het inkoopsysteem kan doen. Voor dat laatste heb ik ondersteunende wetgeving nodig. Er is geen reden waarom we acht tot twaalf jaar op een nieuw vliegtuig moeten wachten. We bestuderen de dingen tot in het absurde. Dat hebben we vroeger ingevoerd om geld te besparen, en misschien was het ooit een goed idee, maar tegenwoordig geven we meer geld uit aan dat soort studies dan aan onderzoek en ontwikkeling. We moeten eens ophouden elke twee jaar het wiel opnieuw uit te vinden. Onze burgers wérken voor het geld dat we uitgeven, en we zijn het aan hen verplicht om het op een intelligente manier te besteden.
Wat ik nog het belangrijkst vind, is dat wanneer Amerika haar zonen en dochters het gevaar in stuurt, we in staat moeten zijn goed getrainde, goed ondersteunde en met goed materieel uitgeruste troepen in het veld te brengen. En dat kunnen we doen en tegelijk geld besparen, namelijk door het systeem efficiënter te laten werken.' Het mooie aan deze nieuwe oogst van senatoren, realiseerde Bretano zich, was dat ze niet wisten wat onmogelijk was. Een jaar geleden had hij dit alles niet zomaar kunnen zeggen. Efficiency was iets wat de overheidsdiensten volslagen vreemd was, niet omdat er iets aan de ambtenaren mankeerde, maar omdat niemand ooit tegen hen had gezegd dat ze het beter moesten doen. Er viel veel voor te zeggen om ergens te werken waar het geld gedrukt werd, maar er viel ook veel te zeggen voor het eten van roomsoezen, tot je aderen verstopt waren. Als het hart van Amerika de regering was, zou de natie allang dood zijn neergevallen. Gelukkig zat het hart van zijn land ergens anders en hield het zich met gezonder voedsel in leven.
'Maar waarom hebben we zoveel defensie nodig in een tijd waarin...'
Bretano onderbrak hem weer. Dat was een gewoonte die hij moest afleren, besefte hij terwijl hij het deed, maar dit was te erg. 'Senator, hebt u de laatste tijd nog in het gebouw aan de overkant gekeken?'
Het was grappig om te zien dat het hoofd van de man met een ruk naar achteren ging, al schrok de stafmedewerker links van Bretano bijna net zo erg. Die senator had een stem, zowel in de Defensiecommissie als in de senaat, die weer functioneerde nu ze de meeste rook uit het gebouw hadden. Maar het argument drong tot de anderen door en de minister van Defensie nam daar genoegen mee. Uiteindelijk sloot de voorzitter de bijeenkomst; de volgende morgen zou er gestemd worden. De senatoren hadden al duidelijk gemaakt hoe ze zouden stemmen. Ze hadden Bretano's openhartige en constructieve verklaring geprezen en toegezegd dat ze met hem zouden samenwerken. Ze

deden dat in bewoordingen die bijna even naïef waren als die van hemzelf, en daarmee was er weer een dag geëindigd in dit deel van de wereld. In een ander deel zou straks de volgende dag beginnen.

Zodra de VN-resolutie was aangenomen, was het eerste schip voor de korte overtocht naar de Iraakse havenstad Basra vertrokken. De vracht was overgeladen in grote gebouwen met de vorm van stofzuigers, en vanaf dat moment was het allemaal erg snel gegaan. Voor het eerst in vele jaren zou er die ochtend voor iedereen genoeg brood op de Iraakse ontbijttafels zijn. De ochtendtelevisie maakte dat aan iedereen bekend – met de voorspelbare beelden van bakkers die hun waren aan blije, lachende menigten verkochten – en besloot met het bericht dat de nieuwe revolutionaire regering die dag bijeenkwam om andere zaken van nationaal belang te bespreken. Deze beelden werden opgepikt in PALM BOWL en STORM TRACK en doorgegeven naar de Verenigde Staten, maar het echte nieuws kwam die dag uit een andere bron.
Golovko zei tegen zichzelf dat de premier van Turkmenistan heel goed bij een auto-ongeluk kon zijn omgekomen. Zijn levensstijl was bij de RVS maar al te bekend en verkeersongelukken waren geen zeldzaam verschijnsel in zijn land en in andere landen; auto-ongelukken kwamen zelfs onproportioneel vaak voor in de Sovjet-Unie, vooral door drank. Toch was Golovko nooit iemand geweest die in het toeval geloofde, zeker niet wanneer er dingen gebeurden die zijn land slecht uitkwamen. Het hielp niet dat hij genoeg mensen ter plaatse had om een diagnose van het probleem te stellen. De premier was dood. Er zouden verkiezingen komen. Het was wel duidelijk wie er zou winnen, want de overleden politicus was er altijd geweldig goed in geslaagd elke politieke oppositie de kop in te drukken. En hij hoorde nu ook dat Iraanse militaire eenheden zich opmaakten om naar het westen op te rukken. Twee dode staatshoofden in zo korte tijd, zo dicht bij elkaar, allebei in een land dat aan Iran grensde... Nee, zelfs als het toeval was geweest, zou hij het niet hebben geloofd. Na die woorden zette Golovko een andere pet op – een westerse uitdrukking – en nam zijn telefoon.

De USS *Pasadena* bevond zich tussen de twee eenheden van de Chinese marine, die op dat moment vijftien kilometer van elkaar vandaan opereerden. De onderzeeboot was voorzien van volledige oorlogsbewapening, maar toch was ze te vergelijken met één politieagent op Times Square die op oudejaarsavond om twaalf uur probeert alles tegelijk te regelen. Een geladen stuk geschut stelde niet veel voor. Elke paar minuten gebruikte hij zijn ESM-mast om elektronische signalen op te pikken, en verder gaf zijn sonarafdeling gegevens door aan de volggroep in het achterste gedeelte van het aanvalscentrum: het maximale aantal mannen dat hij aan een kaartentafel kon zetten was druk bezig de koers van allerlei afzonderlijke vaartuigen te volgen. De commandant gaf opdracht diep te varen, tot honderd meter diepte, waar hij een paar minuten de tijd had om de gegevens te bestuderen, die zo ingewikkeld waren geworden dat hij ze

niet allemaal in zijn hoofd kon hebben. Toen de boot op haar nieuwe diepte was gekomen, liep hij de drie stappen naar achteren om te kijken.
Het was een vlootoefening, maar niet een gewone oefening... Meestal speelde een eenheid de 'goeden' in tegenstelling tot de theoretische 'slechten' in de andere eenheid. Door naar de opstelling van de schepen te kijken kon je de twee partijen van elkaar onderscheiden. Maar in plaats van zich op elkaar te oriënteren, gingen beide groepen naar het oosten. Dat werd de 'offensieve as' genoemd, de richting van waaruit de vijand werd verwacht. In het oosten lag de republiek China, die voornamelijk uit het eiland Taiwan bestond. Het hoofd Operaties hield de gegevens bij op een doorzichtig vel acetaat dat over de kaart was gelegd. Het beeld was zo duidelijk als het maar kon.
'Commandant, sonar,' was de volgende oproep.
'Hier de commandant,' antwoordde hij, en hij nam de microfoon.
'Twee nieuwe contacten, commandant, benaming Sierra Twintig en Eenentwintig. Beide waarschijnlijk onderzeeboten. Sierra Twintig, positie drie-twee-vijf, rechte koers en... een ogenblik... ja, het lijkt op een onderzeeër van de Han-klasse, duidelijk beeld op de vijftig-hertzlijn, ook machinegeluid. Eenentwintig, ook onderzeeboot, op drie-drie-nul, begint op een Xia te lijken, commandant.'
'Een oudje in een vlootoefening?' vroeg het hoofd Operaties zich af.
'Hoe duidelijk is het beeld van de Eenentwintig?'
'Het wordt beter, commandant,' antwoordde de sonarchef. De hele sonarbemanning zat in de ruimte voor het aanvalscentrum aan stuurboord. 'Volgens machinegeluid een Xia, commandant. De Han manoeuvreert naar het zuiden, positie nu drie-twee-een, we krijgen een schroeffrequentie... snelheid ongeveer achttien knopen.'
'Commandant?' Het hoofd Operaties maakte een snelle, voorlopige schets. De twee onderzeeboten bevonden zich blijkbaar achter de noordelijke oppervlaktegroep.
'Verder nog iets, sonar?' vroeg de commandant.
'Commandant, met al die contacten wordt het een beetje ingewikkeld.'
'Vertel mij wat,' verzuchtte iemand aan de kaartentafel, terwijl hij weer een verandering aanbracht.
'Iets in het oosten?' vroeg de commandant door.
'Commandant, in het oosten hebben we zes contacten, allemaal koopvaardij.'
'We hebben ze hier allemaal, commandant,' bevestigde het hoofd Operaties.
'Nog niets van de Taiwanese marine.'
'Dat gaat veranderen,' dacht de commandant hardop.

Generaal Bondarenko geloofde ook niet in het toeval. Bovendien moest hij niet veel hebben van het zuidelijk deel van het land dat vroeger de Unie van Socialistische Sovjet-Republieken werd genoemd. Dat had hij aan zijn tijd in Afghanistan en een koortsachtige nacht in Tadzjikistan overgehouden. In abstracte zin zou hij het helemaal niet erg vinden als het tot een volledige schei-

ding tussen de Russische republiek en de moslimnaties aan de zuidgrens van zijn land zou komen, maar de echte wereld was niet abstract.
'Nou, wat denkt u dat er aan de hand is?' vroeg de luitenant-generaal.
'Bent u op de hoogte van de gebeurtenissen in Irak?'
'Jazeker, kameraad voorzitter.'
'Vertel u het dan maar eens aan mij, Gennadi Josifovitsj,' beval Golovko.
Bondarenko boog zich over de kaartentafel en bewoog daar onder het spreken zijn vinger overheen. 'Het zal voor u vooral van belang zijn dat de Iraniërs blijkbaar een poging doen om een grote mogendheid te worden. Door zich met Irak te verenigen vergroten ze hun olierijkdom met zo'n veertig procent. Bovendien krijgen ze nu grenzen met Koeweit en Saoedi-Arabië. Als ze die landen zouden veroveren, zouden ze hun rijkdom verdubbelen; we kunnen er wel van uitgaan dat de kleinere naties dan ook zouden bezwijken. De objectieve omstandigheden zijn duidelijk,' ging de generaal verder met de kalme stem van een beroepsmilitair die een ramp analyseerde. 'Samen hebben Iran en Irak veel meer mensen dan het totaal van de andere staten: vijf tegen een, kameraad voorzitter? Nog meer? Ik weet het niet precies, maar het overwicht is zo groot dat het beslissend zou zijn. Die factor maakt de kans op een regelrechte verovering of op zijn minst grote politieke invloed erg groot. Dat alleen al zou deze nieuwe Verenigde Islamitische Republiek een enorme economische macht geven. Zo'n staat zou de energietoevoer naar West-Europa en Azië elk moment kunnen afsluiten.
En dan Turkmenistan. Als dat, zoals u vermoedt, geen toeval is, zien we dat de Iraniërs ook naar het noorden willen oprukken, misschien zelfs naar Azerbeidzjan...' Zijn vinger ging over de kaart. 'En Oezbekistan, Tadzjikistan, minstens een deel van Kazachstan. Dat zou hun bevolking drie keer zo groot maken en ook enorm veel natuurlijke hulpbronnen opleveren. Daarna, mogen we aannemen, zouden Afghanistan en Pakistan aan de beurt zijn, en dan hebben we een nieuwe mogendheid van de Rode Zee tot de Hindu Kush, *njet*, meer ter zake, van de Rode Zee tot China, en dan hebben we alleen nog vijandige naties aan onze zuidgrens.' Hij keek op.
'Dit is veel erger dan ik had verwacht, Sergej Nikolajevitsj,' besloot hij nuchter. 'De Chinezen kijken met een begerig oog naar wat wij in het oosten hebben. Die nieuwe staat bedreigt ónze zuidelijke olievelden in de Transkaukasus; die grens kan ik niet verdedigen. Allemachtig, vergeleken met dit was onze verdediging tegen Hitler kinderspel.'
Golovko zat aan de andere kant van de kaartentafel. Hij had een goede reden gehad om Bondarenko te laten komen. Het militaire opperbevel van zijn land bestond voor een groot deel uit mensen die nog uit het oude regime dateerden, maar die generatie stierf nu eindelijk uit. Gennadi Josifovitsj behoorde tot de nieuwe generatie. Die had gevochten in de ongelukkige Afghaanse oorlog en was oud genoeg om te weten wat vechten was – vreemd genoeg maakte dat hem en zijn leeftijdgenoten bekwamer dan degenen die ze binnenkort zouden vervangen – en jong genoeg om niet gebukt te gaan onder de ideologische

bagage van de vorige generatie. Bondarenko was geen pessimist, maar een optimist die bereid was van het Westen te leren, waar hij trouwens meer dan een maand bij de verschillende NAVO-legers had doorgebracht en zoveel mogelijk had geleerd, vooral, zo leek het, van de Amerikanen. Maar hij keek nu geschrokken naar de kaart.
'Hoe lang?' vroeg de generaal. 'Hoe lang duurt het voor die nieuwe staat er is?'
Golovko haalde zijn schouders op. 'Wie zal het zeggen? Drie jaar, in het ergste geval twee. In het gunstigste geval vijf.'
'Geeft u me vijf jaar de tijd en de middelen om onze strijdkrachten weer op te bouwen, en we kunnen... waarschijnlijk... nee.' Bondarenko schudde zijn hoofd. 'Ik kan u geen garantie geven. De regering zal me de middelen niet geven die ik nodig heb. Dat kan niet. We hebben het geld niet.'
'En dan?' vroeg Golovko. De generaal keek op, recht in de ogen van de RVS-voorzitter.
'En dan nog zou ik liever het hoofd Operaties van de andere kant zijn. In het oosten hebben we bergen te verdedigen, en dat is goed, maar we hebben maar twee spoorlijnen voor logistieke ondersteuning, en dat is níet minder goed. In het midden... als ze nu eens heel Kazachstan opslokken?' Hij tikte op de kaart. 'Kijkt u maar eens hoe dicht ze dan bij Moskou komen. En bondgenootschappen? Met Oekraïne misschien? Of Turkije? Of Syrië? Alle landen in het Midden-Oosten zullen het op een akkoord moeten gooien met die nieuwe staat... We gaan verliezen, kameraad voorzitter. We kunnen met kernwapens dreigen, maar wat schieten we daarmee op? China kan het zich veroorloven vijfhonderd miljoen mensen te verliezen. Dan hebben ze nog steeds meer mensen dan wij. Hun economie groeit snel, terwijl die van ons blijft stagneren. Ze kunnen wapens uit het Westen kopen, of beter nog, licenties krijgen om die wapens zelf te produceren. Als wij kernwapens gebruiken, is dat in zowel tactisch als strategisch opzicht erg gevaarlijk, om nog maar te zwijgen van de politieke dimensie, die ik aan u zal overlaten. In militair opzicht zijn we in alle relevante opzichten in de minderheid. De vijand zal beschikken over meer wapens, meer mankracht, een betere geografische positie. Omdat ze de olietoevoer naar de rest van de wereld kunnen afsnijden, kunnen we nauwelijks hopen op buitenlandse hulp, voor zover er ook maar één westers land is dat daar iets voor zou voelen. Wat u me hebt laten zien, is de totale vernietiging van ons land.' Het meest verontrustend was het nog dat hij dit alles zo kalm onder woorden bracht. Bondarenko was geen paniekzaaier. Hij gaf alleen maar de feiten.
'En om dat te voorkomen?'
'We kunnen het ons niet veroorloven de zuidelijke republieken te verliezen, maar hoe houden we ze vast? Moeten we Turkmenistan bezetten? En de guerrillaoorlog voeren die daaruit voortkomt? Ons leger is niet toegerust voor zo'n soort oorlog, zelfs niet één zo'n oorlog, en het zullen er meer dan één zijn, nietwaar?' Bondarenko's voorganger was ontslagen omdat het Rode Leger – die benaming en die gedachte waren snel aan het verdwijnen – de Tsjetsjenen niet goed had aangepakt. Wat een relatief eenvoudige pacificatie had

moeten worden, had aan de hele wereld laten zien dat het Russische leger nog maar een schaduw was van wat het enkele jaren eerder nog was geweest.
De Sovjet-Unie was gebaseerd geweest op angst, wisten ze allebei. De angst voor de KGB had de burgers in het gareel gehouden, en de angst voor het Rode Leger had grote politieke onrust voorkomen. Maar wat gebeurde er als die angst er niet meer was? De mislukking van de Sovjet-Unie om Afghanistan te pacificeren, ondanks de hardste maatregelen die iemand zich maar kon voorstellen, was voor de moslimrepublieken een duidelijk teken geweest dat hun angst misplaatst was. Nu was de Sovjet-Unie weg. Wat was overgebleven, was niet meer dan een schaduw, en die schaduw kon worden weggevaagd door een fellere zon in het zuiden. Golovko kon dat aan het gezicht van zijn bezoeker zien. Rusland bezat niet de kracht die het nodig had. Ondanks alles boezemde zijn land het Westen nog ontzag in – het Westen herinnerde zich het Warschaupact en het spookbeeld van het Rode Leger dat klaarstond om naar de Golf van Biskaje te marcheren – maar andere delen van de wereld wisten wel beter. West-Europa en Amerika herinnerden zich de stalen vuist die ze hadden gezien maar nooit gevoeld. De naties die de vuist wél hadden gevoeld, merkten meteen dat de greep minder krachtig was. Nog belangrijker: ze wisten wat dat betekende.
'Wat hebt u nodig?'
'Tijd en geld. Politieke ondersteuning om onze strijdkrachten weer op te bouwen. Hulp van het Westen.' De generaal keek nog naar de kaart. Hij voelde zich net een telg uit een machtige kapitalistische familie. Het hoofd van die familie was gestorven en hij was erfgenaam van een enorm fortuin, om vervolgens te ontdekken dat er alleen maar schulden waren. Hij was in een opgewekte stemming uit Amerika teruggekomen, had gedacht dat hij daar de uitweg, de toekomst had gezien, een manier om zijn land er op een goede manier bovenop te helpen, met een beroepsleger dat uit ervaren experts bestond, bijeengehouden door een goede korpsgeest, de trotse hoeders en dienaren van een vrije natie, zoals de soldaten van het Rode Leger dat waren geweest toen ze naar Berlijn oprukten. Maar het zou jaren duren voordat ze zover waren. Zoals de zaken er nu voorstonden... Als Golovko en de RVS gelijk hadden, konden ze alleen nog maar hopen dat de natie zou opleven als in 1941: toen hadden ze ruimte tegen tijd ingeruild om in 1942-43 keihard terug te slaan. De generaal zei tegen zichzelf dat niemand in de toekomst kon kijken. En misschien was dat maar goed ook, want zoals iedereen wist, herhaalde het verleden zich bijna nooit. Rusland had geluk gehad tegen de fascisten. Je kon er niet op rekenen dat je altijd geluk zou hebben.
Waar je wel op kon rekenen, was dat je tegenstander sluw en onvoorspelbaar was. Andere mensen konden net zo goed op de kaart kijken als hij. Ze zagen dezelfde afstanden en obstakels, dezelfde krachtenverhoudingen, en wisten dat de toevalsfactor ergens anders te vinden was, aan de andere kant van de aardbol. De klassieke formule was duidelijk: je maakte de sterke vleugellam, verpletterde de zwakke en ging dan, als je er de tijd voor had, de confrontatie

met de sterke aan. Bondarenko wist dat, maar kon niets beginnen. Hij was zelf de zwakke. Hij had zijn eigen problemen. Zijn natie kon niet op vrienden rekenen, alleen op de vijanden die ze zich in jaren van moeizame inspanningen op de hals had gehaald.

Saleh had nog nooit zo'n pijn geleden. Hij had het bij anderen gezien, had mensen zulke pijn aangedaan toen hij voor de veiligheidsdienst van zijn land werkte, maar nooit zoiets als dit, nooit zoiets ergs. Het was of hij nu in één keer moest boeten voor al die keren dat hij anderen had gemarteld. Zijn lichaam werd over de hele lengte geradbraakt door pijn. Hij was ontzaglijk sterk, had dikke spieren, straalde een en al kracht uit. Maar nu niet. Nu deed elke gram van zijn lichaam pijn, en als hij zich ook maar enigszins bewoog om de pijn te verlichten, bereikte hij daar alleen maar mee dat de pijn ook een klein stukje opschoof. De pijn was zo erg dat zelfs de angst die ermee gepaard zou moeten gaan naar de achtergrond werd gedrongen.

Maar dat gold niet voor de dokter. Ian MacGregor droeg chirurgische kleding, met een masker voor zijn gezicht en handschoenen. Alleen zijn concentratie voorkwam dat zijn handen beefden. Zojuist had hij met de grootste zorgvuldigheid bloed afgenomen, zorgvuldiger dan hij ooit bij aidspatiënten was geweest. Terwijl hij bloed prikte, hadden twee ziekenbroeders de arm van de patiënt vastgeklemd. Hij had nog nooit een geval van ebola meegemaakt. Voor hem was dat niets meer geweest dan een paragraaf in een leerboek, of een artikel in de *Lancet*: iets wat in intellectueel opzicht interessant was, en ook vaag beangstigend, zoals kanker, zoals andere Afrikaanse ziekten, maar dit was hier en nu.

'Meneer Saleh?' vroeg de arts.

'Ja....' Een woord, een zucht.

'Hoe bent u hier gekomen? Dat moet ik weten om u te kunnen helpen.'

Er volgde geen enkele aarzeling. Overwegingen van geheimhouding of veiligheid speelden geen rol meer. Hij wachtte alleen even om adem te halen, om de energie te verzamelen die hij nodig had om de vraag te beantwoorden. 'Uit Bagdad. Vliegtuig,' voegde hij er ten overvloede aan toe.

'Afrika? Bent u kortgeleden in Afrika geweest?'

'Nooit eerder.' Het hoofd ging nog geen centimeter naar links en rechts en de ogen bleven stijf dicht. De patiënt probeerde moedig te zijn en slaagde daar grotendeels in. 'Eerste keer Afrika.'

'Hebt u kortgeleden seksuele gemeenschap gehad? Vorige week of zo,' verduidelijkte MacGregor. Het leek hem zo'n wrede vraag. In theorie kon je zulke ziekten door seksueel contact oplopen, misschien van een plaatselijke prostituee? Misschien deed zich in een ander ziekenhuis hier in Soedan ook zo'n geval voor en hielden ze het stil...?

Het duurde even voordat de man besefte wat de dokter vroeg, en toen schudde hij weer met zijn hoofd. 'Nee, geen vrouwen in lange tijd.' MacGregor kon het aan zijn gezicht zien: nooit meer, niet voor mij...

'Hebt u de laatste tijd bloed gekregen, door een transfusie, bedoel ik?'
'Nee.'
'Bent u in contact geweest met iemand die op reis was geweest?'
'Nee, alleen Bagdad, alleen Bagdad, ik ben lijfwacht van mijn generaal, de hele tijd met hem, verder niets.'
'Dank u. We zullen u iets geven tegen de pijn. We zullen u ook wat bloed geven en proberen u met ijs te laten afkoelen. Ik ben zo terug.' De patiënt knikte en de arts verliet de kamer met de buisjes bloed. 'Wat een ellende,' mompelde MacGregor.
Terwijl de verpleegsters en verplegers hun werk deden, moest MacGregor het zijne doen. Een van de bloedmonsters splitste hij in tweeën. Hij verpakte beide monsters met de grootste zorg, een voor het Institut Pasteur in Parijs en een voor de Centers for Disease Control in Atlanta. Ze zouden per expres worden verzonden. De rest ging naar zijn hoofdlaborant, een competente Soedanees, terwijl de dokter een faxbericht opstelde. Mogelijk geval van ebola, zou er in dat bericht staan, met het land, de stad en het ziekenhuis, maar eerst... Hij nam de telefoon en belde zijn contactpersoon op het ministerie van Volksgezondheid.
'Hier?' vroeg de ambtelijk geneeskundige. 'In Khartoum? Weet u dat zeker? Waar komt de patiënt vandaan?'
'Ja,' antwoordde MacGregor. 'De patiënt zegt dat hij uit Irak hierheen is gekomen.'
'Irak? Waarom zou die ziekte daarvandaan komen? Hebt u op de juiste antistoffen getest?' vroeg de ambtenaar.
'Die test wordt op dit moment gedaan,' zei de Schot tegen de Afrikaan.
'Hoe lang duurt dat?'
'Een uur.'
'Voordat u bekendmakingen doet, wil ik graag even komen kijken,' zei de ambtenaar.
Om toezicht te houden, bedoelde de man. MacGregor sloot zijn ogen en verstrakte zijn greep op de telefoon. Die geneeskundige was door de regering benoemd. Hij was de zoon van een vroegere minister en het beste wat je van deze collega kon zeggen, was dat hij, zolang hij in zijn luxueuze kantoor zat, geen patiënten in gevaar kon brengen. MacGregor had grote moeite zich te beheersen. Het was in heel Afrika hetzelfde. Het leek erop dat de plaatselijke overheden hun toeristenindustrie wilden beschermen, alleen ontbrak het daar in Soedan volkomen aan, afgezien van een handjevol antropologen dat in het zuiden, bij de Ethiopische grens, opgravingen deed naar primitieve voorouders. Maar het was in dit hele werelddeel hetzelfde. De ministeries van Volksgezondheid ontkenden alles. Dat was een van de redenen waarom ze in Midden-Afrika de aids nooit onder controle hadden gekregen. Ze hadden het ontkend en ontkend, en ze zouden het blijven ontkennen, totdat welk percentage van de bevolking eraan was gestorven? Tien? Dertig? Vijftig procent? Maar niemand durfde kritiek te hebben op Afrikaanse regeringen en hun

bureaucraten. Je werd zo gauw voor racist uitgemaakt. Daarom was het beter om te zwijgen... en mensen te laten sterven.
'Dokter,' drong MacGregor aan. 'Ik ben zeker van mijn diagnose, en ik heb de professionele plicht om...'
'Dat kan wachten tot ik er ben,' was het nonchalante antwoord. Dat was de Afrikaanse manier van doen, wist MacGregor. Het had geen zin je ertegen te verzetten. Dit gevecht kon hij niet winnen. Het Soedanese ministerie van Volksgezondheid kon in een kwartier tijd zijn visum intrekken, en wie zou dan zijn patiënten behandelen?
'Uitstekend, dokter. Komt u dan wel direct,' drong hij aan.
'Ik heb nog een paar dingen te doen, maar dan kom ik.' Dat kon betekenen dat het de hele dag zou duren, of misschien nog langer. Dat wisten beide mannen. 'De patiënt is geïsoleerd?'
'Alle voorzorgsmaatregelen zijn genomen,' verzekerde MacGregor hem.
'U bent een goede arts, meneer MacGregor, en ik weet dat u niets ernstigs zult laten gebeuren.' De verbinding werd verbroken. Hij had de hoorn nog maar net op de haak gelegd toen het apparaat weer begon te rinkelen.
'Ja?'
'Dokter, wilt u naar 24 komen?' zei een verpleegster.
Hij was er in drie minuten. Het was Sohaila. Een verpleger bracht het spuugbakje. Er zat bloed in. Ook zij was uit Irak gekomen, wist MacGregor. O, mijn god.

'Niemand van u heeft iets te vrezen.'
De woorden waren enigszins geruststellend, zij het lang niet zo geruststellend als veel van de leden van de Revolutionaire Raad zouden willen. Waarschijnlijk spraken de Iraanse mullahs de waarheid, maar de kolonels en generaals aan de tafel hadden als kapiteins en majoors tegen Iran gevochten, en je vijanden op het slagveld vergat je nooit.
'We willen dat u de leiding van de strijdkrachten van uw land neemt,' ging de hoogste mullah verder. 'Als u uw medewerking verleent, behoudt u uw functie. We verlangen alleen dat u in Gods naam trouw zweert aan uw nieuwe regering.' Er zou heus wel meer bij komen kijken. Ze zouden nauwlettend in het oog worden gehouden. Dat wisten de officieren allemaal. Als ze ook maar één verkeerde stap zetten, kwamen ze voor het vuurpeloton. Aan de andere kant hadden ze geen keuze, behalve misschien diezelfde middag nog te worden doodgeschoten. Standrechtelijke executies waren noch in Iran noch in Irak onbekend. In beide landen waren ze een efficiënte manier om af te rekenen met echte of denkbeeldige dissidenten.
Vanuit verschillende invalshoeken was het moeilijk zoiets onder ogen te zien. Vanuit de invalshoek van de geweren zag je het als een snelle, efficiënte en definitieve manier om de dingen in je voordeel te regelen. Vanaf de andere kant bezat het de abrupte onrechtvaardigheid van een helikopterongeluk: je had net genoeg tijd om 'Nee!' te roepen voordat de aarde op je af kwam

gejaagd en alles wegvaagde, ook je ongeloof en verontwaardiging. Alleen hadden ze in dit geval nog een zekere keuze. Nu een zekere dood, of later het risico van de dood. De hoogste overgebleven officieren van de Iraakse strijdkrachten wisselden heimelijk blikken van verstandhouding. Ze hadden het leger van hun land niet onder controle. De strijdkrachten, de soldaten, stonden aan de kant van het volk of hun directe superieuren. Het volk was blij dat het voor het eerst in bijna tien jaar ruimschoots genoeg te eten had. De lagere officieren waren blij dat hun land nog bestond. De breuk met het oude regime was volkomen. Dat regime was nu alleen nog een lelijke herinnering, en het zou nooit terugkomen. De mannen in deze kamer konden de strijdkrachten alleen weer onder controle krijgen met de steun van hun voormalige vijanden. De Iraniërs stonden aan het eind van de tafel met de serene glimlach die aan overwinnaars toekwam, de glimlach die hoorde bij het geschenk van het leven dat ze als wisselgeld in hun handen hadden: gemakkelijk gegeven en even gemakkelijk afgepakt. Eigenlijk lieten ze hun geen enkele keuze.
De titulaire leider van de raad onderwierp zich met een hoofdknikje. Binnen enkele seconden volgden alle anderen, en met dat gebaar was de identiteit van hun land verleden tijd geworden.
Vanaf dat moment was het alleen een kwestie van enkele telefoongesprekken.

Het enige verrassende was dat het niet op de televisie gebeurde. Deze ene keer werden de luisterposten van STORM TRACK en PALM BOWL verslagen door analisten die zich ergens anders bevonden. De televisiecamera's waren er wel, zoals later te zien zou zijn, maar er moest eerst nog iets gebeuren, en dat werd door de satellieten geregistreerd.
De eerste Iraniërs die de grens overstaken, maakten deel uit van gemotoriseerde eenheden die met grote snelheid over de wegen reden. Ze namen radiostilte in acht, maar het was overdag en er kwamen twee KH-11 satellieten overvliegen die hun signalen naar communicatievliegtuigen doorstuurden, waarna ze naar de luisterstations werden doorgezonden. De stations het dichtst bij Washington bevonden zich in Fort Belvoir.
'Ja,' zei Ryan, nadat hij de telefoon had opgenomen.
'Met Ben Goodley, meneer de president. Het gebeurt nu. Iraanse troepen steken de grens over. Voorzover wij kunnen zien, stuiten ze niet op verzet.'
'Een bekendmaking?'
'Nog niets. Het ziet ernaar uit dat ze het land eerst onder controle willen krijgen.'
Jack keek op de wekker die op zijn nachtkastje stond. 'Goed, we behandelen het op de ochtendbespreking.' Het had geen zin dat hij zijn slaap bedierf. Hij had mensen die de hele nacht voor hem doorwerkten, zei Ryan tegen zichzelf. Hij had dat zelf vaak genoeg gedaan.
'Ja, meneer de president.'
Ryan legde de hoorn op de haak en kon weer in slaap vallen. Dat was een presidentiële vaardigheid die hij geleidelijk leerde beheersen. Misschien, dacht hij

terwijl hij weer wegzakte, misschien zou hij nog eens leren om golf te spelen tijdens een crisis... zou dat niet...

Het was een van de pederasten, en dat was wel passend. Hij had voor een medecrimineel – een moordenaar – gezorgd, en zoals op de video-opnamen te zien was, had hij dat vrij goed gedaan. Vermoedelijk was het proces daardoor versneld.
Moudi had de verplegers opdracht gegeven de nieuwe ziekenverzorgers goed in het oog te houden. De verzorgers hadden de normale voorzorgsmaatregelen genomen: ze droegen handschoenen, wasten zich zorgvuldig, hielden de kamer schoon, dweilden alle vloeistoffen op. Die laatste taak werd moeilijker naarmate de eerste groep zieker werd. Hun gekreun drong zo hard via het geluidssysteem tot hem door dat hij zich heel goed kon voorstellen wat ze doormaakten, vooral omdat ze geen pijnstillers kregen, een schending van de moslimregels voor genade, die Moudi negeerde. De proefpersonen van de tweede groep deden wat hun was opgedragen, maar ze hadden geen maskers gekregen, en dat had een reden.
De pederast was een jonge man, misschien begin twintig, en hij had verrassend goed voor zijn patiënt gezorgd. Het deed er niet toe of hij dat had gedaan omdat hij medelijden met de pijn lijdende moordenaar had of alleen omdat hij zelf wilde laten zien dat hij genade verdiende. Moudi liet de camera inzoomen. De huid van de man was verhit en droog en zijn bewegingen waren langzaam en pijnlijk. De dokter nam de telefoon. Een minuut later kwam een van de militaire verplegers in beeld. Hij sprak even met de pederast en stak toen de thermometer in zijn oor, alvorens de kamer te verlaten en een telefoon op de gang te pakken.
'Proefpersoon Acht heeft een temperatuur van 39.2 en spreekt over vermoeidheid en pijn in zijn extremiteiten. Zijn ogen zijn rood en opgezet,' meldde de verpleger bruusk. Het was te verwachten geweest dat de verplegers niet evenveel medelijden met de proefpersonen zouden hebben als ze met zuster Jean Baptiste hadden gehad. Hoewel ze een goddeloze was geweest, was ze tenminste wel een deugdzame vrouw geweest. Dat kon duidelijk niet gezegd worden van de mannen in de kamer, en dat maakte de dingen gemakkelijker voor iedereen.
'Dank u.'
Dus het was waar, zei Moudi tegen zichzelf. De mayinga-stam kon zich inderdaad door de lucht verplaatsen. Nu hoefden ze alleen nog te onderzoeken of het virus volledig was overgedragen, of dit nieuwe slachtoffer eraan zou sterven. Als de helft van de tweede groep symptomen zou vertonen, zouden ze naar een eigen behandelkamer aan dezelfde gang worden gebracht en zou de eerste groep – die waren allemaal dodelijk getroffen door de ebola – op medische wijze worden gedood.
De directeur zou tevreden zijn, wist Moudi. De nieuwste fase van het experiment was even succesvol verlopen als de vorige. Het werd steeds duidelijker

dat ze over een wapen beschikten dat geen mens ooit in handen had gehad. Is dat niet geweldig? zei de arts tegen zichzelf.

Het vertrek uit een land was altijd gemakkelijker dan de aankomst. Filmster passeerde de metaaldetector, bleef staan, liet het magische staafje over zich heen gaan en keek, zoals gewoonlijk, een beetje beschaamd toen zijn gouden Cross-pen werd ontdekt, waarna hij naar de eersteklaslounge liep zonder zelfs maar te kijken of er politiemensen waren die hem, als ze er waren, staande konden houden. Maar ze waren er niet, en ze hielden hem niet staande. In zijn tas had hij een in leer gebonden klembord, maar dat zou hij nog niet te voorschijn halen. Na verloop van tijd werd zijn vlucht omgeroepen. Hij liep naar zijn vliegtuig en vond al gauw zijn plaats in het voorste gedeelte van de 747. Het toestel was maar half vol, en dat kwam hem goed uit. Zodra het was opgestegen, haalde hij zijn klembord te voorschijn en begon alle dingen te noteren die hij nog niet eerder aan het papier had willen toevertrouwen. Zoals gewoonlijk had hij veel aan zijn fotografisch geheugen. Drie uur achtereen werkte hij stug door, tot hij, boven het midden van de Atlantische Oceaan, kon toegeven aan zijn verlangen naar slaap. Terecht vermoedde hij dat hij die slaap nodig zou hebben.

29

Over de volle breedte

Misschien zou het zijn laatste schot voor de boeg zijn, wist Kealty, die daarmee opnieuw een vergelijking met wapens maakte. De ironie daarvan ontging hem. Hij had belangrijker dingen te doen. De vorige avond had hij de perscontacten opgeroepen die hij nog had: de journalisten op wie hij kon rekenen. Anderen hadden zich niet echt teruggetrokken maar bleven in hun onzekerheid op discrete afstand. In elk geval was het niet zo moeilijk geweest hun aandacht te trekken, en voor zijn twee uur durende bespreking om middernacht had hij een paar sleutelwoorden gebruikt die hun erg aanspraken. Daarna had hij alleen nog maar de regels hoeven te bepalen. Dit was alleen maar achtergrondinformatie. Hij mocht niet worden geciteerd. De verslaggevers gingen uiteraard akkoord.
'Het is nogal verontrustend. De FBI heeft de hele bovenste verdieping van Buitenlandse Zaken aan een leugendetectortest onderworpen,' zei hij tegen hen. Dat was iets waarover ze hadden gehoord maar wat ze nog niet bevestigd had-

den gekregen. Dit zou als bevestiging fungeren. 'Maar nog verontrustender is het als we naar het huidige beleid kijken. Het defensieapparaat wordt uitgebreid onder leiding van die Bretano, een man die binnen het militair-industrieel complex is opgegroeid. Hij zegt dat hij alle voorzorgsmaatregelen binnen het inkoopsysteem wil afschaffen, en ook het toezicht door het Congres. En George Winston, wat wil hij gaan doen? Het belastingsysteem verwoesten, het minder progressief maken, de kapitaalwinstbelasting helemaal afschaffen, en waarom? Om de hele belastingdruk van het land op de middenklasse en werkende klasse te laten drukken en de rijken vrij spel te geven, daarom! Ik heb nooit gevonden dat Ryan geschikt was voor het presidentschap, maar ik moet u zeggen: dit is niet wat ik had verwacht. Hij is een reactionair, een radicale conservatief, ik weet niet hoe u hem zou noemen.'

'Weet u dat van Buitenlandse Zaken zeker?' vroeg de *New York Times*.

Kealty knikte. 'Absoluut, voor honderd procent. Je bedoelt dat je niet... kom nou, doen jullie nog wel jullie werk?' vroeg hij vermoeid. 'Net nu er een crisis in het Midden-Oosten aan de gang is, laat hij de FBI onze meest vooraanstaande mensen lastigvallen. Hij probeert hen ervan te beschuldigen dat ze een brief hebben gestolen die nooit heeft bestaan.'

'En nu,' voegde Kealty's stafchef eraan toe alsof hij hem in de rede viel, 'brengt de *Washington Post* dat jubelende stuk over Ryan.'

'Wacht eens even,' zei de verslaggever van de *Post*, die kaarsrecht ging zitten, 'dat is Bob Holtzmans werk, niet het mijne. Ik heb tegen mijn hoofdredacteur gezegd dat het geen goed idee was.'

'Wie is het lek?' vroeg Kealty.

'Ik heb geen idee. Bob laat nooit iets los. Dat weet je.'

'En wat doet Ryan met de CIA? Hij wil het directoraat Operaties – de spionnen – drie keer zo groot maken. Net wat het land nodig heeft, nietwaar? Wat doet Ryan?' vroeg Kealty retorisch. 'Het defensieapparaat uitbreiden. De belastingwetgeving veranderen om de rijken te ontzien. En de CIA naar de Koude Oorlog terugbrengen. Waarom doet hij dat alles? Wat stelt hij zich daarbij voor? Ben ik de enige in deze stad die vragen stelt? Wanneer gaan jullie je werk doen? Hij probeert het Congres te intimideren, en slaagt daarin, en waar zijn de media? Wie beschermt de mensen?'

'Wat bedoel je, Ed?' vroeg de *New York Times*.

Hij maakte het perfecte gebaar van frustratie. 'Ik sta hier in mijn eigen politieke graf. Ik heb hier niets bij te winnen, maar ik kan gewoon niet lijdzaam toezien. Ook al heeft Ryan de hele macht van onze overheid achter zich, ik kan gewoon niet toestaan dat hij en zijn trawanten een handjevol mensen alle macht van onze regering geven, en hun eigen middelen vergroten om ons te bespioneren, en het belastingstelsel op een zodanige manier veranderen dat mensen die nooit hun rechtvaardig deel hebben betaald nog rijker worden gemaakt, en de defensie-industrie belonen. Wat zullen we nu nog beleven? Dat ze de burgerrechten afschaffen? Hij laat zijn vrouw elke dag met een helikopter naar haar werk brengen, en jullie hebben nog niet eens geschreven dat

zoiets nooit eerder is gebeurd. Dit is een keizerlijk presidentschap waar iemand als Lyndon Johnson nooit van had gedroomd, zonder een Congres dat er iets aan kan doen. Weten jullie wat we momenteel hebben?' Kealty laste een dramatische pauze in. 'Koning Jack de Eerste. Waarom maakt niemand zich daar druk om? Waarom doen jullie er niets aan?'
'Wat weet je van dat Holtzman-stuk?' wilde de *Boston Globe* weten.
'Ryan heeft een hele tijd voor de CIA gewerkt. Hij heeft mensen gedood.'
'Het lijkt James Bond wel,' zei Kealty's stafchef, zoals afgesproken was.
Nu moest de verslaggever van de *Post* de eer van zijn krant verdedigen: 'Dat zegt Holtzman niet. Als je die keer bedoelt dat terroristen...'
'Nee, dat niet. Holtzman zal gaan schrijven over de gebeurtenissen in Moskou. Ryan was niet eens degene die dat had opgezet. Dat was rechter Arthur Moore, die toen directeur van de CIA was. Ryan was de stroman. Het was trouwens al erg genoeg. Die actie verstoorde de interne werking van de oude Sovjet-Unie, en niemand heeft er ooit bij stilgestaan dat het misschien helemaal niet zo'n goed idee was. Ik bedoel, als je de regering dwars gaat zitten van een land dat tienduizend raketten op je gericht heeft, weet je, mensen, dat noemen ze toch een oorlogsdaad? En waarom? Om hun grootste schurk voor een zuivering te behoeden en te laten overlopen, opdat wij een spionagering binnen de CIA konden oprollen. Dat heeft hij Holtzman vast niet verteld, hè?'
'Ik heb het verhaal niet gezien,' gaf de *Post*-verslaggever toe. 'Ik heb alleen een paar dingen gehoord.' Het was bijna een glimlach waard. Kealty's bronnen bij de krant waren beter dan die van de hoogste politieke verslaggever. 'Goed, je zegt dat Ryan mensen als een James Bond heeft gedood. Kunnen we daar iets meer over horen?' zei hij met een doffe stem.
'Weet je nog, vier jaar geleden, die bommen in Colombia waardoor een stel kartelleden werd uitgeschakeld?' Kealty wachtte tot hij had geknikt. 'Dat was een CIA-operatie. Ryan ging naar Colombia... dat was óók een oorlogsdaad, mensen. Dat zijn er dus twee waarvan ik weet.'
Kealty vond het grappig dat Ryan zo behendig aan zijn eigen vernietiging werkte. Het directoraat Inlichtingen van de CIA had al kennisgemaakt met PLAN BLAUW. Veel van de hogere functionarissen werden vervroegd met pensioen gestuurd of zagen hun bureaucratisch imperium slinken, en velen van hen genoten juist zo van hun macht. Ze konden gemakkelijk denken dat ze van vitaal belang waren voor de veiligheid van hun land, en daarom moesten ze toch iets doen? Ryan had in het verleden al op veel gevoelige tenen in het FBI-hoofdkantoor getrapt en nu werd het tijd dat ze hem dat betaald zouden zetten, temeer omdat hij hoger geplaatst was dan ooit tevoren. Daar kwam nog bij dat de bronnen alleen maar met de voormalige vice-president van de Verenigde Staten praatten – misschien zelfs de echte president, konden ze zeggen – en niet met de media. Dat laatste was in strijd met de wet, maar een gesprek over essentiële aspecten van het nationaal beleid was dat niet.
'Hoe zeker ben je van dat alles?' vroeg de *Globe*.
'Ik heb gegevens. Weet je nog, toen admiraal James Greer stierf? Dat was

Ryans mentor. Waarschijnlijk heeft hij de hele operatie vanaf zijn sterfbed opgezet. Ryan ging niet naar de begrafenis. Hij zat toen in Colombia. Dat is een feit, dat kunnen jullie natrekken,' zei Kealty. 'Dat zal ook wel de reden zijn waarom James Cutter zelfmoord pleegde...'
'Dat was toch een ongeluk?' zei de *New York Times*. 'Hij was aan het joggen en...'
'En toen kwam hij per ongeluk voor een bus terecht? Hoor eens, ik wil niet beweren dat Cutter vermoord is. Ik zeg alleen dat hij betrokken was bij de illegale operatie die door Ryan werd geleid, en dat hij daar niet voor wilde opdraaien. Dat gaf Jack Ryan de kans om zijn sporen uit te wissen. Weet je,' besloot Kealty, 'ik heb die Ryan onderschat. Hij is een net zo erge gladjanus als Allen Dulles was, misschien zelfs Bill Donovan, maar die tijd is voorbij. We hebben geen behoefte aan een CIA met drie keer zoveel spionnen. Het is nergens voor nodig dat we nog meer geld in defensie pompen. Het is nergens voor nodig dat we de belastingwetgeving veranderen om de miljonairsvriendjes van Ryan te beschermen. En wat we zeker niet nodig hebben, is een president die vindt dat de jaren vijftig een geweldige tijd waren. Hij doet ons land dingen aan die we niet mogen toestaan. Ik weet het niet...' Weer dat gebaar van frustratie. 'Misschien moet ik dit helemaal alleen doen... Maar verdraaid nog aan toe, ik heb een eed afgelegd op de grondwet van ons land... Eerst,' ging hij met een kalme, bedachtzame stem verder, 'toen ik mijn zetel in het Huis had gewonnen... en toen in de Senaat... en later nog een keer, toen Roger me vroeg zijn vice-president te worden. Weet je, zoiets vergeet je niet... en... en... en misschien ben ik hier niet de juiste persoon voor. Jazeker, ik heb nogal wat verkeerde dingen gedaan, mijn vrouw bedrogen, jarenlang een borrel te veel genomen. Waarschijnlijk verdient het Amerikaanse volk het dat iemand die beter is dan ik nu opstaat en de zaken rechtzet... Maar ik ben de enige die er is, en ik mag niet... Ik mág niet het vertrouwen schenden van het volk dat me naar deze stad heeft gestuurd, ongeacht de persoonlijke offers die ik moet brengen. Ryan is níet de president van de Verenigde Staten. Dat weet hij. Waarom probeert hij anders zo snel zoveel dingen te veranderen? Waarom probeert hij de hoogste functionarissen van Buitenlandse Zaken tot leugenaars te bestempelen? Waarom knoeit hij met het recht op abortus? Waarom laat hij die plutocraat van een Winston aan de belastingwetten knoeien? Hij probeert het snel voor elkaar te krijgen. Hij zal het Congres blijven intimideren tot ze hem tot koning of zoiets hebben uitgeroepen. Ik bedoel: wie vertegenwoordigt op dit moment het vólk?'
'Zo zie ik hem niet, Ed,' antwoordde de *Globe* na enkele seconden. 'Hij is nogal rechts, maar hij komt erg oprecht over.'
'Wat is de eerste regel van de politiek?' vroeg de *New York Times* grinnikend. Toen ging hij verder: 'Als dat verhaal over Rusland en Colombia waar is... wow! Dat is inderdaad iets uit de jaren vijftig, dat soort inmenging in andere landen. Dat zouden we niet meer moeten doen, zeker niet op dat niveau.'

'Jullie hebben dit niet van ons gehoord, en jullie mogen de bron op Langley niet bekendmaken.' De stafchef deelde cassettebandjes uit. 'Maar er staan hier genoeg verifieerbare feiten op om alles te ondersteunen wat we jullie hebben verteld.'
'Het zal een paar dagen duren,' zei de *San Francisco Examiner*. Met het bandje in zijn hand keek hij naar zijn collega's. De wedloop begon nu. Elke journalist in deze kamer zou de eerste willen zijn die met het verhaal kwam. De wedloop zou beginnen als ze op weg naar huis het bandje afspeelden in hun auto, en degene met de kortste rit was in het voordeel.
'Heren, het enige wat ik kan zeggen is dat dit een belangrijk verhaal is en dat u dit met al uw bekwaamheid te lijf moet gaan. Het gaat niet om mij,' zei Kealty. 'Ik wou dat ik hier iemand anders voor kon uitkiezen, iemand met een betere staat van dienst, maar dat kan ik niet. Het gaat niet om mij. Het gaat om het land, en dat betekent dat jullie je best moeten doen.'
'Dat zullen we, Ed,' beloofde de *New York Times*. Hij keek op zijn horloge. Het was bijna drie uur in de nacht. Hij zou de hele dag doorwerken om de deadline van tien uur 's avonds te halen. In die tijd moest hij verifiëren en nogmaals verifiëren en met zijn hoofdredactie overleggen om er zeker van te zijn dat hij de voorpagina kreeg, boven de vouw. De kranten aan de westkust waren in het voordeel – drie extra uren vanwege de tijdzones – maar hij wist hoe hij ze te vlug af kon zijn. De koffiekopjes werden op de tafel gezet en de journalisten stonden op. Ze staken hun dicteerapparaatjes in hun zak en hielden het ontvangen cassettebandje in hun linkerhand terwijl ze met hun rechterhand naar de autosleutels visten.

'Vertellen, Ben,' beval Jack amper vier uur later.
'Nog niets op de plaatselijke televisie, maar we hebben microgolfmateriaal opgevangen dat werd overgeseind om later uitgezonden te worden.' Goodley zweeg even, terwijl Ryan achter zijn bureau ging zitten. 'De kwaliteit is te slecht om het aan u te laten zien, maar we hebben de geluidsbanden. Hoe dan ook, ze zijn de hele dag bezig geweest hun macht te consolideren. Morgen treden ze in de openbaarheid. Waarschijnlijk wordt het nieuws al op straat verspreid en is het officiële nieuws voor de rest van de wereld bestemd.'
'Slim,' merkte de president op.
'Zeker.' Goodley knikte. 'Nieuwe onbekende factor. De premier van Turkmenistan heeft het loodje gelegd. Ze zeggen dat het een auto-ongeluk was. Golovko belde me kort na vijf uur om het ons te laten weten. Hij gaat momenteel niet bepaald fluitend door het leven. Hij denkt dat Irak en Turkmenistan deel uitmaken van hetzelfde spel...'
'Hebben we iets om dat te ondersteunen?' vroeg Ryan, terwijl hij zijn stropdas omdeed. Het was een domme vraag.
'Meent u dat nou, baas? We hebben niks, zelfs geen satellietinformatie.'
Jack sloeg zijn ogen even neer. 'Weet je, als je nagaat hoe machtig de CIA volgens de mensen moet zijn...'

'Hé, ik werk daar, weet u nog wel? God zij geprezen voor CNN. Ja, ik weet het. Het goede nieuws is dat de Russen ons tenminste iets vertellen van wat ze weten.'
'Bang,' merkte de president op.
'Erg bang,' beaamde de waarnemend nationale-veiligheidsadviseur.
'Goed, dus Iran is bezig Irak over te nemen. De leider van Turkmenistan is dood. Analyse?' vroeg Jack.
'Ik zal Golovko niet tegenspreken. Hij heeft vast en zeker agenten ter plaatse en zo te horen verkeert hij in dezelfde positie als wij. Hij kan afwachten en piekeren, maar hij heeft weinig mogelijkheden om iets te ondernemen. Misschien is het toeval, maar het is niet de bedoeling dat inlichtingenmensen in het toeval geloven. En Sergej gelooft daar zeker niet in. Hij denkt dat het allemaal één spel is. Volgens mij is dat een reële mogelijkheid. Ik zal daar ook met Vasco over praten. Als je op hem moet afgaan, begint de situatie nogal angstaanjagend te worden. We horen vandaag nog van de Saoedi's.' En Israël zou niet ver achterblijven, wist Ryan.
'China?' vroeg de president nu. Misschien ging het aan de andere kant van de wereld een beetje beter. Maar nee.
'Grote vlootoefening. Oppervlakteschepen en onderzeeërs, nog niets in de lucht, maar uit de satellietfoto's blijkt dat jagerbases in verhoogde staat van paraatheid worden gebracht...'
'Wacht eens even...'
'Ja, meneer de president. Als het een geplande oefening is, waarom waren ze er dan niet klaar voor? Ik bespreek dat om half negen met het Pentagon. De ambassadeur heeft met een afgevaardigde van hun minister van Buitenlandse Zaken gesproken. Het kwam erop neer dat het allemaal niets voorstelde; het ministerie wist er niet eens van en het was een routine-oefening.'
'Gelul.'
'Misschien. Taiwan maakt er nog niet veel werk van, maar ze sturen vandaag – nou ja, daar is het nu nacht – een paar schepen uit. Wij hebben ook schepen die daarheen gaan. De Taiwanezen werken goed mee met onze waarnemers in hun luisterposten. Binnenkort zullen ze ons vragen wat we gaan doen als "A" of "B" gebeurt. Daar moeten we over nadenken. Het Pentagon zegt dat China niet de middelen heeft om een invasie op touw te zetten als in 1996. De Taiwanese luchtmacht is nu sterker dan toen. Daarom denk ik niet dat hier iets uit voortkomt. Misschien is het echt alleen maar een oefening. Of misschien willen ze zien hoe we reageren... dat wil zeggen, hoe u reageert.'
'Wat vindt Adler?'
'Hij zegt dat we het moeten negeren. Ik denk dat hij gelijk heeft. Taiwan houdt zich gedeisd. Ik vind dat wij dat ook moeten doen. We brengen er schepen heen, vooral onderzeeërs, maar we blijven uit het zicht. CINCPAC schijnt de zaak goed onder controle te hebben. Zullen we hem voorlopig zijn gang laten gaan?'

Ryan knikte. 'Via de minister van Defensie, ja. Europa?'
'Alles rustig, zo ook op ons halfrond, zo ook in Afrika. Weet u, als de Chinezen alleen maar zo irritant zijn als hun gewoonte is, ligt het enige echte probleem in de Perzische Golf, en het is een feit dat we dat allemaal al hebben meegemaakt, meneer de president. We hebben de Saoedi's verteld dat we ze niet in de steek laten. De andere kant krijgt dat uiteindelijk te horen, en dan zullen ze zich daar wel drie keer bedenken voordat ze plannen maken om verder te gaan. Dat van die Verenigde Islamitische Republiek bevalt me niet, maar ik denk dat we het wel aankunnen. Iran is onstabiel. De mensen in dat land willen meer vrijheid, en als ze de smaak te pakken krijgen, verandert het hele land. We kunnen het wel uitzingen.'
Ryan glimlachte en schonk zich een kopje cafeïnevrije koffie in. 'Je krijgt steeds meer zelfvertrouwen, Ben.'
'U betaalt me om na te denken. Dan kan ik u ook maar beter vertellen wat er tussen mijn oren gebeurt, baas.'
'Goed, ga verder met je werk en hou me op de hoogte. Ik moet vandaag een manier vinden om het hooggerechtshof weer samen te stellen.' Ryan nam een slokje koffie en wachtte tot Arnie binnenkwam. Deze baan viel eigenlijk wel mee, dacht hij. Als je maar een goed team had.

'Het is een kwestie van verleiding,' zei Clark tegen de nieuwe gezichten in de gehoorzaal. Hij zag Ding achter in de zaal grijnzen en kromp even ineen. De instructiefilm die ze zojuist hadden gezien, ging over zes belangrijke zaken. Er bestonden maar vijf exemplaren van de film en dit exemplaar werd al teruggespoeld en ging straks weer naar het souterrain. Aan twee van die zaken had hij zelf gewerkt. Een van de agenten was geëxecuteerd in de kelder van Dzerzjinski-plein 2, nadat hij verraden was door een KGB-mol in Langley. De ander had een kleine boerderij in het berkenland van noordelijk New Hampshire en verlangde waarschijnlijk nog steeds naar huis, maar Rusland was nog steeds Rusland en de strenge opvattingen over hoogverraad die daar golden waren geen uitvinding van het vorige regime geweest. Zulke mensen waren voor altijd een soort weeskinderen... Clark sloeg de volgende bladzijde van zijn aantekeningen om.
'Jullie zullen mensen benaderen die problemen hebben. Jullie zullen begrip tonen voor die problemen. De mensen met wie jullie zullen samenwerken, zijn niet volmaakt. Ze hebben allemaal wel een of andere grief. Sommigen komen naar jullie toe. Jullie hoeven niet van ze te houden, maar jullie moeten wel loyaal zijn ten opzichte van hen.
Wat bedoel ik met verleiding? Iedereen in deze kamer heeft het een of twee keer gedaan, nietwaar? Jullie luisteren meer dan dat jullie praten. Jullie knikken. Jullie zeggen dat jullie het ermee eens zijn. Zeker, je bent intelligenter dan je baas... ik ken hem, we hebben net zo'n lul in onze regering. Ik heb zelf ook eens zo'n baas gehad. Het is moeilijk om eerlijk te blijven met zo'n regering, hè? Reken maar dat eer een belangrijke zaak is.

Als ze dát zeggen, weet je dat ze geld willen. Dat is goed,' zei Clark. 'Ze verwachten nooit zoveel als ze vragen. We hebben een budget om alles te betalen wat ze willen, maar het belangrijkste is dat we ze aan de haak slaan. Als ze eenmaal hun maagdelijkheid hebben verloren, mensen, kunnen ze die niet meer terugkrijgen.
Jullie agenten, de mensen die door jullie worden gerekruteerd, zullen verslaafd raken aan wat ze doen. Het is leuk om spion te zijn. Zelfs mensen met een erg rechtlijnige ideologie die door jullie gerekruteerd zijn, zullen van tijd tot tijd giechelen omdat ze iets weten dat iemand anders niet weet.
Aan al die mensen zal iets mankeren. De idealisten zijn vaak het ergst. Die gaan zich schuldig voelen. Ze gaan drinken. Sommigen gaan zelfs naar hun priester: dat is mij eens overkomen. Sommigen overtreden de regels voor het eerst en denken dat de regels er niet meer toe doen. Die zullen ieder meisje neuken dat ze tegenkomen en allerlei risico's nemen.
Het werken met agenten is een kunst op zich. Jullie zijn hun moeder, vader, priester en leraar. Jullie moeten ze geruststellen. Jullie moeten tegen ze zeggen dat ze voor hun gezin moeten zorgen, en op zichzelf moeten passen, vooral de "goede" ideologische rekruten. Ze kunnen op allerlei manieren in de fout gaan, bijvoorbeeld doordat ze gaan overdrijven. Velen van die agenten gaan hun eigen vernietiging tegemoet. Ze kunnen kruisvaarders worden. Er waren maar weinig kruisvaarders die van ouderdom stierven.
De agent die geld wil, is vaak het betrouwbaarst. Die neemt niet te veel risico's. Uiteindelijk wil hij er uitstappen om een goed leven in Hollywood te leiden en naar bed te gaan met een aankomend filmsterretje of zoiets. Dat is het mooie van agenten die voor geld werken: ze willen in leven blijven om het te kunnen uitgeven. Als je daarentegen wilt dat iets vlug gebeurt, als je wilt dat iemand een risico neemt, kun je iemand gebruiken die voor geld werkt, maar dan moet je hem wel de volgende dag kunnen evacueren. Vroeg of laat vindt hij dat hij genoeg heeft gedaan en wil hij eruit.
Waarom vertel ik jullie dit? Er zijn geen rotsvaste regels in dit vak. Jullie moeten je verstand gebruiken. Jullie moeten iets van mensen weten, hoe ze zijn, hoe ze handelen, hoe ze denken. Jullie moeten oprecht met jullie agenten meevoelen, of jullie ze nu sympathiek vinden of niet. Meestal niet,' voorspelde hij. 'Jullie hebben de film gezien. Elk woord was echt. Drie van die zaken eindigden met een dode agent. Een eindigde met een dode inlichtingenman. Vergeet dat nooit.
Goed, nu hebben jullie pauze. De volgende les wordt gegeven door meneer Revell.' Clark pakte zijn aantekeningen bij elkaar en liep naar de achterkant van de zaal, terwijl de leerlingen de lessen in stilte in zich opnamen.
'Tjee, meneer Clark, bedoelt u dat verleiding een goede zaak is?' vroeg Ding.
'Alleen wanneer je ervoor wordt betaald, Domingo.'

Heel Groep Twee was nu ziek. Het leek wel of ze allemaal een soort prikklok hadden ingedrukt. Binnen tien uur klaagden ze allemaal over koorts en pijn:

griepsymptomen. Sommigen, zag Moudi, wisten of vermoedden wat hun was overkomen. Sommigen bleven de nog ziekere patiënten verzorgen die hun waren aangewezen. Anderen klaagden tegen de verplegers, of gingen gewoon op de vloer zitten en werden helemaal in beslag genomen door hun ziekte, doodsbang dat het hun net zo zou vergaan als de eerste groep. Ook in hun geval gold dat ze verzwakt waren door de omstandigheden en het slechte voedsel in de gevangenis. Mensen die verzwakt zijn en honger hebben, laten zich gemakkelijker overheersen dan mensen die gezond en weldoorvoed zijn.
De leden van de eerste groep gingen zo snel achteruit als was verwacht. Hun pijn werd erger, zo erg dat ze nauwelijks nog kronkelden, want dat deed nog meer pijn dan wanneer ze stil bleven liggen. Een van hen leek erg dicht bij de dood te zijn, en Moudi vroeg zich af of het hart van dat slachtoffer, net als dat van Benedict Mkusa, extra kwetsbaar was voor de ebola mayinga-stam. Misschien had dit subtype van de ziekte een tot dan toe onbekende affiniteit met hartweefsel? Het zou interessant zijn om dat als abstract verschijnsel te bestuderen, maar hij was het stadium van abstract onderzoek allang voorbij.
'We bereiken er niets mee als we langer met deze fase doorgaan, Moudi,' zei de directeur, die naast de jongere man naar de televisiemonitoren stond te kijken. 'Volgende stap.'
'Zoals u wilt.' Dokter Moudi nam de telefoon en sprak een minuut of zo.
Het duurde een kwartier om de zaak in gang te krijgen. Toen kwamen de verplegers in beeld. Ze brachten alle negen leden van de tweede groep de kamer uit en leidden hen over de gang naar een tweede grote behandelkamer. De artsen richtten hun blik op andere monitoren en zagen dat ze een bed kregen en een middel dat hen binnen een paar minuten in slaap bracht. Vervolgens keerden de verplegers naar de eerste groep terug. De helft daarvan sliep en alle anderen waren zo verdoofd dat ze geen weerstand konden bieden. Degenen die wakker waren, werden het eerst gedood. Dat gebeurde met injecties van Dilaudid, een krachtig synthetisch narcoticum dat in de ader werd gespoten die het best te gebruiken was. De executies namen maar enkele minuten in beslag en waren uiteindelijk genadig. De lichamen werden een voor een op verrijdbare brancards gelegd om naar de verbrandingsoven te worden gebracht. Vervolgens werden de matrassen en lakens verzameld om ook verbrand te worden. Alleen de metalen bedden bleven over en werden, samen met de rest van de kamer, besproeid met caustische middelen. De kamer zou een aantal dagen worden afgesloten en daarna opnieuw besproeid. Alle aandacht van het personeel ging nu uit naar de tweede groep, negen veroordeelde misdadigers die blijkbaar hadden bewezen dat ebola zaire mayinga zich door de lucht kon verplaatsen.

De ambtenaar van Volksgezondheid kwam pas een hele dag later. Hij zou wel opgehouden zijn, vermoedde dokter MacGregor, door een berg papieren op zijn bureau, een uitstekend diner en een nacht met welke vrouw het ook was

die zijn dagelijks leven veraangenaamde. En de papieren lagen waarschijnlijk nog op zijn bureau, zei de Schot tegen zichzelf.
In elk geval kende hij de voorzorgsmaatregelen. De arts van de overheid, afdoende beschermd, ging de kamer nauwelijks binnen. Hij moest met tegenzin een stap zetten opdat de deur achter hem gesloten kon worden, maar verder ging hij niet. Hij bleef met een schuin hoofd en half dichtgeknepen ogen staan om de patiënt op twee meter afstand te observeren. Er was weinig licht in de kamer, want te veel licht zou pijn doen aan Saleh's ogen. Desondanks was de verkleuring van zijn huid duidelijk te zien. De twee hangende eenheden bloed van groep O en het morfine-infuus vertelden de rest van het verhaal, samen met de kaart, die de ambtenaar in zijn trillende handen hield.
'De antistoffentests?' vroeg hij zachtjes, met zoveel mogelijk ambtelijke waardigheid.
'Positief,' vertelde MacGregor hem.
De eerste gedocumenteerde ebola-uitbarsting – niemand wist hoe ver de ziekte in de tijd terugging, bijvoorbeeld hoeveel jungledorpen honderd jaar eerder waren uitgeroeid – had met angstaanjagende snelheid huisgehouden onder het personeel van het dichtstbijzijnde ziekenhuis. Het was zo erg geweest dat het medisch personeel in paniek was weggevlucht. Dat laatste had, ironisch genoeg, ervoor gezorgd dat de uitbarsting sneller was uitgewoed dan zou zijn gebeurd als de patiënten gewoon behandeld waren: de slachtoffers stierven en niemand kwam dicht genoeg bij hen om te worden besmet. Tegenwoordig wisten Afrikaanse verplegers welke voorzorgsmaatregelen ze moesten nemen. Iedereen droeg een masker en handschoenen en de desinfectieprocedures werden strikt in acht genomen. Hoe nonchalant veel Afrikaanse personeelsleden vaak ook waren, dit was een les die ze niet vergaten, en nu ze zich weer enigszins veilig voelden, deden ze hun werk zo goed mogelijk, zoals medisch personeel op de hele wereld.
Voor deze patiënt had dat weinig zin. Dat bleek ook uit de kaart.
'Uit Irak?' vroeg de ambtenaar.
Dokter MacGregor knikte. 'Dat heeft hij me verteld.'
'Ik moet dat met de bevoegde autoriteiten opnemen.'
'Dokter, ik moet hier melding van maken,' drong MacGregor aan. 'Dit is een mogelijke uitbarsting, en...'
'Nee.' De ambtenaar schudde zijn hoofd. 'Niet voordat we meer weten. Wanneer we er melding van maken, áls we dat doen, moeten we alle nodige informatie kunnen verstrekken, anders heeft de waarschuwing geen zin.'
'Maar...'
'Maar dit is míjn verantwoordelijkheid, en het is míjn plicht om te zorgen dat alles in goede banen wordt geleid.' Hij wees met de kaart naar de patiënt. Nu hij de leiding had genomen, beefde zijn hand niet meer. 'Heeft hij familie? Wie kan ons meer over hem vertellen?'
'Ik weet het niet.'
'Laat me dat nagaan,' zei de ambtelijk geneeskundige. 'Laat uw mensen

kopieën van alle gegevens maken en meteen naar mij toe sturen.' Nu hij dat strenge bevel had gegeven, had de ambtenaar van Volksgezondheid het gevoel dat hij zijn plicht had gedaan jegens zijn beroep en jegens zijn land.
MacGregor knikte onderdanig. Op momenten als dit haatte hij Afrika. Zijn land was hier al meer dan een eeuw. Een andere Schot, die Gordon heette, was naar Soedan gekomen, was er verliefd op geworden – was de man gek geweest? vroeg MacGregor zich af – en was honderdtwintig jaar eerder in deze stad gestorven. Daarna was Soedan een Brits protectoraat geworden. Er was een regiment infanterie uit dit land gerekruteerd, en dat regiment had goed en moedig gevochten onder Britse officieren. Maar later was Soedan teruggegeven aan de Soedanezen. Te vlug, zonder de tijd en het geld om de institutionele infrastructuur op te zetten die nodig is om een woestijnvolk in een goed georganiseerde natie te veranderen. Ongeveer hetzelfde verhaal kon worden verteld over bijna elk Afrikaans land, en de gewone mensen van Afrika betaalden nog steeds de prijs voor de slechte dienst die hun bewezen was. Dat was ook een van de dingen die hij en andere Europeanen, uit angst voor racist te worden uitgemaakt, nooit hardop konden uitspreken, behalve als ze onder elkaar waren, en soms zelfs dan nog niet. Maar als hij een racist was, waarom was hij dan hierheen gekomen?
'U hebt ze over twee uur.'
'Goed.' De ambtenaar verliet de kamer. De hoofdzuster van de afdeling zou hem naar de desinfectieruimte brengen, en daar zou de ambtenaar bevelen opvolgen als een kind met een strenge moeder.

Pat Martin kwam met een volle aktetas binnen. Hij haalde er veertien mappen uit die hij in alfabetische volgorde op de salontafel legde. Er zaten etiketjes op met de letters A tot en met M, want president Ryan had uitdrukkelijk gezegd dat hij de namen niet wilde weten.
'Weet je, ik zou me veel beter voelen als je me niet al die macht had gegeven,' zei Martin zonder op te kijken.
'Waarom?' vroeg Jack.
'Ik ben maar een openbaar aanklager. Zeker, ik ben daar tamelijk goed in en ik heb nu de leiding van de afdeling Strafrecht, en dat is ook allemaal erg mooi, maar toch ben ik niet meer dan...'
'Hoe denk je dat ik me voel?' vroeg Ryan, en hij ging met zachte stem verder. 'Sinds George Washington hebben ze dit baantje nooit meer aan iemand opgedrongen. Waarom denk je dat ik weet wat ik doe? Allemachtig, ik ben niet eens jurist. Ik heb een spiekbriefje nodig om hier iets van te begrijpen.'
Martin keek met een vaag glimlachje op. 'Ja, dat had ik verdiend.'
Maar Ryan bepaalde de criteria. Hij had een schema van de hogere federale gerechtshoven voor zich liggen. Elk van de veertien mappen bevatte de staat van dienst van een rechter in een Hof van Appèl ergens in het land, van Boston tot Seattle. De president had Martin en zijn mensen opdracht gegeven rechters te zoeken met minstens tien jaar ervaring, met minstens vijftig

belangrijke vonnissen (dus geen routinezaken over bijvoorbeeld aansprakelijkheid), waarvan er niet één mocht zijn vernietigd door het hooggerechtshof, of als er een paar vernietigd waren, moest dat later weer ongedaan gemaakt zijn in Washington.
'Dit is een goed stel,' zei Martin.
'Doodstraf?'
'De grondwet voorziet daarin. Het Vijfde Amendement.' Martin citeerde uit zijn geheugen: '"Evenmin zal enig persoon tweemaal vanwege hetzelfde misdrijf op zodanige wijze terechtstaan dat zijn leven in gevaar komt; evenmin zal hij in enige strafrechtelijke zaak gedwongen worden te getuigen tegen zichzelf, dan wel worden beroofd van leven, vrijheid of goed, zonder de voorgeschreven gerechtelijke procedures." Dus als je die procedures wel in acht neemt, mag je iemands leven nemen, maar je kunt hem er maar één keer voor berechten. In de jaren zeventig en tachtig heeft het hooggerechtshof de criteria daarvoor vastgesteld in een aantal zaken: proces om de schuld vast te stellen, gevolgd door proces om de straf vast te stellen, waarbij die straf afhankelijk is van "bijzondere" omstandigheden. Al deze rechters hebben zich aan die regel gehouden, met een paar uitzonderingen. D hier vernietigde een zaak in Mississippi op grond van geestelijke onvolwaardigheid. Dat was een goede beslissing, al was het een gruwelijke misdaad geweest. Het hooggerechtshof heeft zijn uitspraak zonder commentaar of hoorzitting bevestigd. Weet je, het probleem met het systeem is dat niemand er iets aan kan doen. Het is gewoon het natuurrecht. Veel juridische principes zijn gebaseerd op uitspraken over ongewone gevallen. Harde zaken maken slechte wetten, zeggen ze. Neem nou die zaak in Engeland. Twee kleine kinderen vermoorden een nog kleiner kind. Wat moet een rechter nou doen als de verdachten acht jaar oud zijn, duidelijk schuldig zijn aan een beestachtige moord, maar acht jaar oud? Wat je dan doet, is vooral hopen dat een andere rechter die zaak krijgt. Op de een of andere manier proberen we daar allemaal een samenhangende juridische doctrine uit te peuren. Eigenlijk kan het niet, maar we doen het toch.'
'Ik neem aan dat je geen watjes hebt uitgekozen, Pat. Zijn ze ook fair en redelijk?' vroeg de president.
'Weet je nog wat ik daarstraks zei? Dat ik dit soort macht niet wil? Ik durfde niet iets anders te doen. E hier heeft een veroordeling vernietigd die een van mijn beste mensen op formele gronden, een kwestie van toelaatbaarheid van bewijsmateriaal, voor elkaar had gekregen. Toen hij dat deed, waren we allemaal erg kwaad. Het ging om uitlokking, over de vraag waar de grens lag. De verdachte was hartstikke schuldig, geen twijfel mogelijk. Maar rechter... E keek naar de argumenten en nam waarschijnlijk de juiste beslissing, en die uitspraak behoort nu tot de FBI-richtlijnen.'
Jack keek naar de mappen. Het zou een hele week lezen zijn. Dit was zijn belangrijkste daad als president, had Arnie hem een paar dagen eerder verteld. Sinds George Washington had geen enkele president zich genoodzaakt gezien het hele hooggerechtshof te benoemen, en in Washingtons tijd was de natio-

nale consensus over recht en wet veel groter geweest dan nu. In die tijd had 'wrede en buitengewone bestraffing' betekend dat iemand werd geradbraakt of op de brandstapel kwam – twee straffen die in het Amerika van voor de revolutie waren toegepast – maar in uitspraken van deze tijd had het betekend dat een gedetineerde geen kabeltelevisie kreeg of zich niet tot vrouw mocht laten ombouwen, of gewoon dat gevangenissen overbevolkt waren. Nou, dacht Ryan, dus de gevangenissen zijn overbevolkt. Waarom laten we de gevaarlijkste misdadigers dan niet los? Dan kunnen ze hun medegedetineerden niets meer aandoen.

Hij had nu de macht om daar verandering in te brengen. Het enige wat hem te doen stond, was rechters kiezen die even streng over criminaliteit dachten als hij, een visie die hij had opgedaan door naar zijn vader te luisteren wanneer die tekeerging over een vreselijk misdrijf, of over een stompzinnige rechter die nog nooit op de plaats van een misdrijf was wezen kijken en dus ook niet kon weten wat er op het spel stond. En voor Ryan kwam er ook nog het persoonlijke element bij. Er was geprobeerd hem en zijn vrouw en kinderen te vermoorden. Hij wist wat het was; de verontwaardiging over het feit dat er mensen rondliepen die net zo gemakkelijk iemand van het leven beroofden als dat ze snoep kochten in een winkeltje, mensen die op anderen loerden alsof dat prooidieren waren, mensen wier daden om vergelding schreeuwden. Hij wist nog dat hij meer dan eens in Sean Millers ogen had gekeken en dan helemaal niets in die ogen had gezien. Geen menselijkheid, geen begrip, geen gevoelens... zelfs geen haat. De man was zo ver buiten de mensenwereld komen te staan dat hij niet meer terug kon...

En toch.

Ryan sloot zijn ogen, dacht terug aan dat moment: een geladen browning-pistool in zijn hand, zijn bloed dat in zijn aderen kookte maar zijn handen die zo koud als ijs waren, het moment waarop hij het leven had kunnen beëindigen van de man die zo graag zíjn leven had willen beëindigen, en dat van Cathy, en van Sally, en van Jack junior, die nog niet geboren was. Hij had in zijn ogen gekeken en had toen eindelijk angst gezien. De angst brak zich door het pantser van onmenselijkheid heen... Maar hoe vaak had hij de genadige God gedankt omdat hij vergeten was de hamer van zijn pistool te spannen? Hij zou het hebben gedaan. Er was niets in zijn leven dat hij liever wilde doen, en hij kon zich herinneren dat hij de trekker overhaalde, om meteen tot zijn verbazing te merken dat er geen beweging in te krijgen was, en toen was het moment voorbij geweest. Jack kon zich herinneren dat hij doodde. Die terrorist in Londen. Die in de boot onder de rotswand. De kok op de onderzeeboot. En nog wel meer mensen. Die afschuwelijke nacht in Colombia waar hij jaren later nog nachtmerries van had. Maar Sean Miller was anders. Het was niet nodig geweest dat hij Miller doodde. In Millers geval zou het een soort gerechtigheid zijn geweest, en hij was daar geweest, en hij had het recht vertegenwoordigd, en God, wat had hij graag een eind aan dat waardeloze leven willen maken! Maar hij had het niet gedaan. Het recht dat een einde maakte aan het leven van die terrorist en zijn collega's was doordacht, koud en objectief geweest... en zo hoorde het ook. En om díe reden moest hij nu de beste mensen voor het hooggerechtshof kiezen. De beslissingen die ze zouden nemen gingen niet over één woedende man die zijn gezin probeerde te beschermen en tegelijk te wreken. Ze zouden zeggen wat de wet voor iedereen betekende, en dat had niets met zijn persoonlijke verlangens te maken. Wat mensen beschaving noemden, ging verder dan de hartstocht van één man. Dat moest ook. Het was zijn plicht om daarvoor te zorgen, en dat kon hij doen door de juiste mensen te kiezen.

'Ja,' zei Martin, die naar het gezicht van de president keek. 'Het valt niet mee, hè?'

'Wacht even.' Jack stond op en liep naar de kamer van het secretariaat. 'Wie van jullie rookt?' vroeg hij daar.

'Ik,' zei Ellen Sumter. Ze was van Jacks leeftijd en probeerde waarschijnlijk te stoppen, zoals alle rokers van die leeftijd beweerden. Zonder iets te vragen gaf ze haar president een Virginia Slim – hetzelfde merk als dat van de vrouw in het vliegtuig, realiseerde Jack zich – en een aansteker. De president knikte bij wijze van dank, ging naar zijn kantoor terug en stak de sigaret aan. Voordat hij de deur kon dichtdoen, rende mevrouw Sumter achter hem aan met een asbak die ze uit haar bureaula had gehaald.

Ryan ging zitten, nam een lange trek en richtte zijn blik op het tapijt, waarop een voorstelling van het grootzegel van de president van de Verenigde Staten prijkte, al stond daar meubilair op.

'Hoe,' vroeg Jack in alle rust, 'heeft iemand ooit kunnen besluiten dat één man zoveel macht moest hebben? Ik bedoel, wat ik hier doe...'

'Ja,' zei Pat Martin. 'Het is net of je James Madison bent, nietwaar? Je kiest de mensen die beslissen wat de grondwet werkelijk betekent. Ze zijn allemaal achter in de veertig of in de vijftig, en ze zullen er dus nog wel een tijdje zitten.' Martin keek hem aan. 'Kop op. Het is voor jou tenminste geen spelletje. Je doet het tenminste op de goede manier. Je kiest geen vrouwen omdat ze vrouwen zijn, of zwarten omdat ze zwart zijn. Ik heb je een goede mengeling gegeven, huidskleuren, seksen, noem maar op, maar alle namen zijn er uitgehaald, en je weet pas wie wie is als je zaken volgt, wat je waarschijnlijk niet doet. Ik geef je mijn woord dat ze allemaal goed zijn. Ik heb veel tijd aan het samenstellen van deze lijst besteed. Ik had veel aan de richtlijnen die je me gaf. Voor zover het je helpt: het zijn allemaal mensen die denken zoals jij denkt. Ik ben bang voor mensen die van macht houden,' zei de aanklager. 'Goede mensen denken veel na over wat ze doen, voordat ze het doen. Ik heb echte rechters gekozen die moeilijke beslissingen hebben genomen, nou ja, dat kun je zelf lezen. Je zult zien hoe hard ze hebben gewerkt aan wat ze deden.'

Weer een trek van de sigaret. Hij tikte op de mappen. 'Ik ken de wet niet goed genoeg om alles te begrijpen wat hierin staat. Ik weet geen bal van de wet, alleen dat je je eraan moet houden.'

Martin grinnikte: 'Eigenlijk is dat helemaal niet zo'n slecht uitgangspunt.' Hij

hoefde niet verder te gaan. Niet alle gebruikers van dit kantoor hadden er zo over gedacht. Dat wisten ze allebei, maar het was niet iets wat je tegen een zittende president zei.
'Ik weet welke dingen me niet bevallen. Ik weet welke dingen ik graag zou veranderen, maar verdomme nog aan toe...' Ryan keek op, zijn ogen wijd opengesperd. 'Heb ik het récht om zo'n beslissing te nemen?'
'Ja, je bent de president en je hebt dat recht, want de senaat moet over je schouder meekijken, weet je nog wel? Misschien zijn ze het over een of twee rechters niet met je eens. Al deze rechters zijn onderzocht door de FBI. Ze zijn allemaal eerlijk. Ze zijn allemaal intelligent. Niemand van hen heeft ooit gedacht dat hij in het hooggerechtshof zou komen. Als je hier geen negen tussen vindt die je bevallen, zoeken we nog wat verder. Dan kun je dat trouwens beter door iemand anders laten doen. Het hoofd van de afdeling Burgerrechten is ook vrij goed. Hij is een beetje linkser dan ik, maar hij is iemand die nadenkt.'
Burgerrechten, dacht Jack. Moest hij daar ook een overheidsbeleid voor uitstippelen? Hoe kon hij nou weten wat de juiste manier was om mensen te behandelen die misschien een beetje anders waren dan anderen? Vroeg of laat kon je niet objectief meer zijn en liet je je door je persoonlijke meningen leiden, en baseerde je je beleid dan op vooroordelen? Hoe kon je weten wat goed was? Jezus.
Ryan nam een laatste trek en drukte de sigaret uit. Zoals altijd beloonde zijn oude zonde hem met nieuwe energie. 'Nou, zo te zien heb ik heel wat te lezen.'
'Ik zou je wel willen helpen, maar je kunt het waarschijnlijk beter zelf proberen. Dan vertroebelt niemand de procedure, voorzover ik dat niet al heb gedaan. Vergeet dit niet: ik ben hier misschien niet de meest geschikte persoon voor, maar je hebt het mij gevraagd, en dit is het beste dat ik kan produceren.'
'Geldt dat niet voor ons allemaal?' merkte Ryan op, kijkend naar de stapel mappen.

Het hoofd van de afdeling Burgerrechten van het ministerie van Justitie was destijds nog benoemd door president Fowler. Het was een politieke benoeming geweest. De voormalige bedrijfsjurist en lobbyist – dat betaalde veel beter dan de academische baan die hij voor zijn eerste politieke benoeming had gehad – was al politiek actief geweest sinds de middelbare school, en zoals veel mensen die een officiële functie bekleedden, was hij misschien niet helemaal te vereenzelvigen met die functie, maar dan in elk geval toch wel met zijn visie erop. Hij had als het ware een kiesdistrict, hoewel hij nooit in een ambt was gekozen en hoewel hij ook niet ononderbroken in overheidsdienst was geweest. Hij had een serie steeds hogere ambten bekleed. Dat was hem gelukt doordat hij zo dicht bij de macht bleef, de macht hier in de stad Washington, de zakenlunches, de feesten, de bezoeken die hij aflegde namens mensen die hem soms koud lieten en soms niet, want een jurist had de plicht om de belan-

gen van zijn cliënten te behartigen: en de cliënten kozen hem, niet andersom. Vaak had je de honoraria van weinigen nodig om in de behoeften van velen te voorzien – dat was in feite zijn persoonlijke visie op het staatsbestuur. Toch was hij zijn hartstocht voor burgerrechten nooit kwijtgeraakt, en hij had nooit gelobbyd voor iets dat in strijd was met die overtuiging. Nu had niemand sinds de jaren zestig tégen burgerrechten gelobbyd, maar hij zei tegen zichzelf dat het belangrijk was. Hij was een blanke man uit een familie die al voor de Amerikaanse Vrijheidsoorlog in het land was, en hij sprak op alle juiste gelegenheden. Dat had hem de bewondering opgeleverd van mensen die dezelfde politieke opvattingen hadden als hij. Die bewondering leidde tot macht en het was moeilijk te zeggen welk ander aspect zijn leven meer beïnvloedde. Omdat hij in zijn jonge jaren op het ministerie van Justitie had gewerkt, had hij de aandacht van politieke figuren getrokken. De bekwaamheid waarmee hij dat werk deed, had hem ook onder de aandacht gebracht van een machtig advocatenkantoor in Washington. Toen hij de ambtenarij verliet om voor dat kantoor te werken, had hij zijn politieke contacten gebruikt om meer succes met zijn advocatenwerk te hebben. De ene hand had voortdurend de andere gewassen, tot hij de handen niet meer van elkaar kon onderscheiden. Intussen had hij zich vereenzelvigd met de zaken die hij bepleitte. Dat laatste was een geleidelijk proces geweest, ogenschijnlijk zo logisch dat hij nauwelijks merkte wat er gebeurde. Al meer dan tien jaar wás hij wat hij bepleitte.
En dat was nu het probleem. Hij kende en bewonderde Patrick Martin als een kleiner juridisch talent dat bij Justitie was opgeklommen door uitsluitend op de rechtbanken te werken: zelfs nooit als echte United States Attorney (dat waren politieke benoemingen, die geregeld werden door senatoren die iets voor hun staat wilden doen), maar altijd als een van de niet-politieke professionele werkbijen die het echte werk deden terwijl hun politiek benoemde baas door zijn toespraken, managementsbeslissingen en politieke ambities in beslag werd genomen. En het was een feit dat Martin een begaafd juridisch tacticus was die eenenveertig van zijn tweeënveertig processen had gewonnen. Hij was vooral ook een goed juridisch ambtenaar die jonge aanklagers begeleidde. Maar hij wist niet veel van politiek, vond het hoofd van de afdeling Burgerrechten, en daarom was hij niet de juiste man om president Ryan te adviseren.
Hij had de lijst. Een van zijn mensen had Martin geholpen hem samen te stellen, en zijn mensen waren loyaal, want ze wisten dat je in deze stad alleen vooruit kon komen als je afwisselend in overheidsdienst en in de particuliere sector werkte, en je chef hoefde maar de telefoon te pakken om je aan een baan bij een groot advocatenkantoor te helpen. Daarom gaf een van hen de lijst aan zijn chef, en op die lijst waren de namen niet weggelaten.
Het hoofd van de afdeling Burgerrechten hoefde alleen maar de veertien namen te lezen. Hij hoefde de papieren niet door te nemen. Hij kende ze allemaal. Deze hier, in het Vierde Circuit in Richmond, had een vonnis van een lagere rechtbank vernietigd en een lange argumentatie geschreven waarin hij

de constitutionele basis van positieve discriminatie in twijfel trok. Omdat het zo'n goed betoog was, had het hooggerechtshof hem met een uitspraak van vijf tegen vier gelijk gegeven. Het had niet veel gescheeld, en de bevestiging in Washington was ook kantje boord geweest, maar het hoofd Burgerrechten wilde zelfs niet dat er een heel kleine bres werd geslagen in die bijzondere muur. Deze hier in New York had het standpunt van de regering op een ander terrein bevestigd, maar had daarmee ook de toepasbaarheid van het principe beperkt, en die zaak was niet verder gegaan en was geldend recht geworden voor een groot deel van het land.

Dit waren de verkeerde mensen. Hun opvatting over de rechterlijke macht was te beperkt. Ze verwezen te veel naar het Congres en de wetgevende vergaderingen van de staten. Pat Martin dacht anders over het recht dan hijzelf. Martin zag niet in dat rechters recht moesten zetten wat verkeerd was; daar hadden ze onder de lunch vaak met veel vuur maar altijd in een goede sfeer over gediscussieerd. Martin was een aardige man, en hij was erg goed in discussies, of hij nu gelijk had of niet, en terwijl dat hem een goede aanklager zou maken, had hij daar gewoon niet het temperament voor. Hij zag de dingen niet zoals ze moesten zijn, en op dezelfde manier had hij deze rechters gekozen. De senaat zou dom genoeg kunnen zijn om met deze keuze akkoord te gaan, en dat mocht absoluut niet gebeuren. Voor dit soort macht moest je mensen kiezen die daar op de juiste manier mee konden omgaan.

Eigenlijk had hij geen keus. Hij stopte de lijst in een envelop, stak die in de zak van zijn jasje en nam de telefoon om een lunchafspraak met een van zijn vele relaties te maken.

30

Pers

Ze deden het voor het ochtendnieuws, zo groot was de invloed van de televisie geworden. Zo werd de werkelijkheid gedefinieerd, veranderd en bekendgemaakt. Voorwaar, er was een nieuwe dag begonnen. De kijker hoefde niet meer te twijfelen. Er hing een nieuwe vlag achter de presentator, een groen veld, de kleur van de islam, met twee kleine gouden sterren. De presentator begon met een passage uit de koran en ging toen over op politieke aangelegenheden. Er was een nieuw land. Het heette de Verenigde Islamitische Republiek. Het zou bestaan uit de voormalige naties Iran en Irak. De nieuwe natie zou zich laten leiden door de islamitische principes van vrede en broederschap. Er zou een gekozen parlement komen dat een *majlis* heette. Aan het eind van het jaar zouden verkiezingen worden gehouden, beloofde hij. Intussen zou er een Revolutionaire Raad zijn die bestond uit politieke figuren uit beide landen, in verhouding tot hun bevolkingsaantallen, hetgeen Iran de meerderheid gaf, maar dat vertelde de presentator er niet bij; dat hoefde hij niet te vertellen.

Geen enkel ander land, ging hij verder, had reden om de VIR te vrezen. De nieuwe natie was alle moslimnaties welgezind, en ook alle naties die vriendschappelijke betrekkingen onderhielden met de vroegere delen van de nieuwe staat. Dat deze verklaring in veel opzichten tegenstrijdig was, bleef onbesproken. De andere Golfstaten, allemaal islamitisch, hadden bepaald geen vriendschappelijke betrekkingen met een van beide partnerstaten onderhouden. De eliminatie van de wapenfaciliteiten van de voormalige Iraakse staat zou in hoog tempo doorgaan, opdat de internationale gemeenschap niet voor vijandigheden hoefde te vrezen. Politieke gevangenen zouden meteen worden vrijgelaten...

'Dan krijgen ze ruimte voor nieuwe,' zei majoor Sabah in PALM BOWL. 'Zo, nu is het dus gebeurd.' Hij hoefde niemand te bellen. De televisiebeelden waren in het hele gebied van de Golf te ontvangen, en in alle kamers met een televisietoestel was maar één blij gezicht te zien: dat van de presentator, dat wil zeggen, totdat er beelden kwamen van spontane demonstraties bij een aantal moskeeën, waar mensen hun ochtendgebeden deden en naar buiten liepen om uiting te geven aan hun grote vreugde.

'Hallo, Ali,' zei Jack. Hij was opgebleven om de mappen door te nemen die Martin had achtergelaten. Hij wist dat het telefoontje zou komen en leed weer aan een hoofdpijn die hij al scheen te krijgen als hij alleen maar het Oval Office binnenliep. Het was verrassend dat de Saoedi's er zo lang mee hadden gewacht om hun prins-minister zonder portefeuille te laten bellen. Misschien hadden ze gehoopt dat het vanzelf wel over zou gaan, een eigenschap die meer voorkwam in dat deel van de wereld. 'Ja, ik kijk nu naar de televisie.' Onder op het scherm was een ondertiteling te zien die door inlichtingenspecialisten van de National Security Agency werd ingetypt. De retoriek was een beetje bloemrijk, maar de inhoud was voor iedereen in de kamer volkomen duidelijk. Adler, Vasco en Goodley waren gekomen zodra de eerste televisiebeelden werden overgeseind. Ze hadden Ryan van zijn leeswerk maar niet van zijn hoofdpijn verlost.

'Dit is erg verontrustend, maar niet erg verrassend,' zei de prins door de crypto-telefoonlijn.

'Het was niet tegen te houden. Ik weet hoe het op jou overkomt, Ali,' zei de president vermoeid. Hij had trek in koffie, maar hij wilde die nacht ook nog wat slapen.

'We brengen onze strijdkrachten in een verhoogde staat van paraatheid.'

‘Kunnen we iets voor jullie doen?’ vroeg Ryan.
‘Voorlopig willen we alleen weten of jullie ons blijven steunen.’
‘Dat blijven we. Ik heb je dat al vaker gezegd. Wij blijven ons voor de veiligheid van het koninkrijk inzetten. Als jullie willen dat we iets doen om dat te demonstreren, zijn we bereid tot alle maatregelen die redelijk en passend zijn. Willen jullie...’
‘Nee, meneer de president, wij hebben momenteel geen formele verzoeken. Hij zei dat op zodanige toon dat Jack zijn blik van de telefoon met luidspreker afwendde en zijn bezoekers even aankeek.
‘Zou het in dat geval een goed idee zijn als sommigen van jouw mensen de mogelijkheid met sommigen van mijn mensen bespreken?’
‘Het moet stilgehouden worden. Mijn regering wil geen olie op het vuur gooien.’
‘We zullen doen wat we kunnen. Je kunt met admiraal Jackson gaan praten. Hij is directeur Operaties van...’.
‘Ja, meneer de president, ik heb hem in de East Room ontmoet. Ik zal onze mensen op werkniveau opdracht geven later op de dag contact met hem op te nemen.’
‘Goed. Als je me nodig hebt, Ali, ik ben altijd te bereiken via de telefoon.’
‘Dank je, Jack. Ik hoop dat je goed zult slapen.’ Dat zul je nodig hebben. Dat zullen we allemaal nodig hebben. En de verbinding was verbroken. Ryan drukte op de haak om er zeker van te zijn.
‘Opinies?’
‘Ali wil dat we iets doen, maar de koning heeft nog geen besluit genomen,’ zei Adler.
‘Ze zullen proberen contact met de VIR te leggen,’ merkte Vasco op. ‘Dat is hun eerste instinctieve stap: proberen de dialoog op gang te brengen, proberen een beetje zaken te doen. De Saoedi’s zullen het voortouw nemen. Ik denk dat Koeweit en de andere kleinere staten het in eerste instantie aan de Saoedi’s overlaten, maar we zullen gauw van hen horen, waarschijnlijk via de gebruikelijke kanalen.’
‘We hebben een goede ambassadeur in Koeweit?’ vroeg de president.
‘Will Bach,’ zei Adler met een nadrukkelijk hoofdknikje. ‘Carrièrediplomaat. Goede man. Niet veel verbeeldingskracht, maar een harde werker. Hij kent de taal en de cultuur en heeft veel vrienden in de koninklijke familie. Een goede commerciële man. Hij kan goed bemiddelen tussen ons bedrijfsleven en de Koeweitse regering.’
‘En hij heeft ook een goede nummer twee,’ ging Vasco verder. ‘En de attachés daar behoren tot de besten, allemaal inlichtingenmensen, en goede ook.’
‘Goed, Bert.’ Ryan zette zijn leesbril af en wreef over zijn ogen. ‘Vertel me wat er nu gebeurt.’
‘De hele zuidkant van de Golf is doodsbenauwd. Hun nachtmerrie is werkelijkheid geworden.’
Ryan knikte en keek Goodley aan. ‘Ben, ik wil een CIA-rapport over de inten-

ties van de VIR, en ik wil dat je Robby belt om te horen welke opties we hebben. Betrek Tony Bretano er ook bij. Hij wilde minister van Defensie worden en ik wil dat hij leert nadenken over de niet-administratieve aspecten van zijn baan.'
'Langley heeft geen flauw idee,' merkte Adler op. 'Dat is niet hun schuld, maar het is nu eenmaal zo.' En dus zouden er in hun rapport allerlei mogelijke opties staan, variërend van een atoomoorlog – Iran beschikte immers over kernkoppen – tot de wederkomst van de Heer, en drie of vier opties daartussenin, elk met een eigen theoretische rechtvaardiging. Op die manier kreeg de president, zoals gewoonlijk, de kans om de verkeerde opties te kiezen en dan was het helemaal zijn eigen schuld.
'Ja, dat weet ik. Scott, laten wij ook proberen contact te leggen met de VIR.'
'De olijftak uitsteken?'
'Ja,' beaamde de president. 'Denkt ieder van jullie dat ze tijd nodig hebben om de situatie te consolideren voordat ze iets radicaals doen?' Er werd geknikt, maar niet door iedereen.
'Meneer de president?' zei Vasco.
'Ja, Bert... O ja, goede beslissing. Je timing was wat ongelukkig, maar je had het helemaal goed.'
'Dank u, meneer. Wat die consolidatie betreft: dat heeft toch met mensen te maken?'
'Ja.' Ryan en de rest knikten. Het consolideren van een bewind hield ongeveer in dat de mensen aan het nieuwe regeringssysteem gewend raakten en het accepteerden.
'Meneer de president, als we naar het aantal mensen in Irak kijken dat aan deze nieuwe regering moet wennen, en als we dat dan vergelijken met het aantal inwoners van de Golfstaten... Het is een grote sprong in termen van afstand en territorium, maar niet in termen van bevolkingsaantallen,' zei Vasco. Hij herinnerde hen eraan dat Saoedi-Arabië weliswaar groter was dan heel Amerika ten oosten van de Mississippi, maar dat er minder mensen woonden dan in Philadelphia inclusief forensenplaatsen.
'Ze zullen niet meteen iets doen,' wierp Adler tegen.
'Misschien toch wel. Het hangt ervan af wat u onder "meteen" verstaat, meneer.'
'Iran heeft te veel interne problemen,' zei Goodley.
Vasco vond het zo langzamerhand prettig om de aandacht van de president te hebben. Hij besloot het initiatief te nemen. 'U moet de religieuze dimensie niet onderschatten,' waarschuwde hij. 'De islam is een bindende factor die hun interne problemen kan wegnemen of op zijn minst kan reduceren. Dat blijkt uit hun vlag. Dat blijkt uit de naam van het land. Mensen op de hele wereld houden van winnaars. Daryaei komt nu toch over als een echte winnaar? En nog iets anders.'
'Wat dan, Bert?' vroeg Adler.
'Hebt u hun vlag gezien? Die twee sterren zijn nogal klein,' zei Vasco peinzend.

'Nou, en?' Dat was Goodley. Ryan keek weer naar de presentator op de televisie. De vlag hing nog achter hem en...
'Nou, er is ruimte voor meer.'

Van een moment als dit had hij vaak gedroomd, maar zoiets was in werkelijkheid altijd mooier dan in een droom. Het gejuich was nu echt. Het kwam van buiten zijn oren, niet van binnen. Mahmoud Haji Daryaei was voor zonsopgang naar Bagdad gevlogen en was in het licht van de opkomende zon naar de centrale moskee gelopen. Daar had hij zijn schoenen uitgedaan en zijn handen en onderarmen gewassen, want een man moest rein voor zijn God verschijnen. Nederig had hij naar de oproep vanaf de minaret geluisterd. De gelovigen werden tot het gebed geroepen en vandaag draaiden de mensen zich niet om, probeerden ze niet nog een paar uur slaap te krijgen. Vandaag stroomden ze massaal naar de moskee, een teken van devotie dat hun bezoeker diep trof. Daryaei realiseerde zich hoe bijzonder dit moment was. De tranen liepen over zijn donkere, diep doorgroefde wangen, tranen van emotie. Hij had de eerste van zijn taken volbracht. Hij had de wensen van de profeet Mohammed in vervulling laten gaan. Hij had een zekere mate van eenheid in het geloof gebracht, de eerste stap van zijn heilige streven. In de eerbiedige stilte die op het ochtendgebed volgde, stond hij op en liep naar buiten, en daar werd hij herkend. Tot grote paniek van zijn lijfwachten liep hij gewoon over straat en beantwoordde de groet van mensen die eerst stomverbaasd en meteen daarop enthousiast waren toen ze de voormalige vijand van hun land als gast in hun midden zagen.
Er waren geen camera's om dit vast te leggen. Dit moment mocht niet worden vervuild door publiciteit, en hoewel er gevaar bij was, accepteerde hij dat. Wat hij deed, zou hem veel vertellen. Het zou hem veel vertellen over de macht van zijn geloof, en het vernieuwde geloof van deze mensen, en het zou hem vertellen of hij al dan niet Allah's zegen had, want Daryaei was waarlijk een nederig man, die deed wat hij moest doen, niet voor zichzelf, maar voor zijn God. Waarom anders, vroeg hij zich vaak af, zou hij hebben gekozen voor een leven van gevaar en ontzegging? Al gauw vormde zich een grote menigte op het trottoir, een menigte die bleef groeien. Mensen die hij nooit had ontmoet, wierpen zich op als zijn bewakers en baanden een weg voor hem door de lichamen en het gejuich. Terwijl zijn oude benen zich over de straat bewogen, tuurden zijn serene donkere ogen naar links en rechts. Hij vroeg zich af of er gevaar was, maar zag op de gezichten van de mensen alleen dezelfde blijdschap die hij zelf ook voelde. Hij keek en gebaarde naar de menigte zoals een grootvader zijn nageslacht begroet, niet glimlachend, maar beheerst. Hij aanvaardde hun liefde en respect en beloofde met zijn vriendelijke ogen nog grotere dingen, want grote daden moesten worden gevolgd door nog grotere daden, en dit was er het moment voor.

'Nou, wat voor man is hij?' vroeg Filmster. Hij was via Frankfurt naar Athene gevlogen, en vandaar naar Beiroet, en vandaar naar Teheran. Hij kende Daryaei alleen van reputatie.

'Hij weet wat macht is,' antwoordde Badrayn, die naar de demonstratie buiten luisterde. Er was iets bijzonders aan vrede, vond hij. De oorlog tussen Irak en Iran had bijna tien jaar geduurd. Kinderen waren naar de slagvelden gestuurd om te sterven. Raketten hadden de steden van beide landen geteisterd. Niemand zou ooit weten hoe groot het menselijk leed was geweest, en hoewel de oorlog jaren geleden was afgelopen, was er nu pas echt een eind aan gekomen, dat was misschien eerder iets van het hart dan van de wet. Of misschien was het iets van Gods wet, die anders was dan die van de mens. De euforie die eruit voortkwam, was iets wat hij vroeger zelf ook wel eens had gevoeld. Maar nu wist hij beter. Zulke gevoelens waren wapens van het staatsmanschap, dingen die gebruikt konden worden. Buiten stonden mensen die kortgeleden nog hadden geklaagd over alles wat ze moesten ontberen, die de wijsheid van hun leider in twijfel hadden getrokken, die in verzet waren gekomen (voorzover dat in een strak geleide samenleving als deze mogelijk was) tegen de beperking van hun vrijheden. Dat was nu verleden tijd, en dat zou het blijven tot... hoe lang? Dat was de vraag, en daarom moest je een goed gebruik maken van een moment als dit. En Daryaei wist van die dingen.

'Nou,' zei Badrayn, terwijl hij het straatlawaai uit zijn hoofd zette. 'Wat ben je te weten gekomen?'

'De interessantste dingen ben ik te weten gekomen door naar de televisie te kijken. President Ryan doet het goed, maar hij heeft problemen. De regering functioneert nog niet goed. Het Lagerhuis van hun parlement is nog niet vervangen, de verkiezingen daarvoor beginnen volgende maand. Ryan is populair. De Amerikanen zijn gek op opinieonderzoeken,' legde hij uit. 'Ze bellen mensen op en stellen vragen, een paar duizend maar, vaak nog minder, maar daar kunnen ze uit afleiden wat iedereen denkt.'

'Het resultaat?' vroeg Badrayn.

'Een grote meerderheid schijnt het eens te zijn met wat hij doet, maar eigenlijk doet hij niets, behalve doorgaan. Hij heeft nog niet eens een vice-president gekozen.'

Badrayn wist dat, maar hij wist de reden niet. 'Waarom?' vroeg hij.

Filmster grijnsde. 'Dat vroeg ik me ook af. Het volledige parlement moet met zoiets instemmen, en het parlement is nog niet volledig. Dat zal ook nog wel even duren. Bovendien is er het probleem van de voormalige vice-president, die Kealty, die beweert dat hij de president is, en Ryan heeft hem niet gevangengezet. Het rechtsstelsel rekent niet goed met verraders af.'

'En als we Ryan konden doden...?'

Filmster schudde zijn hoofd. 'Erg moeilijk. Ik heb een middag door Washington gelopen. De beveiliging van het Witte Huis is erg streng. Het is niet geopend voor rondleidingen. De straat voor het gebouw is afgesloten. Ik heb een uur op een bankje zitten lezen en heb intussen op de tekens gelet. Scherp-

schutters op alle gebouwen. Misschien zouden we het kunnen proberen als hij een officiële reis maakt, maar daarvoor zou een enorme planning nodig zijn en daar hebben we geen tijd voor. En zo komen we op...'
'Zijn kinderen,' vulde Badrayn aan.

Jezus, ik zie ze bijna nooit meer, dacht Jack. Hij was net uit de lift gestapt, vergezeld door Jeff Raman, en keek op zijn horloge. Kort na middernacht. Verdomme. Het was hem die avond gelukt om in de gauwigheid nog even met hen en Cathy te eten, voordat hij weer naar beneden ging om te lezen en te vergaderen, en nu... waren ze allemaal in diepe slaap verzonken.
De bovengang was leeg en eenzaam, te breed voor een echt huis. Er stonden daar drie agenten, 'staande wacht' noemden ze dat, en er was ook een sergeant met de 'voetbal' vol nucleaire codes. Het was stil omdat het zo laat was, en de sfeer was die van een dure begrafenisonderneming, niet die van een huis waar een gezin woonde. Geen rommel, geen speelgoed op de vloer, geen lege glazen voor de televisie. Te netjes, te opgeruimd, te kil. Altijd iemand in de buurt. Raman wisselde een blik met de andere agenten, die met een hoofdknikje te kennen gaven dat alles in orde was. Niemand met pistolen in de buurt, dacht Ryan. Geweldig!
De slaapkamers lagen hierboven te ver uit elkaar. Hij sloeg linksaf om eerst naar Katies kamer te gaan. Toen hij de deur opendeed, zag hij zijn jongste, die kortgeleden de stap van kinderbedje naar gewoon bed had gemaakt, op haar zij liggen, een rulle bruine teddybeer naast haar. Ze droeg nog een slaappakje met voeten eraan. Jack kon zich herinneren dat Sally ook zo'n pakje had gedragen, en hoe lief kinderen er dan uitzien, als kleine cadeautjes. Maar Sally verheugde zich nu op de dag dat ze dingen uit Victoria's Secret zou kopen en Jack junior – die de laatste tijd bezwaar maakte tegen die naam – wilde nu boxershorts, want dat was de nieuwste rage voor jongens van zijn leeftijd, en ze moesten ver omlaag getrokken worden, want het was 'in' om te riskeren dat ze zouden afzakken. Nou, ze hadden nog een peuter. Jack ging naar het bed en bleef daar even staan, kijkend naar Katie en in stilte genietend van het vaderschap. Hij keek om zich heen. Ook deze kamer was onnatuurlijk netjes. Alles was opgeruimd. Er slingerde niets op de vloer. Haar kleren voor de volgende dag lagen netjes op een stapeltje. Zelfs de witte sokken lagen opgevouwen naast de kleine gymschoentjes met tekenfilmfiguurtjes. Was dit een manier van leven voor een kind? Het leek wel een Shirley Temple-film uit de tijd dat mama en papa nog kinderen waren, iets uit de betere kringen waarvan hij zich altijd had afgevraagd: leven die mensen echt zo?
Geen echte mensen, alleen koninklijke persoonlijkheden en het gezin van de man die tot het presidentschap was veroordeeld. Jack glimlachte, schudde zijn hoofd en verliet de kamer. Agent Raman deed de deur voor hem dicht. Zelfs dat mocht de president niet doen. Ergens anders in het gebouw was ongetwijfeld op een elektronisch bord te zien dat de deur was geopend en gesloten, en waarschijnlijk lieten sensoren weten dat iemand de kamer was binnengegaan

en had iemand via de radioverbinding van de Secret Service te horen gekregen dat SWORDSMAN bij SANDBOX had gekeken.
Hij stak zijn hoofd in Sally's kamer. Zijn oudste dochter lag ook te slapen en droomde vast en zeker van een jongen in haar klas, ene Kenny of zoiets. Een jongen die cool was. De kamer van Jack junior werd zowaar bevuild door een stripboekje dat op de vloer lag, maar zijn witte overhemd was gestreken en netjes opgehangen en iemand had zijn schoenen gepoetst.
Weer een dag verknald, dacht de president. Hij keek zijn lijfwacht aan. 'Goedenavond, Jeff.'
'Goedenavond, meneer de president,' zei agent Raman voor de deur van de grote slaapkamer. Ryan knikte de man toe en Raman wachtte tot de deur dicht was. Toen keek hij links en rechts naar de andere agenten van het escorte. Zijn rechterhand streek over het dienstpistool onder zijn jasje en zijn ogen glimlachten op een eigenaardige manier, want ze wisten wat er had kunnen gebeuren. Hij had nog geen antwoord gekregen. Nou, zijn contactpersoon was ongetwijfeld even voorzichtig als hij, en dat was maar goed ook. Aref Raman had die nacht dienst als leider van het escorte. Hij liep de gang door, knikte naar de agenten die op hun post stonden, stelde een onschuldige vraag, en ging toen met de lift naar de benedenverdieping. Hij liep naar buiten om wat frisse lucht te happen, zich uit te rekken en naar de wachtposten langs de grens van het terrein te kijken, waar ook alles rustig was. Er waren demonstranten in Lafayette Park aan de overkant van de straat. Op dit late uur stonden ze dicht opeen en velen van hen rookten. Hij wist niet precies wat ze rookten, maar hij had zijn vermoedens. Misschien hasjiesj? vroeg hij zich met een vaag glimlachje af. Zou dat niet grappig zijn? Verder waren er alleen de verkeersgeluiden, een sirene ver in het oosten, en agenten die op hun post stonden en wakker probeerden te blijven door over basketbal of hockey of de voorjaarstraining voor honkbal te praten. Ze keken voortdurend rond, bedacht op vreemden in de schaduwen van de stad. De verkeerde plaats om te kijken, dacht Raman. Hij draaide zich om en ging naar zijn commandopost terug.

'Is het mogelijk om ze te kidnappen?'
'De twee oudsten niet, te lastig, te moeilijk, maar de jongste, dat is mogelijk. Het kan wel gevaarlijk en kostbaar worden,' waarschuwde Filmster.
Badrayn knikte. Dat betekende dat hij buitengewoon betrouwbare mensen moest kiezen. Daryaei had zulke mensen. Dat bleek uit de gebeurtenissen in Irak. Enkele minuten keek hij zwijgend naar de tekeningen, terwijl zijn gast uit het raam stond te kijken. De demonstratie was nog aan de gang. Nu schreeuwden ze: 'Dood aan Amerika!' De mensen en diegenen door wie ze werden geleid, hadden veel ervaring met die specifieke kreet. Toen kwam zijn inlichtingenman terug.
'Wat is precies de missie, Ali?' vroeg Filmster.
'De strategische missie is voorkomen dat Amerika zich in onze zaken mengt.' Badrayn keek op. Met ons bedoelde hij nu wat Daryaei daaronder verstond.

Alle negen, zag Moudi. Hij deed de antistoffentests zelf. Hij deed ze zelfs drie keer, en de uitslagen waren allemaal positief. Ze waren allemaal besmet. Om veiligheidsredenen kregen ze geneesmiddelen en werd hun verteld dat ze niets ernstigs mankeerden. Dat zouden ze te horen krijgen totdat werd vastgesteld dat de ziekte volledig was overgedragen en niet was verzwakt in de vorige groep gastheren. Ze kregen vooral morfine, want dan waren ze rustig en dachten ze niet na. Benedict Mkusa was de eerste geweest, gevolgd door zuster Jean Baptiste, gevolgd door tien misdadigers, en nu weer negen. Tweeëntwintig slachtoffers als je zuster Maria Magdalena ook meerekende. Hij vroeg zich af of zuster Jean Baptiste nog in het paradijs voor hem bad en schudde zijn hoofd.

Sohaila, dacht dokter MacGregor terwijl hij zijn aantekeningen doornam. Ze was ziek, maar haar toestand was stabiel. Haar temperatuur was een hele graad gezakt. Soms kon ze helder denken. Hij had eerst aan jetlag gedacht, totdat er bloed in haar braaksel en ontlasting bleek te zitten, maar daar was een eind aan gekomen... Voedselvergiftiging? Dat had de meest waarschijnlijke diagnose geleken. Waarschijnlijk had ze hetzelfde gegeten als de rest van haar familie, maar het kon één slecht stuk vlees zijn geweest, maar misschien had ze gedaan wat alle kinderen wel eens deden: iets verkeerds doorgeslikt. Letterlijk iedere huisarts op de hele wereld kreeg daar elke week mee te maken, en het kwam vooral veel voor in de westerse gemeenschap in Khartoum. Maar ze kwam ook uit Irak, net als patiënt Saleh. Hij had de antistoffentest van Saleh overgedaan, en er was geen enkele twijfel. De lijfwacht was ernstig ziek, en als zijn immuunsysteem niet sterker werd...
Het immuunsysteem van kinderen, herinnerde MacGregor zich, geschrokken van het verband dat hij had gelegd, was sterker dan dat van een volwassene. Hoewel alle ouders wisten dat ieder kind binnen enkele uren hoge koorts kon krijgen, was de reden daarvoor simpelweg dat kinderen bij het opgroeien voor het eerst aan allerlei ziekten werden blootgesteld. Elk organisme ging het kind te lijf, en in ieder kind vocht het immuunsysteem terug, waaruit antistoffen voortkwamen die deze specifieke vijand (mazelen, de bof, noem maar op) altijd zouden verslaan wanneer hij weer opdook. In bijna alle gevallen versloeg het de ziekte die eerste keer in korte tijd, daarom kon een kind de ene dag hoge koorts hebben en de volgende dag niets mankeren, ook een eigenschap van kinderen die ouders eerst bang maakte en dan versteld liet staan. De zogeheten kinderziekten waren de ziekten die in de kindertijd werden verslagen. Een volwassene die er voor het eerst aan werd blootgesteld, had er veel meer last van. De bof kon een gezonde man impotent maken; waterpokken, voor een kind alleen een vervelende kwaal, konden volwassenen doden; mazelen hadden hele volkeren gedood. Waarom? Omdat het mensenkind ondanks al zijn uiterlijke zwakheid een van de taaiste organismen was die er bestonden. Vaccins tegen kinderziekten waren niet ontwikkeld om vele kinderen te redden, maar om de weinigen te redden die om de een of andere reden – waarschijnlijk van geneti-

sche aard, maar dat werd nog onderzocht – ongewoon kwetsbaar waren. Zelfs polio, een verwoestende verlammingsziekte, had alleen maar een fractie van haar slachtoffers voorgoed verlamd gemaakt, maar dat waren vooral kinderen, en volwassenen beschermden kinderen even fel als altijd over dieren werd gezegd, en terecht, vond MacGregor, want de menselijke psyche was geprogrammeerd om goed voor kinderen te zorgen. Dat was de reden waarom de medische wetenschap altijd zoveel aandacht aan kinderen had besteed... Waartoe leidde deze gedachtegang? vroeg de arts zich af. Het gebeurde vaak dat zijn hersenen hun eigen weg gingen, alsof ze ronddwaalden in een bibliotheek van gedachten, op zoek naar de juiste referenties, de juiste verbanden...

Saleh kwam uit Irak.

Sohaila kwam ook uit Irak.

Saleh had ebola.

Sohaila vertoonde symptomen van griep, of voedselvergiftiging, of...

Maar ebola gedroeg zich in het begin als griep...

'O nee,' fluisterde MacGregor. Hij stond op en liep naar haar kamer. Onderweg pakte hij een spuit en wat vacuümbuisjes. Zoals te verwachten was, was het kind bang voor de naald, maar MacGregor was er handig mee en het was allemaal al voorbij voordat ze begon te huilen. Dat laatste probleem liet hij aan haar moeder over, die in de kamer was blijven slapen.

Waarom heb ik deze test niet eerder gedaan? ging de jonge arts tegen zichzelf tekeer. Verdomme.

'Ze zijn hier niet officieel,' zei de functionaris van het ministerie van Buitenlandse Zaken tegen de functionaris van het ministerie van Volksgezondheid. 'Wat is precies het probleem?'

'Hij schijnt het ebolavirus te hebben.' Nu keek de andere man aandachtig op. Hij knipperde met zijn ogen en boog zich over zijn bureau naar voren.

'Weet u dat zeker?'

'Ja.' De Soedanese arts knikte. 'Ik heb de testgegevens gezien. De behandelend arts is Ian MacGregor, een van onze Britse bezoekers. Hij is goed in zijn vak.'

'Is het aan iemand verteld?'

'Nee.' De arts schudde nadrukkelijk met zijn hoofd. 'Er is geen reden tot paniek. De patiënt is volkomen geïsoleerd. Het ziekenhuispersoneel is bekwaam. We worden geacht de Wereldgezondheidsorganisatie in kennis te stellen en...'

'U weet zeker dat er geen risico van een epidemie bestaat?'

'Ja. Zoals ik al zei, de patiënt is volkomen geïsoleerd. Ebola is een gevaarlijke ziekte, maar we kunnen ermee omgaan,' antwoordde de arts vol zelfvertrouwen.

'Waarom moet u dan de Wereldgezondheidsorganisatie in kennis stellen?'

'In zulke gevallen sturen ze een team om toezicht te houden op de situatie, om over procedures te adviseren en om op zoek te gaan naar de bron van de infectie, opdat...'

'Die Saleh heeft de ziekte toch niet hier opgelopen?'
'Absoluut niet. Als we dat probleem hier hadden, zou ik het meteen weten,' verzekerde hij zijn gastheer.
'Dus er is geen gevaar dat de ziekte zich verspreidt? En omdat hij de ziekte zelf het land in heeft gebracht, loopt de volksgezondheid van ons land geen enkel gevaar?'
'Zo is het.'
'Aha.' De ambtenaar keek uit het raam. De aanwezigheid van de voormalige Iraakse officieren in Soedan was nog een geheim, en het was in het belang van zijn land dat het een geheim bleef. Dat betekende simpelweg dat niemand het mocht weten. Hij draaide zich om. 'U zult de Wereldgezondheidsorganisatie niet in kennis stellen. Als algemeen bekend wordt dat die Irakees in ons land is, zou dat ons in diplomatieke verlegenheid brengen.'
'Dat zou een probleem kunnen zijn. Dokter MacGregor is jong en idealistisch en...'
'Zeg het tegen hem. Als hij bezwaar maakt, stuur ik wel iemand om met hem te praten,' zei de ambtenaar met opgetrokken wenkbrauwen. Zulke waarschuwingen, op de juiste manier gegeven, werden zelden in de wind geslagen.
'Zoals u wilt.'
'Zal die Saleh het overleven?'
'Waarschijnlijk niet. Ongeveer acht van de tien patiënten sterven aan de ziekte en hij gaat snel achteruit.'
'Enig idee hoe hij de ziekte heeft opgelopen?'
'Nee. Hij ontkent dat hij ooit eerder in Afrika is geweest, maar zulke mensen spreken niet altijd de waarheid. Ik kan eens met hem gaan praten.'
'Dat lijkt me nuttig.'

PRESIDENT WIL CONSERVATIEVEN IN HOOGGERECHTSHOF, luidde de kop. Het personeel van het Witte Huis slaapt nooit, al mag de president dat soms wel. Terwijl de rest van de stad sliep, kwamen er allerlei kranten binnen. Stafmedewerkers namen ze door en zochten naar dingen die van bijzonder belang konden zijn voor de regering. Die artikelen werden uitgeknipt, bij elkaar geplakt en gefotokopieerd voor de *Early Bird*, een informele publicatie die de machtigen in staat stelde om aan de weet te komen wat er gebeurde; dat wil zeggen, wat de pers dacht dat er gebeurde, hetgeen soms waar en soms onwaar was en er meestal tussenin zat.
'We hebben een groot lek,' zei een van hen, terwijl ze het artikel uit de *Washington Post* knipte.
'Daar lijkt het op. En het wordt druk rondverteld,' beaamde haar collega, die met de *New York Times* bezig was.
Een intern document van het ministerie van Justitie bevat een lijst met de rechters die door de regering-Ryan als mogelijke kandidaten voor de negen vrijgekomen zetels in het hooggerechtshof worden gezien.
Elk van de juristen op de lijst is een rechter in een Hof van Appèl. Het zijn uiterst

conservatieve figuren. Op de lijst komt niemand voor die ooit door de presidenten Fowler of Durling is voorgedragen.
Onder normale omstandigheden wordt zo'n lijst van kandidaten eerst aan een commissie van de Amerikaanse Orde van Advocaten voorgelegd, maar in dit geval is de lijst intern opgesteld door hoge ambtenaren van het ministerie van Justitie. Dat gebeurde onder leiding van Patrick J. Martin, openbaar aanklager en hoofd van de afdeling Strafrecht.
'De pers vindt het maar niks.'
'Vind je dat al erg? Nou, dan moet je dit hoofdartikel zien. Allemachtig, ze springen erop als een bok op een haverkist.'

Ze hadden nog nooit zo hard aan iets gewerkt. Ze werkten zestien uur per dag, met 's avonds weinig bier, haastige maaltijden uit blik en alleen de radio als vermaak. Die radio moest momenteel hard staan. Ze waren lood aan het koken. De installatie was dezelfde die ook door loodgieters werd gebruikt, een propaantank met een brander bovenop, als een omgekeerde raket die aan de grond wordt uitgetest, en boven die brander stond een metalen pot met lood dat door de bulderende vlam in vloeibare staat werd gehouden. Bij de pot hoorde een lepel, en daarmee schepten ze het lood op en goten het in kogelmallen. Zo kregen ze kogels van kaliber .58, 505 grain, speciaal voor voorladers, ongeveer zoals de oorspronkelijke 'Mountain Men' rond 1820 in het wilde westen hadden gehad. Die mallen hadden ze uit een postordercatalogus besteld. Het waren er tien, met vier holtes per mal.
Tot nu toe, dacht Ernie Brown, ging alles goed, vooral wat de geheimhouding betrof. Kunstmest was geen geregistreerd artikel. Dieselbrandstof ook niet. En lood ook niet, en elke aankoop hadden ze gespreid over verschillende leveranciers, zodat ze nooit zo'n grote aankoop deden dat het argwaan wekte.
Evengoed was het tijdrovend dom werk, maar zoals Pete had opgemerkt, was Jim Bridger ook niet met een helikopter naar het westen gekomen. Nee, hij had de reis te paard gemaakt, ongetwijfeld met een lastdier of twee. Per dag zou hij zo'n twintig tot dertig kilometer hebben afgelegd. Onderweg strikte hij nu en dan een bever en in het algemeen deed hij alles op een moeilijke, hoogst eigenzinnige manier. Soms kwam hij andere mensen tegen en dan ruilden ze drank of tabak. Dus wat zij nu deden, paste bij de traditie van hun eigen soort mensen. Dat was belangrijk.
Ze waren goed op elkaar ingewerkt. Pete deed nu het lepelwerk. Van tijd tot tijd goot hij lood in de mallen. Als hij de laatste mal had gevuld, was het lood in de eerste al zo hard geworden dat, als de mal in water werd gedompeld en daarna werd geopend – het tweedelig hulpmiddel was net een tang – de kleine projectielen eruit rolden. Ze werden in een leeg olievat gegooid en de mallen werden in hun houders teruggezet. Ernie verzamelde het gemorste lood en gooide het in de pot terug, want ze wilden niets verspillen.
Het enige probleem was de auto, de betonmolen, maar in een van de plaatselijke kranten lazen ze over een veiling waar spullen werden verkocht van een

aannemer die ermee ophield. Voor niet meer dan eenentwintigduizend dollar hadden ze een drie jaar oude wagen met een Mack-carrosserie gekocht die nog maar honderdtienduizend kilometer op de teller had en in vrij goede staat verkeerde. Ze hadden hem uiteraard in het donker naar de boerderij gereden en hij stond nu zeven meter van hen vandaan in de schuur. Zijn koplampen keken hen als een paar ogen aan.
Het werk was monotoon, maar zelfs dat hielp. Aan de wand van de schuur hing een kaart van het centrum van Washington, en terwijl Ernie in het lood roerde, keek hij naar die kaart en liet hij zijn gedachten erover gaan. Hij kende alle afstanden, en afstand was de belangrijkste factor. De agenten van de Secret Service dachten dat ze erg slim waren. Ze hadden Pennsylvania Avenue afgesloten om bommen bij het huis van de president vandaan te houden. Nou, zo slim waren ze nu ook weer niet. Ze hadden één ding over het hoofd gezien.

'Maar ik móet het melden,' zei MacGregor. 'We zijn dat verplicht.'
'U zult het niet doen,' zei de man van het ministerie van Volksgezondheid tegen hem. 'Het is niet nodig. De Index Patient heeft de ziekte meegebracht. U hebt de juiste isolatiemaatregelen genomen. De personeelsleden doen hun werk; u hebt ze goed opgeleid, dokter MacGregor,' voegde hij eraan toe om de sfeer wat vriendelijker te maken. 'Het zou mijn land slecht uitkomen als dit in de openbaarheid kwam. Ik heb het met het ministerie van Buitenlandse Zaken besproken, en het mag niet worden gemeld. Is dat duidelijk?'
'Maar...'
'Als u dit doorzet, moeten we u verzoeken het land te verlaten.'
MacGregor kreeg een kleur. Hij had een lichte, noordelijke teint en op zijn gezicht was te gemakkelijk te zien hoe hij eraan toe was. Die schoft zou een telefoongesprek voeren en dan zou er een politieman – zo noemden ze ze hier, al waren ze duidelijk niet de beschaafde, vriendelijke politiemannen die hij in Edinburgh had gekend – naar zijn huis komen en hem opdracht geven zijn bagage te pakken voor de rit naar het vliegveld. Dat was al eens gebeurd met een Londenaar die een regeringsfunctionaris een beetje te indringend de les had gelezen over aidsrisico's. En als hij vertrok, zou hij patiënten achterlaten, en dat zou hij nooit willen, zoals de ambtenaar wist, en zoals MacGregor wist dat de ambtenaar wist. Jong en toegewijd als hij was, zorgde hij voor zijn patiënten zoals van een arts verwacht mocht worden. Hij zou hen niet gemakkelijk aan de zorg van iemand anders overlaten, niet hier, niet ergens waar te weinig bekwame artsen voor het grote aantal patiënten waren.
'Hoe gaat het met patiënt Saleh?'
'Ik denk niet dat hij het overleeft.'
'Dat is dan jammer, maar er is niets aan te doen. Hebben we enig idee hoe deze man aan de ziekte is blootgesteld?'
De jongere man kreeg weer een kleur. 'Nee, en daar gaat het nou juist om!'
'Ik zal zelf met hem spreken.'

Dat is verrekte moeilijk op drie meter afstand, dacht MacGregor. Maar hij had andere dingen aan zijn hoofd.
De antistoffentest van Sohaila was ook positief geweest. Maar het kleine meisje werd beter. Haar temperatuur was weer een halve graad gezakt. Ze had geen bloed meer in haar braaksel en ontlasting. MacGregor had een serie tests herhaald en had andere tests nog eens nagekeken. De lever van patiënte Sohaila functioneerde bijna normaal. Hij was er zeker van dat ze het zou overleven. Op de een of andere manier was ze aan ebola blootgesteld en op de een of andere manier had ze het virus verslagen, maar zolang hij de omstandigheden van het eerste niet wist, kon hij alleen maar raden naar de reden van het laatste. Hij vroeg zich af of Sohaila en Saleh op dezelfde manier waren besmet... nee, niet precies. Hoe sterk het immuunsysteem van een kind ook kon zijn, het kon niet zoveel sterker zijn dan dat van een gezonde volwassene, en Saleh had geen andere gezondheidsproblemen. Toch stierf de volwassene, terwijl het kind zou blijven leven. Waarom?
Welke andere factoren speelden mee bij die twee gevallen? Er was geen ebolauitbarsting in Irak – die was er nooit geweest, en dan ook nog in zo'n dichtbevolkt land – maar had Irak geen biologische wapens? Zou het kunnen dat ze een uitbarsting hadden gehad maar dat ze het hadden stilgehouden? Maar nee, de regering van dat land verkeerde in staat van beroering. Dat had hij in zijn flat op SkyNews gezien, en onder zulke omstandigheden kon je geen dingen geheimhouden. Er zou paniek zijn uitgebroken.
MacGregor was arts, geen detective. De artsen die dat allebei wel waren, werkten voor de Wereldgezondheidsorganisatie, in het Institut Pasteur in Parijs, en in de CDC in Atlanta. Ze waren niet zozeer intelligenter dan hij als wel ervarener en anders opgeleid.
Sohaila. Hij moest haar begeleiden, moest haar bloed blijven onderzoeken. Zou ze nog anderen kunnen besmetten? MacGregor moest dat in de literatuur opzoeken. Het enige wat hij zeker wist, was dat het ene immuunsysteem verloor en dat het andere won. Als hij iets wilde ontdekken, moest hij bij deze patiënte blijven. Misschien kon hij er later melding van maken, maar voorlopig kon hij hier niet weg.
Trouwens, voordat hij iemand iets vertelde, had hij de bloedmonsters naar het Pasteur en de CDC gestuurd. Die arrogante bureaucraat wist dat niet, en als er zou worden gebeld, was het naar het ziekenhuis en MacGregor. Dan kon hij hun vertellen wat het politieke probleem was. Hij kon een paar vragen stellen en een paar andere vragen doorspelen. Hij moest zich onderwerpen.
'Zoals u wilt,' zei hij tegen de ambtenaar. 'U zult uiteraard de noodzakelijke voorzorgsmaatregelen in acht nemen.'

31

Golven en rimpelingen

Die ochtend moesten ze hun kant van de afspraak nakomen. Opnieuw moest president Ryan de beproeving van schmink en hairspray ondergaan.

'We zouden op zijn minst een echte kappersstoel moeten hebben,' zei Jack terwijl mevrouw Abbot haar plicht deed. De vorige dag had hij gehoord dat de presidentiële kapper naar het Oval Office kwam en zijn werk achter de bureaustoel van de president deed. Dat moest een hoogtijdag voor de Secret Service zijn, dacht hij: een man met een schaar en een scheermes op nog geen drie centimeter afstand van zijn halsslagader. 'Goed, Arnie, wat doe ik met meneer Donner?'

'Meneer de president, hij mag alle vragen stellen die hij wil. Dat betekent dat je over de antwoorden moet nadenken.'

'Ik doe mijn best, Arnie,' zei Ryan met gefronste wenkbrauwen.

'Leg er de nadruk op dat je een burger bent, geen politicus. Misschien zegt dat Donner niets, maar de mensen die vanavond naar het interview kijken zegt het wel iets,' adviseerde Van Damm. 'Je kunt verwachten dat hij over het hooggerechtshof begint.'

'Wie heeft dat laten uitlekken?' vroeg Ryan nors.

'Dat zullen we nooit weten, en als je probeert erachter te komen, lijk je net Nixon.'

'Waarom moet bij alles wat ik doe iemand... Verdomme,' verzuchtte Ryan, terwijl Mary Abbot de laatste hand legde aan zijn haar. 'Dat heb ik tegen George Winston gezegd, nietwaar?'

'Je leert het al. Als je een oud dametje helpt met oversteken, zeggen de feministes dat het neerbuigend is. Als je haar niet helpt, zeggen de bejaardenbonden dat je geen gevoel hebt voor de noden van de ouderen. En zo kan ik je nog wel meer belangengroepen noemen. Ze hebben allemaal hun doeleinden, Jack, en die doeleinden zijn veel belangrijker voor hen dan jij. Daarom moet je proberen zo min mogelijk mensen te kwetsen. Dat is iets anders dan niemand kwetsen. Als je dat laatste probeert, kwets je iedereen,' legde de stafchef uit.

Ryan sperde zijn ogen open. 'Ik heb het! Ik zeg iets waar iedereen zich kwaad over maakt, en dan zijn ze allemaal gek op me.'

Arnie trapte er niet in. 'En elke grap die je vertelt, maakt iemand kwaad. Waarom? Humor is altijd wreed voor iemand en sommige mensen hebben toch al geen gevoel voor humor.'

'Met andere woorden, er zijn mensen die kwaad op iets willen worden, en ik ben een voor de hand liggend mikpunt.'

'Je leert het al,' zei de stafchef met een grimmig hoofdknikje. Hij maakte zich daar zorgen over.

'We hebben Maritime Pre-Positioning Ships in Diego Garcia,' zei admiraal Jackson, en hij wees het aan op de kaart.
'Hoeveel hebben we?' vroeg Bretano.
'We hebben net het SOM opnieuw samengesteld...'
'Wat is dat?' vroeg de minister van Defensie.
'Schema van Organisatie en Materieel.' Generaal Michael Moore was de chef-staf van de landmacht. In de Golfoorlog had hij het bevel gevoerd over een brigade van de 1ste gepantserde divisie. 'De totale lading is genoeg voor iets meer dan een brigade, een volledige zware legerbrigade, samen met de levensmiddelen die ze nodig hebben voor gevechtsoperaties van een maand. Daar komt nog bij dat we eenheden in Saoedi-Arabië hebben. Bijna al het materieel is nieuw, MIA2 zware tanks, Bradley's, MLR's. De nieuwe artillerietanks zijn er over drie maanden. De Saoedi's,' voegde hij eraan toe, 'hebben geholpen met de financiering. Een deel van het materieel is officieel van hen. Het is zogenaamd reservematerieel voor hun leger, maar wij onderhouden het en we hoeven alleen maar onze mensen erheen te vliegen om ze uit de pakhuizen te laten rijden.'
'Wie gaan er eerst, als ze om hulp vragen?'
'Dat hangt ervan af,' antwoordde Jackson. 'Waarschijnlijk gaat er een gepantserd cavalerieregiment voorop. In een echt noodgeval vliegen we het 10de gepantserde cavalerieregiment naar de Negev-woestijn. Dat is in één dag te doen. Voor oefeningen sturen we het 3de uit Texas of het 2de uit Louisiana.'
'Een gepantserd cavalerieregiment, meneer de minister, is een goed uitgebalanceerde formatie van brigadegrootte. Veel tanden, maar niet veel staart. Het kan voor zichzelf zorgen en het maakt veel indruk op tegenstanders,' legde Mickey Moore uit, en hij voegde eraan toe: 'Maar voor een langdurig verblijf hebben ze een ondersteunend bataljon nodig, bevoorradingsmensen en monteurs.'
'We hebben nog een vliegdekschip in de Indische Oceaan. Dat is nu met de rest van de eenheid in Diego om de bemanning te laten passagieren,' ging Jackson verder. Dat betekende trouwens dat het atol zo ongeveer vol stond met matrozen, maar het was beter dan niets. Ze konden tenminste een paar biertjes drinken, hun benen strekken en softball spelen. 'We hebben ook een F-16-wing – nou ja, het grootste deel daarvan – in de Negev, in het kader van onze militaire garanties aan Israël. Die wing en het 10de zijn erg goed. Ze oefenen met het Israëlische leger.'
'Soldaten mogen graag oefenen, meneer de minister. Er is niets wat ze liever doen,' voegde generaal Moore eraan toe.
'Ik moet zelf eens gaan kijken,' merkte Bretano op. 'Zodra ik klaar ben met de begroting, of met het begin daarvan. Het klinkt nogal schamel, heren.'
'Dat is het ook,' beaamde Jackson. 'Het is niet genoeg om een oorlog te voeren, maar waarschijnlijk wel genoeg om een eventuele vijand af te schrikken.'

'Komt er weer een oorlog in de Perzische Golf?' vroeg Tom Donner.

'Ik zie geen enkele reden om dat te verwachten,' antwoordde de president. Hij vond het moeilijk zijn stem te beheersen. Het antwoord was voorzichtig, maar de woorden moesten positief en geruststellend klinken. Dat was ook een vorm van liegen, al zou het anders overkomen als het de waarheid was. Dat was het 'spineffect'. Het was allemaal zo vals en kunstmatig dat het een soort internationale realiteit werd. Je loog om de waarheid te dienen. Churchill had het al eens gezegd: in tijd van oorlog was de waarheid zo kostbaar dat ze een lijfwacht van leugens nodig had. Maar in vredestijd?
'Maar onze relaties met Iran en Irak zijn al een tijdlang niet zo vriendschappelijk.'
'Het verleden is het verleden, Tom. Niemand kan het veranderen, maar we kunnen er wel van leren. Er is geen enkele goede reden voor vijandigheid tussen Amerika en de landen in die regio. Waarom zouden we vijanden zijn?' vroeg de president retorisch.
'Dus we gaan praten met de Verenigde Islamitische Republiek?' vroeg Donner.
'We zijn altijd bereid met mensen te praten, vooral wanneer daar vriendschappelijke betrekkingen uit kunnen voortkomen. De Perzische Golf is een regio van groot belang voor de hele wereld. Het is in ieders belang dat die regio vredig en stabiel blijft. Er is daar al genoeg oorlog geweest. Iran en Irak hebben... Hoe lang? ...acht jaar gevochten en beide landen hebben in die oorlog grote menselijke verliezen geleden. En daar komen dan nog alle conflicten tussen Israël en zijn buren bij. Het is echt wel een keer genoeg. En nu is er een nieuwe natie ontstaan. Dat nieuwe land heeft veel te doen. Zijn burgers hebben behoeften, en gelukkig hebben ze ook de middelen om die behoeften te bevredigen. Wij wensen hun het allerbeste toe. Als we hen kunnen helpen, zullen we dat doen. Amerika is altijd bereid geweest een vriendschappelijke hand uit te steken.'
Er volgde een korte stilte, waarschijnlijk bedoeld voor reclamespots. Het interview zou die avond om negen uur worden uitgezonden. Toen wendde Donner zich tot zijn collega John Plumber, die het overnam.
'Nou, vindt u het prettig om president te zijn?'
Ryan hield zijn hoofd een beetje schuin en glimlachte. 'Ik zeg de hele tijd tegen mezelf dat ik niet gekozen maar veroordeeld ben. Zal ik het eerlijk zeggen? De werkdagen zijn lang en het werk is zwaar, veel zwaarder dan ik ooit had gedacht, maar aan de andere kant heb ik tamelijk veel geluk gehad. Arnie van Damm is een genie in het organiseren. De staf hier in het Witte Huis is voortreffelijk. Ik heb tienduizenden brieven met steunbetuigingen van mensen buiten Washington gekregen en ik zou deze gelegenheid graag willen gebruiken om al die mensen te bedanken en ze te laten weten dat hun brieven me echt helpen.'
'Meneer Ryan, welke dingen wilt u gaan veranderen?' vroeg Plumber.
'John, dat hangt ervan af wat je onder "veranderen" verstaat. In de allereerste plaats moet ik de regering laten draaien. Dus wat ik moet proberen, is niet

"veranderen", maar "herstellen". We hebben in feite nog steeds geen Congres, niet voordat het Huis van Afgevaardigden weer is samengesteld, en daarom kan ik geen begroting indienen. Ik heb geprobeerd goede mensen te kiezen om de belangrijkste ministersposten over te nemen. Het is hun taak de ministeries efficiënt te leiden.'

'Uw minister van Financiën, George Winston, is bekritiseerd omdat hij de federale belastingwetgeving nogal abrupt wil veranderen,' zei Plumber.

'Het enige wat ik kan zeggen, is dat ik volledig achter minister Winston sta. De belastingwetgeving is hopeloos ingewikkeld en dat is op zich al oneerlijk. Wat hij wil gaan doen, is budgetneutraal. Eigenlijk is dat nog te pessimistisch. Het netto-effect is dat de inkomsten van de overheid groeien vanwege administratieve besparingen op andere terreinen.'

'Maar er is veel negatief commentaar op het regressieve karakter...'

Ryan stak zijn hand op. 'Wacht even, John, het is een van de problemen in deze stad dat de taal die mensen gebruiken een andere betekenis heeft. Het is niet regressief om iedereen te belasten. Dat woord houdt in dat je een stap teruggaat, dat je de armen meer belast dan de rijken. Dat zullen we niet doen. Als je dat woord op een verkeerde manier gebruikt, misleid je het volk.'

'Maar het volk heeft het belastingsysteem jarenlang op die manier beschreven,' zei Plumber.

'Dat maakt het nog niet correct,' merkte Jack op. 'In elk geval ben ik, zoals ik steeds zeg, geen politicus, John. Ik kan alleen normale taal gebruiken. Als we iedereen hetzelfde belastingtarief opleggen, voldoen we aan de woordenboekdefinitie van "eerlijk". Kom nou, John, je weet hoe het spel wordt gespeeld. Jij en Tom verdienen veel geld, veel meer dan ik, en elk jaar neemt jullie belastingconsulent alles door. Jullie hebben waarschijnlijk beleggingen die zijn opgezet om jullie belastingaanslag te beperken, nietwaar? Hoe zijn die mazen in het net er gekomen? Heel eenvoudig. Lobbyisten halen het Congres over om de wet een beetje te veranderen. Waarom? Omdat rijke mensen hen daarvoor hebben betaald. Dus wat gebeurt er? Het zogenaamd "progressieve" systeem wordt op een zodanige manier gemanipuleerd dat de verhoogde tarieven voor de rijken in werkelijkheid niet worden toegepast, omdat hun belastingconsulenten ze vertellen hoe ze het systeem te slim af kunnen zijn, in ruil voor hun honorarium. Dus dat verhoogde tarief dat ze betalen, is een leugen, nietwaar? Politici weten dat allemaal, als ze de wetten aannemen.

Zie je waartoe dit alles leidt? Tot niets, John. Het leidt tot niets. Het is allemaal één groot spel, een spel dat tijd verspilt, dat het publiek misleidt en dat veel geld oplevert voor mensen die het systeem naar hun hand zetten, en waar komt dat geld vandaan? Van de burgers, van de mensen die betalen voor alles wat er gebeurt. Dus wil George Winston het systeem veranderen, en daar zijn we het over eens, en wat gebeurt er? De mensen die het spel spelen en het systeem naar hun hand zetten, gebruiken dezelfde misleidende woorden om de indruk te wekken dat we iets oneerlijks doen. Die insiders vormen de gevaarlijkste en verderfelijkste belangengroep die er bestaat.'

'En daarover bent u slecht te spreken.' John glimlachte.
'In elke baan die ik ooit heb gehad, effectenmakelaar, geschiedenisleraar, alle andere banen, heb ik zo goed mogelijk de waarheid moeten spreken. Ik ga daar nu niet mee ophouden. Misschien moeten er dingen veranderd worden, en ik zal je daar één van noemen:
Alle ouders in Amerika vertellen vroeg of laat hun kind dat de politiek een vuil zaakje is, een doortrapt wereldje. Jouw vader heeft jou dat verteld. Mijn vader vertelde het mij, en we accepteren dat alsof het vanzelf spreekt, alsof het normaal en goed is. Maar dat is het niet, John. Al jaren leggen we ons neer bij het feit dat politiek... Wacht, zullen we eerst de termen definiëren? Het politieke systeem is de manier waarop we het land besturen, de wetten uitvaardigen waaraan we ons allemaal moeten houden, de belastingen opleggen. Dat zijn belangrijke dingen, nietwaar? Maar tegelijk laten we mensen in het systeem toe die we niet zo gauw in ons huis zouden toelaten, die we niet op onze kinderen zouden laten passen. Vind je dat niet een beetje vreemd, John?
We laten mensen in het politieke systeem toe die aan de lopende band feiten verdraaien, die wetten ombuigen om te voldoen aan de wensen van mensen van wie ze geld voor hun verkiezingscampagnes krijgen. Sommigen van hen deinzen er niet voor terug om te liegen. En wij accepteren dat. Jullie van de media accepteren dat. Jullie zouden dat soort gedrag niet in jullie eigen beroep accepteren, denk ik. Of in de geneeskunde, of in de wetenschap, of in het bedrijfsleven, of bij justitie en politie.
Er zit dus iets fout,' ging de president verder. Hij boog zich naar voren en sprak nu voor het eerst met vuur. 'We hebben het over ons land, en de gedragsnormen die we onze afgevaardigden opleggen, zouden niet lager moeten zijn maar hoger. We moeten van hen verlangen dat ze intelligent en integer zijn. Daarom heb ik toespraken gehouden in het land, John. Ik sta in het kiezersregister ingeschreven als onafhankelijke. Ik heb geen banden met een partij. Ik heb geen persoonlijke doeleinden, behalve dan dat ik de dingen in orde wil maken voor iedereen. Ik heb gezworen dat ik dat zou doen, en ik neem mijn eden serieus. Nou, ik heb gemerkt dat mensen daar moeite mee hebben, en dat vind ik jammer, maar ik ga mijn overtuigingen niet afzwakken om elke belangengroep met betaalde lobbyisten ter wille te zijn. Ik ben hier om iedereen te dienen, niet om alleen de mensen te dienen die het hardste schreeuwen en het meeste geld bieden.'
Plumber liet niet blijken of hij blij was met deze uitbarsting. 'Goed, meneer de president, om te beginnen dan: hoe denkt u over de burgerrechten?'
'Wat mij betreft, is de grondwet kleurenblind. Het is in strijd met de wetten van ons land om mensen te discrimineren vanwege hun uiterlijk, hun manier van spreken, hun kerkgenootschap of het land waar hun voorouders vandaan kwamen. Die wetten zullen worden gehandhaafd. Voor de wet zijn we allemaal gelijk, of we ons nu aan de wet houden of niet. In het laatste geval krijgen die mensen met het ministerie van Justitie te maken.'
'Is dat niet idealistisch?'

'Wat is er mis met idealisme?' vroeg Ryan op zijn beurt. 'En wat is er mis met een beetje gezond verstand? Waar is het voor nodig dat veel mensen druk in de weer zijn om voordelen te behalen voor zichzelf of voor de kleine groep die ze vertegenwoordigen? Zou het niet beter zijn als we allemaal samenwerkten? Zijn we niet allemaal in de eerste plaats Amerikanen? Waarom kunnen we niet allemaal proberen een beetje beter samen te werken en redelijke oplossingen voor problemen te vinden? Het kan in dit land toch niet de bedoeling zijn dat elke bevolkingsgroep elke andere groep naar het leven staat?'
'Sommigen zouden zeggen dat we op die manier de dingen uitvechten om te zorgen dat iedereen een eerlijk deel krijgt,' merkte Plumber op.
'En intussen corrumperen we het politieke systeem.'
Ze moesten even stoppen, omdat de cameraploegen de banden van hun camera's moesten verwisselen. Jack keek verlangend naar de deur van het secretariaat, hunkerend naar een sigaret. Hij wreef zijn handen over elkaar en probeerde er ontspannen uit te zien, maar hoewel hij de kans had gekregen om dingen te zeggen die hij al jaren had willen zeggen, had dat hem alleen maar meer gespannen gemaakt.
'De camera's zijn uit,' zei Tom Donner, en hij leunde een beetje in zijn stoel achterover. 'Denkt u echt dat u hier ook maar iets van voor elkaar krijgt?'
'Als ik het niet probeer, wat ben ik dan voor iemand?' Jack zuchtte. 'De overheid is een puinhoop. Dat weten we allemaal. Als niemand probeert er iets aan te doen, wordt het alleen maar erger.'
Donner kon op dat moment bijna met hem meevoelen. Het was duidelijk dat die Ryan volkomen oprecht was en dat hij zijn hart op de juiste plaats had. Maar hij begreep het gewoon niet. Niet dat Ryan een slecht mens was. Hij kon het gewoon niet aan, zoals ze allemaal zeiden. Kealty had gelijk, en daarom moest Donner zijn werk doen.
'Klaar,' zei de producent.
'Het hooggerechtshof,' zei Donner, die het interview van zijn collega overnam. 'Ze zeggen dat u momenteel een lijst van mogelijke leden van het hooggerechtshof doorneemt om uw voordracht aan de senaat te doen.'
'Ja, dat is zo,' antwoordde Ryan.
'Wat kunt u ons over hen vertellen?'
'Ik heb het ministerie van Justitie opdracht gegeven me een lijst van ervaren leden van Hoven van Appèl te sturen. Dat is gebeurd. Ik neem die lijst nu door.'
'Wat zoekt u precies?' vroeg Donner nu.
'Ik zoek goede rechters. Het hooggerechtshof is onze belangrijkste hoeder van de grondwet. We hebben mensen nodig die begrijpen hoe groot die verantwoordelijkheid is en die de wetten in alle redelijkheid interpreteren.'
'Tegenstanders van het recht op abortus?'
'Tom, de grondwet bepaalt dat het Congres de wetten maakt, dat de uitvoerende macht de wet handhaaft en dat de rechterlijke macht het recht interpreteert. Dat is de trias politica.'

'Maar van oudsher heeft het hooggerechtshof een belangrijke rol gespeeld bij veranderingen in ons land,' zei Donner.
'En niet al die veranderingen waren goed. De uitspraak in *Dred Scott* ontketende de burgeroorlog. De uitspraak in *Plessy vs. Ferguson* was een schande die de klok in ons land zeventig jaar terugzette. Je moet overigens nooit vergeten dat ik, wat het recht betreft, een leek ben...'
'Daarom is het de gewoonte dát de Amerikaanse Orde van Advocaten adviezen geeft over rechterlijke benoemingen. Zult u uw lijst aan de Orde voorleggen?'
'Nee.' Ryan schudde zijn hoofd. 'Ten eerste hebben al die rechters die horde al genomen om hun huidige positie te krijgen. Ten tweede is de Orde van Advocaten ook een belangengroep, nietwaar? Zeker, ze hebben het recht om voor de belangen van hun leden op te komen, maar het hooggerechtshof interpreteert de wet voor iedereen, en de Orde van Advocaten is een organisatie van mensen die de wet gebruiken om de kost te verdienen. Is het geen belangentegenstelling dat de groep die gebruikmaakt van de wet ook de mensen kiest die de wet interpreteren? Dat zou op elk ander terrein toch zo zijn?'
'Niet iedereen zal dat zo zien.'
'Ja, en de Orde van Advocaten heeft een groot kantoor hier in Washington en dat zit stampvol lobbyisten,' beaamde de president. 'Tom, het is niet mijn werk om de belangengroepen te dienen. Het is mijn werk om de grondwet zo goed mogelijk te handhaven, te beschermen en te verdedigen. Om dat te kunnen doen probeer ik mensen te vinden die er net zo over denken als ik, mensen die hun eed serieus nemen zonder spelletjes onder de tafel te spelen.'
Donner keek opzij. 'John?'
'U hebt vele jaren voor de CIA gewerkt,' zei Plumber.
'Ja, dat is zo,' antwoordde Jack.
'Wat deed u daar?' vroeg Plumber.
'Ik werkte vooral op het directoraat Inlichtingen, waar ik informatie doornam die uit verschillende bronnen binnenkwam. Ik probeerde te doorgronden wat die informatie betekende en gaf alles dan door aan anderen. Uiteindelijk kwam ik aan het hoofd van het directoraat Inlichtingen te staan, en onder president Fowler werd ik adjunct-directeur van de CIA. En daarna werd ik, zoals je weet, nationale-veiligheidsadviseur van president Durling,' antwoordde Jack. Hij probeerde het gesprek in de tijd naar voren te krijgen, in plaats van naar achteren.
'Hebt u ooit in het veld geopereerd?' vroeg Plumber.
'Nou, ik heb het onderhandelingsteam voor wapenbeheersing geadviseerd, en ik ben naar veel congressen geweest,' antwoordde de president.
'Meneer Ryan, er zijn berichten dat u veel meer hebt gedaan, dat u hebt deelgenomen aan operaties die tot de dood van, tja, tot de dood van sovjetburgers hebben geleid.'
Jack aarzelde even, lang genoeg om te weten welke indruk hij op de kijkers

maakte. 'John, het is al jaren een principe van onze regering dat we nooit iets over inlichtingenoperaties zeggen. Ik wil me daaraan houden.'
'Het Amerikaanse volk heeft het recht en de behoefte om te weten wat voor man er in het Witte Huis zit,' drong Plumber aan.
'De regering zal nooit over inlichtingenoperaties spreken. En wat mijn persoonlijkheid betreft: dat is het doel van dit interview. Ons land moet een aantal geheimen bewaren. Jij ook, John,' zei Ryan, en hij keek de commentator recht in de ogen. 'Als jij bronnen onthult, lig je eruit. Als Amerika zoiets doet, lopen mensen gevaar.'
'Maar...'
'Dit onderwerp is gesloten, John. Onze inlichtingendiensten opereren onder toezicht van het Congres. Ik heb die wet altijd gesteund en ik zal hem blijven handhaven. Meer wil ik hier niet over zeggen.'
Beide journalisten knipperden met hun ogen. Dat gedeelte van de videoband, dacht Ryan, zou de uitzending van die avond niet halen.

Badrayn moest dertig mensen selecteren, en hoewel het aantal niet zo'n probleem was – en het ook niet moeilijk was om mensen met de vereiste toewijding te vinden – was het wel een probleem om zoveel intelligente mensen te vinden. Hij had de contacten. Als er in het Midden-Oosten een overschot aan iets was, dan was het aan terroristen, mannen als hijzelf, of een beetje jonger, die hun leven aan de Zaak hadden gewijd, om die zaak vervolgens voor hun ogen in de versukkeling te zien raken. En dat maakte hun woede en toewijding alleen maar groter, en beter, afhankelijk van het standpunt dat je innam. Bij nader inzien had hij er maar twintig nodig die intelligent waren. De rest moest alleen toegewijd zijn, met een of twee intelligente leiders. Ze moesten allemaal bevelen opvolgen. Ze moesten allemaal bereid zijn te sterven, of op zijn minst bereid zijn dat risico te nemen. Nou, dat was ook niet zo'n probleem. De Hezbollah had nog steeds een groot reservoir aan mensen die bereid waren explosieven op hun lichaam te binden, en er waren ook nog anderen.
Het hoorde bij de traditie van de regio; waarschijnlijk niet een traditie waarmee Mohammed het hartgrondig eens zou zijn geweest, maar Badrayn was niet erg religieus en terroristische operaties waren zijn vak. Van oudsher waren Arabieren niet de meest efficiënte soldaten ter wereld. Het grootste deel van hun geschiedenis hadden ze een nomadisch leven geleid en hun militaire traditie was dan ook meer een kwestie van overvallen, later guerrillatactieken genoemd, dan veldslagen. Veldslagen waren een uitvinding van de Grieken geweest die was overgenomen door de Romeinen en vervolgens door alle westerse naties. Van oudsher stapte één persoon naar voren om zich op te offeren – in de viking-traditie werd zo iemand een 'berzerker' genoemd en in Japan had hij deel uitgemaakt van het speciale aanvalskorps dat 'kamikaze' heette – op het slagveld, waar hij glorieus met zijn zwaard zwaaide en zoveel mogelijk van zijn vijanden als zijn dienaren naar het paradijs meenam. Dat gold vooral in een *jihad* of heilige oorlog, die tot doel had de belangen van het geloof te

dienen. Uiteindelijk bewees het dat de islam, net als elke andere religie, kon worden gecorrumpeerd door zijn aanhangers. Voorlopig betekende het dat Badrayn over een reservoir van mensen beschikte die zouden doen wat hij ze opdroeg. Die instructies kregen ze via Daryaei, die hun ook zou vertellen dat dit waarlijk een jihad-dienst was, hun persoonlijke weg naar een glorieus leven na de dood.

Hij had zijn lijst. Hij voerde drie telefoongesprekken via tussenpersonen. In Libanon en elders maakten mensen plannen om op reis te gaan.

'Nou, hoe doen we het, coach?' vroeg Jack met een glimlach.

'Het ijs werd nogal dun, maar ik geloof niet dat je nat bent geworden,' zei Arnie van Damm met zichtbare opluchting. 'Je ging nogal tekeer tegen die belangengroepen.'

'Wat is er verkeerd aan om die belangengroepen om de oren te slaan? Iedereen doet dat!'

'Het hangt ervan af om welke groepen en welke belangen het gaat, meneer de president. Ze hebben allemaal ook woordvoerders en sommigen komen zo sympathiek over als moeder Theresa, vlak voordat ze met een machete je keel doorsnijden.' De stafchef zweeg even. 'Evengoed heb je het vrij goed gedaan. Je hebt niets gezegd waarmee ze je te veel kwaad kunnen doen. We zullen zien wat ze er vanavond van uitzenden, en wat voor commentaar Donner en Plumber aan het eind geven. De laatste paar minuten zijn het belangrijkst.'

De buisjes arriveerden in Atlanta in een erg veilige houder die vanwege zijn vorm een 'hoedendoos' werd genoemd. Dat was een uiterst verfijnd apparaat, bestemd om de gevaarlijkste materialen in volledige veiligheid te bewaren, voorzien van verscheidene afsluitingen en ontworpen om zelfs heftige schokken te overleven. De doos, die voorzien was van stickers met waarschuwingen, werd uiterst zorgvuldig behandeld, ook door de FedEx-koerier die hem deze ochtend om 9.14 uur overhandigde.

De hoedendoos werd naar een beveiligd lab gebracht, waar de buitenkant op beschadigingen werd onderzocht en vervolgens met een krachtig chemisch desinfectiemiddel werd besproeid. Vervolgens werd de doos met inachtneming van strikte voorzorgsmaatregelen geopend. De bijbehorende documenten maakten duidelijk waarom dat noodzakelijk was. De twee bloedbuisjes bevatten vermoedelijk virussen die hemorragische koorts veroorzaakten. Dat kon wijzen op allerlei ziekten uit Afrika – het werelddeel van herkomst – en dat waren allemaal ziekten die tot elke prijs vermeden moesten worden. Een laborant die in een geïsoleerd kastje werkte, constateerde dat de buisjes geen lekken vertoonden, maar besproeide ze voor alle zekerheid met een desinfectiemiddel. Vervolgens bracht hij de inhoud over. Het bloed zou op antistoffen worden getest en met andere bloedmonsters worden vergeleken. De documentatie ging naar dokter Lorenz van de afdeling Speciale Pathogenen.

'Gus, met Alex,' hoorde dokter Lorenz door de telefoon.
'Nog steeds niet wezen vissen?'
'Misschien dit weekend. Iemand op Neurochirurgie heeft een boot, en we hebben het huis eindelijk een beetje op orde.' Dokter Alexandre keek uit het raam van zijn kantoor in het oosten van Baltimore. Je kon de haven zien, die naar de Chesapeake Bay leidde, en ze zeiden dat daar zeebaars zat.
'Nog nieuws?' vroeg Gus, terwijl zijn secretaresse met een dossier binnenkwam.
'We zijn nog met de uitbarsting in Zaïre bezig. Heb jij nog nieuws?'
'Nee, gelukkig niet. We hebben de kritieke tijd nu gehad. Deze uitbarsting heeft niet lang geduurd. We waren erg...' Lorenz zweeg abrupt. Hij had de dossiermap opengeslagen en keek naar het omslag van de papieren. 'Wacht even. Khartoum?' mompelde hij in zichzelf.
Alexandre wachtte geduldig. Lorenz was een langzame, zorgvuldige lezer. Omdat hij, net als Ralph Forster, al wat ouder was, nam hij de tijd voor de dingen. Dat was trouwens een van de redenen waarom hij een briljant experimenteel onderzoeker was. Lorenz deed zelden een verkeerde stap. Hij dacht te goed na voordat hij zijn voeten bewoog.
'We hebben net twee monsters uit Khartoum binnengekregen. De begeleidende brief is van een zekere dokter MacGregor, het English Hospital in Khartoum, twee patiënten, volwassen man en vierjarig meisje, mogelijk hemorragische koorts. De monsters zijn nu in het lab.'
'Khartoum? Soedan?'
'Dat staat er,' bevestigde Gus.
'Een heel eind van de Kongo vandaan, man.'
'Vliegtuigen, Alex, vliegtuigen,' merkte Lorenz op. Als er één ding was dat epidemiologen bang maakte, was het het internationale luchtverkeer. De begeleidende brief bevatte niet veel informatie, maar er stonden wel telefoonnummers en faxnummers in. 'Nou, goed, we moeten de tests doen en afwachten.'
'En die vorige monsters?'
'Dat hebben we gisteren afgewerkt. Ebola zaire, subtype mayinga, identiek aan de monsters uit 1976, tot en met het laatste aminozuur.'
'Het type dat door de lucht wordt overgedragen,' mompelde Alexandre. 'Het type dat George Westphal te pakken heeft gekregen.'
'Dat is nooit vastgesteld, Alex,' zei Lorenz.
'George was voorzichtig, Gus. Dat weet jij ook. Jij hebt hem opgeleid.' Pierre Alexandre wreef over zijn ogen. Hoofdpijn. Hij had een nieuwe bureaulamp nodig. 'Wil je me laten weten wat die monsters opleveren?'
'Ja. Ik zou me maar niet te veel zorgen maken. Soedan is een beroerde omgeving voor dat virus. Heet, droog, veel zonlicht. Het virus zou het daar in de open lucht nog geen twee minuten uithouden. Hoe dan ook, laat me met het hoofd van mijn laboratorium praten. Ik zal zien of ik het later op de dag zelf onder de microscoop kan leggen en beschrijven... nee, dat zal wel morgenvroeg worden. Over een uur heb ik een stafbespreking.'

'Ja, en ik moet gaan lunchen. We spreken elkaar morgen weer, Gus.' Alexandre – hij zag zich nog steeds meer als 'kolonel' dan als 'professor' – legde de hoorn op de haak en liep de kamer uit, op weg naar de kantine. Hij was blij dat hij Cathy Ryan weer in de rij zag staan, samen met haar lijfwacht.
'Dag, prof.'
'Hoe staat het met de beestjes?' vroeg ze glimlachend.
'Hetzelfde, hetzelfde. Ik wil je consulteren, dokter,' zei hij, en hij pakte een broodje van het buffet.
'Ik doe geen virussen.' Maar ze werkte genoeg met aidspatiënten die oogklachten kregen. 'Wat is het probleem?'
'Hoofdpijn,' zei hij op weg naar de kassa.
'O?' Cathy draaide zich om en nam zijn bril van zijn gezicht. Ze hield hem tegen het licht. 'Je moet de glazen eens wat vaker schoonmaken. Je hebt ongeveer min twee, een vrij hoge mate van astigmatisme. Hoe lang geleden heb je je ogen laten meten?' Met een laatste blik op het aangekoekte vuil rond de glazen gaf ze de bril aan hem terug. Ze wist het antwoord op haar vraag al.
'O, drie...'
'Jaren. Je zou beter moeten weten. Laat je secretaresse de mijne bellen, dan laat ik je onderzoeken. Kom je bij ons zitten?'
Ze kozen een tafel bij het raam. Roy Altman volgde hen. Hij keek de kantine rond en zag de andere leden van het escorte hetzelfde doen. Alles was veilig.
'Weet je, je zou een goede kandidaat voor onze nieuwe lasertechniek zijn. We kunnen je hoornvlies opnieuw vormen en je op 20-20 terugbrengen,' zei ze. Ze had ook geholpen dat programma erdoor te krijgen.
'Is het veilig?' vroeg Alexandre aarzelend.
'De enige onveilige dingen die ik doe, doe ik in de keuken,' antwoordde professor Ryan met opgetrokken wenkbrauwen.
'Ja, mevrouw,' zei Alex grijnzend.
'Nog nieuws aan jouw kant van het gebouw?'

Het was allemaal een kwestie van redigeren. Nou ja, voornamelijk dan, dacht Tom Donner, terwijl hij op zijn kantoorcomputer zat te typen. Daarna zou hij overgaan op zijn eigen commentaar. Hij zou uitleggen wat Ryan werkelijk had bedoeld met zijn schijnbaar oprechte... Schijnbaar? Het woord was vanzelf in hem opgekomen en hij schrok ervan. Donner zat al een paar jaar in het vak, en voor zijn promotie tot netwerkpresentator had hij in Washington gewerkt. Hij had reportages over iedereen gemaakt en kende iedereen. In zijn goed gevulde Rolodex had hij kaartjes met alle belangrijke namen en telefoonnummers in de stad. Zoals iedere goede journalist had hij connecties. Hij kon een telefoon nemen en tot iedereen doordringen, want in Washington waren de regels voor de omgang met de media aangenaam eenvoudig: je was een bron of je was een doelwit. Als je de media niet ter wille was, vonden ze al gauw een vijand van je die wél wilde praten. In andere contexten heette dat 'chantage'.
Donners intuïtie gaf hem in dat hij nooit eerder iemand als president Ryan

had ontmoet, in elk geval niet in het openbare leven... of was dat wel waar? Die houding van 'ik ben ook maar een gewone jongen' ging minstens tot Julius Caesar in de tijd terug. Het was altijd nep, een trucje om kiezers te laten denken dat je inderdaad zo was als zij. In werkelijkheid was zo iemand dat nooit. Normale mensen kwamen nooit zo ver, op geen enkel terrein. Ryan was in de CIA vooruitgekomen door net als ieder ander aan kantoorpolitiek te doen, dat moest wel. Hij had vijanden gemaakt en bondgenootschappen gesloten, net als iedereen, en was op die manier geleidelijk opgeklommen. En de uitgelekte informatie die hij had gekregen over Ryans tijd bij de CIA... kon hij daar gebruik van maken? Niet in de speciale uitzending van vanavond. Misschien in de actualiteitenrubriek, die iets bijzonders moest bevatten om te voorkomen dat de mensen naar hun gebruikelijke programma's keken.
Donner wist dat hij hier voorzichtig mee moest zijn. Je zat niet voor de lol een zittende president op zijn huid – nou ja, dat was niet waar. Een president op zijn huid zitten was het leukste dat er was, maar er waren regels voor. Je informatie moest erg deugdelijk zijn. Dat betekende dat je meer bronnen moest hebben, en dat moesten goede bronnen zijn. Donner zou ermee naar zijn bazen moeten gaan, en die zouden zorgelijk kijken, en dan zouden ze het materiaal doornemen en hem het laten uitzenden.
Een gewone jongen. Maar een gewone jongen werkte niet voor de CIA en opereerde niet als een spion in het veld. Ryan was trouwens de eerste spion die het ooit tot het presidentschap had gebracht... Was dat goed?
Er zaten zoveel onbekende dingen in Ryans leven. Dat incident in Londen. Daar had hij gedood. De terroristen die zijn huis hadden aangevallen: daar had hij er ook minstens een van gedood. Dat ongelooflijke verhaal over het stelen van een sovjetonderzeeboot, waarbij hij, zei de bron, een Russische marineman had gedood. De andere dingen. Was dit het soort man dat het Amerikaanse volk in het Witte Huis wilde hebben?
En toch probeerde hij over te komen als... een gewone jongen. Gezond verstand. Zo is de wet. Ik neem mijn eden serieus.
Het is een leugen, dacht Donner. Het moet een leugen zijn.
Jij bent een gladjanus van het zuiverste water, Ryan, dacht de presentator.
En als Ryan zo sluw was en als het een leugen was, wat dan? Hij wilde de belastingwetgeving veranderen. Hij wilde veranderingen in het hooggerechtshof. Veranderingen in naam van de efficiency, de activiteiten van minister Bretano op Defensie... Verdomme.
De volgende gedachtesprong die hij maakte was dat de CIA en Ryan misschien iets te maken hadden met het vliegtuig dat op het Capitool was gestort – nee, dat was te krankzinnig. Ryan was een opportunist. Dat waren ze allemaal, de mensen over wie Donner gedurende zijn hele journalistieke leven reportages had gemaakt, vanaf zijn eerste baan bij het netwerkstation in Des Moines, waar hij met zijn werk een countybestuurder achter de tralies had gekregen en zo onder de aandacht was gekomen van de leiding van het netwerk. Politieke figuren. Donner had reportages over van alles gemaakt, van lawines tot oor-

logvoering, maar hij had altijd studie gemaakt van politici, voor zijn werk en als hobby.
Ze waren in feite allemaal hetzelfde. De juiste plaats, de juiste tijd, en ze dachten altijd aan hun ambities. Als hij iets had geleerd, dan was het dat. Donner keek uit zijn raam en pakte met zijn ene hand de telefoon op terwijl hij met zijn andere in de Rolodex zocht.
'Ed, met Tom. Hoe goed zijn die bronnen precies, en hoe vlug kan ik ze ontmoeten?' Hij kon de glimlach aan de andere kant van de lijn niet horen.

Sohaila zat nu rechtop. In zulke gevallen stond de jonge arts er altijd weer verbaasd van hoe opgelucht hij was. De geneeskunde was het meest veeleisende beroep, geloofde MacGregor. Elke dag dobbelde hij in zekere zin met de dood. Hij zag zich niet als een soldaat, of als een ridder op een fier paard, zeker niet bewust, want de dood was een vijand die zich nooit liet zien, maar evengoed was hij er altijd. Iedere patiënt die MacGregor behandelde, had een vijand in zich, een vijand die op de loer lag, en het was zijn taak als arts de schuilplaats te vinden, de strijd met de vijand aan te gaan en hem te vernietigen. Lukte je dat, dan zag je de overwinning op het gezicht van de patiënt, en dan genoot je daar telkens weer van.
Sohaila voelde zich nog niet goed, maar dat ging wel over. Ze dronk nu vloeistoffen en kon ze binnenhouden. Ze was nog zwak, maar zou niet zwakker worden. Haar temperatuur was gezakt. Al haar levenstekenen waren gestabiliseerd of werden geleidelijk normaal. Dit was een overwinning. De dood zou dit kind niet krijgen. Wanneer alles normaal verliep, zou ze opgroeien en spelen en leren en trouwen en zelf kinderen krijgen.
Maar het was een overwinning waarvoor MacGregor eigenlijk niet de eer kon opeisen, tenminste niet de hele eer. Hij had dit kind alleen maar gesteund, niet echt genezen. Had het geholpen? Waarschijnlijk wel, zei hij tegen zichzelf. Je wist nooit wat er anders gebeurd zou zijn en of het verschil had gemaakt wat je had gedaan. De geneeskunde zou veel gemakkelijker zijn als haar beoefenaren dat inzicht wel hadden, maar ze hadden het niet en zouden het waarschijnlijk nooit krijgen. Als hij haar niet had behandeld... Nou, in dit klimaat zou alleen al de hitte haar misschien fataal zijn geworden, of anders de uitdroging, of misschien een secundaire infectie. Mensen overleden vaak niet aan hun primaire ziekte, maar aan iets anders dat van de algehele verzwakking van het lichaam profiteerde. En daarom zou hij inderdaad deze overwinning opeisen, vooral omdat het om het leven van een lief en aantrekkelijk klein meisje ging dat over korte tijd weer zou leren lachen. MacGregor nam haar pols en genoot zoals altijd van de aanraking met de patiënte, van het verre contact met een hart dat over een week nog steeds zou slaan. Onder zijn ogen viel ze in slaap. Hij legde haar hand voorzichtig op het bed terug en draaide zich om.
'Uw dochter zal volledig herstellen,' zei hij tegen de ouders. Met vijf kalme woorden en een warme glimlach liet hij hun hoop in vervulling gaan en nam hij hun angsten weg.

De moeder zuchtte alsof ze gestompt was, haar mond open, de tranen in de ogen. Ze sloeg haar handen voor haar gezicht. De vader verwerkte het nieuws op wat hij een meer mannelijke manier vond. Zijn gezicht was onbewogen, maar zijn ogen niet: die ontspanden en keken opgelucht naar het plafond. Toen pakte hij de hand van de dokter vast. Zijn donkere ogen keken diep in die van MacGregor.
'Ik zal dit niet vergeten,' zei de generaal tegen hem.
Toen was het tijd om bij Saleh te gaan kijken, iets wat hij onbewust had uitgesteld. MacGregor verliet de kamer en liep de gang door. Buiten de kamer trok hij een ander stel kleren aan. Binnen zag hij een nederlaag. De man was met riemen vastgesjord. De ziekte was in zijn hersenen binnengedrongen. Dementie was een symptoom van ebola, en een genadig symptoom ook. Saleh's doffe ogen staarden naar de watervlekken op het plafond. De verpleegster van dienst gaf hem de kaart. Het nieuws was op alle fronten slecht. MacGregor keek de gegevens door, trok een grimas en schreef een opdracht uit om de morfinedosis te verhogen. Zijn ondersteunende zorg had in dit geval niets uitgehaald. Eén overwinning, één nederlaag, en als hij de keuze had gehad welke hij kon redden en welke hij moest verliezen, zou hij het waarschijnlijk niet anders hebben gedaan, want Saleh was volwassen en had al een leven gehad. Dat leven zou nog maar vijf dagen duren en MacGregor kon nu niets doen om het te redden. Het enige wat hij kon doen, was het einde een beetje minder gruwelijk maken voor de patiënt... en het personeel. Na vijf minuten verliet hij de kamer, trok zijn beschermende kleding uit en liep naar zijn kantoor, in diepe gedachten verzonken.
Waar was het vandaan gekomen? Waarom zou de een het overleven en zou de ander sterven? Wat wist hij niet dat hij moest weten? De arts schonk zich een kop thee in en probeerde verder te denken dan de overwinning en de nederlaag. Hij zocht naar het antwoord op zijn vragen. Dezelfde ziekte, dezelfde tijd. Twee erg verschillende resultaten. Waarom?

32

Herhalingen

'Ik kan je dit niet geven, en ik wil ook niet dat je er een kopie van hebt, maar je mag er wel naar kijken.' Hij gaf hem een foto. Hij droeg dunne katoenen handschoenen en had Donner ook een paar gegeven. 'Vingerafdrukken,' had hij rustig uitgelegd.

'Is dit wat ik denk dat het is?' Het was een glanzende zwart-witfoto, twintig bij dertig centimeter, maar er zat geen classificatiestempel op, tenminste niet op de voorkant. Donner draaide hem niet om.
'Je wilt het niet weten, hè?' Het was een vraag en een waarschuwing.
'Nee, liever niet.' Donner knikte. Hij begreep het. Hij wist niet hoe de Espionage Act – 18 U.S.C. §793E – zich tot het First Amendment verhield, maar als hij niet wist dat de foto geheim was, hoefde hij daar ook niet achter te komen.
'Dat is een sovjetkernonderzeeër, en daar op de loopplank staat Jack Ryan. Je ziet dat hij het marine-uniform draagt. Dit was een CIA-operatie in samenwerking met de marine, en die operatie leverde ons deze boot op.' De man gaf een vergrootglas, dan kon Donner nog beter zien dat het Ryan was. 'We brachten de Sovjets in de waan dat die boot halverwege tussen Florida en Bermuda was ontploft en gezonken. Dat denken ze waarschijnlijk nog steeds.'
'Waar is die boot nu?' vroeg Donner.
'Ze hebben haar een jaar later tot zinken gebracht, voor de kust van Puerto Rico,' legde de CIA-functionaris uit.
'Waarom daar?'
'Daar heb je het diepste Atlantische water in de buurt van Amerikaans grondgebied, zo'n achtduizend meter omlaag. Niemand zal haar daar vinden en niemand kan daar zelfs maar zoeken zonder dat wij het weten.'
'Dat was in... Nu weet ik het weer!' zei Donner. 'De Russen hielden een grote oefening en wij maakten daar veel stampij over, en ze raakten inderdaad een onderzeeboot kwijt, en...'
'Twee.' Er kwam nog een foto uit de map. 'Zie je de schade aan de boeg van die onderzeeër? Bij de Carolinen ramde de *Red October* een andere Russische onderzeeër en bracht haar tot zinken. Die ligt daar nog. De marine heeft haar niet geborgen, maar ze hebben wel robots naar beneden gestuurd en er een hoop nuttige dingen uitgehaald. Officieel waren dat bergingsactiviteiten bij de eerste onderzeeër, die door een reactorongeluk zou zijn gezonken. De Russen zijn nooit te weten gekomen wat er met die tweede Alfa is gebeurd.'
'En dit is nooit uitgelekt?' Dat was nogal verbazingwekkend voor een man die al jaren bezig was feiten uit de overheid los te krijgen, als een tandarts met een onwillige patiënt.
'Ryan weet hoe hij dingen onder de mat moet vegen.' Weer een foto. 'Dat is een lijkenzak. Het lichaam daarin was van een Russische marineman. Ryan doodde hem, schoot hem dood met een pistool. Zo kwam hij aan zijn eerste Intelligence Star. Hij zal wel hebben aangenomen dat we niet konden riskeren dat hij moest vertellen... Nou ja, het is eigenlijk wel logisch, hè?'
'Moord?'
'Nee.' Zo ver wilde de CIA-man niet gaan. 'Volgens het officiële verhaal was het een echte schietpartij en raakten er ook andere mensen gewond. Zo staat het in het dossier, maar...'
'Ja. Het zet je wel aan het denken.' Donner knikte, kijkend naar de foto's. 'Zou dit vervalst kunnen zijn?'

'Het zou kunnen,' gaf hij toe. 'Maar het is niet zo. De andere mensen op de foto: admiraal Dan Foster, die was toen hoofd Marineoperaties. Dit is kapitein-luitenant-ter-zee Bartolomeo Mancuso. Indertijd was hij commandant van de USS *Dallas*. Hij werd naar de *Red October* overgeplaatst om het overlopen te vergemakkelijken. Hij is trouwens nog steeds in actieve dienst, en inmiddels is hij admiraal. Hij heeft het bevel over alle onderzeeërs in de Stille Oceaan. En dat is kapitein-ter-zee Marko Aleksandrovitsj Ramius van de sovjetmarine. Hij was de commandant van de *Red October*. Ze zijn allemaal nog in leven. Ramius woont tegenwoordig in Jacksonville, Florida. Hij werkt onder de naam Mark Ramsey op de marinebasis Mayport. Adviseurscontract,' legde hij uit. 'De gebruikelijke gang van zaken. Kreeg ook een groot jaargeld van de regering. God mag weten waaraan hij dat heeft verdiend.'
Donner keek naar de details en herkende een van de andere gezichten. Nee, deze foto was niet vervalst. Daar waren ook regels voor. Als iemand tegen een journalist loog, was het niet zo moeilijk om te zorgen dat de juiste mensen te weten kwamen wie de wet had overtreden, erger nog, zo iemand werd een doelwit, en de media waren op hun manier een wredere vervolger dan iedere openbare aanklager. Per slot van rekening moesten rechtbanken zich aan de wet houden.
'Goed,' zei de journalist. De eerste foto's gingen weer in de map. De man haalde een andere map te voorschijn en pakte daar een foto uit.
'Herken je deze man?'
'Dat was... Wacht eens even. Gera en nog wat. Hij was...'
'Nikolai Gerasimov. Hij was voorzitter van de oude KGB.'
'Omgekomen bij een vliegtuigongeluk in...'
De volgende foto. De geportretteerde was ouder en grijzer en zag er welvarender uit. 'Deze foto is twee jaar geleden gemaakt in Winchester, Virginia. Ryan ging naar Moskou, zogenaamd als technisch adviseur bij de START-onderhandelingen. Hij overreedde Gerasimov om over te lopen. Niemand weet precies hoe hij dat heeft gedaan. Gerasimovs vrouw en dochter gingen ook mee. Die operatie werd rechtstreeks vanuit het kantoor van Moore geleid. Ryan werkte vaak op die manier. Hij maakte nooit echt deel uit van het systeem. Ryan weet... Nou, met alle respect voor de man, maar hij is een typische spion, nietwaar? Hij werkte zogenaamd rechtstreeks voor James Greer op het directoraat Inlichtingen, niet het directoraat Operaties. Een dekmantel binnen een dekmantel. Voorzover ik weet, heeft Ryan nooit een operationele fout gemaakt, en dat zegt veel. Er zijn er niet veel die dat kunnen beweren, maar een van de redenen dat hij dat heeft gepresteerd is dat hij een keiharde rotzak is. Effectief, jazeker, maar meedogenloos. Hij ging dwars door de bureaucratie heen, als hem dat zo uitkwam. Hij doet de dingen altijd op zijn eigen manier, en als je hem in de weg staat, nou, er is die ene dode Rus van de *Red October* die we begraven hebben, en er ligt een complete *Alfa*-bemanning bij de Carolinen, alleen om die operatie geheim te houden. Van deze ben ik niet zeker. Er staat niets in het dossier, maar het dossier vertoont wel meer lacunes. Er staat ook

niet in hoe Gerasimovs vrouw en dochter het land uit zijn gekomen. Ik ken alleen geruchten, en die zijn nogal vaag.'
'Verdomme, ik wou dat ik dit een paar uur eerder had gehad.'
'Hij had je tuk, hè?' Die vraag kwam van Ed Kealty door een luidspreker in een telefoon.
'Ik ken het probleem,' zei de CIA-functionaris. 'Ryan is erg slim. Zeg maar gerust: gehaaid. Hij glijdt door de CIA heen alsof hij schaatsen onder heeft, en dat doet hij al jaren. Het Congres is gek op hem. Waarom? Omdat hij overkomt als de meest oprechte vent sinds Abraham Lincoln. Alleen heeft hij mensen gedood.' De man heette Paul Webb en hij was een hoge functionaris op het directoraat Inlichtingen, maar niet hoog genoeg om te voorkomen dat zijn hele eenheid op de bezuinigingslijst terechtkwam. Hij had inmiddels al hoofd van het directoraat moeten zijn, vond Webb, en dat zou hij ook zijn geweest als James Greer niet in de ban van Ryan was geraakt. Daarom was zijn carrière in de subtop van de CIA blijven steken, en nu was hem zelfs dat afgepakt. Hij had zijn pensioen. Niemand kon hem dat afpakken, nou ja, als bekend werd dat hij deze dossiers het hoofdkantoor uit had gesmokkeld, kwam hij in enorme moeilijkheden... of misschien ook niet. Wat gebeurde er nu eigenlijk met mensen die uit de school klapten? De media beschermden hen vrij goed, en hij had zijn vele dienstjaren en... Het zat hem echt dwars dat hij was weggesaneerd. In een andere tijd zou hij, hoewel hij dat zelfs niet aan zichzelf wilde toegeven, zo kwaad zijn geworden dat hij contact had gezocht met... nee, dat niet. Niet met een vijand. Maar de media waren toch geen vijand? Dat zei hij tegen zichzelf, al had hij zijn hele loopbaan precies het tegenovergestelde gedacht.
'Je hebt je laten beetnemen, Tom,' zei Kealty weer door de luidspreker. 'En je bent de enige niet. Zelfs ik weet niet wat hij allemaal kan klaarspelen. Paul, vertel hem over Colombia.'
'Daarover heb ik geen dossier kunnen vinden,' gaf Webb toe. 'Waar het ook ligt... nou ja, er zijn speciale dossiers, die met datumstempels erop. Zoals: niet openen voor 2050. Die krijgt niemand te zien.'
'Hoe gaat dat?' vroeg Donner. 'Ik heb er al vaker over gehoord, maar ik heb nooit kunnen bevestigen...'
'Hoe ze die buiten de boeken houden? Dat moet via het Congres lopen, een ongeschreven deel van de toezichtprocedures. De CIA gaat daar met een probleempje naartoe, vraagt om een speciale behandeling, en als het Congres akkoord gaat, verdwijnt het dossier in de speciale kluis, of weet ik veel, misschien gaat het wel de shredder in en maken ze er compost van. Hoe dan ook, ik kan je een paar feiten geven die je kunt verifiëren,' besloot Webb met een elegante draai.
'Ik luister,' antwoordde Donner. En zijn cassetterecorder luisterde mee.
'Hoe denk je dat de Colombianen het Medellín-kartel hebben doorbroken?' vroeg Webb om Donner nog wat meer te verlokken. Zo moeilijk was dat laatste niet. Die mensen meenden dat ze alles van intriges wisten, dacht Webb met een vaag glimlachje.

'Nou, er was een interne factiestrijd, en er gingen een paar bommen af en...'
'Dat waren CIA-bommen. Op de een of andere manier – ik weet niet precies hoe – hebben wij die factiestrijd ontketend. Wat ik wel weet, is dat Ryan daar was. Zijn mentor op het hoofdkantoor was James Greer, ze waren als vader en zoon. Maar toen James stierf, was Ryan niet op de begrafenis, en hij was ook niet thuis, en hij vertegenwoordigde de CIA ook niet ergens in het buitenland; hij was net terug van een NAVO-conferentie in België. Maar toen verdween hij gewoon van de kaart, zoals hij wel vaker had gedaan. Kort daarna wordt de nationale-veiligheidsadviseur van de president, Jim Cutter, per ongeluk overreden door een bus op de George Washington, ja? Hij keek niet uit? Hij rende zomaar voor die bus? Dat zei de FBI, maar de man die dat onderzoek leidde, was Dan Murray, en welke functie heeft hij nu? Directeur van de FBI, nietwaar? Hij en Ryan kennen elkaar al meer dan tien jaar. Murray was de "speciale" man van Emil Jacobs én Bill Shaw. Als de FBI wilde dat iets in alle discretie gebeurde, haalden ze Murray erbij. Daarvoor was hij juridisch attaché in Londen, dat is een spionnenpost; als je daar zit, heb je veel contacten met de inlichtingenwereld daar. Murray is de duistere zijde van de FBI, een man met erg hoge connecties. Hij is ook degene die Pat Martin heeft uitgekozen om de lijst met kandidaten voor het hooggerechtshof op te stellen. Begint het je duidelijk te worden?'
'Wacht eens even. Ik kén Dan Murray. Hij is een lastig stuk vreten, maar ook een eerlijke politieman...'
'Hij was met Ryan in Colombia. Dat is te zeggen, hij was in precies dezelfde tijd van de kaart verdwenen. Goed, vergeet niet dat ik het dossier van deze operatie niet heb. Ik kan hier niets van bewijzen. Maar kijk eens naar de volgorde van de gebeurtenissen. Directeur Jacobs en alle anderen worden gedood, en meteen daarna gaan er bommen af in Colombia en komen veel van die karteljongens voor hun Schepper te staan, maar er komen ook een heleboel onschuldige mensen om. Dat is het probleem met bommen. Weet je nog dat Bob Fowler daar een punt van maakte? Nou, wat gebeurde er toen? Ryan verdwijnt. Murray verdwijnt ook. Ik denk dat ze erheen gingen om de operatie stop te zetten voordat de zaak helemaal uit de hand liep. En toen stierf Cutter op een wel heel erg gunstig moment. Cutter had niet het lef voor dat soort operaties, dat wist hij waarschijnlijk zelf ook wel, en ze zullen wel bang zijn geweest dat hij het daarom niet geheim zou kunnen houden. Maar Ryan had het lef wel, en dat heeft hij nog steeds. Murray... nou, als je de FBI-directeur doodt, krijg je een geduchte organisatie tegen je, en daar kan ik heel goed inkomen. Die Medellín-schoften gingen ver over de schreef, en dat deden ze ook nog in een verkiezingsjaar. Ryan was er klaar voor om in actie te komen. Iemand gaf hem een jachtvergunning en misschien liep de zaak toen een beetje uit de hand, dat kan gebeuren. En dus ging hij erheen om de zaak stop te zetten. En dat lukte hem,' zei Webb met nadruk. 'Eigenlijk was de hele operatie een succes. Het kartel viel uit elkaar...'

'Er kwam een ander kartel voor in de plaats,' wierp Donner tegen. Webb knikte met de glimlach van een insider.
'Zeker, en ze hebben geen Amerikaanse functionarissen gedood, nietwaar? Iemand heeft ze de regels uitgelegd. Nogmaals, ik wil niet zeggen dat wat Ryan deed verkeerd was, op één klein ding na.'
'Wat dan?' vroeg Donner, die daarmee Webb teleurstelde, al ging hij nu helemaal op in het verhaal.
'Als je militaire middelen inzet in een ander land, en je doodt mensen, dan noemen ze dat een daad van oorlog. Maar ook daar schaatste Ryan moeiteloos doorheen. Die jongen weet hoe hij het moet spelen. Jim Greer heeft hem goed opgeleid. Al gooi je Ryan in een beerput, hij komt eruit met de lucht van Old Spice om zich heen.'
'Wat heb je dan tegen hem?'
'Nu heb je het eindelijk gevraagd,' merkte Webb op. 'Jack Ryan zou wel eens de beste inlichtingenman kunnen zijn die we in dertig jaar hebben gehad, de beste sinds Allen Dulles, misschien wel sinds Bill Donovan. De *Red October* was een briljante coup. Nog beter was het dat hij de voorzitter van de KGB het land uit kreeg. Dat in Colombia, nou, toen trokken ze aan de staart van de tijger en vergaten ze dat de tijger grote klauwen heeft. Goed,' gaf Webb toe, 'Ryan is een kei van een spion, maar hij heeft iemand nodig die hem vertelt wat de wet is, Tom.'
'Zo iemand zou nooit worden gekozen,' zei Kealty op vijf kilometer afstand. Hij deed zijn best om zo min mogelijk te zeggen. Zijn eigen stafchef trok de telefoon bijna van hem weg, het scheelde nu zo weinig of de boodschap was overgekomen. Gelukkig ging Webb verder.
'Hij heeft geweldig goed werk gedaan bij de CIA. Hij was zelfs een goede adviseur van Roger Durling, maar dat is niet hetzelfde als het presidentschap. Ja, hij heeft je beetgenomen, Tom. Misschien heeft hij Durling ook beetgenomen. Waarschijnlijk niet, maar wie zal het zeggen? Maar die kerel reorganiseert nu verdomme de hele overheid, en hij doet dat naar zijn eigen beeltenis, voor het geval het je nog niet was opgevallen. Hij benoemt alleen mensen met wie hij heeft samengewerkt, in sommige gevallen jarenlang, of anders zijn ze voor hem uitgekozen door mensen uit zijn omgeving. Murray heeft de leiding van de FBI. Wil je dat Dan Murray aan het hoofd staat van Amerika's machtigste politiedienst? Wil je dat die twee mensen de leden van het hooggerechtshof uitkiezen? Waarheen zal hij ons voeren?' Webb zweeg even en zuchtte. 'Ik heb er de pest aan dat ik dit moet doen. Hij is een van ons op Langley, maar hij zou geen president moeten zijn. Ik heb verplichtingen tegenover mijn land, en mijn land is niet Jack Ryan.' Webb pakte de foto's op en deed ze weer in de mappen. 'Ik moet terug. Als iemand ontdekt wat ik heb gedaan, nou, je hebt gezien wat er met Jim Cutter is gebeurd...'
'Dank je,' zei Donner. Hij keek op zijn horloge. Het was kwart over drie. Hij moest nu snel beslissingen nemen. Zijn motief was nu volkomen duidelijk. Er

was iets op deze wereld dat nog wraakzuchtiger was dan een versmade vrouw. Dat was een journalist die had ontdekt dat hij was beetgenomen.

Ze waren alle negen stervende. Het zou vijf tot acht dagen duren, maar ze waren allemaal ten dode opgeschreven, en dat wisten ze. Ze staarden naar de camera's aan het plafond en ze maakten zich geen illusies meer. Hun executie zou nog wreder zijn dan wat de rechter voor hen had besloten. Tenminste, dat dachten ze. Aangenomen mocht worden dat deze groep gevaarlijker was dan de eerste – ze wisten gewoon beter wat er aan de hand was – en als gevolg daarvan moesten ze meer in bedwang worden gehouden. Terwijl Moudi naar de monitoren keek, gingen de militaire verplegers de kamer in om de proefpersonen bloed af te nemen. Dat bloed hadden ze nodig om de mate van besmetting te onderzoeken. De verplegers hadden zelf een manier gevonden om te voorkomen dat de 'patiënten' zich verzetten; als deze op het verkeerde moment een ruk aan hun arm gaven, kon de naald wel eens in het verkeerde lichaam terechtkomen. Terwijl de ene verpleger het bloed afnam, hield de andere een mes bij de keel van de proefpersoon. Ook al geloofden de criminelen dat ze ten dode waren opgeschreven, het bleven criminelen, dus lafaards, en daarom wilden ze hun dood niet bespoedigen. Het was geen goede medische techniek, maar ja, niemand in dit gebouw beoefende de geneeskunde zoals het hoorde. Moudi sloeg de gang van zaken enkele minuten gade en verliet de kamer met de monitoren.

Ze waren in veel opzichten te pessimistisch geweest, en een daarvan was de hoeveelheid van het virus dat ze nodig zouden hebben. In de kweektank had het ebola de apenklieren en het apenbloed verteerd met een snelheid waar zelfs de directeur van huiverde. Hoewel het fundamenteel op moleculair niveau gebeurde, was het net of dood fruit door mieren werd opgevreten, mieren die uit het niets waren verschenen en het fruit helemaal bedekten, het zwart maakten met hun lichamen. Zo was het met het ebolavirus; hoewel het te klein was om het te zien, waren ze met letterlijk triljoenen bezig het weefsel op te vreten dat hun als voedsel werd aangeboden. Wat een bepaalde kleur had gehad, had nu een andere kleur, en je hoefde geen medicus te zijn om te weten dat de inhoud van die kamer te gruwelijk voor woorden was. Er ging een rilling door hem heen als hij naar die afschuwelijke 'soep' keek. Er waren nu liters van, en ze groeiden nog steeds, terend op menselijk bloed dat uit de bloedbanken van Teheran was gehaald.

De directeur bestudeerde een monster onder de elektronenmicroscoop. Hij vergeleek het met een ander monster. Toen Moudi naar hem toe kwam, zag hij de datumetiketten op beide monsters. Het ene was van zuster Jean Baptiste. Het andere was net gearriveerd en afkomstig van een 'patiënt' in de tweede groep van negen.

'Ze zijn identiek, Moudi,' zei hij. Hij draaide zich om toen de jongere man bij hem aangekomen was.

Dat was niet zo vanzelfsprekend als je zou denken. Een van de problemen met virussen was dat ze, omdat ze nauwelijks levend waren, niet goed in staat waren zich voort te planten. Het RNA miste een 'editing'-functie die ervoor moest zorgen dat elke generatie volledig in de voetsporen van haar voorganger trad. Dat was een ernstig aanpassingsgebrek van ebola en van veel soortgelijke organismen. Vroeg of laat was het gedaan met elke ebolauitbarsting, en dit was een van de redenen. Het virus zelf, slecht aangepast aan de menselijke gastheer, werd zwakker. En juist daardoor was het een ideaal biologisch wapen. Het zou doden. Het zou zich verspreiden. En dan zou het verdwijnen voordat het zich te veel had verspreid. Hoeveel het uitrichtte, hing af van de verspreiding in het begin. Het was uiterst dodelijk, maar het legde zichzelf ook grenzen op.

'Dus we hebben minstens drie generaties van stabiliteit,' merkte Moudi op.

'En als we dat extrapoleren, waarschijnlijk zeven tot negen.' De projectdirecteur mocht dan op een vreemde manier met de medische wetenschap omspringen, als het op technische kwesties aankwam, was hij erg voorzichtig. Moudi hield het zelf op negen tot elf. Het zou beter zijn als de directeur gelijk had, gaf hij zichzelf toe, en hij wendde zich af.

Op een tafel langs een van de muren stonden twintig spuitbussen. Ze leken op de bus die was gebruikt om de eerste groep misdadigers te besmetten. Het voornaamste verschil was dat ze de opdruk hadden van een populair Europees scheerschuim. (De onderneming was in werkelijkheid Amerikaans eigendom, iets wat alle betrokkenen bij het project erg grappig vonden.) Het waren precies de spuitbussen die ze hadden willen hebben, en ze waren elk apart gekocht in twaalf verschillende steden in vijf verschillende landen, zoals aan de chargenummers op hun holle onderkant te zien was. Hier in het Apenhuis waren ze leeggemaakt en zorgvuldig omgebouwd. Elke spuitbus zou een halve liter van de verdunde 'soep' bevatten, plus een neutraal drijfgas (stikstof, dat geen chemische reactie met de 'soep' zou aangaan en geen aanzet tot verbranding zou geven) en een kleine hoeveelheid koelvloeistof. Een ander deel van het team had het afleveringssysteem al uitgetest. Gedurende meer dan negen uur trad er geen enkele verzwakking van het ebolavirus op. Daarna, als de koelvloeistof niet meer werkte, zouden de virusdeeltjes afsterven in een lineaire functie. Na negen plus acht uren zou nog geen tien procent van de deeltjes dood zijn, maar dat, zei Moudi tegen zichzelf, waren toch al de zwakke deeltjes, en waarschijnlijk zouden ze geen ziekte veroorzaken. Na negen plus zestien uren zou vijftien procent dood zijn. Daarna, was uit experimenten gebleken, zou na elke acht uren – om de een of andere reden was die indeling in derden van een etmaal te maken – nog eens vijf procent sterven. En dus...

Het was eenvoudig genoeg. De reizigers zouden Teheran met vliegtuigen verlaten. Naar Londen was het zeven uur vliegen. Naar Parijs een halfuur minder. Naar Frankfurt nog minder. Dat hing voor een groot deel van de tijd van de dag af, had Moudi gehoord. In de drie steden waren er goede aansluitingen. De bagage zou niet worden gecontroleerd, want de reizigers gingen door naar een ander land. Niemand zou de spuitbussen met ongewoon koud scheerschuim opmerken. Tegen de tijd dat de koelvloeistof uitgewerkt was, zouden de reizigers in de eerste klas zitten en naar hun uiteindelijke bestemmingen vliegen, en ook wat dat betrof, bleek het internationale luchtverkeer efficiënt te functioneren. Er waren directe vluchten van Europa naar New York, naar Washington, naar Boston, naar Philadelphia, naar Chicago, naar San Francisco, naar Los Angeles, naar Atlanta, naar Dallas, naar Orlando, en er waren regelmatig aansluitende vluchten naar Las Vegas en Atlantic City, in feite naar alle Amerikaanse steden waar congressen werden gehouden. De reizigers zouden allemaal eerste klas vliegen om hun bagage vlugger in ontvangst te kunnen nemen en door de douane te krijgen. Ze zouden goede hotelreserveringen hebben, en retourtickets waarmee ze van verschillende vliegvelden konden vertrekken. Tussen het uur nul en de aflevering zou niet meer dan vierentwintig uur liggen, zodat tachtig procent van het vrijkomende ebolavirus nog actief zou zijn. Daarna was het allemaal een kwestie van toeval, was het in Allah's handen... nee! Moudi schudde zijn hoofd. Hij was niet de directeur. Hij zou deze daad niet aan de wil van zijn God toeschrijven. Wat het ook was, hoe noodzakelijk het ook was voor zijn land – en nog wel voor een nieuw land ook – hij zou zijn religieuze overtuigingen niet bezoedelen door dát te zeggen of zelfs maar te denken.

Eenvoudig genoeg? Het was ooit eenvoudig geweest, maar toen... Het was een soort erfenis. Zuster Jean Baptiste, wier lichaam allang verbrand was, had geen kinderen nagelaten, zoals het een vrouw eigenlijk betaamde. De ziekte was haar enige fysieke nalatenschap, en dat was zoiets kwaadaardigs dat Allah vast en zeker beledigd zou zijn. Maar ze had ook iets anders nagelaten, iets minder verschrikkelijks. Vroeger had Moudi alle westerlingen gehaat omdat ze ongelovig waren. Op school had hij geleerd over de kruistochten, en hoe die zogenaamde soldaten van de profeet Jezus moslims hadden afgeslacht, zoals Hitler later joden had afgeslacht, en daaruit had hij de les geleerd dat alle westerlingen en alle christenen minder waren dan de mensen van zijn eigen geloof. Het was gemakkelijk om zulke mensen te haten, gemakkelijk om ze af te schrijven als irrelevante factoren in een wereld van deugd en geloof. Maar die ene vrouw. Wat was het Westen en wat was het christendom? De misdadigers uit de elfde eeuw, of een deugdzame vrouw uit de twintigste, die zich de vervulling had ontzegd van elke wens die ze had gehad, en waarvoor? Om de zieken te dienen, om haar geloof uit te dragen. Altijd nederig, altijd eerbiedig. Ze had haar geloften van armoede, kuisheid en gehoorzaamheid nooit gebroken – daar was Moudi zeker van – en hoewel die geloften en die overtuigingen verkeerd waren, waren ze nu ook weer niet zó verkeerd geweest. Hij had van haar hetzelfde geleerd als wat de Profeet had geleerd. Er was maar één God. Er was maar één Boek. Ze had beide met een zuiver hart gediend, hoe verkeerd haar religieuze overtuiging ook was geweest.

Niet alleen zuster Jean Baptiste, herinnerde hij zich, ook zuster Maria Magdalena. En zij was vermoord, en waarom? Trouw aan haar geloof, trouw aan

haar geloften, trouw aan haar vriendin, niet iemand tegen wie de heilige koran ook maar de minste bezwaren had.
Het zou veel gemakkelijker voor hem zijn geweest als hij alleen met zwarte Afrikanen had samengewerkt. Hun religieuze opvattingen waren dingen die de koran verafschuwde, want velen van hen waren nog heidenen, soms zelfs openlijk. Ze kenden de ene God niet, en hij kon gemakkelijk op hen neerkijken, en hij zou zich ook helemaal niet druk hebben gemaakt om de christenen onder hen, maar hij had zuster Jean Baptiste en zuster Maria Magdalena ontmoet. Waarom? Waarom was dat gebeurd?
Helaas voor hem was het te laat om zulke vragen te stellen. Wat gebeurd was, was gebeurd. Moudi liep naar de achterste hoek van de kamer en schonk zich wat koffie in. Hij was al meer dan vierentwintig uur in touw, en met de vermoeidheid kwamen de twijfels. Hij hoopte dat de koffie die twijfels zou verjagen tot de slaap kwam, en met de slaap ook rust, en met die rust ook vrede... misschien.

'Dat meen je niet!' snauwde Arnie in de telefoon.
Tom Donners stem klonk zo deemoedig als het maar kon. 'Misschien kwam het door de metaaldetectors bij de uitgang. De band is beschadigd. Je kunt alles nog zien en horen, maar er zit een beetje ruis op de audiotrack. Geen uitzendkwaliteit. Het hele uur is verknoeid. We kunnen het niet gebruiken.'
'Nou?' vroeg Van Damm.
'Nou, we hebben een probleem, Arnie. De uitzending moet om negen uur beginnen.'
'Nou, wat wil je dat ik daaraan doe?'
'Zou Ryan het live kunnen overdoen? Dan krijgen we ook meer kijkers,' bood de presentator aan.
De stafchef van de president zei bijna iets anders. Als het kijkcijferweek was geweest – de week waarin de netwerken hun best deden om extra kijkers te trekken en zo hogere reclametarieven te kunnen bedingen – zou hij Donner van opzet hebben beschuldigd. Nee, dat was een streep waar zelfs hij niet overheen mocht stappen. Als je op dit niveau met de pers te maken had, was dat net zoiets als wanneer je Clyde Beatty in de middelste ring was, gewapend met een stoel zonder zitting en een revolver met losse flodders, en je moest voor het publiek een stel grote roofkatten onder controle houden: je had de hele tijd de overhand, maar je wist dat die katten maar één keer geluk hoefden te hebben.
In plaats daarvan bleef hij zwijgen, zodat Donner de volgende zet moest doen.
'Luister, Arnie, het gaat over dezelfde dingen. Hoe vaak geven we de president een kans om zijn tekst te repeteren? En hij deed het vanmorgen erg goed. John vindt dat ook.'
'Jullie kunnen het niet opnieuw opnemen?' vroeg Van Damm.
'Arnie, ik ga over veertig minuten de ether in, en ik zit vol tot half acht. Dat geeft me dertig minuten om naar het Witte Huis te racen, alles te installeren, de opnames te maken, de band weer hierheen te brengen, en dat alles vóór

negen uur? Wil je me een van zijn helikopters lenen?' Hij zweeg even. 'Op deze manier... Weet je wat, ik zal in de uitzending zeggen dat we die band hebben verknoeid en dat de president zo goed was om ons te helpen. Als dat geen veer in de kont van de kant van het netwerk is, weet ik niet wat dat wél is.'
Arnold van Damms alarmlichtjes begonnen allemaal te flikkeren. Het goede nieuws was dat Jack het vrij goed had gedaan. Niet perfect, maar vrij goed. Hij was vooral erg oprecht overgekomen. Zelfs de controversiële dingen had hij gebracht alsof hij geloofde in wat hij zei. Ryan liet zich goed coachen, en hij leerde snel. Hij had er niet zo ontspannen uitgezien als zou moeten, maar dat gaf niet. Ryan was geen politicus – dat had hij twee of drie keer gezegd – en daarom was het niet erg dat hij een beetje gespannen was. Panels in zeven verschillende steden zeiden allemaal dat ze Jack sympathiek vonden omdat hij zich net zo gedroeg als zij. Ryan wist niet dat Arnie en de politieke staf zulke opiniepeilingen hielden. Dat kleine project was even geheim als een CIA-operatie, maar Arnie kon het voor zichzelf wel rechtvaardigen. Dat project met die panels was een manier om na te gaan hoe de president zich het best kon presenteren, zodat hij zo effectief mogelijk het land kon besturen. En geen enkele president had ooit alles geweten wat in zijn naam geschiedde. En live op de televisie, ja, dat zou een erg goede indruk maken, en het zou veel meer mensen ertoe brengen om op NBC af te stemmen, en Arnie wilde dat de mensen Ryan beter leerden kennen.
'Goed, Tom, een aarzelend ja. Maar ik moet het hem wel vragen.'
'Gauw, als het kan,' zei Donner. 'Als hij niet wil, moeten we de hele programmering voor vanavond omgooien, en dan komt míjn hachje op het spel te staan, begrijp je?'
'Ik geef je over vijf minuten antwoord,' beloofde Van Damm. Hij drukte op de toets van de telefoon en liep vlug de kamer uit. De hoorn bleef op zijn bureau liggen.
'Op weg naar de baas,' zei hij tegen de Secret Service-agenten op de oostwestgang. Al voordat ze zijn ogen zagen, zagen ze aan zijn manier van lopen dat ze uit de weg moesten gaan.
'Ja?' zei Ryan. Het gebeurde niet vaak dat zijn deur zonder waarschuwing werd opengedaan.
'We moeten het interview overdoen,' zei Arnie een beetje ademloos.
Jack schudde verrast met zijn hoofd. 'Waarom? Had ik mijn gulp open?'
'Mary controleert dat altijd. Er is iets misgegaan met het bandje en er is geen tijd om een nieuwe opname te maken. Daarom moet ik je namens Donner vragen of je het om negen uur live wilt doen. Dezelfde vragen en zo... nee, nee,' zei Arnie, die snel nadacht. 'Als we je vrouw er nu ook eens bij haalden?'
'Cathy heeft er vast geen zin in. Waarom?' vroeg de president.
'Nou, ze hoeft er alleen maar bij te zitten en te glimlachen. Dat komt goed over op de mensen. Jack, ze moet zich soms als de first lady gedragen. Dat kan niet moeilijk zijn. Misschien kunnen we op het eind zelfs de kinderen erbij halen...'
'Nee. Mijn kinderen blijven buiten de publiciteit. Punt uit. Cathy en ik hebben daarover gesproken.'

'Maar...'
'Nee, Arnie, niet nu, niet morgen, niet in de toekomst, nee.' Ryans stem klonk even definitief als een doodvonnis.
De stafchef wist dat hij Ryan niet meteen tot alles kon overhalen. Dit zou een beetje tijd kosten, maar uiteindelijk zou hij wel bijdraaien. Je kon niet tot het volk behoren zonder dat ze je kinderen te zien kregen, maar dit was niet het moment om daarop aan te dringen. 'Wil je het Cathy vragen?'
Ryan zuchtte en knikte. 'Goed.'
'Nou, goed, dan zeg ik tegen Donner dat ze misschien komt, maar dat we daar niet zeker van zijn vanwege haar verplichtingen in het ziekenhuis. Laat hij daar maar eens over nadenken. Het zou meteen betekenen dat jij het wat gemakkelijker krijgt. Dat is de voornaamste taak van de presidentsvrouw, vergeet dat niet.'
'Wil jij haar dat vertellen, Arnie? Vergeet niet, ze is chirurg, ze is goed met messen.'
Van Damm lachte. 'Ik zal je vertellen wat ze is. Ze is een geweldige vrouw en ze is harder dan wij tweeën samen. Vraag het haar op een aardige manier,' adviseerde hij.
'Ja.' Vlak voor het eten, dacht Jack.

'Goed, hij doet het. Maar we willen zijn vrouw ook vragen om mee te doen.'
'Waarom?'
'Waarom niet?' vroeg Arnie. 'Het is nog niet zeker. Ze is nog niet terug van haar werk,' voegde hij eraan toe, en de journalisten moesten lachen.
'Goed, Arnie, bedankt. Ik sta bij je in het krijt.' Donner zette de telefoon met luidspreker af.
'Je beseft zeker wel dat je zojuist tegen de president van de Verenigde Staten hebt gelogen,' merkte John Plumber peinzend op. Plumber was een oudere rot in het vak dan Donner. Hij liep tegen de zeventig en behoorde dus nog net niet tot de generatie van Edward R. Murrow. In de Tweede Wereldoorlog was hij een tiener geweest, maar hij was als jong verslaggever naar Korea gegaan en was daarna correspondent in Londen, Parijs, Bonn en ten slotte Moskou geweest. Plumber was uit Moskou gegooid en hoewel hij tamelijk links was, had hij toch nooit veel sympathie voor de Sovjet-Unie gehad. Dat kwam vooral doordat hij, hoewel hij niet tot Murrows generatie behoorde, in zijn hele jeugd naar die onsterfelijke CBS-correspondent had geluisterd. Nog steeds hoefde hij zijn ogen maar dicht te doen en hij hoorde alweer die knarsende stem die op de een of andere manier een gezag uitdroeg dat je van een geestelijke zou verwachten. Misschien kwam het doordat Ed op de radio begonnen was, toen je stem nog je belangrijkste gereedschap was. In elk geval had hij zijn taal beter beheerst dan de meeste journalisten uit zijn eigen tijd, en oneindig veel beter dan de half-analfabete verslaggevers van de huidige generatie. Plumber was zelf ook een soort geleerde. Hij was een liefhebber van zestiende-eeuwse Engelse literatuur en probeerde zijn teksten en spontante opmerkingen even stijl-

vol te formuleren als de leraar die hij alleen maar gezien en gehoord maar nooit ontmoet had. De mensen hadden vooral naar Ed Murrow geluisterd omdat hij zo'n groot eergevoel had, zei John Plumber tegen zichzelf. Murrow was even taai en vasthoudend geweest als de latere generatie van 'onderzoeksjournalisten', maar je wist altijd dat Ed Murrow eerlijk en redelijk was. En je wist dat hij zich aan de regels hield. Plumber behoorde tot de generatie die geloofde dat de journalistiek aan regels gebonden was. En het was een van die regels dat je nóóit een leugen vertelde. Je mocht de waarheid een beetje verdraaien om informatie uit iemand te krijgen – dat was iets anders – maar je vertelde nóóit iemand iets dat opzettelijk en absoluut gelogen was. Dat zat John Plumber dwars. Ed Murrow zou dit nooit hebben gedaan. Geen denken aan.
'John, hij heeft ons belazerd.'
'Dat denk jij.'
'De informatie die ik heb gekregen... nou, wat vind jij daar dan van?' Het waren twee drukke uren geweest. De hele researchafdeling van het netwerk was aan het werk gezet om dingen na te trekken die zo onbeduidend waren dat ze, zelfs als twee of drie van de stukjes in elkaar pasten, nog niet veel voorstelden. Maar al die kleine gegevens bleken te kloppen, en dat betekende iets.
'Ik weet het niet, Tom.' Plumber wreef over zijn ogen. 'Weet Ryan niet goed wat hij met het presidentschap aan moet? Ja, dat is zo. Maar doet hij zijn uiterste best? Absoluut. Is hij eerlijk? Ik denk van wel. Nou, zo eerlijk als je in de politiek kunt zijn,' verbeterde hij zichzelf.
'Dan geven we hem toch gewoon de kans om dat te bewijzen?'
Plumber zei niets. Visioenen van kijk- en beoordelingscijfers en misschien zelfs een Emmy dansten voor de ogen van zijn jongere collega langs. Hoe dan ook, Donner was de presentator en Plumber was de commentator, en op het hoofdkantoor in New York luisterden ze naar Tom. Op dat hoofdkantoor hadden vroeger mensen van zijn eigen generatie gezeten, maar nu zaten er alleen maar mensen van Donners leeftijd, types die meer op zakenlieden dan op journalisten leken en die de kijkcijfers als de Heilige Graal beschouwden. Nou, Ryan hield toch van zakenlieden?
'Ja, misschien.'

De helikopter landde op het platform van het zuidelijk gazon. De piloot gooide de deur open en sprong naar buiten, waarna hij de presidentsvrouw hielp met uitstappen. Haar escorte volgde en ze liepen met zijn allen de flauwe helling naar de zuidelijke ingang op. Bij de lift aangekomen, drukte Roy Altman voor haar op de bel, want dat mocht de first lady ook niet doen.
'SURGEON in de lift, op weg naar de eerste verdieping,' meldde agent Raman op de begane grond.
'Begrepen,' bevestigde Andrea Price boven. Ze had al een paar mensen van de technische veiligheidsdienst naar alle metaaldetectors laten kijken waar de NBC-ploeg op weg naar buiten doorheen was gegaan. De chef van die dienst zei dat detectors soms kuren vertoonden en dat de grote Beta-tapes van de

netwerken gemakkelijk beschadigd konden raken, maar toch leek het hem onwaarschijnlijk. Misschien een onregelmatigheid in de elektriciteit, had ze gezegd. Geen schijn van kans, had hij geantwoord, en hij had haar er op strenge toon aan herinnerd dat zelfs de lúcht in het Witte Huis voortdurend door zijn mensen werd gecontroleerd. Andrea dacht erover het met de stafchef te bespreken, maar dat zou geen zin hebben. Die vervloekte persmuskieten. Als er iets was waar ze de pest aan had, dan waren het journalisten.
'Dag, Andrea,' zei Cathy in het voorbijgaan.
'Dag, dokter Ryan. Het diner is op weg naar boven.'
'Dank je,' zei Cathy op weg naar de slaapkamer. Ze bleef in de deuropening staan toen ze een jurk en sieraden zag klaarliggen. Met gefronste wenkbrauwen schopte ze haar schoenen uit en trok gemakkelijke kleren voor het eten aan. Zoals altijd vroeg ze zich af of er ergens camera's verborgen waren om al haar handelingen gade te slaan.
De kok van het Witte Huis, George Butler, was verreweg haar meerdere. Hij had zelfs haar spinaziesalade verbeterd door een snufje rozemarijn toe te voegen aan de dressing die ze in de loop van de jaren had geperfectioneerd. Cathy praatte minstens een keer per week met hem, en dan liet hij haar zien hoe professionele keukenapparatuur werkte. Soms vroeg ze zich af hoe goed ze als kok zou zijn geworden als ze niet voor de geneeskunde had gekozen. De kok had haar niet verteld dat ze talent had, want hij was bang dat hij dan neerbuigend zou overkomen; per slot van rekening was ze arts. Inmiddels wist hij wat de favoriete gerechten van de familie Ryan waren. Koken voor een peuter, had hij ontdekt, was geweldig, vooral wanneer die peuter soms met haar kolossale lijfwacht naar beneden kwam voor een lekker hapje. Don Russell en zij kregen minstens twee keer per week melk met koekjes. SANDBOX was de lieveling van het personeel geworden.
'Mammie!' zei Katie Ryan toen Cathy binnenkwam.
'Dag, schatje.' SANDBOX kreeg de eerste knuffel en kus. De president kreeg de tweede. De oudere kinderen verzetten zich, zoals ze altijd deden. 'Jack, waarom liggen die kleren voor me klaar?'
'We komen vanavond op de televisie,' antwoordde SWORDSMAN vermoeid.
'Waarom?'
'Er is iets misgegaan met het bandje van vanmorgen en ze willen het om negen uur live doen, en als je wilt, zou ik het leuk vinden als jij er ook bij was.'
'Welke vragen moet ik dan beantwoorden?'
'Nou, over wat je van mij verwacht.'
'Nou, en wat moet ik dan doen, koekjes presenteren?'
'George maakt de beste koekjes!' droeg SANDBOX aan de conversatie bij. De andere kinderen lachten. De spanning was enigszins gebroken.
'Je hoeft het niet te doen, als je niet wilt, maar Arnie vindt het een goed idee.'
'Schitterend,' zei Cathy. Ze hield haar hoofd een beetje schuin en keek haar man aan. Soms vroeg ze zich af waar de marionettentouwtjes zaten, de touwtjes die Arnie gebruikte om haar man te laten bewegen.

Bondarenko zat nog laat te werken – of vroeg, zo kon je het ook bekijken. Hij zat al twintig uur achter zijn bureau. Sinds hij tot generaal was bevorderd, had hij gemerkt dat je als kolonel een veel beter leven had. Als kolonel had hij elke dag kunnen joggen en had hij zelfs meestal met zijn vrouw kunnen slapen. Nou ja, hij had altijd al een hogere rang willen hebben. Hij was altijd ambitieus geweest, waarom zou een officier van het seinkorps anders met de Spetznaz de bergen van Afghanistan zijn ingetrokken? Hoewel zijn talenten alom erkend waren, was hij er als kolonel bijna uitgevlogen, omdat hij de naaste medewerker was geweest van een andere kolonel, die een spion bleek te zijn – daar kon hij nog steeds niet over uit. Misha Filitov een spion voor het Westen? Dat had zijn geloof in veel dingen aan het wankelen gebracht, vooral zijn geloof in zijn land; maar toen was het land gestorven. De Sovjet-Unie die hem had grootgebracht en in uniform had gestoken en had getraind, was op een koude decemberavond gestorven om plaats te maken voor iets dat kleiner was en... gemakkelijker te dienen. Het was gemakkelijker om van moedertje Rusland te houden dan van een gigantisch imperium waarin vele talen werden gesproken. Het was nu net of de geadopteerde kinderen allemaal het huis uit waren gegaan. Alleen de echte kinderen waren achtergebleven en daardoor was het gezin gelukkiger geworden.
Maar ook armer. Waarom had hij dat niet eerder ingezien? Het leger van zijn land was het grootste en indrukwekkendste van de wereld geweest – tenminste, dat had hij vroeger gedacht – met zijn enorme massa's mensen en wapens en zijn trotse geschiedenis: in de zwaarste oorlog aller tijden had het de Duitse indringers vernietigd. Maar dat leger was gestorven in Afghanistan. In elk geval had het daar zijn ziel en zelfvertrouwen verloren, zoals Amerika in Vietnam. Maar Amerika had zich hersteld en zijn land moest daar nog aan beginnen.
Al dat verspilde geld. Verspild aan de vertrokken provincies, die ondankbare honden. De Sovjet-Unie had ze generaties lang ondersteund, en nu waren ze vertrokken en hadden ze een ontzaglijke rijkdom meegenomen. In sommige gevallen hadden ze zich van Rusland afgewend om gemene zaak met anderen te maken en, zo viel te vrezen, als vijanden terug te komen. Net ontrouwe adoptiekinderen.
Golovko had gelijk. Wilden ze dat gevaar keren, dan moesten ze dat snel doen. Maar hoe? Het was al moeilijk genoeg geweest om met een handjevol Tsjetsjeense bandieten af te rekenen.
Hij was nu hoofd Operaties. Over vijf jaar zou hij opperbevelhebber zijn. Bondarenko maakte zich daar geen illusies over. Hij was de beste officier van zijn leeftijdgroep en had met zijn prestaties te velde de aandacht van de machtigsten in den lande getrokken, en dat laatste was altijd de beslissende factor in iemands carrièreverloop. Of misschien ook niet. Over vijf jaar zou hij, mits hij genoeg middelen tot zijn beschikking had en de vrije hand kreeg om de doctrine en oefenstructuur te veranderen, het Russische leger misschien weer tot de machtsfactor maken die het vroeger was geweest. Hij zou schaamteloos

gebruikmaken van het Amerikaanse model, zoals de Amerikanen in de Golfoorlog schaamteloos gebruik hadden gemaakt van de tactische doctrine van de Sovjets. Maar daarvoor had hij een paar jaar van relatieve vrede nodig. Als zijn troepen verstrikt raakten in schermutselingen langs de zuidgrens, zou het hem aan de tijd en de middelen ontbreken om het leger te redden.
Dus wat moest hij doen? Hij was het hoofd Operaties. Van hem werd verwacht dat hij het wist. Het was zijn taak om het te weten. Maar hij wist het niet. Turkmenistan kwam eerst. Als hij het daar niet tegenhield, zou het hem nooit meer lukken. Op de linkerkant van zijn bureau lag een schema van beschikbare divisies en brigades, met hun verondersteld staat van paraatheid. Op de rechterkant lag een kaart. Die twee pasten slecht bij elkaar.

'U hebt zulk mooi haar,' zei Mary Abbot.
'Ik heb vandaag niet geopereerd,' legde Cathy uit. 'Dat kapje bederft het altijd.'
'Hoe lang hebt u dit kapsel al?'
'Sinds we getrouwd zijn.'
'Nooit veranderd?' Dat verbaasde mevrouw Abbot. Cathy schudde alleen met haar hoofd. Ze vond dat ze wel een beetje op de actrice Susannah York leek, tenminste, ze had haar kapsel overgenomen toen ze als studente een film met haar had gezien. En zoiets gold ook voor Jack. Hij had ook nooit zijn kapsel veranderd, behalve wanneer hij niet de tijd had om het te laten bijknippen; dat was ook iets waar het personeel van het Witte Huis voor zorgde, elke twee weken. Zij konden Jacks leven veel beter organiseren dan zij ooit had gekund. Waarschijnlijk organiseerden ze de dingen meteen, in plaats van eerst vragen te stellen, zoals zij altijd had gedaan. Een veel efficiënter systeem, zei Cathy tegen zichzelf.
Ze was nerveuzer dan ze liet blijken, erger nog dan op de eerste dag van haar medicijnenstudie, erger dan op de dag van haar eerste operatie, toen ze haar ogen dicht had moeten doen en inwendig tegen haar handen had moeten schreeuwen om te voorkomen dat ze beefden. Maar toen hadden ze tenminste geluisterd, en nu luisterden ze ook. Goed, dacht ze, dat was de oplossing. Dit was een chirurgische operatie, en ze was chirurg en een chirurg had zichzelf altijd onder controle.
'Zo is het wel goed,' zei mevrouw Abbot.
'Dank u. Vindt u het prettig om met Jack te werken?'
De glimlach van een kenner. 'Hij heeft een grote hekel aan make-up. De meeste mannen hebben dat,' gaf ze toe.
'Ik heb een geheim voor u... ik ook.'
'Ik heb niet veel opgebracht,' zei Mary meteen. 'Uw huid heeft niet veel nodig.'
Dokter Ryan glimlachte om die opmerking van vrouw tot vrouw. 'Dank u.'
'Mag ik iets voorstellen?'
'Jazeker.'

'U zou uw haar een paar centimeter langer kunnen laten. Dat zou beter bij de vorm van uw gezicht passen.'
'Dat zegt Elaine ook... dat is mijn kapster in Baltimore. Ik heb het een keer geprobeerd. Het raakte helemaal in de war door het chirurgenkapje.'
'We kunnen grotere kapjes voor u maken. We proberen goed voor onze first lady te zorgen.'
'O!' En waarom heb ik daar nooit aan gedacht? vroeg Cathy zich af. Dat moest goedkoper zijn dan met een helikopter naar je werk gaan... 'Dank je!'
'Deze kant op.' Mevrouw Abbot leidde haar naar het Oval Office.
Verrassend genoeg was Cathy maar twee keer eerder in deze kamer geweest, en maar één keer om Jack daar op te zoeken. Dat vond ze plotseling vreemd. Per slot van rekening lag er nog geen vijftig meter tussen haar slaapkamer en de plaats waar haar man werkte. Het bureau vond ze hopeloos ouderwets, maar de kamer zelf was groot en luchtig in vergelijking met haar kamer in het Hopkins, zelfs nu, in het licht van de cameralampen. Op de schoorsteenmantel tegenover het bureau stond wat volgens de Secret Service 's werelds meest gefotografeerde plant was. Het meubilair was te formeel om comfortabel te kunnen zijn, en het tapijt met het presidentiële zegel erop was ronduit kaal, vond ze. Maar dit was dan ook geen normaal kantoor voor een normaal persoon.
'Dag, schat.' Jack kuste haar en stelde hen aan elkaar voor. 'Dit zijn Tom Donner en John Plumber.'
'Hallo.' Cathy glimlachte. 'Ik luisterde altijd naar jullie als ik het eten klaarmaakte.'
'Nu niet meer?' vroeg Plumber met een glimlach.
'We hebben geen tv in de eetkamer boven, en ze willen niet dat ik het eten klaarmaak.'
'Helpt uw man niet?' vroeg Donner.
'Jack in de keuken? Nou, hij kan wel redelijk barbecuen, maar de keuken is mijn territorium.' Ze ging zitten en keek hen aan. In het felle licht van de cameralampen was dat niet gemakkelijk. Ze probeerde het toch. Plumber mocht ze wel. Donner verborg iets. Toen ze dat besefte, knipperde ze met haar ogen en trok ze het gezicht van een arts. Ze wilde plotseling iets tegen Jack zeggen, maar er was geen...
'Eén minuut,' zei de producent. Zoals altijd bevond Andrea Price zich in de kamer. Ze stond bij de deur naar het secretariaat, en de deur naar de gang achter Cathy stond open. Daar stond Jeff Raman. Dat was ook een vreemd type, vond Cathy, maar het probleem met het Witte Huis was dat iedereen je behandelde alsof je Julius Caesar of zoiets was. Het was zo moeilijk om gewoon vriendelijk met mensen om te gaan. Het leek wel of er altijd iets in de weg stond. Eigenlijk waren zij en Jack het helemaal niet gewend om huispersoneel te hebben. Ondergeschikten, ja, maar geen huispersoneel. Ze was populair bij haar verpleegkundigen en laboranten op het Hopkins, omdat ze hen behandelde als de vakbekwame mensen die ze waren. Datzelfde probeerde ze

hier ook te doen, maar om de een of andere reden lukte dat niet goed, en dat zat haar niet lekker.
'Vijftien seconden.'
'Hebben we al lol?' fluisterde Jack.
Waarom had je niet gewoon bij Merrill Lynch kunnen blijven werken? zei Cathy bijna hardop. Hij zou inmiddels al in de raad van bestuur hebben gezeten, maar nee... hij zou daar nooit gelukkig zijn geworden. Jack voelde zich even gedreven om dit werk te doen als zij om de ogen van mensen te genezen. Wat dat betrof, waren ze hetzelfde.
'Goedenavond,' zei Donner tegen de camera achter de Ryans. 'We zijn hier in het Oval Office om met president Jack Ryan en de first lady te spreken. Zoals ik al in NBC Nightly News heb gezegd, is er door een technische fout iets misgegaan met de opname die we eerder vandaag hadden gemaakt. De president was zo goed ons toestemming te geven om terug te komen en hem live te interviewen.' Hij keek opzij. 'En daar zijn we u erg dankbaar voor, meneer de president.'
'Blij je weer te zien, Tom,' zei de president, op zijn gemak. Hij werd steeds beter in het verbergen van zijn gedachten.
'Ook hier aanwezig is mevrouw Ryan...'
'Alstublieft,' zei Cathy, ook met een glimlach. 'Het is dokter Ryan. Ik heb daar hard voor moeten werken.'
'Jazeker, mevrouw.' Donner zei dat met een charme die Cathy deed denken aan een ernstig traumageval dat onder lunchtijd in het Hopkins binnen was gekomen. 'U bent allebei doctor, nietwaar?'
'Ja, meneer Donner, Jack in de geschiedenis, ik in de oogheelkunde.'
'En u bent een vooraanstaand oogchirurge en hebt de Lasker Public Service Award gekregen,' merkte hij op met al zijn presentatorencharme.
'Nou, ik heb meer dan vijftien jaar medisch onderzoek gedaan. In het Johns Hopkins zijn we allemaal tegelijk klinisch arts en onderzoeker. Ik werk met een geweldige groep mensen, en in feite is de Lasker-prijs meer een eerbewijs aan hen dan aan mij. Vijftien jaar geleden moedigde professor Bernard Katz me aan om te onderzoeken hoe we laserstralen konden gebruiken om bepaalde oogklachten te verhelpen. Ik vond dat interessant en ik ben altijd op dat terrein blijven werken, naast mijn normale praktijk als oogchirurg.'
'Verdient u werkelijk meer geld dan uw man?' vroeg Donner met een grijns voor de camera's.
'Veel meer,' bevestigde ze grinnikend.
'Ik heb altijd gezegd dat Cathy de meeste hersens van ons tweeën heeft,' ging Jack verder, en hij gaf een klopje op de hand van zijn vrouw. 'Ze is te bescheiden om te zeggen dat ze op haar terrein gewoon de beste van de wereld is.'
'En hoe vindt u het om first lady te zijn?'
'Moet ik daar antwoord op geven?' Een innemende glimlach. Toen werd ze ernstig. 'Zoals we hier zijn gekomen... nou, het is niet iets wat je iemand zou toewensen, maar in zekere zin is het te vergelijken met wat ik in het ziekenhuis

doe. Soms komt er een traumageval binnen. Die patiënt heeft er natuurlijk niet voor gekozen om gewond te raken en wij doen ons best om de schade te herstellen. Jack is in zijn hele leven nog nooit voor een probleem of een uitdaging teruggedeinsd.'

Nu was het tijd om ter zake te komen. 'Meneer de president, hoe bevalt ú uw baan?'

'Nou, ik maak nogal lange uren. Ondanks mijn jarenlange ervaring bij de overheid geloof ik niet dat ik ooit heb begrepen hoe moeilijk deze baan is. Ik ben gezegend met een erg goede staf, en onze overheid heeft duizenden toegewijde medewerkers die voor het volk werken. Dat maakt veel verschil.'

'Hoe ziet u uw taak?' vroeg John Plumber.

'Volgens de eed die ik heb afgelegd, moet ik de grondwet van de Verenigde Staten handhaven, beschermen en verdedigen,' antwoordde Ryan. 'We zijn hard aan het werk om de regering weer op poten te zetten. We hebben de senaat weer helemaal compleet, en als er binnenkort verkiezingen in de staten zijn gehouden, hebben we ook een nieuw Huis van Afgevaardigden. Ik heb de meeste vacatures in het kabinet opgevuld. Op Volksgezondheid en Onderwijs doen de zittende onderministers goed werk.'

'We hebben vanmorgen over gebeurtenissen in de Perzische Golf gesproken. Hoe denkt u over de problemen daar?' Dat was weer Plumber. Ryan deed het goed. Hij was lang niet zo gespannen meer. Plumber zag de blik in de ogen van de presidentsvrouw. Die was inderdaad erg intelligent.

'De Amerikaanse regering wil niets liever dan vrede en stabiliteit in die regio. We willen graag vriendschappelijke betrekkingen met de nieuwe Verenigde Islamitische Republiek aangaan. Er is daar en in andere delen van de wereld al genoeg strijd geweest. Ik zou graag het gevoel willen hebben dat we dat achter ons hebben gelaten. We hebben vrede gesloten, echte vrede, niet de afwezigheid van oorlog, met de Russen, na decennia van onrust. Ik wil dat we daarop voortbouwen. Misschien komt de wereld nooit helemaal tot vrede, maar dat is geen reden om het niet te proberen. John, we hebben de afgelopen twintig jaar al veel meegemaakt. We hebben nog veel meer te doen, maar we hebben veel goed werk waarop we kunnen voortbouwen.'

'We komen na deze pauze terug,' zei Donner tegen de camera's. Hij kon zien dat Ryan erg tevreden over zichzelf was. Prima.

Een personeelslid kwam door de achterdeur binnen met waterglazen. Iedereen nam een slokje terwijl ze wachtten tot de twee reclamespotjes voorbij waren. 'Jij hebt hier een grote hekel aan, hè?' vroeg hij aan Cathy.

'Zolang ik mijn werk mag blijven doen, vind ik bijna alles goed, maar ik maak me wel zorgen over de kinderen. Als dit voorbij is, moeten ze weer normale kinderen worden. We hebben ze niet grootgebracht voor deze poespas.' De rest van de reclametijd was iedereen stil.

'We zijn weer in het Oval Office met de president en de first lady. Meneer de president,' vroeg Donner, 'hoe staat het met de veranderingen die u wilt bereiken?'

'Het is niet in de eerste plaats mijn taak om te "veranderen", Tom, maar om te "herstellen". Intussen zullen we ook een paar dingen uitproberen. Ik heb geprobeerd nieuwe kabinetsleden te kiezen die de regering efficiënter zullen maken. Zoals je weet, werk ik al een hele tijd voor de overheid en in al die jaren heb ik veel voorbeelden van inefficiency gezien. De burgers betalen veel belastingen en wij zijn het aan hen verplicht dat het geld verstandig wordt besteed... en ook efficiënt. Daarom heb ik mijn ministers gezegd dat ze hun departementen moeten doorlichten om te kijken of hetzelfde werk voor minder geld gedaan kan worden.'
'Veel presidenten hebben dat gezegd.'
'Deze meent het,' zei Ryan ernstig.
'Maar uw eerste grote beleidsdaad was een aanval op het belastingsysteem,' merkte Donner op.
'Geen "aanval", Tom. "Verandering". George Winston heeft mijn volledige steun. De belastingwetgeving die we nu hebben, is buitengewoon oneerlijk, en dan bedoel ik oneerlijk in veel opzichten. Ten eerste kunnen mensen er niets van begrijpen. Dat betekent dat ze mensen moeten inhuren om hun het belastingstelsel uit te leggen, en het kan nooit de bedoeling zijn dat mensen goed geld neertellen voor mensen die hun uitleggen hoe de wet meer geld van hen afpakt, vooral wanneer de regering die wetten maakt. Waarom zouden we wetten maken die de mensen niet begrijpen? Waarom zouden we wetten maken die zo ingewikkeld zijn?' vroeg Ryan.
'Maar intussen heeft uw regering zich tot doel gesteld het belastingsysteem régressief te maken, niet prógressief.'
'Dat hebben we al besproken,' antwoordde de president, en op dat moment wist Donner dat hij gewonnen had. Het was een van Ryans zwakheden dat hij zich niet graag herhaalde. Hij was echt geen politicus. Die mochten zich graag herhalen. 'Als je iedereen hetzelfde tarief oplegt, is dat zo eerlijk als het maar kan. En als je dat dan op een zodanige manier doet dat iedereen het kan begrijpen, bespaar je de mensen zelfs geld. De veranderingen die we hebben voorgesteld, zijn budgetneutraal. Er wordt voor niemand een uitzondering gemaakt.'
'Maar de belastingtarieven voor de rijken zullen dramatisch dalen.'
'Dat is waar, maar we elimineren ook alle uitzonderingen die hun lobbyisten in het systeem hebben gekregen. Uiteindelijk betalen ze hetzelfde of waarschijnlijk zelfs een beetje meer dan ze al doen. Minister Winston heeft dat erg zorgvuldig bestudeerd en ik heb vertrouwen in zijn oordeel.'
'Meneer de president, ik kan me moeilijk voorstellen dat ze door een tariefsverlaging van dertig procent meer gaan betalen. Dat is toch een kwestie van rekenen?'
'Vraag het je belastingconsulent maar.' Ryan glimlachte. 'Of kijk naar je eigen belastingaangifte, als je daar wijs uit kunt worden. Weet je, Tom, ik ben vroeger accountant geweest... ik ben voor het examen geslaagd voordat ik bij de mariniers ging... en zelfs ik begrijp niet veel van die verrekte dingen. De overheid dient het belang van het publiek niet door dingen te doen die de mensen

niet kunnen begrijpen. Er zijn te veel van die dingen. Ik ga proberen dat een beetje terug te draaien.'
Bingo. Links van Donner trok John Plumber een grimas. De regisseur, die uit de camera's kon kiezen, zorgde dat die grimas niet in de ether kwam. In plaats daarvan koos hij Donners triomfantelijke presentatorenglimlach.
'Ik ben blij dat u er zo over denkt, president, want er zijn veel dingen die het Amerikaanse volk graag over de operaties van de overheid wil weten. In de jaren die u bij de overheid hebt doorgebracht, hebt u vooral voor de CIA gewerkt.'
'Dat klopt, maar Tom, zoals ik je vanmorgen al zei, heeft geen president ooit over inlichtingenoperaties gesproken. Daar is een goede reden voor.' Ryan was nog kalm. Hij wist niet welke deur was opengezet.
'Maar, meneer de president, u bent persoonlijk betrokken geweest bij verscheidene inlichtingenoperaties die een belangrijke factor vormden bij het beëindigen van de Koude Oorlog. Bijvoorbeeld het overlopen van de sovjetonderzeeboot de *Red October*. U hebt daarbij een rol gespeeld, nietwaar?'
De regisseur, die had geweten dat deze vraag zou komen, had zijn camera laten inzoomen op Ryans gezicht. Hij deed dat nog net op tijd om diens ogen zo groot als theeschoteltjes te zien worden. Eigenlijk was Ryan helemaal niet zo goed in het beheersen van zijn emoties. 'Tom, ik...'
'De kijkers verdienen het om te weten dat u een beslissende rol bij een van de grootste inlichtingencoups aller tijden hebt gespeeld. We hebben toen de hand gelegd op een intacte sovjetonderzeeër met ballistische projectielen, nietwaar?'
'Ik heb geen commentaar op dat "verhaal".' Inmiddels kon zijn make-up niet meer verbergen dat hij bleek was geworden. Cathy keek haar man aan en voelde dat zijn hand in de hare zo koud als ijs werd.
'En nog geen twee jaar later organiseerde u persoonlijk het overlopen van het hoofd van de Russische KGB.'
Jack zag nu eindelijk kans zijn gezicht onder controle te krijgen, maar zijn stem klonk gespannen. 'Tom, hier moet een eind aan komen. Je doet ongefundeerde veronderstellingen.'
'Meneer de president, die persoon, Nikolai Gerasimov, het voormalige hoofd van de KGB, woont nu met zijn gezin in Virginia. De commandant van de onderzeeboot woont in Florida. Het is geen "verhaal"...' Hij glimlachte. 'En dat weet u zelf ook wel. Meneer de president, ik begrijp niet waarom u zo terughoudend bent. U speelde een grote rol bij acties die vrede in de wereld brachten, iets waarover u daarstraks nog sprak.'
'Tom, laat me dit duidelijk maken. Ik bespreek nooit inlichtingenoperaties in het openbaar. Punt uit.'
'Maar het Amerikaanse volk heeft het recht om te weten wat voor man er in dit kantoor zit.' Hetzelfde was elf uur eerder gezegd door John Plumber, die inwendig huiverde toen hij Donner zijn woorden hoorde herhalen, maar die zich niet in het openbaar tegen zijn eigen collega kon keren.

'Tom, ik heb mijn land gedurende een aantal jaren zo goed mogelijk gediend, maar zoals jij niets over je bronnen kunt zeggen, zo kunnen onze inlichtingendiensten niets bekendmaken over de dingen die ze doen, want dan zou het gevaar bestaan dat er mensen worden gedood.'
'Maar, meneer de president, dat hebt u nu juist gedaan. U hebt mensen gedood.'
'Ja, dat heb ik, en er waren wel meer presidenten die soldaat waren geweest of...'
'Wacht eens even,' onderbrak Cathy hem, en er zat nu een schittering in haar ogen. 'Ik wil iets zeggen. Jack ging bij de CIA nadat ons gezin was aangevallen door terroristen. Als hij die dingen toen niet had gedaan, zou niemand van ons nu nog in leven zijn. Ik was toen zwanger van onze zoon, en ze probeerden mij en mijn dochter in mijn auto in Annapolis te doden en...'
'Neemt u me niet kwalijk, mevrouw Ryan, maar we moeten weer even pauzeren.'
'Hier moet een eind aan komen, Tom. Hier moet onmiddellijk een eind aan komen,' zei Ryan met klem. 'Als openlijk wordt gesproken over operaties in het veld, kunnen er mensen om het leven komen. Begrijp je dat?' De cameralampen waren uit, maar de banden draaiden nog.
'Meneer de president, het volk heeft het recht om het te weten en het is mijn taak om de feiten te melden. Heb ik over iets gelogen?'
'Zelfs daar kan ik geen commentaar op geven, zoals je heel goed weet,' zei Ryan, nadat hij bijna het antwoord had gesnauwd. Rustig, Jack, rustig, zei hij tegen zichzelf. Een president mag niet driftig worden, en zeker niet live op de tv. Verdomme nog aan toe, Marko zou nooit meewerken met de... of wel? Hij was Litouwer en misschien voelde hij er wel iets voor om een nationale held te worden, al nam Jack aan dat hij hem gemakkelijk op andere gedachten kon brengen. Maar Gerasimov was iets anders. Ryan had de man te schande gemaakt, had hem met de dood bedreigd – door toedoen van zijn eigen landgenoten, maar dat maakte niet uit voor een man als hij – en hem van al zijn macht ontdaan. Tegenwoordig leidde Gerasimov een leven dat veel comfortabeler was dan het leven dat hij had geleid in de Sovjet-Unie, de staat die hij had willen handhaven en leiden, maar hij was er de man niet naar om evenveel van comfort als van macht te kunnen genieten. Gerasimov had gestreefd naar het soort positie dat Ryan nu had, en zou zich erg comfortabel hebben gevoeld in dit kantoor of in een kantoor dat hierop leek. Maar mensen die naar macht streefden, waren meestal ook degenen die er misbruik van maakten, en dat onderscheidde hem in meer dan één opzicht van Jack. Niet dat het er op het moment iets toe deed. Gerasimov zou praten. Vast en zeker. En ze wisten waar hij was.
Dus wat doe ik nu?
'We zijn weer in het Oval Office bij de president en mevrouw Ryan,' declameerde Donner voor een ieder die het misschien was vergeten.
'Meneer de president, u bent deskundig op het gebied van nationale veiligheid

en buitenlandse zaken,' zei Plumber voordat zijn collega het woord kon nemen. 'Maar ons land wordt geconfronteerd met nog meer problemen. U moet het hooggerechtshof opnieuw samenstellen. Hoe wilt u dat gaan doen?'

'Ik heb het ministerie van Justitie gevraagd me een lijst van ervaren rechters uit federale Hoven van Appèl te sturen. Ik neem die lijst momenteel door en ik hoop in de komende twee weken mijn kandidaten aan de senaat voor te dragen.'

'Het is gebruikelijk dat de Amerikaanse Orde van Advocaten de regering assisteert bij het screenen van zulke rechters, maar blijkbaar is dat in dit geval niet gebeurd. Mag ik vragen waarom?'

'Tom, alle rechters op de lijst hebben die procedure al doorlopen, en sindsdien zitten ze allemaal al minstens tien jaar in een Hof van Appèl.'

'De lijst is samengesteld door aanklagers?' vroeg Donner.

'Door ervaren juristen op het ministerie van Justitie. Ze stonden onder leiding van Patrick Martin, die kortgeleden hoofd van de afdeling Strafrecht is geworden. Hij werd geassisteerd door andere functionarissen van het ministerie van Justitie, zoals het hoofd van de afdeling Burgerrechten.'

'Maar dat zijn allemaal aanklagers, in elk geval mensen die zich met vervolging bezighouden. Wie heeft u meneer Martin aangeraden?'

'Het is waar dat ik persoonlijk het ministerie van Justitie niet zo goed ken. Waarnemend FBI-directeur Murray heeft me meneer Martin aanbevolen. Hij heeft goed werk geleverd toen hij toezicht hield op het onderzoek naar de vliegramp op het Capitool, en ik heb hem gevraagd de lijst voor me samen te stellen.'

'En u en meneer Murray kennen elkaar al heel lang.'

'Jazeker.' Ryan knikte.

'Meneer Murray vergezelde u op een van de inlichtingenoperaties, nietwaar?'

'Pardon?' vroeg Jack.

'De CIA-operatie in Colombia, toen u eraan meewerkte dat het Medellín-kartel werd opengebroken.'

'Tom, ik zeg dit voor de laatste keer: ik spreek niet over inlichtingenoperaties, niet over echte en niet over verzonnen operaties, nooit. Is dat nu duidelijk?'

'Meneer de president, die operatie resulteerde in de dood van admiraal James Cutter,' vervolgde Donner met een gekwelde uitdrukking op zijn gezicht. 'Er doen inmiddels veel verhalen de ronde over uw tijd bij de CIA. Die verhalen komen toch boven water, en we willen u graag de kans geven om in een zo vroeg mogelijk stadium uw visie te geven. U bent niet in dit ambt gekozen, en u bent nooit onderzocht zoals politieke kandidaten gewoonlijk worden onderzocht. Het Amerikaanse volk wil de man leren kennen die in dit kantoor zit.'

'Tom, de inlichtingenwereld is een geheime wereld. Dat kan niet anders. Onze regering moet veel dingen doen. Niet alle dingen kunnen openlijk worden besproken. Iedereen heeft geheimen. Iedere kijker thuis heeft ze. Jij hebt ze. In het geval van de regering is het bewaren van die geheimen uiterst belangrijk voor het welzijn van ons land, en ook voor de veiligheid van de mensen die voor ons land werken. Vroeger respecteerden de media dat, zeker in tijden van oorlog maar ook in andere tijden. Ik wou dat jij het nog steeds respecteerde.'

'Maar op welk punt, meneer de president, is geheimhouding in strijd met onze nationale belangen?'

'Daarom hebben we een wet die het Congres het recht geeft om toezicht te houden op inlichtingenoperaties. Wanneer alleen de uitvoerende macht die beslissingen nam, ja, dan zou je je terecht zorgen maken. Maar zo is het niet. Het Congres controleert wat we doen. Over veel van die dingen heb ik persoonlijk verslag uitgebracht aan het Congres.'

'Was er een geheime operatie in Colombia? Hebt u daaraan deelgenomen? Ging Daniel Murray na de dood van de toenmalige FBI-directeur Emil Jacobs met u naar Colombia?'

'Ik heb niets te zeggen over dit verhaal en over de andere verhalen waarmee je komt aanzetten.'

En toen was het weer tijd voor een paar reclamespotjes.

'Waarom doet u dit?' vroeg Cathy tot ieders verbazing.

'Mevrouw Ryan...'

'Dokter Ryan,' zei ze meteen.

'Neemt u me niet kwalijk. Dokter Ryan, er moet duidelijkheid komen over deze verhalen.'

'We hebben dit allemaal al meegemaakt. Op een gegeven moment probeerden mensen ons huwelijk kapot te maken, en dat waren ook allemaal leugens, en...'

'Cathy,' zei Jack rustig. Ze keek hem aan.

'Ik weet daarvan, Jack, nietwaar?' fluisterde ze.

'Nee, dat weet je niet. Niet echt.'

'Dat is het probleem,' merkte Tom Donner op. 'Die verhalen blijven de ronde doen. De mensen willen het weten. De mensen hebben het recht om het te weten.'

In een rechtvaardige wereld, dacht Ryan, zou hij nu zijn opgestaan en had hij de microfoon naar Donner gegooid en hem gevraagd zijn huis te verlaten, maar dat kon niet, en daarom zat hij met al zijn zogenaamde macht nu in het nauw als een misdadiger in een verhoorkamer. De cameralampen gingen weer aan.

'Meneer de president, ik weet dat dit een moeilijk onderwerp voor u is.'

'Tom, goed, ik zal er dit over zeggen. In het kader van mijn werkzaamheden voor de CIA heb ik mijn land soms gediend op een manier waarover nog lange tijd niets kan worden bekendgemaakt. Maar ik heb op geen enkel moment de wet overtreden, en over al deze activiteiten is volledig verslag uitgebracht aan de desbetreffende leden van het Congres. Laat me je vertellen waarom ik bij de CIA ben gegaan.

Ik wilde het niet. Ik was docent. Ik doceerde geschiedenis op de marineacademie. Ik hou van lesgeven en ik had de tijd om een paar geschiedenisboeken te schrijven, en dat doe ik ook graag. Maar toen had opeens een groep terroristen het op mij en mijn gezin voorzien. Er werden twee serieuze pogingen gedaan om ons te vermoorden... ons allemaal. Dat weet je. Het heeft in alle kranten gestaan. Ik besloot voor de CIA te gaan werken. Waarom? Om anderen tegen hetzelfde soort gevaren te beschermen. Ik heb het nooit zo graag gedaan, maar ik moest het doen. En nu ben ik hier, en weet je wat? Deze baan bevalt me ook niet zo erg. Ik hou niet van de druk. Ik hou niet van de verantwoordelijkheid. Niemand zou zoveel macht moeten hebben. Maar ik bén hier en ik heb gezworen dat ik mijn best zou doen, en dat doe ik.'

'Maar, meneer de president, u bent de eerste president die nooit eerder een politieke functie heeft bekleed. Uw opvattingen over veel dingen zijn niet gevormd door de publieke opinie, en wat veel mensen zo verontrustend vinden: u schijnt te leunen op anderen die ook nooit een politieke functie hebben bekleed. Volgens sommige mensen bestaat het gevaar dat we met een klein groepje mensen zitten die geen politieke ervaring hebben maar wel het beleid van ons land uitstippelen. Wat vindt u daarvan?'

'Ik heb nog niet eens gehóórd dat iemand zich daar zorgen over maakt, Tom.'

'Meneer de president, u bent ook bekritiseerd omdat u te veel tijd in dit kantoor zou doorbrengen en te weinig onder het volk zou komen. Zou dat een probleem kunnen zijn?' Omdat hij de vis aan de haak had, kon Donner het zich veroorloven een klaaglijke indruk te maken.

'Jammer genoeg heb ik veel werk te doen, en dat moet ik hier in dit kantoor doen. Nou, wat het team betreft dat ik heb samengesteld... waar zal ik beginnen?' vroeg Jack. Naast hem ziedde Cathy van woede. Nu was het haar hand die koud aanvoelde. 'Minister van Buitenlandse Zaken, Scott Adler, een carrièrediplomaat, zoon van iemand die de holocaust heeft overleefd. Ik ken Scott al jaren. Ik zou niemand weten die een betere minister van Buitenlandse Zaken zou zijn. Financiën, George Winston, een selfmade man. Hij was een van degenen die ons financiële systeem hebben gered ten tijde van het conflict met Japan; hij geniet het respect van de financiële gemeenschap en hij is een echte denker. Defensie, Anthony Bretano, is een uiterst succesvolle ingenieur en zakenman die al aan dringend nodige hervormingen op het Pentagon werkt. FBI-directeur Dan Murray, een politieman, en een goede. Weet je hoe ik mijn mensen kies, Tom? Ik kies professionals, mensen die het werk kennen omdat ze het hebben gedaan, geen politieke types die er alleen maar over praten. Als je dat verkeerd vindt, nou, dan spijt me dat, maar ik heb me binnen de overheid opgewerkt en ik heb meer vertrouwen in de professionals die ik heb leren kennen dan in de politici die ik onderweg ook ben tegengekomen. En o ja, in welk opzicht is dat anders dan een politicus die de mensen kiest die hij kent... of erger nog, mensen die een bijdrage aan zijn verkiezingscampagne hebben geleverd?'

'Sommigen zouden zeggen dat op hoge functies meestal mensen worden benoemd die een veel ruimere ervaring hebben.'

'Dat zou ik niet zeggen, en ik heb jarenlang onder zulke mensen gewerkt. Ik

heb alleen maar mensen benoemd van wie ik weet dat ze capaciteiten hebben. Bovendien heeft de president het recht om onder goedkeuring van de gekozen vertegenwoordigers van het volk de mensen te kiezen met wie hij samenwerkt.'
'Maar hoe verwacht u, nu er zoveel te doen is, dat u slaagt zonder ervaren politieke begeleiding? Dit is een politieke stad.'
'Misschien is dat het probleem,' wierp Ryan tegen. 'Misschien wordt het politieke proces dat we allemaal in de loop van de jaren hebben bestudeerd eerder een obstakel dan een hulpmiddel. Tom, ik heb niet om deze baan gevraagd. Toen Roger me vroeg om vice-president te worden, was het mijn bedoeling de ambtstermijn uit te zitten en dan voorgoed uit de overheidsdienst te treden. Ik wilde weer gaan lesgeven. Maar toen gebeurde die afschuwelijke ramp, en hier sta ik dan. Ik ben geen politicus. Ik heb er nooit een willen zijn en wat mijzelf betreft, ben ik nu nog steeds geen politicus. Ben ik de beste man voor deze baan? Waarschijnlijk niet. Maar toch ben ik de president van de Verenigde Staten. Ik heb een taak te vervullen en zal dat zo goed mogelijk doen. Meer kan ik niet beloven.'
'En dat is het laatste woord. Dank u, meneer de president.'
De cameralampen waren nog maar net voor de laatste keer uitgegaan of Jack maakte de microfoon van zijn das los en richtte zich op. De twee journalisten zeiden geen woord. Cathy keek hen woedend aan.
'Waarom deed u dat?'
'Pardon?' antwoordde Donner.
'Waarom vallen mensen als u mensen als ons aan? Wat hebben wij gedaan om dat te verdienen? Mijn man is de meest eerzame man die ik ken.'
'We stellen alleen maar vragen.'
'Kom me niet met die onzin aan boord! Zoals u ze stelt, en de vragen die u kiest... U geeft de antwoorden al voordat iemand de kans heeft gehad om iets te zeggen.'
Daar had geen van beide journalisten iets op te zeggen. De Ryans gingen weg zonder nog een woord te zeggen. Toen kwam Arnie op Donner en Plumber af.
'Oké,' zei hij. 'Wie heeft dit opgezet?'

'Ze hebben hem levend gevild,' dacht Holbrook hardop. Ze hadden wat vrije tijd verdiend, en het was altijd goed om je vijand te kennen.
'Die kerel is levensgevaarlijk,' vond Ernie Brown, nadat hij nog wat dieper over de dingen had nagedacht. 'Bij politici weet je tenminste van tevoren dat het schurken zijn. Deze kerel, Jezus, hij gaat proberen... We hebben het over een politiestaat, Pete.'
Het was inderdaad een angstaanjagende gedachte voor de Mountain Man. Hij had altijd gedacht dat politici het ergste waren wat er bestond, maar plotseling besefte hij dat het anders was. Politici speelden het machtsspel omdat ze het leuk vonden, omdat ze ervan genoten om macht te hebben en met mensen te sollen, want daar voelden ze zich belangrijk door. Ryan was erger. Hij

dacht dat het góéd was.
'Verdomme,' zei hij met een zucht. 'Dat hooggerechtshof dat hij wil benoemen...'
'Ze hebben hem voor gek gezet, Ernie.'
'Nee, dat hebben ze niet. Snap je het dan niet? Ze speelden hún spel.'

33
Reacties

De commentaren werden in alle grote kranten begeleid door grote artikelen op de voorpagina. Sommige kranten waren zelfs zo ver gegaan foto's te plaatsen van het huis van Marko Ramius, die trouwens niet thuis bleek te zijn, en van dat van de familie Gerasimov. Gerasimov was wél thuis, maar een bewaker kon de mensen ertoe bewegen te vertrekken, nadat hij eerst zelf een paar honderd keer gefotografeerd was.
Donner kwam erg vroeg op het werk en was door al deze ophef nog het meest verrast. Plumber liep vijf minuten later zijn kantoor in, de voorpagina van de *New York Times* omhooghoudend.
'Wie heeft wie gepakt, Tom?'
'Wat bedoel je?'
'Kom zeg,' zei Plumber bits. 'Ik neem aan dat Kealty's mensen na jouw vertrek nog wel even nagepraat hebben. Maar jij hebt ze toch allemaal bedrogen? Als het ooit uitkomt dat jouw bandje niet...'
'Zal niet gebeuren,' zei Donner. 'En door al deze artikelen lijkt ons interview alleen maar beter.'
'Beter voor wie?' vroeg Plumber geïrriteerd, terwijl hij naar de deur liep. Het was ook voor hem nog vroeg en zijn eerste irrelevante gedachte die dag was dat Ed Murrow nooit haarlak gebruikt zou hebben.

Dokter Gus Lorenz was die ochtend snel klaar met de stafvergadering. De lente was vroeg in Atlanta. De bomen en struiken liepen al uit en binnenkort zou de lucht bezwangerd zijn van de geuren van de bloeiende planten waarom deze zuidelijke stad zo beroemd was, en even bezwangerd met pollen, dacht Gus, wat hem een volledig verstopte neus zou bezorgen, maar dat was geen te hoge prijs om in zo'n levendige en toch voorname zuidelijke stad te wonen. Nu de vergadering afgelopen was, trok hij zijn witte laboratoriumjas aan en begaf hij zich naar zijn eigen speciale kamertje in het Center for Disease Control and Prevention, CDC ('&P' was nooit aan de afkorting toegevoegd). Het CDC was een van de kroonjuwelen van de overheid, een vooraanstaande instantie die als een van de belangrijkste centra voor medisch onderzoek gold; volgens velen was het zelfs het belangrijkste. Om die reden wilden de beste deskundigen hier werken. Sommigen bleven er, anderen vertrokken om les te geven aan medische opleidingen, maar ze stonden voor altijd geboekt als CDC'ers, zoals anderen zich erop beroemden dat ze bij de mariniers hadden gediend, en grotendeels om dezelfde reden. Zij waren de eersten die door het vaderland naar probleemgebieden werden gezonden. Zij waren de eersten die ziekten moesten bestrijden, in plaats van gewapende vijanden, en daardoor ontstond er een *esprit de corps*, wat de meerderheid ertoe bracht te blijven, ondanks de matige overheidssalarissen.

'Morgen, Melissa,' zei Lorenz tegen zijn eerste lab-assistente. Ze was afgestudeerd in de moleculaire biologie en was nu met haar dissertatie bezig op de vlakbij gelegen Emory University, waarna ze een veel betere positie zou krijgen.

'Goedemorgen, dokter. Onze vriend is terug,' voegde ze eraan toe.

'Zo?' Het monster lag klaar onder de microscoop. Lorenz ging zitten en nam zoals altijd de tijd. Hij controleerde op de formulieren of het monster klopte met het dossier dat hij op zijn bureau had. 98-3-063A. Ja, de nummers stemden overeen. Nu was het een kwestie van scherpstellen op het monster... en daar had je hem, de herdersstaf.

'Je hebt gelijk. Heb je het andere ook klaar?'

'Ja, dokter.' Het computerscherm werd verticaal in twee helften verdeeld. Naast het eerste monster was er een uit 1976. Ze waren niet helemaal identiek. De curve onder aan de RNA-keten leek nooit twee keer hetzelfde te zijn, zoals ook sneeuwvlokken oneindig veel patronen leken te hebben, maar dat deed er niet toe. Het ging om de eiwitstrengen bovenaan, en die waren...

'Mayinga-stam.' Hij zei het zonder enige emotie.

'Volgens mij ook,' zei Melissa, die vlak achter hem stond. Ze boog zich voorover en tikte wat in op het toetsenbord om -063B op te roepen. 'Deze waren veel moeilijker te isoleren, maar...'

'Ja, weer hetzelfde. Deze zijn van een kind?'

'Ja, van een klein meisje.' Ze spraken beiden op neutrale toon. Als je met veel ellende geconfronteerd wordt, manifesteert het verdedigingsmechanisme van de geest zich en dan worden de monsters gewoon monsters, zonder relatie met de mensen van wie ze afkomstig zijn.

'Goed, ik moet een paar telefoontjes plegen.'

De twee groepen werden om voor de hand liggende redenen gescheiden gehouden, en het was zelfs zo dat geen van beide van het bestaan van de andere wist. Badrayn sprak met een groep van twintig. Filmster sprak met de tweede groep, die uit negen personen bestond. Voor beide groepen waren er overeenkomsten in de voorbereiding. Iran was een zelfstandige natie en beschikte

over de bijbehorende middelen. Het ministerie van Buitenlandse Zaken had een paspoortenbureau en het ministerie van Financiën beschikte over een drukkerij. Daardoor was het mogelijk paspoorten van alle mogelijke landen te drukken en de in- en uitreisstempels te kopiëren. Dergelijke documenten konden weliswaar ook op andere plaatsen gemaakt worden, meestal op illegale wijze, maar deze bron leverde een wat betere kwaliteit op, zonder het risico dat de plaats van afkomst bekend werd.
Aan de belangrijkste van de twee missies waren cynisch genoeg minder lichamelijke risico's verbonden, al hing het ervan af hoe je ernaar keek. Badrayn kon hun gezichtsuitdrukkingen zien. Alleen al de gedachte aan wat ze aan het doen waren, bezorgde je kippenvel, hoewel dat in het geval van deze mensen niet meer dan een bevestiging van de grillen van de menselijke natuur was. De opdracht was simpel, vertelde hij hun. Naar binnen gaan. Afleveren. Vertrekken. Hij benadrukte dat ze volkomen veilig waren, zolang ze de procedures maar zouden volgen. Daarover zouden ze een uitgebreide briefing krijgen. Er zouden geen contacten met de andere kant zijn. Die hadden ze niet nodig. Zonder contacten was alles een stuk veiliger. Ieder beschikte over een aantal valse verhalen en de missie stak zo in elkaar dat het niet uitmaakte of verscheidene leden van de groep dezelfde zouden uitkiezen. Wat wel uitmaakte was dat de verhalen plausibel verteld werden, en daarom zou elke reiziger een zakelijke activiteit uitkiezen waarmee hij enigszins vertrouwd was. Ze hadden bijna allemaal een universitaire titel en als ze die niet hadden, dan konden ze over handel, machines of iets anders praten waarover ze meer wisten dan een douanebeambte die hun puur uit verveling vragen begon te stellen.
De groep van Filmster was veel gemotiveerder voor de opdracht. Hij veronderstelde dat dit door een of ander gebrek in zijn cultuur kwam. Deze groep was jonger en minder ervaren en jongeren weten nu eenmaal minder van het leven en daarom ook minder van de dood. Ze werden gemotiveerd door passie, door een traditie van opofferingsgezindheid en door hun eigen haat en demonen. Dit alles vertroebelde hun oordeel op een manier die de leermeesters beviel. Die hadden er geen moeite mee gebruik te maken van de haat en de hartstocht, net als van de mensen die die haat en hartstocht bezaten. Deze briefing was gedetailleerder. Er werden foto's, kaarten en grafieken getoond, en de groep ging dichter bijeen staan om de details goed te kunnen zien. Niemand zei iets over de aard van het doel. De kwestie van leven en dood was zo eenvoudig voor hen die de uiteindelijke antwoorden niet kenden – of die dachten die te kennen, zelfs als dat niet zo was – en dat was eigenlijk ook maar beter voor iedereen. Als ze een antwoord op de Grote Vraag in gedachten hadden, dan zouden de minder grote vragen niet eens in hen opkomen. Filmster bezat dergelijke illusies niet. Hij stelde zich de vragen, maar beantwoordde ze nooit. Voor hem was de Grote Vraag iets anders geworden. Voor hem was het niets anders dan een politieke daad, geen kwestie van godsdienst. Je mat je eigen lot niet aan de politiek af, tenminste niet vrijwillig. Hij keek naar hun gezichten, in de wetenschap dat ze daarmee juist wél bezig waren, maar zon-

der het zich te realiseren. Zij waren werkelijk het beste type mensen voor de opdracht. Ze dachten dat ze alles wisten, maar in werkelijkheid wisten ze heel weinig. Ze kenden alleen de praktische taken.
Filmster voelde zich een soort moordenaar, maar het was iets wat hij eerder gedaan had, althans indirect. Het was gevaarlijk om het rechtstreeks te doen, en dit beloofde de gevaarlijkste missie in zijn soort van de laatste jaren te worden.
Heel opmerkelijk dat ze niet beter wisten. Ze zagen zichzelf allemaal als de steen in Allah's eigen katapult, zonder te bedenken dat dergelijke stenen altijd weggeworpen worden juist omdat het stenen zijn. Of misschien ook niet. Misschien zouden ze geluk hebben, en vanwege die kans gaf hij hun de beste inlichtingen waarover hij kon beschikken, en die waren heel behoorlijk. De beste tijd zou de middag zijn, vlak voor de mensen uit hun werk kwamen. Dan konden ze van de drukte op de wegen gebruikmaken om hun achtervolgers af te schudden. Hij zou zelf het veld weer ingaan, vertelde hij, om hun uiteindelijke ontsnapping mogelijk te maken, maar dit vertelde hij er niet bij: als het zover zou komen.

'Oké, Arnie, hoe staan de zaken ervoor?' vroeg Ryan. Het kwam goed uit dat Cathy voor vandaag geen afspraken gepland had. Ze was de hele nacht ziedend geweest en was niet in de juiste stemming om haar normale werk te doen. Hij voelde zich al niet veel beter, maar het was niet terecht en ook tamelijk zinloos om zijn stafchef af te snauwen.
'Het is volstrekt zeker dat er een lek bij de CIA zit, of misschien op de Hill, iemand die wat afweet van wat je gedaan hebt.'
'Wat Colombia betreft, de enigen die daarvan weten zijn Fellows en Trent. En zij weten ook dat Murray daar niet was, althans niet als zodanig. De rest van die operatie is volstrekt afgeschermd.'
'Wat is er eigenlijk gebeurd?' Arnie moest het nu weten. De president gebaarde en sprak alsof hij iets aan een ouder uitlegde.
'Er waren twee operaties, SHOWBOAT en RECIPROCITY. Bij de ene ging het om het afzetten van troepen in Colombia, en de bedoeling was om drugstransporten op te sporen. Die vluchten werden vervolgens geplempt...'
'Wat?'
'Neergeschoten, door de luchtmacht... althans sommige werden onderschept, de bemanning werd gearresteerd en in stilte afgevoerd. Er gebeurden nog wat andere dingen, en toen Emil Jacobs gedood werd, begonnen we met RECIPROCITY. We begonnen op diverse plaatsen bommen af te werpen. De zaken liepen enigszins uit de hand. Er werden enkele burgers gedood, en het begon allemaal uiteen te vallen.'
'Hoeveel wist jij?' vroeg Van Damm.
'Ik wist er geen donder van af tot het spel al op zijn eind liep. Jim Greer lag toen op sterven, en ik handelde zijn taken af, maar dat waren grotendeels Navo-aangelegenheden. Ik werd erbuiten gehouden tot na het moment dat de

bommen begonnen te vallen. Ik was in België toen dat gebeurde. Ik zag het op tv, geloof het of niet. Het was Cutter die de leiding over de operatie had. Hij haalde rechter Moore en Bob Ritter over ermee te beginnen en later probeerde hij er een eind aan te maken. Toen begonnen de zaken uit de hand te lopen. Cutter probeerde de militairen te isoleren; het idee was dat ze gewoon zouden verdwijnen. Ik kwam daarachter. Ik keek in de kluis met persoonlijke documenten van Ritter. Kort en goed, ik ging naar Colombia met de reddingsploeg en we wisten de meesten weg te halen. Het was allemaal niet erg plezierig,' vertelde Ryan. 'Het ging met een vuurgevecht gepaard en ik bediende een van de geweren in de helikopter. Bij de laatste reddingsactie werd een lid van de crew gedood. Het was een onderofficier, Buck Zimmer, en ik zorg sinds die tijd voor zijn gezin. Liz Elliot is daarachter gekomen en heeft enige tijd later geprobeerd dat tegen me te gebruiken.'

'Dat is nog niet alles,' zei Arnie zacht.

'Nee, zeker niet. Ik moest de operaties aan de Congrescommissie melden, maar ik wilde niet dat de regering erdoor verscheurd werd. Daarom besprak ik het met Trent en Fellows en heb ik een bezoek aan de president gebracht. We hebben een tijdje met elkaar gepraat. Ik ben de kamer uitgegaan en Sam en Al hebben een poosje met hem gesproken. Ik weet niet precies wat ze hebben afgesproken, maar...'

'Maar hij heeft de verkiezingen verknald. Hij heeft zijn campagneleider aan de kant gezet en zijn hele campagne was waardeloos. Mijn god, Jack, wat heb je gedaan?' vroeg Arnie. Zijn gezicht was bleek geworden, maar dat was om politieke redenen. En de hele tijd had Van Damm nog wel gedacht dat hij een briljante, succesvolle campagne had gevoerd voor Bob Fowler en de populaire zittende president van zijn troon had gestoten. Maar alles was dus afgesproken werk geweest? En daar was hij nooit achter gekomen?

Ryan sloot zijn ogen. Hij had zichzelf net gedwongen een verschrikkelijke nacht weer voor de geest te halen. 'Ik beëindigde een operatie die technisch gesproken legaal was, zij het op het randje. Ik heb er in stilte een eind aan gemaakt. De Colombianen zijn er nooit achter gekomen. Ik dacht dat ik hier een nieuw Watergate had voorkomen, en daarnaast een verdomd pijnlijk internationaal incident. Sam en Al hebben ervoor getekend; de dossiers blijven tot lang na onze dood verzegeld. Degene die het heeft laten uitlekken moet op geruchten zijn afgegaan en nogal wat veronderstellingen gemaakt hebben. Wat heb *ik* gedaan? Ik denk dat ik de wet zo goed mogelijk gerespecteerd heb. Nee, Arnie, ik heb niets illegaals gedaan. Ik heb het volgens de regels gespeeld. Het was niet gemakkelijk, maar het is me gelukt.' Hij opende zijn ogen. 'Nou, Arnie, hoe zal dat overkomen in Peoria?'

'Waarom kon je niet gewoon verslag doen aan het Congres en...'

'Verplaats je nog eens in de situatie,' zei de president. 'Het ging niet alleen daarom. Het gebeurde in de tijd dat Oost-Europa zich aan het losmaken was. De Sovjet-Unie bestond nog, maar stond aan de rand van de afgrond, er gebeurden werkelijk belangrijke dingen en als onze regering precies op dat moment uiteengevallen was, terwijl al die andere dingen gebeurden, dan zou het een enorme bende zijn geworden. Amerika kon niet... we hadden Europa niet kunnen helpen tot rust te komen als we in eigen land met een enorm schandaal opgezadeld hadden gezeten. En ik was nu eenmaal degene die het telefoontje moest plegen en actie moest ondernemen, precies op dat moment, anders zouden die militairen gedood zijn. Bedenk alsjeblieft ook eens hoe hachelijk mijn positie was.

Arnie, ik kon daarover toch niemand om advies vragen? Admiraal Greer was dood. Moore en Ritter waren gecompromitteerd. De president zat er tot over zijn oren in; ik dacht toen dat hij via Cutter de touwtjes in handen had, maar dat was niet zo. Hij werd er door die incompetente intrigant ingeluisd. Ik wist niet waar ik naartoe moest, en daarom ging ik om steun naar de FBI. Ik kon helemaal niemand vertrouwen, behalve Dan Murray en Bill Shaw, en een van onze mensen op Langley aan de operationele kant. Bill, wist je trouwens dat hij afgestudeerd is in de rechten?, hielp me met het juridische gedeelte en Murray hielp bij de evacueringsoperatie. Ze waren een onderzoek naar Cutter begonnen. Het was een operatie onder een codewoord. Ik meen dat ze die ODYSSEY noemden, en ze stonden op het punt naar de rechter te stappen op grond van criminele samenzwering, maar Cutter pleegde zelfmoord. Er stond een FBI-agent vijftig meter achter hem toen hij voor de bus sprong. De operaties zelf waren niet in strijd met de grondwet, althans dat zei Shaw.'

'Maar politiek gezien...'

'Ja, ja, zelfs ik ben niet zo naïef. Zo staan de zaken dus, Arnie. Ik heb de wet niet overtreden. Ik heb de belangen van mijn land zo goed mogelijk gediend, de omstandigheden in aanmerking genomen, en kijk wat ik ermee opgeschoten ben.'

'Verdomme. Waarom is dat nooit aan Bob Fowler verteld?'

'Dat kwam door Sam en Al. Ze dachten dat het funest zou zijn geweest voor het presidentschap van Fowler. Trouwens, ik weet toch ook niet goed wat die twee werkelijk tegen de president hebben gezegd? Ik heb het nooit willen weten, ik ben er nooit achter gekomen en ik beschik alleen maar over speculaties, al zijn dat vrij goede speculaties,' gaf Ryan toe, 'maar dat is alles.'

'Jack, het komt niet vaak voor dat ik niet weet wat ik moet zeggen.'

'Zeg het toch maar,' beval de president.

'Het zal uitkomen. De media hebben nu genoeg om een aantal stukjes in elkaar te passen en dat zal het Congres dwingen een onderzoek te beginnen. En hoe zit het met de rest?'

'Dat is allemaal waar,' zei Ryan. 'Zeker, we wisten de *Red October* te pakken te krijgen, en zeker, ik heb Gerasimov zelf weggehaald. Mijn idee, mijn operatie, het heeft me bijna mijn kop gekost, maar goed. Als we het niet hadden gedaan, dan was Gerasimov in de positie geweest om zelf een staatsgreep te plegen en Andrej Narmonov ten val te brengen. Dan zou het Warschaupact mogelijk nog bestaan hebben en zou er nooit een einde gekomen zijn aan die ellendige periode. Daarom hebben we die klootzak in de val gelokt, zodat hij

geen andere keus had dan op het vliegtuig te stappen. Hij is nog steeds kwaad, ondanks alles wat we voor hem gedaan hebben om hem hier te krijgen, maar ik heb gehoord dat het zijn vrouw en dochter in Amerika goed bevalt.'
'Heb je iemand gedood?' vroeg Arnie.
'In Moskou niet. In de onderzeeër... hij probeerde de onderzeeër ten onder te laten gaan. Hij schoot een van de officieren van de boot dood en bracht twee anderen zware verwondingen toe, maar ik heb hem zelf uitgeschakeld, waar ik trouwens jarenlang nachtmerries over gehad heb.'
In een andere realiteit, dacht Van Damm, zou zijn president een held zijn. Maar realiteit en politiek hadden weinig gemeen. Hij bedacht dat Ryan zijn verhaal over Bob Fowler en de afgebroken nucleaire lancering niet had verteld. De stafchef was daarbij geweest en hij wist dat J. Robert Fowler drie dagen later bijna van zijn stokje gegaan was toen hij besefte hoe hem een massamoord op Hitleriaanse schaal bespaard was gebleven. Tijdens het lezen van *Les Miserables* van Victor Hugo op de middelbare school was hij getroffen door een bepaalde regel daarin: 'Hoe slecht kan het goede zijn.' Hier had je er weer een voorbeeld van. Ryan had zijn land op moedige wijze gediend, meer dan eens zelfs, maar geen van zijn daden zou bij een openbaar onderzoek de toets der kritiek kunnen doorstaan. Intelligentie, vaderlandsliefde en moed resulteerden slechts in een serie gebeurtenissen die iedereen diep in het verderf konden storten. En Ed Kealty wist precies hoe hij dat moest doen. 'Hoe kunnen we dit allemaal onder controle houden?' vroeg de president.
'Wat moet ik verder nog weten?'
'De dossiers over de *Red October* en Gerasimov zijn op Langley. En wat Colombia betreft, je weet wat je moet weten. Ik weet niet zeker of ik zelf wel het recht heb om de dossiers te openen. Aan de andere kant: wil je Rusland destabiliseren? Dan is dit je kans.'

Red October, dacht Golovko, naar het hoge plafond van zijn kantoor opkijkend. 'Ivan Emmetovitsj, jij sluwe zak. *Zvo Tvoyu maht*!'
De vloek werd in stille bewondering uitgesproken. Vanaf het moment dat hij Ryan voor het eerst ontmoet had, had hij hem onderschat, en zelfs directe en indirecte contacten daarna hadden daar niets aan veranderd, moest hij toegeven. Dus zó had hij Gerasimov voor het blok gezet! En daarmee had hij Rusland wellicht gered, maar een land moest eigenlijk van binnenuit gered worden, niet van buitenaf. Sommige geheimen moesten voor altijd bewaard blijven, omdat ze iedereen in gelijke mate beschermden. Dit was zo'n geheim. Nu werden beide landen erdoor in verlegenheid gebracht. Voor de Russen ging het om verlies van een waardevolle nationale kracht door hoogverraad; erger nog, iets dat hun spionagediensten niet ontdekt hadden, wat bij nadere beschouwing eigenlijk ongelooflijk was, maar de valse verhalen waren goed geweest, en door het verlies van twee jachtonderzeeërs in dezelfde operatie had de sovjetmarine de affaire maar al te graag willen vergeten, en daarom hadden ze het verhaal niet verder onderzocht.

Sergej Nikolajevitsj kende het tweede deel beter dan het eerste. Ryan had een staatsgreep weten te voorkomen. Golovko veronderstelde dat Ryan hem net zo makkelijk had kunnen vertellen wat er gebeurde en het aan de interne organen van de Sovjet-Unie had kunnen overlaten, maar nee. Inlichtingendiensten wendden alles in hun eigen voordeel aan en Ryan zou gek geweest zijn om in dit geval niet hetzelfde te handelen. Gerasimov moest zo mak als een lammetje zijn geweest – hij kende het Westerse spreekwoord – en had alles gespuid wat hij wist. Ames, bijvoorbeeld, was op die manier geïdentificeerd, daarvan was hij overtuigd, en Ames was een virtuele diamantmijn voor de KGB geweest.

En je hebt altijd tegen jezelf gezegd dat Ivan Emmetovitsj een begaafd amateur was, dacht Golovko.

Maar zelfs zijn professionele bewondering werd getemperd. Rusland kon wel eens snel hulp nodig hebben. Hoe kon het voor die hulp een beroep doen op iemand die, zoals nu wel bekend zou zijn, de interne politiek van zijn land als een poppenspeler gemanipuleerd had? Toen hij zich dit realiseerde vloekte hij opnieuw, alleen ditmaal niet uit bewondering.

Op openbare vaarwegen heerst vrije doorgang, en daarom kon de marine niet meer doen dan voorkómen dat de vrachtboot te dicht bij het Acht-Tien-dok kwam. Er volgde nog een boot, en daarna nog enkele, tot er in totaal elf camera's op het overdekte droogdok gericht stonden. Het dok was leeg, na de sloop van de meeste Amerikaanse raketonderzeeërs, en ook die andere, niet-Amerikaanse, was er niet, die er volgens geruchten korte tijd geweest zou zijn.

Het was mogelijk met de computer toegang te krijgen tot de personeelsdossiers van de marine, en daar waren enkelen nu mee bezig. Ze zochten naar voormalige bemanningsleden van de USS *Dallas*. Een telefoontje in de vroege ochtend met ComSubPac over zijn periode als commandant van de *Dallas* leidde slechts tot contact met zijn public-relationsofficier, die gevoelige vragen op professionele, nietszeggende wijze beantwoordde. Vandaag zou hij zijn deel nog wel krijgen, net als anderen.

'Met Ron Jones.'

'Met Tom Donner van NBC-News.'

'Dat is best,' zei Jones bedeesd, 'maar ik kijk zelf naar CNN.'

'Misschien wilt u vanavond naar ons programma kijken. Ik wil even met u praten over...'

'Ik heb vanochtend de *Times* gelezen. Die wordt hier bezorgd. Geen commentaar,' voegde hij eraan toe.

'Maar...'

'Inderdaad, ja, ik was bij de onderzeeboten, en ze noemen ons de Stille Dienst. Maar dat is allemaal lang geleden. Ik heb nu een eigen zaak. Getrouwd, kinderen, huisje, boompje, beestje, u kent dat wel.'

'U was sonarchef aan boord van de USS Dallas toen...'

'Meneer Donner, ik heb een overeenkomst van geheimhouding getekend toen ik bij de marine vertrok, en ik praat niet over de dingen die we toen deden, begrijpt u?' Het was zijn eerste gesprek met een journalist en het verliep precies zoals hij verwacht had.
'Dan hoeft u ons alleen maar te vertellen dat het nooit gebeurd is.'
'Dat wat nooit gebeurd is?' vroeg Jones.
'Het overlopen van een Russische onderzeeër, de *Red October*.'
'Weet u wat het alleridiootste is dat ik ooit als sonarman gehoord heb?'
'Elvis.' Hij hing op. Daarna belde hij Pearl Harbor.

Toen het licht werd, denderden de tv-trucks door Winchester in Virginia zoals de legers tijdens de Burgeroorlog, toen de stad meer dan veertig keer in andere handen was overgegaan.
Hij was niet de eigenaar van het huis, en de CIA was dat eigenlijk evenmin. Het perceel stond op naam van een brievenbusfirma, die weer in bezit was van een stichting met een onduidelijk bestuur, maar aangezien het eigendom van onroerend goed in Amerika in openbare registers wordt opgetekend, evenals alle vennootschappen en stichtingen, zouden de gegevens in minder dan twee dagen achterhaald zijn, ondanks de sticker op de dossiers die de ambtenaren op de districtsrechtbank vertelde een creatieve onwetendheid aan de dag te leggen bij het opzoeken van de documenten.
De verslaggevers die op kwamen dagen, bezaten foto's en video-opnamen van Nikolai Gerasimov. Er werden telelenzen op statieven op de een paar honderd meter verder gelegen ramen gericht, achter een paar grazende paarden die een aardig accent aan het verhaal gaven: CIA behandelt Russische meesterspion als bezoekende vorst.
De twee veiligheidsbeambten bij het huis raakten helemaal over hun toeren en belden Langley voor instructies, maar de afdeling Voorlichting van de CIA – op zich nogal een merkwaardige instelling – kon geen zinnige informatie geven en beperkte zich tot de mededeling dat het inderdaad privé-eigendom was (of dat onder de omstandigheden juridisch klopte, werd door de juristen van de CIA uitgezocht) en dat de verslaggevers daarom niet in overtreding waren.
Het was jaren geleden dat hij zo had kunnen lachen. Er was af en toe natuurlijk wel een vrolijk moment geweest, maar dit was zo bijzonder, dat hij zelfs de mogelijkheid nooit overwogen had. Hij had zichzelf altijd als Amerika-expert beschouwd. Gerasimov had tal van spionageoperaties uitgevoerd tegen de 'Grootste Vijand', zoals de Verenigde Staten toen genoemd werden in het niet-bestaande land dat hij ooit gediend had, maar hij moest toegeven dat je er een paar jaar moest wonen om te begrijpen hoe onbegrijpelijk Amerika was, hoe niets logisch was, hoe letterlijk alles mogelijk was en dat hoe gekker iets was, hoe waarschijnlijker het leek. Wat er in één dag, laat staan een jaar, kon gebeuren, ging elke fantasie te boven. En hier had je het bewijs.
Arme Ryan, dacht hij, terwijl hij bij het raam zijn koffie stond te drinken. In zijn land – voor hem zou het altijd de Sovjet-Unie zijn – zou dit nooit gebeurd zijn.

Enkele geüniformeerde bewakers zouden de mensen met een strenge blik weggejaagd hebben, en als die blik alleen niet genoeg was, dan waren er nog andere mogelijkheden. Maar zo ging het niet in Amerika, waar de media evenveel vrijheid hadden als een wolf in de Siberische sparrenbossen. Hij moest ook om die gedachte al bijna lachen, want wolven waren in Amerika een beschermde diersoort. Wisten die mafkezen niet dat wolven mensen doodden?
'Misschien gaan ze weg,' zei Maria, die naast hem kwam staan.
'Ik denk het niet.'
'Dan moeten we binnen blijven tot ze weg zijn,' zei zijn vrouw, die doodsbang was geworden door de gebeurtenissen.
Hij schudde zijn hoofd. 'Nee, Maria.'
'Maar stel dat ze ons terugsturen?'
'Dat doen ze niet. Dat kunnen ze niet. Dat doe je niet met overlopers. Dat is de regel,' legde hij uit. 'We hebben Philby, Burgess of MacLean nooit teruggestuurd, terwijl het gedegenereerde dronkelappen waren. O nee, we hebben ze beschermd, drank voor ze gekocht en ze met hun perverse liefhebberijen hun gang laten gaan, omdat dat de regel is.' Hij dronk zijn koffie op en liep terug naar de keuken om kop en schotel in de vaatwasser te zetten. Hij keek er met een grimas naar. In zijn appartement in Moskou en zijn datsja in de Leninheuvels – waarschijnlijk hadden ze na zijn vertrek een andere naam gekregen – had zo'n apparaat nooit gestaan. Hij had bedienden gehad om zulke dingen te doen. Nu niet meer. In Amerika nam gemak de plaats in van macht en comfort die van status.
Bedienden. Het had allemaal van hem geweest kunnen zijn. De status, de bedienden, de macht. De Sovjet-Unie had nog steeds een grootmacht kunnen zijn die over de hele wereld bewonderd en gerespecteerd werd. Hij zou secretaris-generaal van de communistische partij van de Sovjet-Unie zijn geworden. Dan had hij een begin kunnen maken met de noodzakelijke hervormingen om de corruptie uit te bannen en het land er weer bovenop te helpen. Hij zou waarschijnlijk volledige overeenstemming met het Westen bereikt hebben en vrede tot stand hebben gebracht, maar het zou wel een vrede van gelijken zijn geweest, geen totale ineenstorting. Hij was tenslotte nooit een ideoloog geweest, ook al had die arme oude Aleksandrov dat wel gedacht, omdat Gerasimov altijd partijlid was geweest, maar wat kon je anders in een eenpartijstaat? Vooral als je wist dat je door het lot tot de macht was voorbestemd.
Maar nee, het lot had hem verraden in de persoon van John Patrick Ryan, in een koude nacht vol sneeuw in Moskou, terwijl hij in een stilstaande tram zat. En nu had hij dus comfort en veiligheid. Zijn dochter zou snel trouwen met wat de Amerikanen 'oud geld' noemden, wat in andere landen de adel heette, en wat hij waardeloze horzels noemde, precies de reden waarom de communistische partij de revolutie had gewonnen. Zijn vrouw was tevreden met haar apparatuur en haar kennissenkringetje. Maar zijn eigen woede was nooit verdwenen.
Ryan had hem van zijn lotsbestemming beroofd, van de pure vreugde van

macht en verantwoordelijkheid, van het arbiterschap over de weg die zijn land zou gaan, en daarna had Ryan diezelfde lotsbestemming in eigen hand genomen. Nu wist die dwaas niet hoe er gebruik van te maken. De ware schande was dat hij door zo'n figuur was uitgeschakeld. Goed, nu moest er nog één ding gedaan worden, niet? Gerasimov liep naar de achteruitgang van het huis, pakte een leren jack en liep naar buiten. Hij dacht even na. Ja, hij zou een sigaret opsteken en gewoon het pad in hun richting oplopen, vierhonderd meter verderop. Onderweg zou hij erover nadenken wat hij zou zeggen en hoe hij zijn dankbaarheid aan president Ryan zou uiten. Hij was Amerika altijd blijven bestuderen en zijn observaties over hoe de media dachten zouden hem nu van pas komen, meende hij.

'Heb ik je wakker gemaakt, kapitein?' vroeg Jones. Het was circa vier uur 's ochtends op Pearl Harbor.
'Niet echt. Weet je, mijn PAO is een vrouw en ze is zwanger. Ik hoop dat de weeën door dit gedoe niet te vroeg beginnen.' Schout-bij-nacht Mancuso zat aan zijn bureau en zijn telefoon rinkelde volgens zijn instructies niet als daar geen goede reden voor was. Een oude scheepsmaat was zo'n reden.
'Ik ben gebeld door NBC over iets wat we in de Atlantische Oceaan gedaan hebben.'
'Wat heb je gezegd?'
'Wat denk je, kapitein? Nul-komma-nul.' Even ervan afgezien dat het om een erezaak ging, was het ook zo dat Jones zijn opdrachten meestal van de marine kreeg. 'Maar...'
'Ja, maar iemand zal gaan praten. Er is altijd wel iemand.'
'Ze weten al te veel. De *Today Show* heeft een live reportage uit Norfolk, het Acht-Tien-dok. Je kunt wel raden wat ze zeggen.'
Mancuso dacht erover zijn tv op kantoor aan te zetten, maar het was nog te vroeg voor het ochtendnieuwsprogramma van NBC. Hij zette de tv toch aan en stemde af op CNN. Ze hadden nu sport, maar het was vlak voor het hele uur.
'Straks vragen ze ons nog wat over een andere opdracht die we uitgevoerd hebben, die met die zwemmer.'
'Open lijn, dokter Jones,' waarschuwde ComSubPac.
'Ik zei niet waar, kapitein. Het is iets waar je vast over na kunt denken.'
'Zeker,' zei Mancuso instemmend.
'Misschien kun je me één ding wel vertellen.'
'Wat dan, Ron?'
'Waarom al dit gedoe? Ik zal er natuurlijk niet over praten en jij ook niet, maar iemand anders zal het vast en zeker doen. Maar waarom al dit gedoe, Bart? Hebben we niet juist gehandeld?'
'Ik denk van wel,' antwoordde de admiraal. 'Maar ze willen waarschijnlijk gewoon een verhaal.'
'Ik hoop dat Ryan het doet. Ik zal zeker op hem stemmen. Het is een hele prestatie om het hoofd van de KGB te vangen en...'

'Ron!'
'Kapitein, ik herhaal gewoon wat ze op tv zeggen. Ik weet daar zelf helemaal niets van.' Verdomme, dacht Jones, wat een verhaal is dit. En het is allemaal waar.
Aan de andere kant van de lijn verscheen op Mancuso's tv de aankondiging van een speciale nieuwsuitzending.

'Ja, ik ben Nikolai Gerasimov,' zei het gezicht op tv's overal ter wereld. Minstens twintig journalisten stonden bij elkaar aan de andere kant van de tuinmuur, en het was moeilijk een van de geschreeuwde vragen te verstaan.
'Is het waar dat u...'
'Bent u...'
'Is het waar dat...'
'Stilte, alstublieft.' Hij stak zijn hand op. Het duurde circa vijftien seconden. 'Ja, ik ben ooit voorzitter van de KGB geweest. Jullie president Ryan heeft me overgehaald om te vertrekken en sindsdien woon ik met mijn gezin in Amerika.'
'Hoe heeft hij u ertoe gebracht te vertrekken?' riep een journalist.
'U moet begrijpen dat de inlichtingenbusiness, zoals u dat zegt, hard is. De heer Ryan speelt het spel goed. Er bestond toen een voortdurende machtsstrijd. De CIA werkte mijn factie tegen en steunde Andrej Iljitsj Narmonov. Die kwam toen naar Moskou, met als dekmantel dat hij adviseur van de START-besprekingen was. Hij beweerde dat hij me informatie wilde geven om de bijeenkomst te laten plaatsvinden, ja?' Gerasimov had besloten dat hij voor de camera's en microfoons geloofwaardiger zou overkomen als hij zijn kennis van het Engels wat zou maskeren. 'Je kunt zelfs zeggen dat hij me in vallen lokte met beschuldiging dat ik, hoe heet dat... verraad zou gaan maken. Niet waar, maar wel effectief, en dus besluit ik met mijn gezin naar Amerika te gaan. Ik kom met vliegtuig. Mijn familie komen met onderzeeër.'
'Wat? Onderzeeër?'
'Ja, het was onderzeeër *Dallas*.' Hij pauzeerde even en glimlachte enigszins moeizaam. 'Waarom bent u zo hard over president Ryan? Hij dient zijn land goed. Een meesterspion,' zei Gerasimov bewonderend.

'Nou, daar gaat dat verhaal.' Bob Holtzman zette het geluid van zijn tv uit en keek zijn hoofdredacteur aan.
'Sorry, Bob.' De hoofdredacteur gaf de kopij terug. Het artikel had over drie dagen geplaatst moeten worden. Holtzman had zijn informatie op zeer deskundige wijze verzameld en had de tijd genomen om van het materiaal een samenhangend, vleiend portret te maken van de man wiens kantoor slechts vijf straten verderop stond. Het ging over verdichtsels, een uiterst geliefd woord in Washington. Iemand had 'verdichtsels' rondgestrooid, en dat was dat. Als het eerste verhaal eenmaal naar buiten was gekomen, dan was het zelfs voor een ervaren journalist als Holtzman onmogelijk het te veranderen, zeker als zijn eigen krant hem niet steunde.

'Bob,' zei de hoofdredacteur enigszins beschroomd, 'jij schat dit anders in dan ik. Stel dat deze man een cowboy is, wat dan? Kijk, die onderzeeër pakken, dat gaat nog, Koude Oorlog en zo, maar zich bemoeien met de interne sovjetpolitiek, komt dat niet dicht bij een vijandelijke daad?'
'Daar ging het in werkelijkheid niet om. Hij probeerde een agent het land uit te krijgen, codenaam CARDINAL. Gerasimov en Aleksandrov gebruikten die spionnenzaak om Narmonov ten val te brengen en de hervormingen te verhinderen die hij probeerde door te voeren.'
'Dat kan Ryan gemakkelijk zeggen. Zo zal het niet overkomen. "Meesterspion"? Precies wat we nodig hebben om het land te besturen, hè?'
'Zo is Ryan niet, verdomme!' vloekte Holtzman. 'Hij knalt er gewoon in en...'
'Ja, schieten kan hij wel, zeker. Hij heeft minstens drie mensen vermoord. Vermoord, Bob! Hoe is het in godsnaam ooit bij Roger Durling opgekomen dat hij de juiste was voor het vice-presidentschap? Goed, Ed Kealty is ook geen topper, maar die heeft tenminste...'
'Die weet tenminste hoe hij ons moet manipuleren, Ben. Hij heeft dat leeghoofd op tv er ingeluisd en daarna heeft hij ons er allemaal ingeluisd door ons in zijn verhaal te laten geloven.'
'Nou...' Ben wist op dat moment niets meer te zeggen. 'Het is toch gebaseerd op feiten?'
'Dat is niet hetzelfde als "waar", Ben, dat weet jij ook.'
'Hier moet verder naar gekeken worden. Ryan lijkt een man die het niet zo nauw met de zaken genomen heeft. Dan wil ik dat het Colombia-verhaal onderzocht wordt. Kun jij dat doen? Jouw contacten bij de CIA zijn nogal goed, maar ik moet je wel zeggen dat ik me zorgen maak over je objectiviteit in deze zaak.'
'Je hebt geen keus, Ben. Als je ermee verder wilt, dan is het mijn verhaal. Je kunt natuurlijk ook altijd het verhaal van de *Times* in andere woorden weergeven,' voegde Holtzman eraan toe, wat zijn hoofdredacteur deed blozen. Ook bij de media kon het leven zwaar zijn.
'Het is jouw verhaal, Bob. Maar zorg ervoor dat het afkomt. Iemand heeft de wet overtreden en Ryan is degene die alles in de doofpot gestopt heeft en er brandschoon uitgekomen is. Ik wil dat verhaal hebben.' Saddler stond op. 'Ik moet een hoofdartikel schrijven.'

Daryaei kon het nauwelijks geloven. De timing had nauwelijks beter kunnen zijn. Hij was dagen verwijderd van zijn volgende doel en nu stond zijn doelwit op het punt zich volledig zonder zijn hulp in het ravijn te storten. Met zijn hulp zou de val natuurlijk nog heviger zijn.
'Is het dat wat het lijkt?'
'Het lijkt er wel op,' antwoordde Badrayn. 'Ik kan het snel onderzoeken, dan kom ik morgenochtend bij u terug.'
'Is dit werkelijk mogelijk?' hield de ayatollah aan.
'Weet u nog wat ik u verteld heb over leeuwen en hyena's? Voor Amerika is het

een nationale sport. Het is geen truc, met zulke trucs houden ze zich niet bezig. Maar geef me even tijd om zekerheid te krijgen. Ik heb mijn methoden.'
'Morgenochtend dan.'

34
WWW.TERROR.ORG

Hij had toch al heel wat werk te doen via die verbindingen. Toen hij weer op zijn kantoor was, zette Badrayn zijn desktopcomputer aan. Deze had een snel modem, aangesloten op een speciale glasvezelkabel die naar een Iraanse, nu VIR-ambassade in Pakistan liep. Vandaar liep een lijn naar Londen waar hij zonder angst voor ontdekking verbinding kon zoeken met het World Wide Web. Wat ooit een tamelijk eenvoudige oefening voor het politieapparaat was geweest, en daar draaide het bij contraspionage en contraterrorisme uiteindelijk om, was nu vrijwel onmogelijk. Letterlijk miljoenen mensen konden toegang krijgen tot alle informatie die de mensheid had vergaard, en ook nog sneller dan je naar je auto kon lopen voor een ritje naar de openbare bibliotheek. Badrayn begon met het aanklikken van de adressen van grote dagbladen, van de *Times* in Los Angeles tot de *Times* in Londen, met Washington en New York daartussenin.
De kern van het bericht was in alle grote dagbladen vrijwel hetzelfde – op het Web kwamen ze er zelfs sneller mee dan in de gedrukte versies – maar de redactionele commentaren verschilden enigszins. De berichten waren vaag als het om exacte gegevens ging, en hij moest zichzelf voorhouden dat de voortdurende herhaling van dezelfde feiten geen garantie was voor accuratesse, maar het leek wel degelijk echt. Hij wist dat Ryan bij de inlichtingendienst had gewerkt, wist dat de Britten, de Russen en ook de Israëli's hem respecteerden. Berichten als deze konden een verklaring zijn voor dat respect. Hij kreeg er ook een wat ongemakkelijk gevoel door, iets wat zijn meester verrast zou hebben. Ryan kon een geduchter tegenstander zijn dan Daryaei lief was. Hij wist hoe hij in moeilijke omstandigheden doortastend te werk moest gaan, en zulke mensen moest je niet onderschatten.
Ryan was nu beslist uit zijn element, zoveel bleek duidelijk uit de nieuwsberichten. Van de ene naar de andere *homepage* klikkend, ontdekte hij een geheel nieuw commentaar, waarin gevraagd werd om een onderzoek door het Congres naar Ryans activiteiten bij de CIA. In een verklaring van de Colombiaanse regering werd in afgemeten diplomatieke termen verzocht om een verklaring

voor de beschuldigingen. Dat zou zeker voor een nieuwe golf reacties zorgen. Hoe zou Ryan op de beschuldigingen en eisen reageren? Een open vraag, oordeelde Badrayn. Hij was een onbekende grootheid. Dat was verontrustend. Hij maakte een afdruk van de belangrijkste artikelen en commentaren, waarna hij verderging met zijn echte werk.
Er was een homepage die geheel aan congressen en beurzen in Amerika gewijd was. Waarschijnlijk was die bedoeld voor reisbureaus, dacht hij. Nou, dat was niet gek. Hij hoefde ze slechts per stad te selecteren. Zo kwam hij te weten hoe de congresgebouwen eruitzagen. Meestal waren het grote betonnen kolossen. Elk had ook een eigen homepage, waarin alle kwaliteiten breed uitgemeten werden. Op de meeste ervan stonden wel overzichten en routebeschrijvingen, en overal stonden telefoon- en faxnummers. Deze nam hij ook over, tot hij er vierentwintig had, plus nog een paar voor de zekerheid. Hij kon een van zijn reizigers immers niet naar een lingeriebeurs sturen, hoewel... hij grinnikte zachtjes. Mode- en stoffenbeurzen voor het winterseizoen, ook al was het in Iran nog niet eens zomer. Autotentoonstellingen. Deze vonden verspreid over geheel Amerika plaats; de fabrikanten van personen- en vrachtwagens toonden hun waren als een reizend circus... des te beter.
Circus, dacht hij, en klikte een andere homepage aan. Nee, voor deze was het nog enkele weken te vroeg in het jaar. Jammer, heel jammer, dacht Badrayn teleurgesteld. Reisden de grote circussen niet in privé-treinen? Verdomme. Maar het was nu eenmaal niet de tijd, en daar was niets aan te doen. Dan moest het maar op de autotentoonstellingen gebeuren.
En op al die andere.

De leden van de tweede groep waren nu allemaal dodelijk ziek. Het was tijd een eind aan hun lijden te maken, niet zozeer uit medelijden als wel uit efficiency. Het had volstrekt geen zin het leven van de verplegers op het spel te zetten door mensen te behandelen die zowel door de wet als door de wetenschap ter dood veroordeeld waren. Daarom werden ze net als de eerste groep door grote injecties met Dilaudid gedood, terwijl Moudi tv keek. De opluchting bij het medisch personeel was zelfs door hun logge plastic pakken heen zichtbaar. Binnen enkele minuten waren alle proefpersonen dood. De procedure zou dezelfde zijn als eerst en de arts feliciteerde zichzelf dat ze zo goed gewerkt hadden en dat er geen personeel van buiten besmet was. Dat kwam hoofdzakelijk door hun wreedheid. Andere plaatsen, echte ziekenhuizen, zouden niet zoveel geluk hebben, wist hij. Hij treurde al om het verlies van enkele collega's.
Een van de vreemde waarheden in het leven was dat de bedenkingen pas kwamen als het er al te laat voor was. Hij had op de komende gebeurtenissen niet meer invloed dan hij had op het draaien van de aarde.
De verplegers legden de besmette lichamen op de brancards. Hij wendde zich af; dit hoefde hij niet nog eens te zien. Moudi liep het lab in.
Een aantal andere technici was nu bezig de 'soep' in flacons te doen. Ze had-

den duizend keer zoveel als voor de operaties nodig was, maar de bereidingswijze was nu eenmaal zo dat het gemakkelijker was te veel te maken dan precies de juiste hoeveelheid. De directeur had trouwens achteloos opgemerkt dat je nooit kon weten wanneer er nog meer nodig was. De flacons waren stuk voor stuk van roestvrij staal gemaakt; het was een speciale legering die ook door extreme koude niet werd aangetast. Elk was voor drie kwart gevuld en daarna verzegeld. Vervolgens zou er een bijtend middel overheen gespoten worden, zodat de buitenkant absoluut schoon was. Daarna werden de flacons op een kar gezet en naar de gekoelde kluis in de kelder van het gebouw gebracht, waar ze in vloeibaar stikstof werden ondergedompeld. De ebolavirussen konden daar tientallen jaren zo bewaard worden. Het was er te koud om te gronde te gaan, en daar zouden de virussen volstrekt bewegingloos blijven rusten tot ze weer aan warmte en vochtigheid werden blootgesteld en ze een kans hadden zich te vermenigvuldigen en te doden. Een van de flacons bleef in het lab in een kleiner cryogeen vat, dat ongeveer zo groot was als een olievat, maar iets hoger, en dat voorzien was van een LED-display waarop de binnentemperatuur zichtbaar was.
Het was toch wel een opluchting dat zijn rol in het drama snel voorbij zou zijn. Moudi stond bij de deur te kijken hoe het lagere personeel aan het werk was. Zij voelden waarschijnlijk hetzelfde. Over enkele ogenblikken zouden de twintig spuitbussen gevuld zijn en uit het gebouw worden gehaald. Elke vierkante centimeter van het gebouw zou grondig gereinigd worden, zodat alles weer veilig werd. De directeur zou al zijn tijd in zijn kantoor doorbrengen en Moudi... tja, die kon natuurlijk niet meer verschijnen bij de WHO. Hij was tenslotte dood, omgekomen bij het vliegtuigongeluk vlak voor de Libische kust. Iemand zou hem van een nieuwe identiteit en paspoort moeten voorzien voordat hij weer kon reizen, aangenomen dat hij dat ooit zou kunnen. Of misschien moest hij als veiligheidsmaatregel... nee, zelfs de directeur kon toch niet zo meedogenloos zijn?

'Hallo, ik bel voor dokter Ian MacGregor.'
'Met wie spreek ik?'
'Met dokter Lorenz, CDC in Atlanta.'
'Momentje alstublieft.'
Gus moest twee minuten wachten, volgens zijn horloge, lang genoeg om zijn pijp op te steken en een raam te openen. De jongere stafleden kapittelden hem af en toe over deze gewoonte, maar hij inhaleerde niet en hij kon er scherper door denken...
'Met dokter MacGregor,' zei een jonge stem.
'Met Gus Lorenz in Atlanta.'
'Hé! Hoe gaat het met u, professor?'
'Hoe gaat het met de patiënten?' vroeg Lorenz, zeven tijdzones verderop. Het beviel hem dat hij MacGregor aan de lijn had; hij was duidelijk nog laat aan het werk. Wie goed was, werkte veel over.

'Met de mannelijke patiënt gaat het niet goed, ben ik bang. Maar het kind is alweer aan de beterende hand.'
'O ja? We hebben de monsters onderzocht die u gestuurd heb. Beide bevatten het ebolavirus. Mayinga-subtype.'
'Weet u dat heel zeker?' vroeg de jongere man.
'Daar bestaat geen twijfel over, dokter. Ik heb de tests zelf uitgevoerd.'
'Daar was ik al bang voor. Ik heb een ander monster naar Parijs gestuurd, maar daar heb ik nog niks van gehoord.'
'Ik moet een paar dingen weten.' Lorenz had een notitieblok klaargelegd. 'Vertel me eens wat meer over uw patiënten.'
'Dat is een probleem, professor Lorenz,' moest MacGregor zeggen. Hij wist niet of de lijn werd afgetapt, maar in een land als Soedan was dat niet uit te sluiten. Aan de andere kant moest hij iets zeggen, en daarom begon hij met een relaas over de feiten die hij wél kon openbaren.

'Ik heb je gisteravond op tv gezien.' Dokter Alexandre had besloten juist om die reden weer met Cathy Ryan te gaan lunchen. Hij was haar aardig gaan vinden. Wie zou hebben verwacht dat een ogensnijder en laser-jockey (voor Alex waren dit eerder specialismen in handvaardigheid dan het echte medische vak dat hij beoefende; zelfs deze beroepsgroep kende onderlinge rivaliteit, en hij was die mening over bijna alle chirurgische specialismen toegedaan) belangstelling zou hebben voor genetica? Daar kwam bij dat hij waarschijnlijk behoefte had aan wat vriendelijke woorden.
'Wat leuk,' antwoordde Caroline Ryan, die naar haar kipsalade keek terwijl hij plaatsnam. De lijfwacht keek alleen maar verstoord en gespannen.
'Je deed het goed.'
'O ja?' Ze keek op en zei op neutrale toon: 'Ik had hem wel in zijn gezicht willen slaan.'
'Zo kwam het anders niet over. Je hebt je echtgenoot goed ondersteund. Je kwam verstandig over.'
'Wat is dat toch met journalisten? Ik bedoel, waarom...'
Alex lachte. 'Dokter, als een hond op een brandkraan plast, dan pleegt hij geen vandalisme. Hij doet gewoon iets honds.' Roy Altman verslikte zich bijna in zijn drankje.
'Geen van ons heeft dit ooit gewild, snap je?' zei ze, nog steeds zo ongelukkig dat ze de spotternij miste.
Professor Alexandre stak zijn handen op, alsof hij zich overgaf. 'Ik weet er alles van, Cathy. Ik wilde helemaal niet in het leger. Ze hebben me direct na mijn studie medicijnen als dienstplichtige ingepalmd. Het pakte goed uit en ik werd zelfs kolonel. Ik vond een interessant terrein om de geest bezig te houden. Verder kan ik zo mijn rekeningen betalen, begrijp je?'
'Maar ik word niet betaald voor deze beledigingen!' wierp Cathy tegen, zij het met een glimlach.
'En je man krijgt niet genoeg betaald,' voegde Alex eraan toe.

'Altijd al zo geweest. Soms vraag ik me af waarom hij dat werk niet gewoon gratis doet en de cheques terugstuurt, gewoon om duidelijk te maken dat hij meer waard is dan ze hem betalen.'
'Denk je dat hij een goede arts geweest zou zijn?'
Haar blik klaarde op. 'Dat heb ik hem verteld. Jack zou chirurg geworden zijn, denk ik... nee, misschien iets anders, bijvoorbeeld wat jij doet. Hij heeft het altijd leuk gevonden onderzoek te doen en dingen uit te pluizen.'
'En om te zeggen wat hij denkt.'
Ze begon bijna te lachen. 'Altijd!'
'En raad eens? Hij komt als een goed man over. Ik heb hem nooit ontmoet, maar wat ik zag, beviel me. Hij is absoluut geen politicus, en dat is misschien af en toe helemaal niet zo erg. Heb je wat opbeurends nodig, dokter? Wat is het ergste wat er kan gebeuren? Hij houdt ermee op, gaat terug naar wat hij wil doen – ik denk lesgeven, als ik hem goed begrepen heb – en dan ben je nog steeds een arts met een Lasker aan de muur.'
'Het ergste wat er kan gebeuren...'
'U hebt hier toch de heer Altman om daarvoor zorg te dragen?' Alexandre keek hem van opzij aan. 'Ik denk dat u groot genoeg bent om in de baan van de kogel te gaan staan.' De agent van de Secret Service antwoordde niet, maar de blik die hij Alex toewierp, sprak boekdelen. Ja, hij zou er een tegenhouden voor zijn baas. 'Jullie mogen zeker niet over dergelijke dingen praten?'
'Jawel, meneer, als u het vraagt, kan het.' Altman had dit de hele dag al willen zeggen. Hij had de tv-special ook gezien, en zoals zo vaak was er vanochtend op de afdeling gekscherend over gepraat om de verslaggever in kwestie de mond te snoeren. Ook de Secret Service had zo zijn fantasieën. 'Dokter Ryan, we zijn erg op uw gezin gesteld, en dat zeg ik niet puur uit beleefdheid. We zijn niet altijd op onze bazen gesteld. Maar we zijn op u allemaal gesteld.'
'Hé, Cathy.' Het was Dave James, die glimlachend en met zijn arm zwaaiend langsliep.
'Dag, Dave.' Daarna zag ze enkele vrienden van de faculteit naar haar zwaaien. Ze was dus niet zo alleen als ze dacht.
'Zeg, Cathy, ben je met James Bond getrouwd of zo?' In een andere context zou de vraag haar ontstemd kunnen hebben, maar er lag een twinkeling in de donkere oogjes van Alexandre.
'Ik weet er een klein beetje van. Ik werd over enkele zaken ingelicht toen president Durling Jack vroeg om vice-president te worden, maar ik kan niet...'
Hij stak zijn hand op. 'Weet ik. Ik heb nog steeds een betrouwbaarheidsverklaring omdat ik af en toe naar Fort Dietrick rij.'
'Het gaat niet zoals in de film. Het is niet zo dat je dergelijke dingen doet, wat drinkt, het meisje een dikke kus geeft en dan wegrijdt. Hij had vaak nachtmerries en ik... ik omhelsde hem dan in zijn slaap. Daardoor kalmeerde hij meestal, en als hij dan wakker werd, dan deed hij alsof er helemaal niets gebeurd was. Ik weet er iets van, maar niet alles. Toen we vorig jaar in Moskou waren, kwam er een Rus op ons af die zei dat hij ooit een geweer op Jacks hoofd

gericht had...' Altman draaide zijn hoofd om, '...maar hij zei het alsof het een grapje was, en toen zei hij dat het geweer niet geladen was. We gingen samen eten, alsof we kennissen of zo waren, en ik maakte kennis met zijn vrouw, een kinderarts, ongelooflijk toch? Zij is arts en haar man is de belangrijkste Russische spion en...'

'Toch klinkt het wat vergezocht,' zei dr. Alexandre met een kritisch opgetrokken wenkbrauw, en toen klonk er een echte lach aan de overkant van de tafel.

'Het is allemaal zo idioot,' concludeerde ze.

'Wilt u iets idioots horen? We hebben twee gevallen van ebola in Soedan.' Nu haar stemming ten goede gekeerd was, kon hij over zijn problemen praten.

'Wat een gekke plek voor dat virus om op te duiken. Komt het uit Zaïre?'

'Dat is Gus Lorenz aan het uitzoeken. Ik wacht op zijn verslag,' meldde professor Alexandre. 'Het kan geen plaatselijke uitbraak zijn.'

'Waarom niet?' vroeg Altman.

'Het is de slechtst mogelijke omgeving,' legde Cathy uit, die nu eindelijk van haar lunch begon te eten. 'Heet, droog, veel direct zonlicht. De UV-straling van het zonlicht doodt het virus.'

'Als een vlammenwerper,' zei Alex bevestigend. 'En er is geen jungle waarin een dier als gastheer kan leven.'

'Slechts twee gevallen?' vroeg Cathy met een mondvol salade. Het was hem tenminste gelukt haar aan het eten te krijgen, dacht Alexandre. Ja zeker, hij wist nog altijd hoe hij patiënten het best kon benaderen, zelfs in een cafetaria. Hij knikte. 'Een volwassen man en een klein meisje, dat is alles wat ik nu weet. Gus zou de tests vandaag doen, en waarschijnlijk is hij al klaar.'

'Verdomme, dat is een ellendig beest. En jullie kennen nog steeds de gastheer niet.'

'We zoeken al twintig jaar,' bevestigde Alex. 'We hebben nog nooit een ziek dier gevonden; nou ja, de gastheer zou natuurlijk niet ziek zijn, maar je weet wat ik bedoel.'

'Het is net een misdaadzaak, hè?' vroeg Altman. 'Op zoek naar het bewijsmateriaal?'

'Daar lijkt het erg op,' zei Alex. 'Alleen proberen we een heel land te doorzoeken en zijn we er nog steeds niet helemaal achter waar we naar op zoek zijn.'

Don Russell keek toe hoe de ledikanten te voorschijn kwamen. Na de lunch, die vandaag bestond uit bruinbrood met ham en kaas, een glas melk en een appel, gingen de kinderen allemaal naar beneden voor hun middagdutje. Dat was een heel goed idee, meenden alle volwassenen. Mevrouw Daggett kon erg goed organiseren en alle kinderen kenden de gang van zaken. De bedden werden uit de opslagkamer gehaald en de kinderen kenden hun plek. SANDBOX kon goed opschieten met de jonge Megan O'Day. Ze hadden beiden meestal Oshkosh B'gosh-kleren aan, versierd met bloemetjes of konijntjes; minstens een derde van de kinderen droeg dat populaire merk trouwens. Het enige moeilijke was de kinderen op de wc te zetten zodat er geen 'ongelukjes'

gebeurden tijdens de dutjes. Er gebeurde toch wel eens wat, want het waren nu eenmaal kinderen. Het kostte een kwartier, minder dan eerst omdat twee van zijn agenten hielpen. Als de kinderen allemaal in hun bedje lagen, met hun dekens en beren, ging het licht uit. Mevrouw Daggett en haar hulpen gingen dan in een stoel zitten om een boekje te lezen.
'SANDBOX slaapt,' zei Russell, die naar buiten liep om een luchtje te scheppen. Het ziet er goed uit, dacht het mobiele team, dat in het huis aan de overkant van de straat verscholen zat. Hun Chevy Suburban stond in de garage van de familie geparkeerd. Er waren daar drie agenten, van wie er altijd twee op wacht stonden; zij zaten dicht bij het raam dat op Giant Steps uitkeek. Waarschijnlijk zaten ze te kaarten, altijd een goede manier om de tijd te doden. Elk kwartier – minder regelmatig als iemand keek – deed Russell of een ander lid van de ploeg de ronde over het terrein. Met tv-camera's werd het verkeer op Ritchie Highway in de gaten gehouden. Een van de mensen binnen was altijd zo gestationeerd dat die de deuren van het centrum in de gaten kon houden. Op dit moment was dat Marcella Hilton; ze was jong en knap, had altijd haar handtas bij zich. Het was een speciale tas, een model voor politieagentes. Er zat een zijvak in waar een Sig-Sauer 9-mm automatisch pistool in zat en twee reservemagazijnen. Ze liet haar haar groeien tot het zo ongeveer op hippielengte was (hij moest haar vertellen wat een hippie was) om haar 'vermomming' te accentueren.
Het beviel hem nog steeds niet. Het terrein was te gemakkelijk te benaderen, te dicht bij de drukke snelweg en er was een parkeerplaats in het volle zicht, een ideale plek voor slechteriken om alles in de gaten te houden. De journalisten waren gelukkig wel weggewerkt. Wat dat betreft was SURGEON heel doortastend te werk gegaan. Nadat er aanvankelijk een reeks verhalen over Katie Ryan en haar vriendjes verschenen was, was de rem erop gegaan. Nu werd journalisten die opbelden beleefd doch beslist verteld om weg te blijven. Degenen die toch kwamen, moesten met Russell praten, die zich alleen tegenover de kinderen in Giant Steps als een grootvader gedroeg. Volwassenen wist hij altijd te intimideren; meestal zette hij zijn Secret Service-zonnebril op, om meer op Schwarzenegger te lijken, die zo'n acht centimeter kleiner was dan hij.
Zijn subafdeling was echter tot zes leden teruggebracht. Drie direct ter plaatse, en drie aan de overkant van de straat. Het laatste trio was voorzien van schouderwapens: Uzi-submachinegeweren en een M-16 met telescoop. Op een andere plaats zou zes ruim voldoende zijn geweest, maar hier niet, meende hij. Helaas zou dit kinderdagverblijf met meer bewakers op een gewapend kamp zijn gaan lijken, en president Ryan had al problemen genoeg.

'Hoe staat het ermee, Gus?' vroeg Alexandre, die weer terug was op kantoor voordat hij aan de middagrondes begon. Een van zijn aidspatiënten was opeens achteruitgegaan, en Alex probeerde erachter te komen wat eraan gedaan kon worden.
'Identificatie klopt. Ebola mayinga, hetzelfde als de twee Zaïrese gevallen. De

mannelijke patiënt zal het niet redden, maar het kind herstelt goed, volgens de berichten.'
'Zo? Mooi. Wat is het verschil tussen die twee?'
'Weet ik niet precies, Alex,' antwoordde Lorenz. 'Ik heb niet veel informatie over de patiënten, alleen voornamen en leeftijden en zo. De man heet Saleh en het kind Sohaila.'
'Dat zijn toch Arabische namen?' Maar Soedan was een islamitisch land.
'Ik geloof het wel.'
'Het zou nuttig zijn als we wisten wat het verschil tussen de gevallen was.'
'Dat heb ik ook gezegd. De aanwezige arts is een zekere Ian MacGregor. Het klonk wel goed, universiteit van Edinburgh, zei hij, geloof ik. Maar goed, hij weet niet wat de verschillen tussen de twee zijn. En hij heeft ook geen idee hoe ze besmet zijn. Ze zijn ongeveer tegelijkertijd bij het ziekenhuis aangekomen, in ongeveer gelijke toestand. De aanvankelijke diagnose was griep en/of jetlag, zei hij...'
'Waar kwamen ze dan vandaan?' onderbrak Alexandre hem.
'Dat heb ik gevraagd. Hij zei dat hij dat niet kon zeggen.'
'Hoezo niet?'
'Dat heb ik ook gevraagd. Hij zei dat hij dat evenmin kon zeggen, maar dat het geen direct verband met de gevallen had.' Uit Lorenz' toon bleek wat hij ervan dacht. Beide mannen wisten dat het met de plaatselijke politiek te maken moest hebben, die een groot probleem vormde, met name bij aids.
'Niets meer in Zaïre?'
'Niets,' bevestigde Gus. 'Dat is voorbij. Het is een echte hersenbreker, Alex. Dezelfde ziekte is op twee verschillende plaatsen opgedoken, meer dan drieduizend kilometer van elkaar, twee gevallen op elke plek, twee overleden, een stervende, een kennelijk herstellend. MacGregor is begonnen met de geijkte isolatieprocedures in zijn ziekenhuis, en het lijkt erop dat hij zijn zaakjes kent.' Je kon het schouderophalen bijna horen over de telefoon.
Wat die man van de Secret Service tijdens de lunch had gezegd, sloeg de spijker op zijn kop, dacht Alexandre. Het was meer detectivewerk dan geneeskunde, en er viel van deze zaak weinig te maken, zoals bij een seriemoordenzaak zonder aanwijzingen. Misschien onderhoudend in boekvorm, maar niet in de werkelijkheid.
'Goed, wat gaan we nu doen?'
'We weten dat de mayingastam volop actief is. Bij visuele inspectie was er geen verschil. We voeren enkele analyses uit op de eiwitten en reeksen, maar ik voel op mijn klompen aan dat ze hetzelfde zijn.'
'Goddomme, wat is de gastheer, Gus? Konden we die maar vinden!'
'Bedankt voor die observatie, dokter.' Gus was op dezelfde manier en om dezelfde reden ontstemd en zelfs kwaad. Maar het was voor hen allebei een oud verhaal. Ach, dacht de ervaren onderzoeker, het had een paar duizend jaar gekost om uit te vinden wat malaria precies was. Ze waren nog maar vijfentwintig jaar of zo met ebola bezig. Het virus was waarschijnlijk minstens

even lang aanwezig geweest. Het kwam op en verdween weer, net als een denkbeeldige seriemoordenaar. Maar ebola had geen hersens, had geen strategie, bewoog zich niet eens uit zichzelf voort. Het was super-aangepast aan iets heel beperkts, maar ze wisten niet wat. 'Zoiets is genoeg om een man aan de drank te helpen, hè?'

'Ik stel me zo voor dat een flinke slok bourbon het ook wel zal doden, Gus. Ik moet naar een paar patiënten.'

'Hoe bevallen die vaste rondes je, Alex?' Lorenz miste deze ook.

'Het is goed om weer een echte arts te zijn. Ik zou alleen willen dat mijn patiënten wat meer hoop hadden. Maar dat is nu eenmaal het werk.'

'Ik fax je de gegevens over de structurele analyse van de monsters, als je wilt. Het goede nieuws is dat het om een beperkte uitbraak lijkt te gaan,' herhaalde Lorenz.

'Ja graag. Tot ziens, Gus.' Alexandre hing op. Een beperkte uitbraak? Dat hebben we vaker gedacht... Hierna verlegde hij zijn aandacht naar wat hem te doen stond. Blanke patiënt, man, 34, homo, resistente TBC uit linkerveld. Hoe kunnen we hem stabiliseren? Hij pakte de patiëntenkaart op en liep zijn kantoor uit.

'Dus ik ben de verkeerde om met de selecties voor het gerechtelijk apparaat te helpen?' vroeg Pat Martin.

'Je hoeft je er niet ellendig om te voelen,' antwoordde Arnie. 'We zijn allemaal de verkeerde voor alles.'

'Behalve jij,' merkte de president glimlachend op.

'We maken allemaal beoordelingsfouten,' gaf Van Damm toe. 'Ik had met Bob Fowler kunnen vertrekken, maar Roger zei dat hij me nodig had om deze toko draaiende te houden, en...'

'Ja.' Ryan knikte. 'Zo ben ik hier ook gekomen. En, meneer Martin?'

'Er zijn hierbij geen wetten overtreden.' Hij had de afgelopen drie uur de CIA-dossiers en de gedicteerde samenvatting van Jack over de operaties in Colombia bestudeerd. Een van zijn secretaresses, Ellen Sumter, wist nu weliswaar iets af van enkele tamelijk geheime zaken, maar zij was dan ook *presidentieel* secretaresse, en trouwens, het had Jack een sigaret opgeleverd. 'Althans niet door u. Ritter en Moore zouden kunnen worden voorgeleid omdat ze hun geheime operaties niet volledig aan het Congres gemeld hadden, maar hun verdediging zou dan zijn dat de zittende president hun had verteld het zo te doen. De Richtlijnen voor Speciale en Gevaarlijke Operaties die als aanhangsel bij de algemene regeling gevoegd zijn, bieden daartoe mogelijkheden. Ik denk dat ik ze zou kunnen laten aanklagen, maar ik zou de vervolging niet graag zelf doen,' ging hij verder. 'Ze probeerden het drugsprobleem aan te pakken en de meeste juryleden zouden hen om die reden niet willen straffen, vooral omdat het Medellin-kartel deels daardoor uit elkaar viel. Het echte probleem zit hem in het aspect van de internationale relaties. Colombia zal woedend zijn, meneer, en om heel goede redenen. Er zijn internationaal regels en verdragen die van toepassing waren op de activiteit, maar ik ben op dat gebied niet deskundig genoeg om er een mening over te geven. Uit binnenlands gezichtspunt gaat het om de grondwet, de hoogste wet van het land. De president is opperbevelhebber. De president besluit wat al dan niet in het belang van de veiligheid van het land is, als onderdeel van zijn uitvoerende macht. De president kan daarom elke actie ondernemen die hij nodig vindt om die belangen te beschermen; dat is de betekenis van de term "uitvoerende macht". De rem daarop, naast de wettelijke inbreuken die hoofdzakelijk binnenslands gelden, wordt gevormd door de controlerende bevoegdheid van het Congres. Dat kan weigeren geld te fourneren om iets te voorkomen, maar daar houdt het wel mee op. Zelfs de Resolutie over Bevoegdheden in Oorlogstijd is zo opgesteld dat u eerst handelt voordat het Congres kan proberen u tegen te houden. U ziet dat de grondwet flexibel is als het om werkelijk belangrijke kwesties gaat. De grondwet is opgesteld voor redelijke mensen die de zaken op een redelijke manier aanpakken. De gekozen volksvertegenwoordigers worden geacht te weten wat het volk wil en in overeenstemming daarmee te handelen, alles, wederom, binnen redelijke grenzen.'

De mensen die de grondwet opgesteld hebben, vroeg Ryan zich af, waren dat dan politici of niet?

'En de rest?' vroeg de stafchef.

'De CIA-operaties? Daarbij was geen sprake van enige inbreuk, maar ook daarbij ligt het probleem in de politiek. Als ik voor mezelf spreek, meneer de president – u weet dat ik spionageonderzoeken gedaan heb – dan was het prachtig werk. Maar de media zullen een hoop kabaal maken,' waarschuwde hij.

Arnie dacht dat dit een tamelijk goed begin was. Zijn derde president hoefde zich geen zorgen te maken de gevangenis in te moeten. De politiek kwam later wel, dat was voor hem wel duidelijk.

'Besloten of openbare hoorzittingen?' vroeg Van Damm.

'Dat is een politieke vraag. Het gaat vooral om de internationale kant. Dat kan het best met Buitenlandse Zaken geregeld worden. U hebt me hier trouwens ethisch gezien wel tegen de muur gezet. Als ik in een van deze drie zaken een mogelijke inbreuk op het recht had gevonden die in uw nadeel sprak, dan had ik dat niet met u kunnen bespreken. Ik kan alleen maar zeggen dat u, meneer de president, mij om een mening over de mogelijke criminele activiteiten van anderen gevraagd hebt, aan welk verzoek ik als regeringsambtenaar moet voldoen, als deel van mijn officiële taken.'

'Weet u, het zou prettig zijn als iedereen in mijn nabijheid niet altijd als jurist sprak,' merkte Ryan geïrriteerd op. 'Ik word met echte problemen geconfronteerd. Een nieuw land in het Midden-Oosten dat ons niet mag, de Chinezen die problemen maken op zee om redenen die ik niet begrijp, en dan zit ik ook nog zonder Congres.'

'Dit is wel degelijk een echt probleem,' zei Arnie tegen hem, niet voor het eerst.

'Ik kan wel lezen,' gebaarde Ryan naar de stapel knipsels op zijn bureau. Hij

had net ontdekt dat de media hem hun afkeurende commentaren in conceptvorm leverden die ze de volgende dag zouden publiceren. Erg aardig van ze.
'Ik dacht altijd dat de CIA Alice in Wonderland was. Goed, het hooggerechtshof. Ik heb ongeveer de helft van de lijst doorgekeken. Het zijn allemaal goede mensen. Ik kom over een week met mijn keuzen.'
'ABA zal moord en brand schreeuwen,' zei Arnie.
'Ze gaan hun gang maar. Ik kan geen zwakheid tonen, dat heb ik gisteravond wel geleerd. Wat gaat Kealty doen?' vroeg de president.
'Het enige wat hij kan doen is je politiek verzwakken, je met schandalen dreigen en je tot aftreden dwingen.' Arnie stak zijn hand weer op. 'Ik zeg niet dat dit ergens op slaat.'
'Daar is in deze stad ook verdomd weinig voor nodig, Arnie. Daarom doe ik ook zo m'n best.'

Een cruciaal element in de stabilisatie van een nieuw land was uiteraard het leger. De voormalige divisies van de Republikeinse Garde zouden hun identiteit behouden. Er moesten wel enkele aanpassingen in het officierenkorps worden gemaakt. Bij de executies van de voorgaande weken waren niet alle onwelkome elementen verdreven, maar in het belang van de broederschap werden de nieuwe eliminaties in de vorm van een simpel ontslag gegoten. De vertrekbriefings waren kort en krachtig: treed uit het gelid en verdwijn. Het was bepaald geen waarschuwing om te negeren. De vertrekkende officieren gingen zonder uitzondering akkoord met hun ontslag, dankbaar als ze waren in leven te mogen blijven.
Deze eenheden waren de Golfoorlog goed doorgekomen, althans wat het merendeel van het personeel betrof, en de schok die hun behandeling in Amerikaanse handen teweeg had gebracht, was verzacht door de erop volgende campagnes om rebellerende burgerelementen te vernietigen, waardoor hun brutaliteit deels en hun durf vrijwel helemaal waren teruggekeerd. Hun uitrusting was weer op peil gebracht uit voorraden en andere middelen en zou spoedig nog verbeterd worden.
De konvooien reden Iran uit over de Abadan-route, langs reeds ontmantelde grensposten. Ze reden voort onder de bescherming van de duisternis en met zo min mogelijk radioverkeer, maar dat was voor satellieten niet van belang.

'Drie divisies, en zware ook,' luidde de snelle analyse bij I-TAC, het Intelligence and Thrust Analysis Center van het leger, gevestigd in een gebouw zonder ramen aan de marinewerf van Washington. Dezelfde conclusie werd al snel getrokken bij de DIA en de CIA. Een nieuwe inschatting van de strijdkrachten van het nieuwe land was al onderweg, en al was die nog niet compleet, uit de eerste berekeningen op de achterkant van een envelop bleek wel dat de militaire kracht van de VIR meer dan twee keer zo groot was als die van alle andere Golfstaten bij elkaar. Het zou waarschijnlijk nog erger zijn als alle factoren volledig geëvalueerd waren.

‘Waarheen precies, vraag ik me af,’ zei de eerste wachtcommandant hardop toen de banden werden teruggespoeld.
‘Het onderste deel van Irak is altijd Sji’a geweest, kolonel,’ bracht een regiospecialist de kolonel in herinnering.
‘En dat is het deel dat het dichtst bij onze vrienden ligt.’
‘Absoluut.’

Mahmoud Haji Daryaei had veel om over na te denken, en hij probeerde dat gewoonlijk niet in, maar buiten een moskee te doen. In dit geval was het een van de oudste in het voormalige Irak, in het zicht van de oudste stad ter wereld, Ur. Als man die voor zijn God en geloof stond, was Daryaei ook een man die zich bewust was van de geschiedenis en de politieke realiteit, die zichzelf voorhield dat alles bijeenkwam in een verenigd geheel dat de vorm van de wereld bepaalde, en dat alles overwogen moest worden. Hij kon zichzelf in momenten van zwakte of enthousiasme (dat was voor hem hetzelfde) gemakkelijk voorhouden dat bepaalde dingen door Allah’s eigen onsterfelijke hand waren geschreven, maar ook bedachtzaamheid was volgens de koran een deugd, en hij was tot de ontdekking gekomen dat hij die het makkelijkst kon bereiken door buiten een heilige plaats een wandelingetje te maken, meestal in een tuin, zoals deze moskee bezat.
Hier was de beschaving begonnen. Weliswaar een heidense beschaving, maar alles begon ergens en het was niet de fout geweest van degenen die deze stad vijfduizend jaar geleden hadden gebouwd, dat God zich nog niet volledig had geopenbaard. De gelovigen die deze moskee hadden gebouwd, en de tuin hadden aangelegd, hadden dit gebrek ook weer goedgemaakt.
De moskee was vervallen. Daryaei bukte zich om een stuk van een tegel die van de muur was gevallen op te pakken. Het stuk was blauw, de kleur van de aloude stad, een kleur die tussen die van de lucht en de zee in lag, die al meer dan vijfendertig eeuwen door plaatselijke ambachtslieden in dezelfde tint en vorm gemaakt werd, en die eerst voor tempels, later voor heidense standbeelden en koningspaleizen en nu voor een moskee werd gebruikt. Je kon een nieuwe tegel van een gebouw afhalen of tien meter diep in de grond graven, en dan trof je er een van drieduizend jaar oud aan die niet van de nieuwe te onderscheiden was. Er ging een zekere rust van uit, vooral in een kille, wolkeloze nacht, als hij hier als enige liep en zelfs zijn lijfwachten uit het zicht bleven, bekend als ze waren met de stemming van hun leider.
Het was afnemende maan, wat de ontelbare sterren die hem gezelschap hielden nog beter zichtbaar maakte. In het westen lag het oude Ur, dat ooit een geweldige stad geweest moest zijn, en zelfs nu zou het nog een opmerkelijke bezienswaardigheid zijn, met zijn torenhoge stenen muren en zijn torenhoge *ziggurat* voor de een of andere valse god die de mensen hier hadden vereerd. Ooit waren er karavanen door de versterkte poorten getrokken, waarmee van alles was aangevoerd, van graan tot slaven. Het omringende land was toen geen zandvlakte, maar stond vol groene gewassen, en overal hoorde je markt-

kooplui en handelaren met elkaar praten. Het verhaal van de Hof van Eden was hier waarschijnlijk niet ver vandaan ontstaan, ergens in de naast elkaar liggende valleien van de Tigris en de Eufraat, die in de Perzische Golf stroomden. Ja, als de mensheid een enorme, wijdvertakte boom was, dan lagen de oudste wortels hier, vrijwel in het centrum van het land dat hij zojuist gecreëerd had.

De ouden zouden hetzelfde besef van centralisme gehad hebben, daar was hij zeker van. *Hier zijn wij*, moesten ze gedacht hebben, en daarbuiten waren... *zij*, de universele benaming voor degenen die geen deel uitmaakten van de eigen gemeenschap. Zij waren gevaarlijk. Eerst waren zij nomaden geweest voor wie het idee van een stad onbegrijpelijk was geweest. Hoe kon iemand op één plaats in leven blijven? Raakte het gras voor de geiten en schapen niet op? Aan de andere kant bood de stad een prachtige kans om aan te vallen, zo moesten ze gedacht hebben. Daarom had de stad verdedigingsmuren opgeworpen, waardoor de eenheid van plaats en de scheiding tussen wij en zij, de beschaafden en de barbaren, nog verder benadrukt werden. En zo was het nu ook, wist Daryaei, gelovigen en heidenen. Zelfs binnen de eerste categorie waren er verschillen. Hij stond in het centrum van een land dat zich ook in het centrum van het geloof bevond, althans geografisch gezien, want de islam had zich zowel oost- als westwaarts verspreid. Het ware centrum van zijn religie lag in de richting waarin hij altijd bad, het zuidwesten, in Mekka, waar de Ka'aba-steen was, waar de Profeet had onderwezen.

De beschaving was in Ur begonnen, en had zich langzaam en grillig verspreid. Op de golven van de tijd was de stad verrezen en gevallen vanwege de valse goden, vanwege het gebrek aan het ene, verenigende idee dat de beschaving nodig had, zo meende hij.

Het voortdurende bestaan van deze stad vertelde hem veel over de bevolking. Je kon hun stemmen bijna horen en ze waren in wezen niet anders dan hijzelf. Ze keken in stille nachten naar dezelfde hemel en verwonderden zich over de schoonheid van dezelfde sterren. Ze hadden de stilte gehoord, althans de besten van hen, net als hij, en die als klankbord voor hun intiemste gedachten gebruikt, om de Grote Vragen te overdenken en zo goed mogelijke antwoorden te vinden. Maar het waren gebrekkige antwoorden geweest, en daarom waren de muren gevallen, tegelijk met alle beschavingen hier, op één na.

Zijn taak was daarom om te herstellen, zei Daryaei tegen de sterren. Aangezien zijn religie de uiteindelijke openbaring was, zou zijn cultuur zich van hieruit verspreiden, stroomafwaarts van het oorspronkelijke Eden. Ja, hier zou hij zijn stad bouwen. Mekka zou een heilige stad blijven, gezegend en zuiver, niet vercommercialiseerd, niet vervuild. Hier was ruimte voor de bestuursgebouwen. Hier zou een nieuw begin zijn, op de plek van het eerste begin, en hier zou een grote nieuwe natie ontstaan.

Maar eerst...

Daryaei keek naar zijn oude, verweerde hand, die door martelingen en vervolgingen getekend was, maar die nog altijd de hand van een man was die zijn

geest gehoorzaamde: een gebrekkig gereedschap, zoals hij zelf een gebrekkig gereedschap voor zijn God was, maar toch een gelovig gereedschap, dat zowel tot vernietiging als tot heling in staat was. Beide zouden noodzakelijk zijn. Hij kende de hele koran uit zijn hoofd – het uit het hoofd leren van het volledige boek werd door zijn godsdienst gepropageerd – en daar kwam nog bij dat hij als theoloog voor elk doel een vers kon citeren. Hij moest toegeven dat sommige met elkaar in tegenspraak waren, maar de wil van Allah deed er meer toe dan zijn woorden. Zijn woorden golden dikwijls voor een speciale situatie. Het was slecht om te doden om het moorden, daarin was de leer van de koran bijzonder streng, maar dat gold niet voor het doden om het geloof te verdedigen. Soms was het onderscheid tussen de twee onduidelijk, en daarvoor had je de wil van Allah als leidraad. Allah wilde dat de gelovigen zich onder één spiritueel dak bevonden, en hoewel velen geprobeerd hadden dat door onderricht en navolging te bereiken, waren de mensen zwak en moest dit sommigen met meer dwang dan anderen getoond worden; misschien konden de verschillen tussen soennieten en sjiïeten in vrede en liefde overbrugd worden, als hij zijn hand in vriendschap uitstak en als beide zijden respect zouden tonen voor de visies van de ander – Daryaei was bereid zo ver te gaan in zijn missie – maar eerst moesten de juiste omstandigheden worden geschapen. Achter de horizon van de islam waren anderen, en al betrof Gods genade ook hen wel een beetje, die genade gold niet als zij poogden het geloof geweld aan te doen. Voor die mensen diende zijn hand om te vernietigen. Daaraan viel niet te ontkomen.
Ze deden het geloof immers werkelijk geweld aan. Ze bevuilden het met hun geld en vreemde ideeën, namen de olie weg en namen de kinderen weg om hen op corrupte wijze op te voeden. Ze probeerden het geloof beperkingen op te leggen, zelfs als ze zaken deden met degenen die zich gelovig noemden. Ze zouden zijn inspanningen om de islam te verenigen dwarsbomen. Ze zouden het economie, politiek of iets anders noemen, maar ze wisten heel goed dat een verenigde islam een bedreiging was voor hun dwaalleer en tijdelijke macht. Ze vormden het ergste soort vijanden, omdat ze zichzelf vrienden noemden en hun ware bedoelingen goed genoeg verborgen om abusievelijk daarvoor aangezien te worden. Om de islam te verenigen moesten zij gebroken worden.
Er was werkelijk geen keuze voor hem. Hij was hierheen gekomen om alleen te zijn en om na te denken, om God in stilte te vragen of er nog een andere manier was, maar het stuk blauwe tegel had hem verteld over alles wat geweest was, de tijd die verstreken was, de beschavingen die slechts onvolkomen herinneringen en ruïnes hadden nagelaten. Hij had de idee en het geloof waar het bij hen allen aan ontbroken had. Het was zuiver een kwestie van het toepassen van die ideeën, geleid door dezelfde wil die de sterren in de hemel had geplaatst. Zijn God had overstromingen, de pest en tegenspoed als gereedschappen van het geloof gebracht. Mohammed had zelf oorlogen gevoerd, en ook hij, zo zei hij weifelend tegen zichzelf, zou dat doen.

35
Plan van uitvoer

Als een strijdmacht zich verplaatst kijken andere legers met belangstelling toe, maar wat ze vervolgens ondernemen, is afhankelijk van de instructies van hun leiders. De verplaatsing van de Iraanse strijdkrachten richting Irak was een technische kwestie. De tanks en andere rupsvoertuigen werden op lage trucks vervoerd, de vrachtwagens reden zelf. De verplaatsing verliep niet zonder de gebruikelijke problemen. Enkele wagens namen een verkeerde afslag, tot ontzetting van hun officieren en de woede van de superieuren, maar toch had elk van de drie divisies binnen korte tijd een nieuwe thuisbasis gevonden, steeds op dezelfde plek als een soortgelijke voormalige Iraakse divisie. De gedwongen inkrimping van het Iraakse leger had bijna genoeg ruimte geschapen voor de nieuwe bezetters van de bases. Nauwelijks waren ze gearriveerd, of de staven werden in legereenheden geïntegreerd en startten er gemeenschappelijke oefeningen om de eenheden aan elkaar te laten wennen. Ook hier bestonden de gebruikelijke taal- en cultuurproblemen, maar beide zijden maakten voor een groot deel gebruik van dezelfde wapens en doctrine. De stafofficieren, die overal ter wereld hetzelfde zijn, werkten er hard aan om iedereen op één lijn te krijgen. Ook dit werd door satellieten geobserveerd.

'Hoeveel?'

'Zo'n drie legerkorpsen,' zei de briefingofficier tegen admiraal Jackson. 'Een van twee gepantserde divisies en twee van een gepantserde en een zwaar gemotoriseerde divisie. Ze beschikken over relatief weinig artillerie, maar ze hebben al het rollend materieel dat ze nodig hebben. We hebben een aantal commandovoertuigen in de woestijn zien rondrijden. Waarschijnlijk voerden ze bewegingssimulaties uit voor een CPX.' Dat stond voor 'Command-Post Exercise', een oorlogssimulatie voor professionals.

'Verder nog iets?' vroeg Robby.

'De artilleriestellingen op deze basis hier, ten westen van Abu Sukayr, worden met de grond gelijkgemaakt en de vliegbasis vlak ten noorden daarvan in Nejef heeft een paar nieuwe gasten, MiG's en Sukhois, maar op het infraroodbeeld zijn hun motoren koud.'

'Beoordeling?' Dat was de stem van Tony Bretano.

'Tja, het kan van alles zijn,' antwoordde de kolonel. 'Als een nieuw land legers integreert, brengt dat veel kennismakingsoefeningen met zich mee. We zijn verrast door de integratie van de formaties. Er zullen administratieve problemen komen, maar vanuit politiek-psychologisch gezichtspunt zou het een goede beslissing kunnen zijn. Op deze manier gaan ze te werk alsof ze werkelijk één land zijn.'

'Geen enkele dreiging?' vroeg de minister van Defensie.

‘Geen openlijke dreiging, niet op dit moment.’
‘Hoe snel kan dat leger zich naar de Saoedische grens verplaatsen?’ vroeg Jackson om er zeker van te zijn dat zijn baas werkelijk begreep wat er gebeurde.
‘Als ze eenmaal op volle sterkte en bevoorraad zijn? Laten we zeggen achtenveertig tot tweeënzeventig uur. Wij zouden het in minder dan de helft van de tijd kunnen, maar wij zijn beter getraind.’
‘Samenstelling van het leger?’
‘In totaal zijn er voor de drie korpsen zes zware divisies, iets meer dan vijftienhonderd gevechtstanks, meer dan vijfentwintighonderd infanterievoertuigen, meer dan zeshonderd rupsvoertuigen. Ik heb nog geen zicht op hun rode team, admiraal. Dat staat voor artillerie, meneer de minister,’ verklaarde de kolonel. ‘Logistiek gezien baseren ze zich op het oude sovjetmodel.’
‘Wat betekent dat?’
‘De logistieke voertuigen behoren tot de divisies. Dat doen wij ook, maar wij houden de formaties gescheiden om onze manoeuvre-eenheden op snelheid te houden.’
‘Merendeels reservisten,’ vertelde Jackson de minister. ‘Met het sovjetmodel kun je meer als een eenheid manoeuvreren, maar dat geldt alleen voor de korte termijn. Ze kunnen operaties niet zo lang volhouden als wij, in termen van tijd of afstand.’
‘De admiraal heeft gelijk, meneer,’ ging de briefingofficier verder. ‘Toen de Irakezen in 1990 Koeweit binnenvielen, bereikten ze zo ongeveer het maximum van hun logistieke mogelijkheden. Ze moesten stoppen om de voorraden aan te vullen.’
‘Dat is een kant van het verhaal. Vertel hem de andere ook,’ sommeerde Jackson.
‘Na een pauze van twaalf tot vierentwintig uur waren ze inderdaad klaar om verder te trekken. De reden dat ze dat niet deden, was politiek.’
‘Ik heb dat altijd merkwaardig gevonden. Hadden ze de Saoedische olievelden kunnen veroveren?’
‘Met gemak,’ zei de kolonel. ‘Hij moet daar de maanden erna vaak over hebben gedacht,’ voegde de officier er zonder sympathie aan toe.
‘Er is hier dus sprake van een dreiging?’ Bretano stelde eenvoudige vragen en luisterde naar de antwoorden. Dat beviel Jackson. Hij wist wat hij niet wist en was steeds bereid iets te leren.
‘Jawel, meneer. Deze drie legerkorpsen vertegenwoordigen een potentiële aanvalsmacht die ongeveer even sterk is als die waarvan Hoessein zich bediende. Er zouden dan nog andere eenheden bij betrokken zijn, maar dat zijn alleen bezettingslegers. Dat is die vuist hier,’ zei de kolonel, met zijn aanwijsstok op de kaart tikkend.
‘Maar ze zijn nog niet operationeel. Hoe lang duurt dat nog?’
‘Minimaal enkele maanden. Het hangt vooral van hun politieke plannen als geheel af. Al deze eenheden zijn volgens de daar geldende normen uitermate

goed geoefend. De grootste taak die ze nu te wachten staat is het integreren van de legerstaven en -organisaties.'
'Leg eens uit,' sommeerde Bretano.
'Je zou het een managementteam kunnen noemen. Iedereen moet alle anderen leren kennen zodat ze goed kunnen communiceren, op dezelfde manier beginnen te denken.'
'Misschien is het makkelijker als je het als een voetbalteam beschouwt, meneer.' Robby zette de uitleg voort. 'Je kunt niet zomaar elf kerels bij elkaar zetten en dan verwachten dat ze goed spelen. Je moet ze allemaal volgens hetzelfde patroon laten spelen en iedereen moet weten wat alle anderen kunnen.'
De minister van Defensie knikte. 'Het is dus niet het materiaal waar we ons zorgen over maken. Het gaat om de mensen.'
'Inderdaad,' zei de kolonel. 'Ik kan u in een paar minuten leren een tank te besturen, maar het duurt een tijdje voordat ik u in mijn brigade laat rondrijden.'
'Daarom houden jullie er natuurlijk zo van dat er elke paar jaar een nieuwe minister komt,' merkte Bretano met een zuur lachje op.
'Ze leren het meestal vrij snel.'
'En wat vertellen we de president?'

De Chinese en Taiwanese marines bleven op afstand van elkaar, alsof er van noord naar zuid een onzichtbare lijn door de Straat van Formosa getrokken was. De laatsten bleef achter de eersten aanzitten, steeds met de thuisbasis op het eiland achter zich, maar er werden informele regels vastgesteld en tot dusverre werd geen ervan geschonden.
Dat was goed voor de CO van de USS *Pasadena*, die met sonar en volggroepen beide zijden in de gaten probeerde te houden; de bemanning hoopte ondertussen dat er geen vuurgevecht zou beginnen terwijl zij ertussen zaten. Het leek een erg droevig eind om bij vergissing gedood te worden.
'Torpedo in het water op twee-zeven-vier!' was de volgende melding uit het sonarcompartiment. Iedereen was direct een en al oor.
'Rustig blijven,' beval de kapitein. 'Sonar, Conn, ik heb meer nodig dan dat!' Die opmerking klonk niet bepaald rustig.
'Zelfde koers als Contact Sierra vier-twee, een van de Luda II-klasse, meneer, waarschijnlijk daarvandaan gelanceerd.'
'Vier-twee koerst twee-zeven-vier, bereik dertigduizend meter,' kwam een onderofficier van de volggroep opeens tussenbeide.
'Dat lijkt op een van hun nieuwe geleide types, meneer, zes vleugels, op hoge snelheid draaiend, koers wijzigt van noord naar zuid, duidelijk zij-aspect op de vis.'
'Heel goed,' zei de kapitein, die probeerde even kalm te blijven als hij zich voordeed.
'Kan gericht zijn op Sierra-vijftien, meneer.' Dat contact was een oude onderzeeër, een Chinese kopie van de oude Russische Romeo-klasse, een rammel-

kast waarvan het ontwerp uit de jaren vijftig dateerde. Minder dan een uur geleden had die nog stilgelegen om de accu's op te laden. 'Hij zit op zes-een, bereik ongeveer gelijk.' Dat was de dienstdoend officier van de volggroep. De chef links van hem knikte instemmend.
De kapitein sloot zijn ogen en stond zichzelf toe even diep adem te halen. Hij had de verhalen over de goeie ouwe tijd gehoord, over de Koude Oorlog, toen mensen als Bart Mancuso de Barentszee waren opgevaren en daar soms terecht waren gekomen in een oefening van de sovjetmarine waarin met scherp werd geschoten; mogelijk waren ze abusievelijk zelfs voor oefendoelen aangezien. Een mooie gelegenheid om uit te zoeken hoe goed de sovjetwapens nu werkelijk waren, zeiden ze nu gekscherend van achter hun bureau. Nu wist hij wat ze toen werkelijk gevoeld hadden. Gelukkig was zijn privé-toilet slechts een meter of zes verderop, als het zover kwam...
'Bewegend object, bewegend object, mechanisch bewegend object koers twee-zes-een, lijkt een lawaaimaker, waarschijnlijk afkomstig van contact Sierra-vijftien. De torpedokoers is nu twee-zes-zeven, geschatte snelheid vier-vier knopen, koers blijft wijzigen van noord naar zuid,' meldde de sonar nu. 'Wacht even... Nog een torpedo in het water, koers twee-vijf-vijf!'
'Geen contact op die koers, kan een lancering van een heli zijn,' zei de chef. Hij moest eens met Mancuso over een van die belevenissen op zee praten als hij terug was in Pearl, dacht de kapitein.
'Zelfde akoestische kenmerken, meneer, weer een geleide vis, noordwaarts gaand, kan ook op Sierra-vijftien gericht zijn.'
'Ze hebben zich ingeschoten op die arme boot.' Dat was de XO.
'Het is toch donker boven?' bedacht de kapitein plotseling. Soms raakte je gemakkelijk het spoor bijster.
'Zeker, meneer.' Dat was de XO weer.
'Hebben we ze deze week heli-operaties zien uitvoeren?'
'Nee, meneer. Inlichtingen zegt dat ze hun heli's 's nachts niet graag de lucht in brengen.'
'Dan is dat zojuist kennelijk veranderd. Eens kijken. Stel de ESM-mast op.'
'Stel de ESM-mast op, begrepen.' Een matroos haalde de juiste hendel over, waarna de dunne, van elektronische sensoren voorziene antenne hydraulisch omhoogkwam. De *Pasadena* bevond zich op periscoopdiepte, met de lange sonar-'staart' achter zich aan. Hopelijk bleef de onderzeeër op de grenslijn tussen de twee vijandige vloten. Het was voorlopig de veiligste positie, zolang er geen serieuze beschietingen plaatsvonden.
'Op zoek naar...'
'Ik heb hem, meneer, een Ku-bandzender op koers twee-vijf-vier, type vliegtuig, frequentie en puls-herhalingen zoals die nieuwe Franse. Oei, een hele reeks radarsignalen, meneer, het duurt even om die te classificeren.'
'Franse Dauphin-heli's op enkele van hun fregatten, meneer,' merkte de XO op.
'Bezig met nachtoefeningen,' benadrukte de kapitein. Dat was onverwacht.

Helikopters waren duur en nachtelijke landingen op vliegdekschepen waren altijd riskant. De Chinese marine was bezig zich op iets voor te bereiden.

Je kon gemakkelijk uitglijden in Washington. De hoofdstad van Amerika raakt altijd in paniek bij het bericht van een enkele sneeuwvlok, ook al beseft iedereen dat een sneeuwstorm hoogstens de gaten in de straten zou vullen als de mensen de sneeuw daar maar in zouden schuiven. Maar er zat meer aan vast. Zoals soldaten ooit de vaandels volgden in de richting van het slagveld, zo volgen hoge ambtenaren in Washington leiders of ideologieën, maar dicht bij de top wordt het riskant en glij je snel uit. Een ambtenaar van het middenkader of daaronder kon gewoon blijven zitten waar hij zat en de politieke kleur van zijn minister negeren, maar hoe hoger iemand kwam, hoe meer hij het niveau naderde waarop beleid gemaakt werd en besluiten werden genomen. In zulke functies moest je werkelijk wat doen of anderen vertellen af en toe iets anders te doen dan wat een ander al eerder had opgeschreven. Je liep dan geregeld kantoren op de bovenste verdieping in en uit en werd langzaam aan vereenzelvigd met degene die daar zat, en uiteindelijk kwam je dan bij het kantoor van de president in de westelijke vleugel, en hoewel toegang tot de top een zekere mate van macht en prestige inhield, naast een foto met handtekening aan de muur van het kantoor om jouw bezoekers te vertellen hoe belangrijk je was, als er iets gebeurde met die ander op de foto, dan zou die foto met handtekening eerder een blok aan je been dan een verdienste worden. Het risico bestond uiteindelijk dat je van een altijd welkome insider een outsider werd, die, als hij al niet voor altijd gemeden, toch wel gedwongen was om de weg terug weer te verdienen, een vooruitzicht dat bepaald niet aantrekkelijk was voor degenen die het zoveel tijd had gekost om die positie te bereiken.

De meest voor de hand liggende bescherming hiertegen was uiteraard te zorgen voor een netwerk, een kring van vrienden en collega's die niet zozeer intiem als wel breed was en mensen in alle delen van het politieke spectrum omvatte. Je moest bekend zijn bij voldoende mede-insiders, die altijd, ongeacht wat er aan de top gebeurde, een veilig platform vlak daaronder vormden, een vangnet als het ware. Het net bevond zich zo dicht bij de top dat de mensen erin toegang naar boven hadden zonder het risico naar beneden te storten. Ook degenen in de hoogste posities genoten tot op grote hoogte er de bescherming van. Ze konden altijd de juiste posities innemen in de kantoren die binnen een straal van enkele kilometers lagen om de volgende gelegenheid af te wachten. En hoewel ze dan een tijdlang 'uit' waren, bleven ze dan tot het Netwerk behoren en behielden ze de toegang, en ze konden toegang verschaffen aan degenen die toegang nodig hadden. In die zin was er niets veranderd sinds de tijd van het hof van de farao in de oude stad Thebe aan de Nijl, waar degene die een edele kende die toegang had tot de farao, een macht kreeg die niet alleen geld opleverde, maar ook het pure genot om belangrijk genoeg te zijn om anderen de hielen te likken om er beter van te worden.

Maar zowel in Thebe als in Washington gold dat wanneer je te zeer verbonden

was met het hof van de verkeerde leider, je het risico liep dat je aangeschoten wild werd, vooral als de farao zich niet aan de regels van het spel hield.
Dat gold ook voor president Ryan. Het was alsof een vreemdeling bezit had genomen van de troon, niet per se een slecht man, maar een man die anders was en geen mensen van het establishment om zich heen verzamelde. Ze hadden geduldig gewacht tot hij naar hen toe zou komen, zoals alle presidenten hadden gedaan, om hun wijze raad te vragen, om toegang te geven en die op hun beurt te krijgen, zoals hovelingen al eeuwenlang hadden gedaan. Ze voerden zaken uit voor hun druk bezette chef, maakten zich waar en zagen erop toe dat alles op dezelfde manier als vroeger werd gedaan. Dat was beslist ook de juiste manier, omdat hun hele klasse het daarover eens was en zich eraan confirmeerde.
Maar het oude systeem was niet zozeer vernietigd als wel genegeerd, en dat bracht de duizenden leden van het grote Netwerk in verwarring. Ze hielden hun cocktailparty's en spraken met een glas Perrier en wat pâté over de nieuwe president; ze glimlachten welwillend over zijn nieuwe ideeën en wachtten tot hij het licht zou zien. Maar die afschuwelijke avond was nu alweer een tijdje geleden en er was nog niets gebeurd. Leden van het Netwerk die al tijdens de regering Fowler-Durling benoemd waren, meldden op de party's dat ze niet begrepen wat er aan de hand was. Belangrijke lobbyisten probeerden afspraken te maken op de presidentiële burelen, maar kregen te horen dat de president het uitzonderlijk druk had en geen tijd had.
Geen tijd had?
Geen tijd had voor hen?
Het was alsof de farao alle edelen en hovelingen had verteld terug te keren naar hun landgoederen overal in het rivierrijk, wat bepaald geen genoegen was... in de provincie leven... tussen het gewone volk?
Erger nog, de nieuwe senaat, althans een groot deel ervan, volgde het voorbeeld van de president. En het ergste was dat velen, zo niet de meesten, ook nog lomp tegenover hen waren. Een nieuwe senator uit Indiana zou bijvoorbeeld een keukenwekker op zijn bureau hebben en die voor lobbyisten op vijf minuten zetten. Voor mensen die met hem wilden praten over de absurde ideeën het belastingstelsel te herzien, nam hij helemaal geen tijd. Het ergste was dat hij zelfs niet de beleefdheid had om zijn secretaresse te verzoeken een afspraak af te wijzen. Hij had de directeur van een machtig advocatenkantoor uit Washington, een man die de nieuwkomer uit Peoria alleen maar op de hoogte had willen brengen, zelfs verteld dat hij absoluut nooit naar zulke mensen zou luisteren. Dat zei de man zelf. In een andere context zou het een aardig verhaal zijn geweest. Zulke mensen kwamen af en toe met bijzonder edele motieven naar Washington, maar na verloop van tijd kwamen ze er wel achter dat je daar niet ver mee kwam; in de meeste gevallen deden ze het trouwens alleen om de show.
Ditmaal was dat echter niet zo, zo was inmiddels algemeen bekend. Eerst werd er in de plaatselijke kranten in Washington wat lacherig over gedaan,

maar in Indianapolis werd het als iets heel nieuws en kenmerkend voor een inwoner van Indiana gezien, en daarna werd het door enkele persbureaus verder verspreid. Deze nieuwe senator had een stevig gesprek met zijn nieuwe collega's gehad en had enkelen weten te bekeren. Niet heel veel, maar toch genoeg om ongerust over te worden. Genoeg om hem het voorzitterschap van een machtige subcommissie te geven, wat een veel te mooie kansel voor hem was, vooral omdat hij veel gevoel voor dramatiek had en een effectieve, zij het niet bepaald sympathieke wijze van spreken die journalisten al snel tot citaten verleidde. Zelfs verslaggevers in het grote Netwerk maakten graag melding van werkelijk nieuwe dingen; dat was namelijk 'nieuws', iets dat iedereen meestal vergat.

Op de party's zeiden mensen gekscherend dat het een modegril was, zoals de hoela-hoep, die leuk was om te aanschouwen, maar die even snel weer zou verdwijnen, maar enkelen leken zich toch enige zorgen te maken. De tolerante glimlach verstarde nog tijdens de grap op hun gezicht, terwijl ze zich afvroegen of er soms werkelijk iets nieuws aan de hand was.

Nee, hier gebeurde nooit iets echt nieuws. Dat wist iedereen. Het systeem had regels, en de regels moesten gevolgd worden.

En toch maakte een enkeling zich zorgen tijdens de dineetjes in Georgetown. Ze moesten dure huizen afbetalen, hun kinderen naar school laten gaan en hun status ophouden. Ze waren allemaal ergens anders vandaan gekomen en niemand wilde daarheen terug.

Het was gewoon belachelijk. Hoe verwachtten de nieuwkomers erachter te komen wat ze nodig hadden, zonder lobbyisten van het Netwerk die hen tot gids konden zijn en hen voorlichtten? En waren zij trouwens ook geen volksvertegenwoordigers? Werden zij niet juist daarvoor betaald? Vertelden zij juist niet aan de gekozen volksvertegenwoordigers... Erger nog, deze nieuwelingen waren niet gekozen, ze waren allemaal benoemd, velen van hen door gouverneurs die, omdat ze zelf zo graag herkozen werden, gevallen waren voor de bevlogen, maar uiterst onrealistische televisietoespraak van president Ryan. Alsof er plotseling een nieuwe godsdienst grote opgang had gemaakt.

Op de feestjes in Chevy Chase maakten velen zich zorgen dat de nieuwe wetten die deze nieuwe senatoren zouden goedkeuren, gewoon wetten zouden zijn, gelijk aan de wetten die door het systeem gemaakt werden. Ze misten de wijsheid, maar hadden wél de macht. Deze nieuwelingen konden wetten goedkeuren zonder 'geholpen' te worden. Dat was zo'n totaal nieuw idee dat het... beangstigend was. Maar alleen als je het echt geloofde.

En dan had je de wedren naar het Huis van Afgevaardigden, die in het hele land op het punt stond te beginnen. De speciale verkiezingen die nodig waren om het 'Huis van het Volk', zoals iedereen het zo graag noemde, weer te vullen. Het was een Disneyland voor lobbyisten, met talloze vergaderingen die allemaal in hetzelfde gebouwencomplex gehouden konden worden, 435 wettenmakers en hun medewerkers op een oppervlakte van niet meer dan 8 hectare. Van de opiniepeilingen waarover tot nu toe hoofdzakelijk in

plaatselijke kranten was bericht, werd nu vol geschokt ongeloof in de nationale media melding gemaakt. Er deden mensen mee die nog nooit ergens aan meegedaan hadden, zoals zakenlui, leiders van plaatselijke gemeenschappen die zich nog nooit politiek geprofileerd hadden, juristen, dominees en zelfs enkele artsen. Sommigen maakten kans te winnen, omdat ze neopopulistische toespraken hielden waarin ze opriepen tot steun aan de president en het 'herstel van Amerika', een zegswijze die overal opgang had gemaakt. Maar Amerika was nooit gestorven, zeiden de Netwerkers tegen zichzelf. Zij wáren er toch nog steeds?
Het was allemaal het werk van Ryan. Hij was nooit een van hen geweest. Hij had zelfs meer dan eens gezegd dat hij het niet leuk vond president te zijn.
Vond hij het niet leuk?
Hoe kon een man – 'persoon' voor het Netwerk Establishment in dit nieuwe verlichte tijdperk – het niet leuk vinden zoveel te kunnen doen, zoveel gunsten te kunnen verlenen en om als een koning uit de oudheid het hof gemaakt te worden?
Vond hij het niet leuk?
Dan hoorde hij daar toch niet?
Ze wisten hoe ze zoiets moesten aanpakken. Iemand was er al mee begonnen. Lekken. Niet alleen van binnenuit. Dat waren kleintjes, met minder belangrijke agenda's. Er was meer. Je had bijvoorbeeld het grote beeld, en daarbij was toegang nog altijd van belang, omdat het Netwerk vele stemmen had, en er waren nog altijd oren die luisterden. Er zou geen sprake zijn van een plan en een samenzwering in de enge zin van het woord. Het zou allemaal heel vanzelfsprekend verlopen, althans zo vanzelfsprekend als hier maar mogelijk was. Het was eigenlijk al begonnen.

Badrayn hield zich op zijn computer weer met tijd bezig. Tijd was van groot belang bij de opdracht, zo had hij ontdekt. Dat was vaak zo bij zulke dingen, maar in dit geval om een geheel andere reden. De reistijd zelf moest zo kort mogelijk zijn, en niet zozeer zodanig vastgesteld worden dat een bepaalde deadline of een rendez-vous gehaald werd. De beperkende factor was in dit geval dat Iran nog altijd min of meer een geboycot land was met verrassend weinig vluchten het land uit.
Er waren maar heel weinig vluchten met geschikte tijden.
KLM 534 naar Amsterdam vertrok kort na 1.00 uur en kwam om 6.10 uur na een tussenstop in Nederland aan.
Lufthansa 601, non-stop, vertrok om 2.55 uur en kwam om 5.50 uur in Frankfurt aan.
Austrian Airlines 774, die om 3.40 uur vertrok, kwam om 6.00 uur in Wenen aan, non-stop.
Air France 165 van 5.25 uur kwam om 9.00 uur op Charles de Gaulle aan.
British Airways 102 vertrok om 6.00 uur, maakte een tussenstop en kwam om 12.45 uur op Heathrow aan.

Aeroflot 516 vertrok om 3.00 uur naar Moskou en kwam daar om 7.10 uur aan.

Slechts één non-stopvlucht naar Rome, geen directe vluchten naar Athene, zelfs geen non-stopvlucht naar Beiroet! Hij kon zijn mensen via Dubai laten vliegen, opmerkelijk genoeg. Emirates Airlines vloog wél van Teheran naar de eigen internationale luchthaven, evenals de nationale luchtvaartmaatschappij van Koeweit, maar dat leek hem geen erg goed idee.

Er was maar een handvol bruikbare vluchten, die stuk voor stuk eenvoudig door buitenlandse inlichtingendiensten in de gaten gehouden konden worden, als die tenminste competent waren, wat hij wel moest aannemen. Ze zouden eigen mensen aan boord van het vliegtuig hebben of de crew zou erover geïnformeerd worden waarop ze moesten letten en hoe ze er melding van moesten maken terwijl het vliegtuig nog in de lucht was. Het ging dus niet alleen om tijd.

Hij had capabele mensen geselecteerd. Het merendeel had een goede opleiding, ze wisten hoe ze zich netjes moesten kleden, hoe ze een gesprek moesten voeren of hoe ze een gesprek beleefd uit de weg moesten gaan. Het was op internationale vluchten het gemakkelijkst om behoefte aan slaap te veinzen, die vaak overigens helemaal niet geveinsd was. Maar als er één fout gemaakt werd, konden de gevolgen ernstig zijn. Hij had hun dat verteld, en ze hadden allemaal geluisterd.

Badrayn had nog nooit een dergelijke missie toegewezen gekregen; het was een aanzienlijke intellectuele uitdaging. Slechts een handjevol bruikbare vluchten het land uit, en die naar Moskou was bepaald niet aantrekkelijk. De belangrijke luchthavens van Londen, Frankfurt, Parijs, Wenen en Amsterdam moesten maar voldoen, en naar elke stad ging een dagelijkse vlucht. Gunstig was dat alle vijf de luchthavens een brede keuze aan verbindingen via Amerikaanse en andere nationale luchtvaartmaatschappijen boden. Eén groep zou dus 601 naar Frankfurt nemen, en daar zouden er een paar zich verspreiden via Brussel (een Sabena-vlucht naar New York JFK) en Parijs (Air France naar Washington-Dulles; Delta naar Atlanta, American Airlines naar Orlando, United naar Chicago) via aansluitende vluchten met gunstige vertrektijden, terwijl anderen met Lufthansa naar Los Angeles gingen. Het British Airways-team had de meeste mogelijkheden. Een van hen zou Concorde vlucht 3 naar New York nemen. Het enige lastige was hen door de eerste serie vluchten te loodsen. Daarna zou de verspreiding gezien de grootschaligheid van het internationale vliegverkeer geen probleem zijn.

Maar toch, met twintig mensen waren er twintig fouten mogelijk. De operationele veiligheid was altijd een bron van zorg. Hij had zijn halve leven al geprobeerd de Israëli's te slim af te zijn, en hoewel zijn huidige positie erop wees dat hij enig succes had geboekt – of althans niet volledig gefaald had, als je wat eerlijker was – toch hadden de hindernissen die hij had moeten omzeilen hem meer dan eens bijna krankzinnig gemaakt. Goed, de vluchten had hij tenminste op een rijtje. Morgen zou hij ze inlichten. Hij keek op zijn horloge. Morgen was niet zo ver weg meer.

Niet iedere insider was het ermee eens. Elke groep kent zijn kritische geesten en opportunisten, en de een is goed, de ander slecht, en sommigen zijn niet eens verschoppelingen. Er heerste ook woede. Als de leden van het Netwerk bij een van hun pogingen door anderen gehinderd werden, dan namen ze de zaak vaak filosofisch op – je kon het later altijd weer eens worden, en intussen vrienden blijven – maar niet altijd. Dit gold vooral voor de leden van de media, die tegelijk wel en niet deel uitmaakten van het geheel. Ze maakten er in die zin deel van uit dat ze hun eigen persoonlijke relaties en vriendschappen hadden met degenen die nauwe connecties hadden met de overheid; ze konden naar hen toe gaan voor achtergrondinformatie en verhalen over hun vijanden. Maar ze maakten er toch ook weer geen deel van uit omdat de insiders hen nooit ten volle vertrouwden, omdat de media gebruikt en voor de gek gehouden konden worden en heel vaak ook door vleierij overgehaald konden worden, wat voor de ene zijde van het politieke spectrum gemakkelijker was dan voor de andere. Maar vertrouwen? Nee, niet echt. Of liever gezegd, helemaal niet.

Sommigen hadden zelfs principes.

'Arnie, we moeten even met elkaar praten.'

'Dat denk ik ook,' zei Van Damm instemmend. Hij herkende de stem die zich op zijn directe lijn had aangekondigd.

'Vanavond?'

'Prima. Waar?'

'Bij mij?'

De stafchef dacht nog even na. 'Waarom niet?'

De delegatie kwam precies op tijd voor het avondgebed. De begroeting was van beide kanten eenvoudig en hartelijk, waarna ze alle drie de moskee betraden om hun dagelijkse ritueel te verrichten. Gewoonlijk zouden ze zich allemaal gelouterd hebben gevoeld als ze de tuin inliepen. Nu was dat niet zo. Slechts de langdurige oefening in het verbergen ervan verhinderde het openlijk tonen van emoties, maar zelfs dat zei ze alle drie al veel, en vooral de ene.

'Ik ben u erkentelijk dat u ons wilde ontvangen,' zei prins Ali bin Sheik als eerste. Hij zei niet dat het lang genoeg had geduurd.

'Het verheugt me u in vrede te mogen verwelkomen,' antwoordde Daryaei. 'Het is goed om samen te bidden.' Hij leidde hen naar een tafel die door zijn veiligheidsmensen was klaargezet, waar koffie werd geserveerd in de vorm van het sterke, bittere brouwsel dat in het Midden-Oosten zo geliefd was. 'Moge de zegen van God op deze ontmoeting rusten, vrienden. Hoe kan ik van dienst zijn?'

'We zijn hier om recente ontwikkelingen te bespreken,' zei de prins na een slokje koffie. Hij richtte zijn blik strak op Daryaei. Zijn collega uit Koeweit, Mohammed Adman Sabah, de minister van Buitenlandse Zaken van zijn land, verkoos zolang te zwijgen.

'Wat wilt u weten?' vroeg Daryaei.

'Uw bedoelingen,' antwoordde Ali botweg.
De geestelijk leider van de Verenigde Islamitische Republiek zuchtte. 'Er is veel werk te doen. Zoveel jaren van oorlogen en ontberingen, zoveel doden om zoveel motieven, zulke verwoestingen. Zelfs deze moskee,' met een gebaar wees hij op de duidelijke noodzaak van reparaties, 'is van dat alles een symbool, vindt u niet?'
'Er is alle reden voor treurnis geweest,' zei Ali instemmend.
'Mijn bedoelingen? Herstellen. Deze ongelukkigen hebben al zoveel meegemaakt. Zoveel offers, en waartoe? De wereldse ambities van een goddeloos man. De onrechtvaardigheid van dat alles werd Allah toegeroepen, en Allah antwoordde op de noodkreten. En nu kunnen we wellicht één welvarend, godvruchtig volk zijn.' Het 'wederom' bleef onuitgesproken aan het eind van de verklaring hangen.
'Dat is een taak van jaren,' merkte de Koeweiti op.
'Dat is het zeker,' zei Daryaei. 'Maar nu het embargo is opgeheven, beschikken we over voldoende middelen om de taak op ons te nemen en de wil om die te voltooien. Dit zal een nieuw begin zijn.'
'In vrede,' voegde Ali eraan toe.
'Absoluut in vrede,' zei Daryaei ernstig.
'Kunnen wij u van dienst zijn? Een van de pijlers van ons geloof is tenslotte de vrijgevigheid,' merkte minister van Buitenlandse Zaken Sabah op.
Een gracieus knikje. 'Uw vriendelijkheid wordt met dankbaarheid aanvaard, Mohammed Adman. Het is goed dat we ons laten leiden door ons geloof, en niet door wereldse invloeden die dit gebied de laatste jaren helaas overspoeld hebben, maar de taak is momenteel zo veelomvattend, zoals u kunt zien, dat we nog maar nauwelijks een begin kunnen maken met het bepalen van de te ondernemen taken, en de volgorde daarvan. Misschien kunnen we daar later nog eens over praten.'
Het was geen volstrekte afwijzing van hulp, maar het scheelde niet veel. De VIR was niet geïnteresseerd in zakendoen, zoals prins Ali al had gevreesd.
'Tijdens de volgende OPEC-bijeenkomst,' bood Ali aan, 'kunnen we een nieuwe vaststelling van de productiequota bespreken zodat u een eerlijker aandeel kunt verkrijgen in de opbrengsten die we van onze klanten binnenhalen.'
'Dat zou zeker nuttig zijn,' zei Daryaei instemmend. 'We vragen niet zoveel, niet meer dan een geringe aanpassing,' zei hij nederig.
'Dan zijn we het daarover eens?' vroeg Sabah.
'Zeker. Dat is een technische kwestie die we aan onze functionarissen kunnen overlaten.'
Beide bezoekers knikten, zich realiserend dat de toewijzing van olieproductiequota de neteligste van alle kwesties was. Als elk land te veel produceerde, dan zou de prijs op de wereldmarkt dalen en zouden ze allemaal schade ondervinden. Als de productie daarentegen te sterk beperkt werd, dan zou de prijs stijgen, wat nadelig was voor de economie van hun afnemers, waardoor de vraag en daarmee de inkomsten zouden afnemen. De juiste balans – die moeilijk te

vinden was, zoals bij alle economische vraagstukken – was het jaarlijkse onderwerp van missies op hoog diplomatiek niveau, elk met zijn eigen economisch model, dat nooit gelijk was aan dat van een ander, en van fikse tweedracht binnen de grotendeels islamitische organisatie. Dit ging te gemakkelijk.
'Is er nog een boodschap die u onze regeringen wilt overbrengen?' vroeg Sabah daarop.
'Wij verlangen slechts naar vrede, zodat we de taak kunnen volbrengen om onze samenlevingen weer aaneen te smeden, zoals de bedoeling van Allah is. U heeft niets van ons te vrezen.'

'Wat denkt u ervan?' Er was weer een oefening voltooid. Bij de slotbespreking van de operaties waren enkele zeer hoge Israëlische officieren aanwezig. Ten minste een van hen had een hoge positie bij de inlichtingendienst. Kolonel Sean Magruder was cavalerist, maar in feite was elke hoge officier een klant van inlichtingen en bereid bij elke bron te winkelen.
'Ik denk dat de Saoedi's erg nerveus zijn, evenals al hun buren.'
'En u?' vroeg Magruder. Hij had onbewust de informele, directe aanspreekvormen overgenomen die in het land, en vooral in het leger, gebruikelijk waren.
Avi ben Jakob, die nog altijd de rang van officier had – hij droeg nu een uniform – was adjunct-hoofd van de Mossad. Hij vroeg zich af hoe ver hij kon gaan, maar iemand met zijn titel moest dat toch echt zelf beslissen.
'We zijn in het geheel niet blij met de ontwikkeling.'
'In het verleden,' merkte kolonel Magruder op, 'heeft Israël altijd een werkbare verstandhouding met Iran gehad, zelfs na de val van de sjah. Dat gaat helemaal terug tot de tijd van het Perzische rijk. Ik meen dat uw poerimfeest uit die tijd dateert. Tijdens de oorlog tussen Iran en Irak vlogen Israëlische piloten missies voor de Iraniërs en...'
'We hadden toen een groot aantal joden in Iran, en de bedoeling was hen het land uit te krijgen,' zei Jakob snel.
'En de ellende met wapens-voor-gijzelaars waarin Reagan verzeild raakte, liep ook via dit land, waarschijnlijk via uw dienst,' zei Magruder, alleen om aan te tonen dat ook hij een speler in het spel was.
'U bent goed geïnformeerd.'
'Dat is mijn werk, althans een deel ervan. Meneer, ik vraag u niet om hier waardeoordelen uit te spreken. Het weghalen van uw mensen uit Iran was in die tijd, zoals wij dat zeggen, *business*, en dat is iets waar alle landen zich nu eenmaal mee bezig moeten houden. Ik vraag u alleen wat u van de VIR denkt.'
'Wij denken dat Daryaei de gevaarlijkste man ter wereld is.'
Magruder dacht aan de mondelinge briefing die hij eerder die dag over de Iraanse troepenbewegingen richting Irak had gehad. 'Daar ben ik het mee eens.'
Hij was gesteld geraakt op de Israëli's. Dat was niet altijd zo geweest. Jarenlang had de landmacht van de Verenigde Staten de joodse staat diep gehaat, evenals de andere legeronderdelen trouwens, vooral vanwege de arrogantie

die de hoge militaire officieren van het kleine land tentoonspreidden. Maar de IDF had in Libanon geleerd nederig te zijn en had geleerd de Amerikanen als waarnemers in de Golfoorlog te waarderen. Nadat ze de Amerikaanse officieren werkelijk maandenlang hadden verteld dat ze advies nodig hadden over de wijze waarop ze de oorlog eerst in de lucht en later op de grond moesten voeren, waren ze er snel toe overgegaan beleefd te vragen enkele Amerikaanse plannen te mogen bekijken omdat er misschien toch wel enkele dingetjes enige bestudering waard waren.

De stationering van de Buffalo Cav in de Negev had nog meer veranderingen teweeggebracht. De Amerikaanse tragedie in Vietnam had een eind gemaakt aan een andere vorm van arrogantie, en daaruit was een nieuw type professionalisme voortgekomen. Onder Marion Diggs, eerste opperbevelhebber van de herboren VS Cavalerie, waren heel wat harde lessen uitgedeeld, en terwijl Magruder die traditie voortzette, leerden de Israëlische manschappen bij, net als de Amerikanen in Fort Irwin gedaan hadden. Na de aanvankelijke luidruchtige ruzies en bijna-handtastelijkheden had het gezond verstand de overhand gekregen. Zelfs Benny Eitan, commandant van de Israëlische 7e gepantserde brigade had zich hersteld van de eerste serie kastijdingen en had zijn oefenprogramma met een paar gelijke spelen voltooid, waarna hij zijn Amerikaanse gastheren zelfs bedankt had voor de lessen, onder de belofte dat hij hen flink zou aanpakken als hij het jaar daarop terugkwam. In de centrale computer in het plaatselijke Star Wars-gebouw leerde een ingewikkeld wiskundig model dat de slagkracht van het Israëlische leger in slechts enkele jaren met veertig procent toegenomen was, en nu ze wederom ergens arrogantie over tentoon konden spreiden, toonden de Israëlische officieren een ontwapenende nederigheid en een bijna meedogenloos verlangen om te leren, de ware kenmerken van werkelijk professionele militairen.

En nu sprak een van hun belangrijkste inlichtingenofficieren niet over de manier waarop zijn strijdmacht moest reageren op alles wat de islamitische wereld op zijn land kon gooien. Dat was wel een rapport aan Washington waard, dacht Magruder.

De zakenjet die ooit 'zoekgeraakt' was in de Middellandse Zee, kon het land niet meer verlaten. Zelfs het gebruik ervan om de Iraakse generaals naar Soedan te brengen was een vergissing geweest, zij het een noodzakelijke, en misschien was er af en toe nog een heimelijke missie mogelijk, maar het vliegtuig was nu hoofdzakelijk het persoonlijke vervoermiddel van Daryaei geworden, en het was nog erg nuttig ook, want hij had weinig tijd en zijn land was groot. Nog geen twee uur nadat hij afscheid had genomen van zijn soennitische bezoekers was hij terug in Teheran.

'En?'

Badrayn spreidde zijn papieren op het bureau uit. Er stonden steden, routes en tijden op. Het was zuivere statistiek. Daryaei bekeek de plannen oppervlakkig, en al leken ze al te ingewikkeld, toch maakte hij zich daar niet veel zorgen

over. Hij had eerder kaarten gezien. Hij keek op voor de uitleg die de papieren moest vergezellen.
'Tijd is de voornaamste zorg,' zei Badrayn. 'We willen dat elke reiziger niet langer dan dertig uur na vertrek op zijn bestemming is. Deze vertrekt bijvoorbeeld om 6.00 uur uit Teheran en komt om 2.00 uur Teheraanse tijd in New York aan, wat op twintig uur neerkomt. De beurs die hij zal bijwonen, in het Jacob Javits Center in New York, zal tot na tien uur 's avonds open zijn. Deze vertrekt om 2.55 uur en komt uiteindelijk drieëntwintig uur later in Los Angeles aan, vroeg in de middag, plaatselijke tijd. Zijn beurs is de hele dag open. Dat is de langste reis, zowel qua afstand als tijd, en zijn 'pakket' zal nog altijd meer dan vijfentachtig procent effectief zijn.'
'En de veiligheid?'
'Ze zijn allemaal volledig gebriefd. Ik heb intelligente mensen met een opleiding uitgekozen. Ze hoeven onderweg alleen maar aardig te zijn en daarna een klein beetje voorzichtig. Twintig tegelijk, dat is inderdaad problematisch, maar zo luidden uw orders.'
'En de andere groep?'
'Die zal twee dagen later volgens soortgelijke schema's vertrekken,' vertelde Badrayn. 'Die missie is veel gevaarlijker.'
'Daar ben ik me van bewust. Zijn ze te vertrouwen?'
'Zeker.' Badrayn knikte; hij wist dat de vraag eigenlijk luidde of het dwazen waren. 'Ik maak me zorgen over de politieke risico's.'
'Hoezo?' Daryaei werd niet verrast door de opmerking, maar hij wilde de reden weten.
'Het voor de hand liggende probleem dat ontdekt wordt wie ze gestuurd heeft, ook al zullen hun reisdocumenten zorgvuldig worden gereedgemaakt en zullen de gebruikelijke veiligheidsmaatregelen worden genomen. Nee, ik doel op de Amerikaanse politieke context. Als een politicus een tragische gebeurtenis beleeft, kan dat vaak sympathie voor hem kweken, en uit die sympathie kan politieke steun ontstaan.'
'Zeker! Lijkt hij daardoor niet juist zwak?' Dat was niet mis.
'In onze context wel ja, maar bij hen niet altijd.'
Daryaei dacht daar even over na en vergeleek het idee met andere analyses die hij had bevolen en beoordeeld. 'Ik heb Ryan ontmoet. Hij is echt zwak. Hij gaat beslist niet effectief met zijn politieke problemen om. Hij heeft nog altijd geen echte regering achter zich. Tussen de eerste en de tweede missie zullen we hem breken. We zullen hem althans lang genoeg afleiden om ons volgende doel te bereiken. Als dat bereikt is, verliest Amerika zijn belang.'
'Beter alleen de eerste missie,' adviseerde Badrayn. 'We moeten de bevolking een zware klap toebrengen. Als het waar is wat u over hun regering zegt, dan zullen we een nog nooit vertoonde rampspoed teweegbrengen. We zullen hun leider aan het wankelen brengen, we zullen zijn zelfvertrouwen verwoesten, we zullen het vertrouwen van de bevolking in hem verwoesten.'
Daar moest hij omzichtig op reageren. Dit was een Heilige Man met een Hei-

lige Missie. Hij was niet volledig voor rede vatbaar. En toch was er nog een factor waar hij niets van wist. Er moest er een zijn. Daryaei was meer geneigd tot wensen dan doordachte actie, of nee, was dat wel zo? Hij verenigde die twee juist, terwijl hij een volstrekt andere indruk wekte. Wat de geestelijke wél op prijs stelde was dat de Amerikaanse regering nog steeds kwetsbaar was, aangezien het Huis van Afgevaardigden nog niet herkozen was. De procedure daarvoor was net begonnen.

'Het beste is om Ryan gewoon te vermoorden, als we dat zouden kunnen. Een aanval op kinderen zal hen tot razernij brengen. Amerikanen zijn erg begaan met kindertjes.'

'De tweede missie gaat dus alleen door als de eerste succesvol blijkt te zijn verlopen?' vroeg Daryaei op dringende toon.

'Ja, dat is zo.'

'Dan is dat voldoende,' zei hij, terwijl hij zijn aandacht weer op de reisschema's richtte en Badrayn met zijn gedachten alleen liet.

Er is beslist een derde element. Het moest er zijn.

'Hij zegt dat zijn bedoelingen vredelievend zijn.'

'Dat zei Hitler ook,' bracht de president zijn vriend in herinnering. Hij keek op zijn horloge. Het was middernacht geweest in Saoedi-Arabië. Ali was teruggevlogen en had overlegd met zijn regering voordat hij Washington belde, zoals te verwachten was. 'Je bent op de hoogte van de troepenbewegingen.'

'Ja, jouw mensen hebben onze militairen eerder vandaag ingelicht. Het zal nog wel even duren voor ze enige dreiging kunnen laten gelden. Zulke dingen kosten tijd. Ik heb namelijk ook ooit een uniform aangehad.'

'O ja, dat hebben ze me verteld.' Ryan zweeg even. 'Goed, wat is het voorstel van het Koninkrijk?'

'We zullen zeer goed observeren. Ons leger oefent. We hebben jouw steunbetuiging. We zijn bezorgd, maar niet overmatig.'

'We kunnen enkele gemeenschappelijke oefeningen plannen,' bood Jack aan.

'Dat kan de spanning juist doen oplopen,' antwoordde de prins. Het was niet toevallig dat er geen volstrekte overtuiging in zijn stem lag. Hij had het idee waarschijnlijk zelf aan zijn adviseurs voorgelegd en een negatief antwoord gekregen.

'Je zult wel een lange dag gehad hebben. Hoe zag Daryaei er eigenlijk uit? Ik heb hem niet meer gezien sinds je hem aan me hebt voorgesteld.'

'Hij lijkt gezond. Hij ziet er moe uit, maar hij heeft het druk gehad.'

'Dat kan ik me voorstellen. Ali?'

'Ja, Jack?'

De president wachtte een moment, zich bedenkend dat hij niet geschoold was in diplomatiek verkeer. 'Hoeveel zorgen moet ik me over dit alles maken?'

'Wat vertellen je mensen je?'

'Ongeveer hetzelfde als jij, maar niet allemaal. We moeten deze lijn openhouden, waarde vriend.'

'Dat begrijp ik, meneer de president. Tot ziens maar weer.'
Het was een onbevredigend besluit van een onbevredigend telefoontje. Ryan legde de hoorn op de haak en keek zijn lege kantoor rond. Ali had niet gezegd wat hij wilde zeggen omdat de positie van zijn regering anders was dan die volgens hem moest zijn. Datzelfde was Jack vaak genoeg overkomen, en dan golden dezelfde regels. Ali moest loyaal zijn aan die regering – het betrof nota bene grotendeels zijn eigen familie – maar hij had zichzelf één uitstapje gepermitteerd, en de prins was te slim om zoiets per ongeluk te doen. Waarschijnlijk zou het vroeger gemakkelijker zijn geweest, toen Ryan geen president was en ze beiden konden praten zonder dat elk woord een politieke lading had. Nu was Jack identiek aan Amerika voor iedereen buiten de grenzen, en regeringsfunctionarissen konden alleen op die wijze met hem praten, in plaats van zich te bedenken dat hij ook iemand was die nadacht en de mogelijkheden moest verkennen voordat hij beslissingen nam. Misschien hadden ze niet telefonisch moeten praten, dacht Jack. Misschien hadden ze een persoonlijk gesprek moeten hebben. Maar zelfs voor presidenten golden beperkingen van tijd en ruimte.

36

Reizigers

KLM vlucht 534 vertrok, op tijd, om 1.10 uur van de pier. Het toestel was vol, en op dit tijdstip betekende dat vol vermoeide mensen die naar hun stoel schuifelden, de riemen omdeden en kussens en dekens aanpakten. De meer ervaren reizigers onder hen wachtten tot ze hoorden dat het landingsgestel werd ingetrokken en zetten toen hun rugleuning zo ver mogelijk naar achteren. Daarna sloten ze hun ogen, in de hoop op een rustige vlucht en iets dat echte slaap benaderde.
Aan boord waren vijf van Badrayns mannen, twee in de first class, drie in de business class. Ze hadden allemaal bagage in het ruim en een schoudertas onder de stoel voor zich. Ze waren allemaal wat nerveus en zouden allemaal graag een drankje genomen hebben om wat tot rust te komen, ongeacht de verbodsbepalingen van hun geloof, maar het toestel was op een islamitische luchthaven geland, wat betekende dat er geen alcohol geserveerd werd tot het luchtruim van de Verenigde Islamitische Republiek verlaten was. Stuk voor stuk besloten ze zich naar de omstandigheden te schikken, gezien hun situatie. Ze waren goed gebrieft en terdege voorbereid. Ze waren als gewone reizigers

het vliegveld gepasseerd en hadden hun tassen met röntgenapparatuur laten inspecteren door veiligheidspersoneel dat even zorgvuldig te werk ging als hun Westerse collega's, of eigenlijk nog zorgvuldiger, omdat er relatief weinig vluchten waren en de plaatselijke paranoia relatief groter was. In elk geval was er op het scherm van de röntgenapparatuur een scheersetje zichtbaar geweest, evenals papieren, boeken en andere spulletjes.
Het waren stuk voor stuk goed opgeleide mannen. Velen van hen hadden op de Amerikaanse Universiteit van Beiroet gezeten, sommigen om er een titel te halen, de anderen alleen om meer over de vijand te weten te komen. Ze waren keurig gekleed en hadden allemaal een stropdas om, zij het nu losjes, en hun jasjes hingen in de mini-garderobekasten in het vliegtuig. Binnen veertig minuten sliepen ze, zij het evenals de rest van de passagiers wat onrustig.

'En wat denk jij hier allemaal van?' vroeg Van Damm.
Holtzman bewoog zijn glas en keek hoe de ijsblokjes ronddraaiden. 'Onder andere omstandigheden zou ik het een samenzwering noemen, maar dat is het niet. Voor iemand die zegt dat hij probeert de zaken op een rijtje te krijgen, doet Jack beslist heel wat nieuwe, dwaze dingen.'
'Het woord "dwaas" is wat sterk, Bob.'
'Voor hen niet. Iedereen zegt dat hij "niet een van ons is", en ze reageren heftig op zijn initiatieven. Zelfs jij moet toegeven dat zijn belastingplannen nogal buitensporig zijn, maar dat is het excuus voor wat er gebeurt, althans een van de excuses. Het spel is hetzelfde als het altijd geweest is. Wat lekken hier en daar en de stijl van hun presentatie, dát bepaalt hoe het gespeeld wordt.'
Arnie moest instemmend knikken. Het was net als vuil op de snelweg. Als iemand alle rotzooi in de vuilnisbak stopte, bleef alles netjes en was het werk in enkele seconden gedaan. Als hij alles uit het raam van een rijdende auto gooide, was je uren bezig de troep op te ruimen. De andere kant wierp de troep nu lukraak neer, en de president moest zijn beperkte tijd nu aanwenden voor allerlei onproductieve zaken in plaats van voor datgene waar het om ging, namelijk doorrijden. De vergelijking was niet fraai, maar ging wel op. Politiek had heel vaak minder betrekking op het aanpakken van constructief werk dan op het overal neergooien van rommel die anderen dan moesten opruimen.
'Wie heeft er gelekt?'
De journalist haalde zijn schouders op. 'Daar kan ik alleen maar naar raden. Iemand bij de CIA, waarschijnlijk iemand die de bons krijgt. Je moet toegeven dat het nogal primitief zou zijn de spionagesectie te vergroten. Hoeveel bezuinigen ze op het directoraat Inlichtingen?'
'Meer dan de nieuwe mensen in het veld kosten. Het idee is om over de hele linie geld te besparen, betere informatie, meer efficiency, dat soort dingen. Ik vertel de president niet hoe hij met inlichtingenkwesties moet omgaan,' voegde hij eraan toe. 'Daar is hij echt deskundig genoeg in.'
'Dat weet ik. Ik had mijn verhaal al bijna klaar voor publicatie. Ik wilde je net bellen voor een gesprek met hem toen de zeepbel uiteenspatte.'

‘O ja? En...’
‘Wat mijn invalshoek was? Hij is de meest paradoxale zak van deze stad. In sommige dingen is hij briljant, maar in andere... onnozele hals is nog vriendelijk gezegd.’
‘Ga verder.’
‘Ik mag die man,’ gaf Holtzman toe. ‘Hij is eerlijk, dat is verdomde zeker, en niet relatief eerlijk, maar echt eerlijk. Ik wilde het precies zo vertellen als het was. Wil je weten waarvan ik over de rooie ging?’ Hij pauzeerde even om een slok bourbon te nemen, aarzelde weer voordat hij verderging en zei toen met onverholen woede: ‘Iemand bij de *Post* heeft mijn verhaal laten uitlekken, waarschijnlijk aan Ed Kealty. Daarna heeft Kealty waarschijnlijk voor een lek naar Donner en Plumber gezorgd.’
‘En ze hebben jouw verhaal gebruikt om hem onderuit te halen?’
‘Daar komt het op neer,’ gaf Holtzman toe.
Van Damm kon zijn lachen nauwelijks verbergen. Hij probeerde het zo lang mogelijk in te houden, maar het gezegde was te mooi om achterwege te laten: ‘Welkom in Washington, Bob.’
‘Je weet dat sommigen van ons onze beroepsethiek werkelijk ernstig nemen,’ riposteerde de journalist tamelijk moedeloos. ‘Het was een goed verhaal. Ik heb verdomd veel onderzoek gedaan. Ik heb mijn eigen bron bij de CIA, tenminste, ik heb er verscheidene, maar voor dit verhaal had ik een nieuwe, iemand die er werkelijk verstand van had. Ik pakte aan wat hij me gaf, en ik heb alles uit en te na gecheckt, heb het stuk geschreven op grond van wat ik wist en wat ik dacht, waarbij ik er uiteraard op lette goed het verschil daartussen aan te geven,’ verzekerde hij zijn gastheer. ‘En weet je wat? Ryan komt er heel goed uit. Zeker, af en toe zorgt hij voor kortsluiting in het systeem, maar voorzover ik weet heeft hij nooit de regels overtreden. Als er ooit een grote crisis komt, dan mag hij van mij de man in het Oval Office zijn. Maar een of andere klootzak is er met *mijn* verhaal, met *mijn* informatie van *mijn* bronnen vandoor gegaan en is daarmee gaan donderjagen. Daar hou ik niet van, Arnie. Ik moet vertrouwd kunnen worden, net als mijn krant, en iemand heeft dat aan barrels gegooid.’ Hij zette zijn glas neer. ‘Goed, ik weet hoe je denkt over mij en mijn...’
‘Nee, dat weet je niet,’ onderbrak Van Damm hem.
‘Maar je hebt altijd...’
‘Ik ben de stafchef, Bob. Ik moet wel loyaal zijn aan mijn baas, en daarom moet ik het spel vanaf mijn kant spelen, maar als je denkt dat ik geen respect heb voor de pers, dan ben je minder slim dan je zou moeten zijn. We zijn niet altijd vrienden. Soms zijn we vijanden, maar we hebben jou net zo hard nodig als jij ons. Mijn god, als ik geen respect voor je had, waarom drink je dan verdomme mijn drank?’
Dat was óf een elegant praatje voor de vaak óf een ware bewering, dacht Holtzman, en Arnie was te bedreven in het spel om hem het verschil direct te laten merken. Het verstandigste was nu de borrel op te drinken, en dat deed

hij. Jammer dat zijn gastheer de voorkeur gaf aan goedkope drank bij zijn L.L. Bean-hemden. Arnie wist ook niet hoe hij zich moest kleden. Of misschien was dat een weloverwogen facet van zijn uitstraling. Het politieke spel was bijzonder complex, een kruising tussen klassieke metafysica en experimentele wetenschap. Je kon nooit alles weten, en als je achter een bepaald deel kwam, dan was het net zo goed mogelijk dat je achter een ander, even belangrijk deel, helemaal niet kwam. Maar daarom was het ook het mooiste spel in de stad.
'Goed, Arnie, dat accepteer ik.'
'Dat is mooi,' zei Van Damm glimlachend, het glas nog eens volschenkend. 'En waarom heb je me gebeld?'
'Het is bijna gênant.' Weer een pauze. 'Ik zal niet deelnemen aan de openbare terechtstelling van een onschuldig man.'
'Dat heb je eerder wel gedaan,' merkte Arnie op.
'Kan zijn, maar het waren allemaal politici, en ze verdienden het allemaal om een of andere reden. Ik weet niet wat... goed dan, laat ik zeggen dat ik tegen kindermisbruik ben. Ryan verdient een eerlijke kans.'
'En jij bent kwaad omdat je je verhaal kwijt bent en de Pulitzerprijs die...'
'Ik heb er al twee,' bracht Holtzman hem in herinnering. Anders zou de hoofdredacteur hem van het verhaal afgehaald hebben, maar de interne politiek bij de *Washington Post* was even verdorven als elders in de stad.
'En dus?'
'En dus moet ik meer weten over Colombia. Ik moet meer weten over Jimmy Cutter en hoe hij overleden is.'
'Jezus, Bob, je weet niet wat onze ambassadeur daar vandaag heeft meegemaakt.'
'Een fantastische taal om in te schelden, dat Spaans.' Een journalistenglimlach.
'Dat verhaal kan niet verteld worden, Bob. Kan gewoon niet.'
'Dat verhaal zal zeker verteld worden. Het hangt er alleen van af wie het vertelt, en dat bepaalt hoe het verteld wordt. Arnie, ik weet nu genoeg om erover te schrijven, toch?'
Zoals in Washington zo vaak gebeurde op dergelijke momenten, zat iedereen verstrikt in een bepaalde positie. Holtzman moest een verhaal schrijven. Als hij het op de juiste manier deed, dan zou zijn oorspronkelijke verhaal misschien weer kans maken en zou hij opnieuw in de race zijn voor een Pulitzer – dat was nog altijd belangrijk voor hem, ondanks eerdere ontkenningen, en Arnie wist dat – en dan zou degene die zijn verhaal aan Ed Kealty had laten uitlekken wel weten dat hij of zij beter bij de *Post* kon vertrekken voordat Holtzman ontdekte wie het was en hij zijn of haar carrière om zeep zou helpen met enkele influisteringen bij de juiste personen en flink wat uitzichtloze opdrachten. Arnie kon door zijn plicht zijn president te beschermen eigenlijk geen kant op. Hij kon het alleen maar doen door de wet te overtreden en het vertrouwen van zijn president te beschamen. Er moest een eenvoudiger manier zijn, dacht de stafchef, om je brood te verdienen. Hij had Holtzman op

zijn beslissing kunnen laten wachten, maar dat zou zuiver theater zijn geweest, en dat stadium waren beiden al gepasseerd.
'Geen aantekeningen, geen bandrecorder.'
'*Off the record*, "hoge functionaris" en zelfs niet "hoge regeringsfunctionaris",' zei Bob instemmend.
'En ik kan je vertellen bij wie je het bevestigd kunt krijgen.'
'Weten ze het allemaal?'
'Zelfs meer dan ik,' vertelde Van Damm hem. 'Verdomd, ik heb het belangrijkste deel zelf ook net ontdekt.'
Een opgetrokken wenkbrauw. 'Dat is mooi, en dezelfde regels gelden ook bij hen. Wie weet hier werkelijk van?'
'Zelfs de president weet niet alles. Ik weet niet of íemand alles weet.'
Holtzman nam weer een slokje. Het zou zijn laatste zijn. Evenals een arts in een operatiezaal geloofde hij niet in alcohol tijdens het werk.

Vlucht 534 landde om 2.55 uur plaatselijke tijd in Istanboel, na een tweeduizend kilometer lange vlucht van drie uur en een kwartier. De passagiers waren nog duf. Ze waren een half uur tevoren door het cabinepersoneel gewekt en hadden in een aantal talen gehoord dat ze hun stoel rechtop moesten zetten. De landing verliep vlot en hier en daar werden de plastic luikjes voor de raampjes omhooggeschoven om te kunnen zien dat ze echt op de grond waren op weer zo'n anoniem terrein met witte landingsbaanlampen en blauwe taxibaanlampen, zoals overal ter wereld. Of men zette de rugleuning weer naar achteren om tijdens de stop van drie kwartier verder te dutten, tot het toestel om 3.40 uur van de pier zou vertrekken voor de tweede helft van de reis.
Lufthansa 601 was een tweemotorige Airbus van Europese makelij, met ongeveer dezelfde capaciteit en grootte als de KLM-Boeing. Ook dit toestel had vijf reizigers aan boord en vertrok om 2.55 uur van de pier voor de non-stopvlucht naar Frankfurt. Het vertrek verliep volstrekt normaal.

'Dat is nogal wat, Arnie.'
'Zeker. Ik kende tot deze week de belangrijkste aspecten niet.'
'Hoe zeker ben je hiervan?' vroeg Holtzman.
'Alle stukken passen in elkaar.' Hij haalde weer zijn schouders op. 'Ik kan niet zeggen dat ik het leuk vond om te horen. Ik denk dat we de verkiezingen toch wel gewonnen zouden hebben, maar Jezus, die vent heeft het verknald. Hij gokte op presidentsverkiezingen, maar weet je,' zei Van Damm somber, 'dat zou weleens de moedigste en meest vrijgevige politieke daad van de eeuw kunnen zijn geweest. Ik dacht niet dat hij het in zich had.'
'Weet Fowler het?'
'Ik heb het hem niet verteld. Misschien moet ik dat wél doen.'
'Wacht even... Weet je nog hoe Liz Elliot me wat probeerde wijs te maken over Ryan en hoe...'
'Ja, dat past hier ook in. Jack is er persoonlijk heen gegaan om die militairen

weg te halen. De man die naast hem in de helikopter zat kwam om het leven en hij heeft zich sindsdien om die familie bekommerd. Liz heeft ervoor geboet. Ze stortte in toen die bom in Denver explodeerde.'
'En Jack heeft echt... weet je, dat is iets dat nooit duidelijk is geworden. Fowler verloor en had bijna een raket richting Iran gelanceerd... Het was Ryan, hè? Hij is degene die dat voorkomen heeft.' Holtzman keek naar zijn drankje en besloot nog een slokje te nemen. 'Maar hoe?'
'Hij wist bij de *hot line* te komen,' antwoordde Arnie. 'Hij haalde de president van de telefoon af en sprak rechtstreeks met Narmonov. Hij haalde hem over om wat te kalmeren. Fowler ging over de rooie en gaf de Secret Service opdracht hem te arresteren, maar toen ze bij het Pentagon kwamen, was alles inderdaad een stuk rustiger. Het lukte godzijdank.'
Het kostte Holtzman circa een minuut om dat te verwerken, maar ook dit verhaal paste bij de fragmenten die hij kende. Fowler was twee dagen later afgetreden. Hij was een gebroken man, maar hij vertrok ook eervol, omdat hij wist dat aan zijn morele recht zijn land te besturen een eind gekomen was met zijn bevel een atoomwapen af te vuren op een onschuldige stad. En Ryan was ook geschokt door de gebeurtenis, zelfs zo dat hij de overheidsdienst direct wilde verlaten, tot Roger Durling hem weer terughaalde.
'Ryan heeft alle mogelijke regels overtreden. Het lijkt wel of hij dat leuk vindt.' Maar dat was niet eerlijk, toch?
'Als hij dat niet gedaan had, zaten we hier misschien niet.' De stafchef schonk zichzelf nog eens in. Holtzman bedankte. 'Begrijp je wat ik bedoel als het om dat verhaal gaat, Bob? Als je alles vertelt, is dat schadelijk voor het land.'
'Maar waarom heeft Fowler Ryan dan bij Roger Durling aanbevolen?' vroeg de journalist. 'Hij kon die man niet uitstaan en...'
'Wat zijn gebreken ook zijn, en gebreken heeft hij zeker, Bob Fowler is een eerlijk politicus. Dat is de verklaring. Nee, persoonlijk mag hij Ryan niet, misschien is het een gevoelskwestie, ik weet het niet, maar Ryan heeft hem gered en hij heeft Roger verteld... wat was het ook alweer? "Een goede kracht bij ruw weer." Dat was het,' herinnerde Arnie zich.
'Jammer dat hij niets van politiek weet.'
'Hij leert best snel. Dat zal je nog verrassen.'
'Hij zal de overheid uithollen als hij de kans krijgt. Ik kan niet... kijk, ik vind het persoonlijk een aardige man, maar zijn beleid...'
'Telkens als ik denk dat ik weet wat ik aan hem heb, verandert hij van koers, en dan moet ik mezelf eraan herinneren dat hij geen agenda heeft,' zei Van Damm. 'Hij doet gewoon zijn werk. Ik geef hem documenten ter lezing en dan handelt hij op grond daarvan. Hij luistert naar wat mensen hem vertellen, hij stelt goede vragen en luistert altijd naar de antwoorden, maar hij neemt zijn eigen beslissingen, alsof hij weet wat goed en fout is, en meestal weet hij dat verdomme ook nog. Bob, hij heeft míj gepakt! Maar dat is het ook niet. Soms weet ik gewoon niet hoe hij in elkaar zit, snap je.'
'Een volstrekte buitenstaander,' zei Holtzman zacht. 'Maar...'

De stafchef knikte. 'Inderdaad, "maar". Maar hij wordt geanalyseerd alsof hij een insider met een verborgen agenda is, en ze spelen de insider-spelletjes alsof ze op hem van toepassing zijn, wat niet zo is.'
'De sleutel tot de man is dus dat er niets uit te zoeken valt... de klootzak,' concludeerde Bob. 'Hij heeft een hekel aan zijn baan, hè?'
'Meestal wel. Je had hem moeten zien toen hij in de Midwest een toespraak hield. Toen raakte hij op dreef. Al die mensen die van hem hielden, en van wie hij ook hield, en dat was te zien ook. Het maakte hem doodsbang. Niets om uit te zoeken? Precies. Bij golf zeggen ze: het moeilijkste is een bal rechtuit te slaan. Iedereen zoekt naar kromme lijnen. Die zijn er niet.'
Holtzman snoof. 'En wat is dan de invalshoek als er geen invalshoek is?'
'Bob, ik probeer gewoon de media onder controle te houden, weet je nog? Ik weet bij god niet hoe je hiervan verslag moet doen, anders dan door feiten te melden, zoals je volgens mij geacht wordt te doen.'
Dat kon de journalist in zijn zak steken. Hij werkte zijn hele leven al in Washington. 'En alle politici worden geacht als Ryan te zijn, maar dat is niet zo.'
'Deze hier wel,' kaatste Arnie terug.
'En hoe moet ik dat mijn lezers vertellen? Wie zal dat geloven?'
'Is dat niet het probleem?' zei hij zuchtend. 'Ik zit mijn hele leven al in de politiek en ik dacht alles wel te weten. Verdomme, ik weet ook alles. Ik ben een van de beste regelaars aller tijden, dat weet iedereen, en dan komt er plotseling een barbaar in het Oval Office die zegt dat de keizer geen kleren aanheeft. Hij heeft nog gelijk ook, en niemand weet hoe te reageren, behalve door te zeggen dat het niet waar is. Het systeem is hier nog niet klaar voor. Het systeem is alleen klaar voor zichzelf.'
'En het systeem zal iedereen te gronde richten die iets anders zegt,' sneerde Holtzman, die aan iets moest denken: als Hans Christian Andersen *De nieuwe kleren van de keizer* over Washington had geschreven, zou de jongen die hardop de waarheid had gezegd ter plekke door de menigte insiders vermoord zijn.
'Het systeem zal het zeker proberen,' zei Arnie instemmend.
'En wat moeten wij daaraan doen?'
'Jij bent degene die gezegd heeft dat je niet in functie aanwezig wilt zijn als een onschuldige gehangen wordt, weet je nog?'
'En wat houdt dat voor ons in?'
'Misschien moeten we praten over de ordeloze horden,' stelde Arnie voor, 'of over het corrupte hof van de keizer.'

De volgende vlucht was Austrian Airlines 774. Omdat de te verrichten handelingen nu routine waren, konden ze gemakkelijk binnen de gestelde voorwaarden uitgevoerd worden. De bussen scheercrème waren niet meer dan veertig minuten voor vertrek gevuld. Het was handig dat het apenhuis dicht bij het vliegveld was, en ook het tijdstip was gunstig. Het was ook nergens ter wereld ongebruikelijk dat mensen de laatste paar honderd meter naar de pier moesten rennen, vooral bij vluchten als deze. De 'soep' werd onder in de bus ge-

spoten door een plastic ventiel dat op röntgenapparatuur niet zichtbaar was. De stikstof werd er aan de bovenkant ingebracht, in een apart, geïsoleerd vat in het midden van de bussen. Het was een veilige, schone procedure. Om alles nog veiliger te maken, wat overigens niet nodig was, werden de bussen bespoten en schoongeveegd. Dit gebeurde slechts voor de gemoedsrust van de reizigers. De bussen waren uiteraard erg koud, maar niet gevaarlijk. De stikstof zou via een drukventiel in de atmosfeer komen en zich met de lucht vermengen. Hoewel stikstof een belangrijk bestanddeel van explosieven is, is het van zichzelf volstrekt onzichtbaar en geurloos. Er kon ook geen chemische reactie ontstaan met de inhoud van de bussen en daardoor zou er via het drukventiel precies genoeg van de warmer wordende stikstof vrijkomen om de 'soep' te verspreiden, als het zover was.
Het vullen gebeurde door de verplegers, gehuld in hun beschermende kleding. Ze weigerden zonder die kleding te werken; als ze die niet aan hadden mogen doen, dan zouden ze nerveuzer en slordiger zijn geweest, en daarom gaf de baas toe aan hun angst. Er moesten nog twee series van vijf gevuld worden. Moudi wist dat de bussen best allemaal tegelijk gevuld konden worden, maar er werden geen onnodige risico's genomen. Deze gedachte deed hem even schrikken. Geen onnodige risico's? Zeker.

Daryaei sliep die nacht niet, wat niet vaak voorkwam. Hoewel hij er in de loop der jaren steeds minder behoefte aan had gekregen, was het voor hem nooit een probleem geweest in slaap te komen. Als het 's nachts echt stil was en de wind goed stond, kon hij in de verte de vliegtuigmotoren voor de start horen aanzwellen. Het geluid leek op een waterval, dacht hij soms, of misschien een aardbeving. Een oergeluid van de natuur, dat iets leek aan te kondigen. En nu lag hij te luisteren naar het geluid, zich afvragend of hij het echt hoorde.
Was hij te hard van stapel gelopen? Hij was een oude man in een land waar zovelen jong stierven. Hij herinnerde zich de ziekten van zijn jeugd, en later had hij de wetenschappelijke verklaringen ervan leren kennen. Ze waren hoofdzakelijk door slecht water en slechte hygiëne veroorzaakt, want Iran was het grootste deel van zijn leven een onderontwikkeld land geweest, ondanks de machtige beschavingen die het land in zijn rijke historie had gekend. Het was weer herrezen door de olie en de immense rijkdommen die daarmee waren binnengevloeid. Mohammed Reza Pahlavi, Shahanshah – 'Koning der koningen' betekende dat – was begonnen met de opbouw van het land, maar hij had de fout gemaakt te hard van stapel te lopen en te veel vijanden te maken. In Irans duistere tijdperk was de wereldlijke macht overgedragen aan de islamitische geestelijkheid, zoals altijd in dergelijke tijden, en door de boerenstand van het land te bevrijden had hij op te veel zere tenen getrapt. Hij had vijanden gemaakt bij degenen met geestelijke macht, degenen van wie het gewone volk verwachtte dat ze orde zouden scheppen in hun leven, dat door alle veranderingen zo chaotisch was geworden. Toch was de sjah bijna geslaagd in zijn opzet, maar niet helemaal, en 'niet helemaal' was een even

grote vervloeking als die de wereld toebedeelde aan degenen die groot zouden worden.
Wat dachten zulke mensen? Zoals hijzelf oud was, zo was ook de sjah oud geworden. Hij had kanker gekregen en had moeten toezien hoe zijn levenswerk in enkele weken tijd te gronde ging. Zijn medewerkers werden geëxecuteerd in een korte orgie waarin rekeningen werden vereffend, en hij was verbitterd over het verraad door zijn Amerikaanse vrienden. Had hij gedacht dat hij te ver was gegaan, of misschien niet ver genoeg? Daryaei wist het niet, en juist nu had hij het graag willen weten, terwijl hij lag te luisteren naar de geluiden van watervallen in de verte, in het holst van een Perzische nacht.
Het was een ernstige fout om te snel voorwaarts te gaan, zoals de jongeren leerden en de ouderen wisten, maar om niet snel genoeg voorwaarts te gaan, ver, snel en sterk genoeg, dat was werkelijk funest voor degenen die groot zouden zijn. Hoe bitter moest het zijn om in bed te liggen, zonder de slaap die je nodig had om helder te denken, en jezelf te vervloeken om de gemiste kansen.
Misschien wist hij wat de sjah gedacht had, moest Daryaei erkennen. Zijn eigen land was weer op drift geraakt. Hoe groot zijn isolement ook was, hij kende de tekenen. Er was een subtiel verschil in kleding zichtbaar geworden, vooral bij de vrouwen. Niet veel, nog niet zoveel dat zijn ware gelovigen hen konden vervolgen, want zelfs de ware gelovigen waren minder fanatiek geworden en er waren grijze gebieden waarin mensen konden zien hoe ver ze konden gaan. Ja, de mensen geloofden nog steeds in de islam, en ja, ze geloofden nog steeds in hem, maar de heilige koran was feitelijk niet zo heel streng, en hun land was rijk, en om nog rijker te worden moesten er zaken gedaan worden. Hoe kon het tenslotte ook de kampioen van het geloof worden als het niet rijker werd? De knapste koppen van de jeugd van Iran gingen naar het buitenland om daar een opleiding te volgen, want zijn land beschikte niet over de scholen die het heidense Westen had; ze keerden meestal ook weer terug, met in hun bagage de kennis en vaardigheden waaraan zijn land behoefte had. Maar ze keerden ook met onzichtbare twijfels en vragen terug, evenals met herinneringen aan een gemakkelijk leven in een andere maatschappij waar de geneugten des vlezes beschikbaar waren voor de zwakken, en alle mannen waren nu eenmaal zwak. Stel dat Khomeini en hij slechts uitstel bewerkstelligd hadden van wat de sjah begonnen was? De mensen die zich in een reactie op Pahlavi weer tot de islam hadden bekeerd, richtten zich nu weer op de belofte van vrijheid die hij ze geboden had. Wisten ze het dan niet? Zagen ze het dan niet? Ze konden over alle pracht en praal van de macht en alle zegeningen van de zogeheten beschaving beschikken en toch gelovig blijven, toch dat geestelijke anker hebben, zonder welk alles niets was.
Maar om over dat alles te beschikken moest zijn land meer zijn dan het was en daarom kon hij zich niet permitteren het 'niet helemaal' te zijn. Daryaei moest zo veel bereiken dat aangetoond werd dat hij altijd gelijk had gehad, dat onvoorwaardelijk geloof echt de ware bron van de macht was.

De moord op de Iraakse leider, het ongeluk dat Amerika getroffen had, dat waren toch allemaal tekenen? Hij had ze zorgvuldig bestudeerd. Nu waren Irak en Iran verenigd, wat toch tientallen jaren lang het doel was geweest, en vrijwel tegelijkertijd was Amerika een zware slag toegebracht. Badrayn was niet de enige die hem inlichtte. Hij had zijn eigen Amerika-kenners, die wisten hoe de overheid van dat land functioneerde. Hij kende Ryan van één belangrijke bijeenkomst, had zijn ogen gezien, had de heldhaftige maar holle woorden gehoord. Hij wist dus wat hij had aan de man die zijn belangrijkste tegenstander kon zijn. Hij wist dat Ryan geen vervanging voor zichzelf gekozen had en dat volgens de wetten van zijn land ook niet kon, en daarom moest hij juist op dit moment handelen. Anders moest hij voor zichzelf de vervloeking van 'niet helemaal' accepteren.

Nee, hij wilde niet als een nieuwe Mohammed Pahlavi in de herinnering blijven. Als hij al niet hunkerde naar de pracht en praal van de macht, dan begeerde hij toch de macht als zodanig. Vóór zijn dood zou hij leider van de gehele islam zijn. Binnen een maand zou hij de olie van de Perzische golf en de sleutels van Mekka bezitten. Zowel de wereldlijke als de geestelijke macht zou in zijn handen zijn. Daarna zou zijn invloed zich in alle richtingen uitbreiden. In slechts enkele jaren zou zijn land in elk opzicht een supermacht zijn, en hij zou zijn opvolgers een erfenis nalaten van een omvang die de wereld sinds Alexander niet aanschouwd had, maar met de extra zekerheid dat die gebaseerd was op de woorden van God. Om dat doel te bereiken, om de islam te verenigen, om de wil van God en de woorden van de profeet Mohammed te vervullen, zou hij doen wat nodig was, en als dat betekende dat hij snel voorwaarts moest gaan, dan zou hij snel voorwaarts gaan. Over het geheel gezien was het een eenvoudige procedure, die uit drie eenvoudige stappen bestond. De laatste en moeilijkste stap was al gezet, daar viel niets meer tegen te doen, zelfs als Badrayns plannen volledig mislukten.

Ging hij te snel voorwaarts? Daryaei stelde zich de vraag voor de laatste maal. Nee, hij ging vastbesloten voorwaarts, verrassend, berekenend en dapper. Zo zou de geschiedenis over hem oordelen.

'Nachtvliegen is nogal een probleem?' vroeg Jack.

'Zeker, voor hen wel,' antwoordde Robby. Hij gaf de president graag 's avonds laat in het Oval Office, met een drankje erbij, een briefing. 'Ze zijn altijd zuiniger met materieel dan met mensen geweest. Helikopters, Franse in dit geval, waarvan onze kustwacht er ook een stel heeft, kosten geld, en we hebben niet veel nachtelijke operaties waargenomen. De huidige operaties zijn sterk gericht op anti-duikbootapparatuur. Misschien zijn ze van plan af te rekenen met al die Nederlandse onderzeeërs die Taiwan vorig jaar gekocht heeft. We zien ook veel gecombineerde operaties met hun luchtmacht.'

'Conclusie?'

'Ze bereiden zich op iets voor.' Het hoofd Operaties van het Pentagon sloot zijn briefingboek. 'Goed meneer, we...'

'Robby,' zei Ryan, over zijn nieuwe leesbril heen kijkend, die hij net van Cathy gekregen had, 'als je me geen "Jack" noemt als we alleen zijn, laat ik je bij presidentieel besluit degraderen tot vaandrig.'
'We zijn niet alleen,' wierp admiraal Jackson tegen, met een knik richting adjudant Price.
'Andrea telt niet mee... o, verdomme, ik bedoel...' zei Ryan blozend.
'Hij heeft gelijk, admiraal, ik tel niet mee,' zei ze met een nauwelijks verholen lach. 'Meneer de president, ik heb er weken op gewacht dat u dat zou zeggen.'
Jack keek hoofdschuddend op de tafel neer. 'Dit is voor een man geen manier van leven. Nu spreken mijn beste vrienden me met "meneer" aan en ben ik onbeleefd tegen een dame.'
'Zeg, Jack, jij bent mijn opperbevelhebber,' legde Robby uit, ontspannen grijnzend over het onbehagen van zijn vriend. 'En ik ben niet meer dan een arme zeeman.'
Eerst het belangrijkste, dacht de president. 'Adjudant Price?'
'Ja, meneer de president?'
'Schenk wat in en ga zitten.'
'Ik ben in dienst, meneer, en volgens de regels...'
'Maak dan iets minder sterks, maar beschouw het als een bevel van de president. En nu snel!'
Ze aarzelde nog even, maar besloot toen dat Ryan kennelijk probeerde iets duidelijk te maken. Price schonk een grote vingerhoed whisky in het Old Fashioned-glas en deed er veel ijs en Evian bij. Ze ging naast de J-3 zitten. Zijn vrouw Sissy was boven in het Witte Huis bij het gezin Ryan.
'Het is nu eenmaal zo dat de president zich moet ontspannen en dat is voor mij gemakkelijker als dames niet voor mij op hoeven staan en mijn vrienden me af en toe bij mijn voornaam kunnen noemen. Zijn we het daarover eens?'
'Aye, aye,' zei Robby, nog altijd met een glimlach, hoewel hij de logica en wanhoop van het moment inzag. 'Ja, Jack, we zijn nu allemaal ontspannen en we zullen er beslist van genieten.' Hij keek naar Price. 'Jij bent hier om me neer te schieten als ik me niet goed gedraag, hè?'
'Dwars door je hoofd,' bevestigde ze.
'Ik heb zelf liever raketten. Trefzekerder,' voegde hij eraan toe.
'Je hebt die avond goed werk gedaan met dat geweer, dat heeft de Baas me tenminste verteld. Bedankt trouwens.'
'Wat?'
'Dat je hem hebt laten leven. We zorgen graag goed voor de Baas, zelfs als hij op te intieme voet met het personeel komt te staan.'
Jack schonk zich nog wat in, terwijl zij ontspannen op de andere bank zaten. Opmerkelijk, dacht hij. Voor het eerst heerste er een echt ontspannen sfeer in het vertrek, zelfs zo dat twee mensen grapjes over hem konden maken waar hij bij was, alsof hij een mens in plaats van president was.
'Dit bevalt me veel beter.' De president keek op. 'Robby, deze meid heeft meer ellende meegemaakt dan wij, is bij van alles betrokken geweest. Ze is

slim, heeft een titel, en dan zou ik haar als een druiloor moeten behandelen.'
'Nou, jee, ik ben gewoon een gevechtspiloot met een slechte knie.'
'En ik weet nog steeds niet wat ik in vredesnaam moet zijn. Andrea?'
'Ja, meneer de president?' Jack wist dat het onmogelijk was haar zover te krijgen dat ze hem bij zijn voornaam noemde.
'Wat denk je van China?'
'Ik denk dat ik geen expert bent, maar nu u het vraagt: ik weet het niet.'
'Je bent deskundig genoeg,' merkte Robby grommend op. 'Alle paarden en manschappen van de koning weten ook niet veel. De extra onderzeeërs zijn in aantocht,' vertelde hij de president. 'Mancuso wil ze op de noord-zuidlijn tussen de twee marines positie laten kiezen. Ik heb me akkoord verklaard en de minister heeft ervoor getekend.'
'Hoe gaat het met Bretano?'
'Hij weet wat hij niet weet, Jack. Hij luistert naar ons als het om operationele zaken gaat, stelt goede vragen en luistert nog meer. Hij wil volgende week het veld in om een kijkje te nemen en de jongens aan het werk te zien om zijn kennis te vergroten. Hij beschikt over geweldige managementkwaliteiten, maar hij heeft wel drastische plannen. Ik heb zijn plan om de bureaucratie terug te dringen, gezien. Wauw,' zei admiraal Jackson, met zijn ogen rollend.
'Heb je daar problemen mee?' vroeg Jack.
'Helemaal niet. Het is zo'n vijftig jaar te laat. Mevrouw Price, ik ben een man van de werkvloer,' legde hij uit. 'Ik hou van vettige vliegeroveralls en de lucht van kerosine. Maar wij in de frontlinie worden voortdurend op de hielen gezeten door de mensen achter de bureaus. Bretano houdt van technici en ondernemende mensen, maar in de loop der jaren heeft hij geleerd bureaucraten en accountants te haten. Een man naar mijn hart.'
'Terug naar China,' zei Ryan.
'Goed, we hebben nog altijd de elektronica-inlichtingenvluchten vanuit Kadena. Het zou om gewone oefeningen gaan. We weten niet wat de bedoelingen van de ChiComs zijn. De CIA geeft ons niet veel. Signaalinlichtingen stellen niet veel voor. Buitenlandse zaken zegt dat hun regering zegt: "Wat is het probleem?" en daar blijft het bij. De Taiwanese marine is groot genoeg om de dreiging aan te kunnen, als die er is, tenzij ze verrast worden. Dat zal niet gebeuren. Ze kijken goed uit hun doppen en houden zelf oefeningen. Veel lawaai en geschreeuw, waar ik niks van begrijp.'
'De Golf?'
'Tja, we horen van onze mensen in Israël dat ze de zaak van heel nabij bekijken, maar ik begrijp dat ze nog weinig concrete informatie hebben. De bronnen die ze hadden, zaten waarschijnlijk bij de generaals die naar Soedan zijn verdwenen, waarschijnlijk adjudanten en dergelijke. Ik heb een fax gekregen van Sean Magruder...'
'Wie is dat?' vroeg Ryan.
'Dat is een kolonel van de landmacht, hoofd van het 10de cavalerie in de Negev. Ik heb hem vorig jaar ontmoet. Het is iemand naar wie we luisteren.

"De gevaarlijkste man ter wereld," zegt onze goede vriend Avi ben Jakob over Daryaei. Magruder dacht dat dat van voldoende inzicht getuigde om door te geven.'
'En?'
'En we moeten het in de gaten houden. Het is waarschijnlijk nog lang niet zover, maar Daryaei heeft verregaande ambities. De Saoedi's spelen het verkeerd. We zouden nu mensen op weg daarheen moeten hebben, misschien niet veel, maar toch wel een paar, om de andere kant te laten zien dat we het spel meespelen.'
'Ik heb daar met Ali over gesproken. Zijn regering wil de zaak sussen.'
'Verkeerde signaal,' merkte Jackson op.
'Mee eens,' zei de president met een hoofdknik. 'We gaan daarmee aan de slag.'
'Hoe staat het met het Saoedische leger?' vroeg Price.
'Niet zo goed als zou moeten. Na de Golfoorlog werd het populair om bij de National Guard in dienst te treden, en ze kochten materieel alsof het om Mercedessen van een groothandel ging. Een tijdlang vermaakten ze zich met soldaatje spelen, maar toen kwamen ze erachter dat je het spul ook moet onderhouden. Ze huurden mensen in om dat voor ze te doen. Zoiets als schildknapen en ridders in de Middeleeuwen. Maar dit is niet hetzelfde,' zei Jackson. 'En nu oefenen ze niet. Zeker, ze rijden wel rond in hun tanks en ze schieten ook, de M1 is een prachttank om mee te schieten, en ze doen dat heel veel, maar ze oefenen niet in eenheden. Ridders en schildknapen. Hun traditie is dat mannen op paarden achter andere mannen op paarden aangaan. Ze vechten één tegen één, zoals in films. Maar oorlog is anders. Oorlog is een groot, samenwerkend team. Hun cultuur en geschiedenis passen helemaal niet bij dat model en ze hebben niet de kans gehad het te adapteren. Het komt erop neer dat ze niet zo goed zijn als ze denken te zijn. Als de VIR zijn leger ooit op orde krijgt en naar het zuiden trekt, worden de Saoedi's verslagen, zowel door het materieel als door de manschappen.'
'Wat doen we daaraan?' vroeg Ryan.
'Om te beginnen er enkelen van onze mensen heen sturen en enkelen van hun mensen naar het National Training Center hier voor een spoedcursus Werkelijkheid. We hebben het met Mary Diggs van het NTC besproken...'
'Mary?'
'Generaal Marion Diggs. "Mary" dateert nog van de Point. Het is een uniformkwestie,' zei Robby tegen Price. 'Ik zou graag een Saoedisch bataljon hierheen laten komen, zodat de OpFor ze een paar weken kan laten zandhappen om de boodschap over te brengen. Zo hebben onze mensen het geleerd. Zo hebben de Israëli's het geleerd. En zo zullen de Saoedi's het moeten leren. Dat is oneindig veel gemakkelijker dan in een oorlog. Diggs is voor, geweldig. Geef ons twee of drie jaar, misschien minder als we goede oefenfaciliteiten in Saoedi-Arabië opzetten, en dan kunnen we hun leger op orde krijgen, op de politiek na dan,' zei hij.

Ryan knikte. 'Ja, dat zal de Israëli's nerveus maken. De Saoedi's hebben zich er altijd zorgen over gemaakt dat ze een te sterk leger hadden, om binnenlandse redenen.'

'Je kunt ze het verhaal over de drie biggetjes vertellen. Dat past misschien niet in hun cultuur, maar zeg maar dat de grote slechte wolf zojuist naast hen is komen wonen. Ze kunnen maar beter op hem gaan letten voordat hij begint te snuiven en te blazen.'

'Ik neem het mee, Robby. Ik zal Adler en Vasco erover laten denken.' Ryan keek op zijn horloge. Weer een dag van vijftien uur. Hij had nog wel een borrel gelust, maar het leek erop dat hij blij mocht zijn met zes uur slaap, en hij wilde niet wakker worden met meer hoofdpijn dan noodzakelijk was. Hij zette zijn glas neer en gebaarde de andere twee hem de deur uit te volgen.

'SWORDSMAN op weg naar de woning,' zei Andrea in haar radiomicrofoon. Een minuut later waren ze in de lift op weg naar boven.

'Probeer voor je te houden dat je gedronken hebt,' zei Jack tegen zijn belangrijkste agent.

'Wat moeten we toch met u beginnen?' vroeg ze richting plafond toen de deuren opengingen.

Jack liep als eerste de lift uit, en terwijl de anderen bleven staan, trok hij zijn jasje uit. Hij had er een hekel aan voortdurend een jasje te dragen.

'Nu weet je het,' zei Robby tegen de adjudant van de Secret Service. Ze draaide zich om en keek hem aan.

'Ja.' Ze wist het eigenlijk al een tijdje, maar ze kwam voortdurend meer en meer over SWORDSMAN te weten.

'Let goed op hem, Price. Als hij hieruit ontsnapt, wil ik mijn vriend terug.'

Door de grillige hoogtewinden kwam de Lufthansa-vlucht het eerste aan op de internationale terminal in Frankfurt. Voor de reizigers leek het een omgekeerde trechter. De reis door de lucht was het nauwe stuk en bij aankomst op de terminal verspreidden ze zich. Ze keken op de beeldschermen waar hun pier was. De overstaptijden varieerden van één tot drie uur; hun bagage zou automatisch in het volgende vliegtuig worden geladen. Ondanks alle klachten over de bagageafhandeling op luchthavens gaat dat in 99,9 procent van de gevallen goed, wat als een voldoende geldt bij de meeste menselijke ondernemingen; en de Duitsers stonden bekend om hun efficiency. Voor douanecontroles hoefden ze niet bang te zijn, omdat niemand van hen langer dan nodig in Europa bleef. Ze vermeden zorgvuldig elk oogcontact, zelfs toen ze met drie tegelijk een coffeeshop binnenliepen en ze alle drie cafeïnevrije koffie besloten te nemen. Twee van hen gingen het toilet binnen om de gewone reden en bekeken in de spiegels hun gezicht. Ze hadden zich vlak voor het vertrek allemaal geschoren, maar een van hen, die een zware baard had, zag dat zijn kaak al donker begon te worden. Misschien moest hij zich scheren? Geen goed idee, dacht hij, de spiegel toelachend. Hij pakte zijn schoudertas op en liep naar de first-class-lounge om daar op de vlucht naar Dallas-Fort Worth te wachten.

'Lange dag?' vroeg Jack nadat iedereen naar huis was gegaan en alleen de normale ploeg bewakers buiten de ronde maakte.
'Zeker. Grand doet morgen de ronde met Bernie. Wel een paar afspraken de dag daarop.' Cathy was bezig haar nachtjapon aan te trekken. Ze was even moe als haar man.
'Nog nieuws?'
'Niet in mijn sectie. Ik heb met Pierre Alexandre geluncht, een nieuwe buitengewoon hoogleraar die onder Ralph Forster werkt. Komt uit het leger, erg knap.'
'Infectieziekten?' Jack herinnerde zich vaag de man bij een of andere plechtigheid ontmoet te hebben. 'Aids en zo?'
'Ja.'
'Ellendig,' merkte Ryan op terwijl hij in bed stapte.
'Ze hebben net een ramp weten te voorkomen. Er was een mini-uitbarsting van ebola in Zaïre,' zei Cathy, terwijl ze aan de andere kant in bed stapte. 'Twee doden. Daarna werden er nog twee gevallen in Soedan ontdekt, maar het lijkt er niet op dat de ziekte zich verder verspreidt.'
'Is het zo erg als ze zeggen?' Jack deed het licht uit.
'Tachtig procent overlijdt, dat is nogal wat.' Ze schikte de dekens en ging dichter bij hem liggen. 'Maar genoeg daarover. Sissy zegt dat ze over twee weken op Kennedy Center een concert heeft. De Vijfde van Beethoven met Fritz Bayerlein als dirigent. Ongelooflijk, hè? Denk je dat we kaartjes kunnen krijgen?' Hij voelde de glimlach van zijn vrouw in het donker.
'Ik geloof dat ik de eigenaar van het theater ken. Ik zal zien wat ik doen kan.'
Een kus. Het einde van een dag.

'Tot morgenochtend, Jeff.' Price liep rechtsaf naar haar auto. Raman ging links naar de zijne.
Je kon door dit werk afgestompt raken, zei Aref Raman tegen zichzelf. Steeds dezelfde routine, uren observeren, wachten en niets doen, maar toch altijd gereed zijn.
Pfff. Waarom moest hij daarover klagen? Zo was zijn leven nu eenmaal. Hij reed noordwaarts, wachtte tot het beveiligingshek openging en reed in noordwestelijke richting weg. Hij schoot flink op, de straten waren leeg. Tegen de tijd dat hij bij zijn huis kwam, zat hij te knikkebollen door de uitputtende stress van het werk in het Witte Huis, maar nog steeds was er de routine.
Hij opende de deur, zette de alarminstallatie uit, pakte de post die door de brievenbus gegooid was en keek hem door. Een rekening en verder wat advertentierommel waarin hem de kans van zijn leven werd geboden om dingen te kopen die hij niet nodig had. Hij hing zijn jas op, haalde zijn pistool en holster van zijn riem en liep de keuken in. Het lampje van zijn antwoordapparaat knipperde. Er was één boodschap.
'Meneer Sloan,' zei de digitale recorder tegen hem met een vertrouwde stem, ook al had hij die slechts eenmaal eerder gehoord, 'Met Alahad. Uw tapijt is zojuist aangekomen en kan afgehaald worden.'

37

Leveringen

Terwijl Amerika sliep, gingen zij aan boord van hun vluchten in Amsterdam, Londen, Wenen en Parijs. Ditmaal waren er geen twee aan boord van hetzelfde vliegtuig, en de vluchtschema's waren gespreid, zodat er geen kans was dat dezelfde douanebeambte twee scheersets zou openen, daarin hetzelfde merk scheercrème zou aantreffen en zich daarover vragen zou gaan stellen, hoe onwaarschijnlijk dat ook was. Het echte risico was geweest dat zoveel mannen op dezelfde vluchten uit Teheran geboekt waren, maar ze hadden een goede briefing gekregen over de juiste handelwijze. De aanwezigheid van een groep samenscholende mannen uit het Midden-Oosten die allemaal met dezelfde vlucht waren aangekomen, had de aandacht kunnen trekken van de altijd waakzame Duitse politie, maar luchthavens zijn sinds jaar en dag anonieme plaatsen vol half-verwarde, doelloos rondlopende mensen, die vaak moe en meestal gedesoriënteerd zijn, en de ene eenzame, voor zich uit starende reiziger leek veel op de andere.

De eerste die aan boord ging van een transatlantische vlucht liep naar een 747 van Singapore Airlines op Schiphol. Het toestel met codenaam SQ26 vertrok om 8.30 uur van de pier en koos op tijd het luchtruim in noordwestelijke richting voor een grootcirkelroute via de zuidpunt van Groenland. De vlucht zou iets minder dan acht uur duren. De reiziger zat first class in een stoel aan het raam, die hij geheel achterover zette. Het was nog geen drie uur 's nachts in de plaats van aankomst en hij gaf de voorkeur aan wat slaap boven een film, net als de meeste anderen in de neus van het toestel. Hij had zich het verloop van de reis ingeprent, en als zijn geheugen hem in de steek liet door het ontregelende langdurige reizen, dan had hij nog altijd tickets om hem eraan te herinneren wat hij moest doen. Op het moment was het voldoende te slapen en hij legde zijn hoofd tegen het kussen, gekalmeerd door het suizen van de buitenlucht langs de dubbele ramen.

Rond hem waren andere vluchten, met andere reizigers op weg naar Boston, Philadelphia, Washington-Dulles, Atlanta, Orlando, Dallas-Fort Worth, Chicago, San Francisco, Miami en Los Angeles, de belangrijkste internationale luchthavens van de VS. In elk van deze steden was nu een beurs of conferentie aan de gang. In tien andere steden, namelijk Baltimore, Pittsburgh, St. Louis, Nashville, Atlantic City, Las Vegas, Seattle, Phoenix, Houston en New Orleans waren eveneens evenementen. Naar deze steden was het slechts een korte vlucht en in twee gevallen een autorit vanuit de dichtstbijzijnde luchthaven van binnenkomst.

Terwijl de reiziger aan boord van de SQ26 daaraan dacht, soesde hij weg. De scheerset zat weggestopt in zijn schoudertas onder de stoel voor hem, zorgvuldig apart ingepakt, en hij zorgde er wel voor dat hij de tas niet raakte met zijn voeten, laat staan ertegenaan schopte.

Het liep tegen de middag in Teheran. Filmster keek toe hoe zijn groep getraind werd in wapengebruik. Het was eigenlijk een formaliteit, meer voor het moreel bedoeld dan voor iets anders. Ze wisten allemaal hoe ze moesten schieten. Dat hadden ze in de Bekavallei wel geleerd, en hoewel ze niet dezelfde wapens gebruikten als ze in Amerika gebruikt hadden, was dat niet van groot belang. Een geweer was een geweer en doelen waren doelen en ze wisten met beide om te gaan. Ze konden natuurlijk niet alles simuleren, maar ze wisten allemaal hoe ze moesten rijden en ze bestudeerden dagelijks urenlang het schema en de modellen. Ze zouden aan het eind van de middag naar binnen gaan, op het moment dat de ouders arriveerden om hun kinderen voor de dagelijkse rit naar huis op te halen. De lijfwachten waren dan moe en er niet meer helemaal bij na een dag lang toekijken hoe de kinderen kinderlijke dingen deden. Filmster had beschrijvingen gekregen van enkele van de 'gewone' auto's; er waren standaardtypes bij die ook te huur waren. De tegenstanders waren zeer ervaren en goed geoefend, maar het waren geen supermannen. Er waren zelfs vrouwen bij, en hoezeer hij ook met het Westen in aanraking was geweest, toch kon Filmster vrouwen niet als serieuze tegenstanders beschouwen, of ze nu gewapend waren of niet. Maar hun grootste tactische voordeel was dat zijn team bereid was zonder enige terughoudendheid dodelijk geweld te gebruiken. Met meer dan twintig peuters in de buurt, plus het onderwijzend personeel en waarschijnlijk ook nog enkele ouders die in de weg liepen, zouden de tegenstanders ernstig gehinderd worden. Nee, het eerste deel van de missie was het gemakkelijkst. Het probleem was om weg te komen, als het zover kwam. Hij moest zijn team vertellen dat ze weg zouden komen en dat er een plan was. Maar het was niet echt van belang, wat ze trouwens in hun hart allemaal wisten.
Ze waren allemaal bereid offers te worden in de onaangekondigde jihad, anders zouden ze nooit bij de Hezbollah gegaan zijn. Ze waren ook bereid hun slachtoffers als offers te beschouwen. Maar dat was slechts een gemakkelijk stempel. Religie was in feite niets meer dan een façade voor wat ze deden en wie ze waren. Een echte theoloog van hun geloof zou verbleekt zijn als hij hun doel vernam, maar de islam had vele volgelingen en onder hen waren er velen die de geschriften op onconventionele wijze verkozen te lezen, en ook zij hadden hun volgelingen. Wat Allah van hun acties gedacht zou hebben, was niet iets waar ze diep over nadachten, en Filmster vermoedde zich er niet mee daarover na te denken. Voor hem was het handel, een politieke stellingname, een professionele uitdaging, een nieuwe taak om zijn dagen mee te vullen. Het was misschien ook een stap op weg naar een hoger doel, waarvan de voltooiing zou resulteren in een leven vol comfort en misschien zelfs enige persoonlijke macht en stabiliteit, maar in zijn hart geloofde hij dat niet echt. Ja, aanvankelijk had hij gedacht dat Israël onder de voet gelopen zou kunnen worden, dat de joden

van de aarde weggevaagd zouden worden, maar dat luchthartige geloof van zijn jeugd was allang verdwenen. Voor hem waren het nu niets anders dan procedures, en dit was gewoon een nieuwe opdracht. Het was toch zeker niet echt belangrijk wat de inhoud van de opdracht was, vroeg hij zich af, terwijl hij toekeek hoe de teams met grimmige, enthousiaste gezichten de doelen troffen. Zeker, het leek er voor hen wel toe te doen. Maar hij wist wel beter.

De dag begon voor inspecteur Patrick O'Day om half zes. Nadat de wekkerradio hem had gemaand op te staan, ging hij naar de badkamer voor de gebruikelijke plichtplegingen en een blik in de spiegel, en daarna naar de keuken om koffie te zetten. Het was het rustigste moment van de dag. De meeste mensen, zij die verstandig waren, waren nog niet op. Geen verkeer op straat. Zelfs de vogels zaten nog te soezen op hun tak. Naar buiten om de kranten te pakken. Hij kon de stilte voelen en vroeg zich af waarom de wereld niet altijd zo was. Tussen de bomen door was in het oosten het ochtendgloren zichtbaar, al waren ook de grootste sterren nog te zien. Er was geen enkel licht te zien in de andere huizen van het blok. Verdomme, was hij dan de enige die op zulke onmenselijke tijdstippen moest werken?
Weer binnen nam hij tien minuten de tijd om de *Post* en de *Sun* door te bladeren. Hij hield het nieuws wel bij, vooral de misdaadzaken. Als ambulant inspecteur die direct vanuit het hoofdbureau werkte, wist hij nooit van tevoren waar hij nu weer heen gestuurd werd. Vaak moest hij een oppas nemen, en soms dacht hij er zelfs aan of hij een kinderjuffrouw zou aanstellen. Hij kon het zich permitteren, want door de verzekeringsuitkering die hij had ontvangen nadat zijn vrouw bij een vliegtuigongeluk om het leven was gekomen, was hij tot op zekere hoogte financieel onafhankelijk geworden. De omstandigheden waren welhaast blasfemisch geweest, maar ze hadden het nu eenmaal aangeboden en hij was er op advies van zijn advocaat mee akkoord gegaan. Maar een kinderjuffrouw? Nee. Dat zou een vrouw zijn, en dan zou Megan haar als moeder gaan beschouwen, en dat kon hij niet hebben. In plaats daarvan deed hij zijn plicht en cijferde hij zichzelf weg zodat hij beide ouders kon zijn. Geen enkele grizzlybeer was ooit zorgzamer voor een jong geweest. Misschien kende Megan het verschil niet. Misschien was het heel goed voor kinderen als ze door een moeder verzorgd werden en hechtten ze zich sterk aan haar, maar konden ze zich even makkelijk aan een vader hechten. Als andere kinderen haar naar haar moeder vroegen, legde ze uit dat mama vroeg naar de hemel was gegaan... en dit is mijn papa! Wat de psychologische omstandigheden ook waren, de intimiteit tussen de twee, die voor Megan zo vanzelfsprekend was – ze had nauwelijks de kans gehad iets anders te leren kennen – was iets dat haar vader af en toe tot tranen roerde. De liefde van een kind is altijd onvoorwaardelijk. En des te meer als er maar één voorwerp van is. Inspecteur O'Day was er soms dankbaar voor dat hij al jaren niet meer aan een ontvoering gewerkt had. Als hij dat vandaag moest doen... Hij nam een slok koffie en moest bekennen dat hij dan wellicht op zoek zou gaan naar een excuus om

ervan af te komen. Er was altijd een manier te vinden. Als jong agent had hij aan zes van zulke zaken gewerkt, maar ontvoeringen van kinderen kwamen nu nog maar zelden voor. Het was alom bekend dat die bij voorbaat hopeloos waren en dat de FBI zich als de toorn van God met volle kracht op zo'n zaak stortte. Pas nu besefte hij hoe verschrikkelijk zulke misdaden waren. Je moest zelf ouder zijn, je moest het gevoel van die armpjes om je nek kennen om de omvang van zo'n delict te begrijpen. Maar bij zo'n zaak verkilde je gewoon helemaal en schakelde je je emoties net zolang uit als nodig was. Hij herinnerde zich dat zijn eerste baas, Dominic DiNapoli, zelf had moeten huilen toen hij het levende slachtoffer van zo'n misdaad weer naar haar ouders bracht. Pas nu begreep hij dat het een teken van Doms hardheid geweest was. En die crimineel zou de gevangenis van Atlanta nooit meer verlaten.
Het was tijd om Megan wakker te maken. Ze lag opgerold in haar blauwe slaappakje met de tekening van Caspar het vriendelijke spookje. Ze werd er te groot voor, zag hij. Haar teentjes raakten de plastic voeten al. Wat groeiden ze toch snel. Hij kietelde haar neus, waarop zij haar ogen opende.
'Pappie!' Ze ging zitten en stond op om hem een kus te geven. Pat vroeg zich af hoeveel kinderen glimlachend wakker werden. Geen enkele volwassene deed dat. De dag begon serieus met een tweede gang naar de badkamer. Hij zag tot zijn genoegen dat haar oefenbroekje droog was. Megan was er zo langzamerhand aan toe de hele nacht door te slapen – dat was een tijdlang een probleem geweest – al leek dat iets heel raars om trots op te zijn, bedacht hij. Hij begon zich te scheren, een dagelijks ritueel dat zijn dochter uiterst fascinerend vond. Toen hij klaar was, bukte hij zich zodat ze zijn gezicht kon voelen en kon melden dat het 'Oké!' was.
Het ontbijt bestond vanochtend uit havermout met stukjes banaan, en een glas appelsap. Megan keek naar Disney Channel op de tv in de keuken terwijl papa weer in zijn krant dook. Ze bracht haar kom en glas helemaal zelf naar de afwasmachine, een heel serieuze taak die ze nu onder de knie aan het krijgen was. Het moeilijkste was om de kom goed in het rek te zetten. Daar was Megan nog op aan het oefenen. Het was moeilijker dan haar eigen schoenen aantrekken, want die sloot ze met klittenband. Mevrouw Daggett had hem verteld dat Megan een buitengewoon schrander kind was. Dat was nog iets om trots op te zijn, maar dat werd altijd gevolgd door de droeve herinnering aan zijn vrouw. Pat zei tegen zichzelf dat hij Deborah's gezicht in het hare kon zien, maar als hij als eerlijk politieman keek, moest hij zich afvragen in hoeverre dat een wens of een feit was. Ze leek in elk geval de hersenen van haar moeder te hebben. Misschien was het de schrandere blik die hij zag?
Daarna volgde de gebruikelijke autorit. De zon was nu op en er was nog steeds weinig verkeer. Megan zat veilig in haar kinderzitje en keek zoals altijd met verbazing naar de andere auto's.
Ook de aankomst was routine. Er was natuurlijk een agent aan het werk in de supermarkt van 7-Eleven plus de voorpost in Giant Steps. Niemand zou ooit zijn kleine meisje ontvoeren. Op uitvoeringsniveau verdween de rivaliteit tus-

sen de FBI en de Service grotendeels, op wat incidentele grapjes na. Hij was blij dat ze er waren en zij vonden het niet erg dat déze gewapende man binnenkwam. Hij bracht Megan naar binnen, die meteen wegrende om mevrouw Daggett te omhelzen en haar jasje achterin in de hoek te hangen, waarna haar dag van spelen en leren begon.
'Hallo, Pat,' begroette de agent bij de deur hem.
'Morgen, Norm.' Beide mannen permitteerden zich even te geeuwen, zo vroeg op de ochtend.
'Jij zit al even krap in je tijd als ik,' antwoordde FBI-agent Jeffers. Hij was een van de agenten die bij roulatie op SANDBOX waren gezet. Vanmorgen maakte hij deel uit van de voorpost.
'Hoe gaat het met je vrouw?'
'Nog zes weken, dan moeten we erover denken zo'n plek als hier te zoeken. Is ze even goed als ze lijkt?'
'Mevrouw Daggett? Vraag dat de president,' zei O'Day schertsend. 'Ze hebben hier al hun kinderen naartoe gestuurd.'
'Dan kan het niet echt slecht zijn,' zei de man van de Secret Service. 'Hoe staat het met de zaak-Kealty?'
'Iemand op Buitenlandse Zaken liegt. Dat denken de jongens van OPR.' Hij haalde zijn schouders op. 'Het is onduidelijk wie. De leugendetector heeft niks opgeleverd. Hebben jullie nog aanwijzingen?'
'Tja, het is nogal vreemd. Hij stuurt zijn detachement vaak weg. Hij heeft zelfs tegen ze gezegd dat hij ze niet in een positie wil brengen waarin ze...'
'Begrepen.' Pat knikte. 'En ze moeten het spel meespelen?'
'Geen keus. Hij overlegt met anderen, maar we weten niet altijd met wie, en we mogen niet uitzoeken wat hij tegen SWORDSMAN doet.' Hij schudde mismoedig zijn hoofd. 'Vind je het niet geweldig?'
'Ik mag Ryan wel.' Hij zocht de omgeving af, om te zien of hij iets verdachts zag. Het was een automatisme, net als ademhalen.
'We zijn gek op hem,' zei Norm instemmend. 'We denken dat hij het gaat maken. Kealty zit vol vuile streken. Weet je, ik heb in zijn detachement gewerkt toen hij vice-president was. Ik moest verdomme buiten op wacht staan terwijl hij binnen met een of andere del aan het rotzooien was. Hoort bij het werk,' concludeerde hij cynisch. De twee federale agenten wisselden een blik van verstandhouding. Dit was een verhaal van een insider, dat alleen binnen de FBI-gemeenschap doorverteld mocht worden. Ook al werd de Secret Service ervoor betaald hun bazen te beschermen en alle geheimen te bewaren, dat betekende nog niet dat ze dat graag deden.
'Ik denk dat je gelijk hebt. Hier is alles in orde?'
'Russell wil er nog drie mensen bij, maar ik denk niet dat hij die krijgt. God, we hebben drie goede agenten binnen en drie die hiernaast alles in de gaten houden,' hij zei niets nieuws; O'Day had dat al uitgezocht, 'en...'
'Ja, aan de overkant van de straat. Russell lijkt me iemand die zijn zaakjes kent.'

'Grootvader is geweldig,' zei Norm. 'Verdomd, hij heeft de helft van de mensen in de Service opgeleid. Je zou hem eens moeten zien schieten. Met beide handen.'
O'Day glimlachte. 'Dat vertellen ze me steeds weer. Ik zou hem eens moeten uitnodigen voor een wedstrijdje.'
Een grijns. 'Andrea heeft het me verteld. Ze heeft... eh, je dossier van het Bureau gelicht...'
'Wat?'
'Tja, Pat, dat hoort erbij. We checken iedereen. We hebben hier elke dag een hoge piet binnen, snap je?' Norm Jeffers vervolgde: 'Daar komt bij dat ze je wapenvergunning wilde zien. Ik heb begrepen dat je vrij goed bent, maar laat me je wel vertellen dat je geld mee moet nemen als je met Russell wilt spelen.'
'Dat zijn de regels van het spel nu eenmaal, Jeffers.' O'Day genoot van dergelijke uitdagingen. Hij had er nog nooit een verloren.
'Je neemt een zware gok, O'Day.' Hij stak zijn hand op. Hij controleerde zijn oortelefoontje en keek op zijn horloge. 'Ze zijn onderweg. SANDBOX komt eraan. Ons kind en het jouwe zijn echt maatjes.'
'Het lijkt me een fantastisch kind.'
'Het zijn alle drie beste kinderen. Ze zijn af en toe wat baldadig, maar zo zijn kinderen nu eenmaal. Ze zullen aan SHADOW hun handen vol hebben als ze echt afspraakjes begint te maken.'
'Ik wil er niks over horen!'
Jeffers lachte hartelijk. 'Zeg, ik hoop dat die van ons een jongen wordt. Mijn pa, die brigadier bij de gemeentepolitie van Atlanta is, zegt dat dochters de straf van God voor je zijn omdat je een man bent. Je leeft voortdurend met de angst dat ze iemand zullen tegenkomen die net zo is als jij op je zeventiende was.'
'Genoeg! Ik moet naar mijn werk om met een paar criminelen af te rekenen.' Hij sloeg Jeffers op zijn schouder.
'Als je terugkomt, is ze hier, Pat.'
O'Day sloeg zijn gewone bak koffie langs Ritchie Highway over en reed in plaats daarvan zuidwaarts naar Route 50. Hij moest toegeven dat de jongens van de Secret Service hun zaakjes kenden. Maar er was ten minste één aspect van de presidentiële beveiliging dat de FBI afhandelde. Hij moest vanochtend maar eens met de jongens van OPR praten. Informeel, uiteraard.

Een stierf, een ging naar huis, en dat ongeveer tegelijkertijd. Het was de eerste ebola-dode voor MacGregor. Hij had al heel wat anderen gezien, hartinfarcten, beroertes, kanker of gewoon ouderdom. In de meeste gevallen was er geen dokter aanwezig en moest de verpleging ervoor opdraaien. Maar voor dit ene geval was hij hier. Op het laatst was er niet zozeer sprake van rust als wel uitputting. Saleh's lichaam had een hevige strijd gevoerd en door zijn verzet had de pijnlijke strijd nog langer geduurd, als bij een soldaat in een hopeloze veldslag. Maar uiteindelijk was zijn kracht tekortgeschoten en had zijn

lichaam het begeven, waarna het wachten op de dood was. Toen de alarmtoon op de hartmonitor klonk, was afzetten het enige wat er nog restte. Deze patiënt kon niet gereanimeerd worden. De infuusslangen werden verwijderd en de naalden werden zorgvuldig in de rode plastic bus gelegd. Letterlijk alles wat in aanraking met de patiënt was geweest zou verbrand worden. Zo bijzonder was dat niet. Ook aids- en sommige hepatitispatiënten werden als dodelijke besmettingshaarden behandeld. Net als bij ebola was het het beste om de lichamen te verbranden; de overheid had dat trouwens verplicht gesteld. Deze slag was in elk geval verloren.
MacGregor was opgelucht, zo bemerkte hij ietwat beschaamd, toen hij voor de laatste maal het beschermende pak uittrok, zich grondig waste en bij Sohaila op bezoek ging. Ze was nog altijd zwak, maar ze was klaar om te vertrekken en kon volledig herstellen. Uit de laatste tests bleek dat haar bloed volzat met antistoffen. Haar afweersysteem was erin geslaagd de vijand te onderkennen en te verslaan. Er was geen actief virus aanwezig. Ze kon omhelsd worden. In een ander land zou ze gebleven zijn om verder onderzocht te worden en zou ze aardig wat bloed hebben gegeven voor uitgebreid laboratoriumonderzoek, maar ook hierbij had de plaatselijke overheid gezegd dat dat niet zou gebeuren, dat ze uit het ziekenhuis moest worden ontslagen zodra dat veilig was. MacGregor was voorzichtig geweest, maar nu was hij ervan overtuigd dat er geen complicaties meer zouden optreden. De arts tilde haar zelf op en zette haar in de rolstoel.
'Als je je beter voelt, kom je me dan hier opzoeken?' vroeg hij met een brede glimlach. Ze knikte. Een schrander kind. Ze sprak goed Engels. Het was ook een mooi kind, met een ontwapenende glimlach, ondanks haar vermoeidheid. Ze was blij naar huis te kunnen.
'Dokter?' Dat was haar vader. Hij had vast een militaire achtergrond, zo rechtop als hij stond. Wat hij probeerde te zeggen stond duidelijk op zijn gezicht te lezen, zelfs nog voor hij de woorden formuleerde.
'Ik heb heel weinig gedaan. Uw dochter is jong en sterk, en dat heeft haar gered.'
'Toch zal ik deze schuld niet vergeten.' Hij gaf een stevige hand. MacGregor moest denken aan Kiplings opmerking over het Oosten en het Westen. Wat deze man ook was, de arts had zijn vermoedens, alle mensen hadden iets gemeenschappelijks.
'Ze zal nog een week of twee wat zwakjes zijn. Ze mag eten wat ze wil, en u kunt haar het best zo lang mogelijk laten slapen.'
'We zullen uw raad opvolgen,' beloofde Sohaila's vader.
'U hebt mijn nummer, zowel hier als thuis, mocht u nog vragen hebben.'
'En als u ooit problemen hebt, bijvoorbeeld met de overheid, laat me het dan weten.' Het was duidelijk hoe dankbaar de man was. MacGregor had nu een soort beschermheer, wat dat ook waard mocht zijn. Het kon geen kwaad, bedacht hij, terwijl hij hen naar de deur leidde. Daarna liep hij terug naar zijn kantoor.

'Dus alles is gestabiliseerd,' zei de overheidsfunctionaris, nadat hij het verslag had aangehoord.
'Dat is juist.'
'Is het personeel gecontroleerd?'
'Ja, en we zullen de tests morgen voor de zekerheid nogmaals uitvoeren. Beide patiëntenkamers zullen vandaag volledig ontsmet worden. Alle besmette voorwerpen worden momenteel verbrand.'
'En het lichaam?'
'Wordt ook ingepakt en verbrand, volgens uw instructies.'
'Uitstekend. Dokter MacGregor, u hebt het goed gedaan, en daarvoor bedank ik u. We kunnen nu vergeten dat dit vervelende incident ooit heeft plaatsgevonden.'
'Maar hoe is het ebolavirus dan hier gekomen?' verzuchtte MacGregor. Duidelijker kon hij het niet vragen.
De overheidsfunctionaris wist het niet, en daarom zei hij zelfverzekerd: 'Daar hebt u niet mee te maken en ik ook niet. Het zal niet meer gebeuren. Daar ben ik van overtuigd.'
'Zoals u zegt.' Na nog wat plichtplegingen hing MacGregor op. Hij staarde naar de muur. Nog een fax naar CDC, besloot hij. Daar kon de overheid geen bezwaar tegen hebben. Hij moest ze vertellen dat de uitbarsting, hoe klein ook, bedwongen was. En dat was ook een opluchting. Het was beter om zijn gewone praktijk weer te hervatten en zich met ziekten bezig te houden die hij kon verslaan.

Het bleek dat Koeweit toeschietelijker was geweest dan Saoedi-Arabië in het doorgeven van de inhoud van de ontmoeting, wellicht omdat de regering van Koeweit in feite een familiebedrijfje was en hun winkel op een bijzonder gevaarlijke straathoek stond. Adler overhandigde het verslag. De president las het snel door.
'Het lijkt alsof er staat: "Rot op".'
'Jij begrijpt het,' zei de minister van Buitenlandse Zaken instemmend.
'Of minister van Buitenlandse Zaken Sabah heeft alle beleefdheden eruit gehaald, of wat hij hoorde beangstigde hem. Ik gok op de tweede mogelijkheid,' concludeerde Bert Vasco.
'Ben?' vroeg Jack.
Goodley schudde zijn hoofd. 'We zitten hier mogelijk met een probleem.'
'Mogelijk?' vroeg Vasco. 'Laat dat woord maar weg.'
'Goed, Bert, jij bent onze kampioen voorspellingen voor de Perzische Golf,' merkte de president op. 'Kun je nog een voorspelling doen?'
'De cultuur daar draait om onderhandelen. Er zijn uitgebreide verbale rituelen voor belangrijke bijeenkomsten. "Hallo, hoe gaat het?" kan wel een uur in beslag nemen. Als we moeten geloven dat dergelijke rituelen niet plaatsgevonden hebben, dan ligt er een boodschap in de *afwezigheid* ervan. U hebt het gezegd, meneer de president: rot op.' Toch was het interessant, dacht Vasco,

dat ze begonnen waren met een gezamenlijk gebed. Misschien was dat een signaal dat voor de Saoedi's iets betekend had, maar niet voor de Koeweiti's? Zelfs hij was niet op de hoogte van elk aspect van de plaatselijke cultuur.
'Waarom drukken de Saoedi's dit dan zo naar de achtergrond?'
'U zei toch dat prins Ali een andere indruk gaf?'
Ryan knikte. 'Dat klopt. Ga verder.'
'Het koninkrijk is enigszins schizofreen. Ze mogen ons en ze vertrouwen ons als strategische partners, maar als cultuur hebben ze een hekel aan ons en wantrouwen ze ons. Zelfs dat is nog te simpel gesteld, want het wisselt nogal, maar ze zijn bang dat een te grote openheid naar het Westen toe een nadelige invloed op hun maatschappij heeft. Ze zijn erg conservatief als het om sociale kwesties gaat. Toen ons leger daar bijvoorbeeld in '91 zat, eisten ze dat legeraalmoezeniers de religieuze onderscheidingstekens van hun uniform verwijderden en ze werden helemaal dol als ze vrouwen met geweren of achter het stuur zagen. Aan de ene kant zijn ze dus van ons afhankelijk als waarborg voor hun veiligheid... prins Ali blijft u daar toch over doorzagen? Maar aan de andere kant maken ze zich zorgen dat we hun land kunnen ontwrichten terwijl we het beschermen. Het draait steeds weer om de godsdienst. Ze zouden waarschijnlijk liever een overeenkomst met Daryaei sluiten dan ons weer te moeten uitnodigen hun grens te bewaken, en daarom kiest de meerderheid van de regering dat spoor, in de wetenschap dat we toch wel komen als we gevraagd worden. Koeweit is een ander verhaal. Als we vragen of we een oefening mogen houden, dan zeggen ze direct ja, zelfs als de Saoedi's hun dan weer vragen geen toestemming te geven. Het is goed nieuws dat Daryaei dat weet en dat hij niet zo snel kan oprukken. Als hij zijn troepen zuidwaarts begint te verplaatsen...'
'De CIA zal ons waarschuwen,' zei Goodley zelfverzekerd. 'We weten waar we naar moeten zoeken en ze zijn niet geavanceerd genoeg om het te verbergen.'
'Als we nu troepen naar Koeweit overbrengen, dan zal dat als een daad van agressie beschouwd worden,' waarschuwde Adler. 'We kunnen beter eerst een ontmoeting met Daryaei regelen en hem uithoren.'
'Dan geven we hem precies het juiste signaal,' wierp Vasco in het midden.
'O, die fout zullen we niet maken, en ik denk dat hij weet dat de status van de Golfstaten een hoge prioriteit bij ons heeft. Ditmaal geen gemengde signalen.' Ambassadeur April Glaspie was ervan beschuldigd in de zomer van 1990 zo'n signaal aan Saddam Hoessein te hebben afgegeven, maar ze weersprak de lezing van Hoessein, en de laatste was bepaald geen betrouwbare informatiebron. Misschien was het een taalkundige nuance geweest. Het waarschijnlijkst was dat hij precies gehoord had wat hij had willen horen en niet wat er precies gezegd was, een eigenschap die door veel staatshoofden en kinderen gedeeld werd.
'Hoe snel kun je het regelen?' vroeg de president.
'Tamelijk snel,' antwoordde de minister van Buitenlandse Zaken.
'Doen,' beval Ryan. 'Met de grootst mogelijke snelheid. Ben?'

'Ja, meneer?'
'Ik heb al met Robby Jackson gesproken. Stem met hem een plan af om daar snel een bescheiden veiligheidsmacht te stationeren. Groot genoeg om te laten zien dat we geïnteresseerd zijn, niet zo groot dat we ze provoceren. Laten we ook contact opnemen met Koeweit om te vertellen dat we er zijn als ze ons nodig hebben en dat we zeker troepen in hun land kunnen inzetten als ze dat wensen. Wie is hiervoor inzetbaar?'
'24ste Mech, Fort Stewart, Georgia. Ik heb het nagekeken,' zei Goodley, kennelijk nogal trots op zichzelf. 'Hun tweede brigade is nu roulerend in staat van paraatheid. Verder een brigade van het 82ste in Fort Bragg. Met het materieel dat in Koeweit opgeslagen ligt, kunnen we in niet meer dan achtenveertig uur onderweg zijn. Ik zou ook adviseren de paraatheid van de Maritime Prepositioning Ships in Diego Garcia te verhogen. Dat kunnen we in stilte doen.'
'Goed gedaan, Ben. Bel de minister van Defensie en vertel hem dat ik het geregeld wil hebben, maar wel in stilte.'
'Zeker, meneer de president.'
'Ik zal Daryaei vertellen dat we de Verenigde Islamitische Republiek een uitgestoken hand aanbieden,' zei Adler. 'En verder dat we aan vrede en stabiliteit in die regio hechten, dat wil zeggen, territoriale integriteit. Ik vraag me af wat hij zal zeggen...'
De blikken van de aanwezigen richtten zich op Bert Vasco, die zijn pas verkregen status als genie van het huis steeds meer begon te vervloeken. 'Misschien wilde hij alleen maar aan hun kooi morrelen. Ik denk niet dat hij dat bij ons ook wil.'
'Je klinkt nu voor het eerst onzeker,' merkte Ryan op.
'Niet genoeg informatie,' antwoordde Vasco. 'Ik zie niet dat hij een conflict met ons wil. Dat is eenmaal gebeurd, terwijl iedereen toekeek. Zeker, hij mag ons niet. Zeker, hij mag de Saoedi's en de andere staten daar niet. Maar nee, hij wil geen confrontatie met ons. Misschien zou hij ze allemaal kunnen verslaan. Dat is een militaire vraag, en ik ben slechts een ambtenaar van Buitenlandse Zaken. Maar niet als wij ook bij het spel betrokken zijn, en dat weet hij. Conclusie: politieke druk op Koeweit en het koninkrijk, absoluut. Maar afgezien daarvan zie ik niet genoeg redenen om me zorgen te maken.'
'Maar toch,' voegde de president eraan toe.
'Zeker, meneer, maar toch,' zei Vasco instemmend.
'Leun ik te sterk op jou, Bert?'
'Geen probleem, meneer de president. U luistert tenminste naar me. Het zou geen kwaad kunnen als we een bijzondere rapportagebeoordeling over alle mogelijkheden en bedoelingen van de VIR zouden opstellen. Ik moet meer informatie van de inlichtingendiensten kunnen verzamelen.'
Jack draaide zich om. 'Ben, tot die rapportage is opdracht gegeven. Weten jullie, mannen, het kan leuk zijn om bevelen te geven,' voegde de president eraan toe. Hij glimlachte om de spanning te breken die door de vergadering was opgelopen. 'Dit is een potentieel probleem, maar nog geen alarmsituatie,

klopt dat?' Er werd geknikt. 'Goed. Dank u, heren. Laten we de zaak in de gaten houden.'

Singapore Airlines vlucht 26 landde vijf minuten later en arriveerde om 10.25 uur bij de terminal. De passagiers van de first class, die al van bredere, zachtere stoelen genoten hadden, genoten nu van een snellere toegang tot het immigratiecircus dat Amerika zijn bezoekers in de maag splitst. De reiziger pakte zijn kostuumzak van de bagageband en met zijn tas over zijn andere schouder koos hij een rij uit. In zijn hand hield hij zijn immigratiekaart waarop hij niets had verklaard dat voor de Amerikaanse overheid van belang was. De waarheid zou ze in elk geval niet welgevallig zijn geweest.
'Hallo,' zei de beambte die de kaart aanpakte en bekeek. Daarop volgde het paspoort. Het leek een oud paspoort, de bladzijden stonden vol in- en uitreisstempels. Hij vond een blanco blad en maakte aanstalten een nieuw stempel te zetten. 'Doel van uw bezoek aan Amerika?'
'Zaken,' antwoordde de reiziger. 'Ik ben hier voor de autotentoonstelling in het Javits Center.'
'Mmm.' De beambte had het antwoord nauwelijks gehoord. Hij stempelde af en verwees de bezoeker naar een andere rij. Daar werden zijn tassen met röntgenapparatuur onderzocht in plaats van geopend. 'Iets aan te geven?'
'Nee.' Eenvoudige antwoorden waren het best. Een andere beambte bekeek het tv-beeld van de tas zonder iets interessants te zien. De reiziger mocht doorlopen, pakte zijn tassen van de band en liep naar buiten, waar de taxi's stonden.
Verbazingwekkend, dacht hij, terwijl hij in een nieuwe rij ging staan, en in minder dan vijf minuten in een taxi zat. Zijn eerste zorg, namelijk dat hij bij de douane gesnapt zou worden, lag achter hem. Wat zijn volgende zorg betrof, de taxi waarin hij zat kon niet voor hem uitgekozen zijn. Hij rommelde wat met zijn tassen en liet een vrouw voorgaan om dat te voorkomen. Hij ging achterover zitten in zijn stoel en keek opzichtig naar buiten. In werkelijkheid keek hij of de taxi op weg naar de stad soms gevolgd werd door een auto. Het was zo vlak voor de lunch zo druk op de weg dat dat nauwelijks mogelijk leek, te meer omdat hij zich in een van de duizenden gele auto's bevond die zich als een kudde vee op drift door het verkeer bewogen. Zo'n beetje het enige slechte nieuws was dat zijn hotel zo ver van het congrescentrum af lag dat hij nog een taxi nodig had. Daar was niets aan te doen, en hij moest trouwens toch eerst inchecken.
Een half uur later was hij in de lift van het hotel op weg naar de vijfde verdieping. Een behulpzame piccolo hield zijn kostuumzak vast terwijl de reiziger zelf zijn schoudertas vasthield. Hij gaf de piccolo twee dollar fooi – hij had over het geven van fooien een briefing gehad, het was beter een bescheiden fooi te geven dan in de herinnering te blijven als iemand die te veel fooi of helemaal niets gaf – wat met gepaste dank werd aanvaard. Toen de formaliteiten geregeld waren, pakte de reiziger zijn pakken en overhemden uit en haalde

hij ook de meeste spullen uit zijn schoudertas. De scheerset liet hij erin zitten; hij zou het scheergerei van het hotel gebruiken om na een verfrissende douche zijn baardige gezicht te scheren. Ondanks de spanning voelde hij zich tot zijn verbazing erg goed. Hoe lang was hij nu al onderweg? Vierentwintig uur? Zoiets. Maar hij had veel geslapen en hij werd niet moe van vliegen, zoals veel anderen. Hij bestelde een lunch via room-service, kleedde zich aan, hing zijn reistas over zijn schouder, liep naar beneden en nam een taxi naar het Javits Center. De autotentoonstelling, dacht hij. Hij was altijd dol geweest op auto's. De meeste anderen waren later vertrokken dan hij en bevonden zich nog in de lucht. Sommigen waren nu bijna geland – eerst een in Boston, dan een paar in New York en een in Dulles – en zouden in korte tijd de douane passeren om hun kennis en geluk te beproeven tegen de Grote Satan of welke vernietigende term Daryaei ook voor hun collectieve vijand gebruikte. Satan beschikte tenslotte over grote machten en verdiende respect. Satan kon een man in zijn ogen kijken en zijn gedachten lezen, bijna zoals Allah dat kon. Nee, deze Amerikanen waren slechts functionarissen, die alleen gevaarlijk voor hen waren als ze gewaarschuwd waren.

'Je moet weten hoe je mensen doorziet,' vertelde Clark hun. Het was een goede klas. Anders dan mensen in een gewone school wilden ze allemaal graag leren. Het bracht hem bijna terug naar zijn eigen tijd hier op de Boerderij, op het hoogtepunt van de Koude Oorlog, toen iedereen James Bond wilde zijn en daar ook werkelijk een beetje in geloofde, ondanks alles wat de instructeurs verteld hadden. De meeste van zijn klasgenoten waren pas afgestudeerd en beschikten wel over boekenwijsheid, maar niet over levenservaring. De meesten hadden het vrij goed gedaan. Sommigen niet, en de falende afgestudeerde in het veld kon weliswaar een bedreiging voor de veiligheid zijn, maar meestal was het minder dramatisch geweest dan de films deden voorkomen. Ze realiseerden zich alleen dat het tijd was voor een nieuwe baan. Clark had hogere verwachtingen van deze groep. Ze hadden misschien geen graad in de geschiedenis behaald op Dartmouth of Brown, maar ze hadden iets gestudeerd, waar dan ook en hadden vervolgens op straat in de grote steden bijgeleerd. Misschien wisten ze zelfs dat alles wat ze leerden voor hen op een dag van belang zou zijn.
'Zullen ze tegen ons liegen? Onze agenten, bedoel ik.'
'U komt toch uit Pittsburgh, meneer Stone?'
'Jawel, meneer.'
'U hebt op straat met vertrouwelijke informanten gewerkt. Hebben ze ooit tegen u gelogen?'
'Soms,' erkende Stone.
'Daar hebt u uw antwoord. Ze zullen liegen over hun belangrijkheid, over het gevaar waarin ze zich bevinden, over vrijwel alles, afhankelijk van hoe ze zich die dag voelen. Je moet hen kennen, en je moet hun stemmingen kennen. Stone, wist je het als je informanten verhaaltjes vertelden?'

'Meestal wel.'
'Hoe wist je dat?'vroeg Clark.
'Als ze iets te veel weten, als het niet bij de rest past...'
'Weet je,' merkte hun instructeur grijnzend op, 'jullie zijn zo slim dat ik me soms afvraag wat ik hier doe. Het draait om mensenkennis. Jullie zullen in jullie carrière bij de CIA steeds weer mensen tegenkomen die denken dat ze alle informatie van boven krijgen: de satelliet weet alles en vertelt alles. Zo is het niet,' ging Clark verder. 'Satellieten kunnen voor de gek gehouden worden, en dat is makkelijker dan velen willen toegeven. Ook mensen hebben hun zwakheden. Een van de grootste is het ego, en niets werkt zo goed als hen in de ogen kijken. Maar het leuke van het werken met agenten in het veld is dat zelfs hun leugens iets van de waarheid aan je openbaren. Voorbeeld: Moskou, Koetoezovkiy Prospekt, 1983. We hebben deze agent opgescharreld en volgende week zullen jullie hem hier kunnen ontmoeten. Hij had problemen met zijn baas, en...'
Chavez verscheen bij de achterdeur. Hij hield een telefoonbriefje omhoog. Clark handelde de rest van de les snel af en gaf de klas aan zijn assistent over.
'Wat is er, Ding?' vroeg John.
'Mary Pat wil dat we snel naar Washington gaan, iets over een rapportage.'
'De Verenigde Islamitische Republiek, wed ik.'
'Het is nauwelijks nodig de boodschap op te schrijven, meneer C.,' merkte Chavez op. 'Ze willen dat we er op tijd voor het avondeten zijn. Wil je dat ik rijd?'

Er waren negen Maritime Prepositioning Ships op Diego Garcia, waarvan de nieuwste genoemd waren naar militairen die de Medal of Honor gekregen hadden. Deze vier schepen waren relatief nieuw. Ze waren speciaal gebouwd om als drijvende parkeergarages voor militaire voertuigen te dienen. Een derde ervan waren tanks, mobiele artillerie en gewapende personeelsvoertuigen, en de rest bestond uit de minder dramatische 'treinen' die met allerlei spullen geladen waren, van munitie tot voedselrantsoenen en water. De schepen waren marinegrijs geschilderd, maar met gekleurde banden op de schoorsteenpijpen, waarmee ze als deel van de National Defense Reserve-vloot gekwalificeerd werden, bemand door officieren en matrozen van de koopvaardij, wier taak het was ze te onderhouden. Dat was niet al te moeilijk. Om de paar maanden startten ze de enorme dieselmotoren en voeren enkele uren rond om er zeker van te zijn dat alles functioneerde. Deze avond kregen ze het bericht om hun paraatheid te verhogen.
Een voor een gingen de ploegen van de machinekamer naar beneden om de motoren op gang te brengen. De brandstofvoorraad werd vergeleken met de schriftelijke gegevens en er werden diverse referentietests uitgevoerd om er zeker van te zijn dat het schip gereed was voor vertrek; daarom werden ze zo liefdevol onderhouden. Het was niet ongewoon om de motoren te testen, maar het was wél ongebruikelijk dat ze allemaal tegelijk getest werden. Het grote aantal reusachtige motoren gaf zoveel warmte af, dat alles duidelijk

zichtbaar was voor de infrarooddetectoren in de ruimte, vooral 's nachts.
Binnen een half uur na ontdekking kwam dit onder de aandacht van Sergej Golovko. Evenals andere hoofden van inlichtingendiensten overal ter wereld, riep hij een team specialisten bij elkaar om dit te bespreken.
'Waar is de Amerikaanse vliegdekschipgroep?' vroeg hij eerst. Amerika verspreidde ze graag over alle wereldzeeën.
'Ze hebben gisteren het atol in oostelijke richting verlaten.'
'Van de Perzische Golf vandaan?'
'Correct. Er zijn oefeningen met Australië gepland onder de naam SOUTHERN CLIP. We beschikken niet over informatie dat de oefening mogelijk afgelast wordt.'
'Waarom houden ze dan oefeningen met hun transportschepen?'
De analist maakte een armgebaar. 'Het zou een oefening kunnen zijn, maar de onrust in de Perzische Golf doet anders vermoeden.'
'Niets in Washington?' vroeg Golovko.
'Onze vriend Ryan blijft bezig met het bedwingen van de politieke stroomversnellingen,' meldde de chef van de afdeling Amerikaanse politiek. 'Fout.'
'Zal hij het overleven?'
'Onze ambassadeur gelooft van wel, en de *rezident* denkt van niet, maar geen van beiden denkt dat hij stevig in het zadel zit. Het is een klassieke wanorde. Amerika heeft zich altijd beroemd op de soepele overgang van de regeringsmacht, maar de wetten daar houden geen rekening met zulke gebeurtenissen als we gezien hebben. Hij kan niet krachtdadig optreden tegen zijn politieke vijand...'
'Wat Kealty doet, is hoogverraad,' merkte Golovko op. Daar stond in Rusland sinds jaar en dag een zware straf op. Deze uitspraak alleen al was voldoende om de temperatuur in een ruimte te doen dalen.
'Niet volgens hun wetten, maar mijn juridische deskundigen vertellen me dat de kwestie zo verwarrend is dat er geen duidelijke winnaar zal zijn, en in zo'n geval blijft Ryan aan het bewind vanwege zijn positie; hij zat er nu eenmaal het eerste.'
Golovko knikte, maar hij keek bepaald ongelukkig. *Red October* en de Gerasimov-zaak hadden nooit overal bekend mogen worden. Hij en zijn regering hadden de eerste gekend, maar de laatste alleen verdacht. Wat onderzeeërs betrof was de Amerikaanse beveiliging geweldig geweest; dat was dus de kaart geweest die Ryan gepeeld had om Kolya te laten overlopen. Het had zo moeten zijn. Achteraf gezien leek het allemaal logisch, en het was een mooi spel geweest. Op één aspect na: het was in Rusland ook algemeen bekend geworden en het was hem nu verboden om direct contact op te nemen met Ryan, tot vastgesteld was wat de diplomatieke consequenties waren. Amerika deed iets. Hij wist nog niet wat dat was en in plaats van te bellen om het te vragen, en misschien zelfs een eerlijk antwoord te krijgen, moest hij wachten tot zijn medewerkers in het veld er zelf achter kwamen. Het probleem lag in de schade die de Amerikaanse overheid was toegebracht, en in Ryans gewoonte om met

een kleine groep mensen te werken in plaats van de hele bureaucratie als een symfonieorkest te dirigeren. Dat had hij bij de CIA geleerd. Zijn instinct vertelde hem dat Ryan mee zou werken. Hij vertrouwde voormalige vijanden wel toe om in collectief eigenbelang te handelen, maar die verrader Kealty – wie anders had de Amerikaanse pers die verhalen kunnen vertellen! – had het toch maar voor elkaar verkregen om een politieke impasse te scheppen. Politiek!
Het leven van Golovko had ooit om politiek gedraaid. Hij was al sinds zijn achttiende partijlid en had Lenin en Marx met de bezetenheid van een theologiestudent bestudeerd, en hoewel de bezetenheid in de loop der jaren plaats had gemaakt voor iets anders, waren die logische, maar toch dwaze theorieën wel degelijk bepalend geweest voor zijn volwassen leven, tot ze verdwenen waren, waarna hij tenminste nog een baan had gehad waarin hij uitblonk. Hij had zijn voormalige antipathie tegen Amerika in historische termen kunnen rationaliseren: twee grootmachten, twee grote bondgenootschappen, twee verschillende wereldbeelden die in een perverse consensus handelden om het laatste grote wereldconflict te creëren. Nog altijd verlangde de nationale trots dat zijn land had gewonnen, maar de *Rodina* had niet gewonnen, en dat was dat. Het belangrijkste was dat de Koude Oorlog voorbij was en daarmee de dodelijke confrontatie tussen Amerika en zijn land. Nu konden ze eindelijk uitkomen voor hun gemeenschappelijke belangen en bij gelegenheid zelfs samenwerken. Dat was in feite al gebeurd. Ivan Emmetovitsj Ryan was bij hem gekomen voor hulp in het Amerikaanse conflict met Japan en samen hadden de twee landen een vitaal doel bereikt, iets wat nog altijd geheim was. Waarom, dacht Golovko, had die verrader Kealty dát geheim niet geopenbaard, in plaats van dat andere? Maar nee, nu zijn land in verlegenheid gebracht was en de pas geliberaliseerde media evenveel goede sier maakten met dit verhaal als de Amerikaan – of zelfs nog meer – kon hij niet eens een simpel telefoontje plegen.
Die schepen startten hun motoren niet zonder reden. Ryan deed iets of dacht erover iets te doen, en in plaats van het gewoon te vragen, moest hij weer voor spion spelen, weer de confrontatie met een andere spion aangaan in plaats van met een bondgenoot te werken. Maar hij had geen keus.
'Formeer een speciale studiegroep voor de Perzische Golf. Breng alles wat we hebben zo snel mogelijk bij elkaar. Amerika zal op de een of andere manier op de ontwikkelingen moeten reageren. Eerst moeten we vaststellen wat er aan de hand is. Dan wat Amerika waarschijnlijk weet. Daarna wat Amerika zal doen. Die generaal G.J. Bondarenko, haal die er ook bij. Hij heeft net een tijdje bij het leger daar doorgebracht.'
'Onmiddellijk, kameraad voorzitter,' antwoordde zijn eerste adjudant uit naam van de overige aanwezigen. Dat was tenminste niet veranderd!

De omstandigheden waren uitstekend, bedacht hij zich. Niet te heet en niet te koud. Het Javits Center lag vlak langs de rivier, waardoor de relatieve vochtigheid er nogal hoog was. Dat was óók gunstig. Hij zou binnen zijn en dus hoef-

de hij zich geen zorgen te maken over de schade die ultraviolet licht aan de inhoud van zijn spuitbus kon toebrengen. Voor de rest had hij niets te maken met de theorie van waar hij mee bezig was; hij had er een briefing over gehad en zou precies doen wat hem verteld was. Of het goed uitpakte of niet, lag in Allah's handen, nietwaar? De reiziger stapte uit zijn taxi en liep naar binnen.
Hij was nog nooit in zo'n groot gebouw geweest, en hij was lichtelijk gedesoriënteerd toen hij zijn bezoekersbadge en programmaboekje met plattegrond had gekregen. Hij kreeg er een index bij waarmee hij de locatie van de stands kon opzoeken. Met een stil lachje besloot hij dat hij nog uren had om zijn doel te bereiken en de tijd zou doorbrengen met het bekijken van de auto's, net als alle anderen.
Er waren er heel veel, die als juwelen stonden te glanzen. Sommige stonden op een draaiplateau voor wie te lui was om eromheen te lopen. Bij een groot aantal stonden schaarsgeklede dames die gebaarden alsof je seksuele relaties met ze kon aanknopen, dat wil zeggen, met de auto's, hoewel sommige vrouwen ook een mogelijkheid waren, dacht hij, terwijl hij met verholen plezier naar hun gezichten keek. Het was hem bekend dat Amerika miljoenen auto's maakte in bijna evenzovele vormen en kleuren. Dat leek een enorme verspilling – wat was een auto tenslotte meer dan een middel om je van de ene plaats naar de andere te verplaatsen, en na verloop van tijd werden ze vuil en raakten ze beschadigd, en de tentoonstelling hier was een leugen omdat ze er na een ritje naar huis al niet meer zo uit zouden zien – zelfs in Amerika, zoals hij in de rit vanaf zijn hotel had gezien...
Toch was het een plezierige ervaring. Hij had gedacht dat het een soort winkelen was, maar dit was niet de soek waarmee hij dit associeerde, geen steeg vol winkeltjes met handelaars voor wie afdingen even belangrijk was als ademhalen. Nee, Amerika was anders. Hier prostitueerden ze vrouwen om dingen voor een vastgestelde prijs te verkopen. Niet dat hij persoonlijk tegen het gebruik van zulke vrouwen was; de reiziger was niet getrouwd en bezat de normale vleselijke verlangens, maar om die op deze manier tentoon te spreiden was in strijd met de puriteinse zeden van zijn land. En hoewel hij nooit wegkeek van de vrouwen die bij de auto's stonden, was hij toch blij dat geen van hen uit zijn deel van de wereld afkomstig was.
Wat een overdaad aan merken en modellen. Cadillac had een enorme stand in de afdeling van General Motors. Ford had een geheel eigen sectie voor al zijn merkproducten. Hij wandelde door de Chrysler-sectie en daarna naar de buitenlandse merken. Het Japanse deel was niet populair, zag hij, zonder twijfel als gevolg van het Amerikaanse conflict met dat land, hoewel boven veel stands borden hingen met het opschrift GEMAAKT IN AMERIKA DOOR AMERIKANEN! in letters van drie meter hoogte, voor de weinigen die er toch waren. Toyota, Nissan en de rest zouden een slecht jaar hebben, en zelfs het sportieve Cresta, waar ze ook gefabriceerd mochten worden. Dat zag je wel aan het ontbreken van publiek in dat gedeelte. Daarmee verdween ook zijn interesse in Aziatische auto's. Nee, besloot hij, niet hier in de buurt.

Hij zag dat Europese auto's profiteerden van de Japanse tegenslag. Vooral Mercedes trok veel publiek met een nieuw model van de duurste sportwagen, dat glanzend zwart geschilderd was en de verlichting erboven als een stuk van de heldere woestijnhemel reflecteerde. Bij elke stand nam de reiziger een brochure mee, hem aangereikt door een vriendelijke vertegenwoordiger van de fabrikant. Hij stopte ze in zijn tas, zodat hij de indruk wekte een gewone bezoeker te zijn. Hij vond een eettentje waar hij iets te eten haalde; het was een hotdog, en hij vroeg zich niet af of er varkensvlees in zat; Amerika was tenslotte geen islamitisch land en hij hoefde zich over zulke dingen geen zorgen te maken. Hij bleef een tijdlang staan kijken bij de terreinwagens, waarbij hij zich eerst afvroeg of ze opgewassen zouden zijn tegen de primitieve wegen van Libanon en Iran. Hij besloot dat ze waarschijnlijk stevig genoeg waren. Er was er een, gebaseerd op een militair model dat hij eerder had gezien, en als hij de keuze had gehad, dan had hij die brede, sterke wagen genomen. Hij pakte al het publiciteitsmateriaal voor die auto en ging tegen een paal staan waar hij het kon lezen. Sportwagens waren voor slappelingen. Dit was een wagen met inhoud. Wat jammer dat hij er nooit een zou hebben. Hij keek op zijn horloge. Vroeg in de avond. Het werd steeds drukker nu het na kantoortijd was en de mensen de avond gebruikten om hun fantasieën uit te leven. Geweldig.
Onderweg had hij de airconditioning opgemerkt. Het zou beter geweest zijn om zijn bus in het systeem zelf te plaatsen, maar ook daarover had hij een briefing gekregen. Door de veteranenziekte die enkele jaren eerder in Philadelphia uitgebroken was, hadden de Amerikanen geleerd dat zulke systemen schoon moesten blijven; ze gebruikten vaak chloor om het condensatiewater te behandelen waarmee de voortdurend circulerende lucht bevochtigd werd. Chloor zou het virus doden, zo zeker als een kogel dodelijk was voor de mens. Opkijkend van de kleurenbrochure zag hij de enorme sleuven waar koele lucht uit neerdaalde. Deze verspreidde zich onzichtbaar over de grond. Na verwarming door de lichamen in de ruimte stroomde de warme lucht weer omhoog in de opvang en werd deze in het systeem gekoeld en licht gedesinfecteerd. Daarom moest hij een plek uitkiezen waar de luchtstroom zijn bondgenoot en niet zijn vijand was. Hierover dacht hij na, de pose van een geïnteresseerde autokoper aannemend. Hij begon weer rond te lopen. Hij liep onder enkele luchtuitlaten door en voelde de zachte, verkoelende luchtstroom op zijn huid. Hij vergeleek ze met elkaar en zocht naar een goede plek om zijn spuitbus achter te laten. Dat laatste was net zo belangrijk. De bus zou ongeveer vijftien seconden lang spuiten. Dat zou een sissend geluid maken, dat waarschijnlijk in het lawaaiige gebouw verloren zou gaan, en korte tijd nevel verspreiden. De wolk zou in enkele seconden verdwenen zijn, omdat het om een heel kleine hoeveelheid ging, en omdat de dichtheid even groot was als de omringende lucht, zou de substantie deel gaan uitmaken van de atmosfeer en zich minstens dertig minuten en misschien langer, afhankelijk van de klimaatbeheersingssystemen in het centrum, overal verspreiden. Hij wilde er zoveel mogelijk mensen aan blootstellen, binnen de aanwezige parameters, en met deze nieu-

we overwegingen in gedachten begon hij weer rond te wandelen.
Het kwam goed van pas dat de autotentoonstelling, hoe groot die ook was, niet het hele Javits Center vulde. Elke stand was van geprefabriceerde elementen gemaakt, zoals in een kantoortuin, en er hingen veelal grote lappen achter, als verticale spandoeken, die uitsluitend bedoeld waren om de lege delen van het gebouw aan het zicht te onttrekken. Je kon daar makkelijk komen, zag de reiziger. Nergens stonden hekken. Je liep gewoon onopgemerkt om een stand heen. Hij zag mensen in kleine groepjes met elkaar staan praten en er liep wat onderhoudspersoneel rond, maar dat was het wel. Het onderhoudspersoneel kon voor problemen zorgen. Het zou vervelend zijn als zijn bus werd opgepakt voor die leegliep. Maar zulke mensen maakten toch op vaste tijden hun ronde? Het was slechts zaak het patroon te ontdekken. Wat was dan de beste plek, dacht hij. De tentoonstelling zou nog een aantal uren open zijn. Hij wilde de perfecte plaats en het perfecte tijdstip uitkiezen, maar bij de briefing was hem verteld zich daar niet al te veel zorgen over te maken. Hij nam dat advies ter harte. Hij kon er maar beter voor zorgen niet ontdekt te worden. Dat was zijn belangrijkste missie.
De hoofdingang was... daar. De bezoekers gingen aan dezelfde kant naar binnen en naar buiten. Overal waren nooduitgangen, die allemaal goed aangegeven waren, maar er zaten wel alarmbellen op. Bij de ingang was een rij uitlaten van de airconditioning die een soort thermische barrière vormde, en de inlaten bevonden zich hoofdzakelijk in het midden van de tentoonstellingshal. De luchtstroom zou dus van de buitenzijde naar binnen bewegen... en iedereen moest op dezelfde manier naar binnen en naar buiten... hoe moest hij daarvan gebruikmaken? Aan die kant was een rij toiletten waar veel mensen naartoe en vandaan liepen; dat was te gevaarlijk, want iemand zou de bus kunnen zien, die oppakken en in een afvalbak stoppen. Hij liep naar de andere kant, ondertussen met zijn programma rommelend, waardoor hij tegen mensen opliep. Hij belandde weer bij de afdeling van General Motors. Daarachter waren Mercedes en BMW, allemaal in de richting van de uitlaten, en er waren een hoop mensen in alle drie de secties. Daar kwam bij dat de neerwaartse luchtstroom ook naar een deel van de in- en uitgang stroomde. De groene spandoeken benamen het uitzicht op de muur, maar eronder was ruimte, een open stuk dat deels aan het zicht onttrokken was. Dit was de plek. Hij liep weg, keek op zijn horloge en zocht in het programma wat de openingstijden van de tentoonstelling waren. Terwijl hij het programma in zijn tas stopte, maakte hij met zijn andere hand de rits van de scheerset los. Hij liep nog een rondje om te kijken of er nog een geschikte plek was; hij vond er een, maar die was niet zo goed als de eerste. Hij controleerde nog eenmaal of iemand hem volgde.
Nee, niemand wist dat hij hier was, en hij zou zijn aanwezigheid of zijn missie niet kenbaar maken met een salvo uit een AK-47 of de ontploffing van een handgranaat. Je kon op meer dan één manier terrorist zijn en hij betreurde het dat hij deze manier niet eerder ontdekt had. Wat zou hij ervan genoten hebben een bus als deze in een bioscoop in Jeruzalem te plaatsen... maar nee, de tijd

daarvoor zou misschien nog komen, als de grootste vijand van zijn cultuur op de knieën gebracht was. Hij keek nu naar de gezichten van die Amerikanen die hem en zijn volk zo haatten. Ze schuifelden doelloos wat rond als een kudde vee. Nu was het tijd.
De reiziger verborg zich achter een stand, haalde de bus te voorschijn en zette die op zijn kant op de betonnen vloer. Het gewicht was zo verdeeld dat de bus vanzelf in de juiste positie rolde. Op zijn kant liggend was de bus ook moeilijker te zien. Toen hij dat gedaan had, drukte hij op de eenvoudige mechanische tijdklok en liep hij de tentoonstellingshal weer in, waarna hij linksaf ging om het gebouw te verlaten. Hij zat binnen vijf minuten in een taxi op weg naar zijn hotel. Voordat hij daar aankwam, was het ventiel door de veer van de tijdklok geopend en werd de inhoud van de bus in vijftien seconden in de lucht verspreid. Het geluid ging verloren in de kakofonie van de menigte. De nevelwolk verspreidde zich voor die zichtbaar was.

In Atlanta was het de voorjaarseditie van de Boat Show. Ongeveer de helft van de mensen daar dacht er wellicht serieus aan dit jaar of later een boot te kopen. De rest droomde er alleen over. Laat ze maar dromen, dacht de reiziger op weg naar buiten.

In Orlando waren het campers. Dit was wel heel gemakkelijk. Een reiziger keek onder een Winnebago, alsof hij het chassis bekeek, legde daar zijn bus neer en vertrok.

In het McCormick Center van Chicago ging het om een huishoudbeurs, een enorme hal vol meubels en apparaten in allerlei soorten, en de vrouwen die ze wilden bezitten.

In Houston ging het om een van de grootste paardenshows van Amerika. Veel ervan waren Arabieren, zag de reiziger tot zijn verrassing, en fluisterde een gebed dat de ziekte die edele schepsels, zo geliefd bij Allah, niet zou treffen.

In Phoenix ging het om golfspullen, een spel waar de reiziger niets van afwist, hoewel hij nu over enkele kilo's gratis lectuur beschikte die hij op de terugvlucht naar het oostelijk halfrond zou kunnen lezen. Hij had een lege golftas met een voering van hard plastic gevonden waarin hij de bus kon verbergen. Hij stelde de tijdklok in en liet de bus erin zakken.

In San Francisco ging het om computers. Het was de drukst bezochte tentoonstelling van allemaal die dag, met meer dan twintigduizend bezoekers in het Mosconi Center. Het waren er zoveel dat deze reiziger bang was dat hij niet in de tuin kon zijn voordat de inhoud van de bus ontsnapte. Maar het lukte hem, waarna hij met wind tegen naar zijn hotel vier straten verderop liep. Zijn taak was volbracht.

De tapijtwinkel was net aan het sluiten toen Aref Raman binnenliep. Meneer Alahad sloot de voordeur en deed de lampen uit.
'Mijn instructies?'
'Je doet niets zonder rechtstreekse orders, maar het is van belang te weten of je je missie kunt voltooien.'
'Is dat niet vanzelfsprekend?' vroeg Raman geïrriteerd. 'Waarom denkt u...'
'Ik heb mijn instructies,' zei Alahad vriendelijk.
'Ik kan het. Ik ben klaar,' verzekerde de moordenaar zijn contactpersoon. De beslissing was al jaren geleden genomen, maar het was goed om het hier en nu hardop tegen elkaar te zeggen.
'Je krijgt het te horen als de tijd daar is. Spoedig.'
'De politieke situatie...'
'Daar zijn we ons van bewust, en we hebben alle vertrouwen in je toewijding. Blijf rustig, Aref. Er gebeuren momenteel grote dingen. Ik weet niet wat, alleen dat ze gebeuren, en als de tijd daar is zal jouw daad de hoeksteen van de heilige jihad vormen. Mahmoud Haji doet je zijn groeten en gebeden toekomen.'
'Dank u.' Raman boog zijn hoofd bij de zegening, die weliswaar van een afstand kwam, maar toch krachtig was. Het was erg lang geleden dat hij de stem van de man anders dan via de televisie had gehoord, en toen was hij gedwongen geweest zich af te wenden om te voorkomen dat anderen zijn reactie daarop zagen. 'Het is moeilijk voor je geweest,' zei Alahad.
'Zeker,' zei Raman met een hoofdknik.
'Het zal spoedig voorbij zijn, jonge vriend. Kom mee naar achteren. Heb je tijd?'
'Jawel.'
'Het is tijd voor het gebed.'

38

Vriendelijkheden

'Ik ben geen regiospecialist,' wierp Clark tegen. Hij was eerder in Iran geweest.
Ed Foley wilde er niets van weten. 'Je bent in dat gebied geweest en ik denk dat jij degene bent die altijd zegt dat niets vuile handen en een goede neus kan vervangen.'
'Hij was net vanmiddag op de Boerderij bezig dat soort dingen aan de kinde-

ren uit te leggen,' zei Ding met een sluwe blik. 'Nou ja, vandaag ging het over het doorzien van mensen door ze in de ogen te kijken, maar dat is hetzelfde. Goede ogen, goede neus, goede zintuigen.' Hij was niet naar Iran geweest en ze zouden meneer C. toch niet alleen sturen?
'Jij gaat, John,' zei Mary Pat Foley, en aangezien zij de leiding had, bleef het daarbij. 'Minister Adler vliegt zeer binnenkort mogelijk daarheen. Ik wil dat jij en Ding daar als SPO's naartoe gaan. Zorg dat hij in leven blijft en kijk overal goed rond, zonder al te heimelijk te doen. Ik wil jullie beoordeling over de sfeer daar. Dat is alles, gewoon een snelle beoordeling.' Dit soort dingen werd meestal gedaan door naar verslagen op CNN te kijken, maar Mary Pat wilde dat een ervaren agent daar de polsslag nam, en het was haar opdracht.
Als er iets vervelend was als je een goede opleidingsfunctionaris was, dan was het wel dat de mensen die je opleidde vaak promotie maakten en zich hun lessen herinnerden, en erger nog, wie ze gegeven had. Clark kon zich beide Foleys van zijn lessen op de Boerderij herinneren. Zij was vanaf het begin de cowboy – nou ja, cowgirl – van het duo geweest. Ze had een briljant instinct, was geweldig in Russisch en bezat een inzicht in mensen dat je eerder bij een psychiater zou aantreffen... maar het ontbrak haar wat aan voorzichtigheid. Ze vertrouwde een beetje te veel op het scenario van het domme blondje om in veiligheid te blijven. Ed miste haar passie maar bezat het vermogen om het grote beeld te schetsen, om een langetermijnvisie te schetsen die meestal hout sneed. Geen van beiden was volmaakt. Samen waren ze een geducht duo en John was er trots op dat hij hen op zijn eigen manier onderwezen had. Meestal, althans.
'Goed. Hebben we daar nog bezittingen in enigerlei vorm?'
'Niets bruikbaars. Adler wil Daryaei eens recht in zijn ogen kijken en hem vertellen wat de regels zijn. Jullie worden ondergebracht in de Franse ambassade. De reis is geheim. VC-20 naar Parijs, daarna Frans transport. Snel erin en weer eruit,' vertelde Mary Pat hun. 'Ik wil dat jullie een paar uurtjes rondlopen, zodat je een idee krijgt hoe de zaken ervoor staan: de prijs van het brood, hoe de mensen zich kleden, je kent het wel.'
'En we krijgen diplomatieke paspoorten, zodat niemand ons lastig kan vallen,' voegde John er zuur aan toe. 'Ja, dat heb ik eerder gehoord. Net als alle anderen in 1979 in de ambassade, weet je nog?'
'Adler is minister van Buitenlandse Zaken,' bracht Ed hem in herinnering.
'Ik denk dat ze dat wel weten.' Ze weten ook dat hij joods is, liet hij na te zeggen.

De vlucht naar Barstow in Californië vormde altijd het begin van de oefening. Bussen en vrachtwagens reden naar de vliegtuigen en de militairen kwamen de vliegtuigtrap af voor de korte rit over de enige weg naar de NTC. Generaal Diggs en kolonel Hamm keken van de plek waar hun helikopter stond toe hoe de soldaten rijen vormden. Deze groep was van de National Guard van North Carolina, een versterkte brigade. Het gebeurde niet vaak dat de Guard naar

Fort Irwin kwam, en deze brigade was tamelijk bijzonder. Omdat de staat al jaren, althans tot voor kort, met zeer ervaren senatoren en congresleden gezegend was, hadden de mannen uit Carolina de allerbeste moderne uitrusting gekregen en waren ze aangewezen als aanvullende brigade voor een van de gepantserde divisies van de reguliere landmacht. Ze liepen beslist als echte soldaten en de officieren hadden zich een jaar lang voorbereid op deze oefening. Ze hadden zelfs extra brandstof weten te regelen waardoor ze een paar weken extra hadden kunnen oefenen. Nu stelden de officieren de manschappen in het gelid op voordat ze met transport gingen. Van een afstand van enkele honderden meters konden Diggs en Hamm de officieren met de manschappen boven het lawaai van de landende toestellen uit zien praten.
'Ze lijken trots, baas,' merkte Hamm op.
Ze hoorden in de verte een schreeuw. Een compagnie artilleristen vertelde hun kapitein dat ze gereed waren tot actie over te gaan. Er was zelfs een nieuwsploeg aanwezig om de gebeurtenis voor de plaatselijke tv te vereeuwigen.
'Ze zijn zeker trots,' zei de generaal. 'Soldaten moeten trots zijn, kolonel.'
'Er ontbreekt alleen één ding.'
'Wat dan, Al?'
'Bèèèèèèèè,' zei kolonel Hamm met zijn sigaar in zijn mond. 'Lammeren op weg naar de slachtbank.' De twee officieren wisselden een blik uit. De eerste missie van de oefenvijanden was om die trots weg te nemen. Het Black Horse Cav had nog vrijwel nooit een gesimuleerd conflict verloren van een reguliere formatie. Hamm was niet van plan daar deze maand mee te beginnen. Twee bataljons tanks van Abram, nog twee van Bradley, een cavaleriecompagnie en een ondersteunend bataljon tegen zijn drie squadrons oefenvijanden. Het leek niet erg eerlijk, voor de bezoekers dan.

Ze waren bijna klaar. Het meest vervelende werk was het mengen van het explosieve mengsel, wat een goede lichaamsoefening voor de Mountain Men bleek te zijn. De juiste hoeveelheden kunstmest (die hoofdzakelijk een chemisch mengsel op basis van ammoniak was) en diesel kwamen uit een boek. De beide mannen vonden het nogal grappig dat planten dol zouden zijn op een dodelijk explosief. Het voortstuwingsmiddel dat in artillerie werd gebruikt, was ook op ammonium gebaseerd. In Duitsland was na de Eerste Wereldoorlog zelfs een fabriek geëxplodeerd waar kunstmest gemaakt werd, waardoor een heel dorp was weggevaagd. De toevoeging van diesel diende deels om extra chemische energie te verkrijgen, maar hoofdzakelijk om als bevochtigingsmiddel te dienen, waardoor de interne schokgolf zich beter in de explosieve massa zou voortbewegen en de detonatie versneld werd. Ze gebruikten een grote kuip om in te mengen en een roeispaan om de massa tot de juiste dikte (die ze ook uit een boek haalden) te mengen. Het resultaat was een grote klont modderige specie die zich tot een soort blokken vormde. Ze tilden deze met de hand op.

In de trommel van de cementauto was het vies en het stonk er. Het werk was ietwat gevaarlijk. Ze wisselden elkaar af met vullen. De inlaatopening, die bedoeld was om half-vloeibaar cement door te laten, had een doorsnee van ongeveer een meter. Holbrook had een elektrische ventilator neergezet om frisse lucht in de trommel te blazen, omdat de dampen van het verse explosiemengsel onaangenaam en mogelijk gevaarlijk waren. Ze kregen er hoofdpijn van, wat op zich al een waarschuwing was. Het was meer dan een week werk geweest, maar nu was de trommel zover gevuld als nodig was. Hij zat ongeveer driekwart vol op het moment dat het laatste blok bij de rest werd ingepast. Elke laag was ietwat ongelijk en de holtes werden opgevuld met een wat vloeibaarder mengsel dat ze met een emmer naar binnen brachten, zodat de ronde trommel zo vol mogelijk was. Als je door het staal heen had kunnen kijken, dan had het er als een cirkeldiagram uitgezien waarbij het niet opgevulde deel als een V-vorm naar boven wees.
'Ik denk dat het zo goed is, Pete,' zei Ernie Brown. 'We hebben nu nog zo'n honderd pond over, maar...'
'Er is geen ruimte voor,' zei Holbrook, terwijl hij uit de trommel kwam en de ladder afdaalde. Ze liepen naar buiten, waar ze in een tuinstoel gingen zitten om een luchtje te scheppen. 'Verdomme zeg, ik ben blij dat dat klaar is!'
'Nou en of.' Brown wreef met zijn handen over zijn gezicht en haalde diep adem. Hij had zo'n hoofdpijn dat het leek of zijn hoofd uit elkaar zou knallen. Ze moesten hier maar een tijdje blijven zitten tot al die rottige dampen uit hun longen verdwenen waren.
'Dit moet wel slecht voor ons zijn,' zei Pete.
'Het zal verdomd slecht voor iemand zijn, dat is zeker. Goed idee van die kogels,' voegde hij eraan toe. Er zaten twee oliedrums vol in de trommel, wat waarschijnlijk te veel was, maar dat gaf niet.
'Wat is een taartje zonder slagroom?' vroeg Holbrook.
'Wat ben je toch een klootzak!' Brown lachte zo hard dat hij bijna uit zijn stoel viel. 'Jezus, wat heb ik een koppijn!'

De goedkeuring voor de Franse medewerking aan de vergadering kwam opmerkelijk snel van de Quai d'Orsay. Frankrijk had diplomatieke belangen met elk land langs de Golf, op grond van allerlei commerciële relaties, variërend van tanks tot farmaceutische artikelen. De Franse troepen die in de Golfoorlog werden ingezet, bleken tegen Franse producten te vechten, maar dat was op zich niet zo ongebruikelijk. Het zorgde voor veel afzet. De goedkeuring voor de missie werd om negen uur 's ochtends aan de Amerikaanse ambassadeur doorgegeven. Deze stuurde nog geen vijf minuten later een telex naar Foggy Bottom, die aan minister Adler werd overgebracht terwijl hij nog in bed lag. Actiefunctionarissen zorgden voor verdere kennisgevingen, allereerst aan de 89ste Military Airlift Wing op de vliegbasis Andrews.
Het was nooit zo eenvoudig de minister van Buitenlandse Zaken de stad uit te loodsen. Meestal liep het in de gaten dat zo'n kantoor leegstond en daarom

werd er een verhaal verzonnen. Adler zou met de Europese bondgenoten gesprekken voeren over diverse onderwerpen. De Fransen waren beter in staat hun media te controleren, een taak die vooral een kwestie van timing was.
'Ja?' zei Clark, terwijl hij de telefoon opnam in het Marriott-hotel, dat het dichtst bij Langley lag.
'Vandaag gebeurt het,' zei de stem.
Clark knipperde met zijn ogen, schudde zijn hoofd. 'Geweldig. Goed. Ik ben er klaar voor.' Hij rolde zich weer op zijn zij om nog wat te slapen. Voor deze missie was tenminste geen briefing noodzakelijk. Gewoon Adler in de gaten houden. Een wandelingetje maken en naar huis gaan. Over veiligheid hoefde hij zich niet echt druk te maken. Als de Iraniërs – VIR'ers was een term die hem nog niet voor in de mond lag – iets wilden doen, dan zouden twee mannen met pistolen daar niet veel meer aan kunnen doen dan hun handwapens ongebruikt overhandigen, en de plaatselijke of Iraanse beveiliging zou de vijandige elementen wel weghouden. Hij zou daar puur voor de show zijn, omdat het iets was wat je om een of andere reden deed.
'Gaan we?' vroeg Chavez vanuit het andere bed.
'Ja.'
'*Bueno.*'

Daryaei keek op zijn bureauklok en acht, negen, tien en elf uur van de tijd aftrekkend, vroeg hij zich af of er iets misgegaan was. Bijgedachten waren het grote probleem van mensen in zijn positie. Je nam de beslissingen, maar pas als je echt actie ondernam, begon je je zorgen te maken, ondanks alle planning en het denkwerk dat je er ingestoken had. Er was geen koninklijke weg naar succes. Je moest risico's nemen, een feit dat nooit op waarde werd geschat door degenen die er alleen over dachten staatshoofd te worden.
Nee, er was niets verkeerd gegaan. Hij had de Franse ambassadeur ontvangen, een heel sympathieke heiden die de plaatselijke taal zo mooi sprak dat het leek of hij gedichten uit zijn land oplas. Het was ook een hoffelijke, immer beleefde en deemoedige man, die zijn verzoek uit de tweede hand deed als een man die een huwelijk tussen twee families ensceneerde. Met zijn hoopvolle lach bracht hij ook de wensen van zijn regering over. De Amerikanen zouden het verzoek niet gedaan hebben als ze tevoren gewaarschuwd waren over Badrayns mensen en hun missie. Nee, in zo'n geval zou de ontmoeting op neutrale grond hebben plaatsgevonden – Zwitserland was altijd een mogelijkheid – voor informeel maar rechtstreeks contact. In dit geval zouden ze hun eigen minister van Buitenlandse Zaken naar een in hun ogen vijandig land sturen, een jood nog wel! Vriendelijk contact, vriendelijke uitwisseling van standpunten, vriendelijk aanbieden van vriendschappelijke relaties, had de Fransman gezegd als kenschets van de ontmoeting. Hij hoopte ongetwijfeld dat Frankrijk, als de ontmoeting een succes was, als het land beschouwd zou worden dat een nieuwe vriendschap had gekoesterd – nou ja, misschien een 'goede relatie' – en als de ontmoeting slecht verliep, dan zou slechts in de herinnering

blijven dat Frankrijk geprobeerd had een eerlijke tussenpersoon te zijn. Als Daryaei wat van ballet had geweten, dan zou hij dat als beeld voor de gedachtewisseling hebben gebruikt.

Toch waren die Fransen rotzakken, dacht hij. Als hun krijgsheer Karel Martel in 732 bij Poitiers Abd ar-Rahmayn niet had tegengehouden, dan was de hele wereld wellicht... Maar zelfs Allah kon de geschiedenis niet veranderen. Rahmayn had die veldslag verloren omdat zijn mannen hebzuchtig geworden waren, van het zuivere geloof afgevallen waren. Toen ze blootgesteld werden aan de rijkdommen van het Westen, hielden ze op met vechten en begonnen ze te plunderen, waardoor het leger van Martel de kans kreeg zich te hergroeperen en een tegenaanval te doen. Ja, dat was de les die onthouden moest worden. Er was altijd nog tijd om te plunderen. Je moest eerst de veldslag winnen. Eerst moest je het leger van de vijand vernietigen en dan pas wegnemen wat je wilde hebben.

Hij liep van zijn kantoor naar de kamer ernaast. Aan de muur hing een kaart van zijn nieuwe land en zijn buren. Er stond een comfortabele stoel om ernaar te kijken. Zo ontstond de gebruikelijke fout als het om kaartlezen ging. De afstanden leken korter. Alles leek zo dichtbij, vooral nu hij zoveel tijd in zijn leven verloren had. Alles leek dichtbij genoeg om te grijpen. Er kon nu niets meer verkeerd gaan. Niet nu alles zo dichtbij was.

Vertrekken was makkelijker dan aankomen. Zoals de meeste Westerse landen was Amerika er meer in geïnteresseerd wat mensen naar binnen brachten dan wat ze meenamen, en terecht, dacht de eerste reiziger terwijl zijn paspoort op JFK bekeken werd. Het was 7.05 uur en Air France vlucht 1, een supersonische Concorde, stond te wachten om hem een eind naar huis te brengen. Hij had een enorme verzameling autobrochures bij zich en had er een tijdje over gedaan een verhaal in elkaar te draaien als ze hem ernaar zouden vragen, maar hij hoefde niets van zijn verzinsels te berde te brengen. Hij vertrok, en dat was prima. Het paspoort werd routineus afgestempeld. De douanebeambte vroeg niet eens waarom hij de dag na zijn aankomst alweer vertrok. Zakenreizigers waren zakenreizigers. Daar kwam bij dat het nog vroeg was en er voor tienen niets belangrijks gebeurde.

Er werd koffie geserveerd in de first class van Air France, maar de reiziger wilde niet. Hij was bijna klaar. Pas nu begon zijn lichaam te trillen. Het was verbazend makkelijk gegaan. Badrayn had hen in zijn briefing voor de missie verteld hoe makkelijk het zou zijn. Hij had er weinig geloof aan gehecht, omdat hij gewend was aan de omgang met de Israëlische veiligheidsdienst met zijn talloze gewapende soldaten. Na alle doorgemaakte spanning – het had geleken of hij met een touw strak werd vastgebonden – werd alles nu een stuk rustiger. Hij had de afgelopen nacht slecht geslapen in zijn hotel en nu zou hij de hele reis lang in het vliegtuig slapen. Bij terugkeer in Teheran zou hij Badrayn lachend aankijken en om een nieuwe soortgelijke missie vragen. Toen de trolley met drank langskwam, zag hij een fles champagne en schonk zich een glas in. Hij moest ervan niezen en het was in strijd met de regels van zijn godsdienst, maar het was de Westerse manier om iets te vieren en iets te vieren had hij zeker. Twintig minuten later werd zijn vlucht omgeroepen en liep hij met de anderen naar de uitgang. Hij maakte zich nu alleen nog maar zorgen om jetlag. De vlucht zou om acht uur precies vertrekken en om 17.45 uur in Parijs aankomen! Van het ontbijt tot het avondeten, zonder een middagmaal ertussenin. Tja, dat was een van de wonderen van het moderne reizen.

Ze reden afzonderlijk naar Andrews. Adler reed in zijn officiële auto, Clark en Chavez in de eigen auto van de laatste. Terwijl de minister van Buitenlandse Zaken ongehinderd door de poort werd geloodst, moesten de CIA-beambten een identiteitsbewijs laten zien, wat hen nog wel een saluut van de gewapende luchtmachtfunctionarissen opleverde.
'Je vindt het niet echt een prettig land, hè?' vroeg de jongere officier.
'Domingo, toen jij de steunwieltjes van je fietsje afhaalde, zat ik in Teheran met een dekmantel die zo doorzichtig was dat je er een verzekeringspolis doorheen kon lezen. Ik schreeuwde "Dood aan Amerika" met de demonstranten en keek toe hoe onze mensen geblinddoekt werden voortgedreven door een stel idiote pubers met geweren. Een tijdje dacht ik dat ze tegen een muur zouden worden gezet en neergeknald. Ik kende de baas van de post. Verdomd, ik herkende hem. Ze deden hem ook een zak om en maakten het hem knap lastig.' Om daar te staan, herinnerde hij zich, niet meer dan vijftig meter verderop, zonder ook maar iets te kunnen doen...
'Wat deed je daar?'
'De eerste keer was het een snelle verkenning voor de CIA. De tweede keer maakte ik deel uit van de reddingsmissie die bij Desert-One onderuitging. We dachten toen allemaal dat het pech was, maar die operatie boezemde me echt angst in. Het was waarschijnlijk maar beter dat die mislukte,' besloot John. 'Maar we hebben ze er tenminste allemaal levend uitgekregen.'
'Slechte herinneringen dus... en daarom haat je het daar?'
Clark haalde zijn schouders op. 'Niet echt. Ik kan geen wijs uit ze worden. De Saoedi's begrijp ik, die mag ik erg. Als je eenmaal door de eerste barrière heen bent, worden ze vrienden voor het leven. Sommige regels zijn voor ons wat vreemd, maar dat geeft niet. Het lijkt een beetje op oude films, met eergevoel en zo, gastvrijheid,' ging hij verder. 'Ik heb daar veel goede ervaringen opgedaan. Maar niet aan de overkant van de Golf. Daar kun je beter zo snel mogelijk weer weg zijn.' Ding parkeerde zijn auto. Toen beide mannen hun bagage aan het pakken waren, kwam er een sergeant naar hen toe. 'We gaan naar Parijs, sergeant,' zei Clark, zijn identiteitsbewijs ophoudend.
'Wilt u met me meekomen?' Ze bracht hen naar de VIP-terminal. Alle andere Belangrijke Bezoekers waren uit het lage gebouw verwijderd. Scott Adler zat op een van de banken wat papieren door te nemen.
'Meneer de minister?'
Adler keek op. 'Laat me eens raden. U bent Clark en u bent Chavez.'

'U zou zelf nog bij de inlichtingendienst terecht kunnen.' John lachte. Ze schudden elkaar de hand.
'Goedemorgen, meneer,' zei Chavez.
'Foley zegt dat mijn leven bij jullie in goede handen is,' zei de minister van Buitenlandse Zaken, terwijl hij zijn briefingmap sloot.
'Hij overdrijft.' Clark ging verderop een broodje halen. Waren het zenuwen, vroeg John zich af. Ed en Mary Pat hadden gelijk. Dit moest een routine-operatie zijn, erin en weer weg. Hallo, hoe gaat het met je, krijg de klere, tot ziens. En hij was in 1979 en 1980 in plaatsen geweest waar de spanning groter was dan in Teheran; niet veel, maar toch een paar. Hij keek afkeurend naar het broodje. Iets had het oude gevoel teruggebracht, dat tintelende gevoel op zijn huid, alsof er iets op de haartjes daar blies; het was het gevoel dat hem vertelde zich om te draaien en alles verdomd goed te bekijken.
'Hij heeft me ook verteld dat jullie in het rapportageteam zitten en dat ik naar jullie moet luisteren,' ging Adler verder. Hij leek althans ontspannen, zag Clark.
'De Foleys en ik gaan terug,' legde John uit.
'Bent u daar eerder geweest?'
'Ja, meneer de minister.' Clark gaf vervolgens een uitleg van twee minuten, waarna de minister bedachtzaam knikte.
'Ik ook. Ik was een van de mensen die de Canadezen heimelijk wegvoerden. Ik was net een week tevoren komen kijken. Ik was nog op zoek naar een appartement toen ze de ambassade in bezit namen. Alle leuke actie gemist,' zei de minister. 'Godzijdank.'
'Dus u kent het land een beetje?'
Adler schudde zijn hoofd. 'Niet echt. Een paar woorden van de taal. Ik was daar om meer van het land te leren, maar het lukte niet erg en ik vertrok naar een ander gebied. Maar ik wil wel wat meer over uw ervaringen horen.'
'Ik zal doen wat ik kan, meneer,' vertelde John hem. Op dat moment kwam een jonge kapitein ze vertellen dat de vlucht gereedstond. Een sergeant pakte Adlers spullen.
De CIA-beambten pakten hun eigen tassen op. Naast twee stel schone kleren hadden ze hun wapens bij zich – John gaf de voorkeur aan zijn Smith & Wesson, Ding had graag de Beretta .40 – en compactcamera's. Je wist nooit wanneer je iets interessants zou zien.

Bob Holtzman had veel om over na te denken, terwijl hij alleen in zijn kantoor zat. Het was een klassieke werkplek voor een journalist. De ruimte had glazen wanden, waardoor hij weinig last had van geluiden maar toch naar de stadsredactie en de journalisten daar kon kijken. Alles wat hij echt nodig had was een sigaret, maar je mocht helaas niet meer roken in het gebouw van de *Post*.
Iemand was bij Tom Donner en John Plumber geweest. Dat moest Kealty zijn. Holtzmans ideeën over Kealty waren precies het spiegelbeeld van zijn gevoelens ten opzichte van Ryan. Kealty's politieke ideeën, dacht hij, waren best

goed; ze waren vooruitstrevend en zinnig. Alleen was de man zelf zo waardeloos. In een ander tijdperk zou er geen aandacht aan zijn chronische versiergedrag besteed zijn; in feite had Kealty's politieke carrière zowel de oude als de nieuwe tijd overspannen. Washington zat vol vrouwen die op de macht afkwamen als vliegen op stroop – of op iets anders – en zij werden gebruikt. Na een tijdje vertrokken ze weer, een aantal droevige ervaringen wijzer; in het tijdperk van abortus-op-verzoek behoorden verstrekkender gevolgen tot het verleden. Politici waren van nature zo charmant dat de meeste liefjes zelfs lachend verdwenen, zonder zich goed te realiseren hoezeer ze gebruikt waren. Toch voelden sommigen zich gekwetst, en Kealty had er een paar gekwetst. Eén vrouw had zelfs zelfmoord gepleegd. Bobs vrouw, Libby Holtzman, had daar een verhaal over gemaakt, maar het was niet opgepikt in alle rumoer rond het korte conflict met Japan. Ondertussen hadden de media schijnbaar collectief besloten dat het verhaal oude koek was, waarna Kealty in ieders geheugen gerehabiliteerd was. Zelfs feministische groeperingen hadden zijn persoonlijke gedrag kritisch bekeken, het met zijn politieke visies vergeleken en geconcludeerd dat de balans naar de ene kant doorsloeg en niet naar de andere. Het stuitte Holtzman allemaal nogal tegen de borst, al trok hij het zich niet echt aan. Maar mensen moesten toch ten minste een paar principes hebben?
Maar dit was Washington.
Kealty was beslist bij Donner en Plumber geweest, en hij moest daar geweest zijn tussen het op band vastgelegde ochtendinterview en de live-avonduitzending. En dat betekende...
'O, verdomme,' zei Holtzman zuchtend, toen hem opeens een licht opging.
Dat was me nog eens een verhaal! Beter nog, het was een verhaal dat zijn hoofdredacteur zeker prima zou bevallen. Donner had live tijdens de uitzending op tv gezegd dat de ochtendopname beschadigd was. Dat moest absoluut een leugen zijn. Een journalist die het publiek rechtstreeks voorloog. Er waren niet zoveel regels in de journalistiek, en de meeste ervan waren nogal rekbaar, maar deze niet. De gedrukte media en de tv konden niet zo goed met elkaar overweg. Ze streden om hetzelfde publiek en de minste van de twee was aan de winnende hand. De minste? vroeg Holtzman zich af. Natuurlijk. Televisie was vluchtig, dat was alles, en misschien was een beeld duizend woorden waard, maar niet als de beelden meer met het oog op vermaak dan op informatie werden geselecteerd. De tv was het meisje naar wie je keek. De gedrukte media waren de moeder van je kinderen.
Maar hoe viel dat te bewijzen?
Wat kon er heerlijker zijn? Hij kon die pauw, met zijn volmaakte pakken en haarspray, te gronde richten. Hij kon het hele televisienieuws te schande maken. Zou dat de oplage niet enorm opstuwen? Hij kon het allemaal brengen als een religieuze ceremonie op het altaar van de Journalistieke Integriteit. Het kapotmaken van carrières was een deel van zijn werk. Hij had nog nooit een medejournalist kapotgemaakt, maar hij smaakte nu al het genoegen deze vent uit het gilde te gooien.

Maar hoe zat het met Plumber? Holtzman kende en respecteerde hem. Plumber was in een andere tijd naar de tv gegaan, toen die bedrijfstak nog een respectabele plaats probeerde te veroveren en journalistieke vakmensen inhuurde op basis van hun reputatie in het vak in plaats van hun filmsterrenuiterlijk. Plumber moest het weten. En hij vond het waarschijnlijk niet prettig om te horen.

Het was voor Ryan onmogelijk de Colombiaanse ambassadeur niet te zien. Hij zag dat het een carrièrediplomaat uit de aristocratie was, die onberispelijk gekleed was voor een ontmoeting met het Amerikaanse staatshoofd. Zijn handdruk was krachtig en hartelijk. Nadat de gebruikelijke grapjes waren uitgewisseld voor de officiële fotograaf, was het tijd om ter zake te komen.
'Meneer de president,' begon hij op formele toon, 'mijn regering heeft mij opgedragen inlichtingen in te winnen over enkele merkwaardige aantijgingen in de nieuwsmedia in uw land.'
Jack knikte kalm. 'Wat wilt u weten?'
'Er zijn berichten dat de overheid van de Verenigde Staten enkele jaren geleden mijn land is binnengedrongen. We vinden dit een verontrustende melding, nog daargelaten dat het een schending van het internationale recht en verscheidene verdragen tussen onze twee democratieën was.'
'Ik begrijp uw gevoelens. Ik zou er in uw positie ook zo over denken. Ik kan u zeggen dat mijn regering een dergelijke actie onder geen enkele omstandigheid zal toestaan. Ik geef u mijn erewoord daarop, en ik vertrouw erop dat u dit zult overbrengen aan uw regering.' Ryan besloot koffie in te schenken voor de man. Hij had geleerd dat zulke kleine persoonlijke gebaren in een diplomatiek onderhoud van grote betekenis waren. De reden daarvoor begreep hij niet, maar als het werkte, dan deed hij het graag. Ook ditmaal werkte het en de aanvankelijke spanning verdween.
'Dank u,' zei de ambassadeur, zijn kopje optillend.
'Ik meen zelfs dat het Colombiaanse koffie is,' zei de president.
'Dat is helaas niet ons meest befaamde exportproduct,' gaf Pedro Ochoa toe.
'Dat neem ik u niet kwalijk,' zei Jack.
'O, nee?'
'Meneer de ambassadeur, ik ben me er ten volle van bewust dat uw land een hoge prijs heeft betaald voor Amerika's slechte gewoonten. Toen ik bij de CIA zat, heb ik allerlei informatie over de drugshandel en de effecten ervan in uw deel van de wereld onderzocht. Ik heb geen enkel aandeel gehad in het opzetten van een onbetamelijke activiteit in uw land, maar ik heb wél veel informatie bestudeerd. Ik ben ervan op de hoogte dat er politiemensen zijn gedood – mijn eigen vader was politieman, zoals u weet – evenals rechters en journalisten. Ik weet dat Colombia er langer en harder dan andere landen in uw regio aan heeft gewerkt om een werkelijk democratische regering tot stand te brengen. Ik zal u nog wat vertellen, meneer. Ik schaam me voor bepaalde zaken die in deze stad over uw land zijn gezegd. Het drugsprobleem begint niet in Colombia, Ecua-

dor of Peru. Het drugsprobleem begint hier, en u bent evenzeer een slachtoffer als wij, of zelfs meer. Het is Amerikaans geld dat uw geld vergiftigt. Het is niet zo dat u ons schade toebrengt. Wij brengen u schade toe.'

Ochoa had veel verwacht van deze ontmoeting, maar dit niet. Hij zette zijn kopje neer en zag vanuit zijn ooghoeken dat ze alleen in de kamer waren. De lijfwachten hadden zich teruggetrokken. Er was zelfs geen adjudant om aantekeningen te maken. Dit was merkwaardig. Daar kwam nog bij dat Ryan daarnet had toegegeven dat de geruchten waar waren, gedeeltelijk in elk geval.

'Meneer de president,' zei hij, in het Engels dat hij thuis had geleerd en op Princeton had bijgeschaafd, 'we hebben dergelijke woorden niet vaak uit uw land vernomen.'

'U hoort ze nu, meneer.' Twee ogenparen waren over de tafel heen strak op elkaar gericht. 'Ik zal geen kritiek op uw land uiten tenzij u het verdient, en op basis van wat ik weet, is zulke kritiek niet verdiend. Het verminderen van de drugshandel komt vooral neer op het aanpakken van de vraagzijde, en dat zal voor deze regering de prioriteit vormen. We zijn nu bezig met wetgeving om degenen te straffen die drugs gebruiken, niet alleen degenen die drugs verkopen. Als het Congres weer volledig in functie is, zal ik me sterk maken voor goedkeuring van die wetgeving. Ik wil ook een informele werkgroep instellen, bestaande uit leden van mijn en uw regering, om te overleggen hoe we u beter kunnen helpen bij uw deel van het probleem, maar altijd met alle respect voor uw soevereiniteit. Amerika is niet altijd een goede buur voor u geweest. Ik kan het verleden niet veranderen, maar ik kan wel proberen de toekomst te veranderen. Zegt u mij eens, zou uw president een uitnodiging aannemen om de kwestie persoonlijk te bespreken? Ik wil al die waanzin goedmaken...'

'Ik acht het waarschijnlijk dat hij een dergelijke uitnodiging zou aanvaarden, andere verplichtingen in aanmerking genomen, uiteraard.' Dat betekende: dat zal hij verdomd zeker!

'Natuurlijk, meneer, ik leer momenteel zelf hoe veeleisend een dergelijke baan kan zijn. Misschien kan hij mij wel advies geven,' voegde Jack er glimlachend aan toe.

'Minder dan u denkt.' Ambassadeur Ochoa vroeg zich af hoe hij deze ontmoeting aan zijn regering moest uitleggen. Het was duidelijk dat er een basis voor een overeenkomst op tafel lag. Ryan bood niets anders aan dan wat in Zuid-Amerika slechts als uitvoerige excuses konden worden beschouwd voor iets dat nooit toegegeven zou worden en waarvan de volledige bekendmaking schadelijk zou zijn voor alle betrokkenen. En toch leek dit niet om politieke redenen te gebeuren...

Of wel?

'Wat de voorgestelde wetgeving betreft, meneer de president, wat wilt u proberen te bereiken?'

'Daar studeren we nu op. Ik geloof dat de mensen meestal drugs gebruiken omdat het lekker is; ze willen ontsnappen aan de realiteit, of hoe u het ook noemen wilt. Het komt neer op een bepaalde vorm van persoonlijk vermaak.

Volgens onderzoeksgegevens zou ten minste de helft van de drugs die in het land verkocht worden, naar recreatieve gebruikers gaan, en niet naar echte verslaafden. Ik denk dat we het genotsaspect van de drugs moeten afhalen, en daarmee bedoel ik dat er bij bezit of gebruik een bepaalde straf wordt opgelegd. We hebben uiteraard niet voldoende cellen voor alle drugsgebruikers in Amerika, maar we beschikken wel over veel straten die geveegd moeten worden. Als recreatieve gebruikers bij de eerste overtreding dertig dagen straten moeten vegen en vuilnis moeten verzamelen in een achterstandswijk, uiteraard in herkenbare kleding, dan zal dat veel van het plezier wegnemen. U bent toch katholiek?'
'Ja, evenals u.'
Ryan grijnsde. 'Dan weet u alles van berouw af. Dat hebben we toch op school geleerd, nietwaar? Het is een begin, meer niet. De technische kant moet nog bekeken worden. Justitie houdt zich ook bezig met grondwettelijke aspecten, maar die lijken minder problematisch dan ik verwachtte. Ik wil dat de wet er aan het eind van het jaar is. Ik heb drie kinderen, en het drugsprobleem hier baart mij ook persoonlijk grote zorgen. Dit is niet het definitieve antwoord op het probleem. De werkelijk verslaafden hebben professionele hulp nodig. We kijken nu naar een aantal programma's op plaatselijk en staatsniveau die werkelijk effect hebben, maar als we een eind kunnen maken aan het recreatieve gebruik, dan hebben we de helft van de handel uitgeschakeld, en als we op de helft kunnen beginnen, lijkt me dat al heel mooi.'
'We zullen deze ontwikkeling met grote belangstelling volgen,' beloofde ambassadeur Ochoa. Als de drugshandelaars de helft van hun inkomen zouden kwijtraken, zouden ze minder snel bescherming kunnen kopen en dat zou zijn regering helpen bij haar oprechte pogingen maatregelen te nemen; de financiële macht van de drugshandel was immers een politiek gezwel in het lichaam van zijn land.
'Ik betreur de omstandigheden die de aanleiding tot onze ontmoeting waren, maar ik ben blij dat we de gelegenheid gehad hebben de kwestie te bespreken. Dank u, meneer de ambassadeur, voor uw openhartigheid. Ik wil u laten weten dat ik altijd opensta voor een uitwisseling van gezichtspunten. Ik wil u en uw regering vooral laten weten dat ik groot respect voor de wet koester, en dat respect eindigt niet bij onze landsgrenzen. Wat er in het verleden ook gebeurd mag zijn, mijn voorstel is opnieuw te beginnen, en ik zal mijn woorden met daden kracht bijzetten.'
Beiden stonden op. Ryan schudde hem wederom de hand en leidde hem naar buiten. Ze poseerden enkele minuten aan de rand van de rozentuin voor enkele tv-camera's. De persdienst van het Witte Huis zou een verklaring uitgeven over een vriendschappelijke ontmoeting tussen de twee mannen. De foto's zouden op het nieuws getoond worden om te laten zien dat het wellicht geen leugen was.
'Het belooft een goede lente te worden,' zei Ochoa, duidend op de heldere lucht en de warme wind.

'Maar de zomer kan hier heel onaangenaam zijn. Hoe is dat in Bogotá?'
'Bogotá ligt hoog. Het is er nooit verschrikkelijk heet, maar de zon kan een kwelling zijn. Dit is een mooie tuin. Mijn vrouw is dol op bloemen. Ze wordt nog beroemd,' zei de ambassadeur. 'Ze heeft een nieuw type roos gekweekt. Door geel en roze te kruisen heeft ze een vrijwel goudkleurige roos weten te telen.'
'Hoe noemt ze die?' Ryan wist niets meer van rozen af dan dat je voorzichtig moest zijn met de takken of stelen, of hoe je dat doornige deel ook noemde. Maar de camera's liepen.
'Vertaald zou die roos "Ochtendgloren" heten. Alle goede namen voor rozen schijnen al in gebruik te zijn,' zei Ochoa met een vriendelijk lachje.
'Misschien kunnen we er enkele voor de tuin hier krijgen?'
'Maria zou zeer vereerd zijn, meneer de president.'
'Dan hebben we meer dan één overeenkomst gesloten, señor.' Weer schudden ze elkaar de hand.
Ochoa kende het spel ook. Voor de camera's plooide hij zijn Latijnse gezicht in de vriendelijkste diplomatieke glimlach, maar zijn handdruk was ook oprecht warm. '"Ochtendgloren", voor een waarachtig nieuwe dag tussen ons, meneer de president!'
'U heeft mijn woord.' Ze gingen elk huns weegs. Ryan liep de westvleugel weer in. Arnie stond achter de deur te wachten. Het was algemeen bekend maar het werd slechts zelden erkend dat het Oval Office rijkelijk voorzien was van afluisterapparatuur. Het leek wel een opnamestudio.
'Je leert het, je leert het echt,' merkte de stafchef op.
'Dit was makkelijk, Arnie. We hebben die mensen veel te lang belazerd. Ik hoefde alleen maar de waarheid te vertellen. Ik wil dat die wetgeving snel ingevoerd wordt. Wanneer is het ontwerp klaar?'
'Over een paar weken. Het zal heel wat stof doen opwaaien,' waarschuwde Van Damm.
'Kan me niet schelen,' antwoordde de president. 'Wat dacht je ervan eens iets te proberen dat wellicht echt werkt in plaats van voor de show geld uit te geven? We hebben geprobeerd vliegtuigen neer te schieten. We hebben geprobeerd ze te vermoorden. We hebben het met blokkades geprobeerd. We hebben geprobeerd de dealers op te sporen. We hebben alle andere mogelijkheden uitentreuren geprobeerd, maar ze werken niet omdat er te veel geld in omgaat om ermee op te houden. Wat dacht je ervan om voor de verandering de bron van het probleem aan te pakken? Daar begint het probleem en daar komt het geld vandaan.'
'Ik zeg alleen maar dat het moeilijk wordt.'
'Dat geldt toch voor alle nuttige dingen?' vroeg Ryan, naar zijn kantoor teruglopend. In plaats van rechtstreeks de deur op de gang te nemen, liep hij door de secretaressekamer. 'Ellen?' zei hij, naar het Oval Office gebarend.
'Bederf ik u?' vroeg mevrouw Sumter, haar sigaretten pakkend, tot besmuikt plezier van de andere dames in de kamer.

'Cathy vindt misschien van wel, maar we hoeven het haar toch niet te vertellen?' In het heiligdom van zijn kantoor stak de president van de Verenigde Staten een slanke damessigaret op. Zo vierde hij met de ene verslaving een aanval op een andere, en ook nog, trouwens, dat hij mogelijk een diplomatieke aardbeving had voorkomen.

De laatste reiziger verliet Amerika merkwaardig genoeg vanaf de internationale luchthaven Minneapolis-St. Paul, met vluchten van Northwest en KLM. Badrayn moest nog een paar uur lang peentjes zweten. Vanwege de veiligheid had geen van hen zelfs maar een telefoonnummer om successen of mislukkingen te melden of om aan iemand die hen gearresteerd had door te geven. In plaats daarvan had Badrayn mensen met vluchtschema's op alle aankomstluchthavens geposteerd. Als de reizigers uit Europa arriveerden en herkend werden, pas dan zouden er uit een openbare telefooncel een aantal gesprekken worden gehouden met al betaalde en anonieme telefoonkaarten.
Met de succesvolle terugkeer van de reizigers in Teheran zou de volgende operatie beginnen. Gezeten in zijn kantoor kon Badrayn niet meer doen dan zich zorgen maken, voortdurend naar de klok kijkend. Hij was via zijn computer met het Internet verbonden en had alle nieuws-sites doorgekeken, zonder enig resultaat... maar niets zou zeker zijn tot alle reizigers teruggekeerd waren en individueel verslag hadden gedaan. En zelfs dan was het niet echt zeker. Het zou drie of vier, en misschien wel vijf dagen duren voordat de e-maillijnen naar de CDC zouden vollopen met paniekmeldingen. Dan zou hij het weten.

39
Confrontatie

De vlucht over de grote plas verliep aangenaam. De VC-20B was eerder een klein passagiersvliegtuig dan een zakenjet en de luchtmachtbemanning, die in de ogen van Clark misschien net oud genoeg was om rijles te nemen, zorgde voor een probleemloze vlucht. Toen het donker werd, begon het toestel de daling en het landde uiteindelijk op een militair vliegveld ten westen van Parijs.
Er was geen echte aankomstceremonie, maar Adler was een functionaris met een ministeriële rang en daarom moest hij verwelkomd worden, ook al was het een geheime missie. In dit geval liep een hoge ambtenaar naar het toestel toe zodra de motoren werden uitgeschakeld. Adler herkende hem al terwijl de vliegtuigtrap nog neerdaalde.

'Claude!'
'Scott. Gefeliciteerd met je promotie, *mon cher*!' Uit respect voor de Amerikaanse zeden werd er niet gekust.
Clark en Chavez speurden de omgeving af op gevaar, maar ze zagen alleen Franse militairen of politie, dat konden ze op deze afstand niet onderscheiden. Ze stonden in een cirkel en droegen hun wapens duidelijk zichtbaar. Europeanen lieten graag machinegeweren zien, zelfs op straat in de stad. Het had waarschijnlijk een heilzaam effect op berovingen, dacht John, maar het leek wat overdreven. Hij verwachtte in elk geval geen speciale gevaren in Frankrijk, en die leken er inderdaad niet te zijn. Adler en zijn vriend stapten in een officiële wagen, Clark en Chavez namen de volgwagen. De crew zou de verplichte rust in acht gaan nemen, wat luchtmachtjargon was voor een borrel drinken met de Franse collega's.
'We gaan even naar de lounge tot het vliegtuig gereed is,' verklaarde een Franse luchtmachtkolonel. 'Misschien wilt u zich even opfrissen?'
'*Merci, mon commandant*,' antwoordde Ding. Ja, dacht hij, de Fransen weten hoe ze je een veilig gevoel moeten geven.
'Ik wil u ervoor bedanken dat u dit hebt helpen regelen,' zei Adler tegen zijn vriend. Ze waren beiden inlichtingenofficier geweest, eerst in Moskou en later nog eens in Pretoria. Ze waren allebei gespecialiseerd in gevoelige opdrachten.
'Het is niets, Scott.' Dat was niet waar, maar diplomaten spreken altijd als diplomaten, zelfs als er geen noodzaak toe is. Claude had hem ooit eens op een typisch Franse manier geholpen bij een scheiding, waarbij hij voortdurend gesproken had alsof het om verdragsbesprekingen ging. Het was bijna een grap tussen de twee. 'Onze ambassadeur meldt dat hij ontvankelijk is voor de juiste wijze van benaderen.'
'En wat zou dat zijn?' vroeg de minister van Buitenlandse Zaken zijn collega. Ze stapten uit bij wat de officiersmess van de basis leek en bevonden zich even later in een besloten eetzaaltje met een karaf goede beaujolais op tafel. 'Wat denk jij hiervan, Claude? Wat wil Daryaei?'
Het schouderophalen behoorde evenzeer tot de Franse aard als de wijn die Claude schonk. Ze toostten. De wijn was geweldig, zelfs naar de normen van de Franse diplomatieke dienst. Nu was het tijd voor zaken.
'We zijn er niet zeker van. We verbazen ons over de dood van de president van Turkmenistan.'
'En je verbaast je niet over de dood van...'
'Ik geloof niet dat iemand daarover twijfelt, Scott, maar dat is een zaak van lange adem, niet?'
'Ik denk het niet.' Nog een slokje. 'Claude, je bent nog altijd de grootste wijnkenner die ik ken. Waar denkt hij aan?'
'Waarschijnlijk aan tal van dingen. Zijn binnenlandse problemen... jullie Amerikanen weten hem niet op waarde te schatten. Zijn volk is onrustig, zij het nu iets minder omdat hij Irak heeft veroverd, maar het probleem is nog steeds aanwezig. We denken dat hij moet consolideren voordat hij iets anders doet.

We denken ook dat het proces mogelijk niet zal slagen. We zijn vol goede hoop, Scott. We zijn vol goede hoop dat de scherpe kanten van het regime in de loop der tijd zullen afslijten, misschien in niet eens zo lange tijd. Zelfs in dat deel van de wereld is de achtste eeuw voorbij.'
Adler nam even de tijd om dit te overdenken en knikte toen bedachtzaam. 'Ik hoop dat je gelijk hebt. Die man heeft me altijd angst ingeboezemd.'
'Alle mensen zijn sterfelijk. Hij is tweeënzeventig en hij werkt hard. We moeten hem in elk geval in de gaten houden. Als hij zich verplaatst, dan verplaatsen wij ons ook, en wel gezamenlijk, zoals we in het verleden gedaan hebben. De Saoedi's hebben ook met ons over deze kwestie gesproken. Ze zijn bezorgd, zij het niet overmatig. Wij denken er hetzelfde over. We raden je aan onbevooroordeeld te blijven.'
Claude kon wel eens gelijk hebben, dacht Adler. Daryaei was inderdaad oud en het vestigen van de heerschappij over een pas veroverd land was geen sinecure. Daar kwam bij dat je een vijandige staat het eenvoudigst op de knieën kon krijgen door aardig voor die smeerlappen te zijn, als je er tenminste het geduld voor had. Wat handel, een paar journalisten, CNN en een paar seksfilms konden wonderen doen. Als je het geduld had. Als je de tijd had. Er zaten heel wat Iraanse jongeren op Amerikaanse universiteiten. Dat kon een heel effectief middel voor Amerika zijn om veranderingen in de VIR te forceren. Het probleem was dat Daryaei dat ook moest weten. Daar zat hij dan, Scott Adler, de minister van Buitenlandse Zaken; hij bevond zich op een post waarvan hij nooit verwacht had er in de buurt te komen, laat staan die te krijgen, en nu werd hij verondersteld te weten wat er moest gebeuren. Maar hij had genoeg over diplomatie gelezen om beter te weten.
'Ik zal luisteren naar wat hij te zeggen heeft. We zijn er niet op uit nieuwe vijanden te maken, Claude. Ik denk dat jij dat wel weet.'
'*D'accord.*' Hij vulde Adlers glas bij. 'Dit zul je helaas niet aantreffen in Teheran.'
'Twee is voor mij de grens als ik werk.'
'Je hebt een uitstekende bemanning op je vlucht,' verzekerde Claude hem. 'Ze vliegen onze eigen ministers.'
'Wat ben je toch altijd gastvrij.'

Clark en Chavez beperkten zich tot Perrier. Die was hier waarschijnlijk goedkoper, dachten ze, maar dat gold weer niet voor de citroenen.
'Hoe staan de zaken in Washington?' vroeg een Franse collega, ogenschijnlijk gewoon om de tijd te doden.
'Nogal vreemd. Het is verbazend hoe rustig het land is. Misschien helpt het als een groot deel van de overheid niet meer functioneert,' zei John, in een poging de boot af te houden.
'En die geruchten over de president en zijn avonturen?'
'Dat lijkt me meer iets voor een film,' zei Ding met een zo eerlijk mogelijk gezicht.

'Een Russische onderzeeër stelen? Helemaal alleen? Jeminee.' Clark grijnsde. 'Ik vraag me af wie zoiets verzonnen heeft.'
'Maar dat hoofd van de Russische spionage dan,' wierp de gastheer tegen. 'Die is echt, en hij is op televisie geweest.'
'Ja, klopt, die hebben we ook een zak geld betaald om dat te zeggen.'
'Hij wil waarschijnlijk een boek schrijven en nog meer verdienen,' zei Chavez lachend. 'En die kloot krijgt het ook nog. Hé, *mon ami*, wij zijn alleen de werkbijen, begrijp je?'
Het maakte niet veel indruk. Clark keek in de ogen van hun ondervrager, en heel even was er die wederzijdse blik. De man was van de SDECE, de Franse inlichtingendienst, en wist heel goed wanneer hij met de CIA te maken had.
'Wees dan voorzichtig met de nectar die je op de plaats van bestemming vindt, jonge vriend. Die is misschien wel te zoet.' Het was net het begin van een spelletje kaart. Hij was nu de stok aan het schudden. Waarschijnlijk ging het slechts om één spelletje op vriendschappelijke basis, maar het moest gespeeld worden.
'Wat bedoel je?'
'De man die jullie gaan ontmoeten, hij is gevaarlijk. Hij lijkt eruit te zien als iemand die ziet wat wij niet zien.'
'Heb je in het land gewerkt?' vroeg John.
'Ik heb door het land gereisd, ja.'
'En?' vroeg Chavez.
'En ik heb ze nooit begrepen.'
'Ja,' zei Clark instemmend. 'Ik weet wat je bedoelt.'
'Een interessante man, jullie president,' zei de Fransman weer. Het was pure nieuwsgierigheid, best ontwapenend om dat in de ogen van iemand van inlichtingen te zien.
John keek hem strak in die ogen en besloot de man voor zijn waarschuwing te bedanken, van professional tot professional. 'Ja, dat is het zeker. Hij is een van de onzen,' verzekerde Clark hem.
'En al die vermakelijke verhalen?'
'Dat kan ik niet zeggen.' Hij zei het met een glimlach. Natuurlijk zijn ze waar. Denk je dat verslaggevers zo scherpzinnig zijn dat ze zulke dingen verzinnen?
Beiden dachten hetzelfde en beiden wisten het, maar ze konden het niet hardop zeggen: jammer dat we niet een avondje samen kunnen doorbrengen om wat te eten en wat verhalen te vertellen. Dat ging nu eenmaal niet.
'Op de terugreis zal ik je een drankje aanbieden.'
'Op de terugweg zal ik het aannemen.'
Ding keek toe en luisterde slechts. Die ouwe ploert kon het nog steeds en je kon nog steeds leren van de manier waarop hij te werk ging. 'Prettig om een vriend te hebben,' zei hij vijf minuten later, op weg naar het Franse toestel.
'Beter nog dan een vriend, een professional. Luister goed naar mensen zoals hij, Domingo.'

Niemand had ooit gezegd dat regeren gemakkelijk was, zelfs voor degenen die bij vrijwel alles het woord van God aanriepen. De grootste bezoeking vormden zelfs voor Daryaei, die Iran bijna twintig jaar in diverse hoedanigheden bestuurd had, alle tijdrovende administratieve beslommeringen die op zijn bureau terechtkwamen. Hij had nooit begrepen dat hij daar vrijwel helemaal zelf aan schuldig was. Zijn regering was volgens zijn eigen inschatting rechtvaardig, maar anderen dachten daar anders over. Op de meeste overtredingen van de regels stond voor de onverlaat de doodstraf, en zelfs kleine administratieve vergissingen van ambtenaren konden het eind van hun carrière betekenen; de mate van genade hing uiteraard af van de grootte van de fout. Een ambtenaar die tegen alles 'nee' zei, en daarbij aangaf dat de wet over een kwestie duidelijk was, of dat nu waar was of niet, kwam zelden in de problemen. Iemand die de omvang van de overheidsmacht tot zelfs de allerkleinste dagelijkse dingetjes uitbreidde, droeg alleen maar bij aan Daryaei's macht. Zulke beslissingen werden gemakkelijk genomen en stelden de bewuste scheidsman voor weinig problemen.

Maar zo eenvoudig was het echte leven niet. Praktische vragen, bijvoorbeeld over de wijze waarop het land handel voerde, de verkoop van meloenen, of het claxonneren van auto's bij een moskee, vereisten een zekere mate van eigen beoordeling omdat de heilige koran niet elke situatie voorzien had, en dat gold ook voor het burgerlijk recht dat niet op dat boek gebaseerd was.

Het was een enorme onderneming om alles te liberaliseren, omdat de liberalisering van een wet als een theologische misstap gezien kon worden; dit was een land waar afvalligheid een halsmisdaad was. En daarom hadden de laagste ambtenaren, als ze op een verzoek 'ja' moesten zeggen, de neiging om te blijven aarzelen en de zaak naar boven af te schuiven, wat een hogere functionaris de kans gaf om 'nee' te zeggen. Dat was voor hen gemakkelijker omdat ze dat hun hele carrière gedaan hadden, maar met een iets grotere autoriteit en verantwoordelijkheid. Wél was het zo dat ze veel meer te verliezen hadden als een nog hogere functionaris het niet eens was met de zeldzame, foutieve positieve beslissing. Dit alles betekende dat zulke verzoeken steeds hoger in de piramide kwamen. Tussen Daryaei en de ambtenarij stond een raad van religieuze leiders (hij was er onder Khomeini lid van geweest), en een zogeheten parlement en ervaren functionarissen, maar tot de teleurstelling van de nieuwe religieuze leider van de VIR bleef het principe gehandhaafd en moest hij zich bezighouden met gewichtige kwesties als de openingsuren van markten, de benzineprijs en het lesprogramma voor meisjes op de lagere school. Vanwege de chagrijnige gezichtsuitdrukking die hij voor zulke triviale vraagstukken had aangenomen, spreidden zijn ondergeschikten een nog onderdaniger houding tentoon als ze de voors en tegens voorlegden. Daardoor kreeg de zaak een bijna absurd ernstig karakter, terwijl zij steun zochten voor hun strikte (als ze tegen de verandering waren die op tafel lag) of praktische houding (als ze die steunden). Het winnen van Daryaei's gunsten was het grootste politieke spel in de stad, waardoor hij als een insect in barnsteen gevangen kwam te zitten in allerlei marginale kwesties, terwijl hij juist al zijn tijd nodig had voor de grote vraag-

stukken. Het verbazende was dat hij nooit begreep waarom mensen niet enig initiatief konden nemen, terwijl hij toch geregeld mensen in het verderf stortte als ze wél eens initiatief namen.
En zo landde hij deze avond in Bagdad om met plaatselijke religieuze leiders te overleggen. De kwestie was welke van de bouwvallige moskeeën het eerst hersteld zou worden. Het was bekend dat Mahmoud Haji een favoriete moskee voor zijn eigen gebeden had, aan een andere de voorkeur gaf om de bouwkundige schoonheid en aan weer een andere om de grote historische betekenis, terwijl bij de stedelingen weer een andere het meest geliefd was. Zou het politiek gezien geen beter idee zijn om eerst die laatste weer op te knappen, mede om de politieke stabiliteit van de regio te verzekeren? Het volgende probleem betrof het recht van vrouwen om auto te rijden (het vorige Iraakse regime was daar veel te liberaal in geweest!), wat verwerpelijk was, maar was het niet moeilijk om een verkregen recht weer af te nemen? En hoe zat het met vrouwen die geen man hadden die voor hen kon rijden, zoals weduwen, en die ook geen geld hadden om er een te huren? Moest de overheid met hun behoeften rekening houden? Sommige vrouwen, zoals artsen en onderwijzers, waren belangrijk voor de plaatselijke samenleving. Aan de andere kant moesten de wetten na de vereniging van Iran en Irak hetzelfde zijn, zodat de vraag was of Iraanse vrouwen het recht moesten krijgen of dat het aan de Iraakse ontzegd moest worden. Voor deze en enkele andere gewichtige kwesties moest hij een avondvlucht naar Bagdad nemen.
Gezeten in zijn privé-toestel bekeek Daryaei de agenda voor de vergadering. Hij had willen gillen, maar daar was hij toch te flegmatiek voor, zo hield hij zichzelf tenminste voor. Hij moest zich tenslotte op iets belangrijks voorbereiden. 's Ochtends zou hij de joods-Amerikaanse minister ontmoeten. Zijn gelaatsuitdrukking bij het doorbladeren van de papieren boezemde zelfs de crew angst in, maar Mahmoud Haji merkte dat niet op, en als hij het wel gemerkt zou hebben, zou hij het niet begrepen hebben.
Waarom konden mensen niet een beetje initiatief nemen!

Het straalvliegtuig was een circa negen jaar oude Dassault Falcon 900B, die qua type en functie veel weg had van de tweemotorige jet USAF VC-20B. De bemanning bestond uit twee Franse luchtmachtofficieren, die beiden nogal hoog in rang waren voor deze 'charter'. Er waren ook twee zeer charmante stewardessen. Ten minste een van hen was een SDECE-agent, meende Clark. Misschien wel allebei. Hij mocht de Fransen, vooral hun inlichtingendiensten. Hoeveel problemen Frankrijk als bondgenoot af en toe ook bezorgde, als de Fransen zaken deden in die duistere wereld, dan deden ze dat beslist even goed als anderen, en waarschijnlijk zelfs beter. Gelukkig zijn vliegtuigen lawaaiig en zijn ze moeilijk af te luisteren. Misschien was dat de reden dat een van de stewardessen elk kwartier kwam vragen of ze iets nodig hadden.
'Moeten we iets speciaals weten?' vroeg John, toen ze het laatste aanbod glimlachend hadden afgewezen.

'Niet echt,' antwoordde Adler. 'We willen die man een beetje leren kennen, weten wat hij van plan is. Mijn vriend Claude in Paris zegt dat de zaken niet zo ernstig zijn als ze lijken, en zijn redenering lijkt hout te snijden. Ik wil eigenlijk de gebruikelijke boodschap overbrengen.'
'Gedraag je,' zei Chavez glimlachend.
De minister van Buitenlandse Zaken lachte. 'Iets diplomatieker gezegd, maar zo is het inderdaad. Wat is uw achtergrond, meneer Chavez?'
Dat vond Clark een goeie: 'U wilt vast niet weten waar we hem vandaan hebben.'
'Ik heb net mijn eindscriptie voltooid,' zei de jonge agent trots. 'Ik studeer officieel in juni af.'
'Waar?'
'George Mason-universiteit. Professor Alpher.'
Adlers belangstelling was gewekt. 'O ja? Ze heeft nog voor me gewerkt. Waar gaat uw scriptie over?'
'De titel is: *Een studie in conventionele wijsheid. Foutieve diplomatieke manoeuvres in Europa rond de eeuwwisseling.*'
'De Duitsers en de Britten?'
Ding knikte. 'Hoofdzakelijk, vooral de wedloop op zee.'
'Uw conclusie?'
'Men zag het verschil niet tussen het tactische en het strategische doel. Degenen die over de toekomst moesten denken, dachten over het heden. Omdat ze politiek met staatsmanschap verwarden kwamen ze in een oorlog terecht die de gehele Europese orde omverwierp. Daarvoor stelden ze niets meer dan littekenweefsel in de plaats.' Het was opmerkelijk, dacht Clark, naar de korte uiteenzetting luisterend, dat de stem van Ding veranderde als hij over zijn 'schoolwerk' sprak.
'En u bent inlichtingenman?' vroeg de minister enigszins ongelovig.
Er verscheen weer een echt Latino-lachje. 'Dat was ik. Het spijt me als ik me niet genoeg als een rondsluipende gorilla gedraag, meneer.'
'En waarom heeft Ed Foley jullie twee als mijn begeleiders aangewezen?'
'Mijn schuld,' zei Clark. 'Ze willen dat we een wandelingetje gaan maken om de sfeer te proeven.'
'Uw schuld?' vroeg Scott.
'Ik heb ze ooit opgeleid,' legde John uit. Door deze opmerking veranderde de toon van het gesprek volledig.
'Jullie zijn de kerels die Koga hebben weggehaald! Jullie zijn de kerels die...'
'Ja, wij waren daarbij,' bevestigde Chavez. De minister wist waarschijnlijk alles al over die zaak. 'Dat was heel leuk.'
De minister van Buitenlandse zaken bedacht dat hij beledigd moest zijn dat hij twee mannen uit het veld bij zich had. De opmerking van de jongste dat hij een rondsluipende gorilla was, was niet ver bezijden de waarheid. Maar afgestudeerd aan George Mason...
'Jullie zijn ook de mannen die dat verslag hebben gestuurd dat Brett Hanson

voor schut zette, dat over Goto. Dat was een goed stukje werk, uitstekend zelfs.' Hij had zich al afgevraagd wat deze twee in het rapportageteam voor de situatie in de VIR te zoeken hadden. Nu wist hij het.
'Maar niemand luisterde,' legde Chavez uit. Het was misschien een beslissende factor in de oorlog met Japan geweest, en ze hadden in dat land zeker een buitengewoon hachelijke tijd beleefd. Maar hij was er beslist ook door gaan inzien dat er sinds 1905 in de diplomatie en het staatsmanschap niet veel veranderd was. Niemand schoot er veel mee op.
'Ik zal luisteren,' beloofde Adler. 'Laat me weten wat jullie wandelingetje oplevert, goed?'
'Zeker. Ik denk dat u het sowieso wel te horen krijgt,' merkte John met een opgetrokken wenkbrauw op.
Adler draaide zich om en wenkte een van de stewardessen, de mooie brunette die door Clark als agente geïdentificeerd was. Ze was verdomd charmant en knap, maar leek wat te onhandig in het keukentje om stewardess van beroep te zijn.
'Ja, *monsieur le ministre*?'
'Hoe lang nog voor we landen?'
'Vier uur.'
'Mooi, hebt u een spel kaarten en een fles wijn?'
'Natuurlijk.' Ze liep haastig weg om de spullen te halen.
'We mogen niet drinken tijdens de dienst, meneer,' zei Chavez.
'Jullie hebben geen dienst tot we landen,' zei Adler. 'En ik wil graag wat kaarten voordat ik naar een dergelijke bijeenkomst ga. Goed voor de zenuwen. Hebben de heren zin in een spelletje?'
'Nou, meneer, als u erop staat,' antwoordde John. Ze wisten nu allemaal wat ze moesten weten over de missie. 'Misschien een spelletje poker met vijf kaarten?'

Iedereen wist waar de lijn was. Er waren geen officiële communiqués uitgewisseld, tenminste niet tussen Peking en Taipei, maar toch wist en begreep iedereen het, omdat mensen in uniform meestal praktisch zijn en goed waarnemen. Toestellen van de volksrepubliek China kwamen nooit minder dan vijftien kilometer in de buurt van een bepaalde noord-zuidlijn en de toestellen van Taiwan, die dat constateerden, bleven op gelijke afstand van dezelfde onzichtbare lijn. Aan beide zijden van de lijn konden mensen doen wat ze wilden. Ze konden zich zo agressief voordoen als ze wilden en al het oorlogstuig dat ze ter beschikking hadden inbrengen, en dat alles werd zelfs zonder tactische radioboodschap voor lief genomen. Het was allemaal in het belang van de stabiliteit. Het was altijd gevaarlijk om met geladen geweren te spelen, zowel voor staten als voor kinderen, hoewel de laatsten makkelijker onder controle gehouden konden worden; de eerste waren daar te groot voor.
Amerika beschikte nu over vier onderzeeërs in de Straat van Formosa. Deze lagen op, of liever gezegd onder, de onzichtbare lijn. Dat was de veiligste

plek. Aan de noordzijde van de Straat bevonden zich nu drie schepen, de kruiser USS *Port Royal* en de torpedojagers *The Sullivans* en *Chandler*. Het waren SAM-schepen, uitgerust met in totaal 250 SM2-MR-raketten. Gewoonlijk hadden ze tot taak een vliegdekschip tegen aanvallen te beschermen, maar 'hun' schip was nu in Pearl Harbor om de motoren te laten vervangen. De *Port Royal* en de *The Sullivans*, die genoemd was naar een zeemansfamilie die op hetzelfde schip in 1942 omgekomen was, waren allebei Aegis-schepen met krachtige SPY-radar. Daarmee werden nu de activiteiten in de lucht gevolgd, terwijl de onderzeeërs de rest afhandelden. De *Chandler* had een speciaal ELINT-team aan boord dat de radiocontacten in de gaten hield. Net als een surveillerende agent hadden ze niet zozeer tot taak om zich met de oefeningen te bemoeien, als wel om vriendelijk doch beslist te laten weten dat De Wet in de buurt was. Zolang ze in de buurt waren, zou de zaak niet uit de hand lopen, althans dat was het idee. En als iemand bezwaar maakte tegen de aanwezigheid van Amerikaanse schepen, dan zouden de Verenigde Staten laten weten dat iedereen vrijelijk over de zee mocht varen. Ze waren toch niemand tot last? Dat ze in werkelijkheid deel uitmaakten van het plan van iemand anders was niet direct voor iedereen duidelijk. Wat er vervolgens gebeurde bracht bijna iedereen in verwarring.

In de lucht was de ochtendschemering al zichtbaar, maar aan het aardoppervlak nog niet. Een formatie van vier Chinese jachtvliegtuigen vloog van het vasteland naar het oosten, vijf minuten later gevolgd door nog vier toestellen. Deze werden door de Amerikaanse schepen aan de rand van de radarschermen zichtbaar. Zoals gewoonlijk werden er volgnummers toebedeeld en het computersysteem volgde de voortgang van de toestellen, tot tevredenheid van de officieren en de mannen in de CIC van de *Port Royal*. Tot ze niet bleken om te keren. Een luitenant pakte een telefoon op en drukte op een knop.

'Ja?' antwoordde een duffe stem.

'Kapitein, met Combat, we hebben een formatie van Chinezen, waarschijnlijk jachtvliegtuigen, die op het punt staan de lijn over te vliegen, positie twee-een-nul, hoogte vijftienduizend, koers nul-negen-nul, snelheid vijfhonderd. Er zit een formatie van nog vier toestellen een paar minuten achter.'

'Onderweg.' Nog slechts gedeeltelijk gekleed, arriveerde de kapitein twee minuten later in het centrum voor gevechtsinlichtingen, te laat om te zien dat de Chinese jagers de regels overtraden, maar op tijd om een onderofficier te horen melden: 'Nieuw spoor, vier of meer jagers in westelijke richting.'

Voor het gemak was de computer verteld om de jagers van het vasteland 'vijandelijke' symbolen toe te bedelen en de Taiwanese 'vriendschappelijke'. (Er waren van tijd tot tijd ook enkele Amerikaanse toestellen in de buurt, maar deze hielden zich alleen bezig met het verzamelen van elektronische informatie en waren niemand tot last.) Op dit moment waren er twee op elkaar af vliegende formaties van vier vliegtuigen elk, op ongeveer vijftig kilometer van elkaar. Ze naderden elkaar echter met een snelheid van ruim zestienhonderd kilometer per uur. Op het radarscherm waren ook zes lijntoestellen zichtbaar,

allemaal ten oosten van de lijn, die de overeengekomen 'oefen'-gebieden uiteraard meden.
'Raid Six wijzigt koers,' meldde een bemanningslid. Dit was de eerste formatie die zich van het vasteland verwijderde en onder het toekijkend oog van de kapitein draaide de snelheidsvector zuidwaarts, terwijl de formatie uit Taiwan de koers in hun richting verlegde.
'Ik zie lichtpunten,' zei het hoofd van de ESM-desk. 'De Taiwanezen richten zich op Raid Six. Hun radars lijken op "volgen" te zijn ingesteld.'
'Misschien zijn ze daarom omgedraaid,' meende de kapitein.
'Misschien zijn ze verdwaald?' vroeg de CIC-officier zich af.
'Nog steeds donker buiten. Misschien zijn ze gewoon te ver gegaan.' Ze wisten niet wat voor navigatieapparatuur de Chinese verkenningstoestellen hadden; het was nu eenmaal geen sinecure om 's nachts in je eentje boven zee te vliegen.
'Er worden nog meer luchtradars zichtbaar, oostelijke richting, waarschijnlijk Raid Seven,' zei het hoofd van de ESM. Dit was de tweede vlucht van het vasteland vandaan.
'Is er elektronische activiteit van Raid Six?' vroeg de CIC-officier.
'Nee, meneer.' Deze jachtvliegtuigen vervolgden hun bocht en vlogen nu naar het westen, terug naar de lijn, met de Taiwanese F-16's achter zich aan. En op dit punt veranderden de zaken.
'Raid Seven draait, koers nu nul-negen-zeven.'
'Daarmee zitten ze op die van de F-16's... en ze lichten op...' constateerde de luitenant. In zijn stem klonk voor het eerst enige bezorgdheid door. 'Raid Seven verlicht de F-16's, radars in volgmodus.'
De F-16's van Taiwan maakten nu ook een bocht. Ze hadden veel werk gekregen. De nieuwere jagers van Amerikaanse makelij en hun elitepiloten maakten slechts ongeveer een derde van hun vloot jagers uit. Ze hadden de taak om de trainingsvluchten van hun buren op het vasteland te volgen en erop te reageren. Toen ze Raid Six lieten gaan om terug te keren, raakten ze uiteraard meer geïnteresseerd in de tweede formatie, die nog steeds oostwaarts koerste. De naderingssnelheid was nog steeds zestienhonderd kilometer per uur en beide zijden hadden hun luchtdoelradar op elkaar gericht. Dat werd internationaal beschouwd als een onvriendelijke daad die vermeden moest worden, om de eenvoudige reden dat dit het equivalent in de lucht was van het richten van een geweer op iemands hoofd.
'O, o,' zei de onderofficier aan de ESM-desk. 'Kapitein, Raid Seven, ze hebben de radar in volgmodus gezet.' In plaats van alleen naar doelen te zoeken werden de radarsystemen in de lucht nu zo gebruikt dat ze raketten naar luchtdoelen konden leiden. Wat enkele seconden geleden nog onvriendelijk was, werd nu puur vijandig.
De F-16's splitsten zich in twee paren – elementen – en begonnen vrij te manoeuvreren. De oostwaarts vliegende jagers van de Volksrepubliek deden hetzelfde. De oorspronkelijke formatie van vier, Raid Six, was nu de lijn over

en vloog westwaarts, klaarblijkelijk in rechte koers naar de thuisbasis.
'O, ik denk dat ik weet wat er hier gebeurt, kapitein, kijk hoe...'
'Er verscheen een heel klein puntje op het scherm, van een van de Taiwanese F-16's vandaan...'
'O, verdomme,' zei een bemanningslid. 'We hebben een raket in de lucht...'
'Maak er maar twee van,' zei zijn chef.
Hoog in de lucht kozen twee AIM-120-raketten van Amerikaanse makelij nu een afzonderlijke koers naar afzonderlijke doelen.
'Ze dachten dat het een aanval was, Christus nog aan toe,' zei de kapitein, zich tot zijn verbindingsofficier wendend. 'Geef me direct CINCPAC!'
Het duurde niet lang. Een van de jachtvliegtuigen van het vasteland veranderde op het scherm in een bolletje. Het andere dook weg en wist de op hem gerichte raket op het laatste moment te ontwijken.
Daarna keerde hij terug. Het zuidelijke Chinese jagerelement maakte eveneens een manoeuvre en Raid Six maakte een scherpe draai naar het noorden, nu met de verlichtingsradar aan. Tien seconden later waren er zes nieuwe raketten in de lucht, op zoek naar het doel.
'We zijn getuige van een gevecht!' zei de wachtcommandant.
De kapitein pakte de telefoon op: 'Brug, met Combat, algemeen hoofdkwartier, algemeen hoofdkwartier!' Terwijl de alarmbel begon te rinkelen op de USS *Port Royal*, greep hij de TBS-microfoon om de kapiteins van zijn twee begeleidende schepen in te lichten, die zich op tien mijl ten westen en ten oosten van zijn kruiser bevonden.
'Ik heb hem,' meldde *The Sullivans*. Die torpedojager bevond zich aan de buitenzijde.
'Ik ook,' klonk nu de *Chandler*. Die bevond zich dichter bij het eiland, maar ontving het radarbeeld van de Aegis-schepen via een dataverbinding.
'Dat is een voltreffer!' Er was een andere Chinese jager geraakt, die in de richting van het nog donkere wateroppervlak dook. Vijf seconden later werd een F-16 neergehaald. Er arriveerden meer bemanningsleden in de CIC, die hun gevechtspositie innamen.
'Kapitein, Raid Six probeerde alleen te simuleren...'
'Ja, dat zie ik nu, maar we zien daar inmiddels wel een hoop schroot.'
Zoals te voorspellen was, sloeg er een raket op tilt. Ze waren zo klein, dat ze moeilijk door de Aegis-radar te volgen waren, maar een technicus vergrootte het vermogen aanzienlijk, waardoor er zes miljoen watt aan RF-energie in het 'oefen'-gebied werd verspreid. Het beeld werd duidelijker.
'O, verdomme!' zei iemand, op het grootste tactische scherm wijzend. 'Kapitein, kijk hier!'
Het was direct duidelijk. Iemand had iets verloren, waarschijnlijk een infraroodgeleide raket, en het meest voor de hand liggende doel was een Airbus 310 van Air China met twee enorme General Electric CF6-turbofans – in beginsel dezelfde motoren als van de drie Amerikaanse oorlogsschepen – die er voor zijn rode oog als de zon uitzagen.

'Albertson, waarschuw hem!' riep de kapitein.
'Air China Zes-Zes-Zes, hier oorlogsschip van de Amerikaanse marine, er komt een raket op u af uit het noordwesten, ik herhaal, wijzig koers onmiddellijk, er komt een raket op u af uit het noordwesten.'
'Wat, wat?' Maar het vliegtuig begon toch een linkse draai te maken en te dalen. Niet dat het er iets toe deed.
'Het is een groot vliegtuig,' zei de kapitein.
'Slechts twee motoren,' verklaarde de wapenofficier.
'Het is een treffer,' zei een radarman.
'Naar beneden, man, naar beneden. O, verdomme,' zei de kapitein zacht. Hij wilde zich afwenden. Op het scherm werd de bliep van de 310 driemaal zo groot en lichtte de SOS-code op.
'Hij geeft een Mayday-melding, meneer,' zei een radioman. 'Air China vlucht driemaal zes roept Mayday... motor- en vleugelschade... mogelijk brand aan boord.'
'Slechts vijftig mijl hiervandaan,' zei een sectiehoofd. 'Hij gaat voor een rechtstreekse nadering op Taipei.'
'Kapitein, alle posten bemand en gereed. Fase Een over het hele schip ingesteld,' vertelde de IC-man van de wacht aan de kapitein.
'Heel goed.' Zijn ogen waren strak gericht op het middelste scherm van de drie radarschermen. Het treffen tussen de jagers was even snel geëindigd als het begonnen was, zag hij. Drie jagers waren in zee gestort en een andere was mogelijk beschadigd. Beide zijden trokken zich nu terug om hun wonden te likken en uit te zoeken wat er toch gebeurd was. Aan Taiwanese zijde was een nieuwe formatie jagers bezig zich vlak voor de kust te formeren.
'Kapitein!' het was de ESM-desk. 'Het lijkt erop dat elke radar op elk schip net is opgelicht. Overal bronnen die ze nu classificeren.'
Maar dat deed er niet toe, wist de kapitein. Wat er nu toe deed was die Airbus die al dalend snelheid minderde, volgens zijn scherm.
'CINCPAC Operaties, kapitein,' zei de radiochef.
'Hier de *Port Royal*,' zei de kapitein, de telefoonontvanger voor de satellietverbinding oppakkend. 'We hadden hier net een klein luchtgevecht. Een uit koers geraakte raket lijkt een lijntoestel van Hongkong naar Taipei getroffen te hebben. Het toestel is nog steeds in de lucht, maar lijkt problemen te hebben. We hebben twee Chinese MIG's en een Taiwanese F-16 in het water, en misschien nog een beschadigde 16.'
'Wie is begonnen?' vroeg de wachtcommandant.
'We denken dat de Taiwanese piloten de eerste raket hebben afgevuurd. Het kan een blunder zijn geweest.'
Hij zette zijn uitleg nog even voort. 'Ik zal onze radarbeelden zo snel mogelijk oversturen.'
'Heel goed. Dank u, kapitein. Ik zal het aan de baas doorgeven. Houd ons op de hoogte.'
'Zal ik doen.' De kapitein verbrak de radarverbinding en wendde zich tot de

IC-man van de wacht. 'Maak een band van het gevecht om aan Pearl te versturen.'
'Oké, kapitein.'
Air China 666 vloog nog altijd in de richting van de kust, maar op de radar was te zien dat het toestel steeds van zijn directe koers naar Taipei afweek. Het ELINT-team op de *Chandler* luisterde nu de radioverbindingen af. In het Engels, de taal van de internationale luchtvaart, verzocht de gezagvoerder van het getroffen toestel snel en duidelijk om noodprocedures, terwijl hij en de tweede piloot probeerden het toestel in de lucht te houden. Zij waren de enigen die de werkelijke omvang van het probleem kenden. Alle anderen waren toeschouwers, die slechts konden bidden dat hij het nog een kwartier volhield.

Het incident werd razendsnel doorgegeven. Het centrum werd gevormd door het kantoor van admiraal David Seaton op de heuvel die op Pearl Harbor uitkeek. De eerste wachtcommandant Verbindingen belde de regionale opperbevelhebber, die hem direct meldde een CRITIC-spoedbericht naar Washington te sturen. Seaton gaf vervolgens opdracht alle zeven Amerikaanse oorlogsschepen in staat van paraatheid te brengen. Met name de onderzeeërs moesten de oren spitsen. Daarna ging er een bericht naar de Amerikanen die de oefening in diverse Taiwanese militaire commandoposten aan het 'observeren' waren. Het zou even duren voor dit overgebracht was. Er was nog altijd geen Amerikaanse ambassade in Taipei en daarom waren er geen attachés of CIA-mensen die zich naar het vliegveld konden haasten om te zien of het toestel veilig landde. Op dat moment konden ze alleen nog maar wachten tot de vragen uit Washington zouden komen. Hij had er in zijn positie nog niet echt een antwoord op.

'Ja?' zei Ryan, de telefoon opnemend.
'Doctor Goodley voor u, meneer.'
'Goed, geef hem maar.' Pauze. 'Ben, wat is er?'
'Problemen bij Taiwan, meneer de president. Mogelijk ernstig.' De nationaleveiligheidsadviseur vertelde wat hij wist. Het duurde niet lang.
Het was over het geheel genomen een indrukwekkende oefening in communicatie. De Airbus was nog in de lucht en de president van de Verenigde Staten wist dat er een probleem was, meer niet.
'Goed, hou me op de hoogte.' Ryan keek even naar het bureau dat hij net achter wilde laten. 'O, verdomme.' Wat een genot was het toch, die macht van het presidentschap. Hij wist nu vrijwel direct wat er aan de hand was zonder er iets aan te kunnen doen. Waren er Amerikanen in het vliegtuig? Wat had het allemaal te betekenen? Wat was er aan de hand?

Het had erger kunnen zijn. Daryaei zat na een verblijf van minder dan vier uur in Bagdad weer in het vliegtuig. Hij had de problemen nog voortvarender dan gewoonlijk aangepakt en had er zelfs enige tevredenheid uit geput dat hij er een paar angst had ingeboezemd omdat ze hem met zulke triviale kwesties hadden lastiggevallen. Omdat hij last had van maagzuur, stond zijn gezicht nog chagrijniger toen hij in zijn stoel ging zitten. Hij gebaarde de stewardess de piloten te vertellen te vertrekken. Hij deed dat met een korte handbeweging die voor velen de betekenis 'koppen eraf' had. Dertig seconden later was de vliegtuigtrap opgehaald en werden de motoren gestart.

'Waar hebt u dit spel geleerd?' vroeg Adler.
'Bij de marine, meneer de minister,' antwoordde Clark, terwijl hij de pot leeghaalde. Hij had nu tien dollar gewonnen, maar het ging niet om het geld. Het ging om het principe. Hij had de minister van Buitenlandse Zaken weten af te bluffen.
'Ik dacht dat zeelui beroerde gokkers waren.'
'Dat wordt gezegd, ja,' zei Clarke glimlachend, terwijl hij de kwartjes op een stapel legde.
'Let op zijn handen,' raadde Chavez aan.
'Ik let toch op zijn handen.' De stewardess kwam naast hen staan en schonk de rest van de wijn in. Nog geen twee volle glazen per persoon, precies genoeg om de tijd door te komen. 'Pardon, hoe lang nog?'
'Minder dan een uur, *monsieur le ministre*.'
'Dank u.' Adler glimlachte tegen haar terwijl ze achterwaarts naar voren liep.
'De koning begint,' meneer de minister,' zei Clark.
Chavez bekeek zijn kaarten. Twee vijven. Mooi begin. Hij gooide een kwartje midden op tafel, na Adler.

De Airbus 310 van Europese makelij was zijn rechtermotor kwijtgeraakt door de raket, maar dat was niet alles. Het hittezoekende projectiel was de motor aan de rechter achterzijde binnengedrongen en was aan de zijkant van de grote GE-turbofan ontploft, waardoor fragmenten van de raket in de buitenste vleugelpanelen waren geslagen. Er waren enkele stukken in een brandstofcompartiment gedrongen, dat gelukkig bijna leeg was, waardoor er kerosine in brand vloog. Enkele passagiers die de brandende sliert door het raampje zagen, raakten in paniek. Maar dat was nog niet het meest angstwekkende. Vuur achter het vliegtuig kon niemand verwonden. En de getroffen tank explodeerde niet, wat waarschijnlijk wel het geval was geweest als de raket tien minuten eerder doel had getroffen. Werkelijk ernstig was wél de schade aan de besturing.
De bemanning was zo ervaren als je van een internationale maatschappij mocht verwachten. De Airbus kon heel goed op één motor vliegen, gelukkig, en de linkermotor was onbeschadigd en werkte nu op vol vermogen. De tweede piloot had de rechtermotor afgesloten en stelde de uitgebreide brandblussystemen in werking door op enkele knoppen te drukken. Binnen enkele seconden zwegen de brandalarmsystemen en begon de tweede piloot weer te ademen.

'Schade aan hoogteroer,' meldde de piloot vervolgens, toen hij aan de besturing merkte dat de Airbus niet reageerde zoals hij verwachtte.
Maar het probleem lag niet bij de bemanning. De Airbus vloog met behulp van een complex computerprogramma dat functioneerde op basis van de signalen van het vliegtuig zelf en van de handelingen van de piloten. Deze werden geanalyseerd, waarna de besturingsinstrumenten opdrachten kregen. Met raketinslagen hadden de ingenieurs bij het ontwerpen van het toestel geen rekening gehouden. Het programma constateerde dat er een motor verloren was gegaan en besloot dat het om een motorexplosie ging. Daar wist het wel weg mee. De boordcomputers stelden vast wat de schade aan het vliegtuig was en welke besturingsmiddelen nog goed werkten en pasten zich aan de situatie aan.
'Twintig mijl,' meldde de tweede piloot terwijl de Airbus de rechtstreekse naderingskoers aannam. De piloot stelde zijn gashendel bij. De computers, waarvan het toestel er zeven had, besloten dat dit terecht was en verminderden het motorvermogen. Het toestel was licht, omdat de meeste brandstof al verbruikt was. Ze beschikten over genoeg motorvermogen. De vlieghoogte was zo laag dat drukverlies in de cabine geen punt was. Ze konden het toestel besturen. Ze konden het net halen, concludeerden ze. Een 'behulpzaam' jachtvliegtuig kwam naast hen vliegen om de schade te beoordelen en probeerde hen op te roepen op de wachtfrequentie, maar kreeg in zeer grimmig Mandarijn te horen uit de buurt te blijven.
De jager kon zien dat er stukjes van de huid loskwamen en probeerde dat te melden, maar werd onvriendelijk afgewezen. De F-5E trok zich terug, maar bleef volgen, voortdurend contact houdend met zijn basis.
'Tien mijl.' De snelheid bedroeg nu minder dan tweehonderd knopen. Daarom probeerden ze de kleppen uit te schuiven, maar aan de rechterkant lukte dat niet goed, waardoor de computers, die dit registreerden, de kleppen aan de linkerzijde eveneens niet lieten uitschuiven. De landing zou met zeer hoge snelheid plaatsvinden. Beide piloten fronsten het voorhoofd, vloekten en zetten hun werk voort.
'Landingsgestel,' beval de piloot. De tweede piloot zette de schakelaars om waarna de wielen omlaagkwamen en vergrendeld werden. Dit ontlokte beide piloten een zucht van verlichting. Ze konden niet weten dat beide banden aan de rechterkant beschadigd waren.
Ze konden het vliegveld nu zien. Toen ze de omheining van de luchthaven passeerden, zagen beiden de zwaailichten van de hulptroepen. De Airbus nam de juiste landingshoek aan. De normale naderingssnelheid was circa 135 knopen, maar zij naderden de landingsbaan met 195 knopen. De piloot wist dat hij de baan volledig moest gebruiken en raakte binnen tweehonderd meter van het einde de grond.
De Airbus kwam hard op de grond terecht en begon uit te rollen, maar niet voor lang. Het duurde ongeveer drie seconden voordat de beschadigde rechterbanden leegliepen. Een seconde later begon de metalen velg een groef in

het beton te trekken. Beide mannen en de computers probeerden het toestel in een rechte koers te houden, maar dit lukte niet. De 310 kreeg een afwijking naar rechts. Het linker landingsgestel brak met het lawaai van een kanonschot doormidden, waardoor het toestel scheef zakte. Even leek het op het gras door te zullen glijden, maar doordat een vleugelpunt de grond raakte, begon het toestel om zijn as te draaien. De romp brak in drie ongelijke stukken. De linkervleugel brak af, wat gepaard ging met een enorme steekvlam; gelukkig schoten het voorste en het achterste deel van de romp door, maar het middenstuk kwam in de brandende kerosine terecht. De inspanningen van de toesnellende brandweer konden daar niets aan veranderen. Later zou worden vastgesteld dat de 127 slachtoffers snel gestikt waren. 104 mensen, onder wie de bemanning, ontsnapten aan de dood met verwondingen in diverse gradaties. Binnen het uur werden de eerste reportages op tv uitgezonden en was een ernstig internationaal incident wereldnieuws.

Clark voelde even een koude rilling toen zijn vliegtuig de grond raakte. Toen hij uit het raampje keek, verwachtte hij een enigszins vertrouwde omgeving te zien, maar hij moest toegeven dat dat waarschijnlijk verbeelding was. Daar kwam bij dat alle internationale vliegvelden in het donker op elkaar lijken. De Franse piloten volgden de aangegeven richting en taxieden om veiligheidsredenen naar de luchtmachtterminal. Ze hadden opdracht gekregen een ander zakenvliegtuig te volgen dat een minuut voor hen geland was.
'Daar zijn we dan,' zei Ding geeuwend. Hij had twee horloges om, een met de lokale tijd en een met die in Washington. Aan de hand daarvan probeerde hij vast te stellen hoe laat het volgens zijn lichaam was. Hij keek met de nieuwsgierigheid van een toerist naar buiten, waarna de gebruikelijke teleurstelling volgde. Het had net zo goed Denver kunnen zijn.
'Neem me niet kwalijk,' zei de stewardess met het bruine haar. 'We hebben opdracht gekregen in het vliegtuig te blijven. Een ander vliegtuig wordt eerst afgehandeld.'
'Wat maken die paar minuten nou uit?' zei minister Adler, die even moe was als de anderen.
Chavez keek uit het raam. 'Die daar moet vóór ons binnengekomen zijn.'
'Wilt u de cabineverlichting uitdoen?' vroeg Clark. Hij wees naar zijn partner.
'Waarom...' Clark snoerde de minister met een gebaar de mond. De stewardess deed wat haar gevraagd was. Ding begreep het en haalde de camera uit zijn tas.
'Wat is er?' vroeg Adler nu zachter, terwijl de verlichting gedoofd werd.
'Er zit een G vlak voor ons,' antwoordde John, die zelf ook naar buiten keek. 'Er zijn er niet veel van, en hij gaat naar een beveiligde terminal. Eens kijken of we kunnen zien wie het is, goed?'
Spionnen moesten spioneren, dat wist Adler. Hij maakte geen bezwaar. Diplomaten verzamelden eveneens informatie en als ze wisten wie er over zulk kostbaar officieel transport kon beschikken, dan kon dat iets vertellen over

degenen die in de VIR-regering werkelijk wat te vertellen hadden. Een paar seconden nadat ze tot stilstand waren gekomen, reed een stoet auto's naar de Gulfstream, die vijftig meter van hen vandaan op het luchtmachtplatform van Iran-VIR stond.
'Een belangrijk persoon,' zei Ding.
'Wat heb je erin gedaan?'
'1200 ASA, meneer C.,' antwoordde Chavez, terwijl hij de tele-instelling koos. Het hele toestel paste in het kader. Hij kon niet verder inzoomen. Hij begon foto's te nemen op het moment dat de trap omlaag kwam.
'O,' zei Adler als eerste. 'Dat is geen echte verrassing.'
'Daryaei, niet?' vroeg Clark.
'Dat is onze vriend,' bevestigde de minister.
Toen hij dit hoorde, maakte Chavez snel tien opnames van de man, waarop stond hoe hij de trap af kwam en begroet werd door enkele collega's die hem als een verloren gewaande oom omhelsden en hem naar de auto leidden. De auto's reden weg. Chavez maakte nog een opname en stopte de camera weer in zijn tas. Ze moesten nog vijf minuten wachten voordat ze uit mochten stappen.
'Zou ik willen weten hoe laat het is?' vroeg Adler op weg naar de deur.
'Waarschijnlijk niet,' besloot Clark. 'Ik denk dat we nog wel een paar uur tijd hebben voor de bijeenkomst.'
Onder aan de trap stond de Franse ambassadeur met iemand die duidelijk een lijfwacht was en nog tien anderen. Ze zouden in twee auto's naar de Franse ambassade rijden, met twee Iraanse auto's voor en twee achter de semi-officiële stoet. Adler nam met de ambassadeur in de eerste plaats, Clark en Chavez gingen samen in de tweede zitten. Voorin zaten de chauffeur en een andere man. Het waren beslist agenten van de geheime dienst.
'Welkom in Teheran, vrienden,' zei een van de mannen voorin.
'Merci,' antwoordde Ding geeuwend.
'Het spijt me dat jullie zo vroeg op moesten staan,' voegde Clark eraan toe. Die ene was waarschijnlijk de baas van de post. De mensen bij wie hij en Ding in Parijs hadden gezeten, hadden hem vast gebeld om te melden dat zij waarschijnlijk geen veiligheidsfunctionarissen van het ministerie van Buitenlandse Zaken waren.
De Fransman bevestigde het. 'Niet jullie eerste keer, heb ik gehoord.'
'Hoe lang zitten jullie hier al?' vroeg John.
'Twee jaar. De auto is veilig,' voegde hij eraan toe, waarmee hij bedoelde dat die waarschijnlijk niet van afluisterapparatuur voorzien was.
'We hebben een boodschap voor u uit Washington,' zei de ambassadeur tegen Adler in de eerste auto. Hij vertelde wat hij wist over het Airbus-incident in Taipei. 'U zult het druk krijgen als u weer thuis bent, vrees ik.'
'O, Christus!' merkte de minister op. 'Precies wat we nodig hadden. Zijn er al reacties?'
'Niet dat ik weet. Maar dat zal binnen een paar uur wel anders zijn. Uw

afspraak met ayatollah Daryaei staat om half elf gepland, u kunt dus nog wat slapen. Uw vlucht terug naar Parijs vertrekt kort na de lunch. We zullen u alle assistentie verlenen die u wenst.'
'Dank u, meneer de ambassadeur.' Adler was te moe om er veel aan toe te voegen.
'Enig idee wat er gebeurd is?' vroeg Chavez in de volgauto.
'We weten alleen wat jullie regering ons heeft verteld om door te geven. Er is klaarblijkelijk een korte confrontatie geweest boven de Straat van Formosa, waarbij een raket een verkeerd doel heeft getroffen.'
'Slachtoffers?' vroeg Clark.
'Nog onbekend,' zei de plaatselijke SDECE-commandant.
'Het lijkt me moeilijk een lijnvliegtuig te treffen zonder iemand te doden.' Ding sloot zijn ogen, alvast denkend aan een zacht bed in de ambassade.

Hetzelfde nieuws werd op precies hetzelfde moment aan Daryaei overgebracht. Hij verraste zijn collega-geestelijke door het zonder zichtbare reactie aan te horen. Mahmoud Haji was lang geleden al tot de conclusie gekomen dat mensen die niets wisten ook niet veel last konden bezorgen.

De Franse gastvrijheid deed haar naam eer aan, zelfs in een plaats die nauwelijks meer van de Lichtstad had kunnen verschillen. Drie geüniformeerde soldaten namen op het ambassadeterrein de tassen van de Amerikanen aan, terwijl een andere man in een soort livrei hen naar hun kamers bracht. De bedden waren opengeslagen en er stond ijswater op de nachtkastjes. Chavez keek weer op zijn horloges, gromde en liet zich op het bed vallen. Clark kon minder makkelijk slapen. De laatste keer dat hij in deze stad naar een ambassadeterrein gekeken had... wat was er? Waarom maakte hij zich hier zoveel zorgen over?

Admiraal Jackson verzorgde de briefing, compleet met video.
'Dit is de registratie van de *Port Royal*. We hebben een soortgelijke band van *The Sullivans*, zonder grote verschillen, en daarom gebruiken we deze,' vertelde hij de anderen in de Situation Room. Hij begon met zijn houten aanwijsstokje bewegingen over het grote tv-scherm te maken.
'Dit is een formatie van vier jagers, waarschijnlijk Jianjiji Hongzhaji-7's; om vanzelfsprekende redenen noemen we die de B-7. Twee motoren en twee stoelen, ongeveer dezelfde prestaties en eigenschappen als een oude F-4 Phantom. De vlucht vertrekt van het vasteland en schiet wat te ver door. Hier bevindt zich een niemandsland dat tot op heden door niemand geschonden was. Hier is een andere formatie, waarschijnlijk hetzelfde type toestel en...'
'Weet u het niet zeker?' vroeg Ben Goodley.
'We hebben de toestellen geïdentificeerd aan de hand van de elektronica, de radarsignalen. Een radar kan een vliegtuigtype niet rechtstreeks identificeren,' legde Robby uit. 'Je moet de types afleiden op grond van hun gedrag of van de

elektronische kenmerken van de apparatuur. Goed, de eerste formatie vliegt oostwaarts en steekt de onzichtbare lijn hier over.' Hij verplaatste de aanwijsstok. 'Hier is een formatie van vier Taiwanese F-16's met alle toeters en bellen. Ze zien dat de eerste Chinese groep te ver gaat en gaan die kant op. Daarna draait de eerste groep weer naar het westen. Even daarna, ongeveer... nu, stelt de achtervolgende groep de radars in, maar in plaats van hun eigen eerste groep te volgen, pakken ze de F-16's.'
'Wat zeg je nu, Rob?' vroeg de president.
'Het lijkt erop dat de eerste formatie een aanval op het vasteland bij zonsopkomst simuleerde, en dat de tweede formatie die gesimuleerde aanval moest afslaan. Oppervlakkig gezien lijkt het een standaard oefeningsprocedure. De volgformatie pakte echter de verkeerde mensen op, en toen ze de radar in de aanvalsstand zetten, moet een van de Taiwanese piloten hebben gedacht dat hij aangevallen werd. Vervolgens vuurde hij een raket af. Daarna deed zijn begeleider hetzelfde. Tsjak! Hier zie je dat een B-7 door een Slammer getroffen wordt, maar deze ontsnapt eraan, waarmee hij heel goed wegkomt, en vuurt zelf een raket af. Dan begint iedereen te schieten. Deze F-16 weet er eentje te ontwijken, maar gaat rechtstreeks op een andere af; kijk, de piloot stapt eruit. We denken dat hij het overleefd heeft. Maar dit element vuurt vier raketten af, waarvan er een op dit lijntoestel af gaat. De afstand moet nét haalbaar geweest zijn. We hebben het nagekeken, en de afstand blijkt drie kilometer meer te zijn dan het door ons veronderstelde bereik van die raket. Na de treffer zijn alle jagers omgekeerd; de Chinezen waarschijnlijk omdat ze geen brandstof meer hadden en de Taiwanezen omdat ze geen raketten meer hadden. Alles bij elkaar was het van beide zijden een behoorlijk slecht uitgevoerd gevecht.'
'Zegt u dat het een blunder was?' Dat was Tony Bretano.
'Het lijkt er beslist op, op één ding na...'
'Waarom zouden ze echte raketten gebruiken bij een oefening?' vroeg Ryan.
'Goede vraag, meneer de president. De Taiwanezen gebruiken witte raketten omdat ze de hele Chinese oefening als een bedreiging zien...'
'Witte raketten?' dat was Bretano weer.
'Pardon, meneer de minister. Witte raketten zijn scherpe munitie. Oefenraketten zijn gewoonlijk blauw geschilderd. Maar waarom zouden de Chinezen infraroodgeleide raketten meenemen? Wij doen dat meestal niet in dergelijke situaties omdat je ze niet kunt uitschakelen. Als ze eenmaal zijn afgeschoten, gaan ze hun eigen gang. We noemen dat afvuren-en-vergeten. Nog iets. Alle raketten die op de F-16's werden afgevuurd, waren radargeleid. Deze, die op dat lijnvliegtuig af ging, lijkt de enige infraroodgeleide raket te zijn geweest die gelanceerd werd. Dat bevalt me niet erg.'
'Een weloverwogen actie?' vroeg Ryan zacht.
'Dat is een mogelijkheid, meneer de president. De hele vertoning lijkt op een blunder, een klassiek geval. Een paar vliegeniers raken over hun toeren en dan is het gelijk feest en komen er mensen om het leven. Wij zullen het nooit kunnen bewijzen, maar als je naar dat element van die twee toestellen kijkt, dan

denk ik dat ze dat lijntoestel de hele tijd al in het vizier hadden. Het kan zijn dat ze het voor een jager van de Taiwanezen aanzagen, maar dat geloof ik niet...'
'Waarom niet?'
'Het toestel vloog de hele tijd de verkeerde kant op,' antwoordde admiraal Jackson.
'Plankenkoorts,' opperde minister Bretano.
'Waarom richt je je niet op de mensen die recht op je af komen in plaats van op iemand die van je vandaan koerst? Meneer de minister, ik ben gevechtspiloot. Mij maak je dat niet wijs. Als ik in een onverwachte gevechtssituatie terechtkom, dan probeer ik eerst de bedreigingen die op me afkomen te identificeren en dan schiet ik ze kapot.'
'Hoeveel doden?' vroeg Jack somber.
Dat was een vraag voor Ben Goodley. 'De nieuwsberichten hebben het over meer dan honderd. Er zijn overlevenden, maar we beschikken nog niet over exacte cijfers. En we moeten aannemen dat er Amerikanen aan boord waren. Er worden veel zaken gedaan tussen Hongkong en Taiwan.'
'Opties?'
'Voordat we iets ondernemen, meneer de president, moeten we weten of er landgenoten bij betrokken zijn. We hebben slechts één vliegdekschip in de buurt, de *Eisenhower*, dat op weg is naar Australië voor SOUTHERN CUP. Maar de veronderstelling lijkt gewettigd dat de relaties tussen Peking en Taipei hierdoor niet zullen verbeteren.'
'We moeten een persbericht uitgeven,' zei Arnie tegen de president.
'We moeten eerst weten of er landgenoten omgekomen zijn,' zei Ryan. 'Als dat zo is... tja, wat doen we dan? Een verklaring vragen?'
'Ze zullen zeggen dat het een vergissing was,' herhaalde Jackson. 'Ze kunnen de Taiwanezen er zelfs van beschuldigen het eerst geschoten te hebben en begonnen te zijn en dan alle verantwoordelijkheid afwijzen.'
'Maar daar doe jij het niet voor, Robby?'
'Nee, Jack, pardon, nee, meneer de president. Dat denk ik niet. Ik wil de banden nog eens met een paar mensen bestuderen. Misschien heb ik het verkeerd, maar ik denk het niet. Jachtvliegers zijn jachtvliegers. De enige reden om de vent neer te schieten die wegrent in plaats van de vent die dichterbij komt, is omdat je dat wilt.'
'Moet de *Ike*-groep zich naar het noorden begeven?' vroeg Bretano zich af.
'Stel een noodplan op om dat eventueel te doen,' zei de president.
'Dan hebben we geen dekking in de Indische Oceaan, meneer,' zette Jackson uiteen. 'De *Carl Vinson* is al een eind op de terugweg naar Norfolk. De *John Stennis* en de *Enterprise* liggen nog in de haven in Pearl en we hebben geen inzetbaar vliegdekschip in de Stille Oceaan. We zitten zonder vliegdekschepen in dat deel van de wereld. We hebben minstens een maand nodig om er een heen te brengen vanuit LantFleet.'
Ryan wendde zich tot Ed Foley. 'Hoe groot is de kans dat dit escaleert?'
'Taiwan zal hier bepaald ongelukkig mee zijn. Er is geschoten en er zijn doden

gevallen. Er is een ernstige aanslag gepleegd op de nationale luchtvaartmaatschappij. Die wordt door de meeste landen nogal gekoesterd,' merkte de CIA-directeur op. 'Het is mogelijk.'
'Bedoelingen?' vroeg Goodley aan Foley.
'Als admiraal Jackson gelijk heeft, wat ik vooralsnog overigens in twijfel trek,' voegde Foley er ter wille van Robby aan toe, wat hem op een begrijpend knikje kwam te staan, 'dan is hier wel degelijk iets aan de hand, maar wat dat is, weet ik niet. Het is beter voor iedereen als dit een ongeluk was. Ik kan niet zeggen dat het idee me aanstaat om het vliegdekschip uit de Indische oceaan weg te halen, gezien de ontwikkelingen in de Perzische Golf.'
'Wat is het ergste dat er tussen Taiwan en de Volksrepubliek kan gebeuren?' vroeg Bretano, die het vervelend vond dat hij de vraag moest stellen. Hij had nog altijd te weinig ervaring in zijn baan om zo effectief te zijn als voor de president nodig was.
'Meneer de minister, de Volksrepubliek heeft nucleaire raketten. Het zijn er genoeg om Formosa geheel van de kaart te vegen, maar we hebben redenen om te veronderstellen dat Taiwan ze ook heeft en...'
'Ongeveer twintig,' onderbrak Foley hem. 'En die F-16's kunnen er een paar helemaal naar Peking brengen als ze willen en daar afleveren. Ze kunnen de Volksrepubliek niet vernietigen, maar met twintig thermonucleaire wapens zal de economie minstens tien en misschien wel twintig jaar in de tijd teruggeworpen worden. China wil niet dat dat gebeurt. Ze zijn niet gek, admiraal. Laten we het tot het conventionele vlak beperken, goed?'
'Heel goed, meneer. China bezit niet het vermogen Taiwan binnen te vallen. Ze missen het noodzakelijke amfibiematerieel om grote aantallen militairen over te brengen voor een aanval. En wat gebeurt er als de zaak toch escaleert? Het meest waarschijnlijke scenario is een onverkwikkelijke lucht- en zee-oorlog, die echter zonder resultaat zou blijven omdat geen van beide de ander kan verslaan. Dat betekent ook dat er een strijdtoneel ontstaat langs een van de belangrijkste handelsroutes ter wereld, met allerlei nadelige diplomatieke consequenties voor alle betrokkenen. Ik zie niet in wat het nut is om dit opzettelijk te doen. Het is een te destructieve actie om weloverwogen te zijn... denk ik.' Hij haalde zijn schouders op. Het had geen nut, maar dat gold ook voor een opzettelijke aanval op een onschuldig lijnvliegtuig, en hij had zijn gehoor zojuist verteld dat die waarschijnlijk wél opzettelijk geweest was.
'En we hebben uitgebreide handelsrelaties met beide,' zei de president. 'Dat willen we toch voorkomen? Ik ben bang dat we dat vliegdekschip moeten verplaatsen, Robby. Laten we een paar mogelijkheden goed bekijken en proberen uit te zoeken wat de Volksrepubliek van plan zou kunnen zijn.'

Clark werd het eerst wakker. Hij voelde zich tamelijk beroerd, maar dat was onder de omstandigheden niet toegestaan. Tien minuten later had hij zich geschoren en aangekleed en was hij op weg naar de deur. Chavez bleef in bed. Ding sprak de taal trouwens toch niet.

'Ochtendwandeling?' Het was de man die hen van het vliegveld had afgehaald.
'Ik kan wel wat lichaamsbeweging gebruiken,' gaf John toe. 'En wie ben jij?'
'Marcel Lefèvre.'
'Hoofd van de post?' vroeg John botweg.
'Eigenlijk ben ik de commercieel attaché,' antwoordde de Fransman, wat 'ja' betekende.
'Bezwaar tegen als ik meega?'
'Helemaal niet,' antwoordde Clark tot verrassing van zijn metgezel, terwijl ze naar de deur liepen. 'Ik wilde net een wandelingetje gaan maken. Zijn er hier markten?'
'Ja, ik zal ze je laten zien.'
Tien minuten later bevonden ze zich in een winkelstraat. Twee Iraanse schaduwen liepen vijftien meter achter hen, en lieten dat duidelijk blijken, hoewel ze uitsluitend observeerden.
Door de geluiden kwam het allemaal terug. Clarks Farsi was niet bepaald indrukwekkend, vooral omdat het meer dan vijftien jaar geleden was sinds hij het voor het laatst gesproken had, maar hoewel zijn uitspraak misschien niet al te best was, kon hij het al snel weer redelijk verstaan. Terwijl ze langs de stalletjes aan weerszijden van de straat liepen, pikte hij flarden van gesprekken en onderhandelingen op.
'Hoe zijn de voedselprijzen?'
'Nogal hoog,' antwoordde Lefèvre. 'Vooral nu ze zoveel voorraden naar Irak gebracht hebben. Er wordt wat over gemord.'
Er ontbrak iets, zag John, nadat hij een paar minuten rondgekeken had. Ze passeerden een half blok met etensstalletjes en kwamen in een buurt met goudwinkels, altijd een populair artikel in dit deel van de wereld. De mensen kochten en verkochten. Maar het enthousiasme dat hij zich van vroeger herinnerde, was er niet meer. Kijkend naar de kramen probeerde hij erachter te komen wat het was.
'Iets voor je vrouw?' vroeg Lefèvre.
Clark probeerde een weinig overtuigende glimlach. 'Ach, je weet nooit. Ze is binnenkort jarig.' Hij stopte om naar een ketting te kijken.
'Waar komt u vandaan?' vroeg de handelaar.
'Amerika,' antwoordde John ook in het Engels. De man had zijn nationaliteit direct geraden, waarschijnlijk door zijn kleding, en de gelegenheid te baat genomen in die taal te beginnen.
'We zien hier niet veel Amerikanen.'
'Jammer. Toen ik jonger was, reisde ik hier vaak rond.' Het was best een mooie ketting en toen hij het prijskaartje bekeek en het bedrag omrekende, bleek de prijs verrassend redelijk. En er was binnenkort inderdaad een verjaardag.
'Misschien zal dat op een dag veranderen,' zei de goudsmid.
'Er zijn veel verschillen tussen mijn land en het uwe,' merkte John somber op.
Ja, hij kon het zich zeker veroorloven, en zoals gewoonlijk had hij voldoende

cash bij zich. Het prettige aan Amerikaans geld was dat het vrijwel overal geaccepteerd werd.
'Er verandert veel,' zei de man daarop.
'Er is veel veranderd,' zei John instemmend. Hij keek naar een iets duurdere ketting. Het was geen probleem ze in de hand te nemen. In islamitische landen wisten ze echt wel hoe ze dieven moesten ontmoedigen. 'Er wordt hier zo weinig gelachen, en dit is nog wel een marktstraat.'
'U wordt door twee mannen gevolgd.'
'Echt? Maar ik overtreed toch geen wet?' vroeg Clark op duidelijk bezorgde toon.
'Nee, dat niet.' Maar de man was nerveus.
'Deze,' zei John, terwijl hij de ketting aan de goudsmid gaf.
'Hoe gaat u betalen?'
'Met Amerikaanse dollars, is dat goed?'
'Ja, en de prijs is negenhonderd van uw dollars.'
Hij had al zijn zelfbeheersing nodig om zich niet verrast te tonen. Zelfs bij een groothandel in New York zou deze ketting drie keer zo duur zijn geweest, en hoewel hij niet van plan was zoveel te besteden, was afdingen onderdeel van het koopplezier in dit deel van de wereld. Hij had erop gerekend dat hij de prijs tot vijftienhonderd omlaag had kunnen krijgen, wat nog altijd heel wat was. Had hij de man wel goed verstaan?
'Negenhonderd?'
De man wees nadrukkelijk met een wijsvinger naar zijn hart. 'Achthonderd, geen dollar minder, of wilt u me ruïneren?' voegde hij er luid aan toe.
'U bent een hard onderhandelaar.' Clark nam een verdedigende houding aan om het toestromende publiek te plezieren.
'Bent u een ongelovige? Verwacht u soms liefdadigheid? Het is een mooie ketting, en ik hoop dat u hem aan uw gerespecteerde echtgenote geeft en niet aan een mindere, ontspoorde vrouw.'
Clark meende dat hij de man aan genoeg gevaar blootgesteld had. Hij pakte zijn portefeuille en telde de biljetten af, waarna hij ze aan de man gaf.
'U betaalt me te veel, ik ben geen dief!' De man gaf er een terug.
Zevenhonderd dollar voor zo'n ketting?
'Neem me niet kwalijk, ik wilde u niet beledigen,' zei John, terwijl hij de ketting in zijn zak stopte die de man hem zonder doosje bijna toegeworpen had.
'We zijn niet allemaal barbaren,' zei de handelaar zacht. Direct hierna draaide hij hun de rug toe. Clark en Lefèvre liepen naar het eind van de straat waar ze rechtsaf sloegen. Ze liepen snel, zodat hun gevolg flink door moest lopen.
'Wel verdomme,' merkte de CIA-man op. Hij had niet verwacht dat er zoiets zou gebeuren.
'Ja. Het enthousiasme voor het regime is wat weggeëbd. Wat je zag is representatief. Dat was aardig gedaan, monsieur Clark. Hoe lang ben je al bij de dienst?'
'Lang genoeg om het niet prettig te vinden zo verrast te worden. Ik geloof dat jullie *merde* zeggen.'

'Is die ketting voor je vrouw?'
John knikte. 'Ja. Komt hij in de problemen?'
'Waarschijnlijk niet,' meende Lefèvre. 'Mogelijk heeft hij geld verloren bij de verkoop, Clark. Een interessant gebaar, nietwaar?'
'Laten we teruggaan. Ik moet een minister wekken.' Ze waren binnen een kwartier terug. John ging direct naar zijn kamer.
'Hoe is het weer buiten, meneer C.?' Clark graaide in zijn zak en wierp iets door de kamer. Chavez ving het op. 'Zwaar.'
'Wat denk je dat het kost, Domingo?'
'Het ziet eruit als eenentwintig karaat, en zo voelt het ook... een paar duizend zeker wel.'
'Zou jij geloven dat het zevenhonderd was?'
'Heb je relaties met die man, John?' vroeg Chavez lachend, maar hij hield meteen op. 'Ik dacht dat ze ons hier niet mochten?'
'Er verandert veel,' zei John zacht, de goudsmid citerend.

'Hoe erg was het?' vroeg Cathy.
'Honderdvier overlevenden, naar verluidt, van wie sommigen zwaar gewond, negentig doden, ongeveer dertig nog onbekend, wat betekent dat ze ook dood zijn, maar dat de lichamen nog niet geïdentificeerd zijn,' zei Jack, terwijl hij het bericht voorlas dat zojuist door agent Raman bij de slaapkamerdeur gebracht was. 'Zestien Amerikanen bij de overlevenden. Vijf doden. Negen onbekend en waarschijnlijk dood. Christus, er waren veertig Chinese staatsburgers aan boord.' Hij schudde zijn hoofd.
'Hoe kan dat, als ze niet met elkaar overweg kunnen?'
'Waarom doen ze zoveel zaken? Het is nu eenmaal een feit dat ze dat doen, schatje. Ze spuwen en grommen naar elkaar alsof het straatkatten zijn, maar ze hebben elkaar ook nodig.'
'Wat gaan wij doen?' vroeg zijn vrouw.
'Ik weet het nog niet. We wachten met het persbericht tot morgenochtend, als we meer informatie hebben. Hoe kan ik in zo'n nacht nou ooit slapen?' vroeg de president van de Verenigde Staten. 'We zitten met veertien dode Amerikanen aan de andere kant van de wereld. Ik moest ze toch beschermen? Ik mag onze burgers niet laten ombrengen.'
'Er sterven elke dag mensen, Jack,' merkte de First Lady op.
'Niet door raketten uit vliegtuigen.' Ryan legde het bericht op zijn nachtkastje en deed het licht uit. Hij vroeg zich af wanneer hij in slaap zou vallen en hij vroeg zich af hoe de bijeenkomst in Teheran zou verlopen.

Eerst werden er handen geschud. Ze waren buiten het gebouw opgewacht door een functionaris van Buitenlandse Zaken. De Franse ambassadeur stelde iedereen aan elkaar voor. Iedereen ging snel weer naar binnen, vooral om de tv-camera's te ontlopen, hoewel er geen enkele te zien was op straat. Clark en Chavez speelden hun rol. Ze stonden dicht bij hun baas, maar niet

te dichtbij en keken nerveus rond, zoals ze hoorden te doen.
Minister Adler volgde de functionaris, gevolgd door alle anderen. De Franse ambassadeur bleef in de salon staan met de anderen, terwijl Adler en zijn gids verder liepen naar het tamelijk bescheiden officiële kantoor van de geestelijk leider van de VIR.
'Ik begroet u in vrede,' zei Daryaei, terwijl hij uit zijn stoel opstond om zijn gast te begroeten. Ze spraken via een tolk. Dat was normaal bij zulke gelegenheden. De communicatie verliep dan zorgvuldiger, en als er iets helemaal misliep, dan kon altijd gezegd worden dat de tolk de vergissing gemaakt had. Dat was voor beide partijen een makkelijke uitweg. 'Allah's zegen over deze ontmoeting.'
'Ik dank u dat u mij op zo korte termijn kon ontvangen,' zei Adler, terwijl hij plaatsnam.
'U bent van ver gekomen. Hebt u een prettige reis gehad?' informeerde Daryaei op vriendelijke toon. Het gehele ritueel zou aangenaam verlopen, althans het begin ervan.
'Zonder bijzonderheden,' merkte Adler op. Hij deed zijn best om niet te geeuwen of te laten blijken hoe moe hij was. Drie koppen sterke Europese koffie hielpen wel, maar zijn maag werd er wat opstandig van. Diplomaten moesten bij serieuze besprekingen als chirurgen in een operatiekamer te werk gaan, en hij had er veel ervaring in zijn emoties niet te tonen, opstandige maag of niet.
'Ik betreur het dat we u niet meer van onze stad kunnen laten zien. Er is hier zoveel geschiedenis en schoonheid te vinden.' Beide mannen wachtten tot de woorden vertaald werden. De tolk was een man van rond de dertig, die geconcentreerd werkte en, zo scheen het Adler toe, bang leek te zijn voor Daryaei. Het was waarschijnlijk een ministerieel functionaris, gekleed in een pak dat aan de stomerij toe was. De ayatollah zelf was gehuld in een lange jurk, waarmee hij zijn nationale en geestelijke identiteit benadrukte. Mahmoud Haji nam een ernstige, maar niet vijandige houding aan, en vreemd genoeg leek hij totaal niet nieuwsgierig te zijn.
'Misschien bij mijn volgende bezoek.'
Een vriendelijk knikje. 'Ja.' Hij zei dit in het Engels, wat Adler eraan herinnerde dat de man de taal van zijn bezoeker verstond. De minister noteerde voor zichzelf dat alles volgens de normale conventies verliep.
'Het is lang geleden dat er directe contacten tussen uw land en het mijne waren, zeker op dit niveau.'
'Dat is waar, maar we verwelkomen dergelijke contacten. Hoe kan ik u van dienst zijn, minister Adler?'
'Als u er geen bezwaar tegen hebt, zou ik het graag over de stabiliteit in deze regio hebben.'
'Stabiliteit?' vroeg Daryaei onschuldig. 'Hoe bedoelt u?'
'De vorming van de Verenigde Islamitische Republiek heeft het grootste land in de regio gecreëerd. Dat baart sommigen zorgen.'
'Ik zou zeggen dat we de stabiliteit hebben vergroot. Was het Iraakse regime

niet de destabiliserende factor? Was het niet Irak dat twee agressieve oorlogen begon? Wij hebben dat zeker niet gedaan.'
'Dat is waar,' erkende Adler.
'De islam is een religie van vrede en broederschap,' ging Daryaei verder, op de toon van de leraar die hij jarenlang geweest was. Dit was waarschijnlijk een harde, dacht Adler, die weliswaar vriendelijk praatte, maar onverzettelijk was.
'Dat is ook waar, maar in deze wereld worden de wetten van de religie niet altijd nageleefd door degenen die zichzelf religieus noemen,' merkte de Amerikaan op.
'Andere landen accepteren de wetten van God niet zoals wij. Alleen als de mensheid die wetten erkent, mag ze hopen vrede en rust te vinden. Dat betekent meer dan alleen de woorden uitspreken. Men moet ook volgens die woorden leven.'
Hartelijk dank voor deze les van de zondagsschool, dacht Adler, met een respectvol knikje. Waarom steun je dan verdomme de Hezbollah?
'Mijn land wil niets anders dan vrede in deze regio, en zelfs in de hele wereld.'
'Zoals ook de wens van Allah is, zoals ons door de Profeet geopenbaard is.'
Hij hield vast aan het scenario, zag Adler. Ooit had president Jimmy Carter een gezant gestuurd om Khomeini, de baas van de man, te bezoeken toen die in ballingschap in Parijs zat. De sjah verkeerde toen in ernstige politieke problemen en de oppositie werd discreet door Amerika uitgehoord om te weten wat voor vlees ze in de kuip hadden. De gezant had na de ontmoeting tegen de president gezegd dat Khomeini een 'heilige' was. Carter had het verslag zonder meer geaccepteerd en het afzetten van Mohammed Reza Pahlavi teweeggebracht, waarna de 'heilige' hem kon opvolgen.
Oei.
De volgende regering had met dezelfde man te maken gekregen en er niets meer voor teruggekregen dan een groot schandaal en de hoon van de wereld.
Ai.
Dat waren fouten die Adler beslist niet wilde herhalen.
'Het is ook een van de principes van mijn land dat internationale grenzen gerespecteerd moeten worden. Respect voor de territoriale onschendbaarheid is een basisvoorwaarde voor regionale en wereldwijde stabiliteit.'
'Minister Adler, alle mensen zijn broeders, dat is de wil van Allah. Broeders kunnen soms ruziemaken, maar het is een uiting van haat tegenover God om oorlog te voeren. Ik vind de aard van uw beweringen enigszins verwarrend. U lijkt te suggereren dat wij onvriendelijke bedoelingen koesteren tegenover onze buren. Waarom zegt u zoiets?'
'Neem me niet kwalijk, ik denk dat u mij niet goed begrijpt. Ik suggereer dat niet. Ik ben alleen gekomen om onderwerpen van wederzijdse zorg te bespreken.'
'Uw land en de bondgenoten van uw land zijn voor hun economisch welzijn van deze regio afhankelijk. We zullen daar geen schade aan toebrengen. U hebt onze olie nodig. Wij hebben de dingen nodig die we met oliegeld kunnen

kopen. Wij hebben een handelscultuur, dat weet u. We hebben ook een islamitische cultuur, en het verdriet mij hevig dat het Westen het wezen van ons geloof nooit lijkt te respecteren. Wij zijn geen barbaren, wat onze joodse vrienden ook mogen zeggen. Wij hebben geen religieuze onenigheid met de joden. Hun aartsvader Abraham was uit deze regio afkomstig. Zij waren de eersten die van de ware God verkondigden. Er zou werkelijk vrede tussen ons moeten heersen.'

'Het verheugt me dat te horen. Hoe kunnen we deze vrede teweegbrengen?' vroeg Adler, terwijl hij zich afvroeg wanneer iemand voor het laatst geprobeerd had een hele vlucht vredesduiven op hem los te laten.

'Door de tijd te nemen en met elkaar te spreken. Misschien is het beter dat we directe contacten onderhouden. Ook zij zijn een handelsvolk, naast een gelovig volk.'

Adler vroeg zich af wat hij daarmee bedoelde. Directe contacten met Israël. Was dat een aanbod of een zoethoudertje dat de Amerikaanse regering werd toegeworpen?

'En uw islamitische buren?'

'Wij delen het geloof. Wij delen olie. Wij delen een cultuur. Wij zijn al op vele manieren één.'

Clark, Chavez en de ambassadeur zaten rustig voor de kamer te wachten. Het kantoorpersoneel negeerde hen zorgvuldig, nadat ze hen van de gebruikelijke drankjes hadden voorzien. De veiligheidsmensen die in de buurt stonden keken niet naar de bezoekers, maar keken ook niet speciaal de andere kant op. Voor Chavez was dit een gelegenheid met een nieuw volk kennis te maken. Hij merkte op dat alles hier ouderwets en zelfs wat groezelig was, alsof het gebouw sinds het vertrek van de vorige regering niet veel veranderd was, en dat was al een hele tijd geleden, bedacht hij. Het geheel maakte niet zozeer een verlopen, als wel een weinig moderne indruk. De sfeer was hier beslist gespannen, dat kon hij gewoon merken. Een Amerikaanse medewerker zou hem nieuwsgierig hebben bekeken, maar de zes mensen in deze ruimte deden dat niet. Waarom niet?

Clark had dat wel verwacht. Het verraste hem niet dat hij genegeerd werd. Hij en Ding waren hier voor de beveiliging en vormden slechts meubilair dat de aandacht niet waard was. De mensen hier waren vast en zeker vertrouwde adjudanten en ondergeschikten, die trouw waren aan hun baas omdat ze dat moesten zijn. Ze hadden door hem een zekere macht. De bezoekers zouden die macht internationaal gezien eerbiedigen hetzij bedreigen, en ook al beïnvloedde dat hun individuele welzijn, ze konden er net zomin iets aan veranderen als aan het weer. Daarom waren de bezoekers voor hen gewoon lucht, behalve dan voor de veiligheidsbeambten, die erop getraind waren iedereen als een bedreiging te zien, zelfs als het protocol hen ervan weerhield de fysieke dreiging te tonen die ze zo graag hadden laten zien.

Voor de ambassadeur was het een nieuwe oefening in diplomatie, gesprekken in zorgvuldig gekozen woorden, waarmee aan de ene kant weinig werd geopenbaard, en aan de andere kant toch veel duidelijk werd. Hij kon wel bedenken wat er aan beide zijden gezegd zou worden. Hij kon zelfs bedenken wat de werkelijke betekenis van de woorden was. Hij was vooral geïnteresseerd in hún waarheid. Wat had Daryaei werkelijk gepland? De ambassadeur en zijn land hoopten op vrede in de regio, en daarom had hij met zijn collega's Adler erop voorbereid zich voor die mogelijkheid open te stellen, terwijl ze tegelijkertijd niet wisten hoe het gesprek werkelijk zou verlopen. Een interessante man, die Daryaei. Een diepgelovig man, die zeker de Iraakse president had vermoord. Een vredelievend en rechtvaardig man, die zijn land met ijzeren hand regeerde. Een genadig man, die over een persoonlijke staf beschikte die duidelijk doodsbang voor hem was. Je hoefde de kamer maar rond te kijken om dat te zien. Een moderne Richelieu van het Midden-Oosten? Dat was een nieuwe gedachte, gniffelde de ambassadeur, terwijl hij zijn gezicht in de plooi hield. Hij zou dat idee later vandaag aan zijn ministerie overbrengen. En daar zat hij nu, met een geheel nieuwe Amerikaanse minister bij zich. Hij moest erkennen dat Adler een goede reputatie als carrièrediplomaat had, maar was hij goed genoeg voor déze taak?

'Waarom bespreken we dit? Waarom zou ik expansieve ambities hebben?' vroeg Daryaei bijna geamuseerd, maar hij wist zijn irritatie toch over te brengen. 'Mijn volk verlangt slechts naar vrede. Er zijn hier al te veel oorlogen gevoerd. Mijn hele leven heb ik het geloof bestudeerd en onderwezen; eindelijk, aan het eind van mijn leven, is er waarlijk vrede.'
'Dat is het enige wat wij in deze regio wensen, maar misschien willen wij ook onze vriendschap met uw land herstellen.'
'Daar zouden wij verder over moeten praten. Ik dank uw land dat u het opheffen van de handelssancties tegen de voormalige republiek Iran niet gedwarsboomd hebt. Dat is misschien een begin. Tegelijkertijd zouden we graag zien dat Amerika zich niet in de interne zaken van onze buren mengt.'
'Wij hechten er grote waarde aan dat de staat Israël gerespecteerd wordt,' merkte Adler op.
'Israël is geen buur in de strikte zin des woords,' antwoordde Daryaei. 'Maar als Israël in vrede kan leven, dan kunnen wij ook in vrede leven.'
Deze man was goed, dacht Adler. Hij onthulde niet veel, maar ontkende gewoon alles. Hij deed geen politieke uitspraken, behalve de gebruikelijke frases over vreedzame bedoelingen. Dat deed elk staatshoofd, hoewel er niet veel waren die zo vaak de naam van God aanriepen. Vrede. Vrede. Vrede.
Hoe het ook zij, Adler geloofde helemaal niets van wat hij over Israël zei. Als hij vreedzame bedoelingen had, dan had hij dat eerst aan Jeruzalem verteld. Als hij dat land aan zijn zijde had gehad, dan had hij gemakkelijker met Washington kunnen onderhandelen. Israël was de niet-genoemde tussenpersoon geweest bij het wapens-en-gijzelaarsfiasco, en zij waren er ook ingeluisd.
'Ik hoop dat het een fundament is waarop we kunnen bouwen.'

'Als uw land mijn land met respect bejegent, dan kunnen we praten. Daarna kunnen we over een verbetering van de relaties praten.'
'Dat zal ik mijn president vertellen.'
'Ook uw land heeft onlangs veel narigheid meegemaakt. Ik wens hem de kracht om de wonden van uw land te helen.'
'Dank u.' Beide mannen stonden op. Er werden weer handen geschud en Daryaei leidde Adler naar de deur.

Het viel Clark op hoe het personeel opsprong. Daryaei leidde Adler naar de buitendeur, pakte zijn hand nogmaals vast en keek toe hoe hij met zijn begeleiders vertrok. Twee minuten later zaten ze in hun officiële auto's en waren ze rechtstreeks op weg naar de luchthaven.
'Ik vraag me af hoe het gegaan is,' zei John tegen niemand in het bijzonder. Alle anderen vroegen zich hetzelfde af, maar er werd verder niets gezegd. Dertig minuten later waren de auto's onder begeleiding van het officiële escorte terug op Mehrabad International en reden ze het luchtmachtterrein op, waar hun Franse jet stond te wachten.
Er was uiteraard ook een vertrekceremonie. De Franse ambassadeur sprak enkele minuten met Adler, daarbij de hele tijd zijn hand vasthoudend bij wijze van uitgebreide afscheidsgroet. Bij zoveel VIR-beveiliging restte Clark en Chavez niets dan rond te kijken, zoals van hen verwacht werd. Er stonden zes jachtvliegtuigen in het volle zicht waar onderhoudspersoneel werkzaamheden aan verrichtte. De technici liepen een grote hangar in en uit die zonder twijfel onder de sjah gebouwd was. Ding keek naar binnen, waar niemand problemen over maakte. Er stond daar nog een vliegtuig, dat half uit elkaar gehaald leek. Een andere ploeg mensen was bezig met een van de motoren, die op een kar lag.
'Kippenhokken, denk je niet?' vroeg Chavez.
'Wat bedoel je?' zei Clark, de andere kant op kijkend.
'Kijk zelf maar, meneer C.'
John draaide zich om. Tegen de achterste muur van de hangar stonden rijen kooien van kippengaas, ongeveer even groot als voor pluimveetransport gebruikt werd. Merkwaardig voor een luchtmachtbasis, dacht hij.

Aan de andere kant van het vliegveld keek Filmster toe hoe de laatste van zijn team aan boord van een vlucht naar Wenen stapte. Hij zag toevallig de privéjets aan de overkant van het uitgestrekte terrein, evenals een paar mensen en auto's vlak bij een ervan. Hij vroeg zich even af wat daar aan de hand was. Waarschijnlijk een regeringsaangelegenheid. Dat gold natuurlijk ook voor zijn plannen, maar die zouden nooit als zodanig erkend worden. De vlucht van Austrian Airlines vertrok op tijd van de pier en zou vlak achter de zakenjet, of wat het ook was, opstijgen. Vervolgens liep hij naar een andere pier om aan boord van zijn eigen vlucht te gaan.

40

Openingen

De meeste Amerikanen hoorden kort na het ontwaken wat hun president al wist. Elf Amerikaanse burgers waren om het leven gekomen en drie waren er vermist bij een vliegramp aan het andere eind van de wereld. Een plaatselijke tv-ploeg was net op tijd op het vliegveld aangekomen, nadat een hulpvaardige bron op de luchthaven de ramp had gemeld. In de reportage was niet veel meer te zien dan een exploderende vuurbal in de verte, gevolgd door enkele opnamen van dichterbij die zo onduidelijk waren dat ze eveneens overal gemaakt konden zijn. Om het brandende wrak stonden tien brandweerwagens, die het met schuim en water bespoten, echter te laat om nog iemand te redden. Ambulances kwamen met grote snelheid aangereden. Er liepen enkele mensen gedesoriënteerd rond, kennelijk overlevenden. Anderen, wier gezicht zwartgeblakerd was, vielen wankelend in de armen van reddingspersoneel. Er waren vrouwen zonder echtgenoten, ouders zonder kinderen, kortom, er heerste een chaos die zoals altijd een dramatische aanblik bood, maar verder geen enkele verklaring verschafte, ook al schreeuwde de situatie om maatregelen, van welke aard dan ook.

De regering van Taiwan gaf een scherpe verklaring uit over luchtpiraterij waarin verzocht werd om een spoedbijeenkomst van de Veiligheidsraad van de VN. Peking kwam even later met een eigen verklaring, waarin gesteld werd dat haar vliegtuig tijdens een vreedzame oefening zonder enige provocatie was aangevallen en vervolgens het vuur uit zelfverdediging had beantwoord. Peking wees enige betrokkenheid bij de averij aan het lijntoestel volstrekt af en gaf de schuld van het hele gebeuren aan de rebellerende provincie.

'Wat hebben we nog meer ontdekt?' vroeg Ryan om 7.30 uur aan admiraal Jackson.

'We hebben beide banden ongeveer twee uur lang bekeken. Ik heb een paar vliegeniers met wie ik gewerkt heb en twee mannen van de luchtmacht hierheen laten komen en we zijn ermee aan de slag gegaan. Ten eerste: de Chi-Coms...'

'Dat is niet de juiste benaming, Robby,' merkte de president op.

'Oude gewoonte, sorry. De heren van de volksrepubliek China wisten dat we daar schepen hadden. De elektronische signatuur van een Aegis-schip is even duidelijk herkenbaar als een vulkaan in uitbarsting, begrijp je? En de mogelijkheden van deze schepen zijn niet bepaald een geheim. Ze zijn bijna twintig jaar in dienst. Ze wisten dus dat we hen observeerden en ze wisten dat we alles zouden zien. Laten we dat in gedachten houden.'

'Ga verder,' zei Jack tegen zijn vriend.

'Ten tweede: we hebben een spionageteam op de *Chandler* dat radiocommunicatie afluistert. We hebben de gesprekken van de Chinese gevechtspiloten vertaald. En ik citeer nu op dertig seconden na het begin van de confrontatie: "Ik heb hem, ik heb hem, het is een treffer." Het tijdstip daarvan is precies hetzelfde als dat van de treffer van de infraroodgeleide raket op het lijntoestel. Ten derde: elke deskundige met wie ik gesproken heb zei hetzelfde als ik: waarom zou je een lijntoestel beschieten dat zich aan de rand van het bereik van je raket bevindt, terwijl er jagers vlak bij je zitten? Jack, deze zaak stinkt, en flink ook.

Helaas kunnen we niet bewijzen dat de stem vanuit de jager kwam die de Airbus beschoot, maar ik ben van mening dat het een weloverwogen daad was, evenals mijn collega's aan de overkant van de rivier. Ze probeerden dat vliegtuig bewust neer te halen,' concludeerde de directeur Operaties van het Pentagon. 'We mogen van geluk spreken dat iemand er nog levend uit is gekomen.'

'Admiraal,' vroeg Arnie van Damm, 'zou u dat voor een rechtbank kunnen staven?'

'Ik ben geen jurist. Ik ben piloot. Ik hoef geen dingen te bewijzen om mijn brood te verdienen, maar ik zal u wel vertellen dat de kans dat we het verkeerd hebben niet meer dan een op honderd is.'

'Maar dat kan ik niet voor de camera's zeggen,' zei Ryan, terwijl hij op zijn horloge keek. Hij zou over enkele minuten naar de grimeur moeten. 'Als ze het opzettelijk hebben gedaan...'

'Geen "als", Jack, goed?'

'Verdomme Robby, dat hoef je niet steeds te herhalen!' snauwde Ryan. Hij zweeg even en haalde eens flink adem. 'Ik kan een soevereine staat niet van een oorlogsdaad beschuldigen zonder absoluut bewijs. Goed, ze deden het expres en ze deden het in de wetenschap dat wij zouden weten wat ze deden. Maar wat betekent dat precies?'

De nationale-veiligheidsstaf van Jack had een lange avond gehad. Goodley beet de spits af. 'Moeilijk te zeggen, meneer de president.'

'Proberen ze iets richting Taiwan?' vroeg de president.

'Dat kunnen ze niet,' zei Jackson, de uitbarsting van de opperbevelhebber van zich afschuddend. 'Ze missen de fysieke kracht voor een invasie. Er is geen teken van ongebruikelijke activiteit van de grondstrijdkrachten in dit gebied, op de activiteiten in het noorden na, waarover de Russen zo verontwaardigd waren. Vanuit militair gezichtspunt is het antwoord dus nee.'

'Een invasie vanuit de lucht?' vroeg Ed Foley. Robby schudde zijn hoofd.

'Ze hebben de capaciteit niet en zelfs als ze het zouden proberen, dan heeft Taiwan voldoende luchtafweergeschut om ze terug te jagen. Ze zouden een gecombineerde lucht-zee-oorlog kunnen beginnen, zoals ik gisteravond vertelde, maar dat zal ze schepen en vliegtuigen kosten, en met welk doel?' vroeg de J-3.

'Hebben ze dus een lijntoestel neergehaald om ons te testen?' vroeg de president zich af. 'Dat lijkt ook niet erg zinvol.'

'Als u zegt "mij" in plaats van "ons", dan is dat een mogelijkheid,' zei de CIA-directeur kalm.
'Kom op, meneer de directeur,' wierp Goodley tegen. 'Er zaten tweehonderd mensen in dat vliegtuig en ze moeten gedacht hebben dat ze die allemaal zouden doden.'
'Laten we niet te naïef zijn, Ben,' merkte Foley gelaten op. 'Ze delen onze gevoeligheden over het menselijk leven daar toch niet.'
'Nee, maar...'
Ryan onderbrak hen. 'Oké, genoeg. We denken dat het een weloverwogen daad was, maar we hebben geen harde bewijzen, en we hebben geen idee wat het doel kan zijn geweest. In dat geval kunnen we het geen weloverwogen daad noemen, nietwaar?' Er werd geknikt. 'Goed, over een kwartier moet ik naar de perskamer om die verklaring af te leggen en daarna zullen de verslaggevers me vragen stellen. De enige antwoorden die ik ze kan geven, zijn leugens.'
'Daar komt het wel op neer, meneer de president,' bevestigde Van Damm.
'Is dat niet fantastisch,' schamperde Jack. 'En Peking zal weten, of ten minste vermoeden, dat ik lieg.'
'Mogelijk, maar daar ben ik niet zeker van,' merkte Ed Foley op.
'Ik kan niet goed liegen,' vertelde Ryan hun.
'Leer het dan,' merkte de stafchef op, 'en snel.'

Er werd niet gesproken op de vlucht van Teheran naar Parijs. Adler nam een comfortabele stoel achterin, pakte een schrijfblok en begon te schrijven. Hij maakte gebruik van zijn geoefende geheugen om het gesprek te reconstrueren en voegde een aantal persoonlijke observaties toe, variërend van Daryaei's verschijning tot de rommel op zijn bureau. Daarna bekeek hij de aantekeningen en begon analyserend commentaar te geven. Tijdens het schrijven verspeelde hij een stuk of vijf potloden. De stop in Parijs duurde minder dan een uur, waarin Adler weer even met Claude sprak en zijn begeleiders snel wat dronken. Daarna vertrokken ze weer in hun Air-Force VC-20B.
'Hoe ging het?' vroeg John.
Adler moest zichzelf er weer aan herinneren dat Clark in het rapportageteam zat en niet zomaar een inlichtingenfunctionaris met een geweer in de aanslag was.
'Vertel eerst eens wat je op je wandeling bent tegengekomen.'
De ervaren CIA-functionaris stak zijn hand in zijn zak en overhandigde de minister een gouden ketting.
'Betekent dit dat we verloofd zijn?' vroeg Adler met een verrast lachje.
Clark gebaarde naar zijn partner. 'Nee, meneer. Hij is verloofd.'
Nu ze hoog in de lucht waren, schakelde het bemanningslid dat de verbindingen verzorgde, zijn apparatuur in. De fax begon direct te zoemen.

'Er zijn zeker elf Amerikaanse doden en nog drie Amerikaanse burgers zijn vermist. Vier Amerikaanse overlevenden zijn gewond en worden in plaatselij-

ke ziekenhuizen verpleegd. Tot zover mijn eerste verklaring,' zei de president.
'Meneer de president!' riepen dertig stemmen tegelijkertijd.
'Eén tegelijk, alstublieft.' Jack wees naar een vrouw op de eerste rij.
'Peking beweert dat Taiwan eerst heeft geschoten. Kunnen we dat bevestigen?'
'We zijn nog bezig informatie te onderzoeken, maar het duurt even voor we dit soort zaken hebben uitgezocht. Tot we over definitieve informatie beschikken, acht ik het nog niet juist om conclusies te trekken.'
'Maar beide zijden hebben toch geschoten, nietwaar?' vroeg ze daarop.
'Daar lijkt het op, ja.'
'Weten we dan wiens raket de Airbus heeft getroffen?'
'Zoals ik al zei, zijn we nog bezig de gegevens te onderzoeken.' Hou het kort, Jack, zei hij tegen zichzelf. En dat was toch geen echte leugen? 'Ja?' Hij wees naar een andere verslaggever.
'Meneer de president, nu er zoveel Amerikaanse burgers omgekomen zijn, welke maatregelen zult u nemen om ervoor te zorgen dat dit niet weer gebeurt?' Deze vraag kon hij tenminste naar waarheid beantwoorden.
'We zijn momenteel de mogelijkheden aan het onderzoeken. Daarbuiten heb ik niets te zeggen, zij het dat we op beide China's een beroep doen om pas op de plaats te maken en hun acties te overdenken. Het verlies van onschuldige levens is in het belang van geen enkel land. Er zijn daar nu al enige tijd militaire oefeningen aan de gang, en de daaruit ontstane spanning draagt niet bij aan de stabiliteit in de regio.'
'U vraagt dus aan beide landen om hun oefeningen op te schorten?'
'We gaan ze vragen dat te overwegen, ja.'
'Meneer de president,' zei John Plumber, 'dit is uw eerste crisis in de buitenlandse politiek en...'
Ryan keek op de oudere verslaggever neer en wilde opmerken dat zijn eerste binnenlandse crisis aan hem te wijten was geweest, maar je kon je niet permitteren vijanden te maken bij de pers; je kon trouwens alleen vrienden met ze worden als ze je mochten, wat erg onwaarschijnlijk was, zo had hij inmiddels begrepen.
'Meneer Plumber, voordat je iets onderneemt, moet je de feiten kennen. We zijn daar zeer ingespannen mee bezig. Ik heb vanochtend met mijn nationaleveiligheidsstaf...'
'Maar zonder minister Adler,' merkte Plumber op. Als goed journalist had hij de officiële auto's op West Executive Drive gecontroleerd. 'Waarom was hij er niet bij?'
'Hij zal later vandaag komen,' zei Ryan ontwijkend.
'Waar is hij nu?' hield Plumber aan.
Ryan schudde zijn hoofd. 'Kunnen we dit tot één onderwerp beperken? Het is nog wat vroeg in de ochtend voor zoveel vragen en zoals u al hebt opgemerkt, moet ik me met deze situatie bezighouden, meneer Plumber.'
'Hij is toch uw voornaamste adviseur over de buitenlandse politiek, meneer.

Waar is hij nu?'
'Volgende vraag,' zei de president kortaf. Hij kreeg wat hij verdiende van Barry van CNN:
'Meneer de president, zojuist sprak u over beide China's. Duidt dit op een wijziging in onze China-politiek en zo ja...'

Het was even na acht uur 's avonds in Peking en de zaken stonden er goed voor. Hij kon het op tv zien. Het was vreemd een politiek figuur te zien die zo'n gebrek aan charme en slagvaardigheid tentoonspreidde, en dan vooral een Amerikaan. Zhang Han San stak een sigaret op en feliciteerde zichzelf. Het was hem weer gelukt. Er had een zeker gevaar in gescholen om de 'oefening' te houden, en dan vooral de recente luchtoefeningen, maar de piloten van de republiek waren zo vriendelijk geweest eerst te schieten, zoals hij had gehoopt, en nu was er een crisis die hij volledig kon controleren en op elk moment kon beëindigen door gewoon zijn troepen terug te roepen. Hij had Amerika gedwongen te reageren, en dan niet zozeer door te handelen, maar door niets te doen, en daarna zou iemand anders het initiatief nemen om de nieuwe president te provoceren. Hij had geen idee wat Daryaei in gedachten had. Een moordaanslag misschien? Iets anders? Hij hoefde slechts toe te kijken, zoals hij nu ook deed en de oogst binnenhalen als de gelegenheid daar was. Dat zou zeker gebeuren, Amerika kon niet altijd zoveel geluk blijven houden. Niet met deze jonge dwaas in het Witte Huis.

'Barry, één land noemt zichzelf de volksrepubliek China en het andere land noemt zich de republiek China. Ik moet ze toch een naam geven?' vroeg Ryan bits. O verdomme, heb ik het weer gedaan?
'Jawel, meneer de president, maar...'
'Maar er zijn waarschijnlijk veertien Amerikaanse burgers omgekomen en dit is niet het moment om over taalkundige termen te debatteren.' Die kon hij in zijn zak steken.
'Wat gaan we nu doen?' vroeg een vrouw.
'Eerst gaan we proberen uit te zoeken wat er gebeurd is. Daarna gaan we nadenken over reacties.'
'Maar waarom weten we het nu dan nog niet?'
'Omdat we onmogelijk alles kunnen weten wat er elk moment in de wereld plaatsvindt, hoe graag we dat ook zouden willen.'
'Is uw regering daarom bezig de CIA drastisch uit te breiden?'
'Zoals ik al eerder heb gezegd spreken we nooit over inlichtingenkwesties.'
'Meneer de president, er zijn rapporten gepubliceerd waarin staat dat...'
'Er zijn rapporten gepubliceerd waarin staat dat hier regelmatig UFO's landen,' kaatste Ryan terug. 'Gelooft u dat soms ook?'
Het werd nu werkelijk een moment stil in de zaal. Ze zagen niet elke dag dat een president uit zijn humeur raakte. Ze genoten ervan.
'Dames en heren, ik betreur het dat ik niet al uw vragen naar tevredenheid kan

beantwoorden. Ik stel mij enkele van deze vragen zelf ook, maar het kost tijd om de juiste antwoorden te kunnen geven. Als ik op de informatie moet wachten, dan moet u dat ook,' zei hij, in een poging de persconferentie weer op het goede spoor te krijgen.
'Meneer de president, een man die erg lijkt op de voormalige voorzitter van de sovjet-KGB is live op televisie verschenen en...' de verslaggever stopte met praten toen hij zag dat Ryans gezicht rood werd onder de make-up. Hij verwachtte een nieuwe uitbarsting, maar dat gebeurde niet. De knokkels van de president op de lessenaar werden krijtwit en hij haalde diep adem.
'Ga verder met je vraag, Sam.'
'En die man zei dat hij is wie hij is. Ik meen dat het geheim nu wel bekend is en denk dat mijn vraag gerechtvaardigd is.'
'Ik heb nog geen vraag gehoord, Sam.'
'Is hij wie hij zegt te zijn?'
'Dat hoef je je toch niet door mij te laten vertellen.'
'Meneer de president, deze gebeurtenis, deze... operatie heeft grote internationale betekenis. In een bepaald opzicht hebben inlichtingenoperaties, hoe gevoelig ze ook liggen, grote invloed op onze buitenlandse betrekkingen. Het Amerikaans volk wil graag weten waar het allemaal om draait.'
'Sam, ik zeg het voor de laatste keer: ik zal nooit, maar dan ook nooit, inlichtingenkwesties bespreken. Ik ben hier vanochtend om onze burgers te informeren over een tragisch en tot nut toe onopgehelderd incident waarbij meer dan honderd mensen, onder wie veertien Amerikaanse staatsburgers, het leven hebben verloren. Deze regering zal haar uiterste best doen om vast te stellen wat er gebeurd is, en aan de hand daarvan de noodzakelijk geachte actie ondernemen.'
'Heel goed, meneer de president. Hebben we een één-Chinapolitiek of een twee-Chinapolitiek?'
'Er is niets veranderd.'
'Kan dit incident tot een verandering leiden?'
'Ik wil over zo'n belangrijke zaak niet speculeren. Als u het goedvindt, ga ik nu weer aan het werk.'
'Dank u, meneer de president!' hoorde Jack op weg naar de deur. Vlak om de hoek bevond zich een goed verborgen wapenkast. De president sloeg er met zijn hand zo hard tegenaan dat enkele uzi's erin luid rammelden.
'Godverdomme!' vloekte hij, de vijftig meter naar zijn kantoor lopend.
'Meneer de president?' Ryan draaide rond zijn as. Het was Robby, die zijn aktetas vasthield. Het leek volstrekt ongepast voor een piloot om met zo'n ding te sjouwen.
'Ik moet je mijn excuses aanbieden,' zei Jack voordat Robby weer iets kon zeggen. 'Het spijt me dat ik het verknald heb.'
Admiraal Jackson klopte zijn vriend op de arm. 'De volgende keer dat we golfen, gaat het om een dollar per hole. En als je kwaad wordt, reageer je dan op mij af, en niet op hen, goed? Ik heb die boosheid van jou al eerder gezien. Hou je in. Een commandant kan alleen maar voor de show kwaad worden voor de

manschappen, niet echt. Dat noemen we leiderschapstechniek. Tegen de staf schreeuwen is wat anders. Ik behoor tot de staf,' zei Robby. 'Schreeuw tegen mij.'
'Ja, ik weet het. Hou me op de hoogte en...'
'Jack?'
'Ja, Rob?'
'Je doet het goed, maar blijf kalm.'
'Ik mag niet toestaan dat Amerikanen vermoord worden, Robby. Daar ben ik niet hier voor.' Hij balde zijn vuisten weer.
'Dergelijke klotedingen gebeuren, Jack. Als je denkt dat je daar volledig een eind aan kunt maken, dan hou je jezelf voor de gek. Jij bent God niet, Jack, maar je bent een goeie vent die zijn werk goed doet. We zullen je meer informatie geven als we meer inzicht in het gebeurde hebben.'
'Wat dacht je van een partijtje golf als alles weer rustig is?'
'Ik ben geheel de jouwe.'
De twee vrienden schudden elkaar de hand. Het was voor hen allebei niet genoeg op dit moment, maar hier moest het bij blijven. Jackson liep op de deur af en Ryan keerde terug naar zijn kantoor. 'Mevrouw Sumter!' riep hij op weg naar binnen. Misschien zou een saffie helpen.

'Wat is er aan de hand, meneer de minister?' vroeg Chavez. De fax van drie pagina's, verstuurd via de beveiligde satellietverbinding, vertelde hun alles wat de president wist. Hij liet hen het bericht ook lezen.
'Ik weet het niet,' gaf Adler toe. 'Chavez, die scriptie waarover je me vertelde...'
'Wat is daarmee?'
'Je had met schrijven moeten wachten. Nu weet je hoe het hier is. Net als toen je op school trefbal speelde, maar nu is het geen rubberen bal die we proberen te ontwijken.'
De minister van Buitenlandse Zaken stopte zijn aantekeningen in zijn tas en zwaaide naar de luchtmachtsergeant die met de zorg voor hen belast was. Hij was niet zo knap als de Franse stewardess.
'Jawel, meneer?'
'Heeft Claude iets voor ons achtergelaten?'
'Een paar flessen uit de Loire-vallei,' antwoordde de sergeant met een lachje.
'Wil je er een ontkurken en wat glazen pakken?'
'Kaarten?' vroeg John Clark.
'Nee, ik denk dat ik een paar glazen drink en dan wat ga slapen. Het ziet ernaar uit dat er nog een reis volgt,' vertelde de minister hun.
'Peking.' Geen verrassing, dacht John.
'Het zal geen Philadelphia zijn,' zei Scott toen de fles en de glazen gebracht werden. Een half uur later zetten de drie de mannen de rugleuning van hun stoelen in de achterste stand. De sergeant deed de vensterluikjes voor hen dicht. Ditmaal sliep Clark wat, maar Chavez niet. Er zat een kern van waarheid in

wat Adler tegen hem opgemerkt had. In zijn scriptie had hij de staatsmannen van rond de eeuwwisseling hevig aangevallen omdat ze niet in staat waren verder te kijken dan de onmiddellijke problemen. Nu wist Ding inmiddels beter. Het was moeilijk het verschil aan te duiden tussen een tactisch probleem op de korte termijn en een echt strategisch probleem als je de kogels elke minuut weer moest ontwijken. In geschiedenisboeken kon het karakter en de sfeer van de tijd waarover ze berichtten nooit helemaal precies weergegeven worden. Ook werd er een verkeerde indruk van mensen in gegeven.
Minister Adler, die nu in zijn leren stoel languit lag te ronken, was een carrièrediplomaat, bedacht Chavez, en hij had het vertrouwen en het respect van de president verdiend, een man voor wie hij zelf groot respect had. Hij was niet dom. Hij was niet corrupt. Maar hij was ook maar een mens, en mensen maakten fouten... en grote mensen maakten grote fouten. Ooit zou een historicus schrijven over de trip die ze zojuist ondernomen hadden, maar zou die historicus echt weten hoe het geweest was? En als hij dat niet wist, hoe kon hij dan werkelijk beoordelen wat er gebeurd was?
Wat is er aan de hand, vroeg Ding zich af. Iran krijgt het op zijn heupen, loopt Irak onder de voet en sticht een nieuwe staat, en net als Amerika die kwestie probeert aan te pakken, gebeurt er iets anders. Het was wellicht een gering incident in het licht van de geschiedenis, maar dat wist je nooit zeker tot het allemaal voorbij was. Hoe kon je het weten? Dat was altijd het probleem. Staatsmannen door de eeuwen heen hadden fouten gemaakt omdat ze, als ze eenmaal in een bepaalde situatie verkeerden, daar niet uit konden stappen om zich een wat afstandelijker oordeel aan te meten. Daar werden ze weliswaar voor betaald, maar het was bepaald moeilijk, of niet soms? Hij had net zijn eindscriptie klaar; later dit jaar zou hij afstuderen en zich officieel een deskundige in internationale betrekkingen mogen noemen. Maar dat was een leugen, dacht Ding, terwijl hij zijn eigen rugleuning naar achteren zette. Hij herinnerde zich een luchthartige observatie die hij ooit op een andere lange vlucht gedaan had. Het gebeurde maar al te vaak dat internationale betrekkingen er simpelweg op neerkwamen dat het ene land het andere belazerde. Domingo Chavez, bijna doctorandus in de internationale betrekkingen, glimlachte bij de gedachte, maar erg grappig was het eigenlijk niet. Niet als er mensen werden gedood. En vooral niet als hij en meneer C. werkbijen in de frontlinie waren. Er gebeurde iets in het Midden-Oosten. Er gebeurde iets anders in China... zo'n zesduizend kilometer verderop. Konden die twee dingen verband met elkaar houden? Stel dat dat zo was? Maar hoe kon je dat weten? Historici namen aan dat mensen dat konden weten als ze maar slim genoeg waren. Maar historici hoefden het werk niet te doen...

'Niet zijn beste optreden,' zei Plumber, een slok van zijn ijsthee nemend.
'Twaalf uur, nee niet eens, om zich een oordeel te vormen over een gebeurtenis aan de andere kant van de wereld, John,' bracht Holtzman in het midden.
Het was een typisch Washingtons restaurant, namaak-Frans, met een chic uit-

gevoerd menu waarop te dure gerechten van matige kwaliteit stonden. Maar ja, beide mannen aten op kosten van de zaak.
'Hij zou zich beter in de hand moeten houden,' merkte Plumber op.
'Je klaagt dat hij niet overtuigend genoeg liegt?'
'Dat is een van de dingen die een president moet kunnen...'
'En als we hem erop betrappen...' Holtzman hoefde zijn zin niet af te maken.
'Wie zei er dat het een makkelijke baan was, Bob?'
'Soms vraag ik we af of wij die baan nog moeilijker moeten maken.' Maar Plumber hapte niet toe.
'Waar denk je dat Adler is?' vroeg de NBC-correspondent zich hardop af.
'Dat was een goede vraag vanochtend,' gaf de *Post*-verslaggever toe, zijn glas optillend. 'Ik laat dat onderzoeken.'
'Wij ook. Ryan had alleen hoeven zeggen dat hij zich voorbereidde op een gesprek met de Chinese ambassadeur. Dat zou een adequaat antwoord zijn geweest.'
'Maar het zou een leugen zijn geweest.'
'Het zou de juiste leugen zijn geweest. Bob, zo is het spel. De regering probeert dingen in het geheim te doen, en wij proberen erachter te komen. Ryan houdt iets te veel van geheime dingetjes.'
'Maar als we hem ervoor aanpakken, wiens agenda volgen we dan?'
'Wat bedoel je?'
'Kom, John. Ed Kealty heeft al die dingen naar je laten uitlekken. Daar hoef ik geen wetenschappelijk onderzoek voor te doen. Iedereen weet het.' Bob prikte met zijn vork in zijn salade.
'Het is allemaal waar, hè?'
'Ja,' gaf Holtzman toe. 'En er is nog veel meer.'
'Echt? Ik wist dat je met een verhaal bezig was.' Hij voegde er niet aan toe dat het hem speet zijn jongere collega niet voor te zijn geweest, hoofdzakelijk omdat dat niet zo was.
'Zelfs meer dan waarover ik kan schrijven.'
'Echt?' Nu raakte Plumber echt geïnteresseerd. Holtzman was iemand van de jongere generatie voor de tv-correspondent en iemand van de oudere generatie voor de jongste lichting verslaggevers, die Plumber als een snobistische ouwe zak beschouwden, ook al woonden ze wel zijn post-doctorale seminars journalistiek aan de Columbia-universiteit bij.
'Echt,' verzekerde Bob hem.
'Zoals?'
'Zoals dingen waarover ik niet kan schrijven,' herhaalde Holtzman. 'In elk geval voorlopig niet. John, ik ben al jaren met een deel van dit verhaal bezig. Ik ken de CIA-functionaris die Gerasimovs vrouw en dochter weg heeft gehaald. We hebben een overeenkomst. Over een paar jaar vertelt hij me hoe het precies gegaan is. Dat verhaal van die onderzeeër is waar en...'
'Weet ik, ik heb een foto van Ryan op die boot gezien. Waarom hij dat niet laat uitlekken, is mij een raadsel.'

'Hij overtreedt de regels niet. Niemand heeft hem ooit uitgelegd dat het geen probleem is...'
'Hij moet meer met Arnie praten...'
'In tegenstelling tot Ed.'
'Kealty weet hoe het spel gespeeld wordt.'
'Ja, dat is waar, John, en misschien wel te goed. Weet je, er is één ding waar ik nooit goed achter gekomen ben,' merkte Bob Holtzman op.
'Wat dan?'
'Wat dat spel betreft waar we in zitten, moeten wij nu toeschouwers, scheidsrechters of spelers zijn?'
'Bob, onze taak is de waarheid aan onze lezers te melden, of kijkers, in mijn geval.'
'Wiens waarheid, John?' vroeg Holtzman.

'Een van de wijs gebrachte en boze president Ryan...' Jack pakte de afstandsbediening en zette het geluid af bij de CNN-verslaggever die hem met de vraag over China had verrast. 'Boos, ja, maar van de wijs gebracht...'
'Ook ja,' zei Van Damm. 'Je hebt die vragen over China en over de verblijfplaats van Adler verknald... waar is hij trouwens?'
De president keek op zijn horloge. 'Hij zal over anderhalf uur op Andrews aankomen. Waarschijnlijk zit hij nu boven Canada. Hij komt direct hierheen en vertrekt daarna waarschijnlijk weer naar China. Wat zijn ze in godsnaam van plan?'
'Je hebt me te pakken,' erkende de stafchef. 'Maar daarom heb je ook een nationale-veiligheidsstaf.'
'Ik weet evenveel als zij en ik weet geen donder,' zei Jack driftig, achteroverleunend in zijn stoel. 'We moeten beslist het aantal medewerkers bij de inlichtingendienst uitbreiden. De president mag hier niet voortdurend buiten spel staan omdat hij niet weet wat er aan de hand is. Ik kan geen besluiten nemen zonder informatie. We beschikken nu alleen nog maar over veronderstellingen, afgezien van wat Robby ons verteld heeft. Dat zijn harde gegevens, maar ze zijn zonder waarde omdat ze nergens anders bij passen.'
'Ook de president zal moeten leren te wachten, zelfs als de pers dat niet doet. Je moet leren je te richten op wat je kunt doen wanneer je het kunt doen. We hebben afspraken voor je gemaakt om toespraken te houden. Als je de juiste mensen in het Congres wilt, dan zul je je in de buitenwereld moeten vertonen. Ik laat Callie een paar speeches voor je voorbereiden.'
'Wat zijn de aandachtspunten?'
'Belastingbeleid, verbetering van het management, integriteit, al je favoriete onderwerpen. Zo langzamerhand moet je wat meer tijd onder de mensen doorbrengen. Als zij een beetje van je houden, dan kun jij wat meer van hen houden.' Dit leverde de stafchef een geërgerde blik op. 'Ik heb je al eerder gezegd dat je niet hier op één plek kunt blijven zitten. De radio's in het vliegtuig werken goed.'

'Het zou goed zijn eens van omgeving te veranderen,' gaf de president toe.
'Weet je wat nu echt goed zou zijn?'
'Nou?'
Arnie grijnsde. 'Een natuurramp. Dan heb je de kans om erheen te vliegen en een presidentiële blik aan te nemen, om mensen te ontmoeten, ze te troosten en federale noodhulp te beloven en...'
'Godverdomme!' Hij vloekte zo luid dat de secretaresses het door de zeven centimeter dikke deur hoorden.
Arnie zuchtte. 'Je moet leren tegen een grapje te kunnen, Jack. Je moet die driftigheid van je eens achter slot en grendel stoppen. Ik plaagde je maar een beetje. Ik sta aan jouw kant, onthou dat.' Arnie ging terug naar zijn kantoor. De president was weer alleen.
Hij had het zoveelste lesje in president-zijn gekregen. Jack vroeg zich af wanneer ze zouden stoppen. Vroeg of laat zou hij zich toch als een president moeten gedragen. Maar hij was er nog niet helemaal in geslaagd. Arnie had het niet precies zo gezegd, en Robby evenmin, maar dat hoefden ze ook niet. Hij voelde zich nog steeds niet in zijn element. Hij deed zijn best, maar dat was niet genoeg, althans nog niet, bedacht hij. Nog niet? Misschien wel nooit. Eén ding tegelijk, dacht hij. Dat zei elke vader tegen elke zoon, zij het dat ze je nooit waarschuwden dat één-tegelijk een luxe was die sommigen zich niet konden veroorloven. Veertien dode Amerikanen op een landingsbaan op een eiland dertienduizend kilometer verderop, waarschijnlijk om het leven gebracht, maar zonder dat hij enig idee had waarom. En nu zou hij dat opzij moeten zetten en met andere dingen verder moeten gaan, zoals een reisje naar de mensen die hij moest beschermen en verdedigen, juist nu hij probeerde uit te zoeken hoe hij erin gefaald kon hebben bij veertien van hen. Wat had je eigenlijk nodig om deze functie uit te oefenen? Dode burgers laten voor wat ze waren en je op andere dingen concentreren? Je moest toch gestoord zijn om dat te kunnen? Nou, nee. Anderen moesten dat ook, zoals artsen, soldaten en politieagenten. En nu moest hij het ook. En daarbij moest hij ook nog zijn drift beteugelen, zijn frustraties voor zich houden en zich de rest van de dag op iets anders richten.

Filmster keek naar de zee, zes kilometer onder hem, schatte hij. In het noorden kon hij een ijsberg op het blauwgrijze oppervlak zien glinsteren in het felle zonlicht. Was dat niet opmerkelijk? Hoe vaak hij ook gevlogen had, zoiets had hij nog nooit gezien. Voor iemand uit zijn deel van de wereld was de zee al vreemd genoeg, als een woestijn. Je kon er onmogelijk leven, zij het om andere redenen. Vreemd hoe de zee in alles op de woestijn leek, op de kleur na dan. Het oppervlak was gerimpeld in bijna parallelle lijnen, net als zandduinen, maar het zag er niet uitnodigend uit. Ondanks zijn uiterlijk, waarmee hij erg ingenomen was – hij genoot bijvoorbeeld van de glimlach die de stewardessen hem schonken – was bijna niets aantrekkelijk voor hem. De wereld haatte hem en zijn soort, en zelfs degenen die van zijn diensten gebruikmaakten, hielden

hem liever op een armlengte afstand, als een gemene, maar af en toe nuttige hond. Hij trok een grimas, terwijl hij naar beneden keek. Honden waren in zijn cultuur geen geliefde dieren. Daar zat hij dan weer in een vliegtuig, alleen, terwijl zijn mensen in groepen van drie in andere vliegtuigen zaten, op weg naar een plaats waar ze beslist niet welkom waren en weggezonden uit een plaats waar ze nauwelijks meer welkom waren.
Wat zou succes hem eigenlijk brengen? Inlichtingenfunctionarissen zouden hem proberen te identificeren en op te sporen, maar daar waren de Israëli's al sinds jaar en dag mee bezig, en hij leefde nog steeds. Waar deed hij dit voor, vroeg Filmster zich af. Daar was het wat te laat voor. Als hij de missie afzegde, dan zou hij nergens welkom meer zijn. Hij moest toch voor Allah strijden? Jihad. Een heilige oorlog. Het was een religieuze term voor een militair-religieuze daad; het was de bedoeling het geloof te verdedigen, maar daar geloofde hij niet echt meer in. Hij vond het wat beangstigend geen land en geen thuis meer te hebben, en dan... ook geen geloof meer? Had hij dat nog wel, vroeg hij zich af, en hij gaf toe dat als hij het toch moest vragen, het antwoord nee was. Hij en zijn soort, tenminste degenen die overleefden, werden automaten, knappe robots, computers in de moderne tijd. Machines die handelden op verzoek van anderen, die weggeworpen werden als dat zo uitkwam; onder hem veranderde het oppervlak van de zee of de woestijn nooit. Toch had hij geen keus.
Misschien zouden de mensen die hem op de missie stuurden winnen, en dan zou hij een bepaalde vorm van beloning genieten. Dat bleef hij zichzelf maar voorhouden, ook al had hij in zijn leven niets ervaren waarop hij dat geloof kon baseren; en als hij zijn geloof in God verloren had, waarom kon hij dan trouw blijven aan een beroep dat zelfs zijn opdrachtgevers verachtten?
Kinderen. Hij was nooit getrouwd en was nooit vader geworden, voorzover hij wist. De vrouwen die hij had gehad, waren misschien... maar nee, dat waren ontspoorde vrouwen, en zijn religieuze oefeningen hadden hem geleerd hen te verachten, zelfs al maakte hij gebruik van hun lichaam, en als ze nageslacht baarden, dan waren ook hun kinderen vervloekt. Hoe was het toch mogelijk dat een man zijn leven lang een idee najoeg en zich dan opeens realiseerde dat hij zich hier meer thuis voelde dan waar ook, juist terwijl hij neerkeek op het vijandigste, meest desolate landschap ter wereld, waar hij noch een ander ooit zou kunnen leven? En daarom zou hij meewerken aan het ombrengen van kinderen. Ongelovigen, politieke symbolen, dingen. Maar dat gold niet voor hen. Zij waren op die leeftijd nog volstrekt onschuldig, hun lichaam was nog niet volgroeid, hun geest had de aard van goed en kwaad nog niet leren kennen.
Filmster zei tegen zichzelf dat hij dergelijke gedachten eerder had gehad, dat twijfels normaal waren voor mensen met een moeilijke opdracht. Alle voorgaande keren had hij die twijfels opzij gezet en had hij doorgezet. Als de wereld veranderd was, ja, dan misschien...
Maar de enige veranderingen die hadden plaatsgevonden, waren in tegenspraak met zijn levenslange zoektocht. Nu hij voor niets gedood had, moest hij

dan blijven doden in de hoop dat hij althans iets zou bereiken? Waar leidde dat pad heen? Als er een God en een geloof was, en als er een wet was, dan... Nou ja, hij moest in iets geloven. Hij keek op zijn horloge. Nog vier uur. Hij had een missie. Hij moest erin geloven.

Ze kwamen met een auto en niet met een helikopter, want die zou te goed zichtbaar zijn. Misschien zou niemand op deze manier iets merken. Om de aankomst nog onopvallender te maken, arriveerden de auto's bij de ingang van de oostvleugel. Adler, Clark en Chavez liepen op dezelfde manier het Witte huis in als Jack zijn eerste avond had gedaan. Ze werden door de Secret Service snel naar binnen gevoerd, en ze slaagden erin binnen te komen zonder door de pers te worden opgemerkt. Het Oval Office was nogal vol met mensen. Goodley en de Foleys waren er eveneens, samen met Arnie uiteraard.
'Hoe staat het met de jetlag, Scott?' vroeg Jack eerst toen hij hem bij de deur begroette.
'Als het dinsdag is, dan moet dit Washington zijn,' antwoordde de minister van Buitenlandse Zaken.
'Het is geen dinsdag,' merkte Goodley op, die het niet begreep.
'Dan heb ik een behoorlijke jetlag.' Adler ging zitten en pakte zijn aantekeningen uit zijn tas. Een hofmeester van de marine bracht koffie, de brandstof van Washington. Iedereen die uit de VIR was gekomen, liet zich inschenken.
'Vertel ons over Daryaei,' zei Ryan.
'Hij ziet er gezond uit. Een beetje vermoeid,' meldde Adler. 'Zijn bureau ziet er redelijk schoon uit. Hij sprak zacht, maar hij is nooit iemand geweest die zijn stem verheft in het openbaar, voorzover ik weet. Interessant genoeg arriveerde hij ongeveer tegelijkertijd met ons in de stad.'
'Zo?' zei Ed Foley, van zijn eigen aantekeningen opkijkend.
'Ja, hij kwam met een zakenjet, een Gulfstream,' meldde Clark. 'Ding heeft wat foto's gemaakt.'
'Dus hij reist wat rond? Ik denk dat dat van belang is,' merkte de president op. Vreemd genoeg kon Ryan zich identificeren met Daryaei's problemen. Ze verschilden niet zoveel van de zijne, hoewel de methoden van de Iraniër nauwelijks afwijkender hadden kunnen zijn.
'Zijn staf is bang voor hem,' voegde Clark er impulsief aan toe. 'Het leek wel een oude nazifilm uit de Tweede Wereldoorlog. De staf in zijn kantoor was behoorlijk nerveus. Als iemand "boe" geroepen had, zouden ze tegen het plafond gesprongen zijn.'
'Daar ben ik het mee eens,' zei Adler, die zich niet van zijn stuk liet brengen door de onderbreking. 'Zijn houding tegenover mij was bijzonder voornaam, rustig, veel platitudes en zo. De kern van de zaak is dat hij niets van werkelijke betekenis zei; kan goed zijn, kan slecht zijn. Hij wil geregelde contacten met ons onderhouden. Hij zegt dat hij vrede voor iedereen wenst. Hij gaf zelfs een hint die op een zekere goodwill voor Israël duidde. Tijdens een groot deel van het gesprek bleef hij maar tegen me preken over hoe vreedzaam hij en zijn reli-

gie zijn. Hij benadrukte de waarde van olie en de daaruit resulterende commerciële relaties tussen alle betrokken partijen. Hij ontkende enige territoriale ambities te hebben. Er waren geen verrassingen.'
'Goed,' zei de president. 'En wat de lichaamstaal betreft?'
'Hij lijkt erg zelfverzekerd. Zijn positie bevalt hem.'
'Dat mag ook wel.' Dat was Ed Foley weer.
Adler knikte. 'Mee eens. Als ik hem in één woord moest omschrijven, zou dat "sereen" zijn.'
'Toen ik hem enkele jaren geleden ontmoette,' herinnerde Jack zich, 'was hij agressief, vijandig, op zoek naar vijanden en zo.'
'Niets van dat alles vandaag.' De minister zweeg even, zich afvragend of het nog altijd dezelfde dag was. Waarschijnlijk wel, besloot hij. 'Zoals ik zei, sereen, maar op weg naar huis kwam de heer Clark hier met iets aanzetten.'
'Wat dan?' vroeg Goodley.
'De metaaldetector ging erdoor af.' John haalde de ketting weer uit zijn zak en gaf die aan de president.
'Heb je wat gewinkeld?'
'Iedereen wilde toch dat ik een wandelingetje maakte,' bracht hij zijn gehoor in herinnering. 'En wat is een betere plek dan een markt?' Clark deed verslag van het voorval met de goudsmid, terwijl de president de ketting bekeek.
'Als hij dit soort dingen voor zevenhonderd dollar verkoopt, dan moeten we misschien allemaal zijn adres hebben. Staat dit op zichzelf, John?'
'Het hoofd van de Franse post liep met me mee. Hij zei dat deze man vrij representatief was.'
'En dus?' vroeg Van Damm.
'Dus heeft Daryaei misschien helemaal niet zoveel reden om zo sereen te zijn,' suggereerde Scott Adler.
'Mensen zoals hij weten niet altijd wat de mensen op het platteland denken,' dacht de stafchef.
'Daardoor is de sjah ten val gekomen,' vertelde Ed Foley hem. 'En Daryaei is een van de mensen die dat bewerkstelligd heeft. Ik denk dat hij die les nog niet vergeten is... En we weten dat hij de mensen die uit het gelid treden nog altijd hard aanpakt.' De CIA-directeur draaide zich om en keek zijn veldfunctionaris aan. 'Goed gedaan, John.'
'Lefèvre, de Franse spion, vertelde me tweemaal dat we geen goed beeld hebben van de stemming op straat daar. Misschien wilde hij me kleineren,' ging Clark verder, 'maar ik denk het niet.'
'We weten dat er afwijkende meningen zijn. Die zijn er altijd,' zei Ben Goodley.
'Maar we weten niet hoeveel,' zei Adler weer. 'Het gaat hier volgens mij om een man die om een bepaalde reden sereniteit wil uitstralen. Hij heeft een paar goede maanden gehad. Hij heeft een grote vijand onder de voet gelopen. Hij heeft wat interne problemen, waarvan we de grootte nog moeten beoordelen. Hij vliegt heen en weer naar Irak, dat hebben we gezien. Hij ziet er vermoeid

uit. Gespannen staf. Ik zou zeggen dat hij zijn bordje wel vol heeft op het moment. Goed, hij vertelde me hoe graag hij vrede wil. Ik wil het bijna geloven. Ik denk dat hij tijd nodig heeft om te consolideren. Clark hier vertelde me dat de voedselprijzen hoog zijn. Het is in principe een rijk land, en Daryaei kan de toestand het best kalmeren door zijn politieke succes zo snel mogelijk om te zetten in economisch succes. Het zou geen kwaad kunnen als hij eten op tafel zet. Hij zal nu eerst naar binnen moeten kijken in plaats van naar buiten. Ik denk dus dat hier een kans voor ons ligt,' besloot de minister.
'De open hand van de vriendschap uitsteken?' vroeg Arnie.
'Ik denk dat we de contacten voorlopig stil en informeel moeten houden. Ik kan iemand aanwijzen voor de ontmoetingen. En dan zien we wel wat er gebeurt.'
'De president knikte. 'Goed gedaan, Scott. Ik denk dat we je nu beter snel kunnen inlichten over China.'
'Wanneer vertrek ik?' vroeg de minister met een gepijnigde uitdrukking.
'Dit keer krijg je een groter vliegtuig,' beloofde zijn president hem.

41

Hyena's

Filmster voelde hoe het hoofdlandingsgestel op Dulles International Airport de grond raakte. Het gevoel maakte niet volledig een eind aan zijn twijfels, maar vormde wel de aankondiging dat hij ze opzij moest zetten. Hij leefde in een praktische wereld. De aankomstroutine was wederom... routine.
'Zo snel al weer terug?' vroeg de immigratiebeambte, het laatste stempel in zijn paspoort bekijkend.
'*Ja, doch,*' antwoordde Filmster in zijn Duitse identiteit. 'Misschien ik krijg hier snel appartement.'
'De prijzen in Washington zijn nogal hoog,' zei de man, terwijl hij een nieuw stempel zette. 'Een aangenaam verblijf gewenst, meneer.'
'Dank u.'
Niet dat hij iets te vrezen had. Hij had niets illegaals bij zich, behalve wat zich in zijn hoofd bevond, en hij wist dat de Amerikaanse inlichtingendienst eigenlijk nog nooit werkelijke schade aan een terroristische groepering had toegebracht, maar deze reis was anders, zelfs al was hij de enige die het wist, terwijl hij in zijn eentje in de drukke aankomsthal liep. Niemand zou hem afhalen, dat was eerder ook niet gebeurd. Ze hadden een rendez-vous waarbij hij als

laatste zou arriveren. Hij was waardevoller dan de andere leden van het team. Hij huurde weer een auto en reed naar Washington. Hij keek voortdurend in zijn spiegel en nam opzettelijk de verkeerde afslag. Hij keek of iemand hem volgde toen hij keerde om weer op de juiste weg te komen. Net als eerder was de kust veilig. Als iemand hem al volgde, gebeurde dat zo intelligent dat hij geen enkele kans had te overleven. Hij wist hoe dat werkte: verscheidene auto's, zelfs een paar helikopters, maar een dergelijke investering in tijd en geld kwam alleen voor als de tegenstander bijna alles wist – de organisatie ervan kostte veel tijd – en kon alleen maar betekenen dat de Amerikaanse CIA diep in zijn groep was geïnfiltreerd. De Israëli's waren daartoe in staat, althans, daar was iedereen in de terroristische beweging bang voor, maar in de loop der jaren had een wreed darwinistisch proces een eind gemaakt aan het leven van alle roekeloze mannen; de Israëlische Mossad had nog nooit moeite gehad met islamitisch bloed, en als hij door die dienst ontdekt zou zijn, dan was hij allang dood geweest. Dat zei hij tenminste tegen zichzelf, terwijl hij nog steeds in zijn achteruitkijkspiegel keek omdat dat de manier was waarop hij in leven bleef.

Aan de andere kant genoot hij er erg van dat deze missie niet mogelijk was geweest zonder de Israëli's. Er bestonden islamitische terroristische groeperingen in Amerika, maar die vertoonden alle eigenschappen van amateurs. Ze waren overdreven religieus. Ze hielden bijeenkomsten op bekende plaatsen. Ze praatten onder elkaar. Ze konden gezien, gelokaliseerd en geïdentificeerd worden omdat ze zo verschilden van de anderen in hun aangenomen vaderland. En dan vroegen ze zich ook nog af waarom ze gepakt werden. Dwazen, dacht Filmster. Maar toch hadden ze hun nut. Door hun zichtbaarheid trokken ze de aandacht, terwijl de FBI slechts over beperkte middelen beschikte. Hoe geweldig de inlichtingendiensten in de wereld ook waren, het waren toch menselijke instellingen en mensen sloegen altijd op de spijkers die uit het hout staken.

Dat had Israël hem in zekere zin geleerd. Voor de val van de sjah was zijn inlichtingendienst, de Savak, door de Israëlische Mossad getraind, en niet alle Savak-leden waren met de komst van het nieuwe islamitische regime geëxecuteerd. De vaardigheden die ze geleerd hadden, werden ook aan mensen als Filmster doorgegeven. In wezen was alles erg gemakkelijk te begrijpen. Hoe belangrijker de missie, des te meer voorzichtigheid was er nodig. Als je niet ontdekt wilde worden, dan moest je in je omgeving opgaan. In een heidens land moest je niet al te devoot zijn. In een christelijk of joods land moest je geen moslim zijn. In een land dat geleerd had mensen uit het Midden-Oosten te wantrouwen, moest je ergens anders vandaan komen, of wat in zekere zin nog beter was, waarachtig zijn. Ja, je kón daar wel vandaan komen, maar dan moest je een christen, een bahai, een Koerd of een Armeniër zijn en je familie moest vreselijk vervolgd worden. Daarom was je naar Amerika gekomen, het land vol mogelijkheden, om de ware vrijheid te ervaren. En als je die simpele regels volgde, dan bestond die kans ook werkelijk, want Amerika maakte het erg ge-

makkelijk. Dit land verwelkomde vreemdelingen met een openheid die Filmster aan de strenge wetten der gastvrijheid in zijn eigen cultuur deed denken. Nu hij in het kamp van zijn vijand was, verdwenen zijn twijfels. Hij voelde zijn energie zo toenemen dat zijn hart sneller begon te kloppen en er een lachje op zijn gezicht verscheen. Hij was beslist goed in wat hij deed. De Israëli's, die hem indirect getraind hadden, waren nooit bij hem in de buurt gekomen, en als zij het niet konden, dan konden de Amerikanen het ook niet. Je moest gewoon voorzichtig zijn.
Elk team van drie beschikte over een man als hij, die weliswaar niet zo ervaren was, maar het scheelde niet veel. Iemand die een auto kon huren en veilig kon rijden, die beleefd en vriendelijk kon zijn tegen iedereen die hij ontmoette. Als een politieman hem zou aanhouden, dan wist hij berouwvol te zijn en vroeg hij wat hij verkeerd gedaan had. Dan zou hij de richting vragen, want mensen herinneren zich vijandelijk gedrag eerder dan een vriendelijke bejegening. Je moest zeggen dat je arts of ingenieur was of een ander gerespecteerd beroep had. Het was gemakkelijk als je voorzichtig was.
Filmster bereikte zijn eerste bestemming, een middenklassehotel aan de rand van Annapolis, en checkte in onder zijn valse naam, Dieter Kolb. De Amerikanen waren zo dom. Zelfs de politie dacht dat alle moslims Arabieren waren, en bedacht nooit dat Iran een Arisch land was, met dezelfde etnische identiteit die Hitler voor zijn natie geclaimd had. Hij ging naar zijn kamer en keek op zijn horloge. Als alles volgens plan verliep, zouden ze elkaar over twee uur ontmoeten. Voor de zekerheid belde hij de gratis informatienummers van de luchtvaartmaatschappijen en vroeg hij naar de aankomsttijden van de vliegtuigen. Ze waren allemaal op tijd aangekomen. Misschien had de douane of het drukke verkeer voor problemen gezorgd, maar daar was in het plan rekening mee gehouden. Het was een voorzichtig plan.

Ze waren alweer onderweg naar hun volgende stop, Atlantic City in New Jersey, waar een enorm congrescentrum was. De nieuwe modellen auto's waren ingepakt om de lak te beschermen. De meeste stonden op gewone autotrailers, maar andere stonden in overdekte trailers, zoals bij raceteams. Een van de vertegenwoordigers van de fabrikant bekeek de handgeschreven opmerkingen die zijn bedrijf had verzameld van mensen die langs waren geweest om naar hun producten te kijken. De man wreef in zijn ogen. Verdomde koppijn, snif. Hij hoopte niet dat hij iets onder de leden had. Hij had ook pijn in zijn gewrichten. Dat kreeg je ervan als je de hele dag onder de uitlaat van de airconditioning stond.

Het officiële telegram kwam nauwelijks onverwacht. De Amerikaanse minister van Buitenlandse Zaken vroeg officieel belet bij zijn regering om zaken van wederzijds belang te bespreken. Zhang wist dat hij hier niet omheen kon. Daarom kon hij hem beter op vriendelijke wijze ontvangen en zich onschuldig voordoen. Hij kon dan voorzichtig informeren of de Amerikaanse president

zich alleen versproken had of dat hij de reeds lang bestaande Amerikaanse politiek tijdens zijn persconferentie gewijzigd had. Alleen dat zijpad zou Adler al enkele uren bezighouden, stelde hij zich voor. De Amerikaan zou waarschijnlijk een voorstel doen voor een bemiddelaar tussen Peking en Taipei, die heen en weer reizend tussen de twee steden de toestand tot bedaren moest brengen. Dat zou erg nuttig zijn.
Voorlopig gingen de oefeningen door, zij het met wat meer respect voor de neutrale ruimte tussen de twee strijdkrachten. Het vuurtje brandde nog steeds, maar was wat getemperd. De Volksrepubliek, zo had de ambassadeur in Washington reeds verklaard, had niets verkeerds gedaan, had niet het eerste schot gelost en was niet van plan vijandelijkheden te beginnen. Het probleem lag bij de afgescheiden provincie, en als Amerika zich nu maar zou confirmeren aan de logische oplossing van het probleem, namelijk dat er maar één China was, dan zou de kwestie snel geregeld zijn.
Maar Amerika hield reeds lang vast aan een politiek die voor geen van de betrokken landen iets opleverde. Het wilde vrienden zijn met Peking én Taipei. Nu behandelde Amerika Taiwan weliswaar terecht als het mindere land, maar het weigerde daaruit de conclusies te willen trekken. In plaats daarvan zei Amerika dat er inderdaad maar één China was, maar dat het ene China niet het recht had zijn heerschappij op te leggen aan het 'andere' China dat volgens de officiële Amerikaanse politiek niet eens bestond. Dat was nou Amerikaanse logica. Wat een genot zou het zijn dit aan minister Adler uiteen te zetten.

'"De Volksrepubliek is verheugd minister Adler te mogen verwelkomen in het belang van de vrede en de stabiliteit in de regio." Nou, nou, dat is vriendelijk van ze,' zei Ryan, die om negen uur 's avonds nog steeds op kantoor was en zich afvroeg waar zijn kinderen zonder hem op tv naar keken. Hij gaf het bericht terug aan Adler.
'Weet je echt zeker dat ze het gedaan hebben?' vroeg de minister aan admiraal Jackson.
'Als ik die band nog een keer bekijk, gaat hij te veel slijten.'
'Weet je, soms maken mensen gewoon blunders.'
'Dit is er beslist geen,' zei Robby, zich afvragend of hij de videoband nogmaals moest bekijken. 'En ze zijn nu al een tijdje bezig met vlootoefeningen.'
'O ja?' vroeg Ryan.
'Zo lang, dat een deel van hun materieel nu wel versleten moet zijn. Ze zijn niet zo goed in onderhoud als wij. Daar komt bij dat ze veel brandstof verbruiken. We hebben ze nog nooit zo vaak op zee gezien. Waarom rekken ze de zaak zo lang? Dit schietincident lijkt me een geweldig excuus om ermee op te houden, naar de haven terug te keren en te zeggen dat ze hun zaak duidelijk gemaakt hebben.'
'Nationale trots,' suggereerde Adler. 'Ze moeten hun gezicht redden.'
'Sindsdien hebben ze de operaties enigszins beperkt. Ze komen niet meer in de buurt van de lijn die ik je liet zien. De Taiwanezen zijn nu in de hoogste

staat van paraatheid. Verdomme, misschien is dat het,' meende de J-3. 'Je valt geen boos geworden vijand aan. Je laat ze eerst wat tot rust komen.'
'Rob, jij zei dat een echte aanval niet mogelijk is,' zei Ryan.
'Jack, omdat ik niet weet wat hun bedoelingen zijn, moet ik naar hun mogelijkheden kijken. Ze kunnen een grote confrontatie in de Straat uitlokken en zullen daar waarschijnlijk als winnaars uitkomen. Misschien zal dat voldoende politieke druk op Taiwan leggen om ze tot een flinke concessie te dwingen. Zij hebben mensen gedood,' bracht Jackson de andere twee in herinnering. 'Zeker, zij hechten niet zoveel waarde aan het menselijk leven als wij, maar als je mensen doodt, dan kun je een andere onzichtbare lijn passeren, en zij weten wat wij daarvan vinden.'
'Breng het vliegdekschip daarheen,' zei Adler.
'Waarom, Scott?'
'Meneer de president, het verschaft me een troefkaart die ik op tafel kan leggen. Zoals admiraal Jackson ons zojuist verteld heeft, moeten we het verlies aan levens beslist serieus nemen, en zij zullen het feit moeten accepteren dat we niet willen en ook niet kunnen toestaan dat dit escaleert.'
'Stel dat ze toch druk blijven uitoefenen? Stel dat er een "ongeluk" volgt waar wij bij betrokken zijn?'
'Meneer de president, dat betreft de operationele uitvoering, en dat is mijn zaak. We moeten de *Ike* aan de oostkant van het eiland stationeren. Dan kunnen ze daar niet per ongeluk komen. Ze zullen door drie verdedigingslinies heen moeten dringen, namelijk die van Taiwan in de Straat, dan Taiwan zelf, en dan de muur die de commandant van de oorlogsschepen opwerpt. Ik zou ook een Aegis onder aan in de Straat kunnen stationeren, zodat we de hele doorgang met de radar kunnen controleren. Als u tenminste opdracht geeft de *Ike* te verplaatsen. Het voordeel voor Taiwan bedraagt dan vier squadrons jachtvliegtuigen plus radarcontrole vanuit de lucht. Daardoor zullen ze zich toch zekerder moeten voelen.'
'En dat zal mij de kans geven het spel beter te spelen als ik op en neer reis,' concludeerde de minister.
'Maar dan is de Indische Oceaan nog altijd niet gedekt. Het is lang geleden sinds we dat gedaan hebben.' Robby bleef daar maar op terugkomen, zo merkten de andere twee.
'Verder niets daar?' vroeg Jack. Hij realiseerde zich dat hij dat al eerder te weten had moeten komen.
'Een kruiser, *Anzio*, twee torpedojagers plus twee fregatten die een bevoorradingsgroep in Diego Garcia bewaken. We vertrekken nooit uit Diego zonder dekking van oorlogsschepen, niet nu de Pre-Positioning Ships daar zijn. We beschikken verder over een onderzeeër van de 688-klasse in het gebied. Het is genoeg om rekening mee te houden, maar niet genoeg voor werkelijk machtsvertoon. Meneer Adler, u begrijpt de implicatie van een vliegdekschip.'
De minister knikte. 'Zo'n schip wordt serieus genomen. Daarom denk ik dat we er een nodig hebben bij China.'

'Dat is een goed argument, Rob. Waar is de *Ike* nu?'
'Tussen Australië en Sumatra, nadert nu de Soendastraat. Oefening SOUTHERN CUP moet een Indiase aanval op de noordwestkust simuleren. Als we het schip nu de opdracht geven, kan het in vier dagen en een paar uur bij Formosa zijn.'
'Breng haar zo snel mogelijk daarheen, Rob.'
'Zeker, meneer,' zei Jackson, terwijl de twijfel nog steeds op zijn gezicht zichtbaar was. Hij gebaarde naar de telefoon en toen hij een instemmend knikje kreeg, belde hij het nationale militaire commandocentrum. 'Met admiraal Jackson. Ik heb orders van het Nationale Opperbevel. Voer GREYHOUND BLUE uit. Bevestig dat, kolonel.' Robby luisterde en knikte. 'Heel goed, dank u.' Hij wendde zich tot zijn president. 'Goed, de *Ike* zal over een minuut of tien de steven noordwaarts wenden en op volle snelheid richting Taiwan koersen.'
'Zo snel al?' Adler moest toegeven onder de indruk te zijn.
'De wonderen van de moderne communicatie, en we hadden admiraal Dubro al opdracht gegeven zich paraat te houden. Dit is geen geheime verplaatsing. De groep oorlogsschepen zal zich door diverse nauwe straten begeven, en dat zal opgemerkt worden,' waarschuwde hij.
'Het kan geen kwaad een persbericht te maken,' zei Adler. 'Dat hebben we eerder gedaan.'
'Dat is de kaart die je in Peking en Taipei kunt uitspelen,' zei Ryan, die opnieuw een uitvoeringsbevel had gegeven, maar toch wat bezorgd was dat Robby er niet gelukkig mee was. Brandstof was beslist een groot probleem. Er zou ook een bevoorradingsgroep op weg moeten om de tanks van de niet-nucleaire escortes van de *Eisenhower* bij te vullen.
'Zult u laten merken dat we van de beschietingen afweten?'
Adler schudde zijn hoofd. 'Nee, beslist niet. Het zal verwarrender voor ze zijn als ze denken dat we het niet weten.'
'Zo?' luidde de reactie van de enigszins verraste president.
'Dan kan ik beslissen wanneer we er zogenaamd achter komen, en als dat gebeurt, dan heb ik een nieuwe kaart om uit te spelen; op die manier kan ik er een geweldig spel van maken.' Hij draaide zich om. 'Admiraal, overschat de slimheid van uw vijand niet. Diplomaten als ik weten echt niet zoveel af van de technische aspecten van wat u doet. Dat geldt ook voor mensen in het buitenland. Veel van onze mogelijkheden zijn onbekend voor ze.'
'Ze hebben spionnen om hen op de hoogte te houden,' wierp Jackson hier tegenin.
'Denk je dat die altijd luisteren? Doen wij dat?'
De J-3 knipperde met zijn ogen bij deze les en sloeg die voor toekomstig gebruik in zijn geheugen op.

Het gebeurde in een groot winkelcentrum, een Amerikaanse uitvinding die speciaal bedoeld leek voor geheime operaties, vanwege de vele ingangen, mensenmenigten en bijna volledige anonimiteit. Het eerste rendez-vous was

geen echte ontmoeting. Er werd alleen oogcontact gemaakt op een afstand van minimaal tien meter, terwijl de groepen elkaar passeerden. In plaats daarvan voerde elk van de subgroepen een telling uit en bevestigde elkaars identiteit door oogcontact. Daarna controleerden ze of de anderen niet gevolgd werden. Toen dat gebeurd was, keerde iedereen terug naar het hotel. Het echte rendez-vous zou de volgende dag plaatsvinden.
Filmster was blij. De pure vermetelheid hiervan was werkelijk opwindend. Dit was niet de relatief simpele taak om een dwaas met een bom – pardon, een heroïsche martelaar – Israël in te krijgen, en het mooie ervan was dat als een van zijn teams gezien was, de vijand onmogelijk het risico kon lopen hen te negeren. Je kon de tegenstander dwingen zijn kaart te tonen, en dat kon je maar beter doen op een tijdstip dat niemand van je mensen meer had gedaan dan met valse reisdocumenten het land binnengaan.
Weg met de twijfels, zei de leider van de operatie tegen zichzelf. Het was toch ronduit prachtig om iets in het hol van de leeuw te kunnen doen? Dat was nu juist zijn beweegreden om zich met terrorisme te blijven bezighouden. In het hol van de leeuw? De auto's toelachend stak hij de parkeerplaats over. De eigen welpen van de leeuw.

'Wat ga je doen?' vroeg Cathy in het donker.
'Scott vertrekt morgenochtend naar China,' antwoordde Jack, die naast zijn vrouw lag. Er werd gezegd dat de president van de Verenigde Staten de machtigste man ter wereld was, maar aan het eind van elke dag leek de uitoefening van die macht hem beslist uitgeput te hebben. Zelfs in zijn tijd op Langley, toen hij elke dag heen en weer moest reizen, was hij niet zo doodop geweest als bij dit werk.
'Om wat te zeggen?'
'Om te proberen ze te kalmeren, de lont uit het kruitvat te halen.'
'Weet je echt zeker dat ze opzettelijk...'
'Ja. Robby is er vrijwel even zeker van als jij van een diagnose bent,' bevestigde haar echtgenoot, naar het plafond turend.
'En gaan we met ze onderhandelen?' vroeg SURGEON.
'Dat moet wel.'
'Maar...'
'Schat, soms... verdomme, als een staat een moord begaat, dan blijft dat ongestraft. Ik moet aan het "grote beeld" denken, de "grotere kwesties" en dergelijke dingen.'
'Dat is verschrikkelijk,' vertelde Cathy hem.
'Ja, dat is het zeker. Je moet dit spel volgens de speciale regels spelen. Als je er een bende van maakt, dan gaat dat ten koste van meer mensen. Je kunt niet tegen een land praten zoals je tegen een misdadiger praat. Er zitten daar duizenden Amerikanen, zakenmensen en dergelijke. Als ik te ver van de regels afwijk, dan kan sommigen van hen wat overkomen; dan escaleren de zaken en wordt alles nog erger,' legde de president haar uit.

'Wat is er erger dan mensen vermoorden?' vroeg zijn vrouw.
Jack had geen antwoord. Hij had geleerd te accepteren dat hij niet over alle antwoorden beschikte voor de media, voor zijn landgenoten of soms zelfs voor zijn eigen staf. En nu had hij zelfs geen enkel antwoord voor de simpele, logische vraag van zijn vrouw. De machtigste man van de wereld? Zeker. Met die gedachte eindigde er weer een dag op 1600 Pennsylvania Avenue.

Zelfs belangrijke mensen werden roekeloos, wat nog gemakkelijker gemaakt werd door enige creativiteit van de kant van wat zorgvuldiger mensen. Het National Reconnaissance Office was hard aan het werk om twee gebieden in de gaten te houden. Elke passage van de spionagesatellieten over het Midden-Oosten en nu ook de Straat van Formosa leverde grote hoeveelheden beelden in de computer op. Het ging letterlijk om duizenden beelden die specialisten in foto-interpretatie stuk voor stuk in het nieuwe gebouw bij Dulles Airport moesten beoordelen. Ook dit was een taak die niet door de computer uitgevoerd kon worden. De staat van paraatheid van het VIR-leger had de hoogste prioriteit gekregen bij de Amerikaanse regering, als onderdeel van de rapportage die in opdracht van het Witte Huis werd voorbereid. Dat betekende dat de aandacht van het team daar volledig naar uitging. Voor de andere zaken werd op meer mensen een beroep gedaan om over te werken. Dezen keken voortdurend naar de foto's die boven China werden gemaakt. Als de Volksrepubliek echt een militaire actie ging ondernemen, dat zou dat op vele manieren zichtbaar zijn. Het Chinese Volksleger zou dan oefeningen houden en het materieel gaan onderhouden of tanks op treinen laden. De opslagplaatsen zouden een ander beeld geven. Aan de vleugels van vliegtuigen zouden wapens bevestigd zijn. Dat zou allemaal op een satellietfoto zichtbaar zijn. Er werd meer aandacht besteed aan het lokaliseren van schepen op zee; dat was veel moeilijker, omdat die zich niet op vaste plekken bevonden. Amerika had nog altijd twee fotosatellieten in de ruimte die elk twee keer per dag de bewuste gebieden passeerden, en die waren zo gepositioneerd dat er weinig 'uitvaltijd' was. De technici waren daarom tamelijk tevreden. Ze kregen voortdurend gegevens binnen waarmee ze hun inschattingen konden toetsen, om aldus hun plicht te doen voor hun president en hun land.
Maar ze konden niet alles overal in de gaten houden. Een plek die ze niet bekeken was Bombay, het westelijke hoofdkwartier van de Indiase marine. De banen van de Amerikaanse KH-11-satellieten waren nauwkeurig bepaald, evenals het tijdschema. Vlak nadat de nieuwste satelliet het gebied was gepasseerd en de andere nieuwe zich aan de andere zijde van de wereld bevond, kwam een lacune van vier uur, die zou eindigen met de passage van de oudste, minst betrouwbare van het trio. Gelukkig viel deze samen met hoogwater.
Twee pas gerepareerde vliegdekschepen haalden de ankertrossen in en vertrokken met enkele escortes naar open zee. Ze zouden op oefening gaan in de Arabische Zee, voor het geval dat iemand het op zou merken en vragen zou stellen.

Verdomme. De Cobra-vertegenwoordiger werd met een wat koortsachtig gevoel wakker. Het duurde enkele seconden voor hij wist waar hij was. Ander motel, andere stad, andere kamerverlichting. Hij zocht naar het juiste schakelaartje, zette zijn bril op, tuurde rond in het onprettige licht en zag zijn tas staan. O ja. Scheerset. Hij nam die mee naar de badkamer, trok het papier van het glas en vulde het half met water. Daarna haalde hij met enige moeite de kindveilige sluiting van een buisje aspirine, tikte ertegen totdat hij twee tabletten in zijn hand had en slikte die met wat water in. Hij had niet zoveel bier moeten drinken na het eten, maar hij had een goeie deal gesloten met enkele professionele clubspelers, en bier was nu eenmaal altijd een goed smeermiddel in de golfbusiness. Hij zou zich 's ochtends wel beter voelen. Hij was eerst profspeler geweest, maar was niet goed genoeg om echt tot de top door te stoten. Nu was hij een succesvolle vertegenwoordiger van golfspullen. Ach wat, dacht hij, terwijl hij weer in bed stapte. Hij bezat nog steeds een redelijke handicap, het was niet zo hectisch en hij verdiende goed zijn brood. Daar kwam bij dat hij bijna elke week wel op een nieuwe baan kon spelen om zijn artikelen te demonstreren. Hij hoopte dat de aspirine zou werken. Hij had om half negen een afspraak op de golfbaan.

STORM TRACK en PALM BOWL waren door glasvezelkabel met elkaar verbonden, zodat ze beter informatie konden uitwisselen. In het voormalige Irak werden nieuwe oefeningen gehouden, en ditmaal betrof het geen CPX. De drie zwaarbewapende geïntegreerde Iraakse en Iraanse legerkorpsen bevonden zich in het veld. Volgens de peilradio's bevonden ze zich op grote afstand van de Saoedische en Koeweitse grenzen, waardoor er geen speciaal gevaar aan hun activiteiten verbonden was, maar de ELINT-mensen luisterden zorgvuldig om een idee te krijgen van het vakmanschap van de commandanten die tanks en infanterievoertuigen over de brede, droge vlakte ten zuidoosten van Bagdad dirigeerden.
'Hier is goed nieuws, majoor,' zei de Amerikaanse luitenant terwijl hij een telex overhandigde. De VIR-rapportage had voor de verandering iets positiefs geproduceerd.
Driehonderd kilometer ten noordwesten van Koeweit en acht kilometer ten zuiden van de 'berm', in dit geval een kunstmatig duin, die de grens tussen het koninkrijk en de VIR markeerde, stopte een tweeënhalftonner. De bemanning stapte uit, bracht het lanceerplatform in gereedheid en vuurde de nieuwe Predator-raket af. Maar dit was niet zomaar een radiografisch bestuurde raket. Het mini-vliegtuig was een 'Unmanned Aerial Vehicle' of UAV, een blauwgrijze, door een propeller aangedreven spion. Het duurde ongeveer twintig minuten om de vleugels te bevestigen, de elektronica te programmeren en de motor te starten, waarna de raket gelanceerd werd. Het irritante gezoem van de motor verdween snel naarmate de raket hoogte won en noordwaarts verdween.
De Predator, het resultaat van dertig jaar onderzoek, was vanwege zijn kleine

omvang moeilijk te ontdekken op de radar. Ook waren er radarabsorberende materialen voor gebruikt en was de snelheid ervan zo laag dat de moderne computergestuurde radars, als ze het toestel al ontdekten, het als een vogel classificeerden. Daardoor was het voor de waarnemers niet zichtbaar. De verf die voor de romp gebruikt werd, onderdrukte de infraroodstraling en werd al jarenlang door de marine toegepast. Het was geen beste verf, want er bleef van alles aan kleven – de technici moesten voortdurend zand van het toestel borstelen – maar daar stond tegenover dat de kleur erg goed bij die van de lucht paste. Deze raket, die slechts gewapend was met een tv-camera, klom naar een hoogte van drie kilometer en koerste onder controle van een ander team in STORM TRACK noordwaarts om de VIR-oefeningen nog beter in de gaten te kunnen houden. Het was in wezen een schending van de soevereiniteit van het nieuwe land, maar de UAV was voorzien van een kilo explosieven, zodat niemand zou kunnen zeggen wat het geweest was als het ding op de verkeerde plek op de grond terechtkwam.

Met een richtantenne werden de opnames van de camera naar ontvangers in het koninkrijk gestuurd. Via de glasvezelkabel werd hetzelfde signaal aan PALM BOWL doorgegeven. Toen een medewerkster van de luchtmacht de monitor aanzette, werd het bijna contourloze landschap zichtbaar dat door de Predator geregistreerd werd, terwijl hij door de technici naar zijn bestemming werd geleid.

'Konden we maar zien of ze weten waar ze mee bezig zijn,' merkte de luitenant op tegen majoor Sabah.

'Het zou nog mooier zijn als we zouden zien dat ze het niet wisten,' antwoordde de Koeweitse officier bedachtzaam. Andere leden van zijn uitgebreide familie werden steeds bezorgder. Het was maar goed, zo dacht de majoor, dat het leger van zijn land in stilte in de hoogste staat van paraatheid werd gebracht. Evenals de Saoedi's hadden de Koeweitse burgers zich enthousiast opgeworpen als bemanning van het beste materieel dat het kleine, maar rijke land kon verkrijgen. Het onderhoud van de tanks vonden ze echter een taak voor het lagere volk. Anders dan hun Saoedische buren wisten ze hoe het was om bezet te zijn door een vreemde mogendheid. Velen van hen hadden familieleden verloren. Daarom oefenden ze gemotiveerd. Ze hadden nog niet het niveau van de Amerikanen bereikt die hen instrueerden, of dat van de Israëli's, die hen in stilte verachtten, zo wist majoor Sabah. Zijn landgenoten moesten eerst leren te schieten. Ze hadden uit puur plezier in het leren van die vaardigheid minstens een loop per tank verspeeld omdat ze met scherp schoten; echte projectielen vlogen verder en volgden een rechtere koers. Zo stelden ze een plezierige hobby in dienst van de wil om als natie te overleven. Nu ze in staat waren hun doelen te treffen, moesten ze leren te manoeuvreren en te vechten tijdens verplaatsingen. Ze konden het nog niet goed, maar het ging al beter. Hun training was des te belangrijker geworden in het licht van de huidige crisis en daarom lieten zijn landgenoten nu zelfs hun bank-, olie- en handelskantoren voor wat ze waren om in hun voertuigen te klimmen. Een team van Amerikaanse adviseurs zou ze weer meenemen het veld in, ze een krijgskundig probleem opgeven en hun optreden beoordelen. Hoewel het de majoor verdroot dat zijn landgenoten, van wie velen familieleden waren, nog niet gereed waren, was hij er toch ook trots op dat ze werkelijk hun best deden. Hoe slim hij ook was, het kwam nooit bij hem op hoe dicht zijn leger het Israëlische model genaderd was: burgersoldaten die leerden te vechten nadat ze een harde les geleerd hadden.

'SWORDSMAN is wakker,' hoorde Andrea Price in haar oortelefoontje. Het hoofd van het escorte en de chefs van de sub-escortes stonden in de keuken koffie te drinken rond een van de roestvrij stalen werkbanken die werden gebruikt om eten te bereiden. 'Roy?'
'Weer een routinedag,' zei agent Altman. 'Ze heeft vanochtend drie afspraken staan, dan vanmiddag een lezing voor enkele Spaanse artsen; universiteit van Barcelona, acht mannen en twee vrouwen. We hebben de namen bij de Spaanse politie nagetrokken. Ze zijn allemaal brandschoon. Geen speciale dreigementen tegen SURGEON gemeld. Het lijkt een normale dag op kantoor.'
'Mike?' vroeg ze aan agent Michael Brennan, de eerste agent voor kleine Jack.
'SHORTSTOP heeft het eerste uur vandaag een biologieproefwerk en heeft na school honkballes. Hij is tamelijk goed met de handschoen, maar zijn slag kan nog beter,' voegde de agent eraan toe. 'Verder geen bijzonderheden.'
'Wendy?' Agente Gwendolyn Merritt was de eerste agent voor Sally Ryan.
'Scheikundetentamen voor SHADOW het derde uur vandaag. Ze raakt erg geïnteresseerd in Kenny. Een aardige jongen, moet naar de kapper en heeft een nieuwe das nodig. Ze denkt eraan mee te gaan doen aan het meisjeslacrosseteam.' Bij die onthulling werden enkele wenkbrauwen opgetrokken. Hoe bescherm je iemand die door pubers met stokken achtervolgd wordt?
'Welke achtergrond heeft Kenny ook alweer?' vroeg Price. Zelfs zij kon zich niets herinneren.
'Vader en moeder beiden jurist, gespecialiseerd in belastingzaken.'
'SHADOW zou een wat betere smaak moeten krijgen,' merkte Brennan op, wat tot algemeen plezier rond de bank leidde. 'Hier zit een mogelijke dreiging in, Wendy.'
'Hè? Wat?'
'Als het de president lukt de nieuwe belastingwetten in te voeren, zitten ze in de problemen.'
Andrea Price zette weer een paraafje op haar ochtendlijst. 'Don?'
'De werkzaamheden van vandaag zijn zoals gewoonlijk: Inleiding Kleurkrijt. Ik ben nog steeds niet gelukkig met de opzet, Andrea. Ik wil er een paar mensen bij, eentje binnen en twee die de zaak aan de zuidkant observeren,' deelde Don Russell mee. 'We zijn onvoldoende beschermd. We hebben hier gewoon niet genoeg verdedigingsdiepte. In feite is de buitenste bescherming de enige, en daar ben ik niet blij mee.'
'SURGEON wil niet dat de locatie te zwaar bemand wordt. Je zit zelf binnen met

twee agenten, dan drie voor directe assistentie en een surveillerende agent aan de overkant van de straat,' bracht Price hem in herinnering.
'Andrea, ik wil er drie bij. We zijn hier onvoldoende beschermd,' herhaalde Russell. Zijn stem klonk even redelijk en professioneel als altijd. 'De familie moet naar ons luisteren als het om zaken gaat waar wij deskundig in zijn.'
'Wat dacht je ervan als ik morgenmiddag kom om de zaak nog eens te bekijken?' vroeg Price. 'Als ik het met je eens ben, ga ik naar de baas.'
'Goed,' zei agent Russell met een hoofdknik.
'Zijn er nog problemen met mevrouw Walker?'
'Sheila probeerde een petitie rond te doen gaan bij de andere ouders van Giant Steps; ze wilde SANDBOX weg hebben en dergelijke. Het blijkt dat mevrouw Daggett veel extra werk krijgt en meer dan de helft van de ouders kent de Ryans en mag ze. Dat was dus snel voorbij. Weet je wat het enige echte probleem is?'
'Wat dan, Don?'
Hij glimlachte. 'Op die leeftijd... soms draai ik me om, dan wisselen de kinderen van plek en als ik dan weer kijk, weet ik niet wie SANDBOX is. Je weet dat er maar twee soorten kapsels voor kleine meisjes zijn, en de helft van de moeders denkt dat Oshkosh het enige merk kinderkleding is.'
'Don, dat is typisch voor vrouwen,' merkte Wendy Merritt op. 'Als de kleuter van de president het draagt, dan zal het ook wel in de mode zijn.'
'Voor het haar geldt waarschijnlijk hetzelfde,' voegde Andrea eraan toe. 'Ik vergat je trouwens te vertellen dat Pat O'Day een wedstrijd met je wil houden,' zei ze tegen het meest ervaren lid van de afdeling.
'Die FBI-vent?' Russell zette grote ogen op. 'Waar? Wanneer? Zeg hem dat hij geld meeneemt, Andrea.' Het schoot Russell te binnen dat hij nog recht had op wat speeltijd voor zichzelf. Hij had in zeven jaar geen schietwedstrijd met pistool verloren; de laatste keer had hij griep gehad.
'Zijn we allemaal klaar?' vroeg Price haar agenten.
'Hoe gaat het met de baas?' vroeg Altman.
'Ze houden hem flink bezig. Ze beroven hem zelfs van een deel van zijn nachtrust.'
'Wil je dat ik er met SURGEON over praat? Ze houdt hem goed in de gaten,' vertelde Roy haar.
'Nou...'
'Ik weet hoe het moet. Jee, mevrouw Ryan, gaat het goed met de baas? Hij zag er vanochtend wat moe uit...' stelde Altman voor.
De vier agenten wisselden blikken uit. Het managen van de president was hun meest gevoelige taak. De president luisterde bijna naar zijn vrouw alsof hij een normale echtgenoot was. Waarom zouden ze van SURGEON geen bondgenoot maken? Ze knikten alle vier tegelijk.
'Ga je gang,' vertelde Price hem.

'Klootzak,' zei kolonel Hamm in zijn commandowagen.

'Ze hebben je verrast, hè?' vroeg generaal Diggs voorzichtig.
'Hebben ze daar een valsspeler?' wilde de commandant van het Black Horse Cav weten.
'Nee, maar ze hebben mij verrast, Al. Ze hebben niemand laten weten dat ze IVIS-training gehad hadden. Tenminste, ik ben er gisteravond achter gekomen.'
'Mooie boel.'
'Verrassingen werken naar twee kanten, kolonel,' bracht Diggs hem in herinnering.
'Hoe hebben ze daar verdomme het geld voor gekregen?'
'Van hun vrijgevige peet-senatoren, denk ik.'
Bezoekende eenheden brachten hun eigen uitrusting niet mee naar Fort Irwin, om de voor de hand liggende reden dat het te duur was om die te transporteren. In plaats daarvan gebruikten ze de voertuigen die permanent op de basis gestationeerd waren, en die van zeer goede kwaliteit waren. Ze waren allemaal voorzien van IVIS, 'Inter-Vehicle Information System', waarmee via een onderlinge dataverbinding gegevens over het strijdtoneel op computerschermen in de tanks en Bradleys weergegeven werden. Dit systeem had het 11de Cav pas zes maanden tevoren in de eigen voertuigen geïnstalleerd (dat wil zeggen in de echte, niet in de gesimuleerde vijandige voertuigen). Het schijnbaar eenvoudige systeem van informatie-uitwisseling – het gaf zelfs automatisch opdracht tot vervanging als er iets kapotging – gaf de bemanning een uitgebreid overzicht van het strijdtoneel en zette in enkele seconden moeizaam verkregen informatie van verkenners om in kennis die voor iedereen beschikbaar was. Wat er in een gevecht allemaal gebeurde, was niet langer alleen maar bekend bij een druk bezette commandant op afstand. Nu wisten sergeanten alles wat de kolonel deed. Dit was van onschatbaar belang, want informatie was nog altijd de meest waardevolle menselijke handelswaar. De bezoekende cavaleristen van de Carolina Guard waren volledig geoefend in het gebruik van het systeem. Dat gold ook voor de manschappen van het Black Horse, maar hun pseudo-sovjet OpFor-voertuigen beschikten er niet over.
'Kolonel, nu weten we echt hoe goed het systeem is. Je wordt erdoor verslagen.'
Het gesimuleerde treffen was bloederig verlopen. Hamm en zijn officier Operaties hadden een duivelse hinderlaag gelegd, die de Weekend Warriors weliswaar ontdekt en omzeild hadden, maar daarna waren ze in een manoeuvregevecht terechtgekomen dat de OpFor de verkeerde kant op had gedwongen. Een gewaagde tegenaanval door een van zijn squadroncommandanten had bijna redding gebracht en had de Blue Force bijna gehalveerd, maar het was niet genoeg geweest. Het eerste treffen in het donker was naar de goede partij gegaan en de mannen van de Guard vierden de overwinning even uitbundig als na een ACC-basketbalwedstrijd.
'De volgende keer weet ik wel beter,' beloofde Hamm.

'Nederigheid is goed voor de ziel,' zei Marion Diggs, van de zonsopkomst genietend.
'Sterven is slecht voor het lichaam, meneer,' merkte de kolonel op.
'Bèèèh,' zei Diggs, die grijnzend naar zijn persoonlijke Hummer liep. Zelfs Al Hamm had af en toe een lesje nodig.

Ze namen de tijd. Filmster verzorgde de huurauto's. Hij had diverse identiteitspapieren, genoeg om vier auto's te huren, drie vierdeurs personenauto's en een bestelwagen. De personenauto's waren identiek aan de auto's van enkele ouders die kinderen op het dagverblijf hadden. De bestelwagen diende voor hun ontsnapping, een mogelijkheid die hij nu waarschijnlijk achtte en niet alleen maar mogelijk. Zijn mannen waren slimmer dan hij had verwacht. Toen ze in hun huurauto's langs het doel reden, keken ze niet achterom, maar bleven ze rondkijken om de omgeving in zich op te nemen. Ze waren al precies op de hoogte door het model dat ze gebouwd hadden, gebaseerd op gegevens van de foto's van hun leider. Nu ze langs de locatie reden, kregen ze een beter, driedimensionaal overzicht, zodat ze in gedachten een vollediger beeld hadden en hun zelfvertrouwen nog groter werd. Na de uitvoering van deze taak reden ze westwaarts en verlieten ze Route 50 om naar een verlaten boerderij in het zuiden van Anne Arundel County te rijden.
Het huis was eigendom van een man die volgens zijn buren een in Syrië geboren jood was die al elf jaar in de streek woonde, maar die in werkelijkheid een stille geheim agent was. De afgelopen jaren had hij op legale wijze discreet wapens en munitie gekocht, voordat wetgeving de aankoop van sommige van die wapens had verboden; op zich vormden die wetten trouwens geen probleem voor hem. In zijn jaszak zaten vliegtickets onder een andere naam en een vals paspoort. Dit was het laatste rendez-vouspunt. Ze zouden het kind hierheen brengen. Zes leden van de groep zouden het land direct verlaten met afzonderlijke vluchten en de overige drie zouden met de auto van de huiseigenaar naar een andere tevoren bepaalde locatie gaan om daar de ontwikkelingen af te wachten. Amerika was een enorm groot land met talloze wegen. Mobiele telefoons waren moeilijk te traceren. Ze zouden het hun achtervolgers verdomd moeilijk maken, dacht Filmster. Hij wist hoe hij de zaken aan moest pakken als het zover kwam. Het team met het kind zou één telefoon hebben. Hij zou er twee hebben, een om kort naar de Amerikaanse regering te bellen en een andere om zijn vrienden te bellen. Ze zouden hoge eisen stellen in ruil voor het leven van het kind, genoeg om dit land in de chaos te storten. Misschien kon het kind zelfs levend worden vrijgelaten. Hij wist dat niet zeker, maar veronderstelde dat het mogelijk was.

42

Jager-prooi

De CIA heeft uiteraard een eigen fotolab. Het filmrolletje van veldfunctionaris Domingo Chavez werd door de laborant op vrijwel dezelfde wijze als in gewone fotowinkels behandeld en in standaardapparatuur ontwikkeld. Op dat punt eindigde de standaardbehandeling. De korrelige 1200 ASA-film leverde een beeld van slechte kwaliteit op, dat beslist niet aan de mensen op de zevende verdieping gegeven kon worden. De medewerkers in het fotolab wisten van de RIF-opdracht af en de beste manier om te voorkomen dat je eruit gegooid werd, was om onmisbaar te zijn. Dat gold overal. Daarom werd het ontwikkelde rolletje in een computergestuurd beeldverbeteringssysteem ingevoerd. Het duurde slechts drie minuten per beeldje om de opnames op te waarderen tot beelden die door een specialist met een Hasselblad onder studiocondities geschoten konden zijn. Minder dan een uur nadat de film was binnengebracht, had de laborant een aantal glanzende foto's van 20 bij 25 cm gereed, waarmee de vliegtuigpassagier geïdentificeerd kon worden als de ayatollah Mahmoud Haji Daryaei. De opname van zijn vliegtuig was zo duidelijk en sprekend dat de fabrikant die in een verkoopbrochure had kunnen gebruiken. De film werd in een envelop gestopt en veilig weggeborgen. De foto's zelf werden in digitale vorm op band opgeslagen. De precieze gegevens, zoals datum, tijdstip, plaats, fotograaf en onderwerp werden ook in een computerdatabase opgeslagen. Dit was een standaardprocedure. De laborant maakte zich er allang niet meer druk om wat hij nu precies ontwikkeld had, hoewel hij af en toe wel eens een opname zag waarop iemand die in het nieuws was zich in een positie bevond die nooit op tv te zien zou zijn... maar deze man niet. Van wat hij over Daryaei gehoord had, had deze man waarschijnlijk niet veel belangstelling voor jongens of meisjes en zijn strenge gezichtsuitdrukking leek dat te bevestigen. Nou-nou, hij had wel een goede smaak wat vliegtuigen betrof, het leek wel een G-IV. Vreemd, was dat geen Zwitserse registratiecode op de staart?

Toen de foto's naar boven gingen, werd er ook een complete serie apart gehouden voor een ander soort analyse. Ze zouden zorgvuldig door een arts bestudeerd worden. Sommige ziekten lieten zichtbare tekenen achter en de CIA bleef altijd geïnteresseerd in de gezondheid van buitenlandse leiders.

'Minister Adler zal deze ochtend naar Peking vertrekken,' zei Ryan. Arnie had hem verteld dat het voor hem politiek gezien goed was om op tv te laten zien dat hij met presidentiële zaken bezig was, hoe onprettig die optredens in de journaals ook waren. En als het politiek gunstig was, dan verrichtte hij zijn werk effectiever, zei Arnie er altijd bij. De president herinnerde zich ook dat hij van zijn moeder had gehoord hoe belangrijk het was tweemaal per jaar naar de tandarts te gaan en zoals de antiseptische geur in de behandelkamer een kind altijd bang maakte, zo was hij de vochtigheid van deze kamer gaan haten. De muren lekten, sommige ramen waren gebarsten en dit deel van de westvleugel van het Witte Huis was ongeveer even goed onderhouden als een kleedlokaal van een middelbare school, iets wat de burgers niet konden zien als ze tv keken.

Hoewel de ruimte zich slechts enkele meters van zijn eigen kantoor bevond, deed niemand enige moeite de boel schoon te houden. Verslaggevers waren nu eenmaal zulke slonzen, beweerde de staf, dat het allemaal niet veel uitmaakte. De verslaggevers zelf leken er zich niet druk over te maken.

'Meneer de president, zijn we meer te weten gekomen over het voorval met het vliegtuig?'

'Het is inmiddels bekend dat alle lichamen geïdentificeerd zijn. De apparaten met vluchtgegevens zijn uit het toestel gehaald en...'

'Zullen we toegang krijgen tot de informatie van de zwarte doos?'

Waarom noemden ze dat ding de zwarte doos als hij oranje was? Jack had zich dat altijd afgevraagd, maar had nooit een behoorlijk antwoord gekregen. 'We hebben daarom verzocht, en de regering van Taiwan heeft volledige medewerking toegezegd. Ze zijn daartoe niet verplicht. Het toestel is in dat land geregistreerd en in Europa gefabriceerd. Maar ze zijn behulpzaam. We aanvaarden de hulp met dankbaarheid. Ik moet eraan toevoegen dat geen van de Amerikanen die de crash overleefd hebben, in direct gevaar verkeert; sommigen zijn ernstig gewond, maar er is geen direct levensgevaar.'

'Wie heeft het toestel neergeschoten?' vroeg een andere verslaggever.

'We zijn de gegevens nog aan het bestuderen en...'

'Meneer de president, de marine heeft twee schepen van de Aegis-klasse in de directe omgeving. U moet toch een goed beeld hebben van wat er gebeurd is.' Deze man had zijn huiswerk gedaan.

'Ik kan daar niet verder op ingaan. Minister Adler zal het incident met de betrokken partijen bespreken. We willen er allereerst zeker van zijn dat er geen slachtoffers meer vallen.'

'Meneer de president, hierop doorgaand: u moet toch wel meer weten dan u vertelt. Er zijn veertien Amerikanen omgekomen bij dit incident. Het Amerikaanse volk heeft het recht te weten waarom.'

Het ellendige was dat die man gelijk had. Het ellendige was ook dat Ryan een uitvlucht moest verzinnen: 'We weten echt nog niet precies wat er gebeurd is. Zolang dat het geval is, kan ik geen definitieve mededelingen doen.' Dat was in beginsel waar. Hij wist wie er door het schot getroffen was. Hij wist echter niet waarom. Adler had het gisteren bij het rechte eind gehad door die kennis voor zich te houden.

'De heer Adler is gisteren ergens vandaan teruggekeerd. Waarom is dat een geheim?' Dat was Plumber weer, die doorging op zijn vraag van gisteren.

Ik ga Arnie vermoorden omdat hij me voortdurend hieraan blootstelt. 'John,

de minister was betrokken bij belangrijke beraadslagingen. Dat is alles wat ik erover kan zeggen.'
'Hij was toch in het Midden-Oosten?'
'Volgende vraag?'
'Het Pentagon heeft meegedeeld dat het vliegdekschip de *Eisenhower* naar de Zuid-Chinese Zee onderweg is. Hebt u daartoe opdracht gegeven?'
'Ja. We zijn van mening dat we de situatie van nabij moeten volgen. We hebben vitale belangen in die regio. Ik wil erop wijzen dat we in dit geschil geen partij kiezen, maar we zullen onze eigen belangen blijven behartigen.'
'Zal de verplaatsing van het vliegdekschip tot ontspanning leiden of juist niet?'
'We proberen de situatie uiteraard niet erger te maken dan die is. We proberen die juist te verbeteren. Het is in het belang van beide partijen om een stap terug te doen en te overdenken waar ze mee bezig zijn. Er zijn doden gevallen,' bracht de president hen in herinnering. 'Onder hen waren Amerikanen. Daardoor hebben we direct belang bij de kwestie. We hebben een overheid en een leger om voor de Amerikaanse belangen op te komen en om het leven van onze burgers te beschermen. De marine-eenheden die op weg zijn naar de regio, zullen observeren wat er gebeurt en de standaardoefeningen doen. Dat is alles.'

Zhang Han San keek weer op zijn horloge en zei tegen zichzelf dat het een mooi einde van zijn werkdag begon te worden, dat beeld van de Amerikaanse president die precies deed wat hij wilde. Nu had China aan haar verplichtingen tegenover die barbaar Daryaei voldaan. In de Indische Oceaan waren voor het eerst in twintig jaar geen Amerikaanse marineschepen aanwezig. De Amerikaanse minister van Buitenlandse Zaken zou over een uur of twee uit Washington vertrekken. Na een vlucht van achttien uur naar Peking konden vervolgens de gemeenplaatsen worden uitgewisseld. Hij zou zien welke concessies hij van Amerika en de Taiwanese marionettenstaat kon loskrijgen. Misschien wel een paar goeie, dacht hij, nu Amerika elders beslist met een hoop problemen geconfronteerd zou worden...

Adler bevond zich op zijn kantoor. Zijn koffers waren gepakt en lagen in zijn dienstauto, die hem naar het Witte Huis zou brengen. Vandaar zou hij een helikopter nemen naar Andrews, na een presidentiële handdruk en een korte, volstrekt nietszeggende toespraak bij vertrek. Zo'n opgetuigd vertrek zou het goed doen op tv en zijn missie een bepaald belang toekennen. Ook zou hij meer kreukels in zijn kleren krijgen, maar er was een strijkijzer aan boord van het luchtmachtvliegtuig.
'Wat weten we?' vroeg onderminister Rutledge aan de staf van de minister.
'De raket werd door een toestel van de volksrepubliek China afgeschoten. Dat is zo goed als zeker op grond van de radarbanden van de marine. Geen idee waarom, hoewel admiraal Jackson er absoluut van overtuigd is dat het geen ongeluk was.'

'Hoe was het in Teheran?' vroeg een andere onderminister.
'Wisselend. Ik zal het tijdens de vlucht opschrijven en hierheen faxen.' Ook Adler had het erg druk en had nog geen tijd gehad zijn ontmoeting met Daryaei te overdenken.
'We hebben dat stuk nodig als we van enig nut willen zijn voor de rapportage,' zette Rutledge uiteen. Hij moest dat document beslist hebben. Daarmee kon Ed Kealty bewijzen dat Ryan zijn oude trucs weer gebruikte en geheim agent speelde, en zelfs Scott Adler ertoe aanzette hetzelfde te doen. Dit was de sleutel tot de vernietiging van Ryans politieke legitimiteit. Hij was vakkundig bezig om de zaken heen te draaien, ongetwijfeld door Arnie van Damms begeleiding, maar zijn blunder gisteren over de China-politiek had onrust in het hele gebouw veroorzaakt. Zoals zovelen bij Buitenlandse Zaken wilde hij dat Taiwan gewoon verdween, waardoor Amerika weer gewoon zaken kon doen met de jongste supermacht van de wereld.
'Eén ding tegelijk, Cliff.'
Het onderwerp kwam weer op China. Er werd stilzwijgend aangenomen dat het VIR-probleem de komende dagen op een laag pitje stond.
'Enige verandering in de China-politiek van het Witte Huis?' vroeg Rutledge.
Adler schudde zijn hoofd. 'Nee, de president probeerde zich er gewoon uit te praten. Ik weet ook wel dat hij de republiek China geen China had mogen noemen, maar misschien heeft dat in Peking enige consternatie veroorzaakt, en daar ben ik helemaal niet bedroefd over. Ze moeten leren dat ze geen Amerikanen moeten doden. We zijn hier een grens gepasseerd, mensen. Ik zal ze onder andere aan het verstand moeten brengen dat we die grens serieus nemen.'
'Er kan toch altijd een ongeluk gebeuren,' merkte iemand op.
'De marine zegt dat het geen ongeluk was.'
'Kom nou, meneer de minister,' gromde Rutledge. 'Waarom zouden ze dat nou expres doen?'
'Het is onze taak dat uit te zoeken. Admiraal Jackson heeft goede argumenten voor zijn stelling aangedragen. Als je als politieman op straat bent en er een gewapende overvaller voor je staat, waarom zou je dan dat dametje verderop neerschieten?'
'Een ongeluk, klaarblijkelijk,' hield Rutledge vol.
'Cliff, er zijn ongelukken en ongelukken. Bij dit ongeluk zijn Amerikanen omgekomen. Mocht iemand in deze ruimte dat vergeten zijn: we moeten dat ernstig opnemen.'
Ze waren niet gewend aan een dergelijke reprimande. Wat was er eigenlijk aan de hand met Adler? De taak van het ministerie van Buitenlandse Zaken was om de vrede te handhaven, om conflicten te voorkomen die duizenden mensenlevens eisten. Ongelukken waren ongelukken. Ze waren vervelend, maar ze kwamen voor, net als kanker en hartaanvallen. Het ministerie moest het Grote Beeld in de gaten houden.

'Dank u, meneer de president.' Ryan verliet het podium. Hij had de katapul-

ten en pijlen van de media weer overleefd. Hij keek op zijn horloge. Verdomme. Hij was weer te laat om zijn kinderen gedag te zeggen voor ze naar school gingen en had ook Cathy niet gedag gekust. Waar stond in de grondwet eigenlijk geschreven, zo vroeg hij zich af, dat de president geen mens was?
Toen hij in zijn kantoor kwam, bekeek hij snel de uitgeprinte dagelijkse agenda. Adler stond over een uur genoteerd voor het afscheid voor de reis naar China. Winston zou om 10.00 uur de details bespreken van de bestuurlijke veranderingen aan de overkant van de straat op Financiën. Arnie en Callie om 11.00 uur om zijn toespraken voor de komende week te bespreken. Lunch met Tony Bretano. Een bespreking na de lunch met... wie? De Anaheim Mighty Ducks? Ryan schudde zijn hoofd. O, die hadden de Stanley Cup gewonnen; dit zou zowel voor hen als voor hem een kans op leuke plaatjes zijn. Hij moest met Arnie over die politieke sores praten. Hmm. Daar zou Ed Foley bij moeten zijn. Jack glimlachte. Dat was een ijshockeyfanaat...

'Je bent wel laat,' zei Don Russell toen Pat O'Day Megan afzette.
De FBI-inspecteur liep langs hem heen om Megans jas op te hangen en kwam toen terug. 'De stroom is gisteravond uitgevallen waardoor mijn klokradio het niet meer deed,' verklaarde hij.
'Belangrijke dag vandaag?'
Pat schudde zijn hoofd. 'Bureaudag. Ik moet een paar dingen afmaken... je kent de vaste procedure.' Beiden kenden die. Het betrof hoofdzakelijk het redigeren en indexeren van verslagen, een secretariaatstaak die bij gevoelige zaken vaak door beëdigde, gewapende agenten gedaan werd.
'Ik hoorde dat je een wedstrijdje wilde doen,' zei Russell.
'Ze zeggen dat je nogal goed bent.'
'Gaat wel, ja,' gaf de agent toe.
'Ja, ik probeer de schoten ook binnen de lijnen te houden.'
'Met de Sig-Sauer?'
De FBI-agent schudde zijn hoofd. 'Smith 1076 roestvrij.'
'De tien millimeter.'
'Die maakt een groter gat,' verklaarde O'Day.
'Negen is altijd genoeg voor me geweest,' zei Russell. Beide mannen lachten.
'Speel je ook poule?' vroeg de FBI-agent.
'Sinds de middelbare school niet meer, Pat. Zullen we het bedrag van de weddenschap bepalen?'
'Het moet wel serieus zijn,' vond O'Day.
'Foedraal van Samuel Adams?' stelde Russell voor.
'Een eervolle weddenschap, meneer,' zei de inspecteur instemmend.
'Wat dacht je van Beltsville?' Daar zat de Secret Service Academy. 'De buitenbaan. Binnen is altijd zo kunstmatig.'
'Standaardcompetitie?'
'Ik heb in geen jaren meer op de roos geschoten. Ik verwacht nooit dat een van mijn bazen door een zwarte stip wordt aangevallen.'

'Morgen?' Het leek een leuk uitje voor de zaterdag.
'Dat is waarschijnlijk wat snel. Ik zal het nakijken. Ik weet het vanmiddag.'
'Don, we zijn het eens. En dat de beste moge winnen.' Ze schudden elkaar de hand.
'De beste zal winnen, Pat. Dat gebeurt altijd.' Beiden wisten wie het zou zijn, hoewel een van beiden het verkeerd moest hebben. Beiden wisten ook dat de ander een goede man was om als dekking te hebben en dat het bier in elk geval goed zou smaken als de zaak beklonken was.

Het waren geen volautomatische wapens. Een goede mecanicien had daar wat aan kunnen doen, maar de stille agent was niet zo handig. Filmster en zijn mensen kon het niet zoveel schelen. Ze waren geoefende schutters en wisten dat volautomatisch slechts goed voor drie schoten was, tenzij je de armen van een gorilla had; daarna sprong het geweer op en schoot je alleen gaten in de lucht in plaats van in het doel, dat wel eens terug zou kunnen schieten. Er was geen tijd en geen plaats voor een nieuwe oefenschietronde, maar ze waren vertrouwd met het wapentype, de Chinese variant van de sovjet AK-47, die weer ontwikkeld was uit een Duits wapen uit de jaren veertig. De munitie was een 7,62-mm kogel, waarvan er dertig in een magazijn gingen. De teamleden probeerden de magazijnen uit om te kijken of ze goed pasten. Toen dat gebeurd was, zetten ze het onderzoek van hun doel voort. Ieder van hen kende zijn plaats en zijn taak. Iedereen wist ook wat de gevaren waren, maar daar spraken ze niet over. Filmster zag dat ze ook niet over de aard van de missie spraken. Ze waren door hun jarenlange activiteiten in de terroristische beweging zo ontmenselijkt dat ze, ook al was dit voor de meesten van hen de eerste echte missie, er eigenlijk alleen maar aan dachten zichzelf te bewijzen. Hoe ze dat precies deden, was minder belangrijk.

'Ze gaan een hoop ter sprake brengen,' zei Adler.
'Denk je?' vroeg Jack.
'Reken maar. De status van Meest Begunstigd Land, copyright-kwesties, je kunt het zo gek niet bedenken.'
De president trok een grimas. Het leek obsceen het copyright op de cd's van Barbra Streisand in één adem te noemen met het opzettelijk vermoorden van zoveel mensen, maar...
'Ja, Jack. Ze denken gewoon niet hetzelfde als wij.'
'Lees je mijn gedachten?'
'Ik ben diplomaat, weet je nog? Jij denkt dat ik alleen maar luister naar wat mensen hardop zeggen? Nou, dan zouden we onderhandelingen nooit tot een goed einde brengen. Het is net alsof je langdurig zit te kaarten. Het is tegelijk vervelend en spannend.'
'Ik heb aan de mensen gedacht die om het leven gekomen zijn...'
'Ik ook,' antwoordde de minister met een knikje. 'Je kunt er niet over uitweiden, dat is een teken van zwakte in hun ogen, maar ik zal het ook niet verge-

ten.' Deze opmerking joeg de opperbevelhebber op de kast.
'Waarom, Scott, moeten we altijd hun culturele context respecteren? Waarom lijken ze nooit de onze te respecteren?' wilde de president weten.
'Zo is het altijd geweest op Buitenlandse Zaken.'
'Dat is geen antwoord op de vraag.'
'Als we daar te veel de nadruk op leggen, meneer de president, dan zijn we een soort gijzelaars. Dan weet de andere partij altijd dat ze een paar mensen kunnen opofferen om ons onder druk te zetten. Dat geeft ze een zeker voordeel.'
'Alleen als wij dat toestaan. De Chinezen hebben ons net zo hard nodig als wij hen, en zelfs meer, met dat handelsoverschot. Als je mensen vermoordt, dan speel je het hard. Wij kunnen het ook hard spelen. Ik heb me altijd afgevraagd waarom wij dat niet doen.'
De minister zette zijn bril goed. 'Ik ben het daar niet mee oneens, maar we moeten dat bijzonder goed overdenken, en daar hebben we nu geen tijd voor. Je hebt het nu over een verandering in doctrine in de Amerikaanse politiek. Je schiet niet vanuit de heup als het om zoiets belangrijks gaat.'
'Als je terug bent, moeten we met nog een paar mensen een weekend bij elkaar komen om te zien of er mogelijkheden zijn. Ik ben moreel gezien niet blij met onze handelwijze in deze kwestie en ik ben er ook niet blij mee omdat we er wat te voorspelbaar door worden.'
'Hoezo?'
'Het is prima om volgens vaste spelregels te spelen zolang iedereen volgens dezelfde regels speelt, maar als je volgens vaste regels speelt terwijl de ander dat niet doet, dan word je een gemakkelijk doelwit,' veronderstelde Ryan. 'Aan de andere kant: als een ander de regels overtreedt en wij die dan ook overtreden, zij het misschien op een andere manier, dan hebben ze iets om over na te denken. Voor je vrienden wil je voorspelbaar zijn, ja, maar wat je vijand moet voorspellen is dat hij er schade door lijdt als hij je belazert. Hoeveel schade, dat moeten we onvoorspelbaar maken.'
'Geen gek idee, meneer de president. Het lijkt een aardig onderwerp voor een weekend in Camp David.' Beiden hielden op met praten toen de helikopter aan kwam zetten. 'Daar is mijn chauffeur. Heb je de verklaring gereed?'
'Ja, en die is bijna even opwindend als het weerbericht op een zonnige dag.'
'Zo wordt het spel gespeeld, Jack,' zette Adler uiteen. Hij bedacht dat Ryan datzelfde liedje wel vaker hoorde. Geen wonder dat hij ertegen fulmineerde.
'Ik ben nog nooit een spel tegengekomen waarbij ze nooit de regels veranderen. Bij honkbal gingen ze over op een aangewezen slagman om het levendiger te maken,' merkte de president achteloos op.
Aangewezen slagman, herhaalde de minister in zichzelf op weg naar de deur. Wat een woordkeuze...

Een kwartier later zag Ryan hoe de helikopter vertrok. Hij had handjes geschud voor de camera's, had een korte verklaring voor de camera's afgelegd en had een ernstig maar opgewekt gezicht getrokken voor de camera's. Mis-

schien was er een live-verslag op C-SPAN geweest, maar niet bij andere stations. Als er weinig nieuws was, wat op vrijdag in Washington nogal eens het geval was, dan zou er misschien een minuutje in een of twee journaals aan gewijd worden, maar waarschijnlijk niet. Vrijdag was de dag waarop de gebeurtenissen van die week werden samengevat, waarop iemand nog even in het nieuws kwam omdat hij iets had gedaan of een flauwekulverhaal had.
'Meneer de president!' Toen Jack zich omdraaide, zag hij TRADER staan, zijn minister van Financiën, die een paar minuten te vroeg was.
'Dag, George.'
'Die tunnel tussen dit en mijn gebouw?'
'Wat is daarmee?'
'Ik heb er vanochtend naar gekeken. Het is een grote troep. Voel je ervoor de boel op te ruimen?' vroeg Winston.
'George, dat is een taak van de "paleiswacht", en die is van jou, weet je nog?'
'Dat weet ik, maar hij gaat naar jouw huis, en daarom wilde ik het toch vragen. Goed, ik zal ervoor zorgen. Het kan handig zijn als het regent.'
'Hoe gaat het met de belastingplannen?' vroeg Ryan op weg naar de deur, die een agent voor hem open hield. Jack kon nog steeds niet wennen aan zulke dingen. Een man moest bepaalde dingen toch zelf doen?
'We hebben de computermodellen volgende week klaar. Ik wil dat het een duidelijke regeling wordt. Het moet voor de belastingdienst geen verschil maken, voor de kleine man verlichting brengen en voor de grote jongens eerlijk zijn. Ik laat mijn mensen tot het uiterste gaan als het om de administratieve besparingen gaat. Jezus, Jack, wat zat ik ernaast wat dat betreft!'
'Hoe bedoel je?' Ze sloegen de hoek om richting Oval Office.
'Ik dacht dat ik de enige was die geld verspilde met het uitvoeren van belastingwetten. Iedereen doet het. Het is een gigantische industrie. Er zullen heel wat mensen zonder werk komen...'
'Moet ik daar blij mee zijn?'
'Ze zullen allemaal eerlijk werk vinden, op de advocaten na, misschien. En we besparen de belastingbetalers een paar miljard dollar door ze een belastingformulier te geven dat ze zelf kunnen invullen. Meneer de president, dat moet de overheid toch als muziek in de oren klinken?'
Ryan vertelde zijn secretaresse Arnie binnen te laten. Hij wilde politiek advies over de implicaties van het plan van George.

'Ja, admiraal?'
'U vroeg om een verslag over de *Eisenhower*-groep,' zei Jackson, die een vel papier raadpleegde terwijl hij naar de grote kaart aan de muur liep. 'Ze bevinden zich hier en schieten goed op.' Robby's pieper begon te trillen in zijn zak. Hij pakte het apparaat en keek naar het nummer. 'Neem me niet kwalijk, meneer...'
'Ga je gang,' zei minister Bretano.
Jackson pakte de telefoon aan de andere kant van de kamer en koos vijf cijfers.

'J-3 hier... O? Waar zijn ze? Dan moeten we dat uitzoeken, nietwaar commandant? Juist.' Hij legde telefoon op de haak. 'Dat was de NMCC. De NRO meldt dat de Indiase marine zoek is, dat wil zeggen hun twee vliegdekschepen.'
'Wat betekent dat, admiraal?'
Robby liep terug naar de kaart en liet zijn hand over het blauwe deel ten westen van het Indiase subcontinent glijden. 'Zesendertig uur sinds onze laatste controle. Reken drie uur om de haven uit te komen en zich te formeren... twintig knopen maal zesendertig is zeshonderdzestig zeemijl, ofwel ruim twaalfhonderd kilometer... ongeveer halverwege de thuishaven en de hoorn van Afrika.' Hij draaide zich om. 'Meneer de minister, er ontbreken twee vliegdekschepen, negen escortes en een UNREP-groep aan de pieren. Dat de oliebevoorradingsschepen weg zijn, betekent dat ze wellicht van plan zijn een tijd weg te blijven. We beschikten niet over inlichtingen om ons hiervoor te waarschuwen.' Het 'zoals gewoonlijk' liet hij maar weg.
'En waar zijn ze precies?'
'Dat is het punt. We weten het niet. We hebben een paar P-3 Orions op Diego Garcia. Ze sturen er een paar de lucht in om te gaan zoeken. We kunnen er ook een paar satellieten op zetten. We moeten Buitenlandse Zaken hierover inlichten. Misschien kan de ambassade iets uitzoeken.'
'Dat is goed. Ik zal het de president zo meteen vertellen. Moeten we ons ergens zorgen over maken?'
'Het zou kunnen dat ze alleen maar uitvaren nadat ze reparaties hebben uitgevoerd; we hebben ze een poosje geleden nogal hard aangepakt, zoals u weet.'
'Maar nu zijn de enige twee vliegdekschepen in de Indische Oceaan die van iemand anders?'
'Jawel, meneer.' En de dichtstbijzijnde van ons koerst de verkeerde kant op. Maar nu begon de minister van Defensie althans iets te begrijpen.

Adler zat in een voormalige Air Force One, een oude maar betrouwbare versie van de eerbiedwaardige 707-320B. Het officiële gezelschap bestond uit acht mensen. Vijf luchtmachtstewards zorgden voor ze. Hij keek op zijn horloge, berekende de reistijd – ze moesten een tankstop maken op de luchtmachtbasis Elmendorf in Alaska – en besloot dat hij het laatste deel van de reis wat zou slapen. Wat jammer, dacht hij, dat de overheid geen bonusmijlen uitgaf als je vaak vloog. Dan zou hij de rest van zijn leven gratis vliegen. Hij haalde zijn aantekeningen uit Teheran te voorschijn en begon ze weer te bestuderen. Hij sloot zijn ogen om te proberen zich aanvullende details te herinneren. Hij haalde zich elk moment van de hele ervaring voor de geest, van de aankomst in Mehrabad tot het vertrek. Om de paar minuten opende hij zijn ogen, sloeg de desbetreffende bladzijde in zijn aantekeningen op en zette enkele opmerkingen in de kantlijn. Met wat geluk zou hij ze kunnen laten uittypen en per beveiligde fax naar Washington kunnen sturen voor het rapportageteam.

'Ding, misschien ligt er een nieuwe carrière voor je in het verschiet,' merkte Mary Pat op terwijl ze de foto door een vergrootglas bekeek. En met een ietwat teleurgestelde stem zei ze: 'Hij ziet er gezond uit.'
'Denk jij dat het goed is om een klootzak te zijn als je lang wilt leven?' vroeg Clark.
'Voor jou werkte het, meneer C.,' merkte Chavez schertsend op.
'Zit ik daar de komende dertig jaar mee opgescheept?'
'Maar je zult erg knappe kleinzoons hebben, *jefe*, en nog tweetalig ook.'
'Zullen we weer terzake komen?' stelde mevrouw Foley voor, ook al was het vrijdagmiddag.

Het is nooit leuk om ziek te zijn in een vliegtuig. Hij vroeg zich af wat hij gegeten had. Misschien had hij bij de computerbeurs in San Francisco iets opgelopen. Er waren verdomme ook zoveel mensen. De manager was een ervaren reiziger, die altijd zijn eigen eerstehulpdoos bij zich had. Bij zijn scheerspullen vond hij wat Tylenol. Hij slikte er twee met een glas wijn en besloot dat hij zou proberen wat te slapen. Met wat geluk zou hij zich beter voelen als zijn vlucht in Newark zou aankomen. Hij wilde beslist niet naar huis rijden als hij zich zo beroerd bleef voelen. Hij zette de rugleuning van de stoel helemaal naar achteren, schakelde het leeslichtje uit en sloot zijn ogen.

Het was tijd. De huurauto's vertrokken van de boerderij. Iedere chauffeur kende de route van en naar het doel. Er bevonden zich geen foto's of ander geschreven materiaal in de auto's, behalve foto's van hun prooi. Als iemand van hen zich al bezwaard voelde over het kidnappen van een klein kind, dan liet hij dat niet merken. Hun wapens waren geladen en op veilig gezet; ze lagen op de vloer, bedekt met een deken of kleed. Ze droegen allemaal een pak met das; als er een politiewagen langszij kwam, zouden er slechts drie keurige heren te zien zijn, waarschijnlijk zakenmannen in mooie personenwagens. Het team vond dat laatste nogal amusant. Filmster hechtte grote waarde aan een nette verschijning, waarschijnlijk omdat hij zo ijdel was, dachten ze allemaal.

Price keek met het nodige plezier naar de aankomst van de Mighty Ducks. Ze had het allemaal al eerder gezien. Zelfs de machtigste mannen veranderden door deze locatie in kinderen. Wat voor haar en haar collega's slechts achtergrond was, zoals de schilderijen, was voor anderen het vertoon van de ultieme macht. En op een bepaalde manier, zo moest ze toegeven, hadden zij gelijk en had zij ongelijk. Alles kan routine worden, als je het maar vaak genoeg herhaalt, terwijl de nieuwe bezoeker, die alles voor het eerst ziet, het mogelijk duidelijker gezien heeft. Ook de bezoekerscontrole droeg daaraan bij. Ze moesten door metaaldetectoren lopen onder het toeziend oog van de leden van de geüniformeerde divisie van de Secret Service. Ze zouden een korte rondleiding krijgen terwijl de president zijn gesprek met de minister van Buitenlandse Zaken afrondde; dat scheen erg uit te lopen. De ijshockeyers, die geschenken

hadden meegenomen voor de president, zoals sticks, pucks en een sweater met zijn naam erop (ze hadden ze voor zijn hele gezin), schuifelden door de doorgang van de oostelijke ingang, terwijl hun blikken van links naar rechts over de decoraties op de witgeschilderde muren dwaalden van wat voor Andrea een werkruimte en voor hen iets anders was, iets machtigs en speciaals. Een interessante tweeslachtigheid, dacht ze, terwijl ze naar Jeff Raman liep.
'Ik ga even weg om de regelingen voor SANDBOX te controleren.'
'Ik hoorde dat Don wat nerveus werd. Moet ik nog iets weten?'
Ze schudde haar hoofd. 'De president is niets speciaals van plan. Callie Weston komt later. Ze hebben haar dienst gewijzigd. Verder is alles routine.'
'Dat is mooi,' zei Raman.
'Met Price,' zei ze in haar microfoon. 'Ik ben op weg naar SANDBOX.'
'Staat genoteerd,' antwoordde de commandopost.
Het hoofd van het escorte ging naar buiten via dezelfde route als de Mighty Ducks en sloeg linksaf naar haar eigen auto, een Ford Crown Victoria. Het leek een gewone wagen, maar dat was het niet. Onder de motorkap bevond zich de grootste standaardmotor die Ford maakte. Er waren twee draagbare telefoons en twee beveiligde radio's. De banden waren van binnen van stalen schijven voorzien, zodat de auto bleef rijden als er een lek raakte. Zoals alle leden van het escorte had ze de trainingen van de Service op het speciale ontsnappingsparcours in Beltsville gevolgd; daar waren ze allemaal dol op. En in haar handtas zat haar Sig-Sauer 9-mm automatisch pistool, evenals twee reservemagazijnen, haar lippenstift en creditcards.
Price was een vrouw met een weinig opvallend uiterlijk. Ze was niet zo knap als Helen D'Agustino... ze zuchtte bij de herinnering aan haar. Andrea en Daga waren goed bevriend geweest. Daga had haar geholpen bij een scheiding en haar wat afspraakjes bezorgd. Goede vriendin, goede agent, omgekomen met alle anderen die avond op de Hill. Daga, die door niemand in de Service Helen werd genoemd, was gezegend met een mediterraan figuur dat je net niet voluptueus kon noemen en dat als prachtige vermomming had gediend. Ze had er absoluut niet als een agent uitgezien. Presidentieel adjudante, secretaresse, maîtresse misschien... maar Andrea was gewoner en daarom zette ze de zonnebril op die tot de standaarduitrusting van de agenten van het escorte behoorde. Ze was een no-nonsens dame, misschien wat kort door de bocht. Dat hadden ze ooit over haar gezegd, toen het nog een nieuwtje was dat vrouwen bij de dienst gingen en wapens droegen. Het systeem had er nu geen moeite meer mee. Nu was ze een van de jongens, zelfs zo dat ze om de grappen lachte en er soms zelf een vertelde. Dat ze die avond met SWORDSMAN direct het commando op zich nam en zijn familie in veiligheid bracht... Ze was Ryan dank verschuldigd, dat wist ze. Hij had gebeld omdat de manier waarop zij handelde hem beviel. Ze zou nooit zo snel hoofd van het escorte zijn geworden als hij dat niet zo spontaan besloten had. Ja, ze was snugger genoeg, ze kende het personeel erg goed en ze hield echt van haar werk. Maar ze was jong voor zoveel verantwoordelijkheid, en ze was een vrouw. De president leek dat

echter niet te kunnen schelen. Hij had haar niet gekozen omdat ze een vrouw was en het goed leek voor het kiezersvolk. Hij had haar gekozen omdat ze de klus geklaard had op een moeilijk moment. Daarom was het een juiste beslissing en dat maakte SWORDSMAN een speciaal iemand. Hij stelde haar zelfs vragen over allerlei dingen. Dat was uniek.
Ze had geen echtgenoot. Ze had geen kinderen, zou die waarschijnlijk ook nooit hebben. Andrea Price was niet een van degenen die hun vrouwelijkheid probeerden te ontvluchten door zich in een carrière te storten. Haar carrière was belangrijk – ze kon niets belangrijkers voor haar land bedenken dan wat zij deed – en het kwam goed uit dat die haar zo opeiste dat ze zelden de tijd had om na te denken over alles wat ze miste... een goede echtgenoot die haar bed deelde, een klein stemmetje dat haar mammie noemde. Maar als ze alleen in de auto zat, dan dacht ze eraan, zoals nu, terwijl ze over New York Avenue reed.
'Zo geëmancipeerd zijn we ook weer niet, hè?' zei ze tegen de voorruit. Maar de Service betaalde haar niet om geëmancipeerd te zijn. Ze werd betaald om voor het welzijn van de First Family te zorgen. Haar privé-leven moest ze in haar vrije tijd doorbrengen, maar die gaf de Service ook al niet aan haar.

Inspecteur O'Day was Route 50 al opgereden. Vrijdag was de beste dag. Hij had zijn dienst voor deze week erop zitten. Hij had zijn das en jas op de stoel naast zich gelegd, had zijn leren pilotenjack weer aangetrokken en zijn geluk brengende Caterpillar-honkbalpet opgezet. Zonder die attributen zou hij nooit gaan golfen of jagen. Dit weekend moest hij verschrikkelijk veel rond het huis doen. Megan kon hem daarbij goed helpen. Op de een of andere manier wist ze dat. Pat begreep het niet helemaal, misschien was het intuïtie. Misschien reageerde ze alleen op haar vaders toewijding. Hoe het ook zij, de twee waren onafscheidelijk. Thuis week ze alleen van zijn zijde om te slapen en dan nog alleen na uitgebreid geknuffel en gezoen met haar armpjes om zijn nek. O'Day gniffelde in zichzelf.
'Harde jongen.'

Russell veronderstelde dat het de grootvader in hem was. Al die kleine konijntjes. Ze speelden nu buiten, allemaal in parka's gehuld; de helft had de capuchon op omdat kleine kinderen dat om een of andere reden prettig vonden. Er werd ernstig gespeeld. SANDBOX zat in de zandbak met de spruit van O'Day die zo op haar leek en een jongetje, dat van Walker, het aardige zoontje van die bal met die Volvo-stationcar. Agent Hilton was ook buiten om te surveilleren. Vreemd genoeg konden ze zich hier meer ontspannen. Het speelterrein lag aan de noordkant van het Giant Steps-gebouw, direct in het zicht van het ondersteuningsteam aan de overkant van de straat. Het derde lid van het team zat binnen bij de telefoon. Ze nam meestal de achterkamer voor haar rekening, waar de tv-monitoren waren. De kinderen kenden haar als juffrouw Anne.
Te weinig, zei Russell tegen zichzelf, juist toen hij zag hoe ontzettend veel ple-

zier de peuters hadden. In een extreem geval kon iemand op Ritchie Highway langsrijden en het gebouw met kogels doorzeven. Het was verspilde moeite om te proberen de Ryans over te halen Katie hier niet meer naartoe te sturen. Ze wilden nu eenmaal dat hun jongste een normaal kind was, maar...

Maar dat was toch waanzinnig? Zolang hij al werkte, had Russells beroepsleven in het licht gestaan van de wetenschap dat er mensen waren die de president en iedereen om hem heen haatten. Sommigen waren werkelijk gek. Sommigen waren wat anders. Hij had de psychologie van die lui bestudeerd. Dat moest hij wel, want als je meer van ze wist, dan kon je beter voorspellen waar je naar moest zoeken, wat nog niet hetzelfde was als het begrijpen. Dit waren toch kinderen? Zelfs de mafia rotzooide niet met kinderen, wist hij. Hij benijdde de FBI soms om hun wettelijke bevoegdheden om kidnappers op te sporen. Het moest werkelijk fantastisch zijn om in dat soort zaken een kind te redden en de misdadiger te pakken, hoewel hij zich wel een beetje afvroeg of het moeilijk was een dergelijk type levend naar de cel te brengen in plaats van hem zijn rechten door God zelf te laten voorlezen. Hij moest glimlachen om die spontane gedachte. Maar misschien was het nog wel beter dan wat er in werkelijkheid gebeurde. Kidnappers hadden het buitengewoon zwaar in de gevangenis. Zelfs zware bandieten konden de lui die kinderen misbruikten niet luchten of zien en zo leerde die categorie criminelen een geheel nieuwe vorm van recreatie in de federale gevangenissen: overleven.

'Russell, commandopost,' hoorde hij in zijn oor.

'Russell.'

'Price komt hierheen, zoals je gevraagd hebt,' zei agent Norm Jeffers vanuit het huis aan de overkant. 'Veertig minuten, zegt ze.'

'Goed. Bedankt.'

'Ik zie dat het jongetje van Walker weer met zijn ingenieursstudie bezig is,' zei de stem nu.

'Ja, misschien gaat hij verder met bruggen bouwen,' zei Don. Het knulletje had nu de tweede verdieping op zijn zandkasteel gemaakt, tot grote bewondering van Katie Ryan en Megan O'Day.

'Meneer de president,' zei de aanvoerder van het team, 'ik hoop dat u dit leuk vindt.'

Ryan lachte vrolijk en trok het teamshirt voor de camera's aan. Het team ging om hem heen staan voor de foto.

'Mijn CIA-directeur is een grote ijshockeyfan,' zei Jack.

'Echt waar?' vroeg Bob Albertsen. Hij was een zeer stevige verdediger, de schrik van zijn klasse vanwege zijn board-checking, maar nu was hij poeslief.

'Ja, hij heeft een zoon die het behoorlijk kan, speelde in de jeugdcompetitie in Rusland.'

'Dan heeft hij misschien wel wat geleerd. Waar gaat hij naar school?'

'Ik weet niet zeker welke universiteiten ze op het oog hebben. Ze zeiden, geloof ik, dat Eddie technische wetenschappen wilde gaan studeren.' Het was

verdomde prettig, dacht Jack, om af en toe als een normaal iemand over normale dingen te praten met andere normale mensen.
'Zeg hun de jongen naar Rensselaer te sturen. Dat is een goede technische universiteit bij Albany.'
'Waarom daar?'
'Die verdomde studiebollen winnen om het jaar het universiteitskampioenschap. Ik ben in Minnesota geweest, maar ze namen ons twee keer achter elkaar zwaar te grazen. Stuur me zijn naam, dan zal ik zorgen dat hij wat info krijgt. En zijn vader ook, als dat goed is, meneer de president.'
'Dat zal ik doen,' beloofde de president. Twee meter verderop hoorde agent Raman het gesprek met instemming aan.

O'Day arriveerde op het moment dat de kinderen door de zijdeur naar binnen gingen om naar het toilet te gaan. Hij wist dat dit een flinke onderneming was. Hij parkeerde zijn diesel-pickup even na vieren. Hij zag hoe de agenten van de Secret Service van positie wisselden. Russell verscheen bij de voordeur, zijn normale positie als de kinderen binnen waren.
'Doen we die wedstrijd morgen?'
Russell schudde zijn hoofd. 'Te snel. Morgen over twee weken om twee uur 's middags. Dat geeft je de kans wat te oefenen.'
'Jou niet dan?' vroeg O'Day, terwijl hij naar binnen ging. Hij zag hoe Megan de meisjes-wc inging zonder dat ze haar vader zag. Goed dan. Hij ging gehurkt voor de deur zitten om haar te verrassen als ze er uitkwam.

Ook Filmster bevond zich in zijn surveillancepositie op de parkeerplaats van de school in noordoostelijke richting. De bomen begonnen uit te lopen, realiseerde hij zich. Hij kon er nog doorheen kijken, maar zijn gezichtsveld was wat beperkt. Alles leek echter normaal en vanaf dit moment was alles in de handen van Allah, zei hij tegen zichzelf, verrast dat hij die term gebruikte voor zo'n volstrekt goddeloze daad. Terwijl hij toekeek, sloeg auto nr. 1 net rechtsaf ten noorden van het kinderdagverblijf. De auto zou de straat doorrijden, keren en terugrijden.
Auto nr. 2 was een witte Lincoln Town Car, die hetzelfde was als die van een gezin met kind hier. De ouders waren allebei arts, hoewel geen van de terroristen dat wist. Direct daarachter was een rode Chrysler waarvan een identiek exemplaar aan de opnieuw zwangere vrouw van een accountant behoorde. Terwijl Filmster toekeek, werden beide auto's tegenover elkaar geparkeerd, zo dicht bij de weg als op de parkeerplaats mogelijk was.

Price zou snel hier zijn. Russell zag dat de auto's geparkeerd werden, terwijl hij zijn argumenten voor de chef van het escorte nog eens op een rijtje zette. De middagzon weerkaatste op de voorruiten, zodat hij van de binnenzijde niets meer zag dan de omtrekken van de chauffeurs. Beide auto's waren vroeg, maar het was vrijdag...

De kentekens?
Hij schudde zijn hoofd en kneep zijn ogen wat toe, terwijl hij zich afvroeg waarom hij niet...
Iemand anders had dat wel. Jeffers pakte zijn verrekijker op en bekeek de arriverende auto's als onderdeel van zijn surveillance. Hij wist helemaal niet dat hij een fotografisch geheugen had. Dingen onthouden was voor hem even natuurlijk als ademhalen. Hij dacht dat iedereen dat kon.
'Wacht, wacht, er klopt hier iets niet. Ze zijn niet...' Hij nam de radiomicrofoon op. 'Russell, dat zijn niet onze wagens!' Dat was bijna op tijd.

In een snelle beweging openden de twee chauffeurs de autoportieren en zwaaiden ze hun benen naar buiten, terwijl ze tegelijk hun wapens van de voorstoelen pakten. Achter in de auto's verschenen twee paar mannen, eveneens gewapend.

Russell bracht zijn rechterhand naar achteren om zijn automatisch geweer te pakken, terwijl hij met zijn linkerhand de radiomicrofoon aan zijn boord optilde: 'Vuurwapen!'
In het gebouw hoorde inspecteur O'Day iets, maar hij wist niet zeker wat, en hij keek de verkeerde kant op om te zien hoe agente Marcella Hilton zich afwendde van een kind dat haar een vraag stelde en naar haar pistool in haar handtas greep.

Het was het eenvoudigste codewoord. Een moment later hoorde hij hetzelfde woord herhaald worden in zijn oortelefoon toen Norm Jeffers het vanuit de commandopost schreeuwde. De zwarte agent drukte met zijn hand op een andere knop, waarmee een lijn naar Washington opengesteld werd. 'SANDSTORM SANDSTORM SANDSTORM!'

Zoals de meeste carrièreagenten had agent Don Russell nog nooit in zo'n acute noodsituatie geschoten, maar door de jarenlange training waren al zijn handelingen volstrekt automatisch. Het eerst wat hij had gezien, was een opgeheven AK-47 automatisch geweer. Door die aanblik veranderde hij, alsof er een schakelaar werd omgezet, van een waakzame agent in een geleidesysteem voor een vuurwapen. Hij had zijn Sig-Sauer getrokken. Zijn linkerhand voegde zich razendsnel bij zijn rechterhand om de loop van het wapen, terwijl hij op één knie ging zitten om dekking te zoeken en een betere controle te hebben. De man met het geweer schoot drie keer, maar veel te hoog gericht, registreerde Russell. Er volgden drie soortgelijke salvo's die over zijn hoofd heen met een staccatogeluid in de deur knalden. Terwijl dat gebeurde, ontdekte hij in zijn met tritium gecoate vizier het gezicht achter het wapen. Russell haalde de trekker over en schoot vanaf vijf meter precies in het linkeroog van de schutter.

Net toen Megan uit het toilet kwam en aan de bretels van haar Oshkosh-pakje stond te morrelen, begonnen O'Days instincten te ontwaken. Op dat moment stormde de agente die de kinderen als juffrouw Anne kenden uit de achterkamer met haar pistool in beide handen voor zich.
'Jezus,' kon de FBI-inspecteur nog net zeggen toen juffrouw Anne als een football-back dwars door hem heen stormde, waardoor hij voor de voeten van zijn dochter op de grond viel. Daarbij stootte hij ook nog zijn hoofd tegen de muur.

Aan de overkant van de straat renden twee agenten de voordeur van de woning uit, beiden met Uzi's in hun handen, terwijl Jeffers binnen de communicatie begon te regelen. Hij had het codewoord voor de noodsituatie al aan het hoofdkwartier doorgegeven. Daarna activeerde hij de directe lijnen naar barak J van de staatspolitie van Maryland op Rowe Boulevard in Annapolis. Er was een hoop lawaai en de verwarring was groot, maar de agenten waren bijzonder goed getraind. Het was Jeffers' taak ervoor te zorgen dat het nieuws bekend werd en vervolgens dekking te bieden aan de twee andere leden van zijn team, die de tuin van de woning al inrenden. Ze hadden geen enkele kans. Van vijftig meter afstand schoten de inzittenden van auto nr. 1 hen met enkele gerichte salvo's neer. Jeffers zag hoe ze neervielen terwijl hij de staatspolitie inlichtte. Hij had geen tijd om overstuur te raken. Zodra zijn informatie bevestigd was, pakte hij zijn M-16 geweer, haalde de veiligheidspal over en rende op de deur af.

Russell richtte zich op een nieuw doel. Een andere schutter maakte de fout om op te staan zodat hij beter kon schieten. Hij kwam niet zo ver. Met twee snelle schoten werd zijn hoofd als een meloen opgeblazen, zag de agent, die niet dacht, niets voelde en niets anders deed dan op doelen richten zodra hij ze kon identificeren. De vijandelijke salvo's vlogen nog steeds over zijn hoofd. Opeens hoorde hij een gil. Hij dacht meteen dat het Marcella Hilton was en hij voelde iets zwaars op zijn rug vallen, waardoor hij op de grond viel. Goeie god, dat moest Marcella zijn. Haar lichaam – iets – lag op zijn benen, en toen hij wegrolde om zich los te maken, werden er vier mannen zichtbaar die op hem afkwamen. Ze konden nu goed zien waar hij was. Hij vuurde en schoot een van hen dwars door het hart. De ogen van de man gingen wijd open door de kracht van de schoten, tot een tweede salvo hem in het gezicht trof. Het ging precies zoals hij in zijn dromen altijd gedacht had. Het geweer deed al het werk. In de linkerhoek van zijn gezichtsveld zag hij beweging – de ondersteuningsgroep – maar nee, het was een auto die over het speelterrein direct op hen af reed; het was niet de Suburban, maar een andere auto. Hij merkte het nauwelijks omdat hij zijn pistool op een andere schutter richtte, maar die man werd uitgeschakeld door drie schoten van Anne Pemberton in de deuropening achter hem. De overige drie – nee twee, hij had een kans – wisten Anne in de borst te treffen. Ze viel voorover en Russell wist dat hij alleen was, helemaal alleen, alleen hij tussen SANDBOX en deze klootzakken.

Don Russell rolde op zijn rechterzijde om te voorkomen dat hij door schoten op de grond links van hem getroffen werd. Terwijl hij zich omdraaide, vuurde hij in het wilde weg twee salvo's af. Daarna ketste zijn Sig door een leeg magazijn. Hij had een ander magazijn paraat, wierp direct het lege weg en drukte het nieuwe erin, maar het kostte tijd en hij voelde hoe hij door een schot onder in zijn rug getroffen werd. Het leek of hij een enorme schop kreeg, zijn lichaam schudde ervan. Terwijl hij met zijn rechterduim de schuif neerhaalde, trof een andere kogel hem in de linkerschouder. Deze ging door zijn romp heen en kwam in zijn rechterbeen weer naar buiten. Nog een schot, maar hij kon het geweer niet meer hoog genoeg oprichten, iets werkte er niet goed meer. Hij trof iemand precies in de knieschijf, maar een fractie later viel hij getroffen door een serie schoten op de grond.

O'Day probeerde net op te staan toen twee mannen door de deur naar binnen kwamen, beiden met AK's gewapend. Hij keek het zaaltje rond, dat nu gevuld was met verbouwereerde, zwijgende kinderen. De stilte leek enkele momenten te blijven hangen, maar toen begonnen de peuters te gillen. Een van de mannen had overal bloed op zijn been en klemde in razernij en pijn zijn tanden op elkaar.

Buiten namen de drie mannen van auto nr. 1 het bloedbad in ogenschouw. Vier mannen waren dood, zagen ze, toen ze uit de auto sprongen, maar zij hadden de de ondersteunende groep om zeep gebracht en...
De eerste die rechtsachter uitstapte, viel met zijn gezicht op de grond. Toen de andere twee zich omdraaiden, zagen ze een neger in een zwart overhemd met een grijs geweer.
'Dood moeten jullie.' Hij zou zich er niets meer van herinneren. Norman Jeffers zou zich nooit herinneren dat hij dat gezegd had toen hij zich op het volgende doel richtte en hem driemaal vol in het hoofd trof. De derde man van het team dat zijn vrienden had gedood viel achter de voorkant van zijn auto neer, maar de auto stond midden op de speelplaats, met een grote vrije ruimte aan beide zijden. 'Kom op, sta eens op en zeg gedag, Charlie,' zei de agent hijgend, en dat deed hij dan ook; hij zwaaide zijn wapen in het rond om terug te schieten in de richting van de laatste lijfwacht, maar niet snel genoeg. Met ogen die even levenloos leken als deurknoppen, zag Jeffers hoe het doel in een wolk van bloed verdween.
'Norm!' het was Paula Michaels, de surveillanceagent met middagdienst uit de supermarkt van 7-Eleven aan de overkant, die haar pistool in beide handen voor zich had.
Jeffers liet zich op één knie achter de auto vallen waarvan hij de inzittenden zojuist gedood had. Zij sloot zich bij hem aan en nu er plotseling niets meer gebeurde begonnen beide agenten hevig te hijgen, terwijl hun hart begon te bonzen en ze hun hoofd hevig voelden kloppen.
'Heb je kunnen tellen?' vroeg ze.

'Er is er ten minste eentje binnen...'
'Twee, ik zag er twee, een was er in zijn been geschoten. O, Jezus, Don, Anne, Marcella...'
'Wacht daarmee. We hebben kinderen binnen, Paula. Goddomme!'

Het zou dus allemaal toch niet lukken, dacht Filmster. Verdomme, vloekte hij in stilte. Hij had ze toch verteld dat er drie mensen in het huis aan de noordkant waren. Waarom hadden ze niet gewacht met het doden van de derde? Ze hadden het kind nu al weggehaald kunnen hebben! Goed. Hij schudde berustend zijn hoofd. Hij had nooit gedacht dat de missie een volledig succes zou worden. Hij had Badrayn daarvoor gewaarschuwd en had zijn mensen met die wetenschap uitgekozen. Nu hoefde hij alleen nog maar toe te kijken om zich ervan te overtuigen... Waarvan? Zouden ze het kind doden? Daar hadden ze over gesproken. Maar ze zouden wellicht hun opdracht niet vervullen voordat ze stierven.

Price moest nog acht kilometer rijden toen de noodoproep via haar radio doorgegeven werd. In minder dan twee seconden had ze het gaspedaal helemaal ingedrukt en het zwaailicht op het dak gezet. Ze reed zo hard mogelijk met gillende sirene door het verkeer. Toen ze noordwaarts Ritchie Highway opreed, zag ze dat de weg door auto's geblokkeerd werd. Ze manoeuvreerde de auto naar links de middenberm op, waarbij de auto slippend over het schuine oppervlak zijn weg zocht. Ze kwam enkele seconden voor de eerste groen-zwarte radiowagen van de politie van Maryland aan.
'Price, ben jij dat?'
'Wie daar?' antwoordde ze.
'Norm Jeffers. Ik denk dat we twee verdachten binnen hebben. Er zijn vijf agenten uitgeschakeld. Michaels is nu bij me. Ik stuur haar achterom.'
'Ben er zo.'
'Let op je hachje, Andrea,' waarschuwde Jeffers.

O'Day schudde zijn hoofd. Zijn oren suisden nog steeds en hij had hoofdpijn door de klap tegen de muur. Zijn dochter bevond zich naast hem. Hij beschermde haar met zijn lichaam tegen de twee terroristen, die hun wapens in het lokaaltje heen en weer zwaaiden onder het luide gegil van de kinderen. Mevrouw Daggett, die zich tussen hen en haar kinderen bevond, bewoog zich langzaam naar hen toe, terwijl ze haar armen instinctief vooruitstak. Alle kinderen zaten ineengedoken, velen riepen om hun mama, vreemd genoeg niet om hun papa, realiseerde O'Day zich. En er waren een hoop natte broeken.

'Meneer de president?' zei Raman, terwijl hij zijn oortelefoontje in zijn oor drukte. Wat was hier verdomme aan de hand?

Op Saint Mary's had de SANDSTORM-melding over de radio de SHADOW/SHORTSTOP-escortes als een donderslag getroffen. Agenten die buiten de klaslokalen van de kinderen van Ryan stonden, stormden met getrokken wapens naar binnen om hun beschermelingen de gang op te slepen. Er werden vragen gesteld, maar die werden niet beantwoord; het escorte voerde zonder discussie het vastgestelde plan voor een dergelijke gebeurtenis uit. Beide kinderen werden naar een Chevy Suburban gebracht, die niet naar de openbare weg reed, maar naar een dienstgebouw aan de overkant van het sportveld. Op de ene manier erin, en op een andere manier eruit, want er kon wel een stel criminelen in een hinderlaag zitten, vermomd als god-weet-wie. In Washington steeg een marinehelikopter op om naar de school te vliegen en de kinderen weg te halen. De tweede Suburban werd op het veld geparkeerd, honderdvijftig meter van de kinderen vandaan. De klas die buiten met de gymles bezig was, werd weggejaagd. Achter hun met kevlar gepantserde wagen posteerden zich agenten met hun zware wapens in de aanslag, speurend naar doelen.

'Dokter!'
Cathy Ryan keek op van haar bureau. Roy had haar nog nooit zo genoemd. Hij had in haar aanwezigheid ook nog nooit zijn pistool laten zien, omdat hij wist dat ze niet dol was op vuurwapens. Haar reactie was waarschijnlijk instinctief. Ze werd even bleek als haar doktersjas.
'Is het Jack of...'
'Het is Katie. Dat is alles wat ik weet, dokter. Kom nu direct met me mee.'
'Nee! Niet weer, niet weer!' Altman sloeg zijn arm om SURGEON heen om haar de gang op te leiden. Daar stonden nog vier agenten met getrokken pistolen, een verbeten uitdrukking op het gezicht. De beveiligingsmensen van het ziekenhuis bleven uit de buurt, maar geüniformeerde agenten van de gemeentepolitie van Baltimore vormden buiten een ring, terwijl ze er allemaal aan probeerden te denken dat ze naar een mogelijke dreiging van buiten moesten kijken en niet naar binnen, naar een moeder wier kind in gevaar was.

Ryan strekte zijn arm uit, legde zijn hand tegen de muur van zijn kantoor, keek omlaag en beet even op zijn lip voor hij sprak. 'Vertel me wat je weet, Jeff.'
'Er zijn twee verdachten in het gebouw. Don Russell is dood, evenals vier andere agenten, meneer, maar we hebben de situatie onder controle. Laat ons het werk doen,' zei agent Raman, de uitgestoken arm aanrakend om de president te steunen.
'Waarom mijn kinderen, Jeff? Het gaat om mij, hier. Als mensen op tilt slaan, moeten ze mij nemen. Waarom pakken zulke mensen mijn kinderen, vertel me dat eens...'
'Het is een boosaardige daad, meneer de president, boosaardig tegenover God en de mensheid,' zei Raman, terwijl nog drie agenten het Oval Office binnenkwamen. Wat deed hij nu, vroeg de huurmoordenaar zich af. Wat deed hij in vredesnaam? Waarom had hij dat nou gezegd?

Ze spraken in een taal die hij niet begreep. O'Day bleef met zijn dochtertje op de grond zitten. Hij hield haar met beide armen op zijn schoot vast, terwijl hij even onschuldig probeerde te kijken als zij. Lieve God, jarenlang had hij voor dit soort dingen geoefend, maar nooit om er midden in te zitten, om op de plaats van het misdrijf te zijn terwijl het gebeurde. Buiten wist je wat je moest doen. Hij wist precies wat er gebeurde. Als er nog mensen van de Secret Service waren... ja, er moesten er waarschijnlijk nog een paar zijn. Iemand had drie of vier salvo's met een M-16 afgevuurd; O'Day kende het typische geluid van dat wapen. Er waren geen misdadigers meer binnengekomen. Hij probeerde alles op een rijtje te zetten. Goed, er waren agenten buiten. Ze hadden eerst een kring gevormd zodat niemand er meer in of uit kon. Dan zouden ze een aanval doen. Wie? De Secret Service had waarschijnlijk zijn eigen speciale arrestatieteam, maar ook het team van de FBI dat er speciaal op getraind was gijzelaars te bevrijden zou in de buurt zijn; het beschikte over eigen helikopters om hier te komen. Vrijwel direct hoorde hij een helikopter boven het gebouw.

'Dit is Trooper Three, we houden het gebied nu van boven in de gaten,' zei een stem over de radio. 'Wie heeft daar beneden de leiding?'
'Hier adjudant Price, Secret Service. Hoe lang blijf je bij ons, Trooper?' vroeg ze via een radio van de staatspolitie.
'We hebben brandstof voor negentig minuten en dan lost een andere heli ons af. We kijken nu omlaag, adjudant Price,' meldde de piloot. 'Ik zie één persoon in westwaartse richting, het lijkt een vrouw achter een dode boom, die naar de school kijkt. Is dat een van jullie?'
'Michaels, Price,' zei Andrea via haar persoonlijke radiosysteem. 'Zwaai naar de heli.'
'Zwaaide net naar ons,' meldde Trooper Three direct.
'Goed, dat is er een van mij, houdt de achterkant in de gaten.'
'Oké. We zien geen beweging rond het gebouw en geen andere mensen binnen honderd meter. We zullen rond blijven cirkelen en waarnemen tot jullie anders besluiten.'
'Dank je. Over en sluiten.'

De VH-60 van de marine landde op het sportveld. Sally en Jack junior werden zo ongeveer aan boord gegooid en kolonel Goodman steeg direct op. Hij vloog oostwaarts naar het water, waar zich geen onbekende vaartuigen bevonden, zo had de kustwacht hem zojuist verteld. Hij liet de Blackhawk zo snel mogelijk op hoogte komen, terwijl hij noordwaarts over het water vloog. Links kon hij een politiehelikopter van Franse makelij zien die enkele kilometers ten noorden van Annapolis rondcirkelde. Je hoefde geen expert te zijn om dat te kunnen verklaren, en hoewel hij uiterlijk kalm bleef, zou hij graag zien dat daar een paar eenheden mariniers gedropt zouden worden. Hij had ooit gehoord dat misdadigers die kinderen iets hadden aangedaan het moeilijk kregen in de gevangenis, maar dat was nog niet half zo erg als wat mariniers zouden doen als ze de kans kregen. Hij veroorloofde zich niet nog langer te dagdromen. Hij keek niet eens om om te zien hoe het met de twee andere kinderen ging. Hij moest een heli vliegen. Dat was zijn taak. Hij moest erop vertrouwen dat anderen de hunne deden.

Ze keken nu uit het raam. Ze gingen daarbij voorzichtig te werk. Terwijl de gewonde man tegen de muur geleund stond – het leek zijn knieschijf, zag O'Day, mooi – gluurde de ander om de hoek. Het was niet moeilijk te raden wat hij zag. Sirenes kondigden de komst van politiewagens aan. Oké, ze waren nu waarschijnlijk bezig het pand te omsingelen. Terwijl de twee criminelen in afgemeten zinnen met elkaar spraken, lieten mevrouw Daggett en haar drie hulpen de kinderen dicht bij elkaar op de grond zitten. Goed, dat was slim. Ze deden het helemaal niet zo goed, dacht O'Day. Een van hen keek voortdurend het lokaal rond, maar ze hadden niet...
Plotseling trok een van hen een foto uit de borstzak van zijn overhemd. Hij zei weer iets in die onbekende taal die ze met elkaar spraken. Daarna sloot hij de jaloezieën. Verdomme. Nu zouden ze het lokaal niet meer met geweren in het vizier kunnen houden. De twee waren slim genoeg om te weten dat ze van buiten gewoon beschoten zouden kunnen worden. Er waren maar weinig kinderen groot genoeg om naar buiten te kijken en...
Degene met de foto hield die weer omhoog en liep naar de kinderen toe. Hij wees.
'Die daar.'
Vreemd genoeg leken ze nu pas te zien dat O'Day in het lokaal was. Degene die in zijn knie geschoten was, knipperde met zijn ogen en richtte de AK op hem. De inspecteur haalde zijn armen van de borst van zijn dochter en stak ze omhoog.
'Er zijn al genoeg mensen gewond, jongen,' zei hij. Hij hoefde niet veel moeite te doen om zijn stem te laten trillen. Hij had ook een fout gemaakt door Megan zo vast te houden. Die klootzak kon dwars door haar heen schieten om mij te pakken, realiseerde hij zich. Bij die gedachte voelde hij plotseling dat zijn maag zich omdraaide. Langzaam en voorzichtig tilde hij haar van zijn schoot en zette haar links naast zich op de grond.
'Nee!' Dat was de stem van Marlene Daggett.
'Breng haar hierheen!' beval de man.
Doe het, doe het, dacht O'Day. Bewaar je verzet tot het moment dat het erop aankomt. Het verandert nu toch niets. Maar zij kon zijn gedachten niet horen.
'Hier met haar!' herhaalde de schutter.
'Nee!'
De man schoot Daggett van anderhalve meter afstand in de borst.

'Wat was dat?' zei Price gealarmeerd. Er reden nu ambulances over Ritchie Highway, waarvan de jankende sirenes anders klonken dan de monotone gil-

tonen van de politiewagens. Links van haar probeerden politiemannen de weg vrij te maken. Ze wezen het verkeer met de handen op de pistoolholsters terug, terwijl ze wensten dat ze assistentie konden bieden bij het huis. Met hun geërgerde gebaren gaven ze voor de ogen van de verbaasde automobilisten blijk van hun psychische staat.
Dichter bij Giant Steps hoorden degenen die daar buiten stonden opnieuw aanhoudend gegil: kleine kinderen in doodsangst, om een reden die ze alleen maar konden raden.

Het leren jack kroop op als je zo zat. Als iemand zich achter hem had bevonden, dan zou die de holster in zijn lendenstreek gezien hebben, wist de inspecteur. Hij had nog nooit een moord zien plegen. Hij had al heel wat doden onderzocht, maar om er een te zien gebeuren... een vrouw die met kinderen werkte. Aan zijn gezicht was te zien hoe geschokt hij was, nu hij zag hoe het leven verdween... een onschuldig leven, dacht hij erbij. Hij had daarom werkelijk geen keuze.
Toen hij weer naar Marlene Daggett keek, wenste hij dat hij haar kon vertellen dat haar moordenaars dit gebouw niet levend zouden verlaten.
Het was een wonder dat geen van de kinderen gewond was. Alle schoten waren hoog gericht geweest en hij realiseerde zich dat hij nu dood naast zijn dochter had kunnen liggen als juffrouw Anne hem niet omver had gelopen.
Er zaten gaten in de muur en de kogels die daar de oorzaak van waren, zouden hem zonder meer doorboord hebben; het had maar enkele seconden gescheeld. Hij keek even omlaag en zag dat zijn handen trilden. Zijn handen wisten wat ze moesten doen. Ze kenden hun taak en hij begreep niet waarom ze die niet uitvoerden, waarom de geest die ze commandeerde, de blokkade nog niet had opgeheven. Maar zijn handen moesten geduldig zijn. Dit was een taak voor de geest.
De crimineel tilde Katie Ryan bij haar arm op en kneep erin, waardoor ze begon te huilen. O'Day dacht aan zijn eerste mentor die aan die eerste kidnapping had gewerkt. Dom, die grote, keiharde spaghettivreter die had gehuild toen hij het kind naar de familie had teruggebracht: 'Vergeet nooit dat het allemaal onze kinderen zijn.'
Ze hadden evengoed Megan uit kunnen kiezen, ze waren zo dichtbij, en die gedachte leek inderdaad door hen heen te gaan toen de man met SANDBOX weer naar de foto keek en daarna naar Pat O'Day.
'Wie ben jij?' vroeg hij op agressieve toon, terwijl zijn partner van pijn steeds meer begon te kreunen.
'Wat bedoel je?' vroeg de inspecteur op een nerveuze manier. Kijk dom en bang.
'Van wie is dat kind?' Hij wees op Megan.
'Die is van mij, goed? Ik weet niet van wie díe is,' loog de FBI-agent.
'Haar willen we hebben, zij is kind van president, toch?'
'Hoe moet ik dat nou weten? Mijn vrouw haalt Megan meestal op, niet ik.

Doe wat je moet doen en maak dat je wegkomt hier, oké?'
'Jullie daarbinnen,' klonk een luide vrouwenstem van buiten. 'Hier is de Secret Service van de Verenigde Staten. We willen dat jullie naar buiten komen. Er zal jullie niets worden aangedaan. Jullie kunnen nergens heen. Kom naar buiten waar we jullie kunnen zien, dan zal jullie niets overkomen.'
'Dat is een goed advies, man,' zei O'Day. 'Niemand komt hieruit, weten jullie dat?'
'Weet je wie dit meisje is? Zij is dochter van je president Ryan! Ze zullen me niet neer durven schieten!' verklaarde de man. Zijn Engels was vrij goed, bedacht O'Day, die knikte.
'En al die andere kinderen dan, man? Dat is de enige die je wilt, dat is de enige andere die ertoe doet. Zeg, waarom zou je er eigenlijk niet eh... een paar vrijlaten?'
De man had gedeeltelijk gelijk. De agenten zouden niet op één doel schieten uit angst dat er nog iemand binnen kon zijn; die was er inderdaad, en hij hield zijn geweer op Pats borst gericht. En ze waren wel zo slim dat ze nooit minder dan anderhalve meter van elkaar vandaan waren. Wie hen neer wilde schieten, moest twee verschillende bewegingen maken.
Wat O'Day echt angst inboezemde was de achteloze manier waarop Marlene Daggett was doodgeschoten, als in een reflex. Het kon ze gewoon niets schelen. Dit soort criminelen handelde onvoorspelbaar. Je kon proberen ze te kalmeren en af te leiden door te praten, maar verder was er maar één manier om met hen af te rekenen.
'Wij geven hun kinderen, zij geven ons auto, ja?'
'Ja, dat lijkt me goed. Dat lijkt me prima, toch? Ik wil alleen maar mijn dochter vanavond weer thuis hebben, begrijp je?'
'Ja, jij zorgen goed voor je kleintje. Ga daar zitten.'
'Geen probleem.' Hij bracht zijn handen ontspannen dichter naar zijn borst, precies boven op de rits van zijn jas. Als hij die losmaakte, zou het leren jack wat afzakken en zijn pistool verbergen.
'Attentie,' riep de stem weer. 'We willen praten.'

Cathy Ryan voegde zich bij haar kinderen in de helikopter. De gezichten van de agenten stonden bijzonder gespannen. Sally en Jack kwamen nu de eerste schrik te boven en begonnen te grienen. Terwijl ze troost bij hun moeder zochten, koos de BlackHawk weer het luchtruim. Ze vlogen in zuidwestelijke richting naar Washington, gevolgd door een tweede toestel. De piloot nam niet de normale route, zag ze, maar vloog in plaats daarvan rechtstreeks naar het westen, van de plek waar Katie was vandaan. Op dat moment stortte SURGEON ineen in de armen van haar kinderen.

'O'Day is binnen,' vertelde Jeffers haar.
'Weet je dat zeker, Norm?'
'Dat is zijn auto. Ik zag hem vlak voor dit gebeurde naar binnen gaan.'

'Verdomme,' vloekte Price. 'Dat is waarschijnlijk het schot dat we gehoord hebben.'
'Ja,' beaamde Jeffers met een sombere hoofdknik.

De president was in de Situation Room, de beste plaats om alles te blijven volgen. Hij had wellicht elders kunnen zijn, maar hij voelde zich niet in staat zijn kantoor in te gaan, en hij was geen president genoeg om te doen alsof...
'Jack?' Het was Robby Jackson. Terwijl de president opstond, liep hij op hem af. Omdat ze al zo lang vrienden waren, omhelsden ze elkaar. 'Dit hebben we meer meegemaakt, jongen. Toen liep het ook goed af, weet je nog?'
'We hebben de nummerborden van de auto's op de parkeerplaats. Drie ervan zijn huurauto's. We zijn die aan het natrekken,' zei Raman met een telefoon aan zijn oor. 'We moeten zo een soort identificatie weten te krijgen.'

Hoe dom zouden ze zijn, vroeg O'Day zich af. Ze moesten wel verschrikkelijk stom zijn om te denken dat ze hier weg zouden komen... en als ze die hoop hadden, dan hadden ze niets te verliezen... helemaal niets... en ze leken het geen probleem te vinden om te doden. Het was eerder gebeurd, in Israël, herinnerde Pat zich. Hij wist niet wie of wanneer, maar een paar terroristen hadden daar een stel kinderen omgebracht voordat de commando's...
Hij had tactieken voor elke mogelijke situatie paraat, althans dat zou hij twintig minuten geleden nog gezegd hebben, maar als je enige kind naast je zat...
Het zijn allemaal onze kinderen, vertelde Doms stem hem weer.
De ongedeerde moordenaar hield Katie Ryan bij haar bovenarm vast. Ze snikte nu alleen nog maar, uitgeput als ze was van het gillen. Ze hing zo'n beetje aan de hand van de man, die links van zijn gewonde partner stond. In zijn rechterhand had hij de AK. Als hij een pistool gehad had, dan had hij het wapen tegen haar hoofd kunnen houden, maar de AK was daar te lang voor.
Heel langzaam bewoog inspecteur O'Day zijn hand omlaag en opende de rits van zijn jack.
Ze begonnen weer met elkaar te praten. De gewonde man was er slecht aan toe. Door de adrenalinestroom was dat eerst niet gebleken, maar nu de toestand wat stabiliseerde en de spanning verminderde, verdween ook het mechanisme dat de pijn blokkeerde als het lichaam aan zware stress werd blootgesteld. Hij zei iets, maar Pat kon het niet verstaan. De ander antwoordde met een snauw en gebaarde naar de deur. Hij sprak op een gefrustreerde, gejaagde manier. Het werd echt gevaarlijk als ze een besluit namen. Misschien schoten ze de kinderen gewoon dood. De agenten buiten zouden het gebouw waarschijnlijk bestormen als ze meer dan een of twee schoten hoorden. Ze zouden wellicht snel genoeg zijn om het leven van enkele kinderen te redden, maar...
Hij begon aan hen te denken als Gewond en Ongedeerd. Ze waren opgefokt maar in verwarring, opgewonden maar besluiteloos, ze wilden blijven leven maar begonnen zich te realiseren dat dat niet zou gebeuren...

'Zeg eh... mannen,' zei Pat, terwijl hij zijn armen opstak en bewoog om hen af te leiden van de open ritssluiting. 'Mag ik iets zeggen?'
'Wat?' vroeg Gewond bits, terwijl Ongedeerd toekeek.
'Al die kinderen die je hier hebt, dat zijn er te veel om allemaal in de gaten te houden, niet?' vroeg hij, hevig met zijn hoofd knikkend om de boodschap over te brengen. 'Wat dachten jullie ervan als ik mijn dochtertje met een paar anderen mee naar buiten nam? Dat maakt het voor jullie toch gemakkelijker?'
Deze suggestie veroorzaakte nog meer onderling geharrewar. Ongedeerd stond het idee wel aan, zo leek het O'Day.
'Attentie, dit is de Secret Service!' riep de stem weer. Het leek die van Price, dacht de FBI-agent. Ongedeerd keek naar de deur en zijn lichaamstaal gaf aan dat hij daarheen wilde. Om er te komen moest hij voor Gewond langs.
'Kom op nou, rustig aan maar, ja?' O'Day stond langzaam op, terwijl hij zijn handen een eind van zijn lichaam hield. Zouden ze zijn holster zien als hij zich omdraaide? De mensen van de Service hadden die al gezien bij de eerste keer dat hij hier binnengekomen was, en als hij dit verknalde, dan zou Megan... Er was geen weg terug. Absoluut niet.
'Jij zegt tegen hen dat zij ons auto geven of ik schiet deze en de rest dood!'
'Laat me mijn dochter meenemen. Goed?'
'Nee!' zei Gewond.
Ongedeerd zei iets in zijn eigen taal. Hij keek naar Gewond, terwijl zijn wapen nog steeds naar de grond gericht was. Gewond hield zijn geweer op O'Days borst gericht.
'Kom, wat heb je te verliezen?'
Het leek wel of Ongedeerd hetzelfde tegen zijn gewonde vriend zei, en op dat moment gaf hij Katie Ryan een ruk aan haar arm. Ze begon weer te gillen. Haar voor zich uit duwend, liep hij door het lokaal, waarbij hij het gezichtsveld van Gewond blokkeerde. Het had twintig minuten geduurd om het voor elkaar te krijgen. Nu had hij één seconde om te zien of het lukte.
De handeling was voor O'Day even vanzelfsprekend als die voor Don Russell was geweest. Snel bracht hij zijn rechterhand naar achteren onder het jack en trok het pistool uit de holster, terwijl hij op één knie ging zitten. Op het moment dat het lichaam van Ongedeerd het doel niet langer blokkeerde, loste hij twee perfecte schoten met de Smith 1076, waarbij de beide roestvrij stalen patronen in het rond vlogen. Gewond was nu Dood. Ongedeerd zette grote ogen op van verrassing, terwijl de kinderen weer begonnen te gillen.
'Laat vallen!' schreeuwde O'Day hem toe.
De eerste reactie van Ongedeerd was om weer een ruk aan Katie Ryans arm te geven, terwijl hij tegelijk het geweer omhoogbracht alsof het een pistool was, maar de AK was veel te zwaar om op die manier gebruikt te worden. O'Day wilde hem levend te pakken krijgen, maar er was geen tijd om risico te lopen. Met zijn rechterwijsvinger haalde hij de trekker over, en daarna nogmaals. Het lichaam viel languit op de grond, een rode schaduw op de witte muren van Giant Steps achterlatend.

Inspecteur Patrick O'Day rende met grote sprongen op de twee af en schopte de geweren uit de handen van de dode bezitters. Hij bekeek elk lijk zorgvuldig. Hoe vaak hij dit ook geoefend had en hoe vaak hij hierin ook instructie had gegeven, toch kwam het nog altijd als een verrassing dat het allemaal gelukt was. Pas op dat moment begon zijn hart weer te bonzen, zo leek het althans, terwijl een vacuüm zijn borst vulde. Zijn lichaam verslapte even. Even later spande hij zijn spieren en knielde naast Katie Ryan, SANDBOX voor de Secret Service, en een ding voor de mensen die hij zojuist gedood had.
'Alles goed met je, schatje?' vroeg hij. Ze gaf geen antwoord. Ze hield haar hand om haar arm en snikte, maar er was geen bloed op haar te zien. 'Kom op,' zei hij zacht, terwijl hij zijn armen om een dochter heen sloeg die nu voor altijd deels van hem zou zijn. Daarna pakte hij zijn Megan op en liep naar de deur.

'Er wordt geschoten in het gebouw!' zei een stem in de luidspreker op het bureau. Ryan verstarde. De overigen in de Situation Room krompen ineen.
'Het klonk als een pistool. Hebben ze pistolen?' vroeg een andere stem over dezelfde radiofrequentie.
'Kolere, kijk daar eens!'
'Wie is dat?'

'We komen naar buiten!' riep een stem. 'We komen naar buiten!'
'Niet schieten!' riep Price over de luidspreker. De geweren bleven op de deur gericht, maar de handen aan de trekkers ontspanden zich een fractie.
'Jezus!' zei Jeffers. Hij stond op en rende op hem af om hem in de deuropening te begroeten.
'Beide verdachten dood, mevrouw Daggett eveneens,' zei O'Day. 'Alles vrij, Norm. Alles vrij.'
'Laat me...'
'Nee!' gilde Katie Ryan.
Hij moest hier weg. Toen Pat omlaag keek, zag hij de van bloed doorweekte kleding van drie agenten van zijn concurrent. Er lagen minstens tien kogels bij het lichaam van Don Russell, evenals een leeg magazijn. Erachter lagen vier dode misdadigers. Twee ervan waren door het hoofd geschoten, zag hij in het voorbijgaan. Hij stopte bij zijn pickup. Zijn knieën voelden nu wat zwak en hij zette de kinderen neer. Zelf ging hij op de bumper zitten. Er kwam een agente op hem af. Pat haalde de Smith van zijn riem en overhandigde die zonder echt te kijken.
'Ben je gewond?' vroeg Andrea Price.
Hij schudde zijn hoofd; het duurde even voor hij weer kon praten. 'Ik denk dat ik zo begin te beven.' De agente keek naar de twee meisjes. Een politieman tilde Katie Ryan op, maar Megan weigerde van zijn zijde te wijken. Hij drukte zijn dochter tegen zijn borst, waarna ze allebei begonnen te huilen.
'SANDBOX is veilig!' hoorde hij Price zeggen. 'SANDBOX is veilig en ongedeerd!'

Price keek rond. Er was nog geen ondersteuning gearriveerd en de meeste wetsdienaren ter plaatse waren agenten van de politie van Maryland in hun gesteven kaki hemden. Tien van hen vormden een kring rond SANDBOX. Als een troep leeuwen bewaakten ze haar.
Jeffers kwam bij hen staan. O'Day had nooit helemaal begrepen hoe zijn tijdsbeleving op dergelijke momenten zo kon veranderen. Toen hij opkeek, werden de kinderen door de zijdeur naar buiten gelaten. Overal waren nu hulpverleners, die eerst naar de kinderen gingen. 'Hier,' zei de agent, terwijl hij een zakdoek aan hem gaf.
'Bedankt, Norm.' O'Day veegde zijn ogen af, snoot zijn neus en stond op. 'Het spijt me, jongens.'
'Het geeft niet, Pat, je hebt...'
'Het was beter geweest als ik de laatste levend te pakken had gekregen, maar ik kon het... het risico niet nemen.' Hij kon nu weer staan en bleef Megan bij de hand vasthouden. 'O, verdomme,' zei hij.
'We kunnen je hier beter weghalen,' merkte Andrea op. 'We kunnen beter op een andere plek met elkaar praten.'
'Ik heb dorst,' zei O'Day daarop. Hij schudde zijn hoofd weer. 'Dit had ik nooit verwacht, Andrea. Overal kinderen. Dat hadden we toch niet verwacht, hé?' Waarom kletste hij zo, vroeg hij zich af.
'Kom, Pat. Je hebt het prima gedaan.'
'Wacht even.' De FBI-inspecteur wreef met zijn grote handen over zijn gezicht, haalde diep adem en keek eens goed om zich heen. Christus, wat een vreselijke troep. Drie doden aan deze kant van het speelterrein. Dat moest Jeffers gedaan hebben, dacht hij, met zijn M-16. Niet slecht. Maar hij moest nog iets anders doen. Bij alle huurauto's lag een lijk, elk met een schot door het hoofd. Een ander leek een schot in de borst en een schot door het hoofd te hebben. Hij wist niet zeker wie de vierde gepakt had. Waarschijnlijk een van de dames. Hij wist dat de ballistische proeven zouden uitwijzen wie het geweest was. O'Day liep weer naar de voordeur, waar het lijk van agent Donald Russell lag. Daar draaide hij zich om en keek hij naar de parkeerplaats. Hij had al heel wat misdaadlocaties gezien. Hij kende de tekenen, wist hoe hij dingen moest duiden. Zonder ook maar één enkele waarschuwing, met hoogstens een seconde om te reageren, had hij tegenover zes gewapende criminelen standgehouden en had hij drie van hen uitgeschakeld. Inspecteur O'Day knielde naast het lijk. Hij haalde het Sig-pistool uit Russells hand, gaf het aan Price en nam de hand in de zijne. Zo bleef hij even zitten.
'Tot ziens, maat,' fluisterde O'Day. Na een paar seconden liet hij los. Het was tijd om te vertrekken.

43

Terugtocht

De dichtstbijzijnde geschikte plek waar een marinehelikopter kon landen was de marineacademie. Het grote probleem was om genoeg leden van de Secret Service te vinden om met SANDBOX mee te rijden. Andrea Price, die zowel de leiding had op de plaats van de misdaad als hoofd van het escorte was, moest op Giant Steps blijven, en daarom werden lui van de Secret Service die op weg waren naar Annapolis naar de academie geroepen. Daar sloten ze zich aan bij de staatspolitie om de bewaking van Katie op zich te nemen. Zo gebeurde het dat het eerste team federale agenten dat ter plaatse arriveerde uit FBI-agenten van de kleine post in Annapolis bestond, een dependance van de Baltimore Field Division. Ze ontvingen de benodigde orders van Price, maar voorlopig waren hun taken nogal eenvoudig, en er was nog heel wat versterking op weg.
O'Day stak de straat over naar het huis dat de plaatselijke commandopost van Norm Jeffers was geweest. De eigenaresse, een grootmoeder, probeerde de schrik te boven te komen door koffie te zetten. Er werd een cassetterecorder geïnstalleerd, waarna de FBI-inspecteur aan een ononderbroken relaas begon. Het was eigenlijk een lang, onsamenhangend verhaal, wat in feite de beste manier was om nieuwe informatie te verkrijgen. Later zouden ze er opnieuw met hem over praten om aanvullende feiten te verzamelen. Op de plek waar hij zat, kon O'Day uit het raam kijken. Ambulancepersoneel stond klaar om de lijken weg te halen, maar eerst moesten de fotografen het gebeurde vereeuwigen.
Ze konden niet weten dat Filmster nog steeds stond te kijken. Hij bevond zich in een menigte van inmiddels enkele honderden mensen, studenten en leraren van de plaatselijke hogeschool en anderen die een vermoeden hadden van wat er gebeurd was en wilden kijken. Filmster had nu wel genoeg gezien en zocht zijn auto weer op, waarbij hij de parkeerplaats overstak. Hij reed in noordelijke richting weg over Ritchie Highway.
'Hé, ik heb hem een kans gegeven. Ik heb hem gezegd zijn wapen te laten vallen,' zei O'Day. 'Ik schreeuwde zo hard dat het me verrast dat jullie het buiten niet gehoord hebben, Price. Maar het wapen begon te bewegen, en ik was niet in de stemming om risico's te nemen, begrijp je?' Zijn handen trilden nu niet meer. Hij was de directe schok te boven. Later zouden er nieuwe volgen.
'Enig idee wie het waren?' vroeg Price nadat hij het verhaal de eerste keer verteld had.
'Ze spraken in een taal die ik niet kende. Het was geen Duits of Russisch, maar verder zou ik het niet weten. Vreemde talen klinken als vreemde talen. Ik kon geen woorden of zinnen verstaan. Ze spraken vrij goed Engels, wel met een accent, maar wat voor accent weet ik ook niet. Ze hadden een mediterraan uiterlijk. Misschien kwamen ze uit het Midden-Oosten, misschien ergens

anders vandaan. Ze waren volstrekt meedogenloos. Hij schoot mevrouw Daggett zonder enige emotie neer, zonder maar met zijn ogen te knipperen. Nee, dat klopt niet, hij was kwaad, erg opgefokt. Hij aarzelde geen moment. Boem, daar lag ze. Ik kon er niets tegen doen,' ging de inspecteur verder. 'De ander hield zijn geweer op me gericht. Het gebeurde zo snel dat ik het niet eens goed kon zien.'

'Pat,' zei Andrea, zijn hand vastpakkend, 'je hebt het geweldig gedaan.'

De helikopter landde op het platform van het Witte Huis, een stukje ten zuiden van de hoofdingang. Nadat zich weer een kring van gewapende agenten gevormd had, rende Ryan naar het toestel, terwijl de rotor nog ronddraaide. Niemand probeerde hem tegen te houden. Een bemanningslid van de marine in een groene vliegeniersoverall duwde de deur open en stapte uit, zodat de agenten in de helikopter SANDBOX aan haar vader konden overdragen.

Jack wiegde haar als een baby; dat was ze inmiddels niet meer, maar ze zou het voor hem altijd blijven. Hij liep de flauwe helling naar het huis op, waar de rest van het gezin al stond te wachten. Alles werd met tv-camera's geregistreerd, maar geen verslaggever kon de president dichter dan vijftig meter naderen. De agenten van het escorte waren in een moordzuchtige stemming; de perslui van het Witte Huis konden zich niet herinneren dat ze er ooit zo dreigend hadden uitgezien.

'Mammie!' Kronkelend in de armen van haar vader strekte Katie haar armen naar haar moeder uit, die haar direct van Jack overnam. Sally en Jack junior voegden zich bij de twee, zodat Jack in zijn eentje bleef staan. Dat duurde niet lang.

'Hoe gaat het?' vroeg Arnie van Damm zacht.

'Wat beter, geloof ik.' Zijn gezicht was nog steeds asgrauw en hij voelde zich slap, maar hij kon nog staan. 'Weten we al wat meer?'

'We moeten jullie allereerst allemaal weg zien te krijgen, naar Camp David. Daar kunnen jullie wat tot rust komen. De beveiliging is er optimaal en het is een goede plek om te ontspannen.'

Ryan dacht erover na. Zijn gezin was er nog nooit geweest en hij was er zelf nog maar twee keer geweest. De laatste keer was een vreselijke januaridag geweest, een paar jaar geleden. 'Arnie, we hebben geen kleren en...

'Daar kunnen wij voor zorgen,' verzekerde de stafchef hem.

De president knikte. 'Regel het maar. Snel,' voegde hij eraan toe. Terwijl Cathy de kinderen mee naar boven nam, liep Jack weer naar buiten in de richting van de westvleugel. Twee minuten later was hij weer in de Situation Room. Hier was de stemming beter. De aanvankelijke schrik en angst waren verdwenen; er was een kalme vastberadenheid voor in de plaats gekomen.

'Goed,' zei Ryan zacht. 'Wat doen we nu?'

'Bent u dat, meneer de president?' zei Dan Murray vanuit de luidspreker op tafel.

'Zeg het maar, Dan,' zei SWORDSMAN.

'We hadden een man binnen, eentje van mij. Je kent hem. Pat O'Day, een van mijn ambulante inspecteurs. Zijn dochter, Megan geloof ik, gaat daar ook naartoe. Hij wist beide criminelen uit te schakelen. De Secret Service deed de rest; het totaal staat op negen, twee door Pat en de rest door de mensen van Andrea. Er zijn vijf agenten van de Service omgekomen, plus mevrouw Daggett. Er zijn geen kinderen gewond geraakt, godzijdank. Price is Pat nu aan het verhoren. Er zijn nu ongeveer tien agenten met het onderzoek ter plaatse bezig en er is nog een aantal agenten van de Service onderweg.'
'Wie leidt het onderzoek?' vroeg Ryan.
'Er gelden hierbij twee regelingen. Een aanslag op u of een van uw gezinsleden valt onder de Secret Service. Terrorisme is ons domein. Ik zal de Service de leiding hierbij geven, en wij zullen zoveel mogelijk assistentie verlenen,' beloofde Murray. 'Geen concurrentie in dit geval, erewoord. Ik heb Justitie al gebeld. Martin zal ons een officier toewijzen om het misdaadonderzoek te coördineren. Jack?' vroeg de FBI-directeur.
'Ja, Dan?'
'Zorg dat je gezin een tijdje bij elkaar is. Wij weten hoe we dit moeten aanpakken. Ik weet dat je de president bent, maar wees een dag of twee gewoon vader, goed?'
'Goed advies, Jack,' merkte admiraal Jackson op.
'Jeff?' zei Ryan tegen agent Raman. Al zijn vrienden zeiden hetzelfde. Ze hadden waarschijnlijk gelijk.
'Ja, meneer?'
'We moeten maken dat we hier wegkomen.'
'Zeker, meneer de president.' Raman ging de kamer uit.
'Robby, wat dacht je ervan als jij en Sissy mee zouden vliegen. Er staat een heli op jullie te wachten hier.'
'Ik doe alles wat je zegt, maat.'
'Goed, Dan,' zei Ryan in de telefoon met luidspreker. 'We gaan naar Camp David. Hou me op de hoogte.'
'Zal ik doen,' beloofde de FBI-directeur.

Ze hoorden het op de radio. Brown en Holbrook reden noordwaarts op Route 287 om op de Interstate 90-Oost te komen. De cementwagen reed met een slakkengang, ondanks de extra versnellingen. Het ding was topzwaar, accelereerde traag en remde bijna even moeizaam. Ze hoopten dat het op de snelweg beter zou gaan. Gelukkig had de wagen wel een goede radio.
'Verdomme,' zei Brown, het geluid zachter draaiend.
'Kinderen.' Holbrook schudde zijn hoofd. 'We moeten er zeker van zijn dat er geen kinderen in de buurt zijn, Ernie.'
'Daar kunnen we wel voor zorgen, Pete, als we dit bakbeest tenminste helemaal daarheen krijgen.'
'Wat denk je?'
Gegrom. 'Vijf dagen.'

Daryaei nam het goed op, zag Badrayn, vooral gezien het nieuws dat ze allemaal dood waren.

'Vergeef me dat ik het zeg, maar ik heb u gewaarschuwd dat...'

'Ik weet het, ik herinner het me,' erkende Mahmoud Haji. 'Het succes van deze missie was nooit echt noodzakelijk, als de beveiliging maar goed geregeld was.' De geestelijke keek zijn gast strak aan.

'Ze hadden allemaal valse reisdocumenten. Geen van hen had ergens ter wereld een strafblad, voorzover ik weet. Als een van hen levend gepakt was, dan had er een risico bestaan. Ik heb u daarvoor gewaarschuwd, maar het lijkt erop dat ze dood zijn.'

De ayatollah knikte en sprak hun grafschrift uit: 'Ja, het waren loyale gelovigen.'

Loyaal waaraan, vroeg Badrayn zich af. Fanatiek religieuze politieke leiders waren bepaald niet zeldzaam in dit deel van de wereld, maar het bleef vermoeiend om aan te horen. Nu zouden ze alle negen in het paradijs zijn. Hij vroeg zich af of Daryaei dat werkelijk geloofde. Waarschijnlijk wel, hij was er waarschijnlijk zo van overtuigd dat hij geloofde met Gods eigen stem te kunnen spreken; in elk geval had hij het zo vaak tegen zichzelf gezegd dat hij het geloofde. Als je een idee maar lang genoeg bleef herhalen, kon je jezelf zover brengen, zo wist Ali; hoewel het eerst van buitenaf bij je had postgevat - omwille van politiek voordeel, persoonlijke wraak, hebzucht of een ander laag motief – werd het een geloofsartikel als je het maar genoeg herhaalde, een even zuiver doel als de woorden van de Profeet zelf. Daryaei was tweeënzeventig, bedacht Badrayn. Hij had zichzelf zijn hele leven weggecijferd, had zich gericht op iets buiten zichzelf. Hij was bezig aan een lange reis, die in zijn jeugd al was begonnen, toen hij vastberaden op weg was gegaan naar een heilig doel. Hij was nu een heel eind van het begin vandaan en heel dicht bij het eind. Nu was het einddoel zo duidelijk zichtbaar, dat het doel zelf vergeten kon worden. Dat was de valstrik waar al deze mannen intrapten. Hij wist wel beter, zei Badrayn tegen zichzelf. Voor hem was het gewoon business, zonder enige illusie, maar ook zonder hypocrisie.

'En de rest?' vroeg Daryaei na een gebed voor hun zielenheil.

'Dat zullen we misschien maandag weten, en zeker woensdag,' antwoordde Ali.

'En hoe staat het met de beveiliging?'

'Perfect.' Badrayn had er alle vertrouwen in. Alle reizigers waren veilig teruggekeerd en hadden stuk voor stuk gemeld dat ze hun missie hadden volbracht. De spuitbussen waren het enige bewijs dat ze hadden achtergelaten, maar deze zouden met het andere afval worden weggehaald. De epidemie zou uitbarsten, zonder dat er ooit enig bewijs voor de oorzaak gevonden zou worden. Wat vandaag dus mislukt leek te zijn, was helemaal geen mislukking. Die Ryan mocht nu misschien opgelucht zijn dat zijn kind gered was, maar hij was een verzwakt man, zoals Amerika een verzwakt land was. Daryaei had een plan. Het was een goed plan, dacht Badrayn, en voor zijn hulp bij het vervullen

ervan zou zijn leven voor altijd veranderen. Zijn dagen als internationaal terrorist waren geteld. Hij zou een positie bij de uitdijende overheid van de VIR kunnen krijgen, waarschijnlijk bij de veiligheids- of inlichtingendienst. Hij zou een comfortabel kantoor krijgen en een prima salaris ontvangen en zich eindelijk veilig en rustig kunnen vestigen. Daryaei had een droom, die hij wellicht zelfs zou vervullen. Voor Badrayn was de vervulling van zijn droom zelfs nog dichterbij; hij hoefde niets meer te doen om de droom werkelijkheid te laten worden. Negen mannen waren ervoor gestorven. Dat was hun ongeluk. Waren ze nu werkelijk in het paradijs omdat ze zich zo opgeofferd hadden? Misschien was Allah echt zo genadig dat Hij vergiffenis schonk voor elke daad die in Zijn naam was verricht, of die nu goed of slecht was. Misschien.
Dat deed er toch niet echt toe?

Ze probeerden het op een normaal vertrek te laten lijken. De kinderen hadden schone kleren aangetrokken. De koffers waren gepakt; die zouden met een latere vlucht meegaan. De beveiliging leek strenger dan anders, maar niet overdreven veel. Die indruk klopte niet. Op de Treasury Building in oostelijke richting en de Old Executive Office Building in het westen stonden de mensen van de Secret Service nu rechtop, terwijl ze gewoonlijk ineengedoken zaten. Het was goed zichtbaar hoe ze de omgeving met hun verrekijkers bestudeerden. Naast ieder van hen stond een man met een geweer. Er stonden acht agenten bij de omheining aan de zuidkant, die de nodige aandacht besteedden aan de passanten en anderen die zich daar om de een of andere reden geposteerd hadden nadat ze het verschrikkelijke nieuws gehoord hadden. De meesten waren waarschijnlijk gekomen omdat ze met de Ryans begaan waren; sommigen zouden wellicht zelfs voor de veiligheid van de Ryans bidden. De aandacht van de agenten ging uit naar degenen met een ander doel. Ze zagen echter niets ongewoons.
Jack gespte zijn riem om, evenals de rest van het gezin. De motoren boven hun hoofd begonnen te gieren en de rotor begon te draaien. Bij hen bevonden zich agent Raman en een andere lijfwacht, plus het hoofd van de marinebemanning. De VH-3 helikopter begon te trillen, steeg op en klom snel de lucht in op de westelijke wind. Ze vlogen eerst in de richting van de OEOB, daarna naar het zuiden en vervolgens naar het noordwesten. Deze zigzagkoers was bedoeld om verwarring te stichten voor het geval dat iemand hen met een luchtdoelraket zou willen bestoken. Het was zo licht dat zo iemand waarschijnlijk opgemerkt zou worden – het kost enige tijd om een raket te kunnen lanceren – en daar kwam bij dat de helikopter voorzien was van de nieuwste variant van het infrarood-suppressiesysteem Black Hole, zodat Marine One een moeilijk te treffen doel was. De piloot – het was wederom kolonel Hank Goodman – wist dit allemaal, nam de geëigende beveiligingsmaatregelen en deed zijn best er niet te veel aan te denken terwijl hij ze uitvoerde.
Het was rustig achterin. President Ryan was in gedachten verzonken, evenals zijn vrouw. De kinderen keken naar buiten, want een vlucht in een helikopter

is een van de meest sensationele manieren van voortbewegen. Zelfs de kleine Katie kon niet stil blijven zitten in haar gordel en probeerde naar beneden te kijken. Door de sensatie van het moment leek ze de verschrikkelijke middag even vergeten te zijn. Toen Jack zich omdraaide en het tafereel bekeek, bedacht hij dat het zowel een zegen als een vloek was dat kinderen zich maar zo kort op iets konden richten. Zijn eigen handen trilden nu een beetje. Hij wist niet of het angst of woede was. Cathy keek lusteloos voor zich uit, terwijl haar sombere gezicht door het gouden avondlicht beschenen werd. Een opgewekt gesprek met elkaar zat er die avond niet in.

Een auto van de Secret Service had Cecilia Jackson thuis in Fort Myers afgehaald. Admiraal Jackson en zijn vrouw gingen aan boord van een VH-60 met een paar schoudertassen als bagage. In het toestel werd ook de extra bagage voor de familie Ryan geladen. Er waren geen camera's bij het vertrek. De president en zijn gezin waren vertrokken, en met hen de camera's. Nu ordenden de correspondenten hun gedachten voor de nieuwsuitzendingen die avond. Ze probeerden een diepere betekenis voor de gebeurtenissen van die dag te vinden en alvast conclusies te trekken. Justitie was daar nog lang niet aan toe; het ambulancepersoneel had net toestemming gekregen om de dertien lijken van de plaats van de misdaad weg te halen. Tegen de dramatische achtergrond van politiezwaailichten stelden tv-ploegen camera's op voor rechtstreekse verslagen. Eén ploeg bevond zich zelfs precies op de plek waar Filmster de mislukte operatie had gadegeslagen.

Hij had uiteraard rekening gehouden met alle eventualiteiten. Hij reed noordwaarts over Ritchie Highway, waar het niet buitengewoon druk was, in aanmerking genomen dat de politie de weg bij Giant Steps nog steeds had afgesloten. Op Baltimore-Washington International had hij zelfs tijd om zijn huurwagen in te leveren alvorens een 767-vlucht van British Airways naar Heathrow te nemen. Ditmaal geen first class, zag hij. Er was alleen maar een business class. Hij had weinig reden tot lachen. Hij had gehoopt dat de ontvoering zou lukken, maar hij had in de plannen vanaf het begin met een mislukking rekening gehouden. Voor Filmster was de missie overigens niet mislukt. Hij leefde nog en wist wederom te ontsnappen. Hij ging de lucht in en zou zich spoedig in een ander land bevinden, waar hij volledig zou verdwijnen, zelfs nu de Amerikaanse politie probeerde vast te stellen of er nog meer mensen bij de criminele samenzwering betrokken waren. Hij besloot enkele glazen wijn te nemen, zodat hij na deze spannende dag beter zou slapen. De gedachte dat dit volgens zijn godsdienst verboden was, bracht een glimlach op zijn gezicht. Voor welk aspect van zijn leven gold dat nu niet?

De zon ging snel onder. Toen ze boven Camp David cirkelden was het golvende landschap onder hen al duister, met hier en daar stilstaande lichtjes van woningen en de bewegende lichtjes van auto's. De helikopter daalde langzaam, kwam twintig meter boven de grond tot stilstand en zakte verticaal naar de grond voor een fluwelen landing. Buiten het vierkante landingsplatform

was weinig licht te zien. Toen het hoofd van de bemanning de deur opende, stapten Raman en de andere agent als eersten uit. De president maakte zijn gordel los en liep naar voren. Hij bleef vlak achter de piloten staan en tikte de eerste piloot op zijn schouder.
'Bedankt, kolonel.'
'U hebt veel vrienden, meneer de president. Wij zijn hier als u ons nodig hebt,' zei Goodman tegen de opperbevelhebber.
Jack knikte, ging het trapje af en zag achter de lampen de silhouetten van gewapende mariniers in gecamoufleerde posities.
'Welkom op Camp David, meneer,' zei een kapitein van de marine.
Jack draaide zich om en hielp zijn vrouw met uitstappen. Sally overhandigde Katie en Jack junior kwam als laatste naar buiten. Het trof Ryan dat zijn zoon nu bijna even lang was als zijn moeder. Hij zou zijn zoon een andere naam moeten geven.
Cathy keek nerveus in het rond. De kapitein zag het.
'Mevrouw, er zijn hier zestig mariniers present,' verzekerde hij haar. Hij hoefde er niet aan toe te voegen om welke reden. Hij hoefde de president niet te vertellen hoe paraat ze waren.
'Waar?' vroeg Jack junior, die rondkeek maar niets zag.
'Kijk hier maar eens door.' De kapitein overhandigde zijn PVS-7 nachtkijker. SHORTSTOP hield hem voor zijn ogen.
'Gaaf!' Hij stak zijn arm uit en wees naar degenen die hij kon zien. Toen hij de verrekijker liet zakken, werden de mariniers weer onzichtbaar.
'Het is een prachtig ding om herten te bekijken. Er is ook een beer die af en toe een bezoek brengt aan het terrein. We noemen hem Yogi.' Kapitein Larry Overton, USMC, prees zich gelukkig dat hij erin slaagde hen te kalmeren en bracht hen naar de Hummers waarmee ze naar het woonverblijf werden gebracht. Hij zou later uitleggen dat Yogi een radiozender om had zodat hij niemand zou verrassen, vooral geen marinier met een geladen geweer.
Het woonverblijf op Camp David zag er rustiek uit. Het was lang niet zo chic als de kamers in het Witte Huis, maar was het best te karakteriseren als het soort schuilplaats dat een miljonair bij het luxe wintersportoord Aspen voor zichzelf zou bouwen; de presidentiële verblijven stonden officieel trouwens bekend als Aspen Cottage. Het complex werd onderhouden door een Naval Surface Detachment uit Thurmont in Maryland en werd bewaakt door een kleine compagnie van speciaal geselecteerde mariniers. Het was de veiligst mogelijke en meest afgelegen locatie die in een straal van honderdvijftig kilometer rond Washington te vinden was. Er stonden mariniers bij de presidentiële bungalow om hen binnen te laten en binnen was marinepersoneel om hen naar de slaapkamers te brengen.
Er waren nog twaalf bungalows op het terrein, en hoe dichter je bungalow bij Aspen stond, hoe belangrijker je uiteraard was.
'Wat eten we?' vroeg Jack junior.
'Wat je maar wilt,' antwoordde een hofmeester van de marine.

Jack keek Cathy aan. Ze knikte. Zij vond alles wel best vanavond. De president trok zijn jasje uit en deed zijn das af. Er kwam direct een steward aanlopen om ze weg te brengen. 'Het eten is hier geweldig, meneer de president,' beloofde hij.
'Dat is een feit, meneer,' bevestigde de chef-kok. 'We hebben een overeenkomst met plaatselijke leveranciers. Alles komt vers van de boerderij. Wilt u iets drinken?' vroeg hij hoopvol.
'Dat lijkt me geweldig, chef. Cathy?'
'Witte wijn?' vroeg ze, terwijl de spanning op haar gezicht eindelijk wat wegtrok.
'We hebben hier een aardige voorraad, mevrouw. Wat dacht u van een Château Ste. Michelle reserve chardonnay uit eigen land? Het is een geweldige chardonnay uit 1991.'
'Bent u van de marine, chef?' vroeg Ryan.
'Jawel, meneer. Ik heb voor admiraals gewerkt, maar ik kreeg promotie. En als u me toestaat, van wijn heb ik het nodige verstand.'
Ryan stak twee vingers op. De chef knikte en verliet de kamer.
'Dit is waanzinnig,' zei Cathy nadat hij vertrokken was.
'Niet zo kritisch.' Terwijl ze op de drankjes wachtten, besloten de twee oudste kinderen een pizza te nemen. Katie wilde een hamburger met friet. Ze hoorden het geraas van een landende helikopter. Cathy had gelijk, dacht haar echtgenoot. Dit is waanzinnig.
De deur ging weer open en de chef kwam terug met twee flessen en een zilveren emmer. Een andere steward volgde met glazen.
'Chef, ik bedoelde eigenlijk twee glázen.'
'Jawel, meneer de president, maar er komen nog twee gasten aan. Admiraal Jackson en zijn vrouw drinken ook graag een glas wijn.' Hij ontkurkte de fles en schonk een bodempje in voor SURGEON. Ze knikte.
'Heeft hij geen heerlijke neus?' Hij vulde haar glas en daarna een ander, dat hij aan de president gaf. Vervolgens trok hij zich terug.
'Ze hebben me altijd al verteld dat de marine zulke lui in dienst had, maar ik geloofde het nooit.'
'O, Jack.' Cathy draaide zich om. De kinderen zaten alle drie op de grond tv te kijken, zelfs Sally, die toch probeerde een elegante dame te worden. Ze trokken zich in hun vertrouwde wereld terug, terwijl hun ouders deden wat ouders altijd deden, namelijk zich instellen op een nieuwe realiteit, waarin ze hun kinderen tegen de wereld konden beschermen.
Jack zag de lampen van een Hummer naar links verdwijnen. Robby en Sissie hadden zeker hun eigen bungalow. Ze zouden zich nog wel omkleden voordat ze hierheen kwamen. Hij draaide zich om en sloeg van achteren zijn armen om zijn vrouw. 'Het is oké zo, schat.'
Cathy schudde haar hoofd. 'Het zal nooit oké zijn, Jack. Het zal nooit meer oké zijn. Roy heeft me verteld dat we de rest van ons leven lijfwachten bij ons zullen hebben. Overal waar we heen gaan hebben we bescherming nodig.

Voor altijd,' zei ze, terwijl ze een slokje wijn nam. Ze was niet zozeer boos als wel berustend, niet zozeer verbijsterd als wel vol begrip over iets waar ze nooit over gedroomd had. De pracht en praal van de macht waren soms verleidelijk. Een helikopter als vervoermiddel, mensen die voor je kleding en je kinderen zorgden, met één telefoontje elk eten dat je maar wilde regelen, overal begeleiders, overal voorrang.
Maar de prijs ervoor was niet gering. Iemand kon wel eens proberen je kinderen te vermoorden. Je kon er niet aan ontkomen. Het was alsof er kanker bij haar was vastgesteld, aan haar borst, eierstokken of ergens anders. Hoe verschrikkelijk het ook was, je moest doen wat je te doen stond. Huilen hielp niet, hoewel ze dat nog vaak zou doen, dat wist SURGEON zeker. Het zou niet helpen om tegen Jack te schreeuwen; ze was toch al geen driftkop en Jack kon er ook niets aan doen. Ze moest met de stroom meegaan, net als de patiënten in het Hopkins als je ze vertelde dat ze naar de afdeling oncologie moesten. Maakt u zich toch geen zorgen. De artsen zijn er heel goed, het zijn de besten, en de tijden zijn veranderd; ze weten nu echt wat ze doen. Haar collega's van de afdeling oncologie waren de besten. En ze beschikten nu over een mooi nieuw gebouw. Maar wie wilde daar nu werkelijk naartoe?
En zo hadden zij en Jack best een mooi huis, met geweldig personeel, van wie sommigen zelfs wijnkenners waren, dacht ze, terwijl ze een slokje nam. Maar wie wil daar nu werkelijk naartoe?

Er waren zoveel agenten op de zaak gezet dat ze niet wisten wat ze moesten doen. Ze hadden niet genoeg primaire informatie om achter aanwijzingen aan te gaan, maar dat veranderde snel. De meeste dode terroristen waren gefotografeerd – twee van hen, die van achteren door de M-16 van Norm Jeffers getroffen waren, hadden geen gezichten meer om te fotograferen – en van alle lijken waren vingerafdrukken genomen. Er zouden bloedmonsters genomen worden om DNA-gegevens te bepalen. Dat zou later nog van pas kunnen komen, omdat de identiteit bevestigd kon worden aan de hand van een genetische vergelijking met naaste verwanten. Op dit moment gingen ze met de foto's aan de slag. Deze werden eerst naar de Mossad gestuurd. De terroristen waren waarschijnlijk islamieten, dacht iedereen, en daar hadden de Israëli's de beste gegevens over. De CIA zorgde voor de eerste contacten, gevolgd door de FBI. Avi ben Jakob beloofde persoonlijk direct volledige medewerking.
Alle lijken werden naar Annapolis gebracht voor de lijkschouwing. Deze was wettelijk verplicht, zelfs in gevallen waar de doodsoorzaak overduidelijk was. De conditie van elk lichaam voor de dood zou worden vastgesteld en er zou een volledig toxicologisch bloedonderzoek plaatsvinden om te zien of er van drugsgebruik sprake was geweest.
De kleding van alle terroristen werd verwijderd om volledig onderzocht te worden in het FBI-laboratorium in Washington. Eerst werden de merknamen opgezocht om het land van oorsprong te bepalen. Daarmee, en met de algehele staat van de kleding, kon het moment van aankoop bepaald worden, wat

belangrijk kon zijn. Verder zouden de laboranten, die nu op vrijdagavond overuren maakten, met gewoon plakband losse draadjes en vooral stuifmeel verzamelen. Hieruit kon veel worden afgeleid, omdat sommige planten alleen in bepaalde delen van de wereld voorkwamen. Het kon weken duren voor de resultaten bekend waren, maar in een zaak als deze waren er geen financiële beperkingen. De FBI moest een lange lijst wetenschappers raadplegen.
De kentekens van de wagens waren al doorgegeven voordat O'Day de terroristen had neergeschoten. Enkele agenten waren al bezig de computerbestanden bij autoverhuurders te raadplegen.
Bij Giant Steps werd begonnen met het verhoor van de volwassenen die ter plekke waren geweest. Ze bevestigden O'Days verslag in grote lijnen. Enkele details weken af, maar dat kwam niet onverwacht. Niemand van de jonge vrouwen wist welke taal de terroristen hadden gesproken. De kinderen werden aan veel minder intensieve verhoren onderworpen. Ze mochten allemaal op schoot bij hun vader of moeder blijven zitten. Twee van de ouders waren uit het Midden-Oosten afkomstig, en de hoop bestond dat de kinderen misschien iets van de taal zouden herkennen, maar dat bleek niet uit te komen.
De wapens waren allemaal verzameld en de serienummers werden met een computerdatabase gecontroleerd. Het was niet moeilijk vast te stellen wanneer ze gemaakt waren. De administratie van de fabrikant werd geraadpleegd om te zien welke grossier ze gekocht had en welke winkel ze vervolgens had verkocht. Dat spoor liep dood. De wapens waren oud, maar daarmee in tegenspraak was dat ze er nieuw uitzagen, zoals werd vastgesteld met een visuele inspectie van de loop en de sluitmechanismen. Er was nauwelijks van enige slijtage sprake. Dat kleine beetje informatie werd al naar boven doorgegeven voordat ze over een naam van een koper beschikten.

'Verdomme, was Bill hier maar,' zei Murray hardop. Hij voelde zich voor het eerst in zijn carrière niet tegen een taak opgewassen. Zijn afdelingschefs zaten rond zijn vergadertafel. Het was vanaf het begin zeker dat dit onderzoek een gezamenlijke onderneming zou zijn van de afdelingen Criminal en Foreign Counter-Intelligence, zoals altijd bijgestaan door het lab. Alles ging zo snel dat er nog geen functionaris van de Secret Service aanwezig was. 'Ideeën?'
'Dan, wie deze geweren heeft gekocht, is al een hele tijd in het land,' zei FCI.
'Een stille,' knikte Murray instemmend.
'Pat herkende hun taal niet. Hij zou een Europese taal waarschijnlijk wel herkend hebben. Het moet een taal uit het Midden-Oosten zijn,' zei Criminal. Dat was geen wetenschappelijk verantwoorde redenering, maar zelfs de FBI moest bij haar werk op waarschijnlijkheden afgaan. 'In elk geval niet uit West-Europa. Ik denk dat we de Balkanlanden in ogenschouw moeten nemen.' Om de tafel werd aarzelend met deze opmerking ingestemd.
'Hoe oud zijn die geweren ook weer?' vroeg de directeur.
'Elf jaar. Lang voordat het embargo werd ingesteld,' antwoordde Criminal

voor FCI. 'Ze zijn in nieuwe staat en tot op heden waarschijnlijk nooit gebruikt, Dan.'
'Iemand heeft een netwerk opgebouwd waar wij niets van wisten. Iemand met heel veel geduld. Wie de koper ook blijkt te zijn, hij zal vast goed vervalste papieren hebben gebruikt. De vogel is al gevlogen. Het is een klassieke inlichtingenzaak, Dan,' ging FCI verder, verwoordend wat iedereen al dacht. 'We hebben het hier over professionals.'
'Dat is wat speculatief,' wierp de directeur tegen.
'Wanneer heb ik er voor het laatst naast gezeten, Danny?' vroeg de adjunct-directeur.
'De laatste tijd niet. Ga zo door.'
'Misschien kunnen de jongens van het lab goed forensisch materiaal produceren – hij knikte naar de adjunct-directeur van de laboratoriumafdeling – maar zelfs dan hebben we geen zaak die we voor de rechtbank kunnen brengen, tenzij we erg veel geluk hebben en we de koper of de anderen die bij deze missie betrokken waren weten te pakken.'
'Vluchtgegevens en paspoorten,' zei Criminal. 'Tot twee weken terug om mee te beginnen. Kijk naar herhalingen. Iemand heeft het doel verkend. Dat moet gebeurd zijn nadat Ryan president was geworden. Dat is een begin.' Natuurlijk, verder ging hij niet, het betrof slechts tien miljoen te controleren gegevens. Maar zo was het werk van de politie nu eenmaal.
'Christus, ik hoop dat je het verkeerd hebt met die stille,' zei Murray nadat iedereen enige tijd zijn gedachten over de zaak had laten gaan.
'Dat hoop ik ook, Dan,' antwoordde FCI. 'Maar zo is het niet. We hebben tijd nodig om zijn huis te ontdekken, om het verzamelpunt of wat dan ook te vinden, om zijn buren te verhoren, om het kadaster te raadplegen, waar we dan een valse naam vinden, van waaruit we verder moeten. Hij is waarschijnlijk al weg, maar dat is niet het ergste. Hij heeft er minstens elf jaar gezeten. Hij is financieel gesteund. Getraind. Hij heeft het geloof om bij die missie te assisteren tot op de dag van vandaag bewaard. Na zoveel jaar geloofde hij er nog voldoende in om kinderen te helpen doden.'
'Hij zal de enige niet zijn,' concludeerde Murray somber.
'Dat denk ik ook niet.'

'Wilt u met me meekomen?'
'Ik heb je eerder gezien, maar...'
'Jeff Raman, meneer.'
De admiraal pakte zijn hand. 'Robby Jackson.'
De agent lachte. 'Dat weet ik, meneer.'
Het was een aangenaam wandelingetje, hoewel het dat zonder de nadrukkelijke aanwezigheid van gewapende militairen nog veel meer was geweest. De berglucht was koel en helder en de hemel stond vol sterren.
'Hoe gaat het met hem?' vroeg Robby aan de agent.
'Zware dag. Een hoop goede mensen dood.'

'En ook een paar slechte.' Jackson zou altijd jachtvlieger blijven, voor wie moord en doodslag deel uitmaakten van het werk. Ze gingen de presidentiële verblijven binnen.
Zowel op Robby als op Sissy maakte het tafereel diepe indruk. Omdat ze zelf geen ouders waren – dat was onmogelijk door een medisch probleem bij Cecilia, ondanks alle pogingen – begrepen ze niet volledig hoe kinderen reageerden. Zelfs de verschrikkelijkste gebeurtenissen werden opzij gezet als er wat geknuffel van de ouders en andere kenmerken van geborgenheid op volgden. Maar er zouden ook nachtmerries volgen, die weken en misschien langer zouden duren, tot de herinneringen vervaagden. Ze omhelsden elkaar ter begroeting en zoals gewoonlijk voegden de mannen zich bij elkaar, evenals de vrouwen. Robby schonk zich een glas wijn in en volgde Jack naar buiten.
'Hoe gaat het, Jack?' Ze hadden een stilzwijgende afspraak dat Ryan nu niet de president was.
'De emoties blijven af en toe komen,' gaf hij toe. 'Alles komt weer terug. Die klootzakken kunnen het niet met mij af, nee, ze moeten zo nodig de makkelijke doelen nemen. Die laffe hufters!' Jacks gevloek getuigde ervan dat alles weer terugkwam.
Jackson nipte aan zijn glas. Op dit moment had hij niet zoveel te zeggen, maar dat zou veranderen.
'Ik ben hier voor het eerst,' zei Robby, gewoon om iets te zeggen.
'Mijn eerste keer... Weet je dat we hier een man begraven hebben?' merkte Jack op, terwijl hij zich het voorval weer voor de geest haalde. 'Het was een Russische kolonel, een agent die we daar hadden bij het ministerie van Defensie. Een geweldig militair. Held van de Sovjet-Unie, drie of vier keer, geloof ik. We hebben hem in zijn uniform begraven, met al zijn onderscheidingen. Ik heb zelf de eervolle vermeldingen opgelezen. Dat was toen we Gerasimov weghaalden.'
'Het hoofd van de KGB. Dus dat is waar?'
'Zeker,' zei Ryan met een knikje. 'Jij weet van Colombia en jij weet van de onderzeeër. Maar hoe zijn die journalisten daarachter gekomen?'
Robby moest bijna hardop lachen, maar beperkte zich tot wat gegrinnik. 'Mijn god, laat ik nou denken dat er in mijn carrière wat gebeurd is.'
'Jij bent vrijwillig bij de marine gegaan,' merkte Jack humeurig op.
'Jij ook, vriend.'
'Denk je?' Ryan ging weer naar binnen om zijn glas nog eens vol te schenken. Hij kwam terug met de nachtkijker, schakelde die in en tuurde de omgeving af. 'Ik heb er niet voor gekozen om mijn gezin door een compagnie mariniers te laten bewaken. Daar zitten er drie, met granaten aan hun jack, helmen en geweren, en waarom? Omdat er mensen in de wereld zijn die ons willen vermoorden. Waarom? Omdat...'
'Ik zal je vertellen waarom. Omdat jij beter bent dan zij, Jack. Jij staat voor bepaalde zaken, goede zaken. Omdat je een man met durf bent, die niet weg-

loopt voor ellende. Ik hoor dit niet graag van je, Jack,' vertelde Jackson zijn vriend. 'Bezondig je niet aan dat "o, mijn god"-gezwets, goed? Ik weet wie je bent. Ik ben jachtvlieger omdat ik dat wilde zijn. Jij bent wie je bent omdat je daar net zo goed voor gekozen hebt. Niemand heeft ooit gezegd dat het makkelijk zou worden.'
'Maar...'
'Mijn reet, meneer de president. Zijn er mensen die je niet mogen? Mooi. Dan zoek je uit hoe je ze kunt vinden en dan kun je die mariniers daar vragen om de zaak te regelen. Je weet wat ze zullen zeggen. Wellicht dat sommigen je haten, maar er zijn er veel meer die je respecteren en graag mogen. Ik zeg je hier en nu dat er niemand is die het uniform van dit land draagt die niet bereid is iedereen een pak slaag te geven die met jou en je gezin een loopje neemt. Het gaat er niet alleen om wat je bent, maar ook wie je bent. Snap je?'
Wie ben ik? vroeg SWORDSMAN zich af. Op dat moment kwam een van zijn zwakheden weer boven.
'Kom mee.' Ryan liep naar het westen. Hij had zojuist een kleine lichtflits gezien en trof een halve minuut later bij de hoek van een andere bungalow een kok van de marine aan die een sigaret stond te roken. President of niet, vanavond zou hij niet overmatig trots zijn. 'Hallo.'
'Jezus!' bracht de militair uit. Hij sprong in de houding en liet zijn sigaret in het gras vallen. 'Ik bedoel goedenavond, meneer de president.'
'Het eerste was fout, het tweede klopte. Heb je een sigaret?' vroeg Ryan zonder enige schaamte, zo merkte Robby Jackson op.
'Zeker, meneer.' De kok pakte er een en stak die aan.
'Luister, maat, als de First Lady je dat weer ziet doen, dan laat ze je door de mariniers doodschieten,' waarschuwde Jackson.
'Admiraal Jackson!' Bij die woorden zette de jongen zich weer schrap. 'Ik denk dat de mariniers voor me bezig zijn. Hoe staat het met het diner?'
'De pizza wordt momenteel gesneden, meneer. Ik heb hem zelf gebakken. Ze zullen ervan smullen,' beloofde hij.
'Ontspan je maar. Bedankt voor de sigaret.'
'Wanneer u maar wilt, meneer.' Ryan schudde hem de hand en liep weg met zijn vriend.
'Dat had ik nodig,' gaf Jack wat beschaamd toe. Hij inhaleerde diep.
'Als ik zo'n plek als deze had, zou ik die vaak gebruiken. Het is net of je op zee zit,' ging Jackson verder. 'Af en toe ga je naar buiten, je gaat op een van de platforms bij de brug staan en dan geniet je alleen nog maar van de zee en de sterren. Dat zijn de eenvoudige genoegens.'
'Het is moeilijk om het uit te schakelen, hè? Zelfs als je in nauw contact stond met de zee en de sterren, dan schakelde je het niet echt uit.'
'Nee,' gaf de admiraal toe. 'Het maakt de zaken wat gemakkelijker, maakt de sfeer wat minder intens, maar je hebt gelijk. Het gaat niet echt weg.' En nu ook niet.
'Tony zei dat we de Indiase marine kwijt zijn.'

'Beide vliegdekschepen zijn op zee, met escortes en olieschepen. We zijn naar ze op zoek.'
'Stel dat er een verband is?' vroeg Ryan.
'Waarmee?'
'De Chinezen maken ergens problemen, de Indiase marine zet weer koers naar zee, en dan overkomt mij zoiets... is dat paranoïde van me?' vroeg SWORDSMAN.
'Waarschijnlijk wel. Mogelijk zijn de Indiërs de zee opgegaan nadat ze hun reparaties hadden uitgevoerd en willen ze laten zien dat we ze helemaal niet zo'n lesje geleerd hebben. Wat China betreft, dat is al eerder gebeurd, en dat leidt tot niets, vooral niet als Mike Dubro daar eenmaal is. Ik ken Mike. Hij zal jagers de lucht in sturen en zich beslist laten gelden. De aanslag op Katie? Te vroeg om er wat van te zeggen, en het is mijn terrein ook niet. Daar heb je Murray en de rest voor. Ze hebben in elk geval gefaald. Je gezin zit binnen tv te kijken en het zal lang duren voordat iemand weer een poging waagt.'

Overal in de wereld werd die nacht doorgewerkt. In Tel Aviv, waar het nu vier uur in de ochtend geweest was, had Avi ben Jakob zijn allerbeste terrorisme-specialisten bij zich laten komen. Ze bestudeerden gezamenlijk de foto's die uit Washington waren overgeseind en vergeleken die met de eigen foto's die ze in de loop der jaren in Libanon en elders gemaakt hadden. Het probleem was dat op veel van hun foto's jongemannen met baarden stonden – de eenvoudigste vermomming die er bestond – en dat de foto's niet van goede kwaliteit waren. Ook voor de uit Amerika verstuurde beelden gold dat ze niet bepaald van de allerhoogste kwaliteit waren.
'Iets bruikbaars?' vroeg de Mossad-directeur.
Ieder richtte zijn blik op een van de experts van de Mossad, een vrouw van in de veertig die Sarah Peled heette. Achter haar rug noemden ze haar de heks. Ze bezat een speciale gave als het om het identificeren van mensen aan de hand van foto's ging. Als andere ervaren inlichtingenfunctionarissen hun handen wanhopig ten hemel hieven, had zij het in meer dan de helft van de gevallen bij het rechte eind.
'Deze.' Ze schoof twee foto's over de tafel. 'Deze zijn beslist hetzelfde.'
Ben Jakob bekeek de naast elkaar liggende foto's, maar zag niets dat haar mening bevestigde. Hij had haar al vaak gevraagd waarop ze haar mening baseerde. Sarah zei altijd dat het de ogen waren. Daarom keek Avi nog eens goed en vergeleek hij de ogen van de een met de ogen op de andere foto. Hij zag alleen maar ogen. Hij draaide de Israëlische foto om. De getypte tekst op de achterzijde meldde dat hij vermoedelijk lid van de Hezbollah was. Zijn naam was onbekend, leeftijd op de foto, die zes jaar eerder gedateerd was, rond de twintig.
'Nog meer, Sarah?' vroeg hij.
'Nee, geen een.'
'Hoe zeker ben je hiervan?' vroeg een van de functionarissen van de contra-

inlichtingendienst, die nu zelf naar de foto's keek, maar evenals Avi niets zag.
'Voor honderd procent, Benny. Ik zei toch "beslist", of niet?' Sarah was vaak nogal bits, vooral als ze om vier uur 's nachts bij een stel ongelovige mannen zat.
'Hoe ver gaan we hiermee?' vroeg een ander staflid.
'Ryan is een vriend van ons land en president van de Verenigde Staten. We gaan zo ver als we kunnen. Ik wil dat we informatie inwinnen bij alle contacten, in Libanon, Syrië, Irak en Iran, overal.'

'Zwijn.' Bondarenko haalde een hand door zijn haar. Zijn das had hij allang afgedaan. Zijn horloge vertelde hem dat het zaterdag was, maar hij wist niet meer welke dag het was.
'Ja,' zei Golovko instemmend.
'Een rampzalige operatie... u noemde het een sullige onderneming?' vroeg de generaal.
'Sullig en incompetent,' zei de RVS-voorzitter bars. 'Maar Ivan Emmetovitsj heeft geluk gehad, kameraad generaal. Ditmaal wel.'
'Misschien,' gaf Gennadi Josifovitsj toe.
'Bent u het daar niet mee eens?'
'De terroristen hebben hun tegenstanders onderschat. U herinnert zich nog wel dat ik onlangs bij het Amerikaanse leger ben geweest. Hun training is ongeëvenaard en de training van de presidentiële garde moet al even uitstekend zijn. Waarom worden de Amerikanen toch zo vaak onderschat?' vroeg hij zich af.
Dat was een goede vraag, moest Sergej Nikolajevitsj erkennen, terwijl hij het hoofd Operaties met een knikje liet weten door te gaan.
'Amerika lijdt vaak onder een gebrek aan politieke besluitvaardigheid. Dat is niet hetzelfde als incompetentie. Weet u waar ze op lijken? Op een gemene hond die aan een korte riem wordt gehouden. Omdat hij de riem niet kapot krijgt, denken mensen ten onrechte dat ze niet bang voor hem hoeven te zijn, maar binnen de reikwijdte van die riem is hij onoverwinnelijk. En een riem is iets tijdelijks, kameraad voorzitter. U kent die Ryan.'
'Ik ken hem goed,' zei Golovko instemmend.
'En? Die verhalen in de pers daar, zijn die waar?'
'Stuk voor stuk.'
'Ik zal u vertellen wat ik denk, Sergej Nikolajevitsj. Als je hem als een gevaarlijke tegenstander beschouwt, en hij die gemene hond aan de riem heeft, dan zou ik niet zo mijn best doen om hem te beledigen. Een aanslag op een kind? Zijn kind nota bene?' De generaal schudde zijn hoofd.
Dat was het, realiseerde Golovko zich. Ze waren beiden vermoeid, maar nu was er een helder moment. Hij had te veel tijd besteed aan het lezen van de politieke verslagen uit Washington, zowel die van zijn eigen ambassade als die van de Amerikaanse media. Ze zeiden stuk voor stuk dat Ivan Emmetovitsj... was dat de sleutel? Vanaf het begin had hij Ryan zo genoemd. Hij dacht hem

te eren met de Russische versie van zijn naam en het Russische patroniem. Een eer was het in Golovko's situatie zeker...

'Denkt u wat ik denk, *da*?' vroeg de generaal, toen hij de blik van de ander zag. Hij gebaarde hem te spreken.

'Iemand heeft een berekening gemaakt...'

'Maar geen erg accurate. Ik denk dat we moeten uitzoeken wie dat gedaan heeft. Ik ben van mening dat een systematische aanval op Amerikaanse belangen, een poging om Amerika te verzwakken, kameraad voorzitter, tegelijk ook een aanval op onze belangen is. Waarom doet China dergelijke dingen? Waarom heeft China Amerika gedwongen de posities van haar marine te wijzigen? En nu dit? De Amerikaanse strijdkrachten worden uitgedaagd en tegelijkertijd wordt de Amerikaanse leider recht in het hart getroffen. Dit is geen toeval. We kunnen aan de zijkant blijven staan en niets anders doen dan toekijken, of...'

'We kunnen niets doen, en met die onthullingen in de Amerikaanse pers...'

'Kameraad voorzitter,' onderbrak Bondarenko hem, 'ons land heeft zeventig jaar lang politieke theorie met objectieve feiten verward, hetgeen bijna het einde van het land betekende. Hier is sprake van objectieve omstandigheden,' zo ging hij verder, een term gebruikend die bij de Russische strijdmacht erg geliefd was; wellicht was het een reactie op drie generaties vol politieke vergissingen. 'Ik zie de patronen van een slimme operatie, een gecoördineerde operatie, maar tegelijk met een fatale tekortkoming, en die tekortkoming is een verkeerde inschatting van de Amerikaanse president. Bent u het met mij oneens?'

Golovko moest daar even over nadenken. Hij zag ook wel dat Bondarenko mogelijk zag wat er echt aan de hand was, maar zagen die Amerikanen dat ook? Het was veel moeilijker iets van binnenuit te zien dan van buitenaf. Een gecoördineerde operatie? Terug naar Ryan, zei hij tegen zichzelf.

'Nee. Ik heb zelf die vergissing gemaakt. Ryan lijkt veel minder dan wat hij is. De signalen zijn er beslist, maar de mensen zien ze niet.'

'Toen ik in Amerika was, vertelde die generaal Diggs me het verhaal over de aanval van de terroristen op Ryans huis. Hij nam de wapens op en versloeg hen moedig en gedecideerd. Uit uw woorden maak ik op dat hij ook zeer bedreven is als inlichtingenman. Zijn enige gebrek, als ik het zo noemen mag, is dat hij niet bedreven is in de politiek, hetgeen door politici altijd als zwakte beschouwd wordt. Misschien is dat ook zo,' gaf Bondarenko toe, 'maar als dit een vijandige operatie tegen Amerika is, dan zijn politieke zwakheden veel minder belangrijk dan zijn andere gaven.'

'En?'

'Help hem,' drong de generaal aan. 'We kunnen ons maar beter aan de winnende zijde bevinden, en als we niet helpen, dan zitten we mogelijk aan de andere zijde. Niemand zal Amerika direct aanvallen. Wij zijn niet in die gelukkige omstandigheid, kameraad voorzitter.' Hij had bijna gelijk.

44
Incubatie

Ryan werd bij het vroege ochtendgloren al wakker. Hij vroeg zich af waarom. Wat een stilte, bijna als in zijn huis aan de Bay. Hij luisterde ingespannen of hij verkeer of iets anders hoorde, maar hij ving niets op. Het viel niet mee uit bed te stappen, Cathy had besloten Katie bij hen te laten slapen. Ze lag nu in haar roze slaappakje in bed, echt een klein engeltje. Op die leeftijd waren het eigenlijk nog baby's, wat anderen ook mochten beweren. Hij glimlachte even en liep naar de badkamer. In de kleedkamer waren vrijetijdskleren klaargelegd, die hij aantrok. Nadat hij ook gymschoenen en een trui had aangetrokken, liep hij naar buiten.
Het was fris. De struiken waren wit berijpt en de lucht was helder. Niet slecht. Robby had gelijk. Dit was niet zo'n beroerd oord. Zo ontstond er een zekere afstand tussen hemzelf en andere dingen, iets waar hij nu grote behoefte aan had.
'Goedemorgen, meneer,' zei kapitein Overton.
'Geen slechte dienst, hè?'
De jonge officier knikte. 'Wij verzorgen de beveiliging. De marine verzorgt de petunia's. Dat is een eerlijke werkverdeling, meneer de president. Zelfs de jongens van de Secret Service kunnen hier slapen.'
Toen Ryan rondkeek, zag hij waarom. Er bevonden zich twee gewapende mariniers vlak bij de bungalow en nog drie binnen een afstand van vijftig meter. En dat waren alleen nog maar degenen die hij kon zien.
'Kan ik iets voor u halen, meneer de president?'
'Nou, een lekkere kop koffie om mee te beginnen.'
'Loopt u maar mee, meneer.'
'Attentie aan dek!' riep een matroos enkele seconden later, toen Ryan de mess binnenging, of hoe ze die hier ook noemden.
'Herstel!' zei de president tegen hen. 'Ik dacht dat dit het presidentiële vakantieverblijf was, niet het rekrutenkamp.' Hij nam een stoel aan de tafel van het personeel. Als een duveltje uit een doosje was er opeens koffie. Daarna verscheen er nog zo'n duveltje.
'Goedemorgen, meneer de president.'
'Dag, Andrea. Wanneer ben jij hier gekomen?'
'Om een uur of twee, per helikopter,' legde ze uit.
'Heb je nog geslapen?'
'Ongeveer vier uur.'
Ryan nam een slok. Marinekoffie bleef marinekoffie. 'En?'
'Het onderzoek is in volle gang. Het team is samengesteld, voor iedereen is een plekje gereserveerd.' Ze gaf hem een map. Het zou even duren voordat Ryan aan zijn ochtendkrant toekwam. De regionale politie van Anne Arundel

en de staatspolitie van Maryland, de Secret Service, de FBI, ATF en alle andere inlichtingendiensten hadden de zaak in onderzoek. Ze probeerden de identiteit van de terroristen te achterhalen, maar de twee van wie de documenten tot nu toe onderzocht waren, bleken niet te bestaan. Hun papieren waren vals en waarschijnlijk uit Europa afkomstig. Wat een verrassing. Elke competente Europese crimineel, laat staan een terroristische organisatie, kon valse paspoorten maken. Hij keek op.
'Hoe zit het met de agenten die we verloren hebben?'
Een zucht, gevolgd door schouderophalen. 'Ze hebben allemaal een gezin.'
'Laten we het zo regelen dat ik ze kan ontmoeten... Moeten ze allemaal tegelijk komen of één voor één?'
'Dat is uw keuze, meneer,' zei Price.
'Nee, het gaat erom wat voor hen het beste is. Het zijn jouw mensen, Andrea. Regel dat voor me, goed? Ik heb aan hen te danken dat mijn dochter nog leeft, en ik moet doen wat voor hen gepast is,' zei Ryan ingetogen. Hij realiseerde zich weer waarom hij op dit stille, vredige plekje was. 'En ik neem aan dat er goed voor hen gezorgd wordt. Geef me daarover de bijzonderheden, zoals verzekering, pensioen en dergelijke. Ik wil dat zelf bekijken.'
'Jawel, meneer.'
'Weten we al iets belangrijks?'
'Nee, niet echt. De gebitten van de terroristen zijn beslist niet in Amerika verzorgd, dat is alles, momenteel.'
Ryan bladerde door de papieren. Op de pagina die hij voor zich had, viel hem een voorlopige conclusie op. 'Elf jaar?'
'Jawel, meneer.'
'Dus dit is een grote operatie voor een individu... Een land.'
'Dat is een reële mogelijkheid.'
'Wie zou verder de middelen hebben?' vroeg hij. Price realiseerde zich weer dat hij lange tijd bij de inlichtingendienst had gewerkt.
Agent Raman kwam binnen en ging zitten. Hij had die opmerking gehoord en wisselde een blik en een knikje met Price uit.
De telefoon aan de muur ging over. Kapitein Overton liep erheen en nam op.
'Ja?' Hij luisterde enkele minuten. 'Meneer de president, ik heb hier mevrouw Foley van de CIA.'
De president liep naar de telefoon toe. 'Ja, Mary Pat?'
'We hebben zojuist een telefoontje uit Moskou gehad, meneer. Onze vriend Golovko vraagt of hij hulp kan bieden. Ik beveel aan daar "ja" op te zeggen.'
'Akkoord. Verder nog iets?'
'Avi ben Jakob wil u later op de dag spreken. Over de telefoon,' zei het hoofd directoraat Operaties van de CIA.
'Over een uurtje, ik moet eerst even wakker worden.'
'Ja, meneer... Jack?'
'Ja, MP?'
'Ik ben zo blij voor Katie,' zei ze. 'We zullen dit tot op de bodem uitzoeken.'

'Ik weet hoe goed jullie zijn,' hoorde Mary Pat Foley hem zeggen. 'Het gaat nu goed met ons.'
'Mooi. Ed en ik zijn er de hele dag.' Ze hing op.
'Hoe klinkt hij?' vroeg Clark.
'Hij redt het wel, John.'
Chavez wreef met zijn hand over zijn stoppelbaard. Ze hadden gedrieën met enkele anderen de hele nacht al het materiaal bestudeerd dat de CIA over terroristische groeperingen bezat. 'We moeten hier iets aan doen, jongens. Dit is een oorlogsdaad.' Hij sprak nu zonder accent, wat gewoonlijk gebeurde als hij zo serieus werd dat hij blijk gaf van zijn opleiding in plaats van zijn Latijns-Amerikaanse achtergrond.
'We weten niet veel. Verdomme,' zei Mary Pat, 'we weten nog helemaal niets.'
'Jammer dat hij er niet een levend te pakken gekregen heeft.' Deze opmerking kwam van Clark, tot verrassing van de twee anderen.
'Hij had waarschijnlijk niet veel kans die vent de handboeien om te doen,' antwoordde Ding.
'Dat is waar.' Clark pakte de foto's van de plaats van de misdaad op die kort na middernacht per koerier van de FBI waren bezorgd. Het Midden-Oosten was zijn werkterrein geweest en hij had gehoopt misschien een gezicht te herkennen, maar nee. Hij was vooral te weten gekomen dat het FBI-kereltje dat daar binnen aanwezig was geweest een verdomd goede schutter was. Wat een geluk had die vent gehad dat hij daar gezeten had, dat hij die kans had gehad en die ook had gegrepen.
'Hier neemt iemand een verdomd grote gok,' zei John.
'Inderdaad,' zei Mary Pat gedachteloos, maar toen begonnen ze er toch allemaal over na te denken.
De vraag was niet hoe groot het risico was, maar eerder hoe groot het risico was in de ogen van degenen die de gok hadden gewaagd. De negen terroristen waren allemaal pionnen zonder waarde geweest. Ze waren evenzeer tot de dood voorbestemd als de fanatici van de Hezbollah die door de Israëlische straten waren gaan wandelen in kleding van DuPont; zo luidde de CIA-grap over hen, hoewel de plastic explosieven waarschijnlijk van Skoda in Tsjecho-Slowakije afkomstig waren geweest. Hadden ze werkelijk gedacht dat hun opzet zou slagen? Het probleem met sommige fanatici was dat ze niet erg goed nadachten... misschien had het ze niet kunnen schelen.
Dat was ook het probleem van degenen die hen gestuurd hadden. Dat was tenslotte een andere missie geweest. Gewoonlijk maakten terroristen veel ophef over hun daden, hoe afschuwelijk ook, en de CIA en andere diensten hadden vijftien uur lang op het persbericht gewacht. Maar dat kwam niet, en als het er nu nog niet was, dan zou het nooit komen ook. Als ze géén verklaring uitgaven, dan wilden ze niet dat iemand het wist. Maar dat was een illusie. Terroristische acties waren altijd duidelijk als zodanig herkenbaar, maar de terroristen beseften niet dat de politie er toch achter kon komen wie de daders waren.

Als het om een land ging, lag het waarschijnlijk anders. Goed, de daders hadden niets bij zich gehad aan de hand waarvan hun afkomst bepaald kon worden, althans dat zouden sommigen denken. Maar Mary Pat dacht daar anders over. De FBI was ongelooflijk goed, zelfs zo goed dat de Secret Service al het forensisch onderzoek aan het Bureau overliet. En daarom verwachtten degenen die de missie hadden opgezet waarschijnlijk dat de ware toedracht uiteindelijk bekend zou worden. Hoewel ze dat dus waarschijnlijk wisten, hadden ze de missie toch uitgevoerd. Als deze speculaties juist waren, dan...
'Onderdeel van iets anders?' vroeg Clark. 'Geen op zichzelf staande gebeurtenis. Er is meer.'
'Misschien,' zei Mary Pat.
'Als dat zo is, dan is het iets omvangrijks,' vulde Chavez voor hen in. 'Misschien hebben de Russen daarom hun steun aangeboden.'
'Zo omvangrijk... zo omvangrijk dat het er niet meer toe doet of we erachter komen.'
'Dat is wel heel omvangrijk, Mary Pat,' zei Clark zacht. 'Wat zou dat kunnen zijn?'
'Iets blijvends, iets dat we niet meer kunnen veranderen als het volbracht is,' zei Domingo. Zijn studie aan de George Mason-universiteit bleek geen verspilde tijd te zijn geweest.
Mary Pat wilde dat haar echtgenoot hierbij was geweest, maar Ed had juist op dit moment een bespreking met Murray.

De zaterdagen in het voorjaar worden vaak gevuld met karweitjes die weliswaar saai zijn, maar toch beloften in zich dragen. In iets meer dan tweehonderd huizen kwam daar echter weinig van. Daar werden geen nieuwe planten in de tuin gezet, geen auto's gewassen, geen fancy-fairs bijgewoond en geen verfbussen geopend. Bij dit aantal waren de ambtenaren en journalisten die zich met het grote nieuws van die week bezighielden, nog niet inbegrepen. Het waren vooral mannen die aan de griep leden. Dertig van hen bevonden zich op dat moment in hotelkamers. Sommigen probeerden zelfs nog te werken en de beurzen in de nieuwe steden bij te wonen. Ze veegden het zweet van hun gezicht, snoten hun neus en hoopten dat de aspirine of Tylenol zijn werk zou doen. Van de laatste groep keerden de meesten terug naar de hotelkamer om te rusten; het was niet verstandig de klanten ziek te maken. Niemand van de getroffenen ging naar de dokter. De griep heerste, zoals altijd aan het eind van de winter en het begin van de lente, en iedereen kreeg die vroeg of laat. Zo ziek waren ze nu ook weer niet.

De nieuwsreportages over de aanslag op Giant Steps waren volstrekt voorspelbaar. Ze begonnen met opnamen van een afstand van een meter of vijftig. Alle correspondenten zeiden allemaal precies hetzelfde, waarna 'deskundigen' op het gebied van terrorisme of verwante zaken dezelfde woorden nog eens herhaalden. Een van de omroepen vermoeide de kijkers zelfs met Abraham Lin-

coln, met als enige reden dat er die dag verder bijna geen nieuws was. In alle verslagen werd naar het Midden-Oosten gewezen, hoewel de onderzoeksinstanties tot dusverre elk commentaar op de gebeurtenis geweigerd hadden. Er was alleen gewezen op de heroïsche tussenkomst van een FBI-agent en de gedrevenheid waarmee de Secret Service voor de kleine Katie Ryan gestreden had. Voortdurend vielen er termen als 'heroïsch', 'gedreven' en 'vastbesloten', waarna de 'dramatische conclusie' volgde.
Er was iets heel simpels fout gegaan, daarvan was Badrayn overtuigd, maar hij zou dat pas zeker weten als zijn collega vanuit Londen via Brussel en Wenen in Teheran was teruggekeerd, gebruikmakend van verschillende reisdocumenten.
'De president en zijn familie zijn in de *Presidential Retreat* in Camp David,' besloot de verslaggever, 'om te herstellen van de schok die de vreselijke gebeurtenissen even ten noorden van het vredige Annapolis in Maryland bij hen teweeggebracht hebben. Dit was...'
'*Retreat*?' vroeg Daryaei.
'Dat heeft vele betekenissen in het Engels, maar met name terugtrekken of vluchten,' antwoordde Badrayn, vooral omdat hij zeker wist dat zijn werkgever dit graag wilde horen.
'Als hij denkt dat hij voor me kan vluchten, dan vergist hij zich,' merkte de geestelijke met mysterieus genoegen op. Heel even had hij zich door de opwinding van het moment laten meeslepen.
Badrayn reageerde niet op de onthulling. Dat was gemakkelijk op het moment dat de betekenis ervan tot hem doordrong, omdat hij naar de tv en niet naar zijn gastheer keek. Nu werd alles duidelijker. Er was toch helemaal niet zoveel risico aan verbonden? Mahmoud Haji had een manier om zijn man te vermoorden, misschien wel op elk moment dat hij het verkoos, en daarvoor werd nu alles in orde gebracht. Kon hij het werkelijk? Natuurlijk, hij had het gedaan.

IVIS had de OpFor het leven zuur gemaakt, zij het niet te erg. Kolonel Hamm en de Blackhorse hadden dit gevecht gewonnen, maar wat nog maar een jaar eerder een vernietigend pak slaag zou zijn geweest, was nu een nipte overwinning geworden. Oorlog draaide vooral om informatie. Dat was altijd de les van het National Training Center: zoek de vijand. Laat de vijand jou niet vinden. Verkenningen. Verkenningen. Verkenningen. Het IVIS-systeem, dat door mensen met maar weinig ervaring bediend werd, bracht de informatie zo snel aan iedereen over dat de soldaten zich al in de juiste richting verplaatsten voordat het bevel daartoe gekomen was. Daardoor was een manoeuvre van de zijde van OpFor vrijwel tenietgedaan, ook al was die een Erwin Rommel in zijn beste dagen waardig. Terwijl hij de versnelde weergave van de oefening op het grote scherm in de Star Wars Room bekeek, zag Hamm hoezeer het kantje boord was geweest. Als een van de tankcompagnieën van de Blauwe Troepen vijf minuten eerder vertrokken was, dan zou hij deze slag ook hebben verloren.

Het NTC zou zijn effectiviteit zeker verliezen als de 'goede' partij regelmatig zou winnen.
'Dat was een prachtige manoeuvre, Hamm,' moest de kolonel van de Carolina Guard toegeven, terwijl hij een sigaar uit zijn zak haalde en aan hem overhandigde. 'Maar we zullen jullie morgen op je falie geven.'
Gewoonlijk zou hij wat gelachen hebben en 'natuurlijk' hebben gezegd. Maar die gehaaide rotvent zou daar best eens in kunnen slagen, en dan was er voor Hamm geen lol meer aan. De kolonel van het 11de gepantserde cavalerieregiment zou nu met methoden moeten komen om IVIS voor de gek te houden. Daar had hij al over nagedacht en hij had er bij een biertje al met zijn officier Operaties over gesproken, maar tot dusverre waren ze het er slechts over eens geweest dat dat geen kattenpis was. Waarschijnlijk moesten ze gebruikmaken van nepvoertuigen... zoals Rommel had gedaan. Hij zou daar geld voor moeten zien te krijgen. Hij liep naar buiten om zijn sigaar op te roken. Die had hij eerlijk gewonnen. Hij trof daar ook de kolonel van de Guard aan.
'Voor gardisten zijn jullie verdomd goed,' moest Hamm toegeven. Hij had zoiets nog nooit tegen een Guard-formatie gezegd. Hij zei het sowieso zelden tegen iemand. Op een verplaatsingsfout na was het plan van de Blauwe Troepen erg fraai geweest.
'Bedankt, kolonel. IVIS was een onaangename verrassing, hè?'
'Dat kun je wel zeggen, ja.'
'Mijn mensen vinden het geweldig. Veel lui komen in hun eigen tijd met de simulators spelen. Verdomd, hoor, het verbaast me dat u ons toch gepakt hebt.'
'Uw reservisten waren te dichtbij gekomen,' zei Hamm. 'U dacht te weten waar u heen moest, maar ik bracht u uit positie, zodat u niet goed kon reageren op mijn tegenaanval.' Dat was geen nieuws. De hoofdwaarnemer aan het controlepaneel had die les al aan de tankcommandant overgebracht, die daar toch even door van slag was.
'Ik zal het proberen te onthouden. Hebt u het nieuws gehoord?'
'Ja, smeerlapperij,' zei Hamm, hardop denkend.
'Kleine kinderen. Ik vraag me af of ze de Secret Service medailles toekennen?'
'Ik denk dat ze wel iets hebben. Ik kan me ergere dingen voorstellen om voor te sterven.' Daar draaide het allemaal om. Die vijf agenten waren gestorven terwijl ze hun werk deden. Ze waren zonder aarzeling op het geluid van geweervuur afgegaan. Ze hadden vast fouten gemaakt, maar soms had je geen keuze. Alle militairen wisten dat.
'God hebbe hun ziel.' De kolonel leek Robert Edward Lee wel. Dit bracht iets teweeg bij Hamm.
'Hoe zit het met jullie? U, kolonel Eddington, u wordt toch niet geacht... wat doet u in vredesnaam in het dagelijks leven?' Hij was al in de vijftig, wat erg oud was voor een bevelvoerend officier van een brigade, zelfs bij de Guard.
'Ik ben professor in de militaire geschiedenis aan de universiteit van North Carolina. Hoe het met ons zit? Deze brigade moest in 1991 het 24ste gemotoriseerde aanvullen, en daarom kwamen we hierheen om ons voor te bereiden,

maar we zijn nooit uitgezonden. Ik was toen bataljonscommandant, Hamm. We wilden verdomd graag gaan. Onze regimentsvaandels gaan tot de Revolutie terug. We werden in onze trots gekrenkt. We hebben bijna tien jaar gewacht om hier terug te komen, jongen, en die IVIS-apparatuur geeft ons een goede kans.' Eddington was een lange, magere man, die, nu hij zich omdraaide, op de beroepsofficier neerkeek. 'We zullen van die kans gebruik maak'n, jongen. Ik ken de theorie. Ik bestudeer die al meer dan dertig jaar, en mijn mannen zull'n zich niet voor je in het stof werp'n, begrep'n?' Als hij opgewonden raakte kreeg Nicholas Eddington altijd zijn oude accent weer terug.
'En vooral niet voor Yankees?'
'Reken maar!' Nu mocht er gelachen worden. Nick Eddington was een echte leraar, met gevoel voor de dramatiek van het ogenblik. Hij begon zachter te praten. 'Ik weet wel dat als we geen IVIS gehad hadden, u ons vermorzeld zou hebben...'
'Is technologie niet iets geweldigs?'
'We zijn er bijna uw gelijke door, en dat terwijl uw mannen de besten zijn. Iedereen weet dat,' gaf Eddington toe. Het was een waardig vredesgebaar.
'Met de uren die wij draaien is het moeilijk een biertje te krijgen op de club. Kan ik u er een bij mij thuis aanbieden, kolonel?'
'Gaat u voor, kolonel.'
'Wat is uw specialisme?' vroeg BLACKHORSE SIX op weg naar zijn auto.
'Mijn proefschrift ging over de krijgskunst van Nathan Bedfort Forrest.'
'O ja? Ik ben altijd een bewonderaar van Buford geweest.'
'Hij had slechts enkele dagen, maar het waren stuk voor stuk goede dagen. Hij had de oorlog voor Lincoln bij Gettysburg kunnen winnen.'
'De karabijnen van Spencer gaven zijn manschappen het technische voordeel,' meende Hamm. 'Die factor wordt vaak vergeten.'
'Het kon natuurlijk ook geen kwaad om het beste terrein uit te zoeken, en de Spencers hielpen ook mee, maar hij realiseerde zich vooral wat zijn missie was,' antwoordde Eddington.
'In tegenstelling tot Stuart. Jeb had beslist een slechte dag. Ik denk dat hij aan rust toe was.' Hamm opende het autoportier voor zijn collega. Het zou nog een paar uur duren voordat ze zich op de volgende oefening moesten voorbereiden. Hamm bestudeerde de geschiedenis graag, vooral die van de cavalerie. Dit zou een interessant ontbijt worden: bier, eieren en de Burgeroorlog.

Ze troffen elkaar op de parkeerplaats van de 7-Eleven, die momenteel voortreffelijke zaken deed met koffie en donuts.
'Dag, John,' zei Holtzman, met een blik op de plaats van de misdaad aan de overkant.
'Bob,' zei Plumber met een hoofdknik. Overal waren tv-camera's en fototoestellen die het tafereel voor het nageslacht vastlegden.
'Je bent er vroeg bij voor de zaterdag, als tv-jongen,' merkte de *Post*-verslaggever met een glimlach op. 'Wat denk jij ervan?'

'Dit is iets verschrikkelijks.' Plumber was zelf al vele malen grootvader geworden. 'Was het niet Ma'alot in Israël, in 1975 of zo?' Al die terroristische aanslagen waren moeilijk uit elkaar te houden.
Holtzman wist het ook niet zeker. 'Ik geloof het wel. Ik zal het door iemand op de redactie laten checken.'
'Terroristen leveren goede verhalen op, maar god nog aan toe, we zouden zonder hen beter af zijn.'
Op de plaats van de misdaad was bijna niets veranderd. Ze dachten beiden dat de autopsie nu wel voltooid zou zijn. Maar verder was alles nog hetzelfde, althans bijna. De auto's stonden er nog en onder het toekijkend oog van de verslaggevers waren deskundigen in de ballistiek bezig lijnen te leggen naar paspoppen uit een warenhuis in de buurt om de baan van de schoten te reconstrueren. Zo werd elk detail van de aanslag nagespeeld. De neger in het windjack van de Secret Service was Norman Jeffers, een van de helden van de dag, die nu liet zien hoe hij uit het huis aan de overkant was gekomen. Binnen zat inspecteur O'Day. Enkele agenten speelden de bewegingen van de terroristen na. Er lag een man op de grond bij de voordeur, die met een rood plastic speelgoedpistool zwaaide. Bij onderzoek van de recherche kwam de generale repetitie altijd na de voorstelling.
'Zijn naam was Don Russell?' vroeg Plumber.
'Een van de oudsten bij de Secret Service,' bevestigde Holtzman.
'Verdomme.' Plumber schudde zijn hoofd. 'Horatius bij de brug; het lijkt wel iets uit een film. "Heroïsch" is niet een woord dat we vaak gebruiken, hè?'
'Nee, daar mogen we toch niet meer in geloven? Wij weten wel beter. Iedereen is in wezen toch op eigen voordeel uit?' Holtzman dronk zijn koffie op en gooide de beker in de afvalbak. 'Stel je voor, je leven opgeven om de kinderen van anderen te beschermen.'
Sommige verslagen spraken over het incident in wildwesttermen. '*Gunfight at the Kiddy Coral*' – Vuurgevecht in de kinderkraal – had een plaatselijke tv-verslaggever geprobeerd, waarmee hij de avond tevoren de prijs voor slechte smaak had gewonnen. Dit had zijn station een paar honderd negatieve telefoontjes opgeleverd, wat zijn baas de bevestiging gegeven had dat er 's avonds heel wat mensen naar het programma keken. Niemand was er nijdiger over geweest dan Plumber, had Bob Holtzman geconstateerd. Hij dacht nog altijd dat het beroep dat ze uitoefenden werkelijk iets voorstelde.
'Is er nieuws over Ryan?' vroeg Bob.
'Alleen een persbericht. Callie Weston heeft het geschreven en Arnie heeft het voorgelezen. Ik kan het hem niet kwalijk nemen dat hij de familie heeft weggehaald. Hij verdient het even uit het zicht te zijn, John.'
'Bob, ik herinner me geloof ik nog dat...'
'Ja, weet ik. Ik werd belazerd. Elizabeth Elliot schotelde me een verhaal voor over Ryan toen hij nog adjunct bij de CIA was.' Hij draaide zich naar zijn oudere collega toe. 'Het was volkomen gelogen. Ik heb hem persoonlijk mijn verontschuldigingen aangeboden. Weet je waar het in feite om ging?'

'Nee,' gaf Plumber toe.
'De Colombiaanse missie. Hij was erbij, zeker. Er kwamen enkele mensen bij om, onder wie een luchtmachtsergeant. Ryan zorgt voor dat gezin. Hij laat ze allemaal naar de universiteit gaan, geheel op zijn kosten.'
'Dat heb je nooit opgeschreven,' voerde de tv-verslaggever aan.
'Nee. Dat gezin... nu ja, het gaat toch niet om bekende persoonlijkheden? Toen ik erachter kwam, was het al oud nieuws. Ik vond de nieuwswaarde gewoon niet groot genoeg.' En daar draaide het in hun vak allemaal om. De mensen die bij het nieuws werkten, bepaalden wat onder de aandacht van het publiek kwam en wat niet. Door te kiezen wat wel en wat niet naar buiten werd gebracht, controleerden ze het nieuws en bepaalden ze wat het publiek precies mocht weten. Door zo te kiezen, konden ze iedereen maken of breken, omdat niet elk verhaal direct veel aandacht kreeg, vooral niet als het om politiek ging.
'Misschien had je het bij het verkeerde eind.'
Holtzman haalde zijn schouders op. 'Misschien wel, maar ik verwachtte net zomin als Ryan zelf dat hij president zou worden. Hij heeft iets prijzenswaardigs gedaan, verdomme, zelfs veel meer dan dat. John, er zitten aspecten aan die Colombia-toestand die nooit in de openbaarheid mogen komen. Ik denk dat ik nu alles weet, maar ik kan het niet opschrijven. Dat zou schadelijk zijn voor het land en niemand zou er iets mee opschieten.'
'Wat heeft Ryan gedaan, Bob?'
'Hij heeft een internationaal incident voorkomen. Hij zorgde ervoor dat de schuldigen op de een of andere wijze gestraft werden...'
'Jim Cutter?' vroeg Plumber, zich nog steeds afvragend waar Ryan dan wel toe in staat was.
'Nee, dat was echt zelfmoord. Ken je inspecteur O'Day, de FBI-man die hier aan de overkant zat?'
'Wat is er met hem?'
'Hij was bezig Cutter te schaduwen en zag hem voor de bus springen.'
'Weet je dat zeker?'
'Volstrekt zeker. Ryan weet niet dat ik dit allemaal weet. Ik heb enkele goede bronnen, en alles klopt met de tot nu toe bekende feiten. Of het is allemaal de waarheid, of het is de slimste leugen waar ik ooit ingetrapt ben. Weet je wat we in het Witte Huis hebben, John?'
'Een eerlijk man. Niet "vrij eerlijk", niet "is nog niet op een leugen betrapt". Eerlijk, ik geloof niet dat hij ooit iets onoorbaars gedaan heeft in zijn leven.'
'Hij is nog altijd een groentje,' antwoordde Plumber. Het klonk bijna denigrerend, zo niet ongelovig, omdat zijn geweten begon op te spelen.
'Misschien wel. Maar wie heeft ooit gezegd dat wij gieren moeten zijn? Nee, zo is het niet. We moeten achter de rotzakken aanzitten, maar we doen het al zo lang en zo goed dat we vergeten zijn dat er ook mensen bij de overheid zitten die niet zo zijn.' Hij keek zijn collega weer aan. 'En daarom spelen we de een tegen de ander uit om onze verhalen te kunnen krijgen, en ondertussen

worden wij ook corrupt. Wat moeten we daaraan doen, John?'
'Ik weet wat je vraagt. Het antwoord is nee.'
'In een tijd van relatieve waarden is het prettig een absolute te vinden, meneer Plumber. Zelfs als het de verkeerde is,' voegde Holtzman eraan toe, die de reactie kreeg waarop hij gehoopt had.
'Bob, je bent goed. Heel goed zelfs, maar je krijgt me niet zover.' De commentator wist toch een lachje te voorschijn te toveren. Het was een kundige poging, waar hij bewondering voor had. Holtzman was iemand die Plumber deed denken aan de tijd waaraan hij met zoveel trots aan terugdacht.
'Stel dat ik kan bewijzen dat ik gelijk heb?'
'Waarom heb je dat verhaal dan niet geschreven?' vroeg Plumber. Daar kon geen enkele echte journalist omheen.
'Ik heb het niet laten afdrukken. Ik heb nooit gezegd dat ik het niet geschreven heb,' corrigeerde Bob zijn vriend.
'Je hoofdredacteur zou je ontslaan als...'
'Wat nou? Zijn er soms geen dingen die jij nooit gedaan hebt, zelfs als je alles rond had?'
Plumber gaf een ontwijkend antwoord: 'Jij had het over bewijs.'
'Een halfuurtje hiervandaan. Maar dit verhaal kan nooit gepubliceerd worden.'
'Waarom zou ik je geloven?'
'Waarom zou ik jou geloven, John? Wat komt er op de eerste plaats? Het verhaal, nietwaar? Hoe zit het met het land, met de mensen? Waar houdt de professionele verantwoordelijkheid op en begint de publieke verantwoordelijkheid? Ik heb dit niet gepubliceerd omdat een gezin een vader is kwijtgeraakt. Hij liet een zwangere vrouw na. De overheid kon niet bekendmaken wat er gebeurd was, en daarom heeft Jack Ryan zich er zelf mee bemoeid om de zaak goed te regelen. Hij heeft dat met zijn eigen geld gedaan. Hij had nooit verwacht dat er iemand achter zou komen. Wat moest ik doen? Dat gezin in de publiciteit brengen? Met welk doel, John? Om met een primeur te komen die pijnlijk is voor het land, nee, die pijnlijk is voor een gezin dat geen behoefte heeft aan nog meer pijn. Ik zou de opleiding van de kinderen in gevaar brengen. Er is nog genoeg ander nieuws om te verslaan. Maar laat ik je dit vertellen, John: je hebt een onschuldig man gekwetst, en je vriend met de brede glimlach heeft openlijk gelogen om je zover te krijgen. Wij worden geacht dat aan de kaak te stellen.'
'Waarom schrijf je dat dan niet?'
Holtzman liet hem even wachten voordat hij antwoordde. 'Ik ben bereid je de kans te geven orde op zaken te stellen. Daarom. Jij was er ook bij. Maar ik moet je erewoord hebben, John. Ik zal er niet aan twijfelen.'
Er moest meer aan vast zitten. Dat kon niet anders. Plumber was tot tweemaal toe in zijn beroepseer gekrenkt. Ten eerste was hij voor lul gezet door zijn jongere collega bij NBC, iemand van de nieuwe generatie die dacht dat journalistiek draaide om de manier waarop je in de camera keek. Ten tweede was hij

ook nog voor het karretje van Ed Kealty gespannen. Dus hij was gebruikt om een onschuldige te beschadigen? Hij moest erachter zien te komen, want anders zou hij voor altijd door twijfel verscheurd worden.
De tv-commentator pakte Holtzmans mini-cassetterecorder uit zijn hand en drukte op de opnameknop.
'Dit is John Plumber, het is zaterdag, tien voor acht 's ochtends, en we staan tegenover het Giant Steps Day Care Center. Robert Holtzman en ik staan op het punt deze plek te verlaten om ergens naartoe te gaan. Ik heb mijn erewoord gegeven dat de dingen die we op het punt staan te onderzoeken, absoluut vertrouwelijk tussen ons zullen blijven. Met deze bandopname wordt die belofte voor altijd vastgelegd door mij, John Plumber,' zo besloot hij, 'NBC News.' Hij zette het apparaat uit en schakelde het weer in. 'Als Bob echter een verkeerde voorstelling van zaken heeft gegeven, geldt deze gelofte niet meer.'
'Dat is redelijk,' zei Holtzman, terwijl hij de cassette uit de recorder haalde en in zijn zak stopte. De belofte had geen enkele juridische waarde. Zelfs als het een contract was geweest, dan zou dat volgens het Eerste Amendement waarschijnlijk nietig zijn, maar hij had zijn woord gegeven, en beide journalisten wisten dat ze bepaalde normen gestand moesten doen, zelfs in het huidige tijdsgewricht. Op weg naar Bobs auto tikte Plumber zijn producer nog even op de schouder.
'We zijn over een uurtje terug.'

De Predator vloog op een hoogte van ongeveer drie kilometer. Voor het gemak waren de drie legerkorpsen van de VIR als I, II en III bestempeld door de inlichtingenfunctionarissen in STORM TRACK en PALM BOWL. De UAV cirkelde nu boven legerkorps I, dat uit een opnieuw samengestelde pantserdivisie van de Iraakse Republikeinse Garde en een soortgelijke divisie van het voormalige Iraanse leger bestond. 'De Onsterfelijken' werden ze genoemd, een verwijzing naar de persoonlijke lijfwacht van Xerxes. De slagorde was conventioneel. De regimentsformaties waren volgens het klassieke patroon met twee voor en een achter opgesteld, in een soort driehoek, waarbij de derde de divisiereserve vormde. De twee divisies stonden zij aan zij opgesteld, maar de frontbreedte was verrassend smal. Elke divisie bestreek slechts een breedte van dertig kilometer, met niet meer dan vijf kilometer ruimte tussen de twee divisies.
Ze oefenden geconcentreerd. Om de paar kilometer waren er doelen, houten imitaties van tanks. Als die in het zicht kwamen, werd erop geschoten. De Predator kon niet laten zien hoe goed het geschut was, hoewel de meeste doelen vernield waren toen het eerste echelon oorlogsvoertuigen passeerde. Die waren grotendeels van Sovjet-Russische oorsprong. Er waren zware T-72 en T-80 gevechtstanks uit de enorme Tsjeljabinsk-fabriek. De infanterievoertuigen waren BMP's. Ook de tactiek was Sovjet-Russisch. Dat bleek duidelijk uit de manier van voortbewegen. De onderafdelingen werden strak onder controle gehouden. De enorme formaties bewogen zich met geometrische precisie

voort, als combines in een tarweveld in Kansas rechte lijnen over het terrein trekkend.
'Tjee, ik heb de film gezien,' zei de eerste sergeant-opzichter op de Koeweitse ELINT-post.
'Ja?' vroeg majoor Sabah.
'De Russen, ik bedoel de sovjets, maakten hier altijd films over, majoor.'
'Hoe kunt u die twee nu vergelijken?' Dat was een hele goede vraag, vond de inlichtingenspecialist.
'Er is niet veel verschil, majoor.' Hij wees op de onderste helft van het scherm. 'Ziet u? De compagniecommandant houdt iedereen op één lijn, met de juiste afstand en tussenruimte. Daarnet bevond de Predator zich boven het voorpostendetachement van de divisie, en ook dat zag er volstrekt volgens het boekje uit. Bent u op de hoogte van de sovjettactieken, majoor Sabah?'
'Alleen voorzover de Iraki's die toegepast hebben,' gaf de majoor toe.
'Er is weinig verschil. Je slaat snel en hard toe, je trekt dwars door de linies van je vijand heen en geeft ze geen kans te reageren. Je houdt je eigen mensen onder controle. Ze houden zich aan vaste patronen.'
'En het niveau van hun training?'
'Niet slecht, majoor.'

'Elliot moest Ryan daar bewaken,' verklaarde Holtzman terwijl hij de auto bij de 7-Eleven parkeerde.
'Liet ze hem volgen?'
'Liz had een bloedhekel aan hem. Ik ben er nooit... oké, ik ben er wél achter gekomen. Het was persoonlijk. Ze zag Ryan totaal niet zitten, het ging om iets dat gebeurd was voordat Bob Fowler gekozen werd. Het was voor haar reden genoeg om een verhaal te laten uitlekken dat zijn gezin schade toe moest brengen. Leuk, hè?'
Plumber was niet erg onder de indruk. 'Zo gaat dat in Washington.'
'Zeker, maar hoe zit het als je officiële overheidsopdrachten gebruikt om een persoonlijke vendetta uit te vechten? Dat mag dan ook het echte Washington zijn, maar het is beslist onwettig.' Hij zette de motor af en gebaarde Plumber uit te stappen.
Binnen troffen ze de eigenaresse aan, een heel klein vrouwtje. Een stel Amerikaanse pubers van Aziatische afkomst was bezig de vakken te vullen.
'Hallo,' zei Carol Zimmer. Ze herkende Holtzman omdat die hier wel eens was geweest om brood en melk te kopen, en om de zaak eens goed te bekijken. Ze had geen enkel vermoeden dat hij journalist was. John Plumber herkende ze wél. 'U bent van de tv!'
'Klopt,' gaf de commentator glimlachend toe.
De oudste zoon, op wiens naambordje Laurence stond, kwam met een minder vriendelijke blik op zijn gezicht naar hen toe. 'Kan ik u van dienst zijn, meneer?' Hij sprak zonder accent en keek hen aandachtig en argwanend aan.
'Ik wil even met je praten, als dat kan,' vroeg Plumber beleefd.

'Waarover, meneer?'
'Je kent de president toch?'
'Het koffieapparaat is die kant op, meneer, bij de donuts.' De jongen draaide zich om. Hij had zijn lengte vast van zijn vader, dacht Plumber, en hij gaf blijk van ontwikkeling.
'Wacht even!' zei Plumber.
Laurence draaide zich weer om. 'Hoezo? We moeten hier een zaak draaiende houden. Sorry.'
'Larry, wees aardiger tegen die man.'
'Mam, ik heb je toch verteld wat hij gedaan heeft?' Toen Laurence naar de journalisten omkeek, vertelden zijn ogen het verhaal. Het was lang geleden dat Plumber zo diep door iets geraakt was.
'Neem me alsjeblieft niet kwalijk,' zei de commentator. 'Ik wil gewoon met je praten. Ik heb geen camera's bij me.'
'Studeer je nu medicijnen, Laurence?' vroeg Holtzman.
'Hoe weet u dat? Wie bent u in godsnaam?'
'Laurence!' waarschuwde zijn moeder.
'Wacht even, alsjeblieft.' Plumber stak zijn handen op. 'Ik wil alleen even praten. Geen camera's, geen opnameapparaten. Alles is *off the record*.'
'Natuurlijk ja. En zweert u dat?'
'Laurence!'
'Mam, laat mij dit afhandelen!' snauwde de student. Hij verontschuldigde zich direct. 'Sorry mam, maar je weet niet waar dit over gaat.'
'Ik probeer alleen uit te zoeken...'
'Ik heb gezien wat u gedaan hebt, meneer Plumber. Heeft niemand u dat verteld? Als u op de president spuwt, dan spuwt u ook op mijn vader! Koop wat u nodig hebt en maak u uit de voeten.' Hij keerde hen weer zijn rug toe.
'Ik wist het niet,' protesteerde John. 'Als ik iets verkeerds heb gedaan, vertel me dan wat dat geweest is. Ik beloof je op mijn erewoord dat ik niets zal doen om jou of je familie te benadelen. Maar als ik iets verkeerd heb gedaan, vertel het me dan.'
'Waarom u meneer Ryan pijn doen?' vroeg Carol Zimmer. 'Hij goede man. Hij zorgen voor ons. Hij...'
'Mam, alsjeblieft. Dat kan deze mensen niks schelen!' Laurence moest terugkomen om dit af te handelen. Zijn moeder was nu eenmaal vreselijk naïef.
'Laurence, ik ben Bob Holtzman. Ik ben van de *Washington Post*. Ik ken je familie nu al een paar jaar. Ik heb het verhaal nooit gepubliceerd omdat ik je privacy geen geweld wilde aandoen. Ik weet wat president Ryan voor je doet. Ik wil dat John dat van jou hoort. Het zal niet in de publiciteit komen. Als ik dat zou willen, had ik het zelf gedaan.'
'Waarom zou ik jullie vertrouwen?' vroeg Laurence Zimmer. 'Jullie zijn journalisten.' Die opmerking trof Plumber werkelijk in het diepst van zijn ziel. Was het aanzien van zijn beroep zo diep gezakt?
'Je studeert voor arts?' vroeg Plumber, om simpel te beginnen.

'Tweedejaars op Georgetown. Ik heb een broer die bijna afgestudeerd is op het MIT en een zuster die net op de UVA begonnen is.'
'Dat kost veel geld. Meer dan wat je hier verdient. Dat weet ik, want ik heb mijn kinderen zelf laten studeren.'
'We werken hier allemaal. Ik werk in het weekend.'
'Je studeert voor arts. Dat is een respectabel beroep,' zei Plumber. 'En als je fouten maakt, probeer je ervan te leren. Dat geldt ook voor mij, Laurence.'
'Praten kunt u als de beste, meneer Plumber, maar dat kunnen veel mensen.'
'De president steunt jullie, niet?'
'Als ik u iets *off the record* vertel, betekent dat dan dat u er helemaal niet over kunt berichten?'
'Nee, dat is niet precies wat *off the record* betekent. Maar als ik jou nu vertel dat ik de informatie nooit en te nimmer zal gebruiken, en er zijn anderen om dat voor je te beamen, en ik die belofte vervolgens breek, dan kun je mijn carrière kapotmaken. Mijn vakgenoten kunnen zich heel veel permitteren, misschien zelfs te veel,' bekende Plumber, 'maar we mogen niet liegen.' En daar ging het toch om?
Laurence wierp een blik op zijn moeder. Ze sprak dan slecht Engels, dat betekende niet dat ze niet goed bij haar verstand was. Ze knikte hem toe.
'Hij was bij mijn vader toen die gedood werd,' zei de jongeman. 'Hij heeft pa beloofd dat hij voor ons zou zorgen. Dat doet hij inderdaad. Hij betaalt voor de school en zo, hij en zijn vrienden bij de CIA.'
'Er waren hier wat problemen met een paar herrieschoppers,' vulde Holtzman aan. 'Een man die ik van Langley ken, is hierheen gekomen om...'
'Dat had hij niet hoeven doen!' onderbrak Laurence hem. 'Meneer Clar... Hij was het niet verplicht.'
'Waarom ben je niet naar het Johns Hopkins gegaan?'
'Dat had gekund,' zei Laurence, nog steeds met een zekere vijandigheid in zijn stem. 'Maar op deze manier kan ik makkelijker heen en weer reizen en met de winkel helpen. Dokter Ryan, ik bedoel mevrouw Ryan, wist het eerst niet, maar toen ze erachter kwam... nou ja, een andere zus van me begint van de herfst op de universiteit. Ook kandidaats medicijnen, net als ik.'
'Maar waarom...?' Plumber kreeg niet de kans uit te spreken.
'Omdat hij misschien wel echt zo is, en u hem belazerd hebt.'
'Laurence!'
Plumber zweeg een poosje. Hij wendde zich tot de vrouw achter de toonbank.
'Mevrouw Zimmer, bedankt voor uw tijd. Niets van wat hier gezegd is, zal ooit herhaald worden, dat beloof ik.' Hij draaide zich om. 'Veel succes met je studie, Laurence. Bedankt dat je het aan me hebt willen vertellen. Ik zal je niet meer lastigvallen.'
De twee journalisten liepen weer naar buiten, recht op de Lexus van Holtzman af.
Waarom zou ik jullie vertrouwen? Jullie zijn journalisten. Het waren misschien ongenuanceerde woorden van een student, maar daarom niet minder kwet-

send. Omdat die woorden verdiend waren, zei Plumber tegen zichzelf.
'En verder?' vroeg hij.
'Voorzover ik weet, kennen ze de omstandigheden van Buck Zimmers dood niet eens, alleen dat hij in diensttijd gestorven is. Carol was zwanger van hun jongste toen hij stierf. Liz Elliot probeerde een verhaal rond te krijgen dat Ryan aan het rotzooien was en dat de baby van hem was. Ik werd beetgenomen.'
Een diepe zucht. 'Ja, ik ook.'
'En wat ga je nu doen, John?'
Hij keek op. 'Ik wil een paar dingen checken.'
'Die op het MIT heet Peter. Computerwetenschappen. Het meisje dat naar Charlottesville gaat, heet Alisha, dacht ik. De naam van degene die met zijn eindexamen bezig is, ken ik niet, maar dat kan ik opzoeken. Ik heb gegevens over de aankoop van deze zaak. Het is een besloten vennootschap. Het klopt allemaal met de Colombiaanse missie. Ryan doet elk jaar wat voor hen met Kerstmis, en Cathy ook. Ik weet niet hoe ze dat nu zullen regelen. Waarschijnlijk wel goed.' Holtzman gniffelde wat. 'Hij kan goed geheimen bewaren.'
'En die CIA-man die...'
'Die ken ik. Geen namen. Hij is erachter gekomen dat een paar ettertjes Carol lastigvielen. Hij is even met ze gaan praten. De politie heeft er een dossier van. Ik heb dat gezien,' zei Holtzman. 'Het is een interessante vent. Hij is degene die Gerasimovs vrouw en dochter heeft weggehaald. Carlo vindt hem een grote teddybeer. Hij is ook de man die Koga gered heeft. Hij weet van wanten.'
'Geef me een dag. Eén dag,' zei Plumber.
'Best.' Ze reden zwijgend terug naar Ritchie Highway.

'Dokter Ryan?' Ze draaiden allebei hun hoofd om. Het was kapitein Overton die zijn hoofd om de deur stak.
'Wat is er?' vroeg Cathy, van een krantenartikel opkijkend.
'Mevrouw, er is iets dat uw kinderen misschien willen zien, als u het goedvindt. Of u allemaal, als u wilt.'
Twee minuten later zaten ze allemaal achter in een Hummer en reden ze het bos in tot bij de omheining. De auto stopte er tweehonderd meter vandaan. De kapitein en een korporaal gingen hen voor tot ze minder dan vijftig meter van het hek waren.
'Ssst,' zei de korporaal tegen SANDBOX. Hij hield een verrekijker voor haar ogen.
'Gaaf!' vond Jack Junior.
'Is ze bang voor ons?' vroeg Sally.
'Nee, niemand jaagt hier op ze, en ze zijn aan de auto's gewend,' vertelde Overton hen. 'Dat is Elvira, de op een na oudste hinde hier.'
Ze had nog maar enkele minuten geleden een jong gekregen. Elvira stond nu op en likte het pasgeboren kalfje, dat verbaasd naar een onverwachte wereld keek.

'Bambi!' zei Katie Ryan, die expert was in Disney-films. Ze bleven even staan kijken en zagen hoe het kalf nog wat wankelend opkrabbelde.
'Zeg, Katie?'
'Ja?' vroeg ze, zonder haar blik af te wenden.
'Jij moet haar een naam geven,' zei kapitein Overton tegen de peuter. Dat was een traditie hier.
'Miss Marlene,' zei SANDBOX zonder aarzeling.

45

Bevestiging

Er leek geen eind aan de weg te komen. Een saaiere weg hadden de wegenbouwkundig ingenieurs onmogelijk kunnen aanleggen, maar dat was niet hun schuld geweest. Zo was het land hier. Brown en Holbrook wisten nu waarom de Mountain Men de Mountain Men waren geworden. Daar waren tenminste nog mooie landschappen. Ze hadden sneller kunnen rijden, maar het kostte nogal wat tijd om vertrouwd te raken met de besturing van dit bakbeest, en daarom kwamen ze zelden boven de tachtig uit. Daarmee haalden ze zich de vijandige blikken van alle andere chauffeurs op de I-90 op de hals, vooral van de met cowboyhoeden getooide wegpiraten die het geweldig vonden dat er geen snelheidslimiet bestond in oost-Montana. Ook was er af en toe een advocaat, het moesten wel advocaten zijn, in een Duitse patserwagen die langs hun vrachtwagen raasde alsof het een tractor was.
Ze ontdekten ook dat het zwaar werk was. Beiden waren behoorlijk vermoeid na alle voorbereidingen. De wekenlange inspanningen om de vrachtwagen te prepareren, de explosieven te mengen en de kogels te gieten en in te bedden eisten hun tol. Ze hadden maar weinig kunnen slapen, en er was weinig waar je zoveel slaap van kreeg als een rit over een eindeloze snelweg in het westen. De eerste overnachtingsplaats was een motel in Sheridan, even over de grens van Wyoming. Om zo ver te komen op de eerste dag dat ze in die rotwagen reden hadden ze wel grote risico's moeten nemen, vooral op de kruising van de I-90 en de I-94 in Billings. Ze wisten wel dat de cementwagen in bochten ongeveer even stabiel was als een varken op het ijs, maar toen ze er werkelijk mee geconfronteerd werden, bleek het nog erger dan ze gevreesd hadden. Die ochtend sliepen ze tot na achten.
Het motel was een chauffeurstent die zowel bezocht werd door particulieren als door truckers op de lange afstand. In de eetzaal werd een stevig ontbijt

geserveerd, dat door een stel vrije jongens naar binnen werd gewerkt en ook door een paar vrouwen met dezelfde mentaliteit. De gesprekken aan het ontbijt verliepen voorspelbaar.
'Dat moeten wel van die klootzakken met jurken aan geweest zijn,' meende een dikbuikige trucker met tatoeages op zijn vlezige onderarmen.
'Denk je?' vroeg Ernie Brown, die een eindje verder aan de bar zat. Hij hoopte zich een beeld van de gedachtewereld van deze vriendelijke lui te vormen.
'Wie zou er anders kleine kinderen pakken? Klootzakken.' De chauffeur richtte zijn aandacht weer op zijn pannenkoeken.
'Als de tv gelijk heeft dan hebben die twee agenten het mooi voor elkaar gekregen,' zei een melkrijder. 'Vijf schoten door het hoofd, Wauw!'
'En wat dacht je van die vent die in zijn eentje tegen zes kerels met geweren tekeerging! Met een pistool, hoor. Hij heeft er drie of vier neergeknald. Met hem is een echte Amerikaanse wetsdienaar gestorven.' Hij keek weer op van zijn pannenkoeken. Hij vervoerde een lading vee. 'Die heeft zijn plek in het Walhalla verdiend, dat is verdomde zeker.'
'Hé, het waren gasten van de FBI, hoor,' zei Holbrook, op zijn toost kauwend. 'Het zijn geen helden. Wat dacht je van...'
'Hou jij je liever gedeisd, maat,' waarschuwde de melkrijder. 'Dat soort dingen hoor ik niet graag. Er zaten daar twintig tot dertig kinderen.'
Een andere chauffeur mengde zich in het gesprek. 'En dan die zwarte jongen die met zijn M-16 aan de gang ging. Jezus, net als toen ik bij de cavalerie zat bij het Tweede van Happy Valley. Ik zou graag een pilsje voor de jongen willen betalen en hem misschien zelfs de hand schudden.'
'Zat je bij de AirCav?' vroeg de veerijder, van zijn ontbijt opkijkend.
'Charlie, Eerste van het Zevende,' hij draaide zich om en liet het uitvergrote embleem van de First Air Cavalry Division op zijn leren jack zien.
'"*Gary Owen, bro*'!" Delta, Tweede/Zevende.' Hij stond op van de barkruk en liep op de man af om hem de hand te schudden. 'Waar kom jij vandaan?'
'Seattle. Die bak met machine-onderdelen buiten is van mij. Op weg naar St. Louis. Gary Owen. Jezus, leuk dat weer eens te horen.'
'Steeds als ik hierlangs rij...'
'Nou en of. Er liggen maten van ons begraven in Little Big Horn. Ik zeg altijd een schietgebedje op als ik langskom.'
'Verdomme.' De twee mannen schudden elkaar weer de hand. 'Mike Fallon.'
'Tim Yeager.'
De twee Mountain Men waren niet alleen hier gaan zitten om te ontbijten. Dit waren mensen als zij, althans dat zouden het moeten zijn. Stoere individualisten. Federale agenten als helden? Wat had dat in godsnaam te betekenen?
'Tsjonge, als we erachter komen wie dit gefinancierd heeft, dan hoop ik wel dat die Ryan weet wat hem te doen staat,' zei de man van de machine-onderdelen.
'Ex-marinier,' antwoordde de veevervoerder. 'Hij is niet een van hen, maar een van ons. Eindelijk.'

'Misschien heb je gelijk. Iemand moet hiervoor betalen, en ik hoop dat we de juiste mensen vinden om de inzameling te verzorgen.'
'Helemaal mee eens,' zei de melkrijder aan de bar.
'Mooi,' zei Ernie Brown, terwijl hij opstond. 'We moeten weer op weg.'
De anderen in de buurt wierpen ze even een blik toe, maar daar bleef het bij. Ze richtten hun aandacht weer op de informele opiniepeiling.

'Als je je morgen niet beter voelt, ga je naar de dokter. Ik meen het hoor!' zei ze.
'Zo erg is het niet.' Zijn protest was echter alleen als gekreun hoorbaar. Hij vroeg zich af of dit de Hongkong-griep was of iets anders. Niet dat hij het verschil kende. Slechts weinig mensen kenden het onderscheid, en dat gold eigenlijk ook voor dokters. Dat wist hij. Wat zouden ze tegen hem zeggen? Rust, veel drinken, aspirine. Dat deed hij allemaal al. Hij voelde zich alsof hij in een zak was opgesloten en met honkbalknuppels geslagen werd. Al dat gereis maakte het er niet beter op. Niemand hield van reizen. Iedereen wilde graag ergens anders zijn, maar erheen gaan was altijd doffe ellende, dacht hij somber. Hij liet zich weer meevoeren door de slaap, in de hoop dat zijn vrouw zich niet te veel zorgen maakte. Morgen zou hij zich wel beter voelen. Dit soort dingen ging altijd over. Hij had een lekker bed en afstandsbediening voor de tv. Zolang hij zich niet bewoog, had hij geen pijn, althans niet veel. Het kon niet erger worden. Daarna zou het beter worden. Zo ging het altijd.

Als mensen een bepaalde positie bereikt hadden, hield hun werk nooit meer op. Ze konden weggaan, maar ook dan kwam het werk naar hen toe. Het vond hen altijd, waar ze zich ook bevonden. Het ging er alleen nog om hoe duur het was om het werk naar hen toe te brengen. Dat was zowel voor Jack Ryan als voor Robby Jackson een probleem.
Voor Jack waren het de toespraken die Callie Weston voor hem had opgesteld. Morgen zou hij eerst naar Tennessee vliegen, dan naar Kansas, dan naar Colorado, dan naar Californië en ten slotte terug naar Washington, waar hij om drie uur 's nachts zou aankomen voor de grootste speciale-verkiezingsdag in de Amerikaanse geschiedenis. Iets meer dan een derde van de zetels in het Huis van Afgevaardigden die door toedoen van die Sato vacant waren geworden, zou verkozen worden. In de twee weken daarna zou de rest verkozen worden. Dan zou hij weer met een voltallig Congres kunnen werken en misschien, heel misschien, zou hij echt wat kunnen bereiken. Zijn directe toekomst leek zuiver om de politiek te draaien. De komende week zou hij de gedetailleerde plannen bestuderen om de twee machtigste instituten van de overheid, de ministeries van Defensie en Financiën, te stroomlijnen. De rest zou ook worden aangepakt.
Omdat hij hier bij de president was, ontving admiraal Jackson ook alles dat door de afdeling van J-2, het hoofd Inlichtingen van het Pentagon, werd opgesteld, zodat hij de dagelijkse briefing over de toestand in de wereld kon hou-

den. Het kostte hem alleen al een uur om het materiaal te bestuderen.
'Wat is er aan de hand, Rob?' vroeg Jack. In plaats van belangstellend te vragen hoe het iemand bij zijn werk verging, vroeg de president naar de toestand van de gehele planeet. J-3 trok zijn wenkbrauwen op.
'Waar wil je dat ik begin?'
'Kies maar een plek uit,' stelde de president voor.
'Goed, Mike Dubro en de *Ike*-groep stomen nog steeds noordwaarts op naar China en liggen goed op schema. Vanwege het goede weer en de kalme zee halen ze gemiddeld vijfentwintig knopen. Dat betekent dat ze waarschijnlijk een paar uur eerder aankomen. De oefeningen in de Straat van Formosa gaan door, maar beide zijden blijven nu dicht langs de kust. Het lijkt erop dat de beschietingen iedereen wat gekalmeerd hebben. Minister Adler zal omstreeks deze tijd aankomen om de zaken met hen te bespreken.
Het Midden-Oosten. We letten ook op de militaire oefeningen van de VIR. Zes zware divisies met ondersteuning en tactische luchtmachteenheden. Onze mensen ter plekke brengen Predators in de lucht en houden alles nauwgezet in de gaten.'
'Wie heeft daar toestemming voor gegeven?' vroeg de president.
'Ik,' zei Jackson.
'Om het luchtruim van een andere staat binnen te dringen?'
'J-2 en ik zijn hiervoor verantwoordelijk. Jij wilt toch dat we weten wat ze van plan zijn en wat hun mogelijkheden zijn?'
'Ja, dat moet ik weten.'
'Goed, dan vertel jij me wat ik moet doen en dan bepaal ik de manier waarop. Goed? Het is een verborgen platform. De raket vernietigt zichzelf als hij niet meer onder controle is of als degenen die hem op koers brengen iets niet bevalt. We krijgen er zeer goede *real-time*-gegevens door die we ook van satellieten of zelfs van J-STARS kunnen krijgen, maar die hebben we daar momenteel niet. Nog vragen, meneer de president?'
'Begrepen, admiraal. Hoe ziet het beeld eruit?'
'Het ziet er beter uit dan we op grond van onze eerste rapportages verwachtten. Niemand is nu al in paniek, maar we moeten er aandacht aan besteden.'
'Hoe zit het met Turkmenistan?' vroeg Ryan.
'Ze proberen duidelijk om verkiezingen te organiseren, maar dat is oud nieuws, en dat is alles wat we van de politieke kant weten. De algemene situatie is momenteel rustig. De satellieten laten een toename van het grensoverschrijdend verkeer zien. De jongens van inlichtingen denken dat het hoofdzakelijk handelsverkeer is, verder niets.'
'Kijkt er nog iemand naar stationering van de troepen van Iran... verdomme, de VIR, aan de grens?'
'Ik weet het niet, ik zal het nakijken.' Jackson maakte een aantekening. 'Volgende punt. We hebben de Indiase marine gelokaliseerd.'
'Hoe?'
'Ze maken er helemaal geen geheim van. Ik heb een paar Orions van Diego

Garcia op hen af gestuurd. Ze zagen onze vrienden van een afstand van bijna vijfhonderd kilometer met behulp van elektronische signalen. Ze liggen ongeveer honderdvijftig kilometer van de basis voor de kust. Daarmee liggen ze precies tussen Diego en de toegang van de Perzische Golf. Onze defensiegezant zal ze morgen vragen wat ze van plan zijn. Ze zullen hem waarschijnlijk niet veel vertellen.'
'Als ze dat niet doen, dan zal ambassadeur Williams zelf moeten bellen.'
'Goed idee. En dat is de samenvatting van het nieuws van vandaag, tenzij je de trivialiteiten ook wil horen.' Robby stopte zijn documenten weg. 'Hoe zien je toespraken eruit?'
'Het thema is gezond verstand,' meldde de president.
'In Washington?'

Adler was niet bijzonder opgetogen. Bij aankomst in Peking had hij ontdekt dat het tijdstip niet goed was. Zijn vliegtuig bleek op een zaterdagavond te zijn aangekomen – weer die datumlijn, realiseerde hij zich – en hij had vernomen dat de belangrijkste ministers de stad uit waren. Ze deden erg hun best om het luchtgevecht boven de Straat te bagatelliseren, waarmee ze hem de kans gaven zich van de jetlag te herstellen zodat hij goed beslagen ten ijs kon komen. Dat zeiden ze tenminste.
'Het is me een genoegen u te ontvangen,' zei de minister van Buitenlandse Zaken, terwijl hij de hand van de Amerikaan vatte en hem naar zijn privé-kantoor leidde. Daar zat een andere man te wachten. 'Kent u Zhang Han San?'
'Nee, hoe gaat het met u, meneer de minister?' vroeg Adler, terwijl hij zijn hand pakte. Zo zag hij er dus uit.
Iedereen ging zitten. Adler was alleen. De twee Chinese ministers hadden een tolk bij zich, een vrouw van begin dertig.
'Hebt u een prettige vlucht gehad?' informeerde de minister van Buitenlandse Zaken.
'Het is altijd aangenaam uw land te bezoeken, maar ik had graag dat het vliegen wat sneller ging,' gaf Adler toe.
'De effecten van reizen op het lichaam zijn vaak moeilijk, en het lichaam heeft beslist invloed op de geest. Ik vertrouw erop dat u wat tijd gehad hebt om te herstellen. Het is belangrijk,' zo zei de minister van Buitenlandse Zaken, 'dat overleg op hoog niveau, vooral in tijden van onaangenaamheden, niet door externe complicaties vertroebeld wordt.'
'Ik ben goed uitgerust,' verzekerde Adler. Hij had ruim voldoende slaap genoten. Hij was er alleen niet zeker van hoe laat het was in de plaats waar zijn lichaam zich dacht te bevinden. 'De belangen van vrede en stabiliteit dwingen ons af en toe wat opofferingen te brengen.'
'Dat is zeker waar.'
'Meneer de minister, de betreurenswaardige gebeurtenissen van afgelopen week baren mijn land zorgen,' vertelde Adler zijn gastheren.
'Waarom proberen die bandieten ons te provoceren?' vroeg de minister van

Buitenlandse Zaken. 'Onze troepen zijn aan het oefenen, dat is alles. En ze hebben twee vliegtuigen van ons neergeschoten. De piloten zijn allemaal dood. Ze hebben een gezin. Het is heel droevig, maar ik hoop dat u hebt opgemerkt dat de Volksrepubliek geen vergeldingsactie heeft uitgevoerd.'
'We hebben dat met dankbaarheid vastgesteld.'
'De bandieten hebben het eerst geschoten. Dat weet u ook.'
'We zijn daar niet zeker van. Een van de redenen van mijn bezoek is het vaststellen van de feiten,' antwoordde Adler.
'Aha.'
Had hij ze verrast, zo vroeg Adler zich af. Het leek wel een spelletje kaart, maar het verschil was dat je nooit precies de waarde van de kaarten in je eigen hand kende. Een *flush* was nog altijd beter dan een straat, maar alle kaarten lagen altijd blind, zelfs voor de bezitter ervan. In dit geval had hij gelogen, maar ook al zouden de anderen wellicht vermoeden dat hij gelogen had, dan zouden ze dat nog niet zeker weten, en dat beïnvloedde het spel. Als ze dachten dat hij het wist, dan zouden ze het ene zeggen, en als ze dachten dat hij het niet wist, zouden ze iets anders zeggen. In dit geval dachten ze dat hij het wist, maar ze wisten het niet zeker. Hij had ze daarnet wat anders verteld, wat een leugen of de waarheid kon zijn. Voordeel voor Amerika. Adler had hier de hele reis over nagedacht.
'U hebt in het openbaar gezegd dat het eerste schot door de andere kant werd afgevuurd. Weet u dat zeker?'
'Volstrekt zeker,' verzekerde de minister van Buitenlandse Zaken hem.
'Neemt u me niet kwalijk, maar stel dat het schot door een van uw later omgekomen piloten werd gelost? Hoe zouden we dat ooit weten?'
'Onze piloten hadden strikte orders niet te schieten, behalve uit zelfverdediging.'
'Dat is een redelijke en verstandige leidraad voor uw personeel. Maar in de hitte van de strijd, of zelfs in een gespannen situatie, worden er fouten gemaakt. We hebben dat probleem zelf ook. Naar mijn ervaring zijn jachtvliegers nogal impulsief, vooral de jonge, trotse piloten.'
'Geldt hetzelfde niet voor de andere zijde?' vroeg de minister van Buitenlandse Zaken.
'Zeker,' gaf Adler toe. 'Dat is het probleem. En daarom,' ging hij verder, 'moeten mensen als wij ervoor zorgen dat zulke situaties niet voorkomen.'
'Maar zij dagen ons voortdurend uit. Ze hopen bij u in de gunst te komen. Het baart ons zorgen dat ze daarin mogelijk geslaagd zijn.'
'Pardon?'
'Uw president Ryan sprak over twee China's. Er is slechts één China, minister Adler. Ik meende dat die kwestie allang uit de wereld was.'
'Dat was een semantische vergissing van de zijde van de president, een taalkundige nuance,' antwoordde Adler, de aantijging verwerpend. 'De president heeft vele kwaliteiten, maar hij dient de subtiliteiten van het diplomatieke verkeer nog te leren. Een domme verslaggever is op de kwestie doorgegaan. Dat

was alles. Er hebben geen veranderingen plaatsgevonden in onze politiek met betrekking tot dit gebied.' Maar Adler had opzettelijk niet gezegd: 'Onze politiek met betrekking tot China', en hij sprak over 'hebben plaatsgevonden' en niet 'plaatsvinden'. Er waren momenten dat hij dacht een fortuin te hebben kunnen verdienen met het opstellen van verzekeringspolissen.
'Dergelijke taalkundige vergissingen kunnen ook als iets anders dan vergissingen worden beschouwd,' antwoordde de Chinese minister van Buitenlandse Zaken.
'Heb ik onze positie in deze kwestie niet duidelijk gemaakt? U zult zich herinneren dat hij reageerde op een zeer betreurenswaardig incident waarbij Amerikanen zijn omgekomen. Op zoek naar de juiste woorden gebruikte hij woorden die in onze taal iets anders betekenen dan in de uwe.' Dit ging veel gemakkelijker dan hij gedacht had.
'Er zijn ook Chinezen omgekomen.'
Adler zag dat Zhang veel luisterde, maar niets zei. In de Westerse context betekende dit dat hij een adjudant was, een technisch assistent die zijn minister bij een juridische kwestie of een bepaalde interpretatie bijstond. Hij was er niet zeker van dat die regel hier ook opging. Het omgekeerde was waarschijnlijk het geval. Als Zhang was wat hij volgens de Amerikaan was, en als Zhang slim genoeg was om te vermoeden dat de Amerikaan volgens dergelijke patronen dacht, waarom was hij dan in godsnaam hier?
'Ja, evenals verscheidene anderen. Het was een zinloze tragedie. Ik hoop dat u begrijpt dat onze president dergelijke dingen ernstig opvat.'
'Zeker, en het spijt me dat ik niet eerder gezegd heb dat we de aanslag op zijn dochter met afschuw aanschouwd hebben. Ik vertrouw erop dat u president Ryan ons diepe medeleven wilt overbrengen in verband met deze onmenselijke daad, evenals onze vreugde dat zijn dochter niets is aangedaan.'
'Ik wil u uit zijn naam bedanken, en zal uw goede wensen aan hem overbrengen.' De Chinese minister van Buitenlandse Zaken had nu twee keer achter elkaar tijd proberen te winnen. Hij had nu een opening. Hij bedacht dat zijn gesprekspartners meenden dat ze slimmer en gewiekster waren dan iedereen.
'Mijn president is een emotionele man,' gaf de minister toe. 'Dat is een Amerikaanse karaktertrek. Daar komt bij dat hij het als een absolute plicht ziet om al onze burgers te beschermen.'
'Dan moet u met de rebellen op Taiwan praten. Wij geloven dat zij het vliegtuig vernietigd hebben.'
'Maar waarom zouden ze zoiets doen?' vroeg Adler, het werkelijk verrassende deel van de opmerking negerend. Was het een foutje? Met Taiwan praten? Vroeg de Volksrepubliek dat aan hem?
'Om dit incident op te blazen, natuurlijk. Om op de persoonlijke gevoelens van uw president Ryan in te spelen. Om de echte problemen tussen de Volksrepubliek en onze dwarsliggende provincie te vertroebelen.'
'Gelooft u dat werkelijk?'
'Jazeker,' verzekerde de minister van Buitenlandse Zaken hem. 'Wij wensen

geen vijandelijkheden met ze. Dat is verspilling van mensen en middelen. Er zijn belangrijker zaken in ons land om ons mee bezig te houden. De kwestie-Taiwan zal te zijner tijd worden opgelost, mits Amerika zich er niet in mengt,' voegde hij eraan toe.
'Zoals ik u al heb verteld, meneer de minister, hebben wij onze politiek niet gewijzigd. Wij willen slechts de vrede en stabiliteit herstellen,' zei Adler. Hij bedoelde daarmee dat hij de status quo voor onbepaalde tijd wilde bewaren, wat beslist geen deel uitmaakte van het strijdplan van de Volksrepubliek.
'Dan zijn we het eens.'
'U zult geen bezwaar maken tegen de aanwezigheid van onze marine?'
De Chinese minister van Buitenlandse Zaken zuchtte. 'De zee biedt vrije doorgang voor allen. Wij zijn niet in de positie de Verenigde Staten van Amerika orders te geven, zoals u de Volksrepubliek geen orders behoort te geven. Uw troepenverplaatsingen geven de indruk dat u de gebeurtenissen ter plaatse zult beïnvloeden, en we zullen daar pro forma commentaar op leveren. Maar in het belang van de vrede,' ging hij op even geduldige als vermoeide toon verder, 'zullen we er geen al te groot bezwaar tegen maken, zeker als dat de rebellen aanmoedigt hun dwaze provocaties te staken.'
'Het zou nuttig zijn te weten of uw marine-oefeningen snel beëindigd worden. Dat zou een zeer vriendelijk gebaar zijn.'
'De voorjaarsmanoeuvres zullen doorgaan. Ze vormen voor niemand een bedreiging, zoals de extra marineschepen die u naar het gebied hebt gebracht, heel duidelijk zullen vaststellen. We vragen u niet ons op ons woord te geloven. Onze daden moeten voor zich spreken. Het zou ook goed zijn als onze rebellerende verwanten hun eigen activiteiten beperken. Wellicht kunt u er met hen over spreken?' Twee keer nu? Hij had zich dus niet vergist.
'Als u dat verzoekt, dan zal het mij zeker een genoegen zijn mijn stem en die van mijn land daaraan toe te voegen ter wille van de vrede.'
'We waarderen de deskundigheid van de Verenigde Staten en we vertrouwen erop dat u een eerlijk bemiddelaar zult zijn bij deze kwestie, gezien het feit dat er helaas Amerikanen zijn omgekomen bij dit tragische incident.'
Minister Adler geeuwde. 'O, neemt u me niet kwalijk.'
'Reizen is een bezoeking, nietwaar?' Deze woorden werden uitgesproken door Zhang, die voor het eerst wat zei.
'Dat kan het zeker zijn,' zei Adler instemmend. 'Staat u mij toe mijn regering te raadplegen. Ik denk dat wij positief zullen reageren op uw verzoek.'
'Uitstekend,' merkte de minister van Buitenlandse Zaken op. 'Wij willen hier geen precedent scheppen. Ik hoop dat u dit begrijpt, maar in het licht van de speciale omstandigheden hier zijn we blij met uw hulp.'
'Ik zal morgenochtend een antwoord voor u gereed hebben,' beloofde Adler, terwijl hij opstond. 'Neemt u me niet kwalijk dat ik u zo'n lange dag bezorgd heb.'
'Dat is de plicht van ons allen.'
Scott Adler verliet het gebouw, terwijl hij zich afvroeg welke bom er nu weer

op hem terechtgekomen was. Hij wist niet zeker wie het kaartspel gewonnen had en realiseerde zich dat hij zelfs niet zeker wist wat voor spel het geweest was. Het was zeker niet zo verlopen als hij had verwacht. Het leek erop dat hij gemakkelijk gewonnen had. De andere kant was toeschietelijker geweest dan hij in hun plaats geweest zou zijn.

Sommigen noemden het chequeboek-journalistiek, maar het was niet nieuw, en op uitvoeringsniveau was het niet duur ook. Elke ervaren journalist had mensen die hij kon bellen, mensen die tegen een bescheiden beloning zaken konden checken. Het was volstrekt niet illegaal om een gunst van een vriend te vragen, althans niet zonder meer. De informatie was zelden gevoelig, en in dit geval was die zelfs openbaar. Alleen waren de kantoren niet altijd open op zondag.

Een ambtenaar met een middenkaderfunctie op het kantoor van de gouverneur van Maryland reed naar zijn kantoor in Baltimore, parkeerde met behulp van zijn pasje op zijn parkeerplaats, liep naar binnen en opende het juiste aantal deuren om in een bedompte dossierruimte te komen. Toen hij de juiste kast gevonden had, trok hij een lade open. Daarin vond hij een dossier. Hij markeerde de plek in de lade en liep met het dossier naar de dichtstbijzijnde kopieermachine. In minder dan een minuut had hij kopieën van alle documenten gemaakt. Daarna plaatste hij het dossier weer terug. Hij deed dit zo vaak dat hij voor het gemak thuis een faxapparaat had neergezet. Binnen tien minuten waren de documenten verstuurd. Hij bracht ze naar de keuken, waar hij ze in de vuilnisbak dumpte. Hij kreeg hiervoor vijfhonderd dollar. Voor werk in het weekeinde kreeg hij meer.

John Plumber was de documenten al aan het lezen voordat ze geheel uit de fax gerold waren. Inderdaad had een Ryan, namelijk John P., een besloten vennootschap opgericht op het tijdstip dat Holtzman hem verteld had. De directie van die vennootschap was vier dagen later (er had een weekeinde tussen gezeten) overgedragen aan Carol Zimmer, en die vennootschap was nu eigenaar van een 7-Eleven in Zuid-Maryland. Tot de rechthebbenden behoorden Laurence Zimmer, Alisha Zimmer en een ander kind. De aandeelhouders hadden allen dezelfde achternaam. Hij herkende Ryans handtekening op de overdrachtsakten. De juridische afhandeling was verzorgd door een kantoor in Washington. Hij kende de naam, het was een groot kantoor. Er waren geraffineerde, maar volstrekt legale constructies gebruikt om ervoor te zorgen dat de transactie voor de familie Zimmer onbelast was. Er waren verder geen documenten over die kwestie. Die waren ook niet vereist.

Hij beschikte over nog meer documenten. Plumber kende de archivaris bij het MIT en was de avond tevoren eveneens via de fax te weten gekomen dat het collegegeld en de huisvestingskosten voor Peter Zimmer betaald werden door een stichting. De cheques werden uitgeschreven en getekend door een partner bij hetzelfde juridisch adviesbureau dat de besloten vennootschap voor de familie Zimmer had opgericht. Hij had zelfs een afschrift voor de laatstejaars. Hij studeerde inderdaad computerwetenschappen en zou in Cambridge blijven voor zijn doctoraalstudie bij het MIT Media Lab. Op enkele middelmatige cijfers voor inleiding literatuur na – zelfs het MIT wilde dat de studenten iets van letterkunde wisten, maar Peter Zimmer gaf niet om poëzie – had de jongen uitstekende cijfers.

'Het is dus waar.' Plumber ging in zijn schommelstoel zitten en ging te rade bij zijn geweten. Waarom zou ik jullie vertrouwen? Jullie zijn journalisten, herhaalde hij in zichzelf.

Het probleem dat in zijn beroepsgroep speelde werd door de leden ervan bijna nooit besproken, zoals een rijke niet vaak zal jammeren over lage belastingen. In de jaren zestig had een zekere Sullivan de *New York Times* een proces wegens smaad aangedaan, waarbij hij had aangetoond dat de krant niet geheel correct was geweest in zijn commentaar. De krant had als verweer aangevoerd dat het geen verwijtbare fout was geweest omdat er geen sprake was geweest van opzet en dat het belang van de lezers om op de hoogte gesteld te worden van de gebeurtenissen in het land zwaarder woog dan de bescherming van een individu. De rechtbank was het daarmee eens geweest. Dit liet theoretisch ruimte open voor processen en nog altijd werden er daarom procedures tegen de media aangespannen, en soms werden die zelfs gewonnen. Maar het bleef een zeldzaamheid.

Die jurisprudentie was noodzakelijk, dacht Plumber. In het Eerste Amendement werd de vrijheid van meningsuiting gegarandeerd, op grond van het feit dat de pers de voornaamste, en veelal ook de enige hoeder van de vrijheid was. Veel mensen logen voortdurend, vooral overheidsfunctionarissen, maar anderen ook, en het was de taak van de media de feiten – de waarheid – aan het volk over te brengen, zodat dat zijn eigen keuzen kon maken.

Er zat een valstrik in de jachtvergunning die het Hooggerechtshof had uitgegeven; de media konden mensen te gronde richten. Er was verhaal mogelijk tegen vrijwel elke onoorbare actie in de Amerikaanse samenleving, maar journalisten hadden een even grote macht als alleen vorsten ooit bezeten hadden; zijn beroep stond in feite boven de wet. In de praktijk werd er alles aan gedaan dat zo te houden. Het was niet alleen juridisch riskant om een fout te erkennen, omdat dat geld kon kosten, maar het gevolg kon ook zijn dat het vertrouwen van het publiek in hun beroep verminderde. Daarom gaven ze nooit fouten toe als dat niet noodzakelijk was, en als ze die wel toegaven, dan werd daar vrijwel nooit evenveel aandacht aan besteed als aan de aanvankelijke onjuiste beweringen. Slechts de minimaal vereiste moeite werd genomen, zoals die gedefinieerd was door advocaten die precies wisten hoe hoog de muren van het kasteel waren dat ze verdedigden. Er waren wel uitzonderingen, maar iedereen wist dat het uitzonderingen bleven.

Plumber had zijn beroep zien veranderen. Journalisten waren veel te arrogant en realiseerden zich te weinig dat het publiek dat ze dienden hen niet langer vertrouwde. Dat vond Plumber echt pijnlijk. Hij achtte zichzelf dat vertrou-

wen wél waard. Hij achtte zich een volgeling van Ed Morrow, wiens stem iedere Amerikaan had leren vertrouwen. En zo moest het ook zijn. Maar zo was het niet, omdat het beroep niet van buiten kon worden gecontroleerd. Het vertrouwen zou wegblijven zolang het niet van binnen werd gecontroleerd. Journalisten hadden zware kritiek op alle andere beroepsgroepen, zoals juristen, artsen en politici, omdat die niet het niveau van professionele verantwoordelijkheid haalden dat ze zichzelf nooit zouden laten opleggen, en dat ze slechts heel zelden zelf aan hun beroepsgroep zouden opleggen. *Doe zoals ik zeg, niet zoals ik doe* was iets dat je niet eens tegen een zesjarige kon zeggen, maar het was een gemakkelijk praatje voor volwassenen geworden. En als het nog erger werd, wat dan?
Plumber nam zijn situatie in ogenschouw. Hij kon ermee ophouden wanneer hij wilde. Columbia University had hem meer dan eens uitgenodigd om les te geven in de journalistiek... en de ethica, omdat zijn stem vertrouwd, redelijk en eerlijk klonk. En ook oud, zei hij tegen zichzelf. Was hij misschien de laatste stem?
Toch was het allemaal te herleiden tot het eigen geweten, tot ideeën die zijn reeds lang overleden ouders en leraren wier naam hij vergeten was hem hadden ingeprent. Hij moest ergens loyaal aan zijn. Als hij loyaal was aan zijn beroep, dan moest hij loyaal zijn aan de oorspronkelijke doelstelling ervan. Hij moest de waarheid vertellen en maar zien wat ervan kwam. Hij pakte de telefoon op.
'Holtzman,' antwoordde de journalist op de zakelijke lijn in zijn huis in Georgetown.
'Met Plumber. Ik heb een paar dingen nagetrokken. Het lijkt erop dat je gelijk had.'
'Mooi, en nu, John?'
'Ik moet dit zelf doen. Ik geef jou de primeur voor de krant.'
'Dat is fideel van je, John. Dank je,' zei Bob.
'Ryan bevalt me nog steeds niet erg als president,' voegde Plumber eraan toe, volgens zijn gesprekspartner nogal verdedigend. Dat sneed wel hout. Hij kon niet de schijn wekken dat hij dit deed om te slijmen.
'Je weet dat het daar niet om gaat. Daarom heb ik er met jou over gesproken. Wanneer?' vroeg Bob Holtzman.
'Morgenavond, rechtstreeks.'
'Als we eens bij elkaar gingen zitten om een paar dingen door te praten? Dit zal een knaller voor de *Post* worden. Wil je als mede-auteur vermeld worden?'
'Morgenavond ben ik misschien op zoek naar ander werk,' merkte Plumber grinnikend, maar zonder echt te lachen, op. 'Goed, dat doen we.'

'En wat betekent dat?' vroeg Jack.
'Het kan ze niets schelen wat we doen. Het lijkt wel of ze dat vliegdekschip daar juist willen hebben. Ze hebben verzocht of ik heen en weer wil pendelen naar Taipei...'

'Meteen!' De president was hoogst verbaasd. Dergelijke directe vluchten zouden de republiek China de schijn van legitimiteit geven. Een Amerikaanse minister van Buitenlandse Zaken zou heen en weer reizen, iets wat een minister alleen deed tussen de hoofdsteden van soevereine staten. Minder belangrijke geschillen werden overgelaten aan speciale gezanten, die weliswaar dezelfde macht konden hebben, maar beslist niet dezelfde status.
'Ja, dat heeft mij ook wel verrast,' antwoordde Adler over het gecodeerde kanaal. 'En dan de honden die niet begonnen te blaffen: een vluchtige verwijzing naar jouw verspreking over de twee China's op de persconferentie, en over handel hadden ze het al helemaal niet. Ze waren echt heel gedwee voor mensen die meer dan honderd vliegtuigpassagiers gedood hebben.'
'En de marine-oefeningen?'
'Die zullen doorgaan, en ze hebben ons praktisch uitgenodigd om te observeren hoe ervaren ze zijn.'
Admiraal Jackson luisterde mee via de telefoon met luidspreker. 'Meneer de minister? Met Robby Jackson.'
'Ja, admiraal?'
'Zij hebben een crisis geforceerd, wij verplaatsen een vliegdekschip en nu zeggen zij dat ze ons in de buurt willen hebben. Klopt dat?'
'Dat klopt. Zij weten niet wat wij weten, tenminste, ik denk niet dat ze het weten. Maar weet u, ik weet niet zeker of dat er momenteel toe doet.'
'Er klopt iets niet,' zei de J-3 direct. 'Er zit iets helemaal fout.'
'Admiraal, ik denk dat u wel eens gelijk kunt hebben.'
'Volgende stap?' vroeg Ryan.
'Ik denk dat ik morgenochtend naar Taipei ga. Ik kan hier zeker niet omheen?'
'Inderdaad. Hou me op de hoogte, Scott.'
'Zeker, meneer de president.' De verbinding werd verbroken.
'Jack... nee, meneer de president, opeens begonnen alle alarmbellen bij me te rinkelen.'
Ryan trok een grimas. 'Ik zal me morgen ook politiek moeten gedragen. Ik vlieg om...' hij keek op de planning, 'ik ga om tien voor zeven van huis en spreek om half negen in Nashville. We moeten hier verdomd snel een beoordeling van hebben. Shit, Adler zit daar, ik ben onderweg en Ben Goodley mist de ervaring hiervoor. Ik wil dat jij daar bent, Rob. Als er operationele consequenties zijn, dan is dat jouw terrein. De Foleys. Arnie voor de politieke kant. We moeten een goede China-deskundige van Buitenlandse Zaken hebben...

Adler maakte zich op om naar bed te gaan in het vip-verblijf van de ambassade. Hij bekeek zijn aantekeningen en probeerde die in perspectief te plaatsen. Mensen maakten op elk niveau fouten. Het wijdverbreide geloof dat ervaren politici sluwe spelers waren, was lang niet zo waar als gedacht werd. Ze maakten fouten. Ze maakten uitglijders. Ze waren graag slim. 'Reizen is een bezoeking,' had Zhang gezegd. Zijn enige woorden. Waarom op dat moment, en waarom die woorden? Het was zo voor de hand liggend dat Adler het op dat moment niet begreep.

'Bedford Forrest, hè?' zei Diggs, terwijl hij saus op zijn hotdog deed.
'De beste cavaleriecommandant die we ooit gehad hebben,' zei Eddington.
'U zult me vergeven, professor, dat ik minder enthousiasme voor de man kan opbrengen,' merkte de generaal op. 'Die klootzak heeft wél de Klu Klux Klan opgericht.'
'Ik heb nooit gezegd dat die man politiek slim was, meneer, en ik verdedig zijn karakter niet, maar als we ooit een betere cavaleriecommandant hebben gehad, dan weet ik daar niks van,' antwoordde Eddington.
'Daarmee heeft hij ons te pakken,' moest Hamm toegeven.
'Stewart was overgewaardeerd, soms nukkig en had veel geluk. Nathan had het *Fingerspitzengefühl*, wist hoe hij snel beslissingen moest nemen, en daar waren niet veel slechte bij. Ik ben bang dat we aan zijn andere zwakheden voorbij moeten gaan.'
Discussies over vroeger tussen legerofficieren konden uren duren, en dat gold ook voor deze. Ze waren even onderbouwd als die in de lokalen van de universiteiten. Diggs was bij kolonel Hamm op bezoek om een praatje te maken en raakte verwikkeld in de miljoenste beschouwing van de Burgeroorlog. De miljoenste? vroeg hij zich af. Nee, veel meer dan dat.
'En Grierson dan?' vroeg Diggs.
'Zijn diepe aanval was schitterend, maar het was niet zijn eigen idee, weet u. Ik denk dat hij vooral goed werk heeft gedaan als commandant van het 10de.'
'Daar hebt u gelijk in, doctor Eddington.'
'Kijk eens hoe zijn oogjes gaan flonkeren. U...'
'Dat klopt! U had dat regiment tot een tijdje geleden. "Voorwaarts mars!"' voegde de kolonel van de Carolina Guard eraan toe.
'U kent ons regimentsmotto zelfs?' Misschien was deze vent toch een serieus historicus, ook al bewonderde hij die racistische moordenaar, dacht Diggs.
'Grierson heeft dat regiment van de grond af opgebouwd. De meeste manschappen waren ongeletterd. Hij moest zijn eigen inlichtingenofficieren opleiden. Die deden alle rotkarweitjes in het zuidwesten, maar zij waren wél degenen die de Apachen versloegen, en er is over hen verdomme nooit meer dan één film gemaakt. Ik denk erover na mijn pensionering een boek over het onderwerp te schrijven. Hij was onze eerste echte krijgsman in de woestijn en hij had alles snel in de gaten. Hij wist hoe je een diepe aanval moest opzetten, wist hoe hij een gevecht moest voeren en als hij eenmaal beet had, liet hij niet meer los. Ik was blij te zien dat die regimentsstandaard terugkeert.'
'Kolonel Eddington, ik neem terug wat ik dacht.' Diggs hief zijn blikje bier in een saluut op. 'Dat is het wezen van de cavalerie.'

46
Uitbraak

Het zou beter geweest zijn als ze die maandagochtend waren teruggekomen, maar dat zou betekend hebben dat de kinderen te vroeg op hadden moeten staan. Jack jr. en Sally moesten tentamens leren en zelfs Katie moest nieuwe afspraken maken. Camp David was een enorme verandering geweest. Het leek wel of ze van vakantie terugkwamen, en de thuiskomst viel niet mee. Zodra het Witte Huis in de ramen van de dalende helikopter verscheen, veranderden de gezichtsuitdrukkingen en de stemming. De beveiliging was flink verscherpt. Er stonden veel meer bewakers rond het huis, en dat herinnerde hen er al evenzeer aan hoe weinig aantrekkelijk deze plek en het daaraan verbonden leven voor hen waren. Ryan stapte als eerste uit, salueerde naar de marinier onder aan het trapje en keek toen naar de zuidkant van het Witte Huis. Het was alsof hij een klap in zijn gezicht kreeg. Welkom terug in de realiteit. Nadat hij zijn gezin veilig naar binnen gebracht had, liep president Ryan naar zijn kantoor.
'Goed, hoe staat het ervoor?' vroeg hij Van Damm, die zelf niet erg van zijn weekend genoten had, maar ja, niemand probeerde hem of zijn gezin te vermoorden.
'Het onderzoek heeft nog niet veel opgeleverd. Murray zegt dat we geduld moeten hebben, ze zijn bezig. Het beste advies is gewoon door te gaan,' raadde de stafchef aan. 'Je hebt morgen een drukke dag. Het land is je gunstig gezind. Er volgt altijd een golf van sympathie in tijden als...'
'Arnie, ik ben er niet op uit stemmen te winnen, weet je nog? Het is leuk dat mensen me aardiger vinden nu mijn dochter door terroristen aangevallen is, maar ik wil de zaken absoluut niet op die manier bekijken,' merkte Jack op. Na twee dagen ontspanning keerde zijn woede weer terug. 'Als ik er ooit aan gedacht had om deze baan te houden, dan heeft de afgelopen week me daarvan wel genezen.'
'Goed, maar...'
'Maar wat? Verdomme! Arnie, als alles achter de rug is, wat hou ik dan over? Een plekje in de geschiedenisboeken? Tegen de tijd dat die geschreven zijn, ben ik dood, en kan ik me niet meer druk maken om wat de historici zeggen. Ik heb een vriend die historicus is; hij zegt dat geschiedenis in wezen niets meer is dan het toepassen van een ideologie op een verleden. Ik zal het niet eens kunnen lezen, trouwens. Het enige wat ik wil overhouden is mijn leven en de levens van mijn gezin. Dat is alles. Als een ander de pracht en praal van deze klotegevangenis wil, dan mag hij van mij. Ik weet ondertussen wel beter. Mooi,' zei de president verbitterd. Hij was weer helemaal uit zijn humeur. 'Ik zal mijn werk doen, die toespraken houden en proberen wat nuttigs te verrich-

ten, maar het is het allemaal niet waard, Arnie. Het is het verdomme absoluut niet waard om je dochter door negen terroristen te laten vermoorden. Er is maar één ding dat je op deze planeet achterlaat. Dat zijn je kinderen. Al het andere wordt door de mensen alleen maar verzonnen omdat dat zo goed uitkomt voor ze, net als het nieuws.'
'Het zijn een paar zware dagen geweest, en...'
'Hoe zit het met de agenten die om het leven gekomen zijn? Hoe zit het met hun gezinnen? Ik heb lekker twee dagen vrij gehad. Zij beslist niet. Ik ben al zo aan deze baan gewend geraakt dat ik nauwelijks aan hen gedacht heb. Meer dan honderd mensen hebben hun best gedaan om mij alles te laten vergeten. En ik sta toe dat ze dat doen! Het is belangrijk dat ik niet over dergelijke dingen zeur, nietwaar? Waar moet ik me op concentreren? "Plicht, Eer, Vaderland"? Iedereen die dat kan en zijn mens-zijn kan uitschakelen, hoort hier niet thuis, maar dat is wel wat deze baan met mij doet.'
'Ben je klaar of moet ik een doos tissues voor je halen?' Even leek de president Van Damm een klap in zijn gezicht te zullen geven. Arnie stak gelijk van wal. 'Die agenten zijn gestorven omdat ze een baan hebben gekozen die ze belangrijk vonden. Soldaten doen hetzelfde. Hoe zit het trouwens met jou, Ryan? Hoe dacht je dat een land eigenlijk functioneerde? Denk je dat mooie denkbeelden voldoende zijn? Zo stom ben je niet altijd geweest. Ooit was je marinier. Je hebt voor de CIA gewerkt. Je had kloten aan je lijf. Je hebt een baan. Je bent er niet voor opgeroepen, weet je nog? Je hebt dit vrijwillig aangepakt, of je het nou toegeeft of niet. Je wist dat dit kon gebeuren. En nu zit je dus hier. Als je weg wilt rennen, ren dan maar weg, maar vertel me niet dat het het niet waard is. Vertel me niet dat het er niet toe doet. Als mensen gestorven zijn om je gezin te beschermen, dan moet jij me godverdomme niet vertellen dat het er niet toe doet!' Van Damm beende met grote passen het kantoor uit zonder zelfs maar de deur achter zich dicht te doen.
Ryan wist niet wat hij moest doen. Hij ging achter zijn bureau zitten. Hij keek naar de gebruikelijke stapels papier, bijeengebracht door een staf die nooit sliep. Hier was China. Hier was het Midden-Oosten. Hier was India. Hier was voorinformatie over de belangrijkste economische indicatoren. Hier waren politieke verwachtingen voor de honderdeenenzestig zetels in het Huis van Afgevaardigden dat over twee dagen gekozen zouden worden. Hier was een verslag over de terroristische aanslag. Hier was een lijst met namen van de dode agenten en bij elk van hen hoorde een lijst van echtgenoten, ouders en kinderen en in het geval van Don Russell ook kleinkinderen. Hij kende alle gezichten, maar Jack moest toegeven dat hij niet alle namen kende. Ze waren gestorven om zijn kind te beschermen, terwijl hij niet eens alle namen kende. Het ergste was dat hij zich weg liet voeren om zich in een nog kunstmatiger omgeving te goed te doen en te vergeten. Maar hier lag alles op zijn bureau op hem te wachten. Het zou niet vanzelf verdwijnen. Hij kon evenmin verdwijnen. Hij stond op en liep de deur uit, linksaf naar het op de hoek gelegen kantoor van de stafchef, langs agenten van de Secret Service die de woordenwis-

seling gehoord hadden, waarschijnlijk blikken hadden uitgewisseld en beslist hun eigen gedachten erover hadden gehad, maar die nu verborgen.
'Arnie?'
'Ja, meneer de president?'
'Het spijt me.'

'Goed, schat,' gromde hij. Hij moest morgen naar de dokter. Hij was er helemaal niks op vooruitgegaan. Eigenlijk was het nog erger geworden. Hij had vreselijke hoofdpijn, hoewel hij om de vier uur twee extra sterke Tylenols had ingenomen. Als hij nu maar eens goed kon slapen, maar dat bleek moeilijk. Hij sliep alleen van uitputting af en toe een uurtje. Alleen al het opstaan om naar het toilet te gaan vereiste grote inspanning, zelfs zoveel dat zijn vrouw aanbood te helpen, maar nee, een man had daar toch geen hulp bij nodig. Aan de andere kant had ze gelijk. Hij moest beslist naar de dokter. Hij dacht dat hij beter vanmorgen had kunnen gaan. Dan had hij zich nu misschien beter gevoeld.

Het was een makkie geweest voor Plumber, tenminste wat de te verrichten handelingen betrof. De ruimte waar de videobanden bewaard werden had de grootte van een behoorlijke openbare bibliotheek. Het was geen probleem de spullen te vinden. Op de vijfde plank stonden drie Betamax-videocassettes in hoezen. Plumber pakte ze van de plank, haalde de banden uit de hoezen en legde er lege in terug. De drie banden legde hij in zijn aktetas. Twintig minuten later was hij thuis. Hij had daar voor zijn gemak een eigen Betamax-recorder. Voor de zekerheid speelde hij de band met het eerste interview af, al was het maar om zeker te weten dat de banden onbeschadigd waren. Dat was het geval. Ze zouden naar een veilige plek gestuurd moeten worden.
Vervolgens maakte John Plumber een concept voor zijn commentaar van drie minuten in het nieuws van morgenavond. Het zou een licht kritisch toespraakje worden over het presidentschap van Ryan. Hij besteedde er een uur aan, omdat hij anders dan de huidige lichting tv-journalisten graag een zekere elegantie in zijn taalgebruik wilde leggen, een taak die hem niet moeilijk viel omdat hij de grammatica goed beheerste. Hij maakte een uitdraai en las de tekst nog eens over, omdat hij gemakkelijker op papier redigeerde, en corrigeerde de tekst op het scherm. Hij schreef het stuk op flop weg. Later zou deze gebruikt worden om in de studio de tekst voor de autocue te produceren. Daarna schreef hij nog een commentaar van ongeveer dezelfde lengte (het bleek vier woorden korter te zijn), dat hij eveneens uitprintte. Aan dit stuk besteedde Plumber flink wat meer tijd. Als dit de zwanenzang van zijn journalistieke carrière zou zijn, dan kon het maar beter goed gebeuren. Deze journalist, die al heel wat necrologieën over anderen had geschreven, zowel over mensen die hij bewonderde als anderen, wilde dat zijn eigen necrologie feilloos was. Toen hij tevreden was met de tekst, printte hij die ook uit. Hij stopte de papieren bij de cassettes in de tas. Dit stuk schreef hij niet weg op diskette.

'Ik denk dat ze klaar zijn,' zei de eerste sergeant-opzichter.
Op de opnamen van de Predator was te zien dat de tanks terugkeerden naar hun bases. De luiken van de geschutskoepels stonden open en de bemanning was zichtbaar. De meesten rookten. De oefening was voor het pas gevormde VIR-leger goed verlopen en nu verliep ook de terugtocht over de weg ordelijk.
Majoor Sabah had al zo lang over de schouder van deze man gekeken dat ze elkaar wat informeler hadden moeten bejegenen, meende hij. Het was allemaal routine. Te veel routine. Hij had verwacht en gehoopt dat de nieuwe buur van zijn land veel meer tijd nodig gehad zou hebben voor de integratie van de strijdmachten, maar ze hadden er veel baat bij gehad dat ze dezelfde wapens en doctrine hadden. Uit hier en in STORM TRACK opgevangen radioberichten kon worden afgeleid dat de oefening beëindigd was. Dit werd bevestigd door tv-reportages van de UAV, en dat was belangrijk.
'Dat is grappig...' merkte de sergeant tot zijn eigen verrassing op.
'Wat?' vroeg Sabah.
'Neem me niet kwalijk, meneer.' De inlichtingenofficier stond op en liep naar een kast in de hoek. Hij haalde er een kaart uit en liep weer terug naar zijn plek. 'Er is daar geen weg. Kijk, majoor.' Hij vouwde de kaart open, vergeleek de coördinaten met die op het scherm; de Predator beschikte over een eigen Global Positioning Satellite-navigatiesysteem en vertelde de technici automatisch waar hij zich bevond. Hij tikte op de juiste plek op het papier. 'Ziet u?'
De Koeweitse officier keek van de kaart naar het scherm en andersom. Op het scherm was nu een weg, maar dat viel gemakkelijk te verklaren. Een colonne van honderd tanks zou vrijwel elk oppervlak in een soort weg veranderen, en dat was hier gebeurd.
Maar er was eerst geen weg geweest. De tanks hadden die de afgelopen uren gemaakt.
'Dat is een verandering, majoor. Het Iraakse leger hield zich eerst altijd aan de bestaande wegen.'
Sabah knikte. Het was zo duidelijk dat hij er gewoon niet aan gedacht had. Hoewel ze altijd in de woestijn hadden geleefd en ze toch veel ervaring hadden met het reizen door de woestijn, hadden Iraakse legereenheden in 1991 hun eigen vernietiging over zich afgeroepen door vlak bij de wegen te blijven. De officieren leken altijd de weg kwijt te raken als ze zich dwars door het land verplaatsten. Dat was niet zo dom als het leek, omdat de woestijn vrijwel even weinig herkenningspunten bezat als de zee, maar het had hun bewegingen voorspelbaar gemaakt, wat in een oorlog nooit gunstig was. Daardoor hadden de oprukkende geallieerde strijdkrachten alle gelegenheid gekregen om uit onverwachte richtingen op te duiken.
Dat was zojuist veranderd.
'Denkt u dat ze ook over GPS beschikken?' vroeg de eerste sergeant.
'We mochten toch niet verwachten dat ze altijd stom zouden blijven, of wel?'

Op weg naar de lift gaf president Ryan zijn vrouw een zoen. De kinderen waren nog niet op. Het ene soort werk lag voor hem, het andere zat erop. Er was vandaag geen tijd voor beide, hoewel daartoe wel pogingen werden gedaan. Ben Goodley zat in de helikopter te wachten.
'Hier zijn de aantekeningen van Adler over zijn reis naar Teheran.' De nationale-veiligheidsadviseur overhandigde ze. 'En hier is het verslag uit Peking. De werkgroep komt om tien uur bijeen om die situatie te bespreken. Het rapportageteam zal later vandaag eveneens bijeenkomen op Langley.'
'Bedankt.' Jack deed zijn gordel om en begon te lezen. Arnie en Callie kwamen aan boord en gingen voor hem zitten.
'Nog ideeën, meneer de president?' vroeg Goodley.
'Dat zou jij me toch vertellen, Ben?'
'En als ik u nu eens vertelde dat het allemaal niet erg logisch is?'
'Dat weet ik al. Jij bewaakt vandaag de telefoons en faxapparaten. Scott moet nu wel in Taipei zijn. Als je iets van hem hoort, geef je dat direct aan mij door.'
'Jawel, meneer.'
De helikopter maakte een scherpe bocht. Ryan merkte het nauwelijks. Hij was met zijn gedachten bij het werk, hoe vervelend het ook was. Price en Raman waren bij hem. Er zouden nog meer agenten aan boord van de 747 zijn, en zelfs nog meer in Nashville. Het presidentschap van John Patrick Ryan ging verder, of hij het nu leuk vond of niet.

Dit land mocht dan klein en onbelangrijk zijn, mocht dan een paria in de internationale gemeenschap zijn – niet omdat het iets gedaan had, behalve misschien floreren, maar omdat het in het westen grotere en minder welvarende buren had – maar het had wel een gekozen regering, en dat zou wel degelijk van betekenis moeten zijn in de wereld, vooral voor de landen die zelf een door het volk gekozen regering hadden. De Volksrepubliek was totstandgekomen door wapengeweld – dat gold voor de meeste landen, bedacht de minister van Buitenlandse Zaken – en had direct daarna miljoenen eigen onderdanen uitgemoord (niemand wist hoeveel; niemand was er bijzonder in geïnteresseerd het uit te zoeken). Er had een revolutionaire ontwikkeling plaatsgevonden (de Grote Sprong Voorwaarts) die desastreuzer was afgelopen dan zelfs voor marxistische naties de norm was; daarna was er een nieuwe interne 'reform'-poging op gang gebracht (de Culturele Revolutie) die na de zogeheten Honderd Bloemencampagne was gekomen. Het echte doel daarvan was geweest om mogelijke dissidenten uit te roken en die later te laten elimineren door studenten, wier revolutionaire enthousiasme waarlijk revolutionair was geweest ten opzichte van de Chinese cultuur, want ze hadden die vrijwel geheel vernield ten gunste van het Rode Boekje. Daarna waren er andere hervormingen gevolgd, de zogenaamde overgang van het Marxisme naar iets anders, een nieuwe studentenrevolutie – ditmaal tegen het bestaande politieke systeem – die op arrogante wijze met tanks en machinegeweren de kop was ingedrukt, wat over de hele wereld op tv te zien was geweest.

Ondanks dit alles had de rest van de wereld er volstrekt geen bezwaar tegen als de Volksrepubliek de Taiwanese verwanten zou vermorzelen.
Dat was nou *realpolitik*, dacht Scott Adler. Een soortgelijke houding had uiteindelijk tot de Holocaust geleid. Zijn vader had die overleefd, met een getatoeëerd nummer op zijn onderarm als bewijs. Zelfs zijn eigen land had officieel een één-Chinapolitiek, hoewel daarbij als onuitgesproken voorwaarde gold dat de Volksrepubliek Taiwan niet zou aanvallen. Gebeurde dat wel, dan zou Amerika reageren. Of niet.
Adler was een carrièrediplomaat die een graad had gehaald op Cornell en de Fletcher School of Law and Diplomacy van Tufts University. Hij hield van zijn land. Hij was dikwijls een instrument van de politiek van zijn land en was nu in de situatie gekomen dat hij de eerste keuze van zijn land was om de internationale belangen te behartigen. Maar dikwijls zei hij dingen die niet bijzonder redelijk en rechtvaardig waren. Op momenten als deze vroeg hij zich af of hij soms met hetzelfde bezig was als andere Fletcher-diplomaten zestig jaar geleden. Ook zij waren erudiet en zaten vol goede bedoelingen, maar nadat alles voorbij was, vroegen ze zich af hoe ze in hemelsnaam zo verblind hadden kunnen zijn dat ze het niet hadden zien aankomen.
'We hebben fragmenten, vrij grote stukken zelfs, van de raket die in de vleugel geslagen is. Die is beslist uit de Volksrepubliek afkomstig,' zei de Taiwanese minister van Defensie. 'Uw technici mogen er gerust naar kijken en er proeven op doen om dit te bevestigen.'
'Dank u. Ik zal dat met mijn regering bespreken.'
'Goed,' zei de minister van Buitenlandse Zaken van Taiwan, 'ze staan u toe rechtstreeks van Peking naar Taiwan te vliegen. Ze maken in een persoonlijk gesprek geen bezwaar tegen de stationering van een vliegdekschip. Ze wijzen elke verantwoordelijkheid voor het Airbus-incident af. Ik moet bekennen dat ik de logica van dit gedrag niet begrijp.'
'Het doet me plezier dat ze alleen belangstelling lijken te hebben voor het herstel van de stabiliteit in de regio.'
'Wat nobel van ze,' zei de minister van Defensie. 'En dat nadat ze die opzettelijk in gevaar gebracht hebben.'
'Dit heeft ons grote economische schade toegebracht. De buitenlandse investeerders worden weer nerveus en als zij met hun kapitaal het land ontvluchten, zal dat ons problemen bezorgen. Was dat volgens u hun plan?'
'Meneer de minister, als dat het geval was, waarom zouden ze me dan vragen rechtstreeks hierheen te vliegen?'
'Het is duidelijk een trucje,' antwoordde de minister van Buitenlandse Zaken voordat de minister van Defensie iets kon zeggen.
'Maar met welk doel?' wilde Adler weten. Verdomme, zij waren toch ook Chinezen. Misschien konden zij erachter komen.
'Wij zijn hier veilig. Wij weten dat, al weten buitenlandse investeerders dat niet altijd. Toch is de situatie niet geheel zonder zorgen. Het is alsof je in een kasteel leeft met een gracht eromheen. Achter de slotgracht zit een leeuw, die

ons zou doden en opeten als hij de kans had. Hij kan de gracht niet overspringen, en dat weet hij, maar hij blijft het proberen. Ik hoop dat u onze zorgen begrijpt.'
'Zeker, meneer,' verzekerde Adler hem. 'Als de volksrepubliek China haar activiteiten verminderd, zou u dan hetzelfde doen?' Zelfs als ze er niet achter konden komen wat de Volksrepubliek van plan was, dan konden ze misschien toch de spanningen wat wegnemen.
'In principe wel. Hoe precies, is een technische vraag voor mijn collega's hier. U kunt op redelijkheid van onze kant rekenen.'
Voor die simpele opmerking had hij de hele reis gemaakt. Nu moest Adler terug naar Peking om de boodschap over te brengen. Koppelaar, koppelaar...

Hopkins beschikte over een eigen kinderdagverblijf. Het personeel bestond uit vaste krachten en altijd enkele studenten van de universiteit die onderzoek deden voor hun hoofdvak. Cathy liep naar binnen, keek rond en zag tot haar vreugde hoe multicultureel het gezelschap was. Achter haar stonden vier agenten. Het waren allemaal mannen, omdat er geen vrouwen beschikbaar waren. Een van hen droeg een *fag-bag*. In de buurt bevonden zich drie agenten in burger van de politie van Baltimore, die met de Secret Service identiteitsbewijzen uitwisselden. Zo begon een nieuwe dag voor SURGEON en SANDBOX. Katie had van de helikoptervlucht genoten. Vandaag zou ze nieuwe vriendjes maken, maar vanavond zou ze vragen waar juf Marlene was, wist haar moeder. Hoe kon je een kind van nog geen drie uitleggen wat de dood inhield?

De menigte klapte enthousiaster dan gebruikelijk. Ryan voelde het. Nog geen drie dagen na een aanslag op het leven van zijn jongste dochter stond hij weer voor hen om zijn plicht voor hen uit te voeren, terwijl hij kracht, moed en wat al niet meer uitstraalde, dacht Ryan. Hij was begonnen met een gebed voor de gesneuvelde agenten. Hier in Nashville, een godsdienstig bolwerk, werden zulke dingen ernstig genomen. De rest van de toespraak was eigenlijk best goed geweest, dacht de president. Hij had gesproken over zaken waar hij werkelijk in geloofde, zoals gezond verstand, eerlijkheid en plichtsgevoel. Alleen leken zijn woorden hol te klinken omdat hij een tekst uitsprak die door anderen geschreven was. Het was moeilijk om zo vroeg op de ochtend niet in gedachten af te dwalen.
'Dank u. God zegene Amerika,' besloot hij. De menigte rees op en juichte hem toe. De band begon te spelen. Ryan liep van de beveiligde verhoging af om de plaatselijke notabelen een hand te geven en liep zwaaiend van het podium af. Arnie wachtte hem achter het gordijn op.
'Voor een dilettant doe je het behoorlijk goed.' Ryan had geen tijd hierop te reageren voordat Andrea verscheen.
'Spoedverbinding in de heli voor u, meneer. Van de heer Adler.'
'Goed, we gaan ervandoor. Blijf in de buurt,' zei hij tegen zijn belangrijkste agent toen ze de achteruitgang namen.

'Altijd,' verzekerde Price hem.
'Meneer de president!' riep een journalist. Er stond een hele groep te wachten. Hij was vanochtend de luidste. Het was een lid van de NBC-ploeg. Ryan draaide zich om en stopte. 'Gaat u het congres onder druk zetten om een nieuwe wapenwet aan te nemen?'
'Waarvoor?'
'De aanslag op uw dochter was...'
Ryan stak zijn hand op. 'Goed. Naar ik begrepen heb waren de gebruikte wapens van een type dat al illegaal is. Ik zie helaas niet wat het nut van een nieuwe wet zou zijn.'
'Maar voorstanders van wapenbeperking zeggen...'
'Ik weet wat ze zeggen. En nu gebruiken ze een aanval op mijn dochtertje en de dood van vijf geweldige Amerikanen om een politieke kwestie op tafel te leggen. Wat denkt u daarvan?' vroeg de president, zich omdraaiend.

'Wat is het probleem?'
Hij beschreef zijn symptomen. Zijn huisarts was een oude vriend. Ze speelden zelfs golf samen. Moeilijk was dat niet. Aan het eind van elk jaar had de Cobra-vertegenwoordiger een heel stel demonstratieclubs die nog zo goed als nieuw waren. De meeste werden weggegeven aan jeugdprogramma's of aan verenigingen verkocht om als huurclubs te gebruiken. Maar hij kon er altijd een paar aan zijn vrienden geven, met een handtekening van Greg Norman.
'Tja, je hebt koorts, negenendertig vier, en dat is wat hoog. Je bloeddruk is honderd over vijfenzestig, wat een beetje laag is voor jou. Je ziet bleek...'
'Weet ik, ik voel me ziek.'
'Je bent ook ziek, maar ik zou me er geen zorgen over maken. Waarschijnlijk een griepje dat je in een bar hebt opgelopen. Al die vliegreizen zijn ook niet erg gezond, en ik zeg je al jaren dat je minder moet drinken. Je hebt iets opgelopen dat door andere factoren verergerd is. Het is vrijdag begonnen, zeg je?'
'Donderdagavond, misschien vrijdagochtend.'
'En je hebt toch nog gespeeld?'
'Ik eindigde met een sneeuwpop voor de moeite,' gaf hij toe. Dat betekende dat hij een score van tachtig had behaald.
'Dat zou ik zelf ook halen als ik gezond en broodnuchter was.' De arts had een handicap van twintig. 'Je bent nu over de vijftig. Je kunt niet verwachten dat je 's ochtends weer het heertje bent als je 's avonds de beest uithangt. Volstrekte rust. Veel drinken, en geen alcohol. Blijf Tylenol slikken.'
'Geen recept?'
De dokter schudde zijn hoofd. 'Antibiotica werken niet bij een virusinfectie. Je immuunsysteem moet dit zelf oplossen, en dat gebeurt ook als jij meewerkt. Maar nu je hier toch bent, zal ik wat bloed afnemen. Je cholesterolgehalte moet hoog nodig weer eens bepaald worden. Ik roep de assistente voor je. Kan iemand je naar huis rijden?'
'Ja, ik wilde zelf niet rijden.'

'Goed. Reken op een paar dagen. Cobra kan best zonder jou en de golfbanen lopen niet weg.'
'Bedankt.' Hij voelde zich al beter. Dat gebeurde altijd als de dokter zei dat je er niet aan doodging.

'Alsjeblieft.' Goodley overhandigde het vel papier. Slechts weinig kantoorgebouwen, zelfs beveiligde overheidsgebouwen, beschikten over zoveel communicatiefaciliteiten als in het bovendek van de VC-25, roepnaam Air Force One, gestouwd waren. 'Helemaal geen slecht nieuws,' voegde Ben eraan toe.
SWORDSMAN las de tekst snel door en ging zitten om het bericht nauwkeuriger te bekijken. 'Goed, mooi, hij denkt dat hij de lont uit het kruitvat kan halen,' merkte Ryan op. 'Maar hij weet nog steeds niet wat dat kruitvat precies is.'
'Beter dan niets.'
'Heeft de werkgroep dit bericht?'
'Ja, meneer de president.'
'Misschien kunnen zij er iets mee. Andrea?'
'Ja, meneer de president?'
'Zeg tegen de piloot dat het tijd is om te vertrekken.' Hij keek rond. 'Waar is Arnie?'

'Ik bel je met een mobiele telefoon,' zei Plumber.
'Oké,' antwoordde Van Damm. 'Ik gebruik er trouwens ook een.' De instrumenten in het vliegtuig waren eveneens tegen afluisteren beveiligd; ze hadden de mogelijkheid van STU-4. Dat zei hij niet. Hij moest alleen iets terugzeggen. John Plumber stond niet langer op de lijst van mensen die een kerstkaart van hem kregen. Helaas stond zijn rechtstreekse nummer nog steeds op Plumbers rolodex. Jammer genoeg kon hij daar niets aan doen. Hij moest zijn secretaresse in elk geval vertellen hem niet meer door te verbinden, althans niet als hij op reis was.
'Ik weet wat je denkt.'
'Dat is mooi, John. Dan hoef ik niet te zeggen wat ik denk.'
'Kijk vanavond vooral naar het nieuws. Ik zit aan het eind.'
'Hoezo?'
'Kijk zelf maar, Arnie. Tot ziens.'
De stafchef schakelde de telefoon uit, zich afvragend wat Plumber bedoelde. Hij had hem ooit vertrouwd. Verdomme, hij had ooit de collega van de man vertrouwd. Hij had de president over het telefoontje kunnen inlichten, maar besloot dat niet te doen. Hij had zojuist een heel behoorlijke toespraak gehouden, ook al leek hij soms weinig geconcentreerd. Hij had het ondanks zichzelf goed gedaan, omdat die arme malloot werkelijk in meer geloofde dan hij wist. Het zou niet verstandig zijn hem nog meer te belasten. Ze zouden de toespraak onderweg naar Californië opnemen en als het een geschikte opname was, dan zou hij die aan de president laten zien.

'Ik wist niet dat er griep heerste,' zei hij, terwijl hij zijn overhemd weer aantrok. Dat duurde nogal lang, want de manager had overal pijn.
'Die heerst altijd wel. Het haalt alleen niet altijd het nieuws,' antwoordde de arts, de gegevens bekijkend die de assistente zojuist had opgeschreven. 'En jij bent er het slachtoffer van.'
'En nu?'
'Kalm aan doen. Niet naar kantoor gaan. Je kunt beter niet het hele bedrijf besmetten. Je moet uitzieken. Aan het eind van de week zul je wel opgeknapt zijn.'

Het rapportageteam kwam op Langley bij elkaar. Er was een vracht nieuwe informatie uit de Perzische Golf gekomen, die ze nu in een vergaderzaal op de zesde verdieping aan het bekijken waren. De foto die Chavez van Mahmoud Haji Daryaei gemaakt had, was door het fotolab uitvergroot en hing nu aan de muur. Misschien wilde iemand er pijltjes op werpen, dacht Ding.
'Artilleriesporen,' zei de voormalige infanterieman snuivend, terwijl hij de Predator-video bekeek.
'Nogal groot om met een geweer te pakken, Sundance,' merkte Clark op. 'Ik was altijd doodsbang voor die dingen.'
'Een LAWS-raket is afdoende, meneer C.'
'Wat is het bereik van een LAWS, Domingo?'
'Vier- tot vijfhonderd meter.'
'Die dingen schieten twee tot drie kilometer ver,' zette John uiteen. 'Bedenk dat wel.'
'Ik weet niet veel van de hardware,' zei Bert Vasco. Hij wees op het scherm. 'Wat betekent dit?'
Het antwoord kwam van een van de militaire analisten van de CIA. 'Het betekent dat de VIR-strijdkrachten veel beter zijn dan we dachten.'
Een landmachtmajoor van het Defence Intelligence Agency bestreed dat niet. 'Ik ben behoorlijk onder de indruk. Het was een redelijk eenvoudige oefening zonder ingewikkelde manoeuvres, maar ze wisten de organisatie voortdurend te behouden. Niemand is verdwaald...'
'Denkt u dat ze nu GPS gebruiken?'
'Iedereen met een abonnement op een watersporttijdschrift kan die spullen kopen. De laatste keer dat ik ernaar heb gekeken, was de prijs tot vierhonderd dollar gezakt,' zei de officier tegen zijn burgercollega. 'Dat betekent dat de navigatie van de mobiele onderdelen veel beter verloopt. Het betekent ook dat de artillerie veel effectiever wordt. Als je weet waar je geschut zich bevindt, waar je verkenner is en waar het doel zich ten opzichte van hem bevindt, dan zal het eerste schot waarschijnlijk raak zijn.'
'Een vier keer zo grote effectiviteit?'
'Met gemak,' antwoordde de majoor. 'Die oudere heer daar aan de muur heeft nu een grote stok waarmee hij naar zijn buren kan zwaaien. Ik denk dat hij ze dat wel zal laten weten ook.'

'Bert?' vroeg Clark.
Vasco schoof heen en weer in zijn stoel. 'Ik begin me zorgen te maken. Dit gaat sneller dan ik verwacht had. Als Daryaei zich niet druk hoefde te maken over andere zaken, zou ik nog bezorgder zijn.'
'Wat dan?' vroeg Chavez.
'Hij moet het land bijvoorbeeld op orde brengen en hij moet weten dat als hij met zijn sabels begint te zwaaien, er een reactie van onze kant volgt.' De FSO pauzeerde even. 'Hij zal zijn buren zeker willen laten weten wie de touwtjes in handen heeft. Zal hij daar snel toe in staat zijn?'
'Militair gezien?' vroeg de burgeranalist. Hij gebaarde naar de man van DIA.
'Als wij niet in beeld waren: onmiddellijk. Maar wij zijn wél in beeld.'

'Ik vraag u nu een moment lang met mij stilte te willen bewaren,' zei Ryan tegen zijn gehoor in Topeka. Hier was het elf uur. Thuis was het dus twaalf uur. De volgende stop was Colorado Springs, dan Sacramento en dan godzijdank weer naar huis.

'U moet zich afvragen met wat voor man we hier van doen hebben,' zei Kealty voor zijn eigen camera's. 'Vijf mannen en vrouwen zijn omgekomen, en nog altijd ziet hij geen reden voor een wet om het bezit van deze wapens aan banden te leggen. Het gaat mijn verstand te boven hoe iemand zo kil en harteloos kan zijn. Die moedige agenten interesseren hem dus niet, maar mij wel. Hoeveel Amerikanen zullen nog moeten sterven voordat hij de noodzaak hiervan inziet? Zal hij werkelijk een gezinslid moeten verliezen? Het spijt me, maar ik geloof gewoon niet dat hij dat gezegd heeft,' zei de politicus voor de videocamera.

'We weten allemaal nog hoe mensen campagne voerden voor herverkiezing in het Congres. Ze vertelden onder meer: "Stem op mij, want voor elke dollar die in dit district aan belastingen geïnd wordt, vloeit er één dollar twintig terug." Herinnert u zich die beweringen nog?' vroeg de president.
'Wat ze niet zeiden was... dat waren een hele hoop dingen. Ten eerste: wie heeft er ooit gezegd dat u van de overheid afhankelijk bent als het om geld gaat? We kunnen toch niet op Sinterklaas stemmen? Het is andersom. De overheid kan niet bestaan tenzij u er geld aan geeft.
Ten tweede vertelden ze u: "Stem op mij, want dan zal ik die waardeloze lui in North Dakota eens flink aanpakken." Zijn dat dan geen Amerikanen?
Ten derde: de ware reden hiervoor is dat het overheidstekort betekent dat elk district meer geld van de federale overheid krijgt dan het aan federale belastingen afdraagt; neem me niet kwalijk, ik bedoel directe federale belastingen. De belastingen die voor u zichtbaar zijn.
Ze snoefden dus tegen u dat ze meer geld uitgaven dan ze hadden. Als uw buurman u vertelde dat hij cheques verzilverde die op uw bank getrokken waren, dan zou u toch de politie bellen?

We weten allemaal dat de overheid meer neemt dan ze teruggeeft. Ze heeft alleen geleerd het te verbergen. Het federale overheidstekort betekent dat u steeds als u geld leent, meer betaalt dan nodig is. Waarom? Omdat de overheid zoveel geld leent dat de rentetarieven erdoor stijgen.
En dus, dames en heren, is elke hypotheekbetaling, elke lening voor een auto en elke creditcardrekening tegelijk een belasting. En misschien krijgt u dan belastingaftrek voor betaalde rente. Is dat niet vriendelijk?' vroeg Ryan. 'Uw overheid geeft u belastingaftrek voor geld dat u helemaal niet had moeten betalen, en dan vertelt de overheid dat u meer geld terugkrijgt dan u betaalt.'
Ryan pauzeerde.
'Gelooft iemand van u dat werkelijk? Gelooft iemand het werkelijk als mensen zeggen dat de Verenigde Staten van Amerika zich niet kunnen permitteren om niet meer geld uit te geven dan het land bezit? Zijn dit de woorden van Adam Smith of Lucy Ricardo? Ik ben econoom, maar comedy's als *I love Lucy* behoorden niet tot het cursusprogramma.
Dames en heren, ik ben geen politicus en ik ben hier niet om te spreken namens een van uw plaatselijke kandidaten voor de vrijgekomen zetels in het Huis van Afgevaardigden. Ik ben hier om u te vragen na te denken. Ook u hebt een plicht. De overheid behoort aan u. U behoort niet aan de overheid. Als u morgen gaat stemmen, neem dan even de tijd om te overdenken wat de kandidaten zeggen en waar ze voor staan. Stel u zelf de vraag: "Is dit zinnig?" en maak dan de best mogelijke keuze. Als niemand van de kandidaten u aanstaat, ga dan toch naar het kiesbureau, ga het stemhokje in en ga dan naar huis zonder iemand uw stem te geven, maar kom in elk geval. Dat bent u uw land verschuldigd.'

De bestelwagen van de verwarmings- en airconditioningsfirma stopte op de oprijlaan. Er stapten twee mannen uit die naar het portiek liepen. Een van hen klopte op de deur.
'Ja?' vroeg de bewoonster verbaasd.
'FBI, mevrouw Sminton.' Hij toonde zijn legitimatie. 'Mogen we even binnenkomen?'
'Hoezo?' vroeg de tweeënzestigjarige weduwe.
'We zouden het op prijs stellen als u ons met iets hielp.' Het had langer geduurd dan verwacht. De fabrikant van de geweren die in de zaak-SANDBOX gebruikt waren, was opgespoord, waarna de groothandel en de winkelier gelokaliseerd waren. Daarna was er een naam gevonden, en aan de hand daarvan een adres. De FBI en de Secret Service waren met het adres naar de rechtbank gestapt om een huiszoekingsbevel te krijgen.
'Komt u binnen.'
'Dank u, mevrouw Sminton. Kent u de heer die hiernaast woont?'
'U bedoelt meneer Azir?'
'Ja, die.'
'Niet erg goed. Soms zeggen we elkaar gedag.'

'Weet u of hij nu thuis is?'
'Zijn auto staat er niet,' zei ze na gekeken te hebben. De agenten wisten dat al. Hij had een blauwe Oldsmobile-stationcar met kentekenplaten van Maryland. Elke politieman in een straal van driehonderd kilometer was ernaar op zoek.
'Weet u wanneer u hem voor het laatst gezien hebt?'
'Vrijdag, denk ik. Er stonden nog een paar auto's, en ook een vrachtwagen.'
'Goed.' De agent pakte een radio uit de zak van zijn overall. 'Kom maar, kom maar. De vogel is waarschijnlijk, ik herhaal: waarschijnlijk, gevlogen.'
Voor de ogen van de verbaasde weduwe verscheen er driehonderd meter van het huis plotseling een helikopter. Er werden aan beide zijden touwen uitgeworpen waaraan gewapende agenten afdaalden. Tegelijkertijd kwamen er van beide kanten vier auto's aanrijden. Ze reden allemaal het brede gazon op, recht op het huis af. Normaliter zou alles langzamer verlopen zijn en zou het huis eerst een tijdje geobserveerd zijn, maar in dit geval was het gerucht al verspreid. De voor- en achterdeuren werden ingetrapt en een halve minuut later begon er een sirene te loeien. De heer Azir bleek een inbraakalarm te hebben. De radio begon te kraken.
'Leeg, gebouw is leeg. Met Bert. Huis doorzocht, is leeg. Breng de mensen van het lab hierheen.' Er kwamen twee bestelbusjes aanrijden. Ze reden het pad naast het huis op. De inzittenden namen eerst monsters van het grind en het gras om te kijken of die hetzelfde waren als de monsters op de achtergelaten huurauto's bij Giant Steps.
'Mevrouw Sminton, kunnen we even gaan zitten? We willen u enkele vragen over meneer Azir stellen.'

'En?' vroeg Murray bij aankomst in het FBI-commandocentrum.
'Helaas niet,' zei de agent aan het bedieningspaneel.
'Verdomme,' zei hij, niet echt uit de grond van zijn hart. Hij had het niet echt verwacht. Maar hij verwachtte wél belangrijke informatie. Het lab had het nodige technische bewijs verzameld. Het grind kon hetzelfde zijn als op het pad. Aan de hand van gras en vuil aan de binnenkant van de wielkasten en bumpers konden de auto's met het huis van Azir in verband gebracht worden. Aan de hand van tapijtdeeltjes – donkerrode wol – aan de schoenen van de dode terroristen kon bewezen worden dat ze in het huis geweest waren. Een team agenten was net begonnen met een speurtocht naar de man achter 'Mordecai Azir'. In elk geval was duidelijk dat hij ongeveer even joods was als Adolf Eichmann. Niemand deed daar geheimzinnig over.
'Commandocentrum, met Betz.' Billy Betz was agent van dienst van de Baltimore Field Division en een voormalig HRT-schutter; vandaar zijn spectaculaire afdaling uit de helikopter, waarbij hij zijn mannen, en een vrouw, voor was gegaan.
'Billy, met Dan Murray. Wat is er?'
'Het is niet te geloven. Een halflege krat met zeven-zes-tweekogels, en de serienummers komen overeen, meneer. In de woonkamer ligt donkerrood

wollen tapijt. Hier moeten we zijn. Er ontbreken wat kleren uit de grootste slaapkamer. Volgens mij is hier een paar dagen niemand geweest. Het huis is veilig. Geen hinderlagen. Het lab begint met het onderzoek.' En dat allemaal nog geen anderhalf uur nadat de Baltimore S-A-C een bezoek had gebracht aan de federale rechtbank. Het was niet snel genoeg, maar het was snel.

De forensisch deskundigen waren afkomstig van de FBI, de Secret Service, en het Bureau of Alcohol, Tobacco and Firearms, een bureau vol problemen dat niettemin over uitstekend technisch personeel beschikte. Ze haalden enkele uren lang alles in huis overhoop. Iedereen droeg handschoenen. Elk oppervlak zou op vingerafdrukken worden gecontroleerd, die vergeleken werden met die van de dode terroristen.

'Enkele weken geleden hebt u gezien dat ik zwoer om de grondwet van de Verenigde Staten te behouden, te beschermen en te verdedigen. Dat was de tweede keer dat ik dat deed. De eerste keer was als jonge tweede luitenant bij de marine, nadat ik afgestudeerd was aan Boston College. Direct daarna heb ik de grondwet gelezen om er zeker van te zijn dat ik wist wat ik moest verdedigen.

Dames en heren, we horen politici vaak zeggen dat ze willen dat de overheid u macht geeft zodat u dingen kunt ondernemen.

Dat is niet de juiste manier,' zei Ryan met klem. 'Thomas Jefferson heeft geschreven dat overheden hun macht ontlenen aan de toestemming van de degenen die geregeerd worden, u dus. U zou allemaal de grondwet moeten lezen. De grondwet van de Verenigde Staten is niet geschreven om u te vertellen wat u moet doen. De grondwet regelt de relatie tussen de drie onderdelen van de overheid. De grondwet vertelt de overheid wat die mag doen en niet mag doen. De overheid mag uw vrijheid van meningsuiting niet beperken. De overheid mag u niet vertellen hoe u moet bidden. De overheid mag heel veel dingen niet. De overheid neemt veel liever dan ze geeft, maar voorop staat dat de overheid u niet de macht geeft. U geeft de overheid de macht. Wij hebben een overheid van de mensen. U bent geen mensen die tot de overheid behoren.

U zult morgen geen bazen kiezen, maar werknemers, dienaren van uw wil, bewakers van uw rechten. Wij vertellen u niet wat te doen. U vertelt óns wat te doen.

Het is niet mijn taak uw geld af te nemen en terug te geven. Het is mijn taak zoveel geld van u te nemen als ik nodig heb om u te beschermen en te dienen, en om die taak zo efficiënt mogelijk uit te voeren. De overheidsdienst kan een belangrijke plicht en een grote verantwoordelijkheid zijn, maar mag niet profijtelijk zijn voor degenen die dienen. De overheidsdienaren dienen zich juist voor u op te offeren, en niet andersom.

Afgelopen vrijdag verloren drie deugdzame mannen en twee deugdzame vrouwen het leven in dienst van ons land. Ze waren aanwezig om mijn dochter Katie te beschermen. Maar er waren daar ook andere kinderen, en als je één kind beschermt, bescherm je alle kinderen. Zulke mensen vragen niet veel

meer dan uw respect. Dat verdienen ze. Ze verdienen het omdat ze dingen doen die we niet gemakkelijk zelf kunnen. Daarom stellen we hen aan. Ze tekenen ervoor omdat ze weten dat dienstverlening belangrijk is, omdat ze om ons geven, omdat ze ons zíjn. U en ik weten dat niet alle overheidsmedewerkers zo zijn. Dat is niet hun schuld. Dat is uw schuld. Als u niet om het allerbeste vraagt, zult u dat niet krijgen. Als u niet de juiste mate van macht aan de juiste mensen geeft, dan zullen de verkeerden meer macht nemen dan ze nodig hebben en die macht gebruiken zoals zij het willen, niet zoals u het wilt. Dames en heren, daarom is uw taak om morgen de juiste mensen te kiezen om u te dienen zo belangrijk. Velen van u hebben een eigen bedrijf en stellen mensen aan om voor u te werken. De meesten van u hebben een eigen huis, en soms laat u loodgieters, elektriciens en timmerlieden voor u werken. U probeert de juiste mensen aan te stellen voor het werk omdat u daarvoor betaalt. U wilt dat het goed gedaan wordt. Als uw kind ziek is, probeert u de beste dokter te vinden. U let op wat de dokter doet en hoe goed hij of zij dat doet. Waarom? Omdat niets belangrijker voor u is dan het leven van uw kind.
Amerika is ook uw kind. Amerika is een eeuwig jong land. Amerika heeft de juiste mensen nodig om voor haar te zorgen. Het is uw taak de juiste mensen te kiezen, ongeacht politieke partij, ras, geslacht of wat dan ook. Alleen talent en integriteit tellen. Ik kan en zal u niet vertellen welke kandidaat uw stem verdient. God heeft u een vrije wil gegeven. De grondwet dient ter bescherming van uw recht om die vrije wil uit te oefenen. Als u dat niet op een verstandige manier doet, dan hebt u verraad gepleegd aan uzelf en kan ik noch een ander daar iets voor u aan veranderen.
Ik dank u dat u hier gekomen bent om mij bij mijn eerste bezoek aan Colorado Springs te ontmoeten. Morgen is uw grote dag. Gebruik die dag om de juiste mensen aan te stellen.'

'Tijdens zijn rondreis door het land aan de vooravond van de verkiezingen voor het Huis van Afgevaardigden heeft president Ryan een reeks toespraken gehouden die duidelijk de bedoeling hadden de conservatieve stemmers te bereiken. Maar zelfs nu de federale recherche een onderzoek uitvoert naar de brutale terroristische aanslag op zijn dochter, heeft hij het voorstel van strengere wapenwetgeving verworpen. Dit meldt NBC-correspondent Hank Roberts, die vandaag met het presidentiële gezelschap meereisde.' Tom Donner bleef in de camera kijken tot het rode lampje uitging.
'Volgens mij heeft hij vandaag best goede dingen gezegd,' merkte Plumber op tijdens het opgenomen verslag.
'Die toespeling op *I Love Lucy* is vast afkomstig van Callie Weston; ze had zeker veel last van PMS,' zei Donner, door zijn teksten bladerend. 'Vreemd, ze schreef geweldige toespraken voor Bob Fowler.'
'Heb je die toespraak ook echt gelezen?'
'Kom nou, John, we hoeven niet te lezen wat hij zegt. We weten wat hij gaat zeggen.'

'Tien seconden,' meldde de regisseur in hun oortelefoontjes.
'Mooie kopij voor straks trouwens, John.' Bij 'drie' maakte de glimlach plaats voor een ernstig gezicht.
'Een enorme federale politiemacht onderzoekt momenteel de aanslag van afgelopen vrijdag op de dochter van de president. Een verslag van Karen Staber in Washington.'
'Ik dacht wel dat het je zou bevallen, Tom,' antwoordde Plumber toen het licht weer uitging. Des te beter, dacht hij. Zijn geweten was nu gesust.

De VC-25 koos op tijd het luchtruim en vloog in noordelijke richting om slecht weer boven het noorden van New Mexico te ontlopen. Arnie van Damm zat bovenin bij de communicatieapparatuur. Er waren genoeg belangrijk uitziende kastjes om van hieruit de halve wereld te besturen, zo leek het althans, en verborgen in de huid van het vliegtuig bevond zich een dure satellietschotel waarmee vrijwel alles opgevangen kon worden. Op aanwijzing van de stafchef werd nu het NBC-kanaal van de satelliet opgevangen.

'Dan volgt nu het afsluitend commentaar van speciaal correspondent John Plumber.' Donner draaide zich naar hem toe. 'John.'
'Dank je, Tom. Het is al vele jaren geleden dat ik de journalistiek als beroep koos, omdat ik in mijn jeugd daartoe geïnspireerd werd. Ik herinner me nog mijn kristallen radio... Degenen onder u die oud genoeg zijn herinneren zich nog wel dat je die aan een leiding moest aarden,' verklaarde hij glimlachend. 'Ik herinner me dat ik tijdens de Blitzkrieg naar Ed Murrow in Londen luisterde, naar Eric Severeid uit de jungle van Birma en naar alle legendarische grondleggers van ons vak. Dat waren werkelijk reuzen. Ik groeide op met beelden in mijn hoofd die geschilderd waren door de woorden van mannen aan wie heel Amerika kon toevertrouwen dat ze de waarheid naar beste vermogen zouden vertellen. Ik besloot dat het uitzoeken van de waarheid en die aan mensen overbrengen een even nobele roeping was als elke andere.
We zijn niet altijd perfect in dit beroep. Dat is niemand,' ging Plumber verder. Rechts van hem keek Donner verbaasd naar de autocue. Dit was niet de tekst die voor de cameralens werd afgerold en hij realiseerde zich dat Plumber uit zijn geheugen sprak, ook al had hij een tekst voor zich liggen. Stel je voor. Zeker net als vroeger.
'Ik zou graag willen vertellen dat ik er trots op ben dit beroep uit te oefenen. Dat was ik vroeger ook, ooit. Ik zat achter de microfoon toen Neil Armstrong op de maan stapte, maar ook bij triester gelegenheden zoals de begrafenis van Jack Kennedy. Maar als je een vakkundig journalist wilt zijn, betekent dat niet dat je er alleen maar bij hoeft te zijn. Het betekent dat je iets moet uitdragen, in iets moet geloven, ergens voor moet staan.
Enkele weken geleden interviewden we president Ryan twee keer op een dag. Het eerste interview werd 's ochtends opgenomen, en het tweede werd live uitgezonden. De vragen verschilden enigszins. Daar was een reden voor. Tus-

sen het eerste en het tweede interview werden we gebeld voor een gesprek met iemand. Ik zal nu niet zeggen wie dat was. Dat doe ik later. Die persoon gaf ons informatie. Het was gevoelige informatie, bedoeld om de president schade toe te brengen, en op dat moment leek het een goed verhaal. Dat was het niet, maar dat wisten we toen nog niet. Op dat moment leek het alsof we de verkeerde vragen hadden gesteld. We wilden betere vragen stellen.

Daarom logen we. We logen tegen de stafchef van de president, Arnold van Damm. We vertelden hem dat de band beschadigd was. Daardoor logen we ook tegen de president. Maar het ergste was dat we ook tegen u logen. Ik heb de banden in mijn bezit. Ze zijn in het geheel niet beschadigd.

Er werd geen wet overtreden. Het Eerste Amendement staat ons toe bijna alles te doen wat we willen. Dat is ook juist, omdat u het uiteindelijke oordeel over ons en ons werk velt. Maar iets wat we niet mogen doen, is uw vertrouwen schenden.

Ik ben niet dol op president Ryan. Persoonlijk gezien verschil ik op veel beleidsvlakken met hem van mening. Als hij aan de verkiezingen zou meedoen, zou ik waarschijnlijk op een ander stemmen. Maar ik was onderdeel van die leugen, en daar kan ik niet mee leven. Wat zijn gebreken ook zijn, John Patrick Ryan is een man die respect verdient, en ik mag mijn persoonlijke sympathieën of antipathieën geen rol laten spelen in mijn werk.

In dit geval deed ik dat wél. Ik was fout. Ik ben de president mijn excuses verschuldigd en ik ben u mijn excuses verschuldigd. Dit kan heel goed het einde van mijn carrière als televisiejournalist betekenen. Als dat zo is, dan wil ik vertrekken zoals ik gekomen ben, namelijk door de waarheid zo goed mogelijk te vertellen.

Goedenavond, dit was NBC News.' Plumber haalde heel diep adem, terwijl hij naar de camera bleef kijken.

'Waar ging dat in godsnaam over?'

Plumber stond op alvorens te antwoorden. 'Als jij die vraag nog moet stellen, Tom...'

De telefoon op zijn bureau ging, althans er begon een lampje te knipperen. Plumber besloot niet op te nemen, maar liep rechtstreeks naar de kleedkamer. Tom Donner moest het maar alleen uitzoeken.

Meer dan drieduizend kilometer verderop, boven de Rocky Mountains, zette Arnold van Damm de videorecorder stil, pakte de band en liep de wenteltrap af naar het compartiment van de president in de neus. Hij zag dat Ryan zijn volgende en laatste toespraak van de dag zat te lezen.

'Jack, ik denk dat je dit wel wilt zien,' zei de stafchef met een brede grijns.

Eén moet er de eerste zijn. Ditmaal gebeurde het in Chicago. Ze was zaterdagmiddag naar haar huisarts geweest en had hetzelfde als alle anderen te horen gekregen. Griep. Aspirine. Veel drinken. Bedrust. Maar toen ze in de spiegel keek, zag ze verkleuringen op haar lichte huid, wat haar nog banger maakte dan de eerdere symptomen die ze tot op dat moment had ontwikkeld. Ze belde haar huisarts, maar ze kreeg alleen een antwoordapparaat. Ze kon niet wachten met die vlekken, en daarom stapte ze in de auto en reed naar het medisch centrum van de universiteit van Chicago, een van de beste van het land. Ze moest bijna drie kwartier bij de EHBO wachten. Toen haar naam werd afgeroepen, stond ze op en liep ze naar het bureau, maar ze haalde het niet. Onder het oog van de receptionisten viel ze op de tegels. Er werd snel gereageerd en een minuut later lag ze op een brancard. Ze werd naar de behandelkamer gereden, terwijl een van de receptionisten met haar papieren achter haar aan liep.

De eerste arts die haar bekeek, was een jonge eerstejaars assistent-internist die hier met veel plezier stage liep.

'Wat is het probleem?' vroeg hij, terwijl verpleegkundigen de pols, de bloeddruk en de ademhaling controleerden.

'Hier,' zei de receptioniste, terwijl ze hem de papieren gaf. De arts keek ze door.

'De symptomen lijken op griep, maar wat is dit?'

'Hartslag is honderdtwintig, bloeddruk is... wacht even.' De verpleegster controleerde die nogmaals. 'Bloeddruk negentig over vijftig?' Daar zag ze er veel te normaal voor uit.

De arts maakte de blouse van de vrouw los. Daar zag hij het. Het was zo duidelijk dat passages uit zijn leerboeken hem direct te binnen schoten. De jonge arts hief zijn handen ten hemel.

'Stop allemaal met je werk. We hebben hier een groot probleem. Ik wil dat iedereen nieuwe handschoenen aandoet en smoeltjes voordoet. Nu meteen.'

'Temp is veertig twee,' zei een andere verpleegster, terwijl ze verder van de patiënte af ging staan.

'Dit is geen griep. We zien een grote interne bloeding en dat zijn puntbloedinkjes.' De arts-assistent haalde een smoeltje en trok nieuwe handschoenen aan. 'Laat dokter Quinn hier komen.'

Een verpleegster liep snel weg, terwijl de arts weer naar de papieren keek. Braakt mogelijk bloed, donkere stoelgang. Lage bloeddruk, hoge koorts en onderhuidse bloedingen. Maar dit was toch Chicago, dacht hij ongelovig. Hij pakte een naald.

'Laat iedereen uit de buurt blijven. Niemand mag in de buurt van mijn handen en armen komen,' zei hij, terwijl hij de naald in de ader stak en vier buisjes bloed van 5 cc opzoog.

'Wat is er?' vroeg dokter Joe Quinn. De assistent herhaalde de symptomen en reageerde zelf met een vraag, terwijl hij de buisjes bloed op een tafel legde.

'Wat denk jij, Joe?'

'Als we ergens anders waren...'

'Ja. Hemorragische koorts, als dat mogelijk is.'

'Heeft iemand haar gevraagd waar ze geweest is?' vroeg Quinn.

'Nee, dokter,' antwoordde de receptioniste.

'Koude kompressen,' zei de hoofdverpleegster, terwijl ze een armvol ervan overhandigde. Ze werden onder de oksels, onder de nek en op andere plaatsen gelegd om de levensgevaarlijk hoge koorts te verminderen.
'Dilantin?' vroeg Quinn zich af.
'Er zijn nog geen stuipen. Verdomme.' De chef-arts pakte zijn schaar en knipte de beha van de patiënte door. Er zaten meer puntbloedinkjes op haar borst. 'Deze dame is ernstig ziek. Bel dokter Klein van infectieziekten. Hij is nu thuis. Vertel hem dat we hem direct hier nodig hebben. We moeten haar temperatuur omlaag brengen, haar wakker zien te krijgen en uitzoeken waar ze in godsnaam geweest is.'

47
Indexgeval

Professor Mark Klein gaf fulltime onderwijs aan de universiteit en was daarom aan regelmatige werktijden gewend. Het kwam niet vaak voor dat hij om negen uur 's avonds opgeroepen werd, maar hij was arts, en daarom ging hij als hij opgeroepen werd. Op deze maandagavond was het een ritje van niet meer dan twintig minuten naar zijn gereserveerde parkeerplaats. Hij passeerde de beveiliging met een hoofdknikje, trok steriele kleding aan, kwam de EHBO aan de achterzijde binnen en vroeg de verpleging waar Quinn was.
'Isolatie Twee, dokter.'
Hij was er in twintig seconden en hield plotseling zijn pas in toen hij de waarschuwingsborden op de deur zag. Goed, dacht hij, deed een smoeltje voor, trok handschoenen aan en liep naar binnen.
'Dag, Joe.'
'Ik wil dit niet zonder u doen, professor,' zei Quinn zacht, terwijl hij de kaart overhandigde.
Klein bekeek de gegevens, maar kon nauwelijks geloven wat hij zag. Hij begon opnieuw, telkens opkijkend om de patiënt met de gegevens te vergelijken. Vrouw, blank, ja, leeftijd eenenveertig, klopte ongeveer, gescheiden, dat was haar zaak, appartement drie kilometer verderop, mooi, temperatuur bij binnenkomst veertig twee, dat was verdomde hoog, bloeddruk verschrikkelijk laag. Puntbloedinkjes?
'Laat me eens kijken,' zei Klein. De patiënt was aan het bijkomen. Ze bewoog haar hoofd een beetje en maakte enig geluid. 'Wat is haar temperatuur nu?'
'Negenendertig, zakt aardig,' antwoordde de assistent, terwijl Klein het groe-

ne laken omlaag trok. De patiënte was nu naakt en de vlekjes waren heel duidelijk zichtbaar op haar verder lichte huid. Klein keek naar de andere artsen.
'Waar is ze geweest?'
'Dat weten we niet,' zei Quinn. 'We hebben haar tas doorzocht. Het lijkt erop dat ze manager is bij Sears, in een kantoor in de toren.'
'Hebben jullie haar onderzocht?'
'Ja, dokter,' zeiden Quinn en de jongere assistent tegelijk.
'Dierenbeten?' vroeg Klein.
'Nee. Geen sporen van naalden, helemaal niets opmerkelijks. Ze heeft niet gebruikt.'
'Ik houd het op mogelijke hemorragische koorts, oorzaak van besmetting tot nu toe onbekend. Ik wil dat ze naar boven gaat. Volstrekte isolatie, alle voorzorgen. Ik wil dat deze kamer helemaal wordt gereinigd, alles wat ze heeft aangeraakt.'
'Ik dacht dat die virussen alleen via...'
'Niemand weet het, dokter, en het baart me altijd zorgen als ik iets niet kan verklaren. Ik ben in Afrika geweest. Ik heb lassa- en Q-koorts gezien. Ebola heb ik niet gezien. Maar wat zij heeft, lijkt verrotte veel op een van die aandoeningen,' zei Klein, die deze vreselijke namen voor het eerst uitsprak.
'Maar hoe...'
'Als je het niet weet, dan betekent dat dat je het niet weet,' zei professor Klein tegen de assistent. 'Als je bij infectieziekten de wijze van overdracht niet weet, dan moet je van het ergste uitgaan. Het ergste geval is besmetting via de lucht, en zo zal deze patiënte behandeld worden. Laat haar naar mijn afdeling overbrengen. Iedereen die met haar in contact is geweest, dient zich geheel te reinigen, zoals bij aids of hepatitis. Volledige voorzorgen,' benadrukte hij weer.
'Waar is het bloed dat je afgenomen hebt?'
'Daar.' De assistent wees naar een rode plastic bus.
'Wat nu?' vroeg Quinn.
'We sturen een buisje naar Atlanta, maar ik denk dat ik zelf ook even kijk.'
Klein beschikte over een prachtig laboratorium waarin hij elke dag werkte. Hij hield zich meestal bezig met zijn grote passie, aids.
'Kan ik meekomen?' vroeg Quinn. 'Mijn dienst zit er over een paar minuten toch op.' Maandag was meestal een rustige dag op de EHBO. In de weekenden ging het er meestal hectisch aan toe.
'Natuurlijk.'

'Ik wist dat Holtzman het voor me op zou nemen,' zei Arnie. Hij genoot van een drankje om het goede nieuws te vieren, terwijl de 747 de daling naar Sacramento inzette.
'Wat?' vroeg de president.
'Bob is een keiharde klootzak, maar wel een eerlijke klootzak. Dat betekent ook dat hij je eerlijk naar de brandstapel zal voeren als hij denkt dat je dat verdient. Vergeet dat nooit,' zei de stafchef.

'Donner en Plumber hebben gelogen,' zei Jack met stemverheffing. 'Verdomme.'
'Iedereen liegt, Jack. Zelfs jij. Het is maar hoe je het bekijkt. Sommige leugens dienen om de waarheid te beschermen, sommige om die te verbergen. Sommige dienen om die te ontkennen en sommige leugens worden verteld omdat het niemand een donder kan schelen.'
'En wat is hier gebeurd?'
'Een combinatie, meneer de president. Ed Kealty wilde dat ze jou voor hem in een hinderlaag lokten. Hij heeft ze belazerd. Maar ik heb die leugenachtige hufter voor je te grazen genomen. Ik wed dat er morgen op de voorpagina van de *Post* een artikel staat waarin Kealty wordt afgeschilderd als de man die twee zeer ervaren journalisten in de maling heeft genomen. De pers zal zich dan als een groep wolven op hem storten.' De journalisten achter in het vliegtuig bespraken dit al met elkaar. Arnie had ervoor gezorgd dat de NBC-nieuwsvideo over het videosysteem van de cabine was vertoond.
'Omdat hij degene is die ze zwart heeft gemaakt...'
'Je hebt het begrepen, baas,' bevestigde Van Damm, het restje van zijn borrel opdrinkend. Hij kon er niet aan toevoegen dat het wellicht niet gebeurd was als de aanslag op Katie Ryan niet had plaatsgevonden. Zelfs journalisten toonden soms medeleven, en dat kon de doorslag hebben gegeven in de omslag in Plumbers denken over de kwestie. Hij was natuurlijk degene die zo zorgvuldig naar Bob Holtzman had gelekt. Hij besloot dat hij een agent van de Secret Service een goede sigaar voor hem zou laten kopen als ze eenmaal geland waren. Hij had er wel trek in.

Adlers biologische klok was nu geheel in de war. Hij ontdekte dat het hielp om af en toe een tukje te doen en het hielp ook dat de boodschap die hij overbracht zo eenvoudig en positief was. De auto stopte. Een lagere functionaris opende met een hoffelijke buiging de deur voor hem. Op weg naar het ministerie moest Adler een geeuw onderdrukken.
'Wat prettig om u weer te zien,' zei de Chinese minister van Buitenlandse Zaken via zijn tolk. Zhang Han San was er ook weer en begroette hem eveneens.
'Uw vriendelijke aanbod om rechtstreekse vluchten toe te staan maakt mijn werk zeker gemakkelijker. Ik ben u daar dankbaar voor,' antwoordde Adler terwijl hij plaatsnam.
'U begrijpt wel dat dit uitzonderlijke omstandigheden zijn,' merkte de Chinese minister op.
'Uiteraard.'
'Welk nieuws brengt u ons van onze halsstarrige verwanten?'
'Ze zijn geheel en al bereid om zich aan te passen aan uw verminderingen in activiteit, teneinde de spanning te verminderen.'
'En hun beledigende beschuldigingen?'
'Meneer de minister, die kwestie is niet ter sprake gekomen. Ik geloof dat ze in gelijke mate als u naar vreedzame omstandigheden willen terugkeren.'

Dat is mooi van ze,' merkte Zhang op. 'Zij beginnen vijandelijkheden, schie-
en twee vliegtuigen van ons neer, beschadigen een van hun eigen passagiers-
oestellen, doden meer dan honderd mensen, hetzij opzettelijk, hetzij door
ncompetentie, en dan zeggen ze dat ze zich aan ons zullen aanpassen als het
m het verminderen van provocaties gaat. Ik hoop dat uw regering de toegeef-
ijkheid die wij hierbij tonen op waarde weet te schatten.'
Meneer de minister, vrede is toch in het grootste belang van iedereen? Amerika weet de daden van beide partijen bij deze informele onderhandelingen op
vaarde te schatten. De Volksrepubliek is inderdaad op meer dan één manier
oeschietelijk geweest en de regering op Taiwan is bereid om zich aan uw
laden aan te passen. Wat is er nog meer vereist dan dat?'
Heel weinig,' antwoordde de minister van Buitenlandse Zaken. 'Niet meer
lan compensatie voor de dood van onze vier piloten. Ieder van hen laat een
gezin achter.'
Hun vliegtuigen hebben eerst geschoten,' benadrukte Zhang.
Dat kan waar zijn, maar de kwestie met dat passagiersvliegtuig is nog steeds
niet duidelijk.'
Zeker is dat wij daar niets mee te maken hadden,' zei de minister van Buiten-
andse Zaken.
Slechts weinig was vervelender dan onderhandelingen tussen staten, maar
daar was een reden voor. Plotselinge of verrassende manoeuvres konden een
and tot slecht voorbereide besluiten dwingen. Onverwachte druk veroorzaakte woede en voor woede was geen plaats in overleg en besluiten op hoog
niveau. Daarom werden er tijdens belangrijke besprekingen vrijwel nooit
besluiten genomen, maar hadden ze een beschouwend karakter, zodat elke
partij de tijd had om de eigen positie zorgvuldig te overdenken, evenals die
van de ander. Zo kon een slotcommuniqué opgesteld worden waarmee beide
zijden relatief tevreden konden zijn. Dit betekende dat de eis van compensatie
een inbreuk op de normale regels was. Als het op de juiste manier was
gebeurd, dan zou de eis tijdens de eerste bespreking op tafel zijn gelegd, waarna Adler die naar Taipei zou hebben meegenomen en waarschijnlijk als zijn
eigen voorstel hebben gebracht, nadat Taiwan zich akkoord had verklaard
mee te werken aan het verminderen van de spanning. Maar dat hadden ze al
gedaan, en nu wilde de Volksrepubliek dat hij het verzoek om compensatie
mee terugnam in plaats van een formule voor regionale ontspanning. Dat was
een belediging van de Taiwanese regering en in zekere zin ook een belediging
van de Amerikaanse regering omdat die nu als loopjongen voor een ander
land werd gebruikt.
Dit gold des te sterker omdat Adler en Taiwan wisten wie op het lijntoestel
geschoten had en wie dus minachting voor het menselijk leven had getoond,
en daarvoor eiste de volksrepubliek China nu compensatie! En nu vroeg Adler
zich weer af hoeveel van wat hij over het incident wist, bij de Volksrepubliek
bekend was. Als ze veel wisten, dan was dit beslist een spel waarvan de regels
nog ontrafeld moesten worden.

'Ik denk dat het zinvoller zou zijn als beide zijden hun verliezen zouden accepteren,' stelde Adler voor.
'Dat kunnen we helaas niet accepteren. Het is een kwestie van principe. Degene die een onjuiste daad begaat, moet de ander tegemoetkomen.'
'Maar stel dat... ik heb geen bewijs dat dit zo is, maar stel dat vastgesteld wordt dat de Volksrepubliek het lijntoestel per ongeluk heeft getroffen? In een dergelijk geval zou uw verzoek om compensatie ongerechtvaardigd lijken.'
'Dat is niet mogelijk. We hebben de piloten die het overleefd hebben ondervraagd. Hun meldingen zijn ondubbelzinnig.' Dit was Zhang weer.
'Waarom verzoekt u precies?' vroeg Adler.
'Tweehonderdduizend dollar voor elk van de vier omgekomen piloten. Het geld zal natuurlijk naar hun gezinnen gaan,' beloofde Zhang.
'Ik kan dit verzoek overbrengen aan...'
'Neem me niet kwalijk. Het is geen verzoek. Het is een eis,' zei de minister van Buitenlandse Zaken tegen Adler.
'Aha. Ik kan uw positie aan hen duidelijk maken, maar ik moet u dringend vragen dit niet tot een voorwaarde te maken van uw belofte om de spanning te verminderen.'
'Dat is onze positie,' zei de minister van Buitenlandse Zaken met een uiterst serene blik.

'En God zegene Amerika,' besloot Ryan. De menigte stond op en juichte hem toe. De band begon te spelen. Overal waar hij heen ging, moest een band zijn, veronderstelde Jack. Hij verliet het podium, omringd door een haag van nerveuze agenten van de Secret Service. Mooi, dacht de president, ditmaal ook geen geweervuur vanuit de verblindende lampen. Hij onderdrukte weer een geeuw. Hij was nu meer dan twaalf uur op pad. Het houden van vier toespraken leek geen al te zware lichamelijke arbeid, maar Ryan kreeg nu pas in de gaten hoe uitputtend spreken in het openbaar kon zijn. Voordat je op moest was je altijd nerveus en hoewel dat na een paar minuten voorbij was, eiste alle opgekropte spanning haar tol. Het avondeten had hem niet echt opgevrolijkt. Het was smakeloos geweest; er was zo zorgvuldig op gelet dat niemand beledigd kon worden dat het niemands aandacht meer waard was. Maar toch had hij er het zuur van gekregen.
'Goed,' zei Arnie tegen hem, terwijl het presidentiële gezelschap zich opmaakte om via de achterdeur te verdwijnen. 'Voor iemand die gisteren op het punt stond ermee op te houden, deed je het vreselijk goed.'
'Meneer de president!' riep een verslaggever.
'Praat wat met hem,' fluisterde Arnie.
'Ja?' zei Jack, terwijl hij tot ongenoegen van de beveiliging op hem toe liep.
'Bent u op de hoogte van wat John Plumber vanavond op NBC heeft gezegd?' De verslaggever was van ABC en wilde de kans om een concurrerende omroep een slag toe te brengen niet laten lopen.
'Ja, ik heb erover gehoord,' antwoordde de president neutraal.

Hebt u er commentaar op?'
Ik vind het uiteraard allemaal niet prettig om te horen, maar wat de heer Plumber betreft: het is een zeer edelmoedige daad. Dat zie je niet vaak. Hij is oké.'
Weet u wie degene was die...'
Dat moet de heer Plumber zelf maar zeggen. Het is zijn verhaal, dat hij zelf het beste kan vertellen. En als u me nu wilt excuseren, ik moet het vliegtuig halen.'
Dank u, meneer de president,' zei de ABC verslaggever tegen Ryans rug.
Heel goed,' zei Arnie glimlachend. 'Het was een lange dag, maar het was ook een goede dag.'
Ryan zuchtte diep. 'Jij zegt het.'

'O mijn god,' fluisterde professor Klein. Daar verscheen het ding op de monitor. De herdersstaf, precies als in het medisch leerboek. Hoe was die in Chicago terechtgekomen?
'Dat is ebola,' zei dokter Quinn, en hij voegde eraan toe: 'Dat is onmogelijk.'
'Hoe goed hebt u het lichamelijk onderzoek uitgevoerd?' vroeg de professor weer.
'Kon beter, maar... geen beten, geen naalden. Mark, dit is Chicago. Een paar dagen geleden moest ik het ijs nog van mijn voorruit krabben.'
Professor Klein drukte zijn handen tegen elkaar en duwde zijn gehandschoende vingers tegen zijn neus. Hij hield daarmee op toen hij zich realiseerde dat hij nog altijd een smoeltje voor had. 'Sleutels in haar tas?'
'Ja, meneer.'
'Er zijn hier agenten in de buurt. Haal er een en zeg tegen hem dat we een politie-escorte naar haar appartement moeten hebben en daar rond moeten kijken. Zeg tegen hem dat die vrouw in levensgevaar verkeert, misschien heeft ze een huisdier of een tropische plant of zo. We hebben de naam van haar huisarts. Laat hem hier komen. We moeten erachter komen wat hij van haar weet.'
'Behandeling?'
'We moeten haar afkoelen en vocht toedienen. We geven medicatie tegen de pijn, maar er is niets dat echt helpt. Rousseau heeft in Parijs onder meer interferon geprobeerd, maar zonder succes.' Hij keek weer bezorgd naar het scherm. 'Hoe heeft ze dat gekregen? Hoe heeft ze dat ellendige beest opgelopen?'
'CDC?'
'Haal een politieman. Ik stuur Gus Lorenz direct een fax.' Klein keek op zijn horloge. Verdomme.

De Predators waren weer terug in Saoedi-Arabië zonder ooit ontdekt te zijn. Het leek echter wat te gevaarlijk om ze boven een vaste positie te laten cirkelen, zoals een divisiekampement. Het werk van bovenaf werd nu uitgevoerd

door satellieten, waarvan de foto's aan het National Reconnaissance Office werden doorgegeven.
'Kijk eens,' zei een van leden van de nachtploeg tegen de man naast hem. 'Wat zijn dit?'
De tanks van de 'Onsterfelijken'-divisie van de VIR stonden op een soort groot parkeerterrein bij elkaar. Ze stonden in lange rijen op gelijke afstand van elkaar zodat ze geteld konden worden. Een gestolen tank met een volle lading granaten was bijzonder gevaarlijk als die op hol sloeg, en alle legers gaven de hoogste prioriteit aan de beveiliging van de tankopslagplaatsen. Ook voor het onderhoudspersoneel was het gemakkelijker als alle tanks bij elkaar stonden. Nu waren ze allemaal terug en was er veel personeel aan de tanks en andere voertuigen bezig met het normale onderhoud na een grote oefening. Voor elke tank op de voorste rij waren twee donkere lijnen van een meter breed en tien meter lang zichtbaar. De man aan het scherm had bij de luchtmacht gewerkt en had meer ervaring met vliegtuigen dan met landmachtvoertuigen.
Zijn buurman had aan één blik voldoende. 'Rupsbanden.'
'Wat?'
'Ze verwisselen de banden. Rupsbanden slijten en dan moet je nieuwe aanbrengen. De oude worden naar de werkplaats gebracht en worden gebruikt in platforms en dergelijke,' legde de eerste soldaat uit. 'Niks bijzonders.'
Bij nadere beschouwing bleek hoe dat gedaan werd. De nieuwe rupsbanden werden voor de oude gelegd. De oude werden losgemaakt en aan de nieuwe vastgemaakt. Daarna reed de tank met lopende motor simpelweg vooruit, waarbij het tandwiel de nieuwe rupsband op zijn plaats legde, over de wielen. Er waren verscheidene mannen bij nodig en het was heet en zwaar werk, maar door een goed getrainde tankbemanning kon het onder ideale omstandigheden in een uur gedaan worden. Volgens de ex-soldaat ging het hier om zulke bemanningen. Het kwam erop neer dat de tank de nieuwe rupsbanden op reed.
'Ik heb nooit geweten hoe ze dat deden.'
'Het is een stuk makkelijker dan dat ding van de grond tillen.'
'Hoe lang gaat een rupsband mee?'
'Op zo'n tank, die dwars de woestijn door gaat? Laten we zeggen zestienhonderd kilometer, misschien wat minder.'

De twee banken in de cabine voor in Air Force One konden worden uitgevouwen tot bedden. Nadat Ryan zijn staf had weggezonden, hing hij zijn kleren op en ging liggen. De lakens waren schoon en hij was zo moe dat het hem niet kon schelen dat hij in een vliegtuig zat. De vlucht naar Washington zou vierenhalf uur duren en daarna zou hij in zijn eigen bed nog wat kunnen slapen. Anders dan doorsnee reizigers zou hij de volgende dag zelfs nog wat nuttig werk kunnen doen.
In de grote cabine achterin probeerden de verslaggevers eveneens te slapen. Ze hadden besloten de opzienbarende onthulling van Plumber tot de volgen-

de dag te laten rusten. Ze hadden trouwens geen keuze; zo'n belangrijke kwestie werd minimaal op het niveau van de adjunct-hoofdredacteur behandeld. Veel schrijvende journalisten droomden over de redactionele commentaren die in de kranten zouden verschijnen. De tv-reporters probeerden zolang te vergeten wat dit voor hun geloofwaardigheid zou betekenen.

In de tussenliggende cabine zaten de stafleden van de president. Ze waren een en al vrolijkheid, althans meestal.

'Ik heb eindelijk gezien hoe kwaad hij kan worden,' zei Arnie tegen Callie Weston. 'Een belevenis.'

'En ik wed dat hij het bij jou ook gezien heeft.'

'Ik heb gewonnen.' Arnie nipte aan zijn drankje. 'Als ik zie hoe de zaken gaan, dan denk ik dat we best een goede president hebben.'

'Hij haat de baan,' zei Weston relativerend.

Arnie van Damm maalde er niet om: 'Geweldige toespraken, Callie.'

'Hij weet ze op zo'n charmante manier voor te dragen,' zei ze bedachtzaam. 'Hij begint steeds gespannen en bedeesd, maar dan ontwaakt de leraar in hem en raakt hij echt op dreef. Hij weet het zelf niet eens.'

'Eerlijkheid. Die blijkt er echt uit, vind je niet?' Arnie pauzeerde even. 'Er komt een herdenkingsdienst voor de dode agenten.'

'Ik denk er al over na,' verzekerde Weston hem. 'Wat ga je met Kealty doen?'

'Daar denk ik nou over na. We moeten die zak voorgoed uit de weg ruimen.'

Badrayn zat weer achter zijn computer de toepasselijke Internet-sites te bekijken. Nog steeds niets. Als het nog veel langer duurde, zou hij zich mogelijk zorgen gaan maken, al was het niet echt zijn probleem als er niets gebeurde. Alles wat hij had gedaan, was perfect verlopen.

Toen patiënte Zero haar ogen opende, trok dit ieders aandacht. Haar lichaamstemperatuur was gezakt tot achtendertig zes, wat geheel te danken was aan de koude kompressen waarmee ze omgeven was als een vis op de markt. De pijn en de uitputting waren duidelijk zichtbaar op haar gezicht. Wat dat betreft zag ze eruit als een patiënt met aids in een gevorderd stadium, een ziekte waarmee de arts maar al te vertrouwd was.

'Hallo, ik ben dokter Klein,' zei de professor tegen haar van achter zijn smoeltje. 'We hebben ons even zorgen om u gemaakt, maar we hebben alles nu onder controle.'

'Pijn,' zei ze.

'Weet ik, en daar gaan we wat aan doen, maar ik moet u eerst een paar vragen stellen. Kunt u me met een paar dingen helpen?' vroeg Klein.

'Goed.'

'Bent u pas nog op reis geweest?'

'Hoe bedoelt u?' Elk woord dat ze uitbracht was een aanslag op haar resterende energie.

'Bent u in het buitenland geweest?'

‘Nee. Ik ben in Kansas City geweest met het vliegtuig... tien dagen geleden, meer niet. Op één dag,’ voegde ze eraan toe.
‘Goed.’ Dat was het niet. ‘Hebt u contact gehad met iemand die in het buitenland is geweest?’
‘Nee.’ Ze probeerde haar hoofd te schudden. Het bewoog misschien een centimeter.
‘Neem me niet kwalijk, maar ik moet dit vragen. Hebt u op het moment seksuele relaties?’
De vraag maakte haar van streek. ‘Aids?’ bracht ze uit, in de veronderstelling dat dat het ergste was dat ze kon hebben.
Klein schudde nadrukkelijk zijn hoofd. ‘Nee, beslist niet. Maakt u zich daarover geen zorgen.’
‘Gescheiden,’ zei de patiënte. ‘Pas enkele maanden. Geen nieuwe... mannen in mijn leven tot nu toe.’
‘Dat zal bij zo’n mooie vrouw als u wel snel veranderen,’ merkte Klein op, in een poging een glimlach bij haar op te wekken. ‘Wat doet u bij Sears?’
‘Huishoudelijke artikelen, inkoop. Ik heb net... grote beurs... McCormack Center. Veel administratie, orders en zo.’
Zo kwamen ze niet verder. Klein stelde nog een paar vragen, die ook tot niets leidden. Hij draaide zich om en gebaarde naar de verpleegster.
‘Goed, we gaan nu iets aan de pijn doen,’ zei de professor tegen haar. Hij stapte opzij zodat de verpleegster de morfine aan de infuusstandaard kon hangen. ‘Dit begint over een paar seconden te werken. Ik kom gauw bij u terug.’
Quinn stond buiten op de gang te wachten met een politieman in uniform. Hij had een geblokte band om zijn pet.
‘Wat is er aan de hand, dokter?’ vroeg de agent.
‘De patiënt heeft iets heel ernstigs, dat mogelijk zeer besmettelijk is. Ik moet een kijkje nemen in haar woning.’
‘U weet dat dat niet echt mag. U moet naar de rechter stappen en...’
‘Agent, daar is geen tijd voor. We hebben haar sleutels. We zouden ook zo naar binnen kunnen gaan, maar ik wil dat u erbij bent zodat we kunnen zeggen dat we niets verkeerds gedaan hebben.’ Trouwens, als ze een inbraakalarm had, dan werden ze liever niet gearresteerd. ‘We kunnen geen tijd verspillen. Deze vrouw is heel erg ziek.’
‘Goed, mijn auto staat buiten.’ De agent wees de richting en de artsen volgden.
‘Heb je de fax naar Atlanta gestuurd?’ vroeg Quinn. Klein schudde zijn hoofd. ‘We moeten eerst bij haar thuis kijken.’ Hij besloot geen jas aan te trekken. Het was koud buiten en de temperatuur zou bijzonder ongastvrij zijn voor het virus als het zich ergens genesteld had, wat overigens onwaarschijnlijk was. Zijn verstand zei hem dat er geen echt gevaar bestond. Hij was nog nooit met ebola geconfronteerd in de kliniek, maar hij wist bijna alles wat er te weten viel. Het was helaas normaal dat er mensen bij hem kwamen met ziekten waarvan de aanwezigheid niet verklaard kon worden. Meestal kon door zorg-

vuldig onderzoek worden aangetoond hoe de ziekte was opgelopen, maar niet altijd. Zelfs bij aids bleef een aantal gevallen onopgehelderd. Maar dat gebeurde maar weinig, en je begon niet met een van die gevallen als referentie. Professor Klein huiverde toen hij buiten kwam. De temperatuur was rond het vriespunt en er blies een koude wind van het Michiganmeer. Maar dat was niet de reden dat hij huiverde.

Price opende de deur van de cabine in de neus. Het licht was uit, op enkele indirecte lampjes na. De president lag op zijn rug te snurken, luid genoeg om het geraas van de motoren te overstemmen. Ze moest de verleiding weerstaan op haar tenen naar binnen te gaan en een deken over hem heen te leggen. Ze glimlachte alleen en sloot de deur.
'Misschien bestaat er toch zoiets als rechtvaardigheid, Jeff,' zei ze tegen agent Raman.
'Je bedoelt dat met die journalist?'
'Ja.'
'Reken er maar niet te veel op,' zei de andere agent.
Ze keken rond. Uiteindelijk was iedereen in slaap gevallen, zelfs de stafchef. Op het bovendek deed de bemanning zijn werk, tezamen met het overige personeel van de luchtmacht. Het leek een volstrekt normale vlucht terug naar de oostkust. Air Force One bevond zich nu boven Illinois. De twee agenten liepen terug naar hun stoelen. Twee leden van het escorte zaten stilletjes te kaarten. De anderen zaten te lezen of te doezelen.
Een sergeant van de luchtmacht kwam met een map de wenteltrap af lopen.
'Spoedbericht voor de baas,' meldde ze.
'Is het zo belangrijk? We landen over anderhalf uur op Andrews.'
'Ik heb ze net van de fax gehaald,' legde de sergeant uit.
'Goed.' Price pakte de papieren aan en liep naar achteren. Zoals bij elke reis van de president was er iemand van de inlichtingendienst aan boord. Het was zijn taak de president zo nodig te vertellen wat hij over de belangrijke gebeurtenissen in de wereld moest weten; in dit geval moest hij het belang van het bericht voor hem inschatten. Price schudde tegen de schouder van de man. De functionaris opende een oog.
'Ja?'
'Moeten we de baas hiervoor wakker maken?'
De inlichtingenspecialist las het bericht door en schudde zijn hoofd. 'Kan wel wachten. Adler weet wat hij doet en er is op Buitenlandse Zaken een werkgroep hiervoor.' Hij zakte weer onderuit zonder een woord te zeggen.

'Niets aanraken,' zei Klein tegen de politieman. 'U kunt het best bij de deur blijven staan, maar als u achter ons aan loopt, mag u niets aanraken. Wacht.' De arts haalde een smoeltje in een steriele verpakking uit een plastic afvalzak die hij had meegenomen. 'Doe dit maar om.'
'Als u het zegt, dokter.'

Klein gaf hem de huissleutel. De politieman opende de deur. Er bleek een alarmsysteem te zijn. De bediening ervan zat vlak achter de deur, maar het systeem was niet ingeschakeld. De twee artsen deden eigen smoeltjes om en trokken latex handschoenen aan. Eerst deden ze alle lampen aan.
'Waar zijn we naar op zoek?' vroeg Quinn.
Klein keek al rond. Er was geen kat of hond geweest om hen te verwelkomen. Hij zag geen vogelkooien. Hij had nog gehoopt op een huisaap, maar wist eigenlijk wel dat die er niet was. Ebola leek trouwens niet al te veel van apen te houden. Het doodde ze even enthousiast als het mensen te grazen nam. Planten dan, dacht hij. Zou het niet merkwaardig zijn als de gastheer van ebola geen dier was? Dat zou een unicum zijn.
Er waren planten, maar geen erg exotische exemplaren. Ze bleven midden in de woonkamer staan en raakten niets aan met hun gehandschoende handen of zelfs met hun in een groene broek gehulde benen. Langzaam draaiden ze zich om, goed om zich heen kijkend.
'Ik zie niets,' zei Quinn.
'Ik ook niet. Keuken.'
Daar stonden nog een paar planten. In twee potjes leken keukenkruiden te staan. Klein herkende ze niet en besloot ze mee te nemen.
'Wacht. Hier,' zei Quinn, terwijl hij een kast opende en er enkele diepvrieszakjes uithaalde. Ze stopten de plantjes in de zakken, die de jongste arts zorgvuldig afsloot. Klein opende de koelkast. Er was niets vreemds te zien, evenals in de vrieskist. Hij had gedacht dat ze mogelijk exotische levensmiddelen in huis had, maar nee. Alles wat de patiënte at, was typisch Amerikaans.
De slaapkamer was niets meer dan een slaapkamer. Hier stonden geen planten.
'Een kledingstuk soms? Leer?' vroeg Quinn. 'Anthrax kan...'
'Ebola niet. Het is te kwetsbaar. We kennen het organisme waar we mee te maken hebben. Het kan in deze omgeving absoluut niet overleven,' hield de professor vol. Ze wisten niet veel van het ellendige virus af, maar op de CDC hielden ze zich onder andere bezig met de omgevingsvereisten; ze onderzochten hoe lang het virus in diverse milieus kon overleven. Chicago was in dit jaargetijde even ongastvrij voor zo'n virus als een roodgloeiende hoogoven. Misschien was een plaats als Orlando in het zuiden geschikt, maar Chicago?
'We vinden hier niets,' concludeerde hij teleurgesteld.
'De planten misschien?'
'Weet je hoe moeilijk het is een plant door de douane te krijgen?'
'Ik heb het nooit geprobeerd.'
'Ik wel; ik heb ooit geprobeerd wilde orchideeën uit Venezuela mee te nemen...' Hij keek nog eens rond. 'Hier is niets, Joe.'
'Is haar prognose even slecht als...'
'Ja.' Hij wreef met zijn handen over zijn operatiebroek. Zijn handen waren zweterig geworden in de latex handschoenen. 'Als we niet kunnen vaststellen waar het vandaan is gekomen... als we het niet kunnen verklaren...' Hij keek

zijn jongere, langere collega aan. 'Ik moet teruggaan. Ik wil nog eens naar die structuur kijken.'

'Hallo,' zei Gus Lorenz. Hij keek op zijn wekker. Wat was dat verdomme?
'Gus?' vroeg de stem.
'Ja, met wie?'
'Mark Klein in Chicago.'
'Is er iets aan de hand?' vroeg Lorenz met duffe stem. Toen hij het antwoord hoorde, sperde hij zijn ogen wijd open.
'Ik denk... nee, Gus, ik weet dat we hier iemand met ebola hebben.'
'Hoe weet je dat zo zeker?'
'Ik heb het beest. Ik heb het zelf onder de microscoop gelegd. Het is de herdersstaf, zonder enige twijfel, Gus, al zou ik het anders willen.'
'Waar is hij geweest?'
'Het is een zij, en ze is nergens in het bijzonder geweest.' Klein vatte in nog geen minuut samen wat hij wist. 'Hier is geen direct duidelijke verklaring voor.'
Lorenz had kunnen tegenwerpen dat dat onmogelijk was, maar de medische gemeenschap is op dat niveau een klein wereldje; hij wist dat Mark Klein professor was op een van de beste universiteiten ter wereld. 'Gaat het om één patiënt?'
'Het begint altijd met één, Gus,' bracht Klein zijn vriend in herinnering. Zestienhonderd kilometer van hem vandaan stapte Lorenz met een zwaai van zijn benen uit bed.
'Goed. Ik heb een monster nodig.'
'Er is een koerier op weg naar het vliegveld. Hij neemt de eerst mogelijke vlucht. Ik kan je de microscoopopnamen per e-mail toesturen.'
'Geef me drie kwartier om er te komen.'
'Gus?'
'Ja?'
'Is er iets dat ik niet weet wat de behandeling betreft? De patiënte is erg ziek,' zei Klein, in de hoop dat hij nu misschien eens niet volledig op de hoogte was van een onderwerp op zijn werkterrein.
'Ik ben bang van niet, Mark. Er is niets nieuws, voorzover ik weet.'
'Verdomme. Goed, we doen wat we kunnen hier. Bel me als je daar bent. Ik ben op mijn kantoor.'
Lorenz ging naar de badkamer, draaide de kraan open en besprenkelde zijn gezicht met water om te bewijzen dat het geen droom was. Nee, dacht hij, een nachtmerrie.

Zelfs de pers respecteerde het presidentiële voorrecht als eerste uit het vliegtuig te mogen stappen. Ryan salueerde voor de luchtmachtsergeant onder aan de trap en liep de vijftig meter naar de helikopter. Hij gespte zijn riem vast en viel weer in slaap. Een kwartier later moest hij weer opstaan en weer enkele

treden afdalen. Ditmaal begroette hij een marinier en liep in de richting van het Witte Huis. Tien minuten later bevond hij zich in een niet-bewegende slaapplaats.
'Goede reis gehad?' vroeg Cathy met een halfopen oog.
'Een lange reis,' zei haar echtgenoot, en hij viel direct weer in slaap.

De eerste vlucht van Chicago naar Atlanta vertrok om 6.15 uur plaatselijke tijd van de pier. Lorenz zat op zijn kantoor achter de computer aan de telefoon en zocht verbinding met het Internet.
'Ik haal de opname nu binnen.'
Onder het toekijkend oog van de onderzoeker werd de opname van boven naar onder met één lijn tegelijk zichtbaar, veel sneller dan een fax uit het apparaat zou komen en veel gedetailleerder.
'Zeg me dat ik het verkeerd heb, Gus,' zei Klein zonder enige hoop in zijn stem.
'Ik denk dat je wel beter weet, Mark.' Hij zweeg even toen het beeld compleet was. 'Dat is onze vriend.'
'Waar heeft hij de laatste tijd gezeten?'
'We hebben een paar gevallen gehad in Zaïre en nog twee in Soedan. Dat is alles, voorzover ik weet. Is die patiënte van jou...'
'Nee. Ik heb tot nu toe geen risicofactoren kunnen ontdekken. Gezien de incubatietijd moet ze het vrijwel zeker hier in Chicago hebben opgelopen. En dat is niet mogelijk, of wel soms?'
'Seks?' vroeg Lorenz. Hij kon de ander bijna het hoofd horen schudden over de telefoon.
'Dat heb ik gevraagd. Ze zegt dat ze geen seksuele relatie heeft. Zijn er nog andere meldingen?'
'Nee, nergens. Mark, ben je zeker van wat je me verteld hebt?' Hoe beledigend de vraag ook was, hij moest hem stellen.
'Ik wou dat het niet zo was. De microscoopopname die ik je gestuurd heb, is de derde, ik wilde hem goed isoleren. Haar bloed zit er vol mee, Gus. Wacht even.' Hij hoorde een gedempte conversatie. 'Ze is net weer bijgekomen. Zegt dat ze ongeveer een week geleden een kies heeft laten trekken. We hebben de naam van haar tandarts. We gaan daar achteraan. Dat is alles wat we hebben.'
'Goed, ik ga me voorbereiden op jouw monster. Het is maar één geval. We moeten niet in paniek raken.'

Raman ging kort voor zonsopkomst naar huis. Het was maar goed dat er op dit tijdstip bijna geen verkeer was, want hij kon zich nauwelijks concentreren op de weg. Thuisgekomen volgde hij het gewone vaste patroon. Op zijn antwoordapparaat stond weer een verkeerd nummer, de stem van de heer Alahad.

De pijn was zo hevig dat hij er wakker van werd, hoe uitgeput hij ook was. Het

lukte hem slechts met de grootst mogelijke inspanning de zes meter van zijn bed naar de badkamer te overbruggen. Hij had verschrikkelijke krampen, wat hem verbaasde, omdat hij de laatste paar dagen helemaal niet zoveel gegeten had, ook al had zijn vrouw erop aangedrongen dat hij kippensoep en toost at. Hij maakte zo snel mogelijk zijn broek los en ging net op tijd zitten. Tegelijkertijd leek zijn maag te exploderen en braakte de voormalige golfprofessional zijn maaginhoud op de tegels uit. Hij geneerde zich verschrikkelijk dat hij zoiets gedaan had. Op dat moment zag hij wat er op de grond lag.
'Schat?' riep hij zwakjes. 'Help...'

48
Bloeding

Zes uur slaap, of misschien iets meer, was beter dan niets. Cathy was vanochtend het eerst op en de vader van de First Family liep ongeschoren de ontbijtkamer binnen, afkomend op de geur van de koffie.
'Als je je zo beroerd voelt, dan moet je de schuld eigenlijk aan een kater kunnen geven,' zei de president. De ochtendkranten lagen op de gewone plek. Er zat een geeltje op de voorpagina van de *Washington Post*, boven op een artikel van de hand van Bob Holtzman en John Plumber. Dat was nog eens een goed begin van de dag, zei Jack tegen zichzelf.
'Dat is echt smerig,' zei Sally Ryan. Ze had via de tv al over de beroering gehoord. 'Wat een viespeuken.' Ze had 'lulhannesen' willen zeggen, een term die bij de dametjes van St. Mary's School sinds kort erg populair was, maar pa was nog niet bereid te erkennen dat zijn Sally het woordgebruik van een volwassene hanteerde.
'Hmm,' antwoordde haar vader. Het artikel verschafte veel meer bijzonderheden dan in enkele minuten op tv verteld kon worden. Ed Kealty werd erin genoemd. Hij had, zo leek het – niet verrassend, maar wel onwettelijk – een CIA-bron die informatie had laten uitlekken, die volgens het artikel niet geheel volgens de waarheid was. Erger nog, het was een welbewuste politieke aanslag op de president geweest, waarbij de media als aanvalswapen waren gebruikt. Jack snoof. Alsof dat iets nieuws was. De *Post* legde de nadruk op de ernstige inbreuk op de journalistieke integriteit. Volgens de krant was Plumber volstrekt oprecht geweest toen hij spijt betuigde over zijn daden. Het artikel meldde ook dat hoge functionarissen van de nieuwsafdeling van NBC geweigerd hadden commentaar te geven, zolang ze de zaak zelf in onderzoek had-

den. Verder stond erin dat de *Post* de videobanden bezat en dat ze volkomen gaaf waren.
De *Washington Times* was al even verontwaardigd, zo zag hij, maar niet geheel op dezelfde manier. Er zou een geweldige stammenstrijd over deze kwestie ontstaan in het perskorps van Washington. In het redactionele commentaar van de *Times* werd opgemerkt dat de politici die strijd zeker met veel genoegen zouden aanschouwen.
Mooi, dacht Ryan, dat houdt ze wel een tijdje bij mij uit de buurt.
Daarna opende hij de bruine map met de 'geheim'-plakstroken aan de randen. Dit document was tamelijk oud, zag hij.
'Hufters,' fluisterde Ryan.
'Ditmaal hebben ze het echt zelf gedaan,' zei Cathy, die haar eigen krant zat te lezen.
'Nee,' antwoordde SWORDSMAN. 'China.'

Het was nog geen epidemie, omdat niemand ervan wist. Artsen reageerden verrast op de telefoontjes die ze kregen. Verontruste en zelfs paniekerige telefoontjes hadden al meer dan twintig artsen 's nachts uit de slaap gehaald. In alle gevallen was er sprake van braaksel met bloed en diarree, maar het betrof telkens maar één gezinslid. Er waren verscheidene medische oorzaken mogelijk. Bloedende maagzweren bijvoorbeeld, wat des te waarschijnlijker was omdat veel telefoontjes van zakenmensen waren voor wie stress even vanzelfsprekend was als een das en een wit overhemd. De meesten kregen te horen dat ze direct naar de EHBO van het dichtstbijzijnde ziekenhuis moesten rijden. In vrijwel alle gevallen kleedde de arts zich aan om zijn patiënt in het ziekenhuis op te zoeken, of hij liet zich door een goede collega vertegenwoordigen. Sommigen werd opgedragen die ochtend direct op het spreekuur te komen, tussen acht en negen uur dan, zodat ze de eerste patiënt van de dag waren en de planning niet in de war stuurden.

Gus Lorenz voelde er weinig voor alleen op kantoor te zitten en had een paar ervaren medewerkers gebeld om bij hem aan de computer te komen zitten. Toen ze binnenkwamen, zagen ze dat hij zijn pijp had opgestoken. Een van hen wilde daar bezwaar tegen maken omdat het tegen de federale regels was, maar ze hield zich in toen ze de afbeelding op het scherm zag.
'Waar komt die vandaan?'
'Chicago.'
'*Ons* Chicago?'

Pierre Alexandre kwam even voor acht uur in zijn kantoor op de tiende verdieping van de Ross Building aan. Zoals altijd controleerde hij eerst of er faxen waren binnengekomen. Attente artsen stuurden hem regelmatig per fax informatie over aidspatiënten. Zo kon hij een groot aantal patiënten volgen, zowel om behandeladviezen te geven als om zijn eigen kennis te vergroten. Er was

vanochtend maar één fax, en die bevatte relatief goed nieuws. Merck was met een nieuw geneesmiddel gekomen dat door de FDA in de praktijk beproefd werd, en een vriend van hem bij Penn State meldde nu interessante resultaten. Op dat moment ging de telefoon.
'Met Alexandre.'
'Met de EHBO, dokter. Kunt u naar beneden komen, ik heb hier een patiënt, een blanke man van zevenendertig. Hoge koorts, inwendige bloedingen. Ik weet niet wat het is... ik bedoel...' zei de assistent, 'ik bedoel, ik weet waar het op lijkt, maar...'
'Ik kom over vijf minuten.'
'Goed dokter,' zei ze.
De internist-viroloog-moleculair bioloog trok zijn gesteven doktersjas aan, maakte de knopen vast en liep naar de EHBO, die in een apart gebouw op de uitgestrekte campus van Hopkins lag. Zelfs in het leger had hij dezelfde kleding aangehad. Hij noemde het de dokterslook. Stethoscoop in de rechterzak, naam aan de linkerkant opgenaaid. Een kalme gezichtsuitdrukking. Zo liep hij de vrijwel lege EHBO op. Hier was de nacht de drukke tijd. Daar was ze, die knappe meid... Ze deed een smoeltje voor, zag hij. Wat kon er aan de hand zijn, zo vroeg op een voorjaarsdag?
'Goedemorgen, dokter,' zei hij met zijn charmantste creoolse accent. 'Wat is het probleem?' Ze gaf hem de patiëntenkaart en begon te praten terwijl hij las.
'Zijn vrouw heeft hem hier gebracht. Hoge koorts, lichte desoriëntatie. Lage bloeddruk, waarschijnlijk interne bloeding, bloed in braaksel en ontlasting. En er zitten vlekjes op zijn gezicht,' meldde ze. 'Ik ben er niet zeker genoeg van om het te zeggen.'
'Goed, laten we eens kijken.' Ze klonk als een veelbelovende jonge arts, dacht Alexandre geamuseerd. Ze wist wat ze niet wist en dan vroeg ze om consultatie... maar waarom niet van een van de jongens van Interne, vroeg de voormalige kolonel zich af, terwijl hij haar weer aankeek. Hij deed een smoeltje voor, trok handschoenen aan en liep langs het gordijn om het bed.
'Goedemorgen, ik ben dokter Alexandre,' zei hij tegen de patiënt. De blik van de man was lusteloos, maar het waren vooral de vlekjes op zijn wangen die Alexandre's adem deden stokken. Het was het gezicht van George Westphal, dat hij meer dan tien jaar geleden gezien had.
'Hoe is hij hier gekomen?'
'Zijn huisarts heeft hem gezegd hierheen te komen. Hij heeft relaties op Hopkins.'
'Wat doet hij voor zijn vak? Fotojournalist? Diplomaat? Iets met reizen?' De assistent-arts schudde haar hoofd. 'Hij verkoopt Winnebago's, campers en zo, heeft een showroom op Pulaski Highway.'
Alexandre keek rond. Er waren een student medicijnen en twee verpleegsters aanwezig naast de assistent die de patiënt onder zich had. Ze hadden allemaal een smoeltje voor en handschoenen aan. Mooi. Ze was verstandig. Nu wist Alex waarom ze zo bang was.

'Bloed?'
'Is al afgenomen, dokter. Ze doen nu de herhalingstest en prepareren monsters om in uw lab te laten analyseren.'
De professor knikte. 'Goed. Breng hem direct naar mijn afdeling. Ik moet een koker voor de buisjes hebben. Wees voorzichtig met alle scherpe voorwerpen.'
Een verpleegster ging het gevraagde halen.
'Professor, dit lijkt op... Ik bedoel, het kan niet, maar...'
'Het kan niet,' zei hij instemmend, 'maar het lijkt er wel op. Dat zijn puntbloedinkjes, uit het boekje nog wel. Daarom behandelen we het voorlopig ook zo.' De verpleegster kwam terug met de juiste kokers. Alexandre nam de extra buisjes bloed af. 'Zodra hij boven is, moet iedereen zich uitkleden en zich schoonboenen. Het risico is niet groot zolang je de juiste voorzorgen neemt. Is zijn vrouw in de buurt?'
'Ja, dokter, in de wachtkamer.'
'Laat iemand haar naar mijn kantoor brengen. Ik moet haar een paar dingen vragen. Nog vragen?' Er waren geen vragen. 'Laten we dan aan de slag gaan.'
Dr. Alexandre bekeek de plastic koker voor het bloed zorgvuldig en stopte die in de linkerzak van zijn doktersjas, nadat hij had vastgesteld dat die goed afgesloten was. De kalme doktersblik was verdwenen toen hij naar de lift liep. Terwijl hij naar het glimmende staal van de automatische deuren keek, zei hij in zichzelf dat het onmogelijk was. Misschien was het wat anders. Maar wat? Bij leukemie kwamen sommige van deze symptomen ook voor, en hoe ernstig die diagnose ook was, die was toch te verkiezen boven wat dit leek te zijn. De deuren gingen open en hij liep naar zijn laboratorium.
'Morgen, Janet,' zei hij, terwijl hij het hete lab binnenging.
'Alex,' antwoordde Janet Clemenger. Ze was moleculair bioloog.
Hij haalde de plastic koker uit zijn zak. 'Dit moet snel gedaan worden. Nu meteen bijvoorbeeld.'
'Wat is het?' Ze kreeg niet vaak te horen dat ze moest stoppen met alles waar ze mee bezig was, vooral niet aan het begin van de dag.
'Het lijkt op hemorragische koorts. Behandel het als niveau... vier.'
Ze sperde haar ogen open. 'Hier?' Overal in Amerika werd diezelfde vraag gesteld, maar niemand wist dat op dit moment al.
'Ik denk dat ze de patiënt nu wel naar boven aan het brengen zijn. Ik moet met zijn vrouw praten.'
Ze pakte de koker en zette die voorzichtig op de werktafel. 'De gewone testen op antistoffen?'
'Ja, en wees er alsjeblieft voorzichtig mee, Janet.'
'Zoals altijd,' verzekerde ze hem. Evenals Alexandre deed ze veel proeven op aids.
Alexandre ging naar zijn kantoor om Dave James te bellen.
'Hoe zeker weet je dat?' vroeg de decaan twee minuten later.
'Dave, het is nog maar giswerk tot nu toe, maar ik heb dit eerder gezien. Het is

net als met George Westphal toen. Janet Clemenger is er nu mee bezig. Ik denk dat we dit ernstig moeten opvatten, tot we het bewijs van het tegendeel hebben. Als de labuitslagen bevestigen wat ik vermoed, dan bel ik Gus en slaan we echt alarm.'
'Ralph komt overmorgen uit Londen terug. Het is zolang jouw afdeling, Alex. Hou me op de hoogte.'
'Begrepen,' zei de voormalige militair. Nu was het tijd voor een gesprekje met de vrouw van de patiënt.
Op de EHBO waren ziekenverzorgers bezig de grond te schrobben op de plaats waar het bed had gestaan, onder supervisie van de hoofdzuster. Ze hoorden het machtige geluid van een Sikorski-helikopter in de lucht. De First Lady kwam op het werk aan.

Toen de koerier met zijn 'hoedendoos' op het CDC gearriveerd was, overhandigde hij die aan een van Lorenz' laboranten. Vanaf dat moment ging alles heel snel. De testen op antistoffen waren al klaargezet op de werkbanken in het lab. Met de grootst mogelijke voorzichtigheid werd er wat bloed in een glazen buisje gedruppeld. De vloeistof in het buisje veranderde vrijwel direct van kleur.
'Het is ebola, dokter,' meldde de laborant. In een andere ruimte werd een monster geprepareerd voor onderzoek onder de elektronenmicroscoop. Lorenz liep erheen. Hij had zo vroeg op de ochtend al last van moeheid in zijn benen. Het instrument was al ingeschakeld. Het was slechts een kwestie van de juiste instelling om de beelden op de monitor te laten verschijnen.
'Zoek maar uit, Gus.' Dit was een ervaren arts, geen laborant. Toen de vergroting was bijgesteld, was het beeld direct duidelijk. Dit bloedmonster wemelde van de uiterst kleine strengen. En spoedig zou er verder niets in wemelen. 'Waar komt deze vandaan?'
'Chicago,' antwoordde Lorenz.
'Welkom in de Nieuwe Wereld,' zei hij tegen het scherm, terwijl hij de fijnafregeling bijstelde om één streng volledig te kunnen uitvergroten. 'Klein kolerebeest.'
Er volgde een nauwkeuriger onderzoek om te zien of ze het subtype konden bepalen. Dat zou even duren.

'Hij is dus het land niet uit geweest?' Alex ging zijn lijst standaardvragen af.
'Nee, dat niet,' verzekerde ze hem. 'Alleen naar de grote camper-tentoonstelling. Daar gaat hij elk jaar heen.'
'Mevrouw, ik moet u een aantal vragen stellen, waarvan sommige beledigend kunnen lijken. U moet begrijpen dat ik dat doe om uw man te kunnen helpen.' Ze knikte. Alexandre benaderde dat probleem altijd rustig en waardig. 'Hebt u reden om aan te nemen dat uw man met andere vrouwen omging?'
'Nee.'
'Neem me niet kwalijk dat ik dat moest vragen. Hebt u exotische huisdieren?'

'Alleen twee Chesapeake Bay-retrievers,' antwoordde ze, verrast over de vraag.
'Apen? Iets uit het buitenland?'
'Nee, helemaal niets.'
Dit leidt nergens toe. Alex kon geen andere relevante vraag bedenken. Ze moesten ja zeggen op de vraag over reizen. 'Kent u iemand, bijvoorbeeld een familielid of vriend, die veel reist?'
'Nee... Mag ik naar hem toe?'
'Ja zeker, maar we moeten er eerst voor zorgen dat hij rustig op zijn kamer ligt en de behandeling opstarten.'
'Zal hij... ik bedoel, hij is nooit ziek geweest. Hij doet aan hardlopen, rookt niet en drinkt weinig. We hebben altijd goed opgelet.' Ze begon de controle over zichzelf te verliezen.
'Ik zal niet tegen u liegen. Uw echtgenoot is waarschijnlijk erg ziek, maar uw huisarts heeft u naar het beste ziekenhuis ter wereld gestuurd. Ik ben hier net begonnen. Ik heb meer dan twintig jaar in het leger gezeten, waar ik me al die tijd met infectieziekten beziggehouden heb. U bent dus op de goede plek en ik ben de juiste arts.' Zulke dingen moest je zeggen, hoe hol de woorden ook klonken. Het enige wat je nooit mocht doen, was de hoop wegnemen. De telefoon ging.
'Met Alexandre.'
'Alex, met Janet. Test op antistoffen is positief voor ebola. Ik heb hem twee keer uitgevoerd,' zei ze tegen hem. 'Ik laat het reservebuisje naar CDC sturen. Het microscooppreparaat is over een kwartiertje klaar.'
'Heel goed. Ik kom eraan.' Hij hing op. 'Goed,' zei hij tegen de vrouw van de patiënt. 'Ik zal u naar de wachtkamer brengen en u aan mijn verpleegkundigen voorstellen. We hebben een paar heel goede mensen op mijn afdeling.'
Dit was geen plezierig gesprek geweest, zelfs niet als je bedacht dat infectieziekten toch al geen plezierig onderwerp waren. Door haar hoop te geven, had hij haar waarschijnlijk te veel gegeven. Ze had naar hem geluisterd met het idee dat hij met de stem van God sprak, maar op dit moment had God nog geen antwoorden klaar. Nu moest hij haar ook nog vertellen dat de verpleging bij haar ook wat bloed moest afnemen om te testen.

'Wat heb je te vertellen, Scott?' vroeg Ryan, dertien tijdzones van hem verwijderd.
'Nou, ze hebben beslist olie op het vuur gegooid. Jack?'
'Ja?'
'Die Zhang, hè, die heb ik nu tweemaal ontmoet. Hij praat niet veel, maar hij is belangrijker dan we dachten. Ik denk dat hij degene is die de minister van Buitenlandse Zaken in de gaten houdt. Hij weet het spel te spelen, meneer de president. Zeg dat de Foleys een dossier over de man openen. Ze moeten er een hoge prioriteit aan geven.'
'Zal Taipei ze compensatie schenken?' vroeg SWORDSMAN.
'Zou jij dat doen?'

'Mijn eerste ingeving zou zijn ze te vertellen dat ze de boom in kunnen, maar ik mag mijn zelfbeheersing nu eenmaal niet verliezen.'
'Ze zullen naar het verzoek luisteren en dan zullen ze me vragen wat Amerika ervan vindt. Wat moet ik zeggen?'
'Voorlopig zetten we ons in voor het herstel van vrede en veiligheid.'
'Dat kan ik een uur volhouden, misschien twee uur. En dan?' hield de minister aan.
'Jij kent die regio beter dan ik. Waar gaat het om, Scott?'
'Ik weet het niet. Ik dacht dat ik het wist, maar het blijkt niet zo te zijn. Eerst hoopte ik zo'n beetje dat het een ongeluk was. Daarna dacht ik dat ze Taiwan eens flink op stang wilden jagen. Maar dat was het niet. Daarvoor lopen ze veel te hard van stapel en volgen ze de verkeerde methode. De derde mogelijkheid is dat ze dit allemaal doen om jou uit te proberen. Zo ja, dan spelen ze het hard, te hard. Ze kennen je nog niet goed genoeg, Jack. Het is een te hoge eerste inzet. Kortom, ik weet niet wat ze denken. En daarom kan ik je niet vertellen hoe we het moeten spelen.'
'We weten dat ze achter Japan zaten... Zhang zat persoonlijk achter die lul van een Yamata en...'
'Ja, dat weet ik. En zij moeten weten dat wij dat weten. Dat is nog een reden om ons niet op stang te jagen. De inzet is erg hoog, Jack,' benadrukte Alder nogmaals. 'Zonder dat ik daar een reden voor zie.'
'Moeten we Taiwan vertellen dat we achter ze staan?'
'Nou, als je dat doet en het komt uit, dan verhoogt de Volksrepubliek mogelijk de inzet... Er zitten daar duizenden, wat zeg ik, bijna honderdduizend Amerikanen, en die zijn dan allemaal gegijzeld. Ik zal het niet over de handel hebben, maar het gaat om veel geld, politiek-economisch gezien.'
'Maar als we niet achter Taiwan gaan staan, dan zullen ze denken dat ze op zichzelf zijn aangewezen en zich in de hoek gedreven voelen...'
'Zeker, en hetzelfde gebeurt vanuit de andere kant gezien. De beste raad is volgens mij om ons met de stroom mee te laten drijven. Ik breng het verzoek over. Taipei zegt nee. Ik stel dan voor dat zij voorstellen de kwestie in beraad te houden tot de kwestie met het passagiersvliegtuig opgelost is. Daarvoor doen we een beroep op de Verenigde Naties. Wij, dat wil zeggen, de Verenigde Staten, leggen de kwestie aan de Veiligheidsraad voor. Daarmee rekken we de zaak. Vroeg of laat komt die verrekte marine van ze zonder brandstof te zitten. We hebben een stel oorlogsbodems in de buurt, dus er kan eigenlijk niets gebeuren.'
Ryan fronste zijn voorhoofd. 'Het staat me niet erg aan, maar ik zal erin meegaan. Het zal trouwens nog wel een paar dagen duren. Mijn gevoel zegt me Taiwan te steunen en de Volksrepubliek te vertellen dat ze zich gedeisd moeten houden.'
'Zo eenvoudig zit de wereld niet in elkaar, dat weet je,' zei Adler.
'Is het niet waar dan? Doe zoals je voorgesteld hebt, Scott, en hou me op de hoogte.'
'Zal ik doen.'

Alex keek op zijn horloge. Dr. Clemenger had haar notebook-computer naast de elektronenmicroscoop gezet. Om 10.16 uur schakelde ze die in, tikte de tijd in en noteerde hoe zij en haar collega-professor beiden de aanwezigheid van het ebolavirus konden bevestigen. Aan de andere kant van het lab onderzocht een laborant het bloed van de vrouw van Patient Zero. Het bleek positief op ebola-antistoffen. Ook zij had de ziekte, hoewel ze dat nog niet wist.
'Hebben ze kinderen?' vroeg Janet, toen ze het nieuws hoorden.
'Twee, allebei op school.'
'Alex, tenzij jij iets weet dat ik niet weet... ik hoop dat ze verzekerd zijn.' Clemenger had hier niet helemaal dezelfde status als een behandelend arts, maar op dergelijke momenten stoorde ze zich daar niet aan. Artsen leerden de patiënten een stuk beter kennen dan de wetenschappers pur sang.
'Wat kun je me verder nog vertellen?'
'Ik moet de genen nog wat beter in kaart brengen, maar kijk hier eens.' Ze tikte op het scherm. 'Zie je hoe de eiwitstrengen gegroepeerd zijn? En die structuur hier?' Janet was de grootste deskundige van het lab wat de verschijningsvormen van virussen betrof.
'Mayinga?' Christus, dat had George ook... En niemand wist hoe George het had gekregen. Ook hij wist niet hoe...
'Dat kan ik nog niet zeggen. Je weet wat ik moet doen om dat vast te stellen, maar...'
'Het klopt. Geen bekende risicofactoren voor hem, en voor haar misschien ook niet. Jezus, Janet, als dit via de lucht verspreid wordt...'
'Weet ik, Alex. Bel jij Atlanta of moet ik het doen?'
'Ik doe het wel.'
'Ik begin wel met het isoleren van dat rotbeest,' beloofde ze.
Het leek een lange wandeling van het lab terug naar kantoor. Zijn secretaresse was er inmiddels en zag in wat voor stemming hij was.

'Dokter Lorenz is in vergadering,' zei een andere secretaresse. Daarmee lieten de meesten zich wel afschepen, maar deze man niet.
'Wilt u hem toch even roepen? Zeg tegen hem dat Pierre Alexandre van het Johns Hopkins aan de lijn is en dat het belangrijk is.'
'Ja, dokter. Blijft u even aan de lijn.' Ze drukte op een paar knoppen en belde het toestel in de vergaderzaal aan het eind van de gang. 'Dokter Lorenz graag, met spoed.'
'Ja, Marjorie?'
'Ik heb dokter Alexandre voor u onder de knop. Hij zegt dat het belangrijk is.'
'Dank je.' Gus drukte een toets in. 'Hou het kort, Alex, want het begint hier erg druk te worden,' zei hij op ongebruikelijk zakelijke toon.
'Weet ik. Ebola heeft deze kant van de wereld weten te bereiken,' zei Alexandre.
'Heb je al met Mark gesproken?'
'Mark? Welke Mark?' vroeg de professor.

'Wacht even, Alex. Waarom belde je precies?'
'We hebben twee patiënten op mijn afdeling die het allebei hebben, Gus.'
'In Baltimore?'
'Ja, en wat... waar dan nog meer, Gus?'
'Mark Klein heeft een vrouw van eenenveertig in Chicago. Ik heb al een opname van het bloedmonster onder de microscoop gemaakt.' In twee ver uit elkaar gelegen steden deden twee onderzoekers van wereldfaam exact hetzelfde. Een van de twee keek naar een muur in een kantoortje. De ander keek naar een vergadertafel met tien andere artsen en onderzoekers. Ze hadden precies dezelfde blik in de ogen. 'Is een van hen in Chicago of Kansas City geweest?'
'Nee,' zei de ex-kolonel. 'Wanneer is die van Klein gediagnostiseerd?'
'Gisteravond, om tien uur ongeveer. En die van jou?'
'Even voor achten. De man heeft alle symptomen. De vrouw niet, maar haar bloed is positief... O, verdomme, Gus...'
'Ik moet Detrick meteen bellen.'
'Doe dat maar. Hou de fax in de gaten, Gus,' raadde professor Alexandre hem aan. 'En laten we hopen dat het een vreselijke vergissing is.' Maar dat was het niet, en beiden wisten dat.
'Blijf bij de telefoon. Ik kan je advies nodig hebben.'
'Zeker.' Alex dacht even na toen hij opgehangen had. Hij moest nog een telefoontje plegen.
'Dave, met Alex.'
'En?' vroeg de decaan.
'Man en vrouw beiden positief. De vrouw heeft nog geen symptomen. Man vertoont alle klassieke kenmerken.'
'En wat betekent dat, Alex?' vroeg de decaan behoedzaam.
'Dave, ik belde Gus tijdens een vergadering. Ze bespraken een ebolageval in Chicago. Mark Klein had dat rond middernacht gemeld, schat ik. Er was niets gemeenschappelijks tussen dat geval en ons indexgeval hier. Ik denk dat we van een potentiële epidemie kunnen spreken. We moeten de calamiteitenploeg oproepen. Er kunnen zeer gevaarlijke patiënten binnenkomen.'
'Een epidemie? Maar...'
'Dat regel ik, Dave. CDC is in gesprek met de landmacht. Ik weet precies wat ze op Detrick gaan zeggen. Zes maanden geleden zou ik dat telefoontje gepleegd hebben.' De andere telefoon van Alexandre begon te rinkelen. Zijn secretaresse nam in de andere kamer op. Even later verscheen ze in de deuropening.
'Dokter, de EHBO aan de lijn, of u direct wilt komen.' Alex bracht die boodschap aan de decaan over.
'Ik zie je daar wel, Alex,' zei Dave James tegen hem.

'Bij de volgende boodschap op je antwoordapparaat zul je je missie kunnen volbrengen,' zei de heer Alahad. 'Je kunt zelf het tijdstip bepalen.' Hij hoefde

er niet aan toe te voegen dat het beter voor hem zou zijn als Raman al zijn boodschappen uitwiste. Dat zou al te cynisch geleken hebben tegenover iemand die bereid was zijn leven op te offeren. 'We zullen elkaar in dit leven niet meer ontmoeten.'
'Ik moet naar mijn werk.' Raman aarzelde. De opdracht was dus werkelijk gekomen, in zekere zin. De twee mannen omhelsden elkaar en de jongste van de twee vertrok.

'Cathy?' Toen ze opkeek zag ze dat Bernie Katz zijn gezicht om de hoek van de deur van haar kantoor stak.
'Ja, Bernie?'
'Dave heeft een afdelingshoofdenvergadering vastgesteld, om twee uur op zijn kantoor. Ik vertrek naar New York voor die conferentie op Columbia. Hal opereert vanmiddag. Kun je voor me waarnemen?'
'Zeker, ik ben vrij.'
'Bedankt, Cath.' Zijn hoofd verdween weer. SURGEON richtte haar aandacht weer op de patiëntenstatussen.

De decaan had zijn secretaresse verteld de vergadering bijeen te roepen toen hij al op weg was naar de deur. Nu was David James ook op de EHBO. Achter het masker zag hij eruit als iedere andere arts.
Deze patiënt had volstrekt niets met de andere twee te maken. Ze stonden op een afstand van drie meter in een hoek van de inmiddels speciaal gereserveerde kamer toe te kijken hoe hij in een plastic emmer overgaf. Het braaksel zat vol bloed.
Ook deze patiënt werd door de jonge assistent behandeld. 'Hij heeft niet noemenswaardig gereisd. Hij zei dat hij voor iets in New York was. Theater, autotentoonstelling, de gewone toeristische attracties. Hoe staat het met de eerste?'
'Positief op het ebolavirus,' zei Alex tegen haar. Ze draaide haar hoofd plotseling om.
'Hier?'
'Hier. Wees maar niet al te verrast, dokter. U had me er toch bij geroepen?' Hij draaide zich naar decaan James toe, een wenkbrauw optrekkend.
'Alle afdelingshoofden om twee uur bij mij op kantoor. Sneller kan het niet, Alex. Een derde van hen is nu aan het opereren of met visites bezig.'
'Ross voor deze man?' vroeg de assistent. Zij moest haar aandacht bij deze patiënt houden.
'Zo snel mogelijk.' Alexandre nam de decaan bij zijn arm en liep met hem naar buiten. Gehuld in zijn groene operatiekleding stak hij een sigaar op, tot verrassing van de beveiligingsbeambten die moesten zorgen dat het rookverbod niet werd overtreden.
'Wat is er in godsnaam aan de hand?'
'Weet je, er valt best wat te zeggen voor deze dingen.' Alex nam een paar trek-

jes. 'Ik kan je al vertellen wat ze op Detrick gaan zeggen. Dat is zo zeker als wat.'
'Ga verder.'
'Twee afzonderlijke indexgevallen, Dave, zestienhonderd kilometer ofwel acht uur van elkaar. Geen enkel verband. Niets gemeenschappelijks. Denk eens even door,' zei Pierre Alexandre, weer bezorgd een trekje nemend.
'Niet genoeg gegevens om het te staven,' wierp James tegen.
'Ik hoop dat ik ongelijk heb. Ze zullen het in Atlanta terdege uitzoeken. Ze zijn erg goed daar. Maar ze kijken niet op dezelfde manier naar deze dingen als wij. Ik heb dat groene pak lang gedragen.' Hij nam weer een trekje. 'We zullen zien wat het effect van optimale zorg zal zijn. We zijn hier beter dan waar ook in Afrika. Dat geldt ook voor Chicago. En dat geldt ook voor alle andere plaatsen die zullen bellen, denk ik.'
'Andere plaatsen?'
'De eerste poging tot biologische oorlogvoering werd door Alexander de Grote ondernomen. Hij schoot dode pestslachtoffers met katapulten een belegerde stad in. Ik weet niet of het werkte. In elk geval nam hij de stad in, vermoordde alle burgers en trok verder.'
Nu begreep hij het, zag Alex. De decaan was even bleek als de nieuwe patiënt binnen.

'Jeff?' Raman zat in de plaatselijke commandopost het programma voor de president te bekijken. Hij moest nu een missie voltooien en het was tijd om met de planning te beginnen. Andrea liep naar hem toe. 'We hebben vrijdag een reis naar Pittsburgh. Wil je daar met het voorbereidingsteam naartoe? Er blijken wat problemen met het hotel te zijn.'
'Goed. Wanneer vertrek ik?' vroeg agent Raman.
'De vlucht vertrekt over anderhalf uur.' Ze gaf hem een ticket. 'Morgenavond kom je terug.'
Des te beter, dacht Raman, als hij het al overleefde. Als hij de beveiliging bij een dergelijk evenement geheel kon regelen, dan was dat inderdaad mogelijk. Hij had niets tegen martelaarschap, maar als hij kon overleven, dan zou hij toch daarvoor kiezen.
'Goed,' antwoordde de moordenaar. Hij hoefde niet meer te pakken. De agenten van het escorte hadden altijd een tas in de auto liggen.

Pas na drie satellietpassages was de NRO bereid een inschatting van de situatie te maken. Alle zes zware divisies van de VIR die aan de oorlogsoefening hadden deelgenomen, waren nu met groot onderhoud bezig. Sommigen zouden zeggen dat zoiets normaal was. Na een grote oefening moest een eenheid aan een grootonderhoudscyclus beginnen, maar zes divisies, oftewel drie zware legerkorpsen, was wat veel tegelijk. De gegevens werden direct naar de regeringen van Saoedi-Arabië en Koeweit doorgeseind. Ondertussen belde het Pentagon het Witte Huis.

'Ja, meneer de minister,' zei Ryan.
'De rapportage voor de VIR is nog niet gereed, maar we hebben wel nogal verontrustende informatie ontvangen. Ik zal admiraal Jackson het verhaal laten vertellen.'
De president luisterde, maar hij had geen grote behoefte aan analyses. Wél had hij graag de rapportage op zijn bureau gehad om hem een beter idee van de politieke plannen van de VIR te geven. 'Aanbevelingen?' vroeg hij, toen Robby gereed was.
'Ik denk dat dit een goed moment is om de schepen in Diego uit te laten varen. Het kan geen kwaad ze wat te laten oefenen. We kunnen ze op een afstand van minder dan twee vaardagen van de Golf brengen zonder dat iemand het merkt. Verder beveel ik aan waarschuwingsorders aan het XVIII Airborne Corps te geven. Dat is het 82ste, 101ste en 24ste gemotoriseerde.'
'Zal dat opvallen?'
'Nee. Dat wordt als oefenalarm beschouwd. We doen dat zo vaak. Het enige is dat de stafofficieren gaan nadenken.'
'Goed. Hou het stil.'
'Dit is het goede moment voor een gezamenlijke oefening met bevriende naties in de regio,' stelde J-3 voor.
'Daar zal ik over denken. Verder nog wat?'
'Nee, meneer de president,' antwoordde Bretano. 'We houden u op de hoogte.'

Rond het middaguur waren er meer dan dertig faxen uit tien verschillende staten bij CDC Atlanta binnengekomen. Ze werden doorgestuurd naar Fort Detrick in Maryland, waar het het USAMRIID gevestigd was. Deze afkorting stond voor United States Army Medical Research Institute of Infectious Diseases, ofwel het Medisch Onderzoeksinstituut voor Infectieziekten van de Amerikaanse Krijgsmacht. Het was de militaire tegenhanger van de Centers for Disease Control in Atlanta. De gegevens waren onthutsend, maar ze waren iets te onthutsend om in een oogwenk beoordeeld te worden. Er werd een grote stafvergadering vlak na de lunch gepland. Ondertussen probeerden de betrokken officieren en burgermedewerkers de gegevens te ordenen. Enkele hoge officieren van Walter Reed stapten in hun dienstauto voor de rit over Interstate 70.

'Dokter Ryan?'
'Ja?' Cathy keek op.
'De vergadering in het kantoor van dokter James is vervroegd,' zei haar secretaresse. 'Ze willen dat u meteen komt.'
'Dan kan ik maar beter gaan.' Ze stond op en liep naar de deur, waar Roy Altman stond.
'Moet ik nog iets weten?' vroeg de eerste agent van SURGEON.
'Er is iets aan de hand, maar ik weet niet wat.'

'Waar is het kantoor van de decaan?' Hij was daar nog nooit geweest. Alle stafvergaderingen waar ze de laatste tijd geweest was, waren in Maumenee geweest.
'Die kant op,' wees ze. 'Aan de overkant van Monument Street in het bestuursgebouw.'
'SURGEON is onderweg, loopt noordwaarts naar Monument.' De agenten leken uit het niets op te duiken. Het zou grappig geleken kunnen hebben als er onlangs niet zoveel voorgevallen was. 'Als u het niet erg vindt, blijf ik in de zaal staan. Ik zal uit de buurt blijven,' verzekerde Altman haar.
Cathy knikte. Er viel niet tegen te vechten. Ze wist zeker dat het kantoor van de decaan hem helemaal niet zou bevallen, omdat er zoveel grote ramen in zaten. Het was een wandeling van tien minuten, vrijwel geheel overdekt. Ze liep naar buiten en stak de straat over, op zoek naar wat frisse lucht. Toen ze het gebouw binnenging, zag ze een hoop van haar vrienden staan, allemaal afdelingshoofden of hoge stafleden. De mensen op managementniveau waren altijd op reis, een van de redenen dat ze niet zeker wist of ze zelf zo'n functie ambieerde. Pierre Alexandre beende met grote passen naar binnen. Hij was in het groen gekleed en droeg een map. Zijn blik stond grimmig. Hij botste bijna tegen haar op, maar een agent van de Secret Service wist dat te voorkomen.
'Ik ben blij dat je er bent, Cathy,' zei hij terwijl hij langsliep. 'En zij ook.'
'Fijn om gewaardeerd te worden,' merkte Altman tegen een collega op, net toen de decaan in de deuropening verscheen.
'Kom binnen.'
Een blik in de vergaderzaal was genoeg om Altman te doen besluiten eigenhandig de jaloezieën neer te laten. De ramen zagen uit op een straat met anonieme, bakstenen huizen. Enkele artsen keken geïrriteerd toe, maar ze wisten wie hij was en protesteerden niet.
'Mag ik uw aandacht,' zei Mike James nog voordat iedereen zat. 'Alex wil ons iets belangrijks vertellen.'
Hij kwam gelijk terzake. 'We hebben nu vijf ebolagevallen in Ross. Ze zijn allemaal vandaag binnengekomen.'
Plotseling draaiden velen hun hoofd om. Cathy zat met haar ogen te knipperen in haar stoel aan het eind van de tafel.
'Studenten ergens vandaan?' vroeg het hoofd chirurgie. 'Zaïre?'
'Een autohandelaar en zijn vrouw, een botenverkoper uit Annapolis en nog drie mensen. Volstrekt geen internationale reizen. Vier van de vijf hebben alle symptomen ontwikkeld. De vrouw van de autohandelaar heeft antistoffen, maar nog geen symptomen. Dat is het positieve nieuws. Ons geval was niet het eerste. CDC heeft gevallen gemeld in Chicago, Philadelphia, New York, Boston en Dallas. Dat is de situatie van een uur geleden. Het totale aantal gemelde gevallen is twintig, en dat aantal is tussen tien en elf verdubbeld. Waarschijnlijk komen er nog steeds bij.'
'Jezus Christus,' fluisterde de geneesheer-directeur.

'Jullie weten allemaal wat ik gedaan heb voordat ik hier kwam. Ik stel me zo voor dat er op het ogenblik een stafvergadering in Fort Detrick is. De conclusie van die vergadering zal zijn dat het geen toevallige uitbarsting is. Iemand is een biologische oorlogscampagne tegen ons land begonnen.'

Niemand trok Alexandre's analyse in twijfel, zag Cathy. Ze wist waarom. De andere artsen in de zaal waren zo knap dat ze zich soms afvroeg of zij wel tot dezelfde faculteit als die artsen behoorde. Het was nooit bij haar opgekomen dat de meesten van hen dezelfde gedachten hadden als zij. Ze waren allemaal zeer deskundig op hun gebied, en minstens vier van hen waren de allerbesten in hun vak. Maar evenals zij gingen ze regelmatig lunchen met een collega van een ander vakgebied om informatie uit te wisselen, omdat ze evenals zij buitengewoon leergierig waren. Allemaal wilden ze alles weten, en hoewel ze wisten dat dit onmogelijk was, zelfs in één vakgebied, bleven ze ernaar streven. In dit geval speelde zich achter de plotseling verstarde gezichten hetzelfde analytische proces af.

Ebola was een besmettelijke ziekte. Dergelijke ziekten begonnen op één plek. Altijd was er een eerste slachtoffer, dat Patient Zero of het 'indexgeval' genoemd werd. Geen enkele ziekte kwam zomaar op deze manier tot uitbarsting. CDC en USAMRIID, die deze conclusie officieel moesten bevestigen, hadden de taak om informatie te verzamelen, te ordenen en bekend te maken. Dat zou bijna volgens bijna wiskundige methoden moeten gebeuren, wilden ze het bewijs aannemelijk kunnen maken. Voor hun instituut was het eenvoudiger. Dat gold des te meer omdat Alex de leiding over een van de divisies op Ford Detrick had gehad. Bovendien was het Johns Hopkins een van de instellingen die als opnamecentrum bij een gebeurtenis als deze waren aangewezen in de rampenplannen, die uiteraard ook hiervoor bestonden.

'Alex,' zei het hoofd urologie, 'in de literatuur staat dat ebola slechts verspreid wordt door grote vloeistofdeeltjes. Hoe kon de ziekte dan zo snel tot uitbarsting komen, zelfs op plaatselijk niveau?'

'Er bestaat een substam, mayinga, vernoemd naar een verpleegster die aan de besmetting gestorven is. De wijze van besmetting is nooit vastgesteld. Een collega van mij, George Westphal, is in 1990 aan dezelfde stam gestorven. We hebben ook in dat geval de wijze van overdracht nooit kunnen vaststellen. Sommigen denken dat deze substam door de lucht verspreid kan worden. Er is echter nooit iets bewezen,' legde Alex uit. 'Daar komt bij dat er manieren bestaan om een virus te versterken, namelijk door kankergenen aan de structuur toe te voegen.'

'En er is geen behandeling, zelfs geen experimentele?' vroeg de man van urologie.

'Rousseau is met interessant werk bezig op Pasteur, maar tot dusverre heeft hij geen positieve resultaten geboekt.'

Zo'n opmerking, die pijlsnel over tafel vloog, was kenmerkend voor artsen. Ze behoorden tot de besten ter wereld, en dat wisten ze. Ze wisten nu ook dat het tegen deze vijand niet van belang was.

'Hoe staat het met een vaccin?' vroeg de geneesheer-directeur. 'Dat kan toch niet zo moeilijk zijn.'
'USAMRIID is er al ongeveer tien jaar mee bezig. Het probleem zit hem vooral in het specifieke karakter. Wat bij de ene substam werkt, werkt niet altijd bij de andere. Daar komt bij dat er grote problemen met de kwaliteit van het vaccin zijn. In onderzoeken die ik heb gelezen, wordt voorspeld dat twee procent van de gevaccineerden door het vaccin besmet raakt. Merck denkt dat ze dat kunnen verbeteren, maar de proeven kosten nu eenmaal tijd.'
'Oei,' merkte chirurgie met een huivering op. Als een op de vijftig mensen de ziekte kreeg bij een mortaliteit van tachtig procent, dan zouden er per miljoen mensen twintigduizend besmet raken, van wie er ongeveer zestienduizend zouden sterven. Toegepast op de bevolking van de Verenigde Staten betekende dat dat er drie miljoen doden zouden vallen bij een poging de bevolking tegen het kwaad te beschermen. 'Het is kiezen of delen.'
'Het is nu nog te vroeg om de omvang van de mogelijke epidemie te bepalen, en we hebben geen harde gegevens over het vermogen van de ziekte zich in bestaande milieus te verspreiden,' meende urologie. 'We weten dus nog niet goed welke maatregelen er genomen moeten worden.'
'Dat is juist.' Het was in elk geval eenvoudig deze mensen iets uit te leggen.
'Mijn mensen zullen er het eerst mee geconfronteerd worden,' zei EHBO. 'Ik moet ze waarschuwen. We kunnen niet het risico lopen onnodig onze mensen te verliezen.'
'Wie zegt het tegen Jack?' vroeg Cathy zich hardop af. 'Hij moet het weten, en snel ook.'
'Dat is de taak van USAMRIID en Volksgezondheid.'
'Ze zijn nog niet zover dat ze dat kunnen melden, dat heb je net gezegd,' antwoordde Cathy. 'Weet je dit zeker?'
'Ja.'
SURGEON wendde zich tot Roy Altman. 'Laat direct de helikopter hier komen.'

49

Reactietijd

Kolonel Goodman werd verrast door het telefoontje. Hij zat net voor de motorrevisiewerkplaats van een late lunch te genieten na een controlevlucht voor een reserve VH-60. Het toestel dat hij voor SURGEON gebruikte, stond op het platform. De driekoppige bemanning liep erheen en startte de motoren, zonder te weten waarom het schema voor die dag gewijzigd was. Tien minuten na het telefoontje koos hij het luchtruim in noordoostelijke richting. Twintig minuten later cirkelde hij boven de landingsplaats. Daar stond SURGEON, met SANDBOX naast zich. Ook de Secret Service was aanwezig, en nog iemand in een witte jas, die hij niet kende. De kolonel controleerde de windsnelheid en begon aan de landing.

De faculteitsvergadering was nog maar vijf minuten afgelopen. Er moesten besluiten genomen worden. Twee verdiepingen zouden volledig worden vrijgehouden voor mogelijke ebolagevallen. Het hoofd van de EHBO bracht op dit moment zijn medewerkers bijeen voor een briefing. Twee van Alexandre's medewerkers belden met Atlanta om de stand van zaken over het aantal gevallen te vernemen en om mee te delen dat Hopkins het rampenplan voor deze eventualiteit in werking had gesteld. Dit betekende dat Alex niet naar zijn kantoor had kunnen terugkeren om andere kleren aan te trekken. Ook Cathy droeg haar doktersjas, maar in haar geval over een gewone jurk. Hij had een groen pak aangehad voor de vergadering, zijn derde die dag, en was daar nog steeds in gekleed. Cathy zei hem zich er niet druk om te maken. Ze moesten wachten tot de rotor niet meer draaide voordat de Secret Service toestond dat hun beschermelingen aan boord van het toestel gingen. Alex zag dat er nog een helikopter in de lucht hing; waarschijnlijk beveiliging, dacht hij.

Iedereen wist een plaatsje te vinden aan boord. Katie, die hij nog nooit had ontmoet, kreeg het klapstoeltje achter de piloten. Dat was zeker de veiligste plek in het vliegtuig. Alexandre had in geen jaren in een Blackhawk gevlogen. De vierpuntsgordel leverde nog steeds geen probleem op. Cathy bevestigde de hare in één beweging, maar kleine Katie moest geholpen worden. Ze was gek op haar roze helm met een konijntje erop, zonder twijfel het idee van een of andere marinier. Even later begon de rotor te draaien.

'Dit gaat wel een beetje snel,' zei Alex over de intercom.

'Denk je echt dat we moeten wachten?' antwoordde Cathy, haar microfoon bijstellend.

'Nee.' En het zou zinloos zijn te zeggen dat hij niet gekleed was op een ontmoeting met de president. De heli steeg op, klom ongeveer honderd meter in de lucht en maakte een bocht naar het zuiden.

'Kolonel?' zei Cathy tegen de piloot rechts voorin.

'Jawel, mevrouw?'

'Opschieten graag,' beval ze.

Goodman had SURGEON nog nooit als een chirurg horen praten. Het was het soort commando dat elke marinier direct zou herkennen. Hij liet de neus zakken en voerde de snelheid van de Blackhawk op tot honderdzestig knopen.

'Hebt u haast, kolonel?' vroeg de tweede piloot.

'Mevrouw heeft haast. Bravo-route, directe nadering.' Hij riep BWI Airport op om de verkeersleiding te vragen het opstijgende en landende verkeer op te houden tot hij gepasseerd was. Het zou niet lang duren. Niemand op de grond merkte er iets van, maar twee 737's van USAir moesten tot ergernis van de passagiers een extra rondje maken. SANDBOX, die op haar klapstoeltje naar buiten zat te kijken, vond het allemaal erg gaaf.

'Meneer de president?'
'Ja, Andrea?' Ryan keek op.
'Uw vrouw komt eraan uit Baltimore. Ze moet u over iets spreken. Ik weet niet wat. Over een kwartier ongeveer,' zei Price tegen hem.
'Er is toch niets mis?' vroeg Jack.
'Nee, nee, iedereen is veilig, meneer. SANDBOX is bij haar,' verzekerde de agent hem.
'Goed.' Ryan concentreerde zich weer op het laatste verslag van het onderzoek naar de aanslag.

'Nou, het is officieel een rechtmatig schot, Pat.' Murray wilde het zijn inspecteur persoonlijk vertellen. Daar was natuurlijk niet echt over getwijfeld.
'Ik had de laatste graag levend te pakken genomen,' merkte O'Day met een grimas op.
'Vergeet het maar. Dat was volstrekt onmogelijk met die kinderen erbij. Ik denk dat we wel een onderscheidinkje voor je regelen.'
'Hebben we al iets over die Azir?'
'De foto van zijn rijbewijs en een hoop verslagen, maar afgezien daarvan is het moeilijk om te bewijzen dat hij ooit bestaan heeft.' De omstandigheden waren klassiek geweest. 'Mordecai Azir' was op een vrijdagmiddag met de auto naar Baltimore-Washington International Airport gereden, waar hij een vlucht naar New York-Kennedy genomen had. Ze wisten dat van de USAir-functionaris die hem het ticket op die naam overhandigd had. Daarna was hij als een rookwolk op een winderige dag verdwenen. Hij had zonder twijfel puntgave reisdocumenten gehad. Misschien had hij die in New York gebruikt voor een internationale vlucht. Als hij echt slim was geweest, dan zou hij eerst nog een taxi naar Newark of LaGuardia hebben genomen en dan een intercontinentale vlucht van het eerste vliegveld of een vlucht naar Canada van het laatste genomen hebben. Agenten van het bureau in New York waren zelfs op dit moment nog bezig baliemedewerkers van alle luchtvaartmaatschappijen te ondervragen. Maar vrijwel alle maatschappijen vlogen op Kennedy en het personeel daar zag elke dag duizenden mensen. Misschien konden ze traceren welke vlucht hij genomen had. Zo ja, dan zou hij toch al op de maan zitten voor ze erachter kwamen.
'Een ervaren spion,' merkte Pat O'Day op. 'Zo moeilijk is het niet, hè?'
De woorden van zijn FBI-chef schoten Murray weer te binnen. Als je het één keer kon, dan kon je het meer dan eens. Er was alle reden om aan te nemen dat er een compleet spionage- of zelfs terroristennetwerk in zijn land aanwezig was, dat gespannen op orders wachtte... om wat te doen? En om ontdekking te vermijden, hoefden de leden ervan slechts niets te doen. Samuel Johnson had ooit opgemerkt dat iedereen daartoe in staat was.

De helikopter trok de neus op en landde, enigszins tot verrassing van de verslaggevers die altijd een oogje in het zeil hielden. Alle onverwachte gebeurtenissen op het Witte Huis vormden nieuws. Ze herkenden Cathy Ryan. Het was ongewoon dat ze een witte doktersjas aanhad, en toen ze nog iemand anders zagen die op dezelfde manier gekleed was, zij het in groen, was de eerste indruk dat er iets ernstigs met de president was. Dit was inderdaad juist, maar toch kwam een woordvoerder hun vertellen dat er niets met de president zelf was en dat hij aan zijn bureau zat te werken; nee, hij wist niet waarom dr. Ryan zo vroeg thuis was gekomen.
Ik ben hier niet op gekleed, dacht Alex. De blikken van de agenten op de route naar de westvleugel bevestigden dat. Nu vroegen zelfs enkelen van hen zich af of SWORDSMAN soms ziek was. Dit resulteerde in enkele mobilofoongesprekken waarin het gerucht nadrukkelijk ontkend werd. Cathy ging hem voor door de gang, waar ze de verkeerde deur probeerde te openen. Een agent wees haar de juiste deur naar het Oval Office en opende die voor haar. Ze zagen dat ze niet geïrriteerd was of zich geneerde over de vergissing. Ze hadden SURGEON nog nooit zo geconcentreerd gezien.
'Jack, dit is Pierre Alexandre,' zei ze zonder verdere begroeting.
Ryan stond op. Hij had de komende twee uur geen belangrijke afspraken en had zijn jasje uitgedaan. 'Dag, dokter,' zei hij, terwijl hij zijn hand uitstak en de kleding van zijn gast bekeek. Daarna realiseerde hij zich dat Cathy eveneens haar werkkleding aanhad. 'Wat is er aan de hand, Cathy?' vroeg hij zijn vrouw.
'Alex?' Niemand had nog de kans gekregen te gaan zitten. Twee agenten van de Secret Service waren de twee artsen naar binnen gevolgd. De spanning in de kamer maakte hen extra op hun hoede, hoewel zij evenmin wisten wat er aan de hand was. Roy Altman zat in een andere kamer met Price te praten.
'Meneer de president, weet u wat het ebolavirus is?'
'Afrika,' zei Jack. 'Dat is toch een of andere jungleziekte? Absoluut dodelijk. Ik heb een film gezien...'
'Ja, zoiets,' bevestigde Alexandre. 'Het is een negatief RNA-virus. We weten niet waar het leeft, dat wil zeggen, we kennen de plaats maar niet de gastheer. Dat is het dier waarin het leeft,' legde hij uit. 'Het is een echte moordenaar, meneer. De mortaliteit bedraagt tachtig procent.'
'Goed,' zei Ryan, nog altijd staand. 'Ga verder.'
'Het is nu hier.'
'Waar?'
'Bij de laatste telling hadden we vijf gevallen op het Hopkins. Meer dan twintig in het hele land, maar dat getal is van ongeveer drie uur geleden. Mag ik even bellen?'

Gus Lorenz zat alleen in zijn kantoor toen de telefoon ging. 'Weer met Alexandre.'
'Ja, Alex?'
'Gus, hoe is de stand nu?'

'Zevenenzestig,' antwoordde Lorenz.
'Waar?'
'Voornamelijk grote steden. De meldingen komen hoofdzakelijk uit grote medische centra. Boston, New Haven, New York, Philadelphia, Baltimore, een in Richmond, zeven hier in Atlanta, drie in Orlando...' Ze hoorden dat er een deur openging en er een vel papier werd overhandigd. 'Negenentachtig, Alex. Ze komen nog steeds binnen.'
'Heeft USAMRIID al alarm geslagen?'
'Ik verwacht dat binnen een uur. Ze zijn aan het vergaderen om te bepalen...'
'Gus, ik zit nu in het Witte Huis. De president staat vlak bij me. Je moet hem vertellen wat jij denkt,' beval Alexandre. Hij sprak weer als een legerkolonel.
'Wat... hoe heb je... Alex, het is nog niet zeker.'
'Of jij zegt het, of ik doe het zelf. Het is beter als jij het doet.'
'Meneer de president?' zei Ellen Sumter bij de zijdeur. 'Ik heb een zekere generaal Pickett aan de telefoon voor u. Hij zegt dat het erg dringend is.'
'Zeg hem aan de lijn te blijven.'
'John is goed, maar hij is wat behoudend,' merkte Alex op. 'Gus, vertel jij het!'
'Meneer de president, dit lijkt iets anders te zijn dan een natuurlijk fenomeen. Het lijkt erg op een welbewuste actie.'
'Biologische oorlogvoering?' vroeg Ryan.
'Jawel, meneer de president. Onze gegevens zijn nog niet geheel compleet, zodat we nog geen echte conclusie kunnen trekken, maar natuurlijke epidemieën beginnen niet op deze manier. Ze beginnen niet op zoveel plaatsen tegelijk.'
'Mevrouw Sumter, kunt u de generaal op deze lijn zetten?'
'Jawel, meneer.'
'Meneer de president?' vroeg een nieuwe stem.
'Generaal, ik heb dokter Lorenz aan de lijn, en naast me staat dokter Alexandre van het Hopkins hier in de buurt.'
'Hallo, Alex.'
'Hallo, John,' antwoordde Alexandre.
'Je bent op de hoogte.'
'Hoe zeker bent u van deze veronderstelling?' vroeg SWORDSMAN.
'We hebben ten minste tien haarden. Een ziekte verspreidt zich niet vanzelf op zo'n manier. De gegevens komen nog steeds binnen, meneer. Zoveel gevallen binnen vierentwintig uur, dat kan geen toeval zijn. Het is geen natuurlijk proces. Alex kan u alles verder uitleggen. Hij heeft voor me gewerkt. Hij is zeer deskundig,' vertelde Pickett zijn opperbevelhebber.
'Dokter Lorenz, bent u het hiermee eens?'
Ja, meneer de president.'
'Jezus.' Jack keek naar zijn vrouw. 'Wat nu?'
'We hebben enkele opties, meneer,' antwoordde Pickett. 'Ik moet u persoonlijk spreken.'
Ryan draaide zich om: 'Andrea?'

'Ja, meneer?'
'Zorg dat er direct een heli voor Fort Detrick is!'
'Ja, meneer de president.'
'Ik wacht op u, generaal. Dokter Lorenz, bedankt. Moet ik verder nog iets weten?'
'Dat zal dokter Alexandre u wel vertellen.'
'Heel goed, ik zal u mevrouw Sumter weer geven. Zij zal u de directe nummers van dit kantoor opgeven.' Jack liep naar de deur. 'Zeg ze wat ze moeten weten. Laat dan Arnie en Ben hier komen.'
'Ja, meneer de president.'
Jack liep naar zijn bureau en ging op de rand zitten. Hij zweeg een tijdje. Hij was nu op een bepaalde manier dankbaar dat er een aanslag op zijn dochter gepleegd was. Dat was een plotselinge klap in zijn gezicht geweest. Dit was anders, en hoewel hij wist dat de gevolgen veel verstrekkender waren, had hij voorlopig geen behoefte aan emotionele ellende.
'Wat moet ik weten?'
'De meeste belangrijke dingen kunnen we u nog niet vertellen. Het gaat om technische kwesties,' legde Alex uit. 'Over het gemak waarmee de ziekte zich verspreidt hebben we tot nu toe alleen incidentele, onbetrouwbare informatie. Dat is waar het om draait. Als de ziekte gemakkelijk door de lucht verspreid wordt...'
'Door de lucht?' vroeg Ryan.
'Door kleine druppeltjes, zoals bij hoesten of niezen. Als de ziekte zich zo verspreidt, zitten we in ernstige problemen.'
'Dat is niet waarschijnlijk,' bracht Cathy ertegen in. 'Jack, dit virus is erg kwetsbaar. Het kan in de open lucht niet langer dan – nou, Alex, een paar seconden? – overleven.'
'Dat is de theorie, maar sommige stammen zijn sterker dan andere. Zelfs als het virus slechts enkele minuten in de open lucht kan overleven, dan is dat zeer ernstig. Als dit de stam is die we mayinga noemen, dan weten we niet eens hoe sterk die is. Maar daar blijft het niet bij. Als iemand het virus oploopt, brengt hij het mee naar huis. Een huis is een vrij gunstige omgeving voor ziektekiemen. Dat komt door de verwarming en de airconditioning. Ook zijn er gezinsleden die in nauw contact met de patiënt staan. Ze omhelzen elkaar, kussen, vrijen. En als iemand ze eenmaal bij zich draagt, dan verspreidt hij die dingen ook.'
'Dingen?'
'De virusdeeltjes, meneer de president. Hun omvang wordt in micron gemeten. Ze zijn veel kleiner dan stofdeeltjes, kleiner dan alles wat u kunt zien.'
'U hebt op Detrick gewerkt?'
'Jawel, meneer, ik was kolonel, hoofd pathogenen. Ik ben daar met ontslag gegaan, waarna het Hopkins me heeft aangesteld.'
'U hebt dus enig idee wat de plannen, ik bedoel de mogelijkheden van generaal Mitchell zijn?'

'Ja zeker. Dit soort zaken wordt minstens eenmaal per jaar opnieuw geëvalueerd. Ik heb in de commissie gezeten die de plannen heeft opgesteld.'
'Ga zitten, dokter, ik ben benieuwd.'

De Maritime Pre-Positioning Ships waren net van een oefening teruggekeerd. Het weinige onderhoud dat gepleegd moest worden, was achter de rug. Toen ze daartoe bevel kregen van CINCLANTFLT, werd met de procedures begonnen om de motoren te starten. Dit kwam hoofdzakelijk neer op het opwarmen van de brandstof en smeerolie. Noordelijker ontvingen de kruiser *Anzio* en de torpedojagers *Kidd* en *O'Bannon* eveneens orders. Zij wendden de steven westwaarts en gingen op weg naar een vastgesteld ontmoetingspunt. De hoogste aanwezige officier was de kapitein van de *Aegis*, die zich afvroeg hoe hij die logge koopvaardijschepen ooit in de Perzische Golf moest krijgen zonder luchtsteun, als het zover kwam. De Amerikaanse marine manoeuvreerde nooit zonder luchtsteun, maar nu bevond het dichtstbijzijnde vliegdekschip, de *Ike*, zich bijna vijfduizend kilometer verderop, met het Maleisisch schiereiland als obstakel ertussen. Aan de andere kant was het zo slecht nog niet bevelvoerend kapitein te zijn van een oorlogseskader zonder dat er een admiraal over zijn schouder keek.
Het eerste MPS-schip dat de lange ankerketting binnenhaalde was de USNS *Bob Hope*, een pas gebouwd transportschip voor militair roll-on-roll-off-transport met een waterverplaatsing van bijna tachtigduizend ton, dat 952 voertuigen vervoerde. De burgerbemanning kende een bepaalde traditie als ze uitvoeren. Toen het schip vlak na middernacht vertrok, klonk uit een grote luidspreker op de marinebasis keihard *Thanks for the Memories*. Ze werd gevolgd door vier zusterschepen. Aan boord bevond zich de volledige voertuigensectie voor een versterkte zware brigade. Na het passeren van het rif werden de snelheidshendels geheel omlaag geduwd, zodat de grote Colt-Pielstick-dieselmotoren het schip met een snelheid van 26 knopen konden voortstuwen.

Ze wachtten tot Goodley en Van Damm gearriveerd waren. In niet meer dan tien minuten werden ze van de gebeurtenissen op de hoogte gebracht. Nu begon de enorme omvang ervan tot de president door te dringen. Hij moest nu ook zijn emoties de baas zien te blijven, naast de intellectuele inspanning die van hem gevergd werd. Hij merkte op dat Cathy, hoewel ze even ontzet moest zijn als hij, alles kalm opnam. Zo leek het althans. Maar ja, het was ook haar terrein.
'Ik denk niet dat ebola buiten het oerwoud kan overleven,' zei Goodley.
'Dat kan het ook niet, althans niet langdurig, anders zou het nu de hele wereld over gereisd zijn.'
'Daar doodt het te snel voor,' interrumpeerde SURGEON.
'Cathy, er zijn al meer dan dertig jaar straalvliegtuigen. Dat rotbeest is kwetsbaar. Dat is in ons voordeel.'
'Hoe komen we erachter wie het gedaan heeft?' Dit was Arnie.

'We verhoren alle slachtoffers, zoeken uit waar ze geweest zijn en proberen dan de mogelijke locaties tot één terug te brengen. Dat is een kwestie van onderzoek. Epidemiologen zijn daar erg goed in... ook al is de schaal hiervan wel erg veelomvattend,' voegde Alexandre eraan toe.
'Kan de FBI van dienst zijn, dokter?' vroeg Van Damm.
'Dat kan geen kwaad.'
'Ik zal Murray hier laten komen,' zei de stafchef tegen de president.
'Is er geen behandeling?' vroeg Ryan.
'Nee, de epidemie verdwijnt vanzelf na enkele generatiecycli. Daarmee bedoel ik het volgende: één persoon wordt besmet. Het virus vermenigvuldigt zich in hem en dan wordt het aan iemand anders doorgegeven. Elk slachtoffer wordt een onvolmaakte gastheer. Telkens als de ziekte zich vermenigvuldigt en het slachtoffer te gronde richt, geeft de slachtoffer de ziekte door aan een ander. Maar gelukkig vermenigvuldigt ebola zich niet efficiënt. Tijdens deze generatiecycli wordt het virus minder kwaadaardig. De meeste overlevenden zien we aan het eind van een epidemie, omdat het virus in een steeds minder gevaarlijke vorm muteert. Het organisme is zo primitief dat het niet alles goed doet.'
'Hoeveel cycli zijn er voordat dit gebeurt, Alex?' vroeg Cathy.
Hij haalde zijn schouders op. 'Het is een ervaringsfeit. We kennen het verloop, maar kunnen het niet kwantificeren.'
'Veel onbekende factoren.' Ze trok een grimas.
'Meneer de president?'
'Ja, dokter?'
'Wat die film betreft die u gezien hebt...'
'Wat is daarmee?'
'Het budget voor die film is heel wat hoger dan het totale budget voor virologisch onderzoek. Houd dat in gedachten. Ik denk dat het niet sexy genoeg is.'
Arnie wilde iets gaan zeggen, maar Alex snoerde hem met opgeheven hand de mond. 'Ik sta niet meer op de loonlijst bij de overheid, meneer. Ik hoef geen eigen koninkrijkje op te bouwen. Mijn onderzoek wordt particulier gefinancierd. Ik maak slechts melding van een feit. En trouwens, ik denk dat we niet overal geld voor kunnen uittrekken.'
'Als we het niet kunnen behandelen, hoe kunnen we het dan stoppen?' vroeg Ryan, weer op de kern van de zaak terugkomend. Hij draaide zijn hoofd om. Er trok een schaduw over het gazon en door het kogelvrije glas klonk het geraas van een helikopter.

'Ah,' constateerde Badrayn met een glimlach. Het Internet was bedoeld om informatie te verschaffen, niet om die te verbergen, en van een vriend van een vriend van een vriend die medicijnen studeerde aan Emory University in Atlanta had hij het wachtwoord gekregen voor de elektronische post van dat medisch centrum. Met een ander wachtwoord wist hij alle onzin te omzeilen. Nu had hij het gevonden. Het was 14.00 uur aan de Amerikaanse oostkust en Emory meldde aan CDC dat het nu zes gevallen van vermoedelijke hemorragische koorts had. Nog interessanter was dat CDC al geantwoord had, en dat vertelde hem veel meer. Badrayn printte beide berichten uit en pleegde een telefoontje. Nu kon hij werkelijk goed nieuws melden.

Raman voelde hoe de DC-9 in Pittsburgh de grond raakte na een korte vlucht, waarop hij toch genoeg tijd had gehad om in alle rust enkele opties te overdenken. Zijn collega-broer in Bagdad had een wat al te opofferende handelwijze gevolgd. Dat was iets te theatraal geweest, en het escorte rond de Iraakse leider was behoorlijk groot geweest, groter feitelijk dan het escorte waar hij toe behoorde. Hoe moest hij het doen? De truc was zoveel mogelijk verwarring te zaaien. Misschien als Ryan zich in de menigte begaf om handjes te geven. Schieten, een of twee andere agenten doden en dan de menigte in rennen. Hij moest proberen achter de eerste twee rijen toeschouwers te komen. Dan hoefde hij alleen zijn legitimatie van de Secret Service omhoog te houden. Dat was beter dan een geweer om ergens doorheen te komen; iedereen zou denken dat hij achter de verdachte aan zat. De sleutel tot de ontsnapping bij een moordaanslag lag in de eerste dertig seconden, zo had de USSS hem geleerd. Als hij die overleefde, had hij meer dan vijftig procent kans om te overleven. En hij was degene die de beveiliging voor de reis van vrijdag zou verzorgen. Maar hoe kon hij de president op een plek krijgen waar hij die optie zou hebben? Pak de president. Pak Price. Pak nog een ander. Ga op in de menigte. Waarschijnlijk was het beter vanaf de heup te schieten. Het was het beste als de burgers het geweer in zijn hand pas zagen als hij al geschoten had. Ja, dat zou kunnen, dacht hij, terwijl hij zijn riem afdeed en opstond. Er zou een plaatselijke Treasury-agent aan het eind van de landingsbaan staan. Ze zouden direct naar het hotel rijden waar president Ryan tijdens het diner zijn toespraak zou houden. Raman zou de hele dag en een deel van morgen de tijd hebben om alles te overdenken, nota bene onder de ogen van medeagenten. Wat een uitdaging.

Generaal-majoor John Pickett bleek aan Yale medicijnen gestudeerd te hebben. Hij bezat ook enkele doctoraaltitels in de moleculaire biologie van Harvard en volksgezondheid van UCLA. Hij was een bleke, tengere man, die klein leek in zijn uniform. Hij had niet de tijd gehad zich om te kleden en droeg camouflagekleding, waarbij zijn parachutisten-wing in het geheel niet paste. Hij werd gevolgd door twee kolonels en directeur Murray van de FBI, die halsoverkop uit de Hoover Building hierheen was gekomen. De drie officieren gingen in de houding staan toen ze binnenkwamen. Omdat het Oval Office nu te klein was geworden, leidde de president hen door de gang naar de Roosevelt Room. Onderweg overhandigde een agent van de Secret Service de generaal een fax die nog steeds warm was van het apparaat in de secretaressekamer.

'Er zijn nu honderdzevenendertig gevallen volgens Atlanta,' zei Pickett. 'Vijftien steden in vijftien staten van kust tot kust.'

'Hallo, John,' zei Alexandre, hem de hand schuddend. 'Ik heb drie ervan zelf gezien.'
'Alex, blij je te zien, maat.' Hij keek op. 'Ik denk dat Alex iedereen wel op de hoogte gebracht heeft van de elementaire zaken?'
'Klopt,' zei Ryan.
'Hebt u op dit moment vragen, meneer de president?'
'Weet u zeker dat dit een weloverwogen actie is?'
'Bommen gaan niet toevallig af.' Pickett vouwde een kaart open. Een aantal steden erop waren met rode stippen gemarkeerd. Een van de begeleidende kolonels zette er nog drie: San Francisco, Los Angeles en Las Vegas.
'Beurssteden. Zo zou ik het ook gedaan hebben,' zei Alexandre geagiteerd. 'Het lijkt op Bio-War 95, John.'
'Inderdaad. Dat is een oorlogssimulatie die we bij de Defense Nuclear Agency speelden. Daar gebruikten we anthrax. John hier was een van de besten in het plannen van biologische aanvallen,' zei Pickett tegen zijn gehoor. 'Hij was commandant van het Rode Team hierbij.'
'Is dat niet in strijd met de wet?' zei Cathy, die zich ontzet toonde over deze onthulling.
'Aanval en verdediging zijn twee zijden van dezelfde munt, mevrouw Ryan,' antwoordde Pickett ter verdediging van zijn vroegere ondergeschikte. 'We moeten als de bandieten denken als we die willen bestrijden.'
'Operationeel concept?' vroeg de president. Hij begreep zulke dingen beter dan zijn vrouw.
'Biologische oorlogvoering op strategisch niveau betekent dat je een kettingreactie op gang brengt bij de te treffen bevolking. Je probeert zoveel mogelijk mensen te besmetten, en dat hoeven er niet heel veel te zijn; we hebben het hier niet over kernwapens. Het idee is dat de mensen, de slachtoffers, voor de verspreiding zorgen. Dat is het elegante van biologische oorlogvoering. Je slachtoffers zorgen voor de meeste doden. Een epidemie begint langzaam en verspreidt zich dan steeds sneller, als een tangentiële curve, en schiet ten slotte geometrisch omhoog. Als je bio als aanvalswapen gebruikt, dan probeer je een vliegende start te creëren door zoveel mogelijk mensen te infecteren. Je kiest dan voor mensen die op reis zijn. Las Vegas is het beste. Dat is een beursstad. Er is trouwens net een grote tentoonstelling geweest. De bezoekers worden geïnfecteerd, stappen in het vliegtuig naar huis en verspreiden zo de ziekte voor je.'
'Is er een kans te ontdekken hoe ze het gedaan hebben?' vroeg Murray. Hij toonde zijn legitimatie zodat de generaal zag wie hij was.
'Waarschijnlijk is dat tijdverspilling. Wat nog meer zo mooi is aan biologische wapens, is dat de incubatietijd in dit geval minstens drie dagen bedraagt. Welk distributiemiddel er ook gebruikt is, het is inmiddels opgepakt, meegenomen en op de vuilstortplaats beland. Geen enkel technisch bewijs, geen enkele aanwijzing wie het gedaan heeft.'
'Bewaar dat voor later, generaal. Wat moeten we doen? Ik zie een hoop staten zonder besmetting...'

'Dat is nu nog, meneer de president. Er staat een incubatietijd van drie tot tien dagen voor ebola. We weten niet hoe ver het virus zich al heeft verspreid. Daar kunnen we alleen achter komen door te wachten.'
'Maar we moeten CURTAIN CALL op gang brengen, John,' zei Alexandre. 'En snel ook.'

Mahmoud Haji zat te lezen. Hij had een kantoor naast zijn slaapkamer. Daar werkte hij het liefst, in een vertrouwde omgeving. Hij wilde er niet graag gestoord worden en daarom werden zijn beveiligingsmensen verrast door zijn reactie op het telefoontje. Twintig minuten later lieten ze de bezoeker binnen. Hij had geen escorte.
'Is het begonnen?'
'Het is begonnen.' Badrayn overhandigde het CDC-bericht. 'Morgen weten we meer!'
'Je hebt het goed gedaan,' zei Daryaei tegen hem en stuurde hem weg. Toen de deur dicht was, pleegde hij een telefoontje.

Alahad wist niet over hoeveel schijven de verbinding met hem liep. Hij wist alleen dat het een telefoontje uit het verre buitenland was. Hij vermoedde uit Londen, maar hij wist het niet zeker en wilde het ook niet vragen. Het was een volkomen normaal verzoek om informatie, met uitzondering van het tijdstip. In Engeland was het nu avond, na kantoortijd. Het ging om het type tapijt en de prijs ervan. Dit vertelde hem wat hij moest weten, in een code die hij al zeer lang kende en nooit had opgeschreven. Als hij weinig wist, kon hij ook weinig onthullen. Dat deel van de transactie was hem volstrekt duidelijk. Nu volgde zijn eigen deel. Hij legde een bordje in de etalage waarop stond dat hij zo terug was. Hij liep naar buiten, sloot de winkel af en liep de hoek om. Twee straten verderop was een telefooncel. Van daaruit belde hij om zijn laatste opdracht aan Aref Raman te geven.

De bijeenkomsten waren begonnen in het Oval Office, verplaatst naar de Roosevelt Room en vonden nu helemaal aan het eind van de gang in de Cabinet Room plaats, waar George Washington op meer dan één schilderij getuige kon zijn van de voortgang. De ministers arriveerden bijna allemaal tegelijk. Hun aankomst kon geen geheim blijven. Er waren voor de journalisten te veel dienstauto's, te veel lijfwachten, te veel bekende gezichten.
Pat Martin was er voor Justitie. Bretano, de minister van Defensie. Hij had admiraal Jackon bij zich, die achter hem tegen de muur zat. (Iedereen had een assistent meegenomen, hoofdzakelijk om aantekeningen te maken.) Winston, de minister van Financiën, was van de overkant van de straat komen lopen. De ministers van Handel en Binnenlandse Zaken waren oudgedienden. Zij waren al minister onder president Durling; ze waren feitelijk door Bob Fowler aangesteld. De meeste anderen waren onderministers die in sommige gevallen waren blijven zitten omdat de president nog geen actie had ondernomen om ze weg te

krijgen, en in andere gevallen leken te weten waar ze mee bezig waren. Maar geen van hen wist waar ze nu mee bezig waren. Ed Foley kwam ook binnen op verzoek van de president, hoewel de CIA gewoonlijk niet meer bij kabinetsvergaderingen aanwezig was. Eveneens present waren Arnie van Damm, Ben Goodley, directeur Murray, de First Lady, drie legerofficieren en dokter Alexandre.
'De vergadering is geopend,' zei de president. 'Dames en heren, dank voor uw komst. Ik heb geen tijd voor een inleiding. We worden geconfronteerd met een nationale noodtoestand. De beslissingen die wij hier vandaag nemen zullen zeer ingrijpend zijn voor het land. In de hoek zit generaal-majoor John Pickett. Hij is arts en onderzoeker en ik zal hem nu het woord geven. Generaal, vertel uw verhaal.'
'Dank u, meneer de president. Dames en heren, ik ben bevelvoerend generaal op Fort Detrick. Eerder vandaag begonnen er bij ons diverse verontrustende meldingen binnen te komen...'
Ryan luisterde niet echt. Hij had het verslag nu twee keer gehoord. In plaats daarvan las hij het dossier dat Pickett hem had overhandigd. De map was gemarkeerd met de gebruikelijke rood-wit geblokte band. Op de sticker in het midden stond TOP SECRET – AFFLICTION, onheil, wat een zeer toepasselijke codenaam was, dacht SWORDSMAN. Hij opende de map en begon OPPLAN CURTAIN CALL te lezen. Er waren vier varianten van het plan, zag Jack. Hij begon met nummer vier. Dat heette SOLITARY, afzondering, eveneens een toepasselijke naam. Bij het lezen van de samenvatting begon hij al te huiveren. Jack keek onwillekeurig naar George Washington aan de muur. Hij wilde hem vragen: wat moet ik in godsnaam doen? Maar George zou het niet begrepen hebben. Hij wist niets van passagiersvliegtuigen, virussen en kernwapens.
'Hoe erg is het nu?' vroeg Volksgezondheid.
'Een kwartier geleden waren er iets meer dan tweehonderd gevallen gemeld bij CDC. Ik leg er de nadruk op dat deze alle in minder dan vierentwintig uur zijn gemeld,' zei generaal Pickett tegen de minister.
'Wie heeft het gedaan?' vroeg Landbouw.
'Laten we het daarover niet hebben,' zei de president. 'Daar spreken we later over. We moeten nu beslissen wat de beste methode is om de epidemie onder controle te houden.'
'Ik kan gewoon niet geloven dat er geen behandeling...'
'Geloof het toch maar,' zei Cathy Ryan. 'Weet u hoeveel virusziekten we kunnen genezen?'
'Eh, nee,' gaf Volkshuisvesting toe.
'Geen een.' Het verbaasde haar steeds weer hoe weinig sommige mensen van medische onderwerpen afwisten.
'Onder controle houden is dus de enige mogelijkheid,' ging generaal Pickett verder.
'Hoe kun je een heel land onder controle houden?' vroeg Cliff Rutledge, onderminister voor Beleidszaken van Buitenlandse Zaken, die Scott Adler verving.

'Dat is het probleem waarmee we geconfronteerd worden,' zei president Ryan. 'Dank u, generaal. Ik zal het van u overnemen. De enige manier om de epidemie onder controle te houden is alle plaatsen waar mensen bijeenkomen te sluiten. Dat betreft theaters, winkelcentra, sportstadions, kantoren enzovoort. We verbieden ook alle verkeer tussen de staten. Voorzover we nu weten, zijn ten minste dertig staten nog niet door de ziekte getroffen. We moeten proberen dat zo te houden. Dat is mogelijk door verkeer tussen de staten te verhinderen, tot we een goed beeld hebben van de ernst van het ziekte-organisme. Dan kunnen we minder zware tegenmaatregelen nemen.'
'Meneer de president, dat is in strijd met de grondwet,' zei Pat Martin direct.
'Leg uit,' beval Ryan.
'Reizen is een grondwettelijk recht. Zelfs binnen staten is elke beperking van het vrije verkeer een inbreuk op de grondwet, op grond van de zaak-Lemuel Penn. Dat was een zwarte legerofficier die in de jaren zestig door de Klu Klux Klan werd vermoord. Het is een precedent van het Hooggerechtshof,' zei het hoofd van de afdeling Strafrecht.
'Ik begrijp dat ik, pardon, bijna iedereen in deze zaal, gezworen heb de grondwet te respecteren. Maar als dat betekent dat er een paar miljoen burgers omkomen, wat hebben we dan bereikt?' vroeg Ryan.
'We kunnen dat niet doen!' hield Volkshuisvesting vol.
'Generaal, wat gebeurt er als we het niet doen?' vroeg Martin tot verrassing van Ryan.
'Er is geen exact antwoord op. Dat kan er niet zijn, omdat we niet weten hoe gemakkelijk dit virus overgebracht wordt. Als besmetting via de lucht mogelijk is, en daar zijn vermoedens voor, dan... tja, je kunt wel honderd computermodellen gebruiken. Het probleem is welk model je moet kiezen. In het ergste geval spreken we over twintig miljoen doden. Op dat moment stort de samenleving in. Artsen en verpleegkundigen ontvluchten de ziekenhuizen, mensen sluiten zich op in hun huis en de epidemie komt vanzelf aan haar eind, ongeveer zoals de pest in de veertiende eeuw. Er zijn geen onderlinge contacten tussen mensen meer, als gevolg waarvan de ziekte zich niet meer verspreidt.'
'Twintig miljoen? Hoe erg was de Zwarte Dood?' vroeg Martin, wiens gezicht enigszins grauw was geworden.
'De verslagen zijn nogal vaag. Er bestond toen geen echte burgerlijke stand. De meeste zekerheid bestaat over Engeland,' antwoordde Pickett. 'De helft van de bevolking van dat land kwam om. De pest heerste ongeveer vier jaar. Het duurde ongeveer honderdvijftig jaar voor er weer evenveel mensen in Europa woonden als in 1347.'
'Shit,' siste Binnenlandse Zaken.
'Is het werkelijk zo gevaarlijk, generaal?' hield Martin aan.
'Potentieel wel. Het probleem is dat als je geen actie onderneemt en vervolgens ontdekt dat de ziekte inderdaad zo kwaadaardig is, het te laat is.'
'Ik begrijp het.' Martin draaide zich om. 'Meneer de president, ik denk dat we hier niet veel keuze hebben.'

'En u hebt net gezegd dat het in strijd met de wet is, verdomme!' riep Volkshuisvesting.
'Minister, de grondwet is geen zelfmoordverdrag, en hoewel ik denk te weten hoe het Hooggerechtshof hierover zou oordelen, is er nooit een soortgelijk geval geweest. De kwestie is dus betwistbaar, en de rechter zal er eventueel over moeten oordelen.'
'Wat heeft je van gedachten doen veranderen, Pat?' vroeg Ryan.
'Twintig miljoen redenen, meneer de president.'
'Als we onze eigen wetten schenden, waar blijven we dan?' vroeg Cliff Rutledge.
'In leven,' antwoordde Martin snel. 'Misschien.'
'Ik ben bereid een kwartier naar argumenten te luisteren,' zei Ryan. 'Dan moeten we een besluit nemen.'
Er volgde een levendig debat.
'Als we onze eigen grondwet schenden,' zei Rutledge, 'dan kan niemand ter wereld ons vertrouwen!' Volkshuisvesting en Volksgezondheid sloten zich daarbij aan.
'Hoe zit het met de praktische overwegingen?' wierp Landbouw tegen. 'Mensen moeten eten.'
'Wat voor land zullen we aan onze kinderen overdragen als we...'
'Wat dragen we aan ze over als we dood zijn?' wierp George Winston Volkshuisvesting voor de voeten.
'Dergelijke dingen gebeuren tegenwoordig toch niet!'
'Meneer de minister, wilt u een kijkje komen nemen in mijn ziekenhuis?' vroeg Alexandre vanuit de hoek.
'Dank u,' zei Ryan, op zijn horloge kijkend. 'Ik zal de kwestie in stemming brengen.'
Defensie, Financiën, Justitie en Handel waren voor. Alle anderen waren tegen. Ryan keek hen gedurende enkele seconden aan.
'De voorstemmers hebben gewonnen,' zei de president ijzig. 'Dank voor uw steun. Directeur Murray, de FBI zal alle assistentie verlenen die door CDC en USAMRIID wordt gevraagd om de haarden van deze epidemie te bepalen. Dit heeft absolute, onvoorwaardelijke prioriteit boven elke andere kwestie.'
'Ja, meneer de president.'
'Meneer Foley, de inlichtingendiensten zullen zich volledig op deze kwestie concentreren. U zult ook samenwerken met de medisch deskundigen. Dit is ergens vandaan gekomen. Degene die dit gedaan heeft, heeft zich schuldig gemaakt aan oorlogshandelingen en gebruikgemaakt van massale vernietigingswapens tegen ons land. We moeten erachter komen wie het geweest is. Alle inlichtingenbureaus zullen direct aan u rapporteren. U hebt de wettelijke bevoegdheid om alle inlichtingenactiviteiten te coördineren. Zeg de andere bureaus dat u van mij daartoe orders ontvangen hebt.'
'We zullen ons best doen, meneer.'
'Minister Bretano, ik kondig de nationale noodtoestand af. Alle reservisten en

onderdelen van de National Guard worden direct gemobiliseerd en onder federaal commando geplaatst. U hebt daarvoor een rampenplan in het Pentagon.' Ryan stak de CURTAIN CALL-map omhoog. 'U zult optie vier, SOLITARY, zo snel mogelijk uitvoeren.'
'Dat zal ik doen, meneer.'
'Ryan keek over de tafel naar de minister van Verkeer. 'Minister, u hebt het luchtverkeersleidingssysteem onder u. Als u weer op kantoor bent, geeft u al het luchtverkeer opdracht naar de bestemming te vliegen en daar te blijven. Alle andere vliegtuigen blijven op de grond vanaf zes uur vanavond.'
'Nee.' De minister van Verkeer stond op. 'Meneer de president, ik zal dat niet doen. Ik ben van mening dat dit een illegaal bevel is. Ik zal de wet niet overtreden.'
'Heel goed. Ik zal uw aftreden met onmiddellijke ingang aanvaarden. Bent u de onderminister?' zei Ryan tegen de vrouw die achter hem zat.
'Jawel, meneer de president.'
'Zult u mijn opdracht uitvoeren?'
Ze keek de zaal rond zonder goed te weten wat ze moest doen. Ze had alles gehoord, maar als beleidsambtenaar was ze er niet aan gewend iets te zeggen zonder politieke dekking.
'Het staat mij ook niet erg aan,' zei Ryan. Het geluid van straalmotoren drong in de zaal door. Op Washington National steeg een vliegtuig op. 'Stel dat dat vliegtuig de dood vervoert? Laten we dat gewoon gebeuren?' Hij vroeg het zo zacht dat ze het nauwelijks kon verstaan.
'Ik zal uw opdracht uitvoeren, meneer.'
'Weet je, Murray,' zei de voormalige – hij was er nog niet van overtuigd – minister van Verkeer, 'je kunt die man nu arresteren. Hij overtreedt de wet.'
'Vandaag niet, meneer,' antwoordde Murray, met zijn blik op de president gericht. 'Iemand zal eerst moeten beslissen hoe de wet luidt.'
'Als iemand anders in deze zaal de behoefte voelt de federale dienst te verlaten in verband met deze kwestie, dan zal ik uw ontslag zonder voorbehoud accepteren, maar denk alstublieft goed na wat u doet. Als ik ongelijk heb in deze kwestie, dan heb ik ongelijk, en zal ik de prijs daarvoor betalen. Maar als de artsen gelijk hebben en we niets doen, dan hebben we meer bloed aan onze handen dan Hitler ooit gehad heeft. Ik heb uw hulp en steun nodig.' Ryan stond op en liep de kamer uit, terwijl de anderen moeizaam opstonden. Hij liep snel. Hij kon niet anders. Hij ging het Oval Office binnen, sloeg rechtsaf naar de presidentiële zitkamer en wist nauwelijks op tijd het toilet te bereiken. Enkele seconden later trof Cathy hem daar aan, terwijl hij een plas braaksel doorspoelde. 'Doe ik het goed?' vroeg hij, nog steeds op zijn knieën zittend.
'Je hebt mijn stem, Jack,' zei SURGEON.
'Je ziet er geweldig uit,' merkte Van Damm op, die de president in een tamelijk gênante positie aantrof.
'Waarom heb je niets gezegd, Arnie?'
'Omdat dat niet nodig was, meneer de president,' antwoordde de stafchef.

Generaal Pickett en de andere artsen stonden te wachten toen hij terugkwam op kantoor. 'Meneer, er is net een fax van CDC gekomen. Er zijn twee gevallen op Fort Stewart. Dat is de thuisbasis van het 24ste gemotoriseerde.'

50
Speciaal verslag

Het begon in de wapenopslagplaatsen van de National Guard. Vrijwel elke stad en provincieplaats in Amerika had er een en in elk ervan bevond zich een sergeant van dienst, of misschien een officier, die aan een bureau zat om de telefoon op te nemen. Als de telefoon ging, sprak een stem van het Pentagon een codewoord uit dat een opdracht tot een bepaalde actie inhield. De wachtcommandant van de wapenkamer alarmeerde dan de commandant van de eenheid, waarna meer telefoontjes volgden, als de takken van een boom. Iedereen die gebeld werd kreeg opdracht anderen te bellen. Het duurde gewoonlijk ongeveer een uur voordat iedereen ingelicht was, althans vrijwel iedereen, omdat sommigen uiteraard niet in de stad waren, maar voor werk of vakantie op reis waren. De bevelvoerende commandanten van de Guard werkten meestal direct voor de gouverneurs van de staten. De National Guard is namelijk een wat tweeslachtige instelling. Het is deels een militie van de staat, deels een onderdeel van de Amerikaanse landmacht (of luchtmacht in het geval van de Air National Guard, waardoor vele gouverneurs over de modernste jachtvliegtuigen konden beschikken). Verrast als deze hoge officieren waren door de alarmering, deden ze aan hun gouverneurs verslag van de situatie. Ze vroegen om richtlijnen, die de gouverneurs echter nog niet konden geven, hoofdzakelijk omdat ze ook nog niet wisten wat er aan de hand was. Maar op compagnies- en bataljonsniveau haastten officieren en manschappen (ook vrouwen) zich van hun werk naar huis. Deze 'burgermilitairen' trokken hun camouflagepakken aan, poetsten hun laarzen en reden naar de plaatselijke wapenopslagplaats om zich bij hun peloton te voegen. Daar zagen ze tot hun verbazing dat ze hun wapens uitgereikt kregen en tot hun ontzetting ook hun MOPP-uitrusting. MOPP stond voor Mission Oriented Protective Posture, de beschermende uitrusting voor chemische oorlogvoering waarin ze allemaal ooit geoefend hadden en die door elke militair verafschuwd werd. Ze vertelden opgewekt de gebruikelijke grappen en verhaalden over hun werk, echtgenotes en kinderen, terwijl de officieren en het leidinggevende burgerpersoneel in de vergaderzalen bijeen zaten om uit te zoeken wat er in vredesnaam aan de hand was. Ze verlieten deze briefings geïrriteerd en in verwarring. Degenen die iets meer wisten, waren daarbij ook nog bang. Buiten de wapenopslagplaatsen werden voertuigen gestart. Binnen werden de tv's aangezet.

In Atlanta reed de speciale agent van dienst van de velddivisie van de FBI Atlanta met gillende sirene naar CDC, gevolgd door nog tien agenten. In Washington reed een aantal functionarissen van de CIA en andere inlichtingendiensten rustig naar de Hoover Building om een gemeenschappelijke speciale eenheid te formeren. In beide gevallen was de opdracht uit te zoeken hoe de epidemie begonnen was en vervolgens wáár die begonnen was. De betrokkenen waren niet allemaal burgers. De Defense Intelligence Agency en de National Security Agency bestonden hoofdzakelijk uit militairen, die van bars kijkende officieren te horen kregen dat er iets nieuws in de Amerikaanse geschiedenis was gebeurd. Als dit werkelijk een weloverwogen aanval op de Verenigde Staten van Amerika was, dan had een land gebruikgemaakt van wat omzichtig een 'massaal vernietigingswapen' genoemd werd. Vervolgens legden ze hun burgercollega's uit wat al twee generaties lang de politiek van Amerika was als het om een reactie op een dergelijke eventualiteit ging.

Het gebeurde uiteraard allemaal te snel, maar noodsituaties zijn nu eenmaal per definitie gebeurtenissen die niet erg goed gepland kunnen worden. Dat gold ook voor de president zelf, die vergezeld door generaal Pickett van USAMRIID de perszaal van het Witte Huis binnenging. Slechts een half uur eerder had het Witte Huis de grote omroepen verteld dat de president een verklaring moest afleggen en dat de regering daarbij gebruik zou maken van de mogelijkheid zendtijd te vorderen in plaats van die te vragen – sinds 1920 was de overheid eigenaar van de zenderfrequenties – waardoor alle praatprogramma's en andere uitzendingen die aan het avondnieuws voorafgingen, niet doorgingen. In de aankondiging kregen de kijkers te horen dat niemand wist waar dit over ging, maar dat er kort tevoren een spoedzitting van het kabinet was geweest.
'Landgenoten,' begon president Ryan zijn verklaring. Zijn gezicht was in de meeste Amerikaanse huizen te zien, zijn stem was in elke auto op de weg te horen. Degenen die vertrouwd waren met het gezicht van de president zagen hoe bleek hij was (mevrouw Abbot had geen tijd gehad voor zijn make-up) en hoe onheilspellend zijn stem klonk. De boodschap was nog onheilspellender.

De cementwagen had vanzelfsprekend een radio. Er zat zelfs een cassette- en cd-speler in, omdat de wagen bedoeld was om door een Amerikaan gebruikt worden, ook al was het een vrachtauto. Ze waren nu in Indiana en waren eerder de Mississippi en de Illinois overgestoken tijdens hun lange reis naar de hoofdstad van het land. Holbrook, die geen enkele belangstelling had voor de woorden van welke president ook, drukte op de zoektoets, maar ontdekte dat alle stations hetzelfde uitzonden. Dat was zo ongebruikelijk, dat hij op een ervan afstemde. Brown, die aan het stuur zat, zag dat auto's en vrachtwagens stopten; eerst waren het er niet veel, maar naarmate de toespraak vorderde, bogen de chauffeurs zich naar voren om naar de radio te luisteren, met inbegrip van hemzelf.

'En daarom zal de regering bij presidentieel besluit de volgende acties ondernemen:
Ten eerste: alle scholen en universiteiten in het land zullen tot nader order gesloten blijven.
Ten tweede: alle ondernemingen, behalve die eerstelijns diensten verlenen, te weten de media, de gezondheidszorg, de levensmiddelensector, de justitiële sector en de brandweer, zullen eveneens tot nader order gesloten zijn.
Ten derde: alle plaatsen van publieke samenkomst, zoals theaters, restaurants en bars zullen gesloten worden.
Ten vierde: alle verkeer tussen de staten wordt tot nader order opgeschort. Dit heeft betrekking op al het commerciële luchtverkeer, de treinen en bussen tussen de staten en alle particuliere auto's. Vrachtwagens met levensmiddelen worden onder militair escorte toegestaan. Dit geldt ook voor andere noodzakelijke transporten zoals van medicijnen.
Ten vijfde: ik heb de National Guard in alle vijftig staten opgeroepen en onder federaal gezag geplaatst om de openbare orde te handhaven. In het hele land geldt nu het oorlogsrecht.
We vragen onze burgers dringend... Nee, laat ik het informeler zeggen, dames en heren... Alles wat nodig is om deze crisis te bezweren is wat gezond verstand. De maatregelen die ik vandaag heb uitgevaardigd, zijn voorzorgsmaatregelen. Zoals ik u al verteld heb, is de reden daarvoor dat dit virus mogelijk het dodelijkste organisme op deze planeet is, maar dat we nog niet weten hoe gevaarlijk het is. We weten wél dat enkele simpele maatregelen de verspreiding ervan kunnen beperken, hoe dodelijk het ook is. Daarom heb ik die maatregelen in het belang van de openbare veiligheid verordonneerd. Ze zijn gebaseerd op het beste wetenschappelijke advies dat beschikbaar is. Om uzelf te beschermen, moet u weten hoe de ziekte zich verspreidt. Bij mij staat generaal John Pickett, een gerenommeerd legerarts, die deskundig is op het gebied van infectieziekten en ons allen van medisch advies kan voorzien. Generaal?' Ryan maakte plaats achter de microfoon.

'Wel godverdomme!' schreeuwde Holbrook. 'Dat kan hij toch niet maken!'
'Denk je?' Brown volgde een achttienwiels truck de berm in. Ze bevonden zich honderdvijftig kilometer van de grens tussen Indiana en Ohio. Nog twee uur rijden met dit bakbeest, dacht hij. Hij zou het nooit halen voordat de plaatselijke Guard de weg afsloot.
'Ik denk dat we beter een motel kunnen zoeken, Pete.'

'Wat moet ik doen?' vroeg de FBI-agent in Chicago.
'Trek uw kleren uit en hang ze aan de deur.' Er was geen tijd en weinig ruimte

voor subtiliteiten en hij was tenslotte arts. Zijn gast bloosde niet. Dr. Klein besloot tot volledige chirurgische kledij, een groene jas met lange mouwen, in plaats van de populairder soort. Er waren niet genoeg plastic beschermingspakken; die zou zijn personeel allemaal gebruiken. Dat moest wel, omdat zij dichter bij de patiënten kwamen. Zij gingen met vloeistoffen om. Zij raakten de patiënten aan. In zijn medisch centrum waren negen patiënten met symptomen nu positief gebleken. Zes van hen waren getrouwd en van de partners bleken vier ebola-antistoffen in het bloed te hebben. Af en toe leverde de test een valse positieve uitslag op, maar zelfs als daarmee rekening werd gehouden, was het absoluut geen pretje om het iemand te vertellen. Maar ja, dat had hij bij aidspatiënten al vaak genoeg gedaan. Ze waren nu kinderen aan het testen. Dat was echt vreselijk.
De beschermende kleding die hij de agent gaf, was in feite de gewone katoenen kleding die door het ziekenhuis met ontsmettingsmiddel was behandeld, en dan vooral de smoeltjes. De agent kreeg ook een brede plastic laboratoriumbril, zoals die door chemiestudenten gedragen werd.
'Goed,' zei Klein tegen de agent. 'Kom niet te dichtbij, niet minder dan een meter of twee. Als ze braakt of hoest of stuipen heeft, moet u een eindje van haar af gaan staan. De behandeling daarvan is ons werk, niet het uwe. Zelfs als ze voor uw ogen sterft, mag u niets aanraken.'
'Ik begrijp het. Gaat u het kantoor afsluiten?' Ze wees naar het vuurwapen dat bij haar kleren hing.
'Ja. En als u klaar bent, geef me dan uw aantekeningen. Dan gooi ik ze door het kopieerapparaat.'
'Waarom?'
'Het apparaat gebruikt heel fel licht om kopieën te maken. Het ultraviolet zal vrijwel zeker alle virusdeeltjes doden die op het papier terecht zijn gekomen,' legde professor Klein uit. Er werden op dat moment in Atlanta in allerijl experimenten uitgevoerd om te bepalen hoe levensvatbaar de ebolavirussen waren. Aan de hand daarvan zou bepaald worden welke voorzorgsmaatregelen in de ziekenhuizen genomen moesten worden. Wellicht zouden er ook nuttige raadgevingen voor de bevolking uit volgen.
'Zeg, dokter, waarom laat u mij die *kopieën* niet meenemen?'
'O.' Klein schudde zijn hoofd. 'Dat komt op hetzelfde neer, niet?'

'Meneer de president,' zei Barry van CNN. 'Zijn de stappen die u onderneemt wettelijk?'
'Barry, daar kan ik niet op antwoorden,' zei Ryan met een vermoeid, vertrokken gezicht. 'Of ze nu wettelijk zijn of niet, ik ben ervan overtuigd dat ze noodzakelijk zijn.' Terwijl hij aan het spreken was, deelde een staflid van het Witte Huis smoeltjes uit aan de verzamelde journalisten. Dat was Arnies idee. Ze waren bij het vlakbij gelegen George Washington University Hospital opgehaald.
'Maar, meneer de president, u mag de wet niet overtreden. Stel dat u ongelijk hebt?'

'Barry, er is een fundamenteel verschil tussen mijn werk en het jouwe. Als jij een fout maakt, kun je die rectificeren. Dat hebben we net gisteren gezien bij een van je collega's. Maar, Barry, als ik een fout maak in een situatie als nu, hoe kan ik dan een dode goedmaken? Hoe kan ik duizenden doden goedmaken? Ik zit niet in die luxepositie, Barry,' zei de president. 'Als blijkt dat wat ik doe verkeerd is, dan kunnen jullie me te pakken nemen. Dat hoort ook bij mijn werk, en ik begin eraan gewend te raken. Misschien ben ik een lafaard. Misschien ben ik gewoon bang om mensen zonder goede reden te laten sterven als ik de macht heb om dat te voorkomen.'
'Maar u weet het dus niet zeker?'
'Nee,' gaf Jack toe, 'niemand van ons weet het zeker. Dit is een van die keren dat je op de best mogelijke inschatting moet afgaan. Ik zou graag wat zekerder van mezelf zijn, maar ik kan het niet en zal daar niet over liegen.'
'Wie heeft het gedaan, meneer de president?' vroeg een andere verslaggever.
'We weten het niet. Op dit moment wil ik niet speculeren over de oorsprong van deze epidemie.' Dat was een leugen. Ryan wist het al op het moment dat hij het zei. Hij loog, direct nadat hij gezegd had dat hij niet zou liegen, omdat de situatie dat vereiste. Wat een idiote wereld was het toch.

Het was de afschuwelijkste ondervraging die ze ooit had moeten houden. Ze zag dat de vrouw die het indexgeval werd genoemd, aantrekkelijk was of dat althans tot voor kort geweest was. De huid, die eerst nog als perzikhuid betiteld had kunnen worden, was vaal en bedekt met roodpaarse vlekjes. Het ergste was nog dat ze het wist. Ze moest het weten, dacht de agente, verborgen achter haar masker, terwijl ze gehuld in rubberen handschoenen aantekeningen maakte met een viltstift (geen scherpe delen die door het dunne latex heen konden dringen). Ze kwam niet veel te weten. De patiënte moest toch beseffen dat dit soort medische zorg niet de gewone gang van zaken was, dat de medici bang waren haar aan te raken en dat een agente van de FBI niet eens in de buurt van haar bed mocht komen.
'En behalve de reis naar Kansas City?'
'Eigenlijk niets,' antwoordde de stem, die onder uit een graf leek te komen. 'Ik heb aan mijn bureau gewerkt om de najaarsorders voor te bereiden. Ik ben twee dagen naar de huishoudbeurs in het McCormick Center geweest.'
Er volgden nog enkele vragen, maar geen ervan leverde direct bruikbare informatie op. De vrouw in de agente wilde een hand naar haar uitsteken, haar hand aanraken en proberen enige bemoediging en sympathie over te brengen, maar nee. De agente had net een week eerder gehoord dat ze zwanger was van haar eerste kind. Ze moest nu twee levens bewaken, niet alleen het hare. Dat was het enige dat voorkwam dat haar hand begon te trillen.
'Dank u. We komen bij u terug,' zei de agente, terwijl ze opstond uit haar metalen stoel en op weg ging naar de deur. Toen ze die opende, trok ze haar schouders in om de deurstijl niet te raken en liep ze naar de volgende kamer verderop in de gang voor de volgende ondervraging. Klein stond in de gang

iets met een andere medewerker te bespreken. De agente kon niet zien of het een arts of een verpleegkundige was.
'Hoe ging het?' vroeg de professor.
'Wat zijn haar kansen?' vroeg de agente.
'In wezen nihil,' antwoordde Mark Klein. Voor ziekten als deze, was Patient Zero inderdaad niets.

'Compensatie? Ze vragen ons om compensatie?' vroeg de minister van Defensie geërgerd, voordat de minister van Buitenlandse Zaken iets kon zeggen.
'Meneer de minister, ik breng slechts de woorden van anderen over,' bracht Adler zijn gastheren in herinnering.
'We hebben twee officieren van uw luchtmacht de raketfragmenten laten onderzoeken. Hun oordeel bevestigt het onze. Het is een Pen-Lung-13, een nieuwe infraroodgeleide lange-afstandsraket, ontwikkeld uit een Russisch wapen. Dat is nu definitief vastgesteld, naast het bewijs van de radars van uw schepen,' voegde Defensie eraan toe. 'Het neerschieten van het lijntoestel was een weloverwogen daad. U weet dat. Wij weten het ook. Vertel me eens, meneer Adler, wat is de positie van Amerika in dit geschil?'
'Wij willen niets anders dan het herstel van de vrede,' antwoordde de Amerikaanse minister, zijn eigen voorspellingen bevestigend. 'Ik wil er ook op wijzen dat de volksrepubliek China haar goede wil heeft getoond door toe te staan dat ik rechtstreeks tussen Peking en Taipei op en neer mocht vliegen.'
'Zeker,' antwoordde de minister van Buitenlandse Zaken. 'Zo lijkt het althans voor de oppervlakkige toeschouwer. Maar vertel me eens, meneer Adler, wat willen ze werkelijk?'
Verdere pogingen tot deëscalatie waren zinloos, zei de Amerikaanse minister tegen zichzelf. Deze twee waren even slim als hij, maar bovendien nog bozer. Dat veranderde plotseling.
Er klopte een secretaris op de deur, die tot ergernis van zijn baas naar binnen liep. De ergernis verdween toen ze enkele woorden in het Mandarijn hadden gewisseld. Er werd een telex overhandigd en gelezen. Daarna werd een andere telex direct aan de Amerikaan overhandigd.
'Er lijkt een ernstig probleem in uw land te zijn, meneer de minister.'

De persconferentie werd afgebroken. Ryan verliet de zaal, keerde terug in het Oval Office en ging bij zijn vrouw op de bank zitten.
'Hoe ging het?'
'Heb je niet gekeken?' vroeg Jack.
'We moesten een paar dingen bespreken,' legde Cathy uit. Arnie kwam binnen.
'Niet slecht, baas,' meende de stafchef. 'U zult vanavond een ontmoeting hebben met een aantal senaatsleden. Ik heb dat met de leiding van beide kanten afgesproken. Hierdoor worden de verkiezingen van vandaag wel interessant en...'

'Arnie, tot nader order wordt er in dit gebouw niet over politiek gesproken. Politiek gaat over theorieën, over ideologie. We moeten nu met de kille feiten aan de slag,' zei SWORDSMAN.
'Je kunt daar niet omheen, Jack. De politiek is wel degelijk een realiteit. Als het om een welbewuste aanval gaat, zoals de generaal zegt, dan is het oorlog, en oorlog is een politieke daad. Jij leidt de regering. Jij moet het Congres leiden, en dat is een politieke daad. Je bent geen filosoof-koning. Je bent de president van een democratisch land,' bracht Van Damm hem in herinnering.
'Goed.' Zuchtend gaf Ryan zich over, voor het moment althans. 'Wat nog meer?'
'Bretano heeft gebeld. Het plan wordt momenteel uitgevoerd. Over enkele minuten wordt alle vliegtuigen via de verkeersleiding verteld aan de grond te blijven. Waarschijnlijk heerst er chaos op de vliegvelden.'
'Dat denk ik zeker.' Jack sloot zijn ogen en wreef erin.
'U hebt niet veel keuze in deze kwestie, meneer,' zei generaal Pickett tegen de president.
'Hoe kom ik terug in Hopkins?' vroeg Alexandre. 'Ik moet een afdeling leiden en patiënten behandelen.'
'Ik heb Bretano verteld dat mensen Washington mogen verlaten,' vertelde Van Damm de anderen in de kamer. 'Datzelfde geldt voor alle grote steden vlak bij een staatsgrens, zoals New York en Philadelphia. Mensen moeten toch naar huis kunnen?'
Pickett knikte. 'Ja, daar zijn ze veiliger. Het is niet realistisch aan te nemen dat het plan voor middernacht al geheel in werking is.'
Cathy nam het woord. 'Alex, je kunt met mij meevliegen. Ik moet daar ook heen.'
'Wat?' Ryan sperde zijn ogen open.
'Jack, ik ben arts, weet je nog?'
'Je bent oogarts, Cathy. Mensen kunnen wel even wachten met een nieuwe bril,' hield Jack aan.
'Op de stafvergadering vandaag hebben we besloten dat iedereen mee moet helpen. We kunnen het niet aan de verpleging en de assistenten overlaten om deze patiënten te behandelen. Ik ben praktizerend arts. We moeten allemaal ons steentje bijdragen, schat,' zei SURGEON tegen haar man.
'Nee! Nee, Cathy, het is veel te gevaarlijk.' Jack draaide zijn gezicht naar haar toe. 'Ik laat je hier niet gaan.'
'Jack, al die keren dat jij weg bent geweest, al die gevaarlijke dingen waarover je me nooit iets verteld hebt. Toen deed je steeds je werk,' zei ze kalm. 'Ik ben arts. Ik heb ook werk.'
'Zo gevaarlijk is het niet, meneer de president,' interrumpeerde Alexandre. 'Je moet gewoon de procedures volgen. Ik werk dagelijks met aidspatiënten en...'
'Nee, godverdomme!'
'Omdat ik een klein meisje ben?' vroeg Cathy Ryan zacht. 'Het verontrust mij soms ook, Jack, maar ik ben professor aan de universiteit. Ik leer studenten

arts te worden. Ik leer ze welke verantwoordelijkheden ze in hun beroep hebben. Een van die verantwoordelijkheden is dat ze er voor hun patiënten zijn. Je kunt niet voor je plichten weglopen. Ik kan dat ook niet, Jack.'
'Ik wil graag de procedures zien die je hebt opgesteld, Alex,' zei Pickett.
'Komt voor elkaar, John.'
Jack bleef zijn vrouw strak aankijken. Hij wist dat ze sterk was en hij had altijd geweten dat ze soms mensen met besmettelijke ziekten behandelde. Aids leidde bijvoorbeeld tot ernstige oogcomplicaties. Hij had er nooit veel aandacht aan besteed. Nu werd hij daartoe gedwongen: 'Stel dat...'
'Dat zal niet gebeuren. Ik moet voorzichtig zijn. Ik denk dat je m'n gevoelige snaar weer geraakt hebt.' Ze kuste hem onder de ogen van de anderen. 'Mijn echtgenoot heeft een zeer opmerkelijke timing,' zei ze tegen de anderen.
Het was te veel voor Ryan. Zijn handen begonnen te trillen en er kwamen tranen in zijn ogen. Hij begon met zijn ogen te knipperen. 'Alsjeblieft, Cathy...'
'Zou je naar me geluisterd hebben toen je op weg was naar die onderzeeër, Jack?' Ze kuste hem weer en stond op.

Er werd geprotesteerd, maar niet op grote schaal. Vier gouverneurs vertelden hun bevelvoerende generaals van de National Guard het presidentiële bevel niet op te volgen, en drie van hen wachtten totdat de minister van Defensie zelf belde om het bevel te verduidelijken, waarbij deze met onmiddellijk ontslag, arrestatie en de krijgsraad dreigde. Sommigen spraken erover protesten te organiseren, maar dat kostte tijd en de groene voertuigen waren al onderweg. Dikwijls waren de orders aangepast, zoals voor de Philadelphia Cavalry, een van de oudste en meest eerbiedwaardige legeronderdelen, waarvan de leden meer dan twee eeuwen geleden George Washington hadden geëscorteerd bij zijn inauguratie. De huidige leden rukten nu op naar de bruggen over de Delaware. De plaatselijke tv en radio lieten weten dat forenzen tot negen uur die avond zonder belemmeringen naar huis konden, en tot middernacht als ze zich konden legitimeren. Als het makkelijk was, kregen de mensen toestemming naar huis te gaan. Dat gebeurde in de meeste gevallen, maar niet altijd, en overal in Amerika raakten de motels snel vol. Toen kinderen te horen kregen dat de scholen minstens een week dicht zouden blijven, begroetten ze dat bericht met enthousiasme. Ze verbaasden zich over de bezorgdheid en zelfs angst van hun ouders.
In enkele minuten waren apotheken en drogisten door hun voorraad smoeltjes heen. De meeste medewerkers wisten niet waarom dat gebeurde, tot iemand de radio aanzette.

Vreemd genoeg kregen de agenten van de Secret Service die in Pittsburgh de beveiligingsmaatregelen voor het bezoek van president Ryan regelden, pas laat te horen wat er aan de hand was. De meeste leden van het voorbereidingsteam verzamelden zich in de bar om naar de president op tv te kijken, maar Raman zonderde zich af om te telefoneren. Hij belde naar zijn huis, wachtte tot zijn antwoordapparaat na vier keer bellen overging en toetste de code in om de boodschappen te kunnen horen. Zoals al eerder gebeurd was, was het een vals bericht over de aankomst van een tapijt dat hij niet had besteld en een prijs die hij niet hoefde te betalen. Raman voelde een lichte huivering. Hij kon zijn missie nu naar eigen inzicht volbrengen. Dat zou spoedig moeten gebeuren, zoals ook verwacht werd dat hij bij de aanslag om het leven zou komen. Hij was hiertoe bereid, hoewel hij nu dacht toch een kans te hebben. Hij liep naar de bar, waar de andere drie agenten bij de tv stonden. Als iemand protesteerde dat ze in het zicht stonden, werden er legitimatiebewijzen omhoog gehouden. 'Allejezus!' verwoordde de oudste agent van het kantoor Pittsburgh de gedachten van de anderen. 'Wat doen we nu?'

De internationale vluchten leverden risico's op. Pas nu bereikte het nieuws de ambassades in Washington. Ze gaven de aard van de noodtoestand aan de betreffende regeringen door, maar in Europa waren de hoge functionarissen al thuis en stonden velen op het punt in bed te stappen toen de telefoontjes kwamen. Zij moesten zich naar hun kantoor begeven om te bespreken wat ze moesten doen, maar omdat vluchten over de oceaan vrij lang duurden, was daar wel tijd voor. Er werd na enig overleg besloten dat alle passagiers op vluchten vanuit Amerika in quarantaine zouden gaan, maar voor hoe lang was niet bekend. Na dringende telefoontjes van de Amerikaanse luchtvaartdienst werd bepaald dat vluchten naar Amerika mochten tanken en naar het vertrekpunt mochten terugkeren. Deze vliegtuigen werden als niet-besmet beschouwd en hun passagiers mochten naar huis, zij het dat onderweg ambtelijke vergissingen voorkwamen.

Dat de financiële markten gesloten zouden worden, werd duidelijk na een ebolageval dat in het Northwestern University Medical Center werd binnengebracht. Het was een handelaar die op de lawaaiige beursvloer van Chicago werkte. Het nieuws verspreidde zich snel. Alle beurzen zouden gesloten worden. De financiële wereld en de zakenwereld maakten zich er nu zorgen over welk effect dit op hun activiteiten zou hebben. De meeste mensen keken slechts naar de tv. Elke zender had wel een medicus gevonden die de vrije hand kreeg om het probleem uit te leggen. Meestal gebeurde dit veel te gedetailleerd. Op de kabelkanalen werden wetenschappelijke documentaires uitgezonden over ebola-epidemieën in Zaïre, waarin te zien was waartoe griepsymptomen konden leiden. Dit alles mondde uit in een stille paniek in kleine kring in het hele land. Mensen keken thuis in de voorraadkast hoeveel eten ze nog hadden, keken naar tv en maakten zich zorgen, maar tegelijk probeerden ze de problemen te negeren. Als buren met elkaar spraken, bleef de kwestie op de achtergrond.

Vlak voor acht uur waren er in Atlanta vijfhonderd gevallen gemeld. Het was een lange dag geweest voor Gus Lorenz, die voortdurend tussen zijn laboratorium en zijn kantoor heen en weer liep. Er lagen gevaren voor hem en zijn staf op de loer. Vermoeidheid kon tot fouten en ongelukken leiden. Normaal gesproken was het in dit zeer gerenommeerde laboratorium erg rustig; de medewerkers waren gewend gestaag maar kalm door te werken. Nu ging het er hectisch aan toe. De bloedmonsters die ze per koerier hadden binnengekregen, waren gemerkt en getest en de resultaten werden naar de ziekenhuizen gefaxt waaruit ze afkomstig waren. Lorenz bleef de hele dag proberen de organisatie op de werkvloer zo te regelen, dat er dag en nacht medewerkers aanwezig waren, maar niemand te zwaar belast werd. Dat was ook op hemzelf van toepassing. Toen hij naar zijn kantoor terugkeerde om wat te slapen, zag hij dat er iemand binnen zat te wachten.

'FBI,' zei de man, zijn legitimatie tonend. Het was de plaatselijke S-A-C, een zeer ervaren agent die zijn eigen kantoor met een draagbare telefoon had gerund. Het was een lange, rustige man die niet snel opgewonden raakte. In crisissituaties, zo vertelde hij zijn agenten, denk je eerst na. Er was altijd tijd om de zaak in de soep te laten lopen, en dan had je weer tijd nodig om alles recht te breien.

'Wat kan ik voor u doen?' vroeg Lorenz, terwijl hij ging zitten.

'U moet me op de hoogte brengen, meneer. De FBI werkt met enkele andere diensten samen om erachter te komen hoe dit allemaal is begonnen. We verhoren alle slachtoffers om erachter te komen waar ze ziek zijn geworden en we denken dat u de deskundige bent aan wie we vragen kunnen stellen over de algehele situatie. Waar is dit allemaal begonnen?'

Het leger wist niet waar het was begonnen, maar het werd snel duidelijk waarheen het zich verspreidde. Fort Stewart in Georgia was slechts de eerste plaats geweest. Vrijwel elke legerbasis bevond zich wel bij een grote stad. Fort Hood was vlak bij Dallas-Fort Worth. Fort Campbell lag op een uur rijden van Nashville, waar Vanderbilt al enkele gevallen had gemeld. Het personeel woonde hoofdzakelijk in barakken, waar ze gemeenschappelijke douches en toiletten hadden, en op deze bases waren de hoge medische officieren letterlijk doodsbang. Marinepersoneel leefde het dichtst op elkaar. De schepen boden slechts zeer beperkt leefruimte. De schepen die op zee waren, kregen direct opdracht daar te blijven tot de situatie op het vasteland goed kon worden ingeschat. Het bleek al snel dat elke grote basis een risico vormde, en hoewel eenheden van de infanterie en de militaire politie op pad werden gestuurd om de National Guard bij te staan, hielden medici verder alle soldaten en mariniers in de gaten. Ze vonden al snel mannen en vrouwen met griepsymptomen. Deze werden direct van de anderen geïsoleerd en in beschermende MOPP-kleding per helikopter naar het dichtstbijzijnde ziekenhuis gebracht dat vermoedelijke ebolagevallen opnam. Om middernacht was duidelijk geworden dat het Amerikaanse leger tot nader aankondiging een besmette instantie was. In dringende telefoontjes naar het National Military Command Center werd gemeld in welke eenheden gevallen waren aangetroffen en op grond van die informatie werden hele bataljons van andere gescheiden gehouden. Het personeel moest veldrantsoenen eten, omdat de eetzalen gesloten waren. Ondertussen moesten ze zich een beeld vormen van een vijand die ze niet konden zien.

'Jezus, John,' zei Chavez in het kantoor van de laatste.
Clark knikte zwijgend. Zijn vrouw Sandy was lerares verpleegkunde in een opleidingsziekenhuis en hij wist dat haar leven mogelijk gevaar liep. Ze werkte op een behandelafdeling. Als er een besmette patiënt kwam, dan werd die naar haar eenheid gebracht. Sandy zou dan de leiding nemen en haar studenten vertellen hoe ze dergelijke patiënten veilig konden behandelen.
Veilig? vroeg hij zich af. Zeker. Bij deze gedachte kwamen er weer duistere herinneringen naar boven, evenals een bepaald soort angst die hij jarenlang niet gekend had. Deze aanval op zijn land – het was Clark nog niet verteld, maar hij had nooit geleerd in toevalligheden te geloven – bracht niet hem in gevaar, maar zijn vrouw.
'Wie heeft het volgens jou gedaan?' Dat was een domme vraag, waarop een nog dommer antwoord volgde.
'Iemand die niet erg veel met ons op heeft,' antwoordde John geïrriteerd.
'Sorry.' Chavez keek uit het raam en dacht even na. 'Het is een enorme gok, John.'
'Dat is het zeker... en de operationele beveiliging bij zoiets is echt klote.'
'Zeker, meneer C. Gaat het om de mensen naar wie we momenteel op zoek zijn?'
'Dat is een mogelijkheid. Maar mogelijk zijn het ook anderen.' Hij keek op zijn horloge. Directeur Foley moest nu ongeveer terug zijn uit Washington. Het werd tijd naar zijn kantoor te gaan. Dat kostte maar enkele minuten.
'Dag, John,' zei de directeur, van zijn bureau opkijkend. Ook Mary Pat was er.
'Het is geen ongeluk, hè?' vroeg Clark.
'Nee, zeker niet. We zijn bezig een gemeenschappelijke speciale eenheid te formeren. De FBI voert gesprekken met mensen in het land. Als we aanwijzingen krijgen, dan is het onze taak om buiten de grenzen te werken. Jullie twee houden je daarvoor gereed. Ik probeer nu een manier te vinden om mensen in het buitenland te krijgen.'
'Hoe zit het met de rapportage?' vroeg Ding.
'Alle andere kwesties zijn op een laag pitje gezet. Jack heeft me zelfs de bevoegdheid gegeven opdrachten aan de NSA en DIA te geven.' Hoewel de directeur van de CIA wettelijk de macht had om dat te doen, waren de andere grote diensten tot op dat moment altijd onafhankelijke koninkrijken geweest. Dat was nu veranderd.
'Hoe is het met de kinderen, jongens?' vroeg Clark.
'Thuis,' antwoordde Mary Pat. Ook al was ze de koningin der spionnen, ze bleef een moeder. 'Ze zeggen dat het goed met ze gaat.'
'Massale vernietigingswapens,' zei Chavez nu. Hij hoefde verder niets te zeggen.

'Ja.' De directeur knikte. Blijkbaar had iemand over het hoofd gezien, of er geen belang aan gehecht, dat het beleid van Amerika wat dat betreft jarenlang duidelijk was geweest. Een kernwapen stond gelijk aan een aanval met microben of een gasbom, en het antwoord op een microbe of een gasbom was een kernwapen, omdat Amerika die wél had en de andere niet. De telefoon op Foleys bureau ging over. 'Ja?' Hij luisterde even. 'Goed, kunt u daarvoor een team hierheen sturen? Goed, bedankt.'
'Wat was dat?'
'USAMRIID in Fort Detrick. Ze zijn over een uur hier. We kunnen mensen naar het buitenland sturen, maar die moeten eerst hun bloed laten testen. De Europese landen zijn... nou ja, dat kun je je wel voorstellen. Je mag nog niet eens een hond meenemen naar Engeland zonder hem eerst een maand in een kennel te moeten stoppen om te kijken of hij geen hondsdolheid heeft. Waarschijnlijk zullen jullie aan de overzijde van de grote plas ook getest moeten worden, evenals de bemanning,' zei de directeur.
'We hebben nog niet gepakt,' zei Clark.
'Koop daar maar wat je nodig hebt, John. Goed?' Mary Pat zweeg even. 'Sorry.'
'Hebben we aanwijzingen om er achteraan te gaan?'
'Nog niet, maar daar komt verandering in. Je kunt zoiets onmogelijk doen zonder sporen achter te laten.'
'Er is iets vreemds mee,' merkte Chavez op, terwijl hij het lange, smalle kantoor op de bovenste verdieping overzag. 'John, weet je nog wat ik laatst zei?'
'Nee,' zei Clark. 'Wat bedoel je?'
'Er zijn dingen waar geen represailles tegen zijn, dingen die je niet ongedaan kunt maken. Als dit een terroristische op...'
'Te veelomvattend,' interrumpeerde Mary Pat. 'Te goed doordacht.'
'Best, mevrouw, maar als dat al zo was, dan zouden we de Bekavallei in een parkeerplaats kunnen veranderen en de mariniers erop af kunnen sturen om de lijnen te schilderen nadat alles afgekoeld is. Dat is geen geheim. Dat geldt ook voor een land, niet? We hebben de ballistische raketten afgedankt, maar we hebben nog altijd atoombommen. We kunnen elk land in een puinhoop veranderen en president Ryan zou dat ook doen, daar wil ik wel wat om verwedden. Ik heb die vent in actie gezien, en het is geen doetje.'
'Dus?' vroeg de directeur. Hij zei niet dat het allemaal niet zo eenvoudig was. Voordat Ryan of iemand anders bevel gaf tot nucleaire actie, zou er zoveel bewijs moeten zijn dat zelfs het hooggerechtshof er niet meer omheen zou kunnen. Daar kwam bij dat hij dacht dat Ryan iemand was die zoiets niet zo snel zou doen.
'Degene die deze operatie heeft uitgevoerd, denkt het volgende: óf het doet er niet toe dat we erachter komen, óf we kunnen zo niet reageren, óf...' Er was toch nog een derde mogelijkheid? Die was er bijna, maar niet helemaal.
'Of ze pakken de president, maar waarom zouden ze dan eerst zijn dochtertje willen pakken?' vroeg Mary Pat. 'Dan worden de veiligheidsmaatregelen rond

hem alleen maar strikter en wordt zo'n plan moeilijker uitvoerbaar. Er gebeurt momenteel van alles. De Chinezen, de VIR, de Indiase marine die stiekem de zee op gaat. Al die politieke toestanden hier en nu ebola. Er is geen totaalbeeld. Er is geen verband tussen al deze dingen.'
'Behalve dan dat ze ons het leven erg moeilijk maken.' Het bleef even stil in de kamer.
'Daar zegt die jongen wat,' zei Clark tegen de andere twee.

'Het begint altijd in Afrika,' zei Lorenz, zijn pijp stoppend. 'Daar leeft het virus. Enkele maanden geleden is er in Zaïre een uitbraak geweest.'
'Die heeft het nieuws niet gehaald,' zei de FBI-agent.
'Slechts twee slachtoffers, een jongetje en een verpleegster, ik geloof een non, maar zij is omgekomen bij een vliegtuigongeluk. Er is ook een kleine uitbraak geweest in Soedan, ook met twee slachtoffers, een man en een meisje. De man is gestorven, het kind heeft het overleefd. Dat is ook al een aantal weken geleden. We hebben bloedmonsters van het indexgeval. We zijn daar nu al een tijdje proeven mee aan het nemen.'
'Hoe doet u dat?'
'Je maakt een weefselkweek van het virus. Het zijn apennieren, om precies te zijn... O ja,' bedacht hij.
'Wat is er?'
'Ik heb een bestelling geplaatst voor een paar Afrikaanse apen. Je pleegt euthanasie op ze en haalt de nieren eruit. Iemand was me voor, zodat mijn bestelling moest wachten.'
'Weet u wie dat was?'
Lorenz schudde zijn hoofd. 'Nee, daar ben ik nooit achter gekomen. Ik ben alleen een week tot tien dagen achterop geraakt, meer niet.'
'Wie zou die apen verder willen hebben?' vroeg de S-A-C.
'Farmaceutische en medische laboratoria bijvoorbeeld.'
'Met wie moet ik daarover praten?'
'Meent u het echt?'
'Ja zeker.'
Lorenz haalde zijn schouders op en trok het kaartje van zijn Rolodex. 'Hier.'

Het had wat tijd gekost om de vergadering bij het ontbijt te regelen. Toen ambassadeur David L. Williams uit zijn auto gestapt was, werd hij naar de ambtswoning van de premier gebracht. Hij was blij dat het nog zo vroeg was. India kon als een oven zo heet worden, en op zijn leeftijd kreeg hij steeds meer last van de hitte, vooral omdat hij als een ambassadeur gekleed moest zijn. Als je gouverneur van Pennsylvania was, dan kon je in je burgerkloffie gekleed gaan, maar in dit land waren de meeste burgers wel erg informeel gekleed, zodat de high society zich nog meer bekommerde om de geliefde statussymbolen. Ze noemden dit land graag de grootste democratie ter wereld, dacht de gepensioneerde politicus. Zeker.

De premier zat al aan tafel. Ze stond op toen hij binnenkwam, nam zijn hand in de hare en bracht hem naar zijn stoel. Het porseleinen servies had gouden randen en de koffie werd ingeschonken door een bediende in livrei. Het ontbijt begon met meloen.
'Ik ben u dankbaar dat u me wilde ontvangen,' zei Williams.
'U bent altijd welkom in mijn huis,' antwoordde de premier hoffelijk. Ongeveer zoals een slang, wist de ambassadeur. Tien minuten lang ging het over koetjes en kalfjes. Het ging goed met de partners. Het ging goed met de kinderen en met de kleinkinderen. Ja, nu de zomer naderde, werd het warmer. 'Welke zaken hebben we te bespreken?'
'Ik begrijp dat uw marine uitgevaren is.'
'Ja, dat klopt, geloof ik. Na de onaangenaamheden van uw strijdkrachten tegenover de onze moesten er reparaties uitgevoerd worden. Ik denk dat de marine wil controleren of alle apparatuur werkt,' antwoordde de premier.
'Het gaat slechts om oefeningen?' vroeg Williams. 'Mijn regering stelt slechts de vraag, mevrouw.'
'Meneer de ambassadeur, mag ik u eraan herinneren dat we een soevereine natie zijn. Onze strijdkrachten opereren onder onze wetten. U herinnert ons er voortdurend aan dat de zee vrije doorgang biedt voor allen met goede bedoelingen. En nu vertelt u ons dat uw land ons dat recht wil ontzeggen?'
'In het geheel niet, mevrouw de premier. We vinden het alleen merkwaardig dat u zo'n grote oefening opstart.' Hij zei er niet bij: en dat met uw beperkte financiële middelen.
'Meneer de ambassadeur, niemand wordt graag gekoeioneerd. Nog maar enkele maanden geleden beschuldigde u ons ervan dat we agressieve bedoelingen tegen een buurland koesterden. U hebt toen dreigementen geuit tegen ons land en zelfs een aanval gedaan op onze marine, waardoor onze schepen beschadigd werden. Wat hebben we gedaan, dat we zulke onvriendelijke daden verdiend hebben?' vroeg ze, achteroverleunend in haar stoel.
'Onvriendelijke daden' was een term die niet lichtvaardig gebruikt werd, zo wist de ambassadeur. Het gebruik ervan was dan ook niet toevallig.
'Mevrouw, wij hebben ons daaraan niet schuldig gemaakt. Mochten er misverstanden geweest zijn, dan waren die wellicht wederzijds. Om dergelijke vergissingen in de toekomst te voorkomen, wilde ik u slechts een eenvoudige vraag stellen. Amerika uit geen dreigementen. We informeren alleen naar de plannen van uw marine.'
'Ik heb daarop geantwoord. We zijn oefeningen aan het houden.' Williams bedacht dat ze kort tevoren nog verondersteld had dat er iets gebeurde. Nu leek ze er zekerder van te zijn. 'Niets meer.'
'Dan is mijn vraag beantwoord,' merkte Williams met een welwillende glimlach op. Jezus, en die dacht dat ze slim was. Williams was groot geworden in een van de meest complexe politieke milieus van Amerika, de Democratische Partij van Pennsylvania. Daar had hij zich een weg naar de top gebaand. Hij had mensen als zij eerder ontmoet, zij het dat die minder schijnheilig waren.

Liegen was voor politici zo'n gewoonte dat ze dachten dat altijd ongestraft te kunnen doen. 'Dank u wel, mevrouw de premier.'

Het treffen was vernietigend verlopen. En het was nog wel het eerste van deze oefencyclus. Behoorlijk slechte timing, dacht Hamm, terwijl hij toekeek hoe de auto over de ongeplaveide wegen terugreed. Ze waren er vlak na de toespraak van de president in terechtgekomen. Het waren leden van de Guard, die ver van huis waren en zich zorgen maakten over hun gezin. Daardoor waren ze erg afgeleid. Ze hadden geen tijd gehad om alles te verwerken, om naar huis te bellen om zich ervan te overtuigen dat alles goed was bij pa en ma of hun vrouw en de kinderen. Daar hadden ze voor moeten boeten, maar als beroepsmilitair wist Hamm dat het niet eerlijk was om dat de Carolinabrigade in de schoenen te schuiven. In het veld zou zoiets niet gebeuren. De NTC mocht dan realistisch zijn, het was nog steeds een spel. Hier stierf niemand, behalve bij ongelukken dan, terwijl thuis mogelijk sprake was van een echte noodsituatie. Dat was toch niet de normale gang van zaken voor soldaten?

Clark en Chavez lieten zich wat bloed afnemen door een landmachtverpleger, die ook de test uitvoerde. Ze keken met een morbide belangstelling toe, vooral omdat de verpleger dikke handschoenen en een masker droeg.
'Jullie zijn allebei negatief,' zei hij met een zucht van verlichting.
'Bedankt, sergeant,' zei Chavez. Nu konden ze echt aan de slag. In zijn donkere ogen stond iets anders dan opluchting te lezen. Evenals John zette Domingo zijn missiegezicht op.
Ze stapten in een dienstauto voor de rit naar Andrews. Het was ongewoon stil op straat in Washington. Ze konden daardoor flink doorrijden, maar de angstige voorgevoelens van beiden werden er niet minder om. Bij een van de bruggen stopten ze omdat drie auto's voor hen een controlepost moesten passeren. Midden op een van de rijstroken stond een Hummer van de National Guard. Toen Clark stopte, liet hij zijn CIA-pasje zien.
'Dienst,' zei hij tegen de soldaat.
'Doorrijden,' antwoordde de Spec-4.
'Waar gaan we heen, meneer C.?'
'Afrika, via de Azoren.'

51

Onderzoekingen

De bijeenkomst met de belangrijkste senaatsvertegenwoordigers verliep voorspelbaar. De toon werd al gezet doordat er smoeltjes werden uitgedeeld. Dit was wederom Van Damms idee geweest. Generaal Pickett was naar het Hopkins gegaan om zich een beeld te vormen van de procedures daar en was daarna teruggevlogen om het belangrijkste deel van de briefing te verzorgen. De vijftien senatoren die zich in de East Room verzameld hadden luisterden met ernstige gezichten. Alleen hun ogen waren zichtbaar boven de maskers.

'Ik ben niet erg gelukkig met uw maatregelen, meneer de president,' zei een van hen. Jack kon niet zien wie.

'Denkt u dat ik dat wel ben?' antwoordde hij. 'Als iemand een beter idee heeft, dan horen we dat graag. Ik moet afgaan op het beste medische advies. Als dit virus even dodelijk is als de generaal zegt, dan kunnen er duizenden, zelfs miljoenen mensen sterven door één vergissing. We zullen het zekere voor het onzekere moeten nemen.'

'Maar hoe zit het met de burgerrechten?' vroeg een ander.

'Is er één recht dat boven het leven staat?' vroeg Jack. 'Als iemand een beter alternatief voor me heeft, dan zal ik luisteren. We hebben experts hier die erover kunnen oordelen. Maar ik zal níet luisteren naar bezwaren die niet wetenschappelijk onderbouwd zijn. In de grondwet en de andere wetten kan niet met elke eventualiteit rekening worden gehouden. In een kwestie als deze moeten we ons verstand gebruiken...'

'We moeten ons door principes laten leiden!' zei de senator van de burgerrechten weer.

'Goed, laten we het daarover hebben. Als er mogelijkheden zijn om het land veilig draaiende te houden, laten we die dan zoeken. Ik wil mogelijkheden horen! Kom met iets dat ik kan gebruiken!' Het bleef stil. Men keek elkaar aan. Zelfs dat was moeilijk. De senatoren zaten een eind uit elkaar.

'Waarom moest u zo hard van stapel lopen?'

'Er zijn mensen aan het doodgaan, ezel!' snauwde een andere senator zijn goede vriend en geëerde collega toe. Dat moest een van de nieuwelingen zijn, dacht Jack. Iemand die het protocol nog niet kende.

'Maar stel dat u ongelijk hebt?' vroeg iemand.

'Dan kunt u me uit het ambt zetten nadat het Huis me heeft aangeklaagd,' antwoordde Jack. 'Dan kan iemand anders dit soort beslissingen nemen. Moge God hem bijstaan. Heren senatoren, mijn vrouw is momenteel in het Hopkins. Ook zij zal haar steentje bijdragen aan de behandeling van deze mensen. Ik vind dat ook niet prettig. Ik wil graag op uw steun kunnen rekenen. Het is erg eenzaam om zo alleen te staan, maar of u uw president nu

steunt of niet, ik moet doen wat ik het beste acht. Ik zeg het nogmaals: als iemand een beter idee heeft, dan hoor ik dat graag.'
Niemand zei wat, en dat was niet hun schuld. Hij had al weinig tijd gehad om zich op de hoogte te stellen, maar zij nog minder.

De luchtmacht had tropenuniformen voor hen geregeld uit de opslag van Andrews omdat hun gewone kleding wat te warm was voor de tropen. Ze zorgden tevens voor een goede camouflage. Clark droeg de zilveren adelaars van een kolonel en Chavez was majoor, compleet met zilveren piloten-insignes en lintjes die hun door de bemanning van de VD-20B geschonken werden. Er waren zelfs twee bemanningen. De reservebemanning lag in de twee voorste passagiersstoelen te slapen.
'Niet slecht voor een gewezen E-6,' merkte Ding op, hoewel het uniform niet erg goed paste.
'Ook niet slecht voor een gewezen E-7, en het is "meneer" voor jou, majoor Chavez.'
'Drie zakken vol, meneer.' Dat was het enige vrolijke moment. De militaire versie van de Gulfstream-zakenjet was volgeladen met communicatieapparatuur, die door een sergeant bediend werd. Er kwamen zoveel documenten binnen via de apparaten, dat de voorraad papier aan boord op dreigde te raken toen ze op weg naar Kinshasa over Kaapverdië vlogen.
'De tweede stop is Kenya, meneer.' De verbindingssergeant was een ware inlichtingenspecialist. Ze las alle binnenkomende berichten. 'U hebt een afspraak met een man over een paar apen.'
Omdat Clark de kolonel was, pakte hij het vel papier aan en las het. Chavez probeerde ondertussen uit te zoeken hoe de lintjes over het blauwe uniformhemd liepen. Hij besloot dat hij er niet te veel aandacht aan hoefde te besteden. De luchtmacht was tenslotte niet echt een militaire afdeling, althans volgens de landmacht waarbij hij ooit gediend had, waar het een geloofsartikel was.
'Bekijk dit eens,' zei John, terwijl hij hem het papier gaf.
'Dat is een aanwijzing, meneer C.,' zei Ding gelijk. Ze wisselden een blik van verstandhouding uit. Dit was een zuivere inlichtingenmissie, een van de weinige tot nu toe. Ze hadden de opdracht informatie van levensbelang voor hun land te vergaren, niets meer of minder. Nu althans. Hoewel ze het niet zeiden, zou geen van beiden er bezwaar tegen gemaakt hebben om iets meer te doen. Hoewel ze beiden veldfunctionaris van het Directoraat Operaties van de CIA waren, waren ze beiden ook militair te velde geweest (in het geval van Clark voormalig SEAL). Regelmatig deden ze dan ook klussen voor de paramilitaire sectie van het DO, die door de pure spionnen als iets te opwindend werden beschouwd. Maar vaak was het bevredigend, dacht Chavez. Erg bevredigend. Hij leerde zich te beheersen – dat deel van zijn genetische erfenis, zoals hij het noemde, was eigenlijk altijd strak beteugeld geweest – maar dat nam niet weg dat hij erover dacht iedereen die zijn land had aangevallen op te sporen en vervolgens met hen af te rekenen zoals echte militairen dat doen.

'Jij kent hem beter dan ik, John. Wat gaat hij doen?'
'Jack?' Clark haalde zijn schouders op. 'Dat hangt ervan af wat we hem kunnen leveren, Domingo. Dat is onze taak, weet je nog?'
'Jawel, meneer,' zei de jongste ernstig.

De president sliep die nacht niet goed, hoewel slaap volgens hem en anderen een eerste voorwaarde was om goede beslissingen te nemen. Iedereen benadrukte ook dat dat zijn enige echte taak was. Dat was wat de burgers het allereerste van hem verwachtten. Hij had de nacht tevoren slechts ongeveer zes uur geslapen na een uitputtende dag vol reizen en toespraken, maar toch wilde de slaap niet komen. Zijn staf en de staven van vele andere federale diensten sliepen nog minder, omdat de presidentiële besluiten, veelomvattend als ze waren, in de praktijk moesten worden uitgevoerd. Dat betekende dat de besluiten moesten worden vertaald in maatregelen die ingrepen in de dagelijkse gang van zaken in het land. Een laatste complicatie was het probleem met de twee China's, dertien tijdzones verderop, dan een mogelijk probleem met India, tien uur verderop, en dan de Perzische Golf, acht uur verderop, boven op de grote crisis in Amerika, dat zichzelf al over zeven tijdzones uitstrekte, als je Hawaï meetelde, en zelfs meer als je de nog resterende bezittingen in de Grote Oceaan eraan toevoegde. Terwijl hij in bed lag in het woonverblijf van het Witte Huis, sprongen Ryans gedachten van het ene naar het andere werelddeel. Uiteindelijk vroeg hij zich af welk deel van de wereld eigenlijk géén bron van zorgen was. Rond drie uur gaf hij zijn pogingen om te slapen op en hij stond op. Hij trok gemakkelijke kleren aan en liep naar het Signals Office in de westelijke vleugel, gevolgd door enkele leden van het escorte.
'Hoe staan de zaken?' vroeg hij de aanwezige officier. Het was majoor Charles Canon van de marine, die hem had ingelicht over de moord in Irak. Daarmee leek alles begonnen te zijn, herinnerde hij zich. Er stonden er een paar op uit hun stoel. Jack gebaarde ze weer te gaan zitten. 'Ga rustig verder.'
'Een drukke nacht, meneer. Weet u zeker dat u alles wilt weten?' vroeg de majoor.
'Ik heb niet veel zin om te slapen, majoor,' antwoordde Ryan. De drie agenten achter SWORDSMAN's rug keken elkaar aan. Zij wisten wel beter.
'Goed, meneer de president, we zijn nu met de communicatielijnen van CDC en USAMRIID verbonden. We krijgen hier al hun gegevens. Op de kaart hier hebben we alle gevallen aangetekend,' wees Cannon. Iemand had een nieuwe grote kaart van de Verenigde Staten op een kurken bord aan de muur bevestigd. De rode markeerspelden gaven natuurlijk ebolagevallen aan. Er waren ook een aantal zwarte spelden klaargelegd, waarvan de betekenis maar al te duidelijk was. Ze waren echter nog niet op het bord bevestigd. De spelden waren nu hoofdzakelijk in achttien steden geconcentreerd. Verder waren er een aantal willekeurig over de hele kaart verspreid, met een of twee tegelijk. Een aantal staten was nog vrij van markeringen. Idaho, Alabama, de beide Dakota's en vreemd genoeg zelfs Minnesota, waar toch de Mayo-kliniek was,

behoorden tot deze staten, die door het besluit van Ryan beschermd werden. Of was dat toeval? En hoe kon je dat bepalen? Er lagen diverse printeruitdraaien; overal waren de printers aan het werk. Ryan pakte er een op. De slachtoffers stonden in alfabetische volgorde erop aangegeven met naam, staat, stad en beroep. Ongeveer vijftien procent bevond zich in de categorie 'onderhoud-bewaking' en dat was de grootste groep, op 'verkoop-marketing' na. Deze gegevens waren afkomstig van de FBI en CDC, die gezamenlijk de patronen in de besmetting bestudeerden. Op een andere uitdraai stonden de vermoedelijke infectiehaarden. Deze vormden een bevestiging voor de stelling van generaal Pickett dat beurzen als voornaamste doelen waren uitgekozen.
In zijn tijd bij de CIA had Ryan allerlei mogelijke aanvalsmethoden tegen zijn land onderzocht. Om de een of andere reden had hij dit type nooit op zijn bureau gekregen. Biologische oorlogvoering viel buiten de normale orde. Hij had duizenden uren lang nagedacht over atoomaanvallen. Wat Amerika had, wat de anderen hadden. Welke doelen, hoeveel slachtoffers, de honderden mogelijke doelen die om politieke, militaire of economische redenen waren uitgekozen. Voor elke mogelijkheid bestond een reeks mogelijke uitkomsten, afhankelijk van het weer, de tijd van het jaar, het tijdstip van de dag en andere variabelen. Het uiteindelijke resultaat kon alleen door computers worden berekend, en zelfs dan waren de waarschijnlijke resultaten slechts de uitkomst van mogelijke berekeningen. Hij had daar een vreselijke hekel aan gehad en had het einde van de Koude Oorlog, en daarmee het einde van de voortdurende dreiging van miljoenen doden, met grote vreugde begroet. Hij had zelfs een crisis meegemaakt die tot een catastrofe had kunnen leiden. Hij herinnerde zich nog de nachtmerries van toen...
De president had nooit onderwijs gehad in overheidsbestuur, behalve de gewone bijvakken politieke wetenschappen op Boston College tijdens zijn kandidaats economie. Hij herinnerde zich voornamelijk de woorden van een aristocratische planter, die hij bijna dertig jaar voordat hij de derde president van het land zou worden had opgeschreven: 'Leven, vrijheid en het nastreven van geluk. Dat om deze rechten veilig te stellen, regeringen worden ingesteld die hun gerechtvaardigde macht slechts ontlenen aan de toestemming van de geregeerden.' Dat was ook hier de beginselverklaring. De grondwet die hij had gezworen te behouden, beschermen en verdedigen was zelf ooit opgesteld om het leven en de rechten van de bevolking te behouden, beschermen en verdedigen. Het was niet de bedoeling dat hij hier lijsten met namen, woonplaatsen en beroepen van mensen ging zitten controleren, van wie minstens tachtig procent te gronde zou gaan. Zij hadden recht op hun leven. Zij hadden recht op hun vrijheid. Ze hadden recht op geluk. Jefferson had daarmee bedoeld dat ze ervan mochten genieten, niet dat ze het geluk moesten najagen. Iemand was bezig mensen van het leven te beroven. Ryan had opdracht gegeven tot het beperken van hun vrijheid. Het was absoluut zeker dat niet veel mensen nu gelukkig waren...
'Ik heb hier toch wat goed nieuws, meneer de president.' Canon overhandigde

de verkiezingsresultaten van de dag ervoor. Ryan stond er versteld van. Het was hem helemaal door het hoofd geschoten. Iemand had een lijst van winnaars naar beroep samengesteld. Minder dan de helft van hen bleek jurist te zijn. Er waren zevenentwintig artsen, drieëntwintig ingenieurs, negentien boeren en achttien leraren. Veertien waren zakenman, uit allerlei bedrijfstakken. Dat was toch niet gek, of wel? Hij had nu circa een derde van het Huis van Afgevaardigden. Hoe moest hij die in Washington krijgen? Dat kon ze niet verboden worden. De grondwet was daar volstrekt duidelijk over. Pat Martin mocht er dan over bakkeleien dat de opschorting van het vrije verkeer tussen de staten nooit voor het Hooggerechtshof was betwist, maar in de grondwet stond toch duidelijk dat de leden van het Congres er niet van konden worden weerhouden om een zitting bij te wonen, behalve bij hoogverraad? Zoiets was het in elk geval. Jack kon het zich niet precies herinneren, maar hij wist dat de immuniteit van de congresleden een zeer belangrijk principe was.

Er begon een telex te ratelen. Een Spec-5 van de landmacht liep erheen. 'Spoedbericht van Buitenlandse Zaken, van ambassadeur Williams in India,' deelde hij mee.

'Laat eens kijken.' Ryan liep er ook heen. Het was geen goed nieuws. En dat gold ook voor het volgende bericht uit Taipei.

De artsen werkten in vier-uursdiensten. Voor elke jonge assistent was een ervaren staflid aanwezig. Ze hielden zich meestal bezig met verpleging, en hoewel ze dat meestal goed deden, wisten ze ook dat het er niet erg veel toe deed.

Cathy had zich voor het eerst in een ruimtepak gehuld. Ze had een stuk of dertig aidspatiënten geopereerd vanwege oogcomplicaties door hun ziekte, maar dat was niet vreselijk moeilijk geweest. Daarbij gebruikte je gewone handschoenen. Je hoefde je alleen maar druk te maken over het aantal handen dat in het operatieveld toegestaan was. Bij oogchirurgie was dat echter lang niet zo'n probleem als bij thoraxchirurgie. Je ging wat langzamer te werk, was wat voorzichtiger in je bewegingen, maar dat was het eigenlijk wel. Nu niet. Ze bevond zich nu in een grote, dikke plastic zak en droeg een helm waarvan het vizier dikwijls besloeg door haar adem, terwijl ze stond te kijken naar patiënten die zouden sterven, ondanks dat er artsen met de titel van professor er met hun neus bovenop zaten.

Toch moest ze het proberen. Ze keek nu neer op het plaatselijke indexgeval, de Winnebago-dealer wiens vrouw in de kamer ernaast lag. Er liepen twee infusen, een met een oplossing met elektrolyten en morfine en de ander met bloed, die beide stevig bevestigd waren om de shunt niet te beschadigen. Het enige wat ze konden doen, was steun bieden. Een tijdje hadden ze gedacht dat interferon zou helpen, maar dat bleek niet zo te zijn. Antibiotica hadden geen effect op virusziekten, iets wat niet algemeen bekend was. Verder bestond er niets, hoewel een honderdtal mensen nu de mogelijkheden in hun laboratoria aan het onderzoeken waren. Niemand had ooit veel aandacht besteed aan

ebola. CDC, de landmacht en een paar andere laboratoria over de hele wereld hadden enig werk verricht, maar lang niet zoveel als bij de andere ziekten die de 'beschaafde' wereld teisterden. In Amerika en Europa ging de prioriteit in het onderzoek uit naar ziekten waaraan velen stierven of die veel politieke aandacht kregen. De toewijzing van onderzoekssubsidies van de overheid was een kwestie van politiek, en als het om particuliere financiering ging, was vooral van belang welke rijke of prominente figuur pech had gehad. Nadat Aristoteles Onassis aan spierzwakte was gestorven, was er veel geld beschikbaar gesteld. Daarmee kon de scheepsmagnaat uiteraard niet meer gered worden, maar wel waren er vrijwel direct grote vorderingen bij het onderzoek gemaakt. Dr. Ryan wist dat dat grotendeels geluk was geweest, maar toch was het een zegen geweest voor andere slachtoffers. Hetzelfde gold voor oncologie, waar veel meer geld beschikbaar werd gesteld voor onderzoek naar borstkanker, die ongeveer een op de tien vrouwen trof, dan aan prostaatkanker, waar ongeveer de helft van de mannelijke bevolking slachtoffer van werd. Er werd enorm veel geld gegeven voor kanker bij kinderen, die statistisch gezien uiterst zeldzaam was. Maar wat was er nu waardevoller dan een kind? Niemand maakte daar bezwaar tegen, zij in elk geval niet. Dit alles betekende dat er heel weinig geld naar ebola en andere tropische ziekten ging, omdat ze geen hoog aanzien hadden in de landen waar het geld te besteden was. Dat zou nu veranderen, maar niet snel genoeg voor de patiënten die nu het ziekenhuis vulden.
De patiënt begon te rochelen en draaide zich op zijn rechterzij. Cathy pakte snel de plastic afvalbak – de gebruikelijke niervormige spuugbakken waren te klein en je morste er snel mee – en hield die bij zijn mond. Gal en bloed, zag ze. Zwart bloed, dood bloed, bloed vol met de kristallijne 'blokjes' van het ebolavirus. Toen hij klaar was, gaf ze hem een beker water, zo een met een tuit waaruit een beetje water kwam als je erin kneep. Het was net genoeg om zijn mond te bevochtigen.
'Bedankt,' kreunde de patiënt. Zijn huid was bleek, op de vlekken na die op onderhuidse bloedingen wezen. Petechieën. Een term uit het Latijn, dacht Cathy. Een woord uit een dode taal om de naderende dood aan te duiden. Hij keek naar haar, en hij wist het. Hij moest het weten. De huidige morfinedosis was maar net genoeg om de pijn onder de duim te houden. Hij werd er zich in golven van bewust, als vloedgolven die tegen een zeewering aanbotsten.
'Hoe gaat het met me?' vroeg hij.
'U bent behoorlijk ziek,' vertelde Cathy hem. 'Maar u vecht heel goed terug. Als u het lang genoeg volhoudt, kan uw immuunsysteem de strijd winnen, maar dan moet u wel erg uw best doen.' Dat was niet helemaal een leugen.
'Ik ken u niet. Bent u verpleegster?'
'Nee, ik ben doctor.' Ze lachte hem door het plastic vizier toe.
'Wees voorzichtig,' zei hij tegen haar. 'U kunt dit beter niet krijgen. Geloof me maar.' Hij wist zelfs een lachje te voorschijn te brengen. Cathy was er diep van onder de indruk.
'We zijn erg voorzichtig. Het spijt me van dat pak.' Ze wilde de man zo graag

aanraken om te laten zien dat ze werkelijk om hem gaf, en dat was door rubber en plastic heen onmogelijk, verdomme!
'Het doet verdomd veel pijn, dokter.'
'Gaat u rustig liggen. Probeer zoveel mogelijk te slapen. Ik zal de morfinedosis aanpassen.' Ze liep naar de andere kant van het bed om de druppeldosis te vergroten. Ze wachtte een paar minuten tot hij zijn ogen sloot. Daarna liep ze terug naar de emmer, die ze met een agressief chemisch desinfectiemiddel bespoot. De emmer was er al mee doordrenkt, zelfs zo dat het middel het plastic had aangetast. Elk levend deeltje dat erin zou vallen, zou direct gedood worden. De 30 cc of daaromtrent die zij er nu ingespoten had, was waarschijnlijk onnodig, maar er konden nu niet genoeg voorzorgen genomen worden. Er kwam een verpleegster binnen die de uitdraai met de laatste bloedtesten overhandigde. De leverfuncties van de patiënt waren bijna afwezig. Dat werd automatisch door sterretjes aangeduid, alsof ze dat zelf niet zou zien. Ebola had een vervelende voorkeur voor dat orgaan. Andere getallen wezen op een begin van necrose. De interne organen beginnen af te sterven, de weefsels beginnen te rotten; ze worden verteerd door de minieme virusstrengen. Het was theoretisch mogelijk dat zijn immuunsysteem alle energie mobiliseerde en een tegenaanval lanceerde, maar dat was slechts theorie, een kans van één op de paar honderd. Er waren inderdaad wel eens patiënten die de strijd hadden gewonnen. Dat stond in de literatuur die zij en haar collega's de afgelopen twaalf uur hadden bestudeerd. Ze waren al aan het speculeren dat ze in dat geval aan een therapie zouden kunnen denken, als ze tenminste de antistoffen zouden kunnen isoleren. Zouden – kunnen – als – mogelijk.
Dit was niet de geneeskunde zoals zij die kende. Dit was beslist niet de schone, antiseptische geneeskunde die ze op Wilmer beoefend had, waar ze ogen herstelde en het gezichtsvermogen verbeterde. Ze dacht weer na over haar beslissing zich te specialiseren in de oogheelkunde. Een van haar professoren had er sterk op aangedrongen naar de oncologie te kijken. Ze was er slim en nieuwsgierig genoeg voor. Ze had de gave om verbanden te leggen, had hij haar verteld. Maar toen ze naar deze slapende, stervende patiënt keek, wist ze dat ze niet de moed had dit elke dag te doen. Ze wilde niet zovelen verliezen. Was ze daardoor een mislukking? vroeg ze zich af. Bij deze patiënt wel, moest ze toegeven.

'Verdomme, zeg,' zei Chavez, 'het lijkt Colombia wel.'
'Of Vietnam,' zei Clark instemmend, toen ze geconfronteerd werden met de tropische hitte. Er was een functionaris van de ambassade en een vertegenwoordiger van de Zaïrese regering. De laatste droeg een uniform en salueerde voor de arriverende 'officieren'. John beantwoordde de hoffelijkheid.
'Deze kant op alstublieft, kolonel.' De helikopter bleek Frans te zijn. De service was uitstekend. Amerika had veel geld in dit land geïnvesteerd en nu was het tijd om terug te betalen.
Clark keek omlaag. Een uit drie lagen bestaande jungle. Hij had dit eerder

gezien, in meer dan één land. In zijn jeugd had hij er gezeten op zoek naar vijanden, terwijl vijanden naar hem op zoek waren, mannetjes in zwarte pyjama's of kaki uniformen met AK-47's, mensen die hem wilden doodschieten. Nu realiseerde hij zich dat er daar beneden nog iets veel kleiners was, dat geen wapen bij zich had en dat zich niet alleen op hem richtte, maar op het hart van zijn land. Het leek zo verdomde irreëel. John Clark was een kind van zijn land. Hij was gewond geraakt bij gevechtsoperaties en andere, persoonlijker gebeurtenissen. Steeds was hij snel weer volledig hersteld. Zoals die keer dat hij een A-6-piloot had gered uit een rivier in Noord-Vietnam; de naam ervan wist hij niet meer. Hij had een snijwond opgelopen en had door de vervuilde rivier een smerige infectie opgelopen, maar met medicijnen was het na verloop van tijd overgegaan. Door alle ervaringen was hij er rotsvast in gaan geloven dat de artsen in zijn land vrijwel alles konden genezen. Dat gold nog niet voor ouderdom en kanker, maar ze waren ermee bezig. Op den duur zouden ze de gevechten winnen, zoals hij zijn gevechten meestal had gewonnen. Maar nu moest hij toegeven dat dit een illusie was. Zoals hij en zijn land het gevecht in een jungle zoals hier, driehonderd meter onder de helikopter, hadden verloren, zo stak nu de jungle zijn tentakels uit. Nee. Hij zette de gedachte van zich af. De jungle strekte zijn tentakels niet uit. Dat hadden mensen gedaan.

De vier ro-ro-schepen vormden duizend kilometer ten noordnoordwesten van Diego Garcia een vierkantsformatie met een onderlinge afstand van duizend meter. De torpedojager *O'Bannon* koos vijfduizend meter daarvoor positie. De *Kidd* bevond zich duizend meter ten noordoosten van het ASW-schip en de *Anzio* bevond zich dertig kilometer voor de rest. De bevoorradingsgroep met de twee fregatten voer westwaarts en zou zich rond zonsondergang bij de rest aansluiten.

Dit was een goede gelegenheid voor een oefening. Op Diego Garcia waren zes P-3C Orions gestationeerd – ooit waren het er meer geweest – en een ervan patrouilleerde nu voor het mini-konvooi uit. Het toestel wierp sonarboeien uit, op zoek naar onderzeeërs. Dit was een ingewikkelde operatie, omdat het konvooi zich zo snel verplaatste. Een andere Orion vloog daar nog een eind vooruit om aan de hand van andere radarpeilingen de twee Indiase vliegdekschepen te volgen. Het toestel zorgde ervoor ver buiten het radarbereik van de schepen te blijven. De voorste Orion was slechts gewapend met anti-onderzeeërwapens. Het toestel voerde een normale verkenningsvlucht uit.

'Ja, meneer de president,' zei de J-3. Hij kon niet zeggen: waarom slaap je niet, Jack?

'Robby, heb je dit verslag van ambassadeur Williams gezien?'

'Ik heb ernaar gekeken,' bevestigde admiraal Jackson.

David Williams had de tijd genomen om zijn communiqué op te stellen. Daarover was op Buitenlandse zaken irritatie ontstaan. Ze hadden tweemaal om het verslag verzocht, maar hij had er niet op gereageerd. De gewezen gouverneur deed een beroep op al zijn politieke knowhow om de woorden te wegen die de premier had gekozen. Hij dacht na over haar toon en haar lichaamstaal, en vooral de blik in haar ogen. Daar haalde hij unieke informatie uit. Dave Williams had die les meer dan eens geleerd. Wat hij nooit geleerd had, was diplomatiek taalgebruik. Zijn verslag sprak klare taal en zijn conclusie luidde dat India iets van plan was. Hij meldde ook dat de ebolacrisis in Amerika niet ter sprake was gekomen. Geen woord van medeleven. Hij schreef dat dat waarschijnlijk enerzijds een vergissing was en anderzijds volstrekt opzettelijk. India had zich er zorgen over moeten maken of zich althans begaan moeten tonen, zelfs als dat niet zo was. Maar de kwestie was geheel genegeerd. Als het haar gevraagd was, had de premier gezegd dat ze nog niet op de hoogte gebracht was, maar dat zou een leugen geweest zijn, voegde Willlams eraan toe. In het tijdperk van CNN bleven dergelijke dingen nooit onopgemerkt. In plaats daarvan was ze blijven mekkeren dat haar door Amerika de wet werd voorgeschreven en had ze hem, niet eenmaal maar tweemaal, aan de 'aanval' op haar marine herinnerd. Later had ze daarover zelfs opgemerkt dat het een 'onvriendelijke daad' was geweest, een term die in het diplomatieke verkeer werd gebruikt als de hand al op het punt stond naar de holster te grijpen. Hij concludeerde dat de marineoefeningen van India geen vergissing in tijd of locatie waren. De boodschap die hij had ontvangen was duidelijk: bekijk het maar!

'Wat denk jij ervan, Bob?'

'Ik denk dat Williams een sluwe vos is, meneer. Het enige wat hij niet heeft vermeld, is iets wat hij niet wist: we hebben daar geen vliegdekschip. De Indiërs hebben ons niet gevolgd, maar het is algemeen bekend dat de *Ike* op weg is naar China, en als hun inlichtingenmensen een klein beetje competent zijn, weten ze dat beslist. En hoppa, opeens gaan ze de zee op. En nu krijgen we dit verslag van de ambassadeur. Meneer...'

'Spaar dat maar even op, Robby,' zei de president. 'Dat heb je al vaak genoeg gezegd vandaag.'

'Goed. Jack, we hebben volop reden om aan te nemen dat China en India al eerder samengewerkt hebben. En wat gebeurt er nu? China veroorzaakt een incident. De toestand wordt grimmiger. Wij verplaatsen een vliegdekschip. De Indiërs gaan de zee op. Hun vloot bevindt zich op een directe lijn tussen Diego Garcia en de Perzische Golf. In de Perzische Golf nemen de spanningen toe.'

'En we hebben een epidemie,' voegde Ryan eraan toe. Hij zat voorovergebogen aan het eenvoudige bureau van Signals. Hij kon niet slapen, maar dat betekende niet dat hij helemaal wakker was. 'Toevalligheden?'

'Misschien. Misschien is de Indiase premier kwaad op ons omdat we haar een tijdje terug op stang gejaagd hebben. Misschien wil ze ons alleen laten zien dat ze niet met zich laat sollen. Misschien is het onverdraagzaam geëmmer, meneer de president. Maar misschien ook niet.'

'Opties?'

'We hebben een marine-eenheid in de oostelijke Middellandse Zee. Twee Aegis-kruisers, een torpedojager van de Burke-klasse en drie fregatten. In de Middellandse Zee is het rustig. Mijn voorstel is te overwegen die groep via het Suezkanaal naar de Golf over te brengen als back-up voor de *Anzio*-groep. Verder stel ik voor een vliegdekschip van de westelijke Atlantische Oceaan naar de Middellandse Zee te verplaatsen. Dat zal even duren, Jack. De afstand is bijna tienduizend kilometer en zelfs met een snelheid van 25 knopen duurt het bijna negen dagen om een schip in de buurt te krijgen. We hebben in minder dan een derde van de wereld een vliegdekschip paraat, en ik begin me zorgen te maken over het deel dat niet gedekt is. Als we gedwongen worden in actie te komen, Jack, dan weet ik niet zeker of we daartoe wel in staat zijn.'

'Dag, zuster,' zei Clark, terwijl hij voorzichtig haar hand pakte. Hij had in geen jaren een non gezien.
'Welkom, kolonel Clark. Majoor.' Ze knikte Chavez toe.
'Goedemiddag, mevrouw.'
'Wat voert u naar ons ziekenhuis?' Zuster Mary Charles sprak uitstekend Engels, bijna alsof ze er les in gaf. Ze sprak met een Frans accent; de twee Amerikanen wisten dat ze afkomstig was uit Franstalig België.
'Zuster, we zijn hier om wat vragen te stellen over de dood van een van uw jongere collega's, zuster Jean Baptiste,' zei Clarke.
'Aha.' Ze gebaarde naar de stoelen. 'Gaat u zitten.'
'Dank u, zuster,' zei Clarke beleefd.
'Bent u katholiek?' vroeg ze. Dat was belangrijk voor haar.
'Jawel, mevrouw, we zijn beiden katholiek.' Chavez knikte instemmend mee met de 'kolonel'.
'Katholieke school?'
'Ik ben altijd naar katholieke scholen geweest,' zei Clark tot haar grote genoegen. 'De lagere school heb ik doorlopen bij de Soeurs de Notre Dame en daarna ben ik bij de jezuïeten op school geweest.'
'Ah.' Ze glimlachte verheugd bij dit nieuws. 'Ik heb gehoord dat er een ziekte in uw land is uitgebroken. Dat is heel erg. En nu bent u hier om wat te vragen over de arme Benedict Mkusa, zuster Jean en zuster Maria Magdalena. Ik ben helaas bang dat we u niet erg kunnen helpen.'
'Waarom niet, zuster?'
'Benedict is gestorven. Hij is op bevel van de regering gecremeerd,' legde zuster Mary Charles uit. 'Jean was inderdaad ziek, maar ze hebben haar met een hospitaalvliegtuig naar Parijs willen brengen, weet u, voor een bezoek aan het Pasteur-Instituut. Het vliegtuig is echter in zee gestort, waarbij iedereen als vermist is opgegeven.'
'Iedereen?' vroeg Clark.
'Zuster Maria Magdalena was ook mee gegaan, evenals dokter Moudi natuurlijk.'
'Wie was dat?' vroeg John nu.

'Hij maakte deel uit van de missie van de Wereld Gezondheidsorganisatie in dit gebied. Een paar collega's van hem zitten in het gebouw hiernaast.' Ze wees met haar vinger.
'Moudi, zei u, mevrouw?' vroeg Chavez, die aantekeningen zat te maken.
'Ja.' Ze spelde het voor hem. 'Mohammed Moudi. Een goede dokter,' voegde ze eraan toe. 'Het was heel droevig hen allemaal te verliezen.'
'Mohammed Moudi, zei u. Enig idee waar hij vandaan kwam?' vroeg Chavez.
'Iran... nee, dat is net veranderd, hè? Hij was opgeleid in Europa. Het was een uitstekende jonge arts, die veel respect voor ons had.'
'Ik begrijp het.' Clark ging verzitten in zijn stoel. 'Kunnen we met zijn collega's praten?'

'Ik denk dat de president veel te ver is gegaan,' zei de arts op de tv. Hij moest in een plaatselijke studio worden geïnterviewd, omdat hij vanochtend niet van Connecticut naar New York kon rijden.
'Hoe dat zo, Bob?' vroeg de gastheer. Vlak voordat de bruggen en tunnels dichtgingen, was hij van zijn huis in New Jersey naar de studio in New York bij Central Park West gereden. Hij sliep nu in zijn kantoor, waar hij begrijpelijk genoeg niet erg gelukkig mee was.
'Ebola is een gemeen virus. Daar bestaat geen twijfel over,' zei de medisch correspondent van het tv-station. Hij was arts, maar niet praktizerend. Toch beheerste hij het jargon erg goed. Hij presenteerde hoofdzakelijk medisch nieuws. 's Ochtends besteedde hij vooral aandacht aan de gunstige effecten van joggen en goed eten. 'Maar het is hier nooit geconstateerd. De reden is dat het virus hier niet kan overleven. Deze mensen hebben de ziekte toch opgelopen. Ik zal niet over de oorzaak speculeren, maar de ziekte kan zich onmogelijk ver uitbreiden. Ik ben bang dat de maatregelen van de president voorbarig zijn.'
'En ongrondwettig,' voegde de juridisch correspondent eraan toe. 'Daar bestaat geen twijfel over. De president is in paniek geraakt. Dat is niet goed voor het land, zowel medisch als juridisch gezien.'
'Hartstikke bedankt, jongens,' zei Ryan. Hij zette het geluid van het toestel uit.
'We moeten daar wat aan doen,' zei Arnie.
'Wat?'
'Slechte informatie moet je met goede informatie bestrijden.'
'Geweldig, Arnie, maar om te bewijzen dat ik de juiste maatregelen heb genomen, moeten er mensen sterven.'
'We moeten paniek voorkomen, meneer de president.'
Tot dusverre was er geen paniek geweest, wat opmerkelijk was. De timing had daaraan bijgedragen. De meeste mensen hadden het nieuws 's avonds gehoord. Ze waren meestal rustig naar huis gegaan en hadden meestal genoeg eten in de voorraadkast om een paar dagen verder te kunnen. Het nieuws was zo schokkend geweest dat er geen landelijke run op de supermarkten was

gevolgd. Vandaag zou dat echter veranderen. Over een paar uur zouden de protesten komen. De media zouden daar aandacht aan besteden, waarna het publiek zich een mening zou vormen. Arnie had gelijk. Hij moest er iets aan doen. Maar wat?
'Wat, Arnie?'
'Jack, ik dacht dat je het nooit zou vragen.'

De volgende stop was het vliegveld. Daar werd bevestigd dat er inderdaad een in Zwitserland geregistreerde G-IV-zakenjet was vertrokken die volgens het vluchtplan bestemming Parijs had, met een stop in Libië om te tanken. Het hoofd verkeersleiding had voor de bezoekende Amerikanen een fotokopie van de luchthavengegevens en het manifest van het vliegtuig gemaakt. Het was een erg uitgebreid document, omdat het ook gebruikt werd voor de douanecontrole. Zelfs de namen van de bemanning stonden erop.
'En?' vroeg Chavez.
Clark keek naar de Zaïrese beambten. 'Dank voor uw waardevolle assistentie.' Daarna liepen hij en Ding naar de auto die hen naar hun vliegtuig zou brengen.
'En?' herhaalde Ding.
'Rustig maar, maat.' Er werd niet gesproken tijdens het vijf minuten durende ritje. Clark keek uit het raam. Er vormden zich donderkoppen. Hij had er een hekel aan daar doorheen te vliegen.
'Geen sprake van. We wachten even.' De reservepiloot was luitenant-kolonel. 'Er zijn nu eenmaal regels.'
Clark tikte op zijn epaulet en zei recht in zijn gezicht: 'Ik kolonel. Ik zeg vertrekken, piloot. Nu meteen, verdomme!'
'Kijk, meneer Clark, ik weet wie u bent en...'
'Meneer,' zei Chavez, 'ik ben maar een namaakmajoor, maar deze missie is belangrijker dan jouw regels. Je kunt toch om de ergste wolken heen sturen? We hebben kotszakken, hoor.' De piloot staarde hen even aan, maar ging toch het kantoortje binnen. Chavez draaide zich om. 'Kalm maar, John.'
Clark overhandigde het document. 'Controleer de namen van de bemanning. Het zijn geen Zwitsers, terwijl het vliegtuig daar wél geregistreerd staat.'
Chavez keek het na. HX-NJA was de registratiecode. En de namen van de bemanning waren niet Duits, Frans of Italiaans.
'Sergeant?' riep Clark, terwijl de motoren gestart werden.
'Ja, meneer!' De NCO had gezien hoe Clark met de piloot was omgegaan.
'Fax dit even naar Langley. U weet welk nummer u moet gebruiken. Zo snel u kunt, mevrouw,' voegde hij eraan toe, want ze was een dame, en niet alleen maar sergeant. De NCO begreep de hint niet, en kon zich er dus ook niet aan storen.
'Snoer je maar stevig in,' zei de piloot over de intercom, terwijl de VD-20B begon te taxiën.

Door de elektrische storingen vanwege het onweer waren er drie pogingen nodig, maar de fax werd uiteindelijk toch via de satelliet naar Fort Belvoir in Virginia gestuurd en vandaar naar Mercury, het communicatiecentrum van de CIA. De wachtcommandant liet het bericht direct door een assistent naar de zesde verdieping brengen. Op dat moment had Clark hem al aan de telefoon.
'Er zijn wat storingen,' meldde de wachtcommandant. Ook al hadden ze satellietradio's en wat al niet meer, onweer bleef onweer.
'Het is nog steeds wat turbulent hier. Controleer het registratienummer en de namen op dat manifest. Vergaar er zoveel mogelijk gegevens over.'
'Herhaal dat alstublieft.'
Clark herhaalde de boodschap en ditmaal kwam ze door.
'Oké. Iemand heeft hier een dossier over. Nog meer?'
'Ik kom later bij u terug. Uit,' hoorde hij.

'En?' vroeg Ding, die zijn riem wat strakker bevestigde toen de G drie meter omlaag viel.
'Die namen zijn in het Farsi, Ding... O, verdomme.' Weer een flinke hobbel. Hij keek uit het raam. Het leek een enorm strijdperk, een cilindervormige formatie van wolken met overal bliksemflitsen. Het gebeurde niet vaak dat hij zoiets zag. 'De kloot doet het expres.'
Maar dat was niet zo. De luitenant-kolonel achter de boordinstrumenten was bang. Volgens de reglementen van de luchtmacht, laat staan volgens de regels van het gezonde verstand, was het verboden wat hij deed. Op het beeld van de weerradar in de neus waren twintig graden links en rechts van zijn beoogde koers naar Nairobi rode vlekken zichtbaar. Links leek de beste mogelijkheid. Hij maakte een scherpe bocht van dertig graden, alsof hij achter de stuurhendel van een jachtvliegtuig zat, en bleef voortdurend klimmend naar een rustig plekje zoeken. Een rustige plek vond hij niet, maar het werd wel wat beter. Tien minuten later brak de VC-20B door het wolkendek heen en werd de zon zichtbaar.
Een van de reservepiloten draaide zich om in haar stoel op de eerste rij. 'Tevreden, kolonel?' vroeg ze.
Clark maakte zijn riem los, in weerwil van het brandende lichtje en liep naar het toilet om zijn gezicht met water te besprenkelen. Daarna knielde hij op de grond naast haar en liet haar het papier zien dat net verstuurd was. 'Kunt u me hierover iets vertellen?' Ze had aan één blik genoeg.
'Zeker,' zei de kapitein. 'We hebben daar een memo over gehad.'
'Wat dan?'
'Dit is in feite hetzelfde vliegtuig. Als er een kapot gaat, dan deelt de fabrikant dat aan iedereen mee; we zouden het natuurlijk ook vragen, maar het gebeurt vrijwel automatisch. Het toestel is hier vertrokken, naar Libië gevlogen en daar geland om te tanken, niet? Het is vrijwel direct weer vertrokken. Het was toch een medische vlucht?'
'Correct. Ga verder.'
'Hij heeft een noodoproep gedaan. Hij zei dat er een motor uitgevallen was.

De andere viel ook uit en toen stortte het toestel neer. Drie radars hebben dat gezien. Libië, Malta en een marineschip, ik denk een torpedojager.'
'Was er iets vreemds mee, kapitein?'
Ze haalde haar schouders op. 'Dit is een goed toestel. Ik denk niet dat het leger er ooit een kwijtgeraakt is. U hebt net gezien hoe goed het is. Sommige van die klappen waren tweeënhalf, misschien drie G. En wat de motoren betreft... Jerry, zijn we ooit een motor kwijtgeraakt tijdens de vlucht in een 20?'
'Tweemaal, geloof ik. De eerste keer was er een defect aan de brandstofpomp. GE heeft daar modificaties voor gegeven. De tweede keer was in november, een paar jaar geleden. Er was een gans in terechtgekomen.'
'Dat gebeurt wel eens,' zei ze tegen Clark. 'Ganzen wegen misschien acht, tien kilo. We proberen ze te ontwijken.'
'Dit toestel heeft beide motoren verloren, hè?'
'Ze zijn er nog niet achter hoe dat gekomen is. Misschien slechte brandstof. Dat komt voor, maar de motoren zijn afzonderlijke eenheden, meneer. Alles is apart: de pompen, de elektronica, alles.'
'Behalve de brandstof,' zei Jerry. 'Alles komt uit één truck.'
'En verder? Wat gebeurt er als je een motor kwijtraakt?'
'Als je niet oppast, kun je de beheersing over het toestel kwijtraken. Als hij er helemaal mee ophoudt, trekt het toestel scheef in de richting van die motor. Daardoor verandert de luchtstroom over de vleugels. We zijn zo ooit eens een Lear kwijtgeraakt, een VC-21. Als het je overkomt terwijl je met een manoeuvre bezig bent, kan het wel spannend worden. Maar we trainen erop. De piloten van dit toestel waren allebei ervaren en ze oefenden geregeld in de simulator. Dat is verplicht, anders raak je je verzekering kwijt. Maar goed, op de radar was niet te zien dat ze met een manoeuvre bezig waren. Dat zal dus niet de oorzaak geweest zijn. Het waarschijnlijkst is slechte brandstof, maar de Libiërs zeiden dat de brandstof goed was.'
'Het kan natuurlijk zijn dat de piloten het zelf verknald hebben,' vulde Jerry aan. 'Maar zelfs dat is moeilijk. Kijk, ze bouwen die dingen zo dat je echt je best moet doen om ze kapot te maken. Ik heb drieduizend uur staan.'
'Ik vierenhalf,' zei de kapitein. 'Het is veiliger dan autorijden in Washington, meneer. We zijn allemaal gek op deze kisten.'
Clark knikte en liep naar voren.
'Vind je het leuk?' zei de eerste piloot over zijn schouder. Hij klonk niet erg vriendelijk, maar hij hoefde zich weinig zorgen te maken over subordinatie, althans niet met een 'officier' die zijn eigen lintjes op had.
'Ik zet niet graag mensen onder druk, kolonel. Dit is verdomd belangrijk. Dat is alles wat ik kan zeggen.'
'Mijn vrouw is verpleegster in het ziekenhuis op de basis.' Meer hoefde hij niet te zeggen. Hij maakte zich zorgen om haar.
'Die van mij ook, in Williamsburg.' De piloot draaide zich om toen hij dat hoorde en knikte zijn passagier toe.
'We hebben het gered. Drie uur naar Nairobi, kolonel.'

'En hoe kom ik terug?' vroeg Raman over de telefoon.
'Je gaat voorlopig niet terug,' zei Andrea tegen hem. 'Je blijft waar je bent. Misschien kun je de FBI helpen bij het onderzoek dat ze hebben lopen.'
'Dat is geweldig, zeg!'
'Toch moet het, Jeff. Ik heb hier geen tijd voor,' zei ze botweg tegen haar ondergeschikte.'
'Natuurlijk.' Hij hing op.
Dat was vreemd, dacht Andrea. Jeff was altijd zo rustig. Maar wie was er nu nog rustig?

52

Iets van waarde

'Ben je hier ooit geweest, John?' vroeg Chavez toen het vliegtuig op zijn eigen schaduw op de landingsbaan afstevende.
'Ik ben er een keertje doorheen gekomen. Ik heb toen niet veel meer gezien dan het luchthavengebouw.' Clark maakte zijn riem los en rekte zich uit. De zon ging hier nu ook onder, maar dat betekende nog niet dat de al erg lange dag voor de twee inlichtingenfunctionarissen afgelopen was. 'Het meeste weet ik uit boeken van een zekere Ruark. Die gaan over jagen en zo.'
'Jij jaagt toch niet, ik bedoel niet op dieren,' zei Ding.
'Vroeger wel. Ik lees er nog steeds graag over. Het is leuk op iets te jagen dat niet terugschiet.' John draaide zich flauwtjes lachend om.
'Niet zo opwindend. Maar misschien wel veiliger,' merkte de jongste agent op. Hij vroeg zich af hoe gevaarlijk een leeuw werkelijk kon zijn.
Het vliegtuig kwam voor de militaire terminal tot stilstand. Kenya bezat een kleine luchtmacht, maar waar die zich mee bezighield was een raadsel voor de bezoekende CIA-luchtmacht-'officieren'. Dat zou altijd wel zo blijven ook. Het vliegtuig werd wederom verwelkomd door een functionaris van de ambassade. Ditmaal was het de defensie-attaché, een zwarte landmachtofficier met de rang van kolonel. Hij droeg een infanterie-insigne waaruit bleek dat hij in de Golfoorlog gevochten had.
'Kolonel Clark, majoor Chavez.' Hij zweeg plotseling. 'Chavez, ken ik jou niet?'
'Ninja!' zei Ding grijnzend. 'Jij zat toen bij de brigadestaf, Eerste van het Zevende.'
'Nou en of! Jij was een van degenen die zoek raakte. Ze hebben je dus toch

nog gevonden. Rustig maar, heren, ik weet waar jullie vandaan komen, maar onze gastheren niet,' waarschuwde de officier.
'Waar is dat infanterie-insigne van, kolonel?' vroeg de voormalige stafsergeant toen ze naar de auto's liepen.
'Ik had een bataljon van de Big Red One in Irak. We hebben daar wat mannetjes te grazen genomen.' Zijn stemming veranderde plotseling. 'Hoe is de stemming in het vaderland?'
'Angstig,' antwoordde Ding.
'Je moet bedenken dat biologische oorlogvoering hoofdzakelijk een psychologisch wapen is, zoals de dreiging met gasaanvallen dat in 1991 voor ons was.'
'Kan zijn,' antwoordde Clark. 'Maar ik volg het allemaal verdomd goed, kolonel.'
'Ik ook,' gaf de defensie-attaché toe. 'Ik heb familie in Atlanta. CNN zegt dat daar ziektegevallen zijn.'
'Lees maar.' John gaf hem de laatste gegevens die hen in het vliegtuig toegestuurd waren. 'Dit is beter dan de berichten op tv.' 'Beter' was niet helemaal het juiste woord, bedacht hij.
De kolonel was kennelijk ook de chauffeur. Hij ging voorin zitten in de ambassadeauto en bekeek de papieren.
'Geen officiële begroeting ditmaal?' vroeg Chavez.
'Hier niet. We hebben een agent op de plek waar we heen gaan. Ik heb mijn vrienden op het ministerie gevraagd dit onopvallend te houden. Ik heb goede contacten in de stad.'
'Prima,' zei Clark, terwijl ze wegreden. Het kostte maar tien minuten om er te komen.
De dierenhandel was aan de rand van de stad gevestigd, vlak bij het vliegveld en de hoofdweg die westwaarts de wildernis in liep, maar niet te dicht in de buurt van andere gebouwen. De CIA-functionarissen ontdekten al snel waarom.
'Christus,' merkte Chavez op toen hij uitstapte.
'Ja, ze maken veel lawaai. Ik ben hier eerder vandaag geweest. Hij is bezig met een zending groene meerkatten naar Atlanta.' Hij opende een aktetas en gaf hem iets. 'Hier, dit zul je nodig hebben.'
'Oké.' Clark bevestigde de envelop aan zijn klembord.
'Hallo!' zei de handelaar toen hij uit zijn kantoor kwam. Het was een grote man, die wel een biertje lustte, aan zijn buik te zien. Hij had een geüniformeerde politieman bij zich, duidelijk iemand met een hoge rang. De attaché liep op hem toe en wisselde enige woorden met hem. Hij leidde hem een eindje opzij, waar de agent geen bezwaar tegen leek te maken. Deze infanteriekolonel wist hoe het spel gespeeld werd, zag Clark.
'Dag,' zei John, terwijl hij hem een hand gaf. 'Ik ben kolonel Clark. Dit is majoor Chavez.'
'Bent u van de Amerikaanse luchtmacht?'
'Dat klopt, meneer,' antwoordde Ding.
'Ik ben gek op vliegtuigen. Waar vliegt u in?'

'Van alles,' antwoordde Clark. Ze hadden deze zakenman al half in hun zak. 'We willen u een paar vragen stellen.'
'Over apen? Waarom bent u in apen geïnteresseerd? Dat heeft de hoofdinspecteur niet verteld.'
'Is dat zo belangrijk?' vroeg John, terwijl hij hem een envelop gaf. De handelaar stopte die in zijn zak zonder de inhoud te tellen. Hij voelde wel hoe dik die was.
'Eerlijk gezegd niet, maar ik mag wel graag naar vliegtuigen kijken. Waar kan ik u mee helpen?' vroeg hij op open, vriendelijke toon.
'U verkoopt apen,' zei John.
'Ja, daar handel ik in. Voor dierentuinen, particuliere verzamelaars en voor medische laboratoria. Ik zal ze u laten zien.' Hij leidde hen naar een driehoekig gebouw dat van golfplaten gemaakt leek. Er stonden twee vrachtwagens, waarop door vijf arbeiders kooien geladen werden. Ze droegen dikke leren handschoenen.
'We hebben net een bestelling van de CDC bij u in Atlanta gekregen,' verklaarde de handelaar. 'Honderd groene meerkatten. Het zijn mooie diertjes, maar erg vervelend. De boeren hier hebben een enorme hekel aan ze.'
'Hoezo?' vroeg Ding, met een blik op de kooien. Ze waren van staaldraad gemaakt, met bovenop een handgreep. Van een afstandje leken ze even groot te zijn als de kooien waarin kippen naar de markt vervoerd werden... van dichterbij gezien waren ze daar wat groot voor, maar...
'Ze vernielen de hele oogst. Ze zijn een plaag, net als ratten, maar slimmer. Mensen uit Amerika denken zeker dat het goden zijn, want zoals die klagen over de manier waarop ze in medische experimenten gebruikt worden...' De handelaar lachte. 'Alsof we er niet genoeg zouden hebben. Het zijn er miljoenen. Als we er ergens dertig vangen, kunnen we een maand later terugkomen om er weer dertig te pakken. De boeren smeken ons gewoon ze weg te komen halen.'
'U had eerder dit jaar toch al een zending voor Atlanta gereed? Hebt u die niet aan een ander verkocht?' vroeg Clark. Hij wierp een blik op zijn partner, die niet naar het gebouw toe liep. Hij zonderde zich wat af van Clark en de handelaar en liep een eindje weg. Hij leek naar de lege kooien te staren. Misschien had hij last van de stank, die inderdaad nogal hevig was.
'Ze hebben me niet op tijd betaald. Toen kwam er een andere klant die het geld al bij zich had,' verklaarde de handelaar. 'Ik ben zakenman, kolonel Clark.'
John grijnsde. 'Hoe u zaken doet, kan me niet schelen, hoor. Ik wil alleen weten aan wie u ze verkocht hebt.'
'Een koper,' zei de handelaar. 'Wat moet ik verder nog weten?'
'Waar kwam hij vandaan?' drong Clark aan.
'Weet ik niet. Hij heeft me in dollars betaald, maar het was waarschijnlijk geen Amerikaan. Het was een stille man,' herinnerde de handelaar zich, 'niet erg vriendelijk. Ja, ik weet dat ik laat was met de verzending naar Amerika, maar

zij waren laat met de betaling,' vertelde hij zijn gast. 'U was dat gelukkig niet.'
'Zijn ze door de lucht verstuurd?'
'Ja, met een oude 707. Die kist zat vol. Het waren niet alleen mijn apen. Ze hadden ze ook op andere plaatsen gekocht. De groene meerkat komt erg veel voor, ziet u. Ze zitten door heel Afrika. Die dierenbeschermers bij u hoeven echt niet bang te zijn dat de groene meerkat uitgeroeid wordt. Ik geef toe dat het met de gorilla anders ligt.' Die kwam trouwens vooral in Oeganda en Ruanda voor, en dat was des te erger. Voor die beesten betaalden mensen grof geld.
'Hebt u er administratie van? De naam van de koper, het manifest, het registratienummer van het vliegtuig?'
'U bedoelt douanegegevens.' Hij schudde zijn hoofd. 'Helaas niet. Misschien zijn ze zoekgeraakt.'
'U hebt een overeenkomst met de mensen van de luchthaven,' zei John met een gemaakt lachje.
'Ik heb veel vrienden bij de overheid, ja.' Weer een sluw lachje, waarmee hij de overeenkomst bevestigde. Tja, ze deden hier tenminste niet zo schijnheilig als in Amerika, dacht Clark.
'En u weet niet waar ze naartoe gegaan zijn?'
'Nee, ik kan u niet helpen. Als ik dat zou kunnen, zou ik het graag doen,' antwoordde de handelaar, op de plek kloppend waar de envelop zat. 'Ik moet helaas zeggen dat ik over bepaalde transacties geen volledige gegevens heb.'
Clark vroeg zich af of hij nog meer informatie van de man kon loskrijgen. Hij vermoedde van niet. Hij had nooit in Kenya gewerkt, maar wel kort in Angola, in de jaren zeventig. Afrika was een continent met erg weinig vaste regels, waar met contant geld alles mogelijk was. Hij keek naar de defensie-attaché, die met de hoofdinspecteur stond te praten. Die rang was een overblijfsel uit de Britse tijd, waarover hij in een van Ruarks boeken had gelezen. Dat gold ook voor de korte broek en de kniekousen. Hij verklaarde nu waarschijnlijk dat de handelaar geen crimineel was, alleen creatief in zijn relaties met de plaatselijke autoriteiten, die voor een bescheiden beloning de andere kant op keken als hun dat gevraagd werd. Apen waren nauwelijks een belangrijk nationaal handelsartikel, aangenomen dat de handelaar niet over de aantallen loog. Waarschijnlijk sprak hij de waarheid, want zijn verhaal klonk aannemelijk. De boeren zouden waarschijnlijk blij zijn dat ze die rotbeesten kwijt waren, al was het maar vanwege de herrie. Het leek wel een matpartij op vrijdagavond in de grootste kroeg van de stad. Het waren gemene ettertjes, die telkens de gehandschoende handen probeerden te grijpen die de kooien op de wagens laadden. Nu ja, ze hadden het niet best vandaag. In de CDC in Atlanta zou het niet veel beter worden. Waren ze slim genoeg om het te beseffen? Clark wist het in elk geval wél. Je verscheepte toch niet zo veel apen naar dierenwinkels? Maar hij kon zich op dit moment niet al te zeer om apen bekommeren.
'Bedankt voor uw hulp. Misschien komt er nog eens iemand met u praten.'
'Het spijt me dat ik u niet meer kon vertellen.' Hij was heel oprecht. Voor vijf-

duizend dollar in contanten had hij wel wat meer mogen doen. Maar om een deel ervan nu terug te geven, was wat veel gevraagd.
De twee mannen liepen terug naar de auto. Chavez sloot zich met een bedachtzame blik bij hen aan. Hij zei niets. Toen ze dichterbij kwamen, gaven de agent en de attaché elkaar een hand. Voor de Amerikanen was het tijd om te vertrekken. Toen ze wegreden, keek Jack achterom. Hij zag dat de handelaar de envelop uit zijn zak haalde en een paar biljetten aan de vriendelijke hoofdinspecteur gaf. Daar zat wat in.
'Wat zijn jullie te weten gekomen?' vroeg de echte kolonel.
'Er zijn geen gegevens,' antwoordde John.
'Zo doen ze hier zaken. Er is een exportheffing voor dergelijke dingen, maar de politie en de douane hebben meestal een...'
'Regeling,' viel John hem in de rede, zijn voorhoofd fronsend.
'Dat is het juiste woord. Weet je, mijn vader kwam uit Mississippi. Daar zeiden ze altijd dat je levenslang gebeiteld zat als je een keer sheriff was geweest.'
'Kooien,' zei Ding plotseling.
'Hè?' vroeg Clark.
'John, heb je die kooien niet gezien! We hebben die eerder gezien. Ze leken op die in Teheran, in de luchtmachthangar.' Hij was op een afstandje blijven staan kijken om zich weer voor de geest te halen wat hij op Mehrabad had gezien. De grootte en afmetingen waren dezelfde en even opvallend. 'Kippenhokken of kooien of wat dan ook in een hangar met jachtvliegtuigen, weet je nog?'
'Shit!'
'Nog een aanwijzing, meneer C. De toevalligheden stapelen zich op, broertje. Waar gaan we nu heen?'
'Khartoum.'
'Ik heb de film gezien.'

De nieuwsuitzendingen gingen door, maar verder was er weinig interessants. De plaatselijke stations werden steeds belangrijker omdat de correspondenten van naam vastzaten in hun kantoren in New York, Washington, Chicago en Los Angeles. Het nieuws besteedde erg veel aandacht aan beelden van leden van de National Guard die de grote doorgaande wegen met Hummers of vrachtauto's blokkeerden. Niemand probeerde daar de blokkades te omzeilen. Vrachtwagens met levensmiddelen en medicijnen mochten na inspectie doorrijden. Over een dag of twee zouden de chauffeurs op antistoffen voor ebola worden getest. Daarna zouden ze een pasje met foto krijgen, zodat ze sneller konden doorrijden. De truckers werkten goed mee.
Met andere auto's en op andere wegen was de situatie anders. Hoewel het meeste verkeer tussen de staten via de doorgaande autowegen plaatsvond, was er geen staat in Amerika zonder een uitgebreid netwerk van zijwegen, die aansluiting gaven op wegen in naburige staten. Al deze wegen moesten eveneens geblokkeerd worden. Dat kostte tijd, en er waren interviews te zien met men-

sen die het wel grappig schenen te vinden dat ze erin geslaagd waren de grens over te steken. De gesprekken werden gevolgd door commentaar van deskundigen die zeiden dat dit het bewijs was dat het presidentiële besluit onmogelijk geheel uit te voeren was, even buiten beschouwing gelaten dat het verkeerd, stompzinnig en ongrondwettig was.

'Het is gewoon niet mogelijk,' zei een verkeersdeskundige op het ochtendnieuws.

Hij had er echter geen rekening mee gehouden dat de leden van de National Guard zelf in de streek woonden die ze bewaakten en dat ze kaart konden lezen. Daar kwam bij dat ze zich beledigd voelden door de insinuatie dat ze stommelingen waren. Op woensdag stond er rond het middaguur op elke landweg een auto met daarin gewapende mannen, die de chemische-beschermingspakken droegen waardoor ze eruitzagen als marsmannetjes (en marsvrouwtjes, maar dat was vrijwel onmogelijk te zien).

Op landweggetjes kwamen wel eens botsingen voor. Sommige bleven beperkt tot woordenwisselingen: 'Mijn gezin zit daar, laat me toch door, zeg.' In andere gevallen werd het gezag afgedwongen met wat gezond verstand na controle van de legitimatie en een radio-oproep. Soms moest het gezag letterlijk met de sterke arm gehandhaafd worden en hier en daar werd op elkaar gescholden. Enkele ruzies escaleerden en in twee gevallen werd er geschoten, waarbij één dode viel. Dit raakte snel bekend en was twee uur later in het hele land nieuws. Weer trokken commentatoren de wijsheid van het presidentiële besluit in twijfel. Een van hen legde de schuld voor de dode bij het Witte Huis. Maar meestal verliep het anders. Zelfs degenen die absoluut van plan waren de grens over te steken, besloten dat dit een zinloze onderneming was toen ze de geüniformeerde manschappen met geweren zagen.

Hetzelfde gold voor de internationale grenzen. Leger en politie van Canada hadden alle grensposten gesloten. Amerikaanse staatsburgers in Canada werd gevraagd zich in het dichtstbijzijnde ziekenhuis te laten testen. Ze werden op een beschaafde manier in afzondering gehouden. Iets dergelijks gebeurde in Europa, al verschilde de behandeling daar van land tot land. Voor het eerst sloot het Mexicaanse leger de Amerikaanse zuidgrens, in samenwerking met de Amerikaanse autoriteiten. Ditmaal gebeurde dat om verkeer tegen te houden dat naar het zuiden wilde.

Er was nog wel enig plaatselijk verkeer. Supermarkten en andere middenstanders stonden mensen in kleine groepjes toe de noodzakelijke boodschappen te doen. Bij drogisten was al snel geen smoeltje meer te krijgen. Veel mensen belden doe-het-zelfbedrijven en schilders om aan beschermingsmaskers te komen die voor andere doeleinden bestemd waren. De tv droeg daar nog aan bij door te vertellen dat zulke maskers, als ze met gewone desinfectiemiddelen behandeld werden, zelfs een betere bescherming tegen een virus boden dan de chemische uitrusting van de landmacht. Het was onvermijdelijk dat sommigen de spuitbus wat te fanatiek hanteerden, wat tot allergische reacties, ademhalingsproblemen en zelfs enkele sterfgevallen leidde.

Artsen hadden het in het hele land ongelooflijk druk. Het was snel alom bekend dat de eerste verschijnselen van ebola op die van griep leken. Elke arts kon bevestigen dat mensen zich die verschijnselen konden inbeelden. Het werd al snel erg moeilijk om de echte ziektegevallen van de hypochonders te scheiden.

Ondanks alles pasten de meeste mensen zich aan de situatie aan. Ze keken televisie, keken naar elkaar en vroegen zich af hoe terecht de angst was.

Naar het antwoord op die vraag werd gezocht door de CDC en USAMRIID, geholpen door de FBI. Er waren nu vijfhonderd gevallen vastgesteld. Elk geval was direct of indirect met een van die achttien beurzen in verband te brengen. Ze beschikten nu over een tijdskader. Er bleken vier andere beurzen geweest te zijn die niet tot ziektegevallen geleid hadden. Alle tweeëntwintig waren door agenten bezocht. Ze hadden steeds te horen gekregen dat het afval van de beurzen allang afgevoerd was. Even werd met de gedachte gespeeld de stortplaatsen te doorzoeken, maar USAMRIID bracht de FBI van dit idee af. Als ze het distributiesysteem wilden ontdekken, moesten duizenden tonnen materiaal vergeleken worden, wat simpelweg onmogelijk was en mogelijk zelfs gevaarlijk. De belangrijkste ontdekking betrof het tijdskader. Die informatie werd direct bekendgemaakt. Amerikanen die voor de begindata van de beurzen die als besmettingshaarden te boek stonden het land uit waren gereisd, vormden geen gevaar. Dat gegeven werd aan gezondheidsdiensten over de hele wereld meegedeeld. Ze pasten hun beleid meestal binnen twee dagen tot een week aan. Hierna was het nieuws binnen enkele uren over de hele wereld bekend. Het kon niet tegengehouden worden en het had geen zin het geheim te houden, als dat al mogelijk was.

'Goed, dat betekent dat we allemaal in veiligheid zijn,' vertelde generaal Diggs zijn staf tijdens de ochtendbijeenkomst. Fort Irwin was een van de meest afgelegen kazernes in Amerika. Er liep slechts één weg naartoe, en die weg werd nu geblokkeerd door een Bradley.

Dat gold niet voor andere militaire bases; dit was een wereldwijd probleem. Legerofficieren van het Pentagon die naar Duitsland waren gevlogen voor een vergadering met het hoofdkwartier van het V-Corps, waren na twee dagen ziek ingestort. Door hen werden een arts en twee verpleegsters besmet. Het nieuws was hard aangekomen bij de NAVO-bondgenoten. Alle Amerikaanse kazernes, waarvan sommige uit de jaren veertig dateerden, werden direct onder quarantaine gebracht. Dit nieuws werd eveneens direct overal ter wereld bekend. Voor het Pentagon was het nog erger dat vrijwel elke basis een ziektegeval had, al dan niet officieel bevestigd. Dit had een desastreus effect op het moreel van de eenheden. Ook deze informatie kon onmogelijk verborgen gehouden worden. Over de transatlantische telefoonverbindingen werd in beide richtingen vele malen diepe bezorgdheid geuit.

In Washington ging het eveneens hectisch toe. De gemeenschappelijke specia le eenheid bestond uit leden van alle inlichtingendiensten plus de FBI en de federale justitie. De president had ze een grote bevoegdheid gegeven, die ze ook van plan waren te gebruiken. Door het manifest van de neergestorte Gulf stream-zakenjet had het onderzoek een nieuwe, onverwachte wending geno men, maar zo ging dat nu eenmaal.

In Savannah in Georgia klopte een FBI-agent op de deur van de president directeur van Gulfstream en overhandigde hem een smoeltje. De fabriek was gesloten, zoals de meeste Amerikaanse bedrijven, maar dat presidentiële besluit zou vandaag niet geheel naar de letter uitgevoerd worden. De directeur belde zijn hoogste veiligheidsfunctionaris en vertelde hem naar kantoor te komen, evenals de meest ervaren testpiloot van het bedrijf. Zes FBI-agenten hadden met hen een lang gesprek. Dat leidde al snel tot een telefonische ver- gadering. Het belangrijkste directe resultaat daarvan was de ontdekking dat de vluchtrecorder van het toestel nooit boven water was gekomen. Dat leidde weer tot een telefoontje naar de commandant van de USS *Radford*, die beves- tigde dat zijn schip, dat nu in het droogdok stond, het neergestorte toestel had weten op te sporen en naar de sonarsignalen van de zwarte doos had gezocht, maar zonder resultaat. De marineofficier had daar geen verklaring voor. De testpiloot van Gulfstream verklaarde dat het instrument bij een bijzonder har- de inslag kapot kon gaan, hoe stevig het ook was. Maar zo snel was het toestel niet neergestort, herinnerde de kapitein van de *Radford* zich, en er waren ook geen brokstukken gevonden. Als gevolg daarvan werd aan de FAA en de NTSB verzocht direct alle gegevens op te zoeken.

In Washington, waar de werkgroep in het FBI-gebouw bijeen was, werden er boven de maskers die iedereen droeg blikken van verstandhouding uitgewis- seld. Het FAA-deel van het team had naspeuringen gedaan naar de identiteit van de bemanning en hun kwalificaties. Het bleek dat het twee voormalige Iraanse luchtmachtpiloten waren, die eind jaren zeventig in Amerika getraind waren. Er volgden foto's en vingerafdrukken. Een ander pilotenduo, dat voor dezelfde Zwitserse firma met hetzelfde type toestel vloog, had een soortgelijke training genoten. De juridisch attaché van de FBI in Bern belde direct zijn Zwitserse collega's om assistentie te vragen bij het verhoor.

'Goed,' vatte Dan Murray samen, 'we hebben een zieke Belgische non en een vriendin met een Iraanse arts. Ze vliegen met een in Zwitserland geregistreerd toestel weg, dat zonder een spoor achter te laten verdwijnt. Het toestel behoort aan een kleine handelsonderneming – de juridisch attaché zal dat snel voor ons kunnen nazoeken – maar we weten dat de bemanning Iraans was.'

'Het lijkt een bepaalde richting uit te gaan, Dan,' zei Ed Foley. Op dat moment kwam er een agent met een fax voor de CIA-directeur binnen. 'Bekijk dit eens.' Hij schoof het papier over de tafel. Het was geen lang bericht.

'Mensen denken dat ze zo verdomde slim zijn,' zei Murray tegen de mensen rond de tafel. Hij liet het nieuwe bericht rondgaan.

'Onderschat hen niet,' waarschuwde Ed Foley. 'We hebben nog geen harde bewijzen. De president kan helemaal niets ondernemen tot wij die bewijzen geleverd hebben.' En zelfs dan misschien nog niet, dacht hij, met zo'n uitgehold leger. En dan was er nog wat Chavez had gezegd voordat hij vertrok. Verdomme, die jongen begon slim te worden. Foley vroeg zich af of hij het te berde moest brengen. Hij besloot dat er nu dringender zaken aan de orde waren. Hij kon het persoonlijk met Murray bespreken.

Al doezelend in zijn leren stoel voelde Chavez zich helemaal niet zo slim. Het was drie uur vliegen naar Khartoum en hij had last van rusteloze dromen. Hij had behoorlijk veel gevlogen als CIA-man, maar zelfs in een luxe zakenjet met alle toeters en bellen werd je er snel moe van. De verminderde luchtdruk betekende dat er minder zuurstof was, en daardoor voelde je je moe. De lucht was droog, waardoor je uitgedroogd raakte. Door het lawaai van de motoren leek het alsof je buiten in de bush sliep terwijl er voortdurend insecten om je heen zwermden die je probeerden te steken, op zoek naar bloed, zonder dat je er ooit in slaagde die rotbeesten weg te jagen.

Degene die nu iets aan het ondernemen was, wat dat dan ook mocht zijn, was niet buitengewoon slim. Goed, er was een vliegtuig met vijf mensen aan boord verdwenen, maar dat betekende nog niet dat ze op een dood spoor zaten. HX-NJA, herinnerde hij zich van het douanedocument. Hmm. Ze hielden waarschijnlijk een registratie bij omdat ze mensen het land uit vervoerden, en geen apen. HX stond voor Zwitserland. Waarom HX? vroeg hij zich af. De H van Helvetia misschien? Was dat niet een oude naam voor Zwitserland? Heette het land in bepaalde talen niet zo? Hij dacht zich dat vaag te herinneren. Misschien was het Duits. Met NJA werd het toestel geïdentificeerd. Ze gebruikten letters in plaats van cijfers omdat dat meer mogelijkheden bood. Zelfs dit toestel had zo'n code, met een N voorop omdat dat de lettercode van Amerikaanse toestellen was. NJA, dacht hij met gesloten ogen. NJA. Ninja. Dat bracht een lachje te voorschijn. De bijnaam voor zijn oude compagnie: het 1ste bataljon van het 17de infanterieregiment. 'De nacht is van ons!' Ja, dat waren nog eens tijden, toen ze door de heuvels bij Fort Art en Hunter-Liggett trokken. Maar de 7de lichte infanteriedivisie was ontmanteld, de vaandels waren opgevouwen in de kast gestopt, om ooit misschien nog eens gebruikt te worden... Ninja. Dat leek belangrijk. Waarom?

Chavez opende zijn ogen. Hij stond op, rekte zich uit en liep naar voren. Hij wekte de piloot met wie Clark een kleine woordenwisseling had gehad. 'Kolonel?'

'Wat is er?' Hij opende één oog.

'Wat kost zo'n ding?'

'Meer dan iemand van ons kan betalen.' Hij sloot zijn oog weer.

'Serieus.'

'Meer dan twintig miljoen dollar, afhankelijk van de versie en de apparatuur. Als er al een betere zakenjet gemaakt wordt, dan ken ik die niet.'

'Bedankt.' Chavez ging weer in zijn stoel zitten. Het had geen zin weer weg te doezelen. Hij voelde hoe de neus omlaag werd gebracht en het irritante geraas van de motoren verminderde. Ze waren de daling naar Khartoum begonnen. Het plaatselijke CIA-hoofd zou hen opwachten. Neem me niet kwalijk, corrigeerde hij zichzelf, de handelsattaché. Of was het de politieke functionaris? Hoe dan ook. Hij wist dat deze stad niet zo gastvrij zou zijn als de vorige twee.

De helikopter landde in Fort McHenry, dicht bij het standbeeld van Orpheus dat iemand ooit als een waardig eerbewijs aan Francis Scott Key had beschouwd, zo dacht Ryan, zonder dat het terzake deed. Ongeveer even weinig als Arnies bezopen idee om een fotoreportage te laten maken. Hij moest laten zien dat hij zich bij de zaak betrokken voelde. Jack verbaasde zich daarover. Dachten mensen soms dat de president in omstandigheden als nu feest ging vieren? Had Poe niet zo'n soort verhaal geschreven? *Het masker van de rode dood*? Zoiets. Maar die plaag had het feest juist verstoord, zo was het toch? De president wreef over zijn gezicht. Slapen. Ik moet slapen. Alles maalt maar door. Het leken net flitslampen. Je werd moe, en dan kreeg je allerlei willekeurige gedachten, die je weer uit je hoofd moest zetten zodat je je op de belangrijke dingen kon concentreren.
De gebruikelijke Chevy Suburbans stonden er, maar de presidentiële limo niet. Ryan moest in een gepantserde auto plaatsnemen. Er liepen ook agenten rond met grimmige gezichten. Nou ja, iedereen keek zo, waarom zij dan niet? Ook hij droeg een smoeltje. Er waren drie tv-camera's aanwezig om dat te registreren. Misschien werd het rechtstreeks uitgezonden. Hij wist het niet en keek nauwelijks naar de camera's tijdens de korte wandeling naar de auto's. Ze vertrokken vrijwel direct. Eerst reden ze Fort Avenue op en daarna noordwaarts over Key Highway. Het was een rit van tien minuten door verlaten stadsstraten naar het Johns Hopkins, waar de president en de First Lady voor andere camera's zouden laten zien hoezeer ze meeleefden. Dat hoorde bij het werk van een echte leider, had Arnie tegen hem gezegd, woorden gebruikend die hem zeker het nodige respect zouden inboezemen, of hij dat nu prettig vond of niet. En verdomme, Arnie had gelijk. Hij was de president, en hij kon zich niet van het volk isoleren. Of hij de mensen nu werkelijk kon helpen of niet, ze moesten zien dat hij meeleefde. Het was tegelijkertijd logisch en belachelijk.
De colonne stopte voor de ingang aan Wolfe Street. Er stonden hier soldaten, gardisten van het 175ste infanterieregiment, de Maryland Line. De plaatselijke commandant had besloten dat alle ziekenhuizen bewaakt moesten worden. Ryan veronderstelde dat dat zinnig was. Het escorte werd altijd onrustig als er mannen met geladen geweren in de buurt waren, maar dit waren soldaten, en ze deden er niets aan; als ze ontwapend zouden worden, was dat nog groot nieuws geweest ook. Ze salueerden allemaal, hun gezichten verborgen achter de maskers van hun MOPP-uitrusting. Hun wapens hingen over hun schouders. Niemand had dreigementen geuit tegen het ziekenhuis. Misschien waren zij daar de reden voor, of misschien waren de mensen gewoon bang. Een politieman had tegen een agent van de Secret Service opgemerkt dat de

misdaad op straat vrijwel geheel verdwenen was. Zelfs de drugsdealers waren nergens te zien.
Er waren op dit tijdstip nergens veel mensen te zien, maar wie er was, droeg een masker. Zelfs in de grote hal hing de chemische lucht die nu de nationale geur was. Welk deel van de maatregelen was werkelijk noodzakelijk, en welk deel ervan was psychologisch, vroeg Jack zich af. Maar ja, dat gold ook voor zijn reis hierheen.
'Dag, Dave,' zei de president tegen de decaan. Hij was in het groen gehuld in plaats van in pak. Ook had hij net als iedereen een smoeltje voor en handschoenen aan. Ze gaven elkaar geen hand.
'Meneer de president, fijn dat u gekomen bent.' Er waren camera's in de hal, die hem van buiten naar binnen gevolgd waren. Voordat een verslaggever een vraag kon schreeuwen, maakte Jack een gebaar en leidde de decaan het gezelschap weg. Ryan veronderstelde dat dit een doelgerichte indruk zou wekken. Agenten van de Secret Service liepen snel voor hen uit, terwijl ze op weg gingen naar de lift naar de behandelverdieping. Toen de deuren opengingen, zagen ze een gang vol bedrijvige mensen.
'Hoeveel patiënten zijn er, Dave?'
'We hebben hier nu vierendertig patiënten liggen. In het hele gebied zijn er honderdveertig, althans, toen ik dat de laatste keer controleerde. We hebben zoveel mogelijk ruimte en personeel hiervoor vrijgemaakt. We hebben alle patiënten voor wie dat geen risico vormde naar huis gestuurd. Dat was ongeveer de helft. Alle niet-noodzakelijke behandelingen zijn opgeschort, maar er blijven altijd dingen over. Er worden nog steeds baby's geboren, mensen worden getroffen door de gewone ziekten. Sommige poliklinische behandelingen moeten doorgaan, of er nu een epidemie is of niet.'
'Waar is Cathy?' vroeg Ryan, toen de volgende lift arriveerde met een cameraman die opnamen zou maken voor alle zenders. Het ziekenhuis had er geen behoefte aan door mensen van buiten overlopen te worden, en hoewel de mediabazen wat hadden tegengestribbeld, waren de cameraploegen er zelf ook niet al te happig op geweest. Misschien was het de antiseptische lucht. Misschien werden mensen daar op dezelfde manier door getroffen als honden die naar de dierenarts moesten. Het was de geur van gevaar voor iedereen.
'Hierheen. We gaan u een pak aantrekken.' Op deze verdieping waren een ruimte voor artsen en een voor de verpleging. De achterste zaal werd als onveilig beschouwd en gebruikt om kleding uit te trekken en te ontsmetten. De dichtstbijzijnde werd als veilig beschouwd en diende om de beschermende pakken aan te trekken. Voor privacy en decorum was geen tijd en geen ruimte. Toen de agenten van de Secret Service naar binnen gingen, zagen ze een vrouw in onderbroek en beha een plastic pak in haar maat pakken. Ze bloosde niet. Het was haar vierde dienst op de eenheid en ze was het stadium van de schaamte al gepasseerd.
'Hang jullie kleren daar maar op,' wees ze. 'O!' voegde ze eraan toe, toen ze de president zag.

'Dank u,' zei Ryan terwijl hij zijn schoenen uittrok en een kleerhanger van Andrea aanpakte. Price bekeek de vrouw kort. Ze droeg duidelijk geen wapen.
'Hoe is de situatie?' vroeg Jack.
Ze was hoofdzuster op deze verdieping. Ze draaide zich niet om toen ze antwoordde. 'Beroerd.' Ze zweeg even en besloot dat ze zich om moest draaien. 'We waarderen het dat uw vrouw hier bij ons is.'
'Ik heb geprobeerd het uit haar hoofd te praten,' gaf hij toe. Hij voelde zich er in het geheel niet schuldig over en vroeg zich af of dat terecht was.
'Net als mijn man.' Ze liep naar hem toe. 'De helm moet op deze manier worden opgezet.' Ryan voelde even paniek opkomen. Het was erg onnatuurlijk om een plastic zak over je hoofd te trekken. De verpleegster raadde zijn gedachten. 'Had ik ook, maar het went.'
Aan de overkant van de zaal had decaan James zijn pak al aan. Hij kwam naar de president toe om zijn beschermende kleding te controleren.
'Kunt u me horen?'
'Ja.' Jack zweette nu al, ondanks de draagbare airconditioning die aan zijn riem bevestigd was.
De decaan wendde zich tot de Secret Service. 'Vanaf dit moment ben ik de baas,' zei hij. 'Ik zal hem niet in gevaar brengen. We hebben nu eenmaal niet genoeg pakken voor jullie. Als u in de gangen blijft, kan u niets gebeuren. Raak niets aan. Geen muren, geen vloer, niets. Als iemand langs u rijdt met een kar, blijf dan op afstand. Als u niet uit de weg kunt gaan, loop dan naar het eind van de gang. Ziet u ergens een plastic emmer of bak, blijf dan uit de buurt. Begrijpt u dat?'
'Zeker, meneer.' Andrea Price had zich voor één keer laten overdonderen, zag de president. Net als hij trouwens. De psychologische implicaties hiervan waren ongekend. Dr. James tikte de president op zijn schouder.
'Loop achter me aan. Ik weet dat het eng is, maar in dit pak bent u veilig. We hebben er allemaal aan moeten wennen, hè, Tisha?'
De verpleegkundige, die zich nu geheel aangekleed had, draaide zich om. 'Ja dokter.'
Je kon je ademhaling horen. Ook hoorde je het gebrom van je airconditioning, maar verder was alles stil. Ryan voelde zich angstig opgesloten terwijl hij achter de decaan aanliep.
'Cathy is hierbinnen.' Hij opende de deur en Ryan ging naar binnen.
Het was een kind, een jongetje van een jaar of acht, zag Jack. Twee in het blauw gehulde gedaanten waren met hem bezig. Hij kon van achteren niet zien wie zijn vrouw was. Dr. James stak zijn hand op, Ryan verbiedend nog een stap te zetten. Een van de twee probeerde een infuus weer op gang te krijgen en mocht daar niet bij gestoord worden. Het kind lag te kreunen en te kronkelen op het bed. Ryan kon niet veel van het kind zien, maar hij zag toch zoveel dat zijn maag ervan omdraaide.
'Blijf nu maar stil liggen. Hierdoor ga je je beter voelen.' Het was Cathy's stem; zij was kennelijk met het infuus bezig. De twee andere handen hielden

de arm op zijn plaats. 'Zo... tape,' zei ze, haar handen omhoog stekend.
'Goed gedaan, dokter.'
'Dank je.' Cathy liep naar het elektronische kastje waarmee de morfine werd geregeld en drukte de juiste getallen in. Ze controleerde of het apparaat goed werkte. Toen ze daarmee klaar was, draaide ze zich om. 'O.'
'Dag, schat.'
'Jack, je hoort hier niet,' vertelde SURGEON hem op besliste toon.
'Wie wel?'

'Ik onderhoud contact met die dokter MacGregor,' vertelde het hoofd van de post, terwijl hij zijn rode Chevy bestuurde. Hij heette Frank Clayton en had op Grambling gestudeerd. Clark had met hem een paar jaar geleden de Boerderij weten te doorlopen.
'Dan moeten we die maar eens op gaan zoeken, Frank.' Clark keek op zijn horloge, verrichtte enig rekenwerk en concludeerde dat het nu twee uur in de nacht was. Hij gromde. Ja, dat klopte wel ongeveer. Ze stopten eerst bij de ambassade, waar ze andere kleren aantrokken. Amerikaanse militaire uniformen waren hier niet bepaald geliefd. Dat gold zelfs voor de meeste Amerikaanse dingen, waarschuwde het hoofd. Chavez zag dat een auto hen sinds het vliegveld volgde.
'Maak je maar niet druk. Bij de ambassade raken we hem wel kwijt. Weet je, ik vraag me soms af of het niet juist gunstig was dat mijn voorvaderen uit Afrika ontvoerd werden. Je moet tegen niemand vertellen dat ik dit gezegd heb, goed? Zuid-Alabama is de hemel op aarde, vergeleken met deze beerput.'
Hij parkeerde de auto op de parkeerplaats achter het ambassadegebouw en leidde hen naar binnen. Even later kwam een van zijn mensen naar buiten, startte de Chevy en reed weg. De volgauto ging achter hem aan.
'Hier hebben jullie overhemden,' zei de plaatselijke CIA-functionaris. 'Ik denk dat jullie je broek wel aan kunnen houden.'
'Heb je MacGregor gesproken?' vroeg Clark.
'Een paar uur geleden over de telefoon. We rijden naar de plaats waar hij woont en dan stapt hij in de auto. Ik heb een mooi stil plekje uitgekozen voor ons gesprekje,' zei Clayton tegen hen.
'Loopt hij gevaar?'
'Ik betwijfel het. De plaatselijke bevolking is nogal laks. Als er iemand achter ons aan komt, weet ik wat ik moet doen.'
'Laten we gaan, maat,' zei John. 'Nu profiteren we nog van de maan.'
MacGregor woonde heel behoorlijk in een wijk waar veel Europeanen zaten. Volgens het hoofd van de CIA-post was het er redelijk veilig. Hij pakte zijn draagbare telefoon en koos het piepernummer van de dokter; er was hier een semafoondienst. Minder dan een minuut later ging zijn deur open. Er liep een gedaante naar de auto, die achter instapte. Direct nadat hij het portier gesloten had, reed de auto weg.

‘Dit is nogal ongebruikelijk voor mij.’ Hij was jonger dan Chavez, zag John tot zijn verbazing, en op een verlegen manier nieuwsgierig. ‘Wie zijn jullie precies?’
‘CIA,’ verklaarde Clark.
‘Echt?’
‘Echt, dokter,’ zei Clayton van achter het stuur. Hij keek voortdurend in de spiegels. Er was niets te zien. Voor de zekerheid sloeg hij linksaf, daarna rechtsaf en toen weer linksaf. Goed.
‘Mogen jullie dat dan vertellen?’ vroeg MacGregor, terwijl de auto weer een weg opdraaide die plaatselijk als de hoofdroute beschouwd werd. ‘Moeten jullie me nu vermoorden?’
‘Dokter, bewaart u dat maar voor de film, hè?’ stelde Chavez voor. ‘Het echte leven is niet zo, en als we u vertelden dat we van Buitenlandse Zaken waren, dan zou u ons toch niet geloven, of wel?’
‘Jullie zien er niet als diplomaten uit,’ besloot MacGregor.
Clark draaide zich om in de passagierstoel voorin. ‘Meneer, bedankt dat u ons wilde ontmoeten.’
‘De enige reden daarvoor... nu ja, de plaatselijke overheid heeft me gedwongen om de normale procedures voor mijn twee gevallen te negeren. Er is een reden voor die procedures, weet u.’
‘Goed, kunt u me allereerst alles vertellen wat u over hen weet?’ vroeg John, terwijl hij de bandrecorder aanzette.

‘Je ziet er moe uit, Cathy.’ Niet dat dat gemakkelijk te zien was door het plastic masker heen. Zelf haar lichaamstaal bleef verborgen.
SURGEON keek naar de klok aan de muur achter de verpleegpost. Ze had nu eigenlijk geen dienst. Ze zou nooit te weten komen dat Arnie van Damm het ziekenhuis had gebeld om zich ervan te verzekeren dat het tijdstip juist was. Dan zou ze woest geworden zijn, en ze was al kwaad genoeg op iedereen.
‘Vanmiddag begonnen de kinderen binnen te komen. Tweede-generatiegevallen. Die van daarnet moet het van zijn vader gekregen hebben. Hij heet Timothy. Hij zit in de derde klas. Zijn vader ligt een verdieping hoger.’
‘En de rest van het gezin?’
‘Zijn moeder is positief. Ze zijn met de opnameprocedure bezig. Hij heeft een grote zus, die tot dusverre niet besmet is. Ze is op de polikliniek. Ze maken daar een verblijfsruimte voor de mensen die aan het virus zijn blootgesteld, maar bij wie de testen niet positief zijn. Kom, ik zal je rondleiden.’ Even later waren ze in kamer 1, de tijdelijke verblijfplaats van het indexgeval.
Ryan dacht dat hij zich de stank inbeeldde. In het onderlaken zat een donkere vlek. Twee mensen, van wie hij niet kon zien of het verpleegkundigen of artsen waren, waren bezig het te verschonen, wat de nodige moeite kostte. De man was maar half bij bewustzijn en probeerde zijn armen, die aan de bedspijlen vastgemaakt waren, los te rukken. De twee verzorgers waren zich hiervan bewust, maar ze moesten eerst de lakens verschonen. Deze verdwenen in een plastic zak.

'Ze worden verbrand,' zei Cathy, terwijl ze haar helm tegen die van haar man drukte. 'We hebben de veiligheidsmaatregelen flink verscherpt.'
'Hoe erg is het?'
Ze wees naar de deur en liep achter Jack aan de gang op. Toen ze de deur achter zich gesloten had, drukte ze boos haar vinger tegen zijn borst. 'Jack, je mag absoluut nooit de prognose van een patiënt in diens bijzijn bespreken, tenzij je weet dat die goed is. Nooit!' Ze zweeg even en verontschuldigde zich vervolgens voor de uitbarsting. 'Hij heeft nu drie dagen openlijke symptomen.'
'Maakt hij nog een kans?'
Ze schudde haar hoofd in de helm. Ze liepen terug door de gang, ondertussen in enkele kamers stoppend. Het verhaal daar was in wezen even droevig.
'Cathy?' Het was de stem van de decaan. 'Je bent vrij. Naar huis,' beval hij.
'Waar is Alexandre?' vroeg Jack op weg naar de voormalige artsenkamer.
'Hij heeft de verdieping hierboven. Dave heeft zelf deze genomen. We hoopten dat Ralph Foster terug zou komen om te helpen, maar er zijn geen vluchten.' Nu zag ze de camera's. 'Wat doen die hier, verdomme?'
'Kom mee.' Ryan leidde zijn vrouw de kleedkamer binnen. De kleding die hij op weg naar het ziekenhuis had gedragen, zat ergens in een zak. Hij begon zich schoon te schrobben in het zicht van drie vrouwen en een man, die helemaal geen speciale aandacht voor de vrouwen leek te hebben.
'Stop!' riep een vrouwenstem. 'Er komt een patiënt van de EHBO aan! Gebruik de trap.' Gehoorzaam volgde de Secret Service het bevel op. Ryan leidde zijn vrouw naar de begane grond en vandaar naar buiten. Ze hadden nog steeds maskers voor.
'Hou je het wel vol?'
Voordat ze kon antwoorden, riep een stem: 'Meneer de president!' Twee gardisten versperden de verslaggever en de cameraman de weg, maar Ryan gebaarde hen opzij te gaan. De twee kwamen dichterbij, nauwkeurig in de gaten gehouden door gewapende veiligheidsmensen, zowel in uniform als in burger.
'Ja, wat is er?' vroeg Ryan, zijn smoeltje omlaag trekkend. De verslaggever hield de microfoon zo ver mogelijk voor zich uit. Onder andere omstandigheden zou het grappig zijn geweest. De schrik zat er bij iedereen in.
'Wat gaat u hier doen, meneer?'
'Ik meen dat het tot mijn werk behoort om te kijken wat er allemaal gebeurt. Ik wilde ook zien hoe het met Cathy gaat.'
'We weten dat de First Lady boven werkt. Probeert u indruk te maken op het land?'
'Ik ben arts!' snauwde Cathy. 'We draaien hier allemaal diensten. Het is mijn werk.'
'Is het erg?'
Ryan nam het woord voordat ze kon ontploffen. 'Ik weet dat u die vraag moet stellen, maar u kent het antwoord. Deze mensen zijn vreselijk ziek. De artsen hier en overal elders doen hun best. Het is moeilijk voor Cathy en haar colle-

ga's. Het is erg moeilijk voor de patiënten en hun familie.'
'Dokter Ryan, is ebola werkelijk zo fataal als iedereen zegt?'
Ze knikte. 'Het is een vreselijke ziekte, ja. Maar we proberen deze mensen zo goed mogelijk te helpen.'
'Omdat de situatie voor deze mensen zo hopeloos is en ze zo'n vreselijke pijn hebben, is wel gesuggereerd om...'
'Wat zegt u? Om ze te doden?'
'Nu ja, als ze werkelijk zoveel lijden als iedereen zegt...'
'Zo'n arts ben ik niet,' antwoordde ze met een rood hoofd. 'We zullen sommigen van deze mensen kunnen redden. En door hen kunnen we misschien leren hoe we er meer kunnen redden. Je leert helemaal niets als je opgeeft. Daarom doden echte artsen geen patiënten! Wat mankeert u? Er zijn hier ménsen opgenomen, en het is mijn taak voor hun leven te vechten. En u hoeft me nu niet te vertellen hoe ik dat moet doen!' Ze viel stil toen haar man haar in haar schouder kneep. 'Sorry. Het is hier allemaal wat moeilijk.'
'Kunt u ons even excuseren?' vroeg Ryan. 'We hebben elkaar sinds gisteren niet gesproken. We zijn man en vrouw, weet u, net als echte mensen.'
'Zeker.' Ze namen wat afstand, maar de camera bleef op hen gericht.
'Kom eens hier, schat.' Jack omhelsde haar voor het eerst in meer dan een dag.
'We verliezen ze allemaal, Jack. Iedereen, te beginnen met morgen of overmorgen,' fluisterde ze. Ze begon te huilen.
'Ja.' Hij legde zijn hoofd tegen het hare. 'Weet je, jij mag je ook best mens tonen, dokter.'
'Hoe denken ze dat we alles geleerd hebben? We kunnen er niks aan doen, dus laat ze allemaal maar waardig sterven. Opgeven. Dat is niet wat ze me geleerd hebben.'
'Weet ik.'
Ze snoof en veegde haar ogen aan zijn overhemd af. 'Goed, we hebben alles weer onder controle. Ik heb acht uur vrij.'
'Waar slaap je?'
Een diepe zucht, gevolgd door schouderophalen. 'Maumenee. Daar hebben ze wat bedden neergezet. Berni zit in New York om op Columbia te helpen. Daar hebben ze een paar honderd gevallen.'
'Je doet het heel goed, dokter.' Hij glimlachte naar zijn vrouw.
'Jack, als je erachter komt wie ons dit aangedaan heeft...'
'Er wordt aan gewerkt,' zei Ryan.

'Kent u een van deze mensen?' Het hoofd van de post overhandigde een paar foto's die hij zelf gemaakt had. Hij gaf hem ook een zaklamp.
'Dat is Saleh! Wat was dat eigenlijk voor iemand? Hij heeft niets gezegd en ik ben er nooit achter gekomen.'
'Het zijn allemaal Irakezen. Toen de regering gevallen was, zijn ze hierheen gevlogen. Ik heb een hele stapel foto's. Weet u dit zeker?'

'Heel zeker. Ik heb hem meer dan een week behandeld. Die arme man is gestorven.' MacGregor bekeek nog wat foto's. 'En dat lijkt Sohaila. Zij heeft het godzijdank overleefd. Een heel lief kind, en dat is haar vader.'
'Wat krijgen we nou?' vroeg Chavez. 'Dat heeft niemand ons verteld.'
'We zaten toen toch op de Boerderij?'
'Ben je weer opleidingsfunctionaris, John?' zei Frank Clayton grijnzend. 'Ik hoorde ervan en daarom heb ik die foto's gemaakt. Ze reisden eersteklas hoor, mijn god, een grote oude G. Hier, zie je wel?'
Clark keek en gromde. Het was bijna hetzelfde toestel als zij gebruikten voor hun reis om de wereld. 'Mooie opnames.'
'Dank u, meneer.'
'Laat eens zien.' Chavez pakte de foto. Hij hield de lamp er vlak tegen aan. 'Ninja,' fluisterde hij. 'Verdomde Ninja...'
'Wat?'
'John, lees die letters op de staart eens,' zei Ding zacht.
'HX-NJA... mijn god.'
'Clayton,' zei Chavez, 'is die zaktelefoon veilig?'
Het hoofd van de post zette hem aan en toetste drie getallen in. 'Nu wel. Waar wil je naartoe bellen?'
'Langley.'

'Meneer de president, kunnen we u nu spreken?'
Jack knikte. 'Natuurlijk, kom binnen.' Hij had er behoefte aan wat te lopen en gebaarde hen te volgen. 'Misschien moet ik me verontschuldigen voor Cathy. Zo is ze normaal niet. Ze is een goede arts,' zei SWORDSMAN vermoeid. 'Iedereen is daar nogal gespannen. Het eerste wat ze hier leren is geloof ik *primum non nocere*. "Zorg eerst dat je geen schade toebrengt." Dat is een goede regel. Mijn vrouw heeft in elk geval een paar zware dagen daarbinnen gehad. Maar dat geldt voor ons allemaal.'
'Is het mogelijk dat dit een welbewuste actie was?'
'Dat weten we niet zeker. Ik kan daar niet over praten tot we over de informatie beschikken die op het een of het ander wijst.'
'U hebt het druk gehad, meneer de president.' Het was een plaatselijke journalist, die geen deel uitmaakte van het Washington-gilde. Hij wist niet hoe hij met een president moest praten, althans dat zouden anderen denken. Niettemin werd dit rechtstreeks uitgezonden op NBC, ook al wist de journalist dat niet.
'Ja, dat geloof ik ook.'
'Kunt u ons enige hoop bieden, meneer?'
Ryan draaide zich naar de camera toe. 'Voor de mensen die ziek zijn, moet de hoop van de artsen en verpleegkundigen komen. Dat zijn kundige mensen, zoals hier te zien is. Het zijn echte vechters. Ik ben erg trots op mijn vrouw en haar werk. Ik ben nu trots op haar. Ik heb haar gevraagd dit niet tè doen. Ik denk dat dat egoïstisch van me was, maar toch heb ik dat gezegd. Er zijn al

eens mensen geweest die geprobeerd hebben haar te vermoorden, weet u. Ik vind het niet erg zelf aan gevaar blootgesteld te worden, maar mijn vrouw en kinderen mag dat niet aangedaan worden. Het mag ook deze mensen niet aangedaan worden. Maar dat is wél gebeurd, en daarom moeten we ons best doen om de zieken te behandelen en ervoor zorgen dat er niet onnodig nieuwe gevallen komen. Ik weet dat mijn besluit veel mensen van streek gebracht heeft, maar ik kan het niet over mijn hart verkrijgen iets achterwege te laten dat mogelijk levens kan redden. Ik zou willen dat er een makkelijker manier was, maar als die bestaat, dan heeft niemand mij er tot nu toe op gewezen. Het is niet voldoende om te zeggen; "Nee, dat staat me niet aan." Dat kan iedereen. Er is nu meer nodig. Ik ben trouwens behoorlijk moe,' zei hij, zich van de camera afwendend. 'Kunnen we er een eind aan maken?'
'Zeker. Dank u wel, meneer de president.'
'Oké.' Ryan draaide zich om en liep rustig zuidwaarts in de richting van de grote parkeergarages. Hij zag daar een man een sigaret roken. Het was een man van rond de veertig, die de bordjes negeerde die deze gewoonte in het zicht van dit medische bolwerk verboden. De president liep naar hem toe, zonder te letten op de drie agenten en twee soldaten achter hem.
'Hebt u er een voor me?'
'Zeker.' De man, die op de rand van de stenen bloembak zat, keek niet eens op. Hij stak zijn linkerhand met het pakje en een aansteker uit. Als bij stilzwijgende afspraak gingen ze niet vlak bij elkaar zitten.
'Bedankt.' Ryan stak zijn hand uit om het pakje terug te geven.
'U ook, meneer?'
'Wat bedoelt u?'
'Mijn vrouw ligt daar, ze heeft de ziekte. Ze werkt bij een gezin als kinderoppas. Ze zijn allemaal ziek. En nu is zij het ook.'
'Mijn vrouw is arts, ze is bij hen.'
'Dat zal niks uitmaken, jongen, helemaal niks.'
'Weet ik.' Ryan inhaleerde diep en blies de rook uit.
'Ze willen me niet eens binnenlaten. Te gevaarlijk, zeggen ze. Ze hebben bloed bij me afgenomen, zeggen dat ik in de buurt moet blijven. Ik mag niet roken, ik mag haar niet zien. Christus, jongen, hoe kan zoiets nou?'
'Als u zelf ziek was, en u wist dat u uw vrouw zou kunnen besmetten, wat zou u dan doen?'
Hij knikte berustend, maar bleef verontwaardigd. 'Weet ik. De dokter heeft dat ook gezegd. Hij heeft gelijk. Ik weet het. Maar daarom is het nog niet rechtvaardig.' Hij zweeg even. 'Het doet me goed erover te praten.'
'Ja, dat denk ik ook.'
'Wat een klootzakken die dit gedaan hebben. Op tv zeggen ze dat iemand het expres gedaan heeft. Die klootzakken moeten ervoor betalen, jongen.'
Ryan wist niet meer wat hij moest zeggen. Iemand anders deed dat voor hem. Het was Andrea Price.
'Meneer de president? Ik heb hier de CIA-directeur voor u.'

Nu draaide de man zijn hoofd om. Hij keek Ryan in het geel-oranje licht aan.
'U bent het.'
'Ja, meneer,' antwoordde Jack zacht.
'En u zegt dat uw vrouw hier werkt?'
Een knikje, een zucht. 'Ja. Het spijt me...'
'Hoe bedoelt u?'
'Ze laten u niet binnen, maar mij wel.'
Hij trok een grimas. 'U moet het natuurlijk zien, hè? Vreselijk wat er vorige week met uw dochter gebeurd is. Is alles goed met haar?'
'Ja, het gaat best. Op die leeftijd... U weet hoe dat gaat.'
'Mooi. Fijn dat u met me wilde praten.'
'Bedankt voor de sigaret,' zei de president. Hij stond op en liep naar agent Price. Hij nam de telefoon aan. 'Ed, met Jack.'
'Meneer de president, u moet terugkomen. U moet hier iets bekijken,' zei Ed Foley tegen hem. Hij vroeg zich af hoe hij moest uitleggen dat het bewijs aan de muur van een vergaderzaal in het CIA-hoofdkwartier hing.
'Geef me een uur, Ed.'
'Zeker. We zijn alles nu in orde aan het brengen.'
Jack drukte op de UIT-toets op de telefoon en gaf die terug. 'We moeten gaan.'

53
Rapportage

Voordat ze naar huis vlogen, moest iedereen ontsmet worden. In het Hopkins was een grote ruimte vrijgemaakt, ditmaal met de seksen gescheiden. Het water was heet en stonk naar chemicaliën, maar dat gaf Ryan juist het gevoel van zekerheid waar hij behoefte aan had. Hij trok een nieuw groen pak aan. Hij had dat al vaker gedragen, bij de geboorten van zijn kinderen. Gelukkige associaties. Maar die waren nu verdwenen, dacht hij, terwijl hij naar de Suburban liep voor de rit naar Fort McHenry, van waar een helikopter hem naar het Witte Huis zou brengen. Hij was tenminste wel wat opgeknapt door de douche. Wellicht duurde dat een paar uur, dacht Ryan, toen de VH-3 opsteeg en naar het zuidwesten draaide. Als hij geluk had.

Het was de matste vertoning die ooit in de het National Training Center had plaatsgevonden. De manschappen van het 11de cavaleriegeregiment en de tankbemanningen van de Carolina Guard hadden vijf uur lang geblunderd. Tot

uitvoer van de plannen die beide hadden gemaakt, was het nauwelijks gekomen. Bij de herhaling in de Star Wars Room bleek het te zijn voorgekomen dat tanks elkaar op een afstand van minder dan duizend meter in het vizier hadden, zonder dat er geschoten werd. Aan beide kanten was bijna niets goed verlopen en het gesimuleerde treffen was niet zozeer tot een eind gekomen als wel in apathie verzand. Even voor middernacht formeerden de eenheden zich voor de thuisreis naar de kampementen en begaven de commandanten zich naar het huis van generaal Diggs op de heuvel.
'Dag, Nick,' zei kolonel Hamm.
'Dag, Al,' antwoordde kolonel Eddington ongeveer op dezelfde toon.
'En wat was dat verdomme allemaal?' vroeg Diggs bars.
'De manschappen raken enigszins onthecht, generaal,' antwoordde de gardist als eerste. 'We maken ons allemaal zorgen over de familie thuis. Wij zijn hier veilig, maar zij lopen gevaar. Ik kan ze niet kwalijk nemen dat ze afwezig zijn. Het zijn mensen.'
'Ik kan alleen maar zeggen dat onze directe familie hier veilig lijkt te zijn, generaal,' zei Hamm, met zijn oudere strijdmakker instemmend. 'Maar we hebben allemaal familie in de buitenwereld.'
'Goed, heren, we hebben allemaal een kans gehad om onszelf flink te beklagen. Ik vind dit ook verdomd rottig, begrijpen jullie? Maar jullie taak is om jullie manschappen voor te gaan en als ik zeg voorgaan, dan bedoel ik voorgaan, godverdomme! Wellicht hebben de heren commandanten het nog niet gemerkt, maar de hele Verenigde Staten wordt door deze epidemie gekneveld, behalve wij! Willen de heren kolonels zich dat even bedenken? Misschien kunnen jullie je manschappen daarover aan het denken zetten? Niemand heeft me ooit verteld dat je als militair een makkelijk baantje hebt, en dat geldt zeker voor commandanten, maar dat is nu eenmaal ons werk en als u dat niet voor elkaar krijgt, dan zijn er anderen die het kunnen.'
'Dat zal niet lukken, generaal. Er is niemand om ons te vervangen,' merkte Hamm somber op.
'Kolonel...'
'Hij heeft gelijk, Diggs,' zei Eddington. 'Sommige dingen zijn gewoon te veel. Er is een vijand waartegen we niet kunnen vechten. Onze mensen komen er weer bovenop als ze eraan gewend zijn geraakt, als er misschien wat goed nieuws komt. Kom generaal, u weet wel beter. U kent de geschiedenis. Het gaat om mensen. Het zijn weliswaar soldaten, maar allereerst mensen. Ze zijn diep geschokt. Net als ik, Diggs.'
'Ik weet ook dat er geen slechte regimenten zijn, alleen slechte kolonels,' kaatste Diggs terug. Het was een van de beste gezegden van Napoleon, maar hij zag dat niemand hapte. Jezus, dit was echt klote.

'Hoe was het?' vroeg Van Damm.
'Vreselijk,' antwoordde Ryan. 'Ik heb zes of zeven mensen gezien die zullen sterven. Er was een kind bij. Cathy zegt dat er nog meer zullen volgen.'

'Hoe gaat het met haar?'
'Ze is erg gespannen, maar verder doet ze het goed. Ze gaf een journalist er flink van langs.'
'Weet ik, dat was op tv,' zei de stafchef.
'Nu al?'
'Je was rechtstreeks in de uitzending.' Arnie wist een lachje te voorschijn te toveren. 'Je zag er geweldig uit. Betrokken. Zo oprecht als wat. Je hebt aardige dingen over je vrouw gezegd. Je hebt je zelfs verontschuldigd voor wat ze gezegd had; dat is echt goed, baas, vooral omdat ze er prachtig uitzag. Toegewijd. Intens. Zoals een arts hoort te zijn.'
'Arnie, dit is geen theater.' Ryan was te moe om boos te worden. Helaas was het opwekkende effect van de douche alweer weggeëbd.
'Nee, het is leiderschap. Ooit zul je leren dat... shit, misschien ook niet. Je moet gewoon zo doorgaan,' raadde Arnie aan. 'Je doet het zonder het zelfs maar te beseffen, Jack. Je moet er niet over nadenken.'

NBC stelde de band aan de hele wereld ter beschikking. De media mochten elkaar dan scherp beconcurreren, er leefde ook een sterk besef van publieke verantwoordelijkheid. De opname van het korte gesprek van de president was een uur later in de hele wereld op tv te zien.
Ze had het vanaf het eerste ogenblik bij het rechte eind gehad, zei de premier tegen zichzelf. Hij kon het absoluut niet aan. Hij dwaalde af. Hij bazelde maar wat. Hij liet zijn vrouw het woord voor hem doen, een hysterisch, zwak en emotioneel mens. De dagen van Amerika als wereldmacht waren geteld, omdat het land geen krachtige leiders had. Weliswaar wist ze niet echt wie deze epidemie had veroorzaakt, maar dat was niet moeilijk te raden. Dat moest de VIR zijn. Waarom had hij hen anders in West-China bijeengeroepen? Nu haar vloot op zee de toegang tot de Perzische Golf bewaakte, droeg zij haar aandeel bij. Ze wist zeker dat ze er te zijner tijd voor beloond zou worden.

'Uw president maakt een afwezige indruk,' zei Zhang. 'Dat is begrijpelijk.'
'Wat een enorme tegenspoed. Wij leven ten zeerste met u mee,' voegde de minister van Buitenlandse Zaken eraan toe. Ze hadden zojuist gedrieën met de tolk naar de band gekeken.
Adler had het nieuws van de epidemie pas laat te horen gekregen, maar nu was hij volledig op de hoogte. Maar hij moest die kwestie voorlopig opzij zetten. 'Zullen we verdergaan?'
'Gaat onze verre provincie akkoord met ons verzoek om compensatie?' vroeg de Chinese minister van Buitenlandse Zaken.
'Helaas niet. Ze zijn van mening dat het incident volledig aan uw uitgebreide manoeuvres te wijten was. Als we het abstract beschouwen, is die visie niet geheel zonder waarde,' vertelde Adler hun in diplomatentaal.
'Maar de situatie is niet abstract. Wij houden vreedzame oefeningen. Een van hun piloten besloot een toestel van ons aan te vallen, en in alle commotie ver-

nietigde een van hun dwaze piloten een passagiersvliegtuig. Wie zal zeggen of het een ongeluk was of niet?'
'Geen ongeluk?' vroeg Adler. 'Welk mogelijk doel zou dat kunnen dienen?'
'Wie zal het zeggen met deze bandieten?' vroeg de minister van Buitenlandse Zaken op zijn beurt, het vuurtje nog wat aanwakkerend.

Ed en Mary Pat Foley kwamen tegelijk binnen. Ed had een grote opgerolde poster of iets dergelijks bij zich, zag Jack, die in de kabinetszaal zat. Hij was nog altijd gekleed in het groene pak met het Hopkins-stempel. Daarna kwam Murray binnen, met inspecteur O'Day in zijn kielzog. Ryan stond op en liep op hem toe.
'Ik ben u veel dank verschuldigd. Het spijt me dat ik u niet eerder heb kunnen ontmoeten.' Hij pakte de hand van de man vast.
'Dat was nogal gemakkelijk, als je het hiermee vergelijkt,' zei Pat. 'En mijn dochtertje zat daar ook. Maar ik was blij dat ik er was. Ik zal geen nachtmerries hebben over dat schot.' Hij draaide zich om. 'Hé, hallo, Andrea.'
Price glimlachte voor het eerst vandaag. 'Hoe gaat het met je dochter, Pat?'
'Ze zit thuis met de oppas. Het gaat met allebei goed,' verzekerde hij haar.
'Meneer de president?' zei Goodley. 'Het is nogal dringend.'
'Goed, zullen we dan aan het werk gaan? Wie begint er?'
'Ik,' zei de CIA-directeur. Hij schoof een vel papier over de tafel. 'Hier.'
Ryan pakte het op en las het snel door. Het leek een officieel formulier, geheel in het Frans geschreven. 'Wat is dit?'
'Het is het immigratie- en douaneformulier voor een vliegtuig. Kijk eens naar de identificatie linksboven.'
'HX-NJA. Nou, en?' vroeg SWORDSMAN. Zijn stafchef zat naast hem, zonder iets te zeggen. Hij voelde de spanning die met de komst van de diensthoofden ontstaan was.
De uitvergroting van Chavez' foto op het vliegveld Mehrabad was zelfs nog groter dan een poster. Eigenlijk was dat een grapje geweest. Mary Pat rolde hem uit en legde hem vlak op de tafel. Met twee aktetassen werd de poster plat op tafel gehouden. 'Let op de staart,' adviseerde het hoofd directoraat Operaties.
'HX-NJA. Ik heb geen tijd voor Agatha Christie, mensen,' waarschuwde de president.
'Meneer de president,' zei Dan Murray, 'we zullen u op de hoogte brengen, maar ik zeg u nu al dat ik met deze foto naar de rechter zou kunnen stappen en op grond daarvan een veroordeling zou kunnen krijgen. Het douaneformulier is van een zakenjet, een Gulfstream G-IV van deze, in Zwitserland gevestigde vennootschap.' Er werd een stuk papier over de tafel aangereikt. 'Gevlogen door deze bemanning.' Twee foto's en kaarten met vingerafdrukken. 'Het vliegtuig is uit Zaïre vertrokken met drie passagiers. Twee waren nonnen, zuster Jean Baptiste en zuster Maria Magdalena. Ze waren beiden verpleegster in een katholiek ziekenhuis daar. Zuster Jean verzorgde Benedict Mkusa, en jon-

getje dat ebola had opgelopen en eraan gestorven is. Op de een of andere manier werd zuster Jean er ook mee besmet. De derde passagier, dokter Mohammed Moudi – we hebben nog geen foto van hem, we zijn daarmee bezig – besloot de zieke naar Parijs over te brengen voor behandeling. Zuster Maria vloog ook mee. Dokter Moudi is een Iraniër die bij de Wereldgezondheidsorganisatie werkt. Hij zei tegen de non die de leiding had dat ze daar mogelijk een kans had en dat hij een privé-jet kon regelen om haar erheen te brengen. Volgt u het tot zover?'

'En dit is dat vliegtuig.'

'Correct, meneer de president. Dit is dat vliegtuig. Alleen zou dit vliegtuig kort na een tankstop in Libië in zee gestort zijn. We hebben daar kilo's documentatie over. Maar nu hebben we dit.' Hij tikte weer op de poster. 'Die foto is genomen door Domingo Chavez...'

'Die kent u,' interrumpeerde Mary Pat. 'Hij is ooit SPO voor u geweest.'

'Ga door. Wanneer heeft Ding die opname gemaakt?'

'Clark en Chavez zijn vorige week met minister Adler mee geweest naar Teheran.'

'Het vliegtuig is een tijdje daarvoor al als verloren opgegeven. Een van onze torpedojagers heeft zelfs de noodsignalen geregistreerd die het uitzond. Maar er werd nooit een spoor van gevonden,' ging Murray verder. 'Ed?'

'Toen Irak uiteenviel, stond Iran de hoogste militaire leiders toe ervandoor te gaan. Ze kregen allemaal gouden parachutes. Onze vriend Daryaei liet ze als het ware uit het vliegtuig springen. Sterker nog, hij voorzag ze zelfs van transport. Dit begon de dag nadat het vliegtuig was verdwenen,' vertelde Foley hen. 'Ze werden naar Khartoum in Soedan gebracht. Het hoofd van onze post daar is Frank Clayton. Hij is naar het vliegveld gereden en heeft deze foto's gemaakt om onze inlichtingen te bevestigen.' De directeur schoof de foto's over tafel.

'Het lijkt hetzelfde vliegtuig, maar stel dat iemand met de getallen of de letters gerommeld heeft, wat dan?' vroeg Ryan.

'Volgende aanwijzing,' zei Murray. 'Er waren twee ebolagevallen in Khartoum.'

'Clark en Chavez hebben enkele uren geleden met de betreffende arts gesproken,' vulde Mary Pat aan.

'Beide patiënten zijn met dit toestel meegevlogen. We beschikken over foto's waarop te zien is dat ze uitstappen,' zei de FBI-directeur. 'Goed, we hebben dus een vliegtuig met een zieke aan boord. Het vliegtuig verdwijnt, maar het duikt minder dan een etmaal later ergens anders weer op. Twee passagiers krijgen dezelfde ziekte als de non had. De passagiers kwamen uit Irak, via Iran, naar Soedan toe.'

'Van wie is dat vliegtuig?' vroeg Arnie.

'Van een vennootschap. Over een paar uur moeten we meer bijzonderheden van de Zwitsers binnenkrijgen. Maar de bemanning is Iraans. We hebben info over hen omdat ze hier hebben leren vliegen,' legde Murray uit. 'En ten slotte

hebben we hier ook onze vriend Daryaei in hetzelfde vliegtuig. Het lijkt erop dat het uit de internationale dienst is gehaald. Misschien gebruikt Daryaei het nu om in zijn nieuwe land rond te vliegen. Meneer de president, we hebben dus de ziekte, het vliegtuig en de eigenaar. Daartussen bestaat een onderling verband. Morgen zullen we met Gulfstream uitzoeken of het toestel unieke kenmerken heeft, zodat we het kunnen identificeren, afgezien van de registratiecode. We laten de Zwitsers informatie vergaren over de eigenaar en de logboeken van de rest van de vloot. We weten nu wie dit gedaan heeft, meneer,' besloot Murray. 'De bewijsketen is moeilijk te weerleggen.'
'Er moeten nog meer details uitgezocht worden,' zei Mary Pat. 'De achtergrond van die dokter Moudi. Enkele apentransporten moeten gecontroleerd worden. Ze gebruiken apen om de ziekte te bestuderen. Hoe ze dat vliegtuigongeluk in scène hebben gezet... dat is toch ongelooflijk? Die schoften hebben zelfs een claim bij de verzekering ingediend.'
'We schorsen de vergadering even. Andrea?'
'Ja, meneer de president.'
'Laat minister Bretano en vice-admiraal Jackson hier komen.'
'Jawel, meneer.' Ze verliet de zaal.
Ed Foley wachtte tot ze de deur achter zich gesloten had. 'Eh, meneer de president?'
'Ja, Ed?'
'Er is nog iets. Ik heb het net nog eens aan Dan verteld. We weten nu dat de VIR hierachter zit, onze vriend Mahmoud Haji Daryaei dus. Chavez vertelde nog iets voordat we hem en John wegstuurden. Waarschijnlijk rekent de andere kant erop dat we erachter komen dat het spoor naar hen leidt. Het is bijna onmogelijk om bij zo'n actie een goede operationele beveiliging te bereiken.'
'Wat betekent dat?'
'Dat betekent twee dingen, Jack. Ten eerste: wat ze ook van plan zijn, ze denken mogelijk dat dat onomkeerbaar is, en dan doet het er niet toe of we hier al dan niet achter komen. Ten tweede: laten we goed bedenken hoe ze Irak weggevaagd hebben. Ze hadden daar heel diep een infiltrant zitten.'
Dat waren twee buitengewoon verstrekkende veronderstellingen. Ryan dacht eerst na over de eerste. Dan Murray draaide zijn hoofd naar zijn ambulante inspecteur toe. Zij wisselden van gedachten over de tweede.
'Christus, Ed,' zei de FBI-directeur even later.
'Denk er eens over na, Dan,' zei de CIA-directeur. 'We hebben een president. We hebben een senaat. We hebben een derde van het Huis van Afgevaardigden. We hebben nog geen vice-president. De opvolging van de president is nog altijd hachelijk, er zijn geen echte machtige figuren en de top van de overheid is nog steeds uitgehold. Voeg daar dan nog de epidemie bij die het hele land lamlegt. Op vrijwel iedere buitenstaander moeten we een zwakke, kwetsbare indruk maken.'
Ryan keek op toen Andrea weer binnenkwam. 'Wacht even. Ze hebben een

complot opgezet tegen Katie. Waarom zouden ze dat doen als ze mij uit de weg wilden ruimen?'
'Waar gaat dit over?' vroeg Price.
'De andere kant heeft aangetoond over een angstaanjagende slagkracht te beschikken,' zei Foley. 'Ten eerste zijn ze helemaal tot het beveiligingsescorte van de Iraakse president doorgedrongen om hem uit de weg te ruimen. Ten tweede werd de operatie van vorige week uitgevoerd door een stille, een agent die hier al meer dan tien jaar zat en al die tijd niets gedaan heeft. Maar toen hij ontwaakte, bleek hij voldoende gemotiveerd om te helpen bij een aanslag op een kind.'
Daar was Murray het mee eens. 'Dat is ons ook opgevallen. Het directoraat Inlichtingen is daar nu mee bezig.'
'Wacht even,' protesteerde Andrea. 'Ik ken iedereen in het escorte. We hebben verdomme vijf leden ervan verloren bij de verdediging van SANDBOX!'
'Agent Price,' zei Mary Pat Foley. 'U weet hoe vaak de CIA bedrogen is door mensen die we allemaal kenden, mensen die ik zelf kende. Ik ben verdomme drie agenten kwijtgeraakt door zo'n klotespion. Ik kende ze en ik kende de vent die ze verlinkte. Over paranoia hoef je me niks te vertellen. We staan hier tegenover een bijzonder kundige vijand. En er is er maar één van nodig.'
Toen de implicaties van deze opmerking volledig duidelijk werden, floot Murray zachtjes. Hij had de afgelopen uren steeds koortsachtig in dezelfde richting gedacht, maar moest nu een andere kant op denken.
'Mevrouw Foley, ik...'
'Andrea,' zei inspecteur O'Day. 'Dit is niet persoonlijk. Zet eens een stapje terug en denk er nog eens over na. Als je over de middelen van een land beschikte, als je geduld had en als je zeer gemotiveerde mensen had, hoe zou je het dan doen?'
'Hoe hebben ze Irak gepakt?' Ed Foley ging op de opmerking in. 'Wie had gedacht dat dat mogelijk was?'
De president keek de zaal rond. Fantastisch, nu vertellen ze me dat ik de Secret Service niet kan vertrouwen.
'Het is allemaal logisch als je als de ander denkt,' zei Mary Pat. 'Dat maakt deel uit van hun traditie, weten jullie nog?'
'Goed, maar wat doen we daarmee?' vroeg Andrea, die geheel overrompeld was door de nu geopperde mogelijkheid.
'Pat, je hebt een nieuwe opdracht,' zei Murray tegen zijn ondergeschikte. 'Als de president het goedvindt, tenminste.'
'Toegestaan,' zei Ryan zacht.
'Regels?' wilde O'Day weten.
'Geen, helemaal geen,' antwoordde Price.

Het liep nu tegen het middaguur in de Verenigde Islamitische Republiek. Er werden goede vorderingen gemaakt met het groot onderhoud van de zes zware divisies in het zuiden van het centrale deel van het land. Bijna alle rupsbanden van de gemotoriseerde voertuigen waren vervangen. Tussen de voormali-

ge Iraakse divisies en de uit Iran afkomstige was een gezonde competitiesfeer ontstaan. Nu de voertuigen weer volledig gevechtsklaar waren, sjouwden de manschappen met munitie om alle T-80 tanks en BMP-infanterievoertuigen weer te bewapenen.
De bataljonscommandanten waren tevreden met de resultaten van de oefening. De pas aangeschafte GPS-apparatuur leek wel tovenarij, en nu begrepen de Irakezen beter waarom de Amerikanen hen in 1991 zo zwaar hadden afgestraft. Met GPS had je helemaal geen wegen nodig. In de Arabische cultuur werd de woestijn sinds lang een zee genoemd, en nu konden ze er als zeelieden op navigeren. Ze verplaatsten zich van het ene naar het andere punt met een ongekend zelfvertrouwen.
De stafofficieren van de legerkorpsen en divisies wisten waarom dit zo belangrijk was. Ze hadden net nieuwe kaarten gekregen, en tegelijk daarmee een nieuwe opdracht. Ze waren ook te weten gekomen dat de uit drie legerkorpsen bestaande strijdmacht nu een naam had, het 'Leger van God'. Morgen zouden de commandanten van de onderafdelingen over dat onderwerp, en vele andere, een briefing krijgen.

Het duurde een uur voordat ze er waren. Admiraal Jackson had in zijn kantoor geslapen, maar minister Bretano was naar huis gegaan na een marathonvergadering over de stationering van de legeronderdelen in het land. De kledingvoorschriften van het Witte Huis waren versoepeld, zagen ze. De president, die eveneens rode oogjes had, droeg dokterskleding.
Dan Murray en Ed Foley herhaalden hun briefing.
Jackson nam het positief op. 'Goed. Nu weten we waartegen we moeten opboksen.'
Bretano was negatiever: 'Dit is overduidelijk een oorlogsdaad.'
'Maar wij zijn niet het doel,' zei de CIA-directeur. 'Dat zijn Saoedi-Arabië en alle andere Golfstaten. Dat is de enige logische mogelijkheid. Hij denkt dat we de boel daar niet plat kunnen bombarderen als hij die staten inneemt. Dat zou de oliebevoorrading van de hele wereld afsnijden.' De directeur had het bijna bij het rechte eind, maar niet helemaal.
'En hij heeft India en China in zijn zak,' ging Robby Jackson verder. 'Ze fungeren alleen als stoorzender, maar wel op de goede manier. De *Ike* ligt op de verkeerde plek. De Indiërs hebben de Straat van Hormoez geblokkeerd met hun vliegdekschepen. We kunnen de MPS-schepen er niet heen brengen zonder luchtsteun. Hup, hij heeft die drie legerkorpsen naar het zuiden verplaatst. De Saoedi's zullen zeker vechten, maar hebben te weinig soldaten. Het is in een week, of misschien nog minder, voorbij. Geen slecht operationeel concept,' concludeerde de J-3.
'Die biologische aanval getuigt ook van slimheid. Ik denk dat ze meer gekregen hebben dan waarop ze gerekend hadden. Vrijwel elke basis en eenheid van ons is momenteel lamgelegd,' merkte de minister van Defensie op, snel inhakend op de operationele kant.

'Meneer de president, toen ik een jongetje in Mississippi was, hoorde ik de leden van de Klu Klux Klan altijd zeggen: als je een dolle hond ziet, moet je het arme beest niet doden, maar in iemands achtertuin gooien. Een of andere hufter heeft dat echt eens bij ons gedaan, omdat mijn pa er zoveel belang aan hechtte dat mensen zich lieten registreren om te kunnen stemmen.'
'Wat hebben jullie toen gedaan, Rob?'
'Mijn vader heeft hem met zijn dubbelloops Fox neergeknald,' antwoordde admiraal Jackson, 'en is doorgegaan met zijn missie. We moeten snel handelen, als we tenminste willen handelen. Het probleem is wat we moeten doen.'
'Hoe lang duurt het voor de MPS-schepen bij Saoedi-Arabië zijn?'
'Iets minder dan drie dagen, maar iemand zit ons in de weg. CINCLANT heeft de orders voor die schepen ingetrokken en opdracht gegeven direct door het Suezkanaal op te stomen. Ze kunnen op tijd in de Straat zijn, maar we moeten eerst de schepen die de tanks vervoeren achter de Indiërs zien te krijgen. Die vier schepen worden geëscorteerd door één kruiser, twee torpedojagers en twee fregatten, en als we die verliezen, dan is de dichtstbijzijnde aanvulling in Savannah, meneer.'
'Welke voorraden hebben we in Saoedi-Arabië?' vroeg Ben Goodley.
'Genoeg voor een zware brigade. Dat geldt ook voor Koeweit. Het materieel voor de derde brigade is onderweg om het kwaad tegen te houden.'
'Koeweit is het eerst aan de beurt,' zei de president. 'Wat kunnen we daarheen brengen?'
'Als we met de rug tegen de muur staan, dan kunnen we het 10de gepantserde cavalerieregiment uit Israël halen om steun te bieden op de POMCUS-locatie ten zuiden van Koeweit-Stad. We kunnen dat in vierentwintig uur doen. De Koeweiti's verzorgen dan het transport. Ze hebben daarover een stilzwijgende overeenkomst met Israël. Wij hebben geholpen met het op te zetten,' zei Robby. 'Het plan heet BUFFALO FORWARD.'
'Denkt iemand dat het een slecht idee is?' vroeg Jack.
'Eén gepantserd cavalerieregiment... Ik denk niet dat dat genoeg is om ze af te schrikken,' zei Goodley.
'Hij heeft gelijk,' zei de J-3.
Ryan keek de zaal rond. Kennis was mooi, maar het was nog mooier als je ook actie kon ondernemen. Hij kon natuurlijk opdracht geven tot een strategisch nucleaire aanval op Iran. Hij beschikte over B-2A Stealth-bommenwerpers op de luchtmachtbasis Whiteman en met de informatie die hij de afgelopen twee uur gekregen had, zou het geen probleem zijn om CINC-STRIKE het bevel te laten bekrachtigen, dit in verband met de benodigde tweevoudige toestemming. De Spirits, zoals de B-2's genoemd werden, konden er in minder dan achttien uur zijn en het land in een rokende puinhoop veranderen.
Maar dat kon hij niet doen. Zelfs als het moest, kon het waarschijnlijk niet. Hoewel Amerikaanse presidenten sinds lang genoodzaakt waren de wereld te vertellen dat ze inderdaad hun raketten en bommenwerpers zouden gebruiken als dat nodig was, had Ryan niet verwacht daartoe ooit opdracht te geven.

Zelfs deze aanval op zijn land – het gebruik van massale vernietigingswapens stond voor Amerika gelijk aan kernwapens – was het besluit van één man geweest, dat slechts door een handjevol mensen werd uitgevoerd. Kon hij als reactie hele steden met de grond gelijkmaken, onschuldige mensen doden zoals Daryaei had gedaan, omdat de ander met een soortgelijke actie begonnen was? En kon hij daarmee zelf leven? Er moet iets beters zijn, een andere mogelijkheid. Bijvoorbeeld Daryaei vermoorden.
'Ed?'
'Ja, meneer de president?'
'Waar zijn Clark en Chavez momenteel?'
'Nog steeds in Khartoum. Ze wachten op instructies.'
'Denk je dat ze weer in Teheran kunnen komen?'
'Dat zal niet gemakkelijk zijn.' Hij wendde zich tot zijn vrouw.
'De Russen hebben ons in het verleden geholpen. Ik kan het vragen. Wat zou hun missie zijn?'
'Zoek eerst uit of ze er kunnen komen. Binnenkort hebben we het over de missie. Robby?'
'Ja, meneer de president?'
'Het 10de regiment vertrekt direct naar Koeweit.'
Jackson slaakte sceptisch een diepe zucht. 'Aye aye, meneer.'

Eerst moest nog de toestemming van de regering van Koeweit verkregen worden. De ambassadeur nam dat voor zijn rekening. Het bleek niet moeilijk te zijn. Majoor Sabah had zijn regering op de hoogte gehouden van de ontwikkelingen bij hun nieuwe buur in het noorden, en de satellietfoto's van de verwisseling van de rupsbanden van de VIR-tanks waren overtuigend genoeg. Nu het eigen leger volledig paraat was, verzond de regering van Koeweit per telex een officieel verzoek aan Amerika om grootschalige oefeningen te beginnen in het westelijke deel van het land. Dit bracht snel actie teweeg. De heersers van het kleine land hadden nog verse herinneringen aan eerdere fouten. Hun enige voorwaarde was dat de verplaatsing in het geheim zou plaatsvinden. Amerika had daar geen bezwaar tegen. Binnen vier uur kozen de eerste luxe, gloednieuwe passagiersvliegtuigen van de nationale luchtvaartmaatschappij het luchtruim. Ze vlogen in zuidwestelijke richting over Saoedi-Arabië en verlegden later de koers naar het noorden, naar de Golf van Akaba.
Het bevel werd uitgevaardigd door Training and Doctrine Command, dat administratief gezien het commando over het 10de gepantserde cavalerieregiment voerde, aangezien het feitelijk om een oefening ging. De meeste andere Amerikaanse eenheden vielen onder het legercommando, FORCECOM. Het plotselinge bevel tot actie werd met CRITIC-prioriteit aan kolonel Sean Magruder overgebracht. Hij moest ongeveer vijfduizend manschappen overbrengen, waar twintig jumbovluchten voor nodig waren. De afstand bedroeg vanwege de omweg ruim tweeduizend kilometer, ofwel drie uur in elke richting, met een stop van een uur aan beide zijden. Alles was echter al goed overdacht en

door het verminderde internationale vliegverkeer waren er meer toestellen beschikbaar dan in het plan voor BUFFALO FORWARD was voorzien. Zelfs de Israëli's werkten mee. De piloten van de Koeweitse jumbo's genoten van de unieke ervaring om door F-15 jagers met de blauwe davidster geëscorteerd te worden toen ze de grote Israëlische luchtmachtbasis in de Negev naderden.
De eerste groep die werd overgevlogen, bestond uit hoge officieren en een beveiligingsgroep ter aanvulling van de Koeweitse bewaking op het POMCUS-terrein. Dit terrein bestond uit een aantal opslagloodsen met daarin de volledige uitrusting voor een zware brigade, precies de spullen die de gepantserde cavaleriebrigade nodig had. De uitrusting werd met liefde onderhouden door particuliere aannemers, die door hun Koeweitse gastheren goed betaald werden.
Het tweede toestel vervoerde het A-Peloton, 1ste van het 10de. Ze werden met bussen in de late middagzon naar hun voertuigen gebracht, die zonder uitzondering direct startten. Ze waren volgeladen met brandstof en munitie. Het A-Peloton van het 1ste 'Guidon'-squadron vertrok onder het toeziend oog van squadroncommandant luitenant-kolonel Duke Masterman. Hij had familie in de buurt van Philadelphia en wist hoeveel twee plus twee was. Er was iets buitengewoon ernstigs in zijn land aan de hand, en zomaar opeens was nu BUFFALO FORWARD op gang gebracht. Hij vond het prima, en zijn manschappen ook.
Magruder en zijn staf keken ook toe. Hij had er zelfs op gestaan dat de commandogroep het regimentsvaandel zou meenemen. Dit was tenslotte de cavalerie.

'Folejeva, is het zo erg?' vroeg Golovko, op de epidemie doelend. Ze spraken Russisch. Hoewel zijn Engels vrijwel vlekkeloos was, sprak de CIA-functionaris zijn moedertaal met een poëtische elegantie die ze van haar grootvader geleerd had.
'We weten het niet, Sergej Nikolajevitsj, en ik heb me met andere dingen beziggehouden.'
'Kan Ivan Emmetovitsj het aan?'
'Wat denkt u? Ik weet dat u het tv-interview een paar uur geleden gezien hebt.'
'Een interessante man, uw president. Zo gemakkelijk te onderschatten. Dat is mij zelf ook eens overkomen.'
'En Daryaei?'
'Een geducht heerschap, maar het is een cultuurbarbaar.' Mary Pat kon de man bijna horen spuwen.
'Zeker.'
'Zeg tegen Ivan Emmetovitsj dat ik over het scenario zal nadenken, Folejeva,' stelde Golovko voor. 'Ja, we zullen meewerken,' voegde hij eraan toe, een vraag beantwoordend die nog niet gesteld was. 'Volledig.'
'*Spasiba*. Ik kom bij u terug.' Mary Pat keek naar haar man. 'Je moet dol zijn op die man.'

'Ik wilde dat hij aan onze kant stond,' merkte de CIA-directeur op.
'Dat staat hij toch, Ed.'

De hond was opgehouden met blaffen, constateerden ze in STORM TRACK. De drie legerkorpsen die ze probeerden te observeren waren rond het middaguur opgehouden hun radio's te gebruiken. Hoe geavanceerd de computergestuurde ELINT-apparatuur ook was, niets bleef niets. Het was een duidelijk signaal, dan echter vaak veronachtzaamd werd. De directe lijnen naar Washington stonden nu voortdurend roodgloeiend. Er waren meer Saoedische officieren te horen. Daarmee werd de verhoogde paraatheid van hun eigen leger gedemonstreerd, dat zich in stilte in het gebied rond King Khalid Military City opstelde. Dat stelde de inlichtingenmensen in de luisterpost enigszins gerust, maar niet al te zeer. Zij bevonden zich veel dichter bij de muil van de leeuw. Omdat ze spionnen waren, dáchten ze ook als spionnen, en ze besloten eensgezind dat de oorsprong van de gebeurtenissen in Amerika hier moest liggen. Elders brachten zulke gedachten een gevoel van hulpeloosheid teweeg; hier hadden ze een ander effect. De woede was echt. Ze hadden een missie te volbrengen, of ze nu dicht bij het front zaten of niet.

'Goed,' zei Jackson over de vergaderlijn, 'wie kunnen we inzetten?'
Het antwoord was een korte stilte. De landmacht was half zo groot als nog geen tien jaar geleden. Er waren twee zware divisies in Europa, het V-Corps, maar deze werden door de Duitsers in quarantaine gehouden. Hetzelfde gold voor de twee pantserdivisies in Fort Hood, Texas, en de 1ste infanteriedivisie (gemotoriseerd) in Fort Riley, Kansas. Delen van het 82ste in Fort Bragg en het 101ste in Fort Campbell werden inderdaad ingezet om eenheden van de National Guard te ondersteunen, maar veel eenheden werden op de bases gehouden omdat soldaten ervan positief waren getest op ebola. Hetzelfde gold voor de twee mariniersdivisies, gelegerd in Lejeune in North Carolina en Pendleton in Californië.
'Kijk,' zei FORCECOM, 'we hebben het 11de gepantserde cavaleriegregiment en een Gardebrigade op oefening in het NTC. Die basis is geheel veilig. We kunnen ze daar weghalen zodra jullie de vliegtuigen geregeld hebben. En de rest? Voordat we die kunnen inzetten, moeten we eerst elke soldaat op dat verdomde beest getest hebben, maar nog niet overal zijn de testsetjes al beschikbaar.'
'Hij heeft gelijk,' zei een ander. Iedereen aan de vergadertafel knikte instemmend. De farmaceutische industrie produceerde ze in hoog tempo, maar er waren miljoenen testsets nodig. Tot nu toe waren er slechts enkele tienduizenden, en die werden gericht gebruikt voor de mensen die symptomen vertoonden, voor verwanten of intieme bekenden van geregistreerde gevallen en vooral voor het medisch personeel zelf, dat het meest aan het virus werd blootgesteld. Erger nog was dat één negatieve uitslag niet voldoende was. Sommige mensen moesten drie dagen of langer dagelijks getest worden, want

hoewel de test betrouwbaar was, gold dat niet voor het immuunsysteem van de mogelijke slachtoffers. De antistoffen konden een uur na een negatieve test plotseling aanwezig zijn. Artsen en ziekenhuizen in het hele land schreeuwden om sets, en in dit geval had het leger het nakijken.
De VIR stevent op een oorlog af, dacht J-3, en niemand gaat erheen. Robby vroeg zich af of een hippie uit de jaren zestig dat misschien grappig gevonden zou hebben.
'Hoe lang staat daarvoor?'
'Op zijn vroegst het eind van de week,' antwoordde FORCECOM. 'Ik heb er een officier opgezet.'
'Ik beschik over de 366ste wing in Mountain Home. Ze zijn allemaal negatief,' zei Air Combat Command. 'We hebben de F-16-eenheid in Israël. Mijn Europese eenheden worden echter allemaal in gijzeling gehouden.'
'Vliegtuigen zijn mooi, Paul,' zei FORCECOM, 'en schepen ook, maar we moeten daar verrotte snel soldaten hebben.'
'Stuur waarschuwingsorders naar Fort Irwin,' zei Jackson. 'Ik zal hun vrijlating binnen een uur door de minister van Defensie laten goedkeuren.'
'Oké.'

'Moskou?' vroeg Chavez. 'Jesu Christo, we maken wel een reis.'
'Het is niet aan ons om naar de redenen te vragen.'
'Ja, het tweede deel ken ik, meneer C. Als we naar de juiste plek gaan, dan neem ik dat risico.'
'Uw transport wacht op u, heren,' zei Clayton. 'De blauwe uniformen zijn het vliegtuig voor u aan het opstarten.'
'O ja, dat herinnert me ergens aan.' Clark pakte het uniformoverhemd uit de kast. Even later was hij weer kolonel. Vijf minuten daarna reden ze in de richting van het vliegveld. Ze zouden Soedan weer overlaten aan de helpende hand van Frank Clayton en de herinneringen aan 'Chinese' Gordon.

Er zat een zeker aspect van leedvermaak in. O'Day stelde een team van FBI-agenten samen om de persoonlijke antecedenten na te gaan van elke agent van de Secret Service die in de buurt van de president kwam, zowel de stillen als de geüniformeerden. Dat waren er nogal wat. Gewoonlijk zouden enkelen vrijgesteld zijn omdat alles op hun onschuld wees – een naam als O'Connor bijvoorbeeld – maar deze zaak was daar te belangrijk voor. Elk dossier moest daarom volledig bestudeerd worden voordat het opzij gelegd kon worden. Deze taak liet hij aan anderen over. Een ander team onderzocht iets wat niet algemeen bekend was. Er bestond een computerdatabase van elk telefoongesprek dat in Washington D.C. gevoerd was. Dit programma was strikt genomen wettig, maar als het een breder gebied had bestreken, zou er vanwege de Big Brother-aspecten een golf van protest zijn ontstaan, zelfs van de kant van de meest extreem-rechtse haviken, maar de president woonde nu eenmaal in Washington, en Amerika had daar presidenten verloren. Eigenlijk mochten ze niet op succes hopen. Een samenzweerder in de Secret Service zou per definitie een expert in veiligheidsmaatregelen zijn. Hun doel, als dat er was, zou een van hun eigen jongens betreffen. Hij mocht misschien erg bekwaam zijn – dat moest, wilde je tot het escorte doordringen – maar verder niet. Hij zou in de groep passen. Hij zou een goede staat van dienst hebben. Hij vertelde grapjes, sloot weddenschappen af op honkbalwedstrijden, dronk een biertje in de plaatselijke kroeg. Hij was hetzelfde als de anderen die vrijwillig het leven van de president bewaakten, even moedig als Don Russell had gedaan, wist O'Day. Hij had het moeilijk met zichzelf omdat hij hen als verdachten in een strafrechtelijk onderzoek moest behandelen. Dat was toch eigenlijk niet normaal. Maar wat was er nog wel normaal?

Diggs riep beide kolonels bij zich op kantoor om ze het nieuws te vertellen. 'We hebben waarschuwingsorders ontvangen dat we in het buitenland ingezet worden.'
'Wie?' vroeg Eddington.
'Beide eenheden,' antwoordde de generaal.
'Waarheen, generaal?' vroeg Hamm.
'Saoedi-Arabië. We zijn daar allebei geweest en hebben het eerder klaargespeeld, Al. Hier ligt uw kans, kolonel Eddington.'
'Waarom?' vroeg de gardist.
'Dat hebben ze nog niet gezegd. Er komt nu achtergrondinformatie op de fax binnen. Over de telefoon hebben ze me alleen verteld dat de VIR zijn staart nogal begint te roeren. Het 10de sluit zich momenteel aan bij hun POMCUS-uitrusting...'
'BUFFALO FORWARD?' vroeg Hamm. 'En dat zonder waarschuwing?'
'Correct, Al.'
'Houdt dit verband met de epidemie?' vroeg Eddington.
Diggs schudde zijn hoofd. 'Daar heeft niemand me iets over verteld.'

In de federale districtsrechtbank in Baltimore zou het allemaal moeten gebeuren. Edward J. Kealty diende een aanklacht in waarin John Patrick Ryan als gedaagde vermeld stond. De aanklacht hield in dat de eerste een staatsgrens wilde passeren, hetgeen hem door de laatste verboden werd. Er werd verzocht om een spoedprocedure en de eis was dat het presidentiële besluit (merkwaardig genoeg werd Ryan in de aanklacht als president van de Verenigde Staten aangeduid) direct nietig werd verklaard. Kealty had alle vertrouwen in het geding. Hij had de grondwet aan zijn zijde en had de rechter met zorg uitgekozen.

De 'rapportage' was nu compleet, maar dat deed er niet meer toe: de bedoelingen van de Verenigde Islamitische Republiek waren nu volstrekt duidelijk. Nu ging het erom er iets tegen te doen, maar dat was strikt gesproken geen inlichtingentaak.

54

Vrienden en buren

De onverwachte aankomst trok uiteraard de aandacht. De volgende ochtend waren bij zonsopkomst alle drie de grondeskaders van het 10de cavalerieregiment volledig op sterkte, terwijl het vierde eskader, dat uit gevechtshelikopters bestond, nog een dag nodig had om volledig gevechtsklaar te zijn. De Koeweitse beroepsofficieren – de gelederen van het parate leger, dat nog altijd relatief klein was, werden gevuld door enthousiaste reservisten – begroetten hun Amerikaanse collega's met zwaaiende zwaarden, een omhelzing voor de camera's en een ernstig gesprek op gedempte toon, in een van de commandotenten. Kolonel Magruder regelde dat een van zijn eskaders zich met wapperende vaandels in paradeformatie opstelde. Dat was goed voor ieders moraal. De tweeënvijftig tanks in gesloten gelid zagen eruit als de vuist van een boze god. De inlichtingendienst van de VIR had weliswaar verwacht dat er iets zou gebeuren, maar niet zoiets, en zeker niet zo snel.

'Wat is dit?' vroeg Daryaei geërgerd. Bij wijze van uitzondering gaf hij blijk van zijn enorme woede. Gewoonlijk was het voldoende dat men wist dat hij die ergens verborgen hield.

'Het is een schijnvertoning.' Nu de aanvankelijke schrik was weggeëbd, had het hoofd van zijn inlichtingendienst de tijd genomen om de situatie op haar merites te beoordelen. 'Dat is een regiment. Elk van de zes divisies in het Leger van God heeft drie, en in twee gevallen vier, regimenten. Wij zijn dus met twintig regimenten, en daar stellen zij er één tegenover. Had u verwacht dat de Amerikanen helemaal niet zouden reageren? Dat is niet realistisch. Maar hier zien we dat ze gereageerd hebben, en wel met één regiment, dat ze uit Israël hebben overgebracht en naar de verkeerde plek hebben gestuurd. Hiermee denken ze ons schrik aan te jagen.'

'Ga verder.' De donkere ogen stonden nu iets milder; zijn blik was niet meer zo openlijk vijandig, maar nog wel onrustig.

'Amerika kan zijn divisies uit Europa niet inbrengen. Die zijn besmet. Hetzelfde geldt voor hun zware divisies in Amerika. We zullen dus eerst tegenover de Saoedi's komen te staan. Het zal een geweldige strijd worden, die wij zullen winnen. De omliggende staten zullen zich aan ons overgeven of vermorzeld worden. Dan zal Koeweit alleen staan, boven in de Golf, met zijn eigen strijdkrachten en dit Amerikaanse regiment. Dan zullen we eens zien wat we doen. Ze verwachten waarschijnlijk dat we eerst Koeweit binnenvallen. Die fout zullen we echter niet herhalen, of wel?'

'En stel dat ze de Saoedi's met versterkingen te hulp komen?'

'Nogmaals, ze hebben slechts het materieel voor één brigade in het koninkrijk. De tweede bevindt zich op zee. U hebt daar toch met India over gesproken?'

Het was zo normaal dat hij het had kunnen voorspellen, dacht het hoofd spionage van de VIR, terwijl hij geïntimideerd bleef kijken. Vlak voordat alles begon werden ze altijd nerveus, alsof ze verwachtten dat iedereen het scenario zou volgen dat ze geschreven hadden. De vijand was de vijand, en die werkte niet altijd mee. 'En ik betwijfel of ze voldoende manschappen hebben om over te brengen. Misschien wel de vliegtuigen, maar er is geen vliegdekschip binnen een straal van tienduizend kilometer, en hoewel vliegtuigen erg lastig kunnen zijn, kunnen ze op het vasteland niets beginnen.'
'Bedankt dat je dat duidelijk hebt gemaakt.' De stemming van de oude man werd milder.

'Eindelijk ontmoeten we elkaar, kameraad kolonel,' zei Golovko tegen de CIA-functionaris.
Clark had zich altijd afgevraagd of hij het KGB-hoofdkwartier nog eens van binnen zou zien. Hij had nooit verwacht dat hem in het kantoor van de voorzitter nog eens een drankje zou worden aangeboden. Ook al was het nog vroeg in de ochtend, hij nam toch maar een glaasje Starka-wodka. 'Uw gastvrijheid is anders dan me geleerd was te verwachten, kameraad voorzitter.'
'Dat doen we hier niet meer. De Lefortovo-gevangenis is daar geschikter voor.' Hij zweeg even, zette zijn glas neer en beperkte zich verder tot thee. Een toost met de man was verplicht, maar het was nog vroeg. 'Ik moet het vragen. Was u het die mevrouw Gerasimov en het meisje heeft weggehaald?'
Clark knikte. Hij schoot er niets mee op om tegen de man te liegen. 'Ja, dat was ik.'
'U bent welkom bij alle drie, Ivan... hoe heet uw vader?'
'Timothy. Ik ben Ivan Timofejevitsj, Sergej Nikolajevitsj.'
'Ha!' Golovko schaterde het uit. 'Hoe hard de Koude Oorlog ook was, vriend, het is goed om nu, aan het eind, oude vijanden te ontmoeten. Over vijftig jaar, als wij allemaal dood zijn, zullen de historici de CIA-dossiers met de onze vergelijken en dan zullen ze bepalen wie de spionagestrijd gewonnen heeft. Hebt u enig idee wat ze zullen beslissen?'
'U vergeet dat ik bijna heel die periode slechts een gewone soldaat was, geen commandant.'
'Onze majoor Sjerenko was onder de indruk van u en uw jonge partner hier. Uw redding van Koga heeft grote indruk gemaakt. En nu zullen we wederom samenwerken. Bent u al gebrieft?'
Voor Chavez, die groot was geworden met Rambo-films, en die aanvankelijk in het leger had geleerd te verwachten dat hij elk moment met de Sovjets de degens zou moeten kruisen, was dit allemaal een ervaring die hij graag aan jetlag wilde toeschrijven, al hadden beide CIA-functionarissen wel opgemerkt dat de gangen waar ze door waren gelopen zo leeg waren. Het was kennelijk niet de bedoeling dat ze gezichten zouden zien die ze zich op een ander moment en op een andere plaats wellicht weer zouden herinneren.
'Nee, we hebben hoofdzakelijk informatie verzameld.'

Golovko drukte op een knop op zijn bureau. 'Is Bondarenko daar?' Enkele seconden later ging de deur open en verscheen er een oudere Russische generaal.
Beide Amerikanen stonden op. Toen Clark de medailles zag, keek hij de man aandachtig aan. Bondarenko deed hetzelfde. Ze drukten elkaar op een bedachtzame, nieuwsgierige en tegelijk opvallend warme manier de hand. Ze waren opgeleid in het ene tijdperk en probeerden zich nu aan een nieuwe tijd aan te passen.
'Gennadi Josifovitsj is hoofd Operaties. Ivan Timofejevitsj is een CIA-spion,' legde de voorzitter uit. 'Net als zijn stille jonge partner. Vertel eens, Clark, komt die epidemie uit Iran?'
'Ja, dat is zeker.'
'Dan is hij een barbaar, maar wel een slimme. Generaal?'
'Gisteravond hebt u uw cavaleriereglment van Israël naar Koeweit overgebracht,' zei Bondarenko. 'Het zijn goede troepen, maar hun samenhang is buitengewoon slecht. Uw land kan ten minste twee weken geen grote troepenmacht daarheen overbrengen. Hij zal u die twee weken niet geven. We schatten dat de zware divisies ten zuidoosten van Bagdad binnen drie, ten hoogste vier, dagen gereed zijn om op te rukken. Eén dag voor de mars naar het grensgebied, en dan? Dan zullen we zien wat hun plan is.'
'Wat denkt u?'
'Wij beschikken niet over meer inlichtingen dan u,' zei Golovko. 'Helaas is het grootste deel van onze voorzieningen in het gebied kapotgeschoten en hebben de ons welgezinde generaals van het vorige Iraakse regime het land verlaten.'
'Het oppercommando van het leger is Iraans. Velen hebben nog in de tijd van de sjah in Groot-Brittannië of Amerika als jonge officieren hun opleiding gekregen, en zij hebben de zuiveringen overleefd,' zei Bondarenko. 'We hebben over de meesten een dossier. Ze worden naar het Pentagon doorgestuurd.'
'Dat is erg vriendelijk van u.'
'Logisch,' merkte Ding op. 'Als ze de vloer met ons aanvegen, trekken ze daarna naar het noorden.'
'Bondgenootschapen, jongeman, ontstaan niet uit liefde, maar op grond van wederzijdse belangen,' zei Golovko instemmend.
'Als u nu niet afrekent met die maniak, dan moeten wij over drie jaar met hem afrekenen,' zei Bondarenko ernstig. 'Ik denk dat nú voor ons allemaal beter is.'
'We hebben onze steun aan Folejeva aangeboden. Ze heeft die geaccepteerd. Als u hoort wat uw missie is, laat ons het dan weten, dan zullen we zien wat we kunnen doen.'

Sommigen zouden het langer volhouden dan anderen, sommigen minder lang. De eerste officiële dode viel in Texas. Het was een vertegenwoordiger in golfspullen die drie dagen na opname in het ziekenhuis aan een hartcomplica-

tie stierf, een dag nadat zijn vrouw eveneens met de symptomen was opgenomen. De artsen maakten uit een gesprek met haar op dat ze de ziekte waarschijnlijk had gekregen nadat ze het toilet had schoongemaakt waarin haar man had overgegeven. Het was niet door intiem contact gebeurd, omdat hij zich te ziek had gevoeld om haar te kussen nadat hij uit Phoenix was teruggekeerd. Hoewel deze conclusie zonder belang leek bij zulke evidente gegevens, werd er toch een bericht naar Atlanta gefaxt, omdat de CDC om zoveel mogelijk informatie had gevraagd, hoe futiel die ook mocht lijken. Dat gold zeker voor het medische team in Dallas. De eerste dode was voor hen tegelijk een opluchting en een vreselijke domper. Een opluchting omdat de man tegen het eind in een hopeloze toestand verkeerde en vreselijk leed, en een domper omdat er nog meer van zulke ellendige situaties zouden komen, die nog langer zouden duren ook.
Hetzelfde gebeurde zes uur later in Baltimore. De Winnebago-dealer had al lange tijd last van een maagzweer, die hij weliswaar onder controle hield met middeltjes van de drogist, maar die voor ebola een gemakkelijk doelwit was. Zijn maagwand werd weggevreten, waarna de patiënt snel verbloedde, terwijl hij door de enorme hoeveelheid pijnstillers buiten bewustzijn verkeerde. Ook dit was voor de behandelend arts en de verpleging min of meer een verrassing. Hierna nam het aantal sterfgevallen in het hele land toe. De media deden hiervan verslag, waardoor de ontzetting in het land steeds groter werd. In de eerste reeks gevallen stierf eerst de man, waarna de vrouw snel volgde. In vele soortgelijke gevallen volgden ook de kinderen.
De ziekte werd nu voor iedereen reëler. Voor de meeste mensen was het eerst een crisis op afstand geweest. Bedrijven en scholen waren gesloten en er golden reisbeperkingen, maar verder was het een tv-gebeuren, zoals wel vaker voorkwam in westerse landen. Het was iets wat je op een beeldscherm zag, een bewegend beeld met geluid, iets wat tegelijk echt en niet echt was. Maar nu werd het woord 'dood' met enige regelmaat gebruikt. Er verschenen foto's van de slachtoffers op het televisiescherm. Soms werden er ook video-opnamen van de slachtoffers vertoond waarop ze in gelukkiger tijden te zien waren. Deze bewegende beelden van mensen die nu dood waren, gevolgd door de sombere woorden van een verslaggever die even vertrouwd begon te worden als familieleden, troffen de bevolking met een verschrikkelijke, tot dan toe onbekende directheid. Het was niet langer het soort nachtmerrie waaruit je ontwaakte. Het was er een die steeds maar doorging en groter leek te worden, als de droom van een kind. Het was een steeds groter wordende zwarte wolk, die de kamer binnendreef en steeds dichterbij kwam, hoezeer je ook probeerde eraan te ontsnappen. Je wist dat je verloren was als je erdoor geraakt werd.
Het gemor over de reisbeperkingen die de federale overheid had opgelegd verdween met de dood van de verkoper in Texas en de camperdealer in Maryland. Het intermenselijke contact, dat eerst sterk beperkt was geweest maar later weer toenam, bleef beperkt tot gezinsleden. Mensen leefden nu bij de gratie van de telefoon. De lange-afstandsverbindingen werden zwaar belast door

telefoongesprekken om te informeren naar het welzijn van verwanten en vrienden. Het werd zelfs zo erg dat telefoonmaatschappijen als AT&T en MCI reclameboodschappen uitzonden waarin gevraagd werd dergelijke telefoontjes kort te houden. Voor de overheid en de medische sector werden speciale lijnen vrijgemaakt. Er was nu sprake van onderdrukte nationale paniek. Er waren geen openbare demonstraties. In de grote steden was vrijwel geen verkeer op straat. Zelfs de supermarkten werden niet meer bezocht. De mensen bleven thuis en aten voorlopig blikvoedsel of uit de voorraad in de vrieskist.
Over dit alles werd verslag gedaan door journalisten, die nog steeds met camera's over straat trokken. Daarmee vergrootten ze enerzijds de spanning, maar droegen ze tegelijkertijd bij aan het wegnemen ervan.

'Het werkt,' zei generaal Pickett over de telefoon tegen zijn voormalige ondergeschikte in Baltimore.
'Waar zit je, John?' vroeg Alexandre.
'Dallas. Het werkt, kolonel. Je moet iets voor me doen.'
'Wat dan?'
'Stop met dat praktijkwerk. Daar heb je je assistenten voor. Ik heb een werkgroep in het Walter Reed. Ga daar onmiddellijk heen. Je waarde op theoretisch gebied is veel te groot om jezelf onledig te houden met het aanleggen van infusen, Alex.'
'John, dit is nu mijn afdeling en ik moet mijn manschappen voorgaan.' Het was een les die hij zich nog goed herinnerde uit zijn tijd in het groene uniform.
'Mooi, je mensen weten dat je om hen geeft, kolonel. Je kunt dat verdomde geweer nu laten zakken en als een echte commandant gaan denken. Deze oorlog zal niet in de ziekenhuizen gewonnen worden, of wel soms?' vroeg Pickett nu op redelijker toon. 'Er staat vervoer op je te wachten. Er moet beneden een Hummer klaarstaan om je naar het Reed te brengen. Of moet ik je weer onder dienst roepen en je een bevel geven?'
Hij kon dat doen, wist Alexandre. 'Geef me een half uur.' De buitengewoon hoogleraar hing op en keek de gang door. Er werd weer een lijkenzak uit een kamer gedragen door enkele ziekenverzorgers in plastic kleding. Hij voelde zich trots dat hij hier mocht zijn. Ook al verloor hij patiënten en zou hij er nog meer verliezen, hij was hier toch als arts die zijn best deed en zijn medewerkers liet zien dat hij een van hen was. Hij wijdde zich geheel aan de zieken; hij nam risico's, in overeenstemming met de eed die hij op zijn zesentwintigste gezworen had. Als dit voorbij was, zou het gehele team hier met een gevoel van solidariteit op terugkijken. Hoe vreselijk het ook geweest was, ze hadden hun taak volbracht...
'Verdomme,' vloekte hij. John Pickett had gelijk. De oorlog werd hier gevoerd, maar zou hier niet gewonnen worden. Hij vertelde zijn eerste assistent dat hij één verdieping lager te vinden was, waar decaan James de leiding had.
Er was hier een interessant geval, een vrouw van negenendertig die twee

dagen geleden opgenomen was. Haar vriend, met wie ze samenwoonde, was stervende, waardoor ze totaal van streek was. In haar bloed bleken ebola-antistoffen aanwezig en ze vertoonde de klassieke griepsymptomen, maar de ziekte had zich niet verder uitgebreid. Haar toestand leek zelfs gestabiliseerd.
'Wat zou er kunnen zijn?' Cathy Ryan was met decaan James aan het speculeren.
'Niet te veel vragen stellen, Cathy,' antwoordde hij vermoeid.
'Dat doe ik niet, Dave, maar ik wil weten waarom. Ik heb haar zelf uitgebreid gesproken. Ze heeft twee dagen voor ze hem hier bracht, nog in hetzelfde bed geslapen als hij...'
'Hebben ze gemeenschap gehad?' vroeg Alex, die zich in het gesprek mengde.
'Nee, Alex. Ik heb het gevraagd. Hij voelde zich niet goed. Ik denk dat zij het gaat overleven.' Dat was een primeur voor Baltimore.
'We houden haar nog minstens een week hier, Cathy.'
'Dat weet ik wel, Dave, maar dit is de eerste,' benadrukte SURGEON. 'Er is een verschil, maar wat? We moeten het weten!'
'Status?' Cathy gaf de papieren aan Alexandre.
Hij bekeek de gegevens. Temperatuur omlaag naar 37,9. Bloed... niet normaal, maar...
'Wat zegt ze, Cathy?' vroeg Alexandre, terwijl hij snel enkele pagina's terugsloeg.
'Hoe ze zich voelt, bedoel je? Panisch, doodsbang. Zware hoofdpijn, buikkramp. Ik denk dat die verschijnselen grotendeels aan stress te wijten zijn. Ik kan het haar niet kwalijk nemen.'
'Deze waarden zien er allemaal beter uit. De leverfunctie viel eerst sterk terug, maar is gisteravond gestabiliseerd, en er is nu herstel...'
'Dat viel mij ook op. Ze is erbovenop aan het komen, Alex,' zei dr. Ryan. 'Ik denk dat we met haar voor het eerst gaan winnen. Maar waarom? Wat is er anders? Wat kunnen we hiervan leren? Wat kunnen we op andere patiënten toepassen?'
Dat was genoeg om dr. Alexandre over de streep te trekken. John Pickett had gelijk. Hij moest naar het Reed.
'Dave, ze willen dat ik nu meteen naar Washington ga.'
'Ga maar,' antwoordde de decaan direct. 'We hebben hier genoeg mensen. Als jij ertoe kunt bijdragen dit uit te zoeken, dan moet je gaan.'
'Cathy, het meest waarschijnlijke antwoord op je vraag is het eenvoudigste. Je vermogen om de ziekte te bestrijden is omgekeerd evenredig met het aantal virusdeeltjes dat in je lichaam komt. Iedereen denkt dat je kunt sterven door slechts één streng. Dat is niet waar. Zo'n gevaarlijke ziekte bestaat niet. Ebola is vooral dodelijk omdat de ziekte het immuunsysteem uitschakelt; pas dan tast het de organen aan. Als ze slechts een paar van die rottige virusdeeltjes heeft binnengekregen, dan heeft haar immuunsysteem de strijd ertegen gewonnen. Praat nog wat met haar, Cathy. Bespreek alle contacten die ze de afgelopen week met haar vriend, of hoe ze hem ook noemt, gehad heeft. Ik bel

je over een paar uur. Hoe gaat het verder met jullie?'
'Alex, als dit ons hoop kan bieden,' antwoordde dr. James, 'dan denk ik dat het ons gaat lukken.'
Alexandre ging weer naar boven om zich te ontsmetten. Eerst werd zijn pak grondig met ontsmettingsmiddel bespoten. Daarna kleedde hij zich uit, trok een chirurgenpak aan en deed een smoeltje voor. Hij nam de 'schone' lift naar beneden en liep de deur uit.
'Bent u kolonel Alexandre?' vroeg een sergeant.
'Ja.'
De onderofficier salueerde. 'Volgt u mij. We hebben een Hummer met chauffeur voor u. Wilt u een jas, meneer? Het is nogal fris buiten.'
'Bedankt.' Hij pakte de rubberachtige, voor chemisch oorlogvoering bestemde parka aan. Ze waren zo oncomfortabel, dat hij er zeker de hele weg warm in zou blijven. Er zat een vrouw aan het stuur, een Spec-4. Alexandre nam plaats in de ongemakkelijke stoel, deed zijn gordel om en wendde zich tot haar: 'Rijden maar!' Pas op dat moment dacht hij nog eens na over wat hij Ryan en James boven verteld had. Hij schudde zijn hoofd alsof hij een lastig insect afschudde. Pickett had inderdaad gelijk. Misschien.

'Meneer de president, laat ons alstublieft eerst de gegevens nog eens beoordelen. Ik heb zelfs dokter Alexandre van het Hopkins opgeroepen om bij mijn groep in het Reed te komen werken. Het is veel te vroeg om conclusies te trekken. Laat ons alstublieft ons werk doen.'
'Goed, generaal,' zei Ryan geërgerd. 'Ik ben hier. Verdomme,' zei hij toen hij had opgehangen.
'Wij hebben andere dingen te doen, meneer,' hield Goodley hem voor.
'Ja, hoor.'

Het was nog donker toen de grote troepenverplaatsing in het westen van het land een aanvang nam. Het was in elk geval geen enkel probleem om aan vliegtuigen te komen. Jumbo's van de grote luchtvaartmaatschappijen vlogen naar Barstow in Californië. De bemanningen waren door artsen van het leger op ebola-antistoffen getest met testsets, die pas nu volop beschikbaar kwamen. Er werden enkele aanpassingen aan de ventilatiesystemen van de vliegtuigen aangebracht. Op het National Training Center stapten soldaten in bussen. Dat was normaal voor de Blauwe Troepen, maar niet voor de OpFor. Onder het toekijkend oog van hun familieleden verlieten de geüniformeerde soldaten hun huis voor de verplaatsing. Er was weinig bekend, behalve dat ze vertrokken. De bestemming was nu nog geheim; pas nadat ze opgestegen waren voor de vlucht van zestien uur, zouden de soldaten die vernemen. Voor de meer dan tienduizend mannen en vrouwen waren veertig vluchten nodig, die vanwege de beperkte faciliteiten slechts in een tempo van vier per uur in de woestijn van Californië konden opstijgen.
Op vragen antwoordden de voorlichtingsfunctionarissen ter plaatse steevast,

dat de eenheden in Fort Irwin vertrokken om te assisteren bij de nationale quarantaine. In Washington kregen enkele journalisten iets anders te horen.

'Thomas Donner?' vroeg de gemaskerde vrouw.
'Dat klopt,' antwoordde de journalist kortaf. Hij werd gestoord bij zijn ontbijt en was nog gekleed in spijkerbroek en T-shirt.
'FBI. Wilt u met me meekomen, meneer? We moeten u over enkele dingen spreken.'
'Ben ik gearresteerd?' vroeg de tv-persoonlijkheid.
'Alleen als u dat wilt, meneer Donner,' zei de agente. 'Maar u moet nu echt met me meekomen. U hebt niets bijzonders nodig, behalve uw portefeuille en identiteitspapieren en dergelijke,' voegde ze eraan toe, terwijl ze hem een smoeltje in een plastic doosje gaf.
'Goed. Een momentje.' Donner sloot de deur, zodat hij zijn vrouw een zoen kon geven, een jasje kon pakken en andere schoenen kon aandoen. Toen hij weer te voorschijn kwam, deed hij het smoeltje voor en volgde hij de agente naar haar auto. 'En waar gaat dit allemaal over?'
'Ik ben alleen maar de taxi,' zei ze, waarmee de ochtendconversatie eindigde. Als hij te stom was om zich te herinneren dat hij lid was van het groepje journalisten dat voor Pentagon-operaties uitverkozen was, dan kon zij het ook niet helpen.

'De grootste fout die de Iraki's in 1990 maakten, betrof de logistiek,' legde admiraal Jackson uit, terwijl hij zijn aanwijsstokje over de kaart bewoog. 'Iedereen denkt dat het om geweren en bommen gaat. Dat is onjuist. Het gaat om brandstof en informatie. Als je genoeg brandstof hebt om je te blijven verplaatsen en je weet wat de ander doet, dan is er een goede kans dat je wint.' Op het scherm naast de kaart werd een nieuwe dia getoond. De aanwijsstok verplaatste zich erheen. 'Hier.'
De satellietfoto's waren duidelijk. Bij elke tank en elk BMP-voertuig stond nog een auto. Ze zagen een grote verzameling tankwagens. Aan de vrachtwagens was artilleriegeschut gehaakt. Op uitvergrotingen was te zien dat er brandstofvaten op het achterdek van de T-80-tanks waren bevestigd. Elk bevatte ruim tweehonderd liter diesel. Dit maakte de tank veel kwetsbaarder, maar ze konden worden afgeworpen door een schakelaar in de geschutskoepel om te zetten.
'Geen twijfel mogelijk. Ze maken zich op om op te rukken, waarschijnlijk binnen een week. We houden het 10de cavaleriegeregiment in Koeweit paraat. We brengen het 11de en de eerste brigade van de National Guard van North Carolina daar nu naartoe. Dat is alles wat we momenteel kunnen doen. Op zijn vroegst vrijdag kunnen we nog meer eenheden uit quarantaine halen.'
'En dat is openbare informatie,' vulde Ed Foley aan.
'Het komt erop neer dat we er één divisie heen brengen. Het is wel een zware, maar het is er maar één,' concludeerde Jackson. 'Het leger van Koeweit is volledig gemobiliseerd. De Saoedi's zijn hun sterkte ook aan het opvoeren.'

'En de komst van een derde brigade is afhankelijk van de vraag of we de MPS-schepen langs de Indiase marine kunnen krijgen,' legde minister Bretano uit.
'Dat kunnen we niet doen,' legde admiraal DeMarco hun uit. 'We beschikken niet over de gevechtskracht om ons er een weg doorheen te banen.'
Jackson reageerde hier niet op. Dat kon hij niet. Het plaatsvervangend hoofd Marine-operaties was zijn meerdere, wat hij ook van hem mocht denken.
'Kijk, Brucie,' zei Mickey Moore, terwijl hij zich omdraaide om hem recht te kunnen aankijken, 'mijn jongens hebben die voertuigen nodig, of de Carolina Guard moet een oprukkende gemotoriseerde vijand met sabels bestrijden. Jullie vertellen ons al jaren hoe dapper die Aegis-kruisers zijn. Het is kiezen of delen voor jou, begrepen? Morgen om deze tijd staat het leven van vijftienduizend soldaten op het spel.'
'Admiraal Jackson,' zei de president, 'u bent van Operaties.'
'Meneer de president, zonder luchtsteun...'
'Kunnen we het doen of niet?' vroeg Ryan geïrriteerd.
'Nee,' antwoordde DeMarco. 'Ik laat zo geen schepen naar de kelder sturen. Niet zonder luchtsteun.'
'Robby, ik hoor graag wat jouw oordeel hierover is,' zei minister Bretano.
'Goed.' Jackson haalde eens flink adem. 'Ze hebben in totaal circa veertig Harriers. Goede vliegtuigen, maar niet echt geweldig. De escorterende strijdmacht heeft in totaal misschien dertig grond-grondraketten. We hoeven ons geen zorgen te maken over een vuurgevecht. De *Anzio* beschikt momenteel over vijfenzeventig SAM's, vijftien Tomahawks en acht Harpoons. De *Kidd* heeft zeventig SAM's en acht Harpoons. De *O'Bannon* is geen SAM-schip. Die beschikt voornamelijk over afweergeschut, maar ook over Harpoons. De twee fregatten die zich er net bij aangesloten hebben, beschikken elk over circa twintig SAM's. Theoretisch kunnen ze zich met geweld een weg banen.'
'Dat is te gevaarlijk, Jackson! Je stuurt geen schepen op een vliegdekschip af zonder enige steun, nooit!'
'Stel dat wij eerst schieten?' vroeg Ryan. Iedereen keek hem verbaasd aan.
'Meneer de president,' zei DeMarco weer, 'dat doen we niet. We weten niet eens zeker of ze vijandige bedoelingen hebben.'
'De ambassadeur denkt van wel,' zei Bretano.
'Admiraal DeMarco, dat materieel moet daarheen gebracht worden,' zei de president, die een rood hoofd begon te krijgen.
'De luchtmacht is nu op weg naar Saoedi-Arabië. Nog twee dagen, dan kunnen we de situatie aan, maar tot op dat moment...'
'Admiraal, vertrekt u maar.' Minister Bretano keek omlaag op zijn briefingmap. 'Uw diensten zijn hier niet langer nodig. We hebben geen twee dagen om te bakkeleien.'
Dit kwam neer op een schending van het protocol. De gezamenlijke chefs-van-staven werden door de president benoemd, en ofschoon ze zowel militair adviseur waren van de minister van Defensie als van de president, werd ervan uitgegaan dat alleen de laatste hun kon vragen om ontslag te nemen. Admiraal

DeMarco keek naar Ryan in het midden van de vergadertafel.
'Meneer de president, ik moet u toch zeggen hoe ik erover denk.'
'Admiraal, vijftienduizend van onze manschappen bevinden zich in gevaar. U kunt ons niet vertellen dat de marine die niet zal ondersteunen. U bent vanaf nu geschorst,' zei de president. 'Goedemiddag.' De andere geüniformeerde officieren keken elkaar aan. Dit was nog niet eerder gebeurd. 'Hoe lang duurt het voordat er contact is met de Indiërs?' vroeg Ryan, op het onderwerp doorgaand.
'Ongeveer vierentwintig uur, meneer.'
'Is er een manier om aanvullende steun te bieden?'
'Er is daar ook een onderzeeër met torpedo's en raketten. Die ligt ongeveer tachtig kilometer voor de *Anzio*,' zei Jackson, terwijl een perplexe admiraal en zijn adjudant de kamer verlieten. 'We kunnen die vooruit sturen. Dan bestaat het risico van ontdekking, maar de Indiërs zijn niet zo snel met onderzeebootbestrijding. Het zou een aanvalswapen zijn, meneer. Onderzeeërs kunnen niet passief verdedigen. Ze zijn bedoeld om schepen tot zinken te brengen.'
'Ik denk dat ik eens een praatje moet maken met de Indiase premier,' merkte Ryan op. 'Als we ze gepasseerd zijn, wat dan?'
'Dan moeten we de Straat door varen en de ontschepingshavens zien te bereiken.'
'Daarmee kan ik u helpen,' beloofde de stafchef van de luchtmacht. 'We houden de F-16's in het land paraat voor dat deel van de tocht. De 366ste wing zal nog niet gereed zijn, maar de jongens uit Israël wel.'
'We zullen die dekking nodig hebben, generaal,' benadrukte Jackson.
'Wel, verdomme zeg, de marine vraagt hulp van een stel piloten,' zei de stafchef van de luchtmacht vrolijk, maar hij werd snel weer serieus. 'We zullen elke Arabische hufter die de lucht in durft om zeep helpen, Robby. Die achtenveertig 16-Charlie's zijn er klaar voor. Zodra je binnen honderdvijftig kilometer van de Straat bent, heb je een vriend in de lucht.'
'Is het genoeg?' vroeg de president.
'Strikt genomen niet. De ander kant heeft vierhonderd eersteklas vliegtuigen. Als de 366ste wing helemaal paraat is, over minimaal drie dagen, dan hebben we tachtig jagers voor luchtgevechten, maar de Saoedi's zijn niet slecht. We hebben AWACS ter plaatse. Je tanks zullen op zijn slechtst onder een neutrale lucht vechten, Mickey.' De generaal keek op zijn horloge. 'Ze zullen nu ongeveer wel vertrekken.'

De eerste vier F-15C-onderscheppingsjagers kozen tegelijk het luchtruim. Twintig minuten later sloten ze zich aan bij de KC-135R-tankvliegtuigen. Er waren er zes van hun eigen eenheid en bij hen zouden zich nog andere voegen, afkomstig van de National Air Guard van Montana en North en South Dakota, hun thuisstaten, die nog niet door de epidemie getroffen waren. Het grootste deel van de route naar het Arabische schiereiland zouden ze op vijftien kilometer van het voorop vliegende passagiersvliegtuig uit Californië blijven.

De route liep noordwaarts naar de pool, dan zuidwaarts naar Rusland en vervolgens over Oost-Europa. Ten westen van Cyprus zou zich een Israëlische escorte bij hen aansluiten. Dit zou hen tot Jordanië begeleiden. Van daar zouden de Amerikaanse Eagles door Saoedische F-15's begeleid worden. De eerste aankomsten zouden in het geheim kunnen plaatsvinden, meenden de planningsofficieren, in hun eigen passagiersvliegtuigen. Maar als de andere kant ontwaakte, dan zou er een luchtgevecht volgen. De piloten in de voorste Eagle hadden daar niet zoveel problemen mee. Er waren geen gesprekken van buiten op de radio te horen, terwijl ze rechts van zich de dageraad zagen. Ze zouden die op hun vlucht tweemaal zien. De tweede zou aan de linkerkant zijn.

'Goed, dames en heren,' zei de voorlichtingsfunctionaris tegen de vijftien verzamelde journalisten. 'Hier is de primeur. U bent opgeroepen voor een militaire verplaatsing. Sergeant Astor deelt nu de toestemmingsformulieren uit. Wilt u die alstublieft tekenen en teruggeven?'
'Wat is dit?' vroeg iemand.
'Wilt u het misschien proberen te lezen?' stelde de marinekolonel van achter zijn smoeltje voor.
'Bloedonderzoek,' sputterde een van hen. 'Dat zal wel. Maar hoe zit het met de rest?'
'Mevrouw, degenen van u die het formulier tekenen zullen meer te weten komen. Degenen die dat niet doen, worden naar huis gebracht.' In alle gevallen won de nieuwsgierigheid het. Ze tekenden allemaal.
'Dank u.' De kolonel bestudeerde alle formulieren. 'Wilt u nu door de deur links van u gaan? Daar wachten enkele marinemensen op u.'

Hij bepleitte zijn zaak zelf. Hoewel hij al dertig jaar lid van de balie was, was Ed Kealty alleen nog maar als toeschouwer op een rechtbank geweest, hoewel hij bij tal van gelegenheden op de trappen van een rechtbank had gestaan om een toespraak te houden of een mededeling te doen. Dat maakte altijd indruk, net als deze keer.
'Edelachtbare heren,' begon de voormalige vice-president, 'ik sta hier om een spoedvoorziening te vragen. Mijn recht om een staatsgrens over te steken is door een presidentieel besluit geschonden. Dit is in strijd met uitdrukkelijke garanties in de grondwet en ook met een arrest van het Hooggerechtshof, namelijk de zaak-Lemuel Penn, waarin het hof unaniem oordeelde dat...'
Pat Martin zat naast de landsadvocaat die namens de overheid het woord zou voeren. Er was een camera van Court-TV aanwezig om de zaak via de satelliet in het hele land in de huiskamer te brengen. Het was een vreemde vertoning. De rechter, de rechtbankverslaggever, de gerechtsdienaar, alle advocaten, de tien journalisten en vier toeschouwers droegen allemaal smoeltjes en rubberhandschoenen. Allen hadden Ed Kealty zojuist de grootste politieke misrekening van zijn carrière zien maken, hoewel niemand dat op dit moment al

inzag. Martin was speciaal naar de rechtbank gekomen om er getuige van te zijn.
'De vrijheid om te reizen staat centraal in alle vrijheden die door de grondwet toegekend en beschermd worden. De president heeft noch de grondwettelijke, noch de wettelijke bevoegdheid om deze vrijheid aan de burgers te ontzeggen, en al helemaal niet door het aanwenden van geweld, wat al tot de dood van één burger en verwondingen bij een aantal anderen heeft geleid. Dit is een eenvoudige juridische zaak,' zei Kealty een half uur later, 'en namens mijzelf en onze medeburgers vraag ik de rechtbank dit illegale besluit nietig te verklaren.'
Na deze woorden ging Edward J. Kealty zitten.
'Edelachtbare,' zei de landsadvocaat, met de tv-microfoon naar het podium lopend. 'Zoals de eiser zegt, is dit een zeer belangrijke zaak, maar juridisch in wezen niet ingewikkeld. De overheid wil de heer Justice Holmes citeren, in de beroemde toespraak over de vrijheid van meningsuiting. Daarin vertelde hij ons dat de opschorting van vrijheden wel degelijk toegestaan is, als er een reëel gevaar voor het land als geheel bestaat. De grondwet, edelachtbare, is geen zelfmoordverdrag. De crisis waarmee het land momenteel geconfronteerd wordt, is dodelijk, zoals persverslagen ons duidelijk hebben gemaakt. De opstellers van de grondwet hebben zoiets nooit kunnen voorzien. Aan het eind van de achttiende eeuw, zo heb ik van deskundige zijde vernomen, was de aard van infectieziekten nog niet bekend. Maar het in quarantaine houden van schepen was toen een algemeen geaccepteerde praktijk. We beschikken over Jeffersons embargo op de buitenlandse handel als precedent, maar we beschikken bovenal toch over gezond verstand, edelachtbare. We kunnen onze burgers niet offeren op het altaar van de wetstheorie...'
Terwijl Martin zat te luisteren, wreef hij zijn neus onder het masker. Het stonk hier alsof er een emmer lysol in de zaal was omgevallen.
Het had komisch kunnen lijken, maar dat was het niet, zoals elk van de vijftien journalisten op dezelfde wijze op de bloedtest reageerde. Het knipperen met de ogen, de zucht van verlichting. Ieder stond op en liep naar de andere kant van de zaal, waar hij of zij van de gelegenheid gebruikmaakte om het smoeltje af te doen. Toen de tests uitgevoerd waren, werden ze naar een andere briefingruimte gebracht.
'Oké, er staat buiten een bus gereed om u naar Andrews te brengen. U zult meer informatie ontvangen zodra u opgestegen bent,' vertelde de perskolonel hen.
'Wacht even!' protesteerde Tom Donner.
'Dat stond op uw toestemmingsformulier, weet u nog?'

'Je had gelijk, John,' zei Alexandre. De epidemiologie was in het medisch vakgebied het equivalent van boekhouden, en zoals dat saaie beroep essentieel was om een bedrijf te runnen, zo was de bestudering van ziekten en de manier waarop ze zich verspreidden, in feite de essentie van de moderne geneeskunde. De kiem hiervoor was gelegd toen een Franse arts rond 1830 had vastgesteld dat mensen die ziek werden, óf stierven óf herstelden, ongeacht of ze behandeld werden of niet. Die pijnlijke ontdekking had de medische gemeenschap gedwongen het eigen vak te bestuderen, om te bepalen welke therapieën werkten en welke niet. In de loop van de tijd was de geneeskunde zo van een ambacht in een wetenschap veranderd.

Het venijn zat altijd in de details. Maar in dit geval was het misschien helemaal geen venijn, realiseerde Alex zich.

Er waren nu 3451 ebolagevallen in het land. Dat aantal omvatte degenen die stervende waren, degenen die openlijke symptomen vertoonden en degenen die antistoffen bezaten. Het aantal was op zich niet groot. Het was lager dan het aantal aidsdoden en het verschil in grootte-orde met kanker en hartkwalen bedroeg meer dan twee. Op grond van statistisch onderzoek, aangevuld met FBI-verhoren en informatie van artsen uit het hele land, was vastgesteld dat er 223 primaire gevallen waren. Deze mensen waren allen besmet op een of andere beurs en hadden allen anderen besmet, die op hun beurt nog meer mensen hadden besmet. Hoewel er nog steeds meer patiënten binnenkwamen, was het aantal lager dan door de bestaande computermodellen voorspeld was... in het Hopkins hadden ze een eerste patiënt die antistoffen bezat, maar geen ziektesymptomen vertoonde...

'Er zouden meer primaire gevallen geweest moeten zijn, Alex,' zei Pickett. 'We zijn dat sinds gisteravond gaan inzien. De eerste die stierf is van Phoenix naar Dallas gevlogen. De FBI heeft de vluchtgegevens verzameld en de universiteit van Texas heeft iedereen getest die aan boord was. Het onderzoek is vanochtend afgerond. Er is er slechts één met antistoffen, en hij vertoont niet echt symptomen.'

'Risicofactoren?'

'Gingivitis. Bloedend tandvlees,' zei generaal Pickett.

'Het virus probeert zich via de lucht te verspreiden... maar...'

'Dat denk ik ook, Alex. De secundaire gevallen lijken meestal na intiem contact besmet te zijn. Omhelzingen, zoenen, de persoonlijke zorg voor een zieke geliefde. Als we gelijk hebben, dan zal er binnen drie dagen een piek komen, en dan zal de toestand stabiliseren. Ondertussen zullen we steeds meer patiënten zien die het overleven.'

'We hebben een van hen in het Hopkins. Ze heeft antistoffen, maar de ziekte is niet verder voortgeschreden.'

'Gus moet voor ons aan de verzwakking van het virus door omgevingsfactoren gaan werken. Hij zou al bezig moeten zijn.'

'Akkoord. Bel hem maar. Ik ga hier beneden wat vervolgtests doen.'

De rechter was een oude vriend van Kealty. Martin wist niet precies hoe hij in dit district met de processtukken had gerommeld, maar dat was nu niet van belang. De twee pleidooien hadden elk ongeveer een half uur geduurd. Het was inderdaad een in wezen simpel juridisch probleem, zoals Kealty al had gezegd en de landsadvocaat had beaamd. De praktische implicaties zorgden echter voor allerlei verwikkelingen. Er was ook grote haast bij de zaak, als gevolg waarvan de rechter al na een uur schorsing uit de raadkamer terugkeerde. Hij zou zijn beslissing aan de hand van zijn aantekeningen voorlezen en later een gemotiveerd vonnis publiceren.

'De rechtbank,' zo begon hij, 'is zich bewust van het ernstige gevaar dat het land bedreigt, en moet begrip tonen voor de oprecht gevoelde plicht van president Ryan om het leven van de Amerikanen te beschermen, in aanvulling op hun vrijheden.

De rechtbank moet echter erkennen dat de grondwet de hoogste wet van het land is en blijft. Als dat wettelijke bolwerk geweld wordt aangedaan, kan dat mogelijk een precedent scheppen, waarvan de gevolgen ernstiger kunnen zijn dan de huidige crisis. Hoewel de president beslist vanuit de meest oprechte motieven handelt, moet deze rechtbank het presidentiële besluit vernietigen. De rechtbank vertrouwt erop dat onze burgers ter wille van hun eigen veiligheid verstandig zullen handelen. Aldus bevolen.'

'Edelachtbare,' zei de landsadvocaat, terwijl hij opstond. 'De overheid zal en moet direct tegen uw beslissing in beroep gaan bij de rechtbank in Richmond. We eisen opschorting tot alle papieren later vandaag zijn verwerkt.'

'Het verzoek wordt afgewezen. De zitting is gesloten.' De rechter stond op en verliet zonder nog iets te zeggen de zaal. Er ontstond uiteraard groot rumoer.

'Wat betekent dit?' vroeg de correspondent van Court-TV, die zelf jurist was en de betekenis waarschijnlijk wel begreep, aan Ed Kealty. Hij hield zijn microfoon een eind voor zich, zoals op dat moment gebruik was bij verslaggevers.

'Het betekent dat de zogenaamde president Ryan de wet niet mag overtreden. Ik denk dat ik heb laten zien dat het primaat van de wet in dit land nog steeds geldig is,' antwoordde de politicus. Hij maakte geen al te zelfgenoegzame indruk.

'Wat zegt de overheid?' vroeg de verslaggever aan de landsadvocaat.

'Niet zoveel. We zullen al beroep hebben ingediend bij de rechtbank in Richmond, nog voordat rechter Venables zijn vonnis heeft opgesteld. Het vonnis is niet formeel verbindend totdat het op de juiste wijze is opgesteld, ondertekend en bekrachtigd. We zullen eerst ons beroep opstellen. De rechtbank zal het besluit bekrachtigen...'

'En als dat niet gebeurt?'

Martin ging hierop in. 'In dat geval zal het presidentiële besluit in het belang van de openbare veiligheid van kracht blijven tot de zaak onder meer normale omstandigheden beoordeeld kan worden. We hebben echter alle reden om aan te nemen dat de rechtbank het besluit zal bekrachtigen. Rechters kijken niet alleen naar de letter van de wet, maar ook naar de geest. Er is echter nog iets.'

'Ja?' vroeg de verslaggever. Kealty keek drie meter verderop toe.

'De rechtbank heeft hier een belangrijke constitutionele kwestie bekrachtigd. Door zowel met zijn naam als zijn functie te verwijzen naar president Ryan, heeft de rechtbank een eind gemaakt aan de opvolgingskwestie die door de voormalige vice-president Kealty is opgeworpen. De rechtbank heeft ook gezegd dat besluit te vernietigen. Als de heer Ryan geen president was geweest, dan zou het besluit ongeldig zijn geweest en nooit rechtskracht hebben gehad. De rechtbank zou dat zeker met zoveel woorden hebben gezegd. De rechtbank heeft dus inhoudelijk gezien een onjuist vonnis geveld, maar op het procedurele vlak juist gehandeld. Dank u. De landsadvocaat en ik moeten nu een aantal papieren in orde brengen.'

Het gebeurde niet vaak dat je verslaggevers het zwijgen oplegde. Het was nog moeilijker om politici het zwijgen op te leggen.

'Wacht even, zeg!' riep Kealty.

'Je bent nooit een goede jurist geweest, Ed,' zei Martin in het voorbijgaan.

'Ik denk dat hij gelijk heeft,' zei Lorenz. 'Jezus, ik hoop het wel.'

De CDC-laboratoria hadden vanaf het begin koortsachtig geprobeerd erachter te komen hoe het virus in de buitenwereld kon overleven. Er werden kweekruimten gemaakt met verschillende waarden voor temperatuur en vochtigheid en verschillende lichtintensiteit. Toch vertelden de gegevens hun onbegrijpelijk genoeg steeds hetzelfde. Hoewel de ziekte zich door de lucht zou moeten verspreiden, gebeurde dat niet, althans nauwelijks. Het virus kon in de openlucht slechts enkele minuten overleven, zelfs onder gunstige omstandigheden.

'Ik zou weleens wat meer willen begrijpen van de krijgskundige aspecten hiervan,' zei Lorenz na een korte denkpauze.

'Er zijn 223 primaire gevallen. Dat is alles. Als er meer waren, dan zouden we dat nu weten. Achttien vaststaande besmettingshaarden, daarbij nog vier beurzen waar geen gevallen geconstateerd zijn. Waarom achttien en de andere vier niet?' vroeg Alex zich af. 'Stel dat ze op alle tweeëntwintig hebben toegeslagen, maar dat vier aanslagen mislukt zijn?'

'Op basis van onze experimentele gegevens is dat een reële mogelijkheid, Alex.' Lorenz trok aan zijn pijp. 'Onze modellen voorspellen nu achtduizend gevallen. Er zullen mensen komen die het overleven, en daarom zullen er enkele veranderingen optreden in het model. De mensen zijn doodsbang geworden door die quarantainetoestand. Weet je, ik denk niet dat het reisverbod werkelijk invloed gehad heeft, maar de mensen zijn er zo bang door geworden dat ze niet genoeg onderling contact meer hebben om...'

'Dokter, dat is het derde goede nieuwsbericht vandaag,' zei Alexandre. Het eerste was de vrouw in het Hopkins. Het tweede betrof de analyse van Pickett en het derde was nu het laboratoriumwerk van Gus en de logische conclusie die daaruit volgde. 'John heeft altijd al gezegd dat de biologische oorlog meer psychologisch dan reëel was.'

'John is een slimme arts, Alex. En jij ook, beste vriend.'

'Binnen drie dagen weten we het.'
'Akkoord. Ga door met de proeven, Alex.'
'Je kunt me voorlopig via het Reed bereiken.'
'Ik slaap ook op kantoor.'
'Tot ziens.' Alex zette de telefoon met luidspreker uit. Bij hem bevonden zich zes legerartsen, drie van het Walter Reed en drie van USAMRIID. 'Opmerkingen?' vroeg hij hun.
'Een idiote toestand,' zei een majoor met een uitgeput lachje. 'Het is een psychologisch wapen, dat klopt. Iedereen is er doodsbang voor. Maar dat geldt ook voor ons. En iemand aan de andere kant heeft een blunder gemaakt. Ik vraag me af hoe...?'
Alex dacht daar even over na. Hij nam de telefoon op en draaide het nummer van het Johns Hopkins. 'Met dokter Alexandre,' zei hij tegen de verpleegster op de receptie van de behandelverdieping. 'Ik moet dokter Ryan spreken. Het is erg belangrijk. Goed, ik wacht even.' Het duurde een paar minuten. 'Cathy? Met Alex. Ik moet met je echtgenoot praten, en het is beter als jij er ook bij bent... het is verdomd belangrijk,' vertelde hij haar een moment later.

55

Begin

Tweehonderd dossiers betekende dat er tweehonderd geboortebewijzen, tweehonderd rijbewijzen, huizen of flats, creditcards en allerlei andere gegevens moesten worden nagetrokken. Het was onvermijdelijk dat agent Aref Raman, als zo'n onderzoek eenmaal begonnen was, de speciale aandacht zou krijgen van de driehonderd FBI-agenten die op de zaak waren gezet. Maar in feite stond elke medewerker van de Secret Service die regelmatig toegang had tot het Witte Huis, op de lijst van mensen die direct gecontroleerd moesten worden. Overal in het land (de Secret Service werft de medewerkers in een even uitgestrekt gebied als de andere overheidsdiensten) begonnen de agenten met de controle van de geboortebewijzen. Vandaar gingen ze verder. Ze controleerden ook de jaarboeken van middelbare scholen om de examenfoto's te vergelijken met de foto's op de identiteitsbewijzen van de agenten. Drie agenten in het escorte bleken immigranten te zijn, van wie de precieze persoonlijke gegevens niet gemakkelijk te controleren waren. Een van hen was in Frankrijk geboren en was in zijn moeders armen naar Amerika gekomen. Een andere was afkomstig uit Mexico. Ze was illegaal met haar ouders meegekomen. Ze was later genaturaliseerd en had zichzelf onderscheiden als briljant speurder bij de Technical Security Division. Ze was ook uitermate patriottisch gebleken in het team. Daarmee bleef 'Jeff' Raman over als agent bij wie enige documenten ontbraken, hetgeen redelijkerwijs verklaard kon worden door de vluchtelingenstatus die zijn ouders gehad hadden.

Het was in velerlei opzicht te gemakkelijk. In zijn dossier stond dat hij in Iran was geboren en naar Amerika was gekomen toen zijn ouders bij de val van de sjah het land ontvlucht waren. Uit alle aanwijzingen sindsdien bleek dat hij zich volledig aan zijn nieuwe land had aangepast en zelfs zo'n passie voor basketbal had ontwikkeld dat hij min of meer een legende was geworden bij de Secret Service. Hij verloor vrijwel nooit een weddenschap op een wedstrijd en het was een vaak gehoorde anekdote dat professionele gokkers hem raadpleegden bij een belangrijke wedstrijd. Hij mocht altijd graag een biertje drinken met zijn collega's. Hij had een uitstekende staat van dienst als agent in het veld. Hij was ongetrouwd, wat niet bijzonder ongebruikelijk was voor een wetsdienaar. Vooral de Secret Service maakte het echtgenotes zwaar; zij moesten hun geliefden (meestal echtgenoten) delen met een baan die veel meer toewijding vergde dan de meest veeleisende maîtresse. Daardoor kwamen echtscheidingen vaker voor dan huwelijken. Hij was wel eens met vrouwelijk gezelschap gezien, maar praatte daar niet veel over. Voorzover hij een privéleven had, verliep dat kalm. Het was zeker dat hij volstrekt geen contacten had met uit Iran afkomstige burgers of vreemdelingen, dat hij volstrekt niet religieus was en dat hij de islam nog nooit in een gesprek ter sprake had gebracht. Alleen had hij de president ooit verteld dat religie zijn familie zoveel ellende had bezorgd, dat hij dat onderwerp liever liet rusten.
Inspecteur O'Day was weer aan het werk gegaan. Directeur Murray had hem de gevoelig liggende gevallen toevertrouwd. Hij was allerminst onder de indruk van dit of enig ander verhaal. Hij had de leiding over het onderzoek. Hij nam aan dat de tegenstander, als die bestond, een expert zou zijn. Daarom was zelfs de meest aannemelijke identiteit voor hem slechts een mogelijke dekmantel die onderzocht moest worden. Eigenlijk bestonden er hierbij helemaal geen regels. Adjudant Price had dat zelf zo vastgesteld. Hij stelde het plaatselijke onderzoeksteam zelf samen uit mensen van het hoofdkwartier en de post Washington. De besten zette hij op Aref Raman, die nu in Pittsburgh zat. Dat kwam goed uit.
Hij had een bescheiden, maar comfortabel appartement in het noordwesten van de stad. Er was een inbraakalarm, maar dat was geen probleem. Tot de agenten die voor de illegale inbraak waren uitgekozen behoorde een technische tovenaar, die de sloten in twee minuten wist te openen, het bedieningspaneel van het alarm herkende en de alarmcode van de fabrikant intoetste om het systeem uit te schakelen. Hij kende ze allemaal uit het hoofd. In feite ging het natuurlijk om een inbraak, maar ze gebruikten de term 'speciale operatie', wat alles kon betekenen wat je maar wilde.

De eerste twee agenten bij de deur riepen na de geslaagde inbraak nog drie anderen op om in het appartement te komen. Ze maakten eerst foto's van het appartement, op zoek naar mogelijke aanwijzingen, ogenschijnlijk onschuldige of willekeurige voorwerpen die, als er iets mee gebeurd was, de bewoner waarschuwden dat er iemand binnen was geweest. Zulke dingen waren soms verdomd moeilijk te ontdekken en te omzeilen, maar de vijf agenten maakten deel uit van de Contraspionagedivisie Buitenland van de FBI. Ze waren door professionele spionnen getraind en op confrontaties met beroepslui. Ze zouden urenlang bijzonder saai werk moeten verrichten om het appartement 'binnenstebuiten te keren'. Ze wisten dat ten minste vijf andere teams met hetzelfde bezig waren bij andere mogelijke verdachten.
De P-3C bevond zich aan de rand van het radardetectiegebied van de Indiase schepen. Het toestel vloog laag en had in de onstabiele lucht boven het warme oppervlak van de Arabische Zee nogal wat last van turbulentie. Ze hadden dertig zenders uit negentien bronnen getraceerd. De meeste zorgen maakten ze zich over de krachtige, laagfrequente zoekradars, hoewel de waarschuwingsontvangers ook signalen van SAM-radars kregen. De Indiërs waren waarschijnlijk oefeningen aan het houden, nu hun vloot na een lange onderhoudsperiode weer op zee terug was. Het probleem was dat dergelijke oefeningen volstrekt niet te onderscheiden waren van voorbereidingen op een gevechtsactie. De gegevens die door de ELINT-ploeg aan boord werden geanalyseerd, werden aan de *Anzio* en de andere escorterende schepen doorgegeven voor de taakgroep COMEDY, zoals de bemanningsleden de vier *Bob Hopes* en hun escortes waren gaan noemen.
De groepscommandant zat in het Combat Information Center van zijn kruiser. Op de drie grote schermen (dit waren feitelijk televisies die met het radarcomputersysteem van de *Aegis* verbonden waren) was de positie van de Indiase vliegdekgroep redelijk precies te zien. Hij wist zelfs welke lichtjes waarschijnlijk de vliegdekschepen waren. Zijn opdracht was ingewikkeld. COMEDY was nu volledig op sterkte. De bevoorradingsschepen, UNREP-schepen genoemd, hadden zich nu bij de groep gevoegd, tezamen met hun escortes, en de komende uren zouden alle escortes beurtelings hun brandstoftanks geheel laten vullen. Voor een marinecommandant was te veel brandstof net zoiets als te veel geld: onmogelijk. Daarna zouden de UNREP-schepen opdracht krijgen zich naar de voorop varende schepen met tanks te begeven. De fregatten zouden zich bij de trailers voegen. De *O'Bannon* zou zich naar voren begeven om de zoektocht naar onderzeeërs voort te zetten; de Indiërs hadden twee kernonderzeeërs, maar niemand scheen te weten waar die op dit moment waren. De *Kidd* en de *Anzio*, beide SAM-schepen, zouden zich bij de formatie voegen om luchtverdediging op de korte afstand te bieden. Gewoonlijk zou de Aegis-kruiser zich op grotere afstand bevinden, maar nu niet.
De reden daarvoor lag niet aan de orders die het schip ontvangen had, maar aan de tv. Elk marineschip in de groep had een eigen satellietontvanger; bij de moderne marine wilden de matrozen hun eigen kabelsysteem hebben, en ter-

wijl de bemanning meestal naar de diverse filmkanalen zat te kijken – Playboy was altijd erg geliefd, want matrozen bleven matrozen – trakteerde de groepscommandant zich op een overdosis CNN, omdat de commerciële tv hem heel vaak de achtergrondinformatie gaf die hij via zijn missie-orders niet kreeg. De bemanningen waren gespannen. Het was beslist onmogelijk het nieuws van de gebeurtenissen thuis voor hen verborgen te houden. Door de beelden van zieke en stervende mensen, geblokkeerde wegen en lege straten waren ze aanvankelijk zwaar aangedaan geweest, zelfs zo dat de officieren en chefs bij de manschappen in de mess waren gaan zitten om over het gebeurde te praten. En toen waren deze orders gekomen. Er gebeurde van alles in de Perzische Golf, er gebeurde van alles thuis, en plotseling stoomden de MPS-schepen met daarbij een lading gevechtsvoertuigen voor een brigade op naar de Saoedische haven Dhahran... terwijl de Indiase marine de doorgang blokkeerde. De bemanning was nu weer rustig, zag kapitein Greg Kemper van de USS *Anzio*. Zijn chefs meldden dat de manschappen niet in de mess zaten te lachen en te dollen. De voortdurende simulaties op het Aegis-gevechtssysteem in de afgelopen dagen hadden eveneens een eigen boodschap overgebracht. COMEDY bevond zich in een gevaarlijke situatie.

Elk van de escorterende schepen had een helikopter. Deze werkten samen met het uitgelezen onderzeebootbestrijdingsteam op de *O'Bannon*, naamgenoot van het illustere marineschip in de Tweede Wereldoorlog, een torpedojager van de Fletcher-klasse die aan alle grote zeeslagen in de Grote Oceaan had deelgenomen zonder ook maar één slachtoffer of schrammetje; de nieuwe had een gouden A op de bovenbouw, wat erop wees dat het schip heel wat onderzeeërs naar de zeebodem had gejaagd, althans bij simulaties. De *Kidd* had een minder gelukkige naamgever. Het schip was vernoemd naar admiraal Isaac Kidd, die in de ochtend van 7 december 1941 omgekomen was aan boord van de USS *Arizona*. Het schip behoorde tot de 'dode-admiraalklasse' van vier torpedojagers die oorspronkelijk gebouwd waren voor de Iraanse marine onder de sjah. Ze werden vervolgens president Carter opgedrongen en cynisch genoeg allemaal vernoemd naar admiraals die omgekomen waren bij verloren zeeslagen. De *Anzio* was volgens een nogal merkwaardige traditie bij de marine vernoemd naar een veldslag tijdens de Italiaanse veldtocht in 1943, toen een gedurfde invasie op een wanhopige strijd was uitgelopen. Oorlogsschepen werden voor dergelijke opdrachten gebouwd, maar het was de opdracht van de commandanten ervoor te zorgen dat het wanhopige deel aan de anderen toeviel.

In een echte oorlog zou dat gemakkelijk geweest zijn. De *Anzio* had vijftien Tomahawk-raketten aan boord, elk met een kop van duizend pond. De Indiase marine bevond zich bijna binnen het bereik ervan. In een ideale wereld had hij ze ruim driehonderd kilometer verderop afgeschoten, gebaseerd op de informatie die de Orions over de doelen doorgaven. Zijn helikopter kon dat ook, maar de P-3C's waren veel minder kwetsbaar.

'Kapitein!' riep een onderofficier aan het ESM-paneel. 'We zien radars in de

lucht. De Orion krijgt gezelschap. Het lijken twee naderende Harriers, afstand onbekend, richting constant, signaalsterkte toenemend.'
'Dank je. Het luchtruim is tot nader order vrij,' bracht Kemper iedereen in herinnering.
Misschien was het een oefening, maar de Indiase slagschepen waren de afgelopen dag geen zestig kilometer opgestoomd. Ze waren oost- en westwaarts heen en weer gevaren, waarbij ze telkens de eigen afgelegde koers hadden gekruist. Oefeningen verliepen gewoonlijk niet zo gestructureerd. De kapitein van de *Anzio* maakte hieruit op dat ze zich dit deel van de oceaan hadden toegeëigend. En de Indiërs bevonden zich toevallig tussen COMEDY en de plaats waar die heen wilde.
Er was ook niets geheims aan. Iedereen deed alsof de toestand was zoals in vredestijd. De *Anzio* had de SPY-1 radar in werking gesteld, die een vermogen van enkele miljoenen watts verspreidde. De Indiërs gebruikten de hunne eveneens. Het leek wel of ze deden wie er het eerst bang werd.
'Kapitein, we hebben niet-geïdentificeerde vliegtuigen, we hebben diverse onbekende contacten in de lucht, positie nul-zeven-nul, afstand twee-een-vijf mijl. Geen squawk-identificatie, het zijn geen lijntoestellen. Benaming Raid-One.' De symbolen verschenen op het middelste scherm.
'Geen zenders op die positie,' meldde ESM.
'Heel goed.' De kapitein sloeg zijn benen over elkaar in zijn commandostoel. In films was dit het moment waarop Gary Cooper een sigaret opstak.
'Raid-One bestaat uit vier toestellen in formatie, snelheid vier-vijf-nul knopen, koers twee-vier-vijf.' Dat betekende dat ze dichterbij kwamen, maar niet rechtstreeks op COMEDY af vlogen.
'Verwachte CPA?' vroeg de kapitein.
'Ze zullen op hun huidige koers op minder dan vijfendertig kilometer passeren, kapitein,' antwoordde een matroos direct.
'Heel goed. Luister, mensen. Ik wil dat we hier nuchter en zakelijk onder blijven. Jullie kennen allemaal de opdracht. Als er een reden is om opgewonden te raken, dan zal ik degene zijn die dat aan jullie vertelt,' zei hij tegen de commandopostbemanning. 'Wapens vast.' Dat betekende dat de regels in vredestijd nog steeds golden en dat er niets in gereedheid werd gebracht om te vuren, een situatie die door het omdraaien van enkele sleutels gewijzigd kon worden.
'*Anzio*, dit is Gonzo-Four, over,' riep een stem over de radio waarop het vliegverkeer werd ontvangen.
'Gonzo-Four, *Anzio*, over.'
'*Anzio*,' meldde de piloot, 'we hebben hier twee Harriers op onze lip zitten. Een ervan passeerde net rakelings op vijftig meter. Hij heeft witte aan de vleugels hangen.' Dat betekende dat er echte raketten aangebracht waren, geen dummy's.
'Doet hij iets?' vroeg de luchtverkeersofficier.
'Nee, hij lijkt alleen wat te spelen.'

'Zeg hem zijn missie door te zetten,' zei de kapitein. 'En net te doen alsof het hem niet kan schelen.'

'Aye, kapitein.' De boodschap werd doorgegeven.

Dit soort dingen kwam wel vaker voor. Gevechtspiloten bleven gevechtspiloten, zo wist de kapitein. Ze bleven altijd net jongens die met hun motorfietsen om de meisjes heen zoefden. Hij richtte zijn aandacht op Raid-One. Koers en snelheid waren ongewijzigd. Dit was geen vijandige daad. De Indiërs lieten hem weten dat ze wisten wie er bij ze in de buurt was. Dat bleek duidelijk uit het tegelijkertijd opduiken van jachtvliegtuigen op twee plaatsen. Het ging er nu duidelijk om wie het eerst bang werd.

Wat nu? vroeg hij zich af. Harde actie? Stommetje spelen? Negeren? De psychologische aspecten van militaire operaties werden maar al te vaak onderschat. Raid-One bevond zich nu nog ruim driehonderd kilometer van hen vandaan en kwam snel binnen het bereik van zijn nieuwe tweetraps SM2ER SAM's.

'Wat denk je, Weps?' vroeg hij zijn wapenofficier.

'Ik denk dat ze ons proberen kwaad te krijgen.'

'Mee eens.' De kapitein wierp in gedachten een muntje op. 'Ze vallen de Orion lastig. Laat ze weten dat we ze zien,' beval hij.

Twee seconden later werd het vermogen van de SPY-zoekradar tot vier miljoen watt opgevoerd. De energiebundel werd met een nauwkeurigheid van één graad op de naderende jagers gericht. Ook werd de 'dwell' op de doelen opgevoerd, wat betekende dat ze vrijwel voortdurend getroffen werden. Dit was voldoende om de waarschuwingsapparatuur die ze aan boord moesten hebben te alarmeren. Binnen dertig kilometer kon het dergelijke apparatuur zelfs beschadigen, afhankelijk van de gevoeligheid ervan. De kapitein kon nog altijd twee miljoen watt extra in de lucht brengen. De grap luidde dat als je een Aegis echt kwaad maakte, je misschien kinderen met twee hoofden zou produceren.

'De *Kidd* heeft zojuist de gevechtsposities ingenomen, kapitein,' meldde de officier van het dek.

'Goede gelegenheid om te oefenen, niet?' De afstand tot Raid-One bedroeg nu ruim honderdvijftig kilometer. 'Weps, verlicht ze.'

Op dat commando werden de vier SPG-51 doelverlichtingsradars in positie gebracht. Ze zonden smalle banen X-bandenergie uit in de richting van de naderende jagers. Deze radars vertelden de raketten hoe ze de doelen konden vinden. De Indiase waarschuwingsapparatuur zou dit eveneens registreren. De jagers veranderden niet van koers of snelheid.

'Zullen we de formatie eens goed bekijken?' vroeg Weps.

'Dat zou ik zeker doen. Maak wat opnames om te kijken waar we mee te maken hebben,' zei Kemper.

'Er gebeurt nogal wat tegelijk, kapitein.'

'Zeker,' zei de kapitein met een blik op het scherm. Hij pakte de boordtelefoon op.

'Brug,' antwoordde de wachtcommandant.
'Vertel je uitkijkposten dat ik wil weten wat het zijn. Foto's, als dat kan. Hoe is het zicht boven?'
'Aan het oppervlak nevelig, naar boven toe niet slecht. Ik heb nu mannen aan de Big Eyes zitten.'
'Heel goed.'
'Ze zullen ons noordwaarts passeren, dan naar links draaien en dan aan bakboord langskomen,' voorspelde de kapitein.
'Kapitein, Gonzo-Four meldt zeer nabije passage enkele seconden geleden,' zei Luchtverkeer.
'Zeg hem zijn kalmte te bewaren.'
'Aye, kapitein.' Hierna volgden de ontwikkelingen elkaar snel op. De jagers vlogen twee keer om COMEDY heen, steeds minimaal op een afstand van bijna tien kilometer. De Indiase Harriers bleven nog een kwartier rond de patrouillerende Orion hangen en moesten toen naar hun vliegdekschip terugkeren om te tanken. Zo verliep er weer een dag op zee zonder dat er schoten werden afgevuurd en zonder openlijk vijandige daden, tenzij je het spelletje van de jachtvliegtuigen als zodanig beschouwde, maar dat kwam op zich wel vaker voor. Toen alles rustig was, wendde de kapitein van de USS *Anzio* zich tot zijn verbindingsofficier.
'Ik moet CINCLANT spreken. O, Weps?' zei Kemper.
'Ja, kapitein?'
'Ik wil dat alle gevechtssystemen op dit schip volledig geïnspecteerd worden.'
'Kapitein, we hebben net twaalf uur geleden een volledige inspectie...'
'Nu meteen, Weps,' zei hij kalm, maar met nadruk.

'En dat is goed nieuws?' vroeg Cathy.
'Dokter, het is erg simpel,' zei Alexandre hierop. 'U hebt vanochtend mensen zien sterven. Morgen zult u er nog meer zien sterven, en dat is vreselijk, maar duizenden is beter dan miljoenen, niet? Ik denk dat deze epidemie uitdooft.' Hij zei er niet bij dat het voor hem iets gemakkelijker was. Cathy was oogarts. Ze kreeg niet vaak met de dood te maken. Hij was gespecialiseerd in infectieziekten en was eraan gewend. Gemakkelijker? Was dat het juiste woord? 'We weten het over een paar dagen, op basis van de statistische analyse van de gevallen.'
De president knikte zwijgend. Van Damm nam namens hem het woord: 'Hoeveel worden het er?'
'Minder dan tienduizend, volgens de computermodellen in het Reed en Detrick. Ik doe er niet nonchalant over, meneer, maar ik zeg dat tienduizend beter is dan tien miljoen.'
'Eén dode is een tragedie, en een miljoen doden zijn slechts een getal,' zei Ryan uiteindelijk.
'Zeker, meneer de president. Die uitdrukking ken ik.' Alexandre kon niet erg opgetogen raken van het goede nieuws. Maar hoe moest hij de mensen anders

'ertellen dat een ramp beter was dan een totale catastrofe?
Josef Vissarionovitsj Stalin,' zei SWORDSMAN. 'Hij speelde graag met woorlen.'
U weet wie het gedaan heeft,' merkte Alex op.
'Waarom zegt u dat?' vroeg Jack.
'U reageerde niet normaal op wat ik u vertelde, meneer de president.'
'Dokter, ik heb de laatste maanden vrijwel niets normaals gedaan. Wat betekent dit voor het reisverbod?'
'Dit betekent dat dat nog minstens een week van kracht blijft. Onze voorspelling is niet spijkerhard. De incubatietijd voor de ziekte is ietwat variabel. Je stuurt de brandweer niet naar huis zodra de vlammen gedoofd zijn. Je blijft kijken of het vuur weer oplaait. Dat zal hier ook gebeuren. Wat tot dusverre erg meegeholpen heeft, is dat iedereen doodsbang is. Daarom is het persoonlijke contact minimaal en dat is juist de manier om de ziekte in te dammen. We houden dat zo. Er zullen slechts zeer beperkt nieuwe gevallen komen. Die gaan we te lijf zoals we met de pokken deden. Spoor de zieken op, test iedereen met wie ze contact gehad hebben, isoleer degenen met antistoffen en blijf die observeren. Dat blijkt te werken. Degene die dit gedaan heeft, heeft fouten gemaakt. De ziekte is lang niet zo besmettelijk als ze dachten; misschien draaide het allemaal om een psychologische oefening. Dat is het wezen van de biologische oorlogvoering. Dat er vroeger zulke enorme epidemieën voorkwamen, was vooral te wijten aan onbekendheid met de wijze waarop ziekten zich verspreiden. Niemand wist iets over microben, vlooien en besmet water. Wij weten dat wel. Iedereen weet het, je leert het al op de basisschool. Daarom is er ook geen medisch personeel besmet. We hebben veel ervaring met aids en hepatitis. Dezelfde voorzorgen die daarbij werken, werken hier ook.'
'Hoe voorkomen we dat het weer gebeurt?' vroeg Van Damm.
'Dat heb ik u al gezegd. Onderzoek doen. In algemene zin naar de genetische gedragingen, meer gespecialiseerd onderzoek van de ziekten die we inmiddels kennen. In feite is er geen reden te bedenken waarom we géén vaccin zouden kunnen ontwikkelen tegen ebola en tal van andere ziekten.'
'Aids?' vroeg Ryan.
'Dat is een moeilijke. Het virus is een behendig rotbeest. Er is geen enkel zicht op een vaccin. Nee, er moet nog veel elementair genetisch onderzoek gedaan worden om vast te stellen hoe het biologisch mechanisme werkt, en dan moeten we het immuunsysteem het kunnen herkennen en doden; dat is het principe van een vaccin. Maar we zijn er nog niet achter hoe dat moet. Erg vervelend. Over twintig jaar moeten we Afrika wellicht afschrijven. Maar ik heb daar wél familie wonen, hoor,' zei de creoolse arts. 'Dat is de ene manier om te voorkomen dat het weer gebeurt. Meneer de president, u bent al met de andere manier bezig. Wie was het?'
Hij hoefde niemand te vertellen hoe geheim dit was. 'Iran. De ayatollah Mahmoud Haji Daryaei en zijn trawanten.'

Alexandre was opeens weer officier van de Amerikaanse landmacht. 'Meneer, wat mij betreft kunt u ze allemaal doden.'

Het was interessant om Mehrabad International Airport bij daglicht te zien. Clark had Iran nooit als een bevriend land beschouwd. Vóór de val van de sjah schenen de mensen erg vriendelijk geweest te zijn, maar in die tijd was hij er nooit geweest. Hij was er in het geheim in 1979 en in 1980 weer geweest, eerst om informatie te verkrijgen over de gijzelaars en later om deel te nemen aan de poging de gijzelaars te redden. Het viel met geen pen te beschrijven hoe het was om in een land te verblijven waar een revolutie plaatsvond. In de Sovjet-Unie had hij het veel aangenamer gevonden. Vijand of niet, Rusland was altijd een beschaafd land geweest met veel regels en burgers die deze overtraden. Maar Iran was als een droog bos tijdens een hevig onweer in de fik gevlogen. Iedereen had 'Dood aan Amerika' geschreeuwd. Hij herinnerde zich dat hij zelden zo bang was geweest als toen hij in de menigte die tekst had gescandeerd. Eén klein foutje, een vluchtig contact met een agent die hem aankeek, zou zijn dood zijn geweest, wat beslist een angstwekkende gedachte was voor een man met jonge kinderen, spion of niet. Misdadigers werden soms doodgeschoten, maar spionnen werden meestal opgehangen. Dat leek een onnodig wrede manier om iemand van het leven te beroven.
In de tussenliggende jaren waren sommige zaken veranderd, andere waren hetzelfde gebleven. Hier bij de douane waren ze nog steeds wantrouwig tegenover buitenlanders. Achter de beambte stonden gewapende mannen, die de taak hadden te voorkomen dat mensen als hij het land in kwamen. Voor de nieuwe VIR was elk nieuw gezicht een potentiële spion, zoals in het voormalige Iran ook het geval geweest was.
'Klerk,' zei hij, zijn paspoort overhandigend. 'Ivan Sergejevitsj.' Wat kon het schelen, de valse Russische identiteit had al eerder gewerkt en hij had zich die alweer ingeprent. Het mooiste was dat hij perfect Russisch sprak. Hij was voor een geüniformeerde beambte meer dan eens als sovjetburger doorgegaan.
'Tsjechov, Jevgeniy Pavlovitsj,' zei Chavez tegen de beambte ernaast.
Ze waren weer eens nieuwscorrespondenten. Het was CIA-functionarissen verboden om zichzelf als Amerikaanse verslaggevers voor te doen, maar dat gold niet voor de buitenlandse media.
'Doel van uw bezoek?' vroeg de eerste beambte.
'Ik wil meer te weten komen over uw nieuwe land,' antwoordde Ivan Sergejevitsj. 'Het moet voor iedereen erg opwindend zijn.' Voor hun werk in Japan hadden ze cameraspullen meegebracht en een nuttig klein dingetje dat eruitzag als een sterke zaklamp, en dat ook was. Maar ditmaal hadden ze dergelijke dingen niet bij zich.
'Hij en ik zijn samen,' vertelde Jevgeniy Pavlovitsj zijn beambte.
De paspoorten waren gloednieuw, hoewel je dat bij vluchtige inspectie niet zou zeggen. Het was een van de weinige dingen waar Clark en Chavez zich geen zorgen over hoefden te maken. Het vakmanschap van de RVS was even

groot als dat van de voormalige KGB. De valse documenten die ze maakten behoorden tot de beste ter wereld. De bladzijden stonden vol stempels, waarvan vele elkaar overlapten, en er zaten ezelsoren en kreukels in zodat ze jarenlang gebruikt leken. Een beambte pakte hun tassen en maakte ze open. Hij vond kleren die duidelijk vaak gebruikt waren, twee boeken, die hij doorbladerde om te zien of het pornografie was, en twee ordinaire camera's waarvan het email verweerd was maar de lenzen nieuw waren. Elk had een schoudertas met blocnotes en mini-cassetterecorders. De beambten namen de tijd, zelfs nadat de immigratiefunctionarissen hun werk gedaan hadden en de bezoekers met merkbare tegenzin hadden doorgelaten.
'*Spasiba*,' zei John vriendelijk, terwijl hij zijn bagage pakte en wegliep. Hij had in de loop der jaren geleerd zijn opluchting niet geheel te verbergen. Gewone reizigers waren geïntimideerd. Hij moest dat ook zijn. Anders zou hij zich van hen onderscheiden. De twee CIA-mannen liepen naar buiten om een taxi te nemen. Ze bleven zwijgend in de rij nieuw aangekomenen staan, die langzaam korter werd. Toen ze bijna aan de beurt waren, liet Chavez zijn reistas vallen, waardoor de inhoud op straat terechtkwam. Hij en Clark lieten twee mensen voorgaan terwijl hij de tas opnieuw inpakte. Dit was zo goed als zeker een garantie voor een willekeurige taxi, tenzij ze allemaal door spionnen bestuurd werden.
Het ging erom er in alle opzichten normaal uit te zien. Niet te dom, en nooit te slim. Je moest af en toe de weg kwijtraken en de weg vragen, maar niet te vaak. Je moest in goedkope hotels overnachten. In dit speciale geval moesten ze er maar op hopen dat niemand die hen tijdens hun korte bezoek aan deze stad gezien had, hun pad kruiste. De missie was in principe simpel, zoals meestal. Inlichtingenfunctionarissen werden zelden op ingewikkelde missies uitgezonden. Ze zouden zo verstandig zijn die te weigeren. De eenvoudige waren al riskant genoeg, als je er eenmaal was.

De naam luidt taakgroep COMEDY, legde Robby uit. 'Ze zijn vanochtend vroeg uit hun bed gezet.' De J-3 gaf een uitleg van enkele minuten.
'Fanatiek?' vroeg de president.
'Dat is duidelijk. Ze hebben een echte luchtshow opgevoerd voor de P-3. Ik heb dat zelf enkele malen gedaan toen ik mijn wilde haren nog niet kwijt was. Ze willen ons laten weten dat ze er zijn, en ze tonen zich bepaald niet bang voor ons. De groepscommandant is Greg Kemper. Ik ken hem niet, maar hij heeft een goede reputatie. CINCLANT mag hem. Hij vraagt om een ROE-wijziging.'
'Nu niet. Later vandaag.'
'Goed. Ik verwacht geen nachtelijke aanval, maar vergeet niet dat het daar dag wordt als het hier middernacht is, meneer.'
'Arnie, hoe is de verhouding met de Indiase premier?'
'Zij en ambassadeur Williams zijn niet bezig kerstcadeautjes uit te wisselen,' antwoordde de stafchef. 'U hebt haar een tijdje geleden in de East Room ontmoet.'

‘Om haar te waarschuwen voor het risico dat ze neemt, als ze zich met Daryaei inlaat,’ bracht Ben Goodley hen allemaal in herinnering. ‘Als u haar daarmee confronteert, zal ze zich dubbelzinnig uitlaten.’
‘En? Robby?’
‘Stel dat we de Indiërs weten te passeren, en dat zij vervolgens Daryaei waarschuwt? Ze kunnen proberen de Straat te blokkeren. De groep uit de Middellandse Zee zal over enkele uren de hoek nemen en op tachtig kilometer van de ingang positie kiezen. We hebben luchtsteun. Het kan spannend worden, maar ze moeten het kunnen redden. Mijnen zijn het gevaarlijkst, maar de Straat is daar behoorlijk diep. Dichter bij Dhahran wordt het een ander verhaal. Hoe langer de VIR in het duister tast, des te beter, maar ze weten misschien al wat de samenstelling van COMEDY is.’
‘Misschien ook niet,’ meende Van Damm. ‘Als ze denkt dat ze het alleen af kan, dan wil ze hem misschien wel laten zien wáár ze haar ballen heeft.’

De verplaatsing werd Operatie CUSTER genoemd. Alle veertig vliegtuigen waren nu in de lucht. Elk vervoerde ongeveer tweehonderdvijftig soldaten in een luchtbrug die bijna tienduizend kilometer lang was. De eerste vliegtuigen waren nu op zes uur van Dhahran boven Oekraïne. Ze hadden zojuist het Russische luchtruim verlaten.
De piloten op de F-15’s hadden afscheidsgroeten uitgewisseld met een handvol Russische jagers die langszij waren gekomen om gedag te zeggen. Ze waren nu moe. Ze hadden pijn in hun rug gekregen doordat ze zolang in dezelfde stoel hadden gezeten. De piloten van de passagiersvliegtuigen achter hen hadden nog kunnen opstaan om wat te lopen; zij hadden zelfs toiletten, een hele luxe voor een gevechtspiloot, die het met een primitief slangetje met opvangzak moest doen. Hun armen werden stijf, ze kregen spierpijn omdat ze voortdurend in dezelfde positie zaten. Het werd zelfs zo zwaar dat het moeilijk was om te tanken bij de KC-135’s. Langzamerhand kwamen ze tot de conclusie dat een luchtgevecht op een uur van hun bestemming bepaald geen lolletje zou zijn. De meesten dronken koffie, probeerden hun handen aan de stuurknuppel af en toe te verplaatsen en rekten zich zo vaak uit als ze konden.
De meeste soldaten sliepen. Ze kenden nog altijd de aard van hun missie niet. De luchtvaartmaatschappijen hadden de normale hoeveelheden eten en drinken meegenomen, en de manschappen namen de gelegenheid te baat om voorlopig voor het laatst van een drankje te genieten. Degenen die in 1990 en 1991 naar Saoedi-Arabië waren uitgezonden, vertelden hun oorlogsverhalen, waarbij vooral ter sprake kwam dat het koninkrijk geen land was waar je voor het nachtleven naartoe ging.

Dat gold ook voor Indiana, althans nu niet, zoals Brown en Holbrook ontdekten. Ze waren gelukkig zo slim geweest om een motel te nemen voordat de algemene paniek uitbrak, maar nu zaten ze vast. Dit motel werd vooral bezocht door truckers, net als de motels die ze in Wyoming en Nebraska

gebruikt hadden. Het had een ouderwets, groot restaurant met een bar en zitbanken. Er liepen ook gemaskerde diensters rond en klanten, die zich nu niet onder elkaar mengden. Als de klanten gegeten had, gingen ze naar hun kamer of naar buiten om in hun truck te slapen. Er speelde zich een dagelijks ritueel af. De trucks moesten verplaatst worden, omdat anders de banden beschadigd zouden worden. Iedereen luisterde elk uur naar het nieuws op de radio. De kamers, het restaurant en zelfs enkele van de trucks beschikten over televisie, die voor verdere informatie en afleiding zorgde. Er heerste een gespannen verveling, waarmee soldaten wel vertrouwd waren, maar de twee Mountain Men niet.
'Kloteregering,' zei een meubeltransporteur. Zijn gezin zat twee staten verderop.
'Ik geloof dat ze ons hebben laten zien wie de baas is, hè?' zei Ernie Brown tegen niemand in het bijzonder.
Later zou blijken dat geen enkele trucker die in verschillende staten reed, het virus had gekregen. Daar was hun bestaan te eenzaam voor. Maar hun bestaan draaide om de mogelijkheid om te reizen, omdat ze daarmee hun brood verdienden en omdat ze ervoor gekozen hadden. Het waren geen mensen die stil konden zitten, en al helemaal geen mensen tegen wie je moest zeggen stil te zitten.
'Wel verdomme,' vulde een andere chauffeur aan. Hij kon niets anders bedenken. 'Ik ben goddomme blij dat ik uit Chicago weg ben. Dat nieuws is behoorlijk eng.'
'Denk je dat dit ergens op slaat?' vroeg iemand.
'Sinds wanneer slaat de regering ergens op?' zei Holbrook gevat.
'Vertel mij wat,' zei een ander. Eindelijk voelden de Mountain Men zich ergens thuis. Bij stilzwijgende afspraak was het nu tijd om te vertrekken.
'Hoe lang zullen we hier verdomme nog vastzitten, Pete?' wilde Ernie Brown weten.
'Moet je dat aan mij vragen?'

'Geen bijzonderheden,' concludeerde de agent die de leiding had. Aref Raman was wel wat netjes voor een alleenstaande man, maar niet overdreven. Een van de FBI-agenten had tot zijn verrassing opgemerkt dat zelfs de sokken van de man netjes opgevouwen waren, net als alle andere spullen in de bureauladen. Een van de leden van de groep herinnerde zich een onderzoek naar NFL-footballspelers. Een psycholoog had na maanden onderzoek vastgesteld dat degenen die de quarterback moesten beschermen, nette kasten hadden, terwijl lijnverdedigers, wier taak het was de quarterbacks van de tegenstander tegen de grond te werken, in elk opzicht sloddervossen waren. Er werd een beetje gelachen om deze mogelijke verklaring. Verder werd er niets gevonden. Er was een foto van zijn ouders, die beiden overleden waren. Hij had een abonnement op twee opinietijdschriften en had alle kabelkanalen op zijn twee tv's. Hij had geen drank in huis en at gezond. Hij was vooral gek op

koosjere hotdogs, zo bleek uit zijn vrieskist. Er waren geen verborgen laden of compartimenten, want die zouden ze zeker gevonden hebben. Er was helemaal niets verdachts. Dat was zowel goed als slecht nieuws.
De telefoon ging. Niemand nam op, omdat ze er niet waren en omdat ze voor hun eigen communicatie piepers en draagbare telefoons hadden.
'Hallo, hier 536-3040,' zei de opgenomen stem van Raman, nadat de telefoon voor de tweede keer was overgegaan. 'Er is hier nu niemand om de telefoon aan te nemen, maar als u een boodschap achterlaat, zal iemand u terugbellen.' Er volgde een piep en daarna een klik.
'Verkeerd verbonden,' zei een van de agenten.
'Haal de boodschappen eruit,' zei de leider tegen het technische genie van het team.
Raman bezat een digitaal opnamesysteem; ook hierbij had de fabrikant een cijfercode geprogrammeerd. De agent toetste de zes cijfers in en een ander maakte aantekeningen. Er waren drie klikken te horen en iemand die verkeerd verbonden was. Iemand die belde voor mevrouw Sloan, wie dat ook mocht wezen.
'Tapijt? Meneer Alahad?'
'Het klinkt als de naam van een tapijthandelaar,' zei een ander. Maar toen ze rondkeken, zagen ze geen tapijt, alleen de gewone goedkope vaste vloerbedekking die in dit soort appartementen gebruikelijk was.
'Verkeerd verbonden.'
'Trek de namen toch maar na.' Het was meer een gewoonte dan iets anders. Je checkte alles. Je kon tenslotte nooit weten.
Net op dat moment ging de telefoon weer, en alle vijf de agenten draaiden zich naar het antwoordapparaat toe, alsof het een echte getuige met een echte stem was.

Verdomme, dacht Raman, hij had vergeten de vorige berichten te wissen. Er was niets nieuws. Zijn controle-officier had niet meer gebeld. Dat zou ook een verrassing geweest zijn. Na deze vaststelling toetste Raman in zijn hotelkamer in Pittsburgh de code in om alle boodschappen te wissen. Het leuke van de nieuwe digitale apparaten was dat als iets eenmaal gewist was, het voorgoed verdwenen was. Dat was niet altijd zo als je cassettes gebruikte.

Toen de FBI-agenten dit opmerkten, keken ze elkaar aan. 'Kom, dat doen we allemaal.' Daar was iedereen het mee eens. En iedereen werd gebeld door mensen die verkeerd verbonden waren. En dit was een collega-agent. Maar ze zouden de nummers toch natrekken.

Tot opluchting van haar escorte sliep SURGEON boven in het woonverblijf. Roy Altman en de anderen die haar moesten bewaken, waren stapeldol van haar geworden op de 'koortsafdeling', zoals ze die noemden, van het Johns Hopkins, zowel vanwege het fysieke gevaar als wel omdat ze zich volkomen uit de naad

ewerkt had. De kinderen hadden de tijd als de meeste andere Amerikaanse
inderen doorgebracht; het bleven tenslotte kinderen. Ze hadden tv zitten kij-
en en onder de ogen van hun agenten zitten spelen. Die maakten zich er nu
orgen over dat een van hen griepsymptomen zou krijgen, die op de hele cam-
us gelukkig afwezig waren. SWORDSMAN bevond zich in de Situation Room.
Hoe laat is het daar?'
Tien uur later, meneer.'
Bel maar.'

De eerste 747, in de kleuren van United Airlines, vloog enkele minuten eerder
lan verwacht het Saoedische luchtruim binnen ten gevolge van de gunstige
oolwinden. Het had niet veel zin nu een minder rechtstreekse route te kie-
en. Soedan had eveneens vliegvelden en radars, evenals Egypte en Jordanië,
n er werd verondersteld dat de VIR ergens in die landen informanten had. De
aoedische luchtmacht, aangevuld met de F-16C's die als onderdeel van BUF-
ALO FORWARD de dag tevoren in het geheim uit Israël waren gevlogen, was
paraat langs de grens tussen de VIR en Saoedi-Arabië. Twee E-3B AWACS maak-
en hun verkenningsvluchten. De zon kwam nu op in dat deel van de wereld;
p de grond was het weliswaar nog donker, maar op hun vlieghoogte konden
e het eerste daglicht zien.

Goedemorgen, mevrouw de premier, met Jack Ryan,' zei de president.
Wat prettig uw stem weer te horen. Het is al laat in Washington, niet?' vroeg
e.
We werken allebei op onregelmatige tijden. Ik veronderstel dat uw dag net
begint.'
Inderdaad,' antwoordde ze. Ryan had een gewone hoorn aan zijn oor. Het
gesprek werd ook op de telefoon met luidspreker doorgegeven en op een digitale bandrecorder opgenomen. De CIA had zelfs voor een stemanalysetoestel
gezorgd. 'Meneer de president, die problemen in uw land, zijn die al minder
geworden?'
'We hebben enige hoop, maar ze zijn nog niet verdwenen, nee.'
'Kunnen we u op enige manier van dienst zijn?' In geen van beide stemmen
was ook maar de minste emotie te horen, achter de valse vriendelijkheid van
mensen die elkaar wantrouwden en dat probeerden te verbergen.
'Tsja, in feite wel, ja.'
'Vertelt u ons dat dan, alstublieft.'
'Mevrouw, op het ogenblik zijn enkele schepen van ons onderweg in de Arabi-
sche Zee,' antwoordde Ryan.
'Is dat zo?' De stem klonk volstrekt neutraal.
'Jawel, mevrouw, en u weet dat ook. Ik wil van u de persoonlijke verzekering
dat uw marine, die zich daar ook op zee bevindt, de doorgang niet verhindert.'
'Maar waarom vraagt u dat? Waarom zouden wij tussenbeide komen, en trou-
wens, wat is het doel van uw verplaatsing?'

'Uw verzekering in deze kwestie zal voldoende zijn, mevrouw de premier,' ze Ryan. Hij pakte met zijn rechterhand een potlood.
'Maar meneer de president, ik begrijp het doel van dit gesprek niet.'
'Het doel van dit gesprek is uw persoonlijke verzekering te krijgen dat de Indiase marine de vreedzame passage van Amerikaanse schepen door de Ara bische Zee niet in de weg zal staan.'

Hij was zo zwak, dacht ze, als hij zichzelf zo herhaalde.
'Meneer de president. Ik vind uw telefoontje verontrustend. Amerika heef nog nooit met ons over een dergelijke kwestie gesproken. U zegt dat u oorlogs schepen dicht bij mijn land brengt, maar u vertelt niet waarom. De verplaat sing van dergelijke schepen zonder verklaring is geen daad van een vriend. Stel dat ze hem eens kon doen inbinden?

Wat heb ik je gezegd? stond er op het briefje van Ben Goodley.
'Heel goed, mevrouw, ten derden male, zult u me de verzekering geven dat u deze activiteit niet zult verstoren?'
'Maar waarom dringt u onze wateren binnen?' vroeg ze weer.
'Heel goed.' Ryan zweeg even. Nu veranderde zijn toon. 'Mevrouw de premier... Het doel van deze verplaatsing heeft niet rechtstreeks betrekking op uw land, maar ik verzeker u dat die schepen naar hun bestemming zullen varen. Aangezien deze missie voor ons belangrijk is, zullen we geen enkele, maar dan ook geen enkele inmenging dulden. Ik moet u waarschuwen. Indien een niet-geïdentificeerd schip of vliegtuig onze formatie nadert, dan kan dat ongunstige consequenties hebben. Nee, excuseert u me, die consequenties zullen er zijn. Om die te vermijden, bericht ik u over de doortocht en verzoek ik om uw persoonlijke verzekering aan de Verenigde Staten van Amerika dat er geen aanval op onze schepen zal volgen.'
'En nu dreigt u me? Meneer de president, ik begrijp dat u de laatste tijd onder grote druk staat, maar u kunt soevereine staten toch niet op zo'n manier bedreigen.'
'Mevrouw de premier, laat ik het heel duidelijk stellen. Er is tegen de Verenigde Staten van Amerika een openlijke oorlogsdaad gepleegd. Elke inmenging met of aanval op onze strijdmacht zal eveneens een oorlogsdaad zijn, en elk land dat zo'n daad pleegt, zal met zeer ernstige gevolgen geconfronteerd worden.'
'Maar wie heeft dit u aangedaan?'
'Mevrouw de premier, dat is niet uw zorg, tenzij u dat verkiest. Ik meen dat het in het belang van uw en mijn land goed zou zijn als uw marine direct naar de haven terugkeert.'
'En nu berispt u ons en geeft u ons bevelen?'
'Ik begon met een verzoek, mevrouw de premier. U wist mijn verzoek driemaal te omzeilen. Ik beschouw dat als een onvriendelijke daad. Daarom heb ik nog een vraag: wilt u in oorlog zijn met de Verenigde Staten van Amerika?'

‘Meneer de president...’

‘Als die schepen niet vertrekken, mevrouw de premier, dan bent u in oorlog.’

Het potlood in Ryans hand brak. ‘Ik meen dat u zich wellicht met de verkeerde vrienden verbonden hebt, mevrouw. Ik hoop dat ik ongelijk heb, maar als mijn indruk juist is, dan zal die misrekening uw land mogelijk duur te staan komen. We hebben een directe aanval op onze burgers meegemaakt. Het is een zeer wrede, barbaarse aanval, waarin massale vernietigingswapens gebruikt worden.’ Hij sprak deze woorden heel duidelijk uit. ‘Dit is nog niet bekend bij onze burgers, maar dat zal snel veranderen,’ vertelde hij haar. ‘Als dat gebeurt, mevrouw de premier, zullen degenen die zich aan de aanval schuldig gemaakt hebben met onze rechtspraak geconfronteerd worden. We zullen geen protestbrieven sturen. We zullen niet verzoeken om een speciale vergadering van de Veiligheidsraad in New York. We zullen oorlog voeren, mevrouw. We zullen oorlog voeren met alle kracht en geestdrift waarover dit land en haar burgers beschikken. Begrijpt u nu wat ik zeg? Gewone mannen, vrouwen en nu zelfs kinderen zijn binnen onze landsgrenzen vermoord door een vreemde mogendheid. Er is zelfs een aanslag op mijn eigen kind gepleegd, mevrouw de premier. Wil uw land met die daden geassocieerd worden? Zo ja, mevrouw, als u daarvan deel wilt uitmaken, dan begint de oorlog nu.’

56

Inzet van troepen

‘Jezus, Jack, je hebt me echt overtuigd,’ zei Jackson.

‘Met onze vriend de geestelijke zal het minder gemakkelijk zijn,’ zei de president. Hij wreef in zijn bezwete handen. ‘En we weten nog altijd niet of ze haar woord zal houden. Goed, taakgroep COMEDY is op DEFCON 1. Als ze denken dat het om vijandig gedrag gaat, dan mogen ze hen uitschakelen. Maar overtuig je er in hemelsnaam van dat die commandant zijn verstand weet te gebruiken.’

Het was nu stil in de Situation Room. President Ryan voelde zich erg alleen, ondanks de mensen die om hem heen zaten. Minister Bretano en de gezamenlijke chefs-van-staven waren er. Rutledge was er voor Buitenlandse Zaken. Verder minister Winston, omdat Ryan zijn oordeel vertrouwde, Goodley, omdat hij volledig op de hoogte was van alle inlichtingeninformatie en ten slotte zijn stafchef en de gebruikelijke lijfwachten. Hij had in zijn eentje met India gesproken, want ondanks alle hulp en advies van zijn staf, symboliseerde

Jack Ryan nu de Verenigde Staten van Amerika, terwijl het land op een oorlog afstevende.

De selecte groep journalisten kwam dat boven de Atlantische Oceaan te weten. Amerika verwachtte elk moment een aanval van de Verenigde Islamitische Republiek op de andere Golfstaten. Zij zouden verslag doen van de gebeurtenissen. Ze kregen ook informatie over de troepen die ingezet zouden worden.
'Is dat alles?' vroeg een van de beter geïnformeerden onder hen.
'Dat is alles voor dit moment,' bevestigde de persofficier. 'We hopen dat het machtsvertoon van de troepen voldoende zal zijn om de aanval te voorkomen, maar als dat niet zo is, zal het erg spannend worden.'
'Spannend is niet het juiste woord.'
Daarna vertelde de officier waarom dit alles gebeurde en werd het bijzonder stil in de KC-135 zonder ramen die hen naar Saoedi-Arabië bracht.

Koeweit beschikte op de keper beschouwd over twee zware brigades, aangevuld door een gemotoriseerde verkenningsbrigade, uitgerust met anti-tankwapens. Deze moest langs de grens inlichtingen vergaren. De twee zware brigades, die volgens Amerikaans model uitgerust waren en geoefend hadden, werden op de gebruikelijke wijze een eind van de grens gestationeerd, zodat ze zich konden verplaatsen om op een inval te reageren, in plaats van de aanvankelijke aanval te moeten opvangen, waarbij ze zich mogelijk op de verkeerde plaats zouden bevinden. Het 10de Amerikaanse cavalerieregiment bevond zich tussen en vlak achter deze twee brigades. Het was niet helemaal duidelijk wie het oppercommando had. Kolonel Magruder was de officier met de meeste dienstjaren en de meest ervaren tacticus, maar er waren Koeweiti's met een hogere rang. Alle drie de brigades stonden onder het commando van brigadegeneraals, en het was tenslotte hun land. Aan de andere kant was het land zo klein dat één centrale commandopost voldoende was, en van daaruit commandeerde Magruder zijn regiment en gaf hij ook advies aan de Koeweitse commandanten. Dezen waren tegelijk trots en nerveus. Ze waren uiteraard blij met de voortgang die hun land sinds 1990 had geboekt. Het leger was niet langer een parodie op een krijgsmacht, die na de Iraakse invasie geheel uiteengevallen was, ook al hadden enkele kleine eenheden dapper gevochten. Op papier en voor het oog was het een zeer capabele, gemotoriseerde krijgsmacht. Ze waren nerveus omdat ze qua aantal sterk in de minderheid waren en de merendeels uit reservisten bestaande manschappen nog veel moesten leren voordat ze aan de zo begeerde Amerikaanse oefennormen voldeden. Wat ze wel uitstekend konden, was schieten. Ze hadden veel plezier in het schieten met tanks, en het was ook nog erg belangrijk. De lege plekken in de formaties waren te wijten aan het feit dat twintig tanks in de werkplaats waren voor vervanging van de lopen. Dit werk werd uitgevoerd door burgers, terwijl de tankbemanning ongedurig op het herstel wachtte.

De Longbow-radars van de helikopters van het 10de cavalerieregiment, die
ings de grens van het land vlogen, keken diep in de VIR om manoeuvres te
ntdekken, maar tot dusverre zagen ze niets bijzonders. De Koeweitse lucht-
nacht hield vier vliegtuigen in de lucht om het luchtruim te bewaken, terwijl
e rest in de hoogste staat van paraatheid bleef. Ook al waren ze ver in de min-
erheid, dit zou geen herhaling van 1990 worden. De geniesoldaten waren het
rukst bezet. Zij groeven kuilen voor de tanks, zodat ze konden schieten ter-
ijl alleen de lopen boven de grond uitstaken. Ze werden met netten over-
ekt, zodat ze vanuit de lucht onzichtbaar waren.
Wat vindt u ervan, kolonel?' vroeg de Koeweitse commandant.
Er is niets mis met uw inzet, generaal,' antwoordde Magruder, die de kaart
eer zat te bekijken. Hij zei niet precies hoe hij erover dacht. Nog twee of drie
eken intensieve training zou een zegen zijn geweest. Hij had dan een heel
envoudige oefening laten houden, waarin een van zijn eskadrons tegen de
Koeweitse 1ste brigade zou strijden, en zelfs dan zou hij het ze heel gemakke-
jk gemaakt hebben. Hij mocht hun zelfvertrouwen nu niet ondermijnen. Ze
aren enthousiast en hun artillerie voldeed voor circa zeventig procent aan de
merikaanse normen, maar wat manoeuvres betreft moesten ze nog een hoop
eren. Maar goed, het kostte nu eenmaal tijd om een leger op te bouwen en
og meer tijd om officieren in het veld te trainen. Ze deden in elk geval hun
est.

Hoogheid, ik wil u bedanken voor uw medewerking op dit punt,' zei Ryan
ver de telefoon. De wandklok in de Situation Room stond op tien over twee.
Jack, als alles goed gaat, zien ze dit en maken ze pas op de plaats,' antwoord-
le prins Ali bin Sheik.
Kon ik het daar maar mee eens zijn. Ik moet je iets vertellen wat je nog niet
veet, Ali. Onze ambassadeur zal je later vandaag volledig op de hoogte bren-
en. Nu zal ik je vast vertellen wat je buren van plan zijn. Het gaat niet alleen
m olie, hoogheid.' Hij bleef vijf minuten aan het woord.
Weet je dat zeker?'
Over vier uur zul je het bewijs in handen hebben,' beloofde Ryan. 'We heb-
en het zelfs nog niet aan onze militairen verteld.'
Zullen ze deze wapens tegen ons inzetten?' Een vanzelfsprekende vraag.
edereen kreeg het benauwd van biologische oorlogvoering.
We denken van niet, Ali. De weersomstandigheden werken niet mee.' Dat
vas eveneens gecontroleerd. Volgens de weersverwachting zou het heet en
onnig worden.
Wie zulke wapens gebruikt, meneer de president, pleegt een volstrekt bar-
aarse daad.'
Daarom verwachten we niet dat ze zich koest zullen houden. Ze kunnen
iet...'
Niet "zij", meneer de president. Eén man. Een goddeloze man. Wanneer zult
i hier uw volk over toespreken?'

'Gauw.'
'Jack, vertel alsjeblieft dat dit niet onze godsdienst is, niet ons geloof. Zeg dat alsjeblieft tegen je volk.'
'Ik weet het, hoogheid. Het gaat niet om God, het gaat om macht. Zo is het altijd. Ik ben bang dat ik andere dingen te doen heb.'
'Ik ook. Ik moet de koning spreken.'
'Breng hem mijn groeten over. We vormen samen een blok, Ali, net als eerst.' Hiermee was het gesprek ten einde.
'Goed, waar zit Adler momenteel?'
'Hij is weer op weg naar Taiwan,' antwoordde Rutledge. De onderhandelingen gingen nog steeds verder, ook al was het doel ervan nu duidelijk.
'Hij heeft een veilige verbinding in het vliegtuig. Breng jij hem op de hoogte,' zei hij tegen de onderminister voor Beleidszaken. 'Moet ik verder nog iets doen?'
'Slapen,' zei admiraal Jackson. 'We moeten eens een nacht goed slapen, Jack.'
'Dat is een goed plan.' Ryan stond op. Hij wankelde een beetje door de spanning en het gebrek aan slaap. 'Maak me wakker als je me nodig hebt.'
Niemand zei: dat doen we niet.

'Mooi,' zei kapitein Kemper, toen hij het CRITIC-bericht van CINCLANT las. 'Dat maakt de zaak een stuk eenvoudiger.' De afstand tot het Indiase eskader was nu ruim driehonderd kilometer, ofwel acht uur varen. Kemper pakte de telefoon en zette een schakelaar om waarmee het 1-MC-intercomsysteem van het schip ingeschakeld werd. 'Attentie, hier spreekt de kapitein.
Taakgroep COMEDY is nu op DEFCON 1. Dat betekent dat we schieten als iemand te dichtbij komt. Onze missie is de schepen met tanks naar Saoedi-Arabië te brengen. Ons land brengt momenteel manschappen over als voorzorgsmaatregel tegen een aanval op onze bondgenoten in de regio door de Verenigde Islamitische Republiek.
Over zestien uur zullen we ons aansluiten bij een eskader dat op maximale snelheid vanuit de Middellandse Zee nadert. Daarna zullen we de Perzische Golf binnenvaren om onze spullen af te leveren. Het eskader zal door F-16C-jagers van de luchtmacht ondersteund worden, maar we moeten verwachten dat de VIR, onze oude Iraanse vrienden, niet blij zal zijn met onze komst.
De USS *Anzio* begeeft zich in een oorlog, mensen. Dat is alles voor dit moment.' Hij zette de schakelaar weer om. 'Goed, laten we met de simulaties beginnen. Ik wil alles zien wat die klootzakken tegen ons kunnen ondernemen. We krijgen over twee uur de laatste inlichtingenrapportage. Laten we nu eerst bekijken wat we tegen aanvallen met vliegtuigen en raketten kunnen doen.'
'Hoe zit het met de Indiërs?' vroeg Weps.
'Die houden we ook in de gaten.' Op het centrale tactische scherm was te zien hoe een P-3C Orion COMEDY passeerde om door het vliegtuig op de grond afgelost te worden. Het Indiase eskader voer in oostelijke richting in het eigen kielzog, zoals al enige tijd gebeurde.

Een KH-11-satelliet passeerde op dat moment van noordwest naar zuidoost de Perzische Golf. De camera's ervan hadden de drie zware korpsen van het Leger van God al geobserveerd en fotografeerden nu de volledige Iraanse kust, op zoek naar de lanceerplatformen van de in China gefabriceerde Zijderupsraketten. De opnamen van de elektronische camera's werden via een communicatiesatelliet boven de Indische Oceaan naar Washington gestuurd. Daar gingen technici, nog altijd met chemisch geprepareerde smoeltjes voor, op zoek naar de op vliegtuigen lijkende grond-grondraketten. De vaste lanceerplatformen waren bekend. Maar het wapen kon ook vanaf een grote vrachtwagen worden gelanceerd. Er moesten heel wat kustwegen onderzocht worden.

De eerste groep van vier passagiersvliegtuigen landde zonder problemen bij Dhahran. Er was geen aankomstceremonie. Het was al heet. Het was vroeg lente geworden in het gebied, na de verrassend koude en natte winter. Dat betekende dat de middagtemperaturen tot circa 37 °C konden oplopen, wat nog niet veel was, vergeleken met de zomerse temperaturen van bijna 50°C, maar 's nachts koelde het tot onder de 10 °C af. Zo dicht bij de kust was het ook nog vochtig.

Toen het eerste toestel tot stilstand kwam, werden de auto's met trappen erheen gereden. Brigadegeneraal Marion Diggs stapte het eerst uit. Hij zou tijdens deze operatie grondcommandant zijn. De virusepidemie die nog altijd in Amerika woedde, had ook de luchtmachtbasis MacDill in Florida getroffen, de thuisbasis van Central Command, dat verantwoordelijk was voor deze regio. Uit de briefings die hij tot nu toe had gezien, wist hij dat de commandant van de 366ste luchtgevechtseenheid ook een generaal met één ster was, maar met minder dienstjaren. Het was lang geleden dat de verantwoordelijkheid voor zo'n belangrijke operatie aan zo'n jonge militair als hijzelf gegeven was, dacht Marion Diggs toen hij de trap afliep.

Onderaan stond een Saoedische driesterrengeneraal. De twee mannen salueerden en stapten in een auto voor de rit naar de plaatselijke commandopost, waar ze de laatste informatie zouden krijgen. Na Diggs kwam de commandogroep van het 11de gepantserde cavalerieregiment. In de andere drie vliegtuigen zat een beveiligingsgroep en het grootste deel van het tweede eskadron van het Black Horse. Er stonden bussen klaar om hen naar het POMCUS-terrein te brengen. Het leek allemaal erg op de REFORGER-oefeningen in de Koude Oorlog, waarin een confrontatie tussen de NAVO en het Warschaupact gesimuleerd werd. De Amerikaanse militairen moesten daarbij direct uit het vliegtuig in hun voertuigen stappen en zich naar het front begeven. Dat was in het echt nooit voorgekomen, maar nu een dergelijke actie weer plaatsvond, was het beslist geen simulatie. Twee uur later was het Tweede van het Black Horse op weg.

'Wat bedoel je?' vroeg Daryaei.

'Er lijken grote troepenverplaatsingen plaats te vinden,' vertelde het hoofd

Inlichtingen hem. 'Op radars in West-Irak zijn lijntoestellen ontdekt die vanuit Israël Saoedi-Arabië binnenvlogen. Er zijn ook jagers te zien die hen escorteren en langs de grens patrouilleren.'
'En verder?'
'Op het moment niets, maar het lijkt waarschijnlijk dat Amerika nog een troepenmacht naar het koninkrijk overbrengt. Ik ben er niet zeker van wat het precies is, maar het kan geen groot leger zijn. De divisies in Duitsland worden in quarantaine gehouden en dat geldt ook voor alle in Amerika gelegerde divisies. Daar komt bij dat het grootste deel van het leger momenteel wordt ingezet voor de binnenlands beveiliging.'
'Toch moeten we een aanval op hen doen,' zei zijn luchtmachtadviseur met nadruk.
'Dat zou volgens mij een vergissing zijn,' zei Inlichtingen. 'Dat zou neerkomen op een invasie van het Saoedische luchtruim, waardoor die geitenhoeders veel te snel gealarmeerd zouden worden. De Amerikanen kunnen ten hoogste een troepenmacht ter grootte van één brigade overbrengen. Er is een tweede in Diego Garcia gelegerd, het materieel ervan althans, maar we hebben geen informatie die erop wijst dat die overgebracht is, en zelfs als dat zo is, dan zullen onze Indiase vrienden die wel blokkeren.'
'Vertrouwen wij heidenen?' vroeg Luchtmacht vol verachting. Hij verwoordde de visie van moslims op de officiële godsdienst van het subcontinent.
'We kunnen hun antipathie tegen Amerika vertrouwen. En we kunnen ze vragen of hun vloot iets gezien heeft. In elk geval kunnen de Amerikanen een troepenmacht ter grootte van een brigade inzetten. Dat is alles.'
'Die moeten we in elk geval vernietigen!'
'Daarmee is de operationele beveiliging verdwenen,' verklaarde Inlichtingen.
'Als ze nu nog niet weten dat we er aankomen, zijn het wel stommelingen,' bracht Luchtmacht daartegen in.
'De Amerikanen hebben geen reden om aan te nemen dat we vijandelijke acties tegen hen ondernomen hebben. Als hun vliegtuigen worden aangevallen, als het dat tenminste zijn, dan zullen zij ook onnodig gealarmeerd worden, niet alleen de Saoedi's. Ze maken zich waarschijnlijk zorgen over onze troepenverplaatsingen in Irak. Daarom vliegen ze versterkingen over. We kunnen met ze afrekenen als de tijd daar is,' zei Inlichtingen.
'Ik zal India bellen,' zei Daryaei, een besluit uitstellend.

'Alleen navigatieradars... en nog twee luchtdoelradars, waarschijnlijk van de vliegdekschepen,' zei de onderofficier. 'De koers is nul-negen-nul, snelheid rond de zestien.'
De tactisch officier in de Orion, die Tacco genoemd werd, keek op zijn zeekaart. Het Indiase eskader bevond zich in de uiterste oosthoek van het renbaanparkoers dat de schepen de laatste dagen gevolgd hadden. Over minder dan twintig minuten zouden ze de steven wenden en een westelijke koers gaan volgen. Dan zou het spannend worden. COMEDY bevond zich nu op een

fstand van bijna tweehonderd kilometer van de andere formatie. Zijn vlieguig gaf voortdurend informatie aan de *Anzio* en de *Kidd* door. Onder de vleuels van de viermotorige Lockheed-turboprop waren vier Harpoon-raketten evestigd. Het waren witte, met springlading. Het vliegtuig stond nu onder et tactisch commando van kapitein Kemper op de *Anzio*, en op zijn bevel onden ze die raketten met twee tegelijk afvuren op de Indiase vliegdekscheen, die de kern van de formatie van de tegenstander vormden. Enkele minuen daarna zou er een vlucht Tomahawks en nog meer Harpoons dezelfde ichting op gaan.

Zijn hun radars uitgeschakeld?' vroeg de officier zich af.

Als ze navigatiesignalen uitzenden?' antwoordde de onderofficier. 'COMEDY noet ze nu wel op de ESM-apparatuur hebben. Het is absoluut zeker dat onze nannen de hemel afzoeken.' COMEDY had in feite twee keuzen. Ze konden pteren voor EMCON, emissions-control, wat betekende dat ze hun radars uitchakelden zodat de andere kant tijd en brandstof moest besteden om ze te inden, of eenvoudig alles afzoeken, waarmee ze een elektronische vlek zoulen creëren die de andere kant gemakkelijk kon zien. Die zou dan beseffen dat et gevaarlijk zou zijn daarin door te dringen. De *Anzio* had voor de tweede ptie gekozen.

Nog gesprekken in de lucht?' vroeg de Tacco aan een ander bemanningslid.

Nee, meneer, totaal niet.'

Hmm.' Doordat de Orion zo laag vloog, was die waarschijnlijk niet opgenerkt door de Indiërs, ondanks hun luchtdoelradars. Hij kwam ernstig in de erleiding om te voorschijn te komen en zich met de eigen zoekradar bekend e maken. Wat waren ze van plan? Hadden enkele schepen zich van de groep fgezonderd om, in westelijke richting koersend, een zijdelingse raketaanval te loen? Hij wist gewoon niet wat ze zeiden of dachten. Hij beschikte slechts ver koersen uit de computer, gebaseerd op radarsignalen. De computer wist ltijd precies waar de vliegtuigen zich bevonden, dankzij het Global Positioing Satellite-systeem. Op basis daarvan kon aan de hand van de positie van le radarbronnen hun positie berekend worden en...

Verandering van koers?'

Nee, volgens het systeem zitten ze nog steeds op nul-negen-nul, zestien knoen. Ze verdwijnen nu van het scherm. Dit is verder oostelijk dan we in drie lagen gezien hebben. Ze bevinden zich nu op vijftig kilometer van COMEDY's oers naar de Straat.'

Ik vraag me af of ze van gedachten veranderd zijn...'

Ja, onze vloot bevindt zich op zee,' vertelde de premier hem.

Hebt u de Amerikaanse schepen gezien?'

De Indiase regeringsleider zat geheel alleen in haar kantoor. Haar minister van Buitenlandse Zaken was er eerder geweest en was nu op de weg terug. Dit elefoontje kwam niet onverwacht, maar het was niet erg welkom.

De situatie was veranderd. Hoewel ze president Ryan nog altijd een zwakkeling vond – wie anders dan een zwakkeling zou een soevereine staat zo bedreigd hebben? – had hij haar toch angst weten in te boezemen. Stel dat die epidemie in Amerika door Daryaei was veroorzaakt? Ze had er geen bewijs voor, en zou er ook nooit naar op zoek gaan. Haar land kon nooit met zoiets in verband gebracht worden. Ryan had haar wel vier of vijf keer om de verzekering gevraagd dat de Indiase marine de Amerikaanse vlootbewegingen niet in de weg zou staan. Maar slechts één keer had hij het over massale vernietigingswapens gehad. Dat was in het internationale diplomatieke verkeer het meest dodelijke codewoord. Dat gold des te meer, had haar minister van Buitenlandse Zaken haar verteld, omdat Amerika slechts één type van dergelijke wapens bezat, en om die reden beschouwde Amerika biologische en chemische wapens als kernwapens. Dat leidde tot een andere veronderstelling. Vliegtuigen vochten tegen vliegtuigen, schepen tegen schepen en tanks tegen tanks. Je beantwoordde een aanval met hetzelfde wapen als de vijand gebruikte. Volledige vergelding heette dat, zo wist ze. Ryan had duidelijk de indruk gewekt dat hij actie zou ondernemen op basis van de veronderstelde aanval van de VIR. Ze betrok ook de krankzinnige aanslag op zijn dochter in haar overwegingen. Ze herinnerde zich van de receptie na de begrafenis in de East Room nog hoe dol Ryan op zijn kinderen was. Hij was dan wel een zwakkeling, hij was tegelijk ook erg kwaad, en zijn wapens waren gevaarlijker dan die van alle anderen.

Het was dwaas van Daryaei geweest om Amerika zo te provoceren. Hij had beter een aanval op Saoedi-Arabië kunnen doen en de strijd met conventionele wapens op het slagveld kunnen winnen. Dan zou het daarbij gebleven zijn. Maar nee, hij moest de Amerikanen zo nodig in hun eigen land verlammen en hen op een volstrekt krankzinnige manier provoceren; nu konden zij en haar regering en ook haar land hierbij betrokken raken, besefte de premier.

Ze had daar geen trek in. Het was al gevaarlijk genoeg geweest dat ze haar vloot ingezet had. En wat hadden de Chinezen eigenlijk gedaan? Ze hadden een oefening gehouden en misschien dat passagiersvliegtuig geraakt, vijfduizend kilometer verderop! Welke risico's namen zij eigenlijk? Helemaal geen, welbeschouwd.

Daryaei verwachtte veel van haar land, maar nu hij ook nog een rechtstreekse aanval op de burgers van Amerika had gedaan, was hij te ver gegaan.

'Nee,' zei ze tegen hem, zorgvuldig haar woorden kiezend. 'Onze vlooteenheden hebben Amerikaanse patrouillevliegtuigen gezien, maar in het geheel geen schepen. Evenals u wellicht hebt gehoord, hebben we vernomen dat er een Amerikaans eskader door het Suezkanaal vaart, maar dat zijn alleen oorlogsschepen, verder niet.'

'Weet u dat zeker?' vroeg Daryaei.

'Goede vriend, noch onze schepen, noch onze marinevliegtuigen hebben Amerikaanse schepen in de Arabische Zee gezien.' Alleen op het vasteland gestationeerde MiG-23's van de Indiase luchtmacht hadden een verkenningsvlucht uitgevoerd. Ze had niet tegen haar veronderstelde bondgenoot gelogen.

Zeker. 'De zee is groot,' voegde ze eraan toe. 'Maar de Amerikanen zijn niet bijzonder slim, vindt u niet?'

'Uw vriendschap zal niet vergeten worden,' beloofde Daryaei haar.

De premier legde de hoorn op de haak. Ze vroeg zich af of ze juist gehandeld had. Nou ja, als de Amerikaanse schepen naar de Golf opstoomden, kon ze altijd zeggen dat ze niet opgemerkt waren. Dat was toch ook zo? Je kon toch fouten maken?

'Opgelet. Ik heb vier vliegtuigen die van Gasr Amu vertrekken,' zei een kapitein aan boord van de AWACS. De pas opgerichte luchtmacht van de VIR had wel degelijk geoefend, maar hoofdzakelijk boven het centrale deel van het nieuwe land. Dat was zelfs voor radars in vliegtuigen moeilijk te zien.

Degene die hiervoor het moment bepaald had, had dat niet slecht gedaan. Het vierde kwartet passagiersvliegtuigen was net het Saoedische luchtruim binnengevlogen, iets meer dan tweehonderd kilometer van de opstijgende jagers van de VIR. Tot nu toe was het rustig geweest op het luchtfront. In de afgelopen uren waren er twee jagers gezien, maar dat leken proefvluchten te zijn. Waarschijnlijk waren het toestellen die aan een mankement gerepareerd waren en daarna in de lucht gebracht om te zien of de aanpassingen goed functioneerden. Dit was echter een formatie van vier toestellen die in twee dicht bij elkaar vliegende elementen was opgestegen. Dat kwalificeerde hen als jagers op een missie.

De huidige luchtsteun voor Operatie CUSTER in deze sector was een formatie van vier Amerikaanse F-16's, die op dertig kilometer van de grens rondcirkelde.

'Kingston Lead, hier Sky-Eye Six, over.'

'Sky, hier Lead.'

'We hebben vier bandieten, nul-drie-vijf jouw positie, stijgingshoek tien graden, klimmend. Koers twee-negen-nul.' De vier Amerikaanse jagers vlogen westwaarts om tussen de jagers van de VIR en de naderende passagierstoestellen positie te kiezen.

Aan boord van de AWACS luisterde een Saoedische officier naar de radiogesprekken tussen het grondradarstation dat de formatie van vier leidde en de jagers. De VIR-jagers, die inmiddels geïdentificeerd waren als F-1's van Franse makelij, bleven op de grens aanvliegen, begonnen vijftien kilometer daarvandaan aan een bocht en scheerden er uiteindelijk op minder dan twee kilometer langs. De F-16's voerden dezelfde manoeuvre uit, waardoor de piloten elkaar konden zien en elkaars vliegtuigen van vier kilometer afstand konden observeren achter de vizieren van hun helmen. De lucht-luchtraketten waren duidelijk zichtbaar onder de vleugels van alle toestellen.

'Willen jullie langskomen om gedag te zeggen?' zei de luchtmachtmajoor die de leiding had over de F-16's over de radio. Er kwam geen reactie. De volgende serie toestellen van Operatie CUSTER kon ongehinderd naar Dhahran vliegen.

O'Day was vroeg op het werk. Zijn oppas, die zich nu niet druk hoefde te maken over school, verheugde zich al over al het geld dat zij hierdoor zou verdienen. Het belangrijkste nieuws voor iedereen was dat er binnen een straal van vijftien kilometer van zijn huis geen enkel geval van de nieuwe ziekte geconstateerd was. Ondanks de ongemakken had hij elke nacht thuis geslapen, hoewel dat op een keer slechts vier uur was geweest. Hij kon geen vader zijn als hij zijn dochter niet ten minste elke dag een zoen kon geven, al was het maar in haar slaap. De rit naar het werk leverde in elk geval geen probleem op. Hij had een auto van de FBI gekregen. Die was sneller dan zijn pickup en bezat een zwaailicht waardoor hij snel alle controleposten onderweg kon passeren.
Op zijn bureau lagen de samenvattingen van het antecedentenonderzoek van alle Secret Service-medewerkers. In bijna alle gevallen was het werk stom en saai geweest. Elke medewerker was ooit volledig doorgelicht, anders hadden ze nooit de betrouwbaarheidsverklaringen kunnen krijgen die voor hun werk afgeleverd moesten worden. De geboortebewijzen, foto's van de middelbare school en alle andere gegevens klopten volledig met elkaar. Maar aan tien dossiers mankeerde wat, en die zouden later vandaag goed bekeken worden. O'Day las ze allemaal door. Hij kwam steeds bij één dossier terug. Raman was in Iran geboren. Maar er waren nu eenmaal veel immigranten in Amerika. De FBI had oorspronkelijk uit Iers-Amerikanen bestaan, bij voorkeur diegenen met een opleiding bij de jezuïeten, en dan vooral Boston College en Holy Cross. J. Edgar Hoover was namelijk van mening geweest dat geen Ierse Amerikaan met een opleiding bij de jezuïeten zijn land opzettelijk zou verraden. Daar was natuurlijk toen wel aan getwijfeld, en zelfs nu was anti-katholicisme nog een veel voorkomend vooroordeel, maar het was algemeen bekend dat immigranten vaak de meest loyale burgers waren; sommige waren zelfs heel fanatiek. Het leger en andere veiligheidsdiensten profiteerden daar veelal van. Nou, dacht Pat, dit kon gemakkelijk gecontroleerd worden. Gewoon kijken hoe het met dat tapijt zat, dat was alles. Hij vroeg zich af wie meneer Sloan was. Waarschijnlijk iemand die een tapijt wilde.

Er hing een bepaalde rust in de straten van Teheran. Clark herinnerde zich die niet uit de jaren 1979-1980. Tijdens zijn reis, kort geleden, was dat anders geweest, meer zoals in de rest van de regio, waar het weliswaar bedrijvig was maar niet gevaarlijk. Omdat ze journalisten waren, gingen ze als journalisten te werk. Clark bezocht weer markten, sprak hoffelijk met mensen over het verloop van de handel, over de beschikbaarheid van voedsel, vroeg wat ze dachten van de vereniging met Irak en wat hun verwachtingen voor de toekomst waren. Hij kreeg alleen maar nietszeggende informatie, platitudes. Vooral de politiek getinte opmerkingen waren inhoudsloos. De hartstocht die hij zich herinnerde uit de tijd van de gijzelaarscrisis ontbrak duidelijk. Toen had iedereen zich met hart en ziel tegen de gehele buitenwereld gekeerd, en dan vooral tegen Amerika. 'Dood aan Amerika'. Ze hadden wel inhoud aan die wens gegeven, dacht John. Althans iemand had dat gedaan. Hij merkte niets meer van die agressie onder de mensen, waarbij hij weer moest denken aan de merkwaardig vriendelijke juwelier. Waarschijnlijk wilden ze gewoon leven, zoals ieder ander. De apathie deed hem denken aan de Russische burgers in de jaren tachtig. Ze wilden gewoon hun gang gaan, gewoon wat beter leven, in een samenleving die aan hun behoeften tegemoetkwam. Het revolutionaire vuur in hen was gedoofd. Waarom had Daryaei dan die actie ondernomen? Hoe zou het volk daarop reageren? Het voor de hand liggende antwoord was dat hij het contact met het volk kwijt was, zoals bij zoveel grote mannen gebeurde. Hij had natuurlijk zijn hofhouding van ware gelovigen en een groter aantal mensen dat graag wilde meeliften om een comfortabel leventje te kunnen leiden, terwijl de rest uit de buurt moest blijven, maar dat was alles. Het was een goede voedingsbodem om agenten te rekruteren, om degenen te identificeren die er genoeg van hadden en wilden praten. Wat jammer dat er geen tijd was om een echte inlichtingenoperatie op touw te zetten. Hij keek op zijn horloge. Tijd om terug te keren naar het hotel. De eerste dag hier was deels tijdverspilling geweest, maar had ook tot hun dekmantel behoord. De Russische collega's zouden morgen arriveren.

Eerst moesten de namen gecontroleerd worden. Sloan en Alahad. Ze begonnen met een kijkje in het telefoonboek. Inderdaad, er bestond een Mohammed Alahad. Er stond een advertentie van hem in de Yellow Pages. Perzische en oosterse tapijten. Om de een of andere reden associeerden mensen Perzië niet met Iran, wat voor veel tapijthandelaren een geluk was. De winkel bevond zich op Wisconsin Avenue, ongeveer anderhalve kilometer van Ramans appartement vandaan. Dat was allerminst opmerkelijk. Er bestond ook een Joseph Sloan, wiens telefoonnummer 536-4040 was. Dat van Raman was 536-3040. Een verschil van één cijfer, waarmee gemakkelijk verklaard kon worden dat zich op het antwoordapparaat van de agent iemand gemeld had die verkeerd verbonden was.
De volgende stap was zuiver een formaliteit. De computerregistratie van alle telefoongesprekken werd gecontroleerd. Door het enorme aantal duurde het bijna een minuut voor ze de gegevens zagen, zelfs al kenden ze de vermoedelijke datums... Daar verschenen de nummers op het scherm van de agent. Een gesprek met 202-536-3040 van 202-459-6777. Maar dat was toch niet het nummer van de winkel van Alahad? Uit een verder controle bleek dat -6777 een telefooncel twee straten van de winkel vandaan was. Vreemd. Als hij zo dicht bij zijn winkel was, waarom zou hij dan een kwartje spenderen om te telefoneren?
Waarom niet nog een controle uitgevoerd? Het technisch genie van de ploeg was een kortgeknipte, besnorde agent. Hij was niet bepaald een ster in het oplossen van bankovervallen, maar hij had veel plezier in contraspionage. Het was net als toen hij op de technische universiteit zat. Je bleef gewoon voortdurend wroeten. Hij was erachter gekomen dat de buitenlandse spionnen op wie hij joeg op dezelfde wijze dachten als hij. Nu moest hij zijn technisch vernuft

weer in de strijd werpen... hmm, de afgelopen maand was er vanuit de tapijtwinkel niet naar 536-4040 gebeld. Hij ging een maand terug. Nee. En andersom? Nee, 536-4040 had nooit 457-1100 gebeld. Als hij een tapijt had besteld, dan kostte de levering daarvan natuurlijk tijd. Als de handelaar na een tijdje had gebeld om hem te laten weten dat het aangekomen was... waarom was er dan niet andersom over gebeld?
De agent boog zich naar het bureau ernaast toe. 'Sylvia, wil je hier eens naar kijken?'
'Waar gaat het over, Donny?'

Het Black Horse was nu in zijn geheel gearriveerd. Het grootste deel van de manschappen bevond zich in de voertuigen of pleegde onderhoud aan de vliegtuigen. Het 11de gepantserde cavalerieregiment bestond uit 123 M1A2 Abrams-gevechtstanks, 127 M3A4 Bradley-verkenningsvoertuigen, 16 stuks M109A6 Paladin 155-mm mobiel geschut en 8 M270 meervoudige raketlanceersystemen op rupsbanden, plus in totaal 83 helikopters, waaronder 26 AH-54D Apache-gevechtshelikopters. Dit waren de aanvalswapens. Ze werden ondersteund door meer dan honderd voertuigen, grotendeels vrachtwagens met brandstof, voedsel en munitie, plus twintig extra wagens die Water Buffaloes, waterbuffels, werden genoemd. Die waren in dit deel van de wereld onmisbaar. Het belangrijkste was nu ervoor te zorgen dat iedereen van het POMCUS-terrein kon vertrekken. De rupsvoertuigen werden op lage trailers gereden voor de tocht noordwaarts naar Abu Hadriyah, een stadje met een vliegveld, dat als verzamelpunt voor het 11de Cav was aangewezen. Elk voertuig dat uit de hangar werd gereden, stopte op een met rode verf gemarkeerde plek. Daar werden de GPS-navigatiesystemen met een bekend referentiepunt vergeleken. Twee IVIS-installaties bleken kapot. Een ervan gaf daarvan zelf blijk door een gecodeerde radioboodschap naar de ondersteuningsgroep van het regiment te sturen, waarmee aangegeven werd dat vervanging en reparatie nodig waren. De andere bleek geheel kapot, zodat de bemanning er zelf achter moest komen. Het grote rode vierkant bewees zijn nut.
De trailers werden bestuurd door enkele honderden Pakistani's, die tot de duizenden behoorden die naar het Saoedische koninkrijk waren gehaald om eenvoudig werk te doen. Voor de Abram- en Bradley-bemanningen die in hun rupsvoertuigen aan het controleren waren of alles werkte, begon het spannend te worden. Nu de routinetaken voorbij waren, staken de chauffeurs, laders en commandanten, hun hoofd uit de luiken in de hoop van het uitzicht te kunnen genieten. Wat ze zagen was anders dan Fort Irwin, maar niet erg opwindend. In het oosten lag een oliepijpleiding. In het westen was helemaal niets te zien. Toch keek de bemanning, vooral omdat ze eindelijk meer zagen dan tijdens de vlucht, behalve de boordschutters, van wie velen last hadden van wagenziekte, iets wat veel voorkwam bij mensen in die positie. Het was bijna even erg voor degenen die wél konden kijken. De plaatselijke chauffeurs leken wel per kilometer betaald te worden, en niet per uur. Ze reden als krankzinnigen.

Ook de gardisten arriveerden nu. Op dit moment konden ze niets meer doen dan de tenten opzetten, veel water drinken en oefenen.

Agente Hazel Loomis was chef van een ploeg van tien agenten. 'Sissy' Loomis had sinds het begin van haar carrière bij de contraspionage gewerkt, vrijwel altijd in Washington. Ze was nu tegen de veertig, maar zag er nog altijd uit als een cheerleader, wat haar eerder, in haar tijd als straatagent, goed van pas was gekomen. Ze had een aantal succesvolle zaken op haar conduitestaat.
'Dit lijkt wat vreemd,' vertelde Donny Selig haar, terwijl hij zijn aantekeningen op haar bureau legde.
Hij hoefde niet veel uit te leggen. In telefonische contacten tussen agenten werd nooit gezegd: 'Ik heb de microfilm.' Er werden dan heel onschuldig klinkende boodschappen uitgekozen om de juiste informatie over te brengen; deze werden codewoorden genoemd. En dit betekende niet dat het een slechte handel was. Maar als je wist waar je naar moest kijken, leek het op handel. Loomis bekeek de gegevens en keek op.
'Heb je adressen?'
'Reken maar, Sis,' zei Selig tegen haar.
'Laten we dan meneer Sloan eens opzoeken.' Het vervelende van promotie was dat je als chef niet meer de straat op kon. Maar dat gold niet voor deze zaak, zei Loomis tegen zichzelf.

De F-15E Strike Eagle had ten minste nog een tweekoppige bemanning, zodat de piloot en de boordschutter tijdens de eindeloze vlucht met elkaar konden praten. Dat gold ook voor bemanningen van de zes B-1B-bommenwerpers; de Lancer had zelfs genoeg ruimte om te gaan liggen en wat te slapen, en niet te vergeten een echt toilet. Dit betekende dat ze anders dan de bemanningen van de jagers niet direct onder de douche hoefden als ze arriveerden in Al Kharj, hun bestemming ten zuiden van Riad. De 366ste luchtgevechtseenheid beschikte over drie 'geruite vlag'-locaties over de hele wereld. Dit waren bases op plaatsen waar problemen verwacht konden worden. Daar waren reservematerieel, brandstof en andere faciliteiten aanwezig, die onder de hoede stonden van kleine onderhoudsploegen. Ze zouden worden aangevuld door het eigen personeel van het 366ste, dat grotendeels met gehuurde passagiersvliegtuigen werd aangevoerd. Hiertoe behoorden ook reserve-vliegtuigbemanningen, zodat de bemanningen die van de luchtmachtbasis Mountain Home in Idaho hierheen waren gevlogen, theoretisch gesproken konden uitrusten, terwijl een frisse bemanning het vliegtuig dan naar het strijdperk vloog. Gelukkig voor alle betrokkenen was dat niet noodzakelijk. Nadat de volledig uitgeputte piloten, onder wie ook vrouwen, hun toestellen aan de grond gezet hadden, taxieden ze naar de hangars en stapten ze uit. Hun toestellen vertrouwden ze aan het onderhoudspersoneel toe. Eerst werden de brandstoftanks onder de vleugels verwijderd en vervangen door de voorzieningen om wapens aan te bevestigen. Ondertussen namen de bemanningen een uitgebreide douche, waarna ze een briefing kregen van inlichtingenfunctionarissen. Binnen vijf uur was de hele gevechtsgroep van het 366ste in Saoedi-Arabië geland, op een F-16C na, die problemen met de besturing had gekregen en uitgeweken was naar de Engelse luchtmachtbasis Bentwaters.

'Ja?' De oudere vrouw droeg geen smoeltje. Sissy Loomis gaf haar er een. Dit was de nieuwe wijze van begroeten in Amerika.
'Goedemorgen, mevrouw Sloan. FBI,' zei de agente, haar identiteitsbewijs omhooghoudend.
'Ja?' Ze was niet onder de indruk, maar wel verrast.
'Mevrouw Sloan, we zijn met een onderzoek bezig en willen u enkele vragen stellen. We moeten iets ophelderen. Kunt u ons daarbij helpen?'
'Ik denk het wel.' Mevrouw Sloan was een keurig geklede vrouw van in de zestig. Ze had een vriendelijke blik. De tv in het appartement stond op een plaatselijk kanaal, aan het geluid te horen. Het weerbericht werd net uitgezonden.
'Mogen we even binnenkomen? Dit is agent Don Selig,' zei ze met een knikje naar het technisch genie. Zoals altijd deed haar vriendelijke lachje het werk. Mevrouw Sloan nam niet de moeite het masker voor te doen.
'Zeker.' De vrouw des huizes deed een stap opzij om hen binnen te laten.
Sissy Loomis zag vrijwel direct dat er hier iets niet klopte. Er lag bijvoorbeeld geen Perzisch tapijt in de woonkamer en daar kwam bij dat het appartement te netjes was.
'Neemt u me niet kwalijk, maar is uw man thuis?' Het pijnlijke antwoord volgde direct.
'Mijn man is afgelopen september gestorven,' zei ze tegen de agente.
'Wat vreselijk, mevrouw Sloan. Dat wisten we niet.' Daarmee veranderde een routineus vervolgonderzoek in iets heel anders.
'Hij was ouder dan ik. Joe was achtenzeventig,' zei ze, naar de salontafel wijzend, waarop een oude foto stond van twee mensen, een van rond de dertig en de ander nog geen twintig.
'Zegt de naam Alahad u iets, mevrouw Sloan?' vroeg Loomis, nadat ze was gaan zitten.
'Nee. Moet dat?'
'Hij handelt in Perzische en oosterse tapijten.'
'Die hebben we niet in huis. Ik ben allergisch voor wol, ziet u.'

57

Nachtelijke doortocht

'Jack?'

Ryan opende zijn ogen en zag dat het felle zonlicht al door de ramen heen kwam. Zijn horloge vertelde hem dat het even na acht uur 's ochtends was.

'Wel verdomme, waarom heeft niemand...'

'Je bent zelfs door de wekker heen geslapen,' zei Cathy. 'Andrea zei dat Arnie gezegd had je tot rond deze tijd te laten slapen. Ik denk dat ík het ook wel nodig had,' zei SURGEON. Ze was om zeven uur wakker geworden, na meer dan tien uur geslapen te hebben. 'Dave heeft me gezegd dat ik vrij moest nemen,' voegde ze eraan toe.

Jack sprong uit bed en liep direct naar de badkamer. Toen hij terugkwam, gaf Cathy, die haar ochtendjas aanhad, hem zijn briefingpapieren. De president begon ze midden in de kamer te lezen. Zijn verstand zei hem dat hij wel wakker gemaakt zou zijn als er iets ernstigs gebeurd was. Hij was al eerder door de wekker heen geslapen, maar was van de telefoon altijd wakker geworden. Uit de papieren begreep hij dat de situatie weliswaar niet geheel zorgeloos was, maar toch relatief stabiel. Tien minuten later was hij aangekleed. Hij nam de tijd de kinderen gedag te zeggen en zijn vrouw een zoen te geven, waarna hij vertrok.

'SWORDSMAN is op weg,' zei Andrea in haar mobilofoon. 'Situation Room?' vroeg ze aan Ryan.

'Ja. Wiens idee was het om...'

'Meneer de president, dat kwam van de stafchef, maar hij had gelijk.'

Ryan keek haar aan toen ze op de liftknop voor de begane grond drukte. 'Daar kan mijn stem niet tegenop, veronderstel ik.'

De nationale-veiligheidsstaf was de hele nacht opgebleven om de honneurs voor hem waar te nemen. Er stond koffie voor Ryan klaar op zijn plek. Zij leefden er al de hele nacht op.

'Goed, hoe is de toestand daar?'

'COMEDY bevindt zich nu tweehonderd kilometer voorbij de Indiërs. En geloof het of niet, maar ze hebben achter ons hun positie weer ingenomen,' zei admiraal Jackson tegen zijn opperbevelhebber.

'Ze willen beide zijden van de Straat in de gaten houden,' concludeerde Ben Goodley.

'Dat is een goede manier om door verkeer in beide richtingen getroffen te worden,' zei Arnie.

'Ga verder.'

'Operatie CUSTER is vrijwel beëindigd. Het 366ste is ook in Saoedi-Arabië, op één jager met pech na die naar Engeland is uitgeweken. Het 11de Cav is van

de opslagplaats op weg naar een verzamelpunt. Dat is tenminste allemaal goed gegaan,' zei de J-3. 'De andere kant heeft enkele jachtvliegtuigen naar de grens gestuurd, maar wij hebben ze samen met de Saoedi's tegengehouden. Verder is er niets gebeurd, op wat dreigende blikken na.'
'Denkt iemand dat ze zich zullen terugtrekken?' vroeg Ryan.
'Nee,' zei Ed Foley. 'Dat kunnen ze niet, althans nu niet.'

Het rendez-vous vond plaats op tachtig kilometer van Kaap Rass al Hadd, de zuidoostpunt van het Arabische schiereiland. De kruisers *Normandy* en *Yorktown*, de torpedojager *John Paul Jones* en de fregatten *Underwood*, *Doyle* en *Nicholas* namen een zodanige positie in dat ze langszij van de *Platte* en de *Supply* konden komen na de snelle verplaatsing vanuit Alexandrië om de voorraadtanks te laten vullen. Voor overleg over de missie werden de kapiteins met helikopters naar de *Anzio* gebracht, omdat de kapitein van dat schip de meeste dienstjaren had. Hun bestemming was Dhahran. Om daar te komen moesten ze noordwaarts de Straat van Hormoez invaren. Het zou iets meer dan zes uur duren voor ze daar zouden aankomen, om 22.00 uur plaatselijke tijd. De straat was dertig kilometer breed en lag vol eilanden. Het was ook nog een van de drukst bevaren waterwegen ter wereld. Dat was zelfs nu nog zo, ondanks de groeiende crisis. Supertankers, die per schip een grotere waterverplaatsing hadden dan alle oorlogsschepen in het TF-61.1-eskader bij elkaar, waren slechts de bekendste schepen die door het gebied voeren. Er waren ook enorme containerschepen, die onder de vlag van tien landen voeren, en zelfs een schip dat gelijkenis vertoonde met een parkeergarage in een grote stad en dat een aantal verdiepingen levende schapen voor de slacht uit Australië vervoerde. De stank was op alle oceanen ter wereld bekend. De straat werd door radars bestreken om het scheepvaartverkeer in goede banen te leiden; een aanvaring tussen twee tankers zou volstrekt rampzalig zijn. Dit betekende dat TF-61.1 weinig kans maakte om volledig onopgemerkt de straat binnen te varen. Toch waren er enkele mogelijkheden. Op het smalste punt zouden de marineschepen een zuidelijke route volgen, tussen de aan Oman behorende eilanden door, waardoor ze hopelijk door de radar niet goed opgemerkt werden. Dan zouden ze zuidelijk van Abu Musa passeren, langs een groot aantal olieplatforms, die ook weer als bescherming tegen de radar gebruikt zouden worden. Vandaar zouden ze rechtstreeks naar Dhahran varen, langs de ministaatjes Qatar en Bahrein. De inlichtingenofficieren meldden dat de tegenstander over schepen van Amerikaanse, Britse, Chinese, Russische en Franse makelij beschikte, die allemaal met raketten bewapend waren. De belangrijkste schepen in de groep waren natuurlijk geheel onbewapend. De *Anzio* zou tweeduizend meter voor die schepen uit varen, terwijl ze de vierkantsformatie zouden handhaven. De *Normandy* en de *Yorktown* zouden op tweeduizend meter aan stuurboord positie kiezen, met de *Jones* in het kielzog. De twee bevoorradingsschepen, met de *O'Bannon* en de fregatten daar vlakbij, zouden een tweede groep vormen, die als lokaas zou dienen. Er zouden helikopters patrouilleren, die met ingeschakelde radartransponders ook veel grotere doelen konden simuleren. De commandanten gingen akkoord met het plan en wachtten tot hun helikopters hen weer naar hun commandoposten zouden terugbrengen. Het was voor het eerst sinds tijden dat een Amerikaanse marineformatie in gevaar verkeerde zonder dat er een vliegdekschip in de buurt was om steun te bieden. Met volgeladen brandstoftanks formeerde de groep zich volgens plan, wendde de steven noordwaarts en stoomde met een snelheid van 26 knopen op. Om 18.00 uur plaatselijke tijd scheerde een formatie van vier F-16-jagers over de vaartuigen heen om de Aegis-schepen de gelegenheid te geven het afweergeschut op echte doelen te oefenen en om de IFF-codes voor de nachtelijke missie te controleren.

Mohammed Alahad was maar een gewoon mannetje, zagen ze. Hij was meer dan vijftien jaar geleden naar Amerika gekomen. Hij zou weduwnaar zijn en geen kinderen hebben. Hij had een keurige, winstgevende zaak in een van de betere winkelstraten van Washington. Hij was er nu zelfs. Hoewel het bordje aan de deur aangaf dat de zaak gesloten was, veronderstelden ze dat hij niets beters te doen had dan in zijn zaak de rekeningen te controleren.

Een lid van de ploeg van Loomis liep op de winkel af en klopte op de deur. Alahad deed open, waarna een kort gesprek volgde met de gebruikelijke gebaren erbij. Ze konden wel raden wat er gezegd werd. Het spijt me, maar alle winkels zijn gesloten vanwege het presidentiële besluit; ja, zeker, maar ik heb niets te doen, en u toch ook niet? Ja, maar het is een bevel; ach wat, wie komt het nu te weten? Uiteindelijk ging de agent met een smoeltje voor naar binnen. Hij bleef tien minuten weg en kwam toen weer naar buiten. Hij liep de hoek om en voerde vanuit zijn auto een gesprek over de mobilofoon.

'Het is een tapijtwinkel,' zei de agent tegen Loomis over het versleutelde kanaal. 'Als we de zaak overhoop willen halen, moeten we wachten.' De telefoon werd al afgeluisterd, maar tot nu toe was er nog geen telefoontje gepleegd of binnengekomen.

De andere helft van haar ploeg bevond zich in het appartement van Alahad. Daar vonden ze een foto van een vrouw en een kind, waarschijnlijk zijn zoon, die een soort uniform droeg. Hij was een jaar of veertien, dacht de agent die er een polaroidfoto van maakte. Maar ook hier was niets bijzonders te vinden. Het zag er precies zo uit als een zakenman in Washington het zou inrichten, of een inlichtingenfunctionaris. Dat kon je nu eenmaal niet zien. Ze hadden het begin van een zaak, maar niet genoeg bewijs om mee naar de rechter te stappen en zeker niet genoeg om een huiszoekingsbevel te krijgen. Het was allemaal wat magertjes. Maar dit was wel degelijk een onderzoek door nationale veiligheid in verband met de persoonlijke veiligheid van de president, en het hoofdkwartier had ook nog gezegd dat er geen 'regels' waren. Ze hadden de wet in principe al twee keer overtreden door twee keer een appartement zonder huiszoekingsbevel binnen te gaan, en nog eens twee keer door enkele telefoons af te tappen. Nu dat allemaal gebeurd was namen Loomis en Selig een kijkje in een flatgebouw aan de overkant van de straat. Van de beheerder hoorden ze dat er een appartement tegenover de winkel van Alahad leeg stond. Ze kregen zonder problemen de sleutel en begonnen met de observatie van de voorzijde, terwijl twee andere agenten de achterdeur in de gaten hielden. Sissy Loomis belde via haar mobiele telefoon met het hoofdkwartier. Het was misschien niet genoeg om een rechter of officier van justitie te overtuigen, maar wel genoeg om er met een andere agent over te praten.

Een andere mogelijke verdachte was ook nog niet helemaal brandschoon, zag O'Day. Behalve het geval Raman was er nog een zwarte agent wiens vrouw moslim was. Zij probeerde haar man er kennelijk van te overtuigen zich te bekeren. De agent had dit met zijn kameraden besproken. In zijn dossier stond een notitie dat zijn huwelijk op losse schroeven stond, zoals ook bij anderen in de Service het geval was.
De telefoon ging.
'Inspecteur O'Day.'
'Pat? Met Sissy.'
'Hoe staat het met Raman?' Hij had in drie zaken, die allemaal om Russische spionnen draaiden, met haar gewerkt. De cheerleader beet zich als een pitbull in iets vast als ze eenmaal toegehapt had.
'Die boodschap op zijn antwoordapparaat, met dat verkeerde nummer.'
'Ja?'
'Onze tapijthandelaar belde een dode wiens vrouw allergisch voor wol is,' zei Loomis tegen hem.
Klik.
'Volhouden, Sis.' Ze las haar aantekeningen voor en de informatie die verzameld was door de agenten die het appartement van de handelaar waren binnengegaan.
'Dit lijkt wat, Pat. Die handel is gewoon te mooi. Precies volgens het boekje. Het lijkt zo normaal dat je er niet over nadenkt. Maar waarom dan die telefooncel, tenzij hij bang is afgeluisterd te worden? Waarom zou je per ongeluk een overleden man bellen? En waarom kwam dat verkeerd verbonden nummer bij iemand van het escorte terecht?'
'Oké, Raman is de stad uit.'
'Houden zo,' raadde Loomis hem aan. Ze hadden geen zaak. Ze waren nog steeds bezig strafbare feiten te verzamelen. Als ze Alahad zouden arresteren, zou hij natuurlijk zo verstandig zijn om een advocaat te vragen, en wat hadden ze dan? Hij had iemand gebeld. Daarvoor hoefde hij zich niet te verdedigen. Hij hoefde niets te zeggen. Zijn advocaat zou zeggen dat het één grote vergissing was. Wellicht beschikte Alahad al over een aannemelijke verklaring; die hield hij natuurlijk bij de hand. Als er om bewijs gevraagd werd, zou de FBI niets kunnen laten zien.
'Daarmee laten we ons toch in de kaart kijken?'
'We kunnen beter aan de veilige kant blijven dan dat we spijt krijgen, Pat.'

'Ik moet hiermee naar Dan. Wanneer doorzoeken jullie de winkel?'
'Vannacht.'

De manschappen van het Black Horse waren volledig uitgeput. Het waren in de woestijn getrainde soldaten met een goede conditie, die nu twee derde van de dag in een vliegtuig met droge lucht hadden doorgebracht, waarbij ze op een krappe stoel hadden moeten zitten, met hun eigen wapens in het bagagerek boven hun hoofd, wat steevast tot verbaasde reacties bij de stewardessen leidde. En dan waren ze ook nog elf tijdzones verderop in de gloeiende hitte aangekomen. Maar ze deden wat ze moesten doen.
Eerst kwam het geschut. De Saoedi's hadden een grote schietbaan voor eigen gebruik, met omhoog wippende stalen doelen op afstanden tussen de driehonderd en vijfduizend meter. De schutters kalibreerden hun wapens, en probeerden ze daarna met scherpe munitie in plaats van losse flodders uit. Ze ontdekten dat de scherpe munitie veel accurater was. De projectielen vlogen 'recht door de stip', waarmee ze het rondje in het dradenkruis in hun vizieren bedoelden. Nadat de rupsvoertuigen van de trailers waren gereden, probeerden chauffeurs het materieel uit om te kijken of alles goed functioneerde. De tanks en de Bradleys bleken inderdaad in vrijwel perfecte conditie te zijn, zoals in het vliegtuig beloofd was. Er werden radioverbindingen gemaakt zodat iedereen met elkaar kon praten. Daarna controleerden ze de zo belangrijke IVIS-dataverbindingen. Tot slot werden de gewonere karweitjes uitgevoerd. De M1A2's van de Saoedi's bleken nog niet te beschikken over de nieuwste modificatie van de serie, namelijk op een pallet geladen munitierekken. In plaats daarvan hadden ze een grote gazen mand om persoonlijke spullen in te stoppen, met name water. Eén voor één reden de bemanningen met hun voertuigen over de schietbaan. De Bradley-bemanningen vuurden elk zelfs een TOW-raket af. Daarna reden ze naar de munitie-opslag om de munitie die op de baan verschoten was, weer aan te vullen.
Alles verliep rustig en zakelijk. Omdat het Black Horse al zo vaak andere soldaten in de schone kunst van de gemotoriseerde dood had getraind, verrichtten de manschappen de routineuze militaire taken zonder enige emotie. Ze moesten zich steeds weer realiseren dat dit niet hun woestijn was; alle woestijnen lijken op elkaar, maar hier waren geen creosootbosjes en coyotes. Wel waren er kamelen en kooplui. De Saoedi's deden hun gastvrijheid eer aan door de manschappen rijkelijk van voedsel en frisdrank te voorzien, terwijl de hoge officieren met de landkaart bij de hand overlegden, onder het genot van de bittere koffie van het gebied.
Marion Diggs was geen grote man. Hij was zijn hele leven al cavalerist en genoot altijd van de kunst om zestig ton staal met zijn vingertoppen te besturen en om het voertuig van een ander op een afstand van vijf kilometer te treffen. Nu was hij commandant met het bevel over een divisie, maar een derde daarvan bevond zich driehonderd kilometer noordelijker en nog een derde was aan boord van enkele schepen die later vanavond spitsroeden moesten lopen.

'Wat hebben we nu eigenlijk tegenover ons staan? Zijn ze gereed voor de aanval?' vroeg de generaal.
Er werden satellietfoto's getoond en de hoge Amerikaanse inlichtingenofficier, die op KKMC gelegerd was, verzorgde de briefing voor de missie. Zijn zakelijke uitleg vergde dertig minuten, gedurende welke Diggs bleef staan. Hij was erg moe geworden van het zitten.
'STORMTRACK meldt bijzonder weinig radioverkeer,' vertelde de briefing-officier, een kolonel. 'We moeten bedenken dat ze daar trouwens behoorlijk in de gaten lopen.'
'Er is een compagnie van me onderweg om dekking te bieden,' meldde een Saoedische officier. 'Ze moeten morgenochtend ter plaatse zijn.'
'Waar is Buffalo mee bezig?' vroeg Diggs. Er werd een nieuwe kaart getoond. De posities van de Koeweiti's leken hem wel in orde. Ze waren tenminste niet naar voren gericht. Alleen de verkenners waren vooruitgeschoven, zag hij, terwijl de drie zware brigades in stelling lagen om een diepe aanval af te slaan. Hij kende Magruder. Hij kende zelfs alle drie de commandanten van de grondeskaders. Als de VIR daar eerst zou toeslaan, dan zouden de Blauwe Troepen de rode een geweldige bloedneus bezorgen, of ze nu een numerieke meerderheid hadden of niet.
'Bedoelingen van de vijand?' informeerde hij daarna.
'Onbekend, generaal. Er zitten elementen aan die we tot nu toe niet begrijpen. Washington heeft ons verteld een aanval te verwachten, maar niet waarom.'
'Wat krijgen we nou?'
'Vannacht of morgenochtend, meer kan ik ook niet zeggen,' antwoordde de inlichtingenofficier. 'We hebben trouwens een aantal journalisten toegewezen gekregen. Ze zijn een paar uur geleden aangekomen. Ze zitten in een hotel in Riad.'
'Geweldig.'
'Aangezien we niet weten wat we van plan zijn...'
'Het doel is toch duidelijk?' merkte de hoogste Saoedische commandant op. 'Onze sjiitische buren hebben alle woestijn die ze nodig hebben.' Hij tikte op de kaart. 'Daar ligt ons economisch zwaartepunt.'
'Generaal?' vroeg iemand. Diggs draaide zich naar links.
'Ja, kolonel Eddington?'
'Het gaat om het politieke zwaartepunt, niet het militaire. Wellicht kunnen we dat in gedachten houden, heren,' legde de kolonel uit Carolina uit. 'Als ze op de olievelden aan de kust uit zijn, dan beschikken we over een hoop strategische waarschuwingssignalen.'
'Ze hebben een numeriek overwicht, Nick. Daardoor bezitten ze een zekere strategische flexibiliteit. Ik zie een hoop tankwagens op deze foto's,' merkte de Amerikaanse generaal op.
'De laatste keer moesten ze aan de grens met Koeweit stoppen omdat ze geen brandstof meer hadden,' bracht de Saoedische generaal hen in herinnering.
Het Saoedische leger, dat ook de National Guard werd genoemd, bestond uit

vijf zware brigades, die vrijwel volledig van Amerikaans materieel voorzien waren. Drie waren ten zuiden van Koeweit ingezet, waarvan een in Ras Al Khafji, waar de enige invasie van het koninkrijk had plaatsgevonden. Deze plaats lag aan het water, maar niemand verwachtte nu een aanval uit zee. Het was niet ongebruikelijk dat militairen zich opmaakten om de laatste oorlog over te doen, bedacht de Amerikaan.
Eddington herinnerde zich op zijn beurt een citaat van Napoleon. Toen hem een verdedigingsplan werd getoond waarbij de troepen op gelijke afstanden langs de Franse grens gelegerd waren, had hij de officier gevraagd of het soms de bedoeling was smokkel te voorkomen. Dat verdedigende concept had nog enige schijn van legitimiteit gekregen door het NAVO-concept van de voorwaartse verdediging langs de grens tussen de twee Duitslanden, maar het was nooit uitgetest. Als er ergens een plek was om ruimte voor tijd te verruilen, dan was het wel de Saoedische woestijn. Eddington hield daarover zijn mond dicht. Hij was ondergeschikt aan Diggs en de Saoedi's leken een grote bezitsdrang te vertonen als het om hun territorium ging, zoals de meeste mensen overigens. Hij wisselde een blik met Diggs uit. Zoals het 10de Cav als reserve voor de Koeweiti's fungeerde, zo zou het 11de voor de Saoedi's die functie vervullen. Dat kon veranderen als zijn guards in Dhahran in hun tanks klommen, maar voorlopig zouden ze het met deze opstelling moeten doen.
Een groot probleem in deze situatie vormden de relaties tussen de bevelhebbers ter plekke. Diggs was een generaal met één ster; hij was weliswaar een kei, maar toch niet meer dan brigadegeneraal. Als CENTCOM hierheen had kunnen vliegen, dan zou hij door zijn rang over de status hebben beschikt om de Saoedi's dwingender suggesties aan de hand te doen. Het was duidelijk dat kolonel Magruder van het Buffalo Cav iets dergelijks gedaan had, maar de positie van Diggs was enigszins netelig.
'Goed, we hebben in elk geval nog een paar dagen.' De Amerikaanse generaal draaide zich om. 'Zorg voor aanvullende verkenning daar. Als die zes divisies winden laten, wil ik weten wat ze te eten hebben gekregen.'
'Met zonsondergang gaat er een stel Predators de lucht in,' beloofde de inlichtingenofficier.
Eddington liep naar buiten om een sigaar te roken. Hij had die moeite niet hoeven doen, realiseerde hij zich na enkele trekjes. De Saoedi's rookten allemaal.
'En, Nick?' vroeg Diggs, die bij hem kwam staan.
'Een biertje zou lekker wezen.'
'Alleen maar lege calorieën,' merkte de generaal op.
'Het staat vier tegen een en zij hebben het initiatief. En dan gaan we ervan uit dat mijn mensen hun materieel op tijd krijgen. Dit kan erg interessant worden, Diggs.' Weer een trek. 'Hun opstelling is klote.' Die zin had hij van zijn studenten, dacht zijn meerdere. 'Hoe noemen we dit trouwens?'
'BUFORD, Operatie BUFORD. Heb je al een bijnaam voor je brigade, Nick?'

Wat dacht je van WOLFPACK? Het is de verkeerde school, maar TARHEEL klinkt gewoon niet goed. Dit gaat allemaal wel verdomde snel, generaal.'
'De andere kant moet van de laatste keer één ding toch beslist opgestoken hebben: geef ons niet de tijd om onze troepenmacht op te bouwen.'
'Dat is waar. Oké, ik moet naar mijn mensen.'
'Neem mijn helikopter,' zei Diggs tegen hem. 'Ik ben hier nog wel even.'
'Zeker, generaal.' Eddington draaide zich om, salueerde en maakte aanstalten om weg te lopen. Opeens draaide hij zich om. 'Diggs?'
'Ja?'
'Misschien zijn we niet zo goed getraind als Hamm en zijn jongens, maar we spelen het wel klaar!' Hij salueerde weer, wierp zijn sigaar weg en liep naar de Black Hawk.

Niets verplaatst zich zo stil als een schip. Een auto met een snelheid van bijna vijftig kilometer per uur is op een stille nacht van honderden meters afstand hoorbaar, maar een schip produceert alleen het hoogfrequente geluid van de stalen romp die door het water ploegt, en omdat de zee op dit moment ook nog kalm was, droeg het geluid beslist niet ver. De bemanningsleden konden de vibraties van de motor voelen en de diepe bromtoon van de turbinemotoren horen, maar dat was alles, en die geluiden droegen 's nachts over het water niet verder dan honderd meter. Er klonk alleen het geruis van water tegen metaal. Verder bevond zich achter elk schip een schuimend kielzog, een vaalgroene schaduw in het water, veroorzaakt door kleine organismen die door de drukgolf van de passerende schepen in beroering gebracht werden en een fosforescerend licht uitstraalden, als een soort biologisch protest tegen de verstoring. Voor de bemanningen leek het heel erg licht. Op elke brug waren de lampen gedoofd, zodat ze optimaal konden zien in het donker. De navigatielichten waren uitgeschakeld, wat in deze smalle zeestraat een overtreding van de regels was. Uitkijkposten tuurden met gewone verrekijkers en lichtversterkende apparatuur de omgeving voor het schip af. De formatie sloeg nu net de hoek om en bevond zich in het smalste deel van de doorgang.
In elk Combat Information Center stonden mensen over schermen en kaarten gebogen. Ze spraken fluisterend, alsof ze afgeluisterd konden worden. Degenen die rookten, snakten naar een sigaret in de antiseptische ruimten, en degenen die gestopt waren, vroegen zich nu af waarom. Het had iets met schadelijkheid voor de gezondheid te maken, herinnerden ze zich, terwijl ze dachten aan de grond-grondraketten die vijftienduizend meter verderop opgesteld stonden, elk ervan met een ton explosieven achter de richtingzoekende kop.
'Links, nieuwe koers twee-acht-vijf,' meldde de officier van het dek op de *Anzio*.
Op het centrale radarscherm waren meer dan veertig 'doelen' te zien, zoals radarcontacten werden genoemd, elk met een vector die bij benadering koers en snelheid liet zien. Het aantal naderende en zich verwijderende stippen was

ongeveer gelijk. Sommige waren enorm groot; de radarreflecties van supertankers waren ongeveer even groot als van een middelgroot eiland.

'We hebben het tot zover gered,' zei Weps tegen kapitein Kemper. 'Misschien slapen ze.'

'Vergeet het maar.'

Alleen de navigatieradars draaiden nu. De Iraniërs-VIR'ers moesten beslist over ESM-apparatuur beschikken, maar de patrouille die ze mogelijk in de Straat van Hormoez hadden, was tot nu toe nog niet ontdekt. Er waren onbekende doelen. Vissersboten? Smokkelaars? Iemand in een plezierjacht? Het was niet te zeggen. Waarschijnlijk stuurde de vijand zijn schepen liever niet te ver over het midden van de Straat. De Arabieren bezaten vast evenveel territoriumdrift als ieder ander, meende Kemper.

De bemanning van de schepen bevond zich op de gevechtsposten. Alle wapensystemen waren volledig geactiveerd, maar stonden nog wel op standby. Als iemand op hen af kwam, dan zouden ze hem eerst proberen in beeld te krijgen. Als iemand hen met een zoekradar oplichtte, zou het schip met de duidelijkste peiling de paraatheid verhogen en enkele malen met de SPY-radars kijken of er iets naderde. Maar dat zou moeilijk zijn. Die raketten waren allemaal voorzien van onafhankelijke, richtingzoekende koppen, en omdat het druk was in de Straat, zou een raket op een ongewenst object af kunnen gaan. Zo onbesuisd kon de andere kant toch ook weer niet zijn. Zo zouden ze mogelijk zelfs een paar duizend schapen de dood in jagen, bedacht Kemper glimlachend. Zo spannend als dit deel van de missie ook was, de andere kant had het ook niet al te gemakkelijk.

'Koersverandering op Track Four-Four, van links,' zei een intendant.

Dat was een contact op zee, dat net binnen de wateren van de VIR op twaalf kilometer afstand aan de achterkant passeerde. Kemper boog zich voorover. Door een computercommando werd de koers van het contact in de afgelopen twintig minuten zichtbaar. Eerst had het met een kruissnelheid van circa vijf knopen gevaren, maar nu was de snelheid tien knopen, en het had de steven gewend... in de richting van de achter hen varende lokaasgroep. Die informatie werd doorgegeven aan de USS *O'Bannon*. De kapitein daarvan was bevelvoerend officier van de groep. De afstand tussen de twee schepen was zestienduizend meter, maar werd minder.

Er gebeurde nu meer. De helikopter van de *Normandy* naderde laag vliegend van achteren. De piloten zagen groen-wit algenschuim toen het onbekende vaartuig het motorvermogen opvoerde, waardoor het water in beroering raakte en nog meer van de organismen opwoelde die de vervuiling hier hadden weten te overleven. Een plotselinge toename van het vermogen betekende...

'Dat is een kanonneerboot,' meldde de piloot over de radio. 'Hij gooit alles uit de kast. Doel heeft vermogen opgevoerd.'

Kemper trok een grimas. Hij kon nu kiezen. Niets doen, en dan zou er misschien niets gebeuren. Niets doen, en dan zou die kanonneerboot wellicht het vuur openen op de *O'Bannon* en haar groep. Wél iets doen, en dan riskeren

dat de andere kant gealarmeerd werd. Maar als het vijandelijke schip eers
schoot, dan zou de vijand toch al iets weten, niet? Misschien. Misschien niet
Het was erg ingewikkeld om in vijf seconden te beslissen. Hij wachtte nog vij
seconden.
'Doel is een raketboot. Ik zie twee lanceerinrichtingen, doel blijft op koers
naderen.'
'Hij gaat in rechte lijn op de *O'Bannon* af, kapitein,' meldde Weps.
'Radioverkeer, ik heb radioverkeer op de UHF, positie nul-een-vijf.'
'Schieten,' zei Kemper direct.
'Schieten!' zei Weps over het radiokanaal tegen de heli.
'Begrepen, in de aanval!'
'Combat, hier de uitkijk, ik zie een flits, het lijkt een raketlancering achter aan
bakboordzijde... Nee, het zijn er twee,' werd uit een luidspreker gemeld.
'Aanpakken die hap.'
'Nog twee lanceringen, kapitein.'
Shit, dacht Kemper. De heli had maar twee Penguin anti-schipraketten. De
vijand had die eraf weten te krijgen. En nu kon hij niets doen. De lokaasgroep
vervulde in elk geval haar taak. Er werd op geschoten.
'Twee vampieren naderen; doel vernietigd,' zei de piloot, daarmee de vernietiging van de raketboot meldend. Dit werd even later bevestigd door de uitkijk.
'Ik herhaal, twee vampieren richting de *O'Bannon*.'
'Zijderupsen zijn grote doelen,' zei Weps.
Ze konden het mini-gevecht niet goed volgen. Op het navigatieradarscherm
was te zien dat de *O'Bannon* zijn koers naar bakboord verlegde. Dat gebeurde
natuurlijk om haar raketafweersysteem aan de achterzijde in stelling te kunnen
brengen. Het zou ook een enorm radardoel voor de naderende raketten zijn.
De torpedojager vuurde haar lokvogels niet af, omdat ze bang waren dat de
naderende raketten, als ze voor de gek werden gehouden, alleen maar naar de
bevoorradingsschepen zouden worden geleid die het schip moest bewaken.
Een automatische beslissing? vroeg Kemper zich af. Weloverwogen? In elk
geval was het moedig. De verlichtingsradar van de torpedojager werd zichtbaar. Dat betekende dat ze haar raketten afvuurde, maar dat was op de navigatieradar niet zichtbaar. Nu begon ten minste één fregat zich in het gevecht
te mengen.
'Verscheidene flitsen aan de achterkant,' zei de uitkijk. 'Oei, dat was een grote! En nog een!' Daarna bleef het vijf seconden stil.
'*O'Bannon* aan de groep, met ons is alles goed,' meldde iemand.
Voor zolang als het duurt, dacht Kemper.

Er waren drie Predators in de lucht, één voor elk van de drie legerkorpsen die
ten zuidwesten van Bagdad gelegerd waren. Ze vlogen slechts tweemaal zo
snel als een tank. Geen ervan kwam zo ver als gepland was. Vijftig kilometer
van het doel registreerden de infraroodcamera's de oplichtende omtrekken
van pantservoertuigen. Het Leger van God verplaatste zich. De gegevens aan

STORM TRACK werden direct doorgesluisd naar KKMC en vandaar over de hele wereld.
'Nog een paar dagen respijt zou mooi geweest zijn,' dacht Ben Goodley hardop.
'Hoe ver zijn onze mensen?' vroeg Ryan aan de J-3.
'Het 10de is geheel paraat. Het 11de heeft nog minstens een dag nodig. De andere brigade heeft zijn materieel nog niet eens,' antwoordde Jackson.
'Hoe lang duurt het voor er contact is?' vroeg de president daarop.
'Minstens twaalf uur, misschien achttien. Het hangt ervan af waar ze precies heen gaan.'
Jack knikte. 'Arnie, is Callie hierover gebrieft?'
'Nee, helemaal niet.'
'Laten we dat dan regelen. Ik moet een toespraak houden.'

Alahad moest zich wel vervelen met zo weinig klanten in zijn zaak, dacht Loomis. Hij ging vroeg weg, liep naar zijn auto en reed weg. Het zou waarschijnlijk geen probleem zijn hem in de lege straten te volgen. Enkele minuten later werd er waargenomen dat hij zijn auto parkeerde en het flatgebouw waar hij woonde binnenging. Ze verliet met Selig de lege flat waar ze gezeten had, stak de straat over en liep naar de achterzijde. Er zaten twee sloten op de deur, die de jongste agent van de twee pas na tien minuten open kreeg, tot zijn eigen ergernis. Daarna volgde het alarmsysteem, maar dat werd gemakkelijk uitgeschakeld. Het was een oud systeem met een sleutel en een heel eenvoudige code om het te deactiveren. Binnen vonden ze nog enkele foto's, waarvan eentje waarschijnlijk van zijn zoon. Ze bekeken eerst zijn rolodex-adreskaartjes. Er zat er een in van J. Sloan, met het nummer 536-4040, maar zonder adres.
'Zeg eens wat je ervan denkt,' zei Loomis.
'Ik denk dat het een nieuw kaartje is, want er zitten geen ezelsoren en dergelijke aan. Ik zie ook dat er een punt boven de eerste 4 staat. Zo weet hij welk nummer hij moet veranderen, Sis.'
'Deze man kent het spel, Donny.'
'Ik denk dat je gelijk hebt. Dat geldt dus ook voor Aref Raman.'
Maar hoe moesten ze dat bewijzen?

Ze wisten niet of ze nu ontdekt waren of niet. Kemper probeerde de situatie zo goed mogelijk te beoordelen. Misschien had de raketboot een boodschap uitgestuurd en toestemming gekregen om te schieten... Misschien had de jonge commandant op eigen houtje besloten om te schieten... waarschijnlijk niet. In dictatoriale landen kregen de militaire commandanten niet zoveel eigen verantwoordelijkheid. Als je daar als dictator eenmaal mee begon, wist je zeker dat je op zeker ogenblik met je rug tegen een muur kwam te staan. De stand Amerikaanse marine-VIR was nu 1-0. Beide groepen voeren nu in zuidwestelijke richting dieper de breder wordende golf in. De snelheid was nog altijd zesentwintig knopen en ze waren omringd door koopvaardijschepen. Overal

werd via de radio tussen schepen onderling besproken wat er toch ten noorden van Abu Musa gebeurd kon zijn.
Er waren nu Omaanse patrouilleboten op zee die met iemand, misschien een VIR-functionaris, aan het bespreken waren wat er aan de hand was.
Van verwarring moet je profiteren, besloot Kemper. Het was donker buiten, en het was nooit makkelijk schepen in het duister te identificeren.
'Wanneer gaat het schemeren?'
'Over vijf uur, kapitein,' meldde de intendant van de wacht.
'Dat betekent nog tweehonderdveertig kilometer onder gunstige omstandigheden. We gaan zo door. Laat ze maar proberen te ontdekken wat er aan de hand is.' Het zou al geweldig zijn als ze Bahrein zouden halen zonder ontdekt te worden.

Ze legden alles op het bureau van inspecteur O'Day. 'Alles' kwam neer op drie pagina's tekst en een paar polaroidopnamen. Het belangrijkste stukje informatie leek een uitdraai van de gepleegde telefoontjes, op grond van Seligs aantekeningen. Dat was ook het enige wettige bewijs dat ze hadden.
'Dit is niet bepaald de dikste stapel bewijzen die ik ooit heb gezien,' merkte Pat op.
'Kom, Pat, je zei dat we snel te werk moesten gaan,' bracht Loomis hem in herinnering. 'Ze zijn allebei verdacht. Ik kan het niet bewijzen voor een jury, maar het is genoeg voor een uitgebreid onderzoek, aangenomen dat we genoeg tijd hebben, wat volgens mij niet zo is.'
'Klopt. Kom mee,' zei hij, terwijl hij opstond. 'We moeten de directeur spreken.'
Niet dat Murray het al niet druk genoeg had. De FBI voerde dan wel niet het epidemiologisch onderzoek van alle ebolagevallen uit, maar de agenten van het Bureau verrichtten wel veel voorwerk. Dan was er het werk aan de nog altijd kersverse zaak van de aanslag op Giant Steps, die zowel aspecten van criminaliteit als van contraspionage kende en daarom een zaak van diverse diensten zou worden. En nu dit. Voor de derde keer binnen tien dagen was er een zaak waarvoor 'alles opzij gezet moest worden'. De inspecteur passeerde de secretaresses met een groet en liep zonder te kloppen het kantoor van de directeur binnen.
'Het is maar goed dat ik niet was pissen,' zei Murray.
'Volgens mij had je daar geen tijd voor. Ik tenminste niet,' zei Pat. 'Er zit waarschijnlijk toch een mol in de Service, Dan.'
'O ja?'
'O ja en o jee. Ik zal je door Loomis en Selig op de hoogte laten brengen.'
'Kan ik hiermee naar Andrea Price zonder doodgeschoten te worden?' vroeg de directeur.
'Ik denk het wel.'

58

Daglicht

Het was geen feestje waard, maar voor de tweede achtereenvolgende dag waren er minder nieuwe ebolagevallen. Daar kwam bij dat ongeveer een derde van de nieuwe gevallen mensen betrof die wel antistoffen bezaten, maar niet de kenmerkende symptomen hadden. De CDC en USAMRIID controleerden de gegevens twee maal voordat ze die aan het Witte Huis doorgaven, waarbij ze waarschuwden dat het voorbarig was om ze openbaar te maken. Het leek erop dat het reisverbod werkte, mede door de effecten die het had op de onderlinge menselijke contacten, maar de president kon niet zeggen dat het werkte, omdat het dan niet meer werkte.

Ook het onderzoek in de Giant Steps-zaak werd voortgezet. Momenteel hield vooral de laboratoriumdivisie van de FBI zich ermee bezig. Daar werden elektronenmicroscopen niet voor het identificeren van ebolastammen gebruikt, maar voor het onderzoek van stuifmeel en andere minieme deeltjes. Het probleem was echter dat de aanslag op Giant Steps in de lente had plaatsgevonden, toen de lucht volzat met stuifmeel.

Het stond nu absoluut vast dat Mordechai Azir in feite niet bestond. Hij was klaarblijkelijk voor één enkele missie tot leven gewekt, had die volbracht en was verdwenen. Maar hij had foto's achtergelaten en er waren manieren om die te onderzoeken, zo kwam Ryan te weten. Hij vroeg zich af of er ook goed nieuws zou zijn om de dag te besluiten. Dat was niet het geval.

'Hallo, Dan.' Hij was weer op kantoor. In de Situation Room moest hij voortdurend aan zijn volgende grote bevel denken: mensen naar het slagveld sturen.

'Meneer de president,' zei de FBI-directeur, die met inspecteur O'Day en Andrea Price binnenkwam.

'Waarom kijken jullie zo blij?'

En toen vertelden ze het hem.

Het was een moedig man die ayatollah Mahmoud Haji Daryaei voor het ochtendgloren wakker maakte. Omdat degenen om hem heen zijn toorn vreesden, duurde het twee uur voordat ze de moed konden opbrengen. Niet dat het de zaak er beter op maakte. Om vier uur in de ochtend plaatselijke tijd ging de telefoon naast zijn bed over. Tien minuten later was hij in de zitkamer. Met een duistere blik in zijn diepliggende ogen maakte hij zich op om de verantwoordelijken te straffen.

'We hebben een melding dat Amerikaanse schepen de Golf zijn binnengevaren,' vertelde het hoofd Inlichtingen hem.

'Wanneer en waar?' vroeg de ayatollah zacht.

'Na middernacht, in de engte. Een van onze raket-patrouilleboten meldde een Amerikaanse torpedojager ontdekt te hebben. Ze kregen van de plaatselijke marinecommandant het bevel aan te vallen, maar we hebben niets meer van het schip vernomen.'
'Is dat alles? Heb je me daarvoor wakker gemaakt?'
'Er was radioverkeer tussen enkele schepen in het gebied. Daarin werd over diverse explosies gesproken. We hebben reden om aan te nemen dat onze raketboot door iemand is aangevallen en vernietigd is, waarschijnlijk een vliegtuig, maar waarvandaan? We verzoeken om uw toestemming om vanuit de lucht operaties te ondernemen om de Golf na zonsopkomst af te zoeken. We hebben zoiets nooit zonder uw goedkeuring gedaan,' verklaarde de luchtmachtcommandant.
'Die toestemming wordt verleend,' zei Daryaei. Ach, hij was nu toch wakker, zei de geestelijke tegen zichzelf. 'En verder?'
'Het Leger van God rukt op naar het grensgebied. De operatie verloopt volgens plan.' Dit nieuws zou hem zeker bevallen, dacht het hoofd Inlichtingen.
Mahmoud Haji knikte. Hij had gehoopt een nacht behoorlijk te kunnen slapen, gezien het feit dat hij de komende dagen lang op zou moeten blijven, maar hij kon nu eenmaal niet meer slapen als hij eenmaal wakker was. Hij keek naar zijn bureauklok – hij droeg geen horloge – en besloot dat de dag maar beter kon beginnen.
'Zullen we hen verrassen?'
'Tot op zekere hoogte,' antwoordde Inlichtingen. 'Het leger heeft strikte opdracht gekregen radiostilte in acht te nemen. De Amerikaanse luisterposten zijn zeer gevoelig, maar als er niets is, kunnen ze niets horen. Als ze Al Bussayyah bereiken, moeten we erop rekenen ontdekt te worden, maar dan zullen we gereed zijn om door te stoten. Het is dan ook donker.'
Daryaei schudde zijn hoofd. 'Wacht eens, wat heeft onze patrouilleboot ons verteld?'
'Die maakte melding van een Amerikaanse torpedojager of fregat, mogelijk met andere schepen, maar dat is alles. Over twee uur zal er een vliegtuig opstijgen om op zoek te gaan.'
'En hun transportschepen?'
'Weten we niet,' erkende Inlichtingen. Hij had gehoopt dat die kwestie nu niet meer ter sprake zou komen.
'Zoek dat uit!'
Met dat bevel verlieten de twee mannen de kamer. Daryaei belde zijn bediende om thee te brengen. Op dat moment viel hem iets in. Alles zou geregeld of althans opgelost zijn als die Raman zijn opdracht vervulde. Er was gemeld dat hij ter plaatse was en zijn opdracht had ontvangen. Waarom had hij die dan nog niet vervuld? zo vroeg de ayatollah zich af, steeds bozer wordend. Hij keek weer op de klok. Het was te vroeg om op te bellen.

Kemper had zijn bemanning enige rust gegeven. De automatisering aan boord

van de Aegis-schepen maakte dat mogelijk. Daarom kregen de bemanningsleden twee uur na het incident met de kanonneerboot – raketboot, corrigeerde hij zichzelf – toestemming om hun gevechtsposten te verlaten en wat te rusten en te eten. Velen deden wat oefeningen met gewichten. Dat had in totaal een uur geduurd, waarbij elke officier en elke matroos een kwartier de tijd had gekregen. Ze waren nu allemaal weer op hun post. Het was twee uur voor de ochtendschemering. Ze bevonden zich honderdvijftig kilometer van Qatar en voeren nu in westnoordwestelijke richting. Ze hadden zich achter elk eiland en olieplatform verscholen om vijandelijke radarposten in verwarring te brengen. COMEDY was nu het moeilijkste stuk gepasseerd. De Golf was hier veel breder. Er was ruimte om te manoeuvreren en optimaal gebruik te maken van de gevoelige sensoren. Op het radarbeeld in de commandopost van de *Anzio* was een formatie van vier F-16's dertig kilometer ten noorden van zijn eskader zichtbaar. Hun IFF-codes waren duidelijk zichtbaar op het scherm; zijn mensen moesten daar voorzichtig mee zijn. Het zou beter geweest zijn als er een AWACS in de lucht was geweest, maar hij had een uur geleden net gehoord dat die noordelijker ingezet werden. Vandaag zou het tot een confrontatie komen. De Aegis was daar niet op ontworpen en hij was er ook niet op getraind, maar zo ging het nu eenmaal bij de marine.
Hij beval de lokaasgroep naar het zuiden te koersen. Hun taak was voorlopig volbracht. Als de zon eenmaal op was, dan kon niet meer verhuld worden wat COMEDY was en waar ze heen gingen, dacht hij.

'Hoe zeker weten jullie dit?' vroeg Ryan. 'Christus, ik ben wel honderd keer met die vent alleen geweest!'
'Dat weten we,' verzekerde Price hem. 'Dat weten we. Het is moeilijk te geloven, meneer. Ik ken Jeff nu al een tijdje...'
'Hij weet alles van basketbal. Hij vertelde me dat hij de NCAA-finale ging winnen. Hij had gelijk. De uitslag klopte precies.'
'Ja, meneer.' Daar moest Andrea het mee eens zijn. 'Jammer genoeg zijn dit soort dingen moeilijk te verklaren.'
'Gaan jullie hem arresteren?'
'Dat kunnen we niet.' Murray nam dit antwoord voor zijn rekening. 'Het is een van die situaties waarin je het weet, of denkt te weten, maar niets kunt bewijzen. Maar Pat heeft een idee.'
'Vertel dat dan eens,' beval Ryan. Hij had weer hoofdpijn gekregen. Nee, zo was het niet. De korte periode zonder hoofdpijn was voorbij. Het was al erg genoeg dat hij op de mogelijkheid gewezen was dat de Secret Service heel misschien gecompromitteerd was, maar nu dachten ze dat ze bewijs hadden – nee, erger nog, alleen vermoedens, verdomme – dat een van de mensen die in de nabijheid van hem en zijn gezin mochten verkeren, een potentiële moordenaar was. Zou hier dan nooit een eind aan komen? Hij luisterde toch maar.
'Het is in wezen heel simpel,' concludeerde O'Day.
'Nee!' zei Price direct. 'Stel dat...'

'Dat kunnen we in de hand houden. Er is geen direct gevaar bij,' verzekerde de inspecteur iedereen.
'Wacht even,' zei SWORDSMAN. 'Jullie zeggen dat jullie hem uit zijn schuilplaats kunnen jagen?'
'Zeker.'
'En daarbij krijg ik werkelijk iets te doen in plaats van hier verdomme als een koning te moeten blijven zitten?'
'Zeker,' herhaalde Pat.
'Waar kan ik me aanmelden?' vroeg Ryan retorisch. 'Aan de slag.'
'Meneer de president...'
'Andrea, jij bent toch hier?'
'Eh, ja, maar...'
'Dan is het akkoord,' zei Ryan. 'Hij mag zelfs niet in de buurt komen van mijn gezin. Dat meen ik. Zodra hij maar naar de lift kijkt, schakel je hem zelf uit, Andrea, begrepen?'
'Ik begrijp het, meneer de president. Alleen de westvleugel.'
Hierna liepen ze naar beneden naar de Situation Room, waar Arnie en de rest van de nationale-veiligheidsstaf naar een kaart op een groot tv-scherm zaten te kijken.

'Goed, laten we de hemel verlichten,' zei Kemper tegen het CIC-team. Op dat commando wijzigden de *Anzio* en de andere vier Aegis-schepen de stand van de SPY-radars. Ze stonden nu niet meer stand-by maar functioneerden op vol vermogen. Het had geen zin meer zich te blijven verschuilen. Ze bevonden zich direct onder W-15, een luchtroute voor commercieel vliegverkeer, en elke piloot kon in de diepte het kleine konvooi zien. En dan zou hij daar waarschijnlijk melding van maken. Er waren praktische grenzen aan het verrassingselement.
Binnen enkele ogenblikken waren er op de drie grote schermen talrijke sporen in de lucht te zien. Dit moest wel het drukst bezette luchtruim zijn buiten O'Hare, de luchthaven van Chicago, dacht Kemper. Op de IFF-scan was een formatie van vier F-16's te zien die ten noordwesten van zijn formatie vloog. Er waren zes passagiersvliegtuigen in de lucht, terwijl de dag nauwelijks begonnen was. Raketspecialisten voerden simulaties uit om de computers te testen. Het kenmerkende aan het Aegis-systeem was dat het van het ene op het andere moment de boel op stelten kon zetten. Daarvoor waren ze nu op de juiste plek.

De eerste Iraanse jagers die die dag het luchtruim kozen, waren twee oude F-14 Tomcats uit Shiraz. De sjah had in de jaren zeventig ongeveer tachtig van die jagers van Grumman gekocht. Ze konden nog steeds vliegen, dankzij de onderdelen die van andere toestellen afgehaald waren of op de levendige zwarte wereldmarkt voor onderdelen van gevechtsvliegtuigen verkregen waren. De toestellen vlogen in zuidoostelijke richting boven land naar Bandar

Abbas. Daar vergrootten ze hun snelheid en snelden ze in zuidelijke richting op Abu Musa af, dat ze aan de noordzijde passeerden. Terwijl de piloten aan de stuurknuppel zaten, tuurden de bemanningsleden in de achterste stoel de aarde met verrekijkers af. Op een hoogte van zes kilometer was de zon al geheel zichtbaar, maar aan het aardoppervlak heerste nog altijd de ochtendschemering.
Vanuit de lucht zijn schepen niet zichtbaar, iets wat zowel zeelui als vliegtuigbemanningen vaak vergeten. In de meeste gevallen zijn de schepen te klein en is de zee te uitgestrekt. Op een satellietfoto of met het ongeoefende menselijk oog is wél het kielzog te zien, een verstoring in het water die op een pijl met een te grote kop lijkt. De kop wordt gevormd door de boeg- en hekgolven die het schip veroorzaakt en de schuimstreep van de schroeven is de staart van de pijl. Het oog wordt naar zulke vormen even vanzelfsprekend toe getrokken als naar het lichaam van een vrouw. In de punt van de V-vorm is het schip te vinden, of in dit geval vele schepen. Het eerst ontdekten ze de lokaasgroep van een afstand van ruim zestig kilometer. Het hart van COMEDY werd een minuut later geïdentificeerd.

Het probleem voor de schepen was de vliegtuigen juist te identificeren. Kemper kon het zich niet permitteren een passagiersvliegtuig neer te halen, zoals de USS *Vincennes* eens gedaan had. De vier F-16's hadden er al koers naar gezet, toen het bericht over de radio kwam. Hij had niemand aan boord die de taal goed genoeg sprak om te verstaan wat ze zojuist gezegd hadden.
'Halali,' riep de piloot van de leidende F-16. 'Dat lijken F-14's.' En hij wist dat de marine die niet bezat.
'*Anzio* aan Starfighter, wapens vrij, haal ze neer.'
'Begrepen.'

'Flight, hier Lead, ik lanceer de Slammer.' Ze hadden het te druk met omlaag kijken om goed om zich heen te kijken. Een verkenningsvlucht, meende Starfighter Lead. Jammer dan. Hij koos AIM-120 en vuurde, een fractie voordat de andere drie toestellen in zijn formatie hetzelfde deden. 'Fox One, Fox One!' De slag van Qatar was begonnen.

De Tomcats van de VIR hadden het iets te druk, en dat kwam ze duur te staan. Op de radarwaarschuwingsapparatuur waren allerlei signalen zichtbaar, waaronder de luchtradars op de Vipers. Net toen de leider van de twee probeerde het aantal oorlogsschepen onder zich te tellen en tegelijk in zijn radio sprak, explodeerde er twee AMRAAM-raketten twintig meter voor zijn oude jager. De tweede piloot keek tenminste nog op tijd op om de dood aan te zien komen.

'*Anzio*, Starfighter, twee voltreffers, geen parachutes, ik herhaal twee voltreffers.'
'Begrepen.'

'Wat een mooi begin van de dag,' merkte een luchtmachtmajoor op die net zestien maanden lang in de Negev tegen de Israëlische luchtmacht had geoefend. 'Keren terug naar basis. Uit.'

'Ik weet niet zeker of dat een goed idee is,' zei Van Damm. Het radarbeeld van de *John Paul Jones* was van het nieuwe schip via de satelliet naar Washington doorgeseind. Ze zagen de dingen minder dan een halve seconde later dan ze werkelijk plaatsvonden.
'Die schepen kunnen niet worden tegengehouden, meneer,' zei Robby Jackson tegen de stafchef. 'We kunnen geen risico's nemen.'
'Maar ze kunnen zeggen dat wij eerst hebben geschoten en...'
'Onjuist, meneer. Hun raketboot heeft vijf uur geleden het eerst geschoten,' bracht de J-3 hem in herinnering.
'Maar dat zullen ze niet zeggen.'
'Laat maar, Arnie,' zei Ryan. 'Bedenk dat het mijn bevel was. De Regels bij Gevechtshandelingen zijn van toepassing. Wat nu, Robby?'
'Het hangt ervan af of de Iraniërs er ruchtbaarheid aan gegeven hebben. Die eerste dodelijke treffer was gemakkelijk. Dat geldt meestal voor de eerste,' zei Jackson. Hij dacht aan de dodelijke treffers in zijn carrière; het was bepaald anders gegaan dan tijdens de oefeningen op Top Gun, maar in echte gevechten werd het spel nu eenmaal niet eerlijk gespeeld.
Het smalste deel van de doorgang, tussen Qatar en de Iraanse stad Basatin, was ruim honderdvijftig kilometer breed. In Basatin was een luchtmachtbasis, en uit satellietbeelden bleek dat er jachtvliegtuigen op het platform stonden.

'Hallo, Jeff.'
'Wat is er aan de hand, Andrea?' vroeg Raman. 'Ik ben blij dat je nog wist dat je me hier achtergelaten hebt.'
'Het is nogal druk hier vanwege die koortsepidemie. We hebben je hier weer nodig. Heb je een auto?'
'Ik denk dat ik er wel een kan stelen bij het plaatselijke bureau.' In werkelijkheid had hij al een dienstauto.
'Goed,' zei ze tegen hem. 'Kom hierheen. Ik denk dat die voorbereiding daar niet echt nodig is. Met je legitimatie kun je de blokkades op de I-70 passeren. Kom zo snel mogelijk hierheen. Er is hier van alles aan de hand.'
'Geef me nog vier uur.'
'Heb je schone kleren bij je?'
'Ja, hoezo?'
'Die zul je nodig hebben. We hebben hier ontsmettingsprocedures ingesteld. Iedereen moet zich helemaal schoonboenen voordat hij naar de westvleugel gaat. Je zult het wel zien als je hier komt,' zei het hoofd van het escorte.
'Best.'

Alahad deed niets. Uit de in zijn huis geïnstalleerde afluisterapparatuur was gebleken dat hij tv had gekeken en voortdurend had zitten zappen, op zoek naar een film die hij nog niet had gezien. Voordat hij was gaan slapen, had hij naar het nieuws op CNN geluisterd. Daarna was er niets meer te horen. De lampen waren allemaal uit en zelfs de infraroodcamera's zagen niets door de gordijnen van zijn slaapkamer heen. De agenten die het pand observeerden, dronken koffie uit een plastic beker en bleven naar niets zitten kijken. Ondertussen bespraken ze hun zorgen over de epidemie, net als iedereen in Amerika. De media bleven vrijwel alle zendtijd aan de ziekte wijden. Verder was er weinig. Er was geen sport meer. Het weer bleef, maar er waren maar weinig mensen buiten om het op te merken. Verder draaide alles om de ebolacrisis. Er waren wetenschappelijke reportages waarin uitgelegd werd wat het virus was en hoe het zich verspreidde, of eigenlijk hoe het zich waarschijnlijk verspreidde, omdat de meningen daar nog steeds over verdeeld waren. De agenten met de hoofdtelefoons hadden de laatste reportages via Alahads eigen tv gevolgd. Dit was de wraak van de natuur, beweerde een milieu-activist. De mens was het oerwoud binnengedrongen, had bomen omgehakt, dieren gedood en het ecosysteem verstoord, en nu sloeg het ecosysteem terug. Of zoiets.
Er waren juridische analyses van de rechtszaak die Edward Kealty had aangespannen, maar niemand voelde er veel voor om het reisverbod op te heffen. In reportages waren vliegtuigen op vliegvelden te zien, bussen in garages en treinen op stations, en verder veel lege wegen. Er waren reportages over mensen in hotels en de manier waarop ze zich daar redden. Er waren reportages over het hergebruik van smoeltjes, waarin verteld werd dat deze simpele veiligheidsmaatregel vrijwel feilloos werkte; de meeste mensen leken dit te geloven. Daartegenover waren in de meeste reportages ook ziekenhuizen te zien en nu ook lijkenzakken. In reportages over het verbranden van de lichamen van de doden werden de vlammen niet daadwerkelijk getoond; dat was een stilzwijgende afspraak. De waarheid was al onsmakelijk genoeg en hoefde niet met beelden toegelicht te worden. Verslaggevers en medisch adviseurs begonnen commentaar te leveren op het gebrek aan gegevens over het aantal gevallen, wat velen verontrustte, maar ze wezen er ook op dat er in de ziekenhuizen niet meer ruimte voor de ebolagevallen vrijgemaakt was, wat sommigen een geruststelling vonden. Nog altijd probeerden de extreme doemdenkers hun versie van het verhaal te verspreiden, maar anderen beweerden rustig dat de gegevens geen houvast boden voor hun visie en dat de situatie zich mogelijk stabiliseerde, maar ze voegden daar steevast aan toe dat het nog veel te vroeg was om daar zeker van te zijn.
Er werd nu ook gemeld dat de mensen zich konden redden, dat sommige staten geheel 'schoon' waren en dat veel regio's binnen de staten waar wél ziektegevallen waren, eveneens niet besmet waren. En nu verschenen er eindelijk ook mensen op tv die met enig gezag beweerden dat de epidemie beslist geen natuurlijke gebeurtenis was geweest. De media waren niet in staat een goed

beeld te krijgen van de publieke opinie over de kwestie. De mensen hadden niet genoeg onderling contact, wisselden onvoldoende meningen uit om zich een goed oordeel te kunnen vormen. Maar nu er een begin van vertrouwen was dat de wereld niet aan haar eind zou komen, kwam de grote vraag: hoe was dit begonnen?

Minister van Buitenlandse Zaken Adler zat weer in zijn vliegtuig, op weg naar de volksrepubliek China. In de lucht en in de ambassade in Peking kon hij van het laatste nieuws op de hoogte blijven. Het had bij hem woede en ook enige tevredenheid opgewekt, pervers genoeg. Het was Zhang die zijn regering in deze richting leidde. Dat was vrij zeker, nu ze wisten dat India er wederom bij betrokken was geweest. Ditmaal was dat land door Iran en China in de luren gelegd. De werkelijke vraag was of de premier haar partners zou laten weten dat ze haar deel van de overeenkomst verzaakt had. Waarschijnlijk niet, dacht Adler. Ze had zichzelf weer buitenspel gezet. Ze leek daartoe in staat zonder zich te verplaatsen.
Maar de woede bleef terugkomen. Zijn land was aangevallen, nota bene door iemand die hij enkele dagen geleden nog ontmoet had. De diplomatie had gefaald. Hij was er niet in geslaagd om een eind te maken aan een conflict. Dat was toch zijn taak. Erger nog, hij en zijn land waren bedonderd. China had hem en een zeer belangrijke marine-eenheid uit positie gebracht. De Volksrepubliek rekte nu een crisis die ze zelf veroorzaakt had, met het doel de Amerikaanse belangen te schaden. Het uiteindelijke doel was waarschijnlijk de wereld naar hun eigen ontwerp opnieuw vorm te geven. Ze gingen slim te werk. China had niemand rechtstreeks iets aangedaan, behalve enkele vliegtuigpassagiers, maar had anderen het voortouw laten nemen, evenals de bijbehorende risico's. Hoe dit ook zou uitpakken, ze zouden nog steeds handel kunnen drijven, zouden nog steeds het respect genieten dat bij een supermacht hoorde en invloed op de Amerikaanse politiek kunnen uitoefenen. Ze waren van plan dat alles te behouden tot ze de veranderingen hadden doorgevoerd die ze verlangden. Ze hadden Amerikanen in de Airbus om het leven gebracht. Door hun machinaties droegen ze ertoe bij dat anderen om het leven gebracht werden, brachten ze zijn land werkelijke, blijvende schade toe en dat alles geheel zonder risico, dacht de minister van Buitenlandse Zaken stilletjes, terwijl hij uit het raam van het dalende vliegtuig keek.
Maar ze wisten niet dat hij deze dingen wist, of wel?

De volgende aanval zou iets serieuzer zijn. De VIR had een grote voorraad C-802-raketten, zo bleek uit inlichtingen. Ze waren gemaakt door de China Precision Machine Import and Export Corporation en waren qua type en eigenschappen gelijk aan de Franse Exocet, met een bereik van ruim honderd kilometer. Ook hierbij was het richten van de raketten een probleem. Er waren gewoon te veel schepen in de Golf. Om de juiste koers voor de raketten te vinden, zouden de Iraniërs zo dichtbij moeten komen dat de omlaaggerichte

radars in hun jagers langs de rand van het raketbereik van COMEDY zouden scheren.
Kemper besloot dat hij iets met dat gegeven moest doen. De *John Paul Jones* verhoogde de snelheid tot 32 knopen en nam een noordelijke koers aan. De nieuwe torpedojager was slecht herkenbaar op de radar, het leek meer een middelgrote vissersboot, en om de veiligheid nog te vergroten, werden alle radars uitgeschakeld. COMEDY had zich eenmaal laten zien, maar zou dat nu heel anders gaan doen. Hij riep ook Riad op om dringend om AWACS-steun te vragen. De drie kruisers *Anzio*, *Normandy* en *Yorktown* bleven vlak bij de vrachtschepen. Het was voor de burgerbemanning op de *Bob Hopes* nu wel duidelijk dat de oorlogsschepen er niet alleen voor de raketverdediging waren. Elke inkomende vampier zou een kruiser moeten passeren om ze te kunnen bereiken. Maar daar was niets aan te doen. De burgerbemanningsleden bevonden zich allemaal op hun posten. Overal op de vrachtdekken werd brandblusapparatuur gereed gehouden, De diesels werkten op het maximaal toegestane vermogen.
De ochtendpatrouille F-16's werd vervangen door een andere formatie. De wapens waren vrijgegeven en het burgerluchtverkeer kreeg nu te horen dat het niet raadzaam was door het luchtruim boven de Perzische Golf te vliegen. Hierdoor werd ieders taak een stuk gemakkelijker. Het was geen geheim dat ze er waren. De Iraanse radar zou hen beslist in de gaten hebben, maar daar was op dit moment niets aan te doen.

'Het lijkt erop dat er twee marines in de Golf zijn,' zei Inlichtingen.
'We kennen de samenstelling niet precies, maar het is mogelijk dat het militaire transportschepen zijn.'
'En?'
'En twee van onze jagers zijn neergeschoten toen ze ze naderden,' ging Luchtmacht verder.
'De Amerikaanse schepen... sommige zijn oorlogsschepen van een zeer modern type. Onze vliegtuigen hebben gemeld dat er ook bij zijn die op koopvaardijschepen lijken. Het is waarschijnlijk dat het tanktransporten uit Diego Garcia zijn...'
'Dat zijn de schepen die de Indiërs moesten tegenhouden!'
'Dat is waarschijnlijk juist.'
Wat een dwaas was ik om die vrouw te vertrouwen! 'Breng ze tot zinken!' beval hij, met het idee dat zijn wens werkelijkheid kon worden.

Raman reed graag hard. Omdat de snelweg in de duistere nacht vrijwel verlaten was en zijn dienstwagen flink wat pk's had, kon hij zich aardig uitleven op de Interstate 70 naar Maryland. Het aantal vrachtwagens op de weg verraste hem. Hij wist niet dat er nog zoveel vrachtverkeer was dat levensmiddelen en medische goederen vervoerde. Met zijn rode zwaailicht maakte hij duidelijk dat ze hem de weg niet moesten versperren en kon hij met snelheden van meer

dan honderdvijftig kilometer per uur passeren, zonder dat de politie van Pennsylvania hem lastigviel.
Hij had nu ook tijd om na te denken. Het zou voor iedereen beter geweest zijn als hij van tevoren geweten had wat er allemaal gebeurde. Het zou in elk geval beter voor hem geweest zijn. Hij was helemaal niet blij geweest met de aanslag op SANDBOX. Dat was een kind, te jong en onschuldig om een vijand te zijn. Hij kende haar gezicht en haar stem en was werkelijk een moment geschokt geweest. Hij begreep niet goed waarom daartoe opdracht gegeven was... tenzij het de bedoeling was om de beveiliging rond SWORDSMAN nog te verscherpen, zodat zijn eigen missie gemakkelijker werd. Maar dat was niet echt noodzakelijk geweest. Amerika was Irak niet, maar Mahmoud Haji begreep dat waarschijnlijk niet ten volle.
Met die ziekteaanval lag het anders. De wijze waarop de epidemie zich verspreidde, was Gods wil. Het was onsmakelijk, maar zo was het leven. Hij herinnerde zich hoe het theater in Teheran afgebrand was. Ook daarbij waren mensen gestorven, gewone mensen wier enige fout het was geweest dat ze naar de film waren gegaan in plaats van zich aan hun religieuze plichten te wijden. De wereld was hard, en het enige wat zijn last gemakkelijker te dragen maakte, was het geloof in iets groters dan zichzelf. Raman bezat dat geloof. De wereld veranderde niet toevallig van aanzien. Grote gebeurtenissen waren bijna altijd gewelddadig. Het geloof had zich met behulp van het zwaard verspreid, ondanks de waarschuwing van de Profeet dat het zwaard niet in staat was van iemand een gelovige te maken. Het was een paradox die hij niet volledig begreep, maar zo was de wereld nu eenmaal. Als individu kon je niet alles begrijpen. Voor veel dingen moest hij vertrouwen op de leiding van degenen die wijzer waren dan hij, en die vertelden wat er gedaan moest worden, wat voor Allah aanvaardbaar was en Zijn Doel diende.
Dat hem bepaalde zaken niet verteld waren die nuttig waren geweest, was een redelijke veiligheidsmaatregel, zo moest hij toegeven... als je accepteerde dat je het waarschijnlijk niet zou overleven. Deze gedachte raakte hem niet. Hij had die mogelijkheid al lang geleden aanvaard, en als zijn verre broer zijn missie in Bagdad had kunnen vervullen, dan kon hij de zijne in Washington vervullen. Maar hij zou proberen te overleven, als hij de gelegenheid kreeg. Daar was toch niets mis mee?

Ze waren duidelijk nog steeds bezig deze operatie op te zetten, zei Kemper tegen zichzelf. In 1990-1991 hadden ze de luxe gekend voldoende tijd te hebben om beslissingen te nemen en voor voorraden en verbindingen te zorgen. Nu was dat anders. Toen hij om de AWACS had verzocht, had een huftertje van de luchtmacht gezegd: 'Wat, hebt u die niet? Waarom hebt u er niet om gevraagd?' De commandant van de USS *Anzio* en taakgroep 61.1 had zich niet op de man afgereageerd. Hij kon er waarschijnlijk ook niets aan doen, en het goede nieuws was dat ze er nu wél een hadden. De timing was ook goed. Vier

jachtvliegtuigen van een onbekend type waren net opgestegen in Basatin, honderdveertig kilometer verderop.
'COMEDY, dit is SKY-TWO, we zien vier naderende vliegtuigen.' Op de schermen verscheen het doorgestuurde beeld. Zijn eigen radar kon zo ver niet kijken; de vliegtuigen bevonden zich ver achter de horizon. Op de radars van de AWACS waren vier blieps in paren van twee te zien.
'Sky, COMEDY, ze zijn voor jullie. Haal ze neer.'
'Oké... wacht even, er komen er nog vier aan.'

'Nu wordt het interessant,' zei Jackson in de Situation Room. 'Kemper heeft een raketafweer opgezet aan de buitenzijde van de hoofdformatie. Als iemand langs de F-16's weet te komen, zullen we zien of het werkt.'

Een derde groep van vier toestellen steeg een minuut later op. De twaalf jachtvliegtuigen klommen naar een hoogte van ruim drie kilometer en maakten toen met hoge snelheid een zuidwaartse bocht.
De formatie F-16's kon niet het risico nemen te ver van COMEDY af te dwalen, maar richtte zich erop de vijand in het midden van de Golf te treffen, onder aanwijzingen van de AWACS. Beide zijden schakelden hun doelradars in. De VIR-jagers werden geleid door installaties op de grond en de Amerikaanse teams door de E-3B die honderdvijftig kilometer achter hen rondjes draaiden. Het verliep allemaal niet erg elegant. De F-16's, waarvan de raketten verder reikten, schoten eerst en draaiden weg toen de zuidwaarts vliegende Iraanse onderscheppingsjagers hun eigen wapens afschoten en probeerden te ontsnappen. Daarna dook de eerste groep van vier op het water af. De stoorzenders bleven maar doorgaan, gesteund door krachtige interferentie vanaf de kust, wat de Amerikanen niet verwacht hadden. Drie VIR-jagers, die nog steeds op hen af kwamen, werden getroffen door de reeks raketten. De Amerikanen wisten aan de salvo's van de VIR-jagers te ontkomen en keerden om opnieuw toe te slaan. De Amerikaanse formatie splitste zich in elementen van twee vliegtuigen die snel oostwaarts vlogen en daarna keerden om een nieuwe aanval uit te voeren. Maar dit alles gebeurde met hoge snelheden, waardoor één Iraanse formatie zich al op minder dan tachtig kilometer van COMEDY bevond. Op dat moment verschenen ze op de radar van de *Anzio*.
'Kapitein,' zei de chef aan het ESM-paneel in zijn microfoon, 'ik krijg nieuwe radarsignalen, positie drie-vijf-drie. Dit zijn detectiewaarden. Ze kunnen ons pakken.'
'Heel goed.' Kemper draaide zijn sleutel om. Op de *Yorktown* en de *Normandy* gebeurde hetzelfde. Het eerste schip was een oudere versie van de kruiser. Bij dit schip kwamen er vier witgeschilderde SM22MR's te voorschijn uit de magazijnen aan de voor- en achterzijde. Voor de *Anzio* en de *Normandy* veranderde er ogenschijnlijk niets. De raketten bevonden zich in verticale lanceerinrichtingen. De SPY-radars verspreidden nu zes miljoen watt aan RF-energie, die

vrijwel voortdurend de naderende jachtbommenwerpers trof. Deze bevonden zich nog net buiten het bereik van de kruisers.
Maar ze waren niet buiten bereik van de *John Paul Jones*, zestien kilometer ten noorden van de hoofdformatie. Binnen drie seconden werd de hoofdradar actief en werd de eerste van acht raketten gelanceerd in een wolk van rook en vuur. De raket vloog eerst verticaal, en nam even later een horizontale stand aan, een noordelijke koers nemend.
De jagers hadden de *Jones* niet gezien. Door de speciale *stealth*-voorzieningen was het schip niet als doel op de schermen verschenen. Evenmin hadden ze opgemerkt dat een vierde SPY-radar hen nu volgde. De serie witte rooksporen kwam voor de piloten als een onaangename verrassing toen ze van hun eigen radarschermen opkeken. Maar twee van hen vuurden hun C-802's net op tijd af.
Vier seconden van hun doelen vandaan ontvingen de SM2-raketten de laatste besturingssignalen van de SPG-62-verlichtingsradars. Het gebeurde te snel en te onverwacht voor ze om nog helder te kunnen denken. Alle vier de jagers gingen ten onder in enorme gele en zwarte wolken, maar ze slaagden er nog wel in zes raketten op de schepen af te vuren.
'Vampier! Vampier! Ik zie naderende raketten, positie drie-vijf-nul.'
'Goed, aan de slag.' Kemper draaide de sleutel nog een slag op de 'special-auto'-stand. Aegis werkte nu geheel automatisch. De CIWS-machinepistolen op het bovendek draaiden naar stuurboord. Overal aan boord van de vier oorlogsschepen luisterde de bemanning aandachtig, terwijl men probeerde kalm te blijven. De bemanning van de koopvaardijschepen die ze bewaakten, wist gewoon nog niet dat ze bang moesten zijn.
De F-16's naderden de nog steeds intacte formatie van vier. Deze hadden ook anti-schipraketten, maar ze keken op de verkeerde plek. Waarschijnlijk hadden ze de lokaasgroep op het oog. De eerste groep had een groep schepen gezien. De tweede nog niet, en zou die ook nooit zien. Ze waren nog maar nauwelijks binnen het bereik van de Aegis-radars westelijk van hen gekomen of de lucht werd gevuld met rookslierten richting grond. De vier weken uiteen. Twee toestellen explodeerden in de lucht. Een ander werd beschadigd en probeerde in noordwestelijke richting weer te klimmen, tot de motor uitviel en hij omlaag stortte. De vierde, die niet geraakt was, maakte een linkse bocht, schakelde de naverbrander in en schoot al zijn buitenboordwapens af. De vier F-16's van de luchtmacht hadden in minder dan vier minuten zes vijandige jagers uitgeschakeld.
Op de *Jones* werd een van de over zee scherende raketten opgemerkt, maar niemand had zich op het radarsignaal ingesteld. Het was te moeilijk om de met hoge snelheid passerende doelen te treffen. Drie of vier computergestuurde lanceringen mislukten allemaal. Er waren er nog vijf. De wapensystemen van de torpedojager werden opnieuw ingesteld en gingen op zoek naar nieuwe doelen.
Ze hadden rook gezien op de *Jones* en vroegen zich af wat het was, maar de

eerste echte waarschuwing dat er iets ernstig mis was kwam toen het in de buurt verkerende trio kruisers begon te vuren.
In het commandocentrum van de *Anzio* besloot Kemper, evenals de *O'Bannon*, zijn lokraketten niet af te vuren. Drie van de naderende raketten leken op het achterste deel van de formatie gericht, en slechts twee op het voorste deel. Zijn kruiser en de *Normandy* richtten daar de aandacht op. Je kon de lanceringen duidelijk voelen. Er ging een trilling door de romp toen de eerste twee de lucht in gingen. Het radarscherm veranderde nu voortdurend. Er waren inkomende en uitgaande sporen te zien. De 'vampieren' waren nu ruim twaalf kilometer verwijderd. Bij een snelheid van vijftien kilometer per minuut betekende dat dat ze minder dan vijftig seconden hadden om ze te vernietigen. Het zou wel een week lijken.
Het systeem was zo geprogrammeerd dat het vuurde op het moment dat het vereist was. Nu was de stand schieten-schieten-kijken. Het vuurde een raket af, vervolgens een tweede en bekeek dan of het doel de eerste twee had overleefd. Dan zou het een derde poging wagen. Zijn doel werd door de eerste SM2 tot ontploffing gebracht en de tweede SAM vernietigde zichzelf. De eerste raket van de *Normandy* miste, maar de tweede trof de C-802, waardoor die in zee stortte met een explosie die door de romp heen voelbaar was.
De *Yorktown* had zowel een voordeel als een nadeel. Het oudere systeem van het schip kon direct op de naderende raketten schieten. De gelanceerde raketten hoefden geen bocht te maken in de lucht voordat ze konden treffen. Maar het schip kon niet zo snel vuren. Er waren drie doelen en ze hadden vijftig seconden de tijd om ze te raken. De eerste C-802 stortte acht kilometer verderop in zee, uitgeschakeld door een dubbele treffer. De tweede bevond zich nu op de uiteindelijke hoogte van drie meter boven het oppervlak. De volgende afgevuurde SM2 vloog hoog over en explodeerde achter het schip. De volgende raket miste eveneens. Door de volgende reeks schoten van het afweergeschut vooraan werd het doel op vijf kilometer afstand getroffen, waardoor er overal fragmenten van de raket door de lucht vlogen. Dit bracht het volgende paar in de war, waardoor beide explodeerden tussen de resten van de raket. De beide afvuurinrichtingen bewogen naar voren, naar achtereen en omhoog om de volgende serie van vier SAM's op te vangen. De laatste 802 wist de salvo's en de fragmenten te passeren en kwam recht op de kruiser af. De *Yorktown* vuurde nog twee raketten af, maar één raket bleek kapot en verdween zonder een doel te zoeken, terwijl de ander miste. De CIWS-systemen op het voor- en achterdek draaiden een stukje, terwijl de vampier binnen hun bereik kwam. Beide openden het vuur op achthonderd meter afstand, misten, misten nogmaals, maar brachten de raket toen op minder dan tweehonderd meter van de stuurboordzijde tot ontploffing. Het schip werd getroffen door talloze stukken en brokken van de vijfhonderdponds-kop van het projectiel en delen van het raketlichaam bleven het schip treffen. Ze troffen het SPY-radarpaneel van het schip aan de rechtervoorzijde en sloegen in de bovenbouw, waardoor zes bemanningsleden dodelijk getroffen werden en er twintig gewond raakten.

'Wauw,' zei minister Bretano. Alle theorie die hij de afgelopen weken hac geleerd, was plotseling werkelijkheid geworden...
'Niet slecht. Ze hebben veertien vliegtuigen op ons afgestuurd en krijgen e twee of drie terug, dat is alles,' zei Robby. 'Hebben ze de komende tijd wat om over na te denken.'
'En hoe zit het met de *Yorktown*?' vroeg de president.
'We moeten nog even afwachten.'

Hun hotel bevond zich op nog geen kilometer van de Russische ambassade Als echte krenterige journalisten besloten ze te lopen. Even voor achten vertrokken ze. Clark en Chavez hadden nauwelijks honderd meter gelopen, toen ze ontdekten dat er iets niet in orde was. De mensen liepen bijzonder lusteloos, in aanmerking genomen dat dit het begin van een werkdag was. Was de oorlog met de Saoedi's afgekondigd? John sloeg de hoek van een andere marktstraat om en zag daar mensen naar draagbare radio's in hun markstalletjes luisteren, in plaats van dat ze hun handelswaar uitstalden.
'Neem me niet kwalijk,' zei John in het Farsi met een Russisch acccent. 'Is e iets aan de hand?'
'We zijn in oorlog met Amerika,' zei een fruitverkoper.
'En wanneer is die begonnen?'
'De radio zegt dat ze onze vliegtuigen hebben aangevallen,' zei de fruitverkoper. 'Wie bent u?' vroeg hij.
John pakte zijn paspoort. 'We zijn Russische journalisten. Mag ik vragen wat u hiervan denkt?'
'Hebben we niet genoeg gevochten?' vroeg de man.

'Ik heb het je gezegd. Ze geven ons de schuld,' zei hij, terwijl hij het onderschepte verslag van Radio Teheran doorlas. 'Wat zal dat voor de politiek in de regio betekenen?'
'Iedereen heeft zijn stellingen betrokken,' zei Ed Foley. 'Je staat hetzij aan de ene kant, hetzij aan de andere. De VIR is de andere kant. Het is eenvoudiger dan de vorige keer.'
De president keek op zijn horloge. Het was even na middernacht. 'Wanneer leg ik die verklaring af?'
'Om twaalf uur.'

Raman moest bij de grens tussen Maryland en Pennsylvania stoppen. Er stonden ongeveer twintig trucks te wachten tot ze van de politie van Maryland toestemming kregen om door te rijden. De National Guard was eveneens present De trucks stonden twee aan twee achter elkaar, waardoor de weg hier volledig geblokkeerd werd. Nadat hij zich tien minuten had zitten ergeren, kon hij zijn legitimatie tonen. De agent liet hem zonder een woord te zeggen door. Raman deed de koplampen weer aan en reed met grote snelheid weg. Hij zette de radio aan en vond een nieuwszender, maar hij miste het nieuws op het hele uur en

moest een half uur lang van alles aanhoren wat hij de hele week al gehoord had. Om half één meldde het nieuws dat er een luchtgevecht in de Perzische Golf zou hebben plaatsgevonden. Noch het Witte Huis, noch het Pentagon had gereageerd op het incident. Iran beweerde twee Amerikaanse schepen tot zinken te hebben gebracht en vier jagers te hebben neergeschoten.
Raman, patriot en activist, kon dit onmogelijk geloven. Het probleem met Amerika, en de reden dat hij zijn mogelijk fatale missie uitvoerde, was dat zijn slecht georganiseerde, heidense en misleide land buitengewoon competent was als het om het tonen van macht ging. Hij had gemerkt dat zelfs president Ryan, hoezeer hij ook door politici veracht werd, een kalme vastbeslotenheid bezat. Hij schreeuwde en tierde niet, handelde niet zoals de meeste 'grote' mannen. Hij vroeg zich af hoeveel mensen beseften hoe gevaarlijk SWORDSMAN juist om die reden was. Juist daarom moest hij hem om het leven brengen, en als dat ten koste ging van zijn eigen leven, dan moest dat maar.

TF-61.1 zette achter het schiereiland Qatar zonder verder incident koers naar het zuiden. De bovenbouw van de *Yorktown* was vooraan zwaar beschadigd. Een brand had evenveel schade aangericht als de raketfragmenten, maar dat gaf niet meer, nu ze haar steven van de vijand had afgewend. Kemper manoeuvreerde zijn escorterende schepen weer in een andere positie. Hij plaatste ze alle vier achter de tankschepen, maar er was geen nieuwe aanval op til. De uitkomst van de eerste had de vijand te zwaar getroffen. Acht F-15's scheerden over het schip, vier van de Saoedische luchtmacht en vier van het 366ste. Er verscheen een aantal escorterende schepen van Saoedische en andere nationaliteit. Het waren hoofdzakelijk mijnenvegers die de bodem voor COMEDY afzochten. Ze vonden niets. Er waren zes enorme containerschepen van de kade van Dhahran weggehaald om plaats te maken voor de *Bob Hope* en zijn zusterschepen, en nu verschenen er drie sleepboten bij elk schip om ze de haven in te slepen. De vier Aegis-schepen bleven waakzaam en lieten de ankers aan de voor- en achterzijde zakken op een afstand van vijfhonderd meter van de schepen om met het luchtafweergeschut zo nodig steun te bieden tijdens het uitladen. De lokaasgroep, die geen schrammetje had opgelopen, voer naar Bahrein om daar de ontwikkelingen af te wachten.
Vanuit de stuurhut van de USS *Anzio* keek kapitein Gregory Kemper toe hoe de eerste bruine bussen op de tankschepen afreden. Door zijn verrekijker zag hij hoe mannen met chocoladebruine uniformen naar de kade liepen en hoe de loopplanken op de achtersteven omlaag kwamen.

'We hebben op dit moment geen commentaar,' zei Van Damm tegen de laatste verslaggever die belde. 'De president zal later vandaag een verklaring afleggen. Dat is alles wat ik nu kan zeggen.'
'Maar...'
'Dat is alles wat we op dit moment te zeggen hebben.' De stafchef legde de hoorn op de haak.

Price had alle agenten van het escorte in de westvleugel bijeengeroepen om het strijdplan voor de komende tijd te bespreken. Dit zou herhaald worden voor de mensen in het Witte Huis zelf en de reactie daar zou vrijwel hetzelfde zijn, wist ze: geschoktheid, ongeloof en kwaadheid die aan razernij grensde.
'Laten we proberen dat van ons af te zetten. We weten wat we eraan gaan doen. Dit is een strafrechtelijk onderzoek, en als zodanig zullen we het ook benaderen. Niemand verliest zijn beheersing. Niemand laat iets merken. Vragen?' Er waren geen vragen.

Daryaei keek weer op zijn horloge. Ja, eindelijk was het tijd. Hij belde via een veilige lijn met de VIR-ambassade in Parijs. Daar belde de ambassadeur een ander, die weer naar Londen belde. In alle gevallen werden er slechts onschuldige mededelingen gedaan. Maar de boodschap was dat niet.
Na Cumberland, Hagerstown en Frederick reed Raman nog een uur zuidwaarts over de I-270 voordat hij in Washington aankwam. Hij was moe, maar zijn handen tintelden. Vanochtend zou hij wellicht voor het laatst de zon zien opkomen. Als dat zo was, dan hoopte hij dat het een fraaie dageraad zou worden.

De agenten sprongen op door het lawaai. Ze keken beiden op hun horloge. Het nummer van de beller verscheen op een LED-schermpje. Het was een buitenlands nummer, dat met 44 begon. Dat betekende dat het telefoontje uit Groot-Brittannië kwam.
'Ja?' Het was de stem van degene die ze in de gaten hielden, Mohammed Alahad.
'Het spijt me dat ik u zo vroeg stoor. Ik bel over de Isfahan van drie meter, die rode. Is die al aangekomen? Mijn klant is erg ongeduldig.' De stem had een accent, maar niet geheel op de juiste manier.
'Nog niet,' antwoordde Alahad met een duffe stem. 'Ik zal het mijn leverancier vragen.'
'Heel goed, maar zoals ik al zei, is mijn klant erg ongeduldig.'
'Ik zal kijken wat ik kan doen. Goedendag.' De verbinding werd verbroken.
Don Selig pakte zijn mobiele telefoon, toetste het nummer van het hoofdkwartier in en gaf het Britse nummer om dat snel te laten natrekken.
'Het licht is net aangegaan,' zei agent Scott. 'Onze man schijnt wakker geworden te zijn. Opgelet,' zei ze in haar mobilofoon, 'de verdachte is in beweging.'
'Dat licht heb ik gezien, Sylvia,' verzekerde een andere agent haar.
Vijf minuten later liep hij de voordeur van het flatgebouw uit. Het was bepaald niet gemakkelijk hem te volgen, maar de agenten hadden de moeite genomen de vier dichtstbijzijnde telefooncellen te traceren en hadden daar mensen neergezet. Hij bleek er een in een benzinestation annex winkel uit te kiezen. Ze zouden op het computerscherm kunnen zien welk nummer hij belde, maar met een camera met telelens zag een agent dat hij een kwartje in het apparaat wierp en snel achter elkaar 363 drukte. Een paar seconden later was

alles duidelijk, toen er een andere afgetapte telefoon overging en een digitaal antwoordapparaat op het telefoontje reageerde.
'Meneer Sloan, met Alahad. Uw tapijt is er. Ik begrijp niet waarom u mij niet belt, meneer.' *Klik.*
'Bingo!' riep een andere agent over de mobilofoon. 'Dat is het. Hij heeft Ramans nummer gebeld: meneer Sloan, we hebben uw tapijt.'
Nu meldde zich nog een stem: 'Hier O'Day. Breng hem direct hierheen!'
Zo moeilijk was dat niet. Alahad ging de winkel binnen om een pak melk te kopen en daarna liep hij direct naar huis. Hij moest een sleutel gebruiken om het flatgebouw binnen te kunnen. Tot zijn verrassing trof hij binnen een man en een vrouw aan.
'FBI,' zei de man.
'U bent gearresteerd, meneer Alahad,' zei de vrouw, terwijl ze een stel handboeien pakte. Ze hadden hun wapens niet getrokken, maar hij bood geen weerstand – dat deden ze zelden – en als hij dat wel had gedaan, dan waren er altijd nog de twee agenten geweest die nu voor de deur stonden.
'Maar waarom?' vroeg hij.
'Samenzwering om de president van de Verenigde Staten te vermoorden,' zei Sylvia Scott, terwijl ze hem tegen de muur duwde.
'Dat is niet waar!'
'Meneer Alahad, u hebt een fout gemaakt. Joseph Sloan is vorig jaar gestorven. Hoe kunt u een tapijt aan een dode verkopen?' vroeg ze. De man deinsde terug alsof hij door een elektrische schok getroffen was, zagen de agenten. Dat deden de slimme jongens altijd, als ze ontdekten dat ze toch niet zo slim geweest waren. Ze verwachtten nooit gepakt te worden. Nu kwam het erop aan van het moment te profiteren. Over enkele minuten zouden ze hem vertellen welke straf er stond op het overtreden van paragraaf 1751 van de Amerikaanse Grondwet.

Het binnenste van de USS *Bob Hope* leek wel een parkeergarage in de hel. De voertuigen stonden zo dicht op elkaar dat zelfs een rat er nog moeilijk tussendoor had gekund. Om aan boord van een tank te kunnen gaan, moest de bemanning over de andere heen kruipen, waarbij ze moesten oppassen hun hoofd niet tegen het plafond te stoten. Ze vroegen zich af hoe het gesteld was met de gezondheid van degenen die regelmatig de voertuigen moesten controleren, waarbij ze de motoren moesten starten en het geschut heen en weer moesten bewegen zodat de rubber en plastic afdichting niet zou uitdrogen.
Het was bepaald geen geringe opdracht geweest om bemanningen aan rupsvoertuigen en vrachtwagens toe te wijzen, maar het schip was zo beladen dat het belangrijkste materieel het eerst werd uitgeladen. De guards arriveerden als eenheden en beschikten over uitdraaien uit de computer waarop nummer en plaats van de aan hen toegewezen voertuigen stonden. Bemanningsleden van het schip wezen hun de snelste weg naar buiten. Minder dan een uur nadat het schip had afgemeerd, reed de eerste MIA2-gevechtstank van de rij-

plank de kade op om direct daarna de trailer op te rijden die kort tevoren nog gebruikt was door een tank van het 11de Cav, en wel met dezelfde chauffeurs. Het uitladen zou meer dan een dag duren en een groot deel van de volgende dag zou nodig zijn om de WOLFPACK-brigade geheel in paraatheid te brengen.

Het beloofde een mooie zonsopkomst te worden, zag Aref Raman tot zijn tevredenheid, terwijl hij West Executive Drive op reed. Het zou een goede dag voor zijn missie worden. De geüniformeerde bewaker bij de poort zwaaide naar hem toen de veiligheidsdrempel omlaag zakte. Er zat een auto achter hem, die eveneens het terrein op reed. Deze parkeerde twee plaatsen van de zijne vandaan. Raman herkende de chauffeur als die vent van de FBI, O'Day, die zoveel mazzel had gehad in het kinderdagverblijf. Het was nergens voor nodig de man te haten. Hij had tenslotte alleen maar zijn kind verdedigd.
'Hoe gaat het met je?' vroeg de FBI-inspecteur vriendelijk.
'Ik kom net uit Pittsburgh,' antwoordde Raman, terwijl hij zijn koffer uit de kofferbak pakte.
'Wat heb je daar in vredesnaam gedaan?'
'Voorbereidend werk, maar ik denk niet dat die toespraak doorgaat. Waarom ben jij hier?' Raman was blij dat hij wat afleiding had. Zo kon hij zich als het ware op zijn opdracht instellen.
'De directeur en ik moeten de Baas een briefing over iets geven. Maar ik moet eerst douchen.'
'Douchen?'
'Desinfec... O ja, je bent hier nog niet geweest. Een staflid van het Witte Huis heeft die virusziekte opgelopen. Iedereen moet zich nu na binnenkomst douchen en desinfecteren. Kom,' zei O'Day, die een aktetas droeg. Ze gingen door de westingang naar binnen. Ze alarmeerden de metaaldetectoren, maar omdat ze beiden beëdigde federale functionarissen waren, werd er geen aandacht aan besteed dat ze vuurwapens droegen. De inspecteur wees naar links. 'Dit is iets heel speciaals,' zei hij gekscherend tegen Raman.
'Ben je hier pas nog veel geweest?' De agent zag dat twee kantoren omgebouwd waren tot iets anders. Op het ene hing een bordje MANNEN, op het andere VROUWEN. Andrea Price kwam er net uit. Haar haren waren nat en toen ze hem passeerde, merkte hij dat ze naar chemicaliën rook.
'Hé, Jeff, hoe was de reis? Pat, hoe is het met onze held?' informeerde ze.
'Niks bijzonders, Price. Gewoon twee Arabische types,' zei O'Day grijnzend. Hij opende de deur waarop MANNEN stond en ging naar binnen. Zijn aktetas liet hij buiten staan.
Het was duidelijk een haastklus geweest, zag Raman. Het kantoor was van een minder belangrijk functionaris geweest. Al het meubilair was verdwenen en de vloer was met plastic afgedekt. Er stond een rek om kleren op te hangen. O'Day kleedde zich haastig uit en liep naar de met een canvas gordijn omgeven douche.
'Je wordt in elk geval wakker van die rotchemicaliën,' zei de FBI-inspecteur

onder het stromende water. Twee minuten later kwam hij weer te voorschijn en begon hij zich krachtig af te drogen. 'Jouw beurt, Raman.'
'Mooie boel zeg,' protesteerde de agent, terwijl hij zijn kleren uittrok en blijk gaf van een restje schaamte voor het menselijk lichaam uit de maatschappij waarin hij geboren was. O'Day keek niet naar hem, maar keek ook niet de andere kant op. Hij droogde zich alleen maar af, tot Raman achter het canvas was. Het dienstpistool van de agent, een Sig-Sauer, lag boven op het kledingrek. O'Day opende eerst zijn aktetas. Daarna pakte hij het automatisch pistool van Raman, haalde het magazijn eruit en verwijderde stilletjes de kogel in de kamer.
'Hoe zijn de wegen?' riep O'Day.
'Stil, ik heb het ontzettend snel gereden. Verdomme, wat stinkt dit water!'
'Nou en of!' Raman had twee reservemagazijnen voor zijn pistool bij zich, zag O'Day. Hij legde ze alle drie uit het zicht in een vak in de aktetas voordat hij de vier pakte die hij bewerkt had. Hij stopte een kogel in de kamer en stopte een nieuw, vol magazijn in het pistool. De twee andere stopte hij in de houder aan de riem van de agent. Toen hij klaar was, tilde hij het pistool op. Het gewicht en de balans waren precies hetzelfde als eerst. Toen alles weer op zijn plek lag, kleedde O'Day zich verder aan. Hij had zich niet hoeven haasten. Raman had duidelijk een douche nodig. Misschien was hij zich ritueel aan het reinigen, dacht de inspecteur cynisch.
'Hier.' O'Day wierp hem een handdoek toe, terwijl hij zijn overhemd aantrok.
'Ik ben blij dat ik schoon goed heb meegenomen.' Raman trok schoon ondergoed en sokken uit zijn tas aan.
'Het is zeker een regel dat je er heel goed uit moet zien als je in de buurt van de president werkt, hè?' De FBI-agent bukte zich om zijn veters te strikken. Hij keek op. 'Goedemorgen, directeur.'
'Ik weet niet waarom ik me thuis druk gemaakt heb,' mopperde Murray. 'Heb je de papieren, Pat?'
'Jawel, meneer. Dit moeten we hem laten zien.'
'Reken maar.' Murray trok zijn jasje en das uit. 'Kleedkamer van het Witte Huis,' zei hij. 'Morgen, Raman.'
Beide agenten kleedden zich verder aan, verzekerden zich ervan dat hun persoonlijke wapens op de juiste plek zaten en stapten naar buiten.
'Murray en ik gaan naar binnen,' zei Pat tegen de ander in de gang. Ze hoefden niet lang op Murray te wachten en daarna dook Price weer op, net op het moment dat de FBI-directeur weer te voorschijn kwam. O'Day wreef over zijn neus om haar te vertellen dat alles gereed was. Ze gaf hem een knikje terug.
'Jeff, wil je deze heren naar het kantoor brengen? Ik moet naar de commandopost. De Baas zit te wachten.'
'Natuurlijk, Andrea. Hierheen,' zei Raman, terwijl hij O'Day voorging. Achter hen bleef Price staan wachten. Ze ging niet naar de commandopost.
'Een verdieping hoger zag Raman dat er tv-apparatuur in gereedheid werd gebracht om in het Oval Office geïnstalleerd te worden. Arnie van Damm liep

met grote stappen de gang door, gevolgd door Callie Weston. President Ryan zat achter zijn bureau, zoals gewoonlijk in hemdsmouwen. Hij zat in een map te lezen. CIA-directeur Foley was er ook.
'Lekker gedoucht, Dan?' vroeg de directeur.
'Zeker. Ik raak de rest van mijn haren kwijt, Ed.'
'Hallo, Jeff,' zei de president, terwijl hij opkeek.
'Goedemorgen, meneer de president,' zei Raman, terwijl hij op zijn gebruikelijke plek tegen de muur ging staan.
'Goed, Dan, wat hebben jullie voor me?' vroeg Ryan.
'We hebben een Iraans spionagecomplot ontmanteld. We denken dat het met de aanslag op uw dochter te maken heeft.' Terwijl Murray het woord voerde, opende O'Day zijn aktetas om er een map uit te halen.
'De verbinding liep via Groot-Brittannië,' begon Foley. 'En het contact hier is een zekere Alahad. Het lijkt ongelooflijk, maar die klootzak heeft anderhalve kilometer hiervandaan een zaak.'
'We houden hem momenteel scherp in de gaten,' vulde Murray aan. 'We tappen zijn telefoon af.'
Ze keken allemaal naar de papieren op het bureau van de president en zagen niet hoe Ramans gezicht verstarde. Opeens schoten er allerlei gedachten door hem heen, alsof er drugs in zijn bloedstroom geïnjecteerd waren. Als ze daar nu, op dit moment mee bezig waren... Wellicht was er nog een kans; weliswaar een geringe, maar hij stond nu bij de president en de directeuren van de FBI en CIA, die hij allemaal aan Allah kon overleveren. Als dat offer nog niet groot genoeg was... Raman knoopte met zijn linkerhand zijn jasje los. Hij deed een stapje van de muur af waar hij tegen geleund stond en sloot zijn ogen voor een schietgebedje. In een snelle, soepele beweging greep hij met zijn rechterhand naar zijn automatisch pistool.
Raman zag tot zijn verrassing hoe de president opkeek en zijn blik op hem richtte. Nu ja, dat was niet zo erg. Ryan moest weten dat zijn dood aanstaande was. Het was alleen jammer dat hij nooit goed zou begrijpen waarom.
Ryan huiverde toen het pistool te voorschijn kwam. Het was een onwillekeurige reactie, ook al was hem verteld wat hij kon verwachten en had hij het teken van O'Day gehad dat alles in orde was. Hij deinsde toch terug, terwijl hij zich afvroeg of hij werkelijk iedereen kon vertrouwen. Hij zag dat Jeff Raman zijn pistool op hem richtte en de trekker als een automaat overhaalde, zonder ook maar enige emotie in zijn ogen...
Iedereen sprong op door het geluid, zij het om verschillende redenen.
Pop.
Dat was alles. Ramans mond viel open van verbazing. Het wapen was geladen. Hij kon het grotere gewicht van de scherpe munitie voelen en...
'Laat vallen,' zei O'Day kalm. Hij had zijn Smith getrokken en op Raman gericht. Een moment later had ook Murray zijn dienstwapen getrokken.
'We hebben Alahad al gearresteerd,' legde de directeur uit.
Raman had nog een wapen, een telescopische knuppel, maar de president zat

ijf meter verderop en...

Ik kan je door je knieschijf schieten als je wilt,' zei O'Day koeltjes.

Vuile verrader!' zei Andrea, die met getrokken pistool de kamer binnenkwam. Vuile moordenaar! Ga op de grond liggen!'

Rustig maar, Price, hij kan niet meer weg,' zei Pat tegen haar.

Maar het was Ryan die bijna zijn zelfbeheersing verloor: 'Dus jij hebt meegeholpen met de plannen om mijn dochter, mijn lieve meisje, te vermoorden?'

Hij wilde om zijn bureau heen lopen, maar Foley hield hem tegen. 'Nee, ditmaal niet, Ed!'

Stop!' zei de CIA-directeur. 'We hebben hem, Jack. We hebben hem te pakken.'

Ga hoe dan ook op de grond liggen,' zei Pat, de anderen negerend en op Ramans knie richtend. 'Laat het wapen vallen en ga liggen.'

Raman trilde nu van angst en woede; allerlei emoties overvielen hem, behalve het gevoel dat hij verwacht had. Hij spande het mechaniek van de Sig en haalde nogmaals de trekker over. Hij richtte niet eens, het was puur een daad van ontkenning.

Ik kon geen losse flodders gebruiken. Die zijn niet even zwaar,' legde O'Day uit. 'Het zijn echte patronen. Ik heb alleen het kruit uit de kogels verwijderd. Het slaghoedje geeft een leuk geluid, hè?'

Het leek alsof hij een tijdje vergeten had te ademen. Raman stortte gewoon neen. Hij liet het pistool met het zegel van de president op het tapijt vallen en akte op zijn knieën. Price kwam op hem af en duwde hem tegen de grond. Voor het eerst in jaren deed Murray weer iemand de handboeien om.

Zal ik je je rechten even voorlezen?' vroeg de FBI-directeur.

59

Regels van de strijd

Diggs had nog geen echte missie-orders ontvangen. Nog verontrustender was dat er voor zijn Operatie BUFORD nog geen echt plan was. De commandanten van de landmacht waren erop getraind om snel en doortastend te handelen, maar net als bij artsen in een ziekenhuis waren noodsituaties niet zo welkom als de vaste procedures. De generaal stond voortdurend in contact met zijn twee cavaleriregimenten, de hoogste luchtmachtcommandant, de eensterrengeneraal die het 366ste had meegenomen, de Saoedi's, de Koeweiti's en diverse inlichtingenbronnen. Hij probeerde zich een beeld te vormen van wat

de vijand werkelijk aan het doen was en aan de hand daarvan te bepalen wa de vijand van plan was. Op grond daarvan zou hij proberen een eigen plan te formuleren, naast de pure reactie ad hoc.
De Orders en de Regels bij Gevechtshandelingen kwamen rond 11.00 uur plaatselijke tijd in Washington, 16.00 uur UTC en 19.00 uur Lima, ofwel plaatselijke tijd in Saoedi-Arabië, op zijn fax binnen. Hier was de uitleg waar het hem aan ontbroken had. Hij gaf de info direct aan zijn voornaamste ondergeschikten door en verzamelde zijn staf voor een briefing. Hij vertelde de verzamelde officieren dat de manschappen het nieuws van hun opperbevelhebber zouden horen. De officieren zouden bij de manschappen moeten zijn als dat bericht kwam.
Het was druk zat. Volgens de satellietgegevens bevond het Leger van God, zoals de naam volgens de inlichtingenmensen moest luiden, zich op circa tachtig kilometer van de grens met Koeweit. Het naderde in gesloten linie vanuit het westen en volgde de wegen volgens verwachting. De posities van de Saoediërs leken dus goed te zijn, omdat drie van de vijf brigades de toegangswegen naar de olievelden controleerden.
Ze waren nog steeds niet gereed. De 366ste wing was in het koninkrijk, maar het was niet voldoende om de vliegtuigen op de juiste vliegvelden te hebben. Er moesten talloze details worden geregeld, en daar waren ze nog niet halverwege mee. De F-16's uit Israël waren in goede conditie en alle 48 eenmotorige toestellen functioneerden. Ze hadden zelfs bij de aanvankelijke schermutselingen enkele vijanden uitgeschakeld. De rest had echter nog een dag nodig. Ook het 10de Cav was geheel paraat, maar het 11de niet. Dat was nog altijd bezig zich te verzamelen en naar de beginstellingen te vertrekken. Zijn derde brigade was net begonnen het materieel uit te laden. Een leger was geen verzameling wapens. Het was een team dat uit mensen bestond die nadachten over wat ze moesten gaan doen. Maar de keuze van tijd en plaats voor een oorlog werd meestal gemaakt door een agressor, een rol waar zijn land niet erg vertrouwd mee was.
Hij bekeek de fax van drie pagina's weer. Het was beslist explosief materiaal. Toen zijn planningsstaf de fax had gelezen, bleef iedereen onheilspellend stil, tot de S-3 van het 11de, de regimentsofficier Operaties, de gedachten van iedereen verwoordde:
'Er komt heel wat op ons af.'

De drie Russen waren zojuist aangekomen. Clark en Chavez moesten zichzelf eraan herinneren dat dit geen alcoholische droom was. De twee CIA-functionarissen werden ondersteund door de Russen, die via Moskou missie-orders van Langley hadden gekregen. Ze hadden in feite twee missies. De Russen hadden aan het kortste eind getrokken en hadden de noodzakelijke apparatuur meegebracht in de diplomatieke zak, terwijl de Amerikanen de makkelijker opdracht hadden gekregen. Er was via Moskou ook een bericht uit Washington gekomen, dat ze allemaal lazen.

'Te snel, John,' zei Ding. Hij trok zijn missiegezicht. 'Maar wat kan het scheen.'

Het was nog steeds niet erg druk in de perszaal. Veel vaste klanten zaten elders. Sommigen zaten buiten de stad en konden door het reisverbod niet komen, anderen waren er niet zonder dat iemand precies wist waarom.
'De president zal over een uur een belangrijke toespraak houden,' zei Van Damm.
'Helaas is er geen tijd om u vooraf de tekst te geven. Zeg maar tegen jullie omroepen dat het om een uiterst belangrijke zaak gaat.'
'Arnie!' riep een journalist, maar de stafchef had zich al omgedraaid.

De journalisten in Saoedi-Arabië wisten meer dan hun collega's in Washington. Ze waren op weg naar de hun toegewezen eenheden. Voor Tom Donner was dat de B-Troop, 1ste van het 11de. Hij had zich in een woestijngevechtspak, of BDU, gehuld en trof de negenentwintigjarige commandant bij zijn tank aan.
'Hallo,' zei de kapitein, half opkijkend van zijn kaart.
'Waar wilt u me hebben?' vroeg Donner.
De kapitein lachte. 'Vraag een militair nooit waar hij een journalist wil hebben, meneer.'
'Bij u dan?'
'Ik rij hierin,' zei de officier, naar de tank knikkend. 'Ik zet u bij de XO in een van de commando-Brads.'
'Ik heb een cameraploeg nodig.'
'Die is hier al,' zei de kapitein, met zijn vinger wijzend. 'Daar. Verder nog wat?'
'Ja, wilt u weten waarom dit allemaal draait?' vroeg Donner. De journalisten hadden in feite gevangen gezeten in een hotel in Riad. Ze hadden zelfs niet naar huis mogen bellen om hun familieleden te vertellen waar ze zaten. Die wisten alleen dat er journalisten opgeroepen waren en dat hun werkgever een overeenkomst had getekend om de reden van hun afwezigheid bij zulke gelegenheden niet te openbaren. In het geval van Donner zei de omroep dat hij 'op dienstreis' was, wat met het reisverbod moeilijk te verklaren was. De journalisten hadden wel te horen gekregen hoe de algemene situatie was, omdat dat niet te vermijden was, en daarom wisten ze meer dan veel militairen.
'Dat horen we over een uurtje, zo heeft de kolonel ons verteld.' Maar de jonge officier was toch nieuwsgierig geworden.
'Dit moet u echt weten, eerlijk waar.'
'Meneer Donner, ik weet dat u de president misleid hebt en...'
'Als u me dood wilt schieten, doe dat dan straks. Luister naar me, kapitein. Dit is belangrijk.'
'Zeg het dan maar, meneer.'

Het leek wat decadent om op een moment als dit gegrimeerd te worden, maar Mary Abbott deed gewoon haar werk. Ze droeg een masker en ditmaal ook handschoenen. Op beide autocues liep de tekst van de toespraak. Ryan had geen tijd of zelfs maar de behoefte gehad om te repeteren. Hoe belangrijk de toespraak ook was, hij wilde hem maar eenmaal uitspreken.

'Ze kunnen niet dwars door de woestijn trekken,' hield de Saoedische generaal vol. 'Ze hebben daar niet op geoefend en zijn nog altijd aan de wegen gebonden.'
'Er is informatie die anders doet vermoeden, meneer,' zei Diggs.
'We hebben ons voorbereid op hun komst.'
'U bent nooit genoeg voorbereid, generaal. Dat is niemand.'

De sfeer op PALM BOWL was gespannen, maar verder normaal. Uit de satellietfoto's bleek dat de VIR-strijdkrachten nog steeds in opmars waren. Als ze zo doorgingen, zouden ze op twee Koeweitse brigades stuiten, die op hun eigen grondgebied de strijd zouden aangaan. Er werd een Amerikaans regiment in reserve gehouden en de Saoedi's waren gereed om snel steun te bieden. Ze wisten niet hoe de veldslag zou eindigen – qua aantal waren ze in het nadeel – maar het zou anders verlopen dan de vorige keer, zei majoor Sabah tegen zichzelf. Hij bleef het onbegrijpelijk vinden dat de geallieerden niet als eerste aanvielen. Ze wisten toch wat er ging gebeuren.
'Ik krijg radioverkeer,' meldde een technicus. Buiten begon de zon net onder te gaan. De satellietfoto's die de inlichtingenofficieren aan het bekijken waren, waren vier uur oud. Pas over twee uur zouden de volgende komen.

STORM TRACK bevond zich dicht bij de grens tussen Saoedi-Arabië en de VIR. Dat was te ver voor mortiervuur, maar niet voor echt artillerievuur. Er bevond zich nu een compagnie van veertien Saoedische tanks tussen de luisterpost en de berm. Daar begonnen ze nu ook voor het eerst sinds dagen radioverkeer te registreren. De signalen waren versleuteld, meer zoals bij commandosets dan bij de gewone tactische radio's; daarvan waren er veel te veel voor een eenvoudig versleutelingssysteem. Ze konden de berichten niet direct ontcijferen – dat moesten de computers op KKMC doen – maar ze konden wel de plaats van herkomst vaststellen. Binnen twintig minuten hadden ze dertig bronnen gelokaliseerd. Twintig brigadehoofdkwartieren, zes divisiecommandoposten, drie korpscommandanten en het legercommando. Ze leken het commandonet te testen, concludeerden de ELINT-mensen. Ze zouden moeten wachten tot de computers ontcijferd hadden wat er gezegd werd. De richtingzoekers hadden ze gelokaliseerd op de weg naar Al Bussayyah. Ze waren nog steeds op weg naar Koeweit. Het radioverkeer was zeker niet opmerkelijk. De meesten dachten dat het Leger van God misschien nog training nodig had in marsdiscipline, al was ze dat tijdens de oefening niet slecht afgegaan.
Bij zonsondergang werden de Predators weer gelanceerd en in noordelijke

ichting gedirigeerd. Eerst gingen ze op weg naar de radiobronnen. Op vijftien kilometer binnen de VIR werden de camera's ingeschakeld. Het eerste wat werd waargenomen was een batterij 203-mm geschut die van de vrachtwagens gehaald was. De steunpoten waren uitgeklapt en de lopen waren op het zuiden gericht.

Kolonel!' riep een sergeant verontrust.

De Saoedische tanks hadden zich achter de heuveltjes verscholen. Enkele bemanningsleden werden naar buiten gestuurd om de omgeving te observeren. De eersten hadden zich net op hun observatieposten geïnstalleerd, toen de noordelijke horizon oranje oplichtte.

Diggs was nog altijd bezig de opstellingspatronen te bespreken toen de eerste melding binnenkwam:

'Generaal, STORM TRACK meldt dat ze artillerievuur zien.'

'Goedemorgen, landgenoten,' zei Ryan voor de camera. Hij was over de hele wereld op tv te zien. Zijn stem was zelfs te horen voor degenen die geen tv in de buurt hadden. In Saoedi-Arabië werden zijn woorden op de AM, de FM en de korte golf uitgezonden, zodat elke militair van landmacht, marine en luchtmacht kon horen wat hij zei.

'De laatste weken hebben we veel meegemaakt in ons land.

Ik moet u eerst vertellen over de voortgang die we hebben gemaakt in verband met de epidemie die ons land is aangedaan.

Het was voor mij niet gemakkelijk een verbod op het reizen tussen de staten af te kondigen. Weinig vrijheden zijn kostbaarder dan het recht om zich vrijelijk te verplaatsen, maar gebaseerd op het best mogelijke medisch advies, achtte ik het noodzakelijk die maatregel te nemen. Ik kan u nu meedelen dat die maatregel het gewenste effect heeft gehad. Sinds vier dagen neemt het aantal nieuwe ziektegevallen af. Dat komt deels door de maatregelen van de overheid, maar vooral omdat u de juiste maatregelen hebt genomen om uzelf te beschermen. Later vandaag zullen we meer gedetailleerde informatie verschaffen, maar ik kan u nu al vertellen dat de ebola-epidemie op haar eind loopt en waarschijnlijk volgende week voorbij zal zijn. Veel nieuwe ziektegevallen betreffen mensen die de ziekte zeker zullen overleven. De Amerikaanse medische stand heeft een bovenmenselijke inspanning gepleegd om de getroffenen te helpen, om ons te helpen begrijpen wat er gebeurd is en om de ziekte zo goed mogelijk te bestrijden. Deze taak is nog niet volbracht, maar ons land zal deze storm doorstaan, zoals we vele stormen doorstaan hebben.

Zojuist vertelde ik dat de epidemie ons land is aangedaan.

Deze ziekte is niet toevallig in ons land gekomen. We zijn op een nieuwe, barbaarse wijze aangevallen, biologische oorlogvoering genaamd, die op grond van internationale verdragen uitdrukkelijk verboden is. Biologische oorlogvoering is bedoeld om een land angst aan te jagen en te verzwakken, niet om het te vernietigen. We hebben allemaal de walging en afschuw gevoeld over de gebeurtenissen in ons land, de manier waarop de ziekte mensen willekeurig

treft. Mijn eigen vrouw Cathy heeft in haar ziekenhuis in Baltimore dag en nacht met ebolaslachtoffers gewerkt. Zoals u weet, ben ik daar enkele dagen geleden geweest om te kijken. Ik heb de slachtoffers gezien, heb met de artsen en verpleegkundigen gesproken en buiten het ziekenhuis heb ik met een man gesproken wiens vrouw ziek was.
Ik kon het hem toen niet vertellen, maar ik kan u nu zeggen dat we vanaf het begin vermoed hebben dat deze epidemie door mensen is begonnen. De afgelopen dagen hebben onze opsporings- en inlichtingendiensten het bewijs verzameld dat nodig was om u te kunnen vertellen wat u nu gaat horen.' Op tv's over de hele wereld verschenen de gezichten van een jonge Afrikaanse jongen en een in witte kledij gehulde Belgische non.
'Deze ziekte is enkele maanden geleden in Zaïre begonnen,' ging de president verder. Hij moest dit langzaam en zorgvuldig aan iedereen vertellen. Ryan vond het moeilijk op neutrale toon te blijven spreken.

De Saoedische tankbemanning klom direct weer in de tanks, startte de turbinemotoren en ging op zoek naar een andere locatie, uit vrees dat ze ontdekt waren. Maar ze zagen al snel dat de schoten op STORM TRACK gericht waren. Dat leek ook logisch, dacht de commandant. De luisterpost was een belangrijk verzamelpunt van inlichtingen. Het was hun taak de post te beschermen, en dat lukte hun wel als het om aanvallen van tanks en infanterie ging, maar niet als het artillerievuur betrof. De Saoedische kapitein was een knappe, vlotte jongeman van vijfentwintig. Hij was ook zeer religieus en was zich er daarom van bewust dat de Amerikanen in zijn land te gast waren en daarom zijn bescherming verdienden. Hij riep via de radio het hoofdkwartier van zijn bataljon op en vroeg om meer gepantserde personeelsvoertuigen om de inlichtingenspecialisten te evacueren. Om helikopters vroeg hij niet, want dat zou zelfmoord geweest zijn.

'We zien dus dat de ziekte van Afrika naar Iran reist. Hoe weten we dit?' vroeg de president. 'Dat weten we omdat de ziekte in dit vliegtuig naar Afrika teruggekeerd is. Let u op de registratiecode, HX-NJA. Dit is hetzelfde vliegtuig dat met zuster Jean aan boord neergestort zou zijn...'

We hebben verdomme nog een dag nodig! dacht Diggs. En de vijand bevond zich driehonderd kilometer westelijk van het punt waar iedereen op een confrontatie gerekend had.
'Wie zit het dichtst in de buurt?' vroeg hij.
'De 4de brigade,' antwoordde de Saoedische officier. Maar die brigade was verspreid over een front van meer dan honderdvijftig kilometer. Er waren wel enkele verkenningshelikopters, maar de aanvalshelikopters bevonden zich ook op de verkeerde plek, tachtig kilometer ten zuiden van Wadi al Batin. De tegenstander werkte niet erg mee.

Daryaei zag tot zijn schrik zijn foto op tv. Erger nog was dat minstens tien procent van zijn volk hetzelfde zag. Het Amerikaanse CNN was in de VIR niet beschikbaar, maar het Britse Sky News wel, en niemand had eraan gedacht om...

'Dit is de man achter de biologische aanval op ons land,' zei Ryan, met robotachtige kalmte. Hij heeft ervoor gezorgd dat duizenden Amerikaanse burgers gestorven zijn. Ik zal u nu vertellen waarom hij dat gedaan heeft en waarom er een aanslag op mijn dochter Katie gepleegd is en waarom er enkele uren geleden hier, in het Oval Office, een poging is ondernomen om mij om het leven te brengen. Ik stel me zo voor dat de heer Daryaei op dit moment eveneens kijkt. Mahmoud Haji,' zei hij recht in de camera, 'uw man Aref Raman is in hechtenis genomen. Denkt u werkelijk dat Amerika zo achterlijk is?'

Net als alle anderen in het Black Horse zat Tom Donner te luisteren. Hij had een koptelefoon op die met de radio van de Bradley verbonden was. Er waren er niet genoeg en de bemanning moest ze delen. Hij keek naar hun gezichten. Ze stonden even uitdrukkingsloos als Ryans stem was geweest, tot zijn laatste, op verachtelijke toon uitgesproken zin.

'Shit,' zei een Spec-4. Het was een 11-Delta, cavalerieverkenner en de reserveschutter van de tank.

'Mijn god,' wist Donner uit te brengen.

Ryan ging verder: 'De VIR-strijdmacht staat op het punt om een aanval te doen op een van onze bondgenoten, het koninkrijk Saoedi-Arabië. De afgelopen twee dagen hebben we daarheen troepen overgebracht om onze vrienden bij te staan.

Ik moet u nu iets zeer belangrijks zeggen. De aanslag op mijn dochter, de poging om mij te vermoorden en de barbaarse aanval op ons land werden ondernomen door mensen die zich moslim noemen. We moeten allen begrijpen dat religie volstrekt niets van doen heeft met deze onmenselijke daden. De islam is een religie. Amerika is een land waarin de vrijheid van godsdienst als eerste grondrecht in de Bill of Rights genoemd wordt, nog vóór de vrijheid van meningsuiting en alle andere. De islam is niet de vijand van ons land of welk land dan ook. Zoals mijn gezin ook al werd aangevallen door mensen die zich katholiek noemden, zo is het geloof van deze mensen verwrongen, in de naam van de wereldse macht. Nu verschuilen ze zich erachter, lafaards die ze zijn. Wat God daarvan denkt, weet ik niet. Ik weet dat de islam, evenals het christendom en het jodendom, ons leert over een God van liefde en mededogen en over gerechtigheid.

En daarom zal er gerechtigheid zijn. Al de VIR-strijdmacht die zich bij de Saoedische grens bevindt, tot een invasie overgaat, dan zullen wij hen opwachten. Onze strijdkrachten bevinden zich op dit moment te velde, en ik zal mij nu rechtstreeks tot hen richten.

Nu weet u waarom u van uw huis en uw gezin bent weggehaald. Nu weet u waarom u de wapens moet opnemen om uw land te verdedigen. Nu kent u de aard van uw vijand en de aard van zijn daden.

Maar evenals in het verleden zal Amerika niet met voorbedachten rade onschuldigen aanvallen. U zult altijd in overeenstemming met onze wetten moeten handelen. Ik moet u nu het strijdperk in sturen. Ik had liever gezien dat dit niet noodzakelijk was geweest. Ik heb zelf als marinier gediend en ik weet hoe het is om in een onbekend gebied te opereren. Maar u bent daar voor uw land en uw land zal er voor u zijn. In onze gebeden zullen we aan u denken.
Aan onze bondgenoten in Koeweit, het koninkrijk Saoedi-Arabië, Qatar, Oman en alle Golfstaten zeg ik: Amerika strijdt samen met u om de agressie te stoppen en de vrede te herstellen. Veel succes.' Ryans stem veranderde nu. Voor het eerst veroorloofde hij zich zijn emoties te tonen. 'Een goede jacht.'

De bemanning van het commandovoertuig van B-Troop keek elkaar aan voordat iemand iets zei. Ze vergaten de aanwezigheid van de journalist zelfs even. De jongste van hen, een PFC, keek naar zijn trillende handen en zei: 'Die klootzakken moeten ervoor boeten. Die hufters nemen we te grazen, jongens.'

Vier gepantserde personeelsvoertuigen reden met een snelheid van ruim zestig kilometer per uur door de woestijn. Ze vermeden de ongeplaveide weg naar STORM TRACK, omdat ze bang waren dat die het doel zou worden van artillerievuur; dat bleek een verstandige voorzorgsmaatregel te zijn. Het eerste wat ze van hun einddoel zagen, was een wolk van rook en stof die van het woud van antennes wegdreef. Het terrein werd nog steeds beschoten. Een van de drie gebouwen stond nog overeind, maar de vlammen sloegen eruit, en de Saoedische luitenant die de verkenningseenheid leidde, vroeg zich af of er nog iemand in leven kon zijn. In het noorden zag hij een ander soort lichtflits. Acht kilometer verderop verlichtte de horizontale vuurtong uit de loop van een tank de bulten en heuvels in een landschap dat helemaal niet zo vlak was als het overdag leek. Even later verminderden de beschietingen van STORM TRACK en verplaatsten deze zich naar waar de tanks kennelijk de vijandige voertuigen bestreden die zijn land binnendrongen. Hij dankte Allah dat zijn taak op dit moment wat makkelijker geworden was, terwijl zijn verbindingsman op de tactische radio van het rupsvoertuig doorgaf wat er gebeurd was.
De vier voertuigen reden tussen de omgevallen antennes door naar de vernielde gebouwen. De deuren aan de achterzijde gingen open, waarna de soldaat er uitkwam om rond te kijken. Er werkten dertig mannen en vrouwen. Ze troffen negen mensen aan die ongedeerd waren en vijf gewonden. De verkenners doorzochten de puinhoop een minuut of vijf, maar er werden geen overlevenden meer aangetroffen. Er was geen tijd om zich al te veel om de doden te bekommeren. De voertuigen reden terug naar de commandopost van het bataljon, waar helikopters klaarstonden om de Amerikanen mee te nemen.

Het verbaasde de Saoedische tankcommandant dat ze zich hadden laten verrassen. Hij wist dat het grootste deel van het leger van zijn land zich driehon-

erd kilometer oostelijker bevond. Maar de vijand was hier en rukte naar het
iiden op. Ze waren helemaal niet op weg naar Koeweit of de olievelden. Dat
erd duidelijk toen de eerste VIR-tanks in zijn infraroodkijker zichtbaar wer-
en. Ze zochten een lage plek in de berm, buiten het bereik van het geschut,
mdat hij opdracht gekregen had niet te dichtbij te komen. De jonge officier
ist echt niet wat hij moest doen. Gewoonlijk opereerde zijn leger onder strak
evel en daarom vroeg hij via de radio om instructies. Maar zijn bataljonscom-
andant had het te druk, nu zijn eigen eenheid van vierenvijftig tanks en
ndere voertuigen over de hele breedte van het front van dertig kilometer
estookt werd met indirect artillerievuur en vele tanks meldden dat vijandige
nks de grens passeerden, ondersteund door infanterievoertuigen.
e officier besloot dat hij iets moest doen. Hij beval zijn tanks op te rukken
m de aanval af te slaan. Op een afstand van drieduizend meter openden zijn
annen het vuur. De eerste veertien schoten resulteerden in acht treffers, wat
nder de omstandigheden niet slecht was voor parttime soldaten, dacht hij.
Iij besloot ter plekke te proberen de indringers af te slaan. Zijn veertien tanks
aren over een lengte van drie kilometer verspreid. Dat was een opstelling die
erdedigbaar was, maar het was ook een weinig flexibele opstelling, en hij was
 het midden van zijn linie te sterk gefixeerd op wat er voor hem lag. De twee-
e reeks schoten leverde nog zes treffers op de lange afstand op, maar toen
erd een van zijn tanks door artillerievuur getroffen, waardoor de motor ver-
ield werd en er brand uitbrak. De bemanning klom eruit, maar voordat ze
ijf meter hadden kunnen rennen, werden ze door nieuw artillerievuur getrof-
en. Hij keek net die kant op en zag ze sterven, vierhonderd meter verderop.
Iij wist dat er nu een gat in zijn linie zat, waartegen hij beslist iets moest doen.
Iet als de anderen was zijn boordschutter op zoek naar vijandelijke tanks, de
-80's met de ronde geschutskoepels. Nu werd de eerste lading anti-tankra-
etten afgevuurd vanuit de BMP-infanterievoertuigen achter die tanks. Ze
ncasseerden diverse treffers, en hoewel ze niet door de wapening aan de voor-
ant van de tanks konden dringen, werden er toch diverse uitgeschakeld. Er
logen nog enkele motoren in brand en enkele vuurleidingsystemen werden
ernield. Nu zijn halve eenheid in brand stond, was het tijd om zich terug te
rekken. Vier tanks zetten zich weer in beweging, draaiden om en reden twee
ilometer naar het zuiden. De kapitein bleef bij de andere drie. Toen er nog
en tank vernield werd, begon hij in beweging te komen. Het wemelde nu van
le raketten in de lucht. Een ervan sloeg tegen de achterkant van zijn geschuts-
oepel, waardoor de munitie-opslagkist explodeerde. De verticale vlam zoog
le lucht uit het open luik, waardoor zijn bemanning verstikt werd en hij
evend verbrandde. De compagnie vocht nog een half uur zonder leider verder
n moest zich weer een stuk terugtrekken. Uiteindelijk zat er voor de drie
vergebleven tanks niets anders op dan met vijftig kilometer per uur zuid-
vaarts te rijden in een poging de bataljonscommandopost te vinden.
Die was er niet meer. Hij was ontdekt door de radiosignalen en door een volle-
lige brigade VIR-artillerie zwaar bestookt, zonder dat er adequate verdediging

was. Toen de overlevenden van STORM TRACK met de verkenningstroepen arriveerden, was de post inmiddels weggevaagd. In het eerste uur van de Tweede Golfoorlog was er een gat van vijftig kilometer in de Saoedische linies geslagen en lag de weg naar Riad open. Om dit te bereiken had het Leger van God een halve brigade verspeeld, wat een flinke prijs was, maar ze waren bereid die te betalen.

Aanvankelijk was niet duidelijk wat er gebeurd was. Dat was meestal zo. Dat was het voordeel dat de aanvaller bijna altijd had, wist Diggs, en het was de taak van de commandant orde in die chaos te scheppen en die orde te gebruiken om chaos bij de vijand te veroorzaken. Met de verwoesting van STORM TRACK was hij zijn Predators tijdelijk kwijtgeraakt. Hij zou ze weer moeten terugkrijgen. Het 366ste had zich opgesteld zonder de J-STARS radar in de lucht die de bewegingen van grondtroepen kon volgen. Er waren twee E-3B AWACS-toestellen in de lucht, die door vier jagers begeleid werden. Twintig VIR-jagers waren opgestegen om erachteraan te gaan. Het zou nog spannend worden voor de luchtmacht.
Diggs had zelf ook genoeg aan zijn hoofd. Door het verlies van STORM TRACK en zijn Predators tastte hij nu grotendeels in het duister. Om daar iets aan te doen, gaf hij eerst het luchteskader van het 10de Cav opdracht om in het westen verkenningen uit te voeren. Hij werd nu pijnlijk geconfronteerd met de uitspraak van Eddington. Het Saoedische zwaartepunt was mogelijk dus toch geen economisch doel.

'Onze troepen zijn in het koninkrijk,' vertelde Inlichtingen hem. 'Ze ondervinden tegenstand, maar breken door de linies heen. De Amerikaanse spionagepost is vernietigd.'
Daryaei werd niet gelukkiger door het nieuws. 'Hoe wisten ze het... hoe wisten ze het?'
Het hoofd Inlichtingen durfde niet te vragen wie die 'zij' waren en wát ze wisten. Hij ontweek de kwestie: 'Het doet er niet toe. We zullen over twee dagen in Riad zijn en dan doet niets er meer toe.'
'Wat weten we over de ziekte in Amerika? Waarom zijn er niet meer mensen ziek? Hoe kunnen ze over troepen beschikken om weg te sturen?'
'Dat weet ik niet,' gaf Inlichtingen toe.
'Wat weet u dan wel?'
'De Amerikanen blijken één regiment in Koeweit te hebben en een ander in het koninkrijk, terwijl een derde in Dhahran materieel ontvangt van de schepen die de Indiërs niet konden tegenhouden.'
'Val ze dan aan!' schreeuwde Mahmoed Haji bijna. Wat was die Amerikaan arrogant, om hem bij zijn naam te noemen, en wel zo dat zijn eigen volk dat misschien gezien en gehoord had... en geloofd?
'Onze luchtmacht doet in het noorden aanvallen. Daar wordt alles beslist. Alles wat daarvan afleidt, is tijdverspilling,' antwoordde hij op redelijke toon.

Gebruik dan raketten!'
Ik zal kijken.'

De commandant van de Saoedische 4de brigade had te horen gekregen dat hij slechts een afleidingsaanval in zijn gebied hoefde te verwachten en zich gereed moest houden voor een tegenaanval op de VIR als hun massale aanval op Koeweit begonnen was. Zoals zoveel generaals in de geschiedenis had hij de vergissing gemaakt te veel op zijn intelligentie te vertrouwen. Hij had drie gemotoriseerde bataljons, die elk een zone van vijftig kilometer afdekten, met daartussen steeds een gat van acht tot twaalf kilometer. In een offensief zou dit een flexibele opstelling zijn geweest om de flanken van de vijand te treffen, maar nu hij zijn middelste bataljon zo vroeg kwijtgeraakt was, was zijn eenheid in tweeën gesplitst. Het was voor hem nu niet gemakkelijk om de van elkaar gescheiden delen te commanderen. Daarna verergerde hij alles nog door op te rukken in plaats van zich terug te trekken. Dit was weliswaar een moedig besluit, maar hij had er geen rekening mee gehouden dat de afstand tussen hem en King Khalid Military City nog meer dan honderdvijftig kilometer bedroeg. In dat gebied had hij zijn organisatie weer op orde kunnen brengen om een goed voorbereide tegenaanval te doen in plaats van een gefragmenteerde directe aanval.

De VIR-aanval was gebaseerd op het model dat in de jaren zeventig door het Sovjetleger geperfectioneerd was. De aanvankelijke doorbraak werd daarbij geforceerd door een zware brigade die achter massaal artillerievuur oprukte. Het was vanaf het begin de bedoeling geweest STORM TRACK uit te schakelen. Samen met PALM BOWL – de vijand kende zelfs de codenamen – functioneerde dit als het oog van de bevelvoering van hun vijand. Tegen satellieten konden ze niets uitrichten, maar inlichtingenposten op de grond waren een goede prooi. Zoals verwacht hadden de Amerikanen enkele eenheden ingezet, maar niet veel, zo bleek, en de helft daarvan waren vliegtuigen, die alleen overdag actief waren. Evenals de Sovjets was de VIR bereid de kosten te accepteren, waarbij het verlies aan levens werd afgewogen tegen de tijd die het zou kosten om het politieke doel te bereiken voordat de mogelijke vijanden met volle kracht in de aanval zouden gaan. Als de Saoedi's geloofden dat Daryaei meer uit was op hun olie dan op iets anders, dan moest dat maar zo zijn, want in Riad zaten de koninklijke familie en de regering. Door zo te werk te gaan, zette de VIR zijn linkerflank op het spel, maar de strijdmacht in Koeweit zou de Wadi al Batin moeten zien door te trekken en dan nog driehonderd kilometer door de woestijn moeten trekken om daar te komen waar het Leger van God al geweest was.

Het toverwoord was snelheid, en om die snelheid te bereiken moest het Saoedische 4de snel uitgeschakeld worden. De artillerie, die nog steeds massaal in stelling lag ten noorden van de berm, luisterde de noodoproepen op de radio af en begon meedogenloze beschietingen op het hele gebied om de communicatie en de samenhang tussen de eenheden te verstoren. Ze rekenden erop dat

die gebruikt zouden worden om de eerste invasie af te slaan. Het was een tactiek die vrijwel zeker zou slagen, zolang ze bereid waren de prijs te betalen. Aan elk van de drie grensbataljons was een brigade toegewezen.
De commandant van de 4de brigade beschikte zelf ook over artillerie, maar die kon hij naar zijn mening het best gebruiken bij de doorbraak in het centrum, om de eenheden te bestrijden die over vrije doorgang naar het hart van zijn land beschikten. Daar ging de meeste ondersteuning naartoe. Hij kon nu beter proberen eenheden uit te schakelen die gewoon konden doorstoten dan de brigades te bestrijden die net contact hadden gekregen met zijn nog resterende gemotoriseerde onderdelen. Als die ten onder gingen, zou de breedte van het gat in de Saoedische gelederen drie maal zo groot worden.

Diggs bevond zich in de commandopost toen al dit nieuws arriveerde. Hij realiseerde zich vrij goed hoe hij er nu voorstond. Hij had het tegen de Irakezen gedaan in 1991. Hij had het een paar jaar geleden gedaan tegen de Israëli's als commandant van het Buffalo Cav. En hij was ook een tijd commandant van het National Training Center geweest. Nu zag hij hoe het was om aan de andere kant te staan. Alles ging te snel voor de Saoedi's. Ze reageerden meer dan dat ze nadachten. Ze zagen wel hoe groot de crisis was, maar niet welke gedaante die had. Ze waren half verlamd door de snelheid van de gebeurtenissen, die alleen maar positief geleken zouden hebben als ze aan de andere kant hadden gestaan.
'Laat het 4de zich ongeveer dertig kilometer terugtrekken,' zei hij rustig. 'U hebt voldoende ruimte om te manoeuvreren.'
'We zullen ze daar beslist tegenhouden!' antwoordde de Saoedische commandant al te automatisch.
'Generaal, dat is een misvatting. U zet die brigade onnodig op het spel. U kunt echter het verloren terrein terugwinnen. U kunt verloren tijd en verloren manschappen níét terugwinnen.'
Maar hij luisterde niet en Diggs had niet genoeg sterren op zijn schouder om op dwingender toon te spreken. Nog één dag, dacht hij, nog één dag, verdomme.

De helikopters namen de tijd. M-Troop, 4de van het 10de, bestond uit zes OH-58 Kiowa-verkenningshelikopters en vier AH-64 Apache-gevechtshelikopters die allemaal meer extra brandstoftanks dan wapens aan boord hadden. Ze waren gewaarschuwd dat er vijandelijke jagers in de lucht waren, waardoor ze niet erg hoog konden vliegen. De sensoren zochten de omgeving af op signalen van SAM-radars, die zeker in de buurt waren, terwijl de piloten van heuveltop naar heuveltop vlogen en het gebied voor de heli's met hun nachtkijkers en Longbow-radars observeerden. Toen ze de grens van de VIR gepasseerd waren, zagen ze af en toe een verkenningsvoertuig, misschien een compagnie die verspreid was over twintig kilometer in de buurt van de Koeweitse grens, schatten ze, maar dat was alles. De volgende tachtig kilometer zagen ze groendeels hetzelfde, al waren de voertuigen zwaarder. Toen ze bij Al Bussayyah ankwamen, waar het Leger van God volgens de satellietinformatie op af zou tevenen, zagen ze alleen maar sporen in het zand en hier en daar wat ondersteuningsvoertuigen bij elkaar, hoofdzakelijk tankwagens. Het was niet hun aak ze te vernietigen. Hun taak was om de hoofdmacht van de vijand te lokaseren en de richting waarin die oprukte te bepalen.

Iiertoe voerden ze nog een uur lang ontwijkende en zijdelingse manoeuvres it met de helikopters, van punt naar punt vliegend. Er waren hier SAM-voeruigen, korte-afstandsafweergeschut van Russische en Franse makelij waar elikopters uit de buurt moesten blijven. Eén Kiowa-Apache-team kwam licht genoeg in de buurt om een colonne tanks van brigadesterkte door een at in de berm te zien rijden, en dat was 230 kilometer van hun vertrekpunt andaan. Met die informatie zetten de heli's koers naar de basis zonder een chot gelost te hebben. De volgende keer kwamen ze wellicht op volle sterkte erug. Het had geen zin mensen te waarschuwen over de kloof in hun luchterdediging voordat die uitgebuit kon worden.

Het meest oostelijke bataljon van de 4de brigade probeerde moedig stand te houden, maar ging ter plekke grotendeels ten onder. Inmiddels waren ook de aanvalshelikopters van de VIR van de partij, en hoewel de Saoedi's goed schoen, werd hun onvermogen om te manoeuvreren hun fataal. Het kostte het Leger van God nog een brigade om de missie te volbrengen, maar aan het eind ervan was de kloof in de Saoedische gelederen meer dan honderd kilometer breed.

n het westen was het anders. Dit bataljon, dat door de dood van de kolonel u onder bevel stond van een majoor, raakte los van de rest en trok op halve kracht naar het zuidwesten. Daarna probeerde het naar het oosten te gaan om voor de oprukkende vijandelijke linies te komen. Omdat hij niet genoeg materieel had om stand te houden, sloeg hij telkens kort toe en bleef hij zich verplaatsen, waarbij hij twintig tanks en een aantal andere voertuigen wist uit te schakelen voordat hij dertig kilometer ten noorden van KKMC zonder brandstof kwam te staan. De ondersteuningsvoertuigen van de 4de brigade waren ergens de aansluiting verloren. De majoor kon er niet achter komen waar, terwijl hij via de radio om hulp verzocht en zich afvroeg of die ook werkelijk zou komen.

De verrassing had niet zo groot mogen zijn. Een defensiesatelliet boven de Indische Oceaan zag de wolk van de lancering. Dit werd geregistreerd in Sunnyvale, Californië, waarna Dhahran werd ingelicht. Het was allemaal al eerder gebeurd, maar niet met raketten die vanuit Iran gelanceerd werden. De schepen waren nog niet eens half uitgeladen. De oorlog was nog maar vier uur oud toen de eerste Scud vanaf een lanceerinrichting op een vrachtwagen afgeschoten werd. De raket vloog vanuit het Agros-gebergte zuidwaarts.

'Wat nu?' vroeg Ryan.

'Nu ziet u precies waarom de kruisers nog steeds ter plekke zijn,' antwoordde Jackson.

Luchtalarm was niet echt noodzakelijk. De radars van de drie kruisers plus de *Jones* zochten de lucht af en pikten de naderende raket op meer dan honderdvijftig kilometer afstand op. Leden van de Nationale Garde die op hun beurt wachten om hun rupsvoertuigen op te halen, zagen de vuurballen van luchtafweerraketten in de lucht verdwijnen, op weg naar gevaar dat alleen via de radar zichtbaar was. De eerste drie gelanceerde raketten explodeerden in de lucht, en daar bleef het bij. De bulderende projectielen stortten van een hoogte van dertigduizend meter. De soldaten waren nu nóg gemotiveerder om hun tanks op te halen.

Op de *Anzio* zag kapitein Kemper hoe het spoor van het scherm verdween. Ook dit was iets waar Aegis goed in moest zijn, hoewel hij het niet bepaald prettig vond stil te moeten zitten terwijl hij onder vuur lag.

De andere belangrijke gebeurtenis van de avond was een hevig luchtgevecht langs de grens. Het AWACS-toestel had een formatie van 24 jagers op zich af zien komen die een poging ondernamen om de luchtsteun van de geallieerden uit te schakelen. Dat bleek een kostbare actie. Er werd niet werkelijk een aanval op de E-3B uitgevoerd. In plaats daarvan bleef de luchtmacht van de VIR haar vermogen demonstreren om zonder enig doel vliegtuigen te verspelen. Maar deed dat ertoe? De Amerikaanse technicus in een van de AWACS-toestellen herinnerde zich een oude NAVO-grap. Een tankgeneraal van de Sovjet-Unie kwam een collega tegen in Parijs en vroeg: 'Wie heeft trouwens de luchtoorlog gewonnen?' De clou was dat oorlogen uiteindelijk op de grond gewonnen of verloren werden. Dat zou nu niet anders zijn.

60

Buford

Pas zes uur na het eerste artilleriespervuur werden de vijandelijke bedoelingen duidelijk. De helikopterverkenningen konden een eerste beeld geven, maar pas door de satellietfoto's kwam onomstotelijk vast te staan wat er aan de hand was. Marion Diggs moest meteen aan enkele historische precedenten denken. Toen het Franse opperbevel kort voor de Eerste Wereldoorlog lucht had gekregen van het Duitse Schlieffen-plan, was de reactie geweest: 'Des te ɔeter voor ons!' Die aanval was pas bij Parijs tot staan gebracht. In 1940 had ıetzelfde opperbevel het eerste nieuws over een nieuwe Duitse aanval glimachend begroet, en die aanval was pas bij de Spaanse grens tot stilstand gekonen. Het probleem was dat mensen hun gedachten vaak hartstochtelijker ɔeminden dan hun echtgenotes, en het was een universeel probleem. Daarom ealiseerden de Saoedi's zich pas ver na middernacht dat de hoofdmacht van ıun leger zich op de verkeerde plek bevond en dat de westelijke verdedigingsnacht onder de voet gelopen was door een vijand die hetzij te slim, hetzij te lom was om te doen wat er van hem verwacht werd. Om daartegen in te gaan, noesten ze een manoeuvreslag leveren, waar ze niet op voorbereid waren. Het vas absoluut zeker dat de VIR eerst naar KKMC op weg was. Er zou een veldslag plaatsvinden om dat punt op de kaart, waarna de vijand de optie zou hebɔen om oostwaarts in de richting van de Perzische Golf te trekken, en dus de ɔlie, waardoor de geallieerde strijdkrachten in de val zouden komen te zitten, ɔf zuidwaarts naar Riad op te rukken om een politieke omwenteling te forceen en de oorlog te winnen. Alles bij elkaar was het geen bijzonder slecht plan, lacht Diggs, als ze het konden uitvoeren. Hun probleem was echter hetzelfde ıls van de Saoedi's. Ze hadden een plan. Ze dachten ook dat dat behoorlijk goed was en ze dachten dat hun vijand op zijn eigen vernietiging zou afstevenen. Vroeg of laat deed iedereen dat. Om aan de winnende hand te zijn, moest e vooral weten wat je wel en wat je niet kon doen. Deze vijand wist dat niet en het was niet verstandig ze dat al te snel te gaan vertellen.

In de Situation Room sprak Ryan telefonisch met zijn vriend in Riad.
'Ik ben globaal op de hoogte, Ali,' verzekerde de president hem.
'Dit is ernstig.'
'De zon komt zo op en dan heb je de ruimte om tijd te winnen. Dat heeft al eerder gewerkt, hoogheid.'
'En wat zullen jouw troepen doen?'
'Ze kunnen van daaruit toch niet naar huis gaan?'
'Ben je zo zelfverzekerd?'
'Je weet wat die klootzakken ons hebben aangedaan, hoogheid.'
'Jawel, maar...'
'En onze troepen ook, beste vriend.' Nu had Ryan nog een verzoek.

'Deze oorlog is slecht begonnen voor de geallieerde strijdkrachten,' zei Tom Donner rechtstreeks op het NBC-avondnieuws. 'Dat horen we tenminste. De gecombineerde troepenmacht van Irak en Iran is door de Saoedische linies ten westen van Koeweit heen gebroken en zet koers naar het zuiden. Ik ben hier bij de manschappen van het 11de gepantserde cavalerieregiment, het Black Horse. Bij mij staat sergeant Bryan Hutchinson uit Syracuse in New York. Sergeant, wat denkt u hiervan?'
'Ik denk dat we gewoon moeten afwachten. Ik kan u wel vertellen dat B-Troop op alles voorbereid is. Ik vraag me af of zij op ons voorbereid zijn,

meneer. U zult het zelf kunnen zien.' Dat was alles wat hij over het onderwerp te zeggen had.
'Zoals u ziet, zijn deze militairen ondanks het slechte nieuws gereed voor de confrontatie, en verlangen zij er zelfs naar.'

De hoogste Saoedische commandant hing de telefoon op. Hij had net met zijn vorst gesproken. Hij wendde zich tot Diggs. 'Wat beveelt u aan?'
'Ik denk dat we de 5de en de 2de brigade naar het zuidwesten moeten brengen.'
'Dan zit Riad zonder verdediging.'
'Nee, meneer, dat is niet zo.'
'We moeten direct een tegenaanval doen!'
'Generaal, dat hoeft nog niet,' zei Diggs, op de kaart kijkend. Het 10de bevond zich beslist in een interessante positie... Hij keek op. 'Hebt u ooit het verhaal over de oude en de jonge stier gehoord?' Diggs vertelde nu een van zijn favoriete moppen, die de hoge Saoedische officieren na enkele seconden instemmend deed knikken.

'Ziet u, zelfs de Amerikaanse televisie zegt dat we succes hebben,' zei het hoofd Inlichtingen tegen zijn baas.
De generaal die het bevel over de luchtmacht van de VIR voerde, was minder optimistisch. Hij had de afgelopen dag dertig jagers verloren, de Saoedi's misschien twee. Zijn plan om de AWACS-toestellen die de kansen in de lucht zo deden keren rechtstreeks aan te vallen en te vernietigen was mislukt en had hem ook nog een aantal van zijn beste piloten gekost. Het goede nieuws voor hem was dat zijn vijanden niet over de vliegtuigen beschikten om zijn land binnen te vallen en zware schade toe te brengen. Er rukten nu meer grondstrijdkrachten uit Iran op om Koeweit vanuit het noorden binnen te dringen en met wat geluk hoefde hij de vooruitgeschoven grondstrijdkrachten slechts vanuit de lucht te ondersteunen. Daar waren zijn mensen goed in, vooral overdag. Ze zouden over enkele uren over die koers geïnformeerd worden.

Er waren in totaal vijftien Scud-raketten op Dhahran afgeschoten. Er zou erg veel geluk voor nodig zijn geweest om de COMEDY-schepen te treffen, en alle afgeschoten raketten waren dan ook onderschept of, zoals in de meeste gevallen gebeurd was, in een nacht vol lawaaiig vuurwerk in zee gevallen zonder schade toe te brengen. Het laatste deel van de lading, grotendeels vrachtwagens, reed nu de schepen uit. Greg Kemper legde zijn verrekijker neer toen hij de colonne bruingeschilderde vrachtwagens in de ochtendnevel had zien verdwijnen. Hij wist niet waar ze heen gingen. Hij wist wel dat ongeveer vijfduizend tot het uiterste getergde leden van de National Guard van North Carolina gereed waren om in actie te komen.

Eddington bevond zich met zijn brigadestaf al ten zuiden van KKMC. Zijn WOLFPACK-strijdmacht zou er waarschijnlijk niet op tijd aankomen om een ldslag te leveren. In plaats daarvan had hij de manschappen naar Al Artayah gedirigeerd, typisch zo'n plaats die soms belangrijk wordt in de geschienis omdat er een weg naartoe gaat. Hij wist niet zeker of dat hier ook het val zou zijn. Hij herinnerde zich wel dat Gettysburg een plaats was geweest aar Bobby Lee had gehoopt schoenen voor zijn mannen te kunnen krijgen. erwijl zijn staf aan de slag ging, stak de kolonel een sigaar op en liep hij naar iten, waar net twee compagnies manschappen met hun voertuigen arriveeren. Hij besloot die kant op te lopen, terwijl de MP's hen naar de provisorische ellingen leidden. Met veel lawaai kwamen er vliegtuigen over; Amerikaanse 15E's zo te zien. Goed, dacht hij, de vijand had nu twaalf uur lang successen boekt. Laat ze maar overmoedig worden.

Kolonel!' Een stafonderofficier salueerde vanuit het luik van zijn Bradley. ddington klom erop zodra het voertuig tot stilstand gekomen was. 'Goedeorgen, kolonel.'

Hoe staat het met iedereen?'

We zijn klaar voor de strijd, kolonel. Waar zijn ze?' vroeg de sergeant, terwijl j zijn bestofte bril afzette.

ddington wees in de verte. 'Ongeveer honderdvijftig kilometer die kant op. e komen hierheen. Vertel me eens hoe de stemming onder de troepen is, serant.'

Hoeveel kunnen we er doden voordat ze ons dwingen te stoppen, kolonel?'

Als het een tank is, vernietig je hem. Als het een BMP is, vernietig je hem. Als et zich zuidelijk van de berm bevindt en een wapen vasthoudt, vernietig je et. Maar de regels zijn streng als het om het doden van mensen gaat die geen eerstand bieden. Die regels overtreden we niet. Dat is belangrijk.'

Lijkt mij ook, kolonel.'

En neem ook geen onnodige risico's met gevangenen.'

Nee, kolonel,' beloofde de voertuigcommandant. 'Zal ik niet doen.'

Het Black Cav rukte als eerste westwaarts op richting KKMC vanuit het verzaelpunt. Kolonel Hamm liet zijn eenheden op lijn voorwaarts gaan. Het 1ste, de en 3de eskader vormden van zuid naar noord een linie van elk dertig kiloeter. Het 4de luchteskader hield hij achter. Alleen enkele heli's voerden voor e linies verkenningsvluchten uit, terwijl de grondondersteuningseenheden an het bataljon alvast een vooruitgeschoven basis inrichtten op een punt waar e eerste manschappen nog niet waren aangekomen. Hamm bevond zich in ijn M4-commandovoertuig, dat niet verbazingwekkend de Star Wars (sommien noemden het 'God') Track werd genoemd. Hij zat dwars in het voertuig, vat snel wagenziekte veroorzaakte, en begon de informatie van zijn vooruitgechoven eenheden te bekijken.

Het IVIS-systeem werd nu in een echte tactische oorlogssituatie beproefd. Het nter-Vehicle Situation System was een datalink-netwerk dat de landmacht nu ijf jaar lang had uitgeprobeerd. Het was nog nooit in een gevèchtsituatie ebruikt en het deed Al Hamm genoegen dat hij de eerste was die de waarde ervan kon bewijzen. Op zijn commandoschermen in de M4 was alles te zien. Elk voertuig was zowel bron als ontvanger van informatie. Het systeem vertelde iedereen allereerst waar alle bevriende eenheden waren, wat met de GPS-apparatuur tot op de meter nauwkeurig gebeurde. Dit moest verliezen door beschietingen door de eigen eenheden voorkomen. Met een druk op de knop kende Hamm de locatie van elk gevechtsvoertuig dat hij had, afgebeeld op een kaart waarop alle relevante terreinkenmerken zichtbaar waren. Later zou hij ook een even nauwkeurig beeld van de vijandelijke posities hebben. Als hij eenmaal wist waar iedereen zat, kon hij uitkiezen waarop hij zich zou richten. De Saoedische 2de en 5de brigades bevonden zich ten noordwesten van hem. Die naderden vanuit het Koeweitse grensgebied. Hij moest zich nog ongeveer honderdvijftig kilometer dwars door de woestijn verplaatsen voordat hij zich zorgen hoefde te maken over contact met de vijand. In de vier uur waarin ze zouden oprukken, zou hij de controle over zijn eenheden in orde kunnen brengen en zich ervan overtuigen dat alles functioneerde. Hij had daar weinig twijfels over, maar het was een noodzakelijke procedure, omdat zelfs kleine fouten op het slagveld kostbaar waren.

De overblijfselen van de Saoedische 4de brigade probeerden zich ten noorden van KKMC te verzamelen. In totaal waren het misschien twee compagnie tanks en infanterievoertuigen, waarvan de meeste in de lange woestijnnacht verrassingsaanvallen hadden uitgevoerd. Sommige hadden het gevecht door puur geluk overleefd, andere omdat alleen de sterksten in de wrede mobiele oorlogvoering konden overleven. De hoogste overlevende officier was een majoor met een inlichtingentaak die een tank van een boze NCO had gevorderd. Zijn mannen hadden de oefeningen met hun IVIS-aparatuur genegeerd. Ze hadden er de voorkeur aan gegeven lukraak te schieten en rond te racen in plaats van gestructureerd te vechten. Daar hadden ze voor geboet, wist de majoor. Allereerst moest hij nu de overal verspreide tankwagens zien te vinden die zich achter de brigade moesten bevinden, zodat de resterende 29 tanks en 15 andere rupsvoertuigen hun tanks konden vullen. Er werden ook enkele munitietrucks gevonden, zodat ongeveer de helft van zijn zware voertuigen de voorraadrekken kon aanvullen. Hierna stuurde hij de ondersteuningsvoertuigen naar de achterzijde en zocht hij een wadi – een droge rivierbedding – ten noorden en westen van KKMC uit als zijn volgende verdedigingspunt. Het duurde ongeveer een half uur voordat hij betrouwbaar contact kon leggen met zijn oppercommando en om steun kon vragen.
Zijn leger miste samenhang. De tanks en rupsvoertuigen waren uit vijf verschillende bataljons afkomstig. Sommige bemanningen kenden andere alleen vaag of helemaal niet, en hij had een tekort aan bevelvoerende officieren voor zijn resterende troepen. Bij die kennis kwam nog het besef dat hij eerder de taak had het commando te voeren dan om te vechten. Hij gaf met tegenzin de tank terug aan de sergeant die er de 'eigenaar' van was en koos in plaats daarvan een infanterievoertuig met meer radio's en minder afleiding. Dat was geen

eslissing van een echte strijder, van een man wiens culturele traditie het was m een bende krijgers die met zwaaiende zwaarden op paarden zaten voor te aan, maar hij had in het duister ten zuiden van de berm enkele harde lessen eleerd. Hierdoor onderscheidde hij zich van de velen die gestorven waren mdat ze niet snel genoeg geleerd hadden.

)e gevechten overdag begonnen na een pauze zonder verplaatsingen en con-rontaties, die achteraf als de pauze van een voetbalwedstrijd gekarakteriseerd on worden. De reden dat de overlevenden van het Saoedische 4de de tijd en uimte hadden gekregen om zich te reorganiseren en de voorraden aan te vul-en, was dat het Leger van God hetzelfde moest doen. De rupsvoertuigen amen brandstof in uit de tankwagens die de gevechtseenheden waren evolgd. Daarna trokken ze sprongsgewijs voorwaarts, zodat de tankwagens le eenheden konden bedienen die eerst vooruitgeschoven waren. Dat duurde ier uur. De brigade- en divisiecommandanten waren tot dusverre tevreden. Ze waren slechts tien kilometer achter op het plan, wat neerkwam op een uur. Plannen waren nu eenmaal altijd te optimistisch. Ook het bijtanken verliep rijwel volgens schema. Ze hadden de aanvankelijke tegenstand afgeslagen, vat meer offers had gekost dan gehoopt, maar ze hadden in elk geval hun vij-and verpletterd. De manschappen waren moe, maar dat was normaal voor soldaten, vond iedereen, en tijdens het bijtanken kon iedereen lang genoeg lutten om weer fris te zijn. Toen het begon te schemeren, startte het Leger van God de dieselmotoren en hervatte het de tocht naar het zuiden.

De eerste gevechten vandaag vonden in de lucht plaats. Een groot aantal toe-stellen van de geallieerde luchtmacht steeg even na vier uur op van bases in het zuidelijk deel van het koninkrijk. De eerste toestellen waren F-15 Eagles, die zich bij de drie rondcirkelende E-3B AWACS-toestellen ten oosten en ten westen van Riad voegden. De VIR-jagers stegen eveneens op, nog altijd onder controle van de grondradarstations in het voormalige Irak. Het begon als een soort dans tussen twee groepen. Beide zijden wilden weten waar de SAM's van de ander waren. Daarover was 's nachts informatie vergaard. Langzaam kwam vast te staan dat beide zijden over een raketgordel beschikten om zich achter te verschuilen, maar in beide gevallen zouden de eerste confrontaties in een elektronisch niemandsland plaatsvinden. De eerste manoeuvre werd uitge-voerd door een formatie van vier van het 390ste jagereskader, de Wild Boars. Toen ze er door het leidende vliegtuig op attent waren gemaakt dat een VIR-formatie een bocht naar het oosten had gemaakt, maakten de Eagles een scherpe bocht naar het westen, schakelden de naverbranders in en zetten met grote snelheid weer koers naar zee. De Amerikanen verwachtten te winnen, wat ook gebeurde. De VIR-formatie, die uit Iraanse F-4's uit het tijdperk van de sjah bestond, werden verrast omdat ze de verkeerde kant opkeken. Gewaarschuwd door de verkeersleiding op de grond keerden ze terug, maar hun probleem zat dieper dan de tactische situatie. Ze hadden op een strijdpa-

troon gerekend waarin de ene kant raketten zou afvuren en de ander zou ont-snappen, en dan terug zou keren om zijn eigen raketten af te schieten, in een stijl die even rigide was als een middeleeuws steekspel. Niemand had ze verteld dat hun Amerikaanse vijanden niet zo werden getraind.
De Eagles vuurden eerst. Ze schoten elk een AMRAAM af. Dat was een ongeleide raket, zodat ze zich konden terugtrekken nadat ze geschoten hadden. Maar dat deden ze niet. Ze gingen erachteraan, in overeenstemming met hun doctrine en hun motivatie, nadat ze tien uur lang hadden kunnen nadenken over de woorden van hun president op de televisie. Het was nu een persoonlijke kwestie geworden, en het eerste team Eagle-piloten bleef steeds dichterbij komen, terwijl hun raketten op de eerste reeks doelen af gingen. Drie van de vier doelen werden vernietigd. Ze werden onaangenaam verrast door de raket, die door de Amerikanen de Slammer werd genoemd. De vierde ontsnapte tot zijn grote opluchting. Hij keerde om zijn eigen wapen af te vuren, maar zag toen op zijn radar dat er een jager op vijftien kilometer afstand zat. De naderingssnelheid tussen de twee was bijna tweeduizend knopen. Geschrokken maakte hij een bocht naar het zuiden, wat een fout was. De piloot van de Eagle, met zijn collega bijna een kilometer achter zich, bracht zijn snelheid terug en zorgde ervoor achter het vijandelijke toestel te komen. Hij wilde absoluut een voltreffer scoren. Hij kwam nog wat dichterbij en selecteerde het wapen. De ander reageerde vanochtend wat traag. Binnen vijftien seconden was de F-4 één grote vuurzee.
'Fox-Three, Fox-Three met een voltreffer!'
Er bevond zich nu een tweede formatie in het strijdperk, die eveneens achter enkele doelen aan ging. De vluchtleiding van de VIR op de grond werd totaal verrast door de snelheid van de actie en gaf de jagers opdracht om zich op de naderende Amerikanen te richten en de radargeleide lange-afstandsraketten af te vuren. Ook daar sloegen de Amerikanen echter niet voor op de vlucht. In plaats daarvan was hun tactiek om dwars in de lucht te gaan hangen en een gelijke afstand tot de vurende jagers te houden. Op die wijze konden de radars van de jagers geen Doppler of afstandverandering tot hun doelen meer bepalen. Hierdoor kon de radar niet meer op het doel vastgezet worden en volgden de raketten een willekeurige, ongeleide koers. De Eagles draaiden zich naar de vijand toe, selecteerden hun eigen raketten en vuurden van vijftien kilometer afstand, terwijl de VIR-jagers probeerden zich te hergroeperen en nog een serie raketten af te vuren, terwijl ze ze weer van achteren probeerden te naderen. Omdat ze gewaarschuwd werden dat er nog meer raketten in de lucht waren, probeerden de vijandelijke jagers op de vlucht te slaan, maar ze waren al te dichtbij de Slammer en werden alle vier eveneens vernietigd.
'Hé, maat, hier Bronco,' zei een uitdagende stem over het radiokanaal van de VIR. 'Stuur ons er nog een paar. We hebben honger. We willen ze allemaal neerschieten en hun wijven neuken!' Hij schakelde de frequentie van Sky-One in. 'Razorback Lead, is er nog meer te doen, over?'
'Niet in jouw sector, blijf stand-by.'

Begrepen.' De luitenant-kolonel die het commando over het 390ste had, ging weer op zijn zij hangen en keek omlaag, waar hij de massa tanks uit de verzamelpunten zag vertrekken. Voor het eerst in zijn leven wilde hij dat hij lucht-grond was in plaats van lucht-lucht. Kolonel Winters kwam uit New York. Er waren daar zieke mensen, wist hij, en hier was hij, in oorlog met degenen die daar de oorzaak van waren, maar hij had tot dusverre slechts twee vliegtuigen en drie mensen uitgeschakeld. 'Razorback, Lead, volg me.' Daarna controleerde hij zijn brandstofvoorraad. Hij zou snel moeten tanken.
Nu waren de Strike Eagles van het 391ste aan de beurt, geëscorteerd door met HARM uitgeruste F-16's. De kleinere jagers met slechts één stoel hadden de waarschuwingsapparatuur in werking gesteld die op zoek ging naar mobiele SAM-lanceerinrichtingen. Er bleek een behoorlijke verzameling voertuigen met laagvliegende raketten vlak achter het eerste echelon te zijn. Het waren Franse Crotales en oude Russische SA-6 Gainfuls. De Viper-piloten doken omlaag om hun aandacht te trekken en vuurden toen hun anti-radarraketten af om de naderende F-15E's te beschermen. Die waren vooral op zoek naar vijandelijke artillerie.

De Predators waren daar eveneens naar op zoek. Drie ervan waren na het verloren gaan van de vluchtleiding in STORM TRACK neergestort, waardoor er een lacune in de inlichtingen ontstond, die pas na vele uren hersteld kon worden. Er waren er nu nog maar tien inzetbaar. Vier ervan vlogen op een hoogte van 2500 meter bijna onzichtbaar over de oprukkende divisies. De VIR-troepen vertrouwden hoofdzakelijk op artilleriegeschut. Dit werd nu in gereedheid gebracht voor de volgende grote aanval. Ze werden in linie geplaatst achter twee gemotoriseerde brigades die op het punt stonden de volgende sprong naar KKMC te maken. Een Predator wist de uit zes batterijen bestaande groep te vinden. De gegevens werden verzameld en naar de AWACS doorgestuurd en daarna weer naar de zestien Strike Eagles van het 391ste.

De Saoedische formatie wachtte gespannen af. De vierenveertig gevechtsvoertuigen stonden over acht kilometer verspreid, zo ver uiteen als de bevelvoerend majoor maar durfde. Hij moest bij deze actie een afweging maken tussen spreiding en vuurkracht. Hij hoopte er in elk geval voor te kunnen zorgen dat de opmars van de vijand vertraagd zou worden en misschien zelfs tot stilstand zou worden gebracht. Een steeds luider wordend gegier in de lucht vertelde hem en zijn mannen zich gereed te maken, terwijl de eerste 200-mm granaten vóór hen insloegen. Het eerste bombardement duurde drie minuten, en de inslagen vonden steeds dichter bij zijn voertuigen plaats...

'Daar zitten ze!' riep de commanderende piloot. De vijand had duidelijk verwacht dat zijn eerste aanval achter de voorste tanks gericht zou zijn. Daar waren de SAM's, die de Vipers nu probeerden te treffen. De drie formaties van vier weken uiteen en splitsten zich toen in elementen van twee, terwijl ze naar

twaalfhonderd meter daalden met een snelheid van vijfhonderd knopen. Het artilleriegeschut stond netjes op rij, met de kanonnen honderd meter van elkaar, samen met de bijbehorende vrachtwagens. Waarschijnlijk stond dit precies zo in het handboek, dacht luitenant-kolonel Steve Berman. Zijn boordschutter koos voor clustermunitie en begon ze met kleine bommen te bestrooien.
'Ziet er goed uit.' Ze hadden twee trommels met BLU gecombineerd-effectmunitie verschoten, in totaal meer dan vierhonderd mini-bommen ter grootte van een honkbal. De eerste batterij werd weggevaagd door het precisiebombardement. Vanaf de munitietrucks waren nu vervolgexplosies zichtbaar.
'Volgende.' De piloot liet zijn jager een scherpe bocht naar rechts maken. Hij wilde terugkeren naar de volgende batterij, toen hij zag dat...
'Drie A op tien.' Dat bleek ZSU-23 mobiel luchtafweergeschut te zijn. Uit de vier vuurmonden kwamen projectielen op hun Strike Eagle af. 'Kies Mav.'
Deze dodendans duurde maar enkele seconden. De Eagle wist aan de beschieting te ontkomen en vuurde een Maverick lucht-grondraket af, die naar beneden dook om het rupsvoertuig uit te schakelen. Daarna richtte de piloot zich op de volgende batterij houwitsers.
Het leek Red Flag wel, dacht de piloot in een flits. Hij was hier in 1991 geweest en had enkele doelen uitgeschakeld, maar het grootste deel van zijn tijd had hij verspild aan het jagen op Scuds. De ervaring van een echte gevechtssituatie had nooit opgewogen tegen de gevechtsoefeningen op de luchtmachtbasis Nellis. Maar nu was dat anders. De missie was alleen in algemene zin gepland. Hij was nu werkelijk op zoek naar doelen met zijn omlaag gerichte radar en zijn beeldscherm en anders dan bij de spelsituaties op Nellis schoten deze gasten met echte kogels terug. Nu ja, hij liet ook echte bommen vallen. Terwijl hij zijn toestel op de volgende reeks doelen richtte, namen de beschietingen vanaf de grond in hevigheid toe.

Het leek nog het meest op een hoestbui midden in een gesprek. Er volgde een laatste inslag van twintig of dertig granaten in de woestijn honderd meter van hem vandaan. Dertig seconden later vielen er nog tien. Dertig seconden daarna nog maar drie. Aan de horizon waren stofwolken zichtbaar, een eind achter de eerste rij tanks die net verscheen. Enkele seconden later voelden ze een trilling door hun schoenen heen en daarna een gerommel in de verte. Het werd in enkele seconden duidelijk. Er verschenen groengeschilderde jagers die in zuidelijke richting vlogen. Aan hun vorm zag hij dat het bevriende vliegtuigen waren. Daarna verscheen er nog een die slingerend een rookspoor achter zich liet. Het toestel draaide op de kop en er maakten zich twee voorwerpen van los, die zich als parachutes ontpopten. Een kilometer van hem vandaan zweefden ze naar de grond. Het vliegtuig stortte een eind verder in een enorme vuurzee neer. De majoor droeg een auto op hen op te pikken en richtte zich toen weer op de tanks, die nog steeds uit positie waren. Hij had tot nu toe nog geen artillerie om hen te steunen.

Wel verdomme, dacht de kolonel, het leek toch nog op Red Flag, behalve dat hij vanavond geen leugens zou vertellen in de O-Club en naar Vegas zou gaan voor een show en het casino. Bij zijn derde passage was hij in afweervuur terechtgekomen, en de Eagle was te zwaar getroffen om de basis nog te halen. Hij was nog niet eens op de grond toen hij een auto zag naderen. Hij vroeg zich af van wie die was. Even later zag hij dat het een Hummer van Amerikaanse makelij was, die nog maar vijftig meter van hem vandaan was toen hij hard op het vaste zand terechtkwam. Hij maakte zijn parachute los en trok zijn pistool, maar het was een bevriend voertuig, waar twee Saoedische soldaten in zaten. Een ervan liep op hem af, terwijl de ander met de Hummer op weg ging naar zijn boordschutter, zevenhonderdvijftig meter verderop.

'Kom, kom!' zei de Saoedische soldaat. Een minuut later kwam de Hummer terug met de schutter, die met een vertrokken gezicht zijn knie vasthield.

'Ik heb hem flink verdraaid, baas. Ik kwam verdomme op een grote steen terecht,' legde hij uit, terwijl hij achterin stapte.

Alles wat hij over Saoedische chauffeurs gehoord had was waar, ontdekte de kolonel binnen enkele seconden. Het leek wel of hij zich in een film met Burt Reynolds bevond. De Hummer reed springend en stuiterend terug naar de veilige wadi. Het was goed om daar de bevriende voertuigen weer te zien. De Hummer nam hem mee naar wat kennelijk de commandopost was. Een eind verderop vielen nog steeds granaten neer, maar ze waren zo slecht gericht dat ze nu op een afstand van vijfhonderd meter de grond troffen.

'Wie bent u?' vroeg luitenant-kolonel Steve Berman.

'Majoor Abdullah.' De man salueerde zelfs. Berman stak zijn pistool in zijn holster en keek rond.

'Ik denk dat jullie de mannen zijn die wij steun moesten bieden. We hebben hun artillerie vrijwel uitgeschakeld, maar een of andere klootzak had geluk met zijn Shilka. Kunt u een heli voor ons regelen?'

'Ik zal het proberen. Bent u gewond?'

'Mijn boordschutter heeft zijn knie gestoten. Maar we willen wel graag wat drinken.'

Majoor Abdullah gaf hem zijn mok. 'We worden aangevallen.'

'Vindt u het goed als ik kijk?'

Honderdvijftig kilometer zuidelijker was Eddington nog steeds bezig zijn brigade te formeren. Hij had één bataljon dat vrijwel intact was. Dit plaatste hij dertig kilometer verderop links en rechts van de weg naar KKMC om de rest van zijn troepen, die vanuit Dhahran kwamen, te beschermen. Helaas was zijn artillerie als laatste uit het schip geladen. Daarom duurde het nog minstens vier uur voor die gereed was. Maar daar was niets aan te doen. Hij dirigeerde de arriverende eenheden eerst naar verzamelpunten waar ze hun brandstoftanks konden vullen. Inclusief de verplaatsing van de manschappen naar de voorlopige bestemming en het tanken, duurde het ongeveer een uur per compagnie om alles in orde te brengen. Zijn tweede bataljon was vrijwel gereed

om te vertrekken. Hij zou dat ten westen van de weg positioneren, zodat het eerste zijwaarts naar het oosten kon trekken. Hiermee werd de omvang van zijn vooruitgeschoven beveiligingstroepen verdubbeld. Het was altijd erg moeilijk om uit te leggen dat het leveren van veldslagen meer met verkeersregeling dan met het doden van mensen te maken had. Ook het verzamelen van informatie was natuurlijk belangrijk. Een gevechtsactie leek op het laatste deel van een enorm ballet. Het grootste deel van de tijd ging het erom de dansers op het juiste deel van het podium te plaatsen. Deze twee handelingen, namelijk dat je wist waar je ze naartoe moest sturen en ze daar dan ook neerzetten, waren nauw met elkaar verbonden, en Eddington had nog steeds geen erg helder beeld. Zijn brigade-inlichtingengroep was net bezig zich te installeren en had zojuist de eerste informatie uit Riad binnengekregen. Het voorste bataljon beschikte over een verkenningseenheid van Hummers en Bradleys op tien kilometer voor de hoofdmacht. De voertuigen waren zo goed mogelijk gecamoufleerd en de mannen die op de auto's met verrekijkers de omgeving aftuurden, meldden tot dusverre niets anders dan af en toe een stofwolk ver achter de zichtbare horizon en een gerommel dat verbazend ver leek te dragen. Des te beter, besloot Eddington. Hij had tijd om zich voor te bereiden, en tijd was het meest kostbare goed voor een militair.
'LOBO-SIX, hier WOLFPACK-SIX, over.'
'LOBO-SIX ontvangt u.'
'Hier WOLFPACK-SIX-ACTUAL. WHITEFANG vertrekt nu. Ze moeten over een uur links van jullie zijn. Jullie kunnen met de verplaatsing in de breedte beginnen als ze op lijn arriveren. Over.'
'LOBO-SIX-ACTUAL ontvangt u, kolonel. Er is hier nog steeds niets te zien. Alles is hier in orde, kolonel.'
'Heel goed. Houd me op de hoogte. Uit.' Eddington gaf de radiotelefoon terug.
'Kolonel!' riep de majoor die verantwoordelijk was voor de inlichtingensectie. 'We hebben informatie voor u.'
'Eindelijk!'

Het artillerievuur ging door. Enkele granaten kwamen precies in de wadi terecht. Het was voor het eerst dat kolonel Berman zoiets meemaakte, en hij kon niet zeggen dat hij het erg prettig vond. Dit verklaarde ook waarom de tanks en pantservoertuigen zo verspreid stonden, wat hij eerst heel vreemd had gevonden. Er ontplofte een granaat honderd meter links van de tank waarachter hij en majoor Abdullah beschutting zochten. Gelukkig zaten ze aan de andere kant. Ze hoorden beiden heel duidelijk het getik van scherven die tegen de bruingeschilderde wapening sloegen.
'Dit is niet leuk,' merkte Berman op, terwijl hij zijn hoofd schudde om de geluidsklap van de ontploffing uit zijn hoofd te verdrijven.
'Bedankt dat u met de rest van hun geschut hebt afgerekend. Het was erg beangstigend,' zei Abdullah, die door zijn verrekijker tuurde. De oprukkende

'-80's van de VIR waren iets meer dan drieduizend meter van hen vandaan. Ze hadden zijn halfverborgen M1A2's nog niet gezien.
'Hoe lang is er al vuurcontact?'
'Het is gisteren kort na zonsondergang begonnen. Wij zijn alles wat er nog van de 4de brigade rest.' Bermans zelfvertrouwen werd door deze opmerking bepaald niet groter. Boven hun hoofden draaide de geschutskoepel van de tank iets naar links. Er klonk een korte opmerking over de radio van de majoor, die hij met één geschreeuwd bevel beantwoordde. Een seconde later schoot de tank links van hen een centimeter of dertig achteruit en ontsnapte er een vuurbal uit de loop. Daarmee vergeleken leek de granaat een simpel rotje. Tegen alle logica in stak Berman zijn hoofd omhoog. In de verte zag hij een rookwolk en daarbovenop tuimelde een geschutskoepel van een tank omlaag.
'Jezus!'
'Kan ik een radio van u gebruiken?'

'Sky-One, hier Tiger Lead,' hoorde een AWACS-officier op een door hem niet gebruikt kanaal. 'Ik bevind me op de grond met een Saoedische tankgroep ten noorden van KKMC.' Hij gaf zijn positie door. 'We liggen hier zwaar onder vuur. Kunt u hulp sturen? Over.'
'Tiger, kunt u zich identificeren?'
'Godverdomme, nee zeg, mijn codes zijn met mijn F-15 verdwenen. Ik ben kolonel Steve Berman uit Mountain Home. Ik word hier wel flink pissig van, Sky. Veertig minuten geleden hebben we een deel van de Iraakse artillerie de grond in gestampt en nu proberen een stel tanks van hen ons te pakken. Geloof je me nou, over?'
'Het klinkt me Amerikaans in de oren,' meende een oudere officier.
'En als je goed kijkt, zie je dat hun tanks rond van boven zijn en naar het zuiden wijzen, terwijl de onze plat van boven zijn en naar het noorden wijzen, over.' Die informatie werd gevolgd door het gekraak van een explosie. 'Al die inslagen zijn echt geen lolletje,' liet hij weten.
'Dat lijkt me ook,' besloot de eerste technicus. 'Tiger, blijf stand-by. Devil-Lead, hier Sky-One, we hebben een opdrachtje voor je...'
Zo zou het helemaal niet moeten gaan, maar toch gebeurde het. Er zouden opdrachten moeten worden gegeven om de tactische toestellen bepaalde gebieden toe te wijzen om te bestoken, maar er waren niet genoeg vliegtuigen en er was ook geen tijd om die gebieden te selecteren. Sky-One had een formatie van vier F-16's aan de grond staan voor lucht-grondacties, en dit leek daar een goed moment voor.

De oprukkende tanks stopten eerst om schoten uit te wisselen, maar dat was onbegonnen werk tegen de vuurleidingsystemen op de Abrams-tanks van Amerikaanse makelij, en deze Saoedische bemanningen hadden eerder op de dag een vervolgcursus in artilleriebeschietingen gehad. De vijand bond in en manoeuvreerde naar rechts en naar links. Vanaf de achterdekken werd rook

verspreid om het slagveld te verduisteren. Een aantal voertuigen werd achtergelaten. Zij zorgden met hun zwarte rookzuilen van de brandende munitierekken voor een nog donkerder ochtendhemel. Het eerste deel van het treffen had vijf minuten geduurd en had de VIR twintig voertuigen gekost, voorzover Berman kon zien, zonder verliezen voor het bevriende leger. Misschien was dit toch niet zo slecht.
De Vipers naderden vanuit het westen. Ze passeerden nauwelijks zichtbaar op een afstand van circa zes kilometer, terwijl ze hun Mark-82-bommen midden in de vijandelijke formatie afwierpen.
'Fantastisch!' zei majoor Abdullah, die goed Engels geleerd had. Ze konden niet zien hoeveel voertuigen er vernietigd waren, maar nu wisten zijn mannen dat ze niet alleen stonden in deze veldslag. Dat maakte een groot verschil.

De straten van Teheran boden een nog grimmiger aanblik dan eerst. Wat Clark en Chavez (Klerk en Chekkov, momenteel) nog het meeste trof, was het gebrek aan conversatie op straat. De mensen liepen voort zonder met elkaar te praten. Er waren plotseling ook bijzonder weinig mannen, omdat de reservisten waren opgeroepen om naar de wapenopslagplaatsen te komen om hun wapens in ontvangst te nemen en zich voor te bereiden op de oorlog die hun nieuwe land zo halfslachtig had afgekondigd na de verklaring van president Ryan.
De Russen hadden hun verteld waar Daryaei's huis stond. Hun taak was slechts om er een blik op te werpen, wat gemakkelijk gezegd was, maar moeilijker gedaan als je op straat liep in de hoofdstad van een land waarmee je in oorlog was. Dat gold vooral als je kort tevoren nog in die stad geweest was en gezien was door leden van de veiligheidsdienst. De complicaties stapelden zich op.
De man woonde bescheiden, zagen ze van ruim twee straten afstand. Het was een gebouw van drie verdiepingen in een nette straat zonder enige pracht en praal, behalve dat er duidelijk bewakers op de stoep stonden en er op de hoeken van de straat enkele auto's te zien waren. Toen ze op een afstand van tweehonderd meter wat beter keken, konden ze ook zien dat mensen vermeden om aan die kant van de straat te lopen. De ayatollah was echt een populair man.
'En wie woont er verder?' vroeg Klerk aan de Russische *rezident*. Hij werkte onder de dekmantel van tweede secretaris van de ambassade en verrichtte tal van diplomatieke taken om de schijn op te houden.
'Hoofdzakelijk zijn lijfwachten, denken we.' Ze zaten in een café koffie te drinken en zorgden ervoor hun blik niet direct te richten op het gebouw dat hun interesse had. 'We denken dat de gebouwen aan beide zijden ervan leeg zijn. Hij is zeker bezorgd om zijn veiligheid, deze dienaar van God. De mensen hier voelen zich in toenemende mate onprettig onder zijn bewind; zelfs het enthousiasme van de verovering van Irak ebt nu weg. Je ziet even goed als ik hoe de stemming is, Klerk. Dit volk wordt al bijna een generatie lang onder-

drukt, maar nu krijgt het er genoeg van. Het was slim van uw president om vijandelijkheden aan te kondigen voordat onze vriend dat heeft gedaan. Dat had een zeer effectief schokeffect, denk ik. Ik mag uw president wel,' voegde hij eraan toe, 'en dat geld ook voor Sergej Nikolajevitsj.'

'Dit gebouw is dichtbij genoeg, Ivan Sergejevitsj,' zei Chavez zacht, het gesprek weer op het onderwerp brengend waar het om ging. 'Tweehonderd meter, direct in het zicht.'

'En hoe zit het met bijkomende schade?' vroeg Clark zich af. Er waren heel wat woorden voor nodig om dat in het Russisch uit te drukken.

'Wat zijn jullie Amerikanen daar toch gevoelig over,' merkte de *rezident* op. Hij scheen het leuk te vinden.

'Kameraad Klerk is altijd weekhartig,' bevestigde Chekov.

Op de luchtmachtbasis Holloman in New Mexico meldden zich acht piloten in het ziekenhuis van de basis om hun bloed te laten controleren. De ebolatestsets waren eindelijk in ruime mate beschikbaar. De eerste grote militaire leveringen waren voor de luchtmacht, die sneller dan de andere legeronderdelen gevechtskracht ter beschikking kon stellen. Er waren enkele gevallen in het vlakbij gelegen Albuquerque geweest, die allemaal behandeld werden in het ziekenhuis van de universiteit van New Mexico, en twee gevallen op de basis zelf. Het waren een sergeant en zijn vrouw. Hij was inmiddels overleden en zij was stervende. Het nieuws ging de hele basis over, waardoor de toch al zeer gemotiveerde militairen nog krijgslustiger werden. De piloten bleken allemaal negatief, tot hun meer dan normale opluchting. Ze wisten nu dat ze konden vertrekken om werkelijk iets te doen. Daarna volgden de grondploegen. Ook zij bleken negatief. Ze vertrokken allemaal naar de vliegtuigen. De helft van de piloten stapte in de F-117 Nighthawks. De andere helft ging met de grondploegen aan boord van een KC tank-transportvliegtuig voor de lange vlucht naar Saoedi-Arabië.

Dit nieuws werd doorgegeven over het eigen communicatienetwerk van de luchtmacht. Het 366ste en de F-16's van de Israëlische basis deden het goed, maar iedereen wilde deze mensen erbij hebben. De mannen en vrouwen van Holloman zouden voorgaan in de tweede fase van de oorlog.

'Is hij nou helemaal mesjoche?' vroeg de diplomaat aan een Iraanse collega. De RVS-functionarissen namen duidelijk het gevaarlijke deel van de inlichtingenmissie voor hun rekening, of althans het minst subtiele.

'U mag niet zo over onze leider spreken,' antwoordde de functionaris van het ministerie van Buitenlandse Zaken, terwijl ze over straat liepen.

'Heel goed, maar begrijpt uw wijze oude leider wel helemaal wat er gebeurt als iemand massale vernietigingswapens gebruikt?' vroeg de inlichtingenofficier voorzichtig. Natuurlijk niet, wisten ze beiden. Geen enkel land had zoiets in meer dan vijftig jaar gedaan.

'Wellicht heeft hij een misrekening gemaakt,' gaf de Iraniër toe.

'Zeker.' De Rus liet het hier voorlopig bij. Hij was deze middenkader-diplomaat al een jaar aan het bewerken. 'De wereld weet nu dat u over de mogelijkheden beschikt. Heel slim van hem om met precies dat toestel te vliegen waarmee het mogelijk is gemaakt. Hij is echt mesjoche. U weet dat. Uw land zal een paria zijn...'
'Niet als we...'
'Nee, dat kunt u niet. Maar wat gebeurt er als u dat niet kunt?' vroeg de Rus. 'Dan zal de hele wereld zich tegen u keren.'

'Is dit waar?' vroeg de geestelijke.
'Het is beslist waar,' verzekerde de man uit Moskou hem. 'President Ryan is een gerespecteerd man. Hij is het grootste deel van zijn leven onze vijand geweest, en een gevaarlijke vijand ook, maar nu er vrede tussen onze landen is, blijkt hij een vriend te worden. Hij wordt zowel door de Israëli's als de Saoedi's zeer gerespecteerd. Hij is goed bevriend met prins Ali bin Sheik. Dat is algemeen bekend.' Dit gesprek vond plaats in Asjkhabad, de hoofdstad van Turkmenistan, dat onaangenaam dicht bij de Iraanse grens lag, vooral nu de voormalige president bij een verkeersongeluk om het leven gekomen was – Moskou wist dat het waarschijnlijk geënsceneerd was – en er verkiezingen voor de deur stonden. 'Stel uzelf deze vraag: waarom heeft president Ryan zulke dingen over de islam gezegd? Er is een aanslag op zijn land, een aanslag op zijn kind en een aanslag op hemzelf gepleegd, maar valt hij uw godsdienst aan, beste vriend? Nee, dat doet hij niet. Maar zou een gerespecteerd man dergelijke dingen zeggen?'
De man aan de overkant van de tafel knikte. 'Dit is mogelijk. Wat vraagt u van me?'
'Ik heb een simpele vraag. U bent een dienaar van God. Kunt u de daden van de VIR goedpraten?'
Verontwaardiging: 'Het is een belediging van Allah om onschuldigen te doden. Dat weet iedereen.'
De Rus knikte. 'Dan moet u voor uzelf uitmaken wat belangrijker voor u is: politieke macht of uw geloof.'
Maar zo simpel was het niet. 'Wat hebt u ons te bieden? Mijn volk zal mij spoedig om grotere welvaart verzoeken. U mag het geloof niet als wapen tegen de gelovigen gebruiken.'
'Een grotere autonomie, vrije handel met de rest van de wereld, directe vluchten naar het buitenland. Wij en de Amerikanen zullen u helpen om kredieten te verkrijgen bij de islamitische Golfstaten. Ze vergeten vriendschappelijke diensten niet,' verzekerde hij de volgende president van Turkmenistan.
'Hoe kan een gelovig man zulke dingen doen?'
'Beste vriend,' dat was hij niet, maar die woorden gebruikte je nu eenmaal, 'hoeveel mensen beginnen niet met nobele doelstellingen, en worden dan na een tijd corrupt? En waar staan ze dan nog voor? Misschien is dit een les die u zich moet herinneren. Macht is dodelijk, vooral voor degenen die de macht in

ɩanden hebben. U moet zelf beslissen. Wat voor leider wenst u te zijn, en vaarmee zullen andere leiders uw land in verband brengen?' Golovko leunde chterover en dronk van zijn thee. Wat een fout was het van zijn land geweest m geen begrip te tonen voor de godsdienst. Maar toch pakte het nu goed uit. Deze man had zich tijdens het vorige regime aan zijn islamitische geloof vastgeklemd. Hij had daar de blijvende waarden in gevonden die in de politieke ealiteit van zijn jeugd hadden ontbroken. Nu hij door zijn karakter, dat iederen in het land kende, naar de politieke macht werd gevoerd, zou hij dan lezelfde blijven die hij altijd geweest was, of zou hij veranderen? Hij moest ich nu bewust worden van dat gevaar. Hij had er nog niet erg diep over nagelacht, zag Golovko. Dat deden politici zelden. Hij moest dat op dit ogenblik vél doen, en de voorzitter van de RVS zag hoe hij zelfonderzoek pleegde, iets lat volgens de marxistische doctrine uit zijn jeugd niet kon bestaan. Het bleek eter te zijn dat dat wél bestond.

Onze godsdienst, ons geloof, draait om God, niet om moord. De Profeet preekt weliswaar de Heilige Oorlog, maar leert ons niet om zoals onze vijanlen te worden. Tenzij Mahmoud Haji bewijst dat deze dingen niet kloppen, al ik hem niet steunen, hoeveel geld hij ook belooft. Ik zou die Ryan wel eens villen ontmoeten, als de tijd daar is.'

Om 13.00 uur Lima-tijd zag het er een stuk beter uit. Qua aantallen was het nog niet best, dacht Diggs, nu er vijf divisies dicht bijeen oprukten tegen vier egerbrigades die nog steeds verspreid waren. Maar daar kon wat aan gedaan worden.

De kleine Saoedische blokkeringsmacht ten noorden van KKMC had het drie uur lang op spectaculaire wijze volgehouden, maar werd nu omsingeld en moest zich terugtrekken, al wilde de Saoedische generale staf anders. Diggs kende de naam van de jongen niet eens, maar hoopte hem later te ontmoeten. Als hij een paar jaar goed getraind zou worden, dan zou het echt iets kunnen worden met hem.

Op zijn 'voorstel' werd King Khalid Military City geëvacueerd. Dat betekende helaas ook dat de inlichtingenvoorzieningen daar uitgeschakeld moesten worden. Het ging dan vooral om de Predator-teams die hun raketten nu moesten terughalen voor de terugtocht naar de linie van WOLFPACK ten noorden van Al Artawiyah. Nu ze allemaal tijd hadden gehad erover na te denken, leek deze oorlog toch op een enorme oefening in het NTC; ze stonden nu weliswaar tegenover drie legerkorpsen in plaats van bataljons, maar het principe bleef hetzelfde. Ze maakten zich nog wel zorgen om een Iraanse zware divisie die nu de moerassen ten westen van Basra doorkruiste. Er bleef één witte vlek in het strijdplan van de vijand. Ze hadden Koeweit links laten liggen en hadden daar dus geen ondersteuningstroepen, misschien omdat ze dat niet noodzakelijk vonden, maar waarschijnlijker was dat ze zich niet in de kaart wilden laten kijken. Ze dachten het gat later wel te kunnen opvullen. Nu ja, elk plan had wel een gebrek.

Dat gold waarschijnlijk ook voor het plan dat hij voor Operatie BUFORD had gemaakt. Maar hij zag het niet, hoewel hij er twee uur lang naar zocht.
'Zijn we het eens, heren?' moest hij vragen. Iedere Saoedische officier in de kamer had een hogere rang dan hij, maar ze waren de logica van zijn plan gaan inzien. Ze zouden ze allemaal op hun kloten geven, niet slechts een paar. De verzamelde generaals knikten. Ze klaagden er zelfs niet meer over dat KKMC aan de vijand werd overgelaten. De stad kon altijd herbouwd worden. 'Dan begint Operatie BUFORD bij zonsondergang.'

Ze trokken zich per echelon terug. Er waren enkele stuks mobiel geschut van de Saoediërs opgedoken en nu vuurden ze rookbommen af om het slagveld te verduisteren. Zodra die op de grond terechtgekomen waren, kwamen de voertuigen van majoor Abdullah uit hun posities te voorschijn en reden ze met hoge snelheid naar het zuiden weg. De flankerende eenheden waren al op weg. Ze sloegen de pogingen tot omcirkeling van de vijand af, wat waarschijnlijk heel belangrijk was voor de buitenzijde van de Saoedische linie.
De helikopter van Berman was nooit aangekomen. Hij had veel geleerd van deze middag vol lawaaiige, verwarrende acties. Zo wist hij nu dat je helemaal geen donder zag op de grond. Hij zou zeker in gedachten houden wat de effecten op de grond waren als je de hulp inriep van nog vier luchtaanvallen, gesteld dat de Saoedi's uit de val konden komen die de andere kant voor hen opzette.
'Kom met mij mee, kolonel,' zei Abdullah, terwijl hij zich omdraaide om naar zijn commandowagen te rennen. Daarmee was de Eerste Slag om KKMC ten einde.

61

De opmars van Grierson

De kaart bood een verschrikkelijke aanblik. Iedereen kon dat gemakkelijk zien, met al die lange rode en korte blauwe pijlen. De kaarten tijdens het ochtendnieuws op tv verschilden niet eens zoveel van die in de Situation Room. Het commentaar, met name het deskundig commentaar, benadrukte hoezeer de Amerikaanse en Saoedische strijdkrachten in de minderheid waren en dat ze zich op de verkeerde plek bevonden, met hun rug naar de zee. Maar gelukkig was de directe satellietverbinding er ook nog.
'We hebben vernomen dat er zware luchtgevechten in het noordwesten plaats-

vinden,' zei Donner voor de camera op een plek 'ergens in Saoedi-Arabië'. 'Maar de mannen van het Black Horse-regiment moeten de eerste actie nog zien. Ik kan niet zeggen waar ik nu ben; ik weet dat trouwens ook niet. B-Troop houdt nu rust om te tanken. Er worden honderden liters in die enorme M1 Abrams-tanks geladen. Het is een echte slokop, zeggen de manschappen tegen me. Maar hun stemming blijft hetzelfde. Deze mannen zijn kwaad, evenals de vrouwen op het hoofdkwartier,' voegde hij eraan toe. 'Ik weet niet wat we aan de westelijke horizon zullen aantreffen. Ik kan wel zeggen dat deze militairen als ongeduldige paarden aan de leidsels trekken, ondanks al het slechte nieuws dat van het Saoedische opperbevel is ontvangen. De vijand bevindt zich daar ergens en rukt massaal op naar het zuiden. Kort na zonsondergang denken we dat we contact met hen krijgen. Dit is Tom Donner, in het veld bij de B-Troop, 1ste van het Black Horse,' zei hij tot besluit van zijn verslag.

'Hij klinkt behoorlijk zelfverzekerd,' merkte Ryan op. 'Wanneer gaat dat de lucht in?'

Gelukkig voor alle betrokkenen liepen de tv-verbindingen via militaire kanalen, die gecodeerd en gecensureerd werden. De VIR hoefde niet precies te weten wie waar zaten. De negatieve opmerking over de 'nederlaag' van het Saoedische leger werd echter wel uitgezonden. Dat nieuws, dat in Washington in de wereld was gebracht, en waarop door het Pentagon volstrekt geen commentaar werd geleverd, werd voor waar aangenomen. Jack maakte zich er nog steeds zorgen over, hoe grappig het eigenlijk ook was dat de media verkeerde informatie uitzonden zonder daarom verzocht te zijn.

'Vanavond. Misschien eerder,' antwoordde generaal Mickey Moore. 'De zon gaat daar over drie uur onder.'

'Krijgen we het voor elkaar?' vroeg Ryan.

'Jawel, meneer.'

WOLFPACK, eerste brigade van de National Guard van North Carolina, was nu volledig op sterkte. Eddington stapte in een UH-60 Black Hawk-helikopter om een rondje over zijn voorste eenheden te maken. De linkerflank van LOBO, zijn 1ste bataljonstaakgroep, reikte tot aan de weg van Al Artawiyah naar KKMC. WHITEFANG, het 2de, stond westelijk van de hoofdweg opgesteld. COYOTE, het 3de, werd in reserve gehouden. Hiermee kon hij manoeuvreren, en hij had dit bataljon meer naar het westen gepositioneerd, omdat hij dacht dat daar de mogelijkheden waren. Zijn artilleriebataljon had hij in tweeën gesplitst. Ze konden zowel de uiterste linker- als rechterflank bedienen, en tegelijk beide ook het midden. Hij miste luchtsteun en had niet meer dan drie Black Hawks weten te krijgen voor medische evacuatie. Hij beschikte ook over een inlichtingengroep, een gevechtsondersteuningsbataljon, medisch personeel, MP's en alle andere faciliteiten die bij een eenheid ter grootte van een brigade hoorden. Voor zijn twee voorste bataljons bevond zich een verkenningsgroep, die allereerst verslag moest doen en daarnaast de verkenners van de vijand moest uitschakelen als die verschenen. Hij had er nog aan gedacht het 11de gepantserde cavalerieregiment om enkele heli's te vragen, maar hij wist wat Hamm daarmee van plan was. Het was zinloos erom te vragen. Hij zou zeker horen welke inlichtingen zij verzameld hadden, en dat moest genoeg zijn.

Naar beneden kijkend, zag hij dat de M1A2's en Bradleys in de eerste linie allemaal een goed plekje hadden gevonden, hoofdzakelijk achter bermen en kleine duinen, en zo mogelijk vlak achter een verheffing in het terrein, zodat hoogstens het bovenste deel van een geschutskoepel zichtbaar was, maar in de meeste gevallen waren alleen het hoofd van de commandanten en een verrekijker te zien. De tanks stonden ten minste driehonderd meter uit elkaar. Omdat ze zo verspreid stonden, vormden ze een lastig doelwit voor artillerie of luchtaanvallen. Hij had gehoord dat hij zich over het laatste niet al te veel zorgen hoefde te maken, maar toch hield hij er rekening mee, voorzover de omstandigheden het toelieten. Zijn ondergeschikte commandanten kenden hun taken zo goed als voor reservisten maar mogelijk was. Het kwam erop neer dat de regels voor de missie rechtstreeks uit de boekjes kwamen die door Guderian geschreven waren en sindsdien door Rommel en alle andere artilleriecommandanten in de praktijk gebracht.

De terugtocht begon met een snelle tocht over vijftien kilometer met een snelheid van 55 kilometer per uur, genoeg om aan het artillerievuur te ontsnappen. Ze wilden de indruk wekken dat het om een overhaaste aftocht ging, en ook Berman dacht dat aanvankelijk, tot hij zich realiseerde dat hij gewoonlijk minstens vijftien keer zo snel als deze gemotoriseerde voertuigen aan het vijandelijk vuur ontsnapte. Omdat ze met de bovenluiken open reden, kon Berman opstaan om naar achteren te kijken, achter de bruinzwarte fonteinen van ontploffende artilleriegranaten. Hij had nooit geweten wat een verdedigende stelling inhield. Hij ervoer dat het vooral erg eenzaam was. Hij had verwacht de voertuigen en manschappen dicht op elkaar aan te treffen, maar daarbij vergat hij wat hij zelf met dergelijke formaties deed als hij die vanuit de lucht waarnam. Hij zag circa vijftig rookkolommen, allemaal voertuigen die door de Saoedische National Guard vernietigd waren. Misschien namen ze de training niet serieus genoeg, zoals hij gehoord had, maar deze groep had zich toch heldhaftig verweerd tegen een leger dat minstens vijf keer zo groot was en had drie uur lang standgehouden.

Ze hadden daarvoor wel een prijs moeten betalen. Hij keek naar voren en telde slechts vijftien tanks en acht infanterievoertuigen. Misschien waren er nog meer, die hij in de stofwolken niet kon zien. Hij hoopte het maar. Hij keek op en tuurde in de lucht, die hopelijk niet voor de vijand openlag.

Dat was het geval. Sinds zonsopgang waren er veertig VIR-jagers neergehaald, allemaal in luchtgevechten, tegenover zes Amerikanen en Saoedi's, die allemaal vanaf de grond waren neergehaald. De tegenstander bleek geen remedie te hebben tegen het voordeel dat de luchtradar aan de geallieerden gaf, en het beste wat er over hun pogingen gezegd kon worden, was dat ze de aandacht van de troepen op de grond hadden afgeleid, die anders uit de lucht zwaar bestookt zouden zijn. Het allegaartje van jachtvliegtuigen van Amerikaanse, Franse en Russische makelij zag er op papier en op het platform indrukwekkend uit, maar in de lucht was dat anders. De geallieerde luchtmacht kon 's nachts in de lucht echter veel minder uitrichten. Alleen de kleine sectie F-15E Strike Eagles was geschikt voor alle weersomstandigheden (het duister wordt als weer beschouwd). Er waren er ongeveer tweeëntwintig van, schatte de inlichtingendienst van de VIR, en die konden niet zoveel schade aanrichten. De oprukkende divisies hielden vlak voor KKMC halt om weer te tanken en zich opnieuw te bewapenen. Nog één zo'n sprong, dachten de commandanten, en ze zouden in Riad zitten voordat de Amerikanen gereed waren om het veld in te gaan. Ze hadden nog steeds het initiatief en waren nu halverwege het doel.

PALM BOWL hield dit allemaal in de gaten door alle radiocontacten uit het zuidwesten af te luisteren. Nu kwam er echter vanuit het noorden een nieuwe dreiging van een Iraanse pantserdivisie. Misschien had de VIR verwacht dat de Koeweiti's nu niet meer in actie durfden te komen, omdat het leger van het koninkrijk uit de weg geruimd of althans zwaar gedecimeerd was. Als ze dat al dachten, dan hadden ze ongelijk. Grenzen konden in twee richtingen overschreden worden, en de regering van Koeweit veronderstelde terecht dat niets doen de zaak voor hen alleen maar erger zou maken. Ook hier bleek het er weer om te gaan dat er nog één dag nodig was om alles op orde te brengen, maar ditmaal was het de tegenstander die de extra tijd nodig had.
Het Air Cavalry Squadron, 4de van het 10de, koos slechts twintig minuten na zonsondergang het luchtruim en zette koers naar het noorden. Er patrouilleerden enkele lichte gemotoriseerde eenheden langs de grens, die volgens hen snel zouden worden afgelost door de eenheid die nu door de delta van de Tigris en de Eufraat trok. Die bestond uit twee bataljons in trucks en lichte pantserwagens. Ze maakten intensief gebruik van hun radio's en de commandanten verplaatsten de eenheden voortdurend, maar ze leken er vreemd genoeg volstrekt niet op voorbereid dat ze zouden worden aangevallen door een land dat nog niet een tiende van de omvang van hun eigen land had. Het komende uur zouden alle zesentwintig Apaches van het Buffalo Cav hen met boordkanonnen en raketten bestoken. Daarmee zouden ze een weg banen voor de eigen lichte gemotoriseerde brigade van Koeweit, waarvan de verkenningsvoertuigen zich nu verspreidden, op zoek naar de leidende elementen van de Iraniërs. Vijf kilometer daarachter bevond zich een zwaar gepantserd bataljon dat zich door de informatie van de verkenners liet leiden. De eerste grote verrassing die avond voor de VIR was het kanongebulder van twintig tanks, twee seconden later gevolgd door vijftien voltreffers. De volgende les die werd toegepast, draaide om zelfvertrouwen. Nu hun eerste contact met de

vijand succesvol was geweest, kregen de Koeweitse elementen de smaak van de aanval te pakken. Alles lukte opeens. De nachtkijkers werkten. Het geschut werkte. Ze hadden een vijand die met de rug naar onherbergzaam terrein toe stond en nergens heen kon.
Op PALM BOWL luisterde majoor Sabah naar de radio-oproepen. Hij moest alles weer uit de tweede hand ervaren. Het bleek dat slechts één brigade van de Iraanse 4de gepantserde divisie, die hoofdzakelijk uit reservisten bestond, had weten door te stoten. Ze waren pardoes, zonder waarschuwing, op een oprukkende strijdmacht gestuit. Sabah meende dat dat een goede compensatie was voor wat zijn land op de ochtend van 1 augustus 1990 overkomen was. Drie uur na zonsondergang was de enige bruikbare toegangsroute tot Zuid-Irak volledig geblokkeerd. Daarmee was het voor het Leger van God onmogelijk geworden snel versterkingen te laten aanrukken. De hele nacht zouden er precisiebommen worden afgeworpen op bruggen om dit te verzekeren. Het was een kleine veldslag voor zijn kleine land, maar deze overwinning baande wél de weg voor de bondgenoten.
Het Buffalo Cav was al onderweg naar de grondelementen in het westen, terwijl het Air Cav-eskader terugkeerde om te tanken en zich opnieuw te bewapenen. Het opgetogen Koeweitse leger posteerde zich aan de achterhoede van de geallieerden, hopend op een nieuw treffen.

Het eerste legerkorps van de VIR was tot nu toe in reserve gehouden. Eén divisie bestond uit het voormalige Iraanse 1ste gepantserde, 'de Onsterfelijken', vergezeld door een andere gepantserde divisie die hoofdzakelijk uit de resterende officieren van de Republikeinse Garde bestond en een nieuwe klasse dienstplichtigen die de oorlog van 1991 niet meegemaakt hadden. Het tweede legerkorps had de doorbraak aan de grens geforceerd en ging voorop bij de tocht naar KKMC. Bij gevechten onderweg ging echter meer dan een derde van het materieel verloren. Toen de opdracht voltooid was, trok het oostwaarts om het pad te banen voor het eerste korps, dat tot nu toe slechts door enkele luchtaanvallen getroffen was, en voor het derde korps, dat eveneens nog op volle sterkte was. Het tweede korps zou nu de flanken van de oprukkende strijdmacht bewaken tegen de verwachte tegenaanvallen vanaf de kust. In overeenstemming met hun doctrines stuurden alle eenheden bij het vallen van de nacht verkenningseenheden uit.
De voorste eenheden, die sprongsgewijs oprukten, verkenden de omgeving van King Khalid Military City, maar stuitten tot hun verrassing niet op tegenstand. Hierdoor bemoedigd, stuurde de commandant van het verkenningsbataljon nu eenheden rechtstreeks de stad in, maar daar werden nauwelijks mensen aangetroffen. De meesten hadden de dag ervoor de stad verlaten. Het leek logisch, toen hij erover nadacht. Het Leger van God rukte op, en hoewel het zware verliezen had geleden, zouden de Saoedi's het onmogelijk kunnen tegenhouden. Tevreden stootte hij door naar het zuiden, zij het iets voorzichtiger. Hij moest rekening houden met enige tegenstand.

Het MP-detachement van Eddington had inmiddels de taak volbracht om de bevolking naar het zuiden weg te leiden. Hij had enkele gezichten gezien, de meeste met een terneergeslagen uitdrukking, tot ze hadden gezien wat er tussen KKMC en Al Artawiyah stond te wachten. WOLFPACK kon niet alles verbergen. De Saoedische MP-eenheden waren als laatste gekomen en waren om 21.00 uur plaatselijke tijd de verkenners gepasseerd. Ze hadden gezegd dat er niets achter hen was. Ze hadden het mis.

Nu zijn ondersteuningsvoertuigen voorop reden en zijn gevechtstanks met de lopen naar achteren gericht de achterhoede bewaakten, had majoor Abdullah erover gedacht om nog één actie uit te voeren, maar hij beschikte niet over de gevechtskracht om veel uit te richten tegen datgene wat zich volgens hem achter zijn troepen moest bevinden. Zijn mannen waren uitgeput omdat ze een etmaal lang onophoudelijk gevochten hadden; de tankchauffeurs waren daarbij het slechtst af. Ze zaten voorin hun voertuigen in zo'n comfortabele positie dat ze gemakkelijk in slaap vielen en moesten soms gewekt worden door een schreeuwende tankcommandant; af en toe schrokken ze zelfs wakker doordat ze van de weg afraakten en in een greppel terechtkwamen. Hij maakte zich er ook zorgen over dat hij met bevriende eenheden slaags zou raken; de afgelopen dag was hij te weten gekomen dat het op slagvelden allesbehalve prettig toeven was.

De voertuigen die verspreid over de weg reden, verschenen eerst als witte vlekjes op de infraroodkijkers. Eddington, die op zijn commandopost zat, wist dat er Saoedische achterblijvers onderweg konden zijn, en had zijn verkenningseenheid gewaarschuwd daar rekening mee te houden, maar pas toen de Predators die avond het luchtruim kozen, wist hij het zeker. Door de infraroodkijkers was de kenmerkende platte bovenkant van de M1A2 tanks duidelijk zichtbaar. Hij gaf deze informatie door aan HOOTOWL, zijn verkenningsdetachement. Daar verminderde de spanning toen de vormeloze vlekjes op hun infraroodsystemen geleidelijk een vriendelijker aanzien kregen. Maar nog altijd bestond de mogelijkheid dat bevriende voertuigen buitgemaakt waren en door de vijand gebruikt werden.

Verkenners wierpen chemisch-lichtstaven op de weg, die door de voortrijdende trucks werden opgemerkt. Ze stopten toen ze er praktisch bovenop stonden, hoe langzaam ze zonder licht ook reden. Een handvol Saoedische verbindingsofficieren die aan WOLFPACK waren toegewezen, controleerden hun identiteit en lieten hen door. Majoor Abdullah kwam tien minuten later op de verkenningspost aan en sprong samen met kolonel Berman uit zijn commandowagen. De Amerikaanse Gardisten gaven hen eerst eten en water, en even daarna koffie uit hun rantsoenen waarin driemaal zoveel cafeïne als normaal zat.

'Ze zijn een eind achter, maar ze komen eraan,' zei Berman. 'Mijn vriend hier heeft het nogal druk gehad.'

De Saoedische majoor stond op het punt in te storten. Nog noöit had hij fysiek en psychisch zo zwaar onder druk gestaan. Hij liep wankelend naar de

commandopost van HOOTOWL en vertelde aan de hand van een kaart zo samenhangend mogelijk wat hij wist.
'We moeten ze tegenhouden,' zei hij tot besluit.
'Majoor, waarom rijdt u niet nog vijftien kilometer door, dan ziet u de grootste wegversperring die u ooit gezien hebt. U hebt het prima gedaan,' zei de jurist uit Charlotte tegen de jonge man. De majoor begaf zich naar zijn rupsvoertuig. 'Was het zo zwaar?' vroeg hij aan Berman, toen de majoor buiten gehoorsafstand was.
'Ik weet dat ze vijftig tanks vernietigd hebben, zoveel heb ik er tenminste gezien,' zei Berman, terwijl hij koffie uit een metalen mok dronk. 'Maar er komen er nog veel meer aan.'
'Echt waar?' vroeg de jurist-luitenant-kolonel. 'Laat ze maar komen. Geen bevriende eenheden achter je?'
Berman schudde zijn hoofd. 'Geen schijn van kans.'
'Je rijdt nu nog vijftien kilometer door, Berman. Daar blijf je toekijken, begrepen?'
Ze zagen eruit als Amerikanen, zag Berman, met hun woestijnuniformen, en hun beschilderde gezichten onder de Duitse helmen. Ze hadden rode lampjes om op de kaarten te richten. Het was donker buiten, zo donker als onder een heldere hemel mogelijk was. Hij had alleen het licht van de sterren om land en lucht van elkaar te onderscheiden. Later zou er een smalle maansikkel opkomen, maar die stelde niet veel voor. De commandant van de verkenners beschikte over een commando-Hummer met een groot aantal radio's. Daarachter kon hij een Bradley, enkele soldaten en verder weinig onderscheiden. Maar ze stonden zoals Amerikanen stonden en ze spraken als Amerikanen.
'HOOT-SIX, hier Twee-Negen.'
'Twee-Negen, hier SIX, ga je gang,' zei de commandant in de radio.
'We zien beweging, acht kilometer ten noorden van onze positie. Twee voertuigen die aan de horizon rondrijden.'
'Begrepen, Twee-Negen. Houd ons op de hoogte. Uit.' Hij wendde zich tot Berman. 'Wegwezen, kolonel. We hebben hier werk te doen.'

Ze zagen een voorpostendetachement aan de flank. Dat moest het vijandelijke tweede korps zijn, dacht kolonel Hamm. Zijn eerste linie Kiowa-verkenningshelikopters was bezig het te observeren. De Kiowa's waren de militaire versie van de Bell 206, de helikopter die in Amerika het meest voor filemeldingen vanuit de lucht werd gebruikt. Het toestel was zeer geschikt voor heimelijke operaties, meestal achter heuvels en verhogingen in het terrein, waarbij alleen de elektronische periscoop bovenop over het terrein uitkeek, terwijl de piloot ervoor zorgde dat hij niet gezien werd. Alles werd ondertussen met tv-systemen opgenomen en doorgestuurd. Hamm had er nu zes in de lucht als verkenners voor zijn 4de eskader. Ze bevonden zich vijftien kilometer voor zijn grondtroepen, die zich nog vijftig kilometer ten zuidoosten van KKMC bevonden.

Terwijl hij naar het scherm in het Star Wars-voertuig keek, verwerkten technici de informatie van de Kiowa-verkenners tot gegevens die grafisch konden worden weergegeven en aan de gevechtsvoertuigen in zijn onderdeel konden worden doorgegeven. Daarnaast kwam er informatie van de Predators. Ze zochten de wegen en woestijn ten zuiden van de ingenomen stad af, en eentje bevond zich boven de stad, die vol tankwagens en bevoorradingsvoertuigen bleek te staan. Het was natuurlijk een goede plek om die te verbergen.
Het belangrijkste was dat de elektronische sensoren nu functioneerden. De VIR-strijdmacht verplaatste zich te snel om radiostilte te kunnen handhaven. De commandanten moesten met elkaar communiceren. Die bronnen verplaatsten zich, maar in een voorspelbare richting. De commandanten waren bijna voortdurend aan het woord om de onderafdelingen te vertellen waar ze heen moesten en wat ze moesten doen. Ze kregen ook informatie binnen, die ze weer aan de staf doorgaven. Hij had nu twee brigadecommando's kunnen lokaliseren, en waarschijnlijk ook een divisiecommando.
Hamm stelde een ander scherm in om het algemene beeld te bekijken. Twee divisies verplaatsten zich nu zuidwaarts van KKMC af. Dat zou het eerste legerkorps van de vijand moeten zijn, verspreid over een front van vijftien kilometer. Het bestond uit twee divisies die zij aan zij in brigades oprukten, met een tankbrigade voorop en mobile artillerie daar direct achter. Het tweede korps bevond zich links daarvan. Het was in kleine groepjes verdeeld om steun aan de flank te bieden. Het derde korps leek achtergehouden te worden. Dit was een conventionele, voorspelbare opstelling. Het eerst contact met WOLFPACK zou over ongeveer een uur plaatsvinden, en hij zou tot dan toe op de achtergrond blijven, zodat het eerste korps van noord naar zuid kon passeren, oftewel van rechts naar links langs zijn front.
Er was geen tijd geweest om adequate voorbereidingen te treffen in het strijdperk. De gardisten beschikten niet over een volledig geniedetachement dat het terrein met anti-tankmijnen had kunnen vervuilen. Er was geen tijd geweest om obstakels en hinderlagen te maken. Ze waren hier nauwelijks tien uur aanwezig, en de volledige brigade nog korter. Ze hadden alleen een plan voor de beschietingen. WOLFPACK kon over korte afstand vuren wanneer het wilde, maar alle lange-afstandsbeschietingen moesten ten westen van de weg plaatsvinden.
'Erg goed beeld hier, kolonel,' zei zijn S-2 inlichtingenofficier.
'Stuur maar door.' Nu had elk gevechtsvoertuig in het Black Horse hetzelfde digitale beeld van de vijand als hij. Hamm pakte zijn radio op.
'WOLFPACK-SIX, hier BLACK-HORSE-SIX.'
'Hier WOLFPACK-SIX-ACTUAL. Bedankt voor de gegevens, kolonel,' antwoordde Eddington over de digitale radio. Beide eenheden wisten ook waar alle bevriende eenheden waren. 'Ik zou denken dat het eerste contact over een uurtje plaatsvindt.'
'Klaar voor de strijd, Nick?' vroeg Hamm.
'Al, ik moet mijn mannen echt in bedwang te houden. We zijn er klaar voor,'

verzekerde de Gardecommandant hem. 'We hebben hun verkenningseenheid nu in beeld.'
'Je weet hoe het moet, Nick. Succes.'
'Black Horse,' zei Eddington ten afscheid.
Hamm stelde een nieuwe frequentie in op zijn radio en riep BUFORD-SIX op.
'Ik heb het beeld, Al,' verzekerde Marion Diggs hem, honderdvijftig kilometer achter hem, wat hem helemaal niet beviel. Hij stuurde soldaten met de afstandsbediening de strijd in, en dat was moeilijk voor een pas benoemde generaal.
'Oké, generaal, we zijn geheel gereed. Ze hoeven alleen de deur maar door te gaan.'
'Begrepen, BLACK HORSE. We blijven hier stand-by. Uit.'
Het belangrijkste werk werd nu door de Predators gedaan. De UAV-technici die met de inlichtingensectie van Hamm in verbinding stonden, stuurden hun mini-vliegtuigen hoger de lucht in om de kans te verkleinen dat ze te zien of te horen waren. De omlaag gerichte camera's telden en controleerden de locaties. De Onsterfelijken bevonden zich aan de linkerzijde van de vijand en de voormalige Iraakse Gardedivisie aan de rechterzijde, ten westen van de weg. Ze rukten in gelijkmatig tempo op, met de bataljons aaneengesloten en op linie om een zo krachtig mogelijk schokeffect te bereiken als ze tegenstand zouden ondervinden, vijftien kilometer achter hun eigen verkenningseenheid. Achter de eerste brigade bevond zich de artillerie van de divisie. Deze strijdmacht was in tweeën verdeeld, zoals ze in het inlichtingenvoertuig zagen. De helft hield stil, verspreidde zich en betrok de stellingen om ondersteunend vuur te kunnen bieden, terwijl de andere helft zich op dat moment voorwaarts verplaatste. Dat was allemaal volgens het boekje. Ze zouden over ongeveer anderhalf uur ter plaatse zijn. De Predators vlogen over de batterij geschut en bepaalden de positie aan de hand van GPS-signalen. De data werden doorgegeven aan de MLRS-batterijen. Er werden nog twee Predators naartoe gestuurd. Deze moesten de exacte positie van de vijandelijke commandovoertuigen bepalen.

'Ik weet niet precies wanneer dit uitgezonden wordt,' zei Donner voor de camera. 'Ik bevind me hier in Bravo-Drie-Twee, het tweede verkenningsvoertuig in het derde peloton van B-Troop. We hebben net informatie gekregen over de plek waar de vijand zich ophoudt. Hij bevindt zich nu ongeveer dertig kilometer ten westen van ons. Er zijn ten minste twee divisies naar het zuiden onderweg over de weg vanaf King Khalid Military City. Ik weet nu dat een brigade van de National Guard van Noord Carolina een blokkade heeft opgericht. Ze zijn hier met het 11de cavalerieregiment gestationeerd omdat ze in het National Training Center waren voor een routine-oefening.
De stemming hier is... hoe zal ik het zeggen? De manschappen van het Black Horse-regiment lijken wel artsen, hoe vreemd dat ook mag klinken. Deze mensen zijn woedend over wat er met hun land gebeurd is. Ik heb daarover

met hen gesproken. Op dit moment lijken ze wel artsen die wachten tot de ambulance bij de EHBO arriveert. Het is stil in dit pantservoertuig. We hebben het gehoord dat we ons over een paar minuten westwaarts naar het startpunt begeven.

Ik wil hier nog een persoonlijke opmerking aan toevoegen. Zoals u allen weet, heb ik niet zo lang geleden een van de regels van mijn beroep overtreden. Ik heb een fout gemaakt. Ik werd misleid, maar het was toch mijn schuld. Ik heb eerder vandaag gehoord dat de president zelf heeft verzocht mij hierheen te sturen... misschien opdat ik hier om het leven zou komen?' Donner permitteerde zich een spontaan, voor de hand liggend grapje. 'Nee, dat niet. Dit is een situatie waar journalisten voor leven. Ik bevind me op een plek waar binnenkort wellicht geschiedenis geschreven wordt, omringd door andere Amerikanen die een belangrijke taak te verrichten hebben. Hoe dit ook uitpakt, dit is een plek waar een journalist hoort te zijn. President Ryan, bedankt voor de kans.

Dit is Tom Donner, ten zuidoosten van KKMC, bij B-Troop, 1ste eskader van het Black Horse.' Hij liet de microfoon zakken. 'Heb je dat?'

'Jawel, meneer,' vertelde de Spec-5 van de landmacht hem. De militair zei iets in zijn eigen microfoon. 'Goed, dat is naar de satelliet doorgestraald, meneer.'

'Goed gedaan, Tom,' zei de commandant van het rupsvoertuig, terwijl hij een sigaret opstak. 'Kom, ik zal je laten zien hoe IVIS werkt en...' Hij zweeg plotseling, terwijl hij zijn helm tegen zijn oor drukte om te kunnen verstaan wat de radio meldde. 'Starten maar, Stanley,' zei hij tegen de chauffeur. 'We gaan beginnen.'

Hij liet ze binnenkomen. De man die het commando had over de verkenningseenheid van WOLFPACK was strafrechtadvocaat van beroep. Hij was afgestudeerd aan West Point, maar had besloten tot een burgercarrière. Hij was zijn voorliefde voor het leger nooit helemaal kwijtgeraakt, bedacht hij zich, al wist hij niet precies waarom. Hij was nu vijfenvijftig en had bijna dertig jaar in allerlei uniformen aan uitputtende oefeningen en geestdodende klussen meegedaan, die hem veel tijd kostten en een belasting vormden voor zijn gezin. Nu hij in de frontlinie van zijn verkenningsbataljon zat, wist hij waarom.

De eerste verkenningsvoertuigen bevonden zich drie kilometer voor hem. Hij schatte dat hij twee pelotons kon zien, bestaande uit in totaal tien voertuigen over een afstand van vijf kilometer, die zich met drie of vier tegelijk in het duister verplaatsten. Misschien beschikten ze over nachtkijkers. Dat wist hij niet zeker, maar hij moest het aannemen. Op zijn infraroodsysteem kon hij zien dat het vierwielige BRDM-2 verkenningswagens waren, uitgerust met een zwaar machinegeweer of anti-tankraketten. Hij zag beide versies, maar hij was speciaal op zoek naar de wagen met vier radio-antennes. Dat zou de wagen van de pelotons- of compagniescommandant zijn...

'Antennewagen recht vooruit,' meldde een Bradley-commandant vierhonderd meter rechts van de kolonel. 'Afstand tweeduizend meter, naderend.'

De jurist-officier stak zijn hoofd boven de wagen uit en tuurde de omgeving af met zijn infraroodkijker. Dit was een geschikt tijdstip.
'HOOTOWL, hier SIX, feest over tien, ik herhaal, feest over tien seconden. Vier-Drie, hou je gereed.'
'Vier-Drie houdt zich gereed, SIX.' Die Bradley zou het eerste schot lossen in de Tweede Slag om KKMC. De schutter selecteerde hoog-explosieve-lichtspoor-brandammunitie. Een BRDM was niet zo stevig dat hij de door bepantsering heen dringende munitie in zijn Bushmaster-kanon nodig had. Hij richtte zijn vizier op het doel en de boordcomputer berekende de aanpassingen voor de afstand.
'Ik schiet ze verrot' zei de schutter over de intercom.
' HOOTOWL, hier SIX, u kunt vuren, u kunt vuren.'
'Vuur!' zei de voertuigcommandant tegen de schutter. De Spec-4 aan het 25mm-kanon haalde de trekkers over voor een salvo van drie. Alle drie trokken een lichtspoor over de woestijn en alle drie troffen ze doel. De commando-BRDM verdween in een vuurbal toen de benzinetank ontplofte; merkwaardig genoeg voor een voertuig van Russische makelij had hij geen dieselmotor.
'Doel!' zei de commandant direct, daarmee bevestigend dat de schutter het vernietigd had. 'Draai naar links, nieuw doel.'
'Gevonden!' zei de schutter, toen hij ingesteld had.
'Vuur!' Een seconde later: 'Doel! Staak vuren, draai naar rechts! Doel *burdum*, op twee uur, afstand vijftienhonderd!' De geschutskoepel van de Bradley draaide de andere kant op. Nu begonnen de vijandelijke voertuigen te reageren.
'Gevonden!'
'Vuur!' Daarmee was de derde vernietigd, tien seconden na de eerste.
Binnen een minuut stonden alle BRDM's in brand die de commandant van de verkenningseenheid gezien had. Hij moest in het felle witte licht zijn ogen toeknijpen om wat te kunnen zien. Links en rechts van hem waren nu ook lichtflitsen te zien. Daarna: 'Eruit, pak ze!'
Over een afstand van vijftien kilometer woestijn kwamen twintig Bradleys uit hun schuilplaatsen te voorschijn. Ze trokken zich niet terug, maar rukten op, met draaiende geschutskoepels, terwijl de schutters naar vijandelijke verkenners zochten. Er volgde een mobiel, hevig vuurgevecht over een afstand van drie kilometer, dat tien minuten duurde. De BRDM's ondernamen pogingen zich terug te trekken. Ze slaagden er niet in gericht terug te schieten. Er werden twee Sagger-anti-tankraketten gelanceerd, maar beiden ontploften vroegtijdig in het zand toen de voertuigen die ze afgeschoten hadden door Bushmaster-vuur vernietigd werden. De zware machinegeweren waren niet krachtig genoeg om door de bepantsering aan de voorkant van de Bradleys heen te dringen. De vijandelijke verkenningseenheid, die in totaal uit dertig voertuigen bestond, was aan het eind van het gevecht geheel weggevaagd. Daarmee had HOOTOWL dit deel van het slagveld in bezit genomen.
'WOLFPACK, hier HOOT-SIX-ACTUAL, ik denk dat we ze allemaal hebben. Er is

niks van hun verkenners over. Geen gewonden,' voegde hij eraan toe. Godverdomme, dacht hij, wat kunnen die Bradleys schieten.

'Ik hoor radioverkeer, kolonel,' zei de ELINT-man naast Eddington. 'En nu nog meer.'
'Hij vraagt om artillerievuur,' zei een Saoedische inlichtingenofficier snel.
'HOOT, u kunt binnenkort vuur verwachten,' waarschuwde Eddington.
'Begrepen. HOOT gaat voorwaarts.'

Het was veiliger dan op dezelfde plek blijven of terugtrekken. Op commando reden de Bradleys en Hummers met grote vaart twee kilometer naar het noorden, op zoek naar de aanvullende verkenningseenheid van de vijand, die beslist ergens moest zitten. Waarschijnlijk verplaatste die zich nu behoedzaam, op aanwijzing van de brigade- of divisiecommandanten. De Gardeluitenant wist dat dit de strijd der verkenners zou worden, de voorbereiding op de grote veldslag, waarbij de lichtgewichten alvast flink wat schade konden toebrengen voordat de zwaargewichten zouden toeslaan. Maar er was een verschil. Hij kon doorgaan het slagveld voor WOLFPACK voor te bereiden. Hij verwachtte nog een verkenningscompagnie aan te treffen, op korte afstand gevolgd door een zware voorhoede van tanks en BMP's. De Bradleys hadden TOW-raketten om de tanks uit te schakelen, en de Bushmaster was speciaal ontworpen om het infanterievoertuig dat ze de *bimp* noemden uit te schakelen. En hoewel de vijand nu wist waar de verkenners van de Blauwe Troepen waren, of althans geweest waren, verwachtte hij ook dat die zich terug zou trekken in plaats van op te rukken.
Dat werd twee minuten later duidelijk, toen er een kilometer achter de voortrijdende Bradleys een gepland spervuur neerdaalde. De vijand speelde het volgens het boekje, het oude sovjetboekje. Dat was geen slecht boek, maar de Amerikanen hadden het ook gelezen. HOOTOWL rukte snel nog een kilometer op en stopte achter een gunstig gelegen rij lage heuvels. Aan de horizon waren weer vlekjes te zien. De jurist-kolonel pakte zijn radio om dat te melden.

'BUFORD, hier WOLFPACK, we hebben contact gemaakt,' gaf Eddington aan Diggs door vanuit zijn commandowagen. 'We hebben daarnet hun verkenningselement een pak slaag gegeven. Onze verkenners hebben nu visueel contact met de voorhoede. Ik ben van plan om het tot een korte confrontatie te laten komen en ze rechts naar achteren te dwingen, in zuidoostelijke richting. We hebben artillerievuur tussen de verkenners en de hoofdmacht, over.'
'Begrepen, WOLFPACK.' Op zijn commandoscherm zag Diggs de oprukkende Bradleys. Ze verplaatsten zich vrijwel op rij, maar goed verspreid. Daarna begonnen ze beweging te zien. De dingen die ze zagen, verschenen als symbolen voor een onbekende vijand op het IVIS-commandosysteem.
Het was geweldig frustrerend voor de bevelvoerend generaal. Hij wist meer over het verloop van een veldslag dan enig ander in de geschiedenis van de

krijgskunst. Hij kon de pelotons nu vertellen wat ze moesten doen, waar ze heen moesten en wie ze moesten doodschieten, maar mocht dat zelf niet doen. Hij had de plannen van Eddington, Hamm en Magruder goedgekeurd en hun plannen gecoördineerd in ruimte en tijd, en nu moest hij hen hun gang laten gaan. Hij kon alleen tussenbeide komen als er iets verkeerd ging of als zich een nieuwe of onverwachte situatie aandiende. De commandant van de Amerikaanse troepenmacht in het koninkrijk was nu een toeschouwer geworden. De zwarte generaal schudde verbijsterd zijn hoofd. Hij had geweten dat het zo zou zijn, maar hij had niet geweten hoe zwaar het hem zou vallen.

Het was bijna tijd. Hamm liet zijn eskaders zij aan zij oprukken. Ze dekten elk slechts een gebied van tien kilometer af, maar met een tussenruimte van minimaal tien kilometer. Alle eskadercommandanten hadden ervoor gekozen de verkenningstroepen vooraan te plaatsen en hun tankcompagnies in reserve te houden. Elke groep had negen tanks en dertien Brads plus twee M113-rupsvoertuigen met mortieren. Voor hen, nu zeven kilometer van hen vandaan, bevonden zich de brigades van het tweede legerkorps van de VIR, die zwaar getroffen waren door de gevechten om de doorbraak ten noorden van KKMC. Ze waren verzwakt, maar waarschijnlijk op hun hoede. Niets maakte je zo alert als de kans op een gewelddadige dood. Met behulp van zijn helikopters en de videoregistratie van de Predators waren hun posities exact bepaald. Hij wist waar ze waren. Ze wisten niet waar hij zat. Waarschijnlijk althans, zo moest hij toegeven. Ze ondernamen nu vast en zeker pogingen daarachter te komen; dat zou hij ook gedaan hebben. Zijn laatste bevel was dat zijn helikopters het tussenliggende terrein nog eenmaal moesten afzoeken naar een vooruitgeschoven vijandige linie. Voor de rest stond alles behoorlijk geblokkeerd. Tachtig kilometer achter hem stegen zijn Apaches en Kiowa-verkenners op voor hun aandeel in het grote gevecht.

De F-15E Strike Eagles bevonden zich alle in het noorden. Twee ervan waren eerder op de dag verloren gegaan, die van de eskadercommandant inbegrepen. Beschermd door de met HARM uitgeruste F-16's bestookten ze de bruggen en dijkwegen in de delta van de twee rivieren met precisiebommen. Ze konden tanks op de grond zien. Ten westen van de moerassen zagen ze brandende tanks, ten oosten ervan intacte, die dicht opeen stonden. In een uur vol actie werd elke route door de delta door de ene treffer na de andere vernietigd. De F-15C's bevonden zich boven het KKMC-gebied, zoals altijd onder controle van de AWACS. Eén groep van vier bleef hoog in de lucht, buiten het bereik van de mobiele SAM's van de oprukkende grondtroepen. Ze moesten uitkijken naar VIR-jagers, die hen zouden kunnen lastigvallen. De rest joeg op helikopters die tot de gepantserde divisies behoorden. Het uitschakelen daarvan gaf niet zoveel prestige als het vernietigen van een jager, maar een treffer was een treffer, en risico was er vrijwel niet aan verbonden. Een bijkomende gunstige omstandigheid was dat generaals zich per helikopter verplaatsten. Het ging er

:chter vooral om dat de heli's deel uitmaakten van de verkenningsinspannin-
gen van de VIR, en daar moest volgens het plan tegen opgetreden worden.
Hun aanwezigheid was blijkbaar snel bekend geworden. Overdag hadden ze
maar drie heli's neergehaald, maar toen het donker was geworden, was er een
aantal opgestegen, waarvan de helft in de eerste tien minuten al neergeschoten
werd. Het liep heel anders dan de laatste keer. De jacht was niet moeilijk. De
vijand, die in de aanval was, moest de strijd aangaan. Hij kon zich niet verbergen of zich verspreiden. Dat kwam de Eagle-piloten goed uit. Een van de piloten ten zuiden van KKMC werd door zijn AWAC's in de goede richting geleid,
ontdekte een heli op zijn naar beneden gerichte radar, selecteerde een AIM-20
en vuurde de raket enkele seconden later af. Hij zag hoe de raket op het doel
afging en hoe er links van hem een vuurbal ontstond die zich over de grond
verspreidde. In zeker opzicht vond hij het toch wel een verspilling van zo'n
fantastische Slammer. Maar een treffer was een treffer. Dat zou de laatste
treffer van een heli die avond blijken te zijn. De piloten hoorden van hun E-3B
Sentry controlevliegtuig dat bevriende heli's nu het strijdperk binnentrokken.
De wapensystemen van de Eagles werden nu geblokkeerd.

Minder dan de helft van zijn Bradley-schutters had ooit in het echt TOW-raketten afgevuurd. Ze hadden het wel allemaal honderden keren in simulaties
gedaan. HOOTOWL wachtte tot de voorhoede binnen bereik kwam. Het was
link. De aanvullende verkenningsgroep was nog dichterbij. De Bradleys stuitten er het eerst op. Dit gevecht kwam iets meer van twee kanten. Twee BRDM's
bevonden zich al achter de Amerikaanse verkenningslinie. Beide keerden plotseling. Een reed bijna over een Hummer heen en bestookte die met salvo's tot
een Bradley hem totaal verwoestte. De pantserwagen reed snel naar de plek
des onheils toe. Van de drie bemanningsleden van de Hummer had eentje het
overleefd, en deze was gewond. Hij werd verzorgd door de infanteristen, terwijl de chauffeur een heuveltje opreed en de schutter zijn TOW-afvuurinrich-
ting in stelling bracht.
De voorste groep tanks was nu aan het vuren. Ze richtten zich op de lichtflitsen uit de Bradley-vuurmonden. Ze hadden hun eigen nachtzichtsystemen in
werking gesteld en nu volgde er weer een korte, hevige veldslag in de duistere
woestenij. Eén Bradley werd getroffen en ontplofte, waarbij alle inzittenden
om het leven kwamen. De rest vuurde elk een of twee raketten af, waardoor
twintig tanks getroffen werden. Daarna riep hun commandant hen terug. Ze
konden net ontkomen aan het artilleriespervuur dat de tankcommandant van
de vijand op hun posities had ingezet. HOOTOWL liet de ene Bradley en twee
Hummers achter. Daarmee waren de eerste Amerikaanse slachtoffers op de
grond gevallen in de Tweede Golfoorlog. De berichten over hen werden aan
de staven doorgegeven.

In Washington was het vlak na lunchtijd. De president had van een lichte
lunch genoten. Vlak nadat hij klaar was, werd het bericht in de Situation

Room doorgegeven. Hij kon nog steeds naar het goudomrande bord kijken, naar het korstje van zijn boterham en de chips die hij had laten staan. Het nieuws over de doden trof hem diep, dieper eigenlijk dan de slachtoffers op de USS *Yorktown* of de zes vermiste vliegers; vermist betekende toch nog niet dat ze dood waren? Deze mannen waren beslist wél dood. Het waren leden van de National Guard, had hij gehoord. Burgersoldaten, die meestal ingezet werden om mensen te helpen na overstromingen of orkanen...

'Meneer de president, zou u daarheen zijn gegaan voor deze missie?' vroeg generaal Moore, nog voordat Robby Jackson iets kon zeggen. 'Als u een luitenant van in de twintig bij de mariniers was en ze tegen u zeiden dat u moest gaan, dan zou u het toch doen?'

'Ik denk... nee, nee, ik zou gaan. Ik zou wel moeten.'

'Dat geldt ook voor hen, meneer,' zei Mickey Moore tegen hem.

'Zo is het werk, Jack,' zei Robby zacht. 'Daar betalen ze ons voor.'

'Ja.' En hij moest toegeven dat ze hém daar ook voor betaalden.

De vier F-117 Nighthawks landden in Al Kharj, rolden uit en taxieden naar de bunkers. De transportvliegtuigen met de reservepiloten en grondploegen landden vlak achter hen. Inlichtingenofficieren uit Riad vingen de laatste groep op en namen de reservepiloten apart om hen een missiebriefing te geven in een oorlog die nu werkelijk omvangrijk begon te worden.

De generaal-majoor die het commando over de Onsterfelijken-divisie voerde, probeerde in zijn commandovoertuig de zaken op een rijtje te zetten. Hij was tot nu toe erg tevreden over het verloop van de oorlog. Het tweede korps had zijn taak uitgevoerd. Het had een doorgang geforceerd, waardoor de hoofdmacht snel had kunnen oprukken en tot een uur geleden was het beeld positief en duidelijk geweest. Ja, er rukten Saoedische troepen in zuidwestelijke richting op, maar die waren nog bijna een dag van hem verwijderd. Hij zou dan inmiddels vlak bij de hoofdstad zijn, en er bestonden voor hen trouwens ook andere plannen. Bij zonsopkomst zou het tweede korps vanuit de verborgen positie links van hen een sprong naar het oosten wagen, zogenaamd op de olievelden af. Dan zouden de Saoedi's zich nog wel eens bedenken. In elk geval zou het hem nog een dag opleveren waarin hij een deel, met een beetje geluk de hele Saoedische regering te pakken zou krijgen, en misschien zelfs de koninklijke familie. Als die zou vluchten, wat heel goed mogelijk was, dan zou het koninkrijk zonder leider zitten en zou zijn land de oorlog gewonnen hebben.

Tot nu toe waren de verliezen groot geweest. Het tweede korps had de helft van zijn gevechtskracht moeten inleveren om het Leger van God zover te kunnen laten oprukken, maar een overwinning was nooit goedkoop. Dat zou ook nu gelden. Zijn voorste verkenners waren van het radionetwerk verdwenen. Na een melding van contact met onbekende troepen en een verzoek om artilleriesteun was er niets meer van hen vernomen. Hij wist dat zich ergens voor hem een Saoedische troepenmacht bevond. Hij wist dat het om de restanten an de 4de brigade ging, die het tweede korps vrijwel geheel uit de weg eruimd had. Hij wist dat deze brigade ten noorden van KKMC een zware strijd ad geleverd en zich toen had teruggetrokken... Waarschijnlijk hadden ze pdracht gekregen om pas op de plaats te maken zodat de stad geëvacueerd on worden... Vermoedelijk waren ze nog sterk genoeg om zijn verkennings-roepen te vernietigen. Hij wist niet waar het Amerikaanse cavalerieregiment vas... waarschijnlijk ten oosten van hem. Hij wist dat er ergens nog een Ame-ikaanse brigade kon zitten, vermoedelijk ook ten oosten van hem. Hij had raag helikopters gehad, maar hij was er net een kwijtgeraakt aan Amerikaan-e jagers, samen met zijn hoogste inlichtingenofficier. Daar ging zijn beloofde uchtsteun. De enige bevriende jager die hij de hele dag had gezien, was een okend gat in de grond geweest, even ten oosten van KKMC. Maar hoewel de Amerikanen het hem lastig konden maken, konden ze hem niet tegenhouden, n als hij op tijd in Riad was, dan kon hij troepen naar de Saoedische vliegvel-len sturen om die dreiging af te slaan. Het ging er dus om zo snel mogelijk loor te stoten, zoals het korps- en legercommando hem verteld hadden. Nu lie beslissing genomen was, beval hij zijn voorste brigade om volgens plan op e rukken, terwijl de voorhoede de verkennersrol op zich nam. Ze hadden ojuist melding gemaakt van contact met de vijand, gevolgd door schermutse-ingen, waarbij ze verliezen hadden geïncasseerd en toegebracht aan een nog iet geïdentificeerde vijand. Deze had zich na een kort vuurgevecht terugge-rokken. Waarschijnlijk was het die Saoedische groep, concludeerde hij, die oveel mogelijk plaagstoten probeerde uit te delen. Na zonsopkomst zou hij ze vel een lesje leren. Hij gaf de nodige bevelen, informeerde zijn staf over zijn plannen en reed vanuit de commandopost naar het front. Als goed generaal wilde hij zien wat daar gebeurde, terwijl de staf over de radio orders doorgaf aan ondergeschikte commandanten.

Er waren enkele verkenningseenheden, meldden de Kiowa's. Niet veel. Ze waren tijdens de opmars naar het zuiden waarschijnlijk zwaar getroffen, dacht kolonel Hamm. Hij dirigeerde een van zijn eskaders naar links om hen te ont-wijken en vertelde zijn luchtmachtcommandant om een Apache opdracht te geven over enkele minuten met de eenheden af te rekenen. Een van de andere kon gemakkelijk gepasseerd worden. De derde bevond zich direct in het pad van het 3de eskader, en dat was erg vervelend. De positie van de BRDM's stond op de IVIS-schermen aangegeven, evenals het grootste deel van het gehavende tweede korps van de VIR.

Ook de Onsterfelijken waren zwaar gehavend. Eddington zag dat de voorhoe-de, met de eerste elementen van de hoofdmacht vlak daarachter, net binnen het bereik van zijn tanks was gekomen. Ze naderden met een snelheid van ongeveer twintig kilometer per uur. Hij riep Hamm op.
'Vijf minuten na nu. Succes, Al.'
'Jij ook, Nick,' hoorde Eddington.

Ze noemden het synchroon optreden. Vijftig kilometer van elkaar werden de lopen van verscheidene batterijen Paladin mobiel geschut op plaatsen gericht die op basis van de gegevens van de Predators en ELINT-intercepties waren uitgekozen. De kanonniers van de moderne tijd tikten de juiste coördinaten in hun computers in, zodat de ver van elkaar staande wapens dezelfde doelen konden beschieten. Met hun ogen op de klokken gericht, zagen ze de tijd wegtikken, op weg naar 22:30:00 Lima-tijd, 19:30:00 UTC, 14:30:00 Washington-tijd.

Bij de rupsvoertuigen met meervoudige raketlanceersystemen was de situatie vrijwel hetzelfde. De bemanning overtuigde zich ervan dat de compartimenten goed afgesloten waren, dat de vering geblokkeerd was, zodat de voertuigen tijdens de lanceringscyclus stabiel bleven staan, en dat de schuifraampjes dicht zaten. De uitlaatgassen van de raketten konden dodelijk zijn.

Ten zuiden van KKMC keken de artilleristen van de Carolina Guard naar de oprukkende witte vlekjes. De schutters bedienden hun laser-afstandsmeters. De eerste verkenners waren nu 2500 meter van hen vandaan, en de eerste linie van de hoofdmacht, bestaande uit tanks en BMP's, zat daar duizend meter achter.

Ten zuidoosten van KKMC rukte het Black Horse nu met vijftien km per uur op in de richting van een reeks doelen op een heuvel vierduizend meter westelijker.

De actie verliep niet geheel vlekkeloos. B-Troop, 1ste van het 11de, stuitte onverwacht op een BRDM-stelling en opende op eigen initiatief het vuur, waardoor er vuurballen in de lucht te zien waren die enkele seconden te vroeg de aandacht trokken. Maar uiteindelijk maakte het niet veel uit; de digitale cijfers bleven in hetzelfde tempo wegtikken, en dat gebeurde snel of langzaam, afhankelijk van de waarneming van degenen die ernaar keken.

Eddington had de tijd tot op de seconde nauwkeurig vastgesteld. Hij had de hele avond niet kunnen roken, omdat hij bang was geweest dat het brandende puntje op iemands nachtzoeker zichtbaar zou zijn geweest. Maar nu klikte hij zijn Zippo-aansteker open zodra de 59 in 60 veranderde. Een beetje meer licht deed er nu niet meer toe.

De artillerie opende het vuur, omdat die daartoe precies op dat moment opdracht had gekregen. Het spectaculairst waren de MLRS-raketten, waarvan er met een tussenruimte van minder dan twee seconden twaalf uit elke lanceerinrichting ontsnapten. Ze zochten hun weg in de lucht, die nu oplichtte door de vlammende raketmotoren, die de wolken uitlaatgassen beschenen. Om 22:30:15 uur vlogen er bijna tweehonderd M77 vrije-vluchtraketten door de lucht. Intussen werd het mobiele geschut herladen. De aftrektouwen werden losgemaakt en het geschut werd ontladen, zodat ze gereed waren voor een nieuwe lading.

Het was een heldere nacht, en het lichtspektakel moest voor iedereen binnen een straal van honderdvijftig kilometer te zien zijn. De jachtpiloten in het

ɔordoosten zagen de raketten vliegen en hielden hun koers goed in de gaten. e wilden beslist niet in de buurt van die dingen komen.
aakse officieren in de oprukkende gepantserde Gardedivisie zagen de raket- n het eerst vanuit het zuiden naderen. Daarna zagen ze dat ze allemaal ten esten van de noord-zuidroute van KKMC naar Al Artawiya hun doel zochten. elen van hen hadden als luitenant en kapitein hetzelfde gezien en wisten wat it betekende. Steel Rain was op komst. Sommigen werden verlamd door de anblik. Anderen schreeuwden bevelen om dekking te zoeken, de luiken te uiten en er vandoor te gaan.
at was niet mogelijk voor de artilleristen van de divisie. Het grootste deel van ın geschut stond op aanhangwagens en de meeste schutters stonden in de ɔen lucht, met de munitietrucks daar vlakbij voor de volgende schietronde. e zagen de raketmotoren doven, keken naar de richting waarin ze vlogen, en ɔnden niets anders doen dan wachten. De manschappen doken naar de ond, meestal na zich eerst verspreid te hebben. Terwijl ze hun helmen vast- ielden, baden ze dat die ellendige dingen ergens anders heen zouden vliegen. adat de raketten het hoogste punt bereikt hadden, doken ze naar de grond. p een hoogte van enkele kilometers werd met een tijdklok de neus geopend ı kwamen er uit elk projectiel 644 kleinere projectielen van een half pond, ɔdat er uit elke lanceerinrichting in feite 7728 projectielen waren afgevuurd. e waren allemaal gericht op de artillerie van de Gardedivisie. Dat was hun erst reikende wapen, en Eddington wilde dat direct uitschakelen. Zoals de raktijk was bij de Amerikaanse landmacht, was de MLRS het persoonlijk apen van de commandant van de eenheid. Enkele Iraakse artilleristen keken p. Ze konden ze niet zien of horen komen, maar ze kwamen beslist.
an een afstand leken het net sterretjes op de grond of vuurwerk met Chinees ieuwjaar, dat vrolijk ronddansend ontplofte. Het was een lawaaiige dood oor de manschappen op de grond. In totaal meer dan zeventigduizend stuks ıunitie explodeerden op een oppervlak van circa tachtig hectare. Vrachtwa- ens raakten in brand en explodeerden. Er ontplofte nu ook munitie, maar bij e eerste inslagen was al meer dan tachtig procent van de artilleristen om het even gekomen of gewond geraakt. Er volgden er nog twee. Achter het cen- um van WOLFPACK reden de lanceringsvoertuigen terug naar de bevoorra- ingstrucks. Vlak voordat ze daar aankwamen, werden de verbruikte lance- ingscellen uitgeworpen en de nieuwe op hun plaats gebracht. Het herladen uurde in totaal circa vijf minuten.
Aet het 155-mm geschut ging dat sneller. Ook dit werd op de vijandelijke te- enhangers gericht. De schoten hiervan waren even nauwkeurig als de raket- en. Dit was een zeer routineuze militaire activiteit. Het geschut bracht de ver- ietiging teweeg en de manschappen bedienden het wapen. Ze konden hun verk niet zien, en in dit geval was er niet eens een waarnemer vooruit gestuurd m ze te vertellen hoe ze het deden, maar ze hadden ondervonden dat dat er iet toe deed, nu het richten met GPS gebeurde. Als alles volgens plan verliep, onden ze het resultaat van hun dodelijke arbeid later nog aanschouwen.

Gek genoeg vuurden degenen die direct zicht hadden op de oprukkende vij and het laatst. De tanks wachtten op toestemming, die verkregen werd toe de compagniescommandanten het eerste schot voor hun eenheden losten.
Hoe dodelijk het ook is, het vuurleidingsysteem van de Abrams-tank is een va de eenvoudigste mechanismen die ooit door soldaten bediend is. Het systeer is zelfs nog makkelijker in het gebruik dan de miljoenen kostende trainingssi mulators. De boordschutters hadden elk een sector toegewezen gekregen, e bij hun eerste schoten maakten de compagniescommandanten gebruik va HEAT, zeer explosieve anti-tankmunitie, die een duidelijk zichtbaar spoor ach terliet. De tanks kregen gebieden toebedeeld die links of rechts van die eerst treffers lagen. De zichtsystemen functioneerden met behulp van warmtestra ling, ofwel infraroodstraling. De doelen waren 's nachts warmer dan de woes tijn, waardoor ze net zo goed zichtbaar waren als gloeilampen. Elke schutte kreeg te horen welk gebied hij voor zijn rekening moest nemen, en elk koos ee oprukkende T-80 uit. Nadat de vizieren op het doel gericht waren, werden d laserknoppen ingedrukt. De straal trof het doel en werd weerkaatst. Uit dit te rugkerende signaal berekende de computer de afstand, snelheid en richting to het doel. Andere sensoren gaven de buitentemperatuur aan, de temperatuu van de munitie, de dichtheid van de atmosfeer, de windrichting en windsnel heid, de toestand van het geschut (hete lopen staan iets lager) en het aantal gra naten dat de loop tot op dit moment had afgevuurd. Als de computer al dez informatie verwerkt had, lichtte er een wit rechthoekje in het vizier op, zodat d schutter wist dat het systeem op het doel gericht stond. Daarna hoefde hij al leen nog maar zijn wijsvingers om de dubbele trekker van de stuurknuppel t klemmen. De tank veerde op, de achterkant sloeg omlaag en door de lichtflit uit de loop werd de schutter even verblind. De projectielen ontsnapten vervol gens met bijna drie kilometer per seconde. Het waren een soort overdreve dikke pijlen met korte vinnen aan de staart, die door de wrijving van de luch opbrandden in hun korte vlucht en een lichtspoor achterlieten. Zo kon d tankcommandant de 'zilveren kogels' in hun vlucht volgen.
De doelen waren T-80's van Russische makelij, oude tanks met een lang geschiedenis. Ze waren veel kleiner dan hun Amerikaanse tegenhangers. Da ze niet groter waren, werd vooral veroorzaakt door de weinig efficiënte moto ren. Door de kleine omvang waren er een aantal compromissen in het ont werp nodig geweest. Er was een brandstoftank voorin, waarvan de leiding langs de geschutskoepel liep. De munitie werd opgeslagen in rekken die tege de achterste brandstoftank aan zaten, zodat de munitie door diesel omgeve was. Om te besparen op ruimte in de geschutskoepel, was de lader vervange door een automatisch systeem, dat niet alleen langzamer was dan menselijk bediening, maar ook tot gevolg had dat er altijd scherpe munitie vrij in d geschutskoepel lag. Dat maakte in laatste instantie niet zoveel uit, maar d treffers waren er des te spectaculairder door.
De tweede T-80 die vernietigd werd, werd getroffen door een 'zilveren kogel tegen de geschutskoepel. Het projectiel vernielde eerst de brandstofleiding e

›en het door de wapening heen drong, ontstond er een dodelijke schervenre-en die met een snelheid van meer dan duizend meter per seconde in de enauwde ruimte drongen, tegen de wand caramboleerden en de bemanning ı stukjes hakten; tegelijkertijd ontbrandde de gereed liggende munitie op de ıde en explodeerde andere munitie op de rekken. De bemanning was al dood ›en de munitie explodeerde, waardoor ook de brandstof nog eens ontvlamde n er een explosie ontstond die de zware geschutskoepel vijftien meter recht mhoog wierp in een 'catastrofale voltreffer', zoals de Amerikaanse landmacht et noemde. Vijftien anderen stierven op dezelfde wijze binnen twee of drie econden. De voorhoede van de Onsterfelijken was tien seconden later wegge-aagd, en het enige probleem dat ze veroorzaakten, was de verduistering van et slagveld door de brandende voertuigen.

Iet vuur werd direct op de hoofdmacht gericht, die uit drie op linie opruk-ende bataljons bestond. Ze bevonden zich nu op een afstand van iets meer an drieduizend meter. In totaal ging het om iets meer dan honderdvijftig oertuigen, die op een bataljon van vierenvijftig afkwamen.

)e commandanten van de Iraanse tanks bevonden zich nog grotendeels bui-en hun geschutskoepels om beter te kunnen zien, hoewel ze de raketten had-len gezien die enkele kilometers verderop werden afgeschoten. Daarna zagen e de hemel over een groot gebied drie kilometer verderop wit en oranje plichten, gevolgd door explosies recht voor hen. De snelste officieren en lienstplichtige tankcommandanten gaven hun schutters opdracht om te uren op de lichtflitsen, en niet minder dan tien losten inderdaad schoten, naar ze hadden geen tijd gehad om de afstand te berekenen en alle schoten elandden vóór de tegenstander. De Iraanse bemanningen waren goed voor-ereid op hun taak en hadden nog geen tijd gehad om bang te worden. Som-nigen begonnen te herladen, terwijl anderen de afstandszoekers bedienden ›m de schoten goed te kunnen richten, maar opeens werd de horizon weer ›ranje, en alles gebeurde nu zo snel dat ze nauwelijks de tijd hadden de veran-lering in de kleur van de lucht op te merken.

)e volgende reeks van vierenvijftig projectielen leverde vierenveertig treffers ›p, waarbij tien T-80's tweemaal getroffen werden. Dit alles gebeurde minder lan twintig seconden na het begin van het treffen.

Zoek er een die nog beweegt,' zei een E-6 tankcommandant tegen zijn boord-chutter. Het slagveld stond nu in brand, en de vuurballen stoorden de infra-oodkijkers. Daar. De schutter bepaalde met de laser de afstand, 3650 meter, n vuurde. Even werd het zicht nihil, maar even later zag hij de lichtspoorko-gel horizontaal door de woestijn vliegen, recht op het doel af...

'Doel!' zei de commandant. 'Nieuw doel.'

'Gevonden... ik heb er een!'

'Vuur!' beval de commandant.

'Onderweg!' De schutter vuurde voor de derde maal in een halve minuut en drie seconden later was de volgende T-80 geschutskoepel een vliegend projec-tiel geworden.

In dit korte tijdsbestek was de tankfase van de strijd voorbij.
De Bradleys namen de oprukkende BMP's voor hun rekening met hun Bushmaster-kanonnen. Bij hen ging het langzamer, omdat de afstand voor hun lichtere geschut meer problemen opleverde, maar de uitkomst was even definitief.

De commandant van de Onsterfelijken naderde juist de eerste elementen van de leidende brigade, toen hij zelf de raketten zag vliegen. Hij vroeg zijn chauffeur te stoppen, stond op en draaide zich om in zijn commandowagen. Toen zag hij de vervolgexplosies in het artilleriecordon van zijn divisie. Toen hij zich weer omdraaide, zag hij het tweede salvo uit Eddingtons tanks. In minder dan een minuut was veertig procent van zijn gevechtskracht verdwenen. Nog voordat de schok werkelijk tot hem doordrong, wist hij dat hij in een hinderlaag gelopen was, maar waarvan?

De MLRS-raketten die de Onsterfelijken van hun artillerie hadden beroofd, waren uit het oosten gekomen, en niet uit het zuiden. Dit was Hamm's geschenk aan de National Guard, die op grond van het bestaande aanvalsplan niet zelf achter de Iraanse schutters aan kon gaan. Nu hadden de MLRS van het Black Horse dat gedaan. Daarna hadden ze zich op andere doelen gericht om ruimte te maken voor de Apache-aanvalshelikopters van het regiment, die nu diepe aanvallen deden, zelfs achter de eenheden van het tweede korps die nu door de drie grondeskadrons werden bestookt.
De werkverdeling op dit slagveld was in beginsel de vorige dag bepaald, en de ontwikkelingen hadden niemand aanleiding gegeven de plannen te wijzigen. De artillerie zou zich aanvankelijk op de artillerie richten. Tanks zouden tanks beschieten. De helikopters waren in de lucht om commandanten te doden. De commandowagen van de Onsterfelijken was twintig minuten geleden gestopt. Tien minuten voor de eerste raketlancering, maakten Apache-Kiowateams een omtrekkende beweging vanuit het noorden, zodat ze van achteren naderden. Ze gingen op zoek naar de plaatsen vanwaar de radiosignalen werden uitgezonden. Eerst zouden de doelen op divisieniveau aan de beurt zijn, gevolgd door de brigades.
De staf van de Onsterfelijken probeerde net de binnenkomende signalen te duiden. Sommige officieren vroegen om bevestiging of verduidelijking, informatie die ze nodig hadden voordat ze adequaat op de situatie konden reageren. Dat was het probleem met commandoposten. Zij waren feitelijk de hersenen van de eenheden die ze commandeerden, en de mensen die de besluiten namen, moesten met elkaar in verbinding staan om te kunnen functioneren.
Van een afstand van zes kilometer was de groep voertuigen duidelijk zichtbaar. Vier stuks SAM-geschut stonden naar het zuiden gericht, en er was ook een ring van AAA-geschut. Die waren het eerst aan de beurt. De Apaches van P-Troop, de aanvalsgroep, zochten een plek uit waar geen gevaar dreigde en bleven op een hoogte van dertig meter hangen. De voorin gezeten schutters, alle-

naal jonge onderofficieren, selecteerden met optische zoomapparatuur de erste groep doelen. Ze kozen voor Hellfire lasergeleide raketten. De eerste ancering vond volstrekt onaangekondigd plaats, maar een Iraanse soldaat zag le lichtflits en schreeuwde naar een groep artilleristen, die snel de lopen draailen en al begonnen te schieten voordat de raketten helemaal beneden waren. Nu werd het een gekkenhuis. De Apache waarop geschoten werd, draaide naar links en accelereerde zijwaarts tot vijftig knopen om te ontkomen, maar laardoor kon de verraste boordschutter niet meer goed richten. De eerste aket miste en hij moest opnieuw proberen het doel te treffen. De andere AH-4's werden niet gehinderd en van de zes schoten waren er vijf voltreffers. In le minuut daarop werd het probleem van het luchtafweergeschut opgelost en kwamen de aanvalshelikopters naderbij. Ze konden nu mensen van de commandowagen zien wegrennen. Enkele soldaten in de beveiligingsgroep van het commando schoten met hun geweren in de lucht, en soldaten met machinegeweren boden op enigszins georganiseerd wijze verzet, maar de verrassing lag aan de andere kant. De boordschutters bestookten het gehele gebied met 70-mm raketten, vuurden Hellfires af om de paar resterende pantservoertuigen te vernietigen en schakelden toen over op hun 30-mm kanon. Als om te laten zien hoe groot hun razernij was, kwamen ze nog dichterbij, als reusachtige, zoemende insecten, die van de ene naar de ander plek gleden, terwijl de schutters naar mensen zochten die de zwaardere wapens gemist hadden. Op het vlakke terrein konden de soldaten zich nergens verbergen. In de infraroodkijkers gloeiden ze op het donkerder, kouder oppervlak en de boordschutters schoten hen in groepen, in duo's en tenslotte een voor een neer, terwijl ze als oogstmachines hun banen trokken over het terrein. Tijdens het overleg voor de missie was besloten dat de helikopters, anders dan in 1991, in deze oorlog geen overgave zouden accepteren; de 30-mm projectielen waren dan ook voorzien van explosieve punten. P-Troop – ze noemden zich de Predators – bleef nog tien minuten hangen om er zeker van te zijn dat elk voertuig vernietigd was en elke bewegende soldaat omgebracht was, voordat ze in de lucht omdraaiden, de neus omlaag richtten en oostwaarts terugvlogen naar de munitieopslagplaatsen.

Door de overhaaste aanval op de verkenners van het tweede legerkorps was een deel van deze veldslag te vroeg begonnen en was een redelijk intacte tankcompagnie sneller dan het plan was weggevaagd, maar nog altijd waren er op een afstand van minder dan vierduizend meter vijandelijke tanks, die als witte vlekken op een zwarte achtergrond zichtbaar waren.
'Open het vuur,' beval de commandant van B-Troop, en hij vuurde zijn eerste munitie af, al snel gevolgd door zes anderen. Zes troffen doel, zelfs op deze enorme afstand. Zo begon de aanval door het Black Horse op het tweede legerkorps al voor het eerste MLRS-salvo. Het volgende salvo werd al rijdend afgevuurd. Er explodeerden nog vijf tanks; het vuur van de vijand bereikte hen niet. Het was op deze manier iets moeilijker om te treffen. Hoewel het geschut

gestabiliseerd was, kon het doel toch gemist worden als ze op een oneffenheid stuitten. Ze verwachtten dan ook missers, al waren ze er niet blij mee.
De tanks van B-Troop bevonden zich een halve kilometer uit elkaar. Elke tank had een eigen jachtzone die exact even breed was. Hoe verder ze reden, hoe meer doelen er verschenen. De Bradley-verkenningsvoertuigen bleven ongeveer honderd meter achter, en de boordschutters daarvan keken uit naar infanterie met anti-tankwapens. De twee divisies van het tweede korps waren over dertig kilometer in de breedte verspreid en ongeveer twaalf kilometer in de diepte, zo vertelde de IVIS-apparatuur. In tien minuten baande B-Troop zich een weg door een bataljon dat door de Saoedi's al flink was aangepakt en nu door de Amerikanen werd weggevaagd. De bonus kwam tien minuten later, toen ze zagen hoe een batterij artillerie geïnstalleerd werd. De Bradleys namen die voor hun rekening door het hele gebied met hun 25-mm kanonnen te bestoken. Zo werd de vlammenzee nog groter en leek de zonsondergang van nog maar vier uur geleden nooit te hebben plaatsgevonden.

'Verdomme.' Eddington sprak het woord zonder enige nadruk uit. Hij was naar voren geroepen door zijn bataljonscommandanten en stond nu rechtop in zijn Hummer.
'Minder dan vijf minuten, wie gelooft dat?' vroeg LOBO-SIX. Hij had de algehele verbazing zelf over zijn bataljonsnet gehoord. 'Is dat alles?' hadden diverse sergeanten hardop gevraagd. Het was in strijd met de radiodiscipline, maar iedereen dacht hetzelfde.
Er was echter niet veel tijd om het werk te bewonderen. Eddington pakte zijn radio en riep de S-2 van zijn brigade op.
'Wat vertelt de Predator ons?'
'We hebben nog twee brigades die op weg naar het zuiden zijn, maar het tempo is wat vertraagd. Ze bevinden zich ongeveer negen kilometer ten noorden van uw linie aan de meest nabije zijde en twaalf kilometer aan de verste zijde.'
'Verbind me door met BUFORD,' beval WOLFPACK-SIX.

De generaal bevond zich nog steeds op dezelfde plaats, met de dood voor en achter zich. Drie tanks en twaalf BMP's waren naar achteren gevlucht. Ze waren bij laaggelegen terrein gestopt en bleven daar op instructies staan wachten. Er kwamen nu ook soldaten terug, van wie sommige gewond waren, maar de meeste ongedeerd gebleven waren. Hij kon niet naar hen schreeuwen. De schok was voor hem zo mogelijk nog groter dan voor hen.
Hij had al geprobeerd de commandopost van zijn divisie te bereiken, maar had alleen ruis gehoord. Hoeveel ervaring hij ook had in het leger, hoe lang hij ook het bevel al voerde, hoeveel cursussen hij ook had gevolgd en hoeveel oefeningen hij ook had gewonnen en verloren, niets had hem hierop voorbereid.
Toch had hij nog altijd meer dan een halve divisie onder zijn commando. Twee van zijn brigades waren nog geheel intact, en hij was hier niet gekomen

n te verliezen. Hij gaf zijn chauffeur opdracht te keren en terug te rijden. an de resterende eenheden van de voorste brigade gaf hij opdracht om tot ıder order daar te blijven. Hij moest nu manoeuvreren. Hij was in een nachterrie terechtgekomen, maar het kon toch niet overal zo zijn?

Vat stelt u voor, Eddington?'

Generaal Diggs, ik wil mijn mensen naar het noorden brengen. We hebben et twee tankbrigades zonder moeite de grond in gestampt. De artillerie van e vijand is grotendeels vernietigd, generaal, en ik heb een vrij veld voor me.'

Goed, neem de tijd en let op je flanken. Ik zal BLACKHORSE inlichten.'

Begrepen, generaal. We vertrekken over twintig minuten.'

e hadden uiteraard over deze mogelijkheid nagedacht. Er was zelfs een gloaal plan gemaakt op de landkaart. LOBO zou naar rechts opschuiven. WHITE-ANG zou recht naar het noorden gaan, aan weerskanten van de weg, en de tot usverre nog niet bij de strijd betrokken bataljonstaakgroep COYOTE zou de nkerzijde voor haar rekening nemen. De groep zou in echelons verdeeld woren, zodat ze vanuit het ruige terrein in het westen konden aanvallen. Vanuit e nieuwe posities zou de brigade noordwaarts oprukken naar faselinies met en tussenruimte van tien kilometer. Ze zouden zich langzaam moeten verlaatsen omdat het donker was en ze het terrein niet kenden. Daar kwam bij at het slechts een globaal plan was, maar het codewoord om het te activeren as Nathan, en de eerste faselinie was MANASSAS. Eddington hoopte dat Diggs het niet erg vond.

Hier WOLFPACK-SIX aan alle zessen. Codewoord is NATHAN. Ik herhaal, we tellen plan NATHAN over twee-nul minuten in werking. Bevestig,' beval hij.

Alle drie de bataljonscommandanten herhaalden enkele seconden later de pdracht.

Diggs had hem een lusvormige beweging laten maken, en dat beeld was op het ommandoscherm in het M4 'God'-rupsvoertuig te zien. Kolonel Magruder as niet bijzonder verrast over de eerste resultaten, behalve dan dat de Garisten het zo goed gedaan hadden. Verrassender was de voortgang die het 0de had gemaakt. Dat rukte met een constante snelheid van dertig kilometer er uur op en bevond zich nu een eind in het voormalige Irak. Hij was gereed m naar het zuiden om te keren, wat hij om 2.00 uur Lima deed. Omdat hij ijn helikoptereskader had achtergelaten om de Koeweiti's te dekken, voelde ij zich momenteel ietwat onbeschermd, maar het was nog donker, en dat zou et nog wel een uur of vier blijven. Dan zou hij weer terug zijn in Saoedi-Araië. BUFFALO-SIX oordeelde dat hij de beste cavaleriemissie van allemaal had itgevoerd. Hij bevond zich nu ver in vijandelijk gebied en aan de achterzijde elfs nog verder. Precies zoals John Grierson bij Johnny Reb had gedaan en vat hij en de Buffalo Soldiers de Apaches hadden aangedaan. Hij gaf zijn eeneden opdracht zich over een breed terrein te verspreiden. De verkenners zeiden dat er niet veel hindernissen waren en dat de hoofdmacht van de vijand

zich ver in het koninkrijk bevond. Hij dacht niet dat die vijand nog veel verd
zou komen, en het enige wat hij hoefde te doen, was de deur achter zich dich
slaan.

Donner stond rechtop in de opening van het bovenluik van het verkenning
voertuig, achter de geschutskoepel, met zijn landmacht-cameraman naa
zich. Hij had zoiets nog nooit gezien. Hij had de aanval op de artilleriebatter
op video, maar hij dacht niet dat die echt bruikbaar zou zijn door al dat gehob
bel. Om zich heen zag hij een en al verwoesting. Achter hem, in zuidoostelijk
richting, stonden minstens honderd uitgebrande tanks, vrachtwagens e
andere dingen die hij niet herkende, en dat was allemaal binnen een uu
gebeurd. Hij zwaaide naar voren en stootte zijn gezicht tegen de rand van h
luik toen de Bradley stopte.
'Beveiliging naar buiten!' schreeuwde de voertuigcommandant. 'We blijve
hier een tijdje.'
De Bradleys stonden in een cirkel opgesteld, ongeveer anderhalve kilomete
ten noorden van het vernielde VIR-geschut. Om hen heen bewoog niets, en d
schutter overtuigde zich daarvan door zijn geschutskoepel rond te draaien
Het achterluik ging open. Er sprongen twee mannen uit, die eerst om zic
heen keken en toen met de geweren in de hand wegrenden.
'Kom hier,' zei de sergeant, zijn hand uitstekend. Donner pakte die vast e
klom op het dak van de wagen. 'Sigaret?'
Donner schudde zijn hoofd. 'Ik ben gestopt.'
'O ja? Nou, die lui stoppen over een dag of twee ook met roken,' zei hij, naa
de chaos een eind verderop wijzend. De sergeant vond het nogal een goed
mop. Hij hield een verrekijker voor zijn ogen en keek rond. Wat hij door he
vizier al gezien had, werd nog eens bevestigd.
'Wat denk jij hiervan?' vroeg de verslaggever aan zijn cameraman.
'Ik denk dat ze me hiervoor betalen, en verder niks.'
'Waarom moeten we stoppen?'
'We krijgen over een half uur brandstof en we moeten nieuwe munitie inla
den.' Hij liet de verrekijker zakken.
'Hebben we brandstof nodig? Zo ver hebben we niet gereden.'
'De kolonel denkt dat het morgen ook nogal druk kan worden.' Hij draaid
zich om. 'Wat denk jij, Tom?'

62

Vervolg van de missie

Wat wel 'het initiatief' genoemd wordt, of dat nu in een oorlog of bij een andere menselijke activiteit is, is in wezen niets anders dan een psychologisch voordeel. Het is een combinatie van het gevoel van de ene partij aan de winnende hand te zijn en dat van de ander dat er iets niet goed gegaan is. Die ander moet zich dan voorbereiden op de acties van de vijand en daarop reageren, in plaats van zelf de aanval te kunnen voorbereiden.

Dit wordt verhuld weergegeven met termen als 'momentum' of 'overwicht', maar het gaat er steeds om wie een ander wat aandoet, en een plotselinge verandering daarbij zal een sterker effect hebben dan een geleidelijke opbouw van dezelfde situatie. Als een verwachte gebeurtenis uitblijft en daarvoor in de plaats iets onverwachts gebeurt, dan blijven de verwachtingen toch nog enige tijd in de gedachten hangen. Het is immers gemakkelijker te ontkennen dan zich aan te passen, hoewel de toestand voor degenen die iets aangedaan wordt, er alleen maar moeilijker door wordt. Voor degenen die de actie uitvoeren, zijn er andere taken.

De Amerikaanse troepen die vuurcontact met de vijand hadden, hadden nu een korte pauze, die hen niet goed uitkwam, maar wel noodzakelijk was. Het zou voor kolonel Nick Eddington van WOLFPACK het gemakkelijkst geweest moeten zijn, maar zo was het niet. Zijn National Guard had tijdens het eerste gevecht nauwelijks meer gedaan dan pas op de plaats maken, waardoor de vijand in de dodelijke hinderlaag van vijfentwintig bij vijfentwintig kilometer was gelopen. Op de verkenningsgroep van de brigade na, hadden de mannen uit Carolina zich nauwelijks verplaatst. Maar dat moest nu veranderen. Eddington bedacht zich weer dat hij eigenlijk een balletchoreograaf was, alleen werden de bewegingen uitgevoerd door zware, logge tanks, die in het duister door onbekend terrein trokken.

De technologie bood hulp. Hij had radio's om zijn mensen te vertellen waar ze heen moesten en wanneer, en het IVIS-systeem vertelde hen hoe ze dat moesten doen. Taakgroep LOBO vertrok nu uit de posities achter de heuvels, waar ze nog maar veertig minuten geleden zoveel profijt van hadden gehad. Ze reden zuidwaarts via de tevoren bepaalde navigatiepunten naar bestemmingen op nog geen tien kilometer ten zuiden van hun aanvankelijke stellingen. Ondertussen verspreidde het vergrote bataljon zich over een grotere ruimte, wat mogelijk was omdat de bataljonsstaf de verplaatsing elektronisch kon programmeren en de plannen door kon geven aan de commandanten van de onderafdelingen, die elk een gebied hadden waarvoor ze verantwoordelijk waren. Ze konden het materieel daarbinnen vrijwel automatisch verdelen, tot elk voertuig zijn bestemming tot op de meter nauwkeurig wist. De aanvankelijke vertraging van twintig minuten na de bekendmaking dat plan NATHAN in werking zou treden gaf ruimte voor dat selectieproces. De zijwaartse verplaatsing kostte een uur waarbij de voertuigen zich over schijnbaar verlaten terrein bewogen, met d snelheid van forenzen in het spitsuur. Het werkte in elk geval; de verplaatsin was in een uur voltooid. WOLFPACK had zich nu over een breedte van bijn veertig kilometer verspreid. Het bataljon zwenkte naar het noorden en begon met een snelheid van tien kilometer per uur op te rukken, terwijl verkennings teams zich nog sneller naar voren spoedden om vijf kilometer voor de hoofd groep positie te kiezen. Dat was veel minder dan de tussenruimte volgens he boekje moest zijn. Eddington moest er rekening mee houden dat hij manoeu vreerde met een grote strijdmacht van parttime soldaten wier afhankelijkheid van de elektronische technologie wat al te groot was voor zijn gemoedsrust. Hij zou zijn leger van drie bataljons strak onder controle houden tot ze contact me de vijand hadden gemaakt en het algehele beeld duidelijk was.

Het verraste Tom Donner dat de ondersteuningsvoertuigen, waarvan he merendeel toch uit zware vrachtwagens bestond, de vechtende eenheden zo snel konden volgen. Hij had niet goed begrepen hoe belangrijk dit was, omdat hij er nu eenmaal aan gewend was een of twee keer per week bij hetzelfde benzinestation te tanken. Hier moesten de bedienden even mobiel zijn als hun klanten, wat beslist een hele opgave was, zo ontdekte hij. Als de tankwagens zich hadden opgesteld, kwamen de Bradleys en de gevechtstanks er met twee tegelijk naartoe. Na afloop reden ze naar de versterkte posten terug, waar munitie van een van de andere vrachtwagens werd gelost zodat de bemanning die kon inladen. In elke Bradley, zo was hij te weten gekomen, lag een Searsmoersleutel, die vrijwel altijd door de schutter op eigen kosten was aangeschaft, om het herladen van het Bushmaster-magazijn te vergemakkelijken. Dit werkte beter dan het stuk gereedschap dat er oorspronkelijk voor ontworpen was. Hier zat wel een verhaaltje in, dacht hij met een lachje.
De groepscommandant zat nu in zijn Hummer en niet meer in zijn M1A2. Hij reed voortdurend heen en weer tussen de rupsvoertuigen om zich ervan te verzekeren dat elk voertuig en elke bemanning in goede conditie was. Hij bewaarde de Drie-Twee voor het laatst.
'Meneer Donner, is alles goed?'
De verslaggever nam een slok van de koffie die de chauffeur van de Bradley bereid had en knikte. 'Gaat het altijd zo?' vroeg hij de jonge officier.
'Het is de eerste keer voor mij, meneer. Maar het lijkt erg op een oefening.'
'Wat vindt u hier nou allemaal van?' vroeg de journalist. 'Ik bedoel, u hebt met uw mensen heel wat soldaten van de vijand gedood.'
De kapitein dacht daar even over na. 'Hebt u ooit verslag gedaan over tornado's en orkanen?'
'Jawel.'
'Als mensen daardoor in diepe ellende belanden, dan vraagt u hen toch hoe ze zich voelen?'

‘Dat is mijn werk.’

‘Datzelfde geldt voor ons. Die lui zijn een oorlog tegen ons begonnen. Dan vechten wij terug. Als ze dat niet leuk vinden, dan denken ze er volgende keer misschien beter over na. Ik heb een oom in Texas, meneer, een oom en tante eigenlijk. Hij was golfpro en heeft mij het spel geleerd. Daarna is hij voor Cobra gaan werken, die clubfabrikant. Vlak voordat we uit Fort Irwin vertrokken, belde mijn moeder op om te vertellen dat ze beiden aan ebola waren overleden. Wilt u werkelijk weten wat we hiervan denken?’ vroeg de officier, die vanavond vijf tanks had vernietigd. ‘Neem uw plaats in, meneer Donner. Het Black Horse vertrekt over tien minuten. Vlak voor zonsopkomst kunt u contact verwachten.’ Aan de horizon was een vage flits te zien, circa een minuut later gevolgd door gerommel in de verte. ‘Ik geloof dat de Apaches vroeg beginnen.’

Vijfentwintig kilometer noordwestelijker was de commandopost van het tweede korps vernietigd. Alles verliep volgens plan. Het 1ste eskader zou zwenken en door de resterende eenheden van het tweede korps heen naar het noorden rijden. Het derde eskader zou zuidwaarts rijden, waarbij ze minder tegenstand konden verwachten. Op die manier zou er een groot regiment gevormd worden voor de eerste aanval op de linkerflank van het vijandelijke derde korps. Vijftien kilometer verderop verplaatste Hamm zijn artillerie om de restanten van het tweede korps te kunnen vernietigen, waarvan de commandanten zojuist gedood waren door zijn helikoptereskader.

Eddington bedacht zich dat hij het eenvoudig moest houden. Ondanks jarenlange studie en de naam die hij aan zijn tegenaanval had gegeven, was hij Nathan Bedford Forrest niet, en dit slagveld was niet klein genoeg om zijn manoeuvres te improviseren, zoals dat racistische genie zo vaak had gedaan in de Amerikaanse Burgeroorlog.

HOOTOWL opereerde nu zeer verspreid. De frontlinie van de brigade was de laatste anderhalf uur bijna dubbel zo breed geworden, wat het tempo verlaagde. Waarschijnlijk was dat geen nadeel, dacht de kolonel. Hij moest geduld hebben. De vijandelijke troepenmacht kon niet te ver oostwaarts manoeuvreren uit angst op de linkerflank van het Black Horse te stuiten – aangenomen dat ze wisten dat het zich daar bevond – en het terrein in het westen was te ruig om zich er gemakkelijk in te verplaatsen. Ze hadden het door het midden geprobeerd, wat hen duur was komen te staan. De meest logische manoeuvre voor het eerste korps van de vijand was dus om een beperkte omsingeling te proberen te bereiken, waarschijnlijk met het accent op het oosten. De beelden van de Predators bevestigden deze veronderstelling inmiddels.

De commandant van de Onsterfelijken had nu geen echte commandopost meer. Daarom gebruikte hij de restanten van de commandopost van de verdwenen 1ste brigade. Hij had inmiddels ook geleerd dat hij zich voortdurend moest blijven verplaatsen. Allereerst had hij het contact met het commando van het eerste korps weer moeten herstellen. Dat was moeilijk geweest, omdat dat commando met een verplaatsing bezig was geweest toen hij in de Amerikaanse – het moest een Amerikaanse zijn – hinderlaag was gelopen langs de weg naar Al Artawiyah. Nu was het eerste korps zich aan het hergroeperen en waren ze waarschijnlijk druk in gesprek met het landmachtcommando. Hij brak in op de lijn, kreeg de driesterrengeneraal te spreken, eveneens een Iraniër, en vertelde zo snel mogelijk wat hij wist.

'Er kan niet meer dan één enkele brigade zijn,' verzekerde zijn directe superieur hem. 'Wat gaat u doen?'

'Ik zal mijn resterende troepen bijeenbrengen en voor zonsopkomst vanuit beide flanken aanvallen,' antwoordde de divisiecommandant. Hij leek niet veel keuze te hebben, en beide officieren wisten dat. Het eerste korps kon zich niet terugtrekken, omdat de regering die opdracht had gegeven tot de opmars, daar niet mee akkoord zou gaan. Als ze op hun plaats bleven, zouden ze een confrontatie moeten aangaan met de Saoedische troepen die van de Koeweitse grens kwamen aanstormen. Ze moesten dus proberen het initiatief terug te krijgen door de Amerikaanse blokkademacht door plotselinge, onverwachte manoeuvres af te troeven. Daar waren tanks op gebouwd, en daarvan had hij er nog meer dan vierhonderd onder zijn bevel.

'Akkoord. Ik zal u mijn korpsartillerie toewijzen. Een gewapende garde aan uw rechterzijde zal hetzelfde doen. Breng de doorbraak tot stand,' zei zijn landgenoot. 'Dan zullen we tegen de avond naar Riad rijden.'

Heel goed, dacht de commandant van de Onsterfelijken. Hij gaf zijn 2de brigade opdracht om de opmars te vertragen. Zo kon het 3de aansluiting vinden, waarna de troepen dicht opeen oostwaarts konden trekken. In het westen zouden de Irakezen in wezen hetzelfde doen, zij het in spiegelbeeld. Het 2de zou oprukken om de vijandelijke flank uit te schakelen, en het derde zou de vijand in een omtrekkende beweging van achteren aanvallen. Het midden zou hij leeg laten.

'Ze zijn gestopt. De voorste brigade is gestopt. Ze zitten acht kilometer naar het noorden,' zei de S-2 van de brigade. 'HOOT zou ze over een paar minuten moeten zien om het te bevestigen.' Nu werd duidelijk wat een van de vijandelijke onderdelen voor hem aan het doen was. De westelijke groep bevond zich iets meer naar achteren. Ze waren niet gestopt, maar trokken langzaam voorwaarts, kennelijk wachtend op orders of een verandering in de opstelling. Zijn tegenstander en zijn mensen namen de tijd om te denken.

Eddington kon zich dat niet permitteren.

Het enige echte probleem met MLRS was dat het minimumbereik veel minder gunstig lag dan het maximum. Voor de tweede missie die avond werden de raketvoertuigen, die zich nog nauwelijks verplaatst hadden, in stelling gebracht. De vering werd geblokkeerd en de lanceerinrichting werd opgericht. Ook nu gebeurde dit volledig op basis van elektronische informatie. Weer werd de hemel verlicht door de lichtstrepen van raketten, maar ditmaal veel

ıger. Het artilleriegeschut van de tanks was eveneens actief. Beide secties ver-
eelden hun aandacht tussen de vooruitgeschoven brigades links en rechts
an de hoofdweg.
)e beschietingen dienden hoofdzakelijk een psychologisch doel. De mini-
ommetjes van de MLRS-raketten konden een tank niet vernietigen. Als er een-
ie met wat geluk op een achterdek terechtkwam, kon een dieselmotor onklaar
aken, en de zijkanten van BMP-infanterievoertuigen konden soms door een
etonatie vlak in de buurt doorboord worden, maar dat was allemaal toeval.
Het ging er vooral om de vijand te intimideren, om zijn vermogen om zich
een te kijken te beperken en zijn vermogen om te denken onder de vallende
Steel Rain te beperken. Officieren die uit hun commandotanks waren
esprongen om te overleggen moesten terugrennen, en sommigen van hen
ouden gedood of gewond worden door het plotselinge spervuur. Terwijl ze
eilig in hun stilstaande voertuigen zaten, hoorden ze het *ping*-geluid van de
cherven die tegen de wapening sloegen en tuurden ze door hun zichtsyste-
nen om te zien of het artilleriespervuur aan een echte aanval voorafging. De
ninder talrijke 155-mm artilleriebeschietingen waren een groter gevaar, voor-
l omdat de Amerikaanse projectielen niet in de lucht ontploften. Het waren
gewone' granaten die eerst op de grond sloegen. Volgens de wetten der waar-
chijnlijkheid zouden er zeker enkele voertuigen worden getroffen, en dat
gebeurde dan ook. Ze explodeerden in een enorme vuurzee, terwijl de rest van
le 2de brigade gedwongen was op dezelfde plek te blijven, omdat dat de
opdracht was, terwijl het 3de links van hen oprukte. Nu ze zich niet konden
erplaatsen en ook niet meer adequaat konden reageren omdat ze hun eigen
livisieartillerie kwijt waren, konden ze slechts dekking zoeken en waakzaam
blijven en vanuit hun voertuigen toekijken hoe de granaten en mini-bommen
neerkwamen.

B-Troop, 1ste van het 11de, vertrok op tijd. Ze vertrokken uiteenwaaierend in
noordelijke richting, met de Bradleys als verkenners vooraan en de Battlestar-
anks daar een halve kilometer achter, gereed om te reageren zodra er contact
gemeld werd. Voor Donner was het een vreemde nieuwe ervaring, ook al was
hij behoorlijk intelligent en deed hij best veel aan buitensport, zoals trektoch-
en met de rugzak met zijn gezin langs de Appalachian Trail. Hij probeerde
zoveel mogelijk uit de Bradley naar buiten te kijken, maar toch had hij geen
enkel idee wat er werkelijk gebeurde. Hij overwon ten slotte zijn schroom en
vroeg aan de voertuigcommandant via de intercom hoe hij het dan wél wist.
Hij werd naar voren geroepen, waar hij zich als derde in de ruimte wurmde die
voor twee personen bedoeld was, of eigenlijk anderhalf, dacht de journalist.
'We zijn hier,' vertelde de onderofficier hem, met zijn vinger op het IVIS-
scherm. 'We gaan daarheen. Volgens ons is er niemand in de buurt om ons
lastig te vallen, maar daar kijken we wel steeds naar uit. De vijand zit hier,' zei
hij, terwijl hij het beeld wat bijstelde, 'en wij zitten langs deze lijn.'
'Hoe ver?'

'Over ongeveer twaalf kilometer zouden we ze moeten zien.'
'Hoe betrouwbaar is deze informatie?' vroeg Donner.
'We zijn er tot hier mee gekomen, Tom,' verklaarde de voertuigcommandant
Het verplaatsingspatroon was behoorlijk irritant; het deed de journalist den
ken aan langzaam rijdend en stilstaand verkeer op vrijdagmiddag. De pantser
voertuigen reden met hoogstens dertig kilometer per uur van de ene markant
plek in het terrein naar de andere, observeerden het terrein voor zich en ver
plaatsten zich weer een stukje. De sergeant legde uit dat ze zich in beter ter
rein sneller zouden verplaatsen, maar dit deel van de Saoedische woestijn za
vol heuveltjes en dalen waarachter mensen verborgen konden zitten. De Brad
vormden een peloton, maar leken zich in duo's te verplaatsen. Elke M3 ha
een 'wingman', een term die van de luchtmacht afkomstig was.
'Stel dat er iemand zit?'
'Dan zal hij waarschijnlijk proberen op ons te schieten,' verklaarde de stafser
geant. De boordschutter bewoog zijn geschutskoepel ondertussen voortdu
rend heen en weer, op zoek naar een oplichtend warm lichaam op de koud
grond. Ze konden 's nachts in feite beter zien dan overdag, kwam Donner t
weten. Daarom gingen de Amerikanen het liefst tijdens het duister op jacht
'Stanley, kom naar links en stop achter die bult,' beval hij de chauffeur. 'Als i
een zandhaas was, dan zou ik graag daar rechts gaan zitten. We dekken Chuc
als hij daar omheen gaat.' De geschutskoepel draaide rond en werd op ee
grotere bult gericht, terwijl de wingman van de Bradley erlangs reed. 'Oké
Stanley, verder.'

Het was verdomd moeilijk gebleken uit te zoeken waar de commandosecti
van het Leger van God zat, maar nu had Hamm een verkenningsgroep va
twee heli's speciaal met die taak belast. Zijn elektronische-inlichtingensecti
had zich ook weer geïnstalleerd, ditmaal bij het hoofdkwartier van het 2d
eskader. Ze waren hun doelwit de *enchilada* gaan noemen. Als ze wisten waa
die zat, konden ze de organisatie van het hele vijandelijke leger in de war stu
ren. Saoedische inlichtingenofficieren die zich in de ELINT-rupsvoertuige
hadden geïnstalleerd, luisterden naar signalen. De VIR-strijdkrachten beschikten over versleutelde radio's voor de hoogste commandanten, maar ze konde
daarmee alleen praten met mensen die over dezelfde apparatuur beschikten
en nu het vijandelijke radionetwerk steeds verder afbrokkelde, zou de *enchilada* uiteindelijk ook ongecodeerde berichten moeten uitsturen. Tot nu to
waren één korps- en twee divisiecommandoposten getroffen, waarvan er twe
bijna volledig verwoest waren en de ander zwaar beschadigd. Bovendien wisten ze ongeveer waar het derde korps zat. Het landmachtcommando zou zic
zeker met die formatie in verbinding moeten stellen omdat het de enige wa
die tot nu toe niet door de vijand bestookt was, op enkele luchtaanvallen na
Ze hoefden de berichten niet te begrijpen, hoe prettig dat ook zou zijn. Ze wisten welke frequenties het opperbevel gebruikte en op grond van enkele minuten radioverkeer zouden ze de locatie ervan voldoende nauwkeurig kunne

epalen om de M- en N-helikopterverkenningsgroep erheen te leiden. Die ou dan hun hele ochtend flink in de war sturen.

Het leek op ruis, maar dat was gebruikelijk bij digitaal versleutelde radio's. De LINT-officier, een eerste luitenant, luisterde graag af, maar hij miste zijn storingsapparatuur. Deze was in de POMCUS-uitrusting vergeten, waarschijnlijk omdat gedacht werd dat het om een luchtmachtmissie zou gaan. Dit werk had ets ambachtelijks. Zijn manschappen, allemaal militaire-inlichtingenspecialisten, moesten bij het aftasten van de frequenties het verschil zien te duiden tussen echte atmosferische ruis en door mensen veroorzaakte ruis.

Bingo!' zei een van hen. 'Richting drie-nul-vijf, hij sist als een slang.' Het was e luid om atmosferische ruis te zijn, hoe willekeurig het ook klonk.

Hoe goed?' vroeg de officier.

Negentig procent, luitenant.' Een tweede voertuig, dat elektronisch met het eerste verbonden was en zich een kilometer verderop bevond, kon een basis voor een driehoeksmeting vormen... 'Daar.' De plaatsaanduiding verscheen op het computerscherm. De luitenant pakte een radio om het commando van het 4de eskader op te roepen.

ANGEL-SIX, hier PEEPER, we hebben waarschijnlijk een plaatsbepaling voor de *enchilada...*'

De vier Apaches en zes Kiowa's van M-troop bevonden zich slechts op twintig kilometer van deze plek. Ze waren bezig met een visuele zoektocht. Een minuut later maakten ze een bocht naar het zuiden.

Wat is er aan de hand?' vroeg Mahmoud Haji geïrriteerd. Hij had er een hekel aan deze geïmproviseerde telefoonverbinding te gebruiken. Het was al moeilijk genoeg geweest het contact met zijn eigen legercommandant tot stand te brengen.

'We hebben tegenstand ondervonden ten zuiden van King Khalid Military City. We nemen maatregelen.'

'Vraag hem wat voor tegenstand,' adviseerde Inlichtingen zijn leider.

'Misschien zou uw gast dat aan mij kunnen vertellen,' stelde de generaal aan de andere kant voor. 'We zijn nog steeds bezig dat uit te zoeken.'

'De Amerikanen kunnen niet meer dan twee brigades in het strijdperk hebben!' hield de man vol. 'En één ter grootte van een brigade in Koeweit, maar dat is alles!'

'Is dat zo? Ik heb de afgelopen drie uur meer dan een divisie verloren en ik weet nog steeds niet wat ik nu tegenover me heb staan. Het tweede legerkorps is al zwaar toegetakeld. Het eerste legerkorps is op tegenstand gestuit en zet de aanval nu voort. Het derde legerkorps is tot dusverre intact. Ik kan de aanval op Riad voortzetten, maar ik moet meer informatie hebben over wat ik tegenover me vind.' De bevelvoerend generaal, een man van zestig, was geen dwaas, en hij had nog steeds het idee dat hij kon winnen. Hij beschikte nog steeds over een leger ter grootte van vier divisies. Het ging er slechts om het de juiste richting op te sturen. Hij was blij dat de luchtaanvallen van de Amerika-

nen en de Saoedi's tot nu toe zo weinig hadden voorgesteld. Hij had al sne
nog enkele andere lessen geleerd. Wat zijn eigen veiligheid betrof, was hi
voorzichtig geworden door het verdwijnen van drie commandosecties. Hi
bevond zich nu op een kilometer afstand van de radiozenders in zijn gepant
serde commandovoertuig, een BMP-1KSH. Zijn telefoon was daarmee met eer
lang snoer verbonden. Verder had hij zich omringd met een groep soldaten
die probeerden niet te luisteren naar de opwinding in de stem van de com
mandant.

'Verdomme, kijk eens naar al die SAM-rupsvoertuigen,' zei een Kiowa-waarne-
mer over de radio, acht kilometer noordelijker. Terwijl de waarnemer een telling verrichte, maakte de piloot via de radio verbinding.
'MARAUDER-LEAD, hier MASCOT-THREE. Ik denk dat we de *enchilada* hebben.'
'THREE, LEAD, zeg het maar,' was het bondige antwoord.
'Zes *bimps*, tien trucks, vijf SAM-rupsvoertuigen, twee radarvoertuigen en drie
ZSU-23's in een wadi. Bevelen nadering uit het westen aan, herhaal, nadering
uit het westen.' Hier bevond zich zoveel verdedigend materieel, dat het alleen
maar om de commandosectie van het Leger van God kon gaan. De SAM-lanceerinrichtingen waren allemaal Franse Croatales, en dat was gevaarlijk klote-
spul, wist MASCOT-THREE. Maar dan hadden ze wel een andere plek moeten
uitkiezen. Dit was typisch zo'n situatie waarin je beter in open terrein kon zitten, of zelfs op een heuvel, zodat je SAM-radars beter konden rondkijken.
'THREE, LEAD, kunt u oplichten?'
'Zeker. Vertel ons wanneer. Radar-rupsvoertuigen eerst.'
De Apache-leider, een kapitein, kroop nu vlak boven de grond met een snelheid van dertig knopen voorwaarts. Hij naderde nu een richel waarachter de
wadi zou moeten liggen. Heel langzaam liet hij zijn eigen mastsensor een kijkje nemen. De piloot bestuurde het vliegtuig als een jongen die een auto leerde
parkeren, terwijl de boordschutter de sensors bediende.
'Houd hem hier,' zei de schutter vanaf zijn stoel voorin.
'THREE, LEAD, ga je gang,' zei de piloot.
De Kiowa schakelde de radarverlichter in, een onzichtbare infraroodstraal die
eerst op het verste radar-rupsvoertuig werd gericht. Het was in feite een voertuig op wielen, maar niemand lette daar nu erg op. Op de melding dat het doel
opgelicht was, hief de Apache de neus op en vuurde een Hellfire af, vijf seconden later gevolgd door een tweede.

De generaal hoorde de waarschuwingskreten van duizend meter verderop.
Slechts een van de radarvoertuigen was op dat moment aan het zenden, en
dan nog met tussenpozen, als elektronische veiligheidsmaatregel. Het voertuig
werd door de raket getroffen. Op een van de trucks werd de uit vier lopen
bestaande afvuurinrichting op het doel gericht en er werd gevuurd. Maar de
Croatale verloor het doel uit het oog toen de Hellfire werd afgeschoten en verdween zonder schade aan te richten. Een fractie van een seconde later werd

het radarvoertuig opgeblazen, en de tweede zes seconden later. De bevelvoerend generaal van het Leger van God hield op met praten en negeerde de binnenkomende oproepen uit Teheran. Er restte hem niets dan op de grond te gaan liggen, daartoe aangezet door zijn lijfwachten.

Alle vier de Apaches van de formatie hingen nu in een halve cirkel in de lucht, terwijl ze wachtten tot de commandant zijn Hellfires af zou vuren. Hij deed dit met tussenpozen van circa vijf seconden. Hij liet de Kiowa voorop gaan, steeds op een nieuw doel richtend. Daarna kwamen de SAM-lanceervoertuigen, gevolgd door de artillerievoertuigen van Russische makelij. Nu waren de BMP-commandowagens geheel onbeschermd.

Het was een beestachtige slachting, zag de generaal. Een aantal soldaten probeerde terug te schieten, maar eerst was er niets om op te schieten. Sommigen keken, anderen wezen. Slechts enkelen renden weg. De meesten probeerden te vechten. De raketten leken uit het westen te komen. Hij kon de geelwitte gloed van raketmotoren zien die als vuurvliegjes door de duisternis snelden, maar hij zag niet dat ze aangevallen werd. Eerst werd de luchtafweer vernietigd, daarna de BMP's, daarna de trucks. Het duurde minder dan twee minuten, en pas toen begonnen de helikopters te voorschijn te komen. Het beveiligingsdetachement voor zijn mobiele commandopost bestond uit speciaal geselecteerde infanteristen. Ze vochten met zware machinegeweren en vanaf de schouder afgevuurde raketten terug, maar de spookachtige silhouetten van de helikopters waren te ver weg. De raketten leken ze niet te kunnen vinden. Zijn mannen deden hun best, maar nu werd er ook lichtspoormunitie afgevuurd. De lichtstralen schoten op hen af, terwijl het terrein nu fel verlicht werd door brandende voertuigen. Een hele groep hier, een sectie daar, een tweetal verderop. De mannen probeerden weg te rennen, maar de helikopters kwamen dichterbij en vuurden van een afstand van slechts enkele honderden meters, terwijl ze hen in een wreed, meedogenloos spel opjoegen. De radio in zijn hand deed het inmiddels niet meer, maar hij bleef die vasthouden, terwijl hij toekeek.

'LEAD, TWO, ik heb er een stel in het oosten,' zei een piloot tegen de Apache-commandant.

'Pak ze,' beval de vluchtleider. Een van de aanvalshelikopters dook zuidwaarts omlaag rond de overblijfselen van de commandopost.

Er was niets meer aan te doen. Ze konden nergens heen vluchten. Drie van zijn mannen namen hun wapens op hun schouders en vuurden. Anderen probeerden weg te rennen, maar ze konden zich nergens verbergen. Degenen die de helikopters bestuurden, schoten iedereen die ze zagen neer. Amerikanen, dat kon niet anders. Ze waren kwaad geworden over wat hen verteld is. Het was misschien wel waar, dacht de generaal, en als...

'Hoe zeg je "zwaar balen" in het Arabisch?' vroeg de boordschutter die de tijd nam om zich ervan te overtuigen dat hij iedereen gepakt had.
'Ik denk dat ze de boodschap begrepen hebben,' zei de piloot, terwijl hij de heli een bocht liet maken en op zoek ging naar andere doelen.
'ANGEL-SIX, ANGEL-SIX, hier MARAUDER-SIX-ACTUAL. Dit leek beslist een commandowagen, en er is niks van over,' zei de groepscommandant over de radio. 'We gaan terug naar de basis voor kogels en peut. Uit.'

'Roep hem dan weer op!' schreeuwde Daryaei naar de verbindingsofficier die hij aan de telefoon had. De inlichtingenchef in de kamer zei niets. Hij vermoedde dat ze de legercommandant nooit meer te spreken zouden krijgen. Het ergste was dat ze niet wisten waarom. Zijn inlichtingenbeoordeling over de aanvoer van de Amerikaanse eenheden was juist geweest. Dat wist hij zeker. Hoe konden zo weinig mensen zoveel ellende aanrichten?

'Ze hadden daar toch twee brigades of regimenten of zo zitten?' vroeg Ryan, die naar de laatste beelden van het slagveld op zijn tv-scherm in de Situation Room zat te kijken.
'Yep.' Generaal Moore knikte. Hij constateerde tot zijn genoegen dat zelfs admiraal Jackson nogal stil was. 'Niet meer, meneer de president. Jezus, wat doen die Gardisten het goed.'
'Hoe lang wilt u nog hiermee doorgaan, meneer?' vroeg Ed Foley.
'Bestaat er nog enige twijfel over dat Daryaei persoonlijk al die besluiten heeft genomen?' Dat was een domme vraag, dacht Ryan. Waarom had hij dat anders aan de burgers verteld? Maar hij moest de vraag stellen, en de anderen in de Situation Room wisten waarom.
'Nee,' antwoordde de CIA-directeur.
'Dan gaan we door, Ed. Zullen de Russen meedoen?'
'Ja, dat denk ik wel.'
Jack dacht aan de epidemie die nu aan het aflopen was in Amerika. Duizenden onschuldigen waren al gestorven, en er zouden er meer volgen. Hij dacht aan de militairen van landmacht, marine en luchtmacht wier leven gevaar liep onder zijn commando op grote afstand. Hij moest nu zelfs aan de VIR-troepen denken die nu achter het verkeerde vaandel en de verkeerde ideeën aan liepen omdat ze niet de kans hadden gehad om hun land of leider uit te kiezen. Nu moesten ze boeten voor die verkeerde geboorteplaats. Als ze niet geheel onschuldig waren, dan waren ze toch ook niet geheel schuldig, omdat soldaten merendeels gewoon deden wat hen opgedragen werd. Hij moest ook weer aan de blik in de ogen van zijn vrouw denken toen ze per helikopter op het gazon van het Witte huis was aangekomen. Soms mocht hij zich een man tonen, net als andere mannen, afgezien van de macht die hij in zijn handen had.
'Zoek dat uit,' zei de president zonder emotie.

Het was een zonnige ochtend in Peking, en Adler wist meer dan de anderen die aan het overleg deelnamen. Het was geen gedetailleerde uiteenzetting geweest. Hij had alleen de hoogtepunten aan de defensieattaché uiteengezet, en de landmachtkolonel had hem verteld elk woord te geloven. Maar de informatie was niet algemeen bekend. De tv-verslagen moesten over de militaire communicatienetten verstuurd worden, en vanwege het tijdstip van de dag in Amerika was er niet veel meer gemeld dan dat de gevechten begonnen waren. Als de volksrepubliek China met de VIR onder één hoedje speelde, dan geloofden ze wellicht nog dat hun verre vrienden aan de winnende hand waren. Het was het proberen waard, dacht de minister van Buitenlandse Zaken. Ryan zou hem hierbij zeker dekken.
'Meneer de minister, wederom welkom,' zei de Chinese minister van Buitenlandse Zaken hoffelijk. Ook nu was Zhang er weer, even zwijgzaam en mysterieus als altijd.
'Dank u.' Adler ging in zijn vaste stoel zitten, die minder comfortabel was dan die in Taipei.
'Wat die nieuwe ontwikkelingen betreft... is het echt waar?' vroeg zijn officiële gastheer.
'Dat is het publieke standpunt van mijn president en mijn land,' antwoordde Adler. Het moest dus wel waar zijn.
'Hebt u voldoende troepen om uw belangen in die regio te beschermen?'
'Minister, ik ben geen militair expert, en kan daar geen commentaar op geven,' antwoordde Adler. Dat was geheel waar, maar iemand in een sterke positie zou vermoedelijk iets anders gezegd hebben.
'Het zou heel jammer zijn als u dat niet kunt,' merkte Zhang op.
Het zou aardig geweest zijn om naar de positie van de Volksrepubliek in deze kwestie te informeren, maar het antwoord zou neutraal en zonder betekenis geweest zijn. Ze zouden ook niets gezegd hebben over de aanwezigheid van het *Eisenhower*-eskader, waarvan de vliegtuigen nu patrouilleerden boven de 'internationale wateren' van de Straat van Formosa. Het ging erom hen wél iets te laten zeggen.
'De situatie in de wereld vereist af en toe dat men zijn positie in velerlei zaken opnieuw beoordeelt, en men moet soms zorgvuldig nadenken over de vriendschappen die men onderhoudt,' probeerde Adler. Na deze opmerking bleef het een halve minuut stil in de kamer.
'We zijn vrienden sinds uw president Nixon zo moedig was hierheen te komen,' zei de Chinese minister van Buitenlandse Zaken na enig nadenken. 'En dat blijft zo, ondanks de misverstanden die af en toe ontstaan.'
'Dat is goed om te horen, minister. Wij hebben een spreekwoord over vriendschap in tijden van nood.' Daar moesten ze maar eens over nadenken. Misschien zijn de nieuwsberichten waar. Misschien zal jullie vriend Daryaei in zijn opzet slagen. Dit lokaas bleef nog eens vijftien seconden in de lucht hangen.
'De enige kwestie waarover we het voortdurend oneens zijn, is Amerika's posi-

tie in wat uw president zo gedachteloos de "twee China's" noemde. Als die kwestie ooit eens opgelost kon worden...' zei de minister nadenkend.
'Zoals ik u verteld heb, probeerde de president zich tegenover verslaggevers uit te drukken in een verwarrende situatie.'
'En moeten wij daar dan overheen stappen?'
'Amerika blijft van mening dat een vreedzame oplossing van dit provinciale dispuut in het belang is van alle partijen.' Dat was de uitgangspositie, die door een sterk, zelfverzekerd Amerika was gecreëerd en door China niet openlijk betwist kon worden.
'Vrede is altijd te verkiezen boven conflict,' zei Zhang. 'Maar hoe lang moeten we nog zoveel verdraagzaamheid blijven tonen? Ook de recente gebeurtenissen vormen weer een illustratie van het werkelijke probleem.'
Adler besloot tot een heel klein duwtje: 'Ik begrijp uw frustratie, maar we weten allemaal dat geduld een zeer waardevolle deugd is.'
'Op een bepaald punt wordt geduld lankmoedigheid.' De Chinese minister van Buitenlandse Zaken pakte zijn kopje thee. 'Enige steun van Amerika zou ons zeer welkom zijn.'
'Vraagt u ons om onze politiek enigszins te wijzigen?' Adler vroeg zich af of Zhang weer wat zou zeggen nadat hij het gesprek zo subtiel een iets andere wending gegeven had.
'Alleen dat u de logica van de situatie inziet. De vriendschap van onze twee naties zou er werkelijk dieper door worden, en het is tenslotte een tamelijk onbelangrijke kwestie voor landen als de onze.'
'Ik begrijp het,' antwoordde Adler. En dat was ook zo. Het was nú zeker. Hij feliciteerde zichzelf dat hij erin geslaagd was hen tot deze onwillekeurige onthulling te brengen. Hij zou nu naar Washington bellen, aangenomen dat ze daar ook voor andere dingen dan een oorlog nog tijd hadden.

Het luchteskader van het 10de keerde om 3.30 uur plaatselijke tijd op Saoedisch grondgebied terug. Het Buffalo Cav had zich nu over een brede linie van vijftig kilometer verspreid. Over een uur zouden ze zich ter hoogte van de bevoorradingslinie van het VIR-leger bevinden. Ze waren onopgemerkt zover gekomen. Het leger rukte nu sneller op, met vijftig kilometer per uur. Zijn voorste elementen hadden enkele patrouilles en interne-beveiligingseenheden op VIR-grondgebied aangetroffen; het ging hoofdzakelijk om geïsoleerde voertuigen die direct verdwenen waren nadat ze gezien waren. Er zouden er nu meer komen, zodra ze op de volgende verkeersweg stuitten. Het zouden eerst MP-eenheden zijn, of hoe de vijand die ook noemde, die de taak hadden het verkeer te reguleren. Er werd ongetwijfeld heel wat brandstof naar KKMC overgebracht. Dat was de eerste missie van de Buffalo-militairen.

De 2de brigade van de Onsterfelijken had bijna een uur onder vuur gelegen toen de orders kwamen om op te rukken. De pantservoertuigen van de voormalige Iraanse pantserdivisie trokken resoluut voorwaarts. De tweesterrengeneraal die het commando voerde, was nu teruggekeerd van de flankerende 3de brigade. Hij luisterde meer dan hij sprak en vroeg zich af waar de Amerikaanse luchtmacht bleef. Hij was blij met de afwezigheid ervan. De korpsartillerie was inmiddels aangekomen en had zich geïnstalleerd zonder te vuren, omdat ze daarmee hun aanwezigheid zouden verraden. Ze zouden het wellicht niet lang volhouden, maar hij wilde toch van hun aanwezigheid profiteren. De tegenstander kon aan deze kant van de hoofdweg nauwelijks de omvang hebben van een volledige brigade, terwijl hij over dubbel zoveel materieel beschikte. Zelfs als hij een complete brigade tegenover zich vond, dan zouden zijn Iraakse kameraden aan de andere kant hem komen steunen, zoals hij ook hen zou steunen als hij een vrij veld aantrof. Terwijl hij voortdurend in een open commandowagen de troepen volgde en bleef doorrijden om te voorkomen dat hij door artillerie of helikopters aangevallen werd, gaf hij orders over de radio door om de aanval voort te zetten. Als zijn vijand nu eens een tijdje in de stellingen bleef zitten die ze met succes hadden vastgehouden voor de eerste aanval, dan wilde hij nog wel eens zien wat er gebeurde...

LOBO passeerde faselijn MANASSAS twintig minuten te laat, tot de onuitgesproken ergernis van kolonel Eddington, die dacht ruim voldoende tijd voor de manoeuvre gegeven te hebben. Maar die verdomde strafrechtadvocaat die het commando over HOOTOWL voerde, was weer een eind vooruit. Hij dekte de rechterkant af, terwijl zijn bataljonscommando de linkerzijde voor haar rekening nam. Ze meldden wel schoten, maar hij vuurde zelf niet.
'WOLFPACK-SIX, hier HOOT-SIX, over.'
'SIX-ACTUAL, HOOT,' antwoordde Eddington.
'Ze komen eraan, kolonel, twee brigades op lijn, dicht op elkaar. Ze rukken nu op over faselijn HIGHPOINT.'
'Hoe dichtbij bent u, kolonel?'
'Op drieduizend. Ik trek mijn mensen nu terug.' Ze hadden speciale banen gecreëerd waarlangs veilig kon worden gereden. HOOT hoopte dat iedereen nog wist waar ze zich bevonden. De nieuwe verplaatsing zou hen naar het oosten brengen, waar ze de rechterkant van de flankerende bataljonstaakgroep konden verkennen.
'Goed, maak het veld vrij, meneer de jurist.'
'Begrepen, professor Eddington. HOOTOWL gaat er in vliegende vaart vandoor,' antwoordde de jurist. 'Uit.' Binnen een minuut vroeg hij zijn chauffeur te kijken hoe hard hij in het donker kon rijden. Als liefhebber van autoraces was die maar al te graag bereid te laten zien wat hij kon.
Vier minuten later kwam dezelfde melding van de linkerzijde. Zijn brigade stond alleen tegenover vier andere. Het was tijd om de zaak wat meer in evenwicht te brengen. Zijn artilleriebataljon richtte op nieuwe doelen. Zijn tank en de Bradley-commandanten begonnen de horizon te onderzoeken op beweging en de drie gemotoriseerde bataljons zetten zich in beweging om een confrontatie met de vijand aan te gaan. De compagnies- en pelotonscommandan-

ten controleerden of de linies op de juiste afstand van elkaar stonden. De bataljonscommandant bevond zich aan de linkerkant van de linie in zijn eigen commandotank. De S-3 officier Operaties dekte de rechterkant af. Zoals gebruikelijk bevonden de Bradleys zich iets achter de vierenvijftig Abrams-tanks. Zij hadden tot taak het terrein af te zoeken op infanterie- en ondersteuningsvoertuigen.

Als artilleriemunitie werden gewone granaten voor de korte afstand gebruikt, die een funeste uitwerking hadden op tanks met open luiken en mensen die zo dom waren in de openlucht te verkeren. Dit had niets te maken met een veldslag van geharnaste ridders. Daar was het strijdperk veel te uitgestrekt voor. Het leek meer op een zeeslag die werd uitgevochten op een zandzee vol rotsen die voor de mens even vijandig was als de gewone zee, en nog vijandiger zou worden. Eddington bleef bij WHITEFANG, die hoofdzakelijk een oprukkende reservemacht was, toen duidelijk werd dat de vijand op beide flanken oprukte en in het midden hoogstens over een verkenningsmacht beschikte.

'Contact,' meldde een pelotonscommandant op zijn compagniesnet. 'Ik heb vijandelijke pantservoertuigen op vijfduizend meter.' Hij keek op zijn IVIS-scherm om zich er nogmaals van te overtuigen dat daar geen bevriende troepen waren. Goed. HOOTOWL was duidelijk. Er waren alleen Rode Troepen voor hem.

De maan was inmiddels opgekomen. Het was slechts een smalle sikkel, maar het terrein werd er toch zo door verlicht dat de vooropgaande Onsterfelijken aan de horizon beweging zagen. De mannen van de 2de brigade, die woest waren over het spervuur dat ze te verwerken hadden gekregen toen ze hadden moeten wachten met de opmars, waren uiterst gemotiveerd. Sommigen van hen hadden laser-afstandsbepalers, die doelen lieten zien op bijna het dubbele van hun bereik. Ook dat werd doorgegeven aan de staf, waarna er orders volgden om de snelheid te verhogen teneinde de afstand sneller te verkleinen en aan het indirecte vuur te ontsnappen, dat nu snel moest stoppen. De schutters stelden in op doelen die nog altijd te ver weg waren, maar dat kon in twee minuten of minder veranderen. Ze merkten hoe de voertuigen vaart meerderden, hoorden de woorden van hun tankcommandanten om zich gereed te houden. Er waren nu genoeg doelen te zien en de tegenstand zag er niet indrukwekkend uit. Zij hadden het voordeel. Zij moesten het voordeel hebben, dachten de Onsterfelijken allemaal.

Maar waarom rukten de Amerikanen naar hen op?

'Begin te vuren op vierduizend meter,' beval de compagniescommandant zijn bemanningen. De Abrams-tanks stonden bijna vijfhonderd meter van elkaar in twee zigzaglinies opgesteld. Ze bestreken een groot gebied voor een cavaleriebataljon. De meeste tankcommandanten hadden hun hoofd uit de tanks gestoken voor de naderingsfase en bukten zich nu om hun eigen vuurleidingssystemen in werking te stellen.

'Ik heb er een,' vertelde een schutter zijn commandant. 'T-80, gevonden, afstand veertig-twee-vijftig.'
'Stand?' vroeg de tankcommandant voor de zekerheid.
'Stand Sabot. Lader, gebruik zilveren kogels tot ik wat anders zeg.'
'Begrepen, schutter, maar mis niet.'
'Eenenveertig,' zei de schutter. Hij wachtte nog vijftien seconden, en schoot als eerste in zijn compagnie. Het was een treffer. De tweeënzestig ton zware tank steigerde door het schot, maar bleef voortrijden.
'Doel, staak vuren, doel tank op elf,' zei de commandant over de intercom.
De lader drukte het voetpedaal in, opende de munitiedeuren en haalde er een nieuwe 'zilveren kogel'-patroon uit, draaide zich met een gracieuze beweging om en schoof de grotendeels plastic patroon razendsnel in het kanon.
'Geladen!' riep hij.
'Gevonden!' zei de schutter tegen de tankcommandant.
'Vuur!'
'Onderweg!' Het was even stil. De lichtspoormunitie vloog op het doel af.
'Precies in de roos!'
Lader: 'Geladen!'
Schutter: 'Gevonden!'
Commandant: 'Vuur!'
'Onderwég!' riep de schutter, die zijn derde schot in elf seconden loste.
Dit was heel onwerkelijk, constateerde de bataljonscommandant, die het te druk had met kijken om zelf te schieten. Het leek wel een vloedgolf. Eerst werd de eerste rij T-80's opgeblazen. Er waren slechts enkele missers, die vijf seconden later gecorrigeerd werden. Ondertussen begon de tweede rij vijandelijke voertuigen op te rukken. Ze beantwoordden nu het vuur. De flitsen leken op de Hoffman-simulatieaanvallen die hij nog maar zo kort geleden op het NTC gezien had, en ze bleken even ongevaarlijk te zijn. De vijandelijke schoten werden eveneens door lichtsporen zichtbaar. Het gehele eerste salvo miste. Sommige van de T-80's vuurden een tweede keer, maar geen ervan een derde maal.
'Jezus, geef me dan een doel!' riep zijn schutter.
'Kies er maar een.'
'*Bimp*,' zei de schutter, vooral tegen zichzelf. Hij vuurde een hoog-explosieve granaat af, en trof een doel op iets meer dan vierduizend meter, maar net als eerst was het gevecht in minder dan een minuut voorbij. De Amerikaanse linie rukte op. Sommige BMP's vuurden raketten af, maar nu werden ze door tanks en Bradleys aangepakt. Er ontploften voertuigen, waardoor de hemel zich met rook en vlammen vulde. Nu verschenen er soldaten. De meesten renden, sommigen begonnen te schieten of probeerden in dekking te gaan. De tankschutters die niet meer over grootkalibermunitie beschikten, schakelden over op de machinegeweren. De Bradleys kwamen nu op linie met de tanks en namen de grote jacht voor hun rekening.
De eerste linie tanks passeerde de rokende restanten van de Onsterfelijken-

divisie minder dan vier minuten na het eerste salvo. De geschutskoepels draaiden naar links en naar rechts, op zoek naar doelen. De tankcommandanten staken hun hoofden weer uit hun tanks, met hun handen op de zware machinegeweren op de tanks. Op elke beschieting reageerden ze. Eerst was er een race om te zien wie de meeste treffers haalde, omdat een gevecht voor een gevoel van opwinding zorgt dat degenen die het nooit meegemaakt hebben, onbekend is. Het is een gevoel van goddelijke macht, het vermogen om met een vingerbeweging over leven en dood te kunnen beschikken. Bovendien wisten de Gardisten waarom ze daar waren, ze wisten wat ze moesten wreken. Bij sommigen duurde die razernij enkele minuten, terwijl de voertuigen met een vaartje van hoogstens vijftien kilometer per uur oprukten, als tractoren of oogstmachines die levens verzamelden en die in de dood veranderden. Het leek een tafereel uit het begin der tijden, volstrekt onmenselijk, volstrekt barbaars.

Opeens kwam er een einde aan. Het was geen opdracht meer. Het was geen wraak meer. Het was niet langer het genoegen dat ze verwacht hadden. Het werd moord, en een voor een realiseerden de mannen die de wapens bedienden zich wat ze zelf geacht werden te zijn en wat ze zouden worden als ze hier niet mee ophielden. Het was anders dan bij boordschutters in een vliegtuig, die op een afstand van honderden meters op gedaanten schoten die op vreemde wijze in hun richtsystemen bewogen en nooit echte mensen werden. Deze mannen waren dichterbij. Ze konden de gezichten en verwondingen nu zien en de weerloze mensen die wegrenden. Zelfs die dwazen die nog altijd terugschoten, wekten het medelijden op van de schutters die hen het genadeschot gaven, maar al snel was voor iedereen duidelijk hoe weinig dit nog betekende. Soldaten die vol woede in de woestijn waren aangekomen, werden nu doodziek van de gevolgen van die woede. Er werd steeds minder geschoten, eerder bij stilzwijgende afspraak dan op grond van een bevel, naarmate de tegenstand verminderde, en daarmee de noodzaak om te doden. Bataljonstaakgroep LOBO rolde compleet door de rokende puinhoop van twee zware brigades, op zoek naar doelen die de professionele aandacht waard waren, en niet zozeer de persoonlijke. Daar, waar ze zich van af moesten wenden.

Er was niets meer te doen. De generaal stond op en liep van zijn voertuig weg. Hij keek of de bemanning hetzelfde deed. Op zijn bevel legden ze de wapens neer en bleven ze op een heuveltje staan wachten. Ze hoefden niet lang te wachten. De zon kwam op. In het oosten was de eerste oranje gloed te zien, die een dag aankondigde die heel anders zou zijn dan de vorige.

Het eerste konvooi reed met een flink vaartje vlak voor de dertig tankwagens uit. De chauffeurs moesten de zuidwaarts rijdende voertuigen voor die van hun eigen leger hebben aangezien. De Bradley-schutters van I-Troop, eerste van het 10de, namen deze klus voor hun rekening met een serie schoten die de eerste vijf tankwagens in vuur en vlam zette. De rest stopte. Twee ervan sloegen over de kop en ontploften toen de chauffeurs greppels in reden toen ze overhaast wilden ontkomen. De Bradley-bemanningen lieten de mensen ontsnappen, bestookten de tankwagens met hoog-explosieve munitie en bleven zuidwaarts doorrijden langs de chauffeurs, die verbijsterd toekeken.

Hij werd door een Bradley gevonden. Het voertuig naderde tot op vijftig meter voordat het stopte. De generaal die twaalf uur geleden nog het bevel had gevoerd over een vrijwel intacte pantserdivisie, bood geen weerstand, maar bleef doodstil staan, toen vier infanteristen vanuit de achterkant van de M2A4 op hem af kwamen. Ze hielden hun geweren op hem gericht, terwijl het pantservoertuig zijn escorte met nog dreigender wapens in bedwang hield.
'Op de grond!' riep de korporaal.
'Ik zal mijn mannen vertellen. Ik spreek Engels. Zij niet,' zei de generaal. Hij hield zijn woord. Zijn soldaten gingen met hun gezicht op de grond liggen. Hij bleef staan, misschien in de hoop dat hij kon sterven.
'Handen omhoog, maat.' Deze korporaal was politieman in het dagelijks leven. De officier – hij wist nog niet wat voor rang hij had, maar het uniform was te sjiek voor een zandhaas – gehoorzaamde. De korporaal gaf zijn geweer aan een collega en trok een pistool. Hij liep op hem af en fouilleerde hem vakkundig, het pistool tegen zijn hoofd houdend. 'Oké, nu kunnen we gaan liggen. Als je verstandig bent, dan overkomt niemand wat. Zeg dat alsjeblieft tegen je mannen. We zullen hen doden als dat nodig is, maar we gaan niemand zomaar vermoorden, begrepen?'
'Ik zal het zeggen.'

Toen het licht werd, stapte Eddington weer in de helikopter die hij geleend had en maakte hij een verkenningsvlucht over het slagveld. Het werd al snel duidelijk dat zijn brigade twee complete brigades vermorzeld had. Hij gaf zijn verkenners opdracht om voorwaarts te trekken, als voorbereiding op de achtervolgingsfase die nu aanbrak en riep Diggs op om instructies te krijgen over wat hij met de gevangenen moest doen. Voordat iemand dat had uitgezocht, arriveerde er een heli uit Riad met een televisieploeg.

Nog voordat de beelden werden uitgezonden, hadden de geruchten zich al verspreid, zoals altijd in landen zonder vrije pers. In het huis van een Russische ambassadefunctionaris ging even voor zeven uur de telefoon over. Hij werd erdoor uit zijn slaap gehaald, maar hij was binnen enkele minuten onderweg met zijn auto. Hij reed door de stille straten naar de plek waar hij een man zou ontmoeten die volgens hem eindelijk besloten had over te lopen en agent van de RVS te worden.
De Rus reed nog tien minuten extra rond om te controleren of hij gevolgd werd, maar als dat het geval was geweest, dan zou het onzichtbaar zijn gebeurd. Hij ging ervan uit dat een groot deel van de veiligheidstroepen van de ayatollah opgeroepen was.

'Ja?' zei hij, toen hij de man ontmoette. Er was niet veel tijd voor formaliteiten.
'U hebt gelijk. Onze leger is vannacht... verslagen. Ze hebben me om drie uur opgeroepen voor een inschatting van de Amerikaanse bedoelingen. Ik heb alles gehoord. We kunnen niet eens met onze eenheden communiceren. De landmachtcommandant is gewoon verdwenen. Het ministerie van Buitenlandse Zaken is in paniek.'
'Dat lijkt me logisch,' meende de *rezident*. 'Ik moet u vertellen dat de leider van Turkmenistan...'
'Dat weten we. Hij heeft Daryaei gisteravond gebeld om te vragen of de berichten over de epidemie juist waren?'
'En wat heeft uw leider gezegd?'
'Hij zei dat het een heidense leugen was. Wat had u anders verwacht?' De functionaris zweeg even. 'Hij klonk niet erg overtuigend. Wat u ook tegen die man gezegd heeft, hij is onschadelijk gemaakt. India heeft ons verraden; dat ben ik ook te weten gekomen. China weet het nog niet.'
'Verwacht u nog dat zij u wél blijven steunen? U hebt de regels van uw religie over alcoholgebruik overtreden. Mijn regering blijft uiteraard ook Amerika steunen. U staat geheel alleen,' zei de Rus tegen hem. 'Ik heb informatie nodig.'
'Wat voor informatie?'
'De plek waar de ziektekiemen geproduceerd worden. Ik moet het vandaag weten.'
'De experimentele boerderij ten noorden van de luchthaven.'
Zo gemakkelijk? dacht de Rus. 'Hoe weet u dat zo zeker?'
'De apparatuur is van de Duitsers en de Fransen gekocht. Ik zat toen bij de handelsafdeling. Het is niet moeilijk zekerheid te krijgen. Bij hoeveel boerderijen staan geüniformeerde bewakers?' vroeg de man hulpeloos.
De Rus knikte. 'Ik zal kijken. Er zijn nog meer problemen. Uw land zal binnenkort volledig, en dan bedoel ik als geheel, in oorlog zijn met Amerika. Mijn land is wellicht in staat haar diensten aan te bieden om tot een regeling te komen. Als u het juiste woord aan de juiste persoon overbrengt, dan staat onze ambassadeur tot uw beschikking, en dan zult u de wereld een dienst bewezen hebben.'
'Dat is eenvoudig. Tegen het middaguur zullen we op zoek gaan naar een uitweg.'
'Er is geen uitweg voor uw regering. Geen enkele,' benadrukte de RVS-functionaris.

63

De Ryan-doctrine

Oorlogen beginnen meestal op een exact moment in de tijd, maar eindigen meestal niet duidelijk of precies. Toen het eenmaal licht was, was duidelijk dat het 11de gepantserde cavaleriereginent weer een slag gewonnen had. Daarmee was de vernietiging van een van de divisies van het tweede legerkorps van de VIR compleet. De andere divisie stond nu tegenover de Saoedische 2de brigade, die in westelijke richting aanviel, terwijl de Amerikaanse eenheid weer halt hield om te tanken en zich opnieuw te bewapenen, ter voorbereiding op het vervolg van de aanval op het 3de korps, waarmee nog altijd geen beslissend gevecht gevoerd was.

Maar dat was aan het veranderen. Die twee divisies hadden nu de volledige aandacht van alle tactische vliegtuigen in het strijdperk. Eerst werd de luchtafweer onder vuur genomen. Elke radar die ingeschakeld werd, trok de aandacht van de met HARM – High-speed Anti-Radiation Missile ofwel snelle anti-stralingsraketten – uitgeruste F-16's en na twee uur was het luchtruim veilig voor de Amerikaanse en Saoedische piloten. VIR-jagers deden een poging om vanuit hun thuisbases acties uit te voeren om hun belegerde grondstrijdkrachten te verdedigen, maar geen enkele slaagde erin achter de met radar uitgeruste verkenningsjagers te komen, die op grote afstand opereerden van de troepen die ze moesten ondersteunen. Ze verloren zestig vliegtuigen bij deze halfhartige poging. Het was voor hen gemakkelijker om de Koeweitse brigades af te straffen die zo brutaal waren geweest hun zoveel grotere en machtige buurland binnen te vallen. De kleine luchtmacht van dat land was het grootste deel van de dag op zichzelf aangewezen, en de strijd was strategisch gezien van weinig belang. De routes door de delta waren afgesneden en het zou dagen duren voordat die hersteld waren. Het luchtgevecht dat volgde, was hoofdzakelijk een vertoon van wederzijdse woede, en ook hier wisten de Koeweitse strijdkrachten de overhand te houden. Dat gebeurde weliswaar niet op spectaculaire wijze, maar ze wisten toch drie treffers te plaatsen tegen elke treffer die ze moesten incasseren. Voor een klein land dat zich aan het bekwamen was in de krijgskunst, was dit een gevecht waarover de manschappen nog jaren zouden praten. Daarbij zou de grootsheid van hun daden bij elk nieuw relaas toenemen. Toch zouden alle doden op deze dag zinloos zijn, verspilde levens die de reeds voltrokken beslissing slechts benadrukten.

Boven het derde korps, dat over SAM's beschikte, kwam het erop aan de vijand op gestructureerde wijze te vernietigen. Er waren meer dan zeshonderd tanks, verder nog eens achthonderd infanterievoertuigen, meer dan tweehonderd stuks gesleepte en gemotoriseerde artillerie, enkele duizenden trucks en dertigduizend soldaten, die zich allemaal een eind binnen een vreemde mogendheid bevonden en probeerden te ontkomen. De F-15E Strike Eagles cirkelden op een hoogte van circa 4500 meter bijna traag rond met een laag vermogen, terwijl de boordschutters een voor een de doelen voor de lasergeleide bommen selecteerden. Het was helder, de zon scheen en het strijdperk was vlak. Het was veel gemakkelijker dan een oefening in de Nellis-bombardementsbaan. Hierbij voegden zich lager vliegende F-16's met Maverick- en conventionele bommen. Voor het middaguur gaf de driesterrencommandant van het derde korps, die terecht meende dat hij de hoogste officier op de grond was, opdracht tot een algehele terugtocht. Hij verzamelde de ondersteuningsvoertuigen die in KKMC stonden en probeerde zijn eenheden op enigszins ordelijke wijze de stad uit te leiden. Terwijl hij vanuit de lucht met bommen bestookt werd, de Saoedische 5de brigade uit het oosten naderde en een Amerikaanse troepenmacht van achteren op hem af kwam, verplaatste hij zich in noordwestelijke richting, in de hoop op hetzelfde punt waar hij was binnengekomen weer bevriend terrein te betreden. Zijn voertuigen maakten gebruik van rook om zichzelf zo goed mogelijk te camoufleren, wat de geallieerde jagers enigszins hinderde. Ze zetten hun aanval echter niet op lagere hoogte voort, omdat de VIR-strijdmacht dan met enig succes had kunnen terugschieten. Dat gaf de commandant hoop dat hij met ongeveer twee derde van zijn troepenmacht op eigen terrein zou kunnen terugkeren. Brandstof was geen probleem. Alle tankwagens voor het hele Leger van God bevonden zich nu bij zijn korps.

Diggs zette zijn heli eerst aan de grond voor een bezoekje aan Eddingtons brigade. Hij had dit allemaal eerder gezien en de stank eerder geroken. Tanks konden verrassend lang branden, wel twee dagen, vanwege alle brandstof en munitie die erin zat, en de stank van de diesel en de chemische voortstuwingscomponenten maskeerden de weerzinwekkende lucht van brandend mensenvlees. Gewapende vijanden moesten altijd gedood worden, maar dode vijanden werden al snel het voorwerp van medelijden, vooral als ze zo afgeslacht waren. Maar slechts relatief weinigen waren door het geweervuur van de mannen uit Carolina gestorven. Veel meer manschappen hadden zich overgegeven. Zij moesten worden bijeengebracht, ontwapend, geteld en aan het werk gezet, hoofdzakelijk het opruimen van de lijken van hun gevallen kameraden. Deze les voor de verslagen troepen was al zo oud als de oorlog: dit is de reden dat jullie ons niet meer zullen lastigvallen.

'En nu?' vroeg Eddington, die een sigaar tussen zijn tanden geklemd hield. De overwinnaars waren op het slagveld aan veel verschillende stemmingen ten prooi geweest. Ze waren overhaast en in verwarring aangekomen en waren heimelijk bang geweest voor het onbekende, maar ze waren vastbesloten de strijd ingegaan, en in hun geval ook met een ongekende furie. Ze waren uitgelaten geweest bij de overwinning en hadden toen afschuw gevoeld toen ze de slachting aanschouwden. Ook voelden ze medelijden voor de overwonnenen. De cyclus wijzigde zich opnieuw. De meeste gemotoriseerde eenheden hadden zich de afgelopen uren weer georganiseerd en waren gereed om verder te

trekken, terwijl hun eigen MP's en arriverende Saoedische eenheden de gevangenen voor hun rekening namen die door de eenheden te velde bijeengebracht waren.
'Gewoon hier blijven,' antwoordde Diggs tot opluchting en teleurstelling van Eddington. 'De resterende eenheden zijn op de vlucht geslagen. Je krijgt die nooit te pakken en we hebben geen opdracht tot een invasie.'
'Ze zijn gewoon op de ouderwetse manier op ons af gekomen,' zei de Gardekolonel, aan Wellington denkend. 'En we hebben ze op dezelfde ouderwetse manier gepakt. Wat een verschrikkelijk vak.'
'Bobby Lee, weet je nog, Chancellorsville?'
'O ja. Hij had ook gelijk. Die paar uur, Diggs, om alles op te zetten, mijn bataljons in de juiste richting te manoeuvreren, de informatie binnen te krijgen en aan de hand daarvan te handelen.' Hij schudde zijn hoofd. 'Ik wist niet dat het gevoel bestond... maar nu...'
'Het is maar goed dat oorlog zo verschrikkelijk is, anders zouden we er te trots op worden. Het vreemde is dat je dat soms vergeet. Die arme klootzakken,' zei de generaal, met een blik op de vijftig mannen die naar vrachtwagens werden gevoerd voor de terugtocht naar de achterhoede. 'Tijd om alles in orde te brengen, kolonel. Breng uw eenheden weer bij elkaar. Er kunnen verplaatsingsorders komen, maar ik denk het niet.'
'Het derde korps?'
'Die komen niet ver, Nick. We houden de vaart erin en we voeren ze recht in de armen van het 10de.'
'Dus je bent toch op de hoogte van Bedford Forrest.' Het was een van de belangrijkste aforismen van de officier van de geconfedereerden: *houd de vaart erin.* Geef een vluchtende tegenstander nooit de kans om te rusten. Achtervolg hem, straf hem af, dwing hem tot nog meer fouten, loop over hem heen. Zelfs als het er niet meer echt toe doet.
'Mijn dissertatie ging over Hitler als politiek manipulator. Ik mocht hem niet erg.' Diggs salueerde glimlachend. 'Jij en je mensen hebben het goed gedaan, Nick. Ik ben blij dat je erbij was.'
'Ik zou het niet graag gemist hebben, generaal.'

De auto had diplomatieke nummerborden, maar de chauffeur en de passagier wisten dat zulke kenmerken in Teheran niet altijd gerespecteerd werden. In een land dat in oorlog was veranderde veel, en je kon geheime installaties dikwijls herkennen aan het feit dat de bewaking verscherpt werd in tijden van problemen. Het zou veel slimmer geweest zijn de bewaking op hetzelfde niveau te houden, maar iedereen deed het. De auto stopte. De chauffeur hield een verrekijker voor zijn ogen. De passagier hield een camera voor zijn oog. Er stonden inderdaad gewapende bewakers om de experimentele boerderij, en dat was niet normaal. Zo makkelijk was het. De auto keerde en reed terug naar de ambassade.

Ze pakten nu alleen rondzwervende troepen. Het Black Horse had de achtervolging nu fanatiek ingezet en deze jacht zou lang blijken te duren. Amerikaanse voertuigen waren beter en meestal sneller dan die waar ze achteraan zaten, maar vluchten was nu eenmaal makkelijker dan jagen. Achtervolgers moesten altijd enigszins voorzichtig zijn vanwege mogelijke hinderlagen. De begeerte om nog meer vijanden te doden, werd overschaduwd door de angst om in een reeds gewonnen oorlog te sterven. Door de chaos bij de vijand had het 11de de formatie weer geheel op orde kunnen brengen. De eenheden aan de rechterflank stonden nu in radiocontact met de oprukkende Saoedi's, die net korte metten aan het maken waren met de laatste paar bataljons van het tweede korps en overwogen met het derde een laatste, beslissende veldslag aan te gaan.
'Doel tank,' zei een tankcommandant. 'Op tien uur, veertig-een-honderd.'
'Gevonden,' zei de schutter, terwijl de Abrams stopte om het schieten te vergemakkelijken.
'Wacht met vuren,' zei de commandant plotseling. 'Ze kappen ermee. Geef hen een paar seconden.'
'Goed.' De schutter zag het ook. De loop van de T-80 was in elk geval een andere kant op gericht. Ze wachtten tot de bemanning een meter of honderd van de tank vandaan was.
'Goed, pak hem.'
'Onderweg.' Het kanon sloeg achteruit, de tank veerde op en de granaat vloog door de lucht. Drie seconden later werd er weer een geschutskoepel opgeblazen. 'Bingo.'
'Doel. Staak het vuren. Chauffeur, doorrijden,' beval de tankcommandant. Dat was de twaalfde treffer voor hun tank. De bemanning vroeg zich af wat het record voor de eenheid zou worden, terwijl de tankcommandant de positie van de vijandelijke bemanning op zijn IVIS-apparatuur aangaf. Zo wist het beveiligingsescorte van het regiment automatisch waar ze de drie mannen moesten oppakken. De oprukkende cavaleristen reden met een wijde boog om hen heen. Hoe onwaarschijnlijk het ook was, een van hen kon schieten of iets stoms doen, en ze hadden geen tijd of zin om munitie te verspillen. Er was nog een veldslag op komst, tenzij de vijand opeens verstandig werd en er de brui aan gaf.

'Opmerkingen?' vroeg Ryan.
'Het is een precedent, meneer,' antwoordde Cliff Rutledge.
'Dat is het idee,' zei Ryan. Ze waren de eerste, ongemonteerde video van het slagveld aan het bekijken.
Hierop waren de gebruikelijke verschrikkingen te zien, zoals lichaamsdelen van degenen die door explosieven in stukken gereten waren, lijken van degenen die op een mysterieuze wijze om het leven gekomen waren, een hand uit een auto waarvan het interieur nog rookte, een arme ziel die net niet uit de auto had kunnen komen. Mensen met een videocamera werden kennelijk naar

dergelijke dingen toe gedreven. De doden waren dood, en de doden waren allemaal op een bepaalde manier slachtoffers, of eigenlijk op meer dan één manier, dacht Ryan. Deze soldaten van twee voorheen afzonderlijke staten en één cultuur waren gestorven door toedoen van gewapende Amerikanen, maar ze waren de dood in gestuurd door een man wiens orders ze moesten volgen. Hij had een ernstige misrekening gemaakt en had hun levens willen gebruiken als fiches in een casino, als kwartjes in een eenarmige bandiet, waarbij hij wel zou zien wat het resultaat was. Dat mocht niet getolereerd worden. Aan macht zat verantwoordelijkheid vast. Jack wist dat hij eigenhandig een brief zou schrijven aan de familie van iedere om het leven gekomen Amerikaan, precies zoals George Bush in 1991 gedaan had. Die brieven zouden een tweeledig doel hebben. Ze zouden misschien de families van de overledenen enige troost bieden. Ze zouden de man die hen naar het slagveld had gestuurd, er zeker aan herinneren dat de doden ooit geleefd hadden. Hij vroeg zich af hoe hun gezichten geweest waren. Waarschijnlijk niet anders dan die van de Gardisten die in Indianapolis de erewacht gevormd hadden, op de dag dat hij voor het eerst in het openbaar verschenen was. Ze keken hetzelfde, maar elk menselijk leven was uniek, het meest waardevolle bezit van de eigenaar ervan. Ryan had een rol gespeeld in het wegnemen ervan en hoewel hij wist dat het noodzakelijk was geweest, was het voor hem ook noodzakelijk om te bedenken dat ze meer waren dan alleen gezichten. Dat gold nu en dat zou blijven gelden, zolang hij in dit gebouw zou zitten. En dat, zei hij tegen zichzelf, is het verschil. Ik ken mijn verantwoordelijkheid. Hij kent de zijne niet. Hij bezat nog altijd de illusie dat mensen verantwoording aan hem verschuldigd waren, en niet andersom.

'Het is politiek gezien dynamiet, meneer de president,' zei Van Damm.

'Nou, en?'

'Er is een juridisch probleem,' zei Pat Martin tegen hem. 'Het is in strijd met het presidentiële besluit van Ford.'

'Dat ken ik,' antwoordde Ryan. 'Maar wie neemt de presidentiële besluiten?'

'De hoogste uitvoerende macht, meneer,' antwoordde Martin.

'Stel een nieuw besluit voor me op.'

'Wat is dat voor lucht?' In het motel in Indiana waren de vrachtwagenchauffeurs bezig met het ochtendritueel: het verplaatsen van de trucks om de banden te beschermen. Ze hadden inmiddels schoon genoeg van deze plek en hoopten vurig dat het reisverbod spoedig opgeheven zou worden. Een van de chauffeurs had net met zijn Mack een rondje gereden en parkeerde die naast de cementwagen. Het begon buiten op te warmen, nu de lente vorderde, en door het metalen chassis van de trucks werd het binnenin bloedheet. Bij de cementtruck had dat een effect waar de eigenaars niet op gerekend hadden.

'Heb je een lekke tank?' vroeg hij aan Holbrook. Hij bukte zich om te kijken.

'Nee, aan je tank mankeert niks.'

'Misschien heeft iemand gemorst bij de pomp,' suggereerde de Mountain Man.

'Dat denk ik niet. Dat is alweer een tijdje geleden. We moeten het lek proberen te vinden. Ik heb eens een auto in de fik zien vliegen omdat een of andere monteur de zaak verknald had. De chauffeur kwam om het leven. Gebeurde op de I-40 in 1985. Een enorme klerezooi.' Hij liep verder rond de auto. 'Je hebt ergens een lek, jongen. Even je brandstofpomp controleren,' zei hij daarop, terwijl hij aanstalten maakte de motorkap te openen.
'Hé, eh, wacht even... Ik bedoel...'
'Maak je niet druk, maat, ik weet hoe ik zulke dingen moet repareren, ik bespaar vijf mille per jaar omdat ik die karweitjes zelf doe.' De motorkap ging omhoog en de chauffeur keek naar binnen, schudde aan een paar slangen en voelde toen aan de aansluitingen van de brandstofpomp. 'Die zijn in orde.' Daarna keek hij naar de slang van de injectie. Er zat een moer een beetje los, maar dat was alleen de afsluiting, die hij weer vastdraaide. Er was niets vreemds te zien. Hij bukte zich weer om onder de auto te kijken. 'Er lekt niks, verdomme,' concludeerde hij. Hij stond weer op en bepaalde de windrichting. Misschien kwam die stank uit de... nee. Hij rook hoe het ontbijt werd klaargemaakt in het restaurant, zijn volgende stop die dag. Die stank kwam daarvandaan... en nog iets anders ook, niet alleen diesel, nu hij erover nadacht.
'Wat is het probleem, Coots?' vroeg een andere chauffeur, die op hen toe kwam lopen.
'Ruik je dat?' Nu stonden beide mannen de lucht op te snuiven als bosmarmotten.
'Heeft iemand een lekke tank?'
'Niet dat ik zie.' De eerste keek Holbrook aan. 'Zeg, ik wil niet onaardig worden, maar ik ben eigen baas en ik maak me zorgen over mijn wagen, begrijp je? Zou je je wagen daar neer willen zetten? En ik zou iemand naar de motor laten kijken.'
'Natuurlijk, geen probleem, best.' Holbrook stapte weer in zijn auto, startte de motor en reed langzaam weg. Hij parkeerde op een tamelijk leeg gedeelte van de parkeerplaats. De andere twee keken toe terwijl hij dat deed.
'Die rotlucht is weg, hè Coots?'
'Die truck is niet in orde.'
'Laat hem barsten. Het is tijd voor het nieuws. Kom.' De andere chauffeur gebaarde.
'Wauw!' hoorden ze toen ze het restaurant binnengingen. De tv stond ingeschakeld op CNN. Het leek wel een scène die door de speciale-effectenstudio van een grote filmstudio in elkaar was gezet. Het kon niet echt zijn, maar toch was het de werkelijkheid.
'Kolonel, wat is er afgelopen nacht gebeurd?'
'Barry, de vijand is tweemaal op ons afgekomen. De eerste maal,' verklaarde Eddington met een sigaar in zijn uitgestoken hand, 'zaten we op die heuvel daarachter. De tweede keer rukten we op, en zij ook, en hebben we elkaar daar ongeveer ontmoet...' De camera draaide rond en liet twee tanks zien die over de weg reden, langs de plek waar de kolonel zijn betoog hield.

'Reken maar dat die dingen lekker rijden,' zei Coots.

'Reken maar dat je daarmee lekker kunt schieten.' Nu kwam de verslaggever in beeld, wiens vertrouwde, knappe gezicht met stof bedekt was. Hij had grote wallen onder zijn ogen.

'Dit is Tom Donner bij de persgroep die aan het 11de gepantserde cavaleriedetachement is toegewezen. Het is moeilijk om de nacht te beschrijven die we beleefd hebben. Ik ben met de mannen van deze Bradley meegereden, en onze wagen en de rest van B-Troop hebben ik weet niet hoeveel vijandelijke eenheden in de afgelopen twaalf uur opgerold. Het was vannacht *War of the Worlds* in Saoedi-Arabië, en wij waren de Martianen.

De VIR-strijdmacht waar wij tegenover stonden, was een mengeling van Irakezen en Iraniërs. Ze hebben teruggevochten, althans hebben dat geprobeerd, maar niets wat ze gedaan hebben...'

'Verdomme, ik wou dat ze mijn eenheid hadden weggestuurd,' zei een agent van de verkeerspolitie, die op zijn gewone plek ging zitten voor een kop koffie aan het begin van de dienst. Hij had enkele chauffeurs inmiddels leren kennen.

'Smoky, heb je die in de Garde van Ohio?' vroeg Coots.

'Zeker, mijn eenheid bestaat uit pantsercavalerie. Die jongens uit Carolina hebben een geweldige nacht gehad. Jezus.'

De agent schudde zijn hoofd. In de spiegel was te zien hoe iemand van de parkeerplaats binnenkwam.

'De vijand is nu op de vlucht geslagen. U hebt net een verslag binnen van de National Guard die twee complete pantserdivisies heeft verslagen...'

'Zoveel! Wauw,' zei de agent, van zijn koffie drinkend.

'Het Black Horse heeft een andere divisie weggevaagd. Het leek wel een football-wedstrijd tussen de NFL en de Pop Warner League.'

'Welkom bij de competitie, hufters,' zei Coots tegen het tv-scherm.

'Hé, is die cementwagen van u?' vroeg de agent, terwijl hij zich omdraaide.

'Zeker, meneer,' antwoordde Holbrook, die bleef staan, op weg naar zijn vriend die al aan het ontbijt zat.

'Zorg maar dat de zaak niet ontploft als jij erin zit,' zei Coots zonder zijn hoofd om te draaien.

'Wat doet een cementwagen uit Montana hier in godsnaam?' vroeg de agent half verbaasd. 'Nou?' zei hij tegen Coots.

'Hij heeft problemen met de diesel. We hebben hem gevraagd een eind verderop te parkeren. Bedankt trouwens,' voegde hij eraan toe. 'Ik wilde niet vervelend zijn, maat.'

'Het geeft niet. Ik zal er zeker naar laten kijken.'

'Waarom helemaal uit Montana?' vroeg de agent weer.

'Nou, eh, we hebben hem daar gekocht, en rijden ermee naar het oosten voor onze zaak, begrijpt u?'

'Hmm.' Iedereen richtte zijn aandacht weer op de tv.

'Ja, ze kwamen naar het zuiden en we zijn recht op ze af gereden!' zei een Koeweits officier nu tegen een andere verslaggever. Hij klopte met evenveel gene-

genheid op de loop van zijn tank als hij bij een geweldige hengst gedaan zou hebben. Deze kleine man was de afgelopen dag een halve meter gegroeid, net als zijn land.
'Is al bekendgemaakt wanneer we weer aan de slag kunnen, Smoky?' vroeg Coots de agent.
De verkeersagent schudde zijn hoofd. 'Jullie weten evenveel als ik. Als ik dadelijk wegga, moet ik weer voor wegversperring spelen.'
'Ja, al die boetes die je misloopt, hè jongen!' merkte een chauffeur grinnikend op.
'Ik heb niet op het nummerbord gelet. Waarom zou je met een cementwagen helemaal uit Montana hierheen komen?' vroeg Coots zich af. Er klopte gewoon iets niet met die gasten.
'Misschien is hij er goedkoop aangekomen,' veronderstelde de agent, terwijl hij zijn kop koffie leegdronk. 'Maar ik heb geen meldingen over zo'n wagen. Zou iemand er ooit wel eens een gestolen hebben?'
'Niet dat ik weet... tjak!' zei Coots. Ze waren nu met smart-bommen aan de gang. 'Dat kan tenminste niet al te veel pijn doen.'
'Tot ziens maar weer,' zei de agent, toen hij naar buiten ging. Hij stapte in zijn Chevrolet patrouillewagen en reed in de richting van de weg, maar besloot nog eens goed naar de cementwagen te kijken. Hij kon het nummerbord wel even natrekken. Misschien was er toch iets mee. Toen rook hij het ook, en voor de agent was het geen diesel... ammonia soms? Het was een lucht die hij altijd met ijsjes in verband bracht; hij had ooit eens een zomer lang in een ijsfabriek gewerkt... en ook met de lucht van voortstuwingsmiddel bij zijn eenheid van de Nationale Garde. Nu was zijn nieuwgierigheid gewekt en hij reed terug naar het café. 'Neem me niet kwalijk, heren, maar is dat uw auto die daar aan de rand geparkeerd staat?'
'Ja, hoezo?' vroeg Brown. 'Doen we iets niet goed?'
Zijn handen verrieden hem. De agent zag ze trillen. Er klopte hier beslist iets niet. 'Willen de heren even met me meekomen?'
'Wacht even, wat is het probleem dan?'
'Er is geen probleem. Ik wil alleen weten wat dat voor een lucht is. Mag toch?'
'We laten er al naar kijken.'
'U laat er nu meteen naar kijken, heren.' Hij gebaarde. 'Komt u even mee?'
De agent volgde hen naar buiten, stapte weer in zijn auto en reed achter hen aan terwijl ze naar de cementwagen liepen. Ze waren met elkaar aan het overleggen. Er klopte echt iets niet. Zijn collega's hadden het momenteel niet druk, en hij kreeg de ingeving om assistentie te vragen. Hij vroeg het hoofdbureau ook om het kenteken te controleren. Daarna stapte hij uit en keek weer naar de cementwagen.
'Wilt u dat we hem starten?'
'Ja, goed.' Brown stapte in en startte de motor, wat een hoop lawaai maakte.
'Wat is dit allemaal?' vroeg de agent aan Holbrook. 'Mag ik uw legitimatie zien?'

'Nou zeg, ik begrijp niet wat het probleem is.'
'Er is geen probleem, meneer, maar ik wil uw legitimatiebewijs even zien.'
Net toen Pete Holbrook zijn portefeuille trok, kwam er een andere politieauto aan rijden. Brown zag het ook, keek omlaag en zag dat Holbrook zijn portefeuille in zijn hand had, terwijl de agent zijn hand op de kolf van zijn pistool had. Zo stonden agenten zo vaak, maar dat kwam niet in Brown op. Geen van beide Mountain Men had een vuurwapen bij de hand. Ze hadden die in hun motelkamer, maar hadden er niet aan gedacht ze mee te brengen bij het ontbijt. De politieman pakte het rijbewijs van Pete, liep terug naar zijn auto, pakte de microfoon...
'Het nummerbord staat niet als verdacht in de computer,' informeerde de vrouw op het bureau hem.
'Bedankt.' Hij gooide de microfoon naar binnen en liep naar Peter Holbrook terug, terwijl hij het rijbewijs in zijn hand omdraaide...
Brown zag een agent bij zijn vriend, een andere agent, ze hadden net over de radio gesproken...
Tot grote verrassing van de verkeersagent schoot de cementwagen plotseling naar voren. Hij schreeuwde en gaf de man een stopgebaar. De tweede auto reed naar voren om de weg te versperren, en toen stopte de cementwagen inderdaad. Nu wist hij het zeker. Hier klopte gewoon iets niet.
'Eruit!' riep hij, nu met het pistool in zijn handen. De tweede agent nam Holbrook voor zijn rekening. Hij had geen idee wat er aan de hand was. Brown kwam uit de cementwagen en voelde hoe hij bij zijn kraag gevat werd en tegen de cementwagen aan werd geduwd. 'Waar zijn jullie mee bezig?' vroeg de agent. Het zou uren duren om het uit te zoeken, en daarna zou in het motel een zeer interessant onderhoud volgen.

Hij kon alleen nog maar schreeuwen, en dat deed hij dan ook, wat helemaal niet bij hem paste. De video loog niet. Wereldwijde tv-stations straalden altijd direct betrouwbaarheid uit. Hij kon de uitzending op geen enkele wijze voorkomen. De welgestelden in zijn land bezaten hun eigen schotelontvangers, evenals vele anderen, zoals kleine groepjes buren. Wat moest hij nu doen? Opdracht geven de schotels weg te halen?
'Waarom vallen ze niet aan?' vroeg Daryaei kwaad.
'De landmachtcommandant en alle korpscommandanten zijn uit de lucht. We hebben alleen af en toe contact met twee van onze divisies. Eén brigade heeft gemeld dat ze noordwaarts trekken, met vijandelijke strijdkrachten achter zich aan.'
'En dus?'
'En dus is ons leger verslagen,' zei de man van Inlichtingen.
'Maar hoe?'
'Doet dat er toe?

Ze rukten naar het noorden op. Buffalo rukte naar het zuiden op. Het derde

VIR-korps wist niet wat er voor hen lag. Dat ontdekten ze halverwege de middag. Het 1ste eskader van Masterman had tot dusverre circa honderd tankwagens en andere voertuigen vernietigd, meer dan de andere twee bataljons. De enige vraag was nu hoeveel tegenstand de vijand zou bieden. Uit meldingen vanuit de lucht wist hij precies waar het oprukkende leger was, hoe groot het was en in welke richting het trok. Het was een stuk gemakkelijker dan de laatste keer dat hij bij acties betrokken was geweest.
A-Troop verkende het terrein, terwijl B en C daar drie kilometer achter zaten. De tankcompagnie werd in reserve gehouden. Hoe verleidelijk het ook was, hij besloot zijn eigen artillerie nog niet te gebruiken. Het was niet verstandig hen te waarschuwen dat er tanks in de buurt zaten. Nu het contact over minder dan tien minuten zou plaatsvinden, liet hij A-troop naar rechts uitwijken. Anders dan bij de vorige, en tot nu toe enige, veldslag in zijn loopbaan zou Duke Masterman deze niet met eigen ogen aanschouwen. In plaats daarvan luisterde hij ernaar over de radio.
A-Troop opende het vuur op de grens van het bereik met artilleriegranaten en TOW-raketten, waardoor de eerste zigzaglinie van tanks werd vernietigd. De groepscommandant schatte dat hij minstens een bataljon tegenover zich had staan, toen hij van de linkervoorzijde op hen af kwam in de geplande openingsmanoeuvre. Deze VIR-divisie was oorspronkelijk Iraaks en trok zich schielijk terug, zonder te beseffen dat ze zo recht in de armen van nog twee cavaleriedetachementen werden gedreven.
'Hier GUIDON-SIX. Tref ze van links, ik herhaal, tref ze van links,' beval Masterman vanuit zijn commandowagen. B en C maakten een bocht naar het oosten, reden ongeveer drie kilometer met hoge snelheid door en keerden toen weer om. Ongeveer tegelijkertijd liet Masterman zijn artillerie in het tweede echelon van de vijand vuren. Het verrassingseffect was nu verdwenen, en daarom moest de vijand op alle mogelijke manieren getroffen worden. Binnen enkele minuten was duidelijk dat hij met het 1ste eskader van het Buffalo minstens tegenover een brigade stond, maar de aantallen waren nu niet van meer belang dan ze 's nachts waren geweest.
Voor de laatste keer was het slagveld het terrein van gemotoriseerde verschrikkingen. De lichtflitsen uit de lopen waren in het daglicht minder fel. Terwijl ze oprukten, trokken de tanks door de rook van hun eigen schoten. Zoals voorzien was, trok de vijand zich weer terug door de verwoestende beschietingen van B- en C-Troop. Ze keerden om, in de hoop een gat tussen de eerste en de tweede aanvalsmacht te vinden. Ze troffen veertien M1A2's van de tankcompagnie van het eskader aan, die op een afstand van tweehonderd meter van elkaar stonden. Ook nu werden eerst de tanks vernietigd, en daarna de gemotoriseerde infanterievoertuigen, terwijl Guidon op de vijandelijke formatie af reed. Opeens hield het op. De nog niet getroffen voertuigen bleven stilstaan. De bemanningen sprongen eruit en renden weg. Masterman hoorde dat het overal in de westelijke linie zo ging. Toen ze op hun vlucht tot hun verrassing zagen dat de uitweg geblokkeerd was, besloten de soldaten die zo gelukkig

waren te zien wat er op hen afkwam, op tijd dat tegenstand absoluut fataal zou zijn. Zo eindigde de derde en laatste slag om KKMC, een half uur nadat die begonnen was.

Wat de binnengedrongen troepen betrof, verliep het niet zo makkelijk. De oprukkende Saoedische strijdkrachten raakten uiteindelijk in een hevige veldslag verwikkeld, maar ze baanden zich vastbesloten een weg door nog een brigade. Deze bestond uit Iraniërs en kreeg daarom iets meer aandacht dan een Arabische zou hebben gekregen, maar tegen zonsondergang waren alle zes VIR-divisies die hun land waren binnengetrokken, vernietigd. Onderafdelingen die nog weerstand boden, kregen van hoge officieren opdracht zich over te geven, voordat vijanden aan drie kanten een nog definitiever einde zouden bewerkstelligen.

De grootste administratieve problemen boden de krijgsgevangenen, evenals de vorige keer. Omdat het nu net donker werd, was de toestand nog verwarrender. Dat probleem zou nog minstens een dag duren, meldden commandanten. Gelukkig beschikten de VIR-soldaten meestal zelf over water en rantsoenen. Ze werden van hun materieel weggehaald en onder bewaking geplaatst, maar zo ver van huis was er weinig gevaar dat ze te voet door de woestijn zouden willen trekken.

Clark en Chavez verlieten de Russische ambassade een uur na zonsondergang. Achter in hun auto lag een grote koffer met een ogenschijnlijk onschuldige inhoud. De inhoud paste welbeschouwd goed bij hun journalistieke dekmantel. Ze waren van mening dat dit een nogal krankzinnige missie was, maar terwijl de oudste van het duo zich daar enige zorgen over maakte, vond Chavez het juist erg opwindend. De hypothese die eraan ten grondslag lag, leek ongelooflijk en moest nog geverifieerd worden. Tijdens de rit naar de steeg achter het koffiehuis gebeurde niets bijzonders. De beveiliging van Daryaei's huis reikte tot vlak bij hun bestemming. Het koffiehuis was gesloten, wat niet zo vreemd was, vanwege de verduistering die van kracht was in een stad die half in oorlog was; de straatverlichting was uit en er hingen gordijnen voor de ramen, maar auto's mochten met licht op rondrijden en in de huizen brandde het licht. Dat was een voordeel voor hen. In de onverlichte steeg konden ze het slot op de deur gemakkelijk forceren. Chavez opende de deur een stukje en keek naar binnen. Clark volgde, sjouwend met de koffer. Beiden gingen naar binnen en sloten de deur. Ze waren al op de eerste verdieping toen ze opeens geluid hoorden. Er woonde hier een gezin. Het bleken een man en vrouw van in de vijftig te zijn, die de eigenaars van het eethuis waren en tv zaten te kijken. Als ze de missie goed hadden voorbereid, dan waren ze daar eerder achter gekomen, wist hij. Nu ja.

'Hallo,' zei Clark zacht. 'Maak alstublieft geen geluid meer.'

'Wat...'

'We zullen u niets aandoen,' zei John, terwijl Ding rondkeek op zoek naar... ja, elektriciteitsdraad was prima. 'Ga alstublieft op de grond liggen.'

'Wie...'
'We zullen u vrijlaten als we vertrekken,' zei Clark in keurig Farsi. 'Maar als u zich verzet, moeten we u pijn doen.'
Ze waren veel te bang om weerstand te bieden aan de twee mannen die als dieven in hun huis hadden ingebroken. Clark bond hun armen en daarna hun enkels vast met de snoeren. Chavez legde hen op hun zijde en gaf de vrouw eerst wat water voordat hij haar knevelde.
'Zorg dat ze goed kunnen ademen,' zei Clark, ditmaal in het Engels. Hij controleerde alle knopen en was blij dat hij nog wist wat hij dertig jaar geleden aan elementaire vaardigheden voor de scheepvaart geleerd had. Na alles gecontroleerd te hebben, gingen ze naar boven.
Het werkelijk krankzinnige element aan het plan was de communicatie. Chavez opende de koffer en begon er dingen uit te halen. Het gebouw had een plat dak en bood vrij uitzicht op een soortgelijk gebouw drie straten verderop. Om die reden moesten ze ineengedoken blijven. Eerst stelde Ding de mini-schotel op. Het statief ervoor was zwaar en had puntige poten waarmee ze het stevig op het dak konden zetten. Daarna moest hij de installatie draaien tot hij het signaal van de satelliet ontving. Toen hij dat gedaan had, draaide hij de klem vast om de schotel vast te zetten. Daarna volgde de videocamera. Ook deze had een statief. Chavez stelde dat op, schroefde de camera erop en richtte die op het midden van de drie gebouwen waar ze belangstelling voor hadden. De kabel van de camera liep naar de zender-accu, die ze in de open koffer lieten staan.
'Hij doet het, John.'
Het merkwaardige was dat ze wel gegevens konden opstralen, maar niet konden ontvangen. Ze konden weliswaar de signalen van de satelliet binnenhalen, maar ze beschikten niet over een afzonderlijk geluidskanaal. Daar was aparte apparatuur voor nodig, en die hadden ze niet.

'Daar heb je het,' meldde Robby Jackson vanuit het National Military Command Center.
'Dat is hem,' bevestigde Mary Pat Foley, die naar hetzelfde beeld keek. Ze draaide een nummer op de Amerikaanse ambassade in Moskou, vandaar naar het Russische ministerie van Buitenlandse Zaken, vandaar naar de Russische ambassade in Teheran en vandaar naar de digitale telefoon in Johns hand. 'Hoor je me, Ivan,' vroeg ze in het Russisch. 'Met Folejeva.' Het leek erg lang te duren voordat het antwoord doorkwam.

'Ah, Maria, goed je stem te horen.' De telefoonmaatschappij zij geprezen, dacht John bij zichzelf, een zucht van verlichting slakend. Zelfs die hier.
'Ik zie je hier op mijn bureau,' zei ze.
'Ik was toen een stuk jonger.'

'Hij is ter plaatse en alles is in orde,' zei het hoofd Operaties van de CIA.

'Goed.' Jackson pakte een andere telefoon op. 'Ga van start. Ik herhaal, ga van start. Toegestaan.'
'Operatie BOOTH van start,' bevestigde Diggs uit Riad.

Het Iraanse luchtafweersysteem was in hoogste staat van paraatheid. Hoewel er geen enkele aanval op het grondgebied was gedaan, hielden de radartechnici alles scherp in de gaten. Ze zagen diverse vliegtuigen langs de kust van Saoedi-Arabië en Qatar patrouilleren, maar die bleven parallel aan de kust en kwamen niet in de buurt van het midden van de zeestraat.

BANDIT-TWO-FIVE-ONE en BANDIT-TWO-FIVE-TWO waren enkele seconden na elkaar gereed met bijtanken vanuit de tankvliegtuigen. Stealth-jagers vlogen niet vaak samen. Ze waren eigenlijk ontworpen om geheel alleen te opereren, maar ditmaal zou het anders zijn. Ze vlogen beide van de KC-10's weg en maakten een bocht naar het noorden voor een vlucht van circa een uur. Ze bleven verticaal gezien op een afstand van driehonderd meter van elkaar. De bemanningen van de tankvliegtuigen bleven op hun post en gebruikten de tijd om de jagers die langs de Saoedische kust patrouilleerden bij te tanken. Tachtig kilometer verderop werd alles gevolgd in een AWACS, althans bijna alles. Ook de E-3B kon een F-117 niet opmerken.

'We blijven elkaar maar tegenkomen,' zei de president tegen de grimeuse met geforceerde opgewektheid.
'U ziet er erg moe uit,' zei Mary Bishop tegen hem.
'Ik ben behoorlijk moe,' gaf Ryan toe.
'Uw handen trillen.'
'Slaapgebrek.' Dat was een leugen.

Cally Weston typte de wijzigingen in de toespraak direct in het elektronisch geheugen van de autocue. Zelfs de tv-technici mochten de inhoud ervan niet lezen, en ze was een beetje verbaasd dat zij het zelf mocht. Ze keek de tekst nog eens na op typefouten, die voor presidenten die rechtstreeks op tv waren erg verwarrend konden zijn, zo had ze in de loop der jaren geleerd.

Sommigen van de bewakers buiten rookten, zag Clark. Slechte discipline, maar misschien bleven ze er wakker door.
'John, denk je nooit dat deze baan iets te opwindend is?'
'Moet je pissen?'
'Ja.'
'Ik ook.' Zoiets was nooit in James Bond-films te zien. 'Hmm. Dat wist ik niet.' Clark deed het oortelefoontje in en hoorde een normale stem, en geen bekende omroeper, zeggen dat de president over twee minuten op tv zou komen. Misschien was het een omroepdirecteur, dacht hij. Nu kwamen de laatste twee voorwerpen uit de koffer te voorschijn.

'Landgenoten, ik zit hier om u van de laatste stand van zaken in het Midden-Oosten op de hoogte te brengen,' zei de president zonder verdere inleiding. 'Ongeveer vier uur geleden is de georganiseerde tegenstand van de strijdkrachten van de Verenigde Islamitische Republiek, die het koninkrijk Saoedi-Arabië was binnengevallen, tot een eind gekomen. Saoedische, Koeweitse en Amerikaanse strijdkrachten hebben in samenwerking met elkaar zes divisies vernietigd in een veldslag die een nacht en een dag gewoed heeft.
Ik kan u nu vertellen dat ons land de 10de en de 11de cavalerieregimenten plus de eerste brigade van de National Guard van Noord-Carolina en de 366ste luchtgevechtseenheid van de luchtmachtbasis Mountain Home in Idaho heeft uitgezonden. Ten zuiden van King Khalid Military City heeft een enorme veldslag plaatsgevonden. U hebt daar al iets van op tv gezien. De laatste VIR-eenheden hebben geprobeerd het slagveld noordwaarts te ontvluchten, maar hen is de pas afgesneden en na een kort treffen hebben ze zich overgegeven. De gevechten op de grond zijn voorlopig beëindigd.
Ik zeg "voorlopig", omdat deze oorlog niet zo verloopt als de oorlogen die de meesten van ons de afgelopen vijftig jaar hebben gekend. Er werd een directe aanval op onze burgers en op ons grondgebied gepleegd. Het was een weloverwogen aanval op de burgerij. Het was een aanval waarbij gebruik werd gemaakt van massale vernietigingswapens. De schendingen van het internationale recht zijn te talrijk om op te sommen,' ging de president verder, 'maar het zou onjuist zijn te zeggen dat deze aanval op Amerika gedaan werd door het volk van de Verenigde Islamitische Republiek.
Mensen beginnen geen oorlog. Het besluit om een oorlog te beginnen wordt meestal genomen door één man. Dat zijn meestal koningen, prinsen of barbaarse dictators, maar in de hele geschiedenis is het meestal het besluit van één man. Nooit is het besluit om een aanvalsoorlog te beginnen de uitkomst van een democratische procedure.
Wij Amerikanen hebben geen ruzie met de volkeren van het voormalige Iran en Irak. Ze mogen dan een andere godsdienst hebben, maar Amerika is een land dat de vrijheid van godsdienst beschermt. Ze mogen dan een andere moedertaal hebben, maar Amerika heeft mensen met tal van moedertalen verwelkomd. Als Amerika de wereld iets bewezen heeft, dan is het wel dat alle mensen gelijk zijn, en als ze dezelfde vrijheid en dezelfde kansen krijgen, dan zal hun welzijn alleen door hun eigen beperkingen bepaald worden.
In de afgelopen vierentwintig uur hebben we ten minste tienduizend soldaten van de VIR gedood, en waarschijnlijk veel meer. We kennen het aantal doden van de vijand niet en zullen dat waarschijnlijk ook nooit kennen, en we moeten ons ervan bewust zijn dat ze hun eigen lot niet hebben uitgekozen. Dat lot werd door anderen voor hen bepaald, en uiteindelijk slechts door één man.'
Ryan sloeg theatraal zijn handen in elkaar. Het leek een zeer onhandig gebaar voor alle kijkers.

'Nu begint het,' zei Chavez, die zijn gezicht vlak bij het zoekerschermpje van

de videocamera hield. Daar was nu te zien wat de satelliet naar hen doorstraalde. 'Aan de slag.'
Clark drukte op de laserzender, waarbij hij er goed op lette dat die op de onzichtbare infraroodstand stond. Door de zoeker kijkend, stelde hij het puntje in op de balustrade van het gebouw, daar waar net een bewaker stond.

Diggs in Riad: 'Laatste controle.'
'BANDIT-TWO-FIVE-ONE,' hoorde hij daarop.
'BANDIT-TWO-FIVE-TWO.'

'In de loop der tijden hebben koningen en prinsen naar eigen goeddunken oorlog gevoerd, waarbij ze mensen de dood in stuurden. Voor de koningen waren het slechts boeren. Door oorlogen probeerden ze macht en rijkdom te grijpen; oorlogen waren een vorm van vermaak, en als er mensen stierven, gaf niemand daar veel om. Als alles voorbij was, waren de koningen meestal nog steeds koningen, of ze nu gewonnen of verloren hadden, omdat ze overal boven stonden. Tot in deze eeuw werd aangenomen dat een staatshoofd het recht had om oorlog te voeren. Na de Tweede Wereldoorlog zijn we in Nürnberg van die regel afgeweken door enkele verantwoordelijken voor de rechter te brengen en te executeren. Maar voor het zover was, voordat de misdadigers gearresteerd konden worden, waren twintig miljoen Russen en zes miljoen joden omgekomen, zovelen dat de historici het niet eens weten...' Ryan keek op en zag Andrea Price naar hem gebaren. Ze glimlachte niet. Er viel niets te lachen. Maar toch gaf ze het teken.

De laser op de grond stond er alleen voor de zekerheid. Ze hadden die niet echt nodig, maar het zou moeilijk geweest zijn precies het goede huis in de stad uit te kiezen. Ze wilden dat de omgevingsschade beperkt bleef. Op deze wijze konden de vliegtuigen hun wapens ook van grotere hoogte afvuren. Normaal gesproken zouden de bommen met een nauwkeurigheid van honderd meter gevallen zijn, maar de verbeterde optische geleidingssystemen brachten die marge terug tot één meter. Precies op tijd openden de BANDITS (het semi-officiële codewoord voor de piloten van de Black Jets) de deuren van de bomcompartimenten. Elk vliegtuig vervoerde een bom van vijfhonderd pond, de kleinste die met een PAVEWAY-geleidesysteem kon worden uitgerust. Terwijl ze nog aan het bevestigingsrek hingen, gingen de geleide koppen op zoek naar een gemoduleerd lasersignaal. Toen de laserstip gedetecteerd was, werd dit aan de piloten doorgegeven, die daarop de bommen afwierpen. Daarna deden ze beiden iets wat ze nog nooit op een Stealth-missie gedaan hadden.
'BANDIT-TWO-FIVE-ONE, bom afgeworpen!'
'BANDIT-TWO-FIVE-TWO, bom afgeworpen!'

'Elk idee in de geschiedenis van de mensheid, of dat nu goed of slecht is, is in de geest van één persoon ontkiemd. Oorlogen beginnen omdat één persoon

meent dat hij er voordeel bij heeft om te doden en te stelen. Ditmaal is dit ons overkomen, en wel op een zeer wrede wijze. Ditmaal weten we absoluut zeker wie dit, en meer, ons aangedaan heeft.'
Over de hele wereld, in elk land met satellietschotels en kabel-tv, in meer dan een miljard huizen, schakelde het beeld van het Oval Office in het Witte Huis over op een gebouw van drie verdiepingen in een gewone straat. De meeste kijkers dachten dat het een merkwaardige fout was, iets uit een film, een slechte verbinding...

Een handjevol mensen wist er meer van, nog voordat de president zijn toespraak vervolgde. Ook Daryaei zat naar de toespraak van de president te kijken, zowel uit pure nieuwsgierigheid als om er politieke munt uit te slaan. Wat was die Ryan nu eigenlijk voor een man? vroeg hij zich al zo lang af. Hij kwam er te laat achter.

'Hier woont hij, Mahmoud Haji Daryaei, de man die ons land met een ziekte aangevallen heeft, de man die mijn kind heeft aangevallen, de man die probeerde mij aan te vallen, de man die zijn leger op een veroveringsmissie heeft gestuurd die op een dodelijke missie uitdraaide. Deze man heeft zijn religie en de wetten van land en volk geweld aangedaan, en hier, meneer Daryaei, volgt het antwoord van de Verenigde Staten van Amerika.'

De president zweeg. Er resteerde nu alleen stilte, terwijl iedereen naar een gewoon zwart-witbeeld van een heel gewoon gebouw zat te kijken. Toch wist iedereen dat er iets bijzonders stond te gebeuren. Degenen die heel goed keken, zagen dat er achter een raam een licht aanging en dat de voordeur geopend werd, maar niemand zou ooit de identiteit kennen van degene die getracht had te ontkomen, omdat beide bommen op het dak van het gebouw insloegen en een honderdste seconde later explodeerden.

Er volgde een verschrikkelijke klap. De drukgolf was nog erger. Beide mannen bleven toekijken, het lawaai negerend. De echo's werden nog benadrukt do glasgerinkel in de wijde omgeving.
'Alles goed?' vroeg Ding.
'Ja, wegwezen, maat.'
'Als de wiedeweerga, meneer C.'
Ze liepen zo snel mogelijk omlaag naar de slaapkamer. Chavez sneed de meeste snoeren met een zakmes door. Hij veronderstelde dat het hen ongeveer vijf minuten zou kosten om zich te bevrijden. Ze konden via de stegen uit de buurt komen, ongehinderd door de gealarmeerde hulpdiensten, die met gillende sirenes op weg waren naar de restanten van de drie gebouwen. Een half uur later bevonden ze zich weer in de veilige omgeving van de Russische ambassade. Er werd wodka geschonken. Er werd wodka gedronken. Chavez had nog nooit zo hevig getrild. Clark wel. De wodka hielp.

Tot het volk van de Verenigde Islamitische Republiek zeggen de Verenigde Staten van Amerika het volgende:
Ten eerste kennen we de exacte locatie van de fabriek waar de virussen voor biologische oorlogvoering worden gefabriceerd. We hebben de Russische Federatie om hulp gevraagd, en die ook gekregen. Ze zijn neutraal in ons geschil, maar bezitten de nodige kennis over dit type wapen. Een team van technici is nu op weg naar Teheran. Als ze geland zijn, zult u hen direct naar de fabriek toe brengen, zodat ze kunnen toezien op de vernietiging ervan. Ze zullen vergezeld zijn van journalisten, die de feiten op objectieve wijze zullen kunnen verifiëren. Als dat niet gebeurt, dan zullen we over twaalf uur het terrein met een kernbom met lage stralingswaarde vernietigen. Deze zal worden afgeworpen door een Stealth-bommenwerper. Maakt u niet de fout te veronderstellen dat ik dat bevel niet zou willen geven. De Verenigde Staten van Amerika zullen het bestaan van die fabriek en de onmenselijke wapens eruit niet tolereren. De periode van twaalf uur begint nu.
Ten tweede zullen uw krijgsgevangenen volledig in overeenstemming met de internationale verdragen behandeld worden, en tevens in overeenstemming met de bewonderenswaardige, strenge wetten van de gastvrijheid van uw islamitisch geloof. Uw gevangenen zullen worden vrijgelaten zodra u iedereen die een rol heeft gespeeld bij de aanmaak en het vervoer van die wapens naar ons land, levend aan de Verenigde Staten zult hebben uitgeleverd. En dat geldt ook voor degenen die achter de aanslag op mijn dochter zaten. Hierover zijn geen compromissen mogelijk.
Ten derde zullen we uw land een week de tijd geven om aan deze eis te voldoen. Als u dat niet doet, dan zal Amerika uw land de oorlog verklaren, en dat zal een oorlog zonder beperkingen zijn. U hebt gezien waartoe we in staat zijn, wat we gedaan hebben. Ik verzeker u dat we nog tot meer in staat zijn, als dat nodig is. De keuze is aan u. Kiest u verstandig.
Tenslotte zeg ik tegen alle landen die kwaad tegen ons in de zin hebben, dat de Verenigde Staten aanvallen op ons land, onze eigendommen of onze burgers niet zullen tolereren. Vanaf vandaag geldt: wie een dergelijke aanval ook uitvoert of daartoe opdracht geeft, wie u ook bent, waar u zich ook verbergt en ongeacht hoe lang het gaat duren, we zullen u vinden. Ik heb God een eed gezworen mijn plichten als president te vervullen. Ik zal die eed gestand doen. Degenen die onze vriend willen zijn, zullen geen trouwer vriend dan wij treffen. Degenen die onze vijand willen zijn, zullen ook een trouwe vijand tegenover zich vinden.
Landgenoten, het is een zware tijd geweest voor ons, voor enkele van onze bondgenoten en eveneens voor onze vijanden. We hebben de agressor verslagen. We hebben degene gestraft die de hoogst verantwoordelijke is voor de afschuwelijke sterfgevallen in ons land en we zullen ook afrekenen met degenen die zijn orders opgevolgd hebben, maar laat ons nu de woorden van president Abraham Lincoln gedenken:
“Laat ons zonder boosaardigheid tegenover wie dan ook, met barmhartigheid

tegenover iedereen, met vastberaden gerechtigheid, zoals God ons die laat zien, ernaar streven het werk te voltooien waarmee we bezig zijn, namelijk om de wonden van de natie te verbinden... en laten we alles in het werk stellen om een rechtvaardige, langdurige vrede te bereiken, zowel bij onszelf als met alle buitenlandse naties."
Ik dank u wel, en wens u een prettige dag.'

Epiloog

perszaal

n ten slotte zal ik de senaat voorstellen om doctor Pierre Alexandre te enoemen tot directeur-generaal van de nationale gezondheidsdienst. Doctor lexandre is na een voortreffelijke loopbaan bij de medische dienst van de merikaanse Landmacht in dienst getreden van de Johns Hopkins University chool of Medicine als buitengewoon hoogleraar op het gebied van de infeceziekten. Hij heeft mij tijdens de ebolaepidemie veel steun geboden. Doctor lexandre is een briljant arts en onderzoeker die diverse nieuwe programma's al gaan coördineren, waaronder het elementair onderzoek naar zeldzame nfectieziekten. Hij zal ook een nieuwe federale commissie van toezicht ter oördinatie van het aidsonderzoek opzetten. Dit zal geen bureaucratisch eheel worden,' zei de president. 'Daar hebben we al genoeg voorbeelden van. Iet idee is om een nieuw systeem op te zetten waardoor artsen en andere nderzoekers gemakkelijker onderzoeksgegevens kunnen uitwisselen. Ik hoop lat de senaat hier snel goedkeuring aan zal verlenen.

Tot zover mijn openingsverklaring,' zei Jack. 'Ja, Helen?'

Meneer de president, uw inleidende opmerkingen over China...'

Ik dacht dat ik daar duidelijk over was. We hebben in stilte overleg gevoerd net Taiwan en zijn tot de conclusie gekomen dat het herstel van volledige diplomatieke betrekkingen zowel in ons als in hun belang is. Het is niet het beleid van de Verenigde Staten om landen met democratisch gekozen regeringen dwars te zitten. Taiwan is zo'n land en verdient ons volledig respect en onze erkenning.'

'Maar wat zal het vasteland van China daarvan vinden?'

'Dat is hun zaak. We zijn beide soevereine naties. Dat geldt ook voor Taiwan, en het wordt tijd dat we niet langer doen alsof het anders ligt.'

'Heeft dit iets te maken met het neerschieten van het passagiersvliegtuig?'

'Die zaak is nog steeds in onderzoek. De volgende?' zei Ryan wijzend.

'Meneer de president, de nieuwe Iraanse voorlopige regering zou volledige diplomatieke betrekkingen met ons land willen aangaan. Zullen we dat verzoek honoreren?'

'Zeker,' antwoordde Ryan. 'Volgens mij is er geen betere manier om een vijand tot een vriend te maken dan door open overleg en vrije handel. Ze hebben zeer goed meegewerkt, en wij hebben nog altijd een ambassadegebouw daar, maar ik denk wel dat we het slot op de voordeur moeten vernieuwen.' Iedereen lachte. 'Ja, Tom. Lekker kleurtje trouwens. Welkom terug.'

'Meneer de president, dank u. Wat de vernietiging van het laboratorium voor biologische oorlogvoering buiten Teheran betreft, de enige journalisten die daarbinnen zijn geweest, zijn die twee Russen die hun ambassade voor de

gelegenheid daarheen heeft gestuurd. Hoe kunnen we zeker weten...'
'Tom, de Russische deskundigen die op de vernietiging van de fabriek hebben toegezien, waren beslist deskundig. We beschikken over video's die verslaggevers over hun werkzaamheden hebben gemaakt, en zowel ik als mijn adviseurs zijn volledig tevredengesteld. Ed?'
'Meneer de president, de uitwisseling van krijgsgevangenen is nu voltooid. Hoe zullen we regeren op de Iraanse en Iraakse verzoeken om kredieten?'
'De ministers Adler en Winston zullen volgende week naar Londen vliegen om deze kwestie met vertegenwoordigers van beide regeringen te bespreken.'
'Nog een volgende vraag: zal dit betekenen dat Amerika korting krijgt op olie-importen, en zo ja, voor hoelang?'
'Ed, over die zaken moet onderhandeld worden, maar ik veronderstel dat ze ons iets zullen bieden in ruil voor de kredieten die ze wensen. De precieze details moeten nog worden uitgewerkt. We beschikken daarvoor over twee uitstekende heren.'
'En hoe zit het met uitstekende vrouwen?' vroeg een journaliste.
'Daarvan hebben we er heel wat, Denise, onder wie jij zelf. En als u het nog niet gehoord heeft, geheim agente Andrea Price,' Ryan gebaarde naar de deur rechts van hem, 'heeft een huwelijksaanzoek geaccepteerd. Het zal echter een gemengd huwelijk zijn, want haar verloofde, inspecteur Patrick O'Day, is geheim agent bij de FBI. Ik wens hen het allerbeste, zelfs als dat betekent dat ik een nieuwe lijfwacht moet aanstellen. Ja, Barry,' zei hij, naar de ervaren CNN-verslaggever wijzend.
'De grote vraag die niemand vandaag nog gesteld heeft, meneer de president...'
Ryan stak zijn hand op. 'Er is zoveel dat nog aangepakt moeten worden om de overheid weer volledig te laten functioneren na alles wat we meegemaakt hebben...'
'We laten u niet los, meneer.'
Een lachje, een zucht, een knikje. Overgave.
'Het antwoord op je vraag, Barry, is ja, ik zal het doen.'
'Dank u, meneer de president.'